Biologie moléculaire et médecine

Dans la même collection :

Génétique, par J.-M. Robert
Virologie, par J.-M. Huraux, J.-C. Nicolas et H. Agut
Informatique médicale, par F. Grémy
Bactériologie, par P. Berche, J.-L. Gaillard et M. Simonet
Immunologie, par J.-F. Bach et Ph. Lesavre
Histologie, par J.-P. Dadoune

Chez le même éditeur :

Immunologie, par J.-F. Bach
Gènes, par B. Lewin, traduit de l'américain par A. Kahn
Biologie moléculaire de la cellule, par B. Alberts, D. Bray, J. Lewis, M. Raff, K. Roberts, J.D. Watson, traduit de l'américain par M. Minkowski
La cellule, par D.M. Prescott, traduit de l'américain par D. Louvard
H.L.A. Complexe majeur d'histocompatibilité de l'homme, par J. Dausset et M. Pla.
Les polyamines, par J.-P. Moulinoux et V. Quemener
Biochimie, par Lubert Stryer, traduit de l'américain par S. Weinman et P. Kamoun
Principes de biochimie, par Albert-L. Lehninger (nouvelle édition à paraître).

Collection de la biologie à la clinique

Jean-Claude KAPLAN

Marc DELPECH

Biologie moléculaire et médecine

2e édition

Préface de Jean Dausset

Médecine-Sciences
Flammarion
4, rue Casimir-Delavigne, 75006 PARIS

Nous remercions tous nos collègues qui ont bien voulu relire certains chapitres et nous apporter leurs conseils et leurs critiques : Alain Bernheim, Chérif et Kheira Beldjord, Thierry Bienvenu, Christian Bréchot, Pascale Briand, Jean-Michel Claverie, Patrice Courvalin, Jamel Chelly, Bernard Dastugue, Catherine Dodé, Josué Feingold, Philippe Froguel, Gérard Gacon, Henri-Jean Garchon, Hélène Gilgenkrantz, Gille Grateau, Jean-Louis Guénet, Xavier Jeunemaître, Cécile Julier, Claudine Junien, Axel Kahn, Alain Kitzis, Jacques Kruh, Dominique Labie, Jean-Paul Lévy, Christine Petit, Alain Philippon, Michel Raymondjean, Jacques Rochette, Agnès Rötig, Bob Williamson.

Nous remercions également tous ceux qui nous ont aidés à élaborer certaines illustrations à partir de leurs documents personnels, en particulier Lucien Bachner, Jean-Claude Barbot, Roland Berger, Jean-Claude Chomel, Marc Jeanpierre, Jean-Philippe Hugnot, Stéphane Llense, France Leturcq, Doudja Nafa, Dominique Récan, Gert Jan van Ommen, Nathalie Vincent, Jean Weissenbach.

Nous remercions aussi Jean Frézal et l'Association Française contre les Myopathies de nous avoir aimablement autorisés à reproduire la carte en couleurs des locus morbides.

L'aide de Marcelle Kaplan et de Jacques Desplat a été particulièrement précieuse pour la préparation du manuscrit et de la bibliographie.

1re édition 1989
2e tirage 1990
3e tirage actualisé 1990
4e tirage 1992
2e édition 1993
2e tirage actualisé 1994
3e tirage 1995
4e tirage 1996
5e tirage 1998
6e tirage 2000

Pour recevoir le catalogue Fla mmarion Médecine-Sciences,
il suffit d'envoyer vos nom et adresse à

Flammarion Médecine-Sciences

4, rue Casimir-Delavigne
75006 PARIS

ISSN : 0763-4374

ISBN : 2-257-12488-X

Printed in France.

Sommaire abrégé

Sommaire

« ... Nous vivons une période extraordinaire en matière de développement des sciences biologiques. Au fur et à mesure de l'application des techniques de biologie cellulaire et moléculaire à la recherche médicale, la plupart des énigmes de la pathologie humaine seront résolues dans les toutes prochaines années... Je suis convaincu que les Sciences Médicales vont désormais connaître la phase la plus productive et la plus passionnante de leur histoire.
Heureux les jeunes praticiens qui vont en être les acteurs ! »

Sir David J. Weatherall
(in « The New Genetics and Clinical Practice »
Oxford University Press, 1985)

Préface à la deuxième édition

LA MEDECINE A L'HEURE DE LA BIOLOGIE MOLÉCULAIRE

On vient de célébrer le 40e anniversaire de la découverte de la double-hélice (1953-1993) qui a ouvert l'ère de la biologie moléculaire. Celle-ci a révolutionné la génétique, envahi la biologie et entraîné de profondes répercussions en médecine, à la fois techniques et conceptuelles. La médecine, qui ne pouvait s'adresser qu'aux symptômes biologiques des maladies, a franchi une étape décisive en accédant directement aux causes premières : les anomalies des gènes. Jusqu'ici on allait de la protéine anormale au gène défectueux, c'est-à-dire du phénotype au génotype. Maintenant, on découvre de nouveaux gènes responsables de maladies avant d'en déduire la protéine et la physio-pathologie. C'est la génétique dite inverse.

C'est à faire vivre ce bouleversement que les auteurs de cet ouvrage se sont attachés dès 1989. Ils y ont pleinement réussi, comme le prouve le succès éclatant de la première édition, réimprimée depuis à trois reprises.

S'il est essentiellement un livre d'initiation pour les étudiants, il a permis également à nombre de médecins et de biologistes de pénétrer dans ce monde nouveau non enseigné au temps de leurs études, un monde dans lequel le malade ou les maladies sont envisagés sous le jour de la génétique moléculaire. Grâce à sa précision et sa rigueur, cet ouvrage a rendu un immense service à la communauté scientifique française, et même au-delà, car aussi étonnant que cela puisse paraître il n'en existe pas d'équivalent dans la littérature mondiale.

Mais depuis sa rédaction de multiples avancées sont venues s'ajouter, rendant nécessaire une mise à jour. De nouveaux procédés, de plus en plus performants et simplifiés, ont vu le jour grâce à l'ingéniosité des biochimistes. Par exemple, l'extraordinaire possibilité d'amplifier des fragments donnés d'ADN en milliers, voire en millions de copies, ceci en quelques minutes, a donné une impulsion exponentielle à l'acquisition des résultats.

Les biologistes savent désormais provoquer à volonté une mutation très limitée, voire ponctuelle sur un nucléotide ciblé. Grâce à la recombinaison homologue ils savent mettre hors d'usage le gène qu'ils visent *(knock out)*, et remplacer un gène déficient par un gène normal. Ils savent enfin introduire un gène dans une cellule et faire ainsi exprimer la protéine correspondante. En introduisant un gène humain délétère chez un animal, ils peuvent aussi tenter de recréer chez celui-ci des modèles de maladie humaine. Déjà la transfection de gènes correcteurs chez l'homme malade n'est plus un rêve, déjà la génothérapie humaine est en marche.

Toutes ces nouveautés sont parfaitement intégrées dans la deuxième édition de cet ouvrage. Jean-Claude Kaplan et Marc Delpech ont réussi le tour de force de les incorporer harmonieusement sans altérer le fil directeur de la première édition, allant de l'exposé des concepts de base aux applications médicales, et enfin à la description des techniques.

La médecine du XXIe siècle sera dominée par notre compréhension de plus en plus profonde des mécanismes génétiques qui sous-tendent chaque pathologie. Les premières découvertes ont naturellement porté sur les maladies typiquement monogéniques, et il n'est pas de semaine sans qu'un gène de ces maladies ne soit localisé sur le génome humain, isolé, cloné, séquencé, exprimé, voire transfecté chez l'animal, ou même chez l'homme. A ce propos, saluons la découverte d'un nouveau mode de pathologie du matériel génétique : l'amplification excessive de courtes répétitions d'ADN. Le modèle en est le retard mental de l'X fragile. Mais il s'applique aussi à un nombre croissant d'entités morbides, en particulier à la fameuse maladie de Huntington, dont le gène a été cloné au moment même de la mise sous presse de cet ouvrage. Ce sont donc les maladies monogéniques, si nombreuses mais touchant chacune un nombre relativement limité de familles, qui sont les premières bénéficiaires de la nouvelle génétique médicale. Mais nous ne devons pas oublier que l'immense majorité des pathologies qui affligent des millions d'êtres sont des maladies polyfactorielles, dans la genèse desquelles interviennent non seulement de nombreux gènes (elles sont polygéniques) mais aussi de nombreux facteurs environnementaux. La biologie moléculaire appliquée à ces pathologies apportera sans doute une belle moisson. Déjà notre concept de cancer s'est éclairé après tant et tant d'années d'obscurité. On sait maintenant que plusieurs altérations génétiques s'accumulent dans une même cellule avant que celle-ci s'affranchisse des contraintes de voisinage et devienne cancéreuse. On sait désormais distinguer les gènes favorisant la multiplication anarchique des cellules, les oncogènes, de ceux qui la freinent, les anti-oncogènes. Ces connaissances ont déjà des applications diagnostiques et pronostiques, et on doit en attendre des retombées thérapeutiques. Mais à côté de ces gènes directement impliqués dans la tumorigenèse, on commence à définir des gènes de susceptibilité au cancer. Le dépistage chez l'homme de ces gènes permettra de mettre en garde les individus particulièrement susceptibles au développement de certaines tumeurs, de les surveiller, et dans la mesure du possible de prévenir le drame.

Il en est de même pour la cohorte des maladies communes : l'hypertension, l'hypercholestérolémie, les diabètes, les nombreuses maladies auto-immunes. En effet toutes ces pathologies ne surviennent que sur des « terrains prédisposés » — pour employer l'expression de nos maîtres — c'est-à-dire chez des individus qui ont la malchance de posséder dans leur génome un jeu d'allèles leur conférant une susceptibilité particulière.

Grâce à la biologie moléculaire, la médecine du futur sera une médecine prédictive. Ne vaut-il pas mieux prédire pour pouvoir prévenir, voire traiter le plus précocement possible ? Certes cette médecine prédictive soulève parfois des inquiétudes, et on doit en tracer les limites comme à toute nouvelle activité humaine. Ces inquiétudes, ces limites ont inspiré aux auteurs un beau chapitre de bioéthique.

Nous sommes heureux et fiers de préfacer un livre si utile, unique dans son genre et qui a rendu d'éminents services aux jeunes générations et même aux plus anciennes. L'effort considérable fait par ses deux auteurs depuis tant d'années pour le bénéfice de la communauté scientifique et pour les malades mérite d'être salué.

On doit les remercier d'avoir pour nous rassemblé dans un même ouvrage tous les aspects aussi bien historiques, méthodologiques et éthiques du génie génétique appliqué à l'homme normal ou pathologique, en tâchant même de remonter dans le passé, presque aux premiers hommes, et en s'aventurant dans le futur par des vues prospectives prudentes, mais exaltantes.

Jean Dausset,
mai 1993

Avant-propos à la deuxième édition

La première édition de cet ouvrage parue en mai 1989 a reçu un accueil très favorable non seulement de la part des étudiants engagés dans un cursus d'études médicales mais aussi, peut-être à cause de cette orientation très médicale, auprès d'une audience plus large. L'évolution extraordinairement rapide des progrès dans le domaine de la Biologie Moléculaire, particulièrement spectaculaire dans ses applications médicales, imposait une mise à jour plus importante que celles effectuées à l'occasion des quatre tirages successifs. En l'espace de trois ans la masse des données nouvelles était telle qu'une édition entièrement nouvelle était devenue nécessaire.

Cette édition, par rapport à la précédente, comporte des additions substantielles, notamment en ce qui concerne les chapitres traitant de la régulation de l'expression des gènes, de la cartographie, des polymorphismes du génome, de la génétique inverse, des méthodes de diagnostic, de la génétique moléculaire des maladies. L'importance prise par la méthode PCR nous a conduit à lui consacrer un chapitre entier. De même, le chapitre traitant de l'outil informatique a été entièrement réécrit. Enfin le glossaire a été très enrichi.

Cependant toutes ces nouveautés ont été introduites sans que soit modifiée pour autant la structure générale de l'ouvrage. En effet, sa division en trois parties de lecture indépendante et sa présentation générale ont été conservées car elles ont semblé satisfaire les lecteurs. Les témoignages que nous avons reçus prouvent que l'esprit de ce livre a été perçu par tous.

Nous nous sommes efforcés d'éliminer les erreurs inévitablement présentes dans une première édition, et dont un certain nombre nous avait été signalé par des lecteurs attentifs que nous remercions. Nous attendons de la part des lecteurs de cette seconde édition qu'ils nous alertent de la même façon sur toutes celles qui nous auraient encore échappé, ou qui se seraient introduites dans les parties nouvelles.

Mai 1993

Avant-propos à la première édition

Écrire un manuel consacré à un sujet aussi mouvant que la Biologie Moléculaire appliquée à la Médecine est une entreprise périlleuse. Comment fixer pendant le temps d'une édition des notions très récentes et en pleine évolution ? Comment éviter l'écueil de l'obsolescence ? Comment intégrer dans un corpus de concepts établis la masse de connaissances nouvelles qui, à la faveur de la banalisation des techniques du génie génétique, nous sont quotidiennement livrées ? En un mot comment faire œuvre utile dans un domaine aussi évolutif ? Les auteurs sont conscients de la difficulté de l'entreprise qui à bien des égards tient de la gageure. Cependant il leur a semblé que, quels que soient les immenses progrès imminents, le moment était venu de tenter de faire le point.

Rassembler les acquis de ces dernières années, tenter d'y mettre de l'ordre, montrer et expliquer les percées technologiques qui les ont rendus possibles, éclairer les voies sur lesquelles la Médecine s'engage, en un mot armer le lecteur, médecin ou futur médecin, pour la compréhension du futur, tels nous sont apparus les objectifs prioritaires.

Jusqu'à présent la Biologie Moléculaire est demeurée relativement éloignée du programme des études médicales, les quelques notions exposées pendant le premier cycle n'étant pratiquement plus réutilisées pendant les cycles suivants. D'autre part les médecins qui ont fini leurs études avant le début des années 80 n'ont pu être préparés à assimiler la révolution génétique qui est en train de bouleverser la Biologie et au premier chef la Médecine.

Comment utiliser cet ouvrage

Ce livre est divisé en 3 parties indépendantes bien qu'interactives.

La première partie, **« Pour comprendre les bases »**, rappelle les concepts essentiels de la biologie moléculaire fondamentale nécessaires pour comprendre les principes des applications à la médecine.

La seconde partie, **« De la biologie moléculaire à la médecine »**, présente les principales acquisitions et les perspectives.

La troisième partie, **« Connaître les méthodes pour comprendre les résultats »**, présente les principales techniques utilisées en biologie moléculaire, afin de permettre aux lecteurs d'articles de se rendre compte de la manière dont les résultats ont été obtenus. Nous considérons que ces bases sont nécessaires pour une lecture critique.

La **Bibliographie**, regroupée à la fin de l'ouvrage, est classée par chapitre et, le cas échéant, par maladie.

Enfin le **Glossaire** devrait permettre au lecteur qui serait rebuté par le vocabulaire de la biologie moléculaire de se familiariser avec lui.

L'ouvrage est conçu de telle sorte que les parties puissent être consultées de manière indépendante. Nous pensons que la seconde partie peut éventuellement être abordée directement, les deux autres parties — ainsi que le glossaire — pouvant éclairer si nécessaire le lecteur qui se trouverait dérouté.

Mai 1989

Génie génétique et médecine : un panorama

1

LES ÉTAPES D'UNE RÉVOLUTION MÉTHODOLOGIQUE

Dans le courant des années 70 l'avènement des méthodes du **génie génétique** a rendu les gènes des organismes les plus complexes directement accessibles à l'analyse. Devenue moléculaire la génétique permettait désormais de déchiffrer la programmation des êtres vivants « normaux » et pathologiques, et d'en analyser ce qu'on appellerait en informatique les systèmes d'exploitation. Ce formidable progrès, perçu au début non sans une certaine appréhension, ouvrait la voie de la compréhension des grandes énigmes biologiques (origine de la vie, évolution, spéciation, embryogenèse, morphogenèse, différenciation, organisation du système nerveux, etc.). En plus de cet impact évident sur les connaissances fondamentales, et à côté des retombées bio-technologiques prévisibles, la **médecine** apparut d'emblée comme devant être une grande bénéficiaire de cette percée méthodologique.

En ce qui concerne l'impact médical, on pouvait en attendre a priori des progrès substantiels dans les différents domaines de la **compréhension**, du **diagnostic**, du **traitement** et de la **prévention** des maladies. Dix années nous séparent des premières prévisions, et le recul est maintenant suffisant pour dresser un bilan et imaginer des développements. Ce bilan dépasse toutes les espérances, et la biologie moléculaire est devenue un outil majeur en médecine.

Les gènes avant le génie génétique

Avant le génie génétique les gènes étaient des entités virtuelles, inaccessibles à l'analyse biochimique. On savait cependant déjà :

— depuis les travaux d' O. T. Avery (1944), que le support biochimique des caractères héréditairement transmis est l'acide désoxyribonucléique (ADN en français, **DNA** dans le langage scientifique universel) ;

— depuis les travaux de J.D. Watson et F.H.C. Crick (1953), que cette molécule est formée d'une double hélice constituée par l'enroulement de deux chaînes polynucléotidiques appariées par des liaisons entre **bases complémentaires** (couples A-T et G-C) ;

— depuis les travaux de M. W. Nirenberg et H.G. Khorana (1961-1966), que l'enchaînement des bases sur un brin de DNA renferme à lui seul l'information qui, de génération en génération, spécifie la séquence des acides aminés dans les chaînes polypeptidiques (« un gène-un polypeptide »), et que le **code génétique** fait correspondre un trinucléotide (codon) donné à un acide aminé donné.

Mais malgré ces progrès spectaculaires — essentiellement accomplis chez les organismes inférieurs, c'est-à-dire les procaryotes, avec leurs modèles d'étude privilégiés : *Escherichia coli* et le phage lambda —, il était jusqu'en 1970 techniquement impossible d'isoler et d'analyser un gène d'organisme supérieur (eucaryote). Cette impossibilité tenait à la disproportion entre la longueur d'un gène — alors estimée à seulement un ou quelques milliers de paires de bases — et celle du génome estimée pour *Homo sapiens* à 3 milliards de paires de bases. Un gène unique devait donc représenter en moyenne un millionième du ruban de DNA humain, et l'on ne savait pas comment isoler spécifiquement une séquence d'un picogramme (10^{-12} g) à partir d'un microgramme (10^{-6} g) de DNA. Cette tâche formidable se heurtait à deux types de difficultés : l'une analytique, comment isoler sélectivement un segment unique représentant une si infime partie de l'ensemble ? l'autre d'ordre préparatif, comment l'obtenir en quantités suffisantes ?

La révolution du génie génétique est d'ordre méthodologique

Au début des années 1970, l'invention des méthodes du génie génétique a permis de créer un outil d'investigation d'une portée aussi considérable que celle de l'invention du microscope. En effet les gènes pouvaient désormais être concrétisés en un matériel tangible, dont on pouvait à loisir étudier la physico-chimie et déchiffrer le contenu informationnel. Cette révolution est essentiellement méthodologique et résulte de la conjonction d'outils technologiques nouvellement introduits et permettant de :
• transcrire in vitro une séquence de RNA messager en une séquence de DNA complémentaire, ou cDNA, grâce à la **transcriptase inverse** initialement découverte en 1970 dans les virus oncogènes à RNA (H. Temin ; D. Baltimore) ;
• découper le DNA en petits fragments, de l'ordre de un ou quelques milliers de paires de bases, à l'aide d' **endonucléases de restriction**, enzymes découvertes en 1970 par H.O. Smith ; D. Nathans ; W. Arber ;
• intégrer, grâce à la DNA ligase, des fragments de DNA dans des vecteurs (plasmides, phages...), c'est-à-dire créer des **recombinants in vitro**, utilisables, après introduction et amplification dans une bactérie, pour le **clonage des gènes** (P. Berg ; H. Boyer ; S. Cohen, 1972-73) ;
• lire le message, grâce aux méthodes de **séquençage du DNA**, élaborées par F. Sanger et A. Coulson (1975), puis par A.M. Maxam et W. Gilbert (1977).

L'évolution des esprits et des méthodes a permis une banalisation des méthodes du génie génétique

Les premiers outils du génie génétique, forgés et déjà opérationnels dans les années 70, n'ont pas donné lieu à une exploitation immédiate. En effet des craintes s'étaient fait jour, émises par les spécialistes eux-mêmes, quant aux risques pour les chercheurs, la population, l'environnement, voire l'humanité et la biosphère, de ce que l'on appelait alors, non sans connotation péjorative, les *« manipulations génétiques »*.

Il en résulta une mise en veilleuse initiale de la nouvelle technologie (moratoire de P. Berg, 1974), et un débat de Société qui devait durer plusieurs années (la conférence d'Asilomar, 1975 en fut l'un des temps forts). La dangerosité de ces manipulations était dénoncée ; leur légitimité était fortement contestée ; la maladresse, voire la malignité, d'éventuels apprentis-sorciers était redoutée. Pendant cette période, qui dura de 1975 à 1980, une réglementation très contraignante, mais respectée par la communauté internationale, fut mise en vigueur, et les nouvelles méthodes restèrent l'apanage de quelques laboratoires très hautement spécialisés. Les principes de cette réglementation furent édictés en 1976 par le *National Institute of Health* américain, et repris dans leurs grandes lignes par les autres pays où il existait des laboratoires de biologie moléculaire.

Au cours de cette période il apparut pourtant peu à peu que les craintes de départ, qui étaient purement conjecturales — contrairement aux risques du nucléaire qui dès le départ étaient connus des savants atomistes —, n'étaient pas fondées, même si elles étaient compréhensibles. Au fil du temps, on s'aperçut que les risques inhérents aux « manipulations génétiques » in vitro, désormais rebaptisées « génie génétique », n'existaient pas, et que, bien au contraire, ces méthodes permettaient désormais d'étudier **en toute sécurité les virus les plus dangereux**. La réglementation s'est considérablement assouplie, et, à l'heure actuelle, seules demeurent soumises à un **confinement physique et biologique** les expériences présentant un danger apprécié selon des critères cognitifs et expérimentaux rationnels.

Aux yeux de la postérité, que restera-t-il du grand débat qui a agité la deuxième moitié des années 70 ? Essentiellement un épisode de salutaire interaction entre savants et citoyens, au cours duquel la communauté scientifique a plutôt fait preuve de courage et de responsabilité. On trouvera dans le passionnant ouvrage de Watson et Tooze un témoignage très vivant et très documenté de cette controverse (J.D. Watson et J. Tooze : *The DNA story. A documentary history of gene cloning,* W.H. Freeman and Co., San Francisco, 1981).

« Nous avons crié au loup sans l'avoir vu, ni même entendu »
(James D. Watson, 1977)

A l'heure actuelle le génie génétique, dépouillé de ses attributs maléfiques, fort de ses succès, en particulier en médecine, a envahi tous les secteurs de la biologie. Il a de plus bénéficié d'énormes progrès techniques, car les méthodes n'ont cessé de se perfectionner, de s'enrichir, de se diversifier. Les procédures se sont considérablement simplifiées, notamment grâce à la création de vecteurs de plus en plus performants, en particulier capables d'expression, et à la commercialisation de tous les produits sous une forme directement prête à l'emploi. De nombreuses firmes se sont spécialisées dans la fabrication de ces réactifs, notamment des nombreuses enzymes nécessaires pour **couper, copier, lier**.

Trois exemples illustrent l'évolution de la technologie enzymatique :
— la **transcriptase inverse**, extraite d'un rétrovirus aviaire, a été pendant longtemps préparée par un seul laboratoire académique américain qui la distribuait bénévolement à la communauté scientifique restreinte de l'époque. A présent la production et la distribution de cette enzyme est assurée par de nombreuses firmes commerciales ;
— les **enzymes de restriction** étaient au début peu nombreuses et extrêmement coûteuses. Leur nombre s'est progressivement accru, et dépasse actuellement 500. Leur production industrielle, notamment après clonage et expression massive des gènes correspondants, a permis une réduction considérable des coûts. La palette du biologiste moléculaire s'est ainsi considérablement enrichie, et lui permet d'explorer un nombre croissant de sites différents ;
— la **DNA polymérase I** d'origine bactérienne est largement utilisée, par exemple pour pratiquer des extensions d'amorce. Elle permet en particulier d'effectuer une amplification in vitro de n'importe quelle séquence comprise entre deux amorces d'orientation opposée (méthode PCR). L'utilisation d'une enzyme thermostable — provenant d'une bactérie vivant à une température supérieure à 60° *(Thermus aquaticus)* —, a considérablement simplifié la procédure opératoire et amélioré la spécificité.

Si le confort du biologiste moléculaire s'est considérablement accru depuis 10 ans, son travail demeure encore artisanal. En effet les procédures en vigueur ne se sont pas prêtées jusqu'à présent à l'automatisation, à l'exception de ce qui touche aux séquences de DNA qui peuvent être :

— synthétisées in vitro par des **synthétiseurs automatiques d'oligonucléotides**, permettant de construire des séquences pouvant dépasser 50 nucléotides ;

— séquencées par des **séquenceurs automatiques**.

Tableau 1-1 Quelques dates importantes dans l'histoire des applications du génie génétique à la médecine

1972	Premier DNA recombinant in vitro.
1973	Méthode générale de clonage (gène de n'importe quelle espèce).
1974	Moratoire de P. Berg (11 scientifiques signataires dont J. Watson) préconisant l'arrêt des manipulations génétiques in vitro en attendant une réglementation.
1975	Conférence internationale d'Asilomar sur la recombinaison in vitro à l'issue de laquelle un projet de réglementation fut élaboré comportant la notion de confinement biologique.
	Méthode de Southern, permettant la visualisation directe des gènes à partir d'un génome complexe.
1976	Première version, très contraignante, des règlements édictés par le *National Institute of Health*.
	Premier diagnostic prénatal par analyse du DNA (α-thalassémie homozygote) par hybridation liquide avec une sonde non clonée.
	Découverte du premier proto-oncogène (*c-src*).
1977	Découverte des introns (RNA ribosomal de drosophile ; gènes tardifs des adénovirus ; ovalbumine de poule ; gène d'immunoglobuline de souris ; gène de globine de lapin).
	Premiers clonages d'un gène humain : lactogène placentaire ; β-globine.
	Première localisation chromosomique d'un gène humain par hybridation moléculaire (α-globine).
1978	Premier polymorphisme de restriction humain (RFLP) et application au diagnostic prénatal génotypique par la méthode de Southern (Hb S).
	Première banque génomique humaine.
	Découverte de la combinatoire des gènes d'immunoglobulines à l'origine de la diversité des anticorps.
1979	Premiers oligonucléotides synthétiques employés comme sondes.
1980	Premier RFLP humain par sonde anonyme.
	Article de D. Botstein, R.L. White, M. Skolnick et R.W. Davis proposant une stratégie générale de cartographie du génome humain par les RFLP (génétique inverse).
	Clonage et séquençage des gènes de l'interféron.
	Clonage du génome du virus HBV et découverte de son intégration dans le DNA des hépatocarcinomes.
1981	Détection du virus HBV dans le sérum par hybridation moléculaire.
1982	Première localisation régionale d'un locus morbide inconnu (myopathie de Duchenne en Xp21) par linkage à un RFLP.
	Découverte du premier réarrangement génique dans un cancer (*c-myc* et gènes d'immunoglobulines dans le lymphome de Burkitt).
	Première mutation ponctuelle dans un proto-oncogène (gène *c-ras* et cancer de la vessie).
	Insuline humaine produite par génie génétique.
	Souris transgéniques géantes (micro-injection de somathormone recombinée à un promoteur fort).
1983	Première localisation chromosomique d'un locus morbide autosomique à gène inconnu (chorée de Huntington sur le chromosome 4).
	Découverte par l'étude du rétinoblastome de la notion de mutation récessive dans un gène suppresseur de cancer (anti-oncogène).
	Isolement du virus du SIDA (HIV).
1984	Méthode de macrocartographie de restriction par électrophorèse en champ pulsé.
	Clonage et séquençage du gène du facteur VIII de la coagulation.
	Clonage des gènes du récepteur des cellules T (TCR).
1985	Découverte des sondes minisatellites (empreintes génétiques).

Tableau 1-1 **(suite)**

1985 (suite)	Premier diagnostic prénatal d'une maladie à gène inconnu à l'aide de RFLP génétiquement liés (myopathie de Duchenne).
	Découverte de la fusion génique *bcr/abl* dans la leucémie myéloïde chronique.
	Localisation des locus morbides de la mucoviscidose et de la polykystose rénale dominante.
	Séquençage du virus HIV1.
	Méthode d'amplification élective de DNA in vitro (Polymerase Chain Reaction, ou PCR).
1986	Clonage et décryptage d'un gène morbide inconnu (granulomatose chronique).
	Érythropoïétine produite par génie génétique.
1987	Clonage et décryptage du premier anti-oncogène (gène RB du rétinoblastome).
	Clonage et décryptage du gène responsable des myopathies de Duchenne et de Becker.
	Macroclonage dans des « minichromosomes » de levure (YAC).
	Premier *knock-out* de gène in vivo par recombinaison homologue dans des cellules ES.
	Premier vaccin recombinant anti-HBV.
1988	Reconstitution de la séquence complète de la dystrophine (protéine produite par le gène responsable de la myopathie de Duchenne).
	La Taq polymérase (thermo-résistante) rend possible l'automatisation de la méthode PCR.
	Application de la méthode PCR à l'analyse des transcrits.
	Détection des mutations ponctuelles par clivage chimique des mésappariements.
1989	Isolement et déchiffrage du gène de la mucoviscidose (protéine CFTR), et découverte de la mutation prévalente ΔF508.
	Clonage du virus HCV par « virologie inverse ».
	Découverte du polymorphisme des microsatellites.
	Clonage des télomères humains.
	Détection des variations de séquence du DNA génomique par modification de conformation (méthode SSCP).
	p53 est un anti-oncogène.
1990	Démonstration directe ex vivo du pouvoir anti-oncogène du gène RB.
	Clonage et décryptage du gène de la masculinité (SRY).
	Premières tentatives de thérapie génique humaine : par greffe lymphocytaire d'un gène correcteur (ADA pour le traitement du déficit en adénosine désaminase) ou dopant (cytokine pour le traitement de certains cancers).
1991	Clonage et décryptage du gène responsable du syndrome X-fra (FMR1).
	Clonage et décryptage du gène de la polypose et du cancer coliques (APC).
	Découverte de la famille des gènes de l'olfaction.
	Découverte d'une pathologie par amplification de triplets.
	Découverte du premier rétro-transposon humain.
1992	Séquençage systématique de clones de cDNA de cerveau (2 375 gènes identifiés).
	Séquençage complet du chromosome III de levure (315 kb).
	Une mutation dans le gène de la glucokinase peut être responsable du diabète de type MODY.
	Ordonnancement de YAC chevauchants correspondant à la moitié du génome humain.
	Première carte physique d'un bras de chromosome humain (bras long du 21).
	Création de souches de souris mucoviscidosiques par KO du gène CFTR.

Les méthodes de diagnostic ne sont pas encore automatisées, d'une part parce que les procédures de base comportent un très grand nombre d'étapes peu propices à l'automatisation, d'autre part parce qu'elles impliquent l'utilisation de marqueurs radioactifs à durée de vie limitée (essentiellement le ^{32}P). Il existe à l'heure actuelle de sérieux espoirs d'automatisation, notamment grâce à la généralisation de la méthode d'amplification in vitro (PCR), et au développement de procédés de marquage non radioactif.

Comment les gènes humains sont devenus des objets concrets d'étude (Tableau 1-1)

La méthode élaborée par **Southern** en 1975 (voir chapitres 8 et 28) a constitué l'outil de base, en permettant d'établir la carte de restriction de n'importe quel gène normal ou pathologique, pourvu que l'on possède une **sonde** spécifique de ce gène, c'est-à-dire, en pratique, qu'il ait été cloné. Les premiers résultats obtenus concernaient la visualisation des **gènes de l'hémoglobine** qui furent les premiers gènes humains clonés et employés comme sonde (1977-78). Le clonage prioritaire de ces gènes s'explique par la relative facilité de préparation de cDNA à partir de la population des RNA messagers réticulocytaires, spontanément très enrichie en messagers de globine.

La vérité historique exige de mentionner que la somatomammotropine chorionique (lactogène placentaire) fut le véritable premier cDNA humain cloné, obtenu en 1977 quelques mois avant les gènes de globine.

En raison de l'intérêt du modèle de l'hémoglobine, et en particulier à cause de la richesse de sa pathologie génétique, c'est lui qui a constitué le premier exemple, longtemps privilégié, d'application de la génétique moléculaire à la médecine.

Les progrès ont été rythmés par ceux du clonage des gènes humains, qui fournit les sondes indispensables. Ils furent lents au début : en plus des gènes que nous venons de mentionner, il y eut la somatostatine (1977), l'insuline (1978), la somathormone (1979), les gènes α et β HCG (1979-80), la pro-opiomélanocortine (1980), les interférons α et β (1980), les gènes des chaînes μ et κ des immunoglobulines (1980), les premiers gènes du complexe HLA (1980), le premier gène du collagène (1980), soit environ une vingtaine en 1980. On en comptait environ une centaine en 1983, 250 en 1985, 610 en 1987, 945 en 1989, 2327 en 1991...

A côté du clonage des gènes proprement dits, l'invention par T. Maniatis en 1977 de la première **banque de DNA génomique**, fournit le moyen de cloner en bloc la totalité des séquences du DNA, donc la possibilité d'utiliser comme sonde n'importe quel fragment cloné qu'il soit codant ou non. Ces **sondes anonymes** ont fourni un nombre sans cesse croissant de marqueurs génétiques, parce que leur emplacement précis sur le génome peut être déterminé, et parce que certains d'entre eux sont le siège de variations individuelles, dans la séquence ou dans le nombre de copies, mises en évidence par des enzymes de restriction. Ces **polymorphismes de restriction** (ou **RFLP**, voir chapitre 9) sont devenus un outil majeur pour l'analyse du génome humain. Le premier polymorphisme génotypique humain fut mis en évidence par Y.W. Kan (1980). Il était situé à côté du gène β de la globine, et constituait chez certaines populations un marqueur diagnostique de la drépanocytose (hémoglobinose S), ce qui permit d'effectuer le premier **diagnostic prénatal** par la méthode de Southern (Y. W. Kan). Ce même auteur avait déjà montré l'intérêt diagnostique des sondes moléculaires en effectuant en 1976 le premier diagnostic prénatal d'α°-thalassémie homozygote *(hydrops fœtalis)* par **hybridation** en milieu liquide avec une sonde d'α-globine non clonée. Cette même technique devait permettre la première localisation chromosomique d'un gène humain par une application de la biologie moléculaire, celui de l'α-globine (1977).

La découverte des polymorphismes de restriction et de la première sonde anonyme polymorphe (A.R. Wyman et R. White, 1980) devait être à l'origine d'une réflexion prospective d'une remarquable clairvoyance, effectuée par D.R. Botstein, R. White, M. Skolnick et R. W. Davis (1980). Ceux-ci jetèrent les bases de la **génétique inverse**, en prédisant que, grâce à l'utilisation exhaustive de cette nouvelle catégorie de marqueurs génotypiques, il serait possible de construire, chromosome par chromosome, des cartes de liaison permettant de dresser la carte du génome humain. Ces cartes devaient aussi permettre de localiser, de diagnostiquer, et en fin de compte d'isoler et de caractériser les **gènes inconnus responsables de maladies génétiques**. Dans leur article (« *Construction of a genetic linkage map in man using restriction fragment length polymorphisms* » Am J Hum Genet 1980, 32 : 314-331), ces auteurs, des biologistes moléculaires fondamentalistes non médecins, indiquaient nommément que des énigmes médicales aussi importantes et difficiles que la **myopathie de Duchenne**, la **chorée de Huntington,** la **mucoviscidose** pourraient être attaquées et résolues par cette voie. La suite devait démontrer le bien-fondé de ces prévisions, puisque, grâce à cette approche, le gène dont la mutation est responsable de la myopathie de Duchenne (L. Kunkel, 1987), et celui de la mucoviscidose (L.C. Tsin et F. Collins, 1989) ont été isolés et déchiffrés.

La multiplication des sondes anonymes clonées est véritablement explosive : 1 en 1980, 35 en 1981, 215 en 1983, 559 en 1985, 2 057 en 1987. Elle a permis de réaliser les prévisions de Botstein et al, puisqu'à l'heure actuelle tous les chromosomes humains sont jalonnés par un nombre croissant de ces repères. Leur exploitation à des fins cartographiques a exigé le recours à l'informatique, et l'élaboration de programmes d'analyse de liaison très performants, permettant d'ordonner plusieurs locus les uns par rapport aux autres (**programme LINKAGE**, J.M. Lalouel et G.M. Lathrop, 1984). La gestion des innombrables sondes et données accumulées exige un effort coopératif international. Celui-ci est effectué notamment grâce au système des Symposiums **Human Gene Mapping** consacrés, tous les deux ans depuis 1971, à la mise à jour de la carte génétique humaine, au **CEPH** (Centre d'Etude des Polymorphismes Humains, J. Dausset, Paris), et à l'association américaine **ATCC** *(American Type Culture Collection)* qui centralise et distribue les sondes à la communauté scientifique.

Toujours dans le domaine des progrès méthodologiques, il faut également citer les étapes importantes que furent l'emploi des **oligosondes synthétiques** (A.A. Riggs et K. Itakura, 1979), la construction de **vecteurs d'expression eucaryotique** (1982), la micro-injection dans les ovocytes de souris pour la création de **souris transgéniques** (1982), la macrocartographie de restriction par **électrophorèse en champ pulsé** (D.C. Schwartz et C.R. Cantor, 1984), l'amplification élective in vitro (méthode **PCR**, Cetus, 1985), le clonage de grands fragments de DNA dans des **minichromosmes de levure ou YAC** (D.T. Burke, G.F. Carle, M.V. Olson, 1987), le ciblage génique par **recombinaison homologue dans les cellules ES** (K.R. Thomas et M. Capecchi, 1987), l'utilisation des polymorphismes des **microsatellites** (J.M. Weber, 1987), l'hybridation in situ permettant de visualiser des gènes ou des chromosomes entiers par des sondes fluorescentes ou **méthode FISH** (D. Ward, 1990).

Parallèlement à cet enrichissement considérable de la panoplie des outils méthodologiques permettant d'analyser les génomes les plus complexes, un grand projet s'est naturellement fait jour : celui de déchiffrer l'ensemble du génome humain. L'idée, lancée par W. Gilbert et J.D. Watson en 1986, a fait son chemin, et le **Projet Génome Humain**, avec ses corollaires logiques (déchiffrage de génomes modèles plus simples, comme celui de la bactérie *E. Coli*, de la levure *S. cerevisiae*, du nématode *C. elegans*, de la mouche *D. melanogaster*) mobilise un nombre croissant d'équipes de par le monde. Il devrait aboutir à un effort de coordination sans précédent, dont les premiers fruits commencent à être récoltés : établissement de cartes génétiques à haute définition, convergence avec la carte physique, établissement de la séquence de chromosomes entiers de levure (taille 200 à 2 000 kb), inventaire de tous les gènes par le séquençage systématique des cDNA. Bien avant que le travail prométhéen de reconstitution de la séquence complète des 3 milliards de paires de bases du génome humain soit envisagé, la perspective d'accéder à la connaissance des quelque 50 000 protéines restant à découvrir, dont bon nombre sont impliquées dans des pathologies, ne peut laisser indifférent.

UN PREMIER BILAN DES RÉALISATIONS DU GÉNIE GÉNÉTIQUE APPLIQUÉ À LA MÉDECINE

La Nouvelle Génétique

C'est tout naturellement aux maladies génétiques que furent d'abord appliquées les nouvelles méthodes. Comme elles permettaient d'analyser concrètement les gènes, la génétique humaine sortait du cadre abstrait qui était le sien, et l'ère d'une « Nouvelle Génétique » s'ouvrait.

Les **hémoglobinopathies**, par leur fréquence et leur variété, furent le domaine d'épanouissement des méthodes et des concepts, permettant aussi bien d'enrichir les connaissances fondamentales (structure et organisation des gènes, avec leurs introns, leurs signaux en amont et en aval, leurs séquences régulatrices, leur regroupement en famille, l'existence de pseudogènes, etc.), que d'analyser les gènes pathologiques (voir chapitre 14). La pathologie moléculaire des gènes de l'hémoglobine, où furent découvertes pour la première fois toutes les variétés possibles d'anomalie (délétions, mutations affectant la transcription, l'épissage, la traduction, la régulation, etc.) a fourni un véritable répertoire de toutes les lésions susceptibles de toucher les gènes humains. C'est à propos de cette pathologie que furent effectués les premiers diagnostics prénatals génotypiques, et élaborés les développements méthodologiques ultérieurs.

Au fur et à mesure du clonage des gènes déjà identifiés comme étant responsables d'une pathologie génétique bien reconnue, ces concepts et ces procédures s'appliquèrent à l'ensemble des maladies génétiques. Celles qui sont liées au chromosome X devaient bénéficier non seulement du diagnostic prénatal, mais aussi d'une possibilité inédite, le diagnostic des **femmes transmettrices,** jusqu'alors impossible à effectuer dans tous les cas par l'étude du phénotype.

Le clonage de certains gènes correspondant à des fonctions importantes devait éclairer d'un jour nouveau des pans entiers de la physiologie et de la pathologie humaines : gènes des immunoglobulines et leur combinatoire révélant le mécanisme de la diversité des anticorps, gènes des interférons, des facteurs de croissance, des récepteurs hormonaux, des lipoprotéines, des collagènes, etc.

En ce qui concerne les maladies génétiques d'origine inconnue, la stratégie de la **génétique inverse** a commencé à porter ses fruits avec en 1987 l'isolement et le déchiffrage des gènes codant pour des protéines nouvelles : gène RB pour le **rétinoblastome** (1987), gène de la dystrophine pour la **myopathie de Duchenne** (1987), gène CFTR pour la **mucoviscidose** (1989). Ces réalisations sont les premières de la longue quête qui, à la faveur de la cartographie complète du génome humain, devrait aboutir à la mise à jour des très nombreux gènes restant à découvrir. Le rythme des succès, c'est-à-dire des gènes atteints, déchiffrés et démontrés comme étant responsables de la pathologie, a tout d'abord été très lent*. Il s'est notablement accéléré depuis 1989 comme nous le verrons dans le chapitre 11. De nombreuses autres maladies génétiques à gène inconnu bénéficient aussi de cette approche, même si elles sont à des stades moins avancés de leur quête (**chorée de Huntington, polykystose rénale dominante, ataxie de Friedreich,** etc.). Il faut souligner que pour nombre de ces maladies on peut déjà effectuer le diagnostic génotypique, notamment prénatal, bien que le gène recherché n'ait pas encore été atteint.

Quant aux maladies **polygéniques** (par exemple l'hypertension artérielle, le diabète) une analyse commence à être tentée par l'emploi systématique de marqueurs de gènes candidats (sur la base d'une hypothèse physio-pathologique plausible).

Les tumeurs et cancers résultent d'une pathologie du DNA somatique

Le premier **oncogène** cellulaire, origine d'un oncogène rétroviral le gène *src,* a été découvert en 1976 par D. Stehelin, H. Varmus et J.M. Bishop. Depuis il est démontré que plusieurs dizaines de gènes, essentiels pour la régulation de la croissance et de la multiplication cellulaires, — les proto-oncogènes —, peuvent concourir à la prolifération tumorale, par le truchement de lésions génomiques dominantes. La découverte de ces gènes et de leur mécanisme d'activation frauduleuse constitue un des progrès biologiques à portée médicale les plus importants de ces dernières années. Ils ouvrent la voie à une compréhension des mécanismes des cancers, et à leur traitement. D'ores et déjà ils comportent d'immédiates conséquences d'ordre diagnostique.

A côté de ces gènes où les événements activateurs sont **dominants** et **somatiques,** figure une nouvelle catégorie de gènes découverts à l'occasion du rétinoblastome héréditaire, les gènes suppresseurs de cancer ou **anti-oncogènes** (W. Cavenee, 1983). Les mutations dont ils sont victimes sont **récessives**, nécessitant la coïncidence dans une même cellule de lésions touchant le même gène sur chacun des deux chromosomes (homozygotie). Ce concept semble s'appliquer à un grand nombre de cancers (tumeur de Wilms, cancers du côlon, neurinome de l'acoustique, méningiome, etc.) pour lesquels des locus différents et lésés de manière homozygote ont déjà été trouvés. Ici aussi des applications immédiates au diagnostic prénatal et/ou prédictif, ainsi qu'au pronostic, existent.

Les génomes des virus, bactéries et parasites sont détectables par des sondes spécifiques

La virologie, la bactériologie, la parasitologie sont désormais à l'heure de la biologie moléculaire puisque le clonage du génome de ces organismes permet de les étudier, de les diagnostiquer, de préparer des vaccins. Par exemple le clonage du virus de l'hépatite B **(HBV)** — virus que l'on ne peut cultiver in vitro —, a permis de démontrer son intégration dans le DNA tumoral des hépatocarcinomes dès 1980 (P. Tiollais et C. Bréchot), et la fabrication d'un vaccin obtenu par génie génétique. Le virus du SIDA **(HIV)** isolé par L. Montagnier (1983) et R. Gallo (1984), a été cloné et séquencé en moins de 2 ans (S. Wain-Hobson, 1985), ce qui permet d'en étudier la biologie, d'en effectuer le diagnostic direct et d'envisager différentes stratégies vaccinales. Le virus de l'hépatite non-A-non-B **(HCV)** a été identifié en 1989 grâce à une stratégie dite de « virologie inverse », car très semblable à celle de la génétique inverse (le clonage a précédé l'identification).

* En tout cas trop lent au regard des malades, de leurs familles, de leurs médecins et des Associations de malades.

Le génie génétique fournit des moyens thérapeutiques

Faire fabriquer industriellement des protéines humaines d'intérêt thérapeutique dans des bio-réacteurs, grâce à l'expression de gènes humains insérés dans des vecteurs appropriés, a d'emblée paru constituer un objectif intéressant. Celui-ci est devenu une réalité pour l'**insuline**, les **interférons**, la **somathormone**, le **GM-CSF**, l'**érythropoïétine**, le **facteur VIII anti-hémophilique** (impatiemment désiré pour s'affranchir des dérivés sanguins humains jamais totalement à l'abri d'une contamination virale).

La possibilité de greffer des gènes sur des vecteurs variés, en particulier sur des virus inoffensifs, permet d'envisager la fabrication d'une nouvelle génération de **vaccins**.

Enfin, la **thérapie génique somatique**, c'est-à-dire l'introduction de gènes normaux et leur maintien dans des cellules somatiques pour corriger certaines maladies génétiques, a cessé d'être un mythe pour devenir une réalité. Elle est pour l'instant réservée à des cas privilégiés, où la greffe n'a pas besoin d'être ciblée dans un tissu spécifique parce qu'il s'agit d'un trouble métabolique que l'on peut corriger à distance (par exemple immunodéficience combinée par **déficit en adénosine désaminase**). L'absence ou la rareté des modèles animaux pour les maladies génétiques humaines est un sérieux obstacle au développement de la thérapie génique. On peut maintenant le contourner en créant par ciblage génétique des lignées stables de souris portant des mutations dans des gènes impliqués dans une pathologie humaine. La méthode permet de créer des mutants *nuls* obtenus par *knock-out* d'un gène, ou des mutants portant telle ou telle mutation. Ainsi peut-on obtenir des **modèles animaux** permettant d'expérimenter de nouveaux médicaments ou une thérapie génique. Le dopage de lymphocytes cytotoxiques (cellules TIL) par greffe de gène de cytokine est également une forme de thérapie génique en voie d'application dans le traitement de certains **cancers**. Ainsi prend corps le concept nouveau de **DNA médicament.**

L'analyse du génome humain renseigne sur son identité et sa filiation

Désormais, l'emploi des sondes et l'analyse des séquences du génome humain ont donné une base moléculaire à la paléo-anthropologie et à la génétique des populations.

L'emploi de certains marqueurs hyperpolymorphes, les **minisatellites** et les **microsatellites**, permet de caractériser de manière absolue le génome de chaque individu sous la forme d'une empreinte génétique, particulièrement utile en **médecine légale**.

La médecine prédictive à l'heure du génie génétique

Le diagnostic prénatal phénotypique et l'étude du système HLA avaient ouvert la voie à une **médecine prédictive** fondée sur une prévision anténatale ou prémorbide. Dans la mesure où les avatars du génome humain, — les mutations —, sont devenus directement accessibles à l'analyse moléculaire, un nombre croissant de maladies bénéficient de cette approche diagnostique. Le diagnostic prénatal génotypique s'effectue déjà couramment pour des maladies fréquentes et graves : les hémoglobinopathies, les hémophilies, les myopathies de Duchenne et de Becker, la mucoviscidose, le syndrome X-fra... La découverte de gènes dont la lésion entraîne une susceptibilité à certains cancers ouvre de nouvelles perspectives. Le domaine des gènes HLA est entièrement cartographié et en cours de séquençage. Le décryptage progressif du génome humain va élargir peu à peu le champ des investigations à toutes les pathologies dues à des erreurs de programmation, constitutionnelles ou acquises. Ainsi se préfigure une médecine où la vieille notion de « terrain » ou de « prédisposition » individuelle ou familiale trouverait un substratum moléculaire identifiable. Cette évolution, qui n'est pas sans susciter des interrogations éthiques quant aux limites du refus de la fatalité génétique, comporte d'immenses espoirs thérapeutiques.

Sélection de références bibliographiques : voir page 700.

Première partie

Les concepts de base

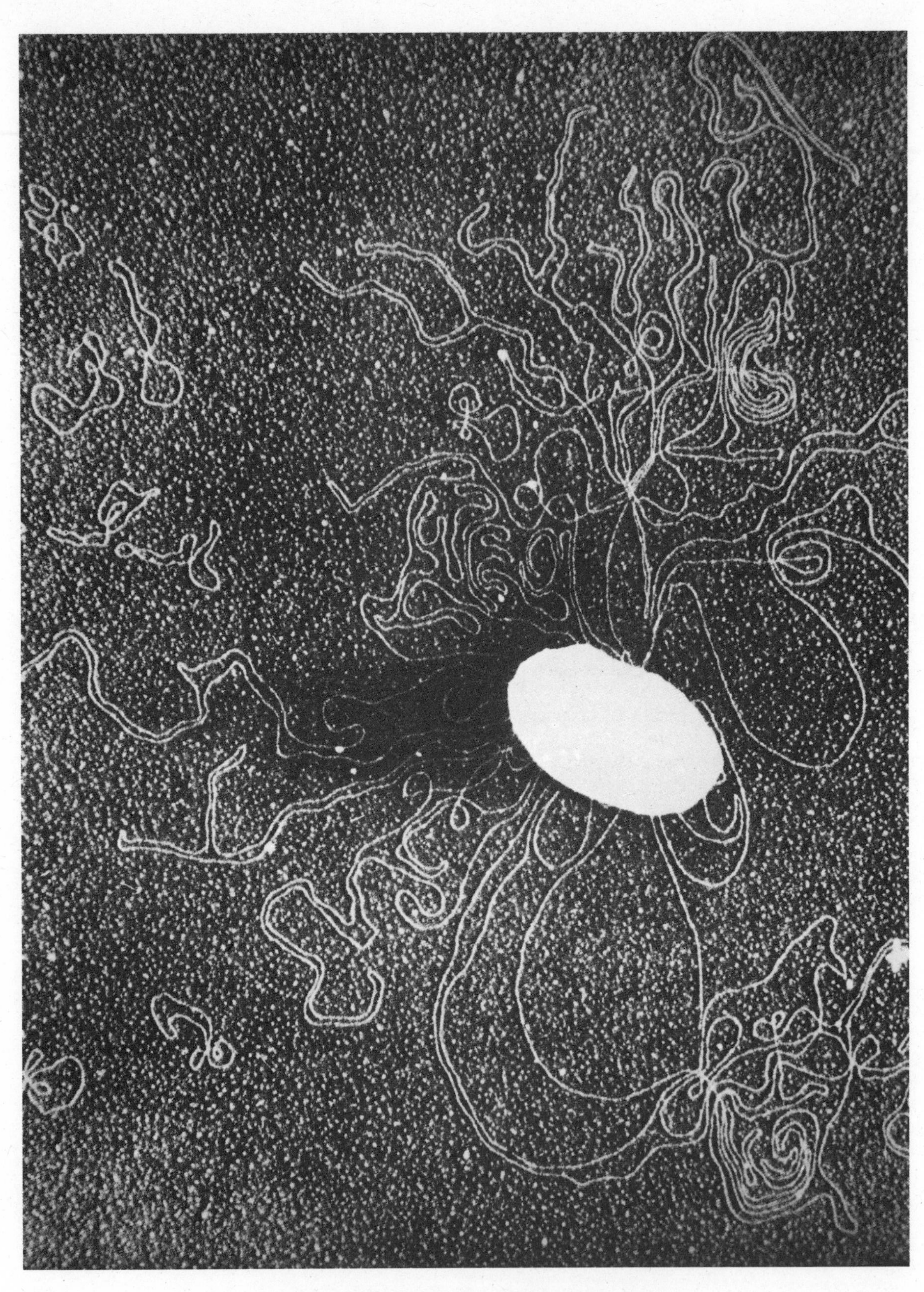

Vue au microscope électronique du DNA chromosomique
et de plasmides d'*E. Coli* s'échappant du corps bactérien
(Cliché D. Dressler. Publié avec l'aimable autorisation de l'auteur)

Le génome des eucaryotes : le stockage de l'information

2

LA DOUBLE HÉLICE

Les travaux d'Avery, Mac Leod et Mac Carthy ont montré en 1944 que le DNA était le support moléculaire de l'information génétique. Sa structure a été élucidée par Watson, Crick et Wilkins en 1953.

La quasi-totalité du DNA se trouve localisée, chez les eucaryotes, dans le noyau.

Une petite molécule de DNA circulaire possédant une organisation et un code génétique légèrement différents est aussi retrouvée dans la mitochondrie ; elle complète le patrimoine génétique de la cellule.

La structure du DNA est étonnamment simple

La molécule de DNA est composée de l'union de deux brins, enroulés en hélice droite, constitués chacun par une longue chaîne **polydésoxyribonucléotidique** où les unités de base, les **nucléotides** (formés par l'union d'une base avec le désoxyribose 5' phosphate), sont accrochés les uns aux autres par des liaisons 5'⟶3' phosphodiester. Dans chaque brin le squelette est formé par une répétition de molécules de désoxyribose reliées entre elles par les liaisons phosphodiester et portant chacune une base greffée par une liaison entre un azote et le carbone 1 (C'1) du sucre (liaison N-osidique). Les bases sont au nombre de quatre : **Adénine** (A) et **Guanine** (G) qui sont des bases puriques ; **Cytosine** (C) et **Thymine** (T) qui sont des bases pyrimidiques.

L'association d'une base et d'un sucre porte le nom de **nucléoside**, l'association d'un nucléoside avec un ou plusieurs phosphates porte le nom de **nucléotide**. Les substrats utilisés in vivo par les polymérases pour synthétiser les acides nucléiques sont les nucléosides triphosphates.

Les deux chaînes du DNA s'associent entre elles au niveau de leurs bases. Ces associations ne peuvent se faire qu'entre adénine et thymine ou entre guanine et cytosine. On dit que les bases des **couples A et T** d'une part, et **G et C** d'autre part sont **complémentaires**. Cette donnée explique l'observation expérimentale que tout DNA, quelle qu'en soit l'origine, possède des quantités équimolaires de thymine et d'adénine ainsi que de guanine et de cytosine. Cette association dans la molécule résulte

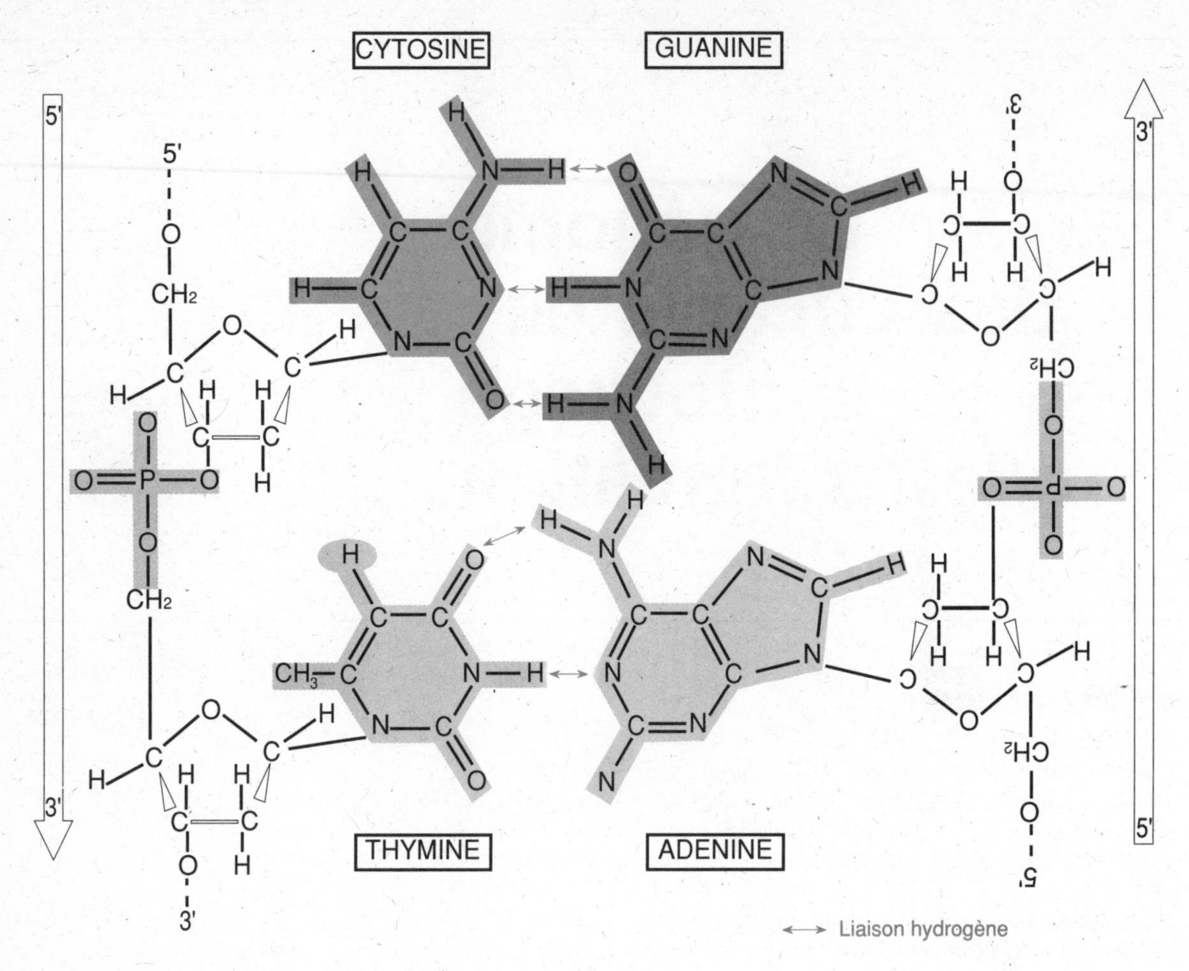

Figure 2-1 **Organisation moléculaire du DNA**

de liaisons hydrogène contractées entre les bases. Elles sont au nombre de trois entre guanine et cytosine et de deux entre adénine et thymine (**Figure 2-1**). Ce type de liaisons appartenant à la classe des liaisons faibles, il suffit de peu d'énergie pour les briser et ainsi permettre la séparation des deux brins du DNA, mais leur multiplicité donne une forte cohésion à la molécule.

La structure globale de la molécule de DNA est celle d'une double hélice droite (**Figure 2-2**). Les bases aussi bien puriques que pyrimidiques sont des molécules planes. Dans la double hélice les plans de chacune des bases d'un brin sont parallèles entre eux et perpendiculaires à l'axe de l'hélice. La distance entre les plans de chaque base est de 3,4 Å. Il y a 10 paires de bases par tour d'hélice ; son pas est donc de 34 Å. Les contraintes de structure font que la double hélice est une molécule relativement rigide. Les arêtes créées par l'enchaînement des groupements phosphates définissent deux sillons : le **petit et le grand sillon** (Figure 2-2). Les bases ne sont accessibles aux protéines qu'au niveau du grand sillon ; il a été montré que c'est principalement à ce niveau que s'exercent les interactions entre les protéines et le DNA.

Chaque brin de la double hélice possède une extrémité 5' phosphate et à l'autre bout une extrémité 3' hydroxyle libre constituant ainsi une **séquence orientée** définie par l'enchaînement des nucléotides. Les orientations des deux brins de la double hélice sont opposées : les deux brins

LA DOUBLE HÉLICE DE DNA

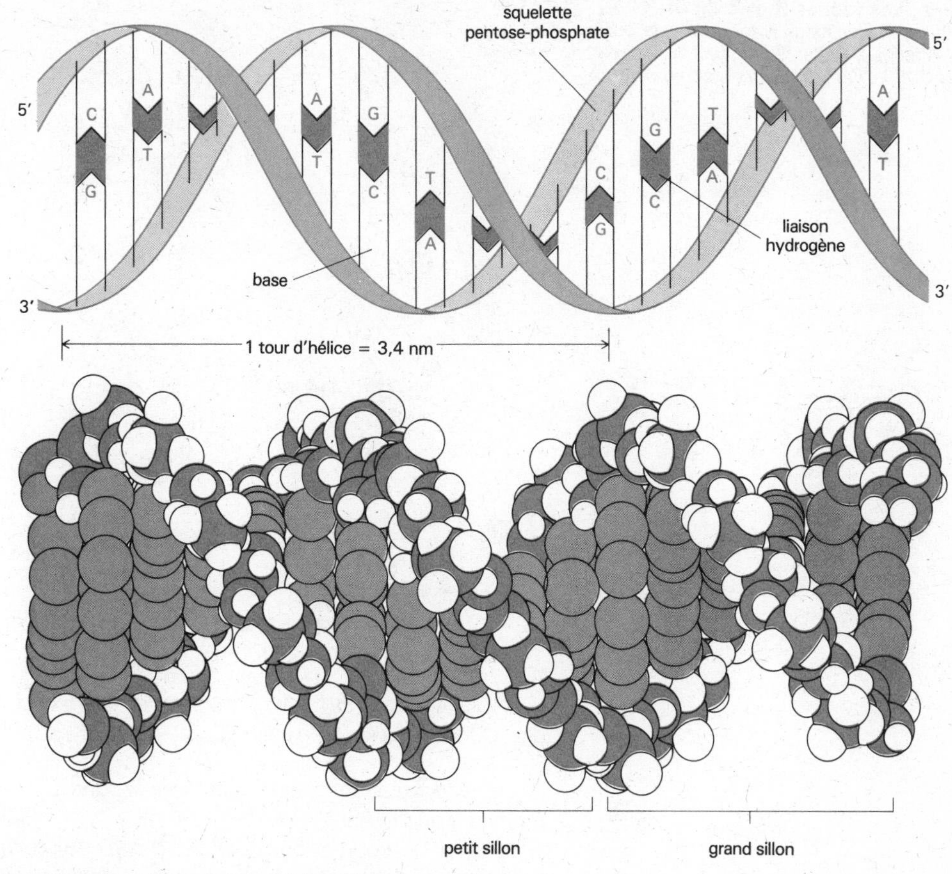

Figure 2-2 Structure dans l'espace de la double hélice de DNA
(B. Alberts et al, Molecular biology of the cell, New York, Garland Publishing, 1983. Reproduit avec l'aimable autorisation de l'auteur et de l'éditeur)

sont dits **anti-parallèles.** De cette donnée découlent deux notions fondamentales :

• chaque brin est constitué d'une séquence de bases différente, donc d'une information différente de celle de son partenaire ;

• les deux brins sont reliés par une relation de complémentarité (C⟷G), (T⟷A). Cette relation explique la cohésion de la structure ; elle comporte en outre une possibilité d'autoréplication permettant d'engendrer deux molécules filles à partir d'une molécule mère.

Cette particularité n'avait pas échappé à Watson et Crick qui dans leur article princeps publié dans la revue NATURE du 25 avril 1953 concluaient : « *il ne nous a pas échappé que l'appariement spécifique que nous postulons suggère immédiatement un mécanisme possible de copie du matériel génétique* ».

Les brins étant maintenus entre eux par des liaisons faibles, leur séparation peut être obtenue aisément in vitro par chauffage ou par traitement par la soude. Cette séparation correspond à ce que l'on appelle la **fusion** ou la **dénaturation** du DNA. Une telle séparation est totalement réversible ; la réassociation correspond à ce que l'on appelle la **renaturation** ou **hybridation**. Elle peut s'effectuer entre DNA et DNA en donnant des homoduplex ou entre DNA et RNA en donnant des hétéroduplex. Comme nous le verrons dans la troisième partie de cet ouvrage, la vitesse de réassociation est à la fois fonction de la concentration de DNA et du temps, d'où l'appellation **Cot** (concentration × temps). La valeur du Cot donnant une réassociation de 50 p. 100 s'appelle $\textbf{Cot}_{1/2}$.

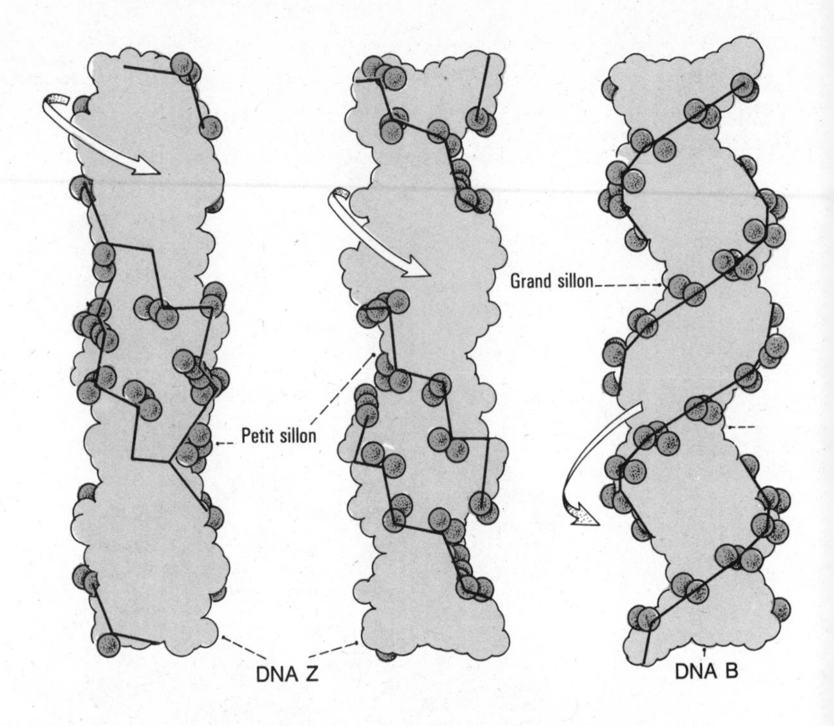

Figure 2-3 Les formes B et Z du DNA
(Reproduit avec l'aimable autorisation de J.-M. Robert, Génétique, Paris, Flammarion Médecine-Sciences, 1983. D'après La Recherche, octobre 1982)

Il existe des isoformes de la double hélice de DNA : les formes A, B et Z (Figure 2-3)

Le modèle qui vient d'être décrit correspond à la forme hydratée de la molécule de DNA, dite forme B. Lorsque la molécule est déshydratée et cristallisée, la suppression des molécules d'eau provoque une légère modification de la double hélice. Les bases ne sont plus exactement perpendiculaires à l'axe de l'hélice. Cette forme légèrement allongée correspond à la forme A qui n'a pas d'existence biologique.

Une autre structure du DNA a été proposée. Il s'agit de la **forme Z**. Expérimentalement on observe que de courtes molécules de DNA constituées exclusivement de G et de C prennent spontanément une forme différente de la forme B. La double hélice n'est plus droite mais gauche. La chaîne des phosphates, dans cette conformation, prend une allure en zigzag d'où le nom de cette forme. Le problème principal est celui de sa réalité biologique et de son éventuel rôle dans les régulations. Les arguments en faveur de l'existence in vivo du DNA Z sont les suivants :

- des enzymes nucléaires, les topoisomérases, peuvent parfaitement créer ou détruire réversiblement la structure de type Z in vivo ;
- des anticorps produits par immunisation avec du DNA Z synthétique se fixent sur le DNA nucléaire en des points précis des chromosomes.

Ceci suggère que des séquences du DNA ayant une structure Z existent in vivo et qu'elles sont distribuées d'une manière spécifique. La localisation précise et le rôle du DNA de forme Z ne sont pas encore élucidés.

Le codage de l'information : le code génétique

La structure de la molécule de DNA est relativement simple et apparemment monotone, ce qui pose le problème du codage de l'information. Ce problème a été résolu dans les années 60 par la mise en évidence du code génétique. En pratique l'information dont la cellule a besoin concerne exclusivement l'ordre des acides aminés sur les chaînes polypeptidiques. En effet c'est leur structure primaire qui conditionne pour une grande part les organisations supérieures et l'activité biologique. La seule variable dans

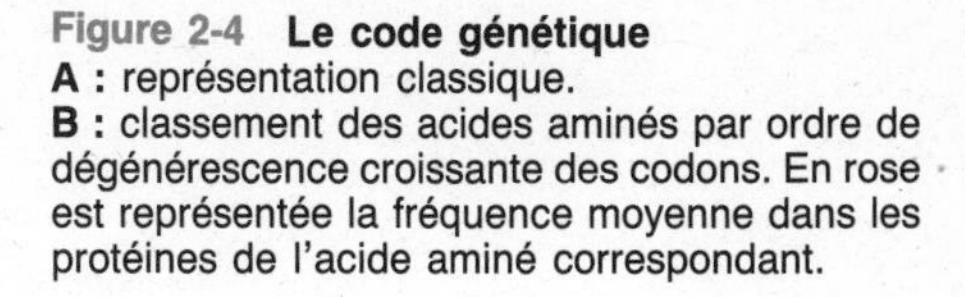

Figure 2-4 Le code génétique
A : représentation classique.
B : classement des acides aminés par ordre de dégénérescence croissante des codons. En rose est représentée la fréquence moyenne dans les protéines de l'acide aminé correspondant.

1ère base	2ème base U	2ème base C	2ème base A	2ème base G	3ème base
U	UUU, UUC *Phe*; UUA, UUG *Leu*	UCU, UCC, UCA, UCG *Ser*	UAU, UAC *Tyr*; UAA Stop; UAG Stop	UGU, UGC *Cys*; UGA Stop; UGG *Trp*	U C A G
C	CUU, CUC, CUA, CUG *Leu*	CCU, CCC, CCA, CCG *Pro*	CAU, CAC *His*; CAA, CAG *Gln*	CGU, CGC, CGA, CGG *Arg*	U C A G
A	AUU, AUC, AUA *Ile*; AUG *Met*	ACU, ACC, ACA, ACG *Thr*	AAU, AAC *Asn*; AAA, AAG *Lys*	AGU, AGC *Ser*; AGA, AGG *Arg*	U C A G
G	GUU, GUC, GUA, GUG *Val*	GCU, GCC, GCA, GCG *Ala*	GAU, GAC *Asp*; GAA, GAG *Glu*	GGU, GGC, GGA, GGG *Gly*	U C A G

Ⓐ

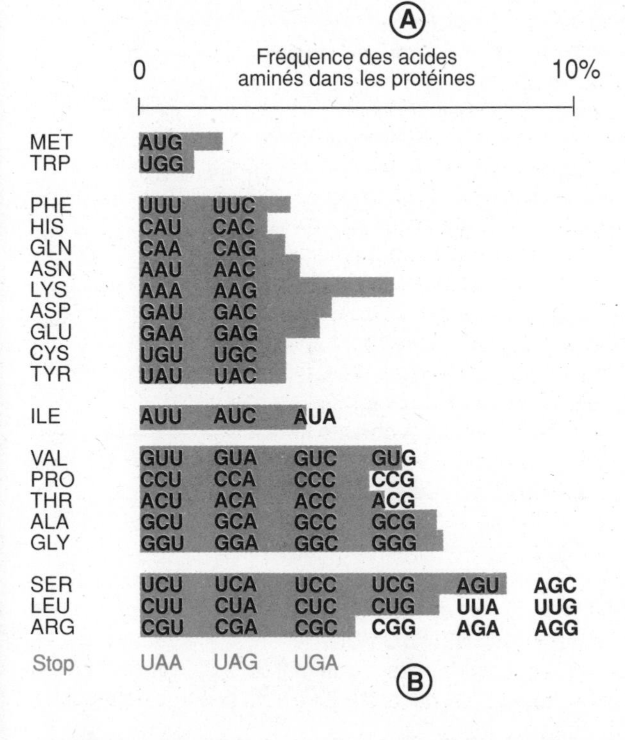

la molécule de DNA est l'ordre d'enchaînement des bases. Comme il n'existe que quatre types de bases et que les acides aminés composant les protéines sont au nombre de 20, il faut au minimum un enchaînement ordonné de trois bases ou triplet ($4^3 = 64$ triplets différents possibles) pour définir un code d'acide aminé. C'est effectivement le moyen utilisé par la cellule pour assurer le codage. Les relations faisant correspondre les différents triplets avec les différents acides aminés portent le nom de **code génétique (Figure 2-4).** Le transcodage séquence nucléique ⟶ séquence protéique est assuré dans le cytosol par le système de traduction.

Ce système qui fait correspondre un motif de 3 bases appelé **codon** à un acide aminé pose immédiatement un problème de redondance, puisqu'il y a 64 codons possibles pour seulement 20 acides aminés. Cette disparité résulte d'une part de l'existence de signaux de ponctuation au nombre de trois, les **codons non-sens ou stop** : UAA, UAG, UGA qui indiquent où doit être arrêtée la traduction, d'autre part du fait que le code est **dégénéré**, ce qui veut dire que plusieurs codons différents peuvent correspondre à un même acide aminé. Malgré sa consonance péjorative la dégénérescence du code génétique est un avantage pour la cellule. En effet le DNA peut, dans certains cas, être muté sans que pour autant la protéine synthétisée soit modifiée (mutation iso-sémantique). Une représentation non classique du code génétique montre que la dégénérescence ne s'est pas établie au hasard, les acides aminés les plus représentés dans les protéines étant ceux qui possèdent le plus de codons **(Figure 2-4B).** L'analyse comparative des séquences nucléiques et protéiques montre que les codons ne sont pas utilisés avec la même fréquence chez tous les organismes. Ceci est une donnée fondamentale lorsque l'on veut cloner une protéine avec un oligonucléotide établi à partir d'une séquence protéique (voir chapitre 26).

LE DNA EST CONSIDÉRABLEMENT COMPACTÉ DANS LE NOYAU

Chez l'homme la molécule de DNA comporte 3×10^9 paires de bases par génome haploïde, ce qui représenterait une longueur physique de 1 m s'il était entièrement déroulé. Le **tableau 2-1** présente les longueurs des génomes de différents organismes. Le diamètre du noyau ne dépassant pas quelques microns, un énorme taux de compaction est nécessaire pour qu'il puisse y tenir. Mais cette compaction ne se fait pas au hasard, puisque le DNA doit rester accessible aux protéines qui régulent son expression et sa duplication. La compaction utilise un système hiérarchisé : le niveau le plus bas correspond au **nucléosome**, structure de base universelle chez les eucaryotes ; le niveau le plus élevé correspond à la superstructure **chromatinienne** observée au microscope électronique à faible résolution, qui est variable suivant l'état ou le type cellulaire.

Tableau 2-1 **Longueur des génomes de quelques organismes**

Organisme	Longueur du génome haploïde en paires de bases
virus	10^3 à 10^5
E. Coli	$4,5 \times 10^6$
levures	5×10^7
Caenorhabdits elegans	8×10^7
drosophile	$1,5 \times 10^8$
vertébrés	10^8 à 10^{10}
homme	3×10^9
plantes	10^{10} à 10^{11}

La structure de base est une fibre de 100 Å de diamètre constituée de nucléosomes (Figure 2-5)

Vue au microscope électronique la fibre de chromatine a un diamètre de 100 Å. Dans d'autres conditions expérimentales cette même fibre possède un diamètre apparent de 300 Å. Ces deux valeurs sont très supérieures au diamètre de la double hélice de DNA qui est de 20 Å. Le DNA dans la chromatine n'est donc pas libre mais intégré dans une structure.

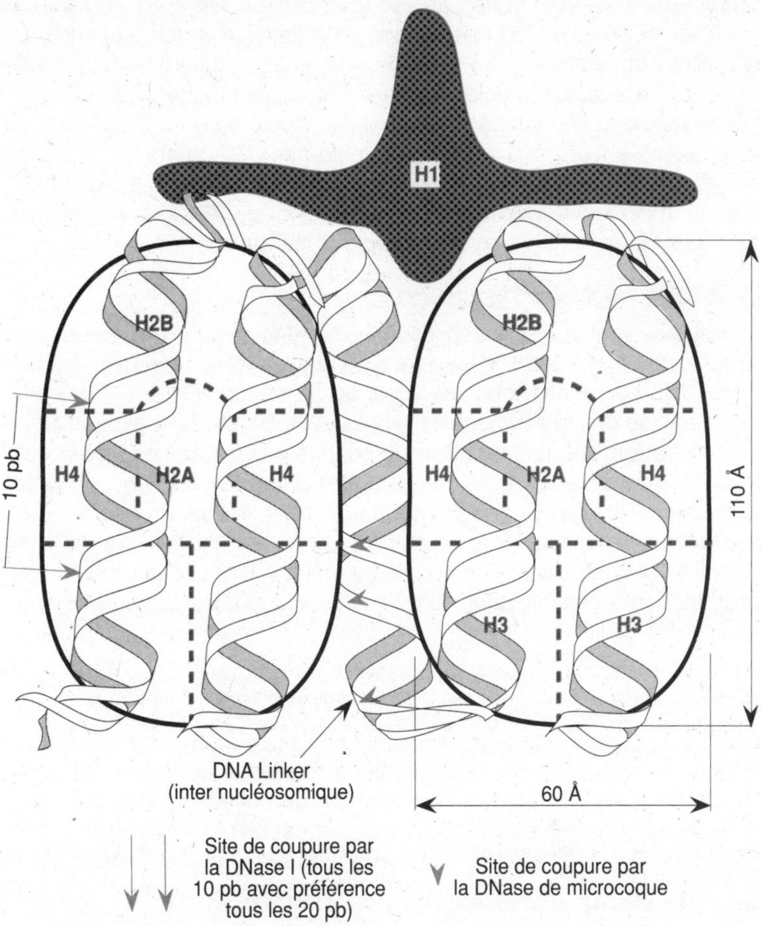

Figure 2-5 Organisation en nucléosomes de la fibre de 100 Å

DNA Linker (inter nucléosomique)

Site de coupure par la DNase I (tous les 10 pb avec préférence tous les 20 pb)

Site de coupure par la DNase de microcoque

L'utilisation de la microscopie électronique à des résolutions élevées, et dans des conditions expérimentales adéquates, permet de montrer qu'en fait cette fibre est constituée de petites boules de 100 Å de diamètre, appelées **nucléosomes.** Ceux-ci sont régulièrement espacés et reliés entre eux par un fil de 20 Å de diamètre (structure en chapelet). Mais l'examen en microscopie électronique nécessite un traitement sévère des échantillons, d'où le risque d'artéfacts. Les études biochimiques menées en parallèle ont en fait montré qu'il n'en était rien et que cette structure en nucléosomes avait une réalité biologique.

Lorsque la chromatine est traitée dans des conditions relativement douces par de la **DNase** de *Micrococcus aureus* de petites particules d'un diamètre de 100 Å sont libérées. Ces particules sont constituées par du DNA long d'environ 200 paires de bases, de 8 molécules d'**histones** (2 de H2A, 2 de H2B, 2 de H3 et 2 de H4) et enfin de quelques protéines non histones. Si le traitement à la DNase est plus énergique la longueur du DNA passe à 165 paires de bases, puis à 146 paires de bases. Le complexe des 8 histones + le fragment de DNA de 146 paires de bases est appelé **« *core* » nucléosome.** Celui-ci possède une structure discoïde biconvexe de 110 Å sur 60 Å. Il est constitué exclusivement d'un octamère d'histones comme déjà décrit, sur lequel est bobiné en hélice gauche 1 tour 3/4 de DNA sous sa forme B, ce qui correspond à un pas d'hélice gauche de 80 paires de bases par tour. L'interaction entre le DNA et les histones s'effectue surtout au niveau des histones H3 et H4 (130 paires de bases sur les 146). L'explication de l'extrême conservation des histones au cours de l'évolution est peut-être là. D'une part cette structure protège le DNA, d'autre part elle rend plus accessible son grand sillon, là où s'effectuent les interactions entre le DNA et les protéines, en particulier régulatrices. D'un point de vue pratique il semble que le rôle majeur de la structure nucléosomique soit de compacter le DNA.

Le mécanisme de la mise en place de la structure en nucléosome reste un problème encore mal résolu. Il semble que deux protéines suffisent pour assurer cet assemblage. Il s'agit d'une **topoisomérase** (voir chapitre 3) qui modifie l'état de torsion du DNA en créant des coupures et des religations après torsion, et de la **nucléoplasmine**.

Il y a cinq sortes d'histones

Les histones sont les protéines les plus abondantes du noyau ; elles sont de petite taille (11 à 28 kDa) et possèdent un caractère très basique ($pH_i > 10$). Une électrophorèse à pH acide montre qu'il en existe cinq types appelés respectivement **H1, H2A, H2B, H3 et H4**. Ces cinq histones sont retrouvées chez tous les eucaryotes. Des protéines ayant une structure apparentée aux histones ont été retrouvées chez les procaryotes (protéine Hu chez *E. coli*) qui pourtant n'ont pas de nucléosomes. Les séquences primaires des cinq histones de différentes espèces ont été entièrement déterminées, ce qui a permis de montrer leur très grande conservation au cours de l'évolution. Les histones les plus conservées sont les histones H3 et H4.

Pour ces deux dernières le degré de conservation des séquences est particulièrement surprenant : on ne retrouve que deux acides aminés différents entre deux histones H4 d'origines aussi éloignées que le petit pois et le veau. Ces changements qui portent sur les acides aminés 60 (Val⟶Ile) et 77 (Lys⟶Arg) sont sans effet sur la protéine finale puisqu'il s'agit d'échanges entre des acides aminés possédant des propriétés très homologues. Pour des espèces plus rapprochées la variation ne dépasse pas en général un acide aminé, les échanges ne s'effectuant chaque fois qu'entre acides aminés à propriétés très homologues (Lys⟶Arg ; Glu⟶Asp ; Tyr⟶Phe).

Les différentes histones ont des structures très apparentées

Les quatre histones qui constituent le nucléosome (H2A, H2B, H3, H4) sont de petites protéines monomériques de masses moléculaires comprises entre 11 000 et 14 000 Da. Leurs structures sont très voisines. La partie centrale est globulaire, elle représente plus de 80% de la molécule où se rassemblent les acides aminés les moins polaires.L'extrémité NH_2 terminale est en forme de bras, très **riche en acides aminés basiques** (Arg et Lys), donc fortement chargée positivement au pH cellulaire. C'est par ce bras NH_2 terminal que les histones interagissent avec les charges négatives des phosphates du DNA. On y retrouve tous les acides aminés susceptibles de subir des modifications post-traductionnelles comme : phosphorylation, acétylation... dont l'effet est de modifier fortement la charge électrique des bras, soit en y apportant des charges négatives (phosphorylation), soit en annulant simplement les charges positives (acétylation, méthylation). Il en résulte une modification des forces d'interaction entre l'histone et le DNA dont le rôle semble majeur dans les processus d'expression et de réplication des gènes. Enfin l'extrémité COOH terminale est aussi en forme de bras comportant quelques acides aminés basiques. Contrairement au bras NH_2 on n'y retrouve aucun acide aminé susceptible de subir des modifications post-traductionnelles. Ce bras est de longueur variable d'une histone à l'autre, il est complètement absent sur l'histone H4.

La dernière histone, **l'histone H1**, ne fait pas partie du nucléosome **(Figure 2-5).** Elle participe à la compaction en interagissant entre deux nucléosomes contigus. Ses deux bras peuvent être phosphorylés sur des sérines et des thréonines.

Malgré le caractère très conservé des histones, il en existe des variants chez un même individu. La présence de certains variants change au cours de l'ontogenèse ou en fonction de l'état cellulaire.

Les histones ne jouent vraisemblablement pas qu'un rôle structural

De nombreuses données expérimentales ont montré que les modifications post-traductionnelles (phosphorylation, acétylation...) des histones sont capables de moduler leur rôle dans la réplication et dans la transcription. Toutes les histones sont phosphorylables sur des sérines et sur des thréonines. La phosphorylation de l'histone H1 est l'une des étapes clef de la mitose.

Seules les quatre histones nucléosomiques sont acétylables in vivo. Il s'agit surtout des histones H3 et H4 dont quatre lysines peuvent être ε-acétylées. Ces acétylations jouent vraisemblablement un rôle dans les mécanismes transcriptionnels puisque les histones hyper-acétylées sont principalement retrouvées au niveau des parties actives de la chromatine.

Les histones peuvent enfin être méthylées et ADP-ribosylées. On ne connaît pas le rôle de ces deux dernières modifications.

*La structure et l'expression des gènes des histones les distinguent des autres protéines**

Les gènes codant pour les histones ne sont transcrits que pendant la phase S du cycle cellulaire, donc de manière synchrone avec la réplication du DNA. Les messagers des histones possèdent la caractéristique, peut-être unique, de ne pas être polyadénylés. Les gènes des histones sont des gènes **sans introns**, très répétés chez tous les eucaryotes, où leur nombre peut atteindre quelques centaines comme chez l'oursin. L'homme en possède une vingtaine, répartis entre les chromosomes 1, 6 et 12, ainsi que quelques pseudogènes. Les gènes codant pour les cinq histones sont regroupés sur une distance de 6 à 9 kb, mais sont transcrits séparément. Chez certains organismes les orientations transcriptionnelles peuvent être différentes. Ce sont les groupes entiers de 5 gènes (H1, H2A, H2B, H3 et H4) qui sont répétés, et non pas les gènes de manière individuelle. Il semble que le grand nombre de gènes observé chez tous les organismes résulte de recombinaisons inégales, sélectionnées au cours de l'évolution du fait de l'avantage sélectif apporté, puisque ces molécules doivent être synthétisées en énorme quantité (protéines très majoritaires) et ce pendant un temps très bref (phase S). L'histone la moins conservée est l'histone H1 ; mais il convient d'observer que le rôle de cette histone est complètement différent de celui des quatre autres.

Une superstructure de base : la fibre de 300 Å

La fibre de 100 Å avec ses nucléosomes et son DNA de liaison *(linker)* peut rester libre et prendre une structure en zig-zag ; mais elle peut surtout s'ordonner en une superstructure qui constituera la fibre de 300 Å observée en microscopie électronique. Dans cette structure la fibre de 100 Å se bobine en hélice pour former un **solénoïde** de 300 Å de diamètre dont le pas est constitué de 6 nucléosomes **(Figure 2-6)**. Cette structure est très hautement stabilisée par **l'histone H1**. Cette histone possède deux bras de taille grossièrement identique ; l'un interagissant avec le DNA d'un nucléosome, l'autre interagissant avec le DNA du nucléosome suivant (Figure 2-5). Grâce à ces « agrafes » la superstructure en solénoïde est stabilisée.

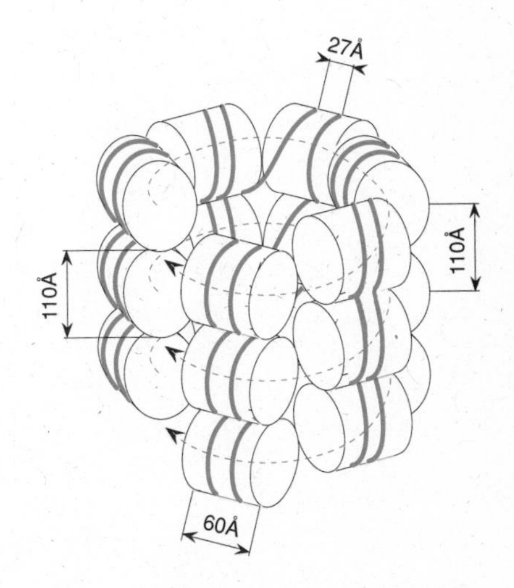

Figure 2-6 **Structure en solénoïde de la fibre de 300 Å**
Une conséquence importante de cette structure pour comprendre la régulation est qu'elle permet le rapprochement de régions de DNA linéairement très distantes l'une de l'autre (plusieurs kb).

* L'histone H1° (qui sera décrite p. 25) est une exception car son gène ne présente aucune des caractéristiques particulières des gènes des histones et de leur expression.

Vers une structure fonctionnelle : la chromatine

En 1869 Miescher décrivait une substance isolée de noyaux qu'il appela « nucléine ». Dix ans plus tard Flemming constatait qu'une partie de la substance nucléaire fixait fortement les colorants basiques. Il lui donna le nom de chromatine qui est maintenant le terme consacré. Dès cette époque on remarquait que cette substance aux caractères tinctoriaux particuliers était susceptible de modifier sa structure au cours du temps. A sa forme la plus condensée, observée au cours de la mitose, Waldeyer donna le nom de chromosomes en 1889.

La chromatine est une entité complexe

Dans le noyau le DNA n'est jamais nu, mais toujours associé à des protéines, et même à des RNA, l'ensemble constituant ce que l'on appelle **la chromatine.** Du fait de sa complexité la chromatine est restée une entité floue pendant près d'un siècle. Le contraste est grand entre les connaissances sur le DNA accumulées depuis la découverte de la double hélice et la pauvreté des informations concernant ses interactions avec les protéines au sein de la chromatine. C'est pourtant dans ces interactions que résident les mécanismes fondamentaux de la régulation de l'expression du message génétique.

La vie cellulaire impose qu'à tout moment l'information adéquate soit trouvée parmi les 3 milliards de paires de bases, puis lue de manière régulée. Cette information doit être protégée, réparée en cas d'altération et enfin pérennisée dans les cellules filles. Tout cela est l'œuvre, au moins en très large part, des protéines de la chromatine qui jouent un rôle central. Ce n'est que par la connaissance détaillée de leur structure et de leur mécanisme de fonctionnement que l'on pourra comprendre la régulation des gènes.

En plus des histones, quelques protéines sont quantitativement majoritaires

L'abondance de certaines protéines a permis de les purifier et d'étudier leurs propriétés et leurs fonctions. Parmi elles les **protéines HMG** *(High Mobility Group)* représentent une classe particulièrement intéressante.

Les protéines HMG sont ubiquitaires. On les retrouve dans tous les organes et chez tous les eucaryotes. Seuls les gènes des protéines HMG 14 et 17 ont été clonés chez l'homme. Il existe environ 20 à 50 copies de chacun de ces gènes par génome. Ce sont des gènes sans introns, comme ceux des histones.

Ces protéines sont particulièrement abondantes puisqu'on en trouve environ 10^6 copies par noyau. Il en existe quatre types principaux : HMG 1, HMG 2, HMG 14 et HMG 17. Leur structure est bipolaire, les acides aminés basiques étant regroupés dans l'extrémité NH_2 terminale et les acides aminés acides dans l'extrémité COOH terminale, ce qui fait penser qu'elles pourraient interagir à la fois avec les histones et le DNA. Les protéines HMG 1 et 2 sont les plus lourdes (masses moléculaires de 28 à 30 000 Da), elles présentent plus de 80 p. 100 d'homologie entre elles. Dans leur partie COOH terminale est retrouvée une séquence appelée HGA *(High Glutamic Aspartic)* constituée de 35 à 40 résidus d'acides aminés acides qui se suivent. Des variants de la protéine HMG 2 ont été mis en évidence. Leur présence et leur taux respectifs sont fonction de l'état cellulaire. En période interphasique ces protéines sont principalement localisées dans le cytosol. Elles migrent vers le noyau au cours de la phase S du cycle cellulaire, où elles joueraient un rôle dans la réplication et la transcription. Les protéines HMG 14 et 17 ont des masses moléculaires plus faibles (environ 12 à 14 000 Da). Elles présentent plus de 60 p. 100 d'homologie de séquence entre elles. Leur localisation est toujours nucléaire, elles interagissent avec les nucléosomes de manière coopérative par l'intermédiaire de leurs résidus 15 à 40. Chaque nucléosome possède 2 sites de fixation pour ces protéines.

L'histone H1° est une protéine uniquement retrouvée dans les cellules quiescentes

Cette protéine (encore appelée H5, BEP et IP25) présente une très forte homologie de séquence protéique avec l'histone H1, d'où son nom. Elle présente la caractéristique fonctionnelle importante d'être absente dans les cellules qui se divisent. Quand les divisions cessent, soit de manière naturelle, soit sous l'effet d'agents bloquant la mitose, l'histone H1° apparaît. Une diminution concomitante de la quantité de l'histone H1 est observée.

Contrairement aux gènes des autres histones, celui de l'histone H1° est unique chez toutes les espèces où il a été cloné. Il est sans intron, ces caractéristiques d'expression sont celles d'un gène classique (polyadénylation, ...) et non celles d'un gène d'histone.

Les protéines minoritaires sont encore mal connues

A côté des protéines majoritaires (histones, HMG), la chromatine renferme plusieurs centaines de protéines minoritaires. Parmi elles il existe des facteurs enzymatiques, des protéines se liant au DNA pour en moduler l'expression, des protéines de structure et des protéines agissant sur d'autres protéines. Leur taux individuel est infime (quelques copies par cellule) ce qui en rend l'étude difficile par les moyens de la biochimie classique.

Le noyau

La chromatine est localisée dans une structure qui porte le nom de noyau. C'est précisément cette structure qui distingue les eucaryotes des procaryotes qui n'en possèdent pas. Le noyau est limité par une double membrane perforée de pores. La double membrane est constituée d'une part de la membrane externe, en continuité avec les membranes qui constituent le réticulum endoplasmique, et d'autre part de la membrane interne, dont la face en contact avec le nucléoplasme est tapissée d'une couche constituée de trois protéines, les **lamines** A,B,C. Les membranes interne et externe sont séparées par un espace de 200 Å.

Les échanges nucléo-cytoplasmiques s'effectuent au niveau des **pores nucléaires.**

Les bords de ces pores sont constitués d'un appareil octogonal complexe et mal connu constitué de 8 sous-unités d'une masse moléculaire totale de 105 kDa. Le centre de certains pores est obstrué par un bouchon dont le rôle est inconnu. Le complexe du pore possède un diamètre de 700 Å avec un trou central de 100 à 200 Å. Le nombre de pores est très variable (de quelques centaines à quelques milliers) d'un type cellulaire à l'autre et peut pour une même cellule se modifier en fonction de son activité.

Quant à la structure intra-nucléaire, elle est très mal connue, en dehors des nucléoles. Comme dans le cytosol il existe un **nucléosquelette** appelé matrice nucléaire. Un grand nombre d'observations suggèrent que les interactions entre DNA et nucléosquelette, et entre DNA et membrane nucléaire jouent un grand rôle dans la régulation de l'expression génétique ainsi que dans les mécanismes qui assurent la réalisation des mitoses et des méioses. D'un point de vue biochimique la matrice nucléaire correspond au matériel nucléaire insoluble à une force ionique de 0,35 à 0,45 M NaCl et rendu soluble par une digestion prolongée par les DNases. Il est constitué d'une série de protéines, dont l'actine, et de RNA.

La structure nucléaire n'est pas figée

L'organisation de la chromatine au sein du noyau pendant la période interphasique, c'est-à-dire entre deux divisions cellulaires, reste encore très mal connue. Pendant longtemps on décomposait le contenu nucléaire simplement en deux types de chromatine, **l'hétérochromatine** ou chromatine dense, et **l'euchromatine** ou chromatine claire. Ce n'est que récemment que des structures comme la matrice nucléaire ont été mises en évidence et ont commencé à être étudiées. Mais la notion d'eu- et d'hétérochromatine relève aussi de données fonctionnelles, puisque l'euchromatine est réputée être la fraction active de la chromatine, alors que l'hétérochromatine, très compactée, correspond aux fractions inactives. De plus, comme nous le verrons dans le prochain chapitre, les zones d'hétérochromatine sont celles qui sont répliquées le plus tard en phase S, comme c'est le cas pour le chromosome X inactivé. Ces données permettent de penser que la structure de la chromatine est en relation avec son état fonctionnel, puisque les gènes de cellules différentes peuvent être alternativement dans une structure d'euchromatine ou d'hétérochromatine selon qu'ils sont exprimés ou non. Encore une fois le chromosome X en est un exemple, puisque, chez la femme, l'un d'eux, pris au hasard dans chaque cellule, reste entièrement sous forme d'hétérochromatine alors que l'autre est partiellement sous forme d'euchromatine. Dans la cellule voisine le choix du chromosome inactif peut être inverse démontrant que ce choix ne dépend pas de la séquence du DNA. En fait l'inactivation de l'un des deux X a lieu très précocement, dès les premières divisions de l'œuf, et se maintient définitivement dans les générations cellulaires successives (phénomène dit de **« Lyonisation »,** car découvert par M. Lyon).

Ce type de chromatine qui peut indifféremment passer de la forme eu- à hétéro- correspond à ce que l'on appelle **l'hétérochromatine facultative**. Il en existe une autre appelée **hétérochromatine constitutive** qui reste constamment sous la forme condensée. Elle ne contient pas de gènes fonctionnels. Le DNA contenu dans ce type de chromatine est riche en G et C, et il est vraisemblable que, contrairement à l'hétérochromatine facultative, des séquences particulières interviennent dans le déterminisme de cette structure. Nous verrons plus loin qu'il est principalement constitué de séquences courtes hautement répétitives **(DNA satellite).** Au niveau des chromosomes les séquences qui correspondent à cette chromatine constitutive sont regroupées principalement près des centromères de la plupart des chromosomes. On peut les repérer par une technique de coloration spécifique sous forme de bandes appelées **bandes C**.

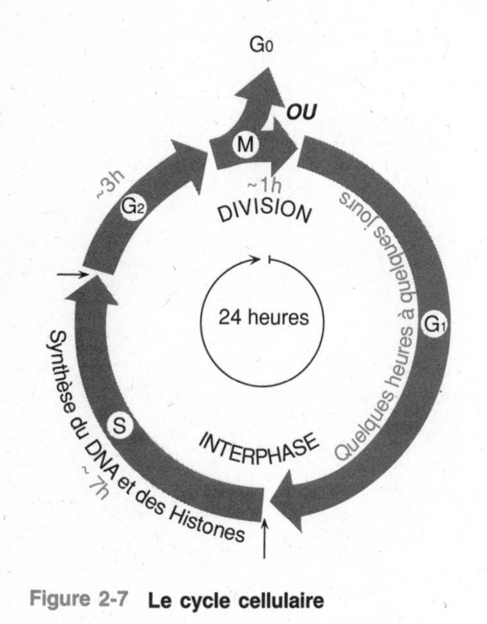

Figure 2-7 **Le cycle cellulaire**

LA VIE CELLULAIRE SUIT UN RYTHME : NOTION DE CYCLE CELLULAIRE (Figure 2-7)

Une cellule qui ne cesse de se diviser passe par quatre phases successives. La **phase G_1** (pour *gap1*) est une phase de préparation, sa durée est très variable (de quelques heures à quelques jours). C'est elle qui définira la durée du cycle cellulaire puisque les autres phases ont une durée grossièrement constante. Après cette préparation la cellule entre en **phase S** (phase de synthèse). Durant cette phase le DNA est dupliqué et les histones sont synthétisées de manière synchrone ; sa durée est d'environ 7 heures. Suit une deuxième phase *gap* : la **phase G_2** d'une durée d'environ 3 heures. Enfin se produit la phase de mitose **(phase M),** classiquement divisée en quatre sous-phases pendant lesquelles les chromosomes s'individualisent, se séparent puis disparaissent en se transformant en chromatine interphasique. A la fin de cette phase deux cellules identiques à la première sont obtenues. Ces deux cellules entrent en phase G_1 et le cycle reprend.

Si les cellules arrêtent de se diviser le cycle est interrompu. Les cellu-

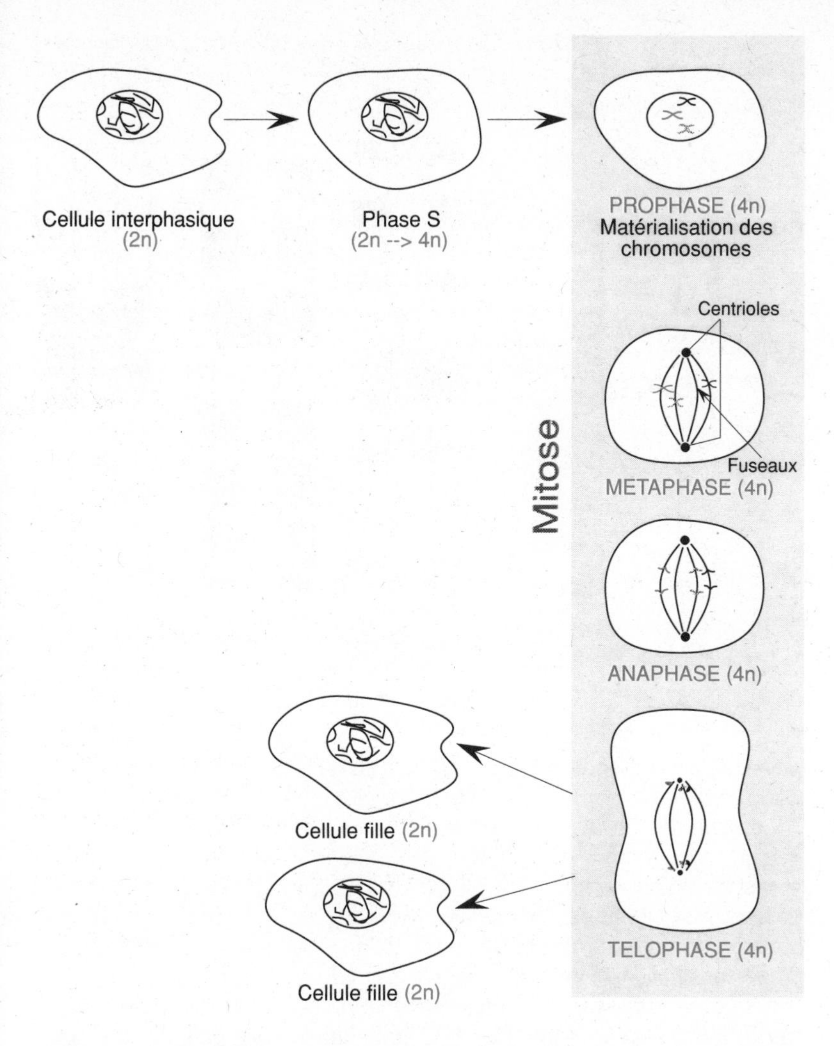

Figure 2-8 Schéma de la mitose

les entrent en **phase G_0**. Certaines cellules comme les cellules nerveuses y resteront toute la vie de l'individu. D'autres y resteront un temps indéterminé jusqu'à ce qu'un stimulus les introduise de nouveau en phase G_1 et les réintègre dans un cycle mitotique.

Au cours de la mitose, la chromatine subit des modifications considérables

La mitose est une phase du cycle cellulaire divisée en quatre sous-phases : prophase, métaphase, anaphase, et télophase **(Figure 2-8),** au cours desquelles la chromatine atteindra son taux de compaction maximal sous forme de **chromosomes** qui se forment puis se répartissent entre les deux cellules filles. Enfin les noyaux se reconstituent et les cellules filles se séparent.

Les chromosomes correspondent à la forme la plus compactée de la chromatine

Ils représentent un concentré d'information, puisqu'ils sont très majoritairement composés de DNA et d'histones. Seules quelques protéines, principalement à rôle structural, y sont retrouvées. Ils n'ont d'existence

Figure 2-9 **Le chromosome et ses bandes**

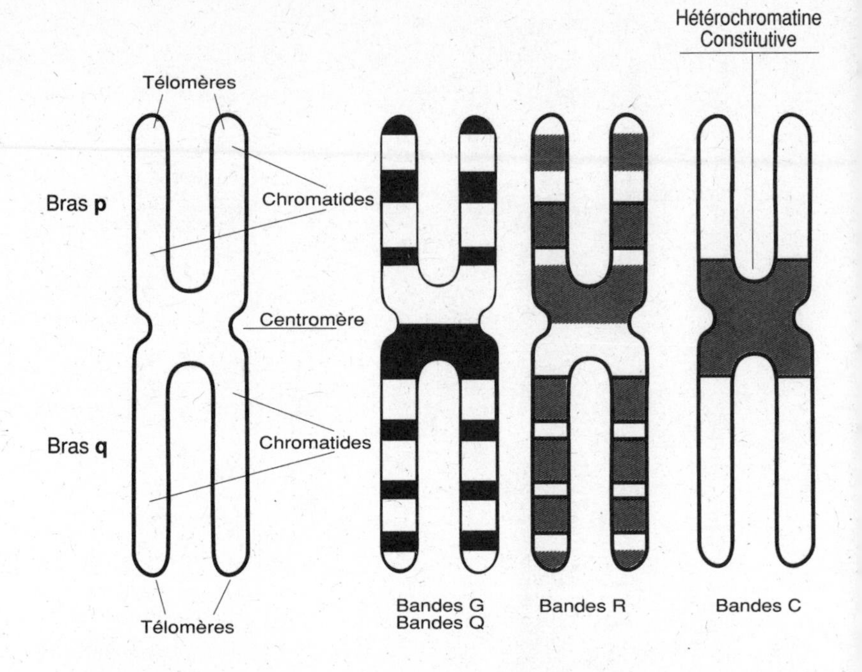

physique que durant la mitose, depuis la fin de la prophase jusqu'au début de la télophase.

Lorsque des cellules sont mises en culture et bloquées en métaphase par un procédé chimique, chaque chromosome est visible après coloration et analysable en microscopie optique **(Figure 2-9)**. Ils sont constitués de deux bâtonnets parallèles, les **chromatides,** qui correspondent chacune à une copie complète de l'information, reliées entre elles au niveau d'une constriction, le **centromère**. L'extrémité de chaque chromatide porte le nom de **télomère**. La structure du DNA de ces deux régions particulières sera envisagée pages 34 et 35. Effectuée sur des cellules humaines cette analyse montre que l'homme possède 23 paires de chromosomes. L'ensemble de ces chromosomes constitue le **caryotype**. Tous les chromosomes observés dans un caryotype sont identiques deux à deux sauf au niveau d'une des paires : les chromosomes sexuels X et Y. Les 23 types de chromosomes diffèrent par leur taille et la position du centromère qui n'est pas identique dans tous les chromosomes. Leur contenu en DNA est donné dans le tableau 10-6.

Malgré leurs différentes morphologies certains chromosomes sont très difficiles à identifier dans un caryotype. Pour pallier cette difficulté une série de traitements et de colorations spécifiques ont été mis au point. Ces artifices techniques provoquent l'apparition de **bandes** caractéristiques et parfaitement reproductibles. Trois niveaux de résolution peuvent être obtenus. Le niveau courant permet de distinguer environ 300 bandes. Certains traitements qui allongent le chromosome permettent d'obtenir des niveaux de résolution supérieure visualisant respectivement 800 et 3 000 bandes. L'ordonnancement des bandes dépend du traitement effectué (Figure 2-9). La quinacrine crée les **bandes Q** visibles en fluorescence ; ces bandes se superposent aux **bandes G** obtenues par la coloration au Giemsa de chromosomes préalablement traités par des protéases. Leur DNA est riche en A-T. Une coloration par l'acridine orange sur des chromosomes préalablement dénaturés révèle les **bandes R** qui ont une organisation exactement inverse de celle des bandes Q et G et dont le DNA est riche en G-C. Cette différenciation morphologique correspond à une différence fonc-

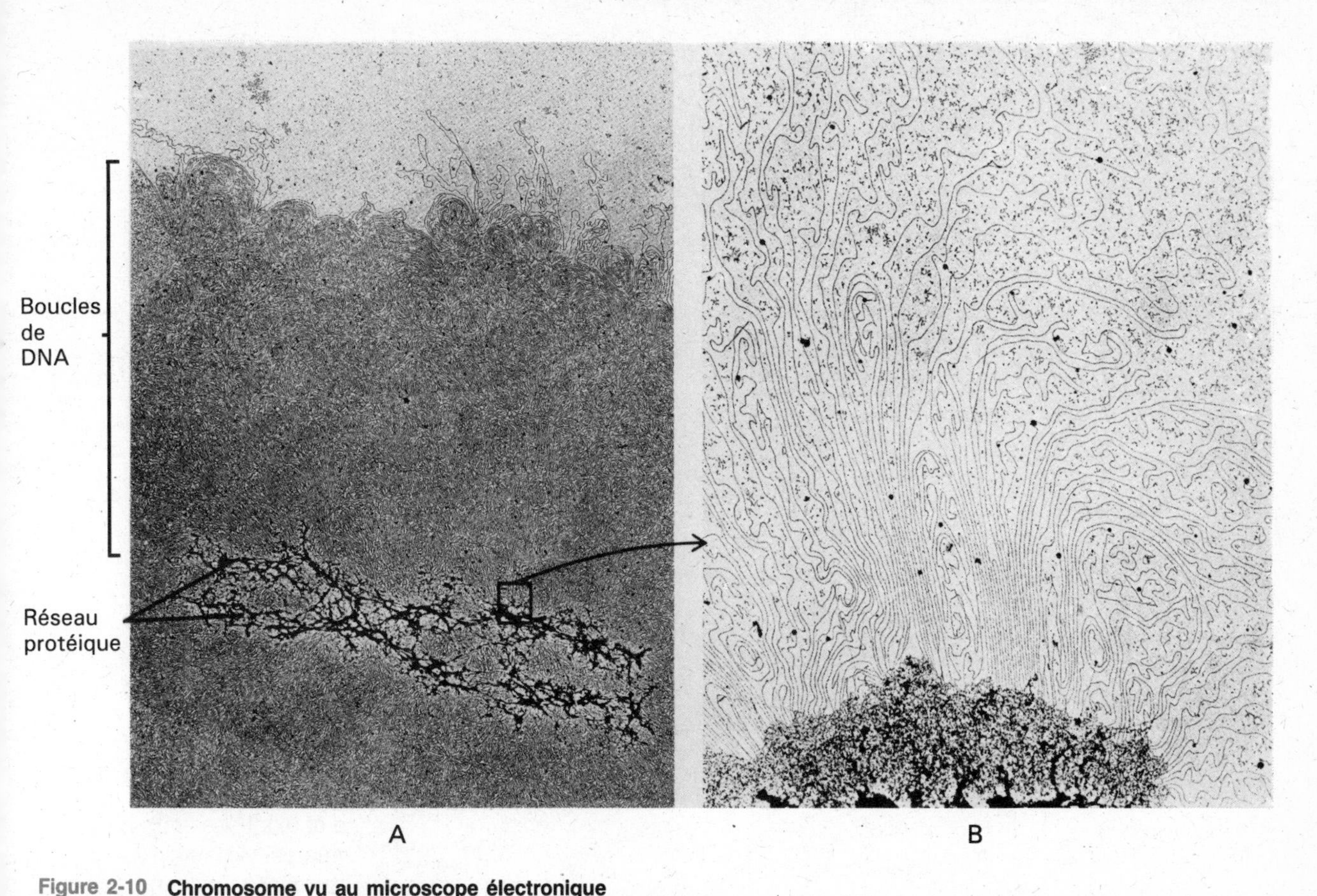

Figure 2-10 **Chromosome vu au microscope électronique**
A : Structure d'un chromosome métaphasique vu au microscope électronique après déplétion des histones.
B : Agrandissement d'une partie de A montrant l'organisation de la fibre de DNA et son interaction avec le squelette chromosomique.
(J.R. Paulson, U.K. Laemmli. Cell, 1977, 12 : 817)

tionnelle. Les séquences de DNA qui appartiennent aux bandes R correspondent à celles qui sont répliquées le plus précocement en phase S, alors que les bandes Q et G correspondent à du DNA à réplication tardive. On ne connaît pas le mécanisme qui préside à la constitution de la coloration spécifique des bandes, car le DNA extrait de chromosomes déjà traités est à peu près uniformément coloré, qu'il provienne de la bande ou de l'interbande. Il est vraisemblable que c'est l'organisation de la compaction qui est responsable des différences d'intensité de coloration au niveau des bandes.

Les **bandes C** déjà évoquées sont obtenues par dénaturation-renaturation. Leur organisation est très différente de celle des autres bandes, puisqu'au lieu d'être réparties le long du chromosome elles sont localisées aux alentours des centromères. Elles correspondent à l'hétérochromatine constitutive.

La microscopie électronique a permis de disséquer l'architecture du chromosome

La déplétion des histones et la destruction du DNA par digestion intensive avec des DNases permettent d'obtenir le squelette du chromosome. Examiné au microscope électronique ce squelette possède une forme identique à celle du chromosome natif. C'est donc lui qui détermine la forme du chromosome telle qu'elle peut être appréhendée en microscopie optique. L'équipe de Laemmli a montré que ce squelette n'est constitué que de deux protéines : les ***scaffold proteins.*** Ces protéines, dont la masse moléculaire est très élevée (180 kDa), sont reliées entre elles par des ions

Figure 2-11 **Schéma de la méiose**

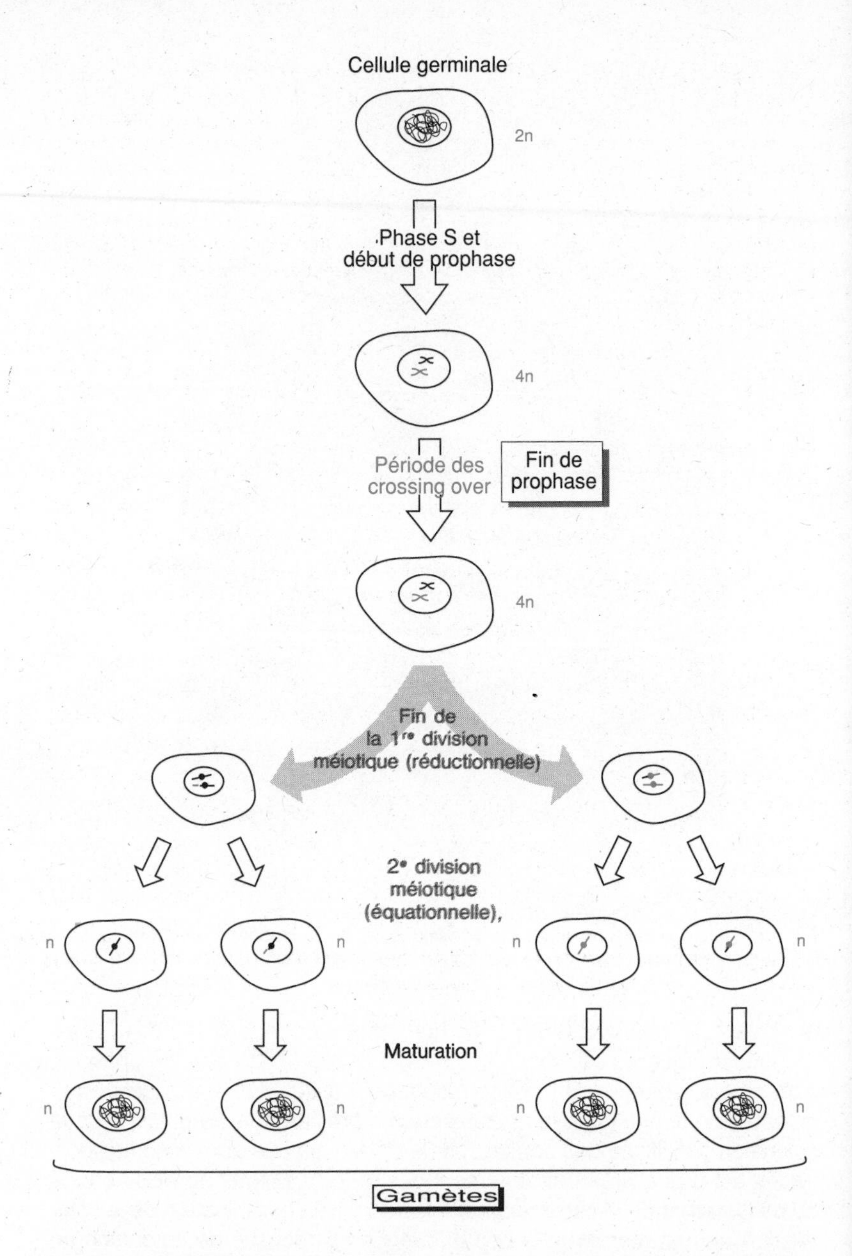

Cu à des concentrations très faibles (10^{-8} M). L'une des deux a été identifiée comme étant une topoisomérase de type II (voir chapitres 3 et 5).

L'examen des chromosomes au microscope électronique, après simple déplétion des histones, montre l'organisation générale des chromosomes **(Figure 2-10)**. La molécule de DNA, vraisemblablement continue dans chaque chromatide — de 0,5 à 2,5 10^8 paires de bases — forme des boucles d'une longueur comprise entre 10 et 90 kb, dont chaque extrémité est attachée aux protéines du squelette du chromosome. A l'état natif, dans le chromosome, le DNA de ces boucles est organisé en nucléosomes comme l'est la chromatine interphasique. Ces nucléosomes sont empaquetés. Cette organisation donne au chromosome une structure externe bosselée parfaitement mise en évidence en microscopie électronique à balayage. Ces bosselures portent le nom de microconvules.

Les mécanismes moléculaires qui président à la constitution des chromosomes lors de la mitose sont pour la plupart inconnus. Une hypothèse séduisante émise par Laemmli mérite d'être énoncée : pendant l'interphase le DNA resterait associé aux protéines du squelette du chromosome, qui à ce stade sont disséminées dans le noyau et participeraient à l'élaboration de la structure de la matrice nucléaire. Les boucles de DNA sont associées d'une part à ces protéines, d'autre part aux lamines, protéines qui tapissent la membrane interne du noyau. Lors de la prophase, par un mécanisme encore inconnu, les liaisons du DNA ou de protéines qui lui sont fixées avec les lamines seraient rompues, et les protéines du squelette se rassembleraient pour former les chromosomes. La dispersion au sein du noyau des chromosomes ne se fait pas au hasard puisque, lors de l'interphase, la chromatine qui constitue chaque chromosome reste localisée dans une zone parfaitement définie et compacte du noyau. Dans cette conception les chromosomes, bien que non individualisés, seraient en quelque sorte préfigurés pendant l'interphase.

Deux divisions particulières constituent la méiose

Les deux dernières divisions des cellules germinales qui produiront les gamètes (spermatozoïdes ou ovules) sont tout à fait particulières et portent le nom de **méiose**. Au cours de ces deux divisions le DNA ne se répliquera qu'une fois. Ainsi contrairement à toutes les autres cellules de l'organisme, les gamètes ne posséderont qu'un seul exemplaire de chaque chromosome. Au cours de la méiose les cellules passent donc de l'état diploïde (2n chromosomes) à l'état haploïde (n chromosomes). La diploïdie sera restaurée lors de la fécondation où un spermatozoïde fusionne avec un ovule. Dans le zygote ainsi produit le matériel génétique des deux parents se trouve additionné. Mais les modifications génétiques ne se limitent pas à l'association de l'information provenant de deux individus différents. En effet d'un point de vue informationnel un second phénomène se produit au cours de la méiose : les **recombinaisons.**

Ainsi le terme consacré de reproduction est-il tout à fait impropre puisque l'individu qui résultera de la fécondation n'est pas une reproduction de l'un des parents, mais une chimère constituée de la moitié de l'information de chacun d'eux, elle-même préalablement considérablement brassée par les phénomènes de recombinaison.

La description détaillée de la méiose, qui est très complexe, sort du cadre de cet ouvrage et nous nous contenterons d'en exposer les grandes lignes **(Figure 2-11)**. Une attention toute particulière sera portée aux phénomènes de recombinaison compte tenu de leur importance dans l'interprétation des résultats de l'analyse génotypique à but diagnostique.

La première division méiotique assure le brassage des gènes

La prophase de cette mitose particulière est de durée variable, mais toujours très longue. Elle est divisée en cinq stades : leptotène, zygotène, pachytène, diplotène et diacinèse. Chez la femme les cellules restent bloquées au stade diplotène, depuis le 5e mois de la vie fœtale jusqu'à la puberté. En revanche chez l'homme le processus est continuel de la puberté à la mort.

Les mécanismes de formation et de séparation des chromosomes sont complètement différents de ceux observés dans les mitoses classiques. Au cours du stade zygotène les chromosomes homologues sont intimement appariés sur toute leur longueur en formant une sorte de ruban dans la formation duquel sont impliqués des facteurs protéiques. Cet appariement s'effectue entre les séquences homologues des deux chromosomes, il porte le nom de **synapsis.** Là est le point de départ des **recombinaisons** ultérieures. La paire de chromosomes ainsi liés porte le nom de bivalent. Au cours du pachytène des échanges de chromatides non sœurs vont se produire : pour cela elles sont sectionnées, échangées puis ligaturées sur le nouveau chromosome. De cet échange ***(crossing over)*** peut résulter une modification d'haplotypes si la recombinaison se produit entre deux marqueurs liés.

Ces échanges de matériel génétique se produisent obligatoirement au moins une fois sur chaque chromosome. Il s'en produit environ 60 par méiose dans l'espèce humaine (soit 30 *crossing over* par génome haploïde).

Le mécanisme moléculaire de la recombinaison n'a pas encore été élucidé. Il est vraisemblablement proche des systèmes de recombinaison de la bactérie chez qui une série de gènes impliqués ont été caractérisés. Ces gènes appartiennent au système SOS et seront étudiés plus en détail ultérieurement. Leurs produits assurent la coupure, l'échange et « la religation » de séquences homologues. Chez les eucaryotes il est vraisemblable que, du fait de leurs homologies, les très nombreuses séquences répétées jouent un rôle important dans les phénomènes d'appariement lors de la recombinaison. Elles sont aussi certainement responsables des appariements de régions non homologues.

A la fin du pachytène et au début du diplotène les chromatides vont légèrement se séparer en formant des tétrades ; à ce stade les chromatides restent entrelacées en des points appelés **chiasmas.** Ces chiasmas vont se déplacer vers le télomère du chromosome ; ce qui fait qu'à un temps donné la place observée du chiasma ne correspond pas obligatoirement au point où se sont échangées les chromatides.

Lors de la métaphase les centromères prennent une disposition syntélique, c'est-à-dire que les centromères d'origine paternelle et maternelle vont se disposer de part et d'autre du plan équatorial du fuseau. Cependant il est important de noter que chaque chromosome se dispose au hasard d'un côté ou de l'autre de ce plan. Il y aura donc de part et d'autre un mélange non prédéterminé de centromères d'origine maternelle et paternelle introduisant un brassage de l'information de la génération précédente. A l'anaphase chaque centromère migre en direction du pôle vers lequel il est orienté. Il y a donc ségrégation indépendante des centromères auxquels sont associées des chromatides chimères (mélange paternel/maternel). Les chromosomes sont désormais réarrangés et aucun n'est identique aux chromosomes parentaux. De plus les réarrangements étant aléatoires, ils sont différents dans chaque gamète.

La deuxième division méiotique

Elle se produit immédiatement après la télophase de la première division méiotique sans réplication du DNA, donc sans phase S.

La méiose introduit donc un gigantesque brassage de l'information génétique. Elle prépare le mélange qui se produira lors de la fécondation et aboutira à un être unique. Des modifications informationnelles parfois considérables peuvent être introduites du fait de la complexité et de la non-fidélité absolue des mécanismes mis en jeu lors de la méiose. De nombreuses erreurs, vraisemblablement favorisées par la présence des séquences répétitives dispersées dans le génome, peuvent se produire. Ces erreurs résultent de recombinaisons entre séquences homologues (séquences répétées), mais non situées au même endroit dans le chromosome. De ce crossing-over inégal il résulte une perte d'information sur l'un des chromosomes et une duplication de l'information sur l'autre. C'est ce phénomène qui semble être à la base des duplications de certains gènes, des séquences multi-répétées, et de la conservation de certaines séquences au cours de l'évolution. Mais ce phénomène peut aussi être très préjudiciable si le gamète fécondé est celui qui a perdu du matériel, donc de l'information, ou si la duplication de l'information se traduit par des phénomènes pathologiques. Il peut enfin se produire une série d'erreurs, comme une **non-ségrégation** de certains chromosomes provoquant après fécondation des monosomies ou des polysomies.

LE MATÉRIEL GÉNÉTIQUE DES EUCARYOTES EST EN TRÈS LARGE EXCÈS

Comme nous l'avons vu au début de ce chapitre (Tableau 2-1), il n'existe aucun lien entre le contenu en DNA et la taille d'un organisme. Certaines plantes et certains amphibiens possèdent presque 100 fois plus de DNA par noyau que l'homme. Là ne s'arrête pas le paradoxe ; dans tous les cas, contrairement à ce qui est observé chez les procaryotes, le contenu en DNA est au moins 10 fois supérieur à ce qui est nécessaire pour coder l'ensemble des protéines. Les gènes sont donc noyés dans une grande masse de DNA apparemment non codant, mais dont certaines des séquences présentent une organisation particulière. Ce DNA a été appelé parfois DNA égoïste. Cependant la mise en évidence de séquences parfaitement organisées, dont certaines sont même transcrites, laisse penser qu'au moins une partie de ce DNA pourrait jouer un rôle important. Celui-ci est pour le moment inconnu.

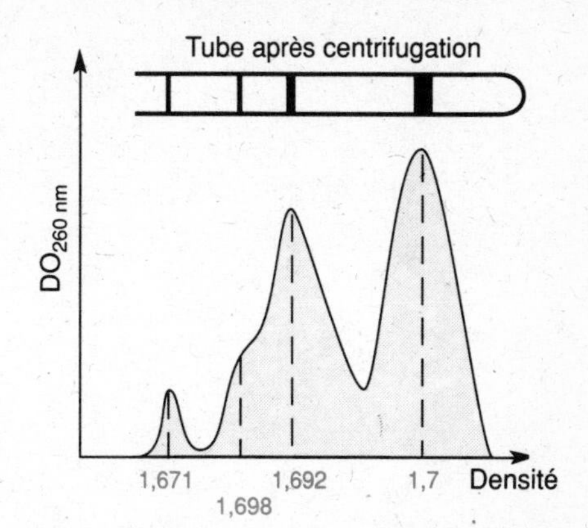

Figure 2-12 Mise en évidence du DNA satellite par ultracentrifugation en gradient de chlorure de césium

Les séquences du DNA sont hétérogènes

Une première voie d'approche pour mettre en évidence cette hétérogénéité consiste à centrifuger du DNA purifié et cassé au hasard sur un gradient isopycnique de chlorure de césium **(Figure 2-12)**. La révélation après centrifugation montre, en plus d'une bande majeure de forte densité, une série de bandes de densités inférieures **(DNA satellite)**.

Cette hétérogénéité peut être mise en évidence avec plus de finesse par des expériences de cinétique de réassociation de brins de DNA préalablement séparés par une élévation de la température au-dessus de la température de fusion de ce DNA (voir chapitre 23). Avec du DNA de procaryote la cinétique de réassociation est une sigmoïde presque parfaite, caractéristique du procaryote étudié. Cette cinétique parfaitement homogène indique que la vitesse de réassociation de toutes les séquences est la même, donc qu'elles ne sont pas répétées.

Avec du DNA de mammifère la cinétique de réassociation est une courbe

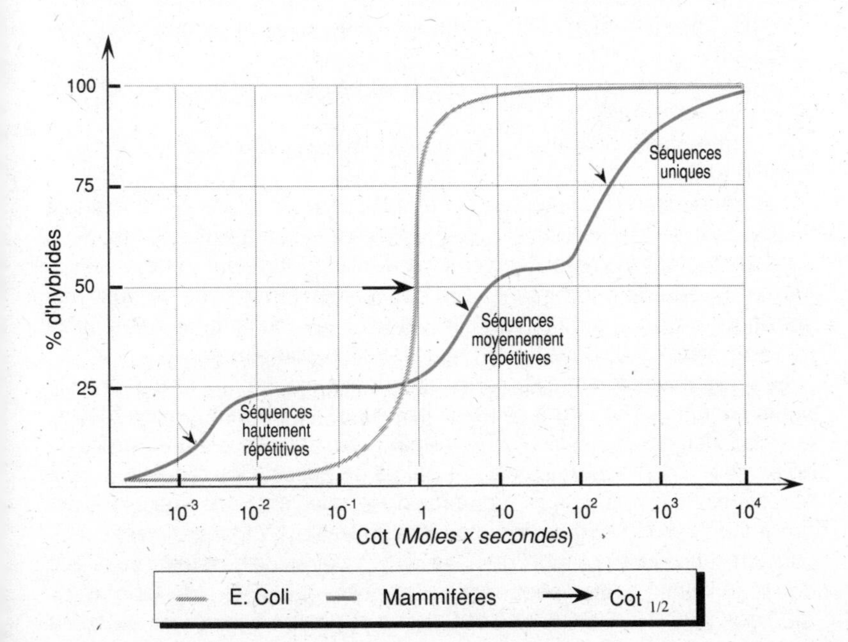

Figure 2-13 Courbe de réassociation du DNA de mammifère et d'*E. coli*

complexe résultant de la superposition de plusieurs sigmoïdes **(Figure 2-13)**. Cette expérience permet de mettre en évidence l'existence de 3 types de DNA :

- du DNA se réassociant quasi immédiatement (Cot < 0,01) correspondant donc à du DNA très **hautement répétitif** présent en un très grand nombre de copies ;
- du DNA se réassociant un peu plus lentement (0,01 < Cot < 10) correspondant à du DNA **moyennement répétitif** ;
- du DNA ne se réassociant que très lentement (10 < Cot < 10 000) correspondant, pour les Cot les plus élevés, à des **séquences uniques.**

Le DNA hautement répétitif (réassociation très rapide)

Ce DNA à réassociation très rapide correspond au **DNA satellite** observé en centrifugation ; il n'est pas codant. Il représente 10 à 15 p. 100 du génome des mammifères, donc quelques centaines de millions de paires de bases chez l'homme. Les sondes obtenues à partir de ce DNA et utilisées pour le marquage in situ des chromosomes ont montré que ce type de DNA est pour une grande part localisé au niveau des centromères des chromosomes ; il correspond aux bandes C c'est-à-dire à l'**hétérochromatine constitutive**. Ces séquences ne sont donc pas dispersées dans le génome mais **localisées** en certains points particuliers. La fonction de ce DNA n'est pas connue. L'analyse des séquences a permis de trouver trois types définis :

- le premier type, largement majoritaire, est composé de motifs constitués de courtes séquences (5 à 10 paires de bases) disposées en tandem. Ces séquences sont répétées de très nombreuses fois (jusqu'à quelques centaines de milliers). Les études sur le chromosome Y ont montré que ces séquences étaient hyperméthylées dans les cellules somatiques et hypométhylées dans les cellules germinales ;
- le deuxième type correspond à des séquences répétées, également organisées en tandem mais plus longues (100 à 200 paires de bases).

Enfin il existe des séquences hautement répétées **dispersées** (minisatellite) situées en dehors de l'hétérochromatine constitutive et dont nous décrirons l'utilisation pratique aux chapitres 9 et 18.

Les séquences centromériques *(CEN)* et les séquences télomériques *(TEL)*.

Les études chez la **levure** ont permis de mettre en évidence des séquences qui se sont avérées nécessaires et suffisantes pour que les chromosomes se dupliquent et ségrègent correctement lors de la mitose. Ces séquences sont à la base des chromosomes artificiels de levure (YAC) qui seront décrits dans les chapitres 24 et 26. Deux d'entre elles au moins ont un équivalent chez les mammifères, il s'agit des séquences *CEN* et *TEL*.

- Les **centromères** et les **séquences *CEN*** : les séquences *CEN* sont des séquences centromériques. Chez la levure elles sont constituées :

— d'un premier motif de 9 paires de bases, situé en amont (5') (TCACATGAT) ;

— d'une séquence centrale de 80 à 90 paires de bases, très riche en A et T (> 90 p. 100) ;

— d'une séquence de 11 paires de bases, située en 3' (TGATTTCCGAA).

Les séquences amont et aval sont très conservées dans les différentes levures, seules des variations mineures y sont observées. Les séquences adjacentes sont moins conservées, mais elles pourraient jouer aussi un rôle au niveau du centromère. Ces séquences conservées ne sont pas spécifiques d'un chromosome, elle peuvent être échangées entre chromosome sans que, pour autant, leur fonction soit altérée.

Leur organisation chez l'homme et la souris est maintenant en grande partie connue. Chez l'homme et les primates, les séquences centromériques constituent la famille de **l'α satellite** qui correspond à la répétition en tandem d'une séquence de 171 paires de bases. Ces répétitions sont retrouvées au niveau des centromères de tous les chromosomes, leur longueur varie de 300 kb (chromosome Y) à 5 000 kb. L'organisation est identique chez la souris. Le motif de base de 171 paires de bases est constitué de répétitions d'une séquence : la boîte CENP-B, de séquence CT(T/A)(C/T)G(T/G)TGGAAA(C/A)GG(G/A)AA, ces boîtes étant séparées par des séquences plus ou moins conservées. La protéine centromérique CENP-B se fixe spécifiquement sur ces boîtes (d'où leur nom). Chez l'homme comme chez la souris, ces séquences centromériques sont entourées de séquences péricentromériques répétées de type minisatellite.

Une série de protéines se fixent au niveau du DNA centromérique : les protéines CENP-A (19 kDa), CENP-B (80 kDa), CENP-C (140 kDa), CENP-D (50 kDa), ICENP (dont il existe au moins deux sortes de 135 à 155 kDa) et une série de protéines appelées CLIP. Ces protéines constituent le **kinétochore** qui permet aux chromosomes de se fixer au fuseau et de migrer le long de celui-ci lors de l'anaphase. Certaines de ces protéines sont reconnues par les autoanticorps retrouvés chez des malades atteints de maladies systémiques comme le lupus.

• Les **télomères** et les **séquences *TEL*** : les fonctions du télomère sont multiples. On peut citer la protection vis-à-vis de la dégradation par les nucléases, le maintien de la longueur des chromosomes lors de la réplication, un rôle dans l'organisation de la structure chromatinienne durant l'interphase, via un attachement à la membrane nucléaire ; enfin les structures télomériques exercent un effet inhibiteur sur l'expression des gènes situés à leur proximité.

Les séquences ***TEL*** sont des séquences télomériques situées à l'extrémité des chromosomes. Elles sont très conservées, même lorsque l'on compare des organismes aussi éloignés que l'homme et les plantes. Ces séquences sont constituées de motifs hautement répétés, riches en C et en A : CC(C)ACACA(CA) chez la levure, CCCTAA chez l'homme (l'autre brin possède donc la séquence GTTAGGG, d'où le nom de brin G qui lui est parfois attribué). Le nombre de répétitions peut varier au cours du temps, par un phénomène d'extension/contraction, avec statistiquement une conservation de la longueur globale. Certaines mutations sont capables de modifier l'équilibre et conduire à une expansion considérable de ces séquences. On sait maintenant que ces séquences sont synthétisées, sans matrice, par une enzyme, la **télomérase**, qui a été purifiée à partir de plusieurs espèces, dont l'homme (cellule HELA). Cette enzyme est très particulière car elle est composée d'une partie protéique et d'un RNA, le RNA servant de matrice pour la synthèse du DNA. Cette enzyme est capable, dans des conditions optimales, de synthétiser des suites de 65 à 70 répétitions du motif télomérique TTAGGG.

A l'extrémité des chromosomes ces répétitions mono-brin, riches en G, sont susceptibles de prendre une configuration en épingle à cheveux très particulière qui implique des interactions G-G sous forme d'une structure à quatre brins. Ce sont ces structures en épingle à cheveux qui pourraient protéger le DNA vis-à-vis des nucléases et permettre la réplication aux extrémités sans perte de séquences codantes.

La majeure partie du DNA moyennement répétitif est apparemment non codante

Il représente 25 à 40 p. 100 du génome humain. Il est aussi constitué de séquences répétées mais plus longues soit 100 à 1 000 paires de bases. Il est beaucoup plus hétérogène que le DNA très hautement répété. Certaines données laissent penser qu'il correspond pour une grande partie à du DNA « mobile » de la classe des **rétroposons**. Ce DNA contrairement au précédent est **dispersé** dans la totalité du génome. Il est tellement dispersé que si le génome est coupé au hasard en fragments de 20 à 40 kb, plus de 90 p. 100 des fragments ont une chance de posséder une parcelle de ce DNA moyennement répété. Les motifs ne sont souvent en fait qu'imparfaitement répétés ; ils sont suffisamment homologues pour s'hybrider, mais dans les hybrides les mauvais appariements *(mismatch)* sont nombreux. Au sein de ce DNA deux familles de séquences particulières ont été caractérisées : les séquences SINE *(short interspersed repetitive element)* et les séquences LINE *(long interspersed repetitive element)* **(Figure 2-14)**.

• Les **séquences SINE** (ou séquences Alu chez l'homme) : si du DNA génomique humain est digéré par l'enzyme de restriction Alu I, parmi les fragments engendrés une série d'entre eux correspondent à une famille de séquences répétées : la **famille Alu**. La longueur des séquences de cette famille est d'environ 300 paires de bases ; il en existe environ 900 000 copies par génome humain. Ces séquences Alu semblent résulter d'une rétrotransposition. Elles ont une structure grossièrement symétrique : une séquence de 130 paires de bases en 5' est répétée dans la partie 3'. Les séquences Alu sont en général entourées de régions riches en AT. Ces séquences sont retrouvées tout au long du génome, même dans les introns des gènes.

La fonction des séquences Alu est inconnue. Un rôle d'origine de réplication a été proposé, mais aucune preuve n'a pu être apportée. La donnée la plus surprenante est l'observation d'une homologie de 80 p. 100 entre la partie 3' des séquences Alu et les extrémités 5' et 3' des RNA 7SL qui font partie des particules interagissant avec le peptide signal avant l'exportation au travers des membranes (voir chapitre 3). Le séquençage des séquences Alu a permis de montrer qu'il existait au moins six sous-familles au sein de la famille Alu, toutes dérivant du DNA codant pour les **RNA 7SL**. Il semble que l'expansion des séquences Alu n'ait pas été continue mais qu'elle se soit effectuée par vagues successives. Un groupe de séquences paraît assez récent (après la divergence entre les grands sin-

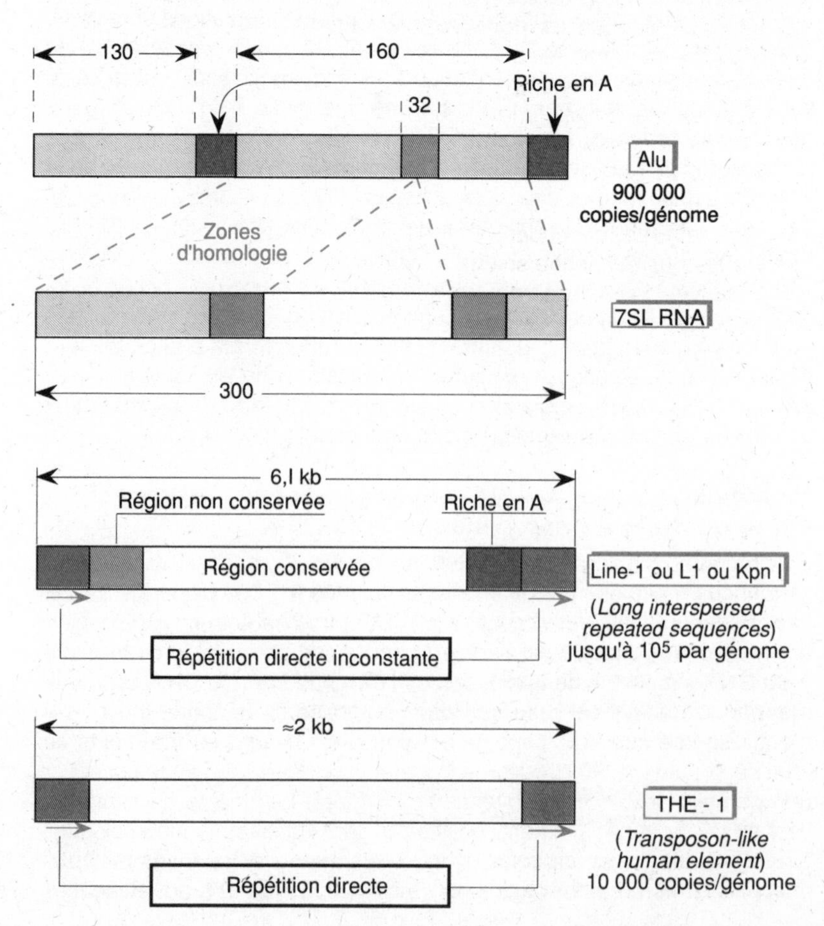

Figure 2-14 **Structure de certains éléments répétés du génome**

ges africains et l'homme). Des évolutions identiques sont retrouvées avec les séquences SINE des rongeurs et du lapin. Les séquences SINE représentent un outil précieux pour étudier l'évolution. Des transcrits avec *cap* de ces séquences sont retrouvés dans le cytosol, mais aucune protéine n'est traduite à partir de ces RNA. La preuve que les séquences Alu résultent de rétrotranspositions a été apportée récemment. Il a en effet été montré qu'un cas de neurofibromatose de type I était dû à une insertion d'une séquence Alu au sein du gène NF1. Une autre insertion a été retrouvée dans le gène de la cholinestérase. Le mécanisme de la rétrotransposition n'est pas connu, il fait obligatoirement appel à d'autres gènes puisque les séquences Alu, bien que transcrites, ne possèdent aucun cadre de lecture ouvert ; la transcriptase inverse, qui est indispensable au processus, provient donc de l'expression d'un autre gène.

Les séquences SINE des autres espèces dérivent, elles, de tRNA. Elles possèdent un promoteur pour la RNA polymérase III et la séquence caractéristique CCA, rajoutée après transcription. Cette dernière donnée montre que ces séquences ont été créées par rétrotranscription de tRNA. Le plus souvent il est possible de caractériser la nature du ou des tRNA originels (par exemple $tRNA^{Gly}$ pour la famille C du lapin).

La grande différence entre les séquences humaines et celles des autres espèces est mise à profit pour repérer le DNA humain dans les hybrides somatiques ou les cellules transfectées.

• Les **séquences LINE :** elles sont composées des familles Line 1 ou Kpn I et THE 1. Les séquences Line 1 sont individualisables après coupure du DNA génomique par l'enzyme de restriction Kpn I. Elles ont des longueurs comprises entre 6 et 7 kb ; on en retrouve environ 5 000 copies complètes et 100 000 copies partielles par génome humain. Ce sont les plus longues séquences non codantes répétées connues. Elles sont comme les séquences Alu entourées de régions riches en AT et sont dispersées dans tout le génome. Des transcrits polyadénylés, synthétisés par la RNA polymérase II et d'une longueur de 6,5 kb, sont retrouvés en abondance dans le cytosol des cellules prolifératives. Deux cadres de lecture ouverts (ORF1 et ORF2) sont retrouvés dans les séquences LINE 1. La séquence polypeptidique codée par ORF2 est similaire à celle de la **transcriptase inverse**, cependant l'analyse de la séquence montre qu'il est nécessaire que survienne soit un décalage de phase de lecture soit une ré-initiation au cours de la traduction (les dernières données sont en faveur du second mécanisme). Le produit de ORF1 est une protéine de 38 kDa (obtenue par expression chez *E. coli*) dont la fonction est inconnue. Les transcrits des séquences LINE s'associent à des protéines pour former les ribonucléoprotéines. Il a été montré, dans une lignée de cellules issue d'un tératocarcinome humain, que ces ribonucléoprotéines contenaient entre autres la protéine codée par ORF1 et une activité de type transcriptase inverse. La rétrotransposition des séquences LINE pourrait être l'une des causes de l'instabilité du matériel génétique au cours des cancers. Le mécanisme exact de la rétrotransposition n'est pas connu, mais son existence est certaine puisqu'un exemple d'insertion d'une séquence LINE a été observé dans un cas d'hémophilie A. La séquence insérée, qui correspondait à une séquence LINE tronquée, a été isolée et utilisée comme sonde afin de retrouver la séquence LINE d'origine. Cette séquence, qui est, elle, complète, est localisée sur le chromosome 22 en 22q11.1-q11.2 (voir aussi chapitre 12).

Le DNA moyennement répétitif peut aussi être codant : les gènes des rRNA, tRNA, RNA 5S et 7SL

Une série de gènes ont comme caractéristique d'être répétés plusieurs milliers de fois. Ce nombre de copies fait que la probabilité de rencontrer

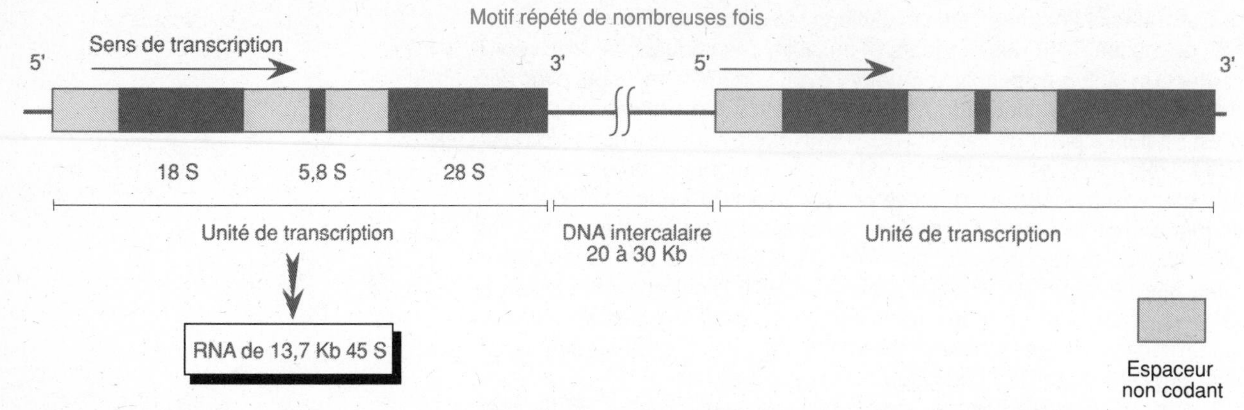

Figure 2-15 **Organisation des gènes codant pour le RNA des ribosomes chez l'homme (gènes de classe I)**

une séquence complémentaire lors des hybridations est très grande. Il en résulte que le Cot sera relativement faible et que ces gènes se trouveront dans la catégorie du DNA moyennement répétitif. Les principaux gènes de ce type sont les gènes **ribosomaux,** les **tRNA** et les **RNA 5 S** et **7 SL.**

• Les gènes ribosomaux **(Figure 2-15)** sont transcrits par la **RNA polymérase I** (gènes de classe I). Ces gènes sont transcrits en précurseurs **45 S** (13,7 kb chez l'homme) qui après maturation donneront 3 des 4 RNA du ribosome, à savoir les **RNA 28 S, 18 S, et 5,8 S** (voir chapitre 4). Ces gènes ne sont pas dispersés au sein du génome mais rassemblés en batteries *(clusters)* qui peuvent dépasser 200 copies. Chez l'homme ces groupes sont retrouvés sur les bras courts des chromosomes acrocentriques 13, 14, 15, 21 et 22. Ces regroupements s'effectuent autour de l'organisateur nucléolaire. Il en résulte une structure particulière au niveau du chromosome qui est appelée constriction secondaire (la constriction primaire étant le centromère). Dans la chromatine interphasique ces gènes sont rassemblés dans des structures particulières, les **nucléoles.** Ceux-ci sont en nombre variable suivant le type et l'activité de la cellule.

• Les tRNA et les RNA 5 S et 7 SL sont transcrits par la **RNA polymérase III**. Les gènes transcrits par cette polymérase sont dits de classe III. En plus cette classe comprend des gènes codant pour certains petits RNA retrouvés dans le noyau et le cytosol.

L'homme possède plus de 200 gènes codant pour les RNA 5 S. Ces gènes sont rassemblés par batteries en des points limités de la chromatine. Dans certaines espèces comme le xénope on peut trouver plus de 20 000 copies des gènes codant pour les RNA 5 S.

Comme les gènes des RNA 5 S les gènes des **tRNA** sont organisés en groupes de gènes répétés en tandem, on en retrouve environ 1 200 chez l'homme. Les autres petits RNA sont moins bien connus.

Organisation générale des gènes codant pour les protéines

Ces gènes sont transcrits par la **RNA polymérase II** (gènes de classe II). Ils sont le plus souvent uniques ou en faible nombre, sauf pour les gènes codant pour les histones. Les gènes de classe II codent pratiquement toujours pour une protéine.

Anatomie d'un gène codant pour une protéine

Il n'existe pas de structure définie absolue. Il n'en reste pas moins que le modèle décrit dans la **figure 2-16** est le plus fréquent. Un gène ne se

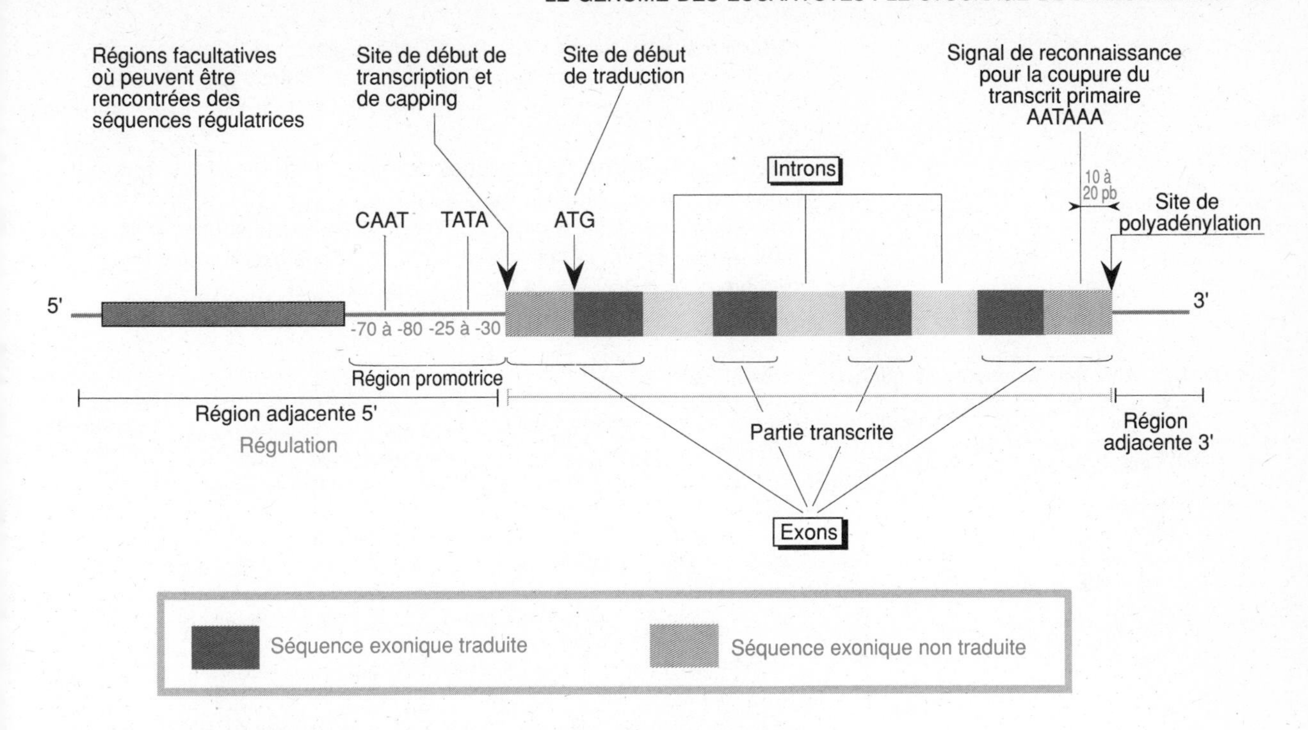

Figure 2-16 **Schéma d'un gène codant pour une protéine (gène de classe II)**

limite pas à sa partie transcrite et encore moins à sa partie codante comme on le pensait dans les années 60, si bien qu'il est devenu difficile de donner une définition spatiale ou fonctionnelle très précise. D'autre part l'information est presque toujours morcelée.

Le gène commence en 5' par une séquence non transcrite, dont la présence est nécessaire pour que la transcription s'effectue quantitativement et qualitativement de manière normale. Ces séquences, qui peuvent être très éloignées (jusqu'à quelques kb en amont) sont très difficiles à mettre en évidence et à délimiter de manière précise. Vers —100 par rapport au site d'initiation de la transcription commence la région dite **promotrice**, par analogie aux systèmes procaryotes, où se fixe la RNA polymérase II. Vers —70 à —80 se trouve très souvent une séquence **CAAT**, où se fixent, semble-t-il, un ou plusieurs facteurs protéiques de transcription (voir chapitre 5).

Vers —25 à —30 on retrouve, sauf dans de rares cas comme dans certains gènes domestiques, la séquence **TATA** appelée *TATA box* ou « *Goldberg-Hogness box* ». Elle est l'équivalent de la « *Pribnow box* » des procaryotes (qui est elle située vers —10). C'est au niveau de cette boîte TATA que se fixe le facteur **TFII D**. Si elle est artificiellement délétée, le taux de transcription est diminué et la fidélité du point exact d'initiation est perdue, cette dernière se faisant quelques bases avant ou après le site habituel. Cependant la transcription n'est jamais abolie dans sa totalité.

Vient ensuite le **site d'initiation de la transcription**. La base correspondant à ce site est le plus souvent une purine. Suit une partie non codante de longueur variable et ce jusqu'à la séquence **ATG**, codon méthionine, qui signale le lieu d'initiation de la traduction. Suivent ensuite une alternance de séquences présentes (exons) ou non (introns) dans la version finale du mRNA cytosolique.

On appelle **exons** toutes les séquences transcrites retrouvées dans les messagers cytosoliques. Cela ne veut en rien dire qu'ils correspondent aux parties codantes du gène. En effet des séquences exoniques non codantes plus ou moins longues peuvent exister, en 5' avant le codon ATG, et en 3' en aval du premier codon stop. Il est même possible de trouver, comme dans l'oncogène cellulaire myc, un exon entier qui ne sera pas traduit.

On appelle **intron** toute séquence transcrite éliminée par épissage au cours de la maturation du transcrit primaire, donc non retrouvée dans le messager cytosolique mûr (voir chapitre 4). Il n'existe aucune règle concernant la longueur et le nombre des introns et des exons, qui varient considérablement d'un gène à l'autre **(Tableau 2-2)**.

Tableau 2-2 **Anatomie comparée de quelques gènes humains**

Gène *(taille de la chaîne polypeptidique)*	**Taille du gène (kb)**	**Longueur codante (kb)**	**Longueur totale du mRNA (kb)**	**Nombre d'exons**	**Σ des introns (kb)**	**Σ des exons / longueur du gène**
Interféron β_1 *(20 kDa)*	0,9	0,561	0,9	1	0	100%
β globine *(16,4 kDa)*	1,6	0,441	0,623	3	0,986	39%
Collagène α_1 *(165 kDa)*	38	4,3	6,2	50	32	11%
Apo-B *(512 kDa)*	43	13,6	14,1	29	31	31%
Facteur VIII *(330 kDa)*	186	7	9	26	177	5%
Dystrophine *(427 kDa)*	2 300	11	14	79	?	0,7%

Le signal pour l'arrêt de la traduction est donné par l'un des **codons stop :** UAA, UGA, UAG. Enfin 10 à 20 bases avant la fin du dernier exon est retrouvée une séquence **AATAAA** improprement appelée séquence de **polyadénylation.** En fait il s'agit d'une séquence de reconnaissance pour la coupure du transcrit primaire ; la terminaison de la transcription étant bien plus en aval, au niveau de signaux dont la nature n'est pas connue. Le gène se termine par une région 3' adjacente très mal connue où l'on a parfois caractérisé des séquences régulatrices.

Les limites des gènes sont donc relativement imprécises. Les tailles des gènes sont très variables, pouvant dépasser 2 millions de paires de bases (gène de la dystrophine). Il n'y a pas de relation directe entre la taille de la protéine et la longueur du gène qui code pour elle, même si les grandes chaînes polypeptidiques correspondent à de grands gènes. Des exemples de tailles de gènes sont donnés dans le tableau 2-2.

On peut classer les gènes codant pour les protéines selon le nombre de leurs copies

• Les **gènes uniques** ou quasi uniques : la très grande majorité des gènes appartient à cette classe. Leur structure correspond au modèle qui vient d'être décrit. La séquence CAAT est souvent absente. Certains gènes ont été dupliqués au cours de l'évolution. Les deux copies peuvent être complètement interchangeables, comme c'est le cas des gènes α de la globine. Dans d'autres cas les deux copies ont quelque peu divergé, donnant deux protéines aux propriétés proches mais différentes. L'expression de l'une ou l'autre de ces copies peut être fonction de l'ontogenèse ou de l'organe (isoenzymes).

• Les **familles de gènes :** il s'agit là le plus souvent d'une extension du phénomène de duplication/divergence. Un gène peut avoir été plusieurs fois dupliqué tôt dans la phylogenèse, chaque copie ayant divergé indépendamment. Il en résulte toute une série de gènes codant pour des protéines grossièrement analogues. L'expression de chaque copie dépend du type ou de l'état cellulaire. Parmi les exemples les mieux connus, citons :

— la famille des gènes globine ;
— la famille des gènes actine ;
— la famille des gènes myosine.

• Les **superfamilles :** elles résultent d'un phénomène analogue mais s'étant produit bien plus tôt dans l'évolution. La divergence est telle que la relation entre les différents gènes est difficile à mettre en évidence. La superfamille des gènes de l'immunité, qui sera traitée ultérieurement, en est le plus bel exemple : les gènes des immunoglobulines, des récepteurs T, des protéines d'histocompatibilité de classe I et II... dérivent de duplications en nombre variable d'un même motif ancestral. Le nombre de motifs répétés est variable et la divergence a été considérable. En fait ce qui est conservé c'est la structure tertiaire de l'unité de base. Un autre exemple est celui de la superfamille des gènes codant pour les récepteurs nucléaires des hormones.

Les gènes domestiques (house-keeping genes)

Certains gènes ne s'expriment que dans certains tissus, c'est la base de la différenciation. D'autres codent pour des protéines ubiquitaires, indispensables à la survie de chaque cellule, comme par exemple les gènes des enzymes de la glycolyse, de la respiration et des métabolismes intermédiaires. Ces gènes, appelés gènes domestiques *(house-keeping),* ont en commun une série de caractéristiques :

• un taux de transcription en général faible et continu, ce qui n'exclut pas cependant une éventuelle régulation ;

• l'absence de TATA box ;

• une grande richesse en séquences CG hypo-méthylées. Les gènes domestiques sont précédés par et contiennent de très nombreuses répétitions du doublet CG, non méthylés contrairement à la règle (voir chapitre 5). Ils sont rassemblés en îlots appelés **HTF** *(Hpa Tiny Fragments),* ainsi appelés car ils contiennent de nombreux sites CG dont le clivage par l'enzyme de restriction Hpa II atteste de leur non-méthylation. Ce type d'îlots s'étend sur 500 à 2 000 paires de bases, et le génome humain en contient environ une vingtaine de mille ;

• la présence dans la région 5' non codante de une ou plusieurs séquences GGGGCGGG ***(GC box)*** qui sont des sites potentiels de fixation pour la protéine de transcription Sp1 (voir chapitre 5). Ces séquences peuvent ne pas être sur le brin codant.

Ces particularités des gènes des protéines domestiques ne sont ni obligatoires ni absolument caractéristiques.

Des gènes qui n'en sont pas : les pseudogènes

Lorsque l'on hybride du DNA génomique total avec une sonde marquée d'un gène par la technique de Southern, il est parfois possible de mettre en évidence des séquences qui ne s'hybrident qu'à faible stringence. Le clonage de ces séquences, suivi de la détermination de leur séquence nucléotidique, montre le plus souvent une grande homologie de séquence avec le gène qui a servi de sonde. Ces séquences ne sont pas fonctionnelles, car elles ne sont ni transcrites ni traduites ; ce sont des **pseudogènes**. Leur non-fonctionnalité peut résulter soit de l'absence d'un cadre de lecture suffisant (excès de codons stop), soit de l'absence de codon méthionine initiateur ou de région promotrice. Il existe deux types de pseudogènes qui se distinguent par leur mode de création. Le premier correspond à des gènes dupliqués qui ont perdu leur fonctionnalité, soit au départ parce que la duplication n'était pas parfaite, soit au cours de l'évolution par apparition de mutations (perte d'ATG, de promoteur fonctionnel ou apparition de codon stop). Ce sont des **pseudogènes avec introns.** L'autre type correspond à des pseudogènes qui ont été créés par l'introduction dans le génome d'un **rétrotranscrit**. Ce type de gène par définition ne possède pas de promoteur, est **sans intron** et possède souvent une séquence poly A 3' terminale. Ces gènes n'étant pas fonctionnels, ils ne subissent aucune pression de sélection ce qui fait que les mutations s'y accumulent en grand nombre. C'est ce nombre élevé de mutations qui explique pourquoi l'hybridation avec une sonde du gène d'origine ne peut s'effectuer qu'à faible stringence (mauvais appariements).

UNE PETITE FRACTION DU DNA EST EXTRA-NUCLÉAIRE : LE DNA MITOCHONDRIAL

Les mitochondries possèdent un génome autonome mais très largement insuffisant pour coder pour toutes les protéines dont elles ont besoin. Ces protéines sont donc majoritairement importées du cytosol. Bien que ce génome soit court, il représente une quantité de DNA non négligeable puisque l'on en trouve plusieurs copies par mitochondrie, et qu'une cellule

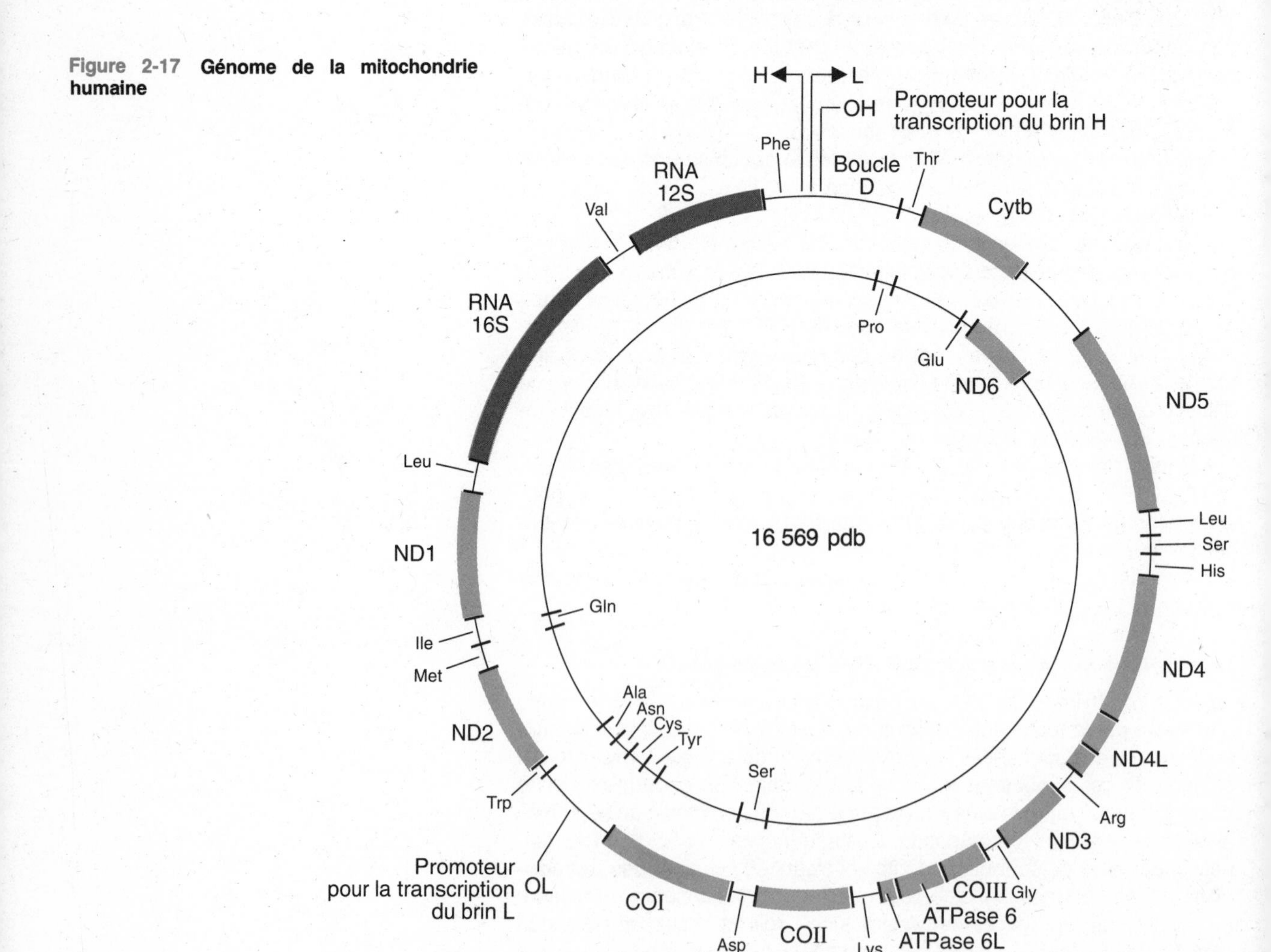

Figure 2-17 Génome de la mitochondrie humaine

possède plusieurs milliers de mitochondries. Ce génome est circulaire, l'un des deux brins est appelé H (heavy) et l'autre L (light) **(Figure 2-17)**. Chez l'homme il a une longueur de 16 569 paires de bases et sa séquence a été entièrement déterminée. Il code pour 13 chaînes polypeptidiques dont 11 ont pu être identifiées, 22 tRNA et les RNA 12 S et 16 S des ribosomes qui leur sont propres. De nombreux caractères différencient ce génome de tous les autres ; le plus surprenant est que le code génétique, réputé universel de la bactérie à l'homme, y est légèrement différent (pour trois codons chez l'homme). Le génome mitochondrial est très compact puisque, à l'exception de l'origine de réplication, tout y est codant (pas de séquence non codante intergénique, pas d'intron). Les gènes ne possèdent pas de promoteur individualisé, les codons d'initiation de traduction peuvent être AUG, AUA et AUU. Les séquences non traduites des messagers sont inexistantes ou limitées à quelques bases ; pour cinq des gènes le premier A, voire les deux premiers A du poly A ajouté après transcription, sert de troisième base du codon stop. Tous les gènes sauf deux (ATPase 6 et CO3) sont séparés par des gènes de tRNA qui constituent ainsi des signaux de ponctuation. Tous les transcrits sont dans le même sens (celui des aiguilles d'une montre sur le schéma de la figure 2-17) sauf ND6, seul gène du brin L codant pour un polypeptide. Chaque brin est transcrit sous forme d'un seul RNA qui est ensuite coupé pour donner les rRNA, les tRNA et l'ensemble des messagers. Les promoteurs utilisés pour la transcription de chacun des deux brins sont situés en des points différents du génome (voir figure 2-17). Ce génome possède en plus la caractéristique d'évoluer 4 fois plus vite que le reste du génome et de n'être **transmis que par la mère.**

Une partie des chaînes polypeptidiques appartenant à des enzymes de la membrane interne des mitochondries est codée par le DNA nucléaire. Ces polypeptides sont synthétisés dans le cytoplasme et pénètrent dans la mitochondrie où ils s'associent aux polypeptides codés par le DNA mitochondrial, pour former l'enzyme active qui s'insère alors dans la membrane.

Sélection de références bibliographiques : voir page 700.

3 Constance et variation du DNA

La constance du DNA résulte de deux processus : la réplication et la réparation

La division cellulaire est précédée par une duplication de l'information de manière à ce que les deux cellules filles possèdent exactement le même contenu informatif. Cette duplication est assurée par la **réplication** du DNA au cours de laquelle une molécule de DNA engendre deux molécules filles rigoureusement identiques à la molécule de départ. Cette réplication s'effectue selon un modèle **semi-conservatif** : chaque brin parental engendre son complémentaire.

Pour éviter une dégénerescence rapide, le contenu informatif doit être parfaitement conservé au cours du temps. Or deux phénomènes sont suceptibles de l'altérer :

- la non-fidélité de la réplication ;
- les agressions physiques (rayonnements cosmiques, radioactivité et ultraviolets) et les agressions chimiques (molécules réactives et radicaux libres).

Le maintien de l'intégrité de l'information face à ces éléments perturbateurs est obtenu grâce à un ensemble de systèmes protéiques qui à tout moment assurent la **réparation** du DNA lésé.

L'ensemble des structures et superstructures du DNA étant de nature hélicoïdale, toute lecture ou duplication de l'information contenue dans le DNA pose des problèmes topologiques.

LA SÉPARATION DES DEUX BRINS DU DNA POSE DES PROBLÈMES TOPOLOGIQUES

A l'état natif, nous l'avons vu, la double hélice de DNA n'est pas libre mais enroulée autour de protéines en formant des nucléosomes, lesquels se bobinent en solénoïde. Il en résulte une série de torsions du DNA qui font

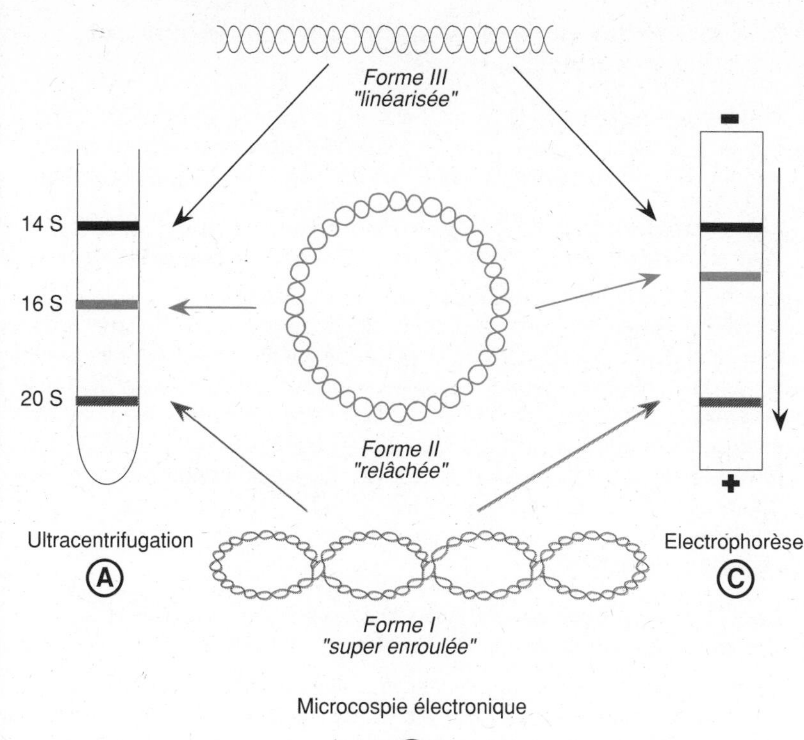

Figure 3-1 Les différentes formes topologiques du DNA
Elles peuvent être objectivées par trois techniques : l'ultra-centrifugation (A), la microscopie électronique (B), l'électrophorèse en gel d'agarose (C).

que toute séparation des brins, par exemple lors de la **réplication** ou de la **transcription**, impose de parcourir le chemin inverse (déroulement).

La forme topologique native du DNA est la forme superenroulée

L'exemple du DNA circulaire (bactérien ou viral) permet d'appréhender la notion de formes topologiques. Un tel DNA peut exister sous trois formes topologiques différentes, qui peuvent être objectivées par trois techniques : la microscopie électronique, l'ultracentrifugation et l'électrophorèse **(Figure 3-1)**.

• La forme I correspond à la forme superenroulée. Les contraintes engendrées par les tours supplémentaires font que la molécule de DNA prend une structure en forme de tresse.

• La forme II correspond à la forme relâchée où la molécule de DNA est sous forme circulaire. Le passage de la forme I à la forme II peut être obtenu in vitro par une coupure sur l'un des deux brins de la molécule de DNA.

• La forme III correspond à la forme linéarisée de la molécule de DNA. Elle est obtenue par coupure sur les deux brins . Dans cette forme les contraintes sont minimales.

Le superenroulement négatif est physiologiquement fondamental aussi bien au niveau structural, puisque c'est la forme du DNA nucléosomal, qu'au niveau fonctionnel. Le modèle du ressort décrit **figure 3-2** permet de comprendre le rôle fonctionnel des supertours négatifs. A leur niveau les bases sont plus accessibles aux protéines que dans le reste du DNA ; or l'interaction protéines-DNA est la base de la sélection des séquences et de la régulation de leur expression. De plus les forces de contrainte localisées dans les supertours représentent de l'énergie stockée qui facilitera la séparation des brins à leur niveau, comme lors de la transcription.

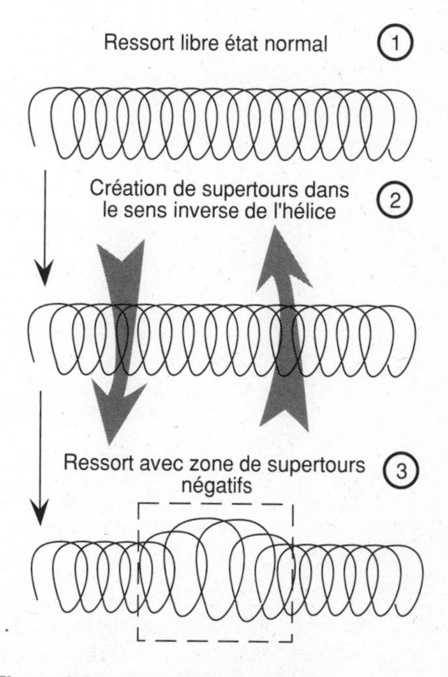

Figure 3-2 Le modèle du ressort
Un ressort à l'état libre (1) possède une structure homogène, il n'existe aucune contrainte interne. Si l'on exerce, à partir de deux points à l'intérieur de ce ressort une force de rotation dans le sens contraire de celui de l'enroulement de l'hélice (2) on obtient une zone de supertours négatifs. Ce changement de structure a deux conséquences :
— l'intérieur des spires est plus accessible (3) ;
— de l'énergie est emmagasinée ; si l'on sectionne le fil du ressort dans cette zone l'énergie de contrainte sera libérée.

Les topoisomérases assurent les changements de forme topologique

L'état physiologique du DNA est l'état superenroulé, l'accès à l'information qu'il contient nécessite une modification considérable du taux d'enroulement. Elle a lieu in vivo, grâce à des enzymes, les **topoisomérases***.

Les topoisomérases de type I ne coupent que l'un des deux brins du DNA et retirent les supertours

Ces enzymes, dont la mieux connue est la protéine ω d'*E. coli,* se fixent au DNA, coupent l'**un** des deux brins, s'attachent par une de leurs tyrosines au phosphate en 5' libre du DNA coupé. Le DNA peut alors librement se dérouler, l'enzyme réparant ensuite la cassure en libérant un DNA dont les supertours ont été ôtés. L'énergie de la liaison phosphodiester du DNA est transférée dans la liaison phosphoester avec la tyrosine, puis retransférée lors de la religation du DNA qui suit le déroulement, ce qui explique pourquoi, malgré les réactions réalisées, l'ATP n'est pas nécessaire. Ces enzymes chez les eucaryotes peuvent aussi bien retirer des supertours négatifs que positifs.

Les topoisomérases de type II agissent en coupant les deux brins du DNA

Ces enzymes, contrairement aux précédentes, coupent les deux brins du DNA. Elles sont capables, chez les procaryotes, de créer ou retirer des supertours. Leur action nécessite de l'énergie. La mieux connue est la **gyrase** d'*E. coli*, qui est une enzyme très active car elle est capable de faire ou défaire 100 supertours par minute. Cette enzyme est inhibée par la novobiocine, ce qui a permis de démontrer son action.

Les topoisomérases II peuvent retirer les nœuds qui résultent de certaines modifications de la superstructure de la double hélice. La suppression de l'enchevêtrement résulte du passage d'une hélice au travers de l'autre par coupure double brin.

Les topoisomérases de type II des eucaryotes sont moins bien connues que leurs homologues procaryotes. Elles ne sont pas capables de produire des supertours, ces derniers sont créés lors de l'enroulement du DNA autour du nucléosome. Chez les eucaryotes, les topoisomérases de type II sont retrouvées au pied des boucles du DNA (voir chapitre 2, p. 29). Les cellules qui se divisent en sont richement dotées alors que les cellules qui ne se divisent pas n'en ont que peu, même si leur activité transcriptionnelle est intense. Les topoisomérases II semblent jouer un rôle de retrait des supertours lors de la réplication et ne pas jouer de rôle dans le relâchement des boucles lors de la transcription, contrairement aux premières hypothèses émises.

LA RÉPLICATION PERPÉTUE L'INFORMATION

Les mécanismes qui président à la réplication de la molécule de DNA ont d'abord été élucidés chez les procaryotes. La caractérisation de nombreux **mutants conditionnels** (qui n'expriment la mutation que dans certaines conditions) a permis de démonter presque parfaitement la totalité du mécanisme. Le système est beaucoup moins bien connu chez les eucaryotes. Cependant les résultats accumulés montrent que les mécanismes y sont probablement très semblables.

* De nombreux autres noms ont été donnés à ces enzymes : déroulases, relaxases, détwistases, swivelases, enzymes de coupure-fermeture...

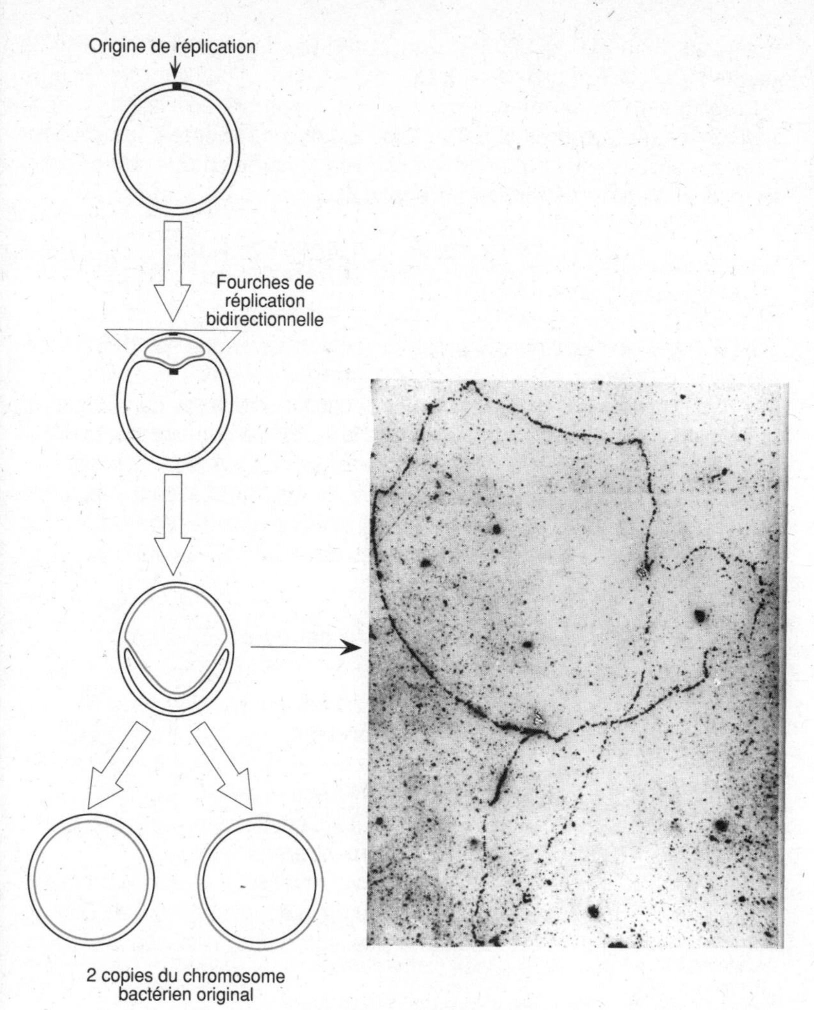

Figure 3-3 **Réplication du DNA circulaire bactérien**
La réplication débute en un point fixe du chromosome appelé origine de réplication. En ce point se créent deux fourches de réplication qui vont se déplacer en sens opposé sur le chromosome jusqu'à ce qu'elles se rejoignent ; la réplication sera alors terminée.
Une autoradiographie d'un chromosome à une étape intermédiaire de sa réplication est donnée en cartouche. *(Publié avec l'aimable autorisation de JM Robert, Génétique, Paris, Flammarion Médecine-Sciences, 1983.)*

La microscopie électronique permet de visualiser le phénomène de la réplication

En 1962 les études en microscopie électronique de Cairns ont montré que la réplication débute en un point du chromosome circulaire bactérien à partir duquel se forme un « œil » qui ne cessera de grandir jusqu'à ce que deux chromosomes bactériens circulaires soient obtenus **(Figure 3-3)**. La même expérience, en présence de précurseurs radioactifs, et après analyse des autoradiographies en microscopie électronique, montre que la réplication s'effectue de manière bidirectionnelle à partir du point d'initiation, appelé **origine de réplication**. Le système enzymatique responsable de la réplication travaille donc au niveau de deux fourches migrant en sens inverse et se rejoignant en un point opposé du site d'initiation.

Chez les eucaryotes, compte tenu de la taille de leur génome, il était peu vraisemblable que la réplication ne débute qu'en un seul point (le temps nécessaire serait au moins 100 fois supérieur à celui qui est observé chez l'homme). Les examens des autoradiographies en microscopie électronique de molécules de DNA d'eucaryotes se répliquant en présence de nucléotides marqués ont confirmé cette opinion. Les origines de réplication sont multiples. Chez l'homme il en existe 20 à 30 000. L'unité de réplication, c'est-à-dire la zone de DNA répliquée à partir d'une même origine de réplication, est appelée **réplicon** ; sa longueur chez l'homme est comprise entre 100 et 200 kb. Dans cette terminologie le chromosome bactérien est considéré comme un seul réplicon. Tous les réplicons ne se répliquent pas de manière synchrone, il semble que la chromatine condensée (hétérochromatine) se réplique plus tardivement. Le meilleur exemple est celui du DNA du chromosome X inactivé chez la femme, dont la réplication est très tardive en phase S.

La réplication est un mécanisme biochimiquement complexe (Tableau 3-1)

Tout modèle de système de réplication doit apporter une solution à deux types de problèmes :

• des problèmes d'ordre topologique, car les structures de la chromatine, solénoïde, nucléosomes, boucles..., ont introduit des supertours négatifs dans le DNA. D'autre part les deux brins du DNA sont enroulés en hélice. Il est donc impératif, pour que la totalité du DNA soit répliquée, que les brins soient progressivement séparés ;

• des problèmes de synthèse semi-conservative posés par l'orientation antiparallèle des deux brins.

Tableau 3-1 **Les acteurs de la réplication**

Protéine	M en kDa	Gène	Fonction	Nombre de copies par cellule
Rep	65	*rep*	hélicase	50
Hélicase III	75		hélicase	
SSB	74	*ssb*	stabilisation du DNA simple brin	300
Protéine i	66	*dnaT*	constitution du primosome	50
Protéine n	28			80
Protéine n'	76			70
Protéine n''	17			—
Protéine dna B	29	*dnaB*		100
Protéine dna C	300	*dnaC*		20
Primase	60	*dnaG*	synthèse RNA primer	50
DNA polymérase III	760			20
sous-unité α	140	*polC*	élongation du brin synthétisé et contrôle de fidélité	
sous-unité β	37	*dnaN*		
sous-unité γ	52	*dnaZ*		
sous-unité δ	32	*dnaX*		
sous-unité ε	25	*dnaQ*		
sous-unité θ	10			
sous-unité τ	83			
DNA polymérase I	102	*polA*	maturation du brin néoformé	300
Ligase	75	*lig*	ligation finale	300

Chez les procaryotes les mécanismes ont pu être élucidés grâce à des mutants

La connaissance des détails des mécanismes de la réplication résulte de la caractérisation et de l'étude de mutants conditionnels (qui n'expriment pas la mutation à 37 °C, température **permissive**, mais qui l'expriment à 42 °C, température **non permissive**). Une mutation dans le gène d'une protéine impliquée dans la réplication se traduira soit par un ralentissement, soit même par un arrêt de la réplication à l'étape où la protéine intervient, ce qui permet le plus souvent d'évaluer son rôle avec une bonne précision. La confirmation peut être apportée par des expériences de **complémentation.**

La nomenclature des premiers mutants n'obéit à aucune règle, c'est le cas du mutant de Cairns appelé PolA. Puis le nombre de ces mutants augmentant, la règle fut de leur donner le nom *dna* suivi d'une lettre écrite en majuscule ; l'ordre A, B, C... correspondant à l'ordre de leur découverte.

Pendant la réplication le DNA doit être déroulé et maintenu sous forme de simple brin

Les deux brins de la double hélice du DNA sont séparés grâce à des enzymes appelées **hélicases** (parfois déroulases). Ces enzymes cassent les liaisons hydrogènes qui unissent les brins du DNA, au niveau des bases. Pour effectuer ce travail, de l'énergie est nécessaire, elle est fournie par l'hydrolyse de nucléosides 5' triphosphates (NTP). Il existe plusieurs types d'hélicases agissant de concert. Certaines se fixent sur le brin orienté 3'⟶5' (Rep protéines), d'autres sur le brin 5'⟶3' (hélicases II et III).

Les brins du DNA ainsi séparés sont stabilisés sous forme simple brin grâce à la fixation des **protéines SSB** *(single strand binding).* Ces protéines sont des tétramères d'une masse moléculaire de 74 kDa. Leur fixation à la molécule de DNA simple brin est un phénomène coopératif : la fixation d'un premier tétramère sur le DNA favorise la fixation de la protéine suivante par augmentation de l'affinité apparente, et ainsi de suite jusqu'à ce que tout le DNA passé sous forme simple brin soit recouvert de protéines SSB qui forment une sorte de manchon. Cette association rigidifie les deux brins du DNA et les empêche de se réassocier.

La réplication du DNA commence par la synthèse d'une amorce de RNA (primer)

La synthèse de DNA par les DNA polymérases ne peut se faire que par élongation d'une **amorce** *(primer).* Cette amorce, comme l'a montré Okasaki, est de type ribonucléique. Ce petit RNA est synthétisé par un complexe protéique appelé **primosome.**

Il est constitué :

— d'une RNA polymérase DNA-dépendante appelée **primase** (laquelle est codée par le gène *dnaG*) ;

— de deux protéines, produits des gènes *dnaB* et *dnaC,* qui s'associent à la primase pour former un complexe actif capable de synthétiser le RNA ;

— des protéines i, n, n', n'' qui assurent la reconnaissance du site où doit être synthétisée l'amorce. Il semble que leur fixation donne au DNA une forme particulière qui permet la fixation des protéines produits des gènes *dnaB* et *dnaC* et de la primase.

Le mécanisme de la synthèse de cette amorce est relativement bien connu chez les phages : lors du déroulement du DNA par les hélicases les protéines SSB ne se fixent pas sur une petite portion du DNA, cette dernière du fait de séquences complémentaires va prendre une structure en épingle à cheveux. Le primosome reconnaît cette structure particulière et initie la synthèse.

La croissance des brins néosynthétisés est continue sur un brin, discontinue sur l'autre

La DNA polymérase III synthétise un brin complémentaire à partir de l'extrémité 3' OH libre de l'amorce RNA en utilisant le DNA comme matrice, donc dans le sens 5'⟶3'. Les protéines SSB sont chassées au fur et à mesure de l'utilisation du brin matrice. Les deux brins sont donc synthétisés dans le sens 5'⟶3' ; mais la synthèse ne peut être continue que sur l'un des deux brins, le **brin direct** orienté 3'⟶5' **(Figures 3-4 et 3-5).**

La DNA polymérase III est une enzyme très complexe composée de 7 sous-unités codées chacune par des gènes de structure différents. Il

La première DNA polymérase, — appelée maintenant DNA polymérase I —, fut mise en évidence et isolée par Kornberg chez *E. coli* dans les années 60. Elle fut alors considérée comme l'enzyme de la réplication. La découverte ultérieure de mutants déficients en cette enzyme, mais se répliquant parfaitement, devait démontrer qu'il n'en était rien. C'est en fait une enzyme de réparation. La véritable réplicase est la DNA polymérase III.

Figure 3-4 **Schéma général de la réplication**

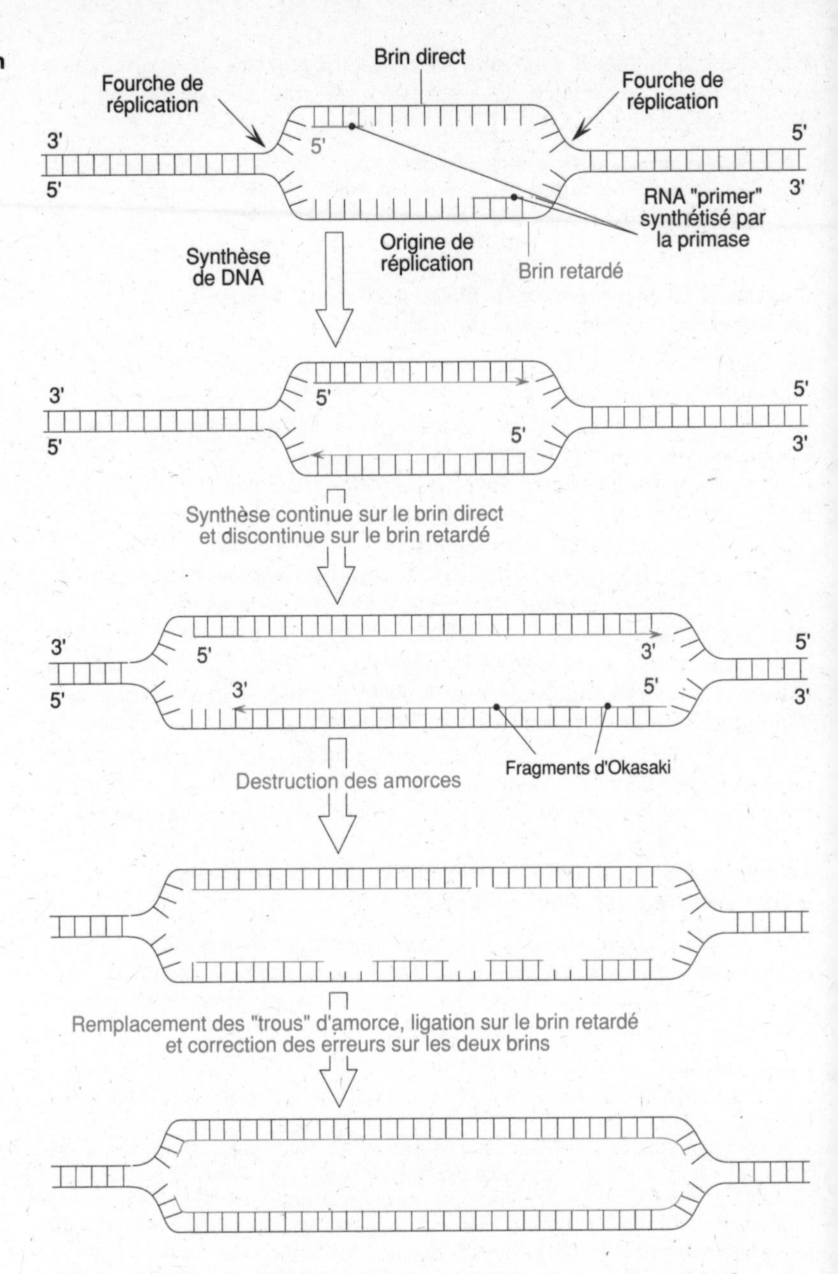

semble que deux molécules de polymérase soient associées au niveau du point de réplication, chacune répliquant son brin, ce qui implique un repliement d'un des brins sur lui-même. L'enzyme sur le brin matrice 3'⟶5' (brin direct) synthétise en continu au fur et à mesure du déroulement des brins du DNA. L'enzyme située sur l'autre brin **(brin retardé)** synthétise du DNA de manière discontinue sous forme de petits fragments (1 000 à 2 000 pb) appelés **fragments d'Okasaki** (Figures 3-4 et 3-5).

Le DNA à répliquer est ensuite ouvert sur une nouvelle longueur par les hélicases, une nouvelle amorce est synthétisée sur le brin 5'⟶3', les synthèses reprennent et ainsi de suite jusqu'à ce que la totalité du réplicon soit dupliquée.

Finition du brin

Les amorces de RNA sont détruites par une **RNase H** qui a pour propriété de détruire spécifiquement le RNA des hybrides RNA-DNA. La lacune

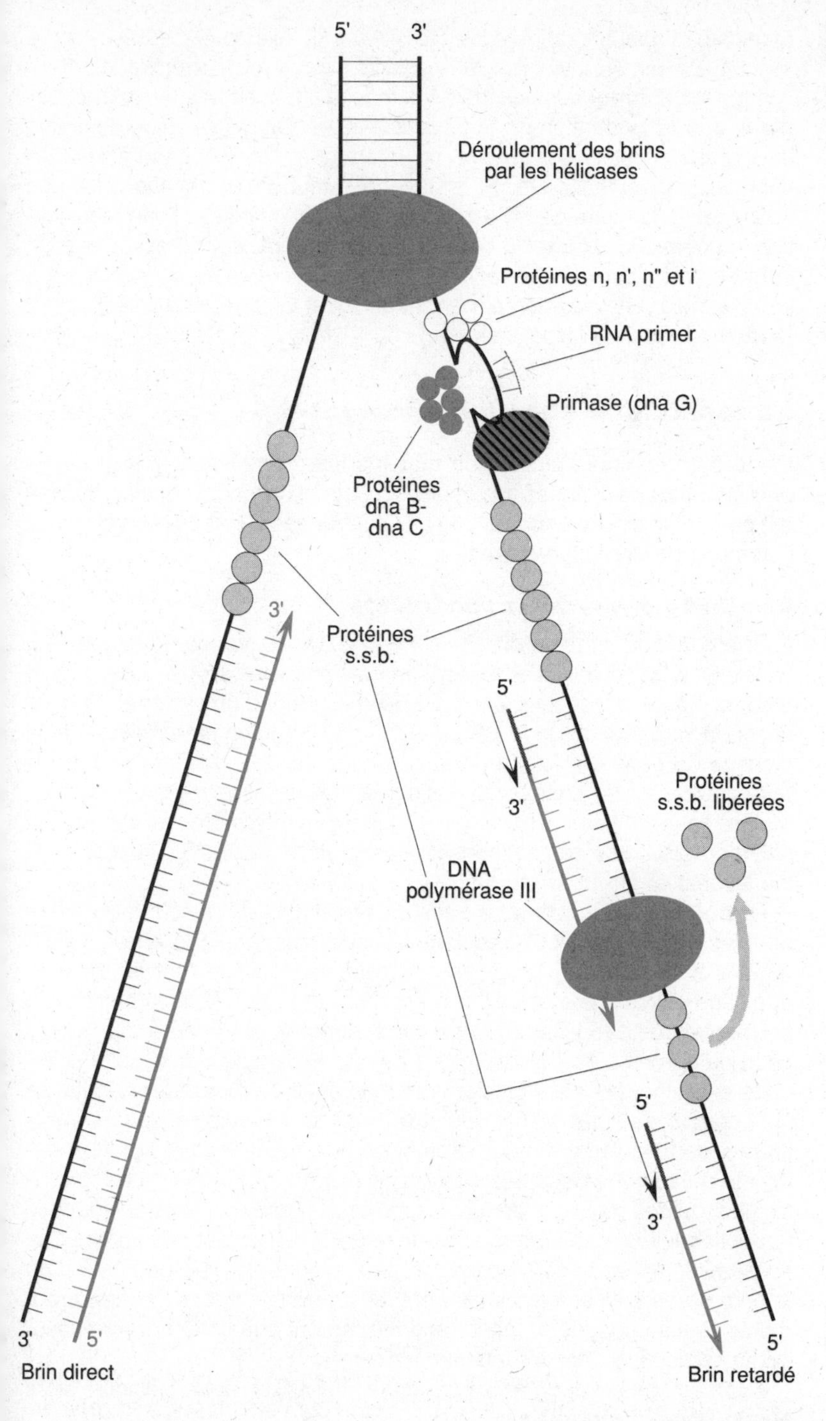

Figure 3-5 **Détail d'une fourche de réplication chez les procaryotes**

engendrée par l'action de cette enzyme est comblée par l'action de la **DNA polymérase I**. Enfin une **ligase** effectuera la soudure du brin, les DNA polymérases n'étant capables de créer une liaison phosphodiester qu'entre une extrémité 3' OH libre et un nucléoside triphosphate libre.

Correction immédiate des erreurs

Lorsque la DNA polymérase III introduit un nouveau nucléotide le taux d'erreur est d'environ 10^{-4}. Or le taux d'erreur du DNA néo-synthétisé n'est que de 10^{-8}. Cette divergence vient du fait que les DNA polymérases sont capables de détecter les erreurs qu'elles ont commises et de les corriger immédiatement. Cette activité de contrôle-correction d'épreuves **(proofreading)** des polymérases résulte d'une activité **3' exonucléasique** que possèdent en plus ces polymérases. On pense aujourd'hui que le processus est le suivant : la polymérase en action entoure le DNA comme un gros manchon. Si la base qui vient d'être ajoutée n'est pas la bonne, la structure dans l'espace du DNA est modifiée. Cette modification augmente le volume du DNA et bloque la DNA polymérase. Cet arrêt permettrait à l'activité 3' exonucléasique de s'exercer, d'où excision de la base indûment incorporée,.permettant ainsi la correction de l'erreur et le redémarrage de la polymérase.

La réplication chez les eucaryotes

Faute d'un nombre suffisant de mutants les mécanismes y sont moins bien connus. Les données accumulées montrent cependant que le système est proche de celui des bactéries. Les différences connues portent principalement sur les polymérases.

Les DNA polymérases eucaryotes

Leur étude a été et reste difficile car ces enzymes sont peu abondantes, sensibles à la protéolyse et nécessitent des protéines accessoires, qui ont tendance à copurifier avec elles. La mise au point d'un système de réplication in vitro, qui utilise le génome du virus SV40 comme matrice, et le clonage du gène ou du cDNA de quelques polymérases ont permis de faire progresser les connaissances sur la réplication chez les eucaryotes. Malgré ces avancées le rôle exact de certaines polymérases, comme les polymérases δ et ε, reste incertain. Il pourrait ne pas être le même chez les levures et chez les mammifères.

La polymérase α/primase : elle est constituée de quatre sous-unités dont les masses moléculaires sont respectivement de 165 kDa, 70 kDa, 58 kDa et 48 kDa. La plus grosse est celle qui possède l'activité catalytique. Son cDNA a été cloné chez l'homme et la levure, il code pour un polypeptide de 165 kDa. Le gène correspondant est localisé sur le bras court du chromosome X, en Xp21.3 - Xp22.1. Dans la cellule cette sous-unité est retrouvée sous plusieurs formes dont les masses moléculaires sont comprises entre 120 et 180 kDa. Les formes les plus légères résultent vraisemblablement d'une protéolyse au niveau de la région NH_2 terminale où sont localisés des sites sensibles à la protéolyse. Les formes les plus lourdes correspondent à des molécules modifiées de manière post-traductionnelle. Le rôle de la sous-unité de 70 kDa n'est pas connu. Les sous-unités 48 et 58 kDa possèdent une activité de type primase, d'où le nom de polymérase α/primase qui lui est parfois donné. Quatre arguments avaient conduit à penser antérieurement que cette enzyme assurait la réplication chez les eucaryotes :

- son activité est augmentée durant la phase S du cycle cellulaire alors que le DNA se réplique ;
- ses inhibiteurs spécifiques inhibent la réplication ;
- les mutants conditionnels du gène de la polymérase α sont des mutants ne répliquant pas leur DNA à la température non permissive ;
- la micro-injection d'anticorps anti-polymérase α inhibe la réplication du DNA.

Cette enzyme ne possède cependant pas d'activité 3'⟶5' exonucléasique (sauf chez la drosophile), elle n'est donc pas capable d'assurer la correction des épreuves *(proofreading)*, et ne peut pas assurer à elle seule la réplication du DNA chez les eucaryotes. On sait maintenant que son rôle est au moins de synthétiser les amorces indispensables à la réplication sur le brin retardé (activité de type primase, voir détail de la réaction plus loin).

La polymérase β : cette polymérase à localisation nucléaire est constituée de 335 acides aminés pour une masse moléculaire de 39 kDa. Son gène est situé sur le bras court du chromosome 8, près du gène du tPA *(tissue plasminogen activator)*. Son rôle est double, elle assure la synthèse couplée à la réparation du DNA, et la finition du brin retardé après excision des ARN amorce. Son rôle est donc le même que celui de la DNA polymérase I des procaryotes.

La polymérase γ : il s'agit là d'une polymérase à localisation mitochondriale, bien qu'elle soit codée par un gène nucléaire. Sa structure semble différente suivant les organismes : homotétramère (4 × 47 kDa) chez le poulet, hétérodimère (une sous-unité de 125 kDa qui possède l'activité catalytique, et une sous-unité de 35 kDa à fonction inconnue) chez la drosophile, et monomère de 143,5 kDa (gène MIP 1) chez la levure. Cette enzyme possède, contrairement aux deux précédentes, une activité 5' exonucléasique.

La polymérase δ : cette enzyme a d'abord été mise en évidence dans la moelle osseuse de lapin et dans le thymus de veau. Elle a maintenant été purifiée à partir des cellules HELA. La polymérase δ humaine est un dimère constitué d'une sous-unité de 125 kDa qui possède l'activité catalytique et d'une sous-unité de 48 kDa dont la fonction n'est pas connue. Cette enzyme n'a d'activité notable qu'en présence d'une protéine de 36 kDa, le PCNA (voir paragraphe suivant). Elle possède une activité de type 3'⟶5' exonucléasique. Son rôle semble différent suivant l'organisme (synthèse du brin direct chez les virus et du brin retardé chez les levures, et vraisemblablement les deux brins chez les eucaryotes, peut-être en conjonction avec la polymérase ε).

La polymérase ε est la polymérase la plus récemment découverte. Elle a été purifiée à partie des cellules HELA, du placenta humain et du thymus de veau. Sa structure est complexe et n'est pas encore complètement élucidée. Deux formes sont retrouvées :

— la première possède une sous-unité catalytique de 125-140 kDa et peut-être une autre sous-unité de 40 kDa à fonction inconnue ;

— la seconde est plus complexe, elle présente une sous-unité de 215-230 kDa qui possède l'activité catalytique, et une série de sous-unités plus petites (de 30 à 70 kDa).

Chez l'homme l'enzyme pourrait être constituée de deux segments liés par un site sensible à la protéolyse, conduisant après coupure à des formes de 140 à 250 kDa possédant toutes deux une activité catalytique.

Les deux formes sont retrouvées dans les cellules. In vitro, après traitement par les sels, la plus petite n'est active que si des protéines accessoires comme le PCNA, le RF-A ou le RF-C (voir ci-après la description de ces facteurs) sont apportées.

Cette enzyme possède une activité 3'⟶5' exonucléasique. On ne connaît pas encore son rôle exact. Elle se différencie de la polymérase δ par le fait que physiologiquement elle est active, même en l'absence de PCNA. Elle semble impliquée aussi bien dans la réplication que dans la réparation du DNA.

Les protéines accessoires de la réplication

Le PCNA *(Proliferating Cell Nuclear Antigen)* est un facteur de 36 kDa, puissant activateur de la polymérase δ, retrouvé dans les cellules qui prolifèrent et qui avait été mis en évidence grâce à des anticorps retrouvés chez les malades atteints de lupus. Il avait aussi été appelé cycline car il était uniquement retrouvé lors du cycle cellulaire (cette dénomination a été abandonnée car elle prête à confusion avec les cyclines A, B,... qui sont des protéines directement impliquées dans la régulation du cycle cellulaire, voir chapitre 5). Le gène codant pour ce facteur a été cloné chez différentes espèces, ce qui a permis de montrer que sa séquence a été conservée au cours de l'évolution. Chez les mammifères son taux reste à peu près constant au cours du cycle cellulaire, mais le taux de son RNA messager s'élève considérablement lorsque les cellules quiescentes se mettent à proliférer. Le PCNA active aussi la polymérase ε bien qu'il ne soit pas indispensable à son activité (contrairement à ce qui est observé avec la polymérase δ).

Le facteur de réplication A (RF-A) est une protéine constituée de trois sous-unités de 70, 34 et 11 kDa, qui possède la propriété de se fixer sur le DNA lorsqu'elle est sous forme simple-brin (d'où le nom de HSSB, pour *Human Single Strand Binding*, qui lui est parfois donné). Seule la sous-unité de 70 kDa se fixe au DNA. Le cDNA de cette sous-unité a été cloné chez la levure et l'homme. RF-A est indispensable à l'action des polymérases α et δ. La sous-unité de 34 kDa est phosphorylable, elle est retrouvée sous sa forme phosphorylée en fin de G1 et en début de S. Ce facteur pourrait aussi être impliqué dans les recombinaisons.

Le facteur de réplication C (RF-C) est une protéine multimérique complexe qui possède une activité ATPasique DNA-dépendante ; elle se fixe au DNA au niveau des zones où sont synthétisées les amorces. Son activité ATPasique est stimulée à la fois par le PCNA et par le RF-A. Ce facteur se fixe au DNA au niveau des zones amorce par l'intermédiaire d'une sous-unité de 140 kDa ; l'ATP se fixe au niveau d'une sous-unité de 41 kDa.

Vers un modèle de la réplication chez les eucaryotes

Les données sont encore insuffisantes pour pouvoir proposer un modèle définitif. Peut-être n'est-il pas le même chez tous les eucaryotes. Les données actuelles permettent cependant de proposer le modèle suivant basé sur les observations effectuées avec le **modèle du virus SV40**. Le DNA est déroulé au niveau de l'origine de réplication, grâce à au moins une topoisomérase, à l'antigène grand T et au facteur RF-A. La polymérase α/primase interagit avec le facteur RF-A et synthétise un RNA amorce d'une longueur d'une dizaine de nucléotides (activité primase de la polymérase α). Cette amorce est ensuite allongée grâce à l'activité DNA polymérase de la polymérase α (une vingtaine de désoxynucléotides sont introduits), le fragment d'Okazaki est ainsi amorcé. Durant cette synthèse le facteur RF-C s'associe à la polymérase α. L'association du PCNA et d'ATP provoque l'arrêt de la polymérase α et permet la fixation de la polymérase δ, qui reconnaît d'une part les protéines fixées et d'autre part l'extrémité 3'OH néo-synthétisée, elle démarre alors la réplication. La polymérase α est libérée et est transloquée avec ses protéines accessoires sur le brin direct où la réplication est amorcée suivant le même principe. Le brin direct est répliqué en continu alors que la synthèse s'arrête sur le brin retardé environ 250 nucléotides plus loin. Un nouveau fragment d'Okazaki est ensuite initié, et ainsi de suite. On ne sait pas précisément le rôle joué par la polymérase ε. Il a été proposé que le brin direct soit synthétisé par la polymérase ε, alors que le brin retardé le serait par la polymérase δ. Mais ce dernier point est l'objet de controverses, il n'a pas encore été possible de trancher entre trois hypothèses :

— la polymérase δ effectue la synthèse sur les deux brins ;

— la polymérase δ effectue la synthèse sur le brin retardé et la polymérase α sur le brin direct ;

— la polymérase δ effectue la synthèse sur le brin retardé et la polymérase ε sur le brin direct.

Même si certains points restent obscurs, le modèle de la réplication chez les eucaryotes commence à se construire. De nombreux problèmes plus importants encore, d'un point de vue physiologique, restent sans solution. Les questions suivantes, par exemple, ne sont pas résolues :

— comment est prise la décision de répliquer le DNA ?

— comment sont choisies les régions à répliquer en premier (comme déjà indiqué la réplication n'est pas synchrone tout au long de la molécule, l'hétérochromatine étant répliquée de manière tardive) ?

— comment la cellule détermine-t-elle qu'une région a ou n'a pas encore été répliquée ?

— comment la cellule « sait-elle » que tout son DNA a été répliqué ?

L'épineux problème de la réplication des extrémités du DNA linéaire

Dans un DNA circulaire le remplacement des amorces RNA par du DNA ne pose pas de problème, car il suffit d'utiliser une mécanisme de type réparation. Il n'en est pas de même avec les molécules de DNA linéaire où le retrait du RNA aux extrémités des brins directs laisse un trou qui ne peut être comblé, puisque les polymérases ne travaillent que dans le sens 5'⟶3'. Si aucun mécanisme spécifique n'avait été mis en place la taille du génome ne cesserait de diminuer à chaque réplication.

Chez certains virus, comme l'adénovirus, la solution est apportée par une protéine qui se fixe à l'extrémité du DNA lors de l'initiation de la réplication. Dans ces cas particuliers il n'est pas synthétisé de RNA amorce aux extrémités, c'est l'hydroxyle d'une sérine ou d'une thréonine qui fait fonction de 3' OH et qui permet l'initiation de la réplication.

Chez les eucaryotes la solution apportée n'est pas connue en détails. On sait simplement qu'elle implique les séquences télomériques (comme il a déjà été évoqué dans le chapitre 2).

Le problème de la constitution de la structure chromatinienne

Les modifications de la topologie du DNA après la réplication ne posent pas de problèmes compte tenu des nombreuses topoisomérases présentes. Par contre la question se pose de savoir comment se formera la structure nucléosomique. Les marquages à la thymidine tritiée ont montré que les molécules de DNA résultant de la réplication s'organisent très rapidement en nucléosomes (quelques minutes). Les nouveaux nucléosomes formés contiennent exclusivement des histones nouvellement synthétisées. Il n'y a aucun mélange entre les anciennes et les nouvelles histones au sein d'un même nucléosome. En revanche, malgré de nombreux travaux, on ne sait toujours pas avec certitude si les nouveaux nucléosomes se mettent sur un brin et les anciens sur l'autre, ou si anciens et nouveaux se répartissent sur les deux brins. Dans ce dernier cas il serait important de déterminer si le partage se fait au hasard, ou suivant un programme établi, car dans un tel cas le choix d'un brin ou de l'autre serait un acte de différenciation cellulaire.

LE MAINTIEN DE L'INTÉGRITÉ DU DNA EST ASSURÉ PAR LES SYSTÈMES DE SAUVEGARDE

Toute cellule subit à tout moment des agressions physiques et chimiques de l'environnement susceptibles d'altérer différentes molécules cibles. Les altérations de la molécule de DNA seront les plus graves puisqu'elles peuvent être pérennisées. Une série de systèmes assure le maintien de l'intégrité du DNA face aux agressions.

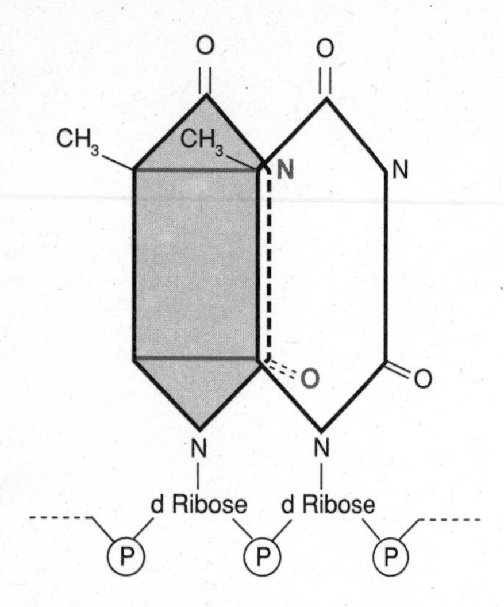

Figure 3-6 **Dimérisation des thymines** sous l'influence des rayons ultra-violets qui engendrent des liaisons covalentes C-C (en rouge) entre les carbones 5 et 6 de deux thymines adjacentes (cycle cyclobutane).

Le DNA ne cesse de subir des altérations

Certaines altérations sont d'origine physique

Les rayons cosmiques et la radioactivité correspondent à des rayonnements très énergétiques qui peuvent directement produire des lésions : modifications de bases, ruptures de brins, etc. Mais leur agression peut aussi être indirecte, car ils induisent l'apparition d'ions superoxydes O^{--} chimiquement très réactifs. Les rayons ultraviolets solaires, moins énergétiques, induiront principalement des **dimérisations de thymines** adjacentes en créant un cycle cyclobutane entre les carbones 5 et 6 de chacune des thymines **(Figure 3-6)**.

D'autres altérations sont d'origine chimique

Elles sont très diverses et peuvent même résulter du simple métabolisme normal de la cellule ; ainsi les ions H^+ cellulaires et l'agitation thermique peuvent retirer jusqu'à 10 000 bases puriques par jour et par cellule chez l'homme.

Les lésions peuvent être directes : dépurination, modification de bases (désamination, oxydation...), création de liaisons covalentes entre les deux brins. Elles peuvent aussi être indirectes : drogues intercalantes. Toutes ces altérations, qui se produisent principalement entre les mitoses, entraînent des mutations, des délétions et des insertions.

Des systèmes multiples assurent la sauvegarde du contenu informatif du DNA

La prévention

La cellule possède des systèmes de protection contre les agents susceptibles de provoquer des altérations. Par exemple les ions superoxydes, très dangereux, sont détruits par la superoxyde dismutase. Les ions H^+ sont pris en charge par les systèmes de régulation de l'équilibre acido-basique. Les oxydations sont réduites par les différents systèmes réducteurs plus ou moins spécifiques : $NADPH_2$, glutathion, vit E... De surcroît chez les métazoaires le couple rein-foie assure la détoxication et l'élimination de certaines substances chimiques.

La fidélité

La fidélité de la réplication n'est pas absolue, un système permet de corriger immédiatement les erreurs introduites. Malgré la propriété de correction d'épreuves des polymérases *(proofreading)* certaines erreurs peuvent subsister. Le taux d'erreurs observé après réplication est de 10^{-10} à 10^{-11}. Or nous avons vu que le produit formé immédiatement après le passage de la polymérase possède encore un taux d'erreurs de 10^{-8}. Un système, non encore complètement élucidé a pour fonction de :

— reconnaître le mauvais appariement,

— détecter quel est le nouveau brin où l'erreur a été commise et le couper près de la mauvaise base.

Un mécanisme a pu être élucidé, il met en jeu une recombinaison post-réplicative entre brins fils et brins parentaux.

La réparation qui s'ensuivra est conforme au modèle général qui sera décrit. Chez les procaryotes la discrimination entre le nouveau brin et l'ancien repose sur le fait que les méthylations du nouveau brin sur l'adénine des séquences GATC n'ont pas encore eu le temps d'être effectuées par la méthylase spécifique, alors que le brin qui a servi de matrice pour la réplication est méthylé. Cette donnée a été mise en évidence grâce aux mutants *dam*−, le gène *dam* étant celui qui code pour la méthylase. Toujours par l'étude de mutants il a pu être montré qu'au moins trois protéines spécifiques étaient impliquées dans ce système. Il s'agit des produits des gènes *mutH, mutL, mutS*. Chez les eucaryotes, où la méthylation s'effectue sur les cytosines des motifs CG, il est vraisemblable que la reconnaissance du brin néosynthétisé utilise le même principe.

La réparation du DNA en dehors de la réplication met en jeu des systèmes multiples

Les altérations possibles du DNA sont multiples : adduits (fixation de molécules sur les bases), pontages intra et inter-brins, intercalations, pontages DNA-protéines, retrait de bases. A ces altérations diverses correspondent plusieurs mécanismes possibles de réparation.

La réversion du dommage peut être réalisée directement

Les ultraviolets solaires induisent, comme il a déjà été indiqué, des dimérisations de thymine en formant des liaisons covalentes soit au niveau des carbones 5 et 6 (cyclobutane), soit au niveau des carbones 4 et 6 (mutagènes par excellence) ; un bain de soleil d'une heure induit ainsi de 60 à 80 000 dimères de thymine par cellule. Ces dimères peuvent être éliminés directement par photoréactivation grâce à des enzymes : les **photolyases**. De même les guanines modifiées (6-O-méthyl guanine) peuvent être déméthylées grâce à des 6-O-méthyl guanine transférases, etc. Le processus est direct et spécifique de chaque altération.

La réversion peut s'effectuer aussi en deux phases

La première phase est la reconnaissance de l'altération. Chaque type d'altération possède un système de reconnaissance qui lui est propre. Le résultat de cette phase est l'**excision** de la base altérée et une coupure simple brin du DNA au niveau de la lésion.

La phase secondaire est commune à toutes les altérations. Elle consiste en la **restauration** de la molécule originelle.

Ici encore seuls les systèmes procaryotes sont bien connus. Ils serviront de modèle sachant que les systèmes eucaryotes en sont très proches voire même identiques. La réparation est un système ancestral apparu extrêmement tôt dans l'évolution ; on le trouve chez tous les organismes, sauf chez les virus qui peuvent utiliser les systèmes de la cellule hôte.

Tableau 3-2 **Quelques acteurs de la réparation**

Enzyme	Masse moléculaire (chez la bactérie)	Gène ou nom de la mutation
Uracile DNA glycosylase	25 000	*urg*
Hypoxanthine glycosylase I	20 000	*tag*
Hypoxanthine glycosylase II	27 000	*alk*
Formimido-pyridine DNA glycosylase	30 000	—
Pyrimidine-dimère glycosylase	18 000	*den V*
Photolyase	37 000	*phr*
0^6 méthylguanine-transférase	17 000	*mex*
Système UVR*		
UVR A	114 000	*uvr A*
UVR B	84 000	*uvr B*
UVR C	68 000	*uvr C*

* Le système UVR assure non seulement la reconnaissance des dimères de thymine induits par les UV mais aussi l'excision endonucléasique qui peut atteindre 30 nucléotides.

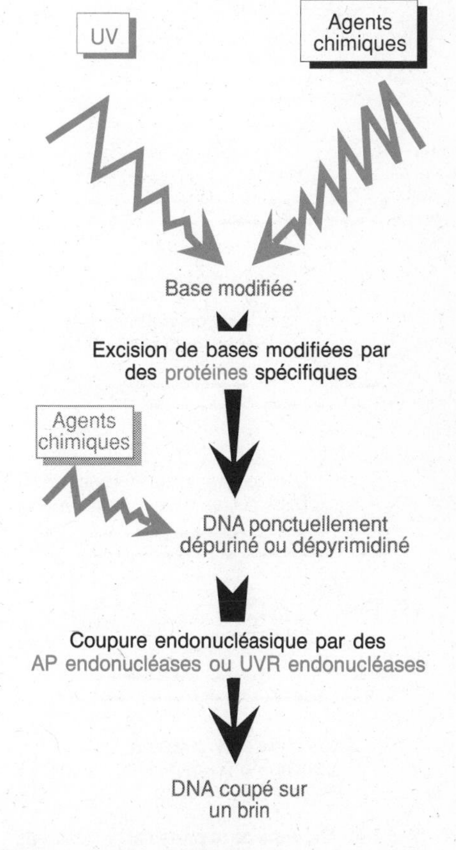

Figure 3-7 **Phase primaire de la réparation**

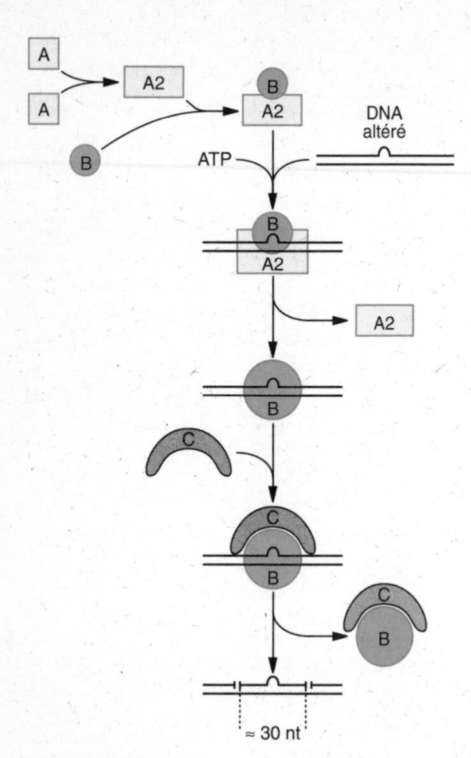

Figure 3-8 **Le système de réparation UVR A, B, C**

Dans la phase primaire, chaque type d'altération est reconnu par un système spécifique. La phase primaire de la réparation est schématisée dans la **figure 3-7**. Les bases modifiées sont reconnues par des enzymes spécifiques. Les caractéristiques de quelques-unes sont reportées dans le **tableau 3-2.** L'action de ces enzymes va se traduire par l'excision de la base modifiée libérant un DNA soit dépuriné, soit dépyrimidé en un point. Un résultat identique peut être produit directement par certains agents chimiques comme les ions H^+.

Dans un second temps d'autres enzymes, les **AP endonucléases** (exonucléases III à V chez *E. coli*), interviennent. Elles ont pour propriété d'effectuer une coupure endonucléasique simple brin là où le DNA est soit dépuriné soit dépyrimidé. Il existe deux classes de ces enzymes. Les enzymes de **classe I** effectuent la coupure endonucléasique en 3' de la base excisée alors que les enzymes de **classe II** l'effectuent en 5'. Ces enzymes ne possèdent pas d'activité exonucléasique. Après leur action la phase primaire de la réparation est achevée. La réparation sera réalisée en moins d'une heure.

La réparation peut aussi faire appel au système UVR **(Figure 3-8)**. Un complexe moléculaire constitué de deux molécules de type A (UVRA) associées à une molécule de type B (UVRB) reconnaît la lésion. Sa fixation au DNA au niveau de la lésion nécessite une molécule d'ATP. Le dimère de molécules A est ensuite libéré. Il est remplacé par une molécule C (UVRC). Le complexe BC effectue une coupure endonucléolytique de part et d'autre de la lésion puis est libéré. La brèche qui est créée s'étend sur une trentaine de nucléotides.

La phase secondaire de la réparation est commune à tous les systèmes. Le déroulement de cette phase est schématisé dans la **figure 3-9**. Il en résultera une molécule de DNA complètement identique à ce qu'elle était avant la survenue de l'altération.

Chez les bactéries la plupart des gènes codant pour les enzymes de la réparation font partie d'un système de sauvegarde complexe et hautement inter-régulé : le **système SOS.**

Le système SOS est composé d'une vingtaine de gènes dont les produits participent aux mécanismes de réparation et de recombinaison. Deux gènes jouent un rôle central : *recA* et *lexA*.

La protéine recA possède deux fonctions :

— une activité de type protéase qui ne s'exerce que lorsque la bactérie est agressée : ultra-violets, substances chimiques...

— une activité de facteur de recombinaison qui doit être complétée par l'action des produits des gènes *recB, rècE, recF, recJ* et *recK.*

La protéine lexA (22 kDa) possède une affinité pour une boîte SOS *(SOS box)* ; séquence de 20 bases retrouvée dans le promoteur de chacun des gènes du système SOS. Une fois fixée sur les différents promoteurs au niveau de la boîte la protéine lexA se comporte comme un répresseur inhibant la transcription. Le gène lexA possédant lui aussi une boîte SOS, comme tous les gènes du système SOS, s'auto-réprime.

Lors de l'induction du système SOS par une agression physique ou chimique, l'activité protéasique de la protéine recA va s'exercer entre autres sur la protéine lexA qui, étant détruite, ne pourra plus réprimer les gènes du système SOS. Ils vont donc être activement transcrits et traduits en bloc. Tous ces produits, dont la plupart sont des protéines impliquées dans les systèmes de réparation, pourront agir. Le rôle de nombreux gènes de ce système n'a pas encore été éclairci.

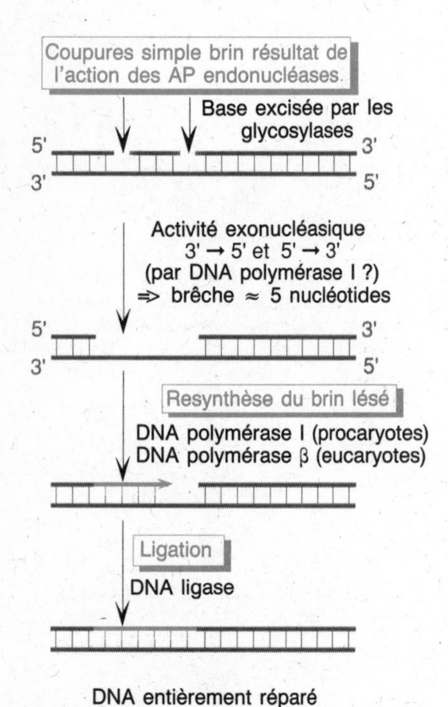

Figure 3-9 **Schéma de la phase secondaire de la réparation**

Les systèmes eucaryotiques n'ont pas encore été élucidés

Leur existence est certaine mais le détail des mécanismes est encore mal connu. Leur perturbation, chez l'homme, peut se traduire par une pathologie génétique : *Xeroderma pigmentosum,* ataxie-télangiectasie, anémie de Fanconi, syndrome de Bloom.

Les variations du DNA : mutations, recombinaisons, transpositions

Une série de phénomènes qui ont pour nom : mutation, délétion, insertion, recombinaison, conversion génique, transposition font que le contenu en information des cellules est loin d'être immuable. Cette dynamique des séquences peut survenir aussi bien dans les cellules somatiques que dans les cellules germinales ; dans ce dernier cas les modifications informationnelles seront transmises héréditairement.

LES MODIFICATIONS NON SYSTÉMATISÉES : LES MUTATIONS PONCTUELLES

Comme nous l'avons vu, l'environnement aussi bien extra- qu'intracellulaire et la réplication sont source de nombreuses **mutations**. En effet, si les systèmes de sauvegarde du contenu informatif sont d'une étonnante efficacité, il leur arrive quand même de faillir ou d'être impuissants comme dans le cas des 5 méthyl cytosines désaminées.

L'exemple des 5 méthyl cytosines désaminées (thymine) présente un intérêt particulier en biologie moléculaire médicale. Une telle base modifiée n'est reconnue par aucune des glycosylases ; de ce fait la réparation ne sera jamais assurée. Lors de la réplication la 5 méthyl-cytosine désaminée ne sera pas reconnue comme cytosine mais comme thymine. L'impuissance des systèmes de réparation dans ce cas précis fait que ce type de mutation a une fréquence apparente très supérieure à celle de la plupart des autres mutations. Il s'agit là de ce que l'on appelle un « point chaud de mutation » *(hot spot)*. L'intérêt réside dans le fait que ces mutations, lorsqu'elles n'engendrent pas de pathologie, peuvent créer des polymorphismes qui, nous le verrons ultérieurement, sont la base des diagnostics au niveau du génome. Ces polymorphismes pourront facilement être mis en évidence car la méthylation des C chez l'homme ne peut se produire qu'au niveau de séquences CG, or ce motif est inclus dans les sites reconnus par les enzymes de restriction Taq I et Msp I ; toute transformation d'un CG en TG abolira ces sites.

UN MODÈLE DE RECOMBINAISON ÉLUCIDÉ : LA RECOMBINAISON CHEZ *E. coli*

Bien que ne possédant qu'un seul chromosome, donc peu prédisposée à offrir des homologies de séquences nécessaires, la bactérie possède un système de recombinaison très efficace dont le modèle, maintenant bien connu, est semble-t-il proche de celui de l'homme.

La recombinaison générale commence par une coupure de l'un des brins du DNA

Pour qu'une recombinaison puisse se produire il convient que deux conditions soient satisfaites :

- une homologie de séquence doit exister au niveau des deux zones de DNA à recombiner ;
- l'une de ces séquences doit être coupée sur l'un de ses brins.

La coupure simple brin permet au brin coupé de se séparer, sur une petite longueur, de son complémentaire. La portion de DNA mise ainsi sous forme simple brin interagit avec la séquence homologue d'un autre DNA, la déstabilise et forme un hétéroduplex. Le détail de ce mécanisme est décrit dans la **figure 3-10**. Il en résulte une structure en forme de lettre grecque

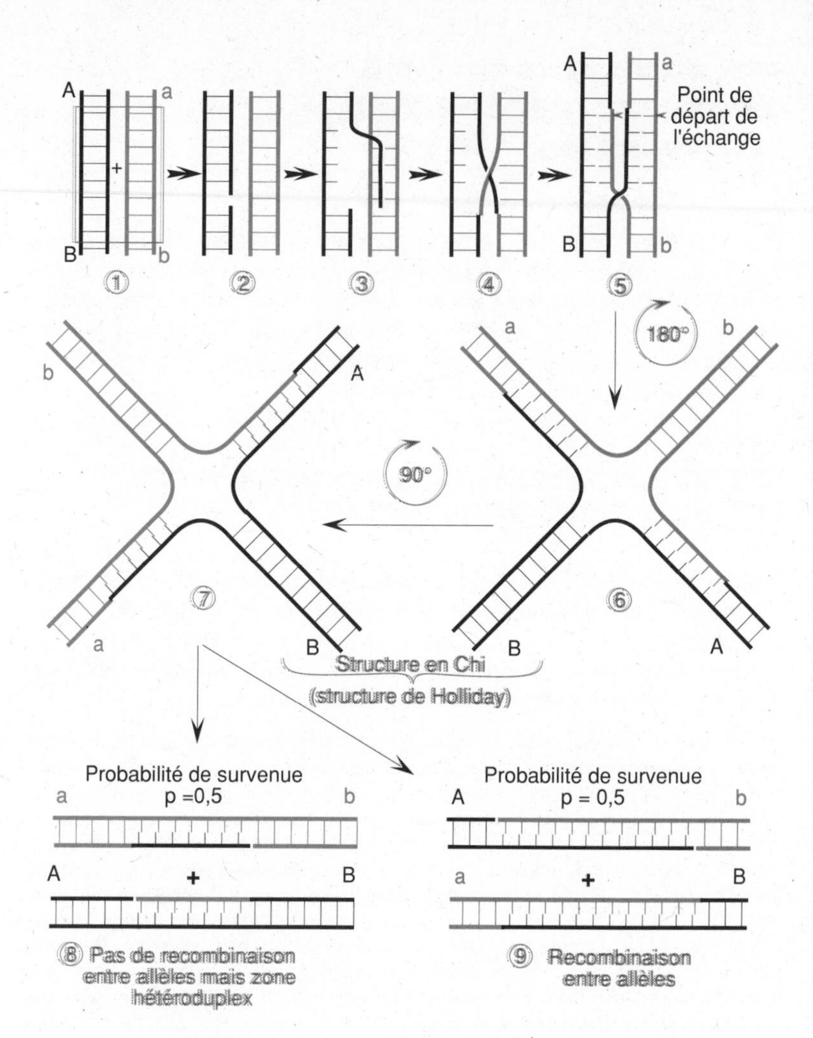

Figure 3-10 Schéma de la recombinaison générale chez *E. coli*
La recombinaison s'effectue entre deux séquences homologues (1). Elle débute par au moins une coupure simple brin dans l'une des deux séquences (2). Le brin coupé se sépare de son complémentaire et interagit avec la séquence homologue (3). Une coupure et deux soudures aboutissent à la formation d'une structure croisée entre un brin de chaque séquence (4). Le croisement se déplace en créant derrière lui un hétéroduplex (5). Une première rotation de 180° produit une structure de type chi (structure de Holliday) (6). Après rotation les brins croisés se désenlacent par coupure-ligation. Suivant les brins où s'effectuent les coupures-ligations deux résultats seront possibles :
— pas de recombinaison mais une structure de type hétéroduplex sur toute la zone de migration (8) ;
— une recombinaison entre les deux séquences homologues (9). La probabilité de chacun de ces deux résultats est identique, elle est de 0,5. Le fait qu'il y ait eu ou non recombinaison est objectivé par l'étude des haplotypes A,B et a,b.
Cliché : structure chi vue au microscope électronique.
(D. Dressler. In Lewin, Genes III, John Wiley and Sons Inc, New York, 1987)

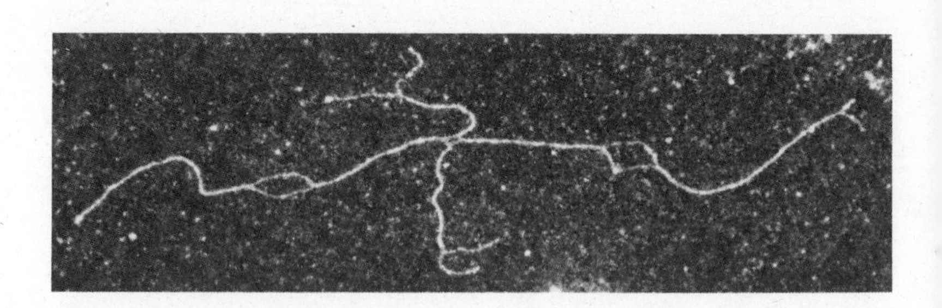

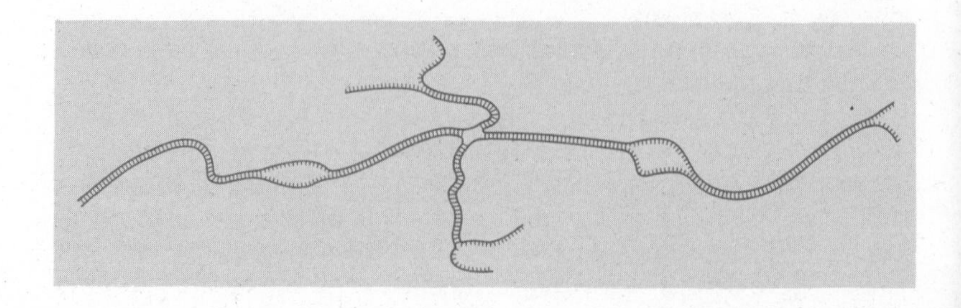

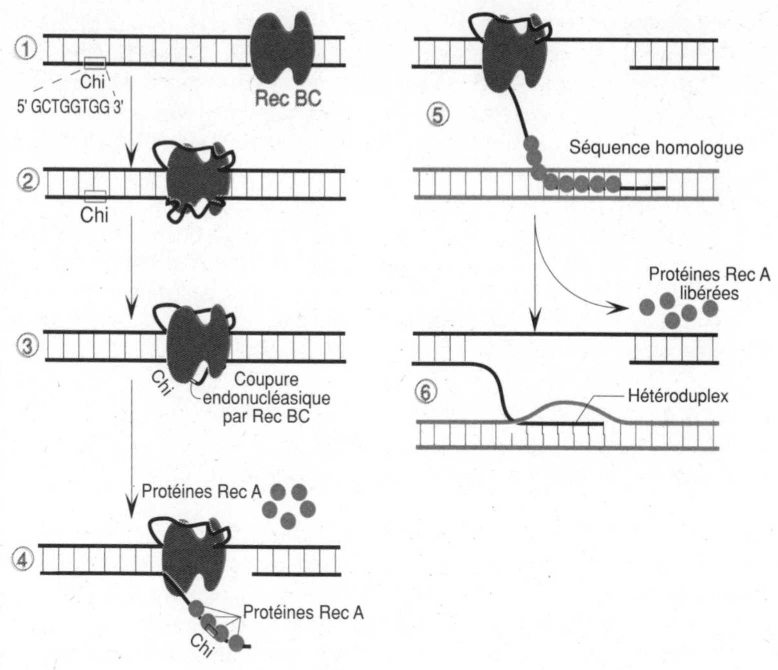

Figure 3-11 Initiation de la recombinaison chez *E. coli*
Le complexe protéique Rec BC se fixe sur le DNA (1). Le mécanisme de cette fixation n'est pas encore connu. Il progresse sur la double hélice de DNA en la déroulant, puis avec un certain retard en l'enroulant de nouveau (2). Quand il rencontre la séquence chi (à ne pas confondre avec la structure chi), l'activité endonucléasique s'exerce quelques bases en 3' de cette séquence (3). La portion de DNA coupée et passée sous forme simple brin s'associe à des molécules de protéine RecA à raison de 1 molécule de RecA par 5 bases (4). Ce complexe RecA-DNA simple brin « reconnaît » la séquence homologue sur une autre molécule de DNA et s'y fixe (5). Il en résulte la formation d'un hétéroduplex et la libération des protéines RecA.

chi appelée structure chi (à ne pas confondre avec les séquences chi, voir ci-dessous) ou structure de Holliday. Après rotation les deux séquences se séparent. Dans 50 p. 100 des cas il en résultera une **recombinaison.**

Les protéines RecB et RecC séparent les brins et coupent l'un d'entre eux

Les protéines RecB et RecC sont les produits des gènes *recB* et *recC,* membres du système SOS déjà évoqué. Elles forment un complexe d'une masse moléculaire d'environ 300 kDa. Ce complexe déroule le DNA et possède une activité endonucléasique. Ces protéines en créant une coupure et en faisant passer le DNA, en cet endroit, sous forme simple brin sont à l'origine de l'initiation de la recombinaison **(Figure 3-11).**

L'initiation de la recombinaison s'effectue en des points précis chez E. coli : les sites chi

Les protéines RecB et RecC en plus de leur activité déroulante assurent le réenroulement du DNA après leur passage. Comme le débobinage est plus rapide que le rembobinage, à leur contact une large portion de DNA se trouve constamment sous forme simple brin. Le complexe RecBC se déplace ainsi sur le DNA jusqu'à ce qu'il reconnaisse une séquence presque symétrique, très fréquente chez *E. coli,* la **séquence chi** (5'GCTGGTGG3'). La reconnaissance de cette séquence induit l'activité endonucléasique du complexe RecBC, la coupure s'effectuant sur le brin possédant la séquence chi quelques bases plus loin en 3'. L'extrémité libérée, qui est donc sous forme simple brin, va s'associer à une molécule de protéine RecA ; ce qui aura entre autres pour effet d'empêcher sa réassociation avec le brin complémentaire. La recombinaison est alors amorcée.

La protéine RecA permet l'association entre les deux séquences homologues

La protéine RecA est le produit du gène *recA* qui est l'un des deux gènes fondamentaux du système SOS. Nous avions vu en étudiant les phéno-

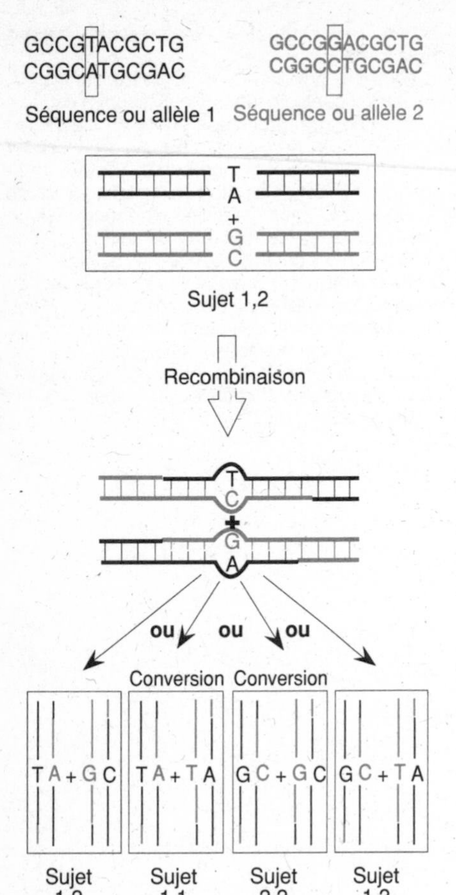

Figure 3-12 Mécanisme de la conversion génique par correction d'hétéroduplex
Lorsque la recombinaison s'effectue entre deux allèles ou deux séquences homologues mais non identiques, un ou plusieurs mauvais appariements (mismatch) peuvent être produits au sein de l'hétéroduplex qui se forme lors de l'initiation de cette recombinaison. Ces mauvais appariements persistent dans les deux molécules de DNA recombiné. Ils seront réparés. Suivant le brin choisi comme modèle par les systèmes de réparation, les allèles ou les séquences homologues peuvent être interconvertis produisant des cellules homozygotes issues de cellules hétérozygotes.

mènes de réparation que cette protéine possédait une activité protéasique, propriété clef dans l'activation du système SOS. Cette protéine joue aussi un rôle fondamental dans les mécanismes de recombinaison d'où son nom Rec (pour recombinaison). Dans un premier temps elle se fixe à la portion de DNA coupée et rendue simple brin par l'action du complexe RecBC. Il se fixe une molécule de RecA tous les cinq nucléotides. Dans un second temps elle va favoriser la reconnaissance de la séquence homologue ainsi que sa déstabilisation ; ce qui permet la formation de l'hétéroduplex entre les deux séquences homologues. Une fois l'hétéroduplex constitué, la protéine RecA est libérée et peut être recyclée. L'achèvement de la recombinaison résulte de mécanismes qui n'ont pu encore être élucidés.

CHEZ LES EUCARYOTES LA RECOMBINAISON MÉIOTIQUE PERMET LE BRASSAGE DES GÈNES

Les mécanismes des recombinaisons générales chez l'homme ne sont pas connus. Les seules données concernent les recombinaisons méiotiques. Durant cette période les chromosomes homologues s'associent en formant des **synapses**. Il est vraisemblable que les échanges entre séquences homologues qui s'effectuent au niveau du complexe synaptonémal utilisent un mécanisme proche de celui d'*E. coli.* Ces recombinaisons méiotiques sont indispensables au bon déroulement de la méiose, il s'en produit une soixantaine par méiose chez l'homme. Il en résulte un large brassage de l'information génétique, puisque des portions de plusieurs millions de paires de bases sont échangées entre les chromosomes homologues. Il en résulte une modification des assortiments d'allèles en cis **(haplotypes)** dans la région considérée. Les accidents de méiose, source de pathologie, seront envisagés dans la deuxième partie de cet ouvrage. Les mécanismes des autres types de recombinaison (mitotique, etc.) chez l'homme ne sont pas connus en détail.

La recombinaison entre allèles peut se traduire par leur modification, la conversion génique

La recombinaison nécessite, nous l'avons vu, la formation d'un hétéroduplex entre les séquences qui se recombinent. Si les hétéroduplex se constituent entre des séquences proches ou entre deux séquences alléliques il en résultera un non-appariement d'une ou plusieurs bases *(mismatch)*. Ce mauvais appariement sera reconnu par les systèmes de réparation qui l'aboliront. Le brin modèle sera en général choisi au hasard. Il en résultera pour l'un des brins une modification de séquence. Selon le brin choisi comme modèle il pourra y avoir conversion ou non-conversion **(Figure 3-12)**. Par ce mécanisme une cellule mère hétérozygote peut engendrer deux cellules filles homozygotes. Un résultat analogue peut être obtenu par échange de matériel lors d'une réparation d'une coupure de type double brin **(Figure 3-13)**.

L'augmentation du nombre de copies de gènes répétés (Figure 3-14)

Si un gène est répété sur un chromosome l'appariement initial peut se faire entre n'importe laquelle des copies de chaque chromosome. Il en résulte une **recombinaison inégale** au terme de laquelle l'un des chromosomes possédera un nombre plus élevé de copies qu'avant recombinaison ; l'autre un nombre plus faible. Si l'augmentation du nombre de

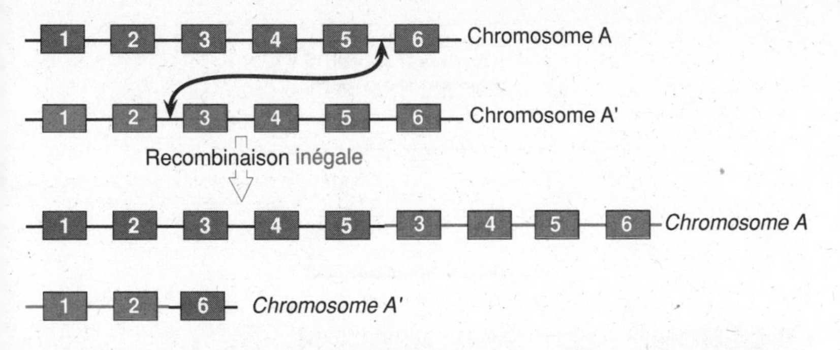

Figure 3-14 Des recombinaisons inégales au sein de séquences homologues répétées en tandem entraînent l'expansion ou la contraction du nombre de leurs copies
Ce mécanisme explique le très grand polymorphisme observé au niveau des séquences minisatellites.

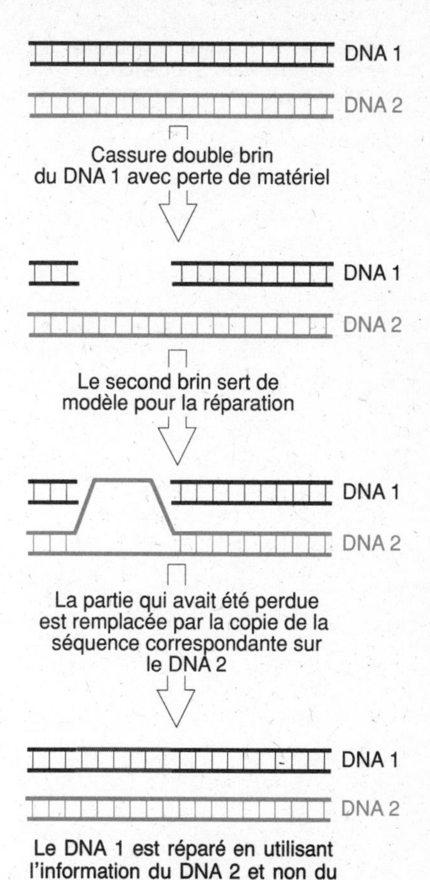

Figure 3-13 Conversion génique par réparation de cassures double brin du DNA
Lorsque le DNA est cassé sur les deux brins chez la levure (eucaryote), il semble qu'une nucléase détruise une partie des extrémités libérées, la réparation utilisant l'information portée par le DNA du chromosome homologue pour effectuer la réparation. Il en résulte une conversion génique.

copies se traduit par un avantage sélectif les cellules correspondantes seront sélectionnées et le nombre des copies augmentera au cours des générations. Il est vraisemblable que le nombre élevé des gènes histone résulte au moins partiellement de ce genre de mécanisme.

L'élimination des gènes défectueux dans les familles de gènes répétés

Cette possibilité découle des mécanismes de recombinaison précédents. En effet la conversion génique sur un gène muté se traduira par une réversion de la mutation donc un retour à la forme normale du gène. De même si le nombre de copies d'un gène fonctionnel entraîne un avantage sélectif, les gènes non fonctionnels seront éliminés lors des recombinaisons ; il y aura dans le même temps amplification du nombre de copies fonctionnelles. Ce phénomène joue un rôle très important au cours de l'évolution.

Les recombinaisons peuvent provoquer des lésions

Le point de départ de la recombinaison est, nous l'avons vu, l'appariement des brins de deux séquences homologues. Or le génome des eucaryotes est constellé de séquences répétitives donc homologues. Deux copies de ces séquences en deux points différents du génome peuvent donc théoriquement s'associer et initier une recombinaison. Suivant les points de recombinaison choisis il en résultera des **délétions,** des **insertions** ou des **remaniements chromosomiques.** De telles modifications se traduisent le plus souvent par une pathologie qui sera évoquée dans la seconde partie de cet ouvrage.

La recombinaison peut être la base de la régulation de l'expression

Cette notion est de connaissance récente. Certains gènes peuvent exister initialement sous forme inactive par manque de promoteur. Une transposition ou une recombinaison en mettant bout à bout le gène de structure et un promoteur permettra l'expression.

La recombinaison peut enfin être un acte de différenciation dont le meilleur exemple est celui des **gènes de l'immunité** qui sera décrit en détail dans le chapitre 6.

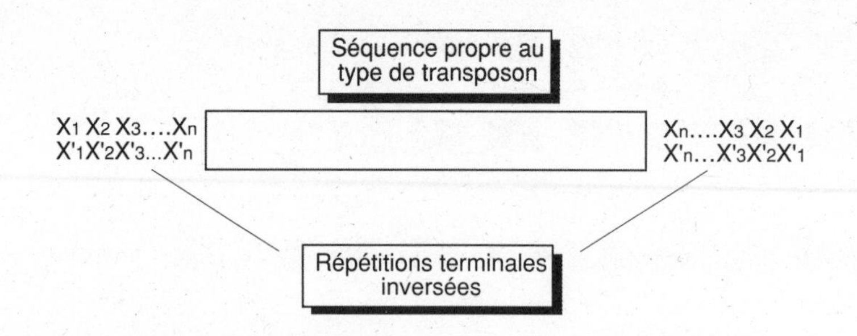

Figure 3-15 Structure générale d'une séquence IS *(Insertion Sequence)*
Noter que les extrémités correspondent à des séquences inversées répétées.

LE GÉNOME PEUT ÊTRE RECONFIGURÉ : LES TRANSPOSONS ET LES RÉTROTRANSPOSONS

La caractérisation de séquences de DNA « mobiles » fut, comme celle des introns, une grande surprise. Les premiers éléments mobiles : les **IS *(insertion sequences)*** furent mis en évidence chez *E. coli.* Comme leur nom l'indique ces éléments sont capables de s'insérer à peu près n'importe où dans le génome. D'autres éléments possédant des propriétés analogues, mais de structure plus complexe, ont été retrouvés aussi bien chez les bactéries que chez les végétaux ou les animaux. Le nom d'élément transposable ou **transposon** leur a été attribué. Grâce à ces transposons des gènes pourront être insérés et déplacés n'importe où dans le génome. Cette insertion peut parfois même être nécessaire à la bonne expression du gène.

Le camouflage antigénique des trypanosomes expliqué par des transpositions
L'un des exemples les plus spectaculaires du rôle fonctionnel de la transposition est celui du trypanosome, un parasite responsable chez l'homme de la maladie du sommeil. L'immunisation s'effectue, mais reste inefficace. La biologie moléculaire a permis de comprendre pourquoi.

La surface externe du trypanosome est revêtue d'une glycoprotéine. Dans le génome du trypanosome il existe des centaines de gènes de structure codant pour différentes protéines de surface possibles. Ces gènes sont physiologiquement muets et non exprimables. En fait l'un des gènes de structure est choisi au hasard, une copie en est effectuée ; cette copie est transportée et insérée en aval d'un promoteur. Cette transposition va se traduire par l'expression du gène sélectionné et la surface du trypanosome sera revêtue de la protéine ainsi synthétisée. Après un temps inférieur à celui nécessaire à l'apparition d'anticorps chez l'homme, cette copie sera remplacée par une autre suivant le même processus. La protéine de surface ayant changé, les anticorps synthétisés seront sans effet. (Le mécanisme est en fait plus complexe, impliquant notamment un épissage en trans. Une description détaillée sort du cadre de cet ouvrage.)

Le transposon possède dans sa structure les gènes codant pour les protéines nécessaires à son insertion. Cependant dans certains cas l'insertion nécessitera des protéines cellulaires ; c'est le plus souvent le cas quand l'insertion doit être effectuée de manière régulée en un point précis du génome (voir le cas du *mating type* de la levure chapitre 5).

Dans la transposition tout se passe sans que jamais la séquence à transposer n'apparaisse sous forme libre et individualisée dans la cellule. Les mécanismes de cette transposition sont multiples et le résultat final dépend du moyen de transposition qui a été employé. En fait le phénomène de transposition est un événement rare. De plus certaines transpositions sont stables alors que d'autres ne le sont pas et disparaissent assez rapidement.

De très nombreux transposons sont maintenant connus chez de multiples organismes. Leur structure et leur mécanisme de fonctionnement sont variés et complexes ; une description détaillée de chacun sort du cadre de cet ouvrage et nous ne donnerons que quelques exemples qui permettront de comprendre la structure et le mécanisme des phénomènes en cause.

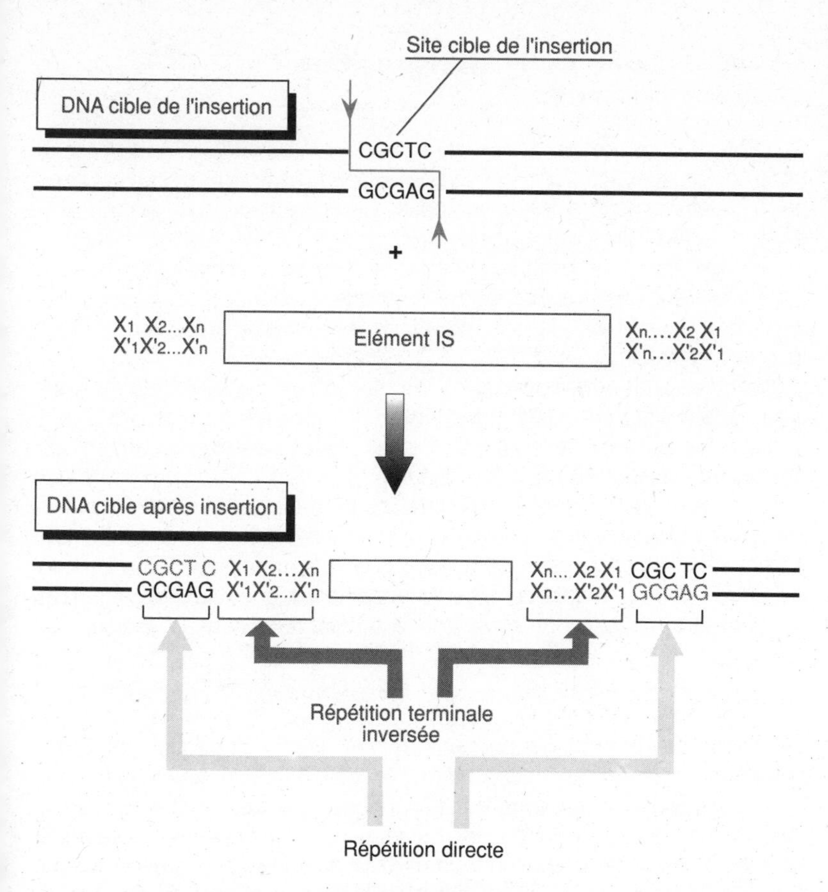

Figure 3-16 Mécanisme de l'insertion des séquences IS
Le DNA où s'insère la séquence IS est coupé, les extrémités générées sont à bouts cohésifs. La courte séquence simple brin engendrée est transformée en DNA double brin par une polymérase ; ceci a pour effet de créer une répétition directe de la séquence cible aux deux extrémités du lieu d'insertion. La séquence IS est alors ligaturée entre ces deux répétitions directes.

Les IS *(Insertion Sequences)* sont les structures mobiles les plus simples

Ces transposons possèdent tous une structure commune schématisée dans la **figure 3-15**. Ils sont constitués d'une séquence centrale qui définit le type de séquence IS. Sa longueur est variable mais en général proche de 1 kb. Chaque extrémité possède une séquence identique de 15 à 25 paires de bases dont les orientations sont inverses ; ces séquences portent le nom de **répétitions terminales inversées** *(inverted terminal repeats)* ; en fait les deux copies ne sont pas toujours absolument identiques à la base près.

Lors de l'insertion de la séquence IS une petite fraction du DNA cible est dupliquée et l'IS est insérée entre les deux copies qui portent alors le nom de **répétitions directes** *(direct repeats)* ce qui est schématisé **figure 3-16**. Ces répétitions directes sont courtes : environ 4 à 10 paires de bases.

Les autres types de transposons sont plus complexes

De manière globale tous les transposons possèdent à leurs extrémités des séquences terminales inversées de longueurs très variables : de quelques bases à 1000 pb. Dans la partie centrale sont regroupés le ou les gènes à transposer et les enzymes nécessaires à la transposition comme la transposase et la résolvase.

Le mécanisme de la transposition chez les bactéries

Le DNA cible est coupé sur chaque brin aux extrémités de la séquence cible créant ainsi des bouts cohésifs entre lesquels le transposon est positionné. Cette première étape est réalisée grâce à l'action de la **transposase**. Il s'offre alors deux possibilités.

Transposition avec réplication du transposon : le transposon ainsi positionné est répliqué. La nouvelle copie est donnée au DNA cible, l'ancienne restant en place. Cette étape est réalisée grâce au moins à la **résolvase**.

Transposition conservative : le transposon est transféré dans le DNA cible ; le site donneur en est donc **délété**. Comme dans le cas précédent la résolvase achèvera le travail. On ne sait pas actuellement comment les choses se passent sur le brin donneur.

Dans les deux cas au niveau du DNA cible, la séquence cible de l'insertion a été dupliquée formant les deux courtes répétitions directes de part et d'autre de la séquence transposée. Dans les deux cas, bien qu'une séquence ait été transposée entre deux points éloignés du DNA, à aucun moment le transposon ne s'est trouvé à l'état libre dans la cellule.

Les transposons chez les eucaryotes (Tableau 3-3)

Les eucaryotes comme les procaryotes possèdent des séquences transposables. On en retrouve aussi bien chez les plantes comme le maïs que chez la levure ou la drosophile. Leur architecture est semblable à celle des procaryotes. Les transposons humains n'ont pas encore été caractérisés à ce jour. Les mieux connus chez les eucaryotes supérieurs sont ceux de la drosophile dont il existe trois classes appelées **copia, FB et P**. Leurs tailles sont comprises entre 500 et 5000 pb ; il en existe quelques dizaines de copies par génome. Seul copia possède des terminaisons répétées directes. Les terminaisons inversées répétées ont une longueur comprise entre 13 pb (copia) et 1250 pb (certains FB). Les sites d'insertion dans les cibles ont 5 à 9 paires de bases. Les transposons de type P sont largement utilisés en recherche pour créer des mutants dont il est facile de cloner la partie mutée en criblant avec une sonde contenant le transposon P.

Tableau 3-3 **Exemples de transposons**

Nom du transposon	Organisme
Tn3	*E. coli*
Tn1	*E. coli*
Tn5	*E. coli*
Tn10	*E. coli*
Copia	drosophile
FB	drosophile
P	drosophile
DS	drosophile
Ty 1	*Saccharomyces cerevisiae*

Les rétroposons ou rétrotransposons

Certaines séquences de DNA eucaryotes, homme compris, possèdent des caractéristiques proches de celles des transposons. Ces séquences possèdent aussi des caractéristiques qui les rapprochent de certains virus : les **rétrovirus** (voir chapitre 7). Ces séquences ont une structure qui permet de penser qu'elles résultent d'une **rétrotranscription** d'un RNA. Toutes ces données suggèrent qu'un deuxième type de transposition existe. Les transposons de cette classe, du fait de leurs caractéristiques, sont appelés **rétrotransposons** ou **rétroposons**. Le mécanisme de ce nouveau type de transposition est le suivant : un rétrotransposon est transcrit en un RNA dont la structure est analogue à celle d'un rétrovirus, puis ce RNA est rétrotranscrit en cDNA par la **transcriptase inverse**. La copie cDNA s'intègre ensuite dans le génome comme le ferait un rétrovirus.

L'analyse de séquence de certains de ces rétrotransposons montre qu'ils pourraient posséder des séquences codant pour la transcriptase inverse, qui est indispensable à la rétrotransposition. Ils posséderaient donc comme les autres transposons les gènes nécessaires à leur propre action, sans qu'il soit besoin d'avoir recours à des systèmes cellulaires spécifiques. Il est intéressant de noter que certaines familles de séquences répétées de l'homme, dont les principales sont les familles Alu et LINE1, ont une structure typique de rétro-transposon. La preuve de leur mobilité a été apportée récemment (voir chapitres 2, 6 et 12).

Sélection de références bibliographiques : voir page 701.

4 Du génotype au phénotype

L'information codante contenue dans le DNA est noyée dans une quantité considérable de séquences non codantes. Pour être utilisé un gène doit être lu et traduit en une séquence d'acides aminés qui constituera la protéine. Compte tenu des tailles respectives des triplets et des acides aminés, la traduction directe de l'information au niveau du DNA est impossible. De plus chez les eucaryotes information et appareil de traduction sont situés dans des compartiments cellulaires différents (noyau/cytosol). Les résultats expérimentaux ont montré que la traduction n'est pas effectuée au contact du DNA et que des RNA devaient être utilisés comme intermédiaires.

La première étape du passage du génotype au phénotype consiste donc en la transcription de l'information sous forme de **RNA messager (mRNA)**. Contrairement à ce qui se passe chez les procaryotes, le RNA des eucaryotes n'est pas directement traduit mais subit une série de modifications, appelée **maturation**, qui est constituée d'une série d'ajouts et d'excisions. Certaines de ces modifications se produisent de manière synchrone avec la transcription. Afin de faciliter la compréhension des mécanismes, la description de la maturation sera donc couplée à celle de la transcription.

Chez les **procaryotes** les mécanismes de transcription sont relativement simples. Ils ne mettent en jeu qu'un seul type de **RNA polymérase** de composition relativement simple. A l'état libre cette polymérase possède une masse moléculaire de 5×10^5 Da, elle est composée de quatre sous-unités dont deux sont identiques ($\alpha^2\beta\beta'$). La polymérase se fixe au promoteur par l'intermédiaire d'une sous-unité accessoire, la **sous-unité** σ dont il existe plusieurs types, chaque type étant spécifique d'une classe de gènes. Elle quitte le complexe polymérasique dès que la transcription est initiée. Cette sous-unité σ servira alors à la fixation d'une nouvelle molécule de RNA polymérase. Une seconde sous-unité accessoire : la **sous-unité** ρ interviendra, dans certains cas, dans la séparation de la polymérase et du DNA à la fin de la transcription.

La situation est bien plus compliquée chez les **eucaryotes**. D'une part il existe 3 types de RNA polymérases, chacun spécifique d'une classe de gènes, d'autre part les polymérases elles-mêmes sont beaucoup plus complexes puisqu'elles possèdent au moins 10 sous-unités. Leur taille est telle qu'il est possible de les observer au microscope électronique lorsqu'elles sont attachées au DNA.

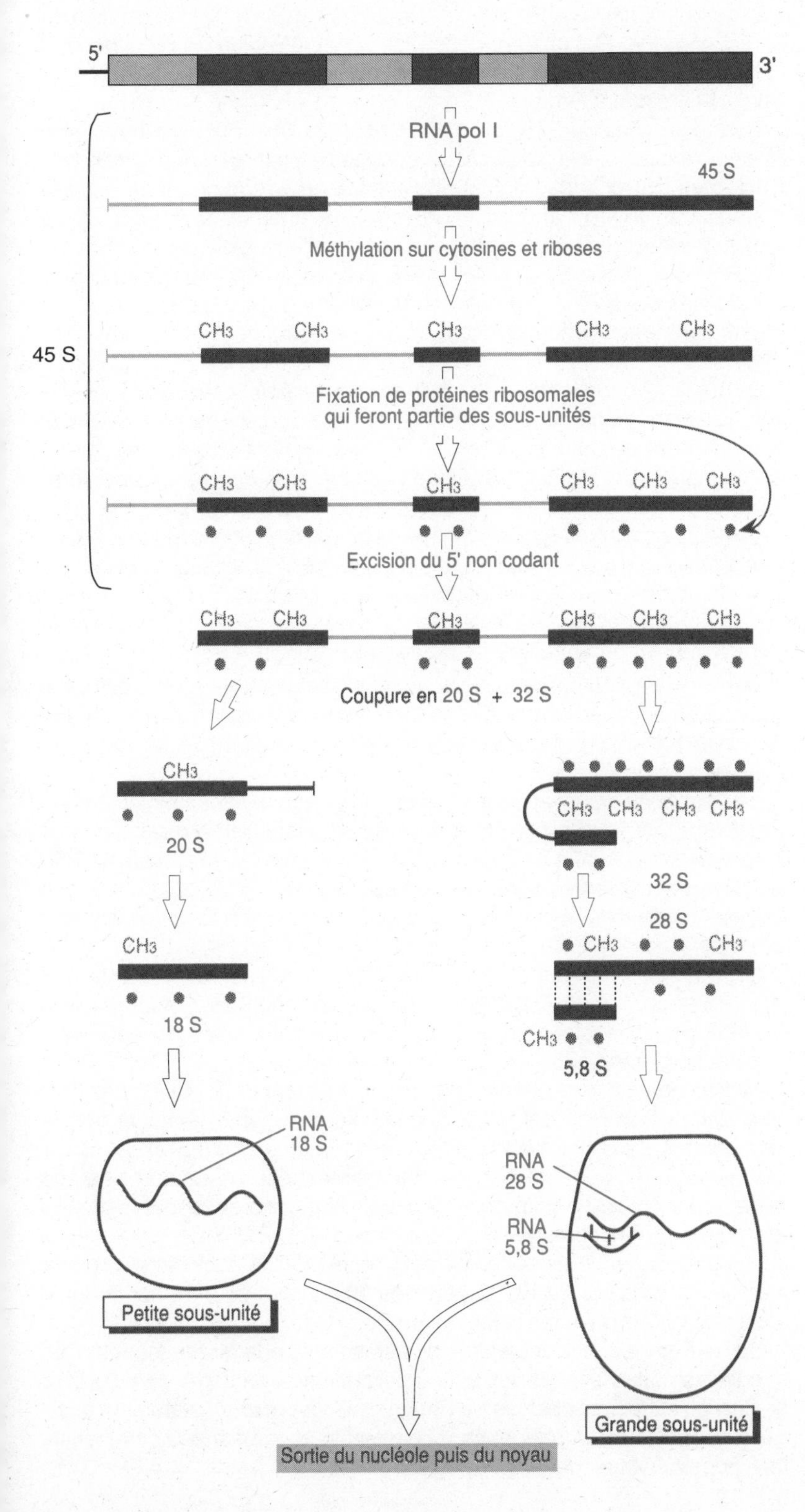

Figure 4-1 Transcription et maturation des gènes codant pour les RNA des ribosomes
La transcription du rRNA, sa maturation et son association avec des protéines importées du cytoplasme pour former les grandes et petites sous-unités sont un phénomène nucléaire. La maturation implique des excisions et des méthylations qui sont décrites dans le texte. Trois RNA résultent de la maturation : le 18 S de la petite sous-unité et les 28 S et 5,8 S de la grande.

MATURATION DES RNA RIBOSOMAUX ET FORMATION DU RIBOSOME SONT LIÉES

Les gènes codant pour le **RNA des ribosomes** sont transcrits par la RNA polymérase I **(Figure 4-1)** sous forme d'un précurseur de 45 S (13,7 kb chez l'homme). La transcription de ce RNA nécessite environ 3 minutes. Les gènes du rRNA sont très nombreux (10 à 50 000) et organisés en larges groupes. Sur chaque gène plusieurs molécules de RNA polymérase travaillent en même temps. De nombreuses molécules de RNA sont transcrites simultanément.

Les séquences de DNA qui codent pour les RNA des ribosomes sont rassemblées au niveau de formations visibles en microscopie optique : les **nucléoles**. En plus des gènes ribosomaux on y retrouve de la topoisomérase I, la RNA polymérase I, une série de protéines spécifiques (il en faut au total environ une centaine pour assurer l'ensemble des opérations), des RNA 5 S, des snRNP (ribonucléoprotéines), dont les majoritaires sont constituées de snRNA U3 associé à environ 6 protéines, la plus abondante étant la fibrillarine (36 kDa), et les transcrits de rRNA en cours de maturation.

Le pré-RNA commence à être maturé avant même la fin de la transcription. Le phénomène qui intervient le plus précocement est une **méthylation** du transcrit, qui s'effectue sur des cytosines mais aussi, ce qui est exceptionnel, sur les riboses. Chez l'homme plus de 100 groupements méthyle sont ainsi ajoutés au précurseur 45 S. L'ensemble de ces groupements méthyle est retrouvé dans le rRNA maturé cytoplasmique. Aucun groupement n'est donc fixé sur les parties qui sont excisées. On pense actuellement que cette méthylation pourrait jouer deux rôles :

- un rôle protecteur vis-à-vis des RNases ;
- un rôle de reconnaissance des séquences à exciser.

Dans le même temps, des protéines, dont les protéines retrouvées dans les ribosomes cytoplasmiques, se fixent aux RNA en cours de maturation. Le RNA 45 S est complètement synthétisé avant que ne commencent les excisions.

Les excisions des séquences non codantes semblent, au moins en partie, faire appel à un mécanisme similaire au mécanisme d'excision des introns des messagers (voir plus loin), et impliquent l'intervention de RNP à snRNA U3. Chez certains eucaryotes inférieurs le processus pourrait être autocatalytique, éventuellement aidé par des protéines (mais qui sont dénuées d'activité catalytique).

Dans un second temps l'extrémité 5' du précurseur est excisée et le précurseur clivé en un fragment 20 S et un fragment 32 S, lequel forme une épingle à cheveux dans sa partie 5', grâce à des appariements entre bases complémentaires.

Le fragment 20 S est transformé en un fragment 18 S qui est celui qui sera retrouvé dans la petite sous-unité. Dans le même temps la boucle du fragment 32 S est excisée, libérant les fragments 28 S et 5,8 S qui restent attachés ensemble par les appariements de bases au niveau de la partie 5' du 28 S. L'adjonction de protéines permet de former la grande sous-unité du ribosome.

Les deux sous-unités ribosomales quittent alors le nucléole et passent dans le cytoplasme. Il aura fallu environ 10 minutes pour former la petite sous-unité et 30 minutes pour la grande.

Sur le DNA les molécules de polymérase sont à la queue leu leu. Dès que le promoteur est libéré par une polymérase une autre vient se fixer et ainsi de suite. Les chaînes de RNA naissant sont immédiatement chargées de protéines ce qui donne à l'ensemble un aspect très caractéristique appelé « arbre de Noël » **(Figure 4-2)**.

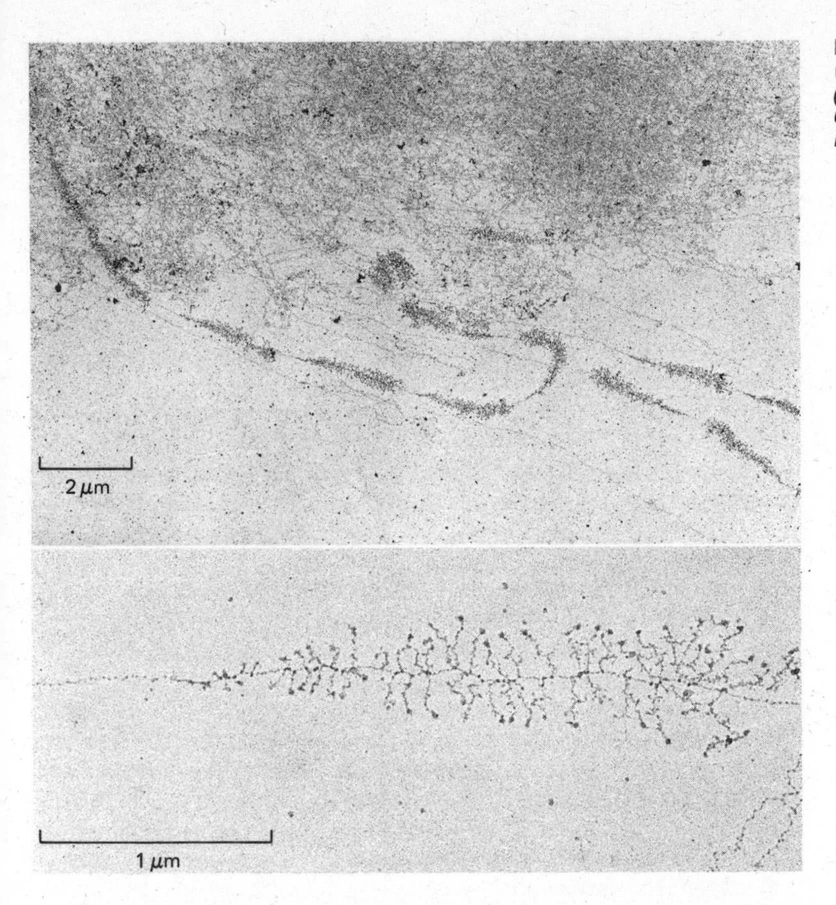

Figure 4-2 **Structure en « arbre de Noël » résultant de la transcription des rRNA** *(Reproduit avec l'aimable autorisation de VE Foe, Cold Spring Harbor Laboratory, Symp. Quant. Biol., 1978, 42 : 723-740)*

LE RÔLE PRINCIPAL DE LA RNA POLYMÉRASE II EST DE TRANSCRIRE LES RNA MESSAGERS

La structure de la RNA polymérase II et son mécanisme d'action sont longtemps restés obscurs, principalement parce qu'elle co-purifiait avec toute une série de protéines dont il n'était pas possible de déterminer s'il s'agissait de sous-unités ou de protéines contaminantes. Ces dernières années, un grand nombre de travaux, dont le clonage des gènes codant pour ses sous-unités chez la levure, a permis de mieux connaître cette enzyme complexe. Nous nous contenterons d'en décrire les grandes lignes, une description complète sortant du cadre de cet ouvrage.

L'événement primordial, dans la transcription, est l'**initiation**, nous nous contenterons de décrire ici les facteurs ubiquitaires. Les facteurs spécifiques et la régulation de l'initiation seront évoqués au chapitre 5.

La RNA polymérase II

La RNA polymérase II est une enzyme complexe constituée de 10 à 12 sous-unités suivant les organismes. L'enzyme la mieux connue est celle de la levure où les 11 gènes codant pour les 11 sous-unités (RPB1 à RPB11) ont été clonés. La structure de base (le « *core* » enzyme constitué de quatre sous-unités) est proche de celle de la RNA polymérase procaryote et de celle des deux autres polymérases eucaryotes (I et III), la polymérase II possédant plusieurs sous-unités supplémentaires. Une structure spécifique remarquable, qui n'est retrouvée dans aucune autre polymérase, est située à l'extrémité carboxy-terminale de la plus grande sous-unité. Cette structure, qui est appelée CTD (pour *Carboxy Terminal Domain*), est constituée d'une répétition (52 fois chez la souris) du motif Tyr-Ser-Pro-Thr-Ser-Pro-Ser. Cette structure est indispensable, comme cela a pu être démontré par des études de délétion. Ce motif est phosphorylable, mais le rôle de sa phosphorylation n'est pas clairement établi.

Le mécanisme de l'initiation de la transcription

La RNA polymérase II ne se fixe pas directement sur le DNA, mais par l'intermédiaire d'un cofacteur, le **facteur TFIID** (100 kDa chez les mammifères). Le mécanisme de cette fixation est complexe. Dans un premier temps le facteur TFIID se fixe sur une séquence riche en T et en A, la *TATA box*, située 25 à 30 bases en amont du premier nucléotide qui sera transcrit. La *TATA box* n'est pas indispensable puisque la majorité des gènes domestiques *(house keeping)* n'en possèdent pas. Quand elle est absente la séquence de type GGGCGG *(GC box)*, située en amont, semble pouvoir la remplacer. Des expériences de délétion ou de mutation de la *TATA box* n'abolissent pas totalement la transcription. Deux effets sont alors observés : une diminution du taux de transcription et une perte de la fidélité du site d'initiation. Lorsqu'elles résultent de mutations spontanées elles peuvent être à l'origine d'une pathologie.

Dans un second temps le **facteur TFIIA** se fixe, puis la RNA polymérase, associée au facteur TFIIB, se fixe au complexe TFIID-TFIIA (fixé au DNA) ; dans le même temps une molécule d'ATP est hydrolysée. Les brins de DNA sont alors séparés, le complexe est dit ouvert. Le **facteur TFIIE** permet alors le démarrage de la transcription. L'élongation nécessite un dernier facteur, le **facteur TFIIS**. L'ensemble de ces résultats a été obtenu avec des systèmes reconstitués in vitro, rien n'indique que le mécanisme est exactement identique in vivo.

Comme chez les procaryotes la RNA polymérase assure non seulement la transcription mais aussi la séparation des brins à transcrire. Un seul brin est transcrit. Il est vraisemblable que ce choix implique le complexe protéique d'initiation. Une fois le site d'initiation de transcription libéré, une nouvelle molécule de polymérase peut amorcer un nouveau transcrit.

Le nombre de molécules de polymérase engagées dans la transcription d'un gène est proportionnel au taux de transcription de ce gène ; on peut l'apprécier in vitro par la technique de **run on** décrite dans le chapitre 29.

En plus des gènes codant pour les protéines, la RNA polymérase II transcrit aussi partiellement ou peut-être en totalité les **snRNA** *(small nuclear RNA)* impliqués dans l'épissage des mRNA.

Le contrôle de l'initiation de la transcription n'est pas absolu : la transcription illégitime.

Les mécanismes impliqués dans la régulation de la transcription et qui sont à la base de la décision de transcrire un gène dans une cellule donnée seront décrits dans le chapitre 5. Ils sont la base de la différenciation. Le développement de la technique PCR a permis de montrer que leur efficacité n'est pas absolue et que tous les gènes sont en fait transcrits à taux ultra faible dans toutes les cellules. Le nom de **transcription illégitime** a été donné à ce phénomène dont on ne connaît pas le mécanisme. Il est particulièrement utile pour le biologiste car il lui permet d'étudier n'importe quel transcrit dans n'importe quelle cellule, ce qui n'était pas possible jusqu'alors (voir aussi chapitres 13, 21 et 29).

La terminaison de la transcription

La terminaison de transcription est une étape très mal connue. Elle se fait très en aval du point où s'effectuera la **polyadénylation** (voir ci-dessous). Il semble que l'arrêt ne s'effectue pas en un point précis pour tous les transcrits d'un même gène, mais en plusieurs points. L'arrêt implique des structures en épingle à cheveux dont la base est riche en GC, structures immédiatement suivies d'une séquence riche en AT.

LES TRANSCRITS SUBISSENT UNE MATURATION NUCLÉAIRE QUI DÉBUTE AVANT QUE LA TRANSCRIPTION NE SOIT ACHEVÉE

La fixation du chapeau *(cap)* est très précoce

Elle représente la première étape de maturation du messager. Immédiatement après le début de la transcription un chapeau ou *cap* est fixé à l'extrémité 5' du RNA messager. Il est constitué d'un nucléotide dont la base est une guanine méthylée sur son azote 7. La liaison au transcrit de ce nucléotide rapporté est de type 5'⋙5' triphosphate. Les deux premiers nucléotides du RNA sont méthylés sur les hydroxyles en 2' du ribose. La présence du chapeau est indispensable à la traduction ultérieure du RNA messager.

Les RNA messagers sont le plus souvent polyadénylés

Une fois synthétisés, les RNA messagers sont clivés dans leur partie 3' une vingtaine de bases en aval d'une séquence **AAUAAA**. Cette séquence qui fut prise au début pour une séquence de reconnaissance pour la polyadénylation est en fait surtout une séquence de reconnaissance pour la coupure, comme l'ont parfaitement montré les expériences de délétion et de mutation ponctuelle dirigée. Après cette coupure, une enzyme nucléaire : la polyA polymérase fixe un nombre variable d'A, d'environ 250 A consécutifs chez les mammifères et 100 chez les eucaryotes inférieurs, sans utiliser de matrice, à l'extrémité 3' du transcrit. Il semble que parmi les RNA messagers transcrits par la RNA polymérase II seuls les messagers d'histones soient dépourvus de queue polyA.

La polyadénylation s'effectue immédiatement après que le messager ait été transcrit. Après addition d'actinomycine D, qui inhibe la transcription, l'équilibre est obtenu en moins de 10 minutes.

Une protéine de 70 kDa, la PABP (Poly A Binding Protein), se fixe sur la queue poly A. Le gène de cette protéine a été cloné chez quelques organismes, la partie NH_2 terminale est constituée de trois répétitions de 90 acides aminés dont la séquence a été retrouvée conservée dans toutes les espèces étudiées. Les expériences de délétion ont montré que la présence de cette protéine était indispensable à la survie cellulaire et à la prolifération. La queue poly A (associée à la PABP) semble jouer un rôle dans la stabilisation des messagers et dans l'initiation de la traduction.

L'épissage élimine toutes les séquences introniques du transcrit primaire

Le mécanisme de l'excision des introns est maintenant presque totalement élucidé. Ce mécanisme est commun à la grande majorité des RNA messagers. Le premier élément dans la connaissance des mécanismes de l'épissage fut la mise en évidence de séquences dinucléotidiques, appelées **séquences consensus** retrouvées aux extrémités des introns. Ces dinucléotides sont GU en 5' et AG en 3' de l'intron (règle de Chambon). Les expériences de mutagenèse dirigée et la pathologie ont confirmé l'importance de ces séquences. Ultérieurement les expériences d'épissage in vitro ont permis de montrer que l'intron formait une structure en **lasso** *(lariat)* au cours de l'épissage.

L'épissage des RNA messagers nécessite l'intervention de protéines et de snRNA qui forment le spliceosome

L'épissage est un phénomène séquentiel complexe. Trois séquences jouent un rôle particulier **(Figure 4-3)** : le **site donneur** est en 5' de l'intron

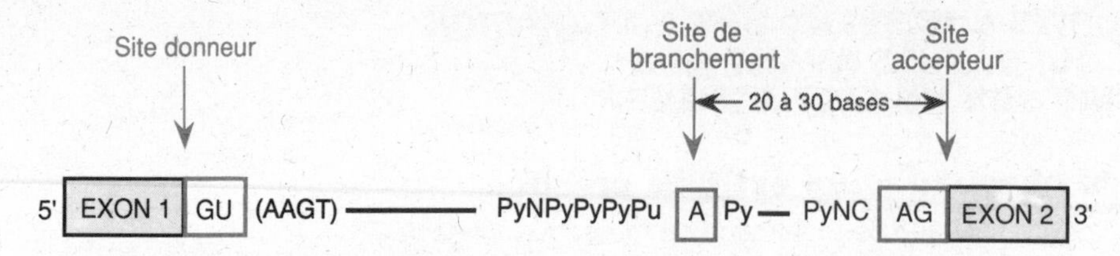

Figure 4-3 Séquences du mRNA impliquées dans le processus d'épissage
Trois sites sont primordiaux dans le mécanisme de l'épissage. Le premier est le site donneur qui correspond à la charnière exon/intron. Le second est le site de branchement, riche en bases pyrimidiques et qui contient un A, situé à une trentaine de bases du site accepteur qui correspond à la charnière intron/exon. Les séquences consensus sont encadrées en rouge. Py = pyrimidine ; Pu = purine ; N = A, T, G ou C.

il correspond donc à la séquence consensus GU. Le G et le U sont retrouvés dans 100 p. 100 des messagers. Les bases suivantes sont moins conservées : A (62 p. 100)*, A (65 p. 100), G (84 p. 100) et T (63 p. 100) ; la suite ne présente pas de conservation. Le **site de branchement** contient un A situé une vingtaine de bases en amont de l'extrémité 3' terminale de l'intron. La séquence entourant ce A est riche en pyrimidine et relativement conservée : Py(80 p. 100)N Py(80 p. 100) Py(87 p. 100) Pu(75 p. 100) **A**(100 p. 100) Py(95 p. 100). A son niveau vient s'accrocher l'extrémité 5' de l'intron (site donneur) en formant le **lasso**. Enfin le **site accepteur** correspond à l'extrémité 3' de l'intron ; il correspond donc à la séquence consensus AG. L'épissage nécessite aussi les RNA U1, U2, U4, U5 et U6 qui sont de petits RNA du type snRNA *(small nuclear RNA)* dont il existe quelques centaines de milliers de copies par cellule. Ces RNA ne sont pas libres mais sont associés chacun à une douzaine de protéines, le tout formant les snRNP.

Les snRNA ont une longueur de 57 à 214 bases chez les mammifères (un millier chez la levure). Ils possèdent à leur extrémité 5' un chapeau constitué d'une triméthylguanosine. Dans la cellule ils sont associés à des protéines qui sont reconnues par des sérums de patients atteints de maladies auto-immunes (lupus érythémateux disséminés). Ils sont semble-t-il au moins en partie transcrits par la RNA polymérase II mais ne sont pas polyadénylés.

Le tout forme une entité appelée : **spliceosome**. L'épissage aboutit à la production :

— du mRNA avec les deux exons raboutés ;

— de l'intron libéré sous forme de lasso **(Figure 4-4)**.

Ces phénomènes ont lieu dans le noyau.

La première étape de l'épissage comporte une association RNA U1-mRNA et une coupure au niveau du site donneur. La reconnaissance du site donneur sur le messager nécessite aussi un facteur protéique : SF2. Le RNA U1 s'hybride au niveau du site donneur du RNA messager du fait d'une homologie de séquence (amplification dans la figure 4-4). Cette fixation est immédiatement suivie d'une coupure en 5' du G de la séquence consensus GU. Le RNA U2 se fixe au niveau du site de branchement (appariement entre séquences complémentaires) ; cette fixation nécessite un facteur protéique : U2AF.

L'extrémité 5' libérée du site donneur vient réaliser une liaison phosphodiester un peu particulière : G 5' ⪢2' A avec le A du site de branchement auquel s'est fixé le RNA U2. A cette structure sont associés les RNA U4 et U6 ainsi que quelques protéines qui n'ont pas encore été purifiées, mais dont le caractère indispensable a pu être démontré. Le complexe résultant de ces différentes associations, le spliceosome, possède un coefficient de sédimentation d'environ 50S. Le RNA U5 s'est lui fixé au niveau

* Les pourcentages représentent la fréquence à laquelle la base est retrouvée dans les différents messagers.

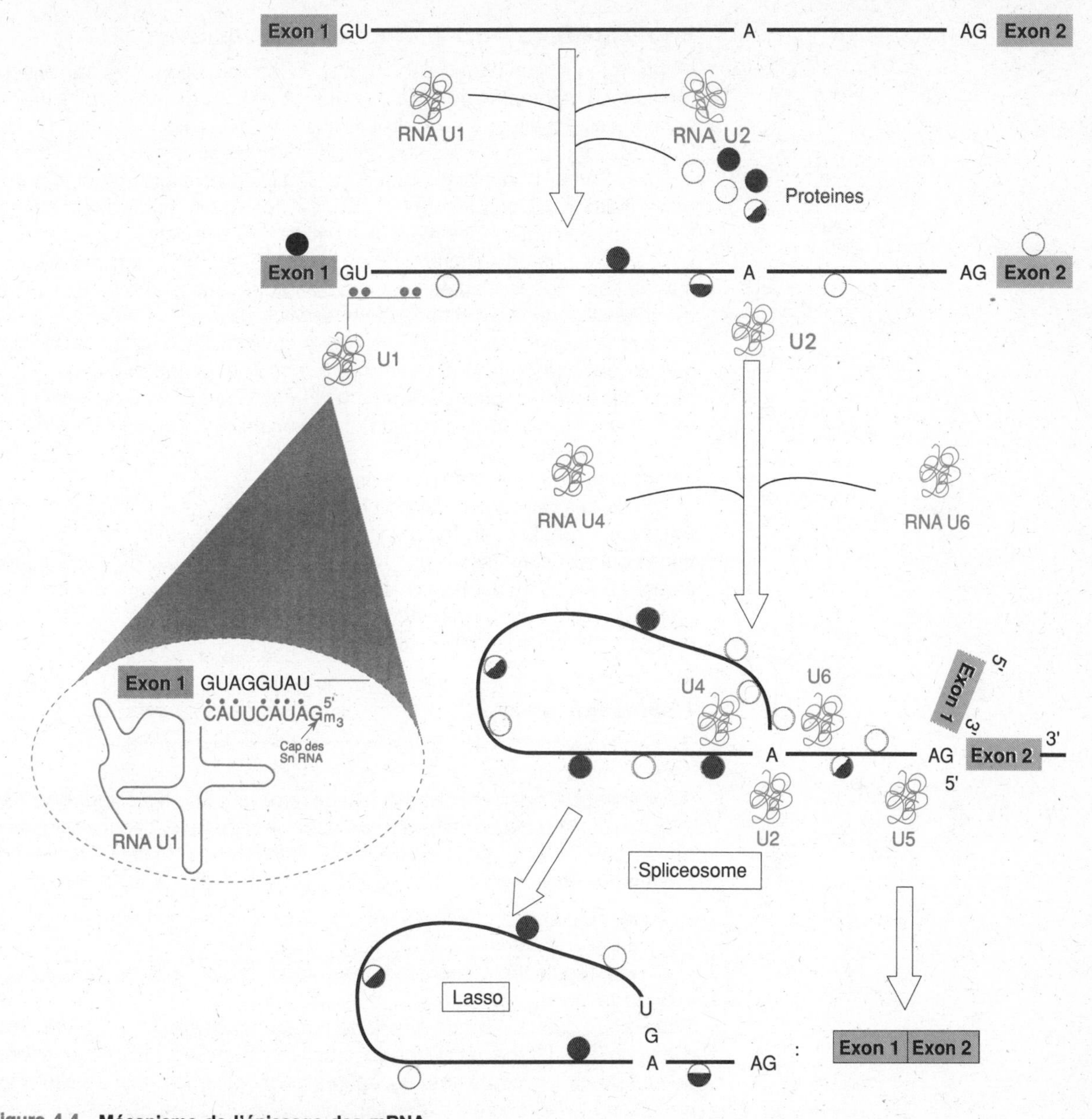

Figure 4-4 Mécanisme de l'épissage des mRNA
L'épissage fait intervenir des petits RNA, les RNA U1 à U5, et une série de protéines. Une série d'associations mRNA-petits RNA-protéines et une liaison 5'⟶2' entre le site donneur et le site de branchement conduisent à la formation du spliceosome. Les exons sont ligaturés et l'intron libéré sous forme de lasso. L'amplification de l'échelle au niveau du site donneur montre son interaction avec le RNA U1.

du site accepteur mais on ne connaît pas très bien son rôle dans la formation du spliceosome.

Une transestérification au site accepteur est la dernière étape de l'épissage. Le premier exon, bien que coupé, reste associé à l'intron via des protéines et/ou le RNA U1. La formation du spliceosome fait que l'extrémité 3'OH de l'exon libérée se trouve en face du site accepteur. Une **transestérification** va entraîner sa ligation à l'extrémité 5' de l'exon suivant. Cette réaction de transestérification a donc pour effet de raccorder les deux exons. L'intron est libéré dans le milieu sous forme de lasso, car la liaison 5'⩾2' au niveau du site de branchement n'est pas détruite au cours de la réaction. La réaction d'épissage nécessite des dizaines de protéines (peut-être une centaine). Certaines sont apportées par les snRNP, d'autres par le messager qui doit subir l'épissage.

De nombreux points restent encore obscurs

L'épissage est-il un phénomène régulé ? Cette question n'est pas encore résolue. La maturation du RNA commence en général avant que la transcription soit achevée. Il est possible que certains messagers soient stockés sous forme non maturée ou partiellement maturée pendant un temps indéfini. Certains pourraient même ne jamais être complètement maturés et ne quitteraient pas le noyau. Quant à l'ordre de retrait des introns il ne semble pas obéir à une règle bien définie. Les premiers introns du transcrit ne sont pas obligatoirement les premiers retirés. Les excisions des introns sont indépendantes les unes des autres. Les vitesses d'excision de chaque intron sont différentes.

Comme la vision de l'expérimentateur est statistique sur de nombreux messagers transcrits de manière non synchrone, un intron qui est extrait plus rapidement qu'un autre donnera l'impression qu'il est retiré avant un exon à excision lente. L'étude de quelques modèles a cependant clairement montré que, dans certains cas, certains introns (qui ne sont pas forcément les premiers) sont excisés avant les autres.

Toutes ces obscurités dans le mécanisme de la maturation des RNA messagers résultent en fait d'une méconnaissance quasi totale des protéines qui leur sont associées . Même si les structures secondo-tertiaires jouent très vraisemblablement un grand rôle, la clé des régulations et du stockage réside dans les facteurs protéiques. Ceux-ci sont actuellement en cours de caractérisation et de purification.

L'épissage alternatif

De nombreux messagers sont susceptibles d'épissages différents conduisant, après traduction, à des protéines différentes : l'épissage est alors dit **alternatif**. Certains types d'épissages peuvent être spécifiques de certains tissus, comme nous le verrons dans le chapitre 5. Les mécanismes qui permettent le choix des introns qui doivent être ou non excisés commencent à être connus. Deux processus au moins semblent utilisés :

— des variations d'activité ou de quantité de facteurs généraux d'épissage ;

— une régulation négative par la fixation de facteurs empêchant l'épissage.

Comme nous l'avons déjà indiqué la reconnaissance du site donneur par la snRNP U1 nécessite un facteur protéique SF2 ; la concentration de ce facteur protéique est susceptible de modifier le choix du site donneur. Ceci a été démontré en utilisant comme modèle un prémessager possédant deux sites donneurs possibles et un seul site accepteur. A faible concentration de SF2, l'épissage utilise le site donneur le plus « à gauche » ; à forte concentration de SF2, c'est le deuxième site donneur, se situant le plus « à droite », qui est utilisé. Un résultat identique a été obtenu avec le virus SV40. Suivant la concentration du facteur ASF (qui est homologue et peut-être identique à SF2) l'épissage conduira préférentiellement à un messager codant pour la protéine T ou la protéine t. Dans ces deux exemples le choix du site donneur d'épissage dépend clairement de la concentration d'un facteur général d'épissage.

Plusieurs exemples de régulation négative ont été caractérisés chez la drosophile. Le messager de la transposase P (qui intervient dans la transposition de l'élément P, voir chapitre 3) contient trois introns. Dans les cellules somatiques les trois introns sont excisés et la transposase est active ; dans les cellules somatiques seuls les deux premiers introns sont excisés. L'excision du troisième intron, dans les cellules germinales, est abolie lorsqu'un extrait de cellules somatiques est ajouté, ce qui démontre que les cellules somatiques possèdent un inhibiteur agissant en trans. Le site de fixation de cet inhibiteur a été localisé en amont du site donneur (5') d'épissage. Une telle régulation négative a été retrouvée dans le système de détermination du sexe de la drosophile. Nous verrons au chapitre 5 que le transcrit du gène de la calcitonine subit un épissage alternatif spécifique de tissu qui conduit au messager de la calcitonine (dans la thyroïde) ou au messager d'un neuromédiateur, le CGRP ou *Calcitonin Gene Related Peptide* (dans le cerveau). Il semble que cet épissage alternatif résulte de la présence, dans le cerveau, d'un facteur se fixant sur le site accepteur (3') qui permettrait un épissage conduisant à la production de messagers pour le CGRP.

Ces exemples, maintenant bien documentés, n'excluent pas la possibilité d'existence d'autres mécanismes qui restent à découvrir.

L'auto-épissage est un mécanisme possible

Il a été montré que l'épissage de certains RNA est un phénomène autocatalytique de type trans-estérification. On appelle **ribozymes** ces RNA doués d'activité de type enzymatique. Ceux-ci ont été décrits dans deux organismes *Tetrahymena* et les levures. L'exemple le mieux connu est celui des gènes mitochondriaux de la levure. Les introns concernés se répartissent en deux groupes qui se différencient d'une part par les séquences introniques de reconnaissance et la structure tridimensionnelle, et d'autre part par le mécanisme chimique de la réaction.

Les introns de groupe I possèdent dans leur partie 5' la séquence PyUCAXXGACUA et dans leur partie 3' la séquence 3'UXAXGAXAUAGUC. Leurs places respectives varient d'un intron à l'autre. L'excision de ce type d'introns est un phénomène autocatalytique de type transestérification qui met en jeu une guanosine apportée par le milieu réactionnel.

Les introns de groupe II possèdent dans les 100 dernières bases la séquence PuAGCPyGUAUPuXXPuXGAAAXUXXPyACGUACPuGUUPy. Il se forme au sein de cette séquence une épingle à cheveux typique de 14 paires de bases. L'épissage de ces introns contrairement à ceux de l'autre groupe ne nécessite aucun apport de guanosine.

Il existe d'autres types d'épissage particuliers

Le trans-épissage : dans ce modèle, l'épissage ne se produit pas au sein du même messager mais entre deux messagers différents. L'exemple le mieux connu de ce type d'épissage est celui des glycoprotéines de membrane des trypanosomes.

L'épissage utilisant une maturase : il s'agit là d'un modèle trop complexe pour être décrit en détails, et nous ne donnerons que les grandes lignes du modèle de la **maturase** du gène du cytochrome b des mitochondries de levure. Dans un premier temps l'intron 1 du transcrit du gène du cytochrome b est excisé mais pas l'intron 2. Ce transcrit incomplètement épissé est traduit en une protéine qui possède une activité de type maturase. Celle-ci effectue un épissage des transcrits qui conduit à un messager codant pour le cytochrome b.

LA RNA POLYMÉRASE III TRANSCRIT LES PETITS RNA : tRNA, RNA 5 S...

L'une des principales caractéristiques des RNA transcrits par la RNA polymérase III est de ne pas posséder de structure de type *cap.* Ils ont donc une extrémité 5' phosphate. La base terminale est le plus souvent une purine ; pour les RNA 5 S cette purine est semble-t-il toujours un G. Une autre particularité de plusieurs **gènes de classe III** est que leur promoteur est situé dans la partie transcrite.

La **RNA polymérase III**, qui est une molécule complexe (une quinzaine de sous-unités pour une masse moléculaire totale de 650 kDa), nécessite également des facteurs protéiques pour agir. La transcription des gènes des RNA 5S utilise ainsi au moins trois facteurs : TFIIIA, TFIIIB et TFIIIC. Le facteur TFIIIA, d'une masse moléculaire de 38 kDa, fut la première protéine à doigts de zinc découverte (voir chapitre 5) : elle en possède 9. Dans un premier temps, le facteur TFIIIA se fixe sur le DNA au niveau de la boîte C située dans le gène entre + 80 et + 90, puis le facteur TFIIIC, qui est un complexe de nombreuses protéines, se fixe sur la boîte A entre + 50 et + 70. Enfin TFIIIB s'associe à ces deux protéines, mais sans interagir avec le DNA, et initie la transcription. La transcription des gènes des tRNA ne semble utiliser que les deux facteurs TFIIIB et TFIIIC. Une fois la transcription initiée, les facteurs transcriptionnels restent sous forme d'un complexe accroché au DNA (appelé complexe de préinitiation) ; il sert au démarrage d'une autre molécule de polymérase et ainsi de suite. Les gènes des RNA 7SL ou les séquences Alu possèdent aussi un promoteur pour la polymérase III situé dans la partie transcrite.

La situation est plus complexe pour d'autres gènes transcrits par la RNA polymérase III comme le snRNA U6 ou le RNA 7SK, pour lesquels le promoteur est situé en amont du gène et possède une TATA box et des séquences activatrices d'amont, comme un octamère (voir chapitre 5). Leur transcription nécessite à la fois le facteur TFIIIB (spécifique de la polymérase III), le facteur TFIID (spécifique de la polymérase II) ainsi que d'autres facteurs transcriptionnels. Enfin d'autres gènes transcrits par la RNA polymérase III possèdent à la fois un promoteur dans le gène, et un promoteur en amont du gène, lequel possède une TATA box.

Si les RNA 5 S ne subissent pas de maturation, il n'en est pas de même pour les tRNA dont la maturation est très complexe. Ils sont transcrits sous forme de précurseur plus long que le tRNA mature. La longueur finale est obtenue par épissage et par l'action d'exonucléases. Encore une fois il n'existe pas de modèle unique. Dans certaines espèces l'excision d'introns résulte d'activités enzymatiques, dans d'autres ce même retrait résulte d'une activité autocatalytique du précurseur. De manière certaine chez *E. coli* les extrémités 5' sont rognées par une exonucléase particulière la **RNase P** alors que les extrémités 3' le sont par une **RNase D**. Il pourrait en être de même chez les eucaryotes. Mais les tRNA subissent aussi de nombreuses modifications post-transcriptionnelles qui atteignent au moins 10 p. 100 des bases. Il en résultera l'ensemble des bases particulières retrouvées dans les tRNA : pseudo-uridine, inosine, dihydrouridine, ribothymidine, méthylguanosine, diméthylguanosine, méthylinosine. Enfin la caractéristique particulière des tRNA est de se terminer à leur extrémité 3', là où se fixera l'acide aminé, par la séquence CCA, pièce rapportée par une CCA nucléotidyl-transférase.

DU RNA À LA CHAÎNE POLYPEPTIDIQUE : LA TRADUCTION

Le RNA messager n'est qu'une étape entre le gène et la protéine. Il permet de résoudre le problème posé par le fait que chez les eucaryotes les gènes et le système de traduction sont localisés dans deux compartiments différents. Mais là n'est pas le seul rôle de l'intermédiaire qu'est le RNA messager. En effet, la transcription permet la synthèse de nombreuses copies de mRNA à partir d'un seul gène, chaque mRNA pouvant être traduit par plusieurs ribosomes. Il en résulte que grâce au mRNA la quantité de protéines synthétisée à partir de l'information d'un seul gène est considérablement amplifiée. Enfin l'existence du mRNA permet d'introduire toute une série d'étapes de régulation possibles qui seront évoquées dans le prochain chapitre. Il est cependant un problème que ne résout pas le mRNA : celui de la différence considérable de taille entre l'acide aminé et le triplet nucléotidique.

Le problème stérique est résolu par un intermédiaire : le RNA de transfert

Les tailles respectives d'un triplet et d'un acide aminé sont tellement différentes que si l'acide aminé reconnaissait directement le codon sur le mRNA, il se trouverait trop éloigné de l'acide aminé suivant pour que la liaison peptidique puisse être établie. Cette impossibilité stérique est levée par un intermédiaire, le **RNA de transfert** (tRNA).

Tous les tRNA ont une structure secondo-tertiaire grossièrement identique en forme de feuille de trèfle (**Figure 4-5**). Ils sont constitués d'un enchaînement de 75 à 85 bases ; leur masse moléculaire est d'environ 25 kDa et leur coefficient de sédimentation est de 4S. Ils portent sur un bras l'anticodon et sur le bras opposé le site de fixation pour l'acide aminé spécifié par le codon. Ces RNA sont localisés dans le cytoplasme, qui en contient quelques centaines de milliers de copies. Dans la mitochondrie, les tRNA sont différents, ce qui s'explique par le fait qu'ils sont codés par le génome mitochondrial (voir chapitre 2).

Les tRNA exercent aussi une fonction de transcodage

Puisque l'acide aminé ne reconnaît pas directement l'information sur le mRNA le problème informationnel se trouve déplacé au niveau du tRNA. Il est résolu par une série d'enzymes spécifiques les **aminoacyl-tRNA synthétases**. Ces enzymes possèdent une **double spécificité**, la première pour un acide aminé donné, la seconde pour le tRNA correspondant. Cette spécificité est essentielle puisque ces enzymes sont capables de faire la différence entre des acides aminés qui ne diffèrent que par un groupement méthyle comme la glycine et l'alanine. De plus il est probable que des systèmes de correction d'erreur *(proof-reading)* interviennent sur l'enzyme. La réaction de fixation de l'acide aminé au tRNA est endergonique et nécessite de l'ATP qui est transformé en AMP. La réaction se déroule en deux étapes ; la première consistant en la fixation de l'acide aminé et de l'AMP à l'enzyme suivant la réaction :

Enzyme + ac.aminé + ATP → Enzyme-ac.aminé + P-P
AMP

La seconde étape est celle de la condensation avec le tRNA :

Enzyme-ac.aminé + tRNA → tRNA-ac.aminé + AMP + Enzyme
AMP

Quels sont les effets de la dégénérescence du code génétique sur la spécificité des tRNA ?

Sur ses 64 codons le code génétique n'en utilise que 61 pour le codage des acides aminés, la première hypothèse fut donc qu'il devait exister au moins 61 tRNA correspondant chacun à l'un des codons possibles. Les premières expériences montrèrent effectivement qu'un acide aminé donné possédait plusieurs types de tRNA susceptibles de le prendre en charge. Ces tRNA associés au même acide aminé sont appelés **tRNA isoaccep-**

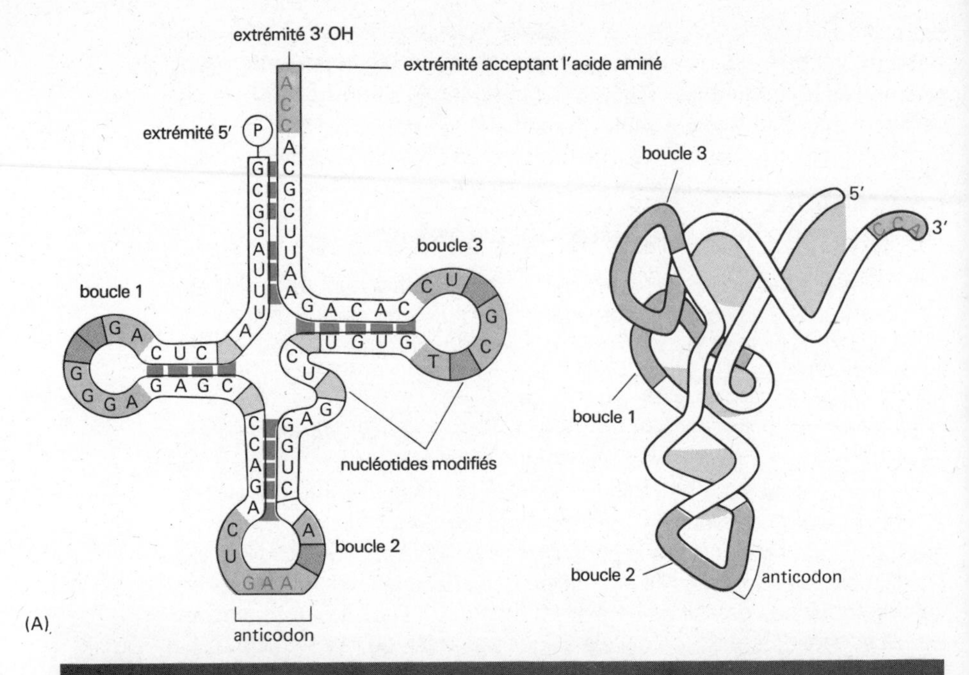

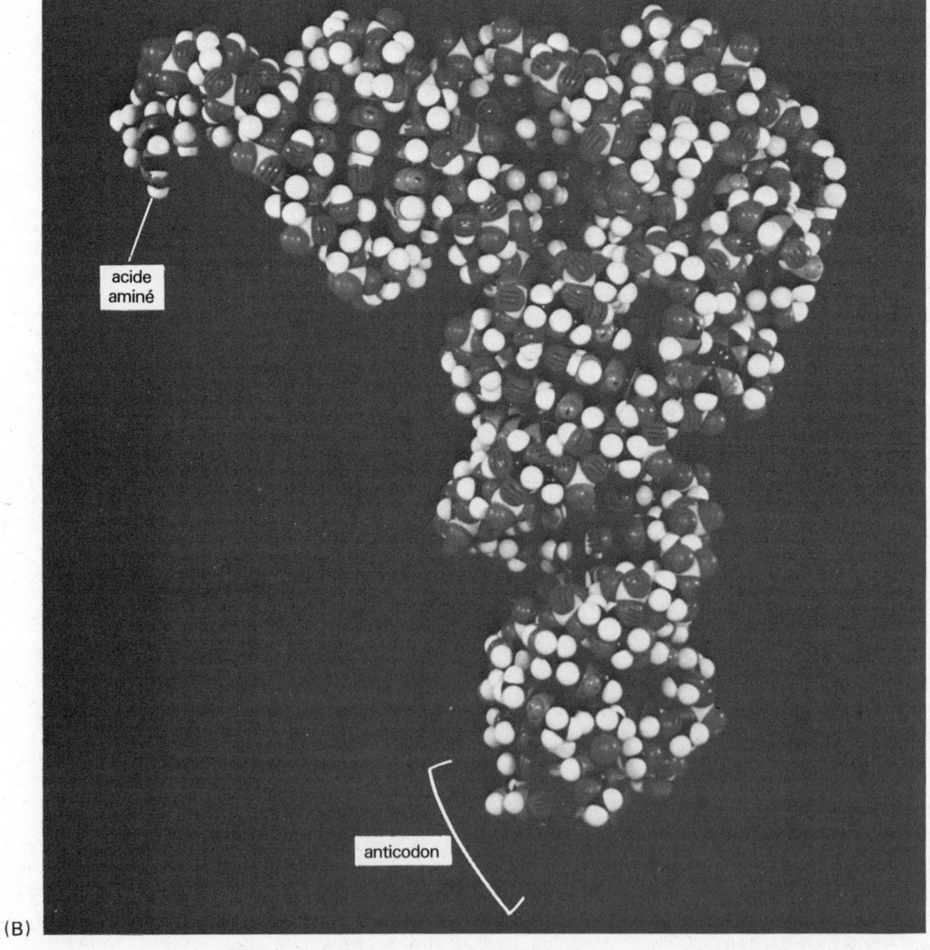

Figure 4-5 Structure du RNA de transfert
A : structure schématisée en feuille de trèfle et sa représentation tridimensionnelle correspondante.
B : modèle moléculaire du même tRNA.
(B Alberts, Molecular biology of the cell, New York, Garland Publishing, 1983. Cliché aimablement fourni par Sung-Hou Kim.)

teurs. Cependant très vite il apparut comme évident que leur nombre était inférieur, vraisemblablement proche de 40 ; bien que l'ensemble des codons soient utilisés par la cellule. Cet apparent paradoxe fut expliqué par un phénomène : le **wobble**. Un même tRNA peut s'associer à deux codons différents mais définissant le même acide aminé. Cette flexibilité qui concerne la troisième base du codon (première de l'anticodon), en général dégénérée, est appelée wobble.

Le problème de la multiplicité des tRNA se répercute sur celui d'une éventuelle multiplicité des aminoacyl-tRNA synthétases, enzymes particulièrement spécifiques. Quel est leur nombre ? La réponse est 20, c'est-à-dire autant que d'acides aminés et non pas autant que de tRNA, au moins chez les procaryotes. Les données sont moins nettes chez les eucaryotes qui semblent en posséder un peu plus. Ces aminoacyl-tRNA synthétases supplémentaires seraient apparues par duplication de leurs gènes. Les aminoacyl-tRNA synthétases sont donc capables de reconnaître d'une part l'acide aminé et d'autre part les tRNA isoaccepteurs correspondants.

Un mécanisme impliqué dans cette reconnaissance a été élucidé. Une paire de nucléotides dans la queue du tRNA marque sa spécificité vis-à-vis de l'aminoacyl-tRNA synthétase. Ce mode de reconnaissance correspond à un véritable deuxième code génétique.

L'initiation de la traduction fait intervenir un nouveau protagoniste : le ribosome

La traduction se décompose en trois étapes qui sont l'initiation, l'élongation et la terminaison.

L'initiation de la traduction est une étape d'une extrême complexité faisant intervenir une série de facteurs protéiques : les **facteurs d'initiation** (eIF) dont la liste s'allonge de jour en jour. Une description très détaillée de cette étape sort du cadre de cet ouvrage, nous nous contenterons donc de l'examiner d'une manière schématique **(Figure 4-6)**. Les principaux facteurs impliqués avec leurs caractéristiques et leur fonction présumée sont regroupés dans le **tableau 4-1**.

Tableau 4-1 **Caractéristiques et fonctions des facteurs protéiques d'initiation chez les eucaryotes**

Facteur	Structure	Masse moléculaire (kDa)	Fonction
eIF1	monomère	15	fixation du mRNA au complexe d'initiation
eIF2	trimère $\alpha\beta\gamma$	122	formation du complexe ternaire
eIF3	multimère > 9 sous-unités	725	fixation du mRNA au complexe d'initiation
eIF4A	monomère	49	fixation du mRNA et de l'ATP
eIF4B	monomère	80	fixation du mRNA
eIF4C	monomère	18	fixation de la grande sous-unité du ribosome
eIF5	monomère	150	relargage des facteurs eIF2 et eIF3
eIF6	monomère	23	inhibition de la réassociation de la grande et de la petite sous-unité du ribosome

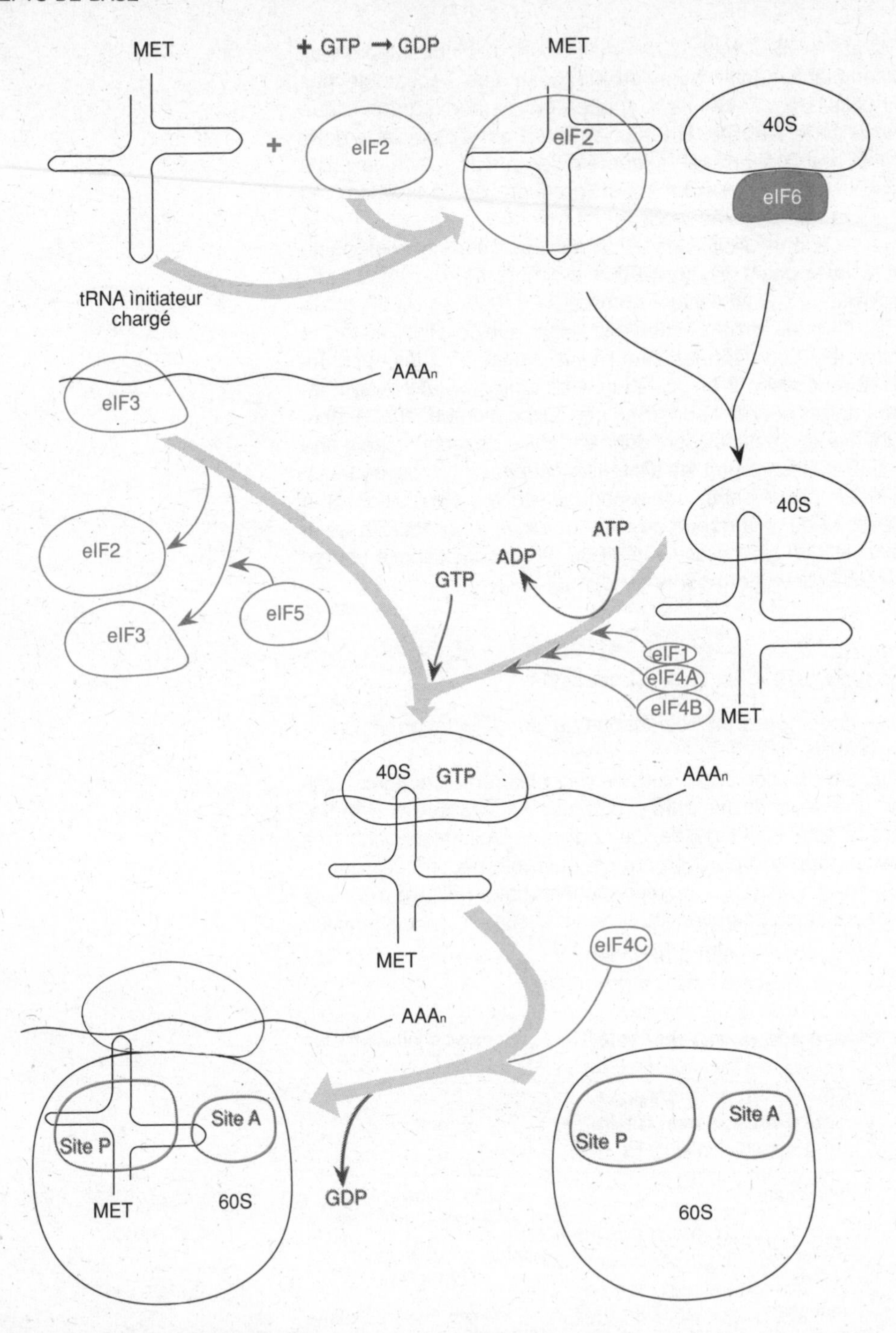

Figure 4-6 Schéma de l'initiation de la traduction
Le tRNA initiateur chargé de sa méthionine, les facteurs eIF 1 à 5, les sous-unités du ribosome vont réagir suivant une cascade complexe décrite dans le texte pour aboutir à un système de traduction fonctionnel. C'est l'initiation. Elle nécessite pour s'effectuer du GTP et de l'ATP qui seront hydrolysés respectivement en GDP et ADP.

Le signal de début de la traduction est la séquence **AUG** qui correspond au codon méthionine. Bien qu'il n'existe qu'un seul codon pour coder la méthionine, deux types de tRNA sont retrouvés dans le cytosol : les tRNA méthionine qui sont utilisés pour l'introduction des méthionines dans la chaîne polypeptidique lorsque le codon AUG est rencontré dans le messager, et les **tRNA initiateurs** qui interviennent exclusivement lors de l'initiation et qui s'hybrident à l'AUG signal de début de traduction. Chez les bactéries la méthionine dont ils sont chargés est formylée. Dans presque toutes les protéines cette méthionine initiatrice sera excisée.

La traduction débute donc par la formation d'un complexe ternaire entre le tRNA initiateur chargé de sa méthionine, le facteur **eIF2** et du GTP qui est hydrolysé au cours de la réaction (Figure 4-6). Ce complexe interagit avec la petite sous-unité du ribosome (40 S) maintenue à l'état libre par son association avec le facteur **eIF6** qui empêche une association avec la grande sous-unité (60 S) du ribosome (ce rôle est joué par IF3 chez les bactéries). Le mRNA n'est pas nécessaire à cette étape ; ce n'est qu'ensuite qu'il vient s' y associer, grâce à l'intervention du facteur **eIF3** ; dans le même temps de l'énergie doit être fournie par l'hydrolyse d'une molécule d'ATP. Sont aussi requis à cette étape les facteurs **eIF1, eIF4A, eIF4B**. Une séquence purique 5' AGGAGG 3' appelée séquence de **Shine et Dalgarno** est retrouvée, plus ou moins entière, 8 à 13 bases en amont du codon d'initiation sur presque tous les mRNA d'*E. coli.* Cette séquence est complémentaire de la séquence 3' UCCUCC 5' retrouvée dans le RNA de la petite sous-unité du ribosome. Ces séquences pourraient jouer un rôle dans l'association et le calage du mRNA sur la petite sous-unité du ribosome. Une séquence équivalente, la séquence consensus de **Kozak** (CC(A ou G)CC**ATG**G), existe chez les eucaryotes. Les facteurs **eIF2**, **eIF3** et **eIF6** sont ensuite relâchés par l'intermédiaire de l'action du facteur **eIF5**. Cette étape est indispensable à la fixation de la grande sous-unité qui nécessite le concours du facteur **eIF4C**. A la fin de cette étape le tRNA initiateur chargé se trouve au niveau de la grande sous-unité du ribosome, en regard d'une zone appelée **site P** ou site peptidique.

L'élongation est une étape relativement simple et répétée (Figure 4-7)

En fin d'initiation le mRNA se trouve associé à la petite sous-unité du ribosome. Le tRNA initiateur chargé de sa méthionine est lui en contact d'une part avec le codon initiateur du mRNA par l'intermédiaire de sa séquence anticodon et d'autre part avec la grande sous-unité au niveau du site P. Sur la grande sous-unité, juste à côté de ce site, dans l'axe du codon suivant du messager, se trouve un site analogue, il est appelé site A (pour acide aminé). C'est à son niveau que vient se fixer le tRNA chargé suivant (celui dont l'anticodon s'hybride avec le codon suivant sur le mRNA). Cette fixation nécessite l'intervention du **facteur d'élongation eF1** (eF Tu chez les procaryotes) associé à du GTP qui est hydrolysé. Le complexe eF1-GDP est relargué dans le milieu. Le mécanisme de la régénération de eF1-GTP n'est pas connu chez les eucaryotes (elle est réalisée par eF-Ts chez les procaryotes).

La liaison peptidique est créée par la **peptidyl-transférase,** enzyme fortement liée au ribosome, qui fait passer la méthionine initiatrice ou la chaîne peptidique en voie de croissance, associée par l'intermédiaire de son tRNA au site P, sur l'acide aminé qui vient d'être fixé au site A par l'intermédiaire de son tRNA. Sous l'influence du facteur d'élongation **eF2** et du GTP qui sera hydrolysé au cours de la réaction, le ribosome est déplacé de trois bases sur le mRNA ce qui a pour effet de faire passer le tRNA chargé du polypeptide du site A au site P et de libérer le site A. Le système se retrouve donc dans l'état de départ, la chaîne polypeptidique ayant été allongée d'un acide aminé. L'ensemble de ces étapes est renouvelé jusqu'à ce que le ribosome atteigne le site de terminaison (codon stop). La toxine diphtérique provoque une ADP-ribosylation du facteur eF2, ce qui le rend inactif. Une seule molécule de toxine diphtérique est capable d'ATP-ribosyler toutes les molécules d'eF2 d'une cellule. Il en résulte une mort de la cellule qui ne peut plus synthétiser la protéine.

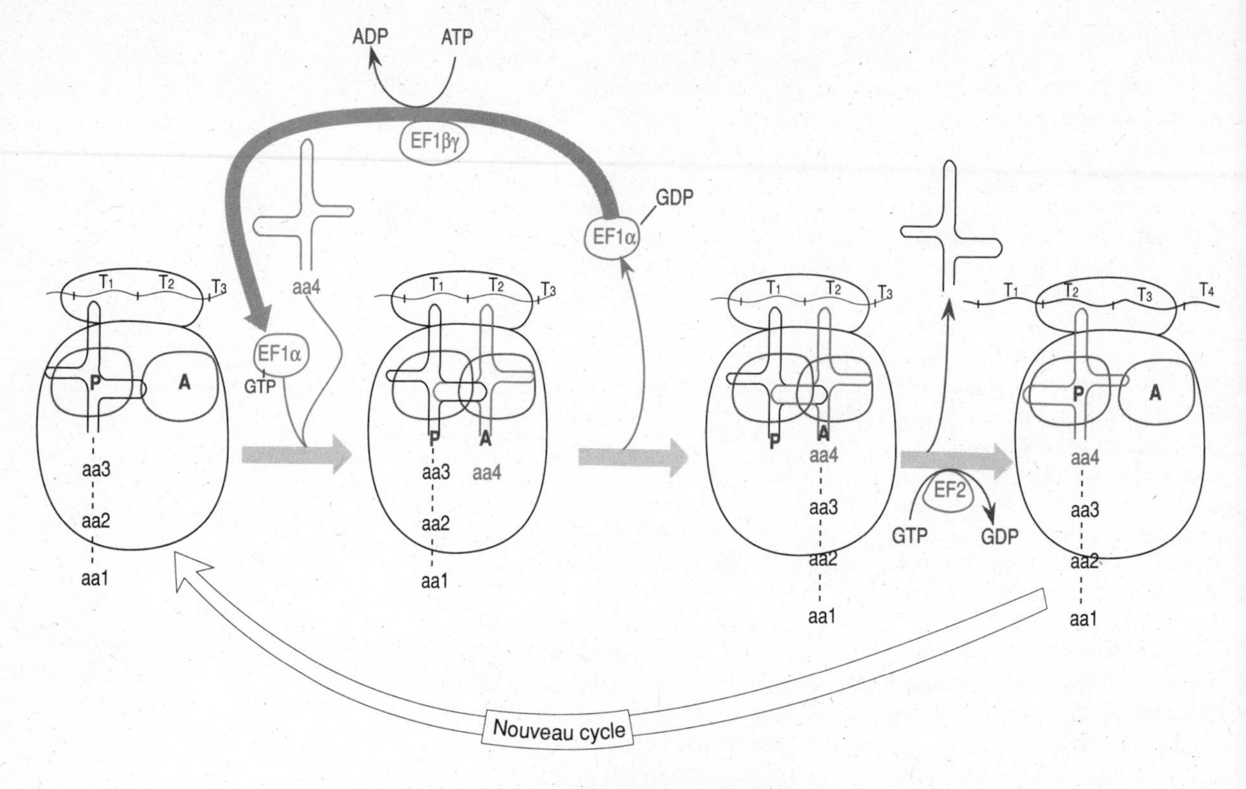

Figure 4-7 Mécanisme de l'élongation
L'élongation s'effectue sur le ribosome, elle nécessite les facteurs d'élongation EF1 et EF2. Deux molécules de GTP sont nécessaires. Dans le même temps le ribosome est transloqué d'un cran permettant d'engager un nouveau cycle d'élongation, et ainsi de suite jusqu'à ce qu'un codon stop soit rencontré.

La terminaison et le relargage du ribosome

Il n'existe aucun tRNA (à l'exception des tRNA suppresseurs) capable de s'associer avec les trois codons stop **UAG**, **UAA**, et **UGA**. Cette absence de tRNA se traduit par l'arrêt de la traduction faute de protagonistes. Le désassemblage du complexe ribosome-mRNA-protéine nécessite l'intervention d'un facteur protéique : **eRF** et du GTP. Son mécanisme n'est pas connu.

UN SIGNAL D'ADRESSAGE INDIQUE LA DESTINATION DE LA PROTÉINE

Les protéines qui doivent être excrétées à l'extérieur de la cellule ont pour la plupart la caractéristique de posséder dans leur partie N terminale une séquence de 15 à 30 acides aminés, en majorité hydrophobes, non retrouvée dans la protéine sécrétée. Cette séquence d'acides aminés clivée lors de l'excrétion est appelée **peptide signal**.

Les molécules qui sont exportées sont traduites d'une manière particulière

L'initiation de la traduction est apparemment identique à celle des autres protéines. Cependant dès qu'environ 70 acides aminés auront été incorporés, une particule, la **SRP** *(Signal Recognition Particule),* s'associe au peptide signal ce qui a pour effet d'arrêter la traduction. Cette particule est constituée de 6 protéines dont les masses moléculaires sont comprises entre 9 et 72 kDa et d'un petit RNA le **RNA 7SL**. Ce RNA est constitué de deux domaines, l'un interagit avec le peptide signal, l'autre avec le système d'élongation et le bloque. L'analyse de la séquence génomique du RNA 7SL montre qu'il est constitué d'une partie centrale de 140 paires de bases trouvée de nombreuses fois répétée dans le génome et de deux extrémités présentant de très fortes homologies avec les séquences Alu. Le RNA 7SL est synthétisé par la RNA polymérase III et ne possède pas de cap.

Le complexe SRP-peptide signal reconnaît une protéine de 72 kDa enchâssée dans le réticulum endoplasmique et s'y fixe. De cette fixation il résulte un passage du peptide signal au travers de la membrane et un attachement des ribosomes en cours de traduction au réticulum endoplasmique pour former des polysomes liés. Dans le même temps la particule SRP est relâchée ce qui a pour effet de relancer la traduction. La particule SRP ainsi relarguée peut être réutilisée sur un nouveau peptide signal. De l'autre côté du réticulum le peptide signal est clivé par la signal peptidase et la protéine sort, au fur et à mesure qu'elle est traduite, dans la lumière du réticulum.

Les protéines mitochondriales importées ont des signaux différents

La mitochondrie ne synthétise qu'à peine 10 p. 100 des protéines dont elle a besoin. La majorité des protéines sont donc importées du cytosol. Contrairement aux protéines destinées à l'excrétion à l'extérieur de la cellule ces protéines sont synthétisées sur des polysomes libres dans le cytosol ; de plus le processus d'exportation ne débutera que lorsque la traduction de la protéine sera terminée. Le problème du transport est compliqué par le fait que la mitochondrie possède deux membranes. Certaines protéines doivent traverser les deux membranes, d'autres doivent rester dans la lumière intermembranaire ou encore s'enchâsser dans la membrane interne.

Ces protéines destinées à la mitochondrie possèdent une séquence signal qui, contrairement aux protéines excrétées, est chargée positivement, principalement grâce à des arginines. Cette séquence est reconnue par un système de translocation membranaire qui va permettre la traversée de la ou des membranes. Des séquences spécifiques indiquent le devenir de la protéine (intermembranaire, face interne de la membrane interne, etc.). Il semble que de l'énergie ne soit requise que pour le passage de la première membrane.

Les systèmes d'importation/exportation du noyau sont multiples et complexes

Les protéines nucléaires sont synthétisées dans le cytoplasme, elles doivent donc être transportées dans le noyau. Comme pour les autres organelles cellulaires des signaux sont nécessaires. La nucléoplasmine, par exemple, possède dans sa partie C-terminale une séquence indispensable à son transport dans le noyau. Si cette séquence est délétée, la protéine reste cytosolique. Si seul le peptide terminal est synthétisé, il migre vers le noyau ; ce qui montre qu'il peut assurer à lui seul l'adressage nucléaire. Le transport au travers la membrane nucléaire, via les pores, est semble-t-il toujours actif ; il utilise des protéines de translocation et nécessite de l'ATP.

Mais les protéines à localisation exclusivement nucléaire représentent un cas simple. D'autres protéines peuvent être soit cytosoliques soit nucléaires suivant l'état de la cellule. Elles nécessitent des systèmes complexes qui ne sont pas tous connus. Leur rôle est à l'évidence très important puisque la translocation de certains oncogènes, par exemple, peut conduire à la transformation de la cellule. Le facteur de transcription NFκB est un exemple de protéine à localisation cytosolique qui migre vers le noyau sous l'influence de certains stimulus (voir chapitre 5).

Il existe de nombreux autres signaux d'adressage

Toute protéine destinée à une localisation particulière semble en fait posséder un ou des signaux qui vont déterminer sa destinée, par exemple la phosphorylation en 6 de mannoses appartenant à des motifs glucidiques de glycoprotéines est un signal d'adressage vers le lysosome. Nous avons vu les principaux exemples, mais il en est bien d'autres que nous ne détaillerons pas car leur description sort du cadre de cet ouvrage.

LES PROTÉINES PEUVENT SUBIR DES MODIFICATIONS POST-TRADUCTIONNELLES

Ces modifications peuvent être multiples aussi bien qualitativement que quantitativement. Il s'agit de glycosylations, phosphorylations, acétylations, ADP ribosylations, etc. La description des mécanismes de ces modifications sort du cadre de cet ouvrage*.

LES ORIGINES DE LA VIE ET DE L'ÉVOLUTION : LES NOUVELLES CONCEPTIONS

Il s'agit de comprendre comment des programmes élémentaires ont pu naître et évoluer vers la complexification. L'analyse, chez les êtres vivant à l'heure actuelle, des molécules porteuses d'information et de la régulation de l'expression des gènes suggère des schémas nouveaux. La pierre d'achoppement est que l'on ne sait rien de ce que fut la « soupe prébiotique », faute de molécule fossile.

Le RNA serait apparu avant le DNA

A une échelle moléculaire le dilemme œuf-poule se traduit par un dilemme protéine-acide nucléique. On pensait jusqu'à présent que l'ordre suivi par l'évolution devait être celui du « dogme central » **DNA ⟶ RNA⟶ protéines**.

La découverte de RNA doués d'activités enzymatiques, **les ribozymes,** remet tout en question. Ces différentes activités qui sont de type nucléase, transférase et polymérase ont permis aux molécules de RNA de se suffire à elles-mêmes pour proliférer, se pérenniser et se corriger. Rien d'équivalent n'a pu être mis en évidence pour les protéines. Le DNA n'est pas non plus un bon candidat comme molécule originelle, aucune activité enzymatique du DNA n'ayant pu être mise en évidence. Cette différence entre DNA et RNA résulte, semble-t-il, du fait que le groupement indispensable à l'activité catalytique est l'hydroxyle en 2' du ribose, absent dans le DNA. Ces données permettent donc de penser qu'au début la vie a pris ses sources dans le RNA.

Il est vraisemblable que très vite les RNA n'aient pas agi seuls mais en symbiose avec des acides aminés et des polypeptides spontanément formés dans la soupe prébiotique. Encore aujourd'hui un acide aminé n'est

* Nous verrons dans le chapitre 31 que ces modifications sont très importantes chez les eucaryotes, ce qui représente un obstacle majeur pour la production par génie génétique de certaines protéines humaines dans les bactéries.

incorporé dans une chaîne polypeptidique qu'après avoir été couplé de manière covalente à un RNA. Ces complexes auraient constitué des analogues des actuelles RNP (ribonucléoprotéines) augmentant ainsi les potentialités du système naissant. La RNase P, qui comme nous l'avons vu a pour fonction de maturer les tRNA, est peut-être un modèle des premières enzymes puisqu'elle est constituée d'une courte chaîne polypeptidique (20 kDa) et d'un RNA (577 nucléotides) qui est responsable de l'acte catalytique. La télomérase est un autre exemple d'enzyme composée à la fois de RNA et d'une chaîne polypeptidique. Cette enzyme est une DNA polymérase utilisant le RNA qu'elle contient comme matrice (voir chapitre 3).

Vers la formation d'un organisme stable : l'apparition du DNA

Toute la puissance des RNA dans la création de la vie réside dans leur caractère chimio-réactif. Mais, à terme, cette réactivité est dangereuse car le système, quand il se complique, devient vulnérable, donc instable, et risque de s'autodétruire. Le premier moyen pour éviter la dérive aurait été le passage à la forme double brin. Dans cette forme il n'est plus de ribozyme possible puisque l'activité enzymatique résulte de structures secondo-tertiaires compliquées qui ne sont pas possibles dans les molécules double brin, lesquelles ont par nature une structure monotone. Ceci fait apparaître une possibilité de **réplication** semi-conservative, encore utilisée aujourd'hui, et de **réparation**.

Pour des raisons physicochimiques et informationnelles, le DNA était préférable au RNA pour assurer la perpétuation de l'information. La transition du RNA au DNA pourrait résulter de l'apparition d'une enzyme : la **ribonucléotide diphosphate réductase.**

Le schéma de l'évolution corrigé

Pendant longtemps on a pensé que tous les organismes actuels dérivaient d'une bactérie comme *E. coli.* On sait maintenant qu'il n'en est rien et que ce type de bactérie représente au contraire le point maximum actuel de l'évolution. Dans cette conception il s'agirait d'un véritable cul-de-sac. Cette notion a été apportée par l'étude des **introns** des gènes d'une même protéine chez différents organismes. Les études sur les gènes d'actine par exemple sont très significatives. Certains introns sont présents avec une localisation fixe dans tous les organismes, certains manquent dans quelques organismes, aucun n'apparaît au cours de l'évolution. Ceci fait penser que le gène ancestral était truffé d'introns. L'évolution, qui s'est déroulée sur des millions d'années, aurait progressivement fait disparaître quelques-uns d'entre eux. Dans ce schéma, maintenant établi sur des bases qui semblent très solides, les bactéries seraient les êtres les plus évolués puisque tous leurs introns ont disparu et que leur DNA est utilisé d'une manière qui permet les meilleures performances compte tenu de sa taille. Cet état « plus évolué » résulte du fait que le temps de doublement de ce type de bactérie n'est que de quelques minutes et que, depuis l'origine, le nombre de leurs générations est infiniment plus grand que celui des eucaryotes supérieurs. Ceux-ci n'ont pas encore eu le temps d'éliminer tous les introns de leurs gènes. Ce schéma n'explique cependant pas l'amplification de la taille du génome des eucaryotes supérieurs.

Les données actuelles permettent de penser que l'ancêtre commun est une bactérie particulière de type **archéobactérie**. Ces bactéries fossiles possèdent un génome avec introns. Elles vivent à haute température (> 60 °C) dans des conditions de milieu très agressives (NaCl 5M, ...) qui correspondent à celles qui devaient régner sur la Terre lors de l'apparition de la vie.

Les gènes des protéines résultent d'assemblages d'exons

Les comparaisons des séquences nucléotidiques et protéiques par ordinateur ont montré que beaucoup de protéines résultaient d'un assemblage de domaines. Chacun est codé par un ou plusieurs exons, les différents domaines du montage pouvant être retrouvés dans d'autres protéines. Les récepteurs des lipoprotéines de type LDL par exemple sont constitués d'une série de domaines homologues retrouvés aussi dans la protéine C9 du complément, de domaines retrouvés dans le récepteur de l'EGF *(epidermal growth factor)* et de domaines retrouvés dans les facteurs de coagulation IX, X et dans la protéine C (voir chapitre 14). Un autre exemple est celui du facteur VIII dont trois domaines répétés sont aussi retrouvés dans la céruloplasmine (voir chapitre 6). Et il en est ainsi dans de nombreuses protéines. L'hypothèse actuelle est donc que les gènes des protéines se sont constitués un peu comme un jeu de Lego®, en associant bout à bout des morceaux de gènes (exons) codant pour des unités fonctionnelles, pour aboutir chaque fois à une nouvelle protéine avec ses propriétés spécifiques.

Ce mode d'assemblage à partir d'un magma de DNA sans organisation génique particulière pourrait expliquer la création des premières archéobactéries.

Sélection de références bibliographiques : voir page 702.

La régulation de l'expression des gènes

Différenciation, cycle cellulaire et embryologie moléculaire

5

L'homme est un métazoaire constitué de nombreux organes différenciés, chaque organe étant constitué de types cellulaires distincts. Cependant les quelque soixante mille milliards de cellules qui constituent l'être humain proviennent d'une seule cellule diploïde, l'œuf fécondé. Pour parvenir à ce résultat deux processus sont mis en jeu : la multiplication cellulaire et la différenciation. On commence maintenant à connaître les mécanismes qui régulent la division cellulaire, ainsi que ceux qui sont responsables de la différenciation.

Très tôt il fut montré que la différenciation ne résultait ni d'une perte, ni d'un gain de séquences de DNA. La première démonstration en fut apportée par l'expérience de Gurdon.

Un noyau extrait d'une cellule **différenciée,** un entérocyte de grenouille, est introduit à l'aide d'un micromanipulateur dans un œuf de grenouille préalablement irradié pour détruire son génome. Dans environ 1 p. 100 des cas l'œuf receveur se développe et donne une grenouille parfaitement normale. Il est ainsi démontré que chaque cellule possède dans son noyau la totalité de l'information nécessaire à la constitution d'un être entier. La **totipotentialité du DNA** est donc conservée dans les cellules différenciées.

En première approximation la différenciation devrait donc résulter de « l'ouverture » ou de la « fermeture » de différents gènes. Mais il ne suffit pas, pour obtenir un être humain « fonctionnel », que ses cellules se différencient ; il faut aussi que celles-ci répondent de manière adéquate à l'environnement. Pour cela il convient que le taux de l'expression de chacun des gènes autorisés à s'exprimer par la différenciation soit parfaitement régulé, et ce en fonction des stimuli et de leur intensité. Dans certaines circonstances la cellule est appelée à modifier son état de différenciation. L'objet de ce chapitre est de décrire ce que l'on sait actuellement des mécanismes en cause.

Historiquement le premier système de contrôle connu fut celui qui régule le métabolisme du lactose chez la bactérie *E. coli.* Cette découverte valut le prix Nobel de médecine en 1965 à F. Jacob et J. Monod. Même s'il n'est pas directement applicable à l'homme ce modèle reste exemplaire.

Rappel du modèle procaryotique

Chez les bactéries les systèmes de régulation de l'expression des gènes sont relativement simples, car la régulation se limite presque exclusivement à une régulation de la transcription, tout messager transcrit étant immédiatement traduit en protéines. Les gènes sont regroupés en unités fonctionnelles, les **opérons**. Chaque opéron comporte un nombre variable de gènes de structure contigus appelés **cistrons** (séquences codant pour les protéines), co-transcrits et co-régulés, et des séquences de DNA responsables de la régulation de cette transcription . Il existe deux grands types d'opérons : les opérons **inductibles** et les opérons **répressibles**. Mais les bactéries sont des organismes élémentaires chez lesquels le but de la plupart des régulations est l'adaptation aux conditions nutritionnelles et ce de manière la plus économique possible. Ces conditions sont fondamentalement différentes de celles qui prévalent chez les eucaryotes.

LES OPÉRONS INDUCTIBLES CODENT POUR DES ENZYMES DE LA VOIE CATABOLIQUE

L'opéron lactose est le mieux connu. Il est schématisé **figure 5-1**. Si le lactose est la seule source d'hydrates de carbone, la bactérie s'y adapte et synthétise les enzymes requises pour sa pénétration et son métabolisme. La régulation mise en jeu est purement transcriptionnelle. Elle est basée, comme nous le verrons à propos des eucaryotes, sur l'interaction de protéines régulatrices avec le DNA au niveau d'une région appelée **promoteur**, située dans la partie 5' non transcrite des gènes de structure. Là s'arrête l'homologie avec les eucaryotes, le mécanisme et la finalité de la régulation étant complètement différents.

Le mécanisme de cette régulation peut être schématisé de la manière suivante. Une protéine, le **répresseur**, est synthétisée de manière constitutive, mais à un très faible taux, par un gène dont la localisation dans le chromosome est sans importance : le **gène régulateur**. La bactérie ne possède à tout moment qu'environ dix copies du répresseur, ce qui est très peu. Cette molécule de répresseur possède une très forte affinité (10^{-13} M) pour l'**opérateur**, une séquence de DNA située sur le chromosome bactérien entre la séquence où se fixe la RNA polymérase, c'est-à-dire le promoteur, et le premier gène de structure. La fixation du répresseur sur l'opérateur empêche ainsi toute transcription du gène. Dans ces conditions celui-ci est « fermé ».

Les techniques modernes de la biologie moléculaire ont permis d'étudier en détails le mécanisme de cette interaction. Comme c'est le cas pour beaucoup de protéines régulatrices interagissant avec le DNA, la séquence reconnue par le répresseur est grossièrement symétrique **(Figure 5-2)**. Le répresseur, qui est un tétramère, interagit avec le DNA grâce à des motifs de type hélice-tour-hélice, structure typique des protéines interagissant avec le DNA (voir page 106). Les points exacts de contact entre ce motif et la séquence de DNA sont mis en évidence par analyse d'interférence de méthylation (chapitre 29).

L'**inducteur**, le lactose pour l'opéron lactose, possède lui aussi une forte affinité pour le répresseur. En conséquence, lorsqu'il est présent, il s'y fixe. Mais cette fixation provoque une transconformation de la molécule de répresseur qui lui fait perdre son affinité pour le DNA ; l'opérateur est donc libéré autorisant ainsi la transcription du gène.

Cet événement ne suffit pas cependant pour permettre une transcription efficace de l'opéron. Une seconde condition est requise, il faut que

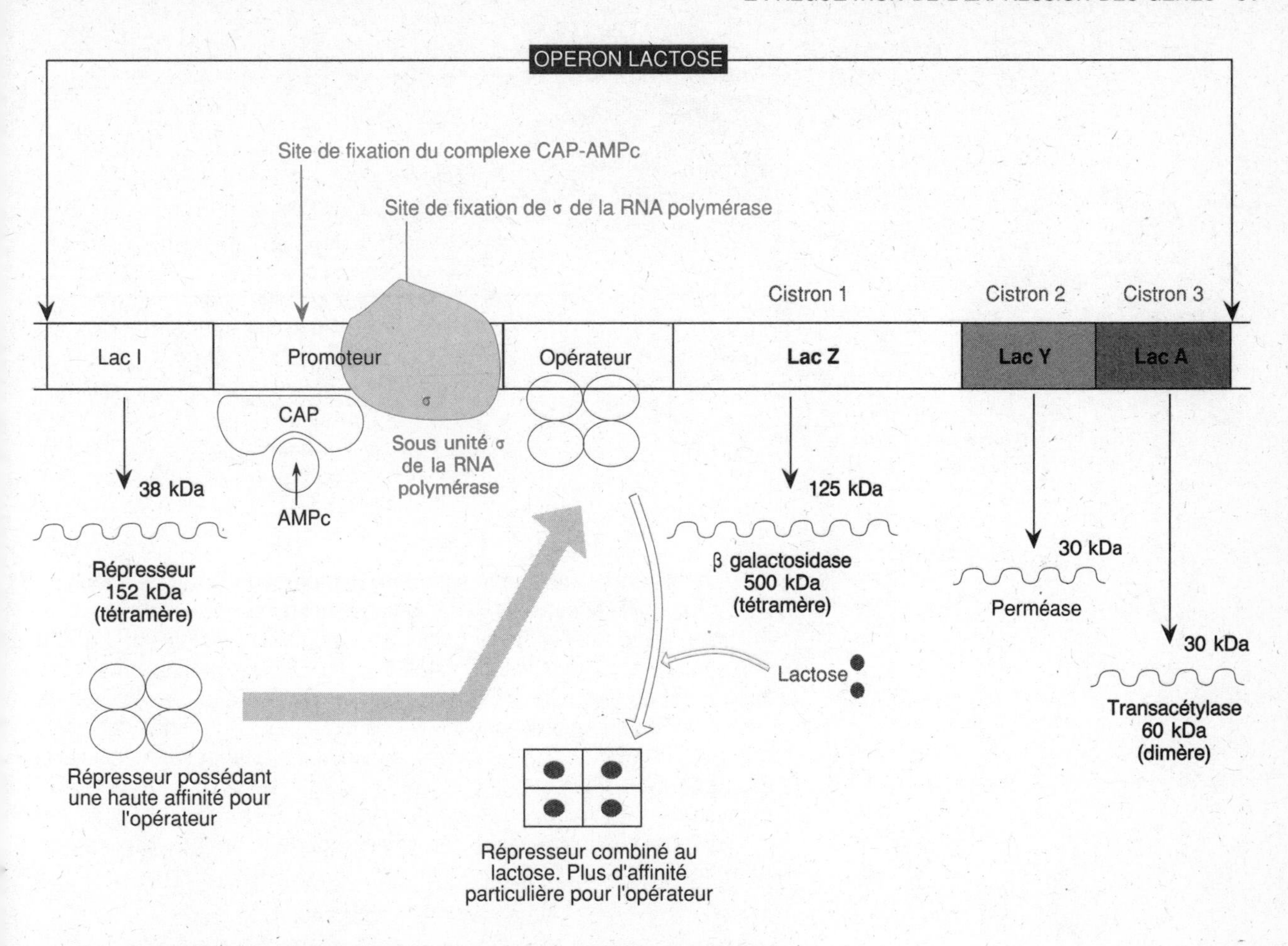

Figure 5-1 Schéma de l'opéron lactose et de son mode de fonctionnement
La RNA polymérase, par le biais de sa sous-unité accessoire σ, se fixe sur la partie droite du promoteur lorsque la partie gauche est occupée par le complexe CAP-AMPc (ce qui est le cas en l'absence de glucose). Si le site opérateur est libre, elle transcrit un RNA messager polycistronique codant pour trois protéines : β galactosidase, perméase, transacétylase.
Le gène Lac I synthétise en continu mais à très faible taux une protéine, le répresseur, qui possède une grande affinité pour l'opérateur et donc qui s'y fixe, bloquant par là le passage de la RNA polymérase. Si du lactose est apporté, il s'associe au répresseur, lui faisant perdre son affinité pour l'opérateur ; le gène est alors transcrit.

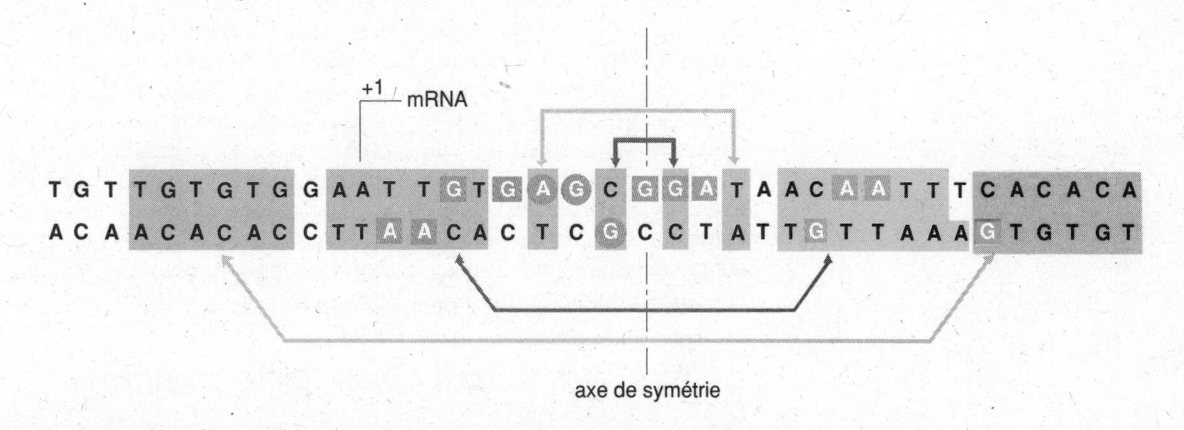

Figure 5-2 Séquence de l'opérateur où se fixe le répresseur
La séquence reconnue par le répresseur de l'opéron lactose est une séquence globalement symétrique. Les zones de symétrie exacte sont représentées en rose. Ces zones peuvent être mises en évidence par *footprinting* (voir chapitre 29). L'interférence de méthylation permet de préciser les bases impliquées. Les bases puriques qui sont protégées vis-à-vis de la méthylation sont entourées par un carré. Celles dont la méthylation est exacerbée sont entourées par un cercle.

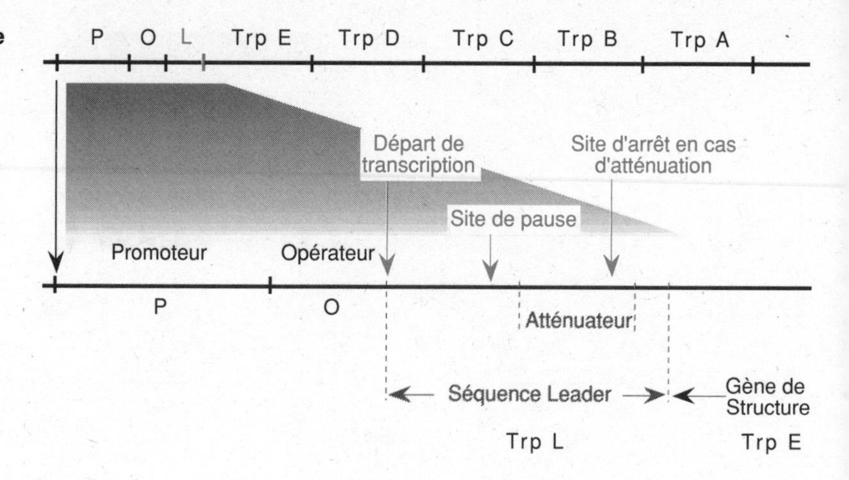

Figure 5-3 Schéma de l'opéron tryptophane d'*E. coli*

la RNA polymérase soit fixée au niveau du promoteur par l'intermédiaire de sa sous-unité accessoire σ. Or cette fixation ne peut s'effectuer de manière spécifique et efficace que si un complexe constitué de l'AMPc et de la **protéine CAP** ***(Catabolite Activator Protein)*** est préalablement fixé à la partie 5' du promoteur. Comme nous l'avons indiqué, les finalités de cette régulation sont nutritionnelles et économiques. Or l'un des deux protagonistes, l'AMPc, est chez les procaryotes un signal de faim cellulaire, seulement présent lorsque le glucose fait défaut. La cellule ne gaspillera donc aucune énergie pour métaboliser le lactose si un nutriment plus simple, le glucose, est présent. Ce phénomène porte le nom de **répression catabolique**.

L'ANABOLISME FAIT APPEL À DES OPÉRONS RÉPRESSIBLES

Dans l'anabolisme, les problèmes économiques et nutritionnels sont inverses. Les systèmes doivent ici être actifs, donc les gènes transcrits, tant que l'acide aminé n'est pas présent. Les gènes correspondants sont donc spontanément « ouverts ».

L'architecture générale des opérons répressibles est la même que celle des opérons inductibles. Les différences sont, d'une part qu'il n'existe pas de répression catabolique au niveau de ces opérons et d'autre part que les propriétés du répresseur sont inverses. Celui-ci n'a aucune affinité pour l'opérateur tant qu'il n'est pas transconformé par l'acide aminé qui se comporte comme un **co-répresseur**. Tous les opérons de ce type ont une structure analogue, et l'opéron tryptophane est donné comme exemple **(Figure 5-3).** Un seul opéron de ce type se singularise, celui de l'arginine, car ses gènes de structure sont disséminés dans le chromosome bactérien, chacun possédant son propre promoteur et son propre opérateur soumis au même co-répresseur.

UN SYSTÈME MODULATEUR D'EXPRESSION : L'ATTÉNUATION

L'atténuation est un système de régulation complémentaire des opérons répressibles. Elle consiste en un contrôle de la transcription par la traduction. Les opérons des gènes de synthèse des acides aminés ont comme caractéristique de commencer par une séquence peptidique leader très riche en l'acide aminé qui sera synthétisé par les enzymes produites par l'opéron. Ainsi il y a 8 thréonines parmi les 16 premiers acides aminés de la séquence leader de l'opéron thréonine ; 7 histidines dans la séquence leader de l'opéron histidine, etc. Si la concentration de l'acide aminé est très faible, la concentration en tRNA chargé de l'acide aminé est aussi très faible. Cette pauvreté ralentit non seulement la traduction (le temps de recherche du bon tRNA chargé est long), mais aussi la transcription. Ce rétrocontrôle est dû au mécanisme suivant. La séquence que la RNA polymérase transcrit au moment où intervient ce ralentissement est appelée site de pause. L'effet majeur du ralentissement est qu'il donne le temps au messager, qui est en cours de transcription, de se transconformer dans une structure différente, appelée structure d'anti-terminaison. Le messager, lorsqu'il possède cette structure, est transcrit jusqu'au bout.

Si la concentration de l'acide aminé est élevée, aucun ralentissement de traduction ne se produit, le messager n'a pas le temps de se transconformer (il est dans sa forme naturelle dite de terminaison), il interfère avec la transcription et l'arrête au niveau de l'**atténuateur** (Figure 5-3). On ne connaît pas le mécanisme de cette interférence. On sait seulement que la RNA polymérase est relâchée au niveau de l'atténuateur, lequel a une séquence proche de celle que l'on retrouve au niveau des sites de fin de transcription (voir chapitre 4). L'atténuation a donc le même effet que la répression, et la renforce.

Ce contrôle de la transcription par la traduction est peut-être utilisé par les virus et les cellules eucaryotes.

RÉGULATION PAR INVERSION DE SÉQUENCES DE DNA

Certains gènes aussi bien procaryotes qu'eucaryotes peuvent être régulés par modification de la structure primaire du DNA. Chez les bactéries et chez certains phages cette modification consiste en une **inversion** de séquences. La variation de l'antigène flagellaire de *Salmonella typhimurium* en est un bel exemple. Dans tous les cas d'inversion possibles la séquence concernée a une **structure de transposon** (voir chapitre 3).

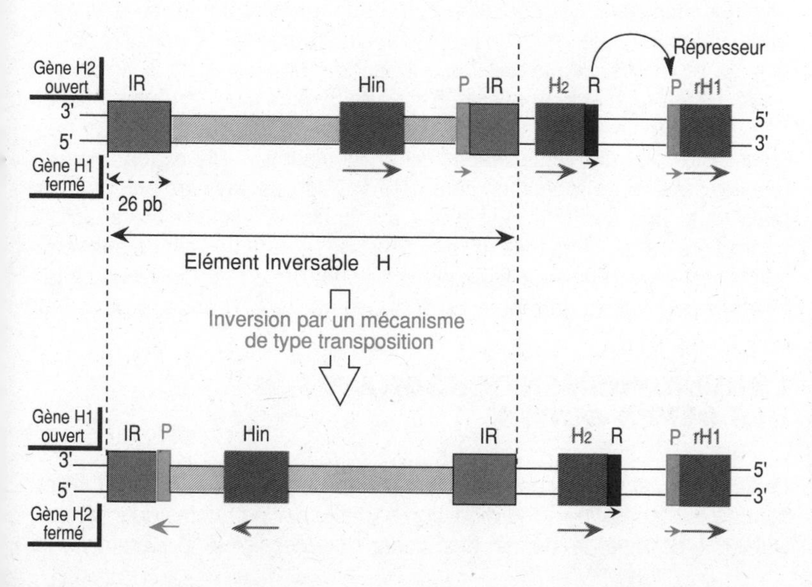

Figure 5-4 Mécanisme d'activation des gènes par inversion de séquence — exemple des antigènes flagellaires de *S. typhimurium*
IR = extrémité inversée répétée ;
Hin = gène de la transposase ;
P = promoteur ;
rH1 et H2 = gènes codant pour les 2 antigènes flagellaires possibles ;
R = répresseur du gène rH1.

Ces séquences sont limitées à leurs deux extrémités par deux séquences inversées répétées d'environ 26 pb et possèdent en leur sein le gène codant pour la protéine assurant la transposition (transposase ou recombinase). Le mécanisme d'activation du gène par inversion est très simple **(Figure 5-4)** ; la séquence qui peut être inversée contient le promoteur du gène à réguler, elle est située immédiatement en amont du gène de structure. Quand le promoteur est dans le bon sens par rapport au gène de structure il y a transcription : c'est la position « ouverte » du gène. Quand le promoteur est dans l'autre sens, du fait de l'inversion, le gène ne peut être transcrit, c'est la position « fermée » du gène.

Vers la connaissance des mécanismes chez l'homme : les systèmes eucaryotes

Si les systèmes de régulation chez les procaryotes sont maintenant relativement bien connus, il s'est avéré qu'ils étaient complètement différents des systèmes eucaryotes. Les théories de l'information rendaient ces résultats prévisibles. En effet le nombre des nucléotides du génome des cellules eucaryotes est considérablement plus élevé ; de plus le DNA n'est pas libre mais hautement compacté dans le noyau. Le système de reconnaissance d'une très courte séquence par une protéine unique n'est plus envisageable. Les constantes d'affinité nécessaires seraient très supérieures à ce que l'on peut rencontrer en biologie. D'autre part les temps de recherche, surtout dans les zones hypercompactées, seraient prohibitifs et sans aucun rapport avec la vitesse et la souplesse de la réponse aux stimuli observée dans les cellules eucaryotes. Ce que nous avons vu pour les procaryotes ne s'applique donc pas aux eucaryotes, sauf peut-être l'atténuation. Le schéma simple de l'opéron lactose ne peut donc pas être extrapolé ; seuls les concepts de promoteurs et de protéines se liant au DNA sont applicables aux eucaryotes.

Chez les eucaryotes les systèmes de sélection/régulation sont multiétapes et souvent arborescents. Ceci diminue considérablement l'effort de sélection, seuls certains gènes étant déjà présélectionnés dans une cellule donnée (différenciation). Cette présélection et la multiplicité des niveaux successifs de régulation permettent un ajustement de la vitesse et de l'intensité de la réaction aux stimuli. L'arborescence permet l'obtention de réponses pléiotropes lorsque les stimuli se portent à un niveau élevé, c'est-à-dire aux premières étapes de la régulation, et d'une réponse fine, très sélective et très rapide, lorsqu'ils se portent à un niveau bas, c'est-à-dire aux dernières étapes de la régulation. Il n'y a donc pas de modèle général de régulation comme c'était le cas chez les procaryotes, mais toute une série de possibilités s'enchaînant, depuis une structure particulière de la chromatine (niveau élevé de régulation) jusqu'à une régulation post-traductionnelle (dernier stade possible de régulation). Les différentes possibilités de régulation sont schématisées dans la **figure 5-5.**

L'ENVIRONNEMENT CHROMATINIEN DES GÈNES ACTIFS

La DNase I est utilisée pour explorer les zones « exposées » du DNA au sein de la chromatine. Une digestion partielle par de faibles quantités de DNase I permet de définir des zones d'accessibilité préférentielle à

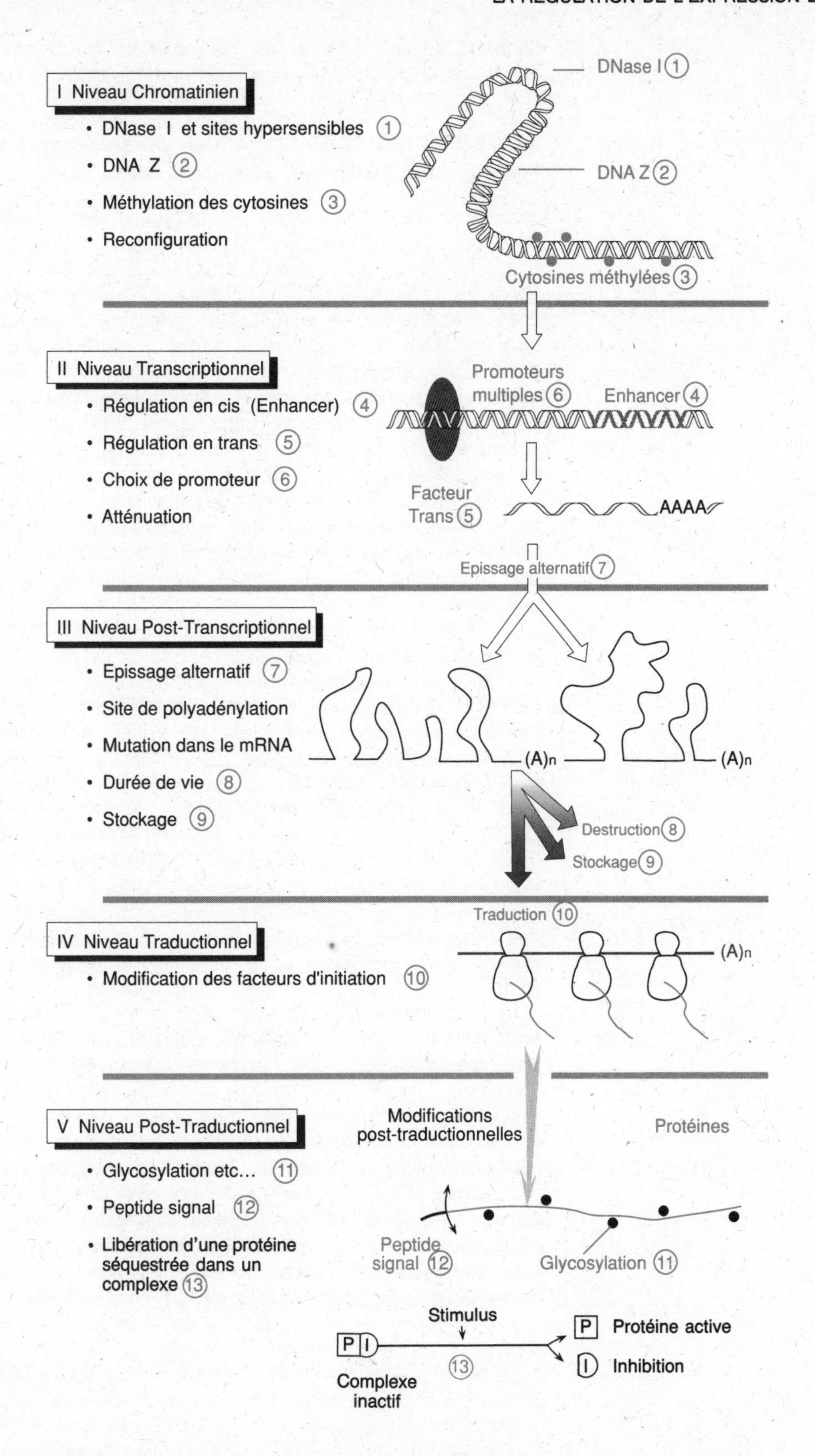
I Niveau Chromatinien
• DNase I et sites hypersensibles (1)
• DNA Z (2)
• Méthylation des cytosines (3)
• Reconfiguration
DNase I (1)
DNA Z (2)
Cytosines méthylées (3)
II Niveau Transcriptionnel
• Régulation en cis (Enhancer) (4)
• Régulation en trans (5)
• Choix de promoteur (6)
• Atténuation
Promoteurs multiples (6)
Enhancer (4)
Facteur Trans (5)
AAAA
Epissage alternatif (7)
III Niveau Post-Transcriptionnel
• Epissage alternatif (7)
• Site de polyadénylation
• Mutation dans le mRNA
• Durée de vie (8)
• Stockage (9)
(A)n
(A)n
Destruction (8)
Stockage (9)
Traduction (10)
IV Niveau Traductionnel
• Modification des facteurs d'initiation (10)
(A)n
V Niveau Post-Traductionnel
• Glycosylation etc... (11)
• Peptide signal (12)
• Libération d'une protéine séquestrée dans un complexe (13)
Modifications post-traductionnelles
Protéines
Peptide signal (12)
Glycosylation (11)
Stimulus
P I
Complexe inactif
(13)
P Protéine active
I Inhibition

Figure 5-5 Récapitulatif des différentes possibilités de régulation chez les eucaryotes

l'enzyme. Il existe deux niveaux de sensibilité, d'où les notions de **sites sensibles** et de **sites hypersensibles** (technique décrite chapitre 28).

Les sites sensibles à la DNase I correspondent aux gènes actifs ou qui l'ont été

Si des **noyaux intacts** sont traités pendant un temps court à basse température par de la DNase I très faiblement concentrée, seule une petite partie du DNA génomique est détruite. L'utilisation de sondes cDNA de gènes exprimés par la cellule a montré que ceux-ci correspondaient majoritairement à la fraction détruite. Les sondes cDNA de gènes non exprimés par la cellule continuent à s'hybrider parfaitement avec le DNA génomique, ce qui montre que les gènes correspondants n'ont pas été détruits. Ces résultats indiquent que les sites sensibles correspondent aux gènes actifs. En fait, dans ces conditions expérimentales, sont détruits non seulement les gènes actifs, mais aussi ceux qui l'ont été dans le passé, comme par exemple les gènes codant pour les protéines fœtales. Ainsi le gène de l'α-fœtoprotéine sera-t-il détruit dans les noyaux de cellules hépatiques traités par la DNase I. Cette sensibilité particulière des gènes actifs vis-à-vis de la DNase I démontre qu'ils se trouvent dans une **conformation chromatinienne** particulière qui les rend plus accessibles. Cette plus grande accessibilité n'est vraisemblablement pas limitée à la DNase mais doit aussi s'exercer vis-à-vis d'autres protéines comme la RNA polymérase ou les protéines régulatrices de la transcription. Il semble donc que l'un des effets de la différenciation soit d'installer les gènes qui doivent être transcrits par la cellule dans une configuration spatiale particulière. L'effort de sélection d'un gène par une protéine régulatrice se trouve de ce fait considérablement diminué. La nature de cette structure particulière reste cependant assez obscure. Il semble que la méthylation des cytosines (voir paragraphes suivants) pourrait jouer un rôle dans sa détermination. On sait aussi que deux protéines, HMG 14 et HMG 17 (voir chapitre 2) la reconnaissent et s'y associent spontanément, jouant par là un rôle dans la reconnaissance des gènes actifs par la DNase I. Cette structure particulière représente, semble-t-il, le premier et plus élevé niveau de régulation. C'est à ce niveau que se ferait le tri entre les gènes que la cellule est autorisée à transcrire de ceux qu'elle ne doit pas transcrire.

Les sites hypersensibles correspondent aux gènes très activement transcrits

Si on utilise des quantités beaucoup plus faibles de DNase I, seuls les gènes activement transcrits au moment où le noyau a été extrait sont touchés par la DNase I. Dans ces conditions de digestion les gènes ne sont pas détruits, et la DNase I effectue simplement quelques coupures. Mais ces coupures ne se font pas au hasard comme c'est le cas habituellement avec cette enzyme. Elles s'effectuent au sein du gène en des points tellement précis et reproductibles que, dans ces conditions, la DNase I se comporte comme une enzyme de restriction, c'est-à-dire qu'elle permet de libérer des fragments de DNA dont la taille est parfaitement reproductible. Ces sites de coupure préférentiels sont appelés **sites hypersensibles**. Ils sont le plus souvent localisés au niveau des régions 5' non transcrites, c'est-à-dire dans les promoteurs des gènes actifs. Cependant ceci n'est pas absolu, et il est possible de caractériser de tels sites dans les régions 3', voire, mais rarement, au sein même de la partie transcrite. Quelques exemples de cartes de sites hypersensibles sont donnés dans la **figure 5-6**.

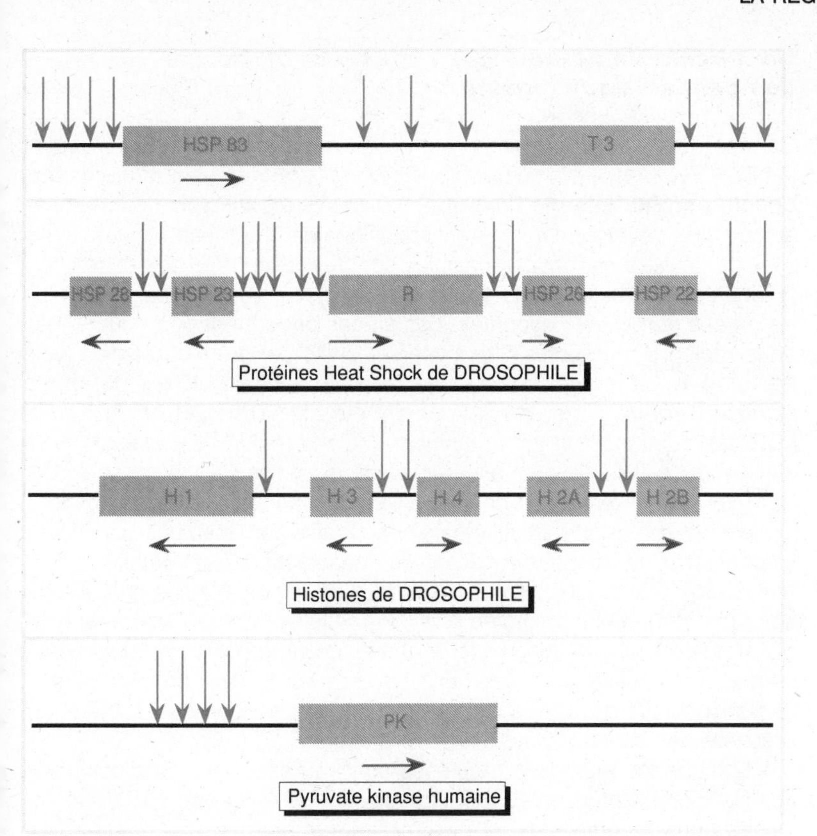

Figure 5-6. **Situation de quelques sites hypersensibles à la DNase I**

Les sites hypersensibles permettent aussi la mise en évidence des domaines de régulation : les boucles chromatiniennes

Comme nous l'avons vu au chapitre 2, la molécule de DNA est organisée en boucles qui sont accrochées au squelette protéique du chromosome lors des mitoses et à la matrice nucléaire durant l'interphase. Les zones où le DNA interagit avec la matrice nucléaire sont appelées **SAR** *(Scaffold Attachment Region)*. Ces sites de fixation semblent revêtir une importance fonctionnelle toute particulière. L'un de leurs rôles consiste à isoler les boucles les unes des autres. Ainsi toute variation topologique survenant au sein d'une boucle se propagera dans le DNA de la totalité de la boucle, mais ne sera pas transmise aux boucles adjacentes. Du fait de ces points d'attache les boucles se comportent comme des domaines isolés dont la structure peut être modulée sans que des énergies importantes soient nécessaires. Une série d'observations a conduit à penser que ces boucles correspondent à la fois à des domaines de régulation transcriptionnelle, donc de différenciation, et à des domaines de réplication.

Un premier argument en faveur de cette hypothèse découle de l'observation que les sites hypersensibles vis-à-vis de la DNase I sont situés non seulement dans et près des gènes mais aussi près des SAR qui délimitent la boucle où sont situés des gènes qui s'expriment. Ces sites présentent une sensibilité considérable et ne sont pas observés dans les cellules qui n'expriment pas le gène. Ces observations ont été effectuées pour plusieurs gènes comme ceux du lysozyme chez le poulet ou celui de l'apolipoprotéine B chez l'homme. Mais le modèle le plus fécond a été celui des gènes de la famille β-globine.

Un modèle caractéristique : le LCR de la famille des gènes β de la globine

Comme nous le verrons dans le prochain chapitre, les gènes de cette famille (ε, γ, δ, et β) sont situés l'un derrière l'autre au sein d'une même **boucle chromatinienne** d'environ 100 kb. Leur expression est régulée au cours du développement et est spécifique de la lignée érythroïde. Des sites particulièrement hypersensibles sont retrouvés près des extrémités (5' et 3') de la boucle qui les contient, et ce exclusivement dans les cellules où ces gènes sont exprimés. Les études ont surtout porté sur le rôle de la région 5' où quatre sites hypersensibles ont été caractérisés (voir figure 14-5). La région correspondante a été appelée **LCR** pour ***Locus Control Region*** (d'autres noms lui ont été attribués : DCR, LAR, mais LCR est maintenant le terme consacré). Cette région est nécessaire, et à elle seule suffisante, pour assurer la spécificité tissulaire et la régulation de l'expression des gènes de la famille β-globine ; elle est aussi responsable de l'expression particulière de chacun des gènes au cours du développement. Ces données résultent des observations suivantes.

• Lorsqu'une construction, constituée d'un gène β-globine précédé de son promoteur, est transfectée dans des cellules (qu'elles soient de type érythroïde ou non), le taux d'expression de ce gène est faible. Si la même construction est introduite dans un ovocyte de souris fécondé, dans la souris transgénique qui en résulte l'expression du transgène est faible et ne présente pas de spécificité tissulaire d'expression.

• Lorsque les mêmes expériences sont réalisées avec une construction comportant en plus le LCR, l'expression présente une spécificité tissulaire normale et le taux de l'expression est normal.

On peut donc en conclure que le LCR assure la régulation de l'expression et la spécificité tissulaire de l'expression. Mais d'autres résultats intéressants ont aussi été obtenus.

• Lorsqu'une construction comprenant l'ensemble des gènes de la famille β-globine précédé d'un LCR est introduite dans des ovocytes de souris fécondés, les transgènes s'expriment séquentiellement au cours du développement de la souris transgénique qui en résulte. Par contre si les places respectives des gènes ε et β sont inversées, l'hémoglobine adulte est exprimée durant la période embryonnaire et l'hémoglobine embryonnaire est exprimée lorsque la souris est adulte. Rien n'est observé si le LCR n'est pas présent, ce qui montre que le LCR est responsable du caractère séquentiel de l'expression des différents gènes au cours du développement. Mais la séquence chronologique ne dépendrait que de l'ordre des gènes sur le DNA.

• Enfin il a été observé que dans les cellules transfectées avec une construction efficace la réplication de la région correspondante était précoce en phase S, alors qu'elle est tardive si le LCR n'est pas présent. Le LCR joue donc aussi un rôle dans la régulation de l'initiation de la réplication.

Ces résultats expérimentaux sont corroborés par les observations effectuées dans un modèle pathologique humain, une forme rare de β-thalassémie. Dans cette thalassémie particulière la séquence de tous les gènes de la famille β-globine est normale, mais aucun des gènes n'est exprimé. Par contre la région du LCR est délétée, ce qui démontre, dans un modèle in vivo, le rôle de la région LCR (voir chapitre 14).

L'étude du LCR a montré que les sites hypersensibles correspondaient à des régions chromatiniennes où étaient fixés des facteurs protéiques, lesquels sont vraisemblablement responsables de la sensibilité vis-à-vis de la DNase I. Les quatre sites hypersensibles ne sont pas équivalents, le deuxième site semblant le plus important. Les expériences avec les souris transgéniques ont montré qu'il était à l'origine de 50 p. 100 de l'activité du LCR. Ce site s'étend sur 350 à 500 paires de bases. Il est susceptible de fixer (tout comme le troisième site), au niveau d'une séquence GATA, un facteur spécifique de la lignée érythroïde, le **facteur GATA-1** (qui a aussi été appelé NF-E1, Eryf 1, GF-1, EF-1 et EFγa). Il possède aussi deux sites **AP-1** (TGAGTCA), fixant chacun le complexe ***jun/fos*** (voir les paragraphes de ce chapitre sur les facteurs transcriptionnels). La fixation de ces derniers aurait un effet inhibiteur sur l'expression. Sur ces deux mêmes sites peut se fixer un autre facteur, spécifique de la lignée érythroïde, le **facteur NF-E2** qui lui a un effet activateur. On peut donc penser que dans les cellules érythroïdes le facteur NF-E2 remplace le complexe jun/fos, ce qui a pour effet de lever une inhibition et d'entraîner de surcroît une activation.

La présence de facteurs protéiques spécifiques au niveau du LCR pourrait entraîner une modification de la conformation du DNA de la boucle correspondante, ce qui aurait pour effet de rendre les promoteurs des gènes de la boucle accessibles aux facteurs de transcription. La transcription de l'un ou l'autre des gènes de la famille β de la globine situés dans la boucle fait appel à d'autres mécanismes impliquant encore le facteur GATA-1, mais dont le détail reste encore mal connu (voir chapitre 6).

L'ensemble des données obtenues par les études sur les différentes sensibilités vis-à-vis des DNases montre que chez les eucaryotes des modifications de structure chromatinienne constituent un premier et fondamental niveau de régulation. Cette « installation » dans une configuration particulière des seuls gènes exprimables dans une cellule donnée diminue considérablement l'effort de sélection nécessaire pour que les facteurs de transcription trouvent leur séquence cible ; les constantes d'affinité nécessaire sont plus faibles et correspondent à celles que l'on a l'habitude d'observer en biologie et cela malgré la taille gigantesque du génome.

Certaines zones superenroulées et le DNA Z pourraient jouer un rôle régulateur

Nous avons vu au chapitre 3 que le superenroulement du DNA rendait les bases plus accessibles aux protéines. Un certain nombre de résultats expérimentaux montrent que la variation du degré de torsion du DNA est utilisée comme moyen pour modifier l'accès des protéines au niveau du promoteur, aussi bien chez les eucaryotes que chez les procaryotes, régulant ainsi l'expression des gènes correspondants. Les mutations dans les gènes des topoisomérases (enzymes retirant ou créant les supertours), qui diminuent leur activité, se traduisent aussi par une très importante diminution de la transcription de nombreux gènes. Cet effet est également obtenu par les inhibiteurs des topoisomérases. Cependant ce résultat n'est pas général, seuls certains gènes étant affectés. Les topoisomérases impliquées dans cette régulation semblent se fixer au niveau de certaines séquences spécifiques du DNA situées en amont des promoteurs.

Le DNA en structure Z est aussi soupçonné d'être un élément structural de régulation. Une protéine appelée PZ se fixant spécifiquement sur le DNA Z a pu être mise en évidence ; elle se fixe aussi spécifiquement dans la région régulatrice du virus SV40 au niveau de la répétition de 72 pb en modifiant l'accessibilité de cette zone réputée régulatrice vis-à-vis d'autres protéines.

Il a été montré récemment, chez la drosophile, qu'une portion de DNA, située au niveau de la sub-région 4-75C, passait sous forme de DNA Z au cours du développement. Cette région, qui fixe de nombreuses protéines non-histones, est encadrée par deux unités de transcription dont l'expression est modifiée par ce changement de structure du DNA.

RÉGULATION PAR MODIFICATION DE LA STRUCTURE PRIMAIRE DU DNA

D'autres modifications de la molécule de DNA sont connues. Elles peuvent consister en une simple modification chimique, comme une **méthylation,** ou en une véritable **reconfiguration**, soit à la suite d'une transposition, soit, comme c'est le cas pour les gènes des immunoglobulines dans les lymphocytes B, d'une recombinaison somatique.

Certaines séquences CG du DNA sont méthylées

Contrairement à ce qui est observé chez les procaryotes où les adénines et les cytosines peuvent être méthylées, chez les eucaryotes la méthylation ne porte que sur les cytosines, et cela en position 5. De plus seules les cytosines appartenant à un doublet CG sont méthylables. Ces séquences CG sont relativement sous-représentées dans le génome humain puisque leur fréquence est 5 fois inférieure à ce que permet de prévoir un simple calcul statistique. Chez l'homme 60 à 90 p. 100 des cytosines des motifs CG sont méthylées.

Une série de résultats convergents a montré que la méthylation des cytosines situées dans la région en 5' non transcrite des gènes est associée à une diminution de leur activité transcriptionnelle. Un argument supplémentaire est que le DNA des cellules cancéreuses (dont la transcription est très active) est largement hypométhylé. Enfin une hypométhylation activant la transcription peut être artificiellement créée dans les cellules en culture par la **5 aza-cytidine**, inhibiteur des méthylases. De manière globale la méthylation semble donc être un signal de « fermeture » du gène. Il s'agit d'un moyen de régulation complémentaire et apparemment non indispensable, car la méthylation des cytosines n'est retrouvée que chez les vertébrés. Enfin la méthylation n'a pas d'effet sur certains gènes, comme celui du lysozyme chez le poulet. Le chromosome X inactivé en est un bon exemple puisqu'il est globalement hyperméthylé, sauf au niveau de quelques gènes comme celui de l'HPRT.

Compte tenu du rôle majeur de la méthylation dans la régulation de l'expression génétique, le problème se pose de son maintien lors de la réplication. La méthylation du DNA s'effectue immédiatement après la réplication ; les méthylases repèrent les cytosines méthylées sur le brin qui a servi de matrice pour déterminer sur quelles cytosines du brin néosynthétisé il convient qu'elles agissent (en effet le doublet CG est palindromique).

Les séquences d'origine paternelle et maternelle sont méthylées différemment (empreinte parentale)

De manière globale le DNA d'origine maternelle est beaucoup plus méthylé que le DNA d'origine paternelle. Cette différence de méthylation se répercute sur l'expression des gènes concernés suivant les règles énoncées ci-dessus. Ces résultats ont été confirmés par les études chez les animaux transgéniques qui montrent que le passage par un mâle des séquences injectées se traduit par une méthylation moins importante que celle observée lors du passage par une femelle. Le DNA possède donc l'empreinte du sexe du sujet dont il est originaire (empreinte parentale). Un résultat pratique de ces différences de méthylation est que la formation des tissus extra-embryonnaires résulte principalement de l'expression des gènes d'origine paternelle alors que le développement de l'embryon fait plus appel aux gènes d'origine maternelle.

Une pathologie, la **môle hydatiforme**, apporte une confirmation de ces résultats expérimentaux. Dans ce type de grossesse pathologique un avortement se produit vers le deuxième mois. L'analyse du produit d'avortement montre qu'il est principalement constitué de tissus extra-embryonnaires et que les tissus embryonnaires sont pratiquement absents. Or la môle hydatiforme résulte d'un œuf ne possédant pas de pronucleus maternel.

On pense que cette méthylation différente du DNA des gamètes paternels et maternels est la cause de l'impossibilité d'obtenir des parthénogénotes viables chez les mammifères.

Cette différence de méthylation suivant le sexe permet d'expliquer un certain nombre d'observations qui étaient jusqu'alors inexplicables (d'un point de vue génétique). On peut citer par exemple l'existence de deux symptomatologies différentes pour un même défaut génétique (syndrome de Prader-Willi et syndrome d'Angelman).

L'expression de certains gènes peut nécessiter une reconfiguration

Parmi les gènes dont l'expression est conditionnée par un réarrangement génomique préalable figurent : les gènes de certains antigènes de surface chez le trypanosome (voir chapitre 3), les gènes des protéines de l'immunité (voir chapitre 6), et les gènes du ***mating-type*** intervenant dans la sporulation de la levure.

Le mécanisme des réarrangements des gènes du *mating-type* a été particulièrement étudié chez la levure *Saccharomyces cerevisiae.* Celle-ci peut vivre à l'état végétatif sous forme de spores où elle est haploïde. La fusion de deux spores fournit une cellule diploïde ; inversement la sporulation méiotique fournit quatre spores haploïdes. Il existe deux phénotypes différents pour les spores : MATa et MATα, et trois types de cellules diploïdes MATa/MATα, MATα/MATα et MATa/MATa. Seuls les hétérozygotes MATa/MATα peuvent sporuler. Pourtant les gènes MATa et MATα ne sont pas alléliques. Comme le montre la **figure 5-7**, ils coexistent sur le même chromosome à environ 300 kb l'un de l'autre dans une position « d'attente » où ils ne sont pas exprimés. Leur expression réclame un phénomène de transposition/duplication au cours duquel l'un ou l'autre de ces gènes est dupliqué et transposé dans une région intermédiaire, le site MAT, où il devient transcriptionnellement actif. Ce site est donc alternativement occupé par la version a ou α. Le mécanisme de transposition fait intervenir une endonucléase HO reconnaissant spécifiquement une séquence de 20 nucléotides situés à la

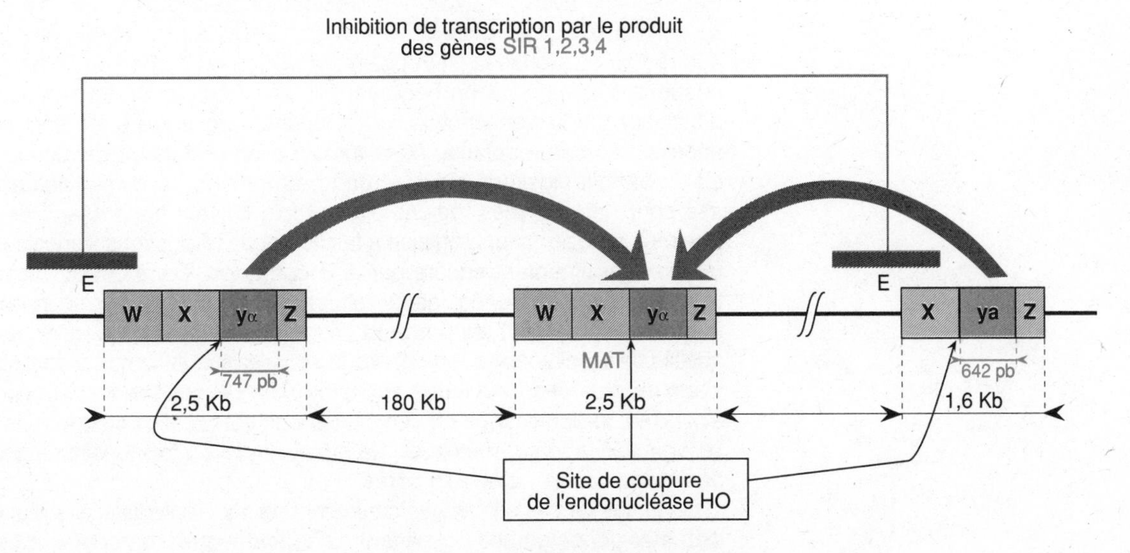

Figure 5-7 Le mating type de la levure

jonction du gène de structure et du gène y, aussi bien dans la position inactive que dans la position active. Le phénomène ne peut se produire qu'au moment de la mitose, car la protéine HO n'est exprimée que pendant la phase G1 du cycle cellulaire. L'originalité du système *mating type* est que le passage à l'hétérozygotie — indispensable pour la sporulation —, n'est pas due à une variation allélique mais à une reconfiguration de gènes non alléliques sur le même chromosome.

LA RÉGULATION TRANSCRIPTIONNELLE

Elle ressemble beaucoup à ce qui est observé chez les procaryotes. Les processus sont cependant infiniment plus complexes et les protagonistes plus nombreux. La notion de compartiment est fondamentale chez les eucaryotes alors qu'elle n'existe pas chez les procaryotes. Enfin, bien qu'ayant un génome très grand et très partiellement utilisé, les eucaryotes peuvent varier le mode d'utilisation d'une même séquence. Un même gène peut donc produire des messagers différents donc des protéines différentes. Cette diversité de protéines obtenues à partir d'une même séquence est utilisée de manière encore plus intense par les virus.

Certaines séquences sont capables de modifier le taux de transcription : la régulation en CIS

Les progrès technologiques, décrits dans la troisième partie de cet ouvrage, ont permis d'étudier avec une très grande précision le rôle de certaines séquences régulatrices. Il est maintenant possible de modifier n'importe quelle base d'une séquence et ce de manière définie, c'est la technique de **mutagenèse**. Il est aussi possible de créer des délétions de la longueur que l'on désire là où on le souhaite. Ces séquences modifiées peuvent être couplées à un gène reporter puis réintroduites dans des cellules en culture (voir chapitre 30). Ces techniques très puissantes permettent de mettre en évidence l'éventuel rôle régulateur de n'importe quelle séquence. Une séquence contiguë à un gène et ayant un effet régulateur sur le taux de transcription de ce gène est appelée **élément cis-régulateur**.

Certaines séquences CIS ont une localisation parfaitement définie : les régions promotrices

Par analogie avec les systèmes procaryotes, la région 5' non transcrite du gène est appelée **promoteur**. Stricto sensu le promoteur correspond à la région où se fixe la RNA polymérase II, donc à une séquence génomique qui commence un peu avant la TATA box et se termine au site d'initiation de la transcription. Mais chez les eucaryotes les séquences nécessaires à la régulation de la transcription remontent beaucoup plus en 5', parfois plusieurs dizaines de kb en amont. La nomenclature utilisée pour désigner ces régions est variable suivant les auteurs, de plus une même désignation anglaise a fait l'objet de traductions françaises différentes, augmentant encore par là la confusion. Dans cet ouvrage toutes les séquences cis-régulatrices situées en 5' du gène seront appelées : **séquences régulatrices d'amont**. Toute une série de séquences sur lesquelles se fixent spécifiquement des facteurs transcriptionnels y sont retrouvées, en plus des CAAT box et GC box déjà évoquées aux chapitres 2 et 4. Une caractéristique de ces séquences est qu'elles sont le plus souvent grossièrement symétriques, les protéines qui s'y fixent étant en général des homo- ou des hétérodimères.

Certaines de ces séquences confèrent une spécificité tissulaire d'expression aux gènes qui les possèdent. D'autres séquences sont la cible de facteurs transcriptionnels dont la fixation ou l'activation sont sous le contrôle de stimulus extra- ou intracellulaires (hormones, AMP cyclique, ions, choc thermique, ...). Les séquences cis de ce type sont appelées **RE** (pour ***responsive element***), une lettre supplémentaire étant ajoutée pour indiquer l'activateur (par exemple GRE pour l'élément de réponse aux glucocorticoïdes, ERE pour la réponse aux œstrogènes, CRE pour la réponse à l'AMPc, HRE pour la réponse au choc thermique, ...).

Ainsi chaque gène est précédé par une série de séquences régulatrices d'amont assemblées comme un jeu de Lego® et séparées par des séquences non critiques dont le seul but est, semble-t-il, de placer stériquement les RE dans des conditions optimales pour que les protéines qui s'y fixent jouent leur rôle dans la transcription **(Figure 5-8)**. Le fait qu'un gène peut ou non répondre à un stimulus donné ou présenter une spécificité tissulaire d'expression dépend de la présence ou l'absence de ces séquences. Ainsi la présence d'un ERE en amont d'un gène permet à celui-ci d'être systématiquement activé, seulement dans les cellules qui possèdent le récepteur des œstrogènes, et lorsque l'hormone est présente. Dans les autres cellules ou en l'absence de l'hormone la séquence est présente mais sans effet. En résumé, les séquences régulatrices d'amont confèrent à un gène des potentialités de régulation, cette dernière (qui peut être positive ou négative) est assurée par les protéines qui s'y fixent, et qui sont des **facteurs trans.**

D'autres séquences peuvent avoir des localisations variées : les séquences stimulatrices (enhancers)

Des séquences stimulatrices de transcription ***(enhancers)*** ont été mises en évidence aussi bien chez les virus comme SV40, chez qui l'*enhancer* est composé d'une séquence de 72 paires de bases répétée deux fois, que dans les cellules humaines. La première séquence stimulatrice de cellule eucaryote mise en évidence a été celle des immunoglobulines. Ces séquences possèdent en commun une série de propriétés qui les définissent :

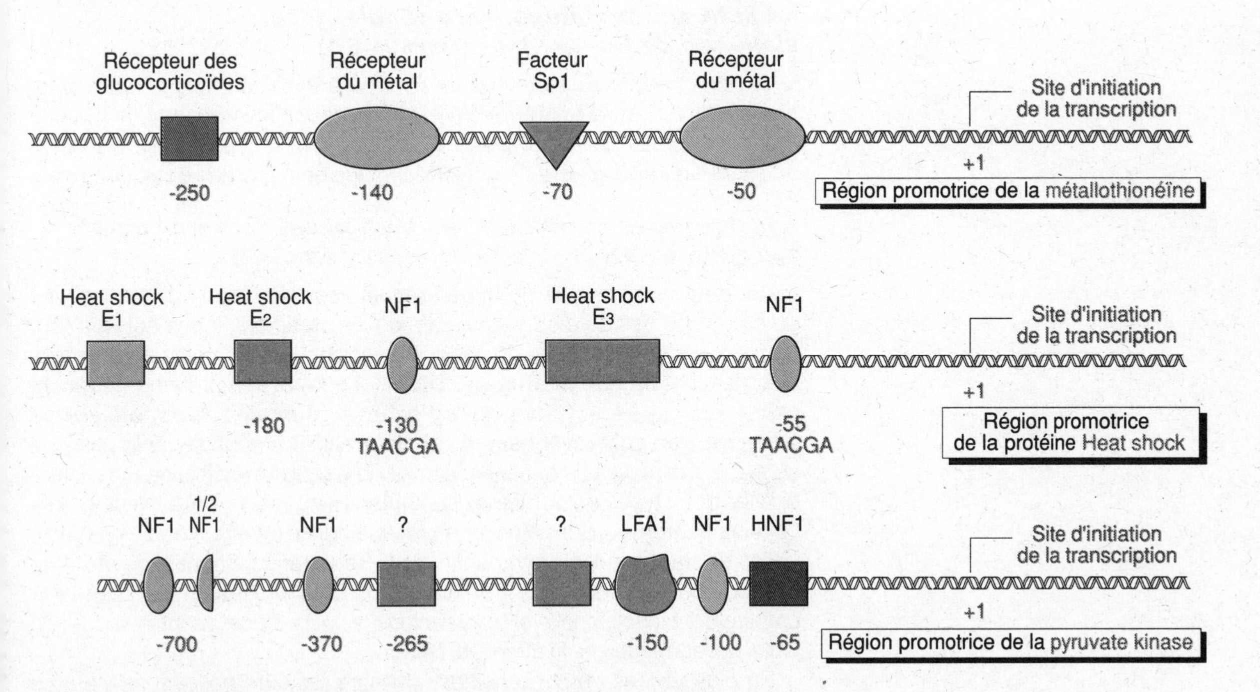

Figure 5-8 Organisation de la région promotrice de quelques gènes

• la principale est d'augmenter considérablement le taux de transcription du gène auquel elles sont associées ;

• leur inversion ne se traduit pas par la perte de leur effet sur la transcription, mais simplement par une légère diminution de cet effet ;

• elles peuvent êtres localisées en 5', en 3' ou dans un intron du gène ;

• elles gardent leur caractère activateur lorsqu'on les déplace, leur effet étant maximal en un point donné. L'éloignement peut être de quelques centaines, voire milliers de paires de bases. Il est possible de les placer en 5', en 3', ou même dans le gène, mais l'effet activateur devient d'autant plus faible que l'on s'éloigne de l'emplacement normal.

Leur mécanisme d'action n'est pas connu, mais il est vraisemblable qu'elles agissent au moins en partie par l'intermédiaire de protéines **(facteurs trans).** Cette hypothèse est renforcée par le fait que certaines séquences stimulatrices *(enhancers)* n'ont d'effet que dans certains organes. Comme le génome est identique dans toutes les cellules ou presque, c'est très vraisemblablement par l'intermédiaire de protéines que la spécificité est obtenue. Les séquences stimulatrices *(enhancers)* pourraient aussi agir en modifiant la structure spatiale du DNA ou son taux de torsion.

Des séquences du même type, mais ayant un effet inverse sur la transcription, ont été caractérisées ; elles sont appelées séquences extinctrices *(silencer)*.

Le taux de transcription peut être modifié par des protéines se fixant au DNA : les facteurs TRANS

La plupart des séquences évoquées au paragraphe précédent ne modifient pas seules le taux de transcription. Des protéines interagissant avec elles sont responsables de la modification observée. Ce type de régulation porte le nom de **régulation en trans**. Techniquement de telles interactions DNA/protéines se mettent en évidence en utilisant le *foot-printing,* le retardement sur gel et l'interférence de méthylation (voir chapitre 29).

La liste des protéines trans-régulatrices s'allonge de jour en jour (Tableau 5-1)

L'une des premières protéines de ce type à avoir été caractérisée, purifiée et clonée est la **protéine Sp1,** qui reconnaît la séquence GGGCGG (parfois appelée GC box). Depuis Sp1 de nombreuses autres protéines agissant en trans ont été découvertes. Nous en décrirons quelques-unes.

Les domaines de fixation au DNA possèdent des motifs typiques au niveau de la zone d'interaction

L'étude de nombreuses protéines régulatrices de transcription se fixant au DNA a permis de mettre en évidence les caractéristiques qui leur sont communes. Ainsi chacune de ces protéines contient au moins deux domaines : le **domaine de fixation au DNA** qui permet à la protéine de reconnaître les gènes qui sont sa cible, et le **domaine d'action sur la transcription** qui provoquera les effets positifs ou négatifs de la protéine sur la transcription. Les expériences de construction-transfection ont montré que les deux types de domaines sont interchangeables entre les différents facteurs de transcription. Ainsi une protéine constituée d'un domaine d'activation de transcription provenant d'un facteur transcriptionnel de mammifère couplé à un domaine de fixation au DNA provenant de levure est parfaitement fonctionnelle et activera tous les gènes possédant la séquence cible du domaine de fixation au DNA.

En plus de ces deux domaines, certains facteurs possèdent d'autres domaines qui leur confèrent des propriétés particulières et qui sont aussi interchangeables. Ces domaines supplémentaires peuvent être, par exemple, un site de fixation pour une hormone, pour un ion, etc.

L'interaction spécifique entre une protéine et un acide nucléique résulte d'une série de liaisons faibles contractées entre les acides aminés de la protéine et les bases, principalement au niveau du grand sillon de la double hélice de DNA. La structure du DNA étant par nature extrêmement fixe (double hélice) il était prévisible que la structure dans l'espace de la région de la protéine qui interagit avec le DNA serait elle aussi relativement stéréotypée. Les données accumulées montrent qu'il n'existe vraisemblablement que quatre types de structures protéiques susceptibles d'interagir avec le DNA : la structure en **doigt de gant** (protéines dactyles) auquel est associé un atome de **zinc**, la structure **hélice-tour-hélice**, la structure **hélice-boucle-hélice** et la **fermeture éclair à leucines**. Ces différentes structures sont schématisées dans la **figure 5-9**. Ces structures sont tellement caractéristiques qu'il est possible, en analysant la séquence en bases d'un gène inconnu, de prévoir qu'il code pour une protéine se fixant au DNA.

Le motif hélice-tour-hélice (helix-turn-helix) est constitué de deux hélices α reliées entre elles par un coude β (figure 5-9A). L'une des hélices interagit avec les bases du DNA au niveau du grand sillon, la seconde interagit avec l'enchaînement des désoxyriboses et des phosphates. Les facteurs transcriptionnels possédant ces structures semblent toujours agir sous forme de dimères. L'organisation des molécules est telle que les hélices homologues de chacun des monomères interagissent avec deux grands sillons successifs. Ces motifs qui ont d'abord été retrouvés dans le répresseur de l'opéron lactose et du phage lambda sont aussi retrouvés dans certaines protéines jouant un rôle important dans le développe-

Tableau 5-1 **Quelques exemples de protéines transcriptionnelles**

Motif de fixation au DNA (nom du facteur)	**Séquences cibles**
Hélice-tour-hélice	
Répresseur opéron lactose	Opérateur de l'opéron lactose
Homéoprotéines	Promoteurs de gènes du développement
Famille POU	
* Pit-1	Promoteurs des gènes de la GH, de la TSH, et de la prolactine
* Oct-1, Oct-2	Promoteurs des gènes d'immunoglobulines, de l'histone H2B et de snRNA
* Unc 86	Promoteur d'un gène de *Caenhorabditis elegans*
Doigt de zinc	
TFIIIA	Promoteur des gènes des RNA 5S du ribosome
Récepteurs nucléaires d'hormones	Promoteurs régulés par certaines hormones (thyroïdiennes, stéroïdes, acide rétinoïque...)
SP1	Séquence GGGCGG, promoteur de nombreux gènes de ménage (*house keeping)*
Hélice-boucle-hélice	
MyoD	Promoteurs de gènes exprimés spécifiquement dans le muscle
E12/E47	Idem et séquence stimulatrice des immunoglobulines
Fermeture éclair à leucine	
fos/jun	Site AP1 (TGAC$^{T}_{G}$N$^{C}_{A}$A)
C/EBP	Séquence stimulatrice de transcription CCAAT
CREB	Promoteurs de gènes contrôlés par l'AMPc

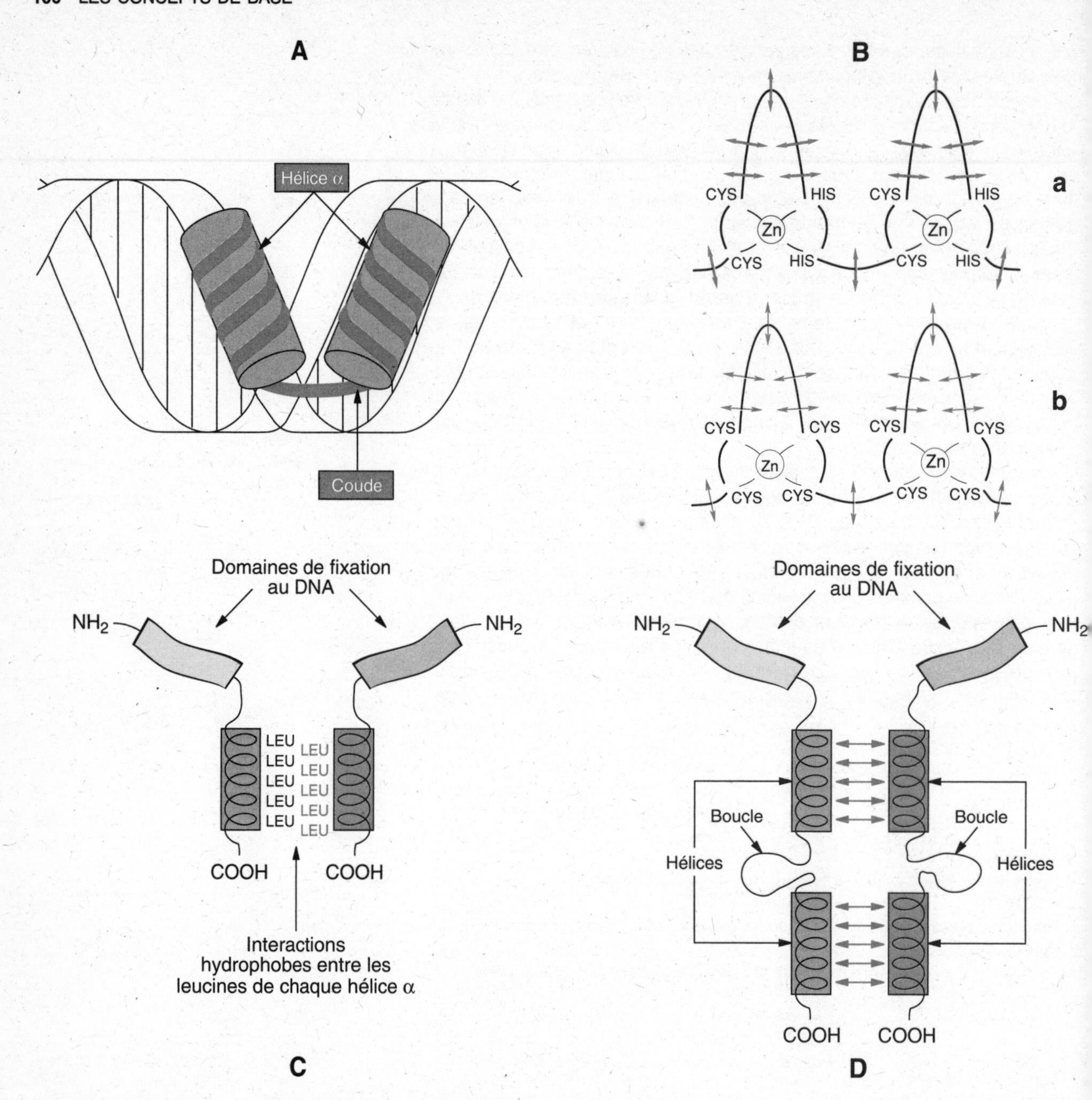

Figure 5-9 **Structure des motifs interagissant spécifiquement avec le DNA**
A correspond à la structure de type hélice-tour-hélice. **B** correspond à des structures dites en doigt de gant. Il en existe deux classes différant l'une de l'autre par les acides aminés liant le zinc. En **a** : le motif CYS_2/HIS_2 ; en **b** : CYS_4. **C** correspond à la structure en fermeture éclair à leucines. **D** correspond à la structure hélice-boucle-hélice.

ment, les homéoprotéines qui seront décrites plus loin. Dans ces protéines le domaine de fixation au DNA est un motif hélice-tour-hélice constitué d'une séquence de 61 aminoacides très conservée, appelé **homéodomaine**. Il est retrouvé dans toutes les homéoprotéines, mais aussi dans certaines autres protéines régulatrices impliquées dans le développement (voir plus loin).

Le motif en doigt de gant (zinc-finger) est constitué d'une séquence d'une vingtaine d'acides aminés ayant dans l'espace une forme de doigt de gant (figure 5-9B). Il en existe deux types : ceux qui contiennent quatre cystéines (Cys_4) et ceux qui contiennent deux cystéines et deux histidines (Cys_2/His_2). Ces acides aminés qui définissent la nature du doigt sont situés à sa base (deux de chaque côté, les deux cystéines ou les deux histidines de chaque côté étant séparées par un à trois acides aminés). Un ion Zn^{++} est situé au centre du carré que forment ces quatre acides aminés, il y est fixé par des liaisons de coordination ; il est indispensable à l'activité de la protéine. Dans les motifs Cys_2/His_2 le remplacement des deux histidines par des cystéines abolit l'activité du facteur. Le motif en doigt de gant n'est jamais unique, on en retrouve entre 2 et 13. Bien que le doigt interagisse avec les bases du DNA, il n'intervient que peu dans la spécificité de fixation du motif. Ce sont les acides aminés de la séquence polypeptidique qui les séparent (d'une longueur en général inférieure à 10 acides aminés) qui jouent le rôle le plus important dans la reconnaissance. Le facteur TFIIIA, la protéine SP1 et les récepteurs nucléaires d'hormones sont des exemples de facteurs interagissant avec le DNA grâce à ce type de domaines.

Les motifs hélice-boucle-hélice (helix-loop-helix) appartiennent à des facteurs de transcription dimériques (figure 5-9C). Il peut s'agir d'homodimères ou d'hétérodimères, mais seuls les hétérodimères sont en général fonctionnels. En allant de l'extrémité NH_2 vers l'extrémité COOH, ils sont constitués d'un domaine riche en acides aminés basiques qui interagit avec le DNA et assure la spécificité du facteur, d'un domaine en hélice α qui interagit par des liaisons hydrophobes avec l'hélice homologue de l'autre oligomère du dimère, d'une boucle qui est libre et d'un second domaine en hélice α qui, comme le premier, interagit par le même type de liaisons avec son homologue de l'autre oligomère. La séquence de la boucle n'est pas indifférente et joue un rôle dans la spécificité. Les protéines E12, E47 et Myo D1 sont des exemples de facteurs interagissant avec le DNA grâce à ce type de domaines.

Les motifs de type fermeture éclair à leucines (leucine-zipper) appartiennent aussi à des facteurs de transcription dimériques (figure 5-9D). Comme pour les précédents, il peut s'agir d'homodimères ou d'hétérodimères. Le monomère est constitué d'une séquence à caractère basique qui interagit de manière spécifique avec le DNA et d'un domaine hydrophobe en hélice α qui interagit avec le domaine homologue de l'autre chaîne. Dans ce domaine on retrouve une leucine tous les 7 acides aminés, donc à chaque pas d'hélice. Toutes ces leucines se trouvent donc alignées, et c'est à leur niveau que se fait l'interaction entre les deux monomères, d'où le nom de fermeture éclair à leucines. Les oncogènes *jun* et *fos* sont des exemples de facteurs interagissant avec le DNA grâce à ce type de domaines.

Une structure particulière de facteur transcriptionnel : le domaine POU

Le **domaine POU** correspond à un motif polypeptidique de 150 à 160 acides aminés **(figure 5-10)** constitué d'une région de 75-82 acides aminés dite spécifique de POU (POU_S) suivie d'une courte région de liaison puis d'un homéodomaine de 61 acides aminés (POU_{HD}), qui est un motif hélice-tour-hélice, comme décrit dans la figure 5-9A. Le domaine POU est retrouvé dans une série de facteurs de transcription ; son nom dérive de quelques protéines qui le possèdent : **P**it-1, **O**ct-1 et -2, **U**nc 86. La fixation des différentes protéines de cette grande famille sur les séquences cis cibles peut se traduire, suivant les cas, par une activation ou au contraire une inactivation du gène. La fixation des protéines sur le DNA peut s'effectuer aussi bien sous forme de monomères que sous forme d'homo- ou d'hétérodimères ; il en résulte une grande palette d'effet n'utilisant que

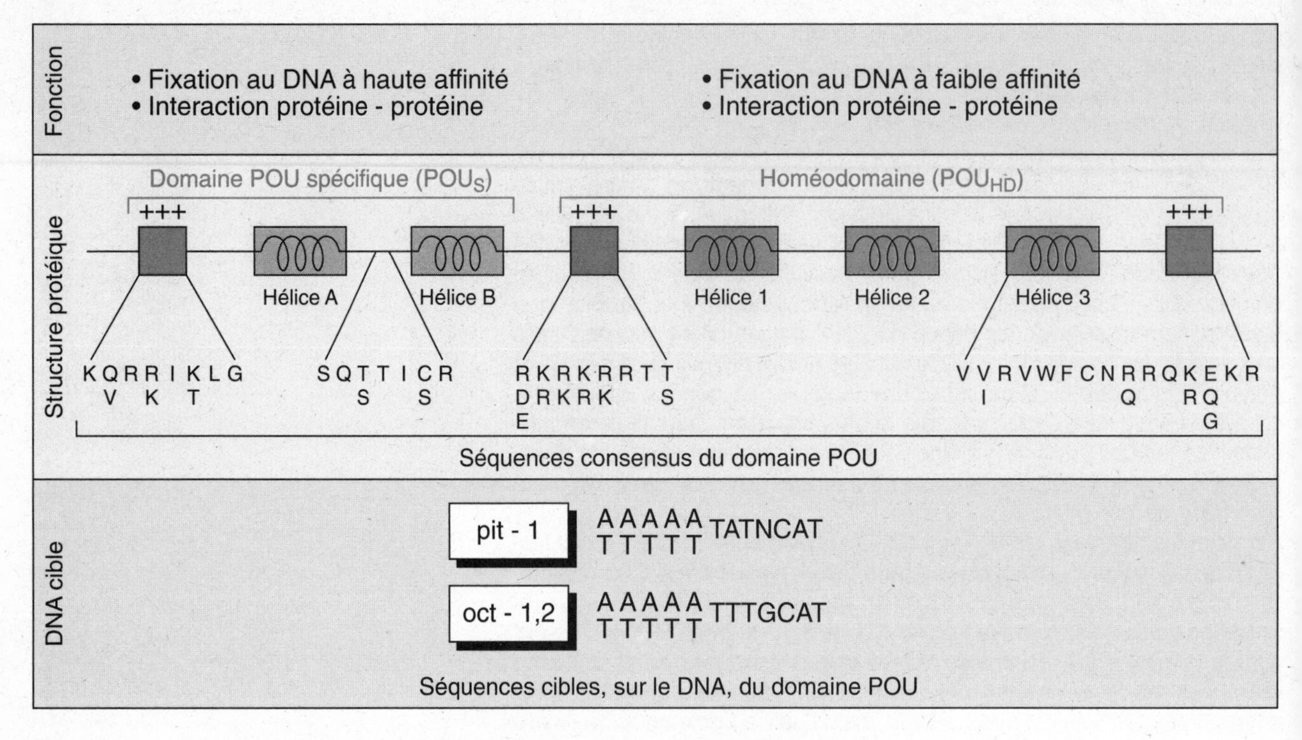

Figure 5-10 Un domaine particulier d'interaction avec le DNA : le motif POU

peu de protéines. Des modifications post-traductionnelles pourraient enrichir encore cette palette. Les protéines qui possèdent le domaine POU sont pour la plupart impliquées dans le **développement précoce** et jouent un rôle important dans la **différenciation** de certains tissus.

Les expériences de mutagenèse et de troc de sous-domaines entre différentes protéines à domaine POU ont permis de définir les rôles respectifs des différentes régions du domaine (ainsi que chacune des hélices α de chaque sous-domaine). Il a été ainsi montré que les deux sous-domaines POU_S et POU_{HD} étaient nécessaires pour que la fixation s'effectue de manière spécifique et avec une forte affinité, le domaine POU_S étant le plus critique. Les données obtenues sont trop nombreuses pour être décrites en détails dans cet ouvrage.

Les motifs des domaines d'activation de la transcription sont aussi en nombre limité

Le second domaine indispensable des facteurs transcriptionnels est celui qui agit sur la transcription. Comme pour les domaines de fixation au DNA, le nombre de motifs de base semble limité, certains facteurs peuvent en posséder plusieurs. Bien qu'une classification stricte soit difficile à réaliser, schématiquement trois principaux types de motifs ont été caractérisés, mais il peut en exister d'autres. Il s'agit :

— du domaine riche en acides aminés acides dont le modèle est le facteur de levure **GAL4** ;

— le domaine riche en glutamines (25 p. 100), dont le modèle est le facteur de transcription **SP1** ;

— le domaine riche en prolines (20 à 30 p. 100), dont le modèle est le facteur de fixation à la CAAT box, **CTF/NF1**.

Certains facteurs de transcription peuvent nécessiter une activation

Dans certaines circonstances, la cellule doit pouvoir répondre de manière immédiate à un stimulus. Si cette réponse met en jeu l'activation de gènes, le facteur transcriptionnel nécessaire doit être disponible immédiatement. Pour cela il est indispensable qu'il soit déjà présent dans la cellule mais sous une forme inactive. De nombreux processus peuvent être responsables de cette activation, nous allons en décrire quelques-uns.

La phosphorylation peut modifier l'activité d'un facteur transcriptionnel : le modèle complexe de l'activation par l'AMP cyclique

L'AMP cyclique est un second messager hormonal dont on sait depuis plusieurs années qu'il exerce son rôle régulateur sur les métabolismes en activant des protéines kinases (kinase A). Depuis, il a été démontré que l'AMP cyclique jouait aussi un rôle dans la régulation de certains gènes. Le mécanisme de cette régulation fait appel, entre autres, à des phosphorylations d'un facteur transcriptionnel appelé **CREB** (pour *Cyclic AMP Responsive Element Binding protein*). Les gènes dont l'expression est sous le contrôle de l'AMP cyclique possèdent dans leur région régulatrice d'amont au moins une copie du motif palindromique TGACGTCA appelé **CRE** (pour *Cyclic AMP Responsive Element*). Ce motif est une cible pour la fixation du facteur de transcription CREB de 43 kDa. Ce facteur peut se fixer sous forme de monomère ou sous forme de dimère, comme cela a été montré par des expériences de retardement sur gel (voir chapitre 29). Lorsqu'il est sous forme de dimère, chacun des deux oligomères se fixe sur chacun des brins du DNA au niveau de la séquence TGAC. Des expériences de cotransfection d'un gène reporter associé à la séquence CRE, d'un cDNA de CREB et d'un cDNA de la kinase A (les deux cDNA étant insérés dans un vecteur d'expression) ont montré que l'activation de l'expression du gène reporter nécessitait une **phosphorylation** de la protéine CREB sur une sérine. Ce résultat a été confirmé par une expérience de mutagenèse ; le remplacement dans CREB de la sérine phosphorylable par une alanine conduit à un facteur CREB qui n'est plus activable par la protéine kinase A. Les phosphorylations étant des processus extrêmement rapides, la réponse transcriptionnelle est également rapide. A la base, le système est donc particulièrement simple puisque c'est la même enzyme (la kinase A) qui assure la régulation des métabolismes et de la transcription lorsqu'elle est activée par l'AMP cyclique. Mais en fait le système est bien plus complexe car il peut être modulé, et ce de différentes manières.

La protéine CREB peut aussi être phosphorylée sur la même sérine ainsi que sur une autre sérine et sur une thréonine par la protéine kinase C. La phosphorylation sur ces deux acides aminés induit la dimérisation de CREB. Il est difficile de déterminer si cette dimérisation joue un rôle sur l'activité de CREB, car il n'est pas possible de différencier les effets de la dimérisation et de la phosphorylation de la première sérine. Mais là ne s'arrêtent pas les possibilités de modulation. Il a été montré qu'il existait une famille de facteurs, appelés **CREM**, présentant une homologie de séquence avec CREB, qui sont susceptibles de moduler la fixation de CREB sur le CRE. L'homologie de structure permet aux facteurs CREM de se fixer sur les CRE, mais leur fixation ne se traduit pas par une activation de transcription car ils ne possèdent pas de domaine d'activation. Leur fixation s'effectue sous forme d'homodimères ou sous forme d'hétérodimères inactifs CREM/CREB. La présence d'un facteur CREM se traduit donc par une impossibilité d'activer par l'AMP cyclique les gènes normalement activables. Le mécanisme est de type compétitif. Il existe plusieurs isoformes de CREM qui résultent d'un épissage alternatif spécifique de tissu.

Enfin l'AMP cyclique peut moduler l'expression d'autres gènes, comme l'oncogène *jun*, toujours par l'intermédiaire de la phosphorylation de CREB. Le motif AP1 est la cible de facteurs transcriptionnels dont le complexe *jun/fos* (dimère de type fermeture éclair à leucines), il est retrouvé dans les séquences régulatrices d'amont de plusieurs gènes, dont *jun* lui-même (qui peut donc s'auto-activer). Or ce motif présente une forte homologie de séquence avec CRE. Cette homologie de séquence a pour effet de permettre à CREB de s'y fixer, ce qui entraîne une inhibition de l'expression et de l'inductibilité par différents stimulus des gènes qui possèdent le motif AP1. La phosphorylation de CREB par la kinase A (activée par l'AMP cyclique) se traduit par une abolition de son effet sur ces gènes.

Certains facteurs de transcription sont séquestrés dans le cytoplasme du fait d'une liaison à un ligand

L'association d'un facteur à un ligand peut être à l'origine de sa séquestration dans le cytoplasme. Bien que présent, le facteur ne peut exercer son effet puisqu'il ne peut atteindre sa cible sur le DNA qui est nucléaire. La dissociation du complexe à la suite d'un stimulus permet au facteur de migrer dans le noyau pour y jouer son rôle, et ceci en un temps très court. Nous décrirons deux exemples basés sur ce mécanisme : le facteur NFκB et le récepteur de glucocorticoïdes ; deux autres exemples, celui de la protéine Myo D1 et celui du gène du développement *dorsal* seront évoqués plus loin.

Le facteur NFκB a tout d'abord été mis en évidence dans les lymphocytes B. Sa fixation sur une séquence stimulatrice (*enhancer*), située entre le gène J et le gène C des gènes codant pour les chaînes légères κ des immunoglobulines (voir chapitre 6), est indispensable pour que ces gènes soient correctement exprimés. Ce facteur ne pouvait cependant pas être à l'origine de la spécificité tissulaire de l'expression des gènes κ, comme on l'avait tout d'abord pensé, car il a été ensuite montré qu'il était ubiquitaire et qu'il était susceptible d'activer d'autres gènes sans rapport avec les immuglobulines. Ces études montrèrent aussi que ce facteur est localisé dans le cytoplasme et que ce n'est qu'à la suite d'une stimulation (antigène, interleukines, esters de phorbol, TNF, ...) qu'il était transloqué dans le noyau.

Le facteur NFκB est composé de deux sous-unités. L'une est synthétisée sous forme d'un précurseur de 105 kDa qui est clivé par protéolyse en deux polypeptides, dont un de 50 kDa (qui correspond à l'extrémité NH_2 terminale du précurseur). Il s'associe avec un polypeptide de 65 kDa pour former le facteur NFκB. Dans le cytoplasme, ce dimère fixe une autre protéine : **IκB**, ce qui a pour effet d'empêcher sa translocation dans le noyau. Étant séquestré dans le cytoplasme, il ne peut exercer son effet sur la transcription, il est alors inactif. La fixation d'un ligand sur un récepteur membranaire induit un stimulus qui provoque la dissociation du complexe, vraisemblablement par phosphorylation de IκB par la protéine kinase C. Les molécules de NFκB libérées s'associent deux à deux pour constituer des tétramères $(50/65\ kDa)_2$ qui migrent vers le noyau et se fixent sur leur séquence cible (GGGGACTTTCC). Le facteur est, dans sa forme active, susceptible de stimuler la transcription des gènes possédant la séquence cible (comme les gènes des chaînes κ) dans leur région régulatrice d'amont. Cependant en l'absence de stimulation la sous-unité de 50 kDa de NFκB peut aussi se dimériser et former ainsi le facteur KBF-1. Ce facteur reconnaît une séquence (GGGGATTCCCCA) très proche de celle reconnue par NFκB et retrouvée en amont des gènes HLA de classe I. Il induit un taux basal de transcription de ces gènes. Lors d'une stimulation (par exemple par le TNF) le facteur NFκB libéré, qui reconnaît aussi ce motif, remplace KBF-1 et active, mais maintenant fortement, ces mêmes gènes.

L'analyse de la structure de KBF-1 a montré de fortes homologies de séquence avec le proto-oncogène *rel* (dont l'homologue viral induit des lymphomes chez les aviaires) et avec la protéine dorsal qui est impliquée dans le développement de la drosophile.

Le récepteur des glucocorticoïdes, qui fait partie de la superfamille des récepteurs nucléaires d'hormone (voir plus loin), est une protéine cytoplasmique qui, en l'absence de l'hormone, reste séquestrée dans le cytoplasme du fait de son association à la protéine de choc thermique hsp 90. La fixation de l'hormone sur le récepteur entraîne la dissociation du complexe et la migration du récepteur vers le noyau qui se fixe sur un GRE *(Glucocorticoide Responsive Element)*. Cette fixation a pour effet d'activer la transcription des gènes qui possèdent un GRE dans leur région régulatrice d'amont, pourvu que les autres facteurs nécessaires soient présents. Comme dans les cas précédents, la réponse est très rapide.

Certains facteurs de transcription peuvent être activés par protéolyse

Le produit du gène *dorsal* est une protéine régulatrice de transcription impliquée dans la mise en place de l'axe dorso-ventral au cours du développement de la drosophile. Bien que la zone d'action de ce facteur soit limitée, la protéine est retrouvée dans la totalité de l'œuf et dans toutes les cellules de l'embryon précoce. Comme NFκB, sa localisation est cytoplasmique et c'est sa translocation dans le noyau, dans les seules cellules ventrales, qui permet son effet. Les expériences de mutagenèse ont montré que cette translocation était sous le contrôle de 11 gènes dont certains codent pour des sérine-protéases. Ces enzymes clivent un peptide COOH terminal de 6-8 acides aminés. Ce peptide pourrait être en partie responsable de la séquestration de la protéine dans le cytosol ; sa disparition permet à la protéine d'être transloquée dans le noyau. Mais ce mécanisme n'est pas le seul qui permette la translocation de *dorsal* (voir paragraphe embryologie moléculaire de ce chapitre).

Un exemple de protéines régulatrices de la transcription : la superfamille des récepteurs nucléaires d'hormones

Depuis longtemps on savait que les hormones stéroïdes et thyroïdiennes agissaient dans la cellule par l'intermédiaire d'un récepteur intracellulaire, et entraînaient la synthèse de messagers spécifiques. Le récepteur de ces hormones devait être un modèle de facteur régulant l'expression génétique. La purification et le clonage de ces récepteurs ont permis non seulement de confirmer l'hypothèse, mais encore de montrer que les récepteurs nucléaires appartenaient tous à une superfamille de gènes. Les premiers membres connus de cette superfamille sont schématisés dans la **figure 5-11**. Tous ces récepteurs possèdent une structure globale identique, à savoir :

• une extrémité NH_2 terminale de longueur variable, non conservée et spécifique du récepteur. On ne connaît pas le rôle fonctionnel de ce domaine (domaine A-B du gène) ;

• une région d'environ 65 acides aminés, très conservée (90 p. 100 d'homologie entre le récepteur des glucocorticoïdes et celui de la progestérone, 42 p. 100 d'homologie entre les récepteurs les plus éloignés). Ce domaine conservé (domaine C du gène) est celui qui interagit avec

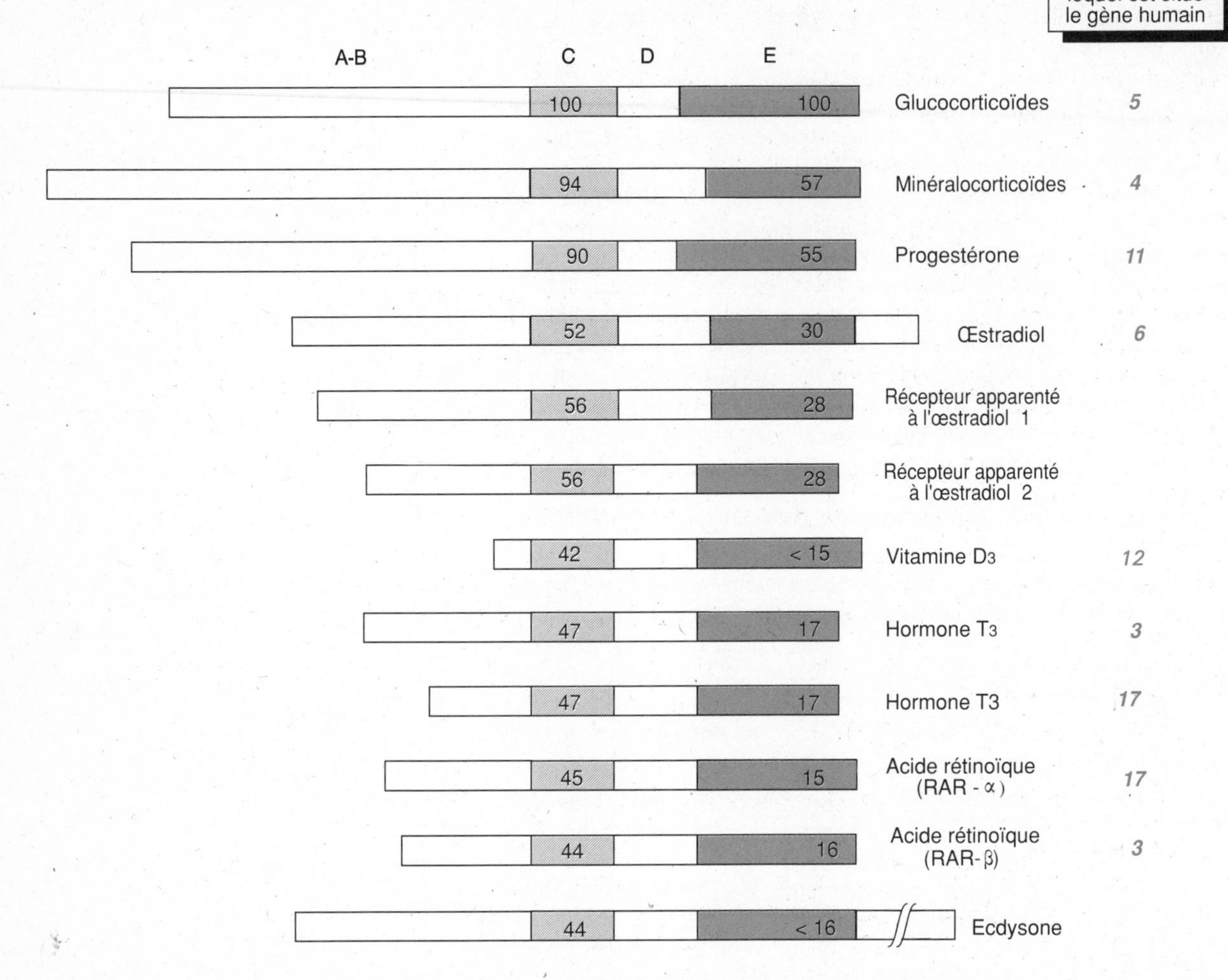

Figure 5-11 Structure des récepteurs nucléaires des hormones
La structure et les homologies de séquence protéique des différents récepteurs sont déduites de la séquence de leurs gènes. Les chiffres indiquent le pourcentage d'homologie de séquence des acides aminés en prenant arbitrairement le récepteur des glucocorticoïdes comme référence. En rose : domaine de fixation des récepteurs au DNA (domaine C du gène). En rouge : domaine de fixation de l'hormone (domaine E du gène).

le DNA. On y retrouve deux **motifs en doigt de gant** (Cys 4), le premier étant le plus conservé. Il est à noter que la région qui relie ces deux doigts de gant est elle aussi très conservée ce qui est en faveur de son rôle dans l'interaction avec le DNA. La réalité physiologique de l'interaction avec le DNA a pu être démontrée pour au moins quatre de ces récepteurs ;

- une région non conservée de longueur variable (domaine D) ;
- le récepteur se termine par un domaine de longueur variable qui correspond à la zone où se fixe l'hormone (domaine E). Bien que les hormones puissent être de structures extrêmement différentes cette région est relativement bien conservée (entre 15 et 57 p. 100 d'homologie de séquence en acides aminés).

Ces récepteurs se fixent dans la région 5' non transcrite des gènes cibles au niveau de séquences parfaitement définies. Pour certains récepteurs il a pu être montré que la fixation de l'hormone induit une transconformation allostérique qui a pour effet d'activer la transcription des gènes concernés.

La dissection en domaines distincts de ces récepteurs a pu être effectuée grâce à des expériences élégantes, ayant permis d'affirmer la réalité biologique du modèle.

La partie 5' non transcrite responsable de la réponse à l'hormone (promoteur d'un gène cible) est couplée à un gène reporter, celui de la luciférase, enzyme extraite du ver luisant qui induit l'émission de lumière en utilisant l'ATP. Après transfection, l'addition de l'hormone dans les cellules cibles et elles seules se traduit par l'apparition de lumière, ce qui démontre que ce promoteur est effectivement contrôlé par l'hormone.

Le premier gène de récepteur de l'acide rétinoïque (RAR-α) et le gène découvert dans les hépatocarcinomes au site d'intégration de l'HBV (RAR-β) sont très homologues. La nature du ligand spécifique du récepteur, l'acide rétinoïque dans les deux cas a été démontrée par une expérience de troc. La séquence du gène codant pour le domaine du récepteur qui fixe le ligand a été échangée avec celle qui code pour le domaine de fixation au DNA du récepteur des œstrogènes. Ce gène chimère, une fois transfecté dans une cellule, induit une réponse de type œstrogénique lorsque l'acide rétinoïque est ajouté. On en conclut que le ligand de RAR-α et β est effectivement l'acide rétinoïque.

De manière surprenante, au moins pour le récepteur des glucocorticoïdes, la délétion du domaine de fixation de l'hormone sur le récepteur se traduit par une activation transcriptionnelle continuelle des gènes cibles. Il semble donc qu'en l'absence d'hormone le récepteur soit fixé au DNA et inhibe la transcription. La fixation de l'hormone entraîne une transconformation allostérique du récepteur qui lève cette inhibition.

Les récepteurs nucléaires des hormones, dont la structure montre qu'ils appartiennent tous à une superfamille de gènes, sont donc un modèle typique de protéines trans-régulatrices de la transcription.

Les mécanismes de la régulation transcriptionnelle commencent à s'éclaircir

Les connaissances sur les mécanismes de la régulation de la transcription ont considérablement progressé au cours des dernières années. Pendant longtemps les facteurs de transcription ne pouvaient être étudiés que de manière indirecte, leur faible concentration rendant très difficile leur purification. Le clonage des cDNA ou des gènes de certains d'entre eux a permis de mieux comprendre leur structure et leur mode d'action. Ces progrès se sont aussi traduits par une clarification de leur nomenclature. S'il n'est toujours pas possible d'élaborer des systèmes reconstitués in vitro, les régions régulatrices d'amont et les différents facteurs s'y fixant sont maintenant connus pour de nombreux gènes. Il est clair que ces régions régulatrices sont constituées d'une série de modules, assemblés comme les différentes pièces d'un jeu de Lego®, chaque module conférant au gène une possibilité supplémentaire de régulation. Mais il est certain maintenant que la simple interaction d'une série de facteurs avec des séquences de DNA n'est pas suffisante. Des expériences de délétion dans la région régulatrice d'amont du virus SV40, là où se fixe le facteur Sp1, ont montré que le taux de transcription baisse pour chaque délétion jusqu'à 5 paires de bases, remonte jusqu'à 10 paires de bases, puis baisse de nouveau jusqu'à 15 et ainsi de suite. Or le pas de la double hélice est de 10 paires de bases. Il en résulte que deux protéines restent dans des positions relatives identiques, et pourront continuer à interagir pour des délétions de 10 paires de bases ou un multiple de 10 paires de bases alors qu'elles se retrouveront dans des situations totalement opposées pour des délétions de 5 paires de bases ou d'un multiple de 5 paires de bases. Ce résultat montre que la disposition relative dans l'espace des différentes protéines est plus importante que leur distance par rapport au promoteur : il est fortement en faveur du rôle de la structure dans l'espace et des **interactions protéine-protéine** dans la régulation.

De même, il a été démontré que des séquences situées très en amont (plusieurs dizaines de kilobases) sont nécessaires à la bonne régulation

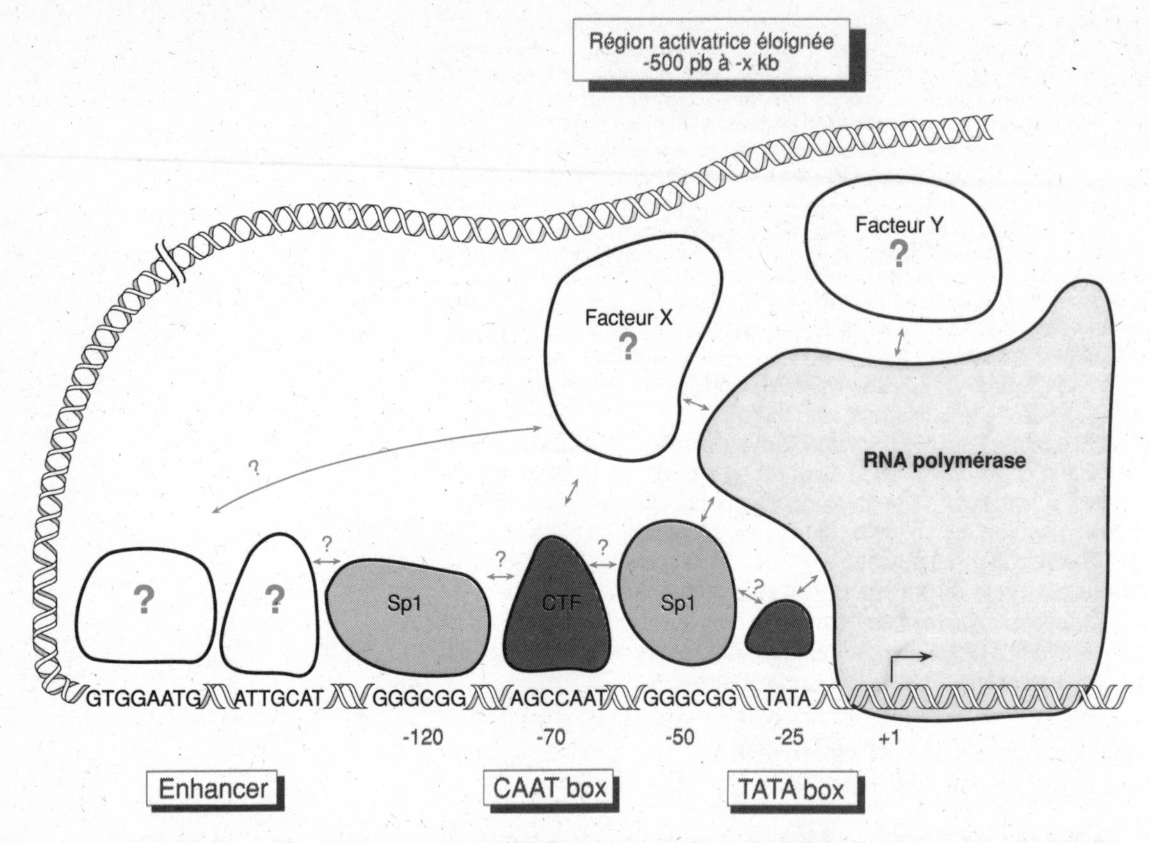

Figure 5-12 **Représentation schématique des différents éléments susceptibles de réguler l'initiation de la transcription** Les blocs en couleur représentent des protéines déjà caractérisées, les blocs en blanc représentent des facteurs hypothétiques.

du gène. L'une des hypothèses la plus vraisemblable est que les repliements de la chromatine rapprochent ces séquences du point d'initiation de la transcription.

Le mécanisme de la régulation de la transcription s'avère donc très différent de celui employé par les procaryotes. De manière schématique, chez les eucaryotes, l'essentiel de la régulation de la transcription résulte de l'interaction de séquences localisées en 5' du point d'initiation, parfois très éloignées, et d'un complexe protéique tel celui schématisé dans la **figure 5-12**. Une première série de protéines, dont la plupart sont plus ou moins ubiquitaires, se fixent au niveau de séquences spécifiques dans et en amont du promoteur ; les repliements de la chromatine, l'interaction entre ces protéines et éventuellement avec des protéines non fixées au DNA créent une structure qui permet à la RNA polymérase de se fixer et ainsi d'initier la transcription. De la facilité avec laquelle cette initiation pourra se faire et de la vitesse de la transcription dépendra le taux apparent de transcription.

La spécificité tissulaire de l'expression des gènes est obtenue avec un petit nombre de facteurs ubiquitaires

Chez les procaryotes, les facteurs transcriptionnels sont le plus souvent spécifiques d'un opéron. Le nombre de facteurs nécessaires est relativement limité car tous les gènes de structure d'un opéron sont régulés par le même facteur. Chez les eucaryotes, chaque gène possède son système de régulation qui met en jeu plusieurs facteurs. Il est donc impossible que chaque facteur transcriptionnel soit spécifique d'un seul gène. L'expression de ces facteurs doit être elle aussi régulée, elle nécessite donc d'autres facteurs, et ainsi de suite (le nombre de facteurs croît de manière exponentielle). Les cellules eucaryotes doivent donc utiliser un autre principe de régulation.

L'analyse de la structure des régions régulatrices d'amont d'un grand nombre de gènes montre que les facteurs impliqués sont presque toujours les mêmes. La diversité des réponses observées ne résulte pas de la multiplicité des facteurs transcriptionnels mais de la combinatoire d'un nombre limité de **facteurs trans** et de **séquences cis** (le principe est semblable à celui du langage, de l'écriture ou de la musique ou un nombre limité de sons ou de symboles permet une infinité de combinaisons différentes).

La régulation de l'expression des gènes des RNA ribosomaux (gènes de classe I) est principalement transcriptionnelle

Le DNA qui code pour un RNA ribosomal est précédé d'un promoteur où se fixe la RNA polymérase I. In vitro, la polymérase n'est pas capable de transcrire les gènes ribosomaux si un extrait nucléaire n'est pas ajouté, ce qui suggère que des facteurs transcriptionnels sont indispensables. Deux de ces facteurs ont été caractérisés, il s'agit des **facteurs UFB et SL1** (d'autres facteurs, qui pourraient être les mêmes, ont été mis en évidence ; la nomenclature n'est pas encore standardisée et les noms des facteurs sont propres à chaque équipe) ; ils suffisent à eux seuls pour initier une transcription. Le facteur UFB a été cloné, il présente une forte homologie avec les protéines HMG 1 et 2 (voir chapitre 2). Ce facteur est retrouvé chez tous les vertébrés, il donne des images de footprinting (voir chapitre 29) identiques chez tous les vertébrés analysés, ce qui montre que les séquences cibles doivent être identiques ou très proches. Une **topoisomérase de type I**, retrouvée en abondance au niveau du nucléole, semble aussi nécessaire.

La transcription des gènes s'arrête au niveau d'une séquence de terminaison sur laquelle se fixe un facteur, indispensable à l'arrêt, appelé **TTFI**. Ce mécanisme aurait pour effet de donner des transcrits de taille toujours identique, d'empêcher la polymérase de transcrire la région espaceur, voire même un second gène, et de favoriser la réinitiation ultérieure de la transcription de ce gène.

Chez la souris, l'étude du DNA situé entre les gènes ribosomaux répétés a montré qu'il contenait un autre promoteur suivi d'une séquence stimulatrice *(enhancer)* constituée d'une suite de séquences répétées. Cette séquence stimulatrice est capable de fixer le facteur de transcription UFB déjà cité. Deux motifs de ce type sont retrouvés chez la grenouille, dix motifs sont retrouvés chez les insectes. Ces motifs ne sont pas retrouvés chez les levures. Le rôle de ces séquences reste à préciser.

Les gènes de classe III ont un mécanisme de régulation particulier

Les promoteurs des gènes de classe III sont très particuliers puisqu'ils sont localisés le plus souvent **dans la partie transcrite** du gène, contrairement à ce qui est observé avec les autres gènes. Le modèle le mieux connu est celui des gènes codant pour les RNA 5S.

La transcription par la RNA polymérase III nécessite au moins trois facteurs : **TFIIIA, TFIIIB** et **TFIIIC**. Le facteur TFIIIA, d'une masse moléculaire de 38 kDa, fut la première protéine à doigts de zinc découverte (**protéine dactyle**) : elle en possède 9. Dans un premier temps le facteur

TFIIIA se fixe sur le DNA au niveau de la **boîte C** située dans le gène entre +80 et +90, puis le facteur TFIIIC, qui est un complexe de nombreuses protéines, se fixe sur la **boîte A** entre +50 et +70. Enfin TFIIIB s'associe à ces deux protéines, mais sans interagir avec le DNA et initie la transcription. Seul TFIIIB est ensuite nécessaire pour les réinitiations ultérieures. La transcription des gènes des tRNA ne semble nécessiter que les deux facteurs TFIIIB et TFIIIC. Une fois la transcription initiée, les facteurs transcriptionnels restent sous forme d'un complexe accroché au DNA (appelé complexe de préinitiation), il sert au démarrage d'une autre molécule de polymérase et ainsi de suite. Les gènes des RNA 7SL ou les séquences Alu possèdent aussi un promoteur pour la polymérase III situé dans la partie transcrite.

La situation est plus complexe pour d'autres gènes transcrits par la RNA polymérase III comme le snRNA U6 ou le RNA 7SK pour lesquels le promoteur est situé en amont du gène et possède une TATA box et des séquences activatrices d'amont, comme l'octamère déjà décrit. Leur transcription nécessite à la fois le facteur TFIIIB (spécifique de la polymérase III), le facteur TFIID (spécifique de la polymérase II), ainsi que d'autres facteurs transcriptionnels. Enfin, d'autres gènes transcrits par la RNA polymérase III possèdent à la fois un promoteur dans le gène et un promoteur en amont du gène, lequel possède une TATA box.

La régulation par choix de promoteur

Certains gènes comme l'α-amylase ou l'aldolase A possèdent plusieurs promoteurs possibles de force inégale. Il en résulte que le type de messager transcrit et le taux de sa transcription vont dépendre du promoteur utilisé. Le choix ne se fait pas au hasard, mais résulte de l'action des facteurs trans-régulateurs dont certains sont spécifiques de tissu ; ce qui explique pourquoi certains tissus expriment un type de messager et d'autres tissus un autre type. Les modèles des gènes de l'α-amylase et de l'aldolase A, qui sont tout à fait exemplaires, sont décrits dans la **figure 5-13**. Un certain nombre de résultats expérimentaux suggèrent enfin l'existence d'un contrôle de la transcription rappelant le phénomène d'atténuation des procaryotes (par exemple pour le gène *c-myc*).

LA RÉGULATION POST-TRANSCRIPTIONNELLE

Le messager qui vient d'être transcrit est presque toujours plus long que le messager retrouvé dans le cytosol. Le passage de l'un à l'autre constitue la **maturation**, phénomène complexe étudié au chapitre précédent. Une série de mécanismes intervenant au niveau de cette maturation et aussi au niveau du stockage des messagers permettent de réguler de manière qualitative et quantitative l'expression finale sous forme de protéine.

Plusieurs messagers à partir d'un même transcrit : l'épissage alternatif ou différentiel

Le système d'excision des introns n'est pas stéréotypé, et le retrait d'un intron donné est un phénomène individuel en principe indépendant du retrait des autres introns. En pratique la cellule, par un mécanisme de choix déjà décrit au chapitre 4, décide parfois d'exciser certains exons. Ainsi à partir d'un messager primaire unique une série de messagers différents mûrs peuvent être obtenus. Il en résulte une série de protéines apparentées dérivant d'un même gène.

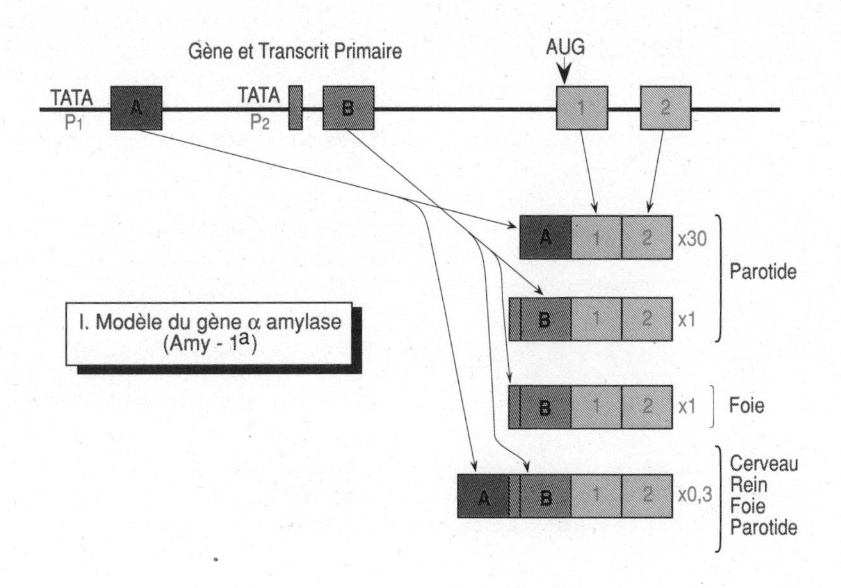

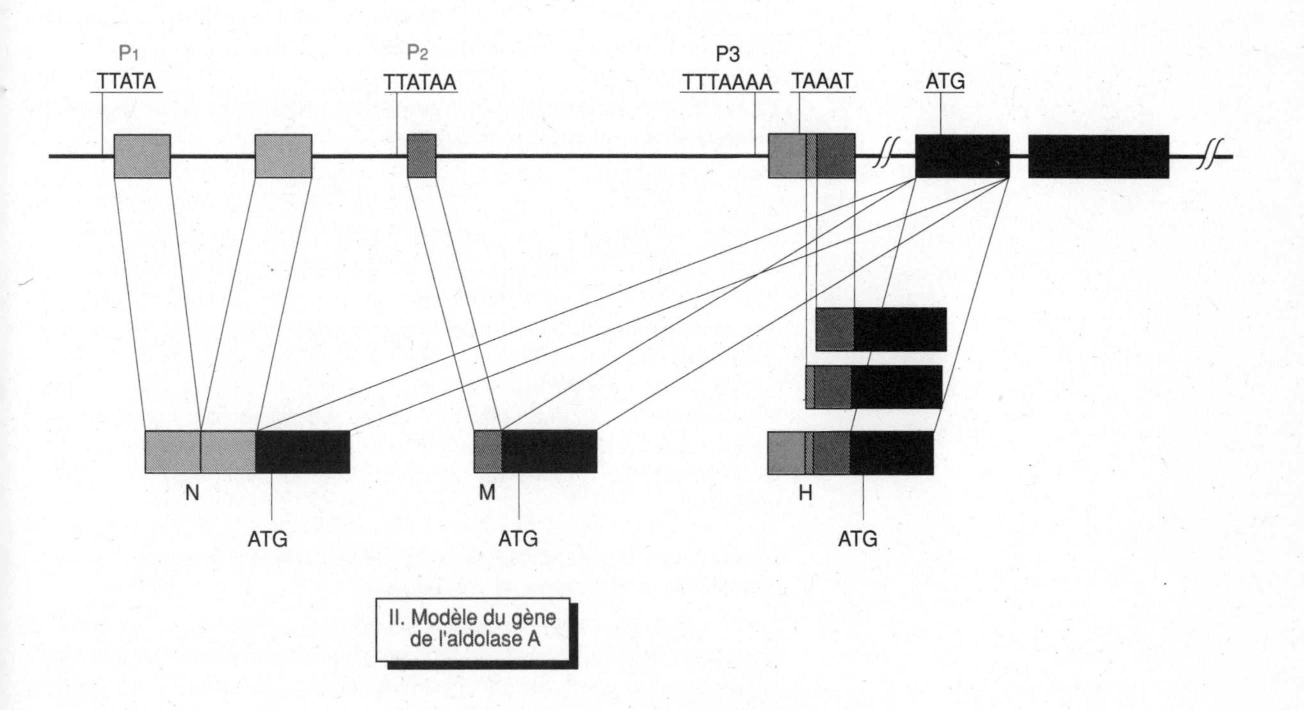

Figure 5-13 Diversification des transcrits par utilisation de promoteurs alternatifs
I : le gène de l'α-amylase possède deux promoteurs P1 et P2. Leur utilisation alternative ou simultanée combinée à un épissage alternatif est spécifique de tissu et conduit à un taux d'expression variable suivant l'organe.
II : le gène de l'aldolase A possède trois promoteurs P1, P2 et P3, ce dernier ayant trois sites d'initiation possibles. Le choix du promoteur est spécifique de tissu. H = domestique *(house keeping)* donc ubiquitaire, M = muscle et N = non spécifique. Les transcrits possibles sont nombreux et ne diffèrent que dans la région 5' non codante.

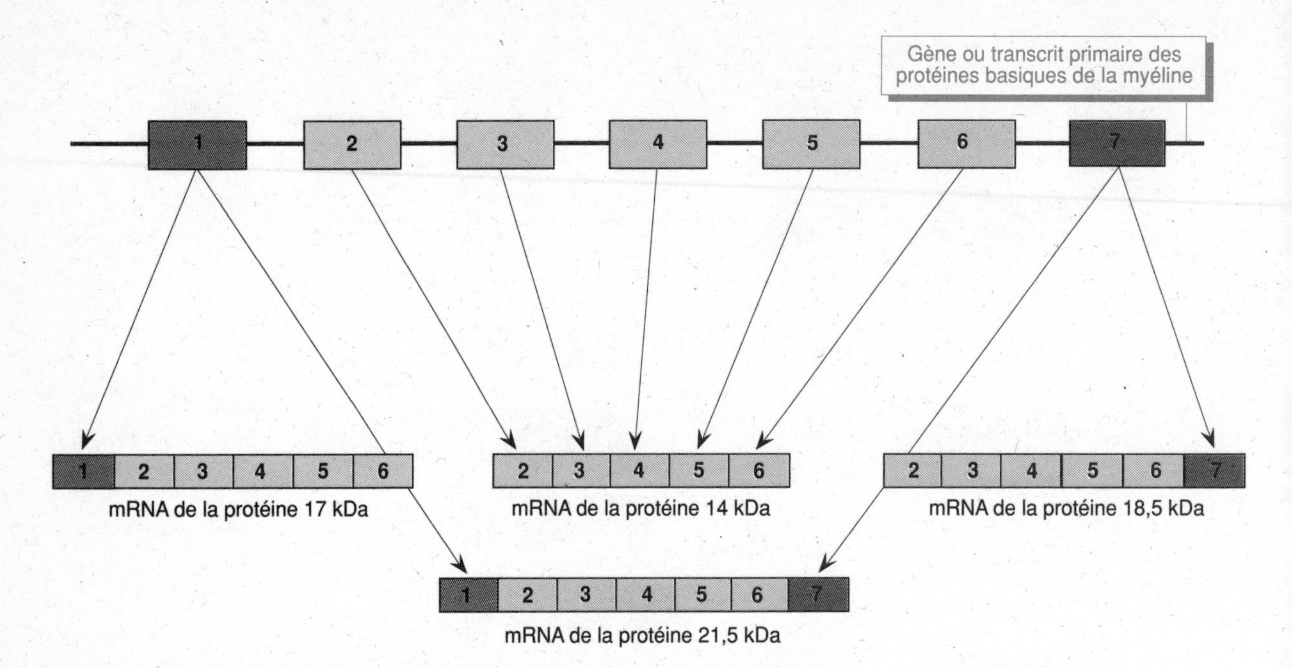

Figure 5-14 **Obtention des quatre protéines de la myéline par épissage alternatif d'exons codants**

Les différents messagers obtenus codent le plus souvent pour des protéines à fonctions analogues

L'un des nombreux exemples est celui des **protéines basiques de la myéline** décrit dans la **figure 5-14**. Suivant que les exons 1 et 7 sont excisés ou conservés, il en résultera quatre protéines possibles qui ne diffèrent les unes des autres que par leurs extrémités N et C terminales. Les protéines obtenues correspondent aux protéines 21,5 ; 18,5 ; 17 et 14 kDa que la biochimie classique avait mises en évidence, mais dont le mécanisme de synthèse n'avait pu être expliqué compte tenu de l'absolue conservation de la portion centrale (exons 2 à 6). Ce mécanisme d'épissage différentiel est une possibilité largement utilisée par la cellule. Ainsi s'expliquent les isoformes de nombreuses protéines. Le cas le plus spectaculaire est celui du gène de la **troponine C** qui peut aboutir à 64 mRNA différents.

L'épissage différentiel peut aussi conduire à des protéines entièrement différentes

L'exemple le plus extrême de ce type de possibilité est celui du gène de la **calcitonine** (**Figure 5-15**). Dans les cellules C de la thyroïde le transcrit primaire est clivé puis subit un épissage qui conduira à un messager traduit en précurseur de la calcitonine. Le même transcrit primaire dans le cerveau subit une maturation différente qui conduit à un messager puis à un polypeptide, le peptide apparenté au gène de la calcitonine **(CGRP)**, à fonction de type neuromédiateur. Dans ce cas assez exceptionnel les différents produits de maturation aboutissent à des polypeptides qui possèdent des activités totalement différentes. Le choix d'une voie de maturation plutôt qu'une autre dépend très vraisemblablement de facteurs cellulaires spécifiques du tissu ou de l'ontogenèse.

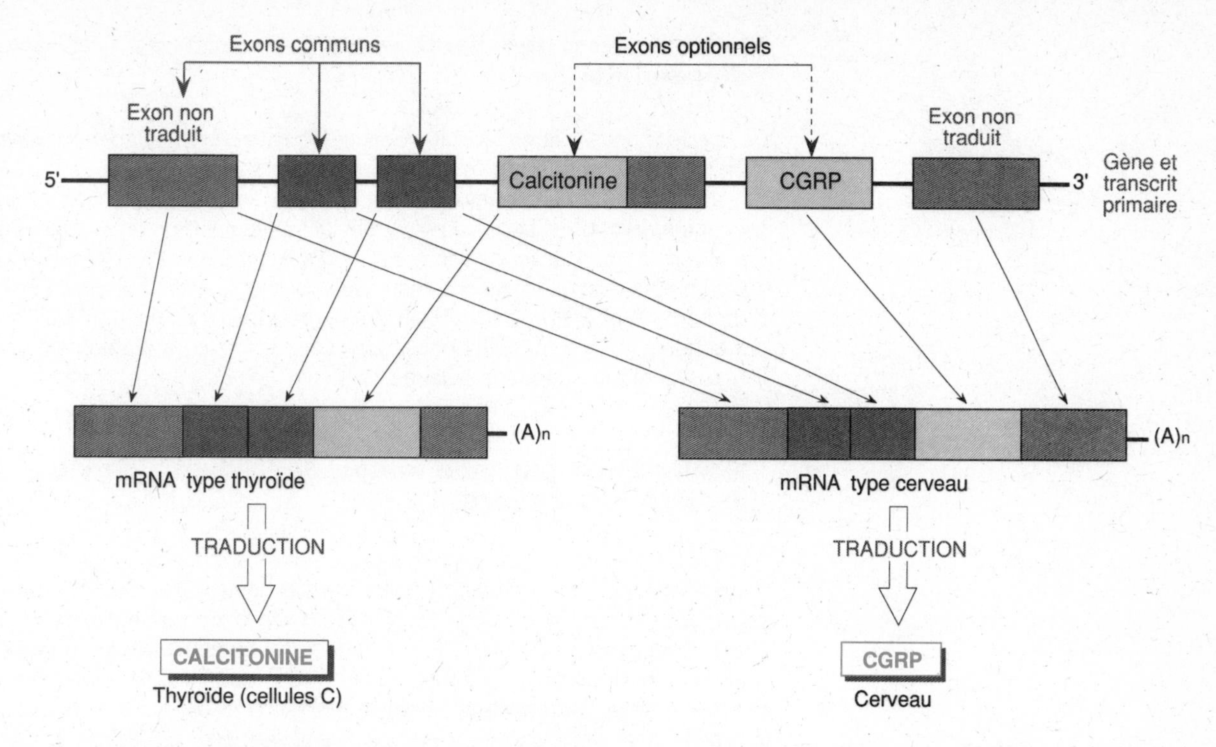

Figure 5-15 **Épissage alternatif conduisant à deux polypeptides ayant des activités totalement différentes**

Modification éditoriale de la protéine synthétisée par modification de la structure primaire du mRNA (RNA editing)

Deux types d'apolipoprotéines B sont retrouvés sur les VLDL et les LDL. La première, **Apo-B100**, est synthétisée par le foie ; sa masse moléculaire est de 512 kDa. La seconde, **Apo-B48**, est synthétisée par l'intestin grêle, sa masse moléculaire est environ la moitié de celle d'Apo-B100. Sa séquence primaire est identique à celle de la partie N terminale d'Apo-B100. Ces protéines sont codées par un même gène, mais dans le messager transcrit dans l'intestin un C est remplacé par un U au niveau du codon 2 153, transformant un codon signifiant en un codon stop. Le gène est identique dans le foie et dans l'intestin. Les expériences de transfection ont permis de démontrer que le phénomène était bien post-transcriptionnel. Son étude au cours du développement a montré qu'il apparaît tardivement et qu'il semble subir un contrôle hormonal et nutritionnel. L'incorporation de (α^{32}P) CTP a permis de montrer que le U remplaçant le C n'est pas introduit par clivage-incorporation puisque le phosphate radioactif est retrouvé associé à l'uridine. Cette modification éditoriale est vraisemblablement provoquée par une désaminase spécifique (la désamination d'un C conduit à un U).

Ce phénomène semble très peu utilisé par la cellule. D'autres exemples ont été observés dans les mitochondries ou les chloroplastes de protozoaires ou de plantes, et chez un virus (le mécanisme est ici différent, il implique un RNA « guide » (RNAg) et une transestérification). Il n'existe à ce jour qu'un autre exemple chez les mammifères, celui d'un transcrit du gène d'un canal ionique contrôlé par le glutamate où le remplacement d'un A par un G se traduit par le remplacement d'une glutamine par une arginine.

Multiplication des messagers par choix du site de polyadénylation

La dernière possibilité pour obtenir plusieurs types de messagers à partir d'un même transcrit primaire réside dans la variabilité du choix du site de polyadénylation. Techniquement il est relativement difficile de déterminer si l'origine du choix du site de polyadénylation résulte d'un choix délibéré de la cellule, dont le mécanisme est inconnu, ou si ce choix résulte en fait d'un épissage alternatif préalable, voire d'un clivage terminal différent d'un transcrit primaire. Le choix du site de polyadénylation est très utilisé par certains virus comme l'adénovirus. Il est aussi vraisemblablement utilisé par quelques gènes cellulaires.

La régulation par modulation de la durée de vie des RNA messagers

Le taux de synthèse d'une protéine par le système cytoplasmique de traduction est en partie fonction de la concentration instantanée du RNA messager correspondant. Il s'agit là d'un domaine extrêmement difficile à appréhender techniquement. Il faut pour cela effectuer des marquages brefs, des quantifications de messagers et des quantifications de transcription. Malgré leur imprécision ces techniques ont permis d'établir que la modification de la durée de vie des messagers était un facteur important de la régulation de l'expression de certains gènes.

La stabilisation des mRNA des oncogènes ***c-myc*** et ***c-fos*** entraîne une augmentation de la concentration cellulaire des protéines correspondantes, ce qui pourrait être, au moins en partie, la cause de la prolifération cellulaire observée dans un tel cas. Les mécanismes qui interviennent dans la régulation de la stabilité des messagers commencent à s'éclaircir. Il a été montré qu'une région de 51 nucléotides riche en AU dans la partie 3' non traduite du messager du **GM-CSF** *(Granulocyte Macrophage Colony Stimulating Factor)* était responsable de l'instabilité du messager. Cette même région greffée à un messager stable comme celui de la globine lui confère le caractère instable confirmant par là le rôle de cette séquence particulière. Le rôle de la région 3' dans la stabilité des messagers est aussi confirmé par les travaux sur l'oncogène *c-fos* qui montrent que la délétion de la partie 3' du messager de ce gène augmente considérablement sa durée de vie, lui conférant par là un caractère transformant (voir chapitre 15). Mais dans le cas de cet oncogène la situation est plus complexe. Il a été, entre autres, montré que le retrait de la région riche en A et U n'a que peu d'effet sur la stabilité du messager, et que la déstabilisation nécessitait une synthèse protéique.

A l'inverse certaines séquences de la région 5' non traduite du messager du gène de la protéine 32 du phage T_4 lui confèrent une stabilité augmentée. Le mécanisme d'action de ces séquences agissant sur la durée de vie des messagers n'est pas encore connu.

Les **histones** représentent un autre exemple de régulation par contrôle de la stabilité du messager. En dehors des divisions cellulaires, la durée de vie des messagers histone est trop faible pour pouvoir être estimée. Lors de la division leur durée de vie est d'environ 15 à 60 minutes. Si la réplication du DNA est bloquée par des inhibiteurs, la durée de vie des messagers histone s'effondre. La synthèse des histones est donc étroitement couplée à la réplication du DNA, avec pour effet une parfaite adéquation entre la quantité d'histones fabriquées et celle du DNA synthétisé. La régulation de la stabilité des messagers histone met en jeu une structure particulière, en épingle à cheveux, située à l'extrémité 3' des messagers. La délétion de cette boucle entraîne une stabilisation des messagers, son couplage à un messager stable le déstabilise.

Dans cet exemple c'est encore la région 3' qui est impliquée dans la régulation. Plusieurs mécanismes moléculaires ont été proposés pour expliquer la diminution de la durée de vie des messagers. Nous en citerons deux. La région riche en A et U serait la cible de la fixation d'une protéine qui pourrait provoquer un raccourcissement du poly A dont on sait qu'il joue un rôle stabilisateur pour les messagers. Dans le cas des messagers histone, qui ne sont pas polyadénylés, il a été proposé que la structure en épingle à cheveux, située à l'extrémité du messager, pourrait interagir avec le ribosome auquel est associée une activité 3' exonucléasique susceptible de détruire le RNA. Cette hypothèse a été renforcée par l'observation que le blocage de l'extrémité du messager, par exemple par phosphorylation, se traduit par une augmentation de sa durée de vie. L'observation qu'une traduction est nécessaire pour que le messager soit détruit est un argument en faveur du rôle du ribosome et de l'activité exonucléasique qui lui est intimement associée dans le processus de dégradation.

La dernière possibilité de régulation post-transcriptionnelle est le stockage

On sait depuis longtemps que le stockage des RNA messagers aussi bien au niveau du noyau qu'au niveau du cytosol est un moyen de régulation. Mais on ne sait pas comment se décide ce stockage et quels sont les mécanismes qui y président.

De très nombreux gènes sont transcrits sans que jamais un quelconque produit de traduction n'apparaisse. La complexité des RNA nucléaires est environ 20 fois plus élevée que celle des messagers cytosoliques. Un quart environ des messagers auxquels le *cap* a été fixé ne sont pas polyadénylés alors qu'ils devraient normalement l'être. Lors des stimuli, par exemple hormonaux, les variations des concentrations des protéines et des messagers cytosoliques peuvent être très rapides alors que le taux de transcription n'est que peu modifié, laissant sous-entendre un niveau de régulation post-transcriptionnel portant sur la libération d'un mRNA déjà stocké.

Un exemple majeur, mais un peu à part puisqu'il constitue un acte de différenciation, est celui du stockage cytosolique de messagers dans l'œuf. L'œuf contient en effet des quantités considérables de RNA messagers qui ne sont pas traduits. Ils ne le seront qu'après un certain nombre des divisions qui suivent la fécondation. C'est vraisemblablement à partir de ces messagers stockés dans l'œuf que seront produites les protéines responsables du début de la différenciation. Comme leur distribution dans le cytoplasme n'est pas homogène, les différentes cellules filles ne récoltent pas les mêmes échantillons de messagers. Tant que ces messagers ne s'expriment pas toutes les cellules restent apparemment identiques ; quand ils commencent à s'exprimer, la différenciation commence.

LA RÉGULATION TRADUCTIONNELLE

Il s'agit là d'une étape de régulation très mal connue. Il est vraisemblable que les mécanismes qui président à cette régulation ont un rôle majeur dans le stockage évoqué dans le paragraphe précédent, puisque la traduction correspond à un dé-stockage, même si le stockage a été bref. Le premier et plus connu des modèles de régulation de traduction est le modèle de la régulation par l'hème. Il avait été montré que la traduction des gènes de la globine s'arrêtait très rapidement si l'hème n'était pas apportée au milieu. L'hème agit par l'intermédiaire d'une protéine, l'inhibiteur contrôlé par l'hème (HCI). Cette protéine possède une activité de type **kinase** vis-à-vis de la sous-unité α du facteur d'initiation eIF2, activité qui ne s'exerce pas en présence d'hème. Comme le facteur eIF2 n'est pas actif à l'état phosphorylé l'hème se trouve indirectement être un régulateur de traduction. Cette action de l'hème ne se limite pas à la régulation de la traduction des gènes de la globine.

La synthèse de la ferritine et du récepteur de la transferrine est sous le contrôle du fer

La ferritine et le récepteur de la transferrine, protéines permettant respectivement le stockage et l'entrée du fer dans la cellule, représentent un excellent modèle de régulation traductionnelle concertée, le contrôle étant effectué par le fer lui-même. Lorsque des hépatocytes sont incubés en présence de fer, la traduction du messager de la ferritine est augmentée, et ceci extrêmement rapidement, tandis que le messager du récepteur de la transferrine n'est plus traduit (en fait il est détruit). Les chélateurs du fer, comme la desferrioxamine (Desféral®), ont eux l'effet inverse.

L'analyse de la structure des messagers des deux protéines montre qu'ils possèdent tous les deux une séquence en épingle à cheveux appelée **IRE** (pour *iron responsive element*) susceptible de fixer une protéine régulatrice, la fixation de cette protéine étant dépendante du fer. Le messager de la ferritine possède un motif IRE dans sa partie 5', alors que le messager du récepteur de la transferrine en possède deux qui sont localisés dans sa partie 3'. Les expériences de construction-transfection ont montré que les IRE des deux messagers sont totalement interchangeables. En l'absence de fer la protéine régulatrice est fixée aux séquences IRE, ce qui a pour effet d'une part d'empêcher la traduction du messager de la ferritine, et d'autre part de stabiliser (vraisemblablement en inhibant sa destruction par des RNases) le messager du récepteur de la transferrine ; seul ce dernier est donc traduit en l'absence de fer. En présence de fer la protéine quitte les IRE ce qui a pour effet d'induire la traduction des messagers ferritine et la destruction des messagers du récepteur de la transferrine (cette destruction implique d'autres facteurs car elle est inhibée en présence d'actinomycine D ou de cycloheximide). Ce système permet à la cellule de réagir de manière optimale, et très rapidement, en fonction de la concentration extracellulaire du fer.

LE DERNIER NIVEAU DE RÉGULATION POSSIBLE EST LE NIVEAU POST-TRADUCTIONNEL

Le rôle et les mécanismes des modifications post-traductionnelles ont été évoqués dans le chapitre précédent. Les mécanismes régulateurs de ces phénomènes sortent du cadre de cet ouvrage.

Un modèle de différenciation : la myogenèse

Comme nous l'avons vu, la fixation d'une combinaison de facteurs trans sur la région régulatrice d'amont contrôle la transcription du gène qui lui est associée. La constitution d'un tissu au cours de l'embryogenèse ou la production des cellules sanguines à partir de cellules souches de la moelle nécessitent d'une part des **divisions** cellulaires, dont les mécanismes moléculaires seront décrits un peu plus loin, et d'autre part une **différenciation** coordonnée des cellules. Au niveau moléculaire, la différenciation d'une cellule résulte de l'**ouverture** des gènes qui doivent être spécifiquement exprimés et de la **fermeture** des gènes qui ne doivent plus l'être. Les mécanismes régulateurs qui sont mis en place doivent être suffisamment stables afin que chaque cellule conserve, sauf dans certaines circonstances, son état de différenciation. De manière générale la différenciation **terminale** d'une cellule se traduit par une perte de la possibilité de se diviser.

Le modèle de la différenciation musculaire étant actuellement le mieux connu, nous le choisirons comme exemple.

Un petit nombre de facteurs transcriptionnels, appartenant à une même famille, suffit pour induire la différenciation musculaire

Certaines lignées fibroblastiques immortelles d'origine murine sont capables, dans certaines circonstances, de se différencier en plusieurs types cellulaires. Par exemple le traitement des cellules de la lignée C3H 10T1/2 par la 5-azacytidine conduit ces cellules à se différencier en myoblastes (fréquence 20 à 50 p.100), en adipocytes (fréquence 7 à 28 p.100) ou en chondrocytes (fréquence 1 à 7 p.100). Les cellules 10T1/2 constituent donc un excellent modèle pour étudier les mécanismes moléculaires de la différenciation. Comme nous l'avons déjà vu la 5-azacytidine est un analogue non méthylable (en 5) de la cytidine. Dans les cultures cellulaires, son incorporation au sein du DNA lors de la réplication supprime une possibilité de répression des gènes (voir p. 100). Il suffit pour cela que des molécules de 5-azacytidine aient été incorporées au niveau des régions régulatrices d'amont. L'hypothèse est donc que la différenciation des cellules 10T1/2 observée au cours du traitement par la 5-azacytidine résulte de la dérépression de quelques gènes dont les produits sont des facteurs de différenciation. Le cDNA d'un de ces facteurs a été cloné en utilisant la stratégie des banques soustractives.

Les cDNA obtenus à partir des cellules 10T1/2 transformées en myoblastes par le traitement à la 5-azacytidine sont épuisés par un excès de RNA poly A^+ provenant de cellules 10T1/2 non traitées. Les cDNA non hybridés correspondent aux messagers spécifiques de la différenciation myoblastique. Ces cDNA ont été introduits dans des vecteurs d'expression et leur effet a été testé par transfection dans des cellules 10T1/2. L'un d'entre eux était capable, à lui seul, de transformer en myoblastes les cellules 10T1/2. Il code pour une protéine de 318 acides aminés qui a été appelée **MyoD1** (pour *Myoblast Determination number 1*) **(Figure 5-16)**.

En plus des cellules 10T1/2, la protéine MyoD1 est également capable de transformer en myoblastes toute une série d'autres cellules, qu'elles soient d'origine mésodermique (comme les cellules 10T1/2) ou non. La protéine MyoD1 est retrouvée dans les myoblastes, les myotubes et les muscles squelettiques, mais pas dans le muscle lisse ou le cœur. Comme on pouvait s'y attendre elle est absente dans les tissus non musculaires.

En utilisant le cDNA de MyoD1 pour cribler des banques de cDNA de muscle de souris, les cDNA d'autres facteurs myogéniques, présentant les mêmes propriétés que MyoD1, ont été clonés. Il s'agit de la **myogénine**, de **Myf-5** et de l'**herculine** ou **MRF4**. Leurs homologues humains ont été clonés en criblant des banques de cDNA de muscle humain. Il s'agit de **Myf-1** (homologue de MyoD1), de **Myf-4** (homologue de la myogénine), de **Myf-5** et de **Myf-6** (homologue de l'herculine). Les gènes des protéines induisant la différenciation musculaire appartiennent donc à une famille de gènes qui ont été très conservés au cours de l'évolution.

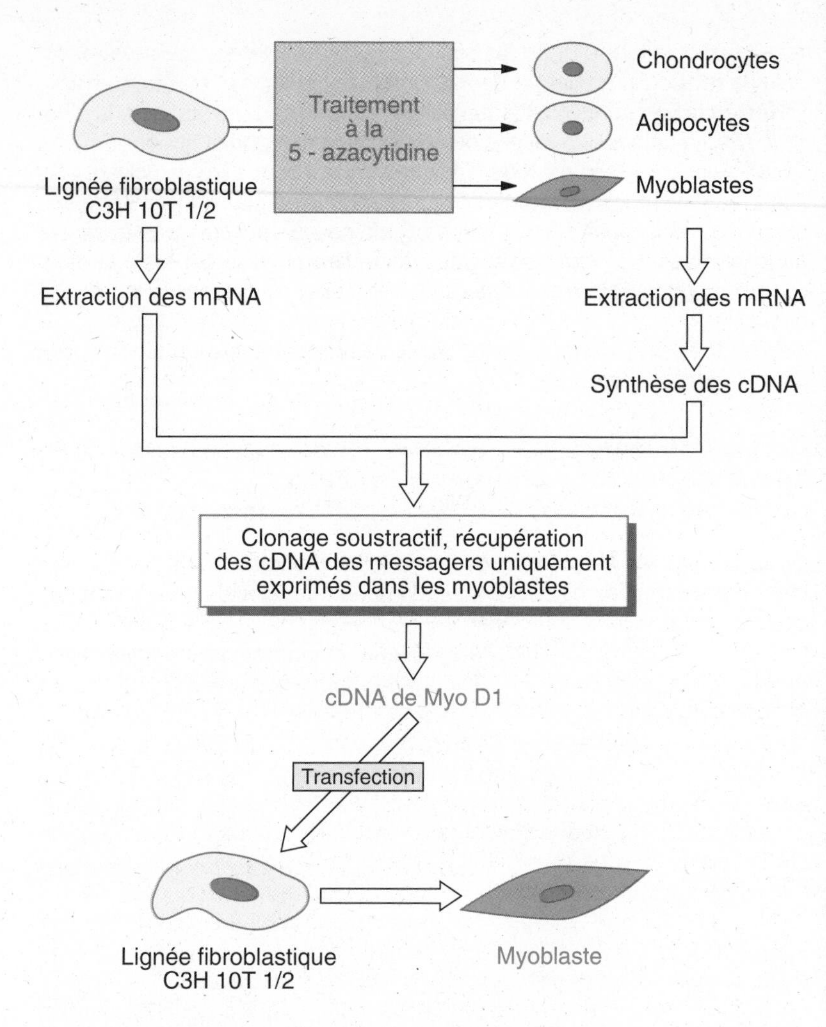

Figure 5-16 **La mise en évidence du facteur de différenciation musculaire MyoD1 et la stratégie utilisée pour cloner son cDNA**

Les rôles respectifs de chacune des protéines ne sont pas encore clairs. Une donnée maintenant bien établie est qu'elles s'expriment de manière séquentielle au cours du développement. Chez la souris, Myf-5 est le premier facteur qui apparaît ; il est détectable à partir du 8e jour de gestation. La myogénine apparaît 12 h plus tard, en même temps que MRF4, enfin MyoD1 apparaît 2 jours plus tard. Certains de ces facteurs pourraient être principalement impliqués dans la **détermination** des cellules (comme MyoD1), alors que d'autres le seraient dans la **différenciation** des cellules (comme la myogénine).

Le domaine de fixation au DNA des facteurs myogéniques possède un motif de type hélice-boucle-hélice

L'analyse de la séquence en acides aminés de MyoD1, de l'extrémité NH_2 vers l'extrémité COOH, montre qu'il est constitué d'une région acide (jusqu'à l'acide aminé 62) ; ce domaine pourrait être celui qui active la transcription lorsque MyoD1 se fixe au DNA. Il possède également un motif en doigt de gant à Zn^{++} (jusqu'à l'acide aminé 102), mais ce domaine ne semble pas être susceptible de se fixer au DNA. Il est suivi d'un domaine de type **hélice-boucle-hélice** (de l'acide aminé 103 à l'acide aminé 163). Comme les autres domaines de ce type, il est constitué d'une première partie, basique, responsable de sa fixation spécifique au DNA, suivie de la structure hélice-boucle-hélice proprement dite et qui permet sa dimérisation (voir figure 5-9). Le reste de la protéine ne présente pas de caractéristique particulière connue. Le domaine de fixation au DNA est particulièrement conservé dans tous les facteurs myogéniques que nous avons cités. Il présente aussi de fortes homologies avec d'autres domaines de fixation au DNA de transactivateurs à structure hélice-boucle-hélice, comme l'oncogène ***c-myc***, les gènes du développement de la drosophile *daugtherless, achaete-scute, enhancer of split* et *twist* ou les facteurs **E12** et **E47** qui se fixent sur la séquence E2 de la séquence stimulatrice *(enhancer)* des gènes des chaînes κ des immunoglobulines (voir chapitre 6) et qui sont les produits d'un épissage différentiel de transcrits du gène **E2A**.

Les facteurs myogéniques se fixent sur le DNA au niveau de séquences **CANNTG** qui sont retrouvées dédoublées dans les séquences régulatrices d'amont d'un grand nombre de gène spécifiques du muscle (créatine kinase, myosine, tropomyosine, ...). Ainsi s'expliquent l'apparition de ces protéines spécifiques et donc la différenciation musculaire, lorsque les facteurs myogéniques apparaissent au cours du développement ou lorsqu'ils sont apportés par transfection. Mais ce motif est aussi retrouvé en amont d'autres gènes ; on ne sait pas pourquoi les facteurs myogéniques sont sans effet sur ces gènes.

Les facteurs myogéniques se fixent au DNA sous forme d'hétérodimères

Les facteurs myogéniques doivent former des hétérodimères avec les protéines E12, E47 ou E2-2 pour pouvoir se fixer au DNA. Il semble que les affinités pour le DNA des différents complexes soient légèrement différentes. Il pourrait en résulter une variabilité du taux d'activation et ceci suivant le gène cible. Les régulations coordonnées nécessaires seraient ainsi obtenues à partir de moins de dix facteurs.

L'hétérodimérisation nécessaire permet aussi une régulation. Le gène de la créatine kinase, qui est activé par MyoD1, commence à être exprimé lors du passage du stade myoblaste au stade myotube. De manière surprenante MyoD1 est présent dans la cellule avant la transition, et son taux ne varie plus au cours de celle-ci. Il en est de même de E12 ou E47. La solution de ce paradoxe a été trouvée à la suite de la découverte de la **protéine ID**. Cette protéine possède une structure de type hélice-boucle-hélice susceptible de s'associer avec les facteurs myogéniques, ou les protéines de type E47. Mais le domaine de ID est incomplet et ne contient pas la région basique qui permet la fixation au DNA. Les hétérodimères MyoD1 (ou homologues) ne sont pas capables de se fixer au DNA et ne peuvent donc avoir de rôle activateur. Or la concentration de ID, qui est élevée dans les myoblastes, s'effondre lors de la transition myoblaste-myotube ; il en résulte que des hétérodimères actifs peuvent alors se former et activer les gènes cibles.

Les facteurs myogéniques pourraient jouer un rôle dans l'arrêt des divisions cellulaires qui accompagnent la différenciation

Comme nous l'avons indiqué, en général une cellule différenciée ne se divise plus. Quelques arguments permettent de penser que les facteurs myogéniques pourraient avoir, en plus de leur rôle différenciateur, un effet inhibiteur sur les divisions cellulaires (donc de type anti-oncogène, voir chapitre 15). Ainsi le déclenchement de l'expression de MyoD1 se traduit par un blocage au stade G1 des cellules. A l'inverse une surexpression de l'oncogène *ras* dans les cellules 10T1/2 empêche leur transformation en myoblastes lors du traitement par la 5-azacytidine. Dans les deux cas, l'effet est fonction du taux d'expression du gène transfecté. L'homologie de structure entre les facteurs myogéniques et certains proto-oncogènes comme *myc* (qui a un rôle immortalisant) pourraient être à l'origine d'une compétition pour la fixation de ces protéines au niveau de gènes régulateurs conduisant à l'arrêt des divisions et à la différenciation lorsque les facteurs myogéniques l'emportent.

Les expériences de transfection de *myoD1* ont montré que ce facteur était susceptible d'activer l'expression du gène *myoD1* endogène. Cette autoactivation permet d'obtenir un taux élevé de la protéine, ce qui pourrait d'une part lui permettre de l'emporter dans la compétition avec les proto-oncogènes que nous venons d'évoquer et d'autre part assurer une irréversibilité de la différenciation établie. Une fois activé par une décision de différenciation au cours du développement, le gène ne pourra plus être inactivé puisqu'il s'autoactive. On suppose que seul un taux très élevé d'un oncogène pourrait, par un effet de compétition homologue (mais en sens inverse) à celui de la différenciation, arrêter l'expression du facteur myogénique et donc permettre une dédifférenciation et la reprise des divisions, avec pour résultat final un processus tumoral.

Les mécanismes moléculaires du cycle cellulaire

Les modifications morphologiques que subit la cellule au cours des divisions cellulaires ont été décrites voilà plus d'un siècle ; nous les avons déjà évoquées dans le chapitre 2. Jusqu'à la fin des années 80, les données sur les mécanismes moléculaires impliqués dans le cycle cellulaire étaient pratiquement inexistantes. Il avait simplement été montré en 1971 que la micro-injection de cytoplasme extrait d'ovocyte de xénope en phase M dans des ovocytes bloqués en phase G2 de la première division méiotique induisait leur maturation. Le facteur cytoplasmique inducteur fut appelé **MPF** (pour *Maturation Promoting Factor*). Il fut aussi montré que ce facteur était capable de déclencher une mitose lorsqu'il était injecté dans les cellules somatiques, et cela même si la cellule est d'une autre espèce. Quelques années plus tard il fut montré qu'un pic de phosphorylation de l'histone H1, par une kinase spécifique, survenait de manière synchrone avec le début de la phase M. Les auteurs proposèrent que cette phosphorylation pouvait être la gâchette déclenchant la mitose. Une autre équipe montra que la concentration de la kinase spécifique ne variait pas au cours du cycle cellulaire et que l'augmentation brutale de l'activité H1 kinase observée au début de la phase M résultait de l'apparition d'un activateur. Ces résultats n'eurent pas d'écho et tombèrent pour un temps dans l'oubli.

La purification en 1988 du MPF a été le point de départ d'une série de travaux qui ont permis en moins de 2 ans de déchiffrer les principaux mécanismes moléculaires responsables des divisions cellulaires. C'est l'utilisation de modèles particulièrement favorables, — comme les œufs de xénope et d'étoile de mer ou les levures (et leur mutants du cycle cellulaire) — et des techniques de biologie moléculaire qui a permis d'obtenir autant de résultats en si peu de temps.

Deux facteurs sont nécessaires et suffisants pour déclencher la mitose

La recherche des protéines responsables de l'activité du MPF chez le xénope a permis de purifier deux protéines qui, à elles seules, provoquent le déclenchement de la division cellulaire. Il s'agissait des protéines p32 (masse moléculaire de 32 kDa) et p45 (masse moléculaire de 45 kDa).

La protéine p32 est une **protéine kinase** susceptible de phosphoryler des résidus de sérines et de thréonines. Comme nous allons le voir ses substrats sont multiples, et elle est entre autres capable de phosphoryler l'histone H1 et la p45. D'autres travaux effectués chez la levure *Schizosaccharomyces pombe* ont permis d'isoler un certain nombre de mutants, appelés **cdc** (pour *cell division cycle*), où les mécanismes de la division sont altérés. Chez l'un de ces mutants appelé **cdc2**, le gène muté code pour une protéine kinase de 34 kDa dont l'analyse de séquence a montré qu'elle est l'homologue de la p32 du xénope. Les expériences d'hybridation à faible stringence permirent de montrer que cette kinase particulière est présente chez tous les eucaryotes. Le clonage de certaines d'entre elles et l'analyse de leur structure ont montré que cette protéine a été particulièrement conservée au cours de l'évolution. Cette protéine universelle, clé de la division cellulaire, est maintenant appelée **p34^{cdc2}** ou **cdk1** (pour *cyclin dependent kinase*) dans la nouvelle nomenclature. On sait maintenant qu'elle n'est pas unique et qu'il existe d'autres kinases activables par les cyclines.

La protéine p45 fait partie d'une famille de protéines appelées **cyclines**, dont il existe plusieurs sous-familles (A, B, C, D et E). Leur nom vient de l'observation que leur concentration varie de manière cyclique au cours des divisions cellulaires dans les cellules en divisions continues. Leur taux croît linéairement du début de la phase G1 à la fin de la phase M, étape à laquelle il s'effondre brutalement. Le pic de concentration des cyclines est synchrone avec l'apparition dans la cellule de l'activité MPF **(Figure 5-17)**.

Il existe des points de contrôle du cycle cellulaire

Lorsque des cellules se divisent de manière continuelle, la phase G1 d'un nouveau cycle commence immédiatement après la fin de la mitose précédente. Deux points sont critiques pour le déroulement du nouveau cycle. Il s'agit du ***point start*** qui correspond au passage de la phase G1 à la phase S, et de **l'entrée en mitose** qui correspond au passage de la phase

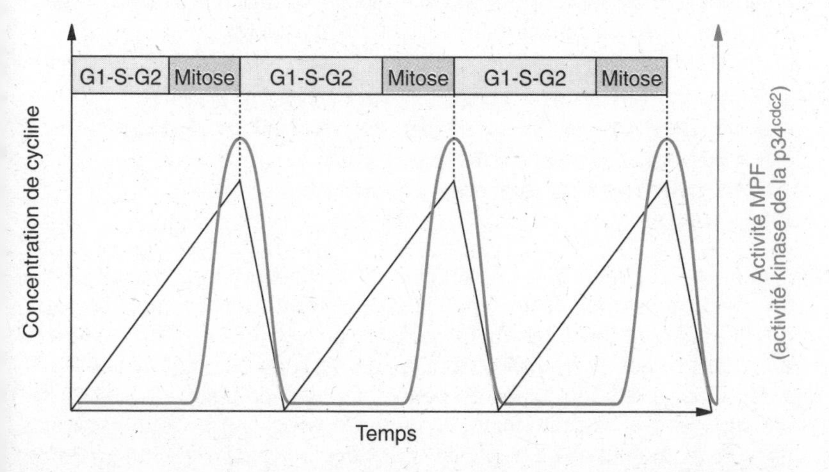

Figure 5-17 La variation de la cycline et du MPF au cours du cycle cellulaire

G2 à la phase M. Une fois un point de contrôle franchi, rien ne peut plus arrêter le déroulement des événements avant qu'un nouveau point de contrôle ne soit atteint. Le passage du point de contrôle n'est possible que si l'ensemble des réactions nécessaires ont été effectuées (par exemple réplication de la totalité du DNA avant l'entrée en phase M, etc.). Ces points de contrôle permettent aux cellules de rester identiques quel que soit le nombre de divisions. C'est encore une fois l'étude de mutants chez la levure qui a permis de montrer que le passage de ces points est sous le contrôle de gènes régulateurs.

Ainsi, lorsque l'on bloque la réplication du DNA, les levures sont bloquées au point d'entrée en mitose qui ne sera franchi que lorsque la totalité du DNA sera effectivement répliquée. Ce blocage n'est plus observé dans les souches de levure mutées au niveau du gène **RAD9** chez lesquelles la phase M peut s'amorcer même si le DNA n'est pas totalement répliqué (certaines drogues peuvent mimer cet effet de la mutation du gène RAD9). D'autres gènes contrôlent le bon déroulement des étapes de la préparation à la division, comme l'augmentation du volume cellulaire ou la synthèse des protéines nécessaires aux deux cellules filles. Les mutations du gène ***wee1***, ou du gène ***nim1*** qui contrôle son produit, permettent aux cellules de se diviser avant que cette préparation ne soit terminée, les levures filles sont de ce fait minuscules. A l'inverse les mutations du gène ***cdc25*** se traduisent par des levures géantes qui ne se divisent plus, tout se passant comme si le produit de ce gène ne fournissait plus l'autorisation de passage du point de contrôle. Le mécanisme de ce contrôle n'est pas encore parfaitement clair, mais il semble que les produits de ces gènes, qui sont des protéines kinases, agissent directement sur la clé de la mitose, la kinase $p34^{cdc2}$.

Des altérations du passage des points de contrôle peuvent aussi être induites physiologiquement. Ainsi dans les glandes salivaires des larves de drosophile, les réplications du DNA (phases S) se succèdent dix fois de suite sans qu'il y ait de séparation des nouvelles copies (phase M). Les chromosomes qui en résultent possèdent 1024 copies de chaque gène, ce sont les **chromosomes polytènes**. Lorsque la larve se développe, le phénomène inverse se produit (division sans phase S), ce qui conduira à toute une série de cellules diploïdes. On ne connaît pas le mécanisme responsable de ce phénomène.

Les points de contrôle qui viennent d'être décrits ne concernent que les cellules en divisions continues. Il en existe d'autres dont les mécanismes sont beaucoup moins bien connus. Le premier est celui qui préside au passage de la phase G0 (cellule quiescente) à la phase G1 (cellule entamant une division). Le second est celui qui conduit à la décision inverse et qui est prise en fin de mitose (donc de phase M).

Le cycle cellulaire met en jeu une cascade de phosphorylations et de déphosphorylations, en plus de la variation cyclique de la concentration des cyclines (Figure 5-18)

A la fin de la phase M les molécules de cyclines sont protéolysées par un mécanisme mal connu impliquant l'**ubiquitine**. Les molécules de $p34^{cdc2}$, qui sont de ce fait libérées, sont inactives puisque non associées à la cycline. Les nouvelles molécules de cyclines qui sont synthétisées s'associent à des molécules de $p34^{cdc2}$. Dans le complexe la $p34^{cdc2}$ est phosphorylée sur la thréonine 14 et sur la tyrosine 15. Cette phosphorylation a pour effet de l'inactiver. Il s'agit peut-être là d'un système de sécurité destiné à empêcher toute induction parasite de l'activité kinase

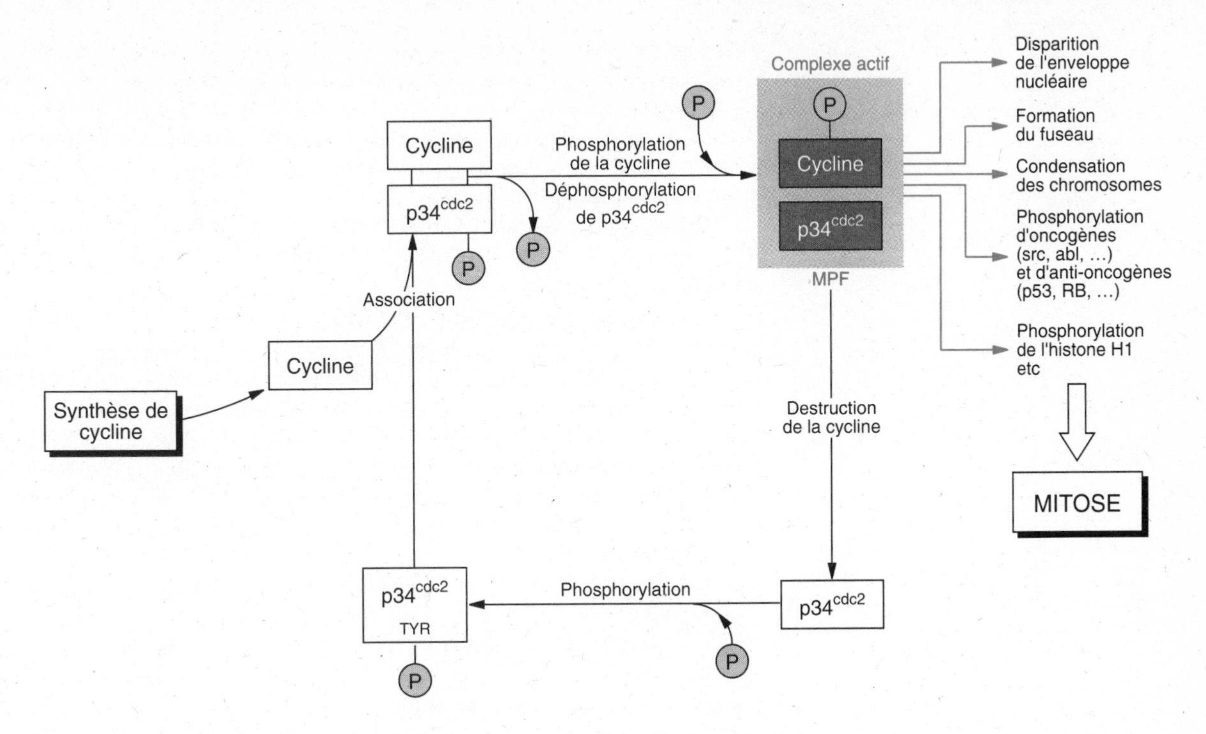

Figure 5-18 Le complexe MPF au cours du cycle cellulaire : mécanismes de son activation et de son inactivation

de cette protéine tant qu'un taux suffisant de cycline n'a pas été atteint. L'analyse de la phosphorylation de la tyrosine 15 au cours du cycle cellulaire montre que la $p34^{cdc2}$ est dans sa forme déphosphorylée durant la phase M et la phase G1, puis sa phosphorylation augmente jusqu'à la fin de la phase G2 où elle passe brutalement dans sa forme déphosphorylée, semble-t-il grâce à l'action de la protéine phosphatase de type 2A. A ce stade la $p34^{cdc2}$ est donc déphosphorylée et associée à une molécule de cycline B, et son activité kinasique devient alors maximale. Cette activation correspond au point de contrôle d'entrée en mitose. $p34^{cdc2}$ peut aussi être activée par phosphorylation sur la thréonine 161 par une kinase spécifique.

Une analyse fine de cette période montre que la première condition nécessaire pour le déclenchement de la phase M est que la concentration de cycline B ait atteint un taux suffisant. Mais cet événement n'est pas suffisant, si la déphosphorylation de la $p34^{cdc2}$ n'est pas effectuée, le système reste bloqué quel que soit le taux de cycline. Chez la levure, la déphosphorylation semble sous le contrôle de la protéine p13, produit du gène *suc1*. Cette protéine se fixe à la $p34^{cdc2}$ et empêche sa déphosphorylation et donc son activation. L'introduction de la p13 dans des ovocytes de xénopes a le même effet et empêche l'entrée en mitose.

La $p34^{cdc2}$ phosphoryle ses différents substrats, ce qui permet à la mitose de se dérouler. Parmi les substrats se trouve la cycline. Sa phosphorylation pourrait être une marque à l'origine de sa dégradation protéolytique en fin de mitose. Cette dégradation est un préalable indispensable à la sortie de la mitose, comme l'a montré l'étude de mutants non protéolysables des cyclines.

Les substrats de la $p34^{cdc2}$ sont multiples

Le premier substrat de la $p34^{cdc2}$ à avoir été caractérisé est l'histone H1. Cette phosphorylation survient au niveau des bras (voir chapitre 2) qui correspondent aux régions d'interaction de cette protéine avec le DNA.

L'apport de groupements phosphate, chargés négativement, supprime cette interaction, et permet vraisemblablement une modification de la compaction de la chromatine.

Depuis, de nombreux substrats de la $p34^{cdc2}$ ont été caractérisés. Comme il était prévisible toutes les protéines cible sont impliquées dans la division cellulaire. Ces phosphorylations permettent d'expliquer la plupart des modifications morphologiques observées au cours de la mitose. Les modifications chromatiniennes, via la phosphorylation de l'histone H1, ont déjà été évoquées. La phosphorylation d'une protéine associée aux microtubules est semble-t-il à l'origine d'une modification de leur stabilité et des modifications cellulaires qui en résultent. Des phosphorylations par la $p34^{cdc2}$ semblent aussi responsables de l'inhibition du transport des vésicules membranaires, ainsi que de la fragmentation de l'appareil de Golgi et du réticulum endoplasmique en vue de leur redistribution dans les deux cellules filles. La phosphorylation des lamines par la $p34^{cdc2}$ semble à l'origine de leur dépolymérisation et, de ce fait, de la disparition des membranes nucléaires. Enfin des phosphorylations permettant des interactions actine-myosine dans l'anneau contractile, toujours par la $p34^{cdc2}$, semblent jouer un rôle dans l'achèvement de la mitose et la séparation des cellules.

Les phosphorylations par la $p34^{cdc2}$ sont aussi impliquées dans toute une série de modifications biochimiques synchrones de la mitose. Parmi les acteurs de ces modifications et qui sont phosphorylables par la $p34^{cdc2}$ on peut citer entre autres : la protéine S6 du ribosome (dont on savait depuis longtemps que sa phosphorylation est impliquée dans les mécanismes biochimiques de la division cellulaire), la RNA polymérase II, un facteur d'élongation de la traduction, les cyclines... Certains oncogènes et anti-oncogènes sont aussi des cibles de la $p34^{cdc2}$, le rôle de ces phosphorylations sera évoqué dans un prochain paragraphe.

Les cyclines sont-elles des oncogènes ?

Comme nous l'avons vu, la concentration des cyclines est le facteur déclenchant de la division cellulaire. L'activité de ces protéines peut donc être considérée comme de type **oncogénique**. La question se pose alors de savoir si le dérèglement de leur expression pourrait être impliqué dans des processus tumoraux. Quelques observations sont en faveur de cette hypothèse. Ainsi, un gène codant pour une protéine analogue aux cyclines, localisé sur le chromosome 11 en q13, semble impliqué dans le développement de tumeurs de la parathyroïde. Des anomalies de cette même région sont observées dans certains cancers du sein et dans quelques leucémies. De même, le virus de l'hépatite B a été retrouvé intégré au niveau d'un gène de cycline de type A dans un hépatocarcinome secondaire à une hépatite B (voir aussi chapitre 15).

Certains oncogènes et anti-oncogènes sont spécifiquement phosphorylés au cours du cycle cellulaire

L'activation de certains oncogènes se traduit par une induction des divisions cellulaires. A l'inverse, l'effet des anti-oncogènes est entre autres d'inhiber les divisions cellulaires. A quel niveau et comment ces facteurs interviennent-ils dans le déroulement du cycle cellulaire ? La réponse à ces questions n'est pas encore complète. Certains proto-oncogènes comme ***c-src*** ou ***c-abl*** sont spécifiquement phosphorylés par la $p34^{cdc2}$ au cours du cycle cellulaire, mais on ne sait pas encore le rôle exact de ces phosphorylations. Les données les plus intéressantes concernent les anti-oncogènes. Le cycle cellulaire ne peut se dérouler que si l'effet antimitotique de ces protéines est inhibé. Cette inhibition de leur effet semble résulter de leur phosphorylation par la $p34^{cdc2}$. La **protéine RB**, produit du gène du rétinoblastome, non phosphorylée, est susceptible de fixer une série de protéines. Ces fixations auraient pour effet de séquestrer les facteurs susceptibles d'entraîner des divisions cellulaires et seraient donc à l'origine de l'activité anti-oncogène de cette protéine.

Parmi les protéines qui peuvent être ainsi séquestrées se trouvent le facteur de transcription EF2, qui est un activateur de gènes impliqués dans les divisions cellulaires, et le proto-oncogène c-myc.

La phosphorylation de RB empêche toute fixation de ce type. Or il a été observé que cette protéine était exclusivement phosphorylée durant les phases S et surtout G2 du cycle cellulaire, et ceci par l'intermédiaire de la $p34^{cdc2}$. Des phosphorylations analogues de la **p53** pourraient avoir le même effet. Ces phosphorylations pourraient donc abolir l'effet antimitotique des anti-oncogènes et permettre de passer le point de contrôle d'entrée en mitose.

Les mécanismes moléculaires de la division cellulaire sont plus complexes qu'il n'était apparu au début

Les données qui ont été rapportées dans les paragraphes précédents montrent que le modèle de départ où la variation cyclique de la concentration d'une cycline module l'activité de la protéine universelle qu'est la $p34^{cdc2}$ est trop simpliste. On peut observer d'abord que la $p34^{cdc2}$ intervient deux fois, et avec des effets différents, au cours du cycle cellulaire. Il s'agit des points start (G1-S) et d'entrée en mitose (G2-M). On connaît mal la base moléculaire de cette activité différentielle de la $p34^{cdc2}$. Les cyclines associées en sont probablement responsables. Il en existe de nombreux types regroupés en 5 familles (A, B, C, D et E). On sait maintenant que certaines cyclines (A et B) interviennent dans l'entrée en mitose et que d'autres, comme E, interviennent lors du passage G1 → S. On les appelle des **G1 cyclines**. Certaines, comme les cyclines D1, D2 et D3 sont dépendantes des facteurs de croissance. Enfin un certain nombre de gènes, dont certains ont été évoqués, contrôlent les différentes étapes. Plus d'une dizaine d'entre eux codent pour des protéine kinases. Comme on peut le voir un grand nombre de questions reste sans réponse. Le modèle moléculaire du cycle cellulaire reste donc encore incomplet.

Les mécanismes moléculaires de l'embryogenèse

Les mécanismes décrits dans les paragraphes précédents ne permettent que de réguler à un instant et dans des conditions donnés un gène autorisé à s'exprimer. En effet tous les gènes contenus dans le DNA ne s'expriment pas simultanément dans une même cellule. La différenciation consiste, schématiquement, en l'ouverture sélective de certains gènes et vraisemblablement en la fermeture d'autres. Le phénotype de la cellule sera défini par les gènes qui ont été sélectionnés. Cette différenciation ne s'effectue pas en une seule étape, mais résulte d'une série d'étapes successives depuis l'œuf jusqu'à l'individu final. Les phénomènes moléculaires responsables de l'embryogenèse sont difficiles à étudier, d'une part du fait de la complexité intrinsèque du système, d'autre part parce que l'on ne peut disposer d'échantillons biologiques substantiels. C'est donc par le biais des **mutants** qu'un certain nombre de données ont pu être obtenues dans différents modèles animaux.

Le modèle le mieux étudié et le mieux compris est celui de la **drosophile**. Les nombreuses études entreprises à partir de 1980 permettent de comprendre aujourd'hui les grandes lignes des mécanismes moléculaires qui assurent le passage de l'œuf à la mouche. Les premiers travaux chez les mammifères semblent montrer une certaine homologie avec les systèmes moléculaires de la drosophile.

Ces dernières années les progrès dans les connaissances des mécanismes moléculaires de l'embryogenèse ont été considérables. Leur description nécessiterait plusieurs chapitres, nous ne donnerons qu'un exemple de chaque processus et les grandes lignes des principaux mécanismes.

Les caractéristiques de la drosophile ont facilité techniquement les découvertes

L'une des caractéristiques de l'embryogenèse précoce de la drosophile est que les 12 premières divisions concernent les noyaux et non le cytoplasme. Il se forme ainsi un **syncytium**. A partir de la 8e division (256 noyaux), les noyaux migrent vers la périphérie, constituant le blastoderme syncytial **(Figure 5-19)**. Après la 12e division (4 096 noyaux) les cellules s'individualisent enfin par invagination de la membrane de l'œuf entre chaque noyau, pour donner un blastoderme cellulaire. Ainsi au tout début du développement l'ensemble des noyaux baigne dans un unique cytoplasme où va s'établir une série de gradients de **morphogènes**. Ce programme précoce est d'une précision absolue. Tout se passe comme si l'embryon « comptait » les divisions nucléaires, mais on ne connaît pas encore le mécanisme responsable.

Chez les procaryotes les mutations sont obtenues grâce à des agents mutagènes, mais il est ensuite relativement difficile de repérer la mutation sur le chromosome quand le gène n'est pas encore connu. Chez la drosophile les choses ont été facilitées par l'existence des transposons (voir chapitre 3). L'un d'entre eux, **l'élément P**, a été particulièrement utilisé. La stratégie utilisée est simple et puissante. L'insertion de cet élément dans le gène l'inactive ; il s'agit là de l'équivalent d'une mutation provoquée. Les mutants pour le développement précoce sont alors sélectionnés en recherchant les altérations phénotypiques. Le gène où est inséré l'élément P responsable de son inactivation est repéré par **hybridation in situ** sur les chromosomes polytènes (chromosomes géants) en utilisant l'élément P marqué comme sonde. La zone correspondante du chromosome est récupérée à l'aide d'un micromanipulateur. Le DNA obtenu est utilisé pour constituer une banque génomique de la région qui ne comporte qu'une centaine de clones différents. Le gène est recherché par marche sur le chromosome de cosmide en cosmide (voir chapitre 24).

LE DÉVELOPPEMENT PRÉCOCE : LES GÈNES À EFFET MATERNEL

Les étapes de l'embryogenèse de la drosophile sont schématisées dans la figure 5-19. Les gènes impliqués dans les premières étapes de l'embryogenèse de la drosophile se divisent en deux types : les gènes à effet maternel et les gènes zygotiques. Les **gènes à effet maternel** se caractérisent par le fait que leurs mutations ne s'expriment que si elles sont portées par le génome d'une drosophile femelle. Il s'agit donc de gènes s'exprimant précocement, dès les premiers stades du développement de l'œuf. Par opposition les autres gènes, plus tardifs, sont appelés **zygotiques**.

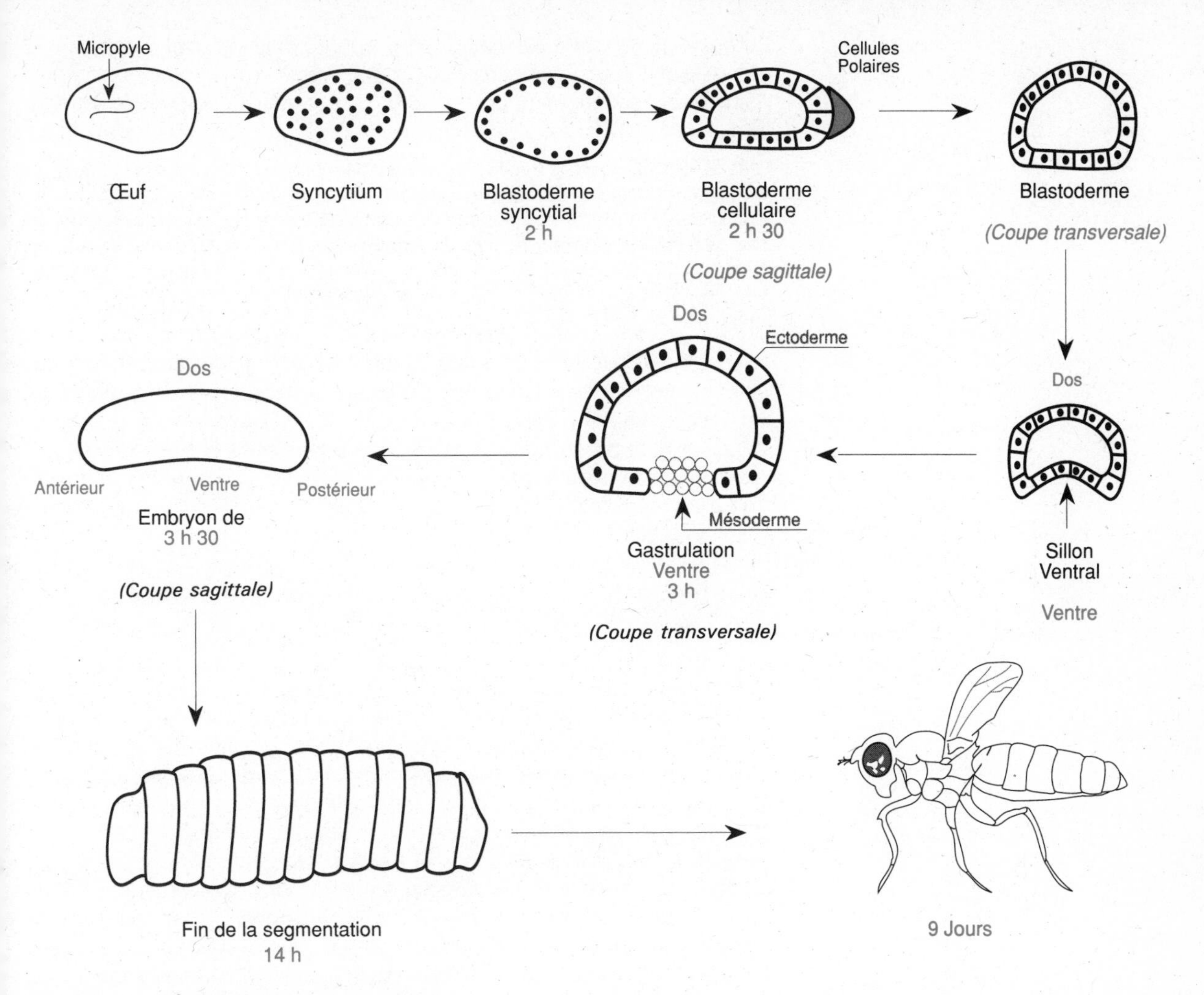

Figure 5-19 Embryogenèse de la drosophile

Les produits des gènes du développement précoce mettent en place les axes

Très tôt l'œuf s'oriente suivant deux axes : un axe antéro-postérieur et un axe dorso-ventral. Ces orientations s'objectivent par simple examen morphologique. Ces axes s'établissent par l'intermédiaire de gradients moléculaires et d'interactions avec les cellules maternelles qui entourent l'œuf. Quelques dizaines de gènes seulement sont impliqués, nombre d'entre eux sont clonés.

Des gradients moléculaires sont à l'origine de la mise en place de l'axe antéro-postérieur

L'un des premiers gènes à avoir été exhaustivement étudié est le gène ***bicoid***. Il est l'un des principaux acteurs de la mise en place des parties antérieures de l'œuf. Le gène est transcrit par les cellules nourricières maternelles, et les messagers produits pénètrent dans l'œuf par un petit canal et restent séquestrés dans la partie antérieure de l'œuf, au moins en partie grâce aux produits des gènes *exuperentia* et *swallow.* Après la fécondation ces messagers sont traduits et la protéine bicoid diffuse vers la partie postérieure de l'œuf. Il se crée ainsi un gradient exponentiel décroissant, la concentration devient nulle vers le milieu de l'œuf. La protéine bicoid est un morphogène permettant le développement de la partie antérieure.

Une série d'observations a conduit à cette dernière conclusion. Les mutations du gène *bicoid* conduisent à des embryons dépourvus de partie antérieure. Chez ces mutants l'injection de messagers *bicoid* dans la partie antérieure de l'œuf (voir plus loin) permet de restaurer le développement de la partie antérieure. L'effet dépend de la dose. Si la quantité injectée est faible, la partie antérieure est hypotrophiée ; si la quantité injectée est élevée, la partie antérieure est hypertrophiée, le thorax débordant largement sur l'abdomen.

Le gène *bicoid* est un exemple simple. D'autres gènes, comme le gène *caudal* (impliqué dans le développement de la partie postérieure) présente un mécanisme d'action plus complexe. Dans les premiers temps, la concentration de son messager est homogène mais il n'est traduit que dans la partie postérieure, vraisemblablement par suite d'une coopération avec les produits d'autres gènes. Dans un deuxième temps un gradient s'établit.

D'autres processus sont mis en jeu dans la définition de l'axe dorso-ventral

La mise en place de l'axe dorso-ventral met lui aussi en jeu une série de gradients moléculaires. La mise en place de certains d'entre eux fait appel à des mécanismes particuliers, nous en décrirons deux. La protéine spécifiée par le **gène *dorsal*** est le principal facteur responsable du développement de la région ventrale (son nom vient du fait que les mutations conduisent à un phénotype dorsalisé, puisque les régions ventrales ne sont pas établies). Cette protéine présente une très forte homologie de séquence avec le facteur transcriptionnel NFκB et l'oncogène *rel*. Dans l'œuf et l'embryon précoce la protéine dorsal est uniformément répartie et est strictement cytoplasmique. Dès la formation du blastoderme syncytial, la protéine dorsal migre dans le noyau et ceci exclusivement dans la région ventrale. Il en résulte la mise en place d'un gradient nucléaire ventro-dorsal décroissant. Le mécanisme de la translocation est très complexe et a déjà été évoqué dans les paragraphes sur les facteurs de transcription. L'un des processus est analogue à celui utilisé par le facteur NFκB et l'homologie de structure des deux protéines n'est de ce fait vraisemblablement pas un hasard. Dans le cytoplasme, la protéine dorsal est associée au produit du gène *cactus* dont le rôle est semble-t-il de la séquestrer dans le cytoplasme (comme le fait IκB avec le facteur NFκB). La séparation des deux protéines, qui pourrait être sous le contrôle des gènes *pelle* et *tube*, dans les cellules ventrales permet la translocation de dorsal dans le noyau.

La mise en place de l'axe dorso-ventral fait aussi appel à une information positionnelle maternelle. Le gène *Toll* code pour une protéine transmembranaire. La partie extracellulaire présente une homologie de structure avec la chaîne α de la glycoprotéine I/GPIb plaquettaire, qui est un récepteur de la thrombine et du facteur Willebrand. L'hypothèse est que le produit de *Toll* pourrait être un récepteur pour un facteur maternel sécrété dans la région ventrale, facteur codé par l'un des gènes à effet maternel *windbutel, pipe* ou *nudel* (conclusion tirée de l'étude des mutants de ces gènes).

Cette hypothèse a été démontrée de manière élégante. Le liquide périvitellin a été prélevé chez des mutants *Toll*⁻ puis injecté dans l'espace périvitellin de mutants *windbutel, pipe* et *nudel*. Cette injection a pour effet de guérir ces derniers, ce qui démontre que le produit de *Toll* est bien un récepteur pour une information maternelle. Un système identique impliquant les gènes *torso* et *torsolike* est utilisé dans la mise en place de l'axe antéro-postérieur.

Il est aussi intéressant de noter que la partie intracellulaire de Toll présente une forte homologie de séquence avec l'interleukine I dont l'effet est de provoquer la séparation de NFκB et IκB. Une fois activé par un signal maternel ventral, Toll pourrait provoquer la séparation de dorsal et cactus et donc la translocation de dorsal qui est le facteur transcriptionnel responsable de la **ventralisation.**

Ainsi au cours de l'ovogenèse et dès les premières minutes après la fécondation la topographie du futur embryon se constitue complètement. En chaque point de l'œuf les concentrations relatives des produits des gènes du développement précoce sont toutes différentes. La plupart de ces protéines sont des protéines régulatrices de gènes. Chaque noyau, suivant sa position, reçoit une information différente et « sait », au micron près, où il se trouve dans l'embryon.

L'injection de cytoplasme d'œuf normal peut provoquer une guérison des mutants

L'effet de certaines mutations peut être annihilé en injectant du cytoplasme d'embryon normal. Pour certaines mutations l'injection de cytoplasme peut être effectuée n'importe où ; dans tous les cas elle permet la guérison de l'œuf qui reprend les orientations du chorion. Pour d'autres mutations l'injection doit être effectuée dans la zone ventrale. Enfin pour certains gènes, comme *Toll*, l'orientation reprise n'est plus celle du chorion, elle est définie par le point où a été effectuée l'injection. Si par exemple elle a été effectuée dans la région dorsale l'orientation de l'œuf sera l'inverse de celle du chorion. De même, l'injection de liquide périvitellin peut corriger les mutants pour une information maternelle.

LES GÈNES ZYGOTIQUES DE SEGMENTATION DÉFINISSENT UNE SÉRIE DE RÉGIONS

Vers la fin du développement précoce le blastoderme s'organise en compartiments qui correspondent à des groupes de cellules organisés en anneaux. Morphologiquement ces compartiments sont indiscernables. Ils sont à la base de la segmentation ultérieure de l'embryon. En quelques heures (entre 3 h et 14 h), à partir de ces compartiments, sous l'influence des gènes de segmentation une série d'éléments discoïdes : les **segments** vont se matérialiser. Une légère invagination au niveau de leur bord permet de les objectiver et de les repérer facilement avec une loupe binoculaire. Trois d'entre eux, les segments thoraciques : T1, T2, T3 seront la base du développement du thorax de la mouche alors que les 8 seg-

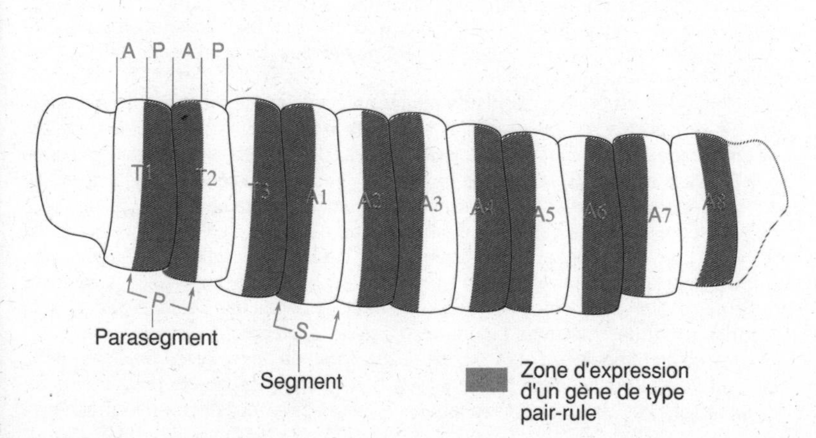

Figure 5-20 Organisation d'un embryon de drosophile de 10 heures
A correspond au compartiment antérieur (il dérive d'un compartiment blastodermique).
P correspond au compartiment postérieur (il dérive d'un compartiment blastodermique).

ments abdominaux : A1 à A8 seront à l'origine de l'abdomen. Chaque segment est divisé en deux parties, les parties antérieure et postérieure, chacune dérivant d'un **compartiment blastodermique**. L'association d'un compartiment postérieur et du compartiment antérieur du segment suivant correspond à ce que l'on appelle un **parasegment** qui constitue une entité fonctionnelle d'expression des gènes de segmentation. Ces différentes structures sont schématisées **figure 5-20**. A la surface sont plaquées 9 paires de groupes cellulaires indifférenciés : les **disques imaginaux**. Lors d'une étape du développement, la pupaison qui correspond au passage de la larve à la mouche, les cellules de ces disques se différencieront en paires d'yeux, de pattes, etc.

La segmentation est sous le contrôle de gènes spécialisés

La constitution de la morphologie décrite dans le paragraphe précédent résulte de l'expression régulée des **gènes de segmentation** dont il existe trois types différents définis par leurs effets :

- les **gènes gap** qui agissent sur plusieurs segments successifs, car toute mutation se traduit par une délétion de plusieurs segments successifs. Quatre gènes de type gap ont été caractérisés ;
- les **gènes de type pair-rule** qui agissent dans un segment sur deux, leurs mutations se traduisant par la disparition d'un segment sur deux. Sept gènes de type pair-rule ont été caractérisés ;
- les **gènes de polarité segmentale** qui agissent au niveau de l'orientation antéro-postérieure de chaque segment. Une mutation se traduit par la transformation d'un compartiment postérieur en un compartiment ressemblant au compartiment antérieur qui se trouve de ce fait doublé.

Le clonage des gènes de segmentation permet d'étudier leur mécanisme d'action

L'expression des différents gènes est hiérarchisée, l'expression d'un gène donné nécessitant l'expression préalable d'autres gènes. L'un des premiers à s'exprimer est le gène ***Krüpple* (Kr)** dont on peut détecter la présence du mRNA dès la onzième division. Les zones d'expression des différents gènes correspondent exactement à la cellule près à la compartimentation de l'embryon (segments, parasegments).

L'un des gènes les mieux étudiés est le gène de type pair-rule : ***fushi tarazu*** *(ftz).* Des transcrits du gène *ftz* sont retrouvés dans des cellules organisées en stries se superposant exactement aux parasegments pairs. L'analyse du phénotype des mutants *ftz*– montre qu'ils ont perdu un segment sur deux, les segments pairs, là où s'exprimait le gène *ftz.* Le gène commence à s'exprimer immédiatement après *Krüpple* c'est-à-dire vers la douze-treizième division, et son maximum d'expression correspond au stade blastoderme où il s'exprime en stries comme décrit. Son expression s'éteindra progressivement, sauf dans les cellules du système nerveux, mais on ne connaît pas son rôle au niveau de ces cellules.

Le clonage de ce gène a permis de mettre en évidence les mécanismes qui président à la régulation de son expression. Pour cela la région 5' non transcrite du gène, présumée régulatrice compte tenu des connaissances actuelles, a été couplée au gène de la β galactosidase qui sert de gène reporter puis transfectée. La β galactosidase se trouve alors exprimée en stries se superposant exactement à la cellule près aux parasegments pairs comme c'était le cas du gène *ftz.* Ceci confirme que c'est bien au niveau de la région 5' du gène que se décide son profil d'expression, vraisemblablement par l'intermédiaire de facteurs trans-régulateurs. Les délétions partielles ont permis d'aller encore plus loin et de mettre en évidence dans cette région 5' quatre zones ayant des fonctions différentes dans la régulation :

- une région 5' appelée zebra qui est responsable de l'expression en stries, donc qui n'autorise la transcription du gène que dans les parasegments pairs ;
- une zone plus en amont responsable de l'expression spécifique de *ftz* dans les

cellules nerveuses, ce qui explique la cinétique d'expression différente de ce gène dans ces cellules ;

- une zone comprise entre −3,6 et −6,1 kb qui est responsable du taux élevé d'expression du gène dans les cellules ectodermiques qui sont autorisées à l'exprimer, le facteur trans-activateur étant la protéine fushi tarazu elle-même (autorégulation) ;
- une séquence stimulatrice de transcription *(enhancer)* située elle en 3' du gène.

Enfin le produit du gène *ftz* semble se comporter comme un trans-régulateur parfois positif parfois négatif de nombreux autres gènes. Ce phénomène de cascade explique l'expression hiérarchisée des gènes de segmentation.

La définition exacte de chaque compartiment met en jeu des informations intercellulaires

L'analyse par hybridation in situ ou par immunofluorescence montre que la délimitation entre chaque compartiment est franche et s'effectue à la cellule près. Là encore les mutants ont permis de montrer le mécanisme impliqué. Les gènes *pair-rule* vont par paire, un des gènes est exprimé dans les parasegments pairs et l'autre dans les parasegments impairs. L'expression d'un des gènes du couple dans une cellule inhibe l'expression de l'autre. Le couple *hairy* et *runt* en sont un exemple. Dans les mutants *runt*, l'expression du gène *hairy* n'est plus franche et déborde dans les régions *runt* où il ne devrait pas être exprimé. Ceci montre que du fait de la mutation le gène *runt* ne contrôle plus l'inhibition de l'expression de *hairy*. Ces contrôles mutuels ne se limitent pas à une information intercellulaire et il existe des exemples de contrôle d'expression à distance, vraisemblablement par l'intermédiaire de facteurs diffusibles.

Les connaissances qui s'accumulent depuis quelques années permettent de commencer à appréhender les mécanismes moléculaires de l'embryogenèse. Les résultats obtenus avec les gènes qui agissent ultérieurement : les **gènes homéotiques** sont encore plus spectaculaires.

LES GÈNES HOMÉOTIQUES DÉFINISSENT L'IDENTITÉ FINALE DE CHAQUE SEGMENT

Au stade de la segmentation le devenir de chaque segment n'est pas encore défini, n'importe lequel d'entre eux pourrait donner ultérieurement n'importe quelle partie du corps. Les **gènes homéotiques** déterminent le devenir de chaque segment. L'existence de ces gènes a été encore une fois mise en évidence grâce à des mutants. Ces **mutations homéotiques** sont extrêmement spectaculaires car elles ont pour effet de transformer une partie du corps de l'animal en une autre. Les plus classiques sont *Antennapedia* où les antennes sont transformées en pattes, *ophtalmoptera* où les yeux sont transformés en ailes ou enfin la mutation des gènes *abx, bx3, pbx* qui a pour effet de transformer les balanciers en une seconde paire d'ailes donnant des mouches à quatre ailes **(Figure 5-21)**. Ces gènes homéotiques interviennent de manière tardive bien que quelques transcrits soient détectables dès le stade blastoderme. Leur action semble sous le contrôle d'une autre série de gènes, les gènes du groupe *polycomb (Pc)* composé d'une vingtaine de gènes.

Les gènes homéotiques sont très longs et sont répartis en deux complexes ANT-C et BX-C

Les gènes homéotiques sont, chez la drosophile, localisés sur le chromosome 3. Ils sont regroupés en deux complexes géants : le complexe Antennapedia ou **ANT-C** qui s'étend sur plus de 100 kb et le complexe bithorax ou **BX-C** qui s'étend sur plus de 300 kb.

Figure 5-21 **Un des effets des mutations de gènes homéotiques : la mouche à quatre ailes** *(D'après Lewin, Genes III, Wiley and Sons, New York 1987).*

Le complexe ANT-C est composé des gènes *Deformed* (Dfd), *Sex comb reduced* (Scr) et *Antennapedia (Antp).* Le gène de segmentation de type pair-rule *fushi tarazu* est localisé au sein de ce complexe bien qu'il ne soit pas un gène homéotique. Le complexe BX-C contient lui les gènes *Ultrabithorax (Ubx), bithoraxoid (bxd), abdominal A (abd-A)* et *Abdominal B (Abd-B).* Ces derniers gènes sont en fait des groupes de gènes. Les aires d'action de ces gènes sont décrites dans la **figure 5-22**.

Les transcrits de ces gènes sont extrêmement difficiles à étudier car ils sont très longs : par exemple ANT-C donne un transcrit primaire d'environ 100 kb, Ultrabithorax environ 75 kb, etc. Ces transcrits sont très rapidement maturés, et cela de manière différentielle (épissage alternatif et variation du site de polyadénylation). Les promoteurs pourraient aussi être multiples. Les promoteurs sont, entre autres, contrôlés par les produits des gènes à effet maternel et zygotiques.

Les gènes homéotiques contiennent des séquences très conservées : les homéobox

Les homéobox sont des séquences très conservées retrouvées initialement sur 6 gènes homéotiques. Ultérieurement on les a retrouvées dans 5 gènes de segmentation et au moins deux gènes à effet maternel. Ces séquences codent pour un domaine de 61 acides aminés dont les analyses informatiques de prévision de structure montrent qu'il correspond à une structure de type hélice-tour-hélice typique des protéines interagissant avec le DNA, comme le répresseur de l'opéron lactose ou le répresseur du phage λ. Cette particularité a permis de cloner des gènes homéotiques en utilisant l'homéobox comme sonde pour cribler les banques. Des analyses structurales d'autres régions des gènes homéotiques conduisent à la même conclusion. Il est donc vraisemblable que les produits des gènes homéotiques sont des trans-régulateurs de gènes dont le rôle est de définir le devenir des segments et de le contrôler. Les données sur leur mode de fonctionnement sont encore plus précises en ce qui concerne le complexe BX-C. Le modèle proposé est le suivant : dans le segment T1 aucun des gènes du complexe n'est ouvert, dans le segment T2 seul le gène *abx* est exprimé, dans le segment T3 seuls *abx* et *bxd* sont ouverts et ainsi de suite. Le passage d'un segment à l'autre en allant de la tête à la queue se traduit par l'ouverture d'un gène supplémentaire. Dans le dernier des segments tous les gènes sont ouverts. Les données accumulées avec les différents mutants ont toutes confirmé ce modèle de régulation très simple. Ce mécanisme semble aussi utilisé chez les mammifères.

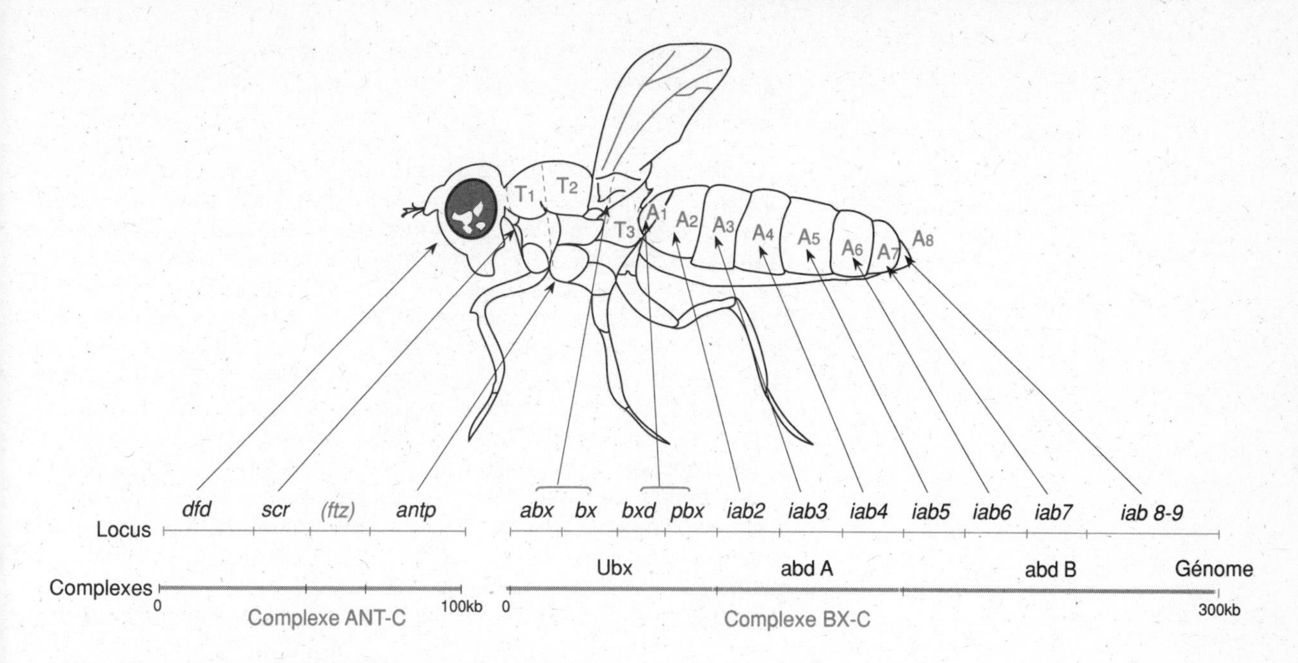

Figure 5-22 Les gènes homéotiques et leur domaine d'action
Les locus sont parfois complètement définis au niveau moléculaire (gènes *dfd, scr, antp*) parfois seulement par les mutations (complexe BX-C). Noter que le gène de segmentation *ftz* n'est pas un gène homéotique bien qu'il soit localisé au sein du complexe homéotique ANT-C.

LE MODÈLE DE LA DROSOPHILE PEUT ÊTRE EXTRAPOLÉ AUX AUTRES ORGANISMES

Le caractère très conservé des gènes homéotiques a permis d'utiliser les sondes isolées chez la drosophile pour étudier les différentes espèces. Par hybridation à faible stringence des homéobox ont été retrouvées chez tous les organismes testés, des amphibiens à la souris et à **l'homme**. Une quinzaine de gènes de ce type appelés **HOX** (pour HoméobOX) ont d'abord été retrouvés sur les chromosomes 1, 5, 6, 11, 12 et 15 de la souris. Des gènes analogues appelés Hu1, Hu2 et Hu5 ont été retrouvés chez l'homme. Depuis 1987 une standardisation des nomenclatures a conduit à rebaptiser les gènes humains : Hu1 est devenu HOX 2-1 et Hu2 est devenu HOX 2-2. Au Symposium Human Gene Mapping 9, 4 gènes de ce type ont été localisés : HOX1 en 7p21-p14, HOX2 en 17q21-q22, HOX3 en 12q12-q13, HOX4 en 2q31-q37. Chez tous les mammifères ces gènes sont regroupés en complexes, comme chez la drosophile. Depuis, le modèle s'est précisé, comme nous allons le voir.

Les mécanismes du développement précoce des mammifères ne sont pas encore connus, d'une part en raison des problèmes techniques, d'autre part parce que les stades initiaux sont différents. Beaucoup de gènes du développement précoce de la drosophile s'hybrident, chez les mammifères, avec des gènes des complexes homéotiques. Les mécanismes chez les mammifères ne peuvent être caractérisés que lorsque l'embryon est suffisamment grand pour que puissent être effectuées des expériences d'hybridation in situ ou d'immunofluorescence. Nombre des hypothèses émises au vu des résultats de ces techniques ont été confirmées grâce aux souris transgéniques (*knock-out* de gènes par recombinaison homologue et couplage de promoteurs de gènes homéotiques à des gènes reporters, comme le gène de la β-galactosidase).

Les mammifères possèdent plusieurs complexes de gènes homéotiques créés par duplications successives

Le clonage et l'analyse des gènes homéotiques ont permis de montrer que les mammifères possèdent plusieurs complexes de gènes homéotiques. Le système le mieux connu est celui de la souris, décrit dans la **figure 5-23**. Les différents complexes de gènes homéotiques de la souris résultent de duplications successives d'un complexe identique à celui de la drosophile. Les homologies de séquences sont plus fortes entre deux gènes homologues de deux complexes différents qu'entre deux gènes contigus d'un même complexe. Cette donnée et les données structurales sur les gènes du développement précoce, enfin la présence du gène pair-rule *fushi taratzu* dans le complexe ANT-C de la drosophile, ont conduit à proposer un modèle de la création des gènes homéotiques au cours de l'évolution. Un premier gène ancestral serait apparu il y a environ 800 millions d'années. Ce gène se serait dupliqué de nombreuses fois pour donner d'une part les gènes du développement précoce qui sont dispersés, et d'autre part une série de gènes homéotiques restés regroupés en un complexe pour un problème fonctionnel (expression ordonnée des diffé-

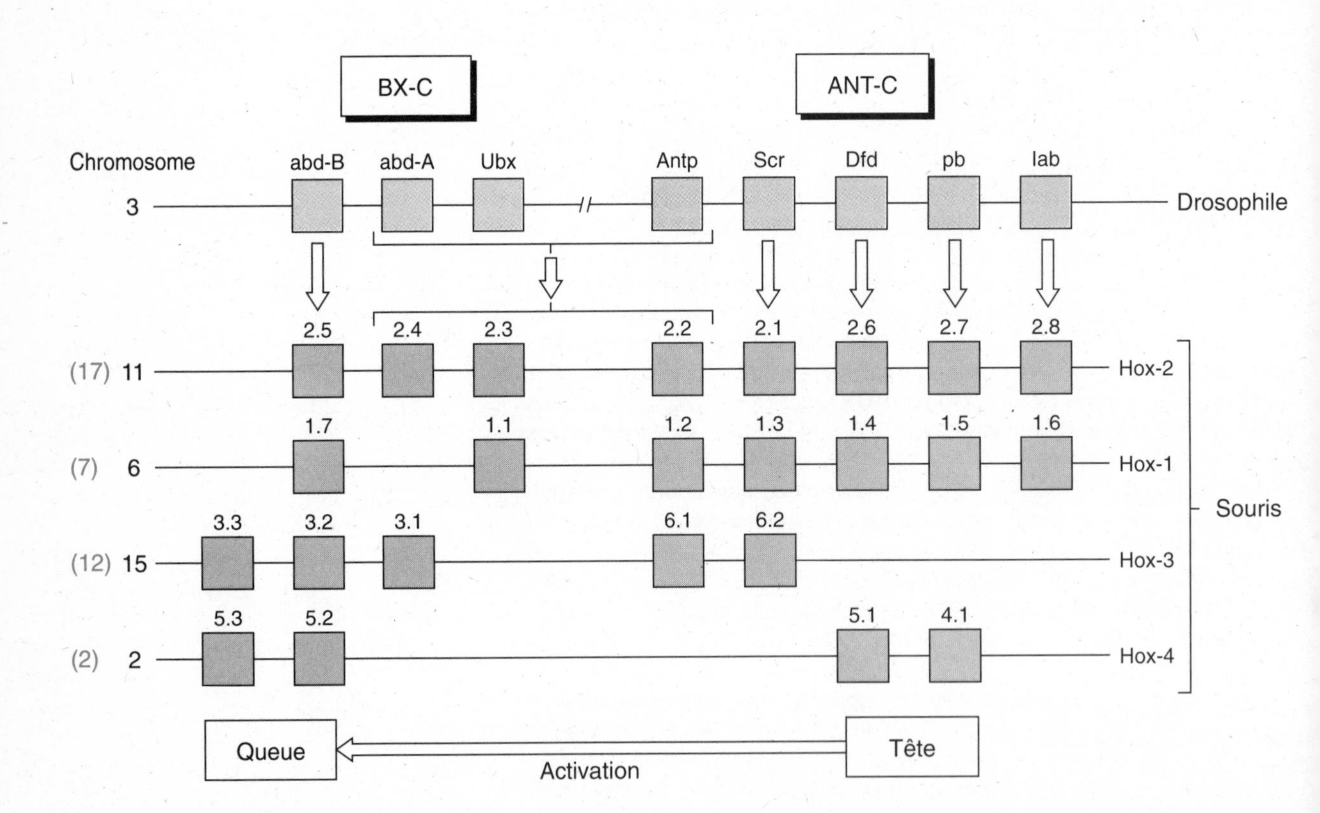

Figure 5-23 Comparaison entre l'organisation du complexe des gènes homéotiques de la drosophile et l'organisation des complexes équivalents de la souris
L'analyse de séquences a montré que les complexes de gènes homéotiques de la souris résultent de duplications successives d'un complexe identique à celui de la drosophile. Les gènes Hox 6.1, 6.2 et 4.1 avaient d'abord été considérés comme appartenant à des complexes séparés. Leur localisation chromosomique a montré qu'ils appartenaient en fait aux complexes Hox-3 et Hox-5 (devenu HOX-4), cependant leur ancienne nomenclature a été conservée. La localisation sur les chromosomes humains est indiquée en chiffres rouges et entre parenthèses.
Une tentative de nouvelle nomenclature vient d'être proposée (Ascona, 1992). Les complexes 1, 2, 3 et 4 sont devenus A, B, C et D. Dans chaque complexe la numérotation se fait de 1 à 13 dans le sens antéro-postérieur.

rents gènes de la partie antérieure vers la partie postérieure), le gène *fushi taratzu,* qui est resté dans le complexe homéotique, faisant exception. Au cours de l'évolution, dans certaines branches de l'arbre phylogénétique, le complexe de gènes homéotiques se serait plusieurs fois dupliqué, au moins en partie.

Le profil d'expression de chacun des complexes de gènes homéotiques de la souris est le même que celui de la drosophile

Comme nous l'avons vu chez la drosophile, les gènes homéotiques sont séquentiellement activés depuis la partie antérieure vers la partie postérieure. Ainsi tous sont actifs à la partie la plus postérieure. Il en résulte qu'en chaque point de l'embryon la palette de gènes exprimés et les concentrations relatives des produits de chacun des gènes sont différentes. Les produits des gènes homéotiques étant des facteurs de transcription, les gènes activés dans chacun des noyaux seront différents et seront fonction de la place de la cellule dans l'embryon. Ces différences dans les gènes activés se traduiront par des phénotypes différents et donc par une différenciation particulière. Ainsi sont expliquées les grandes lignes de la mise en place des différenciations des parties de l'embryon. Chez la souris l'ordre des différents gènes a été conservé, ainsi que le principe de leur expression différentielle. Ainsi les expériences d'hybridation in situ des messagers sur des coupes d'embryons de souris ont montré que dans le complexe Hox-1, le gène Hox 1.4 est exprimé à partir de la 2e prévertèbre, le gène Hox 1.3 est exprimé à partir de la 3e prévertèbre, le gène Hox 1.2 est exprimé à partir de la 8e prévertèbre... Un résultat analogue est obtenu avec les différents complexes. En chaque point de l'embryon les concentrations relatives des produits de l'ensemble des gènes homéotiques sont différentes.

Chez les mammifères les gènes homéotiques ne fournissent pas qu'une information positionnelle

L'analyse par hybridation in situ des gènes homéotiques chez les mammifères a montré qu'ils jouaient un rôle important au cours de la différenciation, comme le montre l'exemple suivant. L'hybridation in situ des messagers du gène Hox 5.2 montre qu'il est exprimé dans la région postérieure de l'embryon, mais aussi, entre autres, au niveau de quelques cellules situées à l'intérieur des bourgeons des futurs membres. Cette expression se poursuit au cours du développement du membre, et les cellules qui l'expriment correspondent exactement à celles qui donneront le tissu cartilagineux. Ce résultat montre que l'expression d'un gène homéotique particulier est liée à la différenciation des cellules en un tissu donné.

Le knock-out des gènes permet de confirmer le rôle des gènes homéotiques

L'un des moyens de confirmer le rôle d'un gène est de l'altérer et d'observer le phénotype des mutants ainsi créés. Une telle altération génique peut être réalisée en utilisant la recombinaison homologue dans les cellules ES. Les cellules modifiées sont ensuite implantées dans des blastocystes (voir chapitres 12 et 17). Des souris transgéniques hétérozygotes et homozygotes sont obtenues dans les générations suivantes. Cette stratégie a été utilisée par exemple pour analyser le rôle du gène Hox 1.6. Les souris hétérozygotes obtenues sont normales alors que les homozygotes meurent à la naissance par asphyxie. L'analyse des souris mort-nées montre que le déficit de ce gène a conduit à un mauvais développement des rhombomères 4 à 7. De nombreuses malformations sont détectables comme un retard de fermeture du tube neural, une absence de certains ganglions et nerfs crâniaux et enfin une malformation de l'oreille interne et de la boîte crânienne.

Une nouvelle famille de gènes : les gènes Pax

L'analyse de la séquence de quelques gènes du développement de la drosophile avait permis de mettre en évidence un nouveau motif de fixation au DNA : la boîte **paired** (*paired box*). Ce motif retrouvé dans trois gènes de la drosophile, dont le gène *paired* (d'où son nom), a été particulièrement conservé au cours de l'évolution. Il est retrouvé chez les nématodes, le xénope, le poulet... Conformément à la nomenclature des gènes Hox, les gènes possédant la boîte paired ont été appelés **Pax** pour **Pai**red bo**x**. Huit gènes Pax ont été retrouvés chez la souris (Pax-1 à Pax-8), les homologues de quatre d'entre eux ont été caractérisés chez l'homme. Les gènes de la famille Pax, à l'exception de Pax-1, ne sont exprimés que dans les tissus nerveux ou dans ceux qui donneront des tissus nerveux. Ces gènes commencent à s'exprimer vers le 8e-9e jour de gestation de la souris. Ceux qui possèdent en plus une homéobox s'expriment un peu plus tôt. Deux d'entre eux au moins peuvent être à l'origine d'une pathologie héréditaire chez l'homme lorsqu'ils sont mutés. Le premier est le gène Pax-3 (*HuP2* chez l'homme, situé sur le chromosome 2) dont l'altération est responsable du **syndrome de Waardenburg** de type 1, maladie autosomique dominante dont le tableau associe un retard mental, une surdité, un élargissement de la partie interne de l'œil, un iris hétérochrome et un trouble de la pigmentation de la peau. Le second est le gène Pax-6 (AN chez l'homme, localisé en 11p13) dont l'altération est responsable d'une **aniridie**. Le gène humain a d'abord été isolé par clonage positionnel (l'une des stratégies possibles de génétique inverse). L'analyse de séquence a montré qu'il était l'homologue humain du gène Pax-6 (chez la souris ses mutations conduisent au phénotype *small eye* chez les hétérozygotes et à l'absence d'œil chez les homozygotes).

L'acide rétinoïque est un morphogène impliqué dans le développement

Une série d'observations a permis de mettre en évidence le rôle de l'acide rétinoïque au cours du développement, et par là d'imaginer le substratum moléculaire de son effet **tératogène**. L'acide rétinoïque est un morphogène dont l'effet a surtout été étudié au niveau des membres et du système nerveux. Il avait été montré d'une part qu'il existait un léger gradient d'acide rétinoïque au niveau des membres en formation, et d'autre part que la greffe de la région polarisante (située à la partie inférieure des bourgeons des membres et responsable de la mise en place du membre) sur la partie supérieure d'un bourgeon de membre se traduisait par une duplication du membre. Le processus impliquait un morphogène diffusible. L'effet de cette greffe est mimé par le simple dépôt d'acide rétinoïque au niveau du bourgeon, ce qui suggère que l'acide rétinoïque est le morphogène impliqué. De même au niveau du système nerveux, l'acide rétinoïque est capable de transformer les structures antérieures en structures postérieures. Comme nous l'avons vu précédemment, ce composé possède plusieurs récepteurs nucléaires qui sont des membres de la superfamille des récepteurs nucléaires d'hormones (page 112). Les gènes Hox seraient l'une des cibles de l'acide rétinoïque.

Si l'ensemble des mécanismes moléculaires du développement n'ont pas encore été découverts et si les mécanismes intimes de la différenciation et de la formation des structures restent encore obscurs, il n'en reste pas moins que les connaissances acquises au cours des dernières années sont considérables. Les résultats obtenus permettent déjà de comprendre les grandes lignes des principes mis en jeux pour définir les axes et entamer une différenciation.

Sélection de références bibliographiques : voir page 703.

6 Quelques gènes à titre d'exemple

La diversité des gènes est considérable non seulement par leur contenu informationnel, mais aussi par leur organisation dans le génome. Leur morcellement ainsi que la taille des séquences introniques varient beaucoup d'un gène à l'autre (voir tableau 2-2). Dans ce chapitre nous décrivons trois types de gènes, choisis comme exemples en raison de leur intérêt en médecine.

Le premier exemple, la famille des **gènes de globine**, est retenu du fait de son caractère historique et de la variété de sa pathologie. Cette famille de gènes est sans doute celle pour laquelle le plus de travaux ont été effectués, notamment dans l'espoir de comprendre le mécanisme de la régulation de l'expression génique.

La superfamille des **gènes de l'immunité** est le second exemple choisi. Il est typique de ce que peut apporter la biologie moléculaire aux connaissances fondamentales dans une discipline. L'origine de la diversité des anticorps était la grande énigme de l'immunologie, non résolue par les méthodes de la biologie classique. En moins de dix ans la génétique moléculaire a permis de l'élucider et a fait progresser les différents aspects de l'immunologie en aboutissant à une théorie unitaire des molécules de l'immunité.

Le dernier exemple est celui du **facteur VIII**. Il illustre l'apport du génie génétique, depuis la connaissance fondamentale jusqu'à la production de produits humains in vitro à but thérapeutique, en passant par le diagnostic.

La famille des gènes de globine

C'est principalement pour des raisons techniques que les cDNA des gènes de globine furent parmi les premiers à avoir été clonés. En effet le réticulocyte est spontanément enrichi en mRNA codant pour les globines, et ceci en quantité suffisante pour permettre de synthétiser un cDNA et de

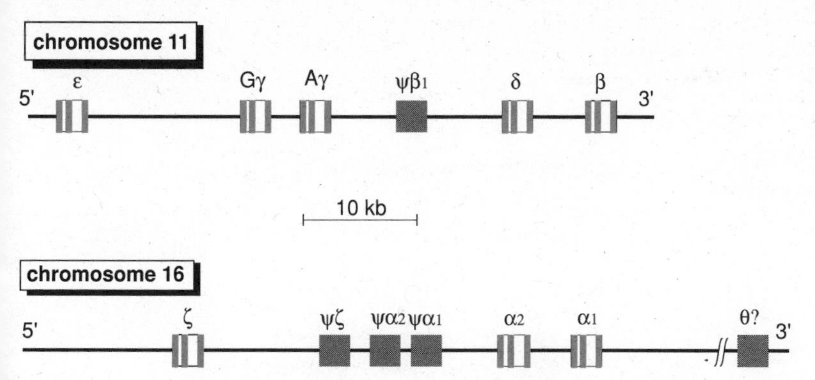

Figure 6-1 Organisation des gènes de globine Tous les gènes de globine sont constitués de trois exons séparés par deux introns. Les gènes du complexe β sont localisés sur le chromosome 11, ils s'étendent sur environ 60 kb. Les gènes du complexe α sont localisés sur le chromosome 16 sur une longueur d'environ 35 kb.

le cloner, même avec les techniques de première génération. Depuis, une masse considérable de travaux s'est accumulée. Ces gènes, qui sont particulièrement petits, et leurs régions environnantes sont certainement aujourd'hui les mieux connus de tous les gènes humains.

LES GÈNES DE GLOBINE SE RÉPARTISSENT SUR LES CHROMOSOMES 16 ET 11

Les gènes de globine sont regroupés en batteries. On distingue le complexe de la **famille** α situé sur le bras court du chromosome 16 (16p13) et le complexe de la **famille** β situé sur le bras court du chromosome 11 (11 p15.5). Les analyses par la technique de Southern en faible stringence ont permis de mettre en évidence quelques pseudogènes. Enfin l'ordre de ces gènes sur le chromosome est identique à leur ordre d'expression au cours de l'ontogenèse. La carte des gènes de la globine est donnée dans la **figure 6-1**.

Les gènes du complexe α s'étendent sur 35 kb du chromosome 16

Le gène le plus en 5' sur le chromosome 16 code pour la **chaîne** ζ, équivalent embryonnaire de la chaîne α. Il n'y a pas de gène spécifique de la période fœtale dans la famille α. Les gènes codant pour les chaînes α, au nombre de deux, α1 et α2, sont situés environ 20 kb en 3'. Ils sont séparés par 4 kb et sont dans l'ordre α2- α1. Entre le gène ζ et le groupe α un pseudogène ζ (ψζ) et deux pseudogènes α (ψα1, ψα2) ont été caractérisés. La distance entre α et ψζ est d'environ 10 kb, mais en fait elle varie suivant les individus. Cette variation est due à l'insertion en nombre variable d'une séquence de 36 paires de bases, répétée en tandem. Les gènes ζ ont été trouvés dupliqués et même tripliqués chez certains individus ne présentant aucune pathologie. Les gènes α, comme tous les gènes et pseudogènes de la famille globine, possèdent deux introns IVS 1 et IVS 2. Les introns des gènes α et ψζ sont plus grands que ceux des autres gènes, principalement au niveau de l'intron IVS 1. Les détails de la structure de ces gènes sont donnés en **figure 6-2.** Le messager cytosolique est constitué de 576 bases, polyA non compris. Il est traduit en un polypeptide de 141 acides aminés : la chaîne α.

Le complexe α-globine présente quelques particularités. Il est organisé en deux unités de duplication, l'unité ζ/ψζ et l'unité α1/α2.

La première unité résulte probablement de la duplication d'une séquence ancestrale unique. L'homologie de séquence est très grande, les quel-

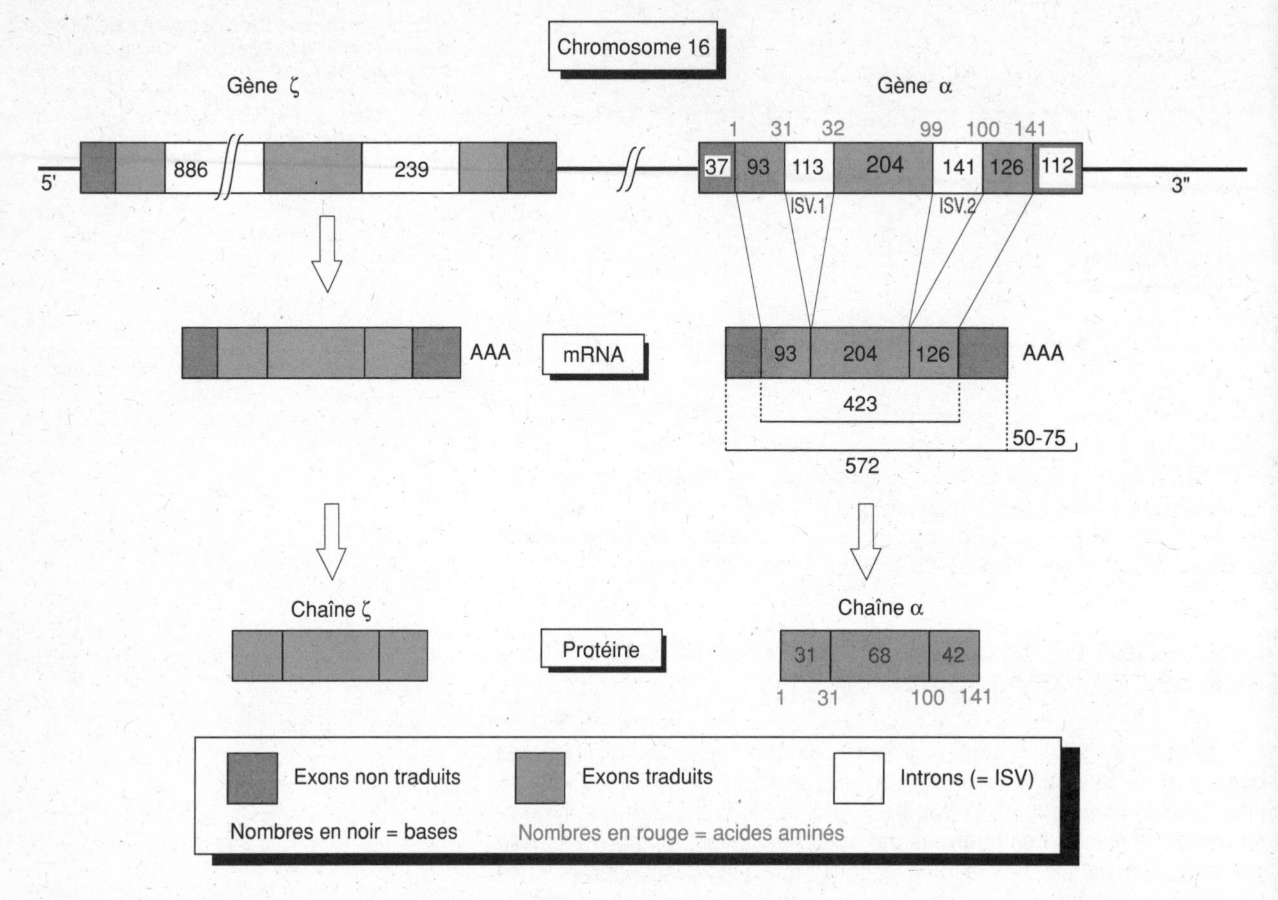

Figure 6-2 Organisation des gènes de la famille de l'α globine et les étapes de synthèse
Les gènes α sont les plus courts des gènes de globine. Les deux introns sont excisés et le mRNA est traduit en un polypeptide de 141 acides aminés. Les introns des gènes ζ, principalement le premier, sont les plus longs de tous les introns des gènes de globine.

ques différences se situant au niveau de la taille des introns, 886 pb pour ζ et 1262 pb pour ψζ, pour l'intron I, et répétition d'un motif CGGGG 35 fois dans ζ au lieu de 52 fois dans ψζ. Enfin il existe 6 différences ponctuelles ; on notera surtout la présence d'un codon stop au niveau du codon 6 du gène ψζ, son équivalent codant pour glu dans ζ.

L'unité de duplication α1/α2 renferme 3 zones d'homologie notées X, Y et Z, séparées par 3 zones de non-homologie appelées I, II et III (voir Figure 14-10). Les gènes α1 et α2 sont situés dans la zone d'homologie Z ; ils ne diffèrent l'un de l'autre qu'au niveau de deux bases et par une insertion de 7 pb dans le second intron. Il existe dans la portion 3' non codante une divergence utilisable pour quantifier séparément les mRNA des deux gènes α.

Le complexe de la famille α-globine se caractérise par une grande fréquence de polymorphismes, lesquels résultent aussi bien de mutations ponctuelles que de variations du nombre de copies d'une séquence répétée. Les zones concernées sont appelées **hypervariables**. Dans le DNA intergénique on retrouve aussi au moins 7 séquences de type Alu I.

Un nouveau membre de la famille α, le gène θ1

Ce gène situé en 3' par rapport aux gènes α est retrouvé chez les primates supérieurs, le lapin et le cheval. Il dériverait du gène α1 par duplication

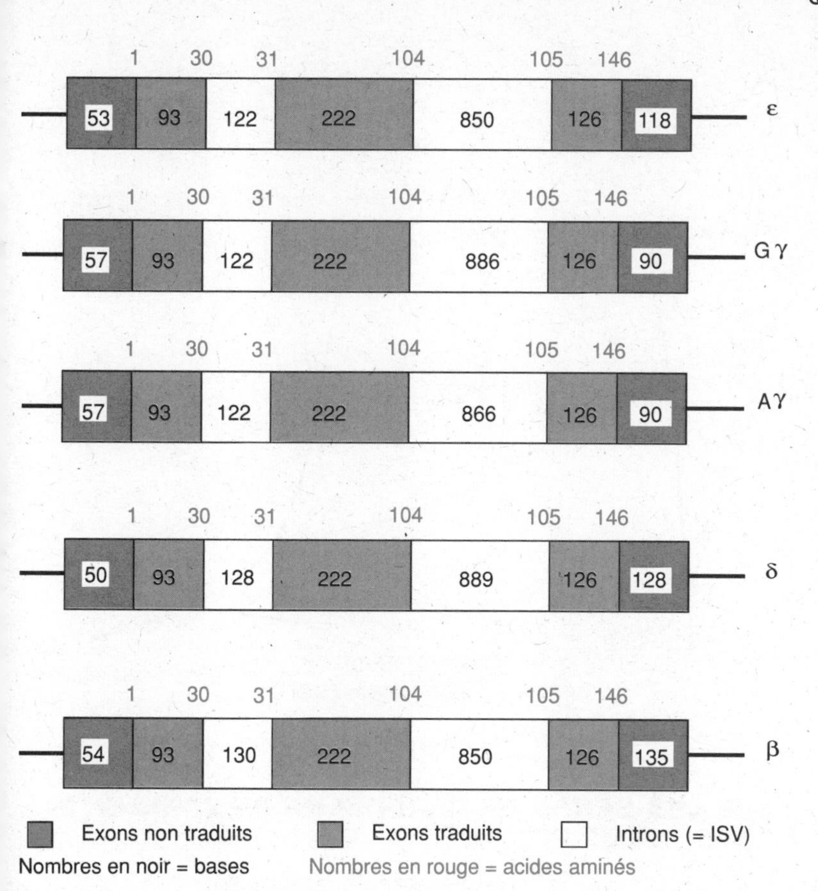

Figure 6-3 Organisation des gènes de la famille de la β globine sur le chromosome 11

il y a 260 millions d'années. Chez l'orang-outan, bien qu'aucun transcrit ne soit détecté, le gène possède toutes les caractéristiques d'un gène transcriptible, ce qui pose le problème de la période à laquelle il pourrait être exprimé. Des transcrits de ce gène ont été retrouvés dans les cellules érythroïdes de fœtus chez l'homme et dans la lignée leucémique humaine K562.

La famille des gènes du complexe β est plus diversifiée et s'étend sur une cinquantaine de kb du chromosome 11

Elle contient dans l'ordre les **gènes ε, Gγ, Aγ, δ et** β, et un seul pseudogène : ψβ1. Le gène le plus en 5' est le gène ε séparé par 15 à 18 kb du groupe Aγ - Gγ, ces deux gènes étant séparés par 5 à 6 kb. Les gènes δ et β sont situés 15 à 18 kb en aval. Ces gènes possèdent deux introns. L'intron IVS2 a la caractéristique d'être plus long dans ce groupe de gènes (850 à 900 bases) que dans le groupe α (environ 140 bases). Les séquences codant pour Aγ et Gγ sont presque identiques, ce qui indique que leur duplication est un phénomène récent. Le schéma de l'organisation des gènes fonctionnels du groupe β et de leurs produits est donné dans la **figure 6-3**. La comparaison des séquences nucléotidique et polypeptidique a montré que les différents codons possibles pour chaque acide aminé n'étaient pas utilisés au hasard. Les préférences diffèrent suivant les familles de gènes. Deux types de séquences répétées sont retrouvées dans le DNA intergénique : les séquences Alu et les séquences Line-1 (Kpn I).

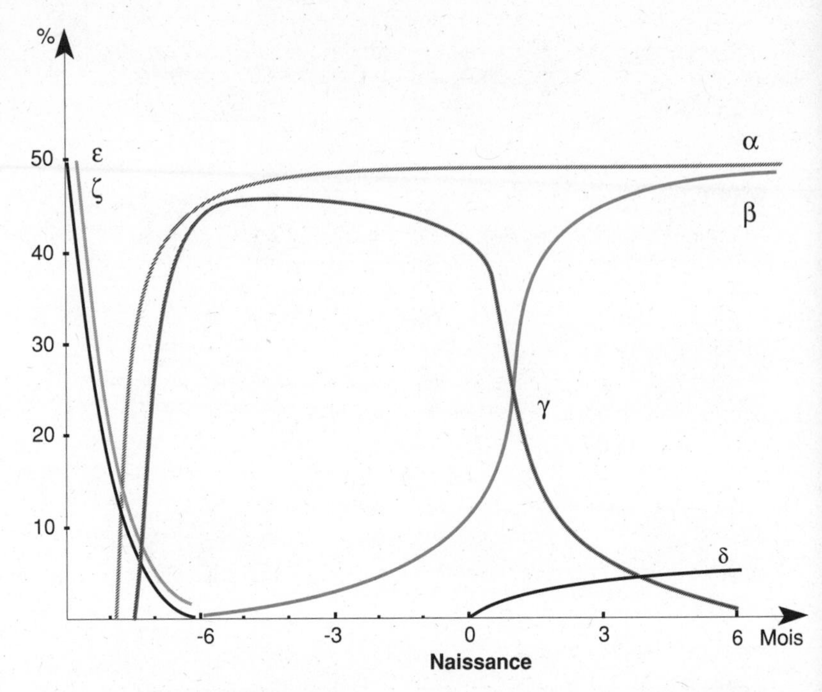

Figure 6-4 Cinétique de l'expression des gènes de globine au cours de la vie depuis la conception
Les gènes ne sont pas synthétisés au même taux au cours de la vie, le switch ne devient perceptible qu'après la naissance.

TOUS LES GÈNES DE GLOBINE NE S'EXPRIMENT PAS EN MÊME TEMPS

L'expression des différents gènes de globine au cours de la vie est schématisée **figure 6-4**. Durant les premiers mois de la gestation, l'hémoglobine est principalement de type embryonnaire ($\zeta 2 \varepsilon 2$) ; puis, dès le premier mois, des chaînes γ et des chaînes α sont synthétisées, ce qui se traduit par l'apparition d'hémoglobine fœtale ($\alpha 2 \gamma 2$). Enfin, immédiatement après la naissance, une diminution brutale de la synthèse des chaînes γ et une augmentation parallèle de la synthèse des chaînes β induisent le remplacement de l'hémoglobine fœtale par l'hémoglobine A ($\alpha 2 \beta 2$). Celle-ci est l'hémoglobine très largement majoritaire et ce jusqu'à la fin de la vie. Cette transition Hb F⟶Hb A porte le nom de *switch.*

Pour le fœtus le fait de posséder une hémoglobine différente de celle de sa mère est un avantage. En effet l'Hb F ayant une plus forte affinité pour l'oxygène que l'Hb A, les transferts d'oxygène entre la mère et le fœtus sont facilités.

L'expression des gènes de globine nécessite des régulations complexes

Le mécanisme de la régulation de l'expression des gènes de la famille β et le rôle du **LCR** dans cette régulation ont déjà été évoqués au chapitre 5 (p. 98) et seront revus sous l'angle de la pathologie au chapitre 14.

Le mécanisme de la régulation de l'expression des gènes de la famille α est moins bien connu. Un nouveau problème se surajoute pour cette famille car les systèmes régulateurs doivent faire en sorte que la synthèse des chaînes α soit quantitativement équilibrée avec celle de l'autre chaîne (β, γ, ou δ) alors que chaque cellule possède quatre gènes α et non deux.

Il semble qu'il existe un LCR α homologue au LCR β. Cet hypothétique LCR α est constitué d'une séquence de 350 pb située 40 kb en amont du gène $\zeta 2$. Cette zone est susceptible de fixer les facteurs transcriptionnels spécifiques de la lignée érythroïde GATA-1 et NFE-2, mais également AP1, tout comme le LCR β. Une autre région possédant des sites hypersensibles a été repérée, elle pourrait jouer un rôle complémentaire.

Le mécanisme moléculaire du *switch* n'est pas encore complètement connu

Les données actuelles montrent que ni des facteurs d'environnement fœtal, ni l'accouchement ne sont responsables du *switch*. Le plus vraisemblable est qu'il est sous le contrôle d'une « horloge biologique ». Les données moléculaires au niveau du DNA sont conformes aux modèles de régulation connus à savoir :

- les régions 5' non transcrites des gènes embryonnaires et fœtaux sont hypométhylées durant la gestation, alors qu'elles sont hyperméthylées après la naissance ;
- au niveau chromatinien ces mêmes régions sont bien plus sensibles vis-à-vis de la DNase I au cours de la gestation qu'après la naissance. De même des sites hypersensibles apparaissent dans la région 5' non transcrite des gènes β.

Mais toutes ces modifications sont des conséquences et non des causes du switch. C'est vraisemblablement au niveau de facteurs transrégulateurs que se situe la clé du mécanisme. L'étude des mécanismes de régulation de l'expression des gènes de la famille β a montré l'importance du LCR β dans cette régulation et son importance au cours du développement, donc du *switch*. Les expériences sur les souris transgéniques (voir chapitre 5 p. 98) ont confirmé que l'ordre des gènes sur le chromosome est effectivement important pour l'expression séquentielle des gènes ε, γ et β au cours du développement. Mais aucun modèle complet et cohérent n'a encore été proposé.

LA FAMILLE DES GÈNES DE GLOBINE : UN BON MODÈLE D'ÉVOLUTION

Avant l'ère de la biologie moléculaire les analyses des différentes hémoglobines et de leurs séquences polypeptidiques avaient permis d'accumuler un certain nombre de données sur l'évolution et avaient permis d'établir un **arbre phylogénétique**. Les données sur l'organisation et les séquences nucléotidiques des gènes de globine ont permis de confirmer et de préciser l'ensemble de ces données.

La datation relativement précise reste impossible compte tenu de l'existence de mécanismes mal voire non connus et susceptibles de contrarier la simple dérive génétique. La confirmation de l'importance de mécanismes comme celui de la **conversion génique** est apportée par l'étude comparative des gènes Aγ et Gγ. En effet au niveau du deuxième intron (IVS2) il y a moins de différence de séquence entre Aγ et Gγ qu'il n'y en a entre Aγ d'un chromosome et Aγ de l'autre.

Les gènes globine et myoglobine dérivent d'un même gène ancestral apparu il y a environ 800 millions d'années. La duplication de ce gène il y a 450 millions d'années a donné, après divergence, ce que sont aujourd'hui les chaînes α et β. Dans certaines espèces comme certains xénopes, les deux gènes sont restés sur le même chromosome. Dans la plupart des autres, dont les mammifères, les gènes se sont séparés. Chez l'homme on trouve α sur le chromosome 16, β sur le chromosome 11 et la myoglobine sur le chromosome 22. L'évolution des différents gènes est schématisée **figure 6-5**. La duplication la plus récente est celle des gènes γ.

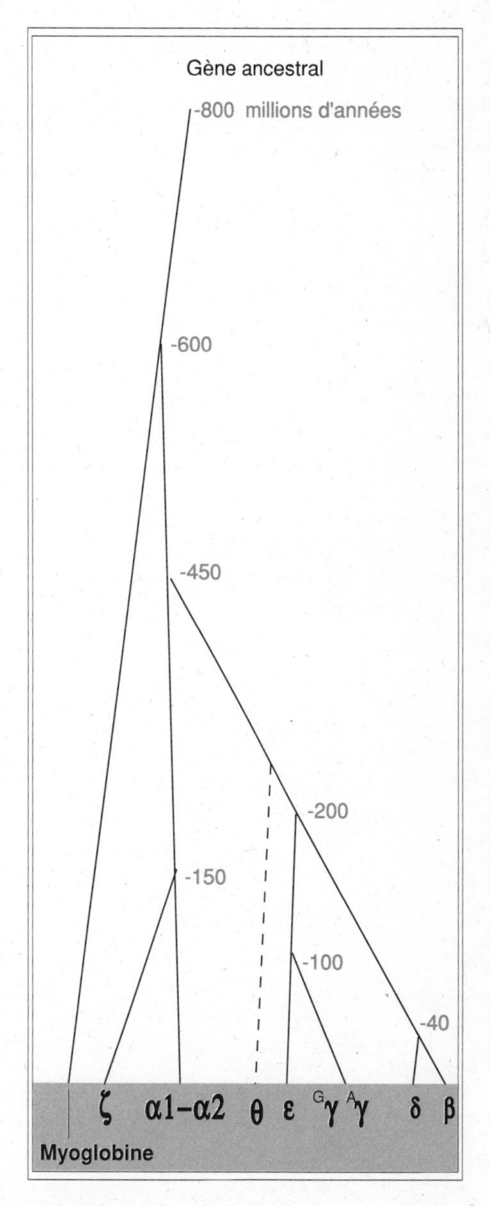

Figure 6-5 Arbre phylogénétique des gènes de globine
L'échelle des temps est exprimée en millions d'années, considérant une divergence de séquence de 1 p. 100 par million d'années. Les duplications $^{A}\gamma$-$^{G}\gamma$ et α_1-α_2 ne sont pas représentées car trop récentes pour être estimées avec une précision suffisante.

La superfamille des gènes de l'immunité

Les gènes codant pour les protéines du système immunitaire appartiennent tous à une même famille de gènes : la **superfamille des gènes de l'immunité**. Tous les gènes de cette famille dérivent d'un même motif ancestral de nombreuses fois dupliqué (**Figure 6-6**). Ce nombre élevé n'explique pas à lui seul l'extrême diversité des molécules impliquées dans les réactions immunitaires humorales et cellulaires. Pendant longtemps cette diversité est restée un mystère et aucune des théories proposées ne permettait d'expliquer l'ensemble des phénomènes observés. Cependant la vérité fut entrevue par W. Dryer et C. Bennett dès 1965. Ces auteurs avaient postulé que le génome possédait une série de gènes codant pour les parties variables et un gène pour chaque partie constante. Au cours de la différenciation des cellules immunitaires le gène d'une partie variable pris au hasard serait rabouté à celui de la partie constante. Cette théorie, très hardie, indémontrable à l'époque où elle fut formulée, a été vérifiée dès l'introduction des techniques de la génétique moléculaire.

La première preuve de sa validité fut apportée en 1976 par l'équipe de S. Tonegawa qui montra que les séquences de DNA codant pour les parties variables et celles codant pour les parties constantes étaient plus éloignées les unes des autres dans les cellules germinales* que dans les cellules productrices d'anticorps (myélome dans ce cas précis). Ce rapprochement se produit nécessairement avant le stade de production d'anticorps. Le premier modèle étudié fut celui des **immunoglobulines**.

LE MODÈLE DES IMMUNOGLOBULINES

Les données du problème

• Le système génétique doit permettre la synthèse d'au moins plusieurs millions de molécules différentes, dont une partie (partie **constante**) est absolument invariable à l'acide aminé près, et dont l'autre partie doit être **variable** et spécifique d'un ligand (le motif antigénique ou **épitope**). Celui-ci peut être totalement synthétique et n'avoir jamais existé dans la nature (partie variable).

• Plusieurs immunoglobulines peuvent avoir des parties variables identiques et des parties constantes différentes : IgM et IgD de membrane, passage des IgM aux IgG *(switch)*.

• Une même cellule peut posséder un anticorps de surface et sécréter un anticorps soluble ayant les mêmes parties variable et constante, cette dernière étant légèrement plus courte dans la fraction sécrétée que dans la fraction liée à la membrane.

• Le système doit être stable et posséder une « mémoire » permettant la réactivation de la synthèse d'immunoglobulines à spécificité identique plusieurs dizaines d'années plus tard.

• Une même cellule ne peut synthétiser qu'un seul type d'anticorps malgré la présence de deux chromosomes (exclusion allélique).

Comme l'avaient pressenti Dryer et Bennett, la diversité résulte en majeure partie de recombinaisons génétiques au niveau **somatique** entre

* En immunologie on appelle ainsi tous les types cellulaires n'exprimant jamais les gènes de l'immunité. Ne pas confondre avec le sens habituel qui correspond aux gamètes et à leurs précurseurs.

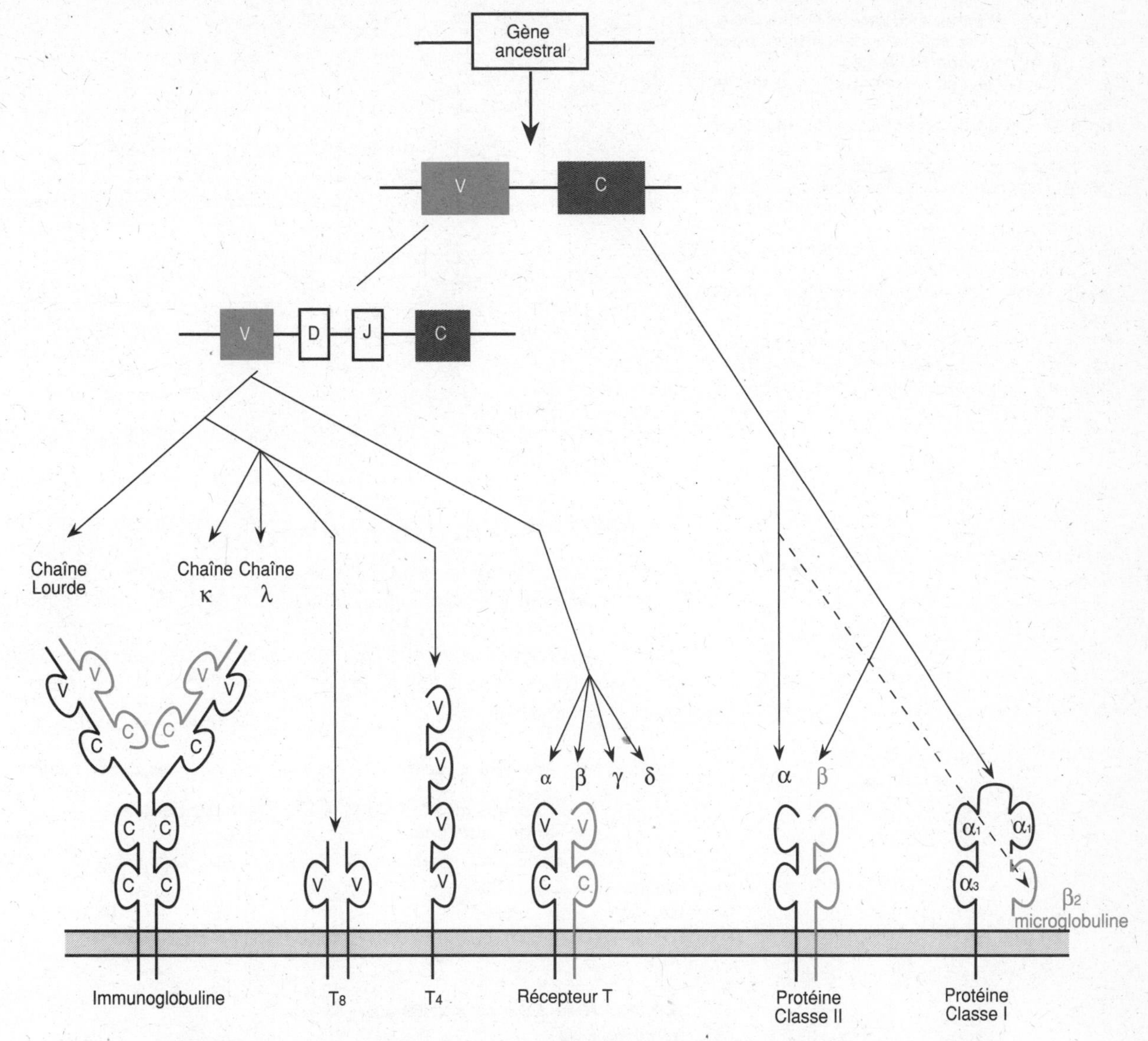

Figure 6-6 **Arbre phylogénétique et structure actuelle des membres de la superfamille des gènes de l'immunité**

des gènes codant pour les parties variables et le gène codant pour la partie constante.

Le modèle du myélome

Les études sur les immunoglobulines et leurs gènes ont été grandement facilitées par l'utilisation d'un modèle fécond, le **myélome.** Toute la puissance de ce modèle résulte du fait qu'il s'agit d'une prolifération monoclonale de plasmocytes (cellules sécrétant des anticorps). Les immunoglobulines sécrétées sont donc toutes identiques (ce qui permit d'obtenir les 200 g d'immunoglobulines qui furent nécessaires à la détermination de leur structure primaire dans les années 70). Les réarrangements des gènes des immunoglobulines sont identiques dans toutes les cellules myélomateuses du fait de la prolifération monoclonale, et les images en Southern sont donc parfaitement définies et reproductibles. En revanche la même expérience pratiquée à partir de lymphocytes circulants d'un sujet normal ne permet de voir que les gènes non réarrangés (les réarrange-

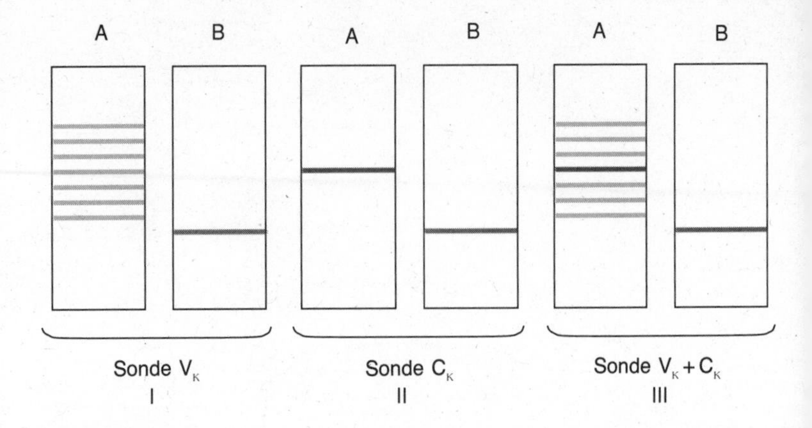

Figure 6-7 **Mise en évidence expérimentale, par la méthode de Southern, du réarrangement des gènes κ (schéma idéalisé)**
A : DNA extrait des lymphocytes circulants et digéré par une enzyme de restriction*.
B : DNA extrait de myélome κ (état réarrangé monoclonal) et digéré par la même enzyme.
En I : hybridation avec une sonde clonée d'un gène V_κ (les bandes multiples proviennent d'une hybridation croisée due à la grande homologie entre les différents gènes V).
En II : hybridation avec une sonde clonée du gène C_κ.
En III : hybridation avec un mélange des sondes V_κ et C_κ.
(* En réalité les bandes roses sont si nombreuses et si faibles qu'elles ne sont pas détectables. Elles ont été représentées pour faciliter la compréhension).

ments sont différents dans chaque lymphocyte mûr et ne sont donc pas vus) **(Figure 6-7)**.

Le système des chaînes légères est le plus simple

Le premier modèle élucidé fut celui de la souris. Le système humain est maintenant connu, il est presque identique ; la seule différence concerne les chaînes lambda pour lesquelles les gènes constants sont plus nombreux chez la souris que chez l'homme. La localisation et le nombre des gènes impliqués dans la synthèse des immunoglobulines sont présentés dans le **tableau 6-1**.

Tableau 6-1 **Les gènes codant pour les immunoglobulines chez l'homme**

Chaîne	Localisation chromosomique	Nombre de gènes			
		V	J	D	C
Kappa	2p12	< 300	5	0	1
Lambda	22q11	< 300	⩾ 6	0	⩾ 6
Lourdes	14q32	< 300	6	> 20	9

Le modèle des chaînes kappa (Figure 6-8)

L'ensemble des gènes présidant à la synthèse des chaînes kappa sont, chez l'homme, situés sur le chromosome 2. La synthèse d'une chaîne kappa nécessite l'intervention de trois gènes, un **gène V** ou gène variable, un **gène J** ou gène de jonction et le **gène C** ou gène de la partie constante. Ces fractions sont organisées dans cet ordre aussi bien sur le chromosome que dans la chaîne polypeptidique.

L'homme possède environ 300 gènes V_κ. Chacun est précédé par une courte séquence, la **séquence leader (L),** séparée du gène V proprement dit par un court intron. Cette séquence leader code pour le peptide signal qui indique à la cellule que la chaîne polypeptidique doit être sécrétée. L'intron est excisé lors de la maturation du mRNA.

Les gènes J sont au nombre de 5, et sont constitués chacun d'environ 39 paires de bases. Le groupe des 5 gènes J s'étend sur 500 à 700 paires de bases. Ce groupe de gènes J est situé quelques centaines de kb en aval du groupe des gènes V, et 2 à 3 kb en amont du gène C.

Enfin le groupe de gènes des chaînes kappa se termine par l'unique gène C qui ne contient pas d'intron.

Le gène recombiné est transcrit en mRNA dont la maturation va conduire à l'excision de l'intron entre la séquence leader et le gène V et de

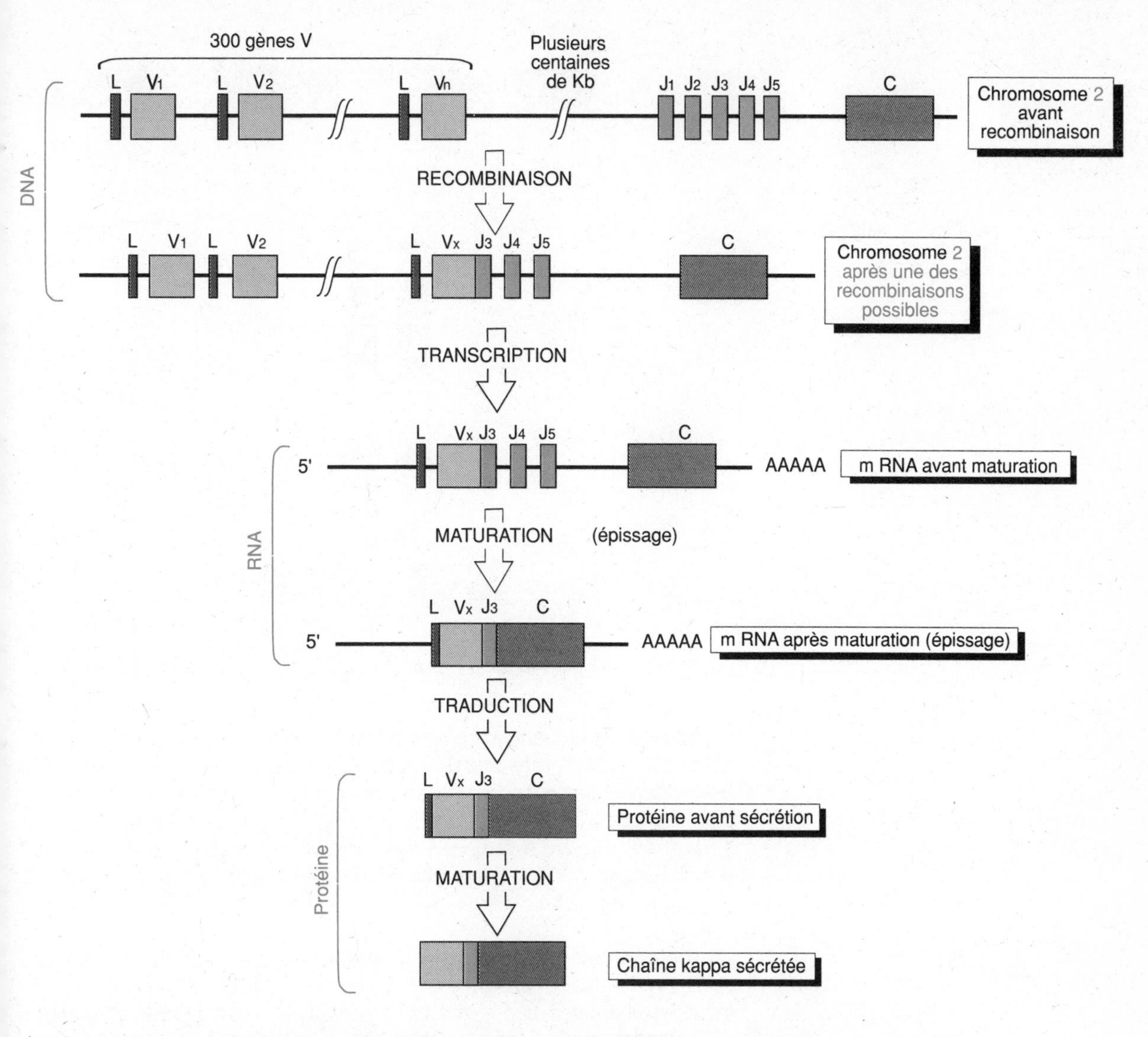

Figure 6-8 **Organisation des gènes des chaînes kappa et mécanisme de leur expression chez l'homme**

l'intron qui sépare le gène J choisi et le gène C. Le messager est traduit en un polypeptide qui perd son peptide signal lors de la sécrétion.

La formation d'un gène kappa fonctionnel résulte d'une recombinaison entre un gène V et un gène J : En utilisant la technique de Southern (voir chapitre 28) l'équipe de Tonegawa montra que le gène V est plus éloigné du gène C dans les cellules germinales qu'il ne l'est dans les cellules sécrétantes (il s'agissait en l'occurrence de cellules d'un myélome de souris). Au cours de la maturation du lymphocyte pré-B une recombinaison met bout à bout l'extrémité 3' d'un gène variable pris au hasard et l'extrémité 5' de l'un des 5 gènes J lui aussi pris au hasard. Le DNA qui séparait ces deux points avant la recombinaison est semble-t-il éliminé. Par ce mécanisme le gène variable est rapproché du gène C ; le complexe V-J n'en est plus séparé que par un intron de 2 à 3 kb. Cet intron sera éliminé par épissage lors de la maturation du mRNA.

La recombinaison met en jeu des séquences spécifiques - le complexe heptamère-nonamère : La recombinaison V/J s'explique par

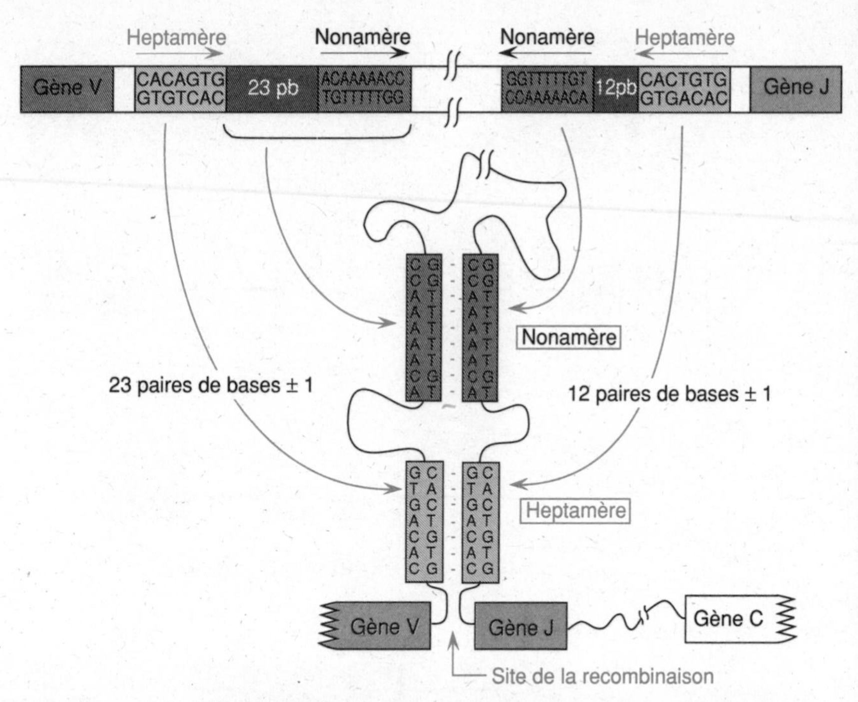

Figure 6-9 **Mécanisme de la recombinaison et signaux du DNA impliqués**

l'existence de séquences complémentaires. Ces séquences sont constituées d'un **heptamère** et d'un **nonamère** séparés par 23 ± 1 paires de bases immédiatement en 3' du gène V et par 12 ± 1 paires de bases immédiatement en 5' du gène J. Les deux heptamères et les deux nonamères s'associent **(Figure 6-9)** ce qui a pour effet de mettre exactement bout à bout les gènes V et J. Une **recombinase** qui reconnaît ce motif assure la ligation des gènes V et J.

La recombinaison fait appel au produit de deux gènes, RAG-1 et RAG-2 qui agissent en synergie : La recherche de la recombinase effectuant les différentes recombinaisons a permis de cloner le cDNA d'un gène qui fut appelé **RAG-1** (pour *recombination activating gene*). Ce gène n'est exprimé que dans les cellules de la lignée lymphoïde, il est très conservé dans toutes les espèces. Des expériences de transfection dans des fibroblastes ont montré que la protéine codée par ce cDNA n'activait les recombinaisons VDJ qu'avec une efficacité particulièrement faible, ce qui laissait supposer qu'un autre facteur était nécessaire. La cotransfection de RAG-1 et d'un autre gène qui lui est proche sur le DNA (situé à 8 kb), le gène **RAG-2**, permet d'obtenir une activité de recombinaison normale. Le produit du gène RAG-2 exacerbe d'un facteur 1000 l'activité de RAG-1. Le gène RAG-2 est lui aussi très conservé dans les différentes espèces, mais il ne présente aucune homologie de structure avec RAG-1. Ces gènes semblent dépourvus d'intron, les masses moléculaires des protéines codées par RAG-1 et RAG-2 sont respectivement de 55 et 58 kDa.

Chez le poulet (chez qui le mécanisme de la diversité des anticorps est différent puisqu'il implique non pas des recombinaisons mais des conversions géniques), le gène RAG-1 ne semble pas impliqué puisque seul le gène RAG-2 est exprimé dans les lymphocytes B.

Enfin il existe un modèle animal, la **souris scid** (pour *severe combined immune deficiency*), qui devrait permettre de mieux comprendre les mécanismes impliqués. Les souris homozygotes pour la mutation ne sont pas capables de maturer correctement aussi bien leurs lymphocytes T que leurs

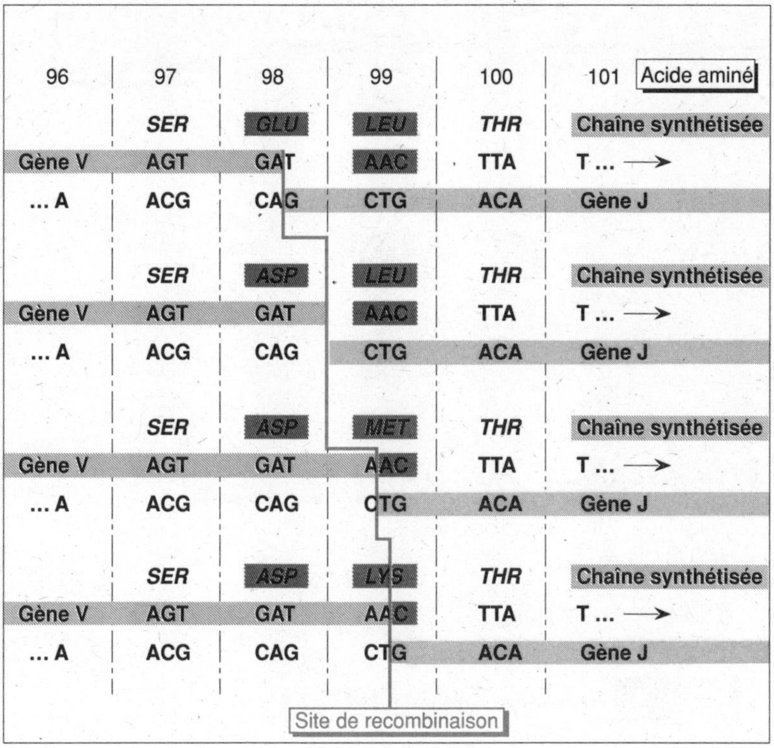

96	97	98	99	100	101	Acide aminé
	SER	*GLU*	*LEU*	*THR*	Chaîne synthétisée	
Gène V	AGT	GAT	AAC	TTA	T ... →	
... A	ACG	CAG	CTG	ACA	Gène J	
	SER	*ASP*	*LEU*	*THR*	Chaîne synthétisée	
Gène V	AGT	GAT	AAC	TTA	T ... →	
... A	ACG	CAG	CTG	ACA	Gène J	
	SER	*ASP*	*MET*	*THR*	Chaîne synthétisée	
Gène V	AGT	GAT	AAC	TTA	T ... →	
... A	ACG	CAG	CTG	ACA	Gène J	
	SER	*ASP*	*LYS*	*THR*	Chaîne synthétisée	
Gène V	AGT	GAT	AAC	TTA	T ... →	
... A	ACG	CAG	CTG	ACA	Gène J	

Site de recombinaison

Figure 6-10 **Mécanisme de la variabilité par imprécision de la recombinaison**
Bien qu'un système assure la mise en place des extrémités des gènes V et J, la base exacte où s'effectue la recombinaison n'est pas définie. De cette imprécision résulte une variabilité de séquence au niveau de la position de deux acides aminés.

lymphocytes B, ce qui semble confirmer que le mécanisme de l'assemblage des gènes des immunoglobulines dans le lymphocyte B et celui de l'assemblage des gènes des récepteurs T dans les lymphocytes T (voir page 164) sont effectivement communs. Il semble que chez ces souris l'octamère et le nonamère sont correctement reconnus, que le DNA est correctement clivé, mais que la ligature n'est pas effectuée.

La diversité est amplifiée par l'imprécision de la recombinaison V-J : Malgré la présence du système heptamère-nonamère la précision de la recombinaison V-J n'est pas parfaite. L'imprécision porte sur trois bases ce qui permet d'obtenir jusqu'à 4 chaînes différentes à partir de deux gènes V et J exactement identiques. Un exemple en est donné dans la **figure 6-10**. Ce phénomène augmente le nombre d'immunoglobulines différentes possibles à partir d'un même couple de gènes V et J.

La diversité est encore augmentée par des mutations somatiques : La détermination de la séquence des immunoglobulines sécrétées par des plasmocytes provenant d'un même myélome de souris a montré que la fréquence des mutations somatiques au sein des parties variables était considérable. Certaines zones des parties variables présentent un taux de mutation plusieurs milliers de fois supérieur au taux normal de mutation du DNA ; ce phénomène n'a pas encore pu être expliqué. Il en résulte une augmentation supplémentaire de la diversité des anticorps dirigés contre un même antigène.

Le modèle des chaînes lambda est proche de celui des chaînes kappa

L'ensemble des gènes codant pour les chaînes lambda sont, chez l'homme, situés sur le chromosome 22.

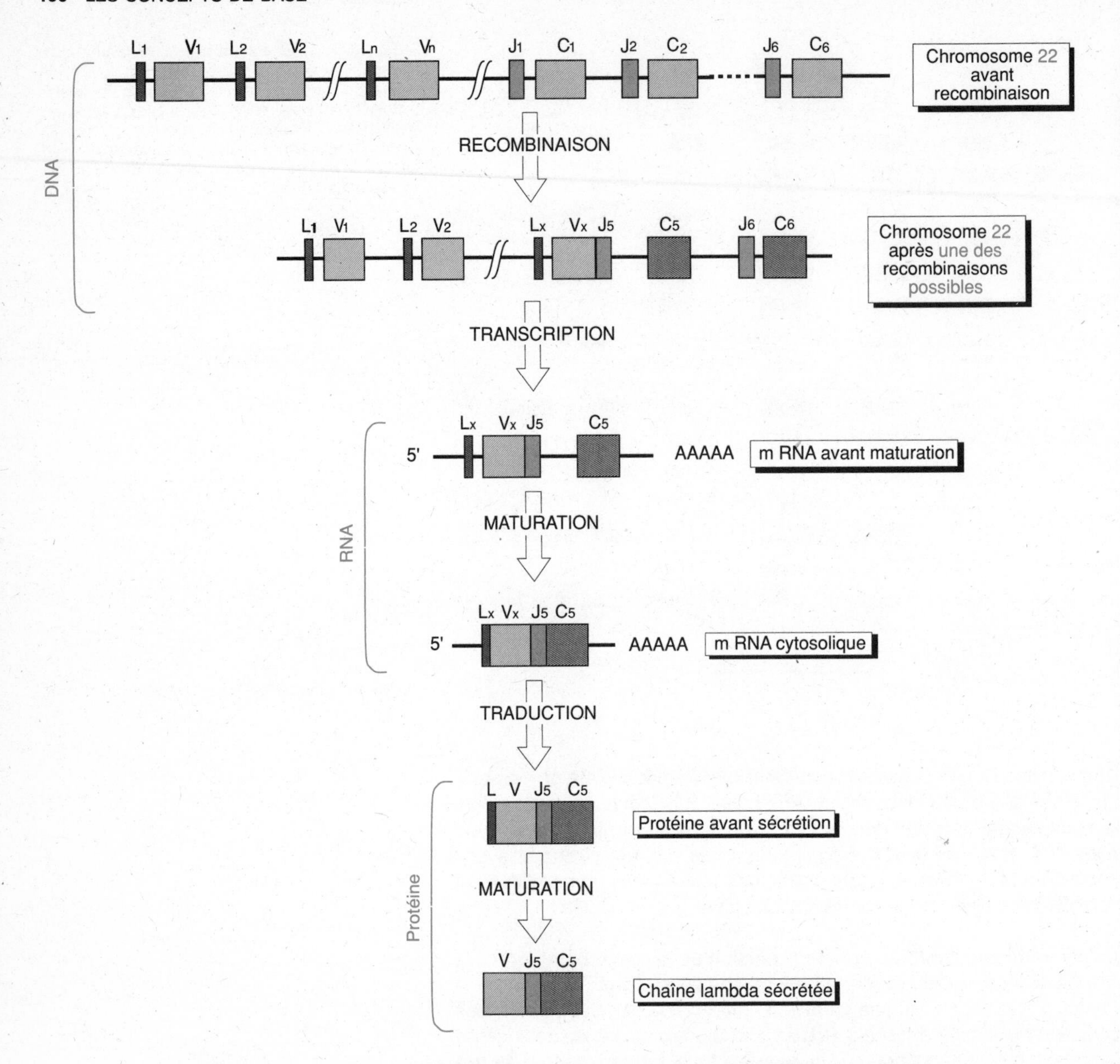

Figure 6-11 **Organisation des gènes des chaînes lambda et mécanisme de leur expression chez l'homme**

Les mécanismes qui président à la synthèse et à la diversité des chaînes lambda sont identiques à ceux décrits pour les chaînes kappa. Seuls l'organisation et le nombre des gènes sont différents. La différence porte sur l'organisation des gènes J et le nombre des gènes constants **(Figure 6-11)**.

Il existe au moins 6 gènes C différents, chacun étant précédé d'un seul gène J qui lui est propre. La recombinaison se fait au hasard entre l'un des gènes V et le gène J de l'un des 6 complexes J-C.

Le modèle des chaînes lourdes est plus complexe

L'organisation des gènes codant pour les chaînes lourdes des immunoglobulines ressemble à celle des chaînes kappa ; elle est cependant plus complexe **(Figure 6-12)** puisque l'on y retrouve un groupe de gènes sup-

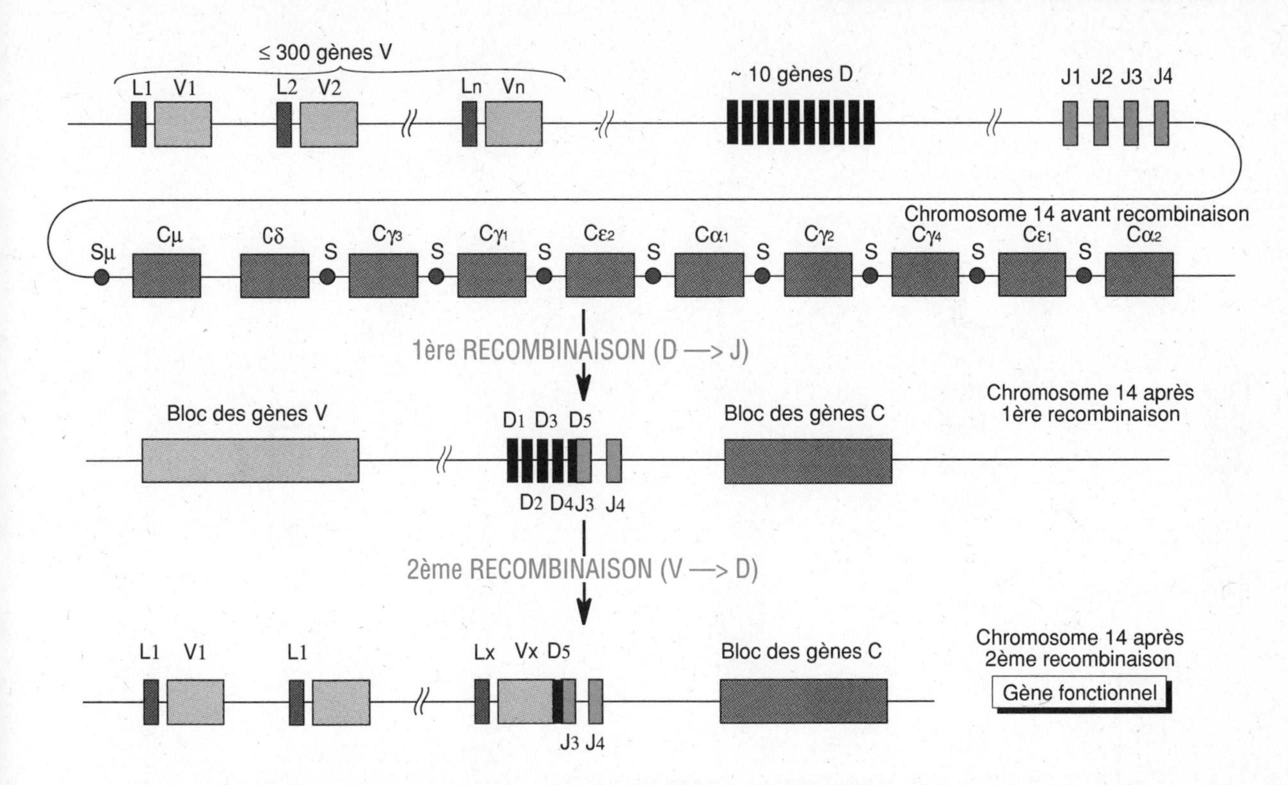

Figure 6-12 **Organisation des gènes des chaînes lourdes et mécanisme des recombinaisons qui aboutissent à un gène fonctionnel**

plémentaire, les **gènes D** ou gènes de diversité. Ce groupe de gènes est localisé entre les gènes V et les gènes J. Les gènes D sont au nombre d'une dizaine ; cependant, comme ces gènes sont très courts — une douzaine de paires de bases — il est difficile de déterminer avec précision leur nombre exact.

Une autre différence importante se situe au niveau des gènes constants codant pour chacun des isotypes. Ces gènes sont regroupés sur environ 200 kb. On trouve dans l'ordre les gènes Cμ, Cδ, Cγ3, Cγ1, Cε2, Cα1, Cγ2, Cγ4, Cε1, Cα2. Le gène Cα2 est un pseudogène ; il semble qu'il y ait aussi un pseudogène Cγ. Contrairement aux gènes C des chaînes légères, ils ont des introns.

L'expression des chaînes lourdes nécessite deux recombinaisons

La première se produit entre l'un des gènes D pris au hasard et l'un des gènes J aussi pris au hasard. Une seconde recombinaison met bout à bout un gène V pris au hasard et le complexe D-J résultant de la première recombinaison. Les mécanismes impliqués dans ces recombinaisons sont les mêmes que ceux utilisés pour les chaînes kappa et lambda.

La présence simultanée d'IgM et d'IgD membranaires résulte d'un épissage alternatif

Une fois les différentes recombinaisons effectuées, un lymphocyte B qui ne sécrète pas encore d'anticorps possède à sa surface des IgM et des IgD de type membranaire présentant la même partie variable et la même chaîne légère. La présence simultanée des deux types de chaînes lourdes résulte d'une part de l'utilisation de sites d'arrêt de transcription différents, et d'autre part d'une maturation différentielle des produits de transcription comme schématisé dans la **figure 6-13**. Le détail exact des

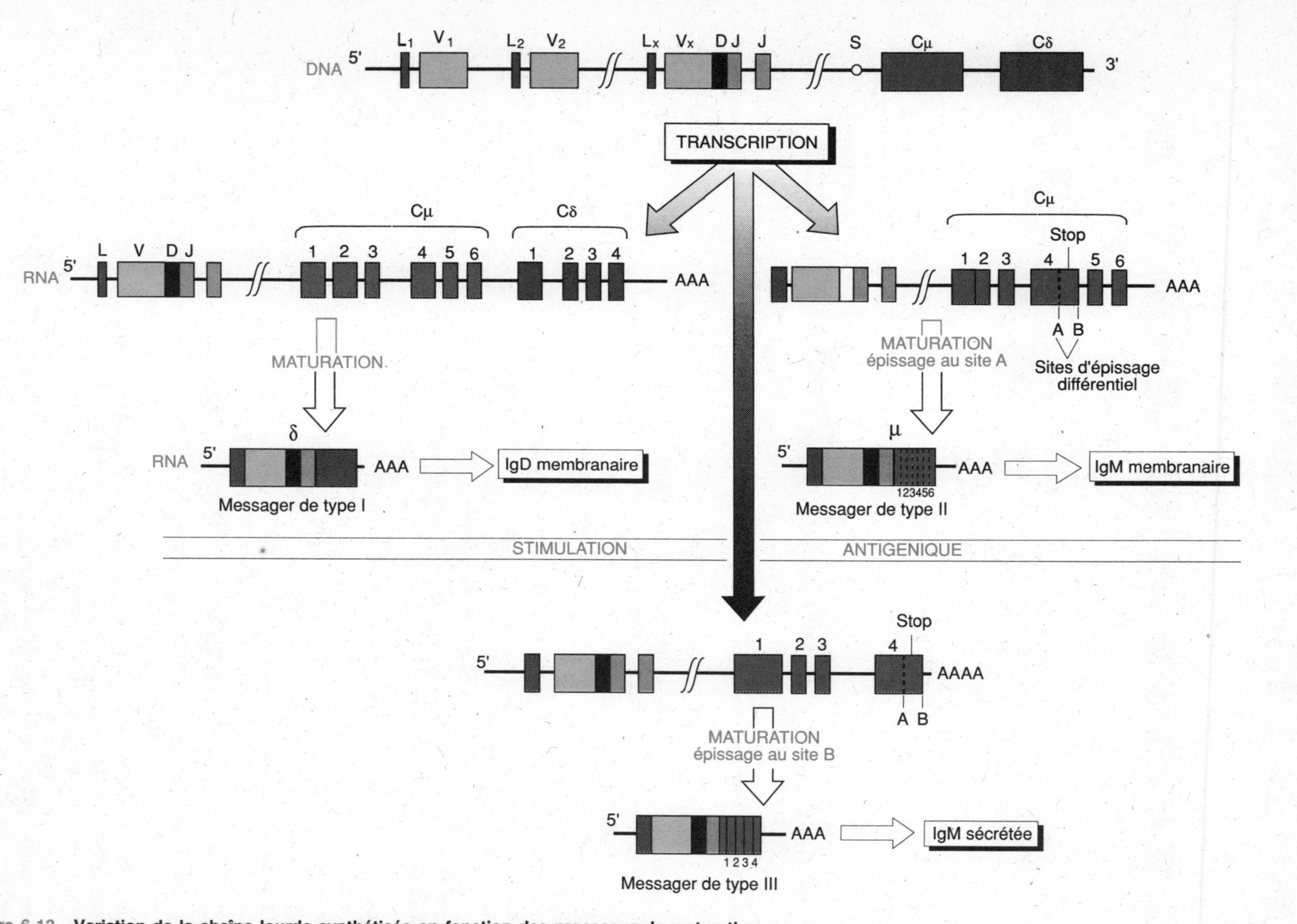

Figure 6-13 Variation de la chaîne lourde synthétisée en fonction des processus de maturation
Après les deux recombinaisons qui rendent fonctionnels les gènes des chaînes lourdes, deux types de messagers (type μ membranaire et type μ/δ) sont transcrits. On ne sait pas par quel mécanisme ces deux types de messagers sont générés. Après maturation les messagers du type μ membranaire seront traduits en chaînes μ de membrane, les six exons étant retrouvés dans le messager cytosolique (épissage au site A). Ultérieurement les messagers de type μ/δ seront traduits en chaînes μ et δ.
Après la stimulation antigénique, la maturation est différente ; elle conduit à la formation de messagers de type μ secrété (épissage au site B). Ce type de messager sera traduit en chaîne lourde μ circulante, la traduction s'arrêtant au niveau du codon stop situé entre les sites d'épissage A et B.

mécanismes n'est pas connu. Deux types de pré-messagers peuvent être synthétisés à ce stade. Les messagers de type μ (membranaire), après épissage et traduction, donneront les chaînes lourdes μ, alors que les messagers de type μ-δ peuvent donner par épissage différentiel des chaînes lourdes μ et δ.

Une modification de la maturation des messagers permet la sécrétion des IgM

Après stimulation un lymphocyte B sécrète des IgM solubles alors que les IgM et les IgD membranaires disparaissent. Les parties variables et les chaînes légères de ces trois types d'immunoglobulines sont identiques. Ce phénomène résulte d'une modification de la maturation des messagers (Figure 6-13) et peut-être aussi d'une variation du site d'arrêt de la transcription. La partie constante des chaînes μ est codée par 6 exons. Les deux derniers (exons 5 et 6) codent pour une séquence hydrophobe de 41 acides aminés qui constitue la partie transmembranaire de l'IgM de membrane. Après stimulation antigénique la maturation des messagers se modifie ; seuls les messagers de type μ (sécrété) qui ne contiennent que les exons de 1 à 4 sont retrouvés dans le cytoplasme. La chaîne synthétisée ne possède plus la séquence peptidique nécessaire à l'ancrage dans la membrane ; elle est donc totalement sécrétée et les IgM et les IgD membranaires ne sont plus synthétisées. Le retrait de la partie transmembranaire emporte aussi des cystéines qui permettaient la dimérisation des chaînes lourdes par un pont disulfure.

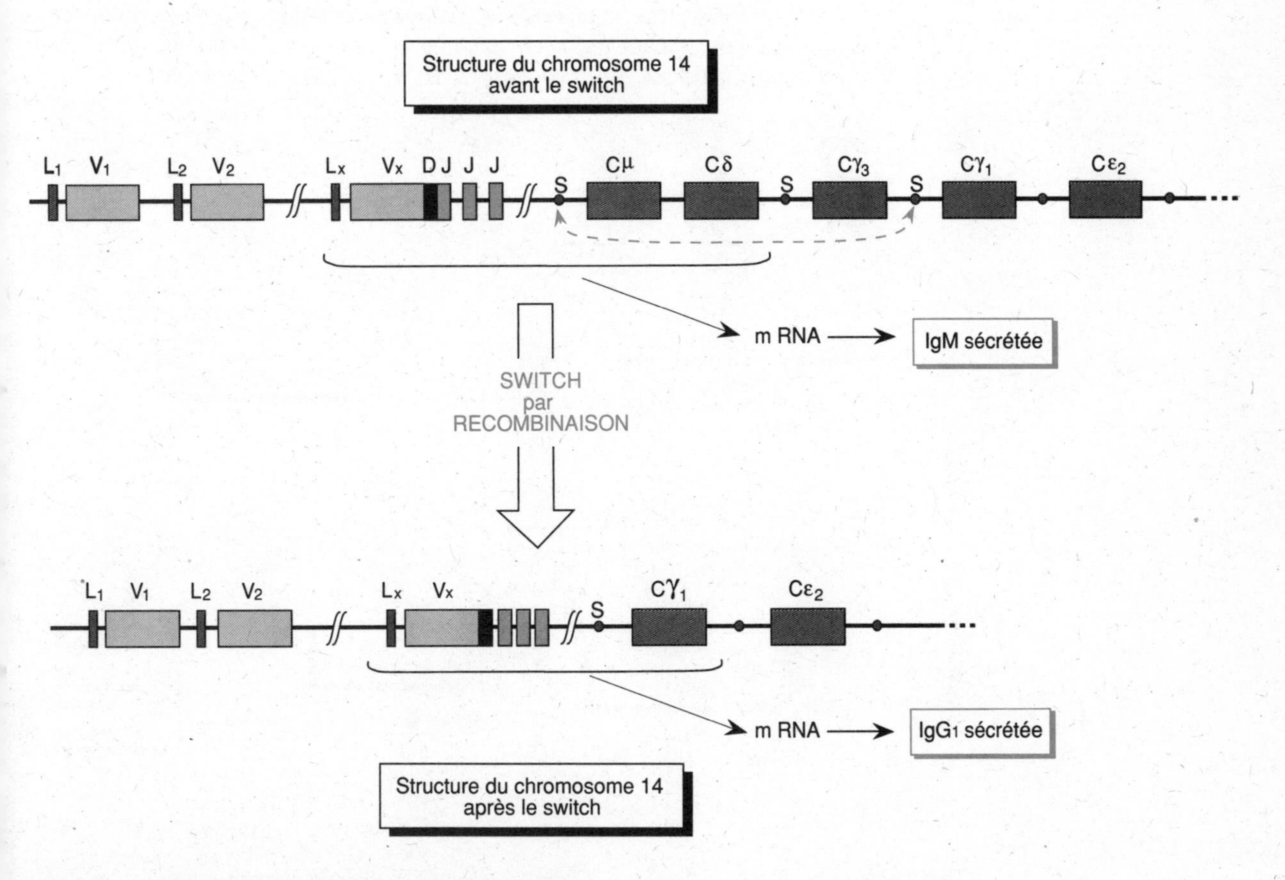

Figure 6-14 Mécanisme du *switch* des chaînes lourdes
Le *switch* IgM à IgG est pris comme exemple, il est le plus fréquent.

La transition IgM à IgG ou IgA ou IgE résulte d'une nouvelle recombinaison (Figure 6-14)

Après stimulation antigénique le lymphocyte B sécrète des IgM. Une multiplication des cellules sécrétantes fait que, pendant les premiers jours de la réponse immunitaire, le taux circulant de l'immunoglobuline correspondante va croître. Une huitaine de jours plus tard ce taux va baisser alors que de manière concomitante des **IgG** possédant exactement la même partie variable et la même chaîne légère apparaissent ; c'est le phénomène du *switch*. Le taux d'IgG circulantes croît alors, puis après quelques jours, décroît lentement. Si une nouvelle stimulation par le même antigène survient, même plusieurs années plus tard, les lymphocytes ne sécréteront plus que des IgG. Le *switch* modifie de manière définitive la classe de l'immunoglobuline sécrétée par un lymphocyte, mais ne touche pas sa spécificité, puisque seule la région constante est substituée. Ce switch de synthèse d'immunoglobulines résulte d'une nouvelle recombinaison du DNA.

Chaque gène de partie constante, sauf le gène δ, est précédé d'une **séquence S** (pour *switch*) constituée d'une trentaine de paires de bases située 1 à 2 kb en amont. Toutes les séquences S sont homologues (conservation de 22 des 30 nucléotides). Par un mécanisme non encore connu, environ 8 jours après la stimulation antigénique, une recombinaison somatique se produit entre la séquence S du gène μ et l'une des séquences S des gènes codant pour la partie constante des autres isotypes (γ, α, ε). Le DNA entre ces deux séquences est probablement délété. Le lymphocyte ne peut plus synthétiser ni IgM ni IgD et ce de manière définitive ; il synthétisera une chaîne lourde possédant la partie constante qui s'est trouvée associée au complexe V-D-J par la recombinaison (beaucoup plus souvent avec γ qu'avec α, et très rarement avec ε).

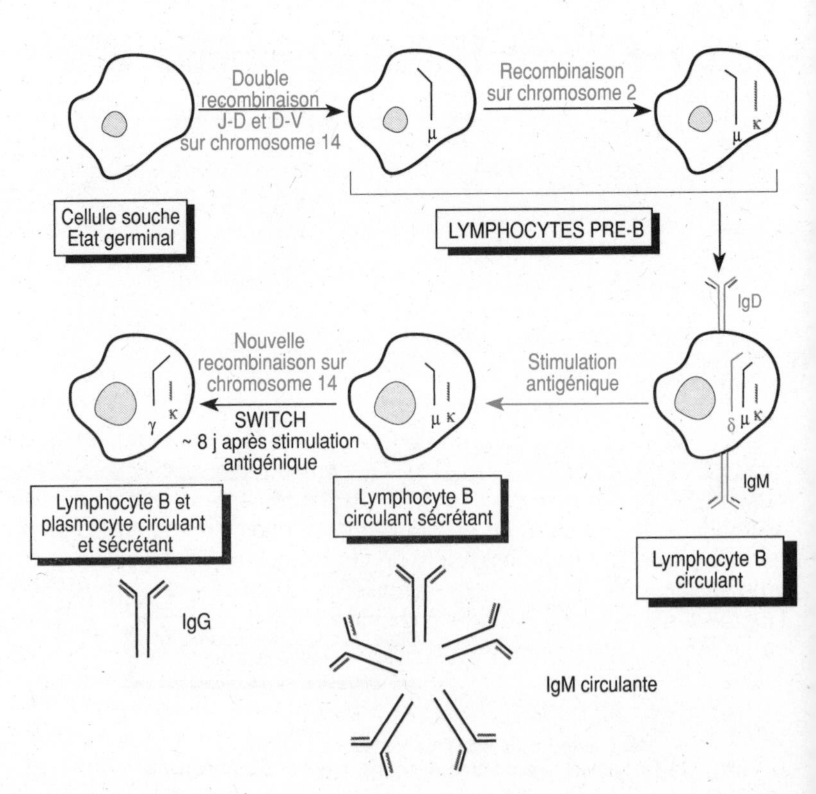

Figure 6-15 **Chronologie de la différenciation des lymphocytes B**

Chronologie des différents événements
(Figure 6-15)

Au sein du lymphocyte pré-B le premier événement correspond aux recombinaisons qui aboutissent à la constitution d'un gène de chaîne lourde μ fonctionnelle. La chaîne correspondante est synthétisée. La recombinaison au niveau des gènes de la chaîne légère est ensuite effectuée (d'abord κ puis, en cas d'échec, λ), ce qui permet la synthèse d'immunoglobulines complètes qui s'accrochent à la membrane. Le lymphocyte restera en l'état, avec ses IgM et ses IgD sur sa membrane jusqu'à ce que survienne une stimulation antigénique. Cette stimulation entraîne une modification de la maturation des messagers des chaînes lourdes, qui se traduit par la disparition des immunoglobulines membranaires et la sécrétion d'IgM. Une huitaine de jours plus tard intervient le *switch,* la synthèse d'IgM s'arrête, des immunoglobulines circulantes d'une nouvelle classe apparaissent : les IgG ou les IgA ou les IgE.

Combinatoire des gènes d'immunoglobulines et diversité des anticorps

• Le nombre de chaînes légères kappa possibles est :

300 (gènes V) × 5 (gènes J) × 4 (incertitude de jonction) = 6 000.

• Le nombre de chaînes lambda ne peut être déterminé puisque l'on ne sait pas combien il y a de gènes V ; il est sans doute supérieur à 1000.

• Le nombre de chaînes lourdes μ possibles est :

300 (gènes V) × 10 (gènes D) × 4 (incertitude de jonction) × 4 (gènes J) × 4 (incertitude de jonction) = 192 000.

Le nombre d'IgM possibles est donc :

$$192\ 000 \times 6\ 000 \times 1\ 000 = 1{,}1 \times 10^{12}.$$

Il peut y avoir 4 fois plus d'IgG puisqu'il en existe quatre sous-classes. De plus nous n'avons pas pris en compte la diversité qui résulte de l'hypermutabilité de certaines régions variables, laquelle multiplierait encore le chiffre précédent par un facteur 100. Le chiffre final est de loin supérieur au nombre de lymphocytes circulants à un instant donné chez l'homme.

Le problème de l'exclusion allélique et de l'exclusion isotypique

L'une des particularités du lymphocyte est de ne synthétiser qu'un seul type d'anticorps à la fois, et ce à partir d'un seul des chromosomes de chaque paire intéressée (14, 2 ou 22). Ce phénomène est appelé **exclusion allélique** ou **haploïdie fonctionnelle.** L'origine de ce phénomène semble résider dans le mécanisme de la recombinaison. Au cours de la différenciation du lymphocyte une première recombinaison est tentée sur l'un des deux chromosomes pris au hasard. Si la recombinaison est réussie, c'est-à-dire si une chaîne fonctionnelle peut être synthétisée (on dit que le réarrangement est productif), tout s'arrête ; le second chromosome n'est pas recombiné et ne pourra pas être exprimé. Si au contraire la tentative est un échec et ne conduit pas à la synthèse d'un produit fonctionnel (réarrangement abortif), une nouvelle recombinaison est tentée sur l'autre chromosome. Si les échecs se répètent pour tous les gènes possibles, le lymphocyte ne sécrétera jamais d'immunoglobulines. Cette hypothèse a été confirmée par des expérimentations utilisant des souris transgéniques qui ont montré que si une copie d'un gène d'immunoglobuline recombiné était introduite dans un ovocyte de souris fécondé, les souris transgéniques qui en résultent ne recombinent plus leurs propres gènes d'immunoglobulines. On ne connaît pas le signal qui indique à la cellule qu'un gène fonctionnel est présent, et donc qu'il convient de ne pas réarranger les autres.

Une même cellule n'exprime jamais à la fois une chaîne kappa et une chaîne lambda **(exclusion isotypique).** La toute première tentative de recombinaison pour les chaînes légères s'effectue au niveau de l'un des deux gènes kappa. En cas d'échec il est fait appel au gène kappa de l'autre chromosome 2. Ce n'est que s'il s'agit à nouveau d'un échec qu'il est fait appel aux gènes lambda. A leur niveau, chez l'homme, 12 tentatives seront possibles puisqu'il y a 6 gènes codant pour la partie constante des chaînes lambda sur chaque chromosome 22.

La régulation de l'expression des gènes des immunoglobulines

Les mécanismes régulant l'expression des gènes des immunoglobulines sont moins bien connus que ceux qui sont à l'origine de leur diversité. Comme pour tout gène eucaryote classique les niveaux possibles sont multiples et incomplètement élucidés.

Les gènes des immunoglobulines sont sensibles à la DNase I dans les lymphocytes

Dans les tissus non lymphoïdes les gènes des immunoglobulines ne présentent pas de sensibilité particulière vis-à-vis de la DNase I et sont hyperméthylés. Dans les lymphocytes pré-B, avant toute recombinaison, les gènes codant pour la partie constante des chaînes μ sont hypométhylés, sensibles à la DNase I et ce sur les deux chromosomes bien qu'un seul soit ultérieurement utilisé. Il en est de même au moins pour les gènes des chaînes légères kappa.

Après la recombinaison V-J , des sites d'hypersensibilité vis-à-vis de la DNase I deviennent détectables dans les gènes des immunoglobulines des lymphocytes matures sécrétants. Ces sites sont localisés dans la partie 5' non transcrite, dans l'intron situé entre le ou les gènes J et le gène C des chaînes légères et au niveau de la séquence S (impliquée dans le *switch*) de la chaîne μ. Ce dernier site hypersensible est retrouvé, de manière étrange, aussi bien dans les lymphocytes B que dans les T qui eux ne sécréteront jamais d'immunoglobulines. Après le *switch*, les gènes codant pour les parties constantes des autres isotypes, qui n'étaient pas sensibles vis-à-vis de la DNase I, le deviennent.

Les modifications de structure chromatinienne, en dehors de celles révélées par l'hypersensibilité vis-à-vis de la DNase I, ne semblent donc pas directement liées à une transcription immédiate du gène puisque la plupart se produisent avant même la recombinaison. Il semble plutôt s'agir d'un acte de différenciation en lymphocyte pré-B qui prépare le terrain à la mise en place ultérieure de la régulation transcriptionnelle proprement dite.

Une séquence du promoteur et une séquence stimulatrice **(enhancer)** *située entre J et C permettent la régulation de l'expression des gènes d'Ig*

La régulation transcriptionnelle implique à la fois des séquences en cis et des facteurs trans. Mais la présence de nombreux gènes, dont un seul doit être exprimé, rend encore plus complexe la régulation.

La simple interaction entre une séquence en cis et un facteur trans ne peut pas être suffisante, sinon tous les gènes des immunoglobulines seraient activés simultanément. De même il n'est pas envisageable qu'il existe un facteur régulateur spécifique de chaque gène variable. La recombinaison somatique joue donc un rôle majeur aussi bien au niveau de la génération de la diversité qu'au niveau de la régulation transcriptionnelle du gène ainsi sélectionné.

L'analyse des séquences d'amont des gènes variables a montré que les gènes variables des chaînes légères sont précédés de l'**octamère** ATTTGCAT alors que les gènes variables des chaînes lourdes sont eux précédés par la séquence complémentaire inverse ATGCAAAT. Sur ces séquences se fixent spécifiquement des facteurs protéiques dont un, le **facteur oct-2**, a été caractérisé. Ce facteur qui appartient à la famille POU (voir chapitre 5 p. 107) n'est retrouvé que dans les lymphocytes B ; il apparaît très tôt au cours de la différenciation en lymphocyte B (au moment de la jonction D-J). Le même octamère est susceptible de fixer aussi le **facteur oct-1** qui, lui, est ubiquitaire. Cependant, contrairement au facteur oct-2, il n'est pas capable à lui seul d'activer la transcription (il nécessite d'autres facteurs accessoires), ce qui explique qu'il est sans effet dans le lymphocyte B. Ces facteurs sont indispensables à la bonne expression aussi bien des chaînes légères que des chaînes lourdes ; ils ne sont retrouvés que dans les cellules lymphoïdes.

Une séquence nucléotidique identique est retrouvée en 5' des gènes de l'histone H2B et des petits RNA U1 et U2 impliqués dans la maturation des messagers, mais les protéines qui s'y fixent, dont le facteur oct-1, sont de nature différente.

Ce mécanisme régulateur spécifique de tissu, important dans la modulation de l'expression des gènes sélectionnés, n'explique cependant pas pourquoi le seul gène V impliqué dans la recombinaison est significativement transcrit.

La réponse a été apportée par les expériences de délétion au sein de l'intron qui sépare les gènes J et C. De telles délétions se traduisent par un effondrement du taux de transcription montrant que cet intron contient vraisemblablement une **séquence stimulatrice *(enhancer).*** Les expériences ont montré que les sites hypersensibles vis-à-vis de la DNase I localisés dans cet intron, déjà évoqués au paragraphe précédent, sont localisés en 5' de cette séquence stimulatrice. La recombinaison a donc pour effet de rapprocher le gène de la partie variable sélectionné de cette séquence qui peut alors exercer son effet sur la transcription du seul gène V recombiné. Cette séquence stimulatrice est spécifique de tissu car elle demeure sans effet lorsqu'elle est transfectée, après couplage à un gène reporter, dans une cellule autre qu'une cellule lymphoïde. Cette spécificité tissulaire résulte de l'interaction avec des protéines qui n'existent que dans les cellules lymphoïdes. L'analyse de cette séquence stimulatrice *(enhancer)* n'a pas permis de mettre en évidence d'homologie avec d'autres séquences stimulatrices connues. La structure de cette séquence est maintenant connue. Elle n'est pas la même dans les gènes des chaînes légères et dans les gènes des chaînes lourdes. La séquence stimulatrice des chaînes légères kappa est constituée dans l'ordre 5' vers 3' d'une séquence extinctrice *(silencer)*, d'une séquence κB et de trois séquences κE (κE1, κE2 et κE3). La séquence extinctrice semble empêcher l'expression ectopique du gène dans les cellules autres que les lymphocytes B. Son effet inhibiteur est levé dans les lymphocytes B qui possèdent un gène de chaîne légère kappa correctement réarrangé par un mécanisme non connu. La séquence κB est une séquence cis-activatrice qui fixe le facteur transcriptionnel **NFκB** décrit au chapitre 5 ; on ne sait encore rien du rôle et du mécanisme d'action des séquences κE. La séquence stimulatrice des chaînes lourdes est constituée de 5' vers 3' des séquences μE1, μE5, μE2, π, μE3, μB, μE4 et de l'octamère retrouvé dans le promoteur. La spécificité tissulaire résulte surtout de l'interaction de facteurs avec les motifs π et μB. Les séquences E fixent des facteurs possédant des structures hélice-boucle-hélice (voir chapitre 5). Les mécanismes précis ne sont pas connus.

LE RÉCEPTEUR T

La réaction immunitaire met en jeu une série de cellules et de molécules dont la description détaillée relève de l'immunologie et sort du cadre de cet ouvrage. Nous nous limiterons donc à l'étude des gènes impliqués.

En plus des lymphocytes B et de leurs anticorps, interviennent d'autres cellules, les lymphocytes T. Ceux-ci se répartissent en trois classes : les lymphocytes T **cytotoxiques** *(killers),* les lymphocytes T **auxiliaires** *(helpers)* et les lymphocytes T **suppresseurs**. Le mécanisme par lequel ces lymphocytes reconnaissent les antigènes est resté longtemps un mystère.

Les antigènes à l'état libre ne sont pas reconnus par les lymphocytes T. Ils ne le sont que s'ils sont convenablement présentés par d'autres cellules, et à condition que ces cellules présentent en plus à leur surface des molécules du complexe d'histocompatibilité identiques à celles du lymphocyte T. On a cru au début qu'à cette dualité des signaux de reconnaissance correspondaient deux types de récepteurs sur les lymphocytes T.

D'un point de vue pratique les investigations étaient extrêmement difficiles, faute d'un modèle expérimental équivalent à celui des myélomes. Il fallut attendre le début des années 80 pour que soit mis en évidence le **récepteur T** et qu'il soit montré qu'il assurait à lui seul la reconnaissance à la fois de l'antigène et de la protéine d'histocompatibilité située à la surface de la cellule présentatrice. Cette mise en évidence fut possible grâce aux hybridomes et à la biologie moléculaire.

Le récepteur T est composé de deux chaînes : α et β

Le récepteur T fut mis en évidence grâce à des anticorps monoclonaux. C'est une glycoprotéine de 80-90 kDa hétérodimérique constituée d'une chaîne α et d'une chaîne β reliées par un pont disulfure. Ce récepteur est ancré dans la membrane par son extrémité C terminale. Comme dans les immunoglobulines, chaque chaîne est constituée d'une partie variable qui correspond à l'extrémité N terminale, spécifique de chaque récepteur, et d'une partie constante. La partie constante est un peu plus longue que la partie variable **(Figure 6-16)**.

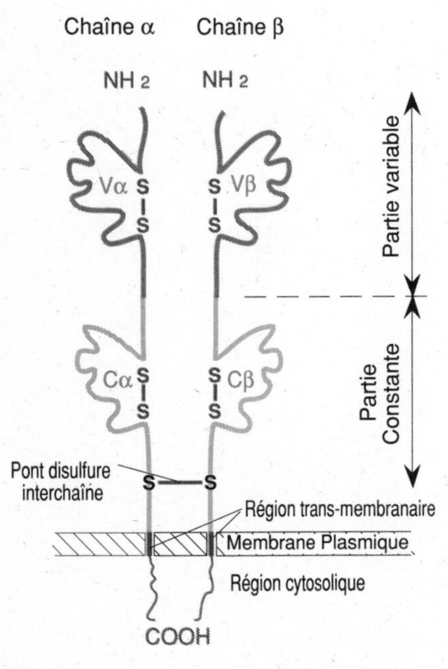

Figure 6-16 Structure du récepteur du lymphocyte T

La stratégie du clonage du récepteur T

Très rapidement après sa mise en évidence, le récepteur T fut cloné en utilisant une stratégie originale. Les lymphocytes B et T sont des cellules extrêmement proches, l'une des différences majeures étant que les lymphocytes B synthétisent des anticorps, alors que les lymphocytes T synthétisent des récepteurs T. De cette très forte ressemblance il résulte que 98 p. 100 des mRNA cytosoliques sont identiques dans les deux types de cellules. L'idée fut donc de cloner les cDNA, provenant des mRNA de cellules T, qui ne s'hybrident pas avec les mRNA des cellules B **(clonage soustractif)**. Ces cDNA spécifiques des lymphocytes T devaient contenir en grande quantité ceux qui codent pour le récepteur T. Ceci a permis de cloner les cDNA des récepteurs T et dans un second temps les gènes correspondants. Les clones obtenus, utilisés en hybridation à faible stringence, ont ensuite permis de mettre successivement en évidence deux autres gènes, appelés γ et δ.

Structure et expression des gènes du récepteur T

L'organisation des gènes codant pour le récepteur T, ainsi que les mécanismes de génération de leur diversité, sont très proches de ce qui a été observé pour les immunoglobulines. On y retrouve les gènes V, D, J et C. Leurs nombres respectifs pour chacune des chaînes ainsi que leur localisation chromosomique sont présentés dans le **tableau 6-2**. Seuls les gènes des chaînes β et δ semblent comporter des gènes D. Les gènes codant pour les chaînes δ sont dispersés au sein des gènes codant pour les chaînes α. Les gènes Vδ sont dispersés au sein des gènes Vα, mais en fait on ne sait pas avec certitude si certains ne peuvent pas être utilisés indifféremment pour constituer des chaînes α ou des chaînes δ. Le groupe des gènes V est suivi des deux gènes Dδ, puis des trois gènes Jδ et du gène Cδ, viennent ensuite les gènes Jα et, plus de 60 kb plus loin, le gène Cα. Pour les gènes codant pour les chaînes δ l'organisation comme le nombre des gènes sont identiques chez l'homme et chez la souris (sauf en ce qui concerne le nombre des gènes V).

Tableau 6-2 **Nombre et localisation des gènes codant pour le récepteur T**

Chaîne	Localisation chromosomique	Nombre de gènes			
		V	J	D	C
α	14q11-12	≃ 60	75	0	1
β	7q32-3	70-100	13	2	2
γ	7p15	8	5	0	2
δ	14q11-12	≃ 6	3	3	1

Comme pour les immunoglobulines les gènes du récepteur T doivent être recombinés avant d'être transcrits. Au niveau des chaînes α et γ une seule recombinaison est nécessaire, elle s'effectue entre l'un des gènes V pris au hasard et l'un des gènes J. Au niveau des chaînes β deux recombinaisons sont nécessaires. La première met bout à bout un gène D et un gène J ; la seconde met en contact l'un des gènes V pris au hasard avec le gène D impliqué dans la première recombinaison.

Les signaux utilisés pour ces différentes recombinaisons sont les mêmes que ceux des immunoglobulines, à savoir le complexe heptamère-nonamère séparé par 12 et 23 paires de bases en 5' de J et en 3' de V. Les mécanismes impliqués semblent cependant plus variés et la délétion du fragment de DNA séparant les deux points de recombinaison est semble-t-il plus rare.

Dans la pratique trois mécanismes au moins sont utilisés. Le premier correspond à celui de la **recombinaison intra-chromosomique** utilisée pour les gènes des immunoglobulines. Cependant, pour le récepteur T, le DNA séparant V et J est souvent récupéré et réinséré ailleurs dans le génome au lieu d'être simplement délété.

Le second mécanisme correspond à un **échange inégal entre chromatides sœurs** décrit **figure 6-17**. Il s'agit donc là d'une recombinaison non plus intra-chromosomique mais inter-chromosomique.

Le dernier mécanisme utilisé est l'**inversion** ; il est schématisé **figure 6-18**. Ce mécanisme a été suggéré par l'observation que l'un des gènes Vβ est situé en 3' du gène codant pour la partie constante et possède un sens de transcription opposé. Comme ce gène est exprimé normale-

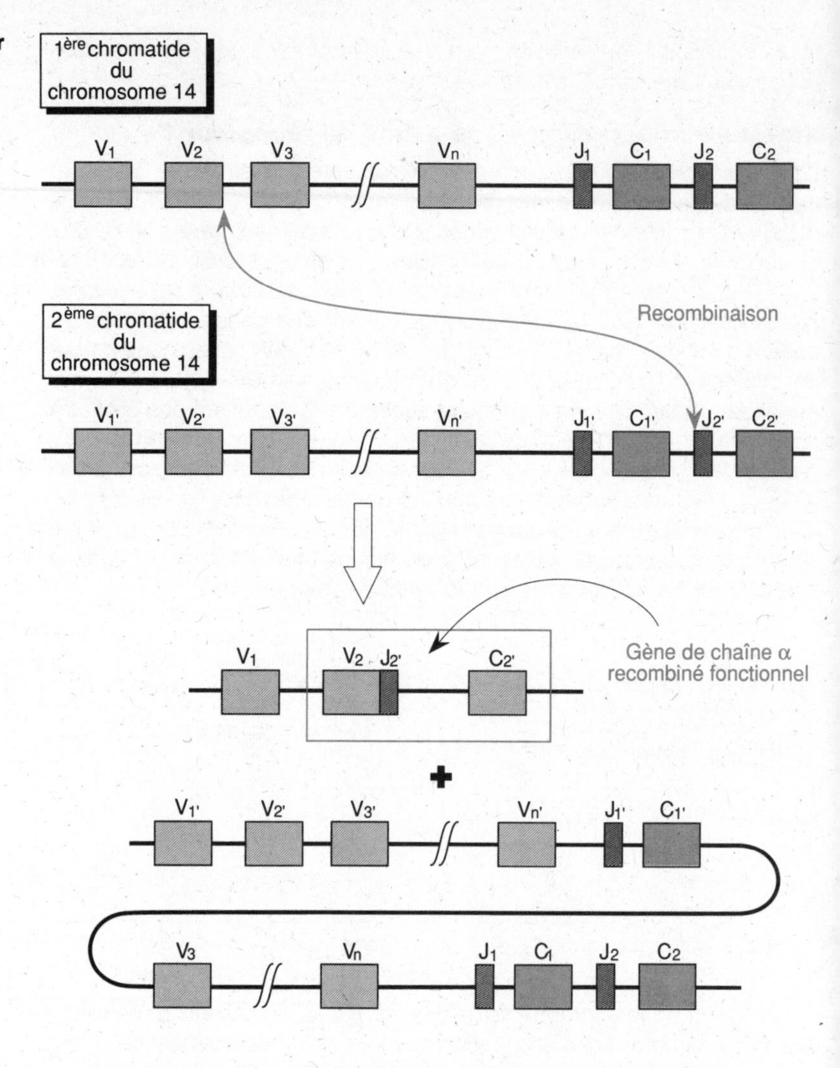

Figure 6-17 Exemple de recombinaison par échange de chromatides sœurs

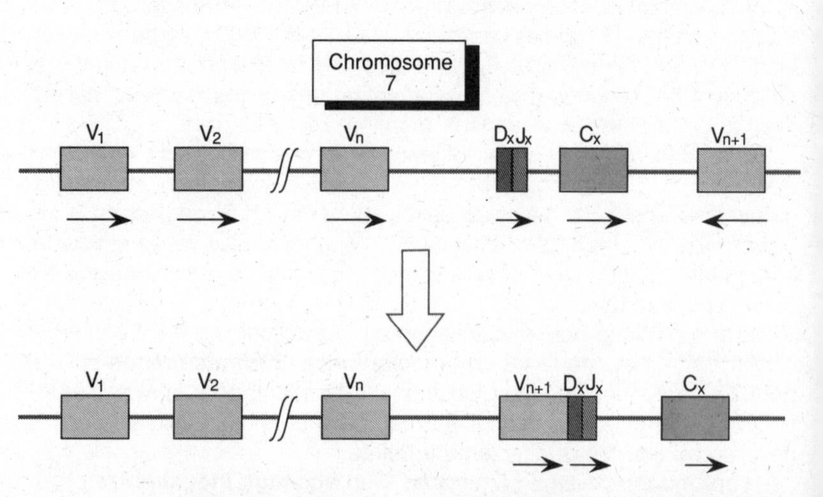

Figure 6-18 Exemple de recombinaison d'un gène de chaîne β de récepteur T par inversion

ment, il ne peut l'être qu'après une recombinaison impliquant une inversion. L'importance relative de ces trois mécanismes n'est pas connue.

Les gènes α et β ont été retrouvés recombinés dans tous les lymphocytes T cytotoxiques et auxiliaires *(helpers)* circulants ainsi que dans la plupart des lignées réputées dériver de cellules T.

La situation est plus complexe dans les lymphocytes T suppresseurs puisque l'étude de ces cellules dans 15 hybridomes de souris a montré : dans un cas une absence de recombinaison, dans deux cas une recombinaison normale et dans tous les autres cas une délétion complète du locus β sur les deux chromosomes. Les gènes γ ne sont retrouvés recombinés que de manière inconstante aussi bien dans les lymphocytes T cytotoxiques que dans les auxiliaires *(helpers)*.

L'expression des gènes recombinés

Comme pour les immunoglobulines les introns séparant le gène V de la séquence leader et le gène J du gène C sont excisés par épissage du RNA transcrit. Aussi bien pour les chaînes α que pour les chaînes β deux messagers sont retrouvés dans le cytosol. Les plus longs (1,7 kb pour α et 1,3 kb pour β) correspondent à la totalité de la partie codante ; leur traduction donnera les chaînes α et β des récepteurs retrouvés sur la membrane du lymphocyte T. Les plus courts (1,4 kb pour α et 1 kb pour β) correspondent à des messagers qui ne contiennent pas de séquences codant pour la partie variable. On ne connaît ni le rôle ni l'origine de ce type de messagers.

Les messagers codant pour les chaînes γ ont été retrouvés dans tous les lymphocytes T cytotoxiques étudiés et dans un lymphocyte auxiliaire sur dix. Dans tous les cas leur taux est très inférieur à celui des messagers codant pour les chaînes α et β. Ces messagers codant pour les chaînes γ ne semblent pas être traduits puisque ce type de chaîne n'est pas retrouvé à la surface des lymphocytes T.

Ontogénie des récepteurs T

Elle n'est connue que chez la souris. Le premier et seul type de récepteur T détectable avant le 15e jour de gestation est un hétérodimère γδ. Le récepteur T de type αβ, qui est le seul retrouvé après la naissance, commence à apparaître vers le 16e jour de gestation. Pour les récepteurs de type αβ, le premier événement est la recombinaison entre les gènes D et J des chaînes β. Cette recombination est suivie, deux jours plus tard, par celle des gènes V et D.

La transcription des gènes commence immédiatement après le réarrangement et leur traduction est quasiment simultanée. Les gènes α ne commencent à être recombinés qu'au 16e jour ; ils sont transcrits et traduits immédiatement. La recombinaison au niveau des gènes des chaînes α élimine les séquences codant pour la chaîne δ, puisqu'elles sont situées entre Vα et Jα. De ce fait, les gènes δ ne sont plus exprimés, ce qui explique peut-être la disparition de la plupart des récepteurs T de type γδ peu avant la naissance.

Au tout début, les chaînes β synthétisées ne sont que partiellement glycosylées et leur turn-over est très rapide. Ce n'est que vers le 17e jour de gestation que les récepteurs commencent à être détectables à la surface des thymocytes (1 p. 100 des cellules sont positives en immunofluorescence). Cette proportion atteindra 50 p. 100 à la naissance. Les cellules matures possèdent environ 50 000 molécules de récepteur à leur surface.

Le lymphocyte T possède d'autres récepteurs : T4, T8...

Les lymphocytes T possèdent à leur surface d'autres récepteurs, les mieux connus sont les récepteurs T4 (CD4) et T8 (CD8) qui sont des glycoprotéines. Ils sont l'équivalent respectivement des protéines L3T4 et lyt 2-3 de la souris. Le récepteur T4 est exclusivement retrouvé à la surface des

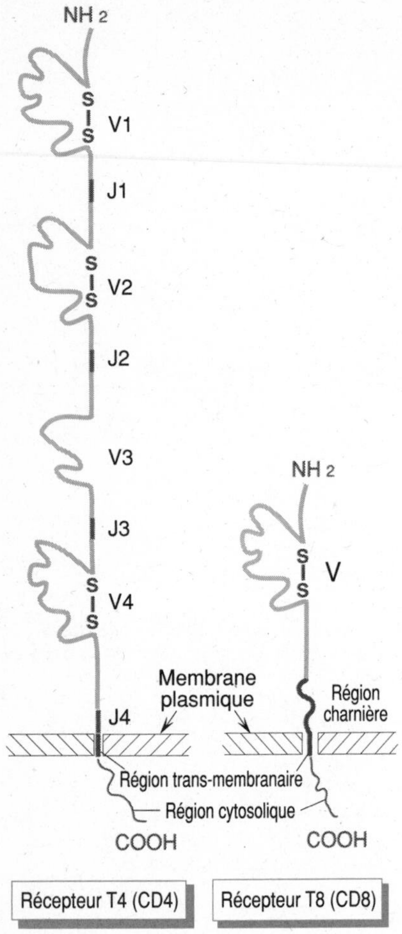

Figure 6-19 **Structure des récepteurs T4 et T8 déduite des séquences des cDNA**

lymphocytes auxiliaires *(helpers)*, alors que le récepteur T8 est lui retrouvé exclusivement à la surface des lymphocytes cytotoxiques et suppresseurs.

Le récepteur T4 est l'objet d'un très grand intérêt car il est la molécule qui reconnaît et permet l'infection par le virus HIV (virus responsable du SIDA, voir chapitre 7).

Ces deux récepteurs jouent un rôle dans la reconnaissance des molécules du complexe majeur d'histocompatibilité ; le récepteur T4 interagit avec les protéines de classe II alors que le récepteur T8 interagit avec les protéines de classe I.

Les cDNA correspondant aux messagers de ces deux récepteurs ont été clonés et entièrement séquencés ce qui a permis de démontrer leur appartenance à la superfamille des gènes de l'immunité. Leur structure est décrite dans la **figure 6-19**. Les gènes correspondants possèdent des introns et ne nécessitent pas de recombinaison pour être fonctionnels.

LE COMPLEXE MAJEUR D'HISTOCOMPATIBILITÉ

Les gènes du complexe majeur d'histocompatibilité, appelé **complexe HLA** *(Human Leucocyte Antigen)* chez l'homme, sont aussi des membres de la superfamille des gènes de l'immunité. Ils sont tous localisés l'un derrière l'autre sur le chromosome 6 (6p21.3) et s'étendent sur environ 3 000 kb. Ils codent pour trois types de protéines, les protéines de classe I, II et III. L'une des données qui les différencient des autres membres de la superfamille est que leur diversité ne résulte pas de la recombinaison d'un petit nombre de gènes, mais directement de leur nombre et du nombre des différents allèles possibles pour chaque locus (polymorphisme).

Les protéines du complexe HLA (Figure 6-20)

Les protéines de classe I

Ce sont des protéines qui sont retrouvées à la surface de toutes les cellules nucléées. Elles sont à la base de la reconnaissance du soi et du non soi par les lymphocytes T cytotoxiques, donc du rejet des greffes hétérologues. Ce sont des protéines monomériques de 44 kDa constituées de trois domaines homologues entre eux : α1, α2, α3, d'un domaine transmembranaire et d'un domaine cytosolique qui correspond à l'extrémité C terminale de la chaîne polypeptidique. Les trois domaines α, d'une longueur de 90 acides aminés environ, présentent de fortes homologies avec les autres membres de la superfamille, principalement avec les parties constantes des immunoglobulines. La forme fonctionnelle des protéines de classe I est un hétérodimère constitué de la protéine elle-même et d'une protéine circulante de 12 kDa, la β_2 **microglobuline**. La liaison entre ces deux molécules n'est pas covalente, elle est assurée par des liaisons faibles.

Les protéines de classe II

Ce sont des protéines hétérodimériques constituées d'une chaîne α et d'une chaîne β. Leur distribution est plus limitée puisqu'elles ne sont retrouvées qu'à la surface des lymphocytes B, des cellules de la lignée lymphoïde et dans certaines circonstances sur les lymphocytes T et sur les cellules épithéliales. Chaque chaîne est constituée de deux domaines. L'ensemble de ces domaines sont homologues entre eux et aux domaines constants des immunoglobulines.

Les protéines de classe III

Elles correspondent à des protéines du **complément.** Leur description sort du cadre de cet ouvrage.

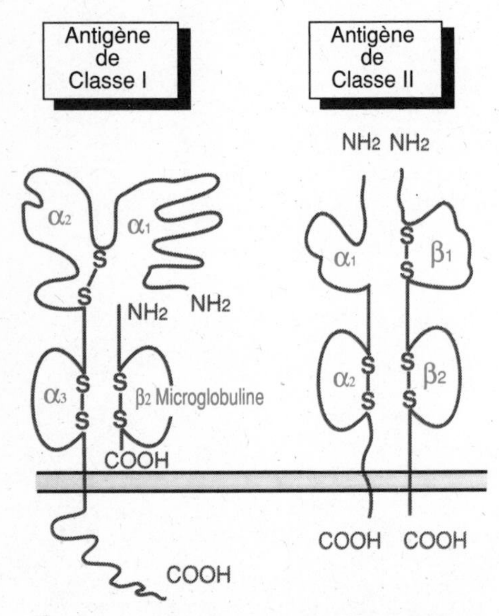

Figure 6-20 **Structure des protéines de classes I et II codées par les gènes du complexe HLA**

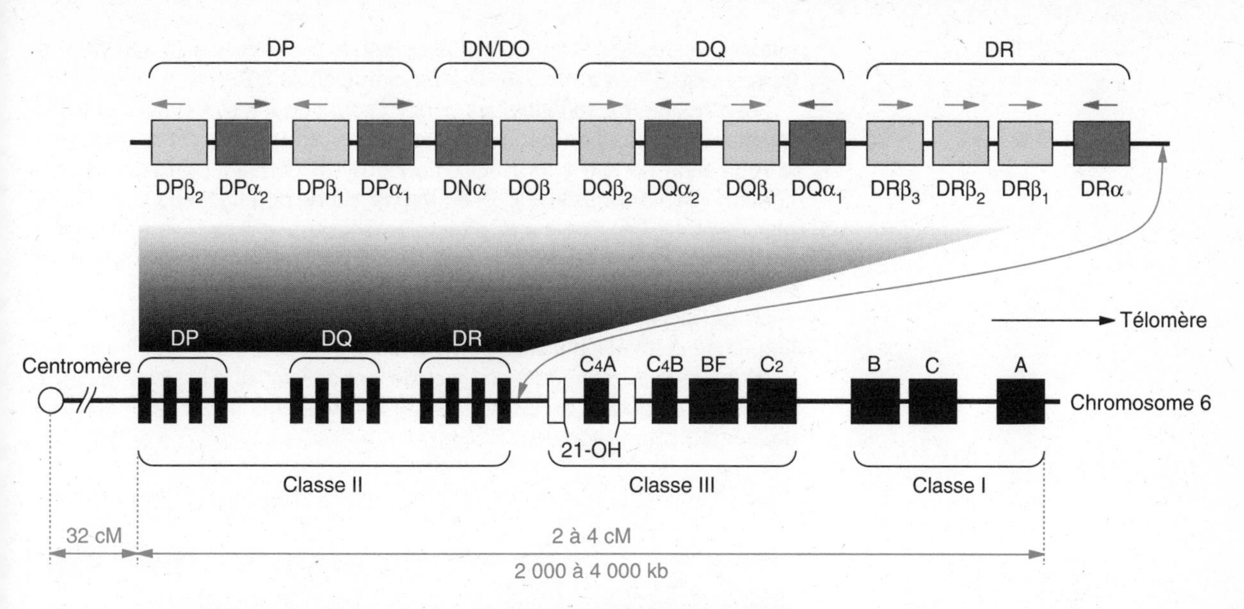

Figure 6-21 **Organisation des gènes du complexe HLA sur le chromosome 6**
Les gènes du complexe HLA sont tous regroupés sur le chromosome 6. Du centromère vers le télomère on trouve les gènes des protéines de classe II (DP, DN/DO, DQ et DR) puis les gènes des protéines de classe III et enfin les gènes des protéines de classe I. On remarquera la présence du gène de la 21 hydroxylase au sein des gènes des protéines de classe III. La région HLA D est agrandie afin de mieux y représenter les différents gènes qui la composent. Les petites flèches représentent les sens de transcription des gènes.

L'organisation des gènes du complexe HLA

L'organisation des gènes du complexe HLA est donnée en **figure 6-21** ; la structure schématique de chacun des membres du complexe est donnée en **figure 6-22**. La carte complète de ce territoire génomique de 3 mégabases est en cours d'établissement, ce qui a été rendu possible par macrocartographie de restriction (voir chapitre 10).

Les gènes des protéines de classe I

Ces gènes sont situés sur le chromosome 6 dans la partie la plus télomérique du complexe HLA (6p21.3). L'inventaire des gènes n'est pas encore totalement établi. On en compte au moins 17 dont la plupart sont des pseudogènes. Seuls trois sont exprimés, ils correspondent aux **locus HLA A, B, C.** Les domaines α et trans-membranaire sont codés chacun par un exon alors que le domaine cytosolique est lui codé par trois exons (Figure 6-22).

Les gènes des protéines de classe II

Ces gènes sont plus proximaux que les précédents sur le chromosome 6. Leur organisation est plus complexe que celle des gènes de classe I ;

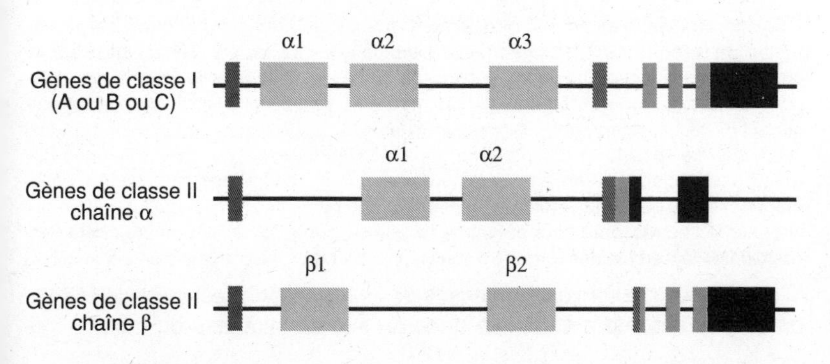

Figure 6-22 **Structure fine des gènes codant pour les protéines de classes I et II du complexe HLA**
En ▬ l'exon codant pour le peptide signal, en ▬ les exons codant pour les domaines externes, en ▬ la portion transmembranaire, en ▬ la fraction cytosolique. Les séquences non traduites sont représentées en noir.

elle est schématisée dans la partie agrandie de la figure 6-21. On y trouve trois locus, **DP** (ancien SB), **DQ** (ancien DC) et **DR**.

Les sens de transcription des gènes codant pour les chaînes α et β sont toujours opposés ; on ne sait pas si cette disposition a un rapport avec la régulation de leur expression. Le locus DP contient deux gènes pour chacune des chaînes α et β ; il en est de même pour le locus DQ. Le dernier, le locus DR, qui est le plus télomérique possède trois gènes pour la chaîne β et un seul pour la chaîne α. Il existe aussi des pseudogènes qui restent à dénombrer.

Le clonage des gènes HLA, la connaissance de leur carte de restriction, la mise en évidence de polymorphismes de restriction, et finalement le déchiffrage de leur séquence, permettent désormais d'explorer le polyallélisme remarquable du système HLA au niveau génotypique et non plus seulement phénotypique.

Un grand gène : le gène du facteur VIII coagulant

Ce gène a été choisi à cause de la prouesse technique qu'a représenté son clonage, de son intérêt en pathologie (hémophilie A), et de ses implications biotechnologiques.

LE CLONAGE DU GÈNE DU FACTEUR VIII COAGULANT

A priori le clonage du facteur VIII semblait une tâche presque impossible. Les données sur la protéine n'étaient que parcellaires et controversées. Son instabilité et sa très faible concentration plasmatique (< 200 ng/ml) étaient un écueil majeur pour sa purification, et seuls des fragments de la molécule avaient pu être purifiés à homogénéité. Enfin son lieu de synthèse et l'abondance du messager correspondant (qui s'avèrera ultérieurement être de 1/200 000) n'étaient pas connus.

Malgré ces difficultés deux firmes privées, Genentech et Genetic Institute, relevèrent le défi et entreprirent avec succès le clonage. Leurs résultats, qui allaient du clonage à l'expression de molécules actives par des cultures de cellules eucaryotes, furent publiés en novembre 1984. Ultérieurement une société française, Transgène, réussit aussi à cloner le gène. La stratégie des deux firmes américaines fut de cribler une banque génomique avec des oligonucléotides de synthèse. Leur séquence avait été déduite de données parcellaires sur la séquence en acides aminés de courts fragments de facteur VIII purifiés par immunoaffinité.

L'équipe de Genentech cribla directement une banque génomique humaine provenant d'un sujet XXXXY (puisqu'on savait que le gène du facteur VIII est situé sur le chromosome X) avec un oligonucléotide de 36 bases. L'équipe de Genetic Institute commença par cloner le facteur VIII du porc en utilisant un pool d'oligonucléotides longs (45 bases) et un pool d'oligonucléotides courts (15 bases) représentant toutes les séquences possibles compte tenu de la dégénérescence du code génétique. Ils utilisèrent les clones obtenus chez le porc pour cribler une banque humaine. Le gène étant très long, les clones n'en contenaient qu'une faible partie. Il leur fallut donc marcher sur le chromosome pour obtenir la totalité du gène ; ils utilisèrent pour cela des cosmides. L'ensemble des clones obtenus leur permit de balayer complètement le gène.

Pour obtenir la version condensée de l'information, c'est-à-dire le cDNA, on se heurtait à la méconnaissance du site de synthèse du facteur VIII

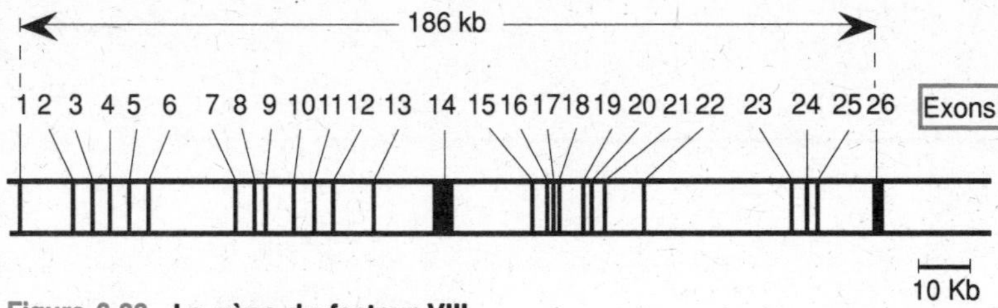

Figure 6-23 **Le gène du facteur VIII**

dans l'organisme. Il fallut tester 80 types cellulaires par *dot-blot* (chapitre 29) pour en trouver un possédant suffisamment de mRNA pour envisager un clonage ; il s'agissait de la lignée AL7 dérivée de cellules T. Le cDNA fut cloné à partir d'une banque de cDNA issue de ces cellules en utilisant les clones génomiques comme sonde. Cette même étude permit de démontrer que le lieu de synthèse du facteur VIII est le foie.

STRUCTURE DU GÈNE DU FACTEUR VIII

Le gène du facteur VIII a une longueur de **186 kb (Figure 6-23)**, représentant à lui seul 0,1 p. 100 du chromosome X. La partie codante se répartit en **26 exons**. Physiologiquement trois heures sont nécessaires pour transcrire le gène en totalité. Après épissage les exons sont rassemblés en un messager de 9 kb (8 860 nucléotides). La séquence non codante en 5' a une longueur de 170 nucléotides, alors que celle de la partie 3' non codante comporte 1 692 nucléotides.

Le gène possède une TATA box située à la position – 30, pas de CAAT box ni de boîte GC. Tous les introns possèdent à leurs extrémités les séquences consensus GT/AG. La taille des exons va de 69 à 3 106 paires de bases. Les deux exons les plus longs sont l'exon 14 (3 106 paires de bases) et l'exon 26 (1 958 paires de bases) ; ils représentent à eux seuls la moitié de la longueur de la partie codante. La longueur des introns varie entre 207 et 32 400 paires de bases.

L'une des données surprenantes apportées par cette étude est l'extrême conservation de la séquence codante d'un sujet à l'autre (absence de polymorphisme exonique). En effet la comparaison des séquences codantes des clones génomiques obtenues à partir de la banque génomique XXXXY avec celles déterminées à partir du cDNA des cellules AL7 montre que seules 2 bases sur les 9 000 étaient différentes. Ces deux différences sont minimes puisque la première ne modifie pas la séquence en acides aminés, alors que la seconde correspond au remplacement d'un acide glutamique par un acide aspartique.

Le gène du facteur VIII, un gène gigogne

L'étude de l'intron 22, le plus long (32,4 kb), a montré qu'il renferme deux autres gènes. Le premier, **gène A**, possède une orientation transcriptionnelle inverse (il est sur l'autre brin). Il code pour une protéine de 365 acides aminés dont l'expression est ubiquitaire et la fonction inconnue. Deux autres copies (trois chez certains individus) sont situées plus de 500 kb en 5' du facteur VIII. La présence de ces copies en amont est particulièrement défavorable, car génératrice d'une pathologie. En effet, comme nous le verrons au chapitre 14 (page 381), près de la moitié des hémophilies A sévères résultent d'une recombinaison entre la copie intronique du gène A et l'une des copies situées en amont du gène, conduisant à une inversion des exons 1 à 22 du facteur VIII. Le second gène, **gène B**, possède la même orientation transcriptionnelle que le facteur VIII. Son premier exon est situé dans l'intron 22, mais les autres exons sont communs avec le facteur VIII (exons 23 à 26). Le RNA messager a une longueur de 2,5 kb. La fonction de la protéine codée par le gène B est inconnue, cependant les exons communs codent pour le domaine du facteur VIII interagissant avec les phospholipides. Il est donc vraisemblable qu'il s'agit d'une protéine ayant les mêmes interactions. Contrairement au facteur VIII qui n'est exprimé que dans le foie, le gène B s'exprime dans toutes les cellules.

(Voir B. Levinson et al. 1992 Genomics, 14 : 585-589.)

STRUCTURE PROTÉIQUE DU FACTEUR VIII

Le messager code pour une protéine constituée de 2 351 acides aminés. Après retrait du peptide signal constitué de 19 acides aminés, la protéine ne fait plus que 2 332 acides aminés représentant une masse moléculaire totale de 265 kDa. La différence entre cette valeur et celle trouvée pour la protéine native en gel de polyacrylamide en présence de SDS (330 kDa) résulte de la glycosylation.

L'analyse de la séquence a montré que la protéine était composée de 3 types de domaines : A, B, C, dont certains sont répétés, la structure étant A1-A2-B-A3-C1-C2. L'homologie entre les trois domaines A et entre les

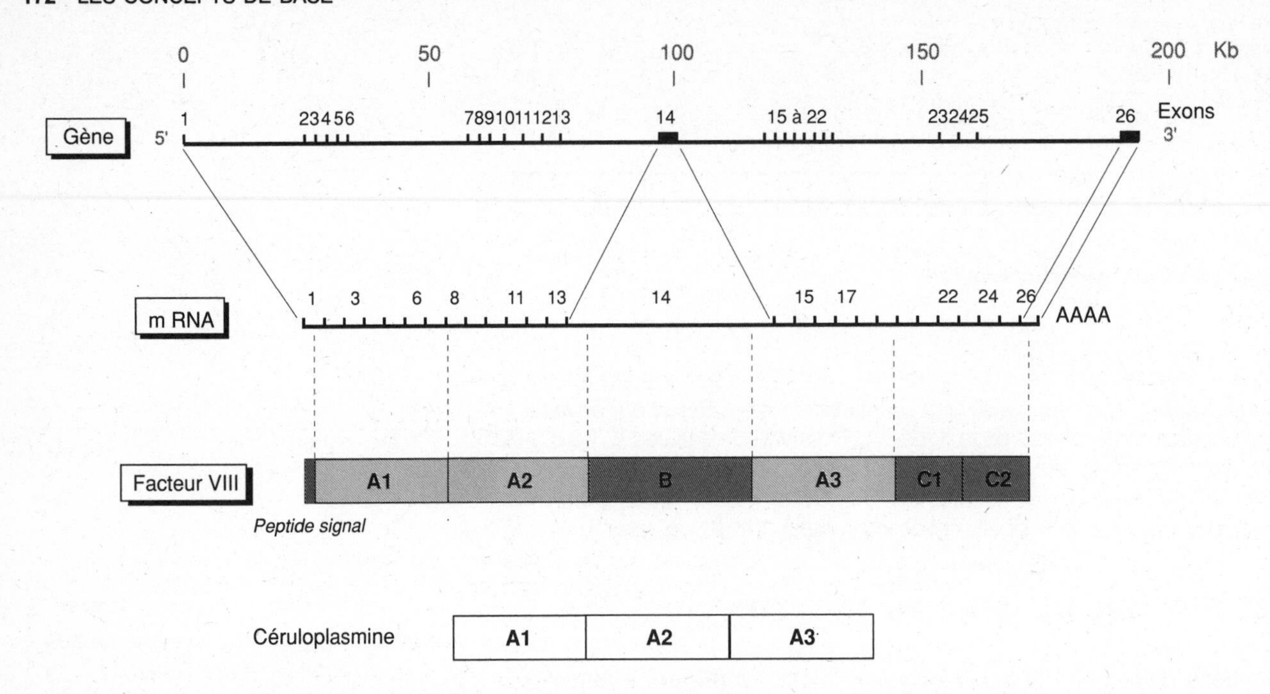

Figure 6-24 Structures respectives des gènes, des messagers et de la protéine facteur VIII ; homologie avec la céruloplasmine

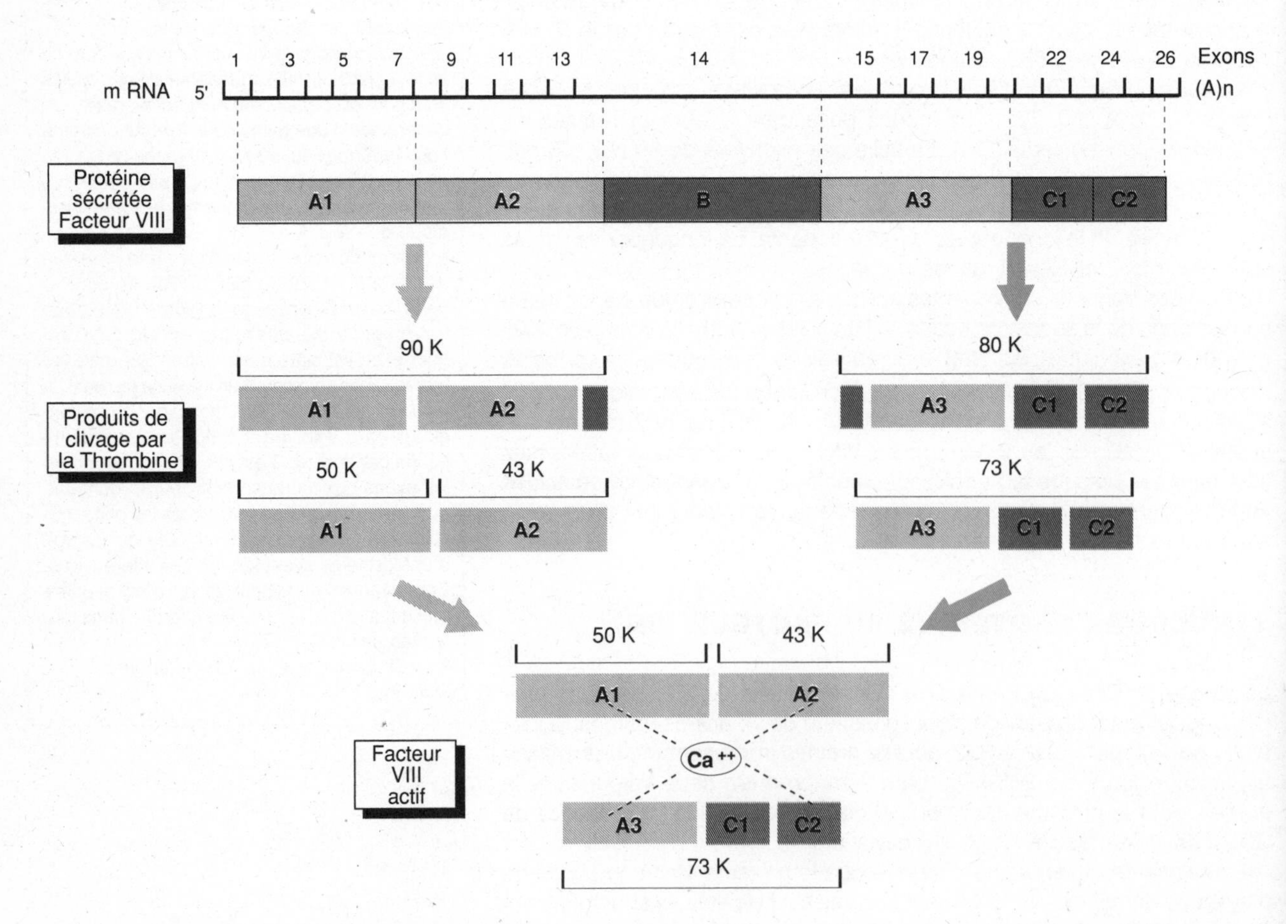

Figure 6-25 Synthèse et activation du facteur VIII

deux domaines C est d'environ 30 à 40 p. 100. Ces mêmes études ont montré qu'il existait une homologie de séquence entre les facteurs VIII et V, et aussi, ce qui est plus surprenant, entre le facteur VIII et la **céruloplasmine** (30 p. 100 d'homologie) **(Figure 6-24)**. Ces mêmes analyses de séquence montrent que le facteur VIII possède 25 sites potentiels de glycosylation sur des asparagines.

L'action de la thrombine sur le facteur VIII produit par génie génétique **(Figure 6-25)** se traduit dans un premier temps par la libération de trois fragments. Le premier d'une masse moléculaire de 90 kDa correspond aux domaines A1 et A2, le second au domaine B et le troisième d'une masse moléculaire de 80 kDa correspond aux domaines A3-C1-C2. Le premier et le troisième fragments sont de nouveau protéolysés, et les fragments produits s'associent par l'intermédiaire d'ions calcium. Le complexe correspond à la forme active du facteur VIII. Ces fragments sont ultérieurement dégradés en fragments plus petits. Ceux-ci sont identiques aux fragments obtenus dans les mêmes conditions avec le facteur VIII purifié à partir du plasma.

Le domaine B central qui correspond à l'exon 14 est éliminé, il ne joue aucun rôle dans la coagulation.

PERSPECTIVES D'APPLICATIONS MÉDICALES

Le but des firmes qui ont réalisé le clonage est de produire du facteur VIII par génie génétique, a priori dépourvu de tout risque de contamination virale.

S'agissant d'une molécule glycosylée, la production de molécules actives ne peut s'effectuer qu'à partir de cellules eucaryotes. Les rendements annoncés sont de1 U/ml de milieu de culture, ce qui est suffisant pour envisager une purification avec une rentabilité acceptable. L'association au facteur Willebrand entraîne une très bonne stabilisation de la protéine produite et permet de faciliter la purification par immunoaffinité.

Les améliorations devraient provenir de l'utilisation de cellules plus efficaces, des animaux transgéniques et du bricolage du cDNA. Il a en effet été montré que la partie centrale qui correspond au domaine B (exon 14) n'était pas indispensable à l'activité pourvu que le site de coupure par la thrombine soit conservé. Cela permet de diminuer la taille du vecteur (de 3 kb environ) et surtout le nombre des glycosylations, ce qui améliore notoirement les rendements de production (voir chapitre 31).

Les problèmes concernant le diagnostic seront évoqués dans la seconde partie (voir chapitres 13 et 14).

Sélection de références bibliographiques : voir page 708.

7 Virus des eucaryotes et biologie moléculaire

La virologie étant une discipline à part entière, nous nous contenterons de décrire l'apport de la génétique moléculaire à la connaissance d'un petit nombre de virus exemplaires par leur intérêt médical, principalement oncologique. Les problèmes de la détection en routine des virus par les techniques de biologie moléculaire seront envisagés dans le chapitre 16.

LES VIRUS SONT DES ORGANISMES INCOMPLETS ET PARASITES

La principale caractéristique des virus est de ne pouvoir se multiplier qu'à l'intérieur d'une cellule dont la machinerie est utilisée pour la synthèse des protéines virales. Leur structure se réduit à une ou deux molécules d'un acide nucléique constituant leur génome, de quelques protéines, d'une **capside** et pour certains d'une **enveloppe**.

L'acide nucléique qui constitue le génome est selon le cas du DNA ou du RNA simple ou double-brin. Ce génome est le plus souvent court, mais l'information y est très concentrée, une même séquence de DNA pouvant coder pour plusieurs protéines. Toutefois les grandes lignes de la structure et de la régulation du génome de ces virus sont très proches de celles que nous avons décrites pour les cellules eucaryotes. A cet égard ils constituent des modèles très utiles. Ainsi les séquences stimulatrices *(enhancers)* ont été d'abord découvertes chez le virus SV40.

Le cycle normal de vie d'un virus est : infection de la cellule, fabrication des protéines virales par la machinerie de la cellule parasitée, réplication du génome viral, constitution des virions à partir de tous ces éléments, ce qui a souvent pour effet d'entraîner une lyse cellulaire, les virus libérés infectant de nouvelles cellules, etc. Une particularité biologique fondamentale de certains virus est de pouvoir s'intégrer dans le génome de la cellule hôte, rappelant le phénomène de la **lysogénie** découvert à propos du bactériophage λ, qui est un virus procaryote.

Ce cycle de vie ne peut s'effectuer dans n'importe quelle cellule. Un virus donné ne peut se propager en règle générale qu'au sein d'une espèce donnée. Chaque virus a donc son ou ses hôtes propres, ces cellules sont dites **permissives** ; par opposition les autres types cellulaires sont dits **non permissifs**. C'est ce qui explique que les virus humains ne sont le plus souvent pas infectieux chez les autres animaux et vice versa. Il convient de conserver à l'esprit que la notion de permissivité ne concerne que la multiplication du virus et la lyse cellulaire. Un virus peut pénétrer dans une cellule non permissive, voire même s'intégrer dans son génome, mais il ne se répliquera pas. De cette intégration au sein du génome de l'hôte peut résulter un phénomène appelé **transformation**, c'est-à-dire une acquisition des caractères de malignité.

SV40 ET POLYOME, DEUX PAPOVAVIRUS À POUVOIR TRANSFORMANT

Les **papovavirus** sont de petits virus à DNA circulaire double-brin sans enveloppe. Deux virus de cette famille, le **SV40** (simian virus n° 40) et le **polyome** (ainsi désigné à cause de la variété des tumeurs qu'il induit), sont susceptibles de posséder un fort pouvoir transformant chez certains animaux, mais pas chez l'homme. Ces deux virus sont très proches l'un de l'autre et le virus SV40 sera pris comme exemple.

Le **virus SV40** a comme hôte le singe rhésus. Il induit des tumeurs lorsqu'il est injecté à des rongeurs nouveau-nés (hôtes non permissifs) et transforme dans certaines conditions les cellules fibroblastiques humaines en culture. Cependant il n'induit jamais de tumeurs chez l'homme.

Cette dernière donnée résulte d'une expérimentation involontaire à grande échelle. En effet le vaccin de première génération contre la poliomyélite a été obtenu à partir de cultures de cellules de rein de singe rhésus (fin des années 50). Comme ce singe est l'hôte naturel du SV40, ce que l'on ne savait pas à l'époque, les cultures cellulaires, utilisées pour la production du virus de la poliomyélite et la fabrication du vaccin, et par voie de conséquence le vaccin, étaient infectés. Le virus a donc été injecté à des millions d'enfants lors des vaccinations ce qui fut fort heureusement sans conséquences et démontra l'innocuité de ce virus chez l'homme.

Le génome de ce virus a été entièrement séquencé. Il est constitué de 5 243 paires de bases qui codent pour 6 protéines. Les gènes se répartissent en deux unités de transcription de sens opposés **(Figure 7-1).** La région précoce code pour les protéines **grand T** et **petit T** alors que la région tardive code pour les protéines de capside VP1, VP2, VP3 et pour la protéine agno de fonction inconnue. Ces protéines sont obtenues par épissage différentiel des deux transcrits.

Les régions promotrices de ces deux unités de transcription se superposent d'une part entre elles et d'autre part avec l'origine de réplication. L'organisation de cette région non codante est décrite dans la **figure 7-2** ; c'est à son niveau que s'effectuent toutes les régulations, on y retrouve des éléments régulateurs observés chez les eucaryotes : *enhancer* (cis-régulation), sites de fixation des facteurs trans-régulateurs que sont la protéine grand T et la protéine Sp1 (d'origine cellulaire).

Lorsque le virus entre dans la cellule, le DNA qui constitue son génome migre vers le noyau, les histones cellulaires s'y associent et forment des nucléosomes, sauf au niveau de la région régulatrice. Le tout constitue ce que l'on appelle le minichromosome. Le RNA correspondant à la partie précoce est transcrit puis traduit en protéines petit T et grand T. Cette dernière se comporte comme un facteur trans-activateur de la région précoce et participe au déclenchement de la réplication du génome viral par les molécules de DNA polymérase cellulaires. Le mécanisme par lequel l'antigène grand T induit la réplication est encore mal connu ; il semble

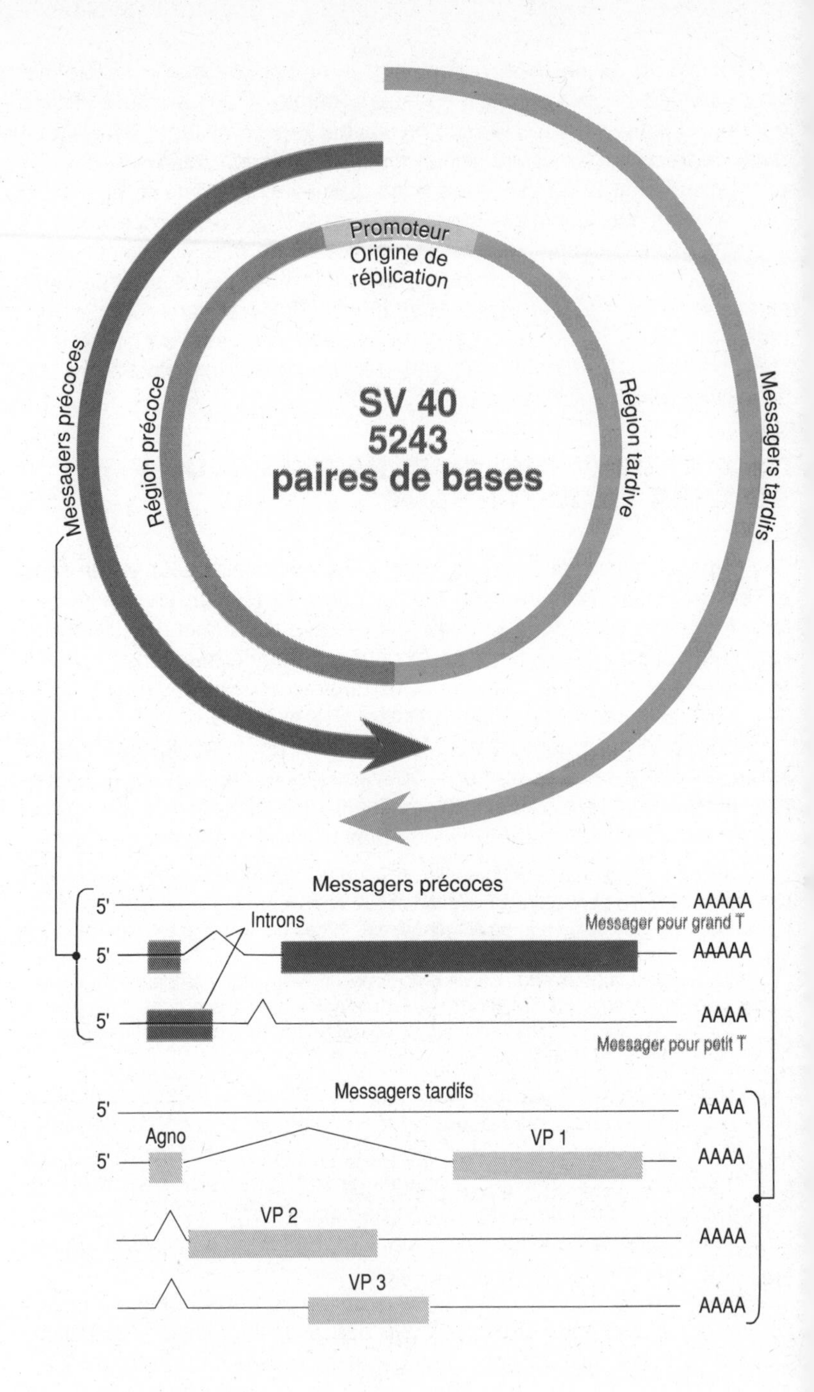

Figure 7-1 Organisation du virus SV40
SV40 est un virus circulaire de 5 243 paires de bases. Il est constitué d'une région promotrice qui contient l'origine de réplication et qui est responsable de la totalité de la régulation de l'expression du génome viral. Le virus contient deux régions, qui correspondent à deux unités de transcription : la région précoce qui est transcrite au tout début de l'infection et la région tardive qui ne sera exprimée qu'en fin d'infection. L'épissage différentiel des transcrits de chacune des deux régions permet l'obtention de toutes les protéines virales.

qu'il agisse comme facteur trans-activateur de la transcription de l'ensemble des gènes cellulaires impliqués dans la réplication du DNA.

Ce n'est qu'après réplication que sera transcrite la région tardive. L'épissage différentiel et la traduction des RNA messagers ainsi produits donnent les trois protéines de capside et la protéine agno permettant la formation de capsides virales complètes.

Le **virus du polyome** est très proche du virus SV40, la principale différence concerne la région précoce qui code chez le polyome pour 3 protéines, les protéines grand T, moyen T et petit T. L'hôte naturel du virus du polyome est la souris.

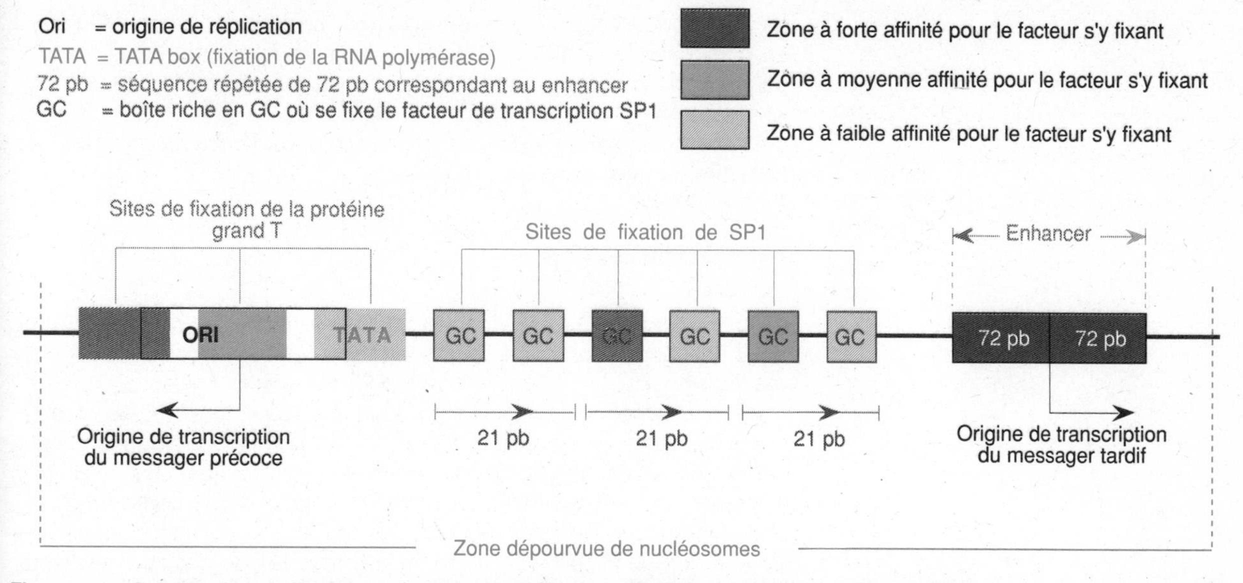

Figure 7-2 **Organisation de la région régulant la totalité des gènes et la réplication du virus SV40**
Toute la régulation du virus est concentrée en une courte région dans laquelle les éléments régulateurs se chevauchent. Cette zone régulatrice est dépourvue de nucléosomes, elle contient l'origine de réplication du DNA viral : ori, le promoteur de l'unité de transcription précoce qui est orienté vers la gauche, le promoteur de l'unité de transcription tardive qui est orienté vers la droite, une séquence stimulatrice *(enhancer)* constituée de deux copies d'un motif de 72 pb et d'une région régulatrice constituée de trois répétitions d'un motif de 21 pb, chaque motif contenant deux boîtes riches en GC cibles de la protéine Sp1 (voir chapitre 5). Deux facteurs trans-régulateurs au moins peuvent se fixer sur cette région : la protéine grand T (codée par la région précoce) qui possède 3 sites de fixation d'affinités relatives différentes, et la protéine Sp1 qui possède 6 sites de fixation potentiels, eux aussi d'affinités relatives différentes.

Le mécanisme du pouvoir transformant des virus SV40 et polyome

Le pouvoir transformant de ces virus réside dans la région précoce et résulte de l'action des **protéines T** (T = tumeur). Le pouvoir transformant des protéines T a été démontré à la fois par des expériences de délétion dans le génome viral et par l'utilisation de mutants thermo-sensibles. Le rôle respectif de chacune des protéines T n'est pas parfaitement défini. Ceci résulte du fait que les gènes de ces protéines se superposent ; les mutations ont donc des effets sur les deux protéines en même temps, et il est difficile de préciser la responsabilité exacte de chacune.

Les données actuelles concernent surtout la protéine **grand T**. Il s'agit d'une protéine de 90 kDa dont la localisation est nucléaire et qui s'associe à une protéine cellulaire, la p53 (dont on sait maintenant qu'elle est un anti-oncogène, voir chapitre 15). La protéine grand T induit l'expression de l'ensemble des gènes des protéines impliquées dans le phénomène de la réplication du DNA, qu'il soit viral ou génomique, et ce même dans des cellules qui sont en phase G_0, c'est-à-dire bloquées. Il en résulte un déclenchement de la division cellulaire. Cet effet est mimé par la seule injection de protéine grand T purifiée dans les cellules non permissives. Dans les cellules transformées il est possible de trouver jusqu'à une vingtaine de copies du génome viral **intégrées** dans le génome cellulaire. Ces intégrations sont indispensables pour une transformation stable. Elles se font au hasard dans le génome de la cellule hôte. Elles impliquent une linéarisation du génome viral, donc une coupure. L'intégrité de la région précoce doit être respectée pour obtenir un effet transformant.

Le modèle du polyome est légèrement différent. La protéine grand T (100 kDa) est une phosphoprotéine dont seuls les 40 p. 100 C terminaux sont nécessaires pour l'effet de transformation. Chez le polyome la protéine grand T n'est pas transformante mais simplement **immortalisante**. Le pouvoir **transformant** réside dans la protéine **moyen T** qui est une phosphoprotéine de 56 kDa. Ce schéma de mécanisme de transformation ressemble à celui des oncogènes du virus de l'érythroleucémie aviaire (ALV) où l'oncogène v-***erb*A** est immortalisant et l'oncogène v-***erb*B** est transformant (voir chapitre 15).

LES ADÉNOVIRUS

Ce sont des virus à DNA double-brin linéaire d'une longueur de 36 kb, donc beaucoup plus long que SV40. L'hôte naturel de certains adénovirus est l'homme.

A ses extrémités l'adénovirus possède une séquence inversée répétée d'une centaine de paires de bases, ce qui permet aux formes simple brin de se circulariser. Son cycle de vie est le même que celui de SV40 ; il possède lui aussi des gènes à expression précoce et des gènes à expression tardive. Ici cependant, les histones cellulaires ne s'associent pas au DNA viral. Une protéine virale de 55 kDa est fixée de manière covalente à l'extrémité 5' des brins, et joue un rôle majeur dans la constitution du complexe d'initiation lors de la réplication, l'hydroxyle d'une sérine ser-

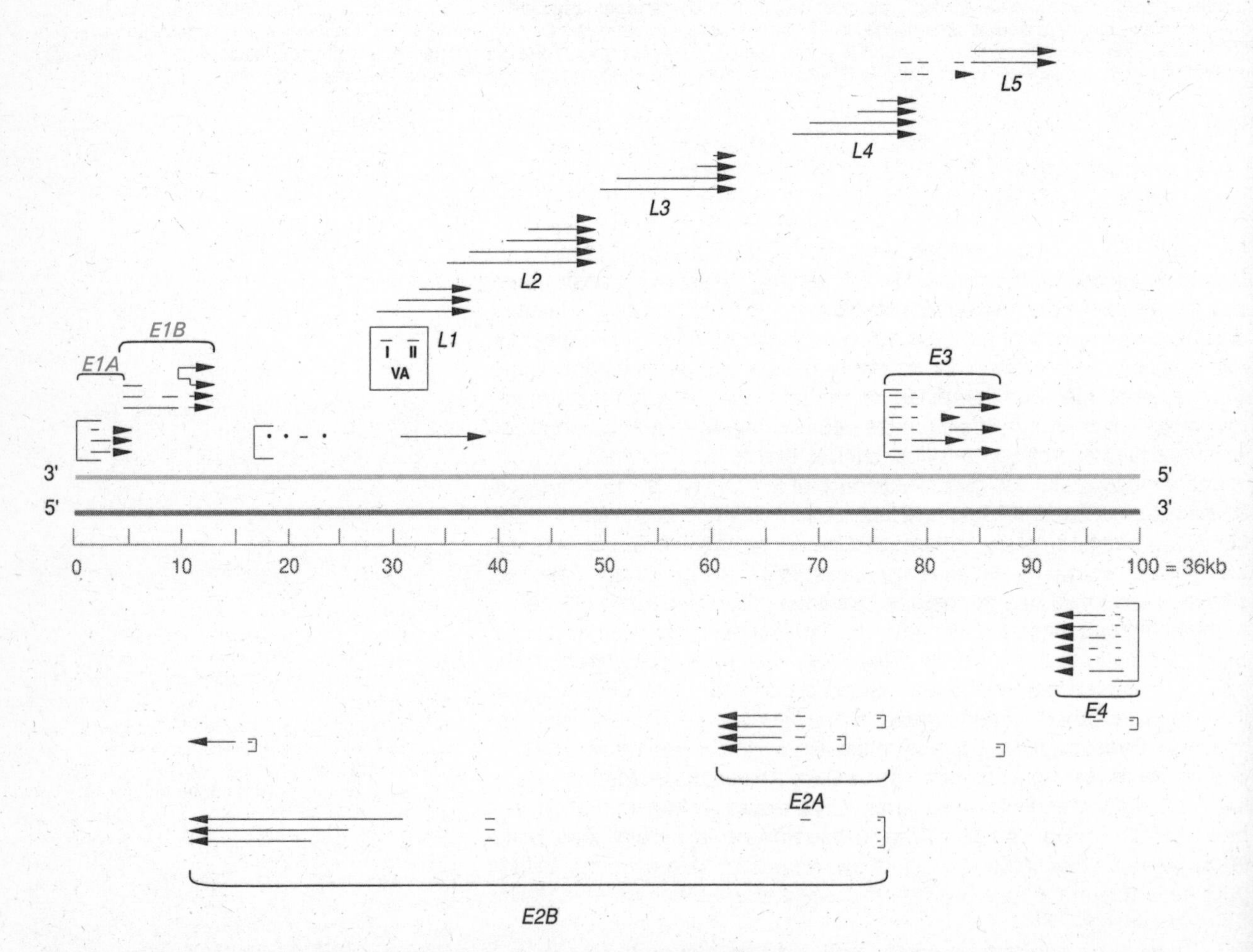

Figure 7-3 Organisation et produits d'expression du génome de l'adénovirus
Ce schéma illustre la complexité extrême de l'organisation et de l'expression des gènes. Il est donné uniquement à titre indicatif. Tous les systèmes qui permettent chez les eucaryotes d'obtenir plusieurs produits à partir d'une même séquence sont utilisés.

vant d'amorce à la DNA polymérase. La réplication de ce virus est tout à fait particulière puisque l'un des brins est répliqué en totalité avant que l'autre ne le soit. Elle s'effectue donc de manière continue sur les deux brins (pas de fragments d'Okasaki).

L'organisation des gènes, schématisée dans la **figure 7-3**, est trop complexe pour être décrite dans le cadre de cet ouvrage. Il est cependant intéressant de noter que toutes les possibilités d'utilisation du génome sont ici utilisées à plein : épissage différentiel, choix du promoteur, choix des sites de polyadénylation, cadres de lecture chevauchants, utilisation des deux brins, etc. Les gènes de la région précoce sont appelés E (pour *early*), ceux de la région tardive sont appelés L (pour *late*). Contrairement au SV40 ces régions ne sont pas séparées mais imbriquées. L'un des gènes les plus importants est le **gène E1A** ; son produit est un peu l'équivalent de la protéine grand T de SV40 et du polyome. Le produit du gène E1A est une protéine trans-activatrice d'autres gènes viraux, mais aussi de toute une série de gènes non viraux.

L'adénovirus peut aussi transformer les cellules

L'adénovirus peut être transformant dans des cellules non permissives, comme les cellules de rat. Dans ce cas, le virus s'intègre au hasard, le plus souvent sous forme de copies partielles. La zone indispensable à la transformation ressemble à celle du polyome. D'une manière schématique E1A possède un pouvoir **immortalisant** et E1B possède un pouvoir **transformant** de cellules déjà immortalisées. Il est intéressant de noter que les cellules immortalisées par E1A peuvent ultérieurement être transformées aussi bien par E1B que par la protéine moyen T du polyome.

LES RÉTROVIRUS

Les rétrovirus sont des virus eucaryotiques dont le génome diploïde est constitué de deux copies de RNA simple brin de faible longueur ($\leqslant$10 kb). Ils possèdent tous une organisation similaire **(Figure 7-4).** Le cycle de vie de ces virus est tout à fait particulier puisque le RNA viral doit être intégré, sous forme de DNA, dans le génome de la cellule hôte pour se multiplier. Ce virus intégré porte le nom de **provirus**. Sa transcription par la RNA polymérase II cellulaire fournit des copies dont certaines serviront de génome pour de nouveaux virus, alors que d'autres seront maturées et traduites pour former les protéines virales **(Figure 7-5).** Le RNA doit donc être transformé en DNA double brin immédiatement après l'infection. Cette transcription réverse est assurée par une polymérase particulière : **la transcriptase inverse** qui est codée par le gène ***pol*** du virus.

Cette enzyme est tout à fait particulière puisqu'elle possède quatre activités différentes qui vont lui permettre à elle seule de synthétiser la copie DNA double brin du RNA viral. Ces activités sont :

- l'activité transcriptase inverse proprement dite ;
- une activité de type RNase H, c'est-à-dire une activité de type RNasique vis-à-vis des RNA hybridés à du DNA (voir chapitre 22) ;
- une activité de DNA polymérase DNA dépendante ;
- elle assure enfin la réalisation d'une cassure spécifique à l'extrémité 5' de la séquence U3.

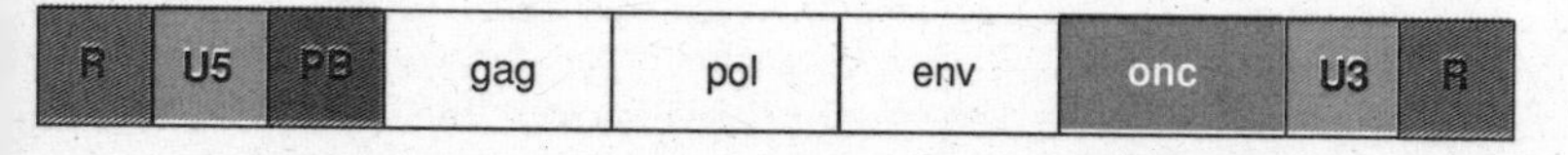

Figure 7-4 **Schéma de l'organisation du génome des rétrovirus**
Tous les rétrovirus ont une organisation grossièrement identique. Les extrémités 5' et 3' se terminent par une séquence non codante répétée appelée R. Du côté de l'extrémité 5' cette séquence R est suivie d'une séquence non codante appelée U5 (pour unique en 5') et d'une courte séquence, PB, qui est utilisée pour la rétrotranscription du virus. Commence alors la partie codante du génome constituée de trois gènes : ***gag*** qui code pour les glycoprotéines du virus (protéines obtenues par traduction des différents messagers résultant de l'épissage différentiel du transcrit du gène *gag*) ; ***pol*** qui code pour la transcriptase inverse, l'intégrase et une protéase ; ***env*** qui code pour les protéines d'enveloppe (là encore l'épissage différentiel est impliqué dans la diversité des protéines obtenues). Un dernier gène, dont la présence est facultative, le gène ***onc***, est responsable du pouvoir transformant du virus. Dans certains cas il prend la place de gènes viraux, créant par là un virus défectif qui devra être complémenté par un virus helper. Suit une partie non codante U3 (pour séquence unique 3') et la séquence R identique à celle trouvée en 5'. Quelques rétrovirus, comme le HIV, peuvent posséder un ou plusieurs gènes supplémentaires.

Figure 7-5 **Cycle de vie des rétrovirus**

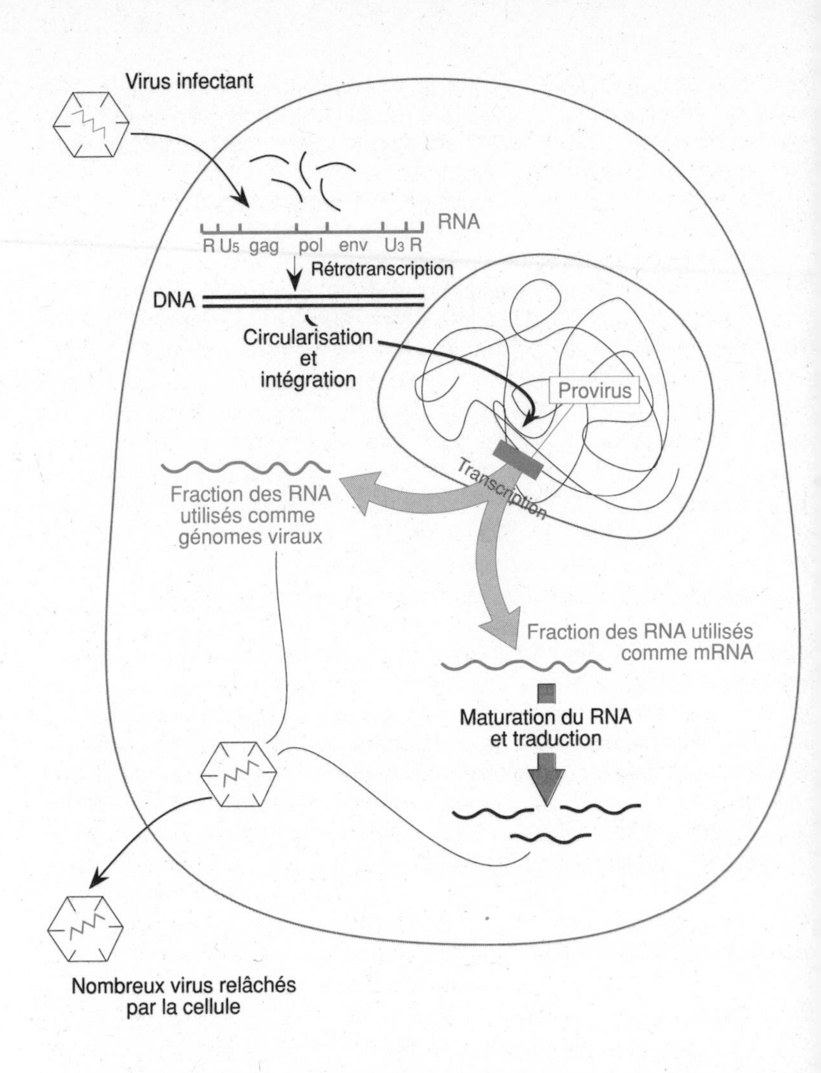

Cette étape de rétro-transcription qui est très complexe entraîne aussi la création de séquences particulières, les **LTR** ***(long terminal repeat)*** aux extrémités du virus. Ces LTR sont indispensables pour l'intégration dans le DNA génomique de la cellule hôte. Ultérieurement ce seront les LTR qui assureront la totalité de la régulation de l'expression du virus et fourniront les séquences nécessaires à la polyadénylation.

La rétrotranscription suit un mécanisme très complexe et aboutit à la création des LTR (Figure 7-6)

La rétrotranscription est effectuée dans le cytoplasme de la cellule hôte.

Comme pratiquement toutes les polymérases d'acides nucléiques, la transcriptase inverse a besoin d'une amorce pour initier son travail. Cette amorce est fournie par un tRNA cellulaire qui s'hybride avec la séquence PB, localisée immédiatement après la séquence U5 du virus. Ceci permet de synthétiser un court fragment de DNA complémentaire jusqu'à l'extrémité 5' du virus (séquence R). La partie RNA de cet hybride RNA-DNA est alors détruite par l'activité de type RNase H de la transcriptase inverse. Ceci va permettre à l'extrémité 3' du virus, qui contient aussi une séquence R, de venir s'hybrider avec la petite portion de DNA néo-synthétisée, il en résulte une circularisation du génome viral. La rétrotranscription peut alors reprendre et se continuer jusqu'à ce que la totalité du RNA viral soit rétrotranscrit. Le cDNA simple brin synthétisé est donc constitué, de 5' vers 3', des séquences suivantes : U5, R, U3, *env*, *gag*, *(onc),* PB. Le second brin doit être ensuite synthétisé ; pour cela une coupure est pratiquée sur le RNA au début de U3 par la transcriptase inverse et les séquences virales U3 et R sont détruites. La transcriptase inverse synthétise à partir de ce point le début du second brin et s'arrête au niveau du tRNA faute de matrice pour continuer. Le tRNA est alors détruit ce qui permet aux deux séquences PB de s'hybrider et aux deux brins d'être achevés comme décrit dans la figure 7-6.

De ce mécanisme particulier il résulte que les deux extrémités du DNA synthétisé sont identiques : U3-R-U5, alors que le virus possédait lui la séquence R-U5 en 5' et U3-R en 3'. Cette séquence U3-R-U5 répétée de part et d'autre de la copie DNA du virus porte le nom de LTR.

Les LTR permettent l'insertion du virus dans le DNA génomique

La copie DNA est transportée dans le noyau où elle est circularisée. Son intégration dans le génome de la cellule hôte nécessite une endonucléase, **l'intégrase,** qui comme la transcriptase inverse est codée par le gène *pol.* Le mécanisme de l'intégration, qui n'est pas encore complètement élucidé, est semble-t-il identique à celui de la transposition qui a été décrit chapitre 3. Cette intégration se traduit par la perte de 2 bases à chaque extrémité du virus et par la duplication d'une séquence de 6 bases du génome de l'hôte dont une copie est retrouvée de chaque côté du virus intégré. Elles correspondent aux répétitions directes des transposons, et le mécanisme de leur génération au cours de l'intégration est identique.

Les LTR contiennent les séquences nécessaires à la transcription du provirus

Une fois intégrés dans le génome de la cellule hôte les gènes viraux sont entourés par les LTR. Bien que ces séquences soient identiques, elles ne jouent pas le même rôle à l'extrémité 5' et à l'extrémité 3' du provirus. Au niveau de l'extrémité 5' le LTR joue un rôle de promoteur fort de transcription ; on y retrouve **(Figure 7-7) :** une CAAT box, une TATA box, le site d'initiation de la transcription et un *enhancer,* proche de celui du virus SV40, constitué de deux séquences identiques de 70 paires de bases environ. A partir de ce promoteur le génome proviral sera transcrit en un unique RNA par la RNA polymérase II cellulaire. Ce RNA est activement transcrit puisqu'il peut représenter jusqu'à 10 p. 100 des RNA cellulaires. Le LTR situé à l'extrémité 3' fournit la séquence AATAA qui est le signal pour la coupure qui précède la polyadénylation. Ce LTR est un **promoteur non spécifique** susceptible d'activer tout gène, endogène ou non, situé à proximité. Aussi cette structure est-elle très utilisée dans les constructions de vecteurs d'expression eucaryotes.

Les autres gènes rétroviraux

Une partie des RNA transcrits à partir du provirus serviront de messagers pour la synthèse des protéines virales. Le schéma de maturation est variable suivant le rétrovirus. Une caractéristique générale est l'**absence d'introns.**

D'une manière schématique (Figure 7-5) le RNA précurseur est clivé en RNA plus petits qui servent de matrice pour la synthèse de protéines (polyprotéines), qui seront elles-mêmes clivées pour donner l'ensemble des protéines virales. Le gène ***gag*** fournit ainsi une série de protéines virales variables suivant le virus ; le gène ***pol*** fournit la transcriptase inverse, l'intégrase et une protéase ; le gène ***env*** fournit les glycoprotéines d'enveloppe.

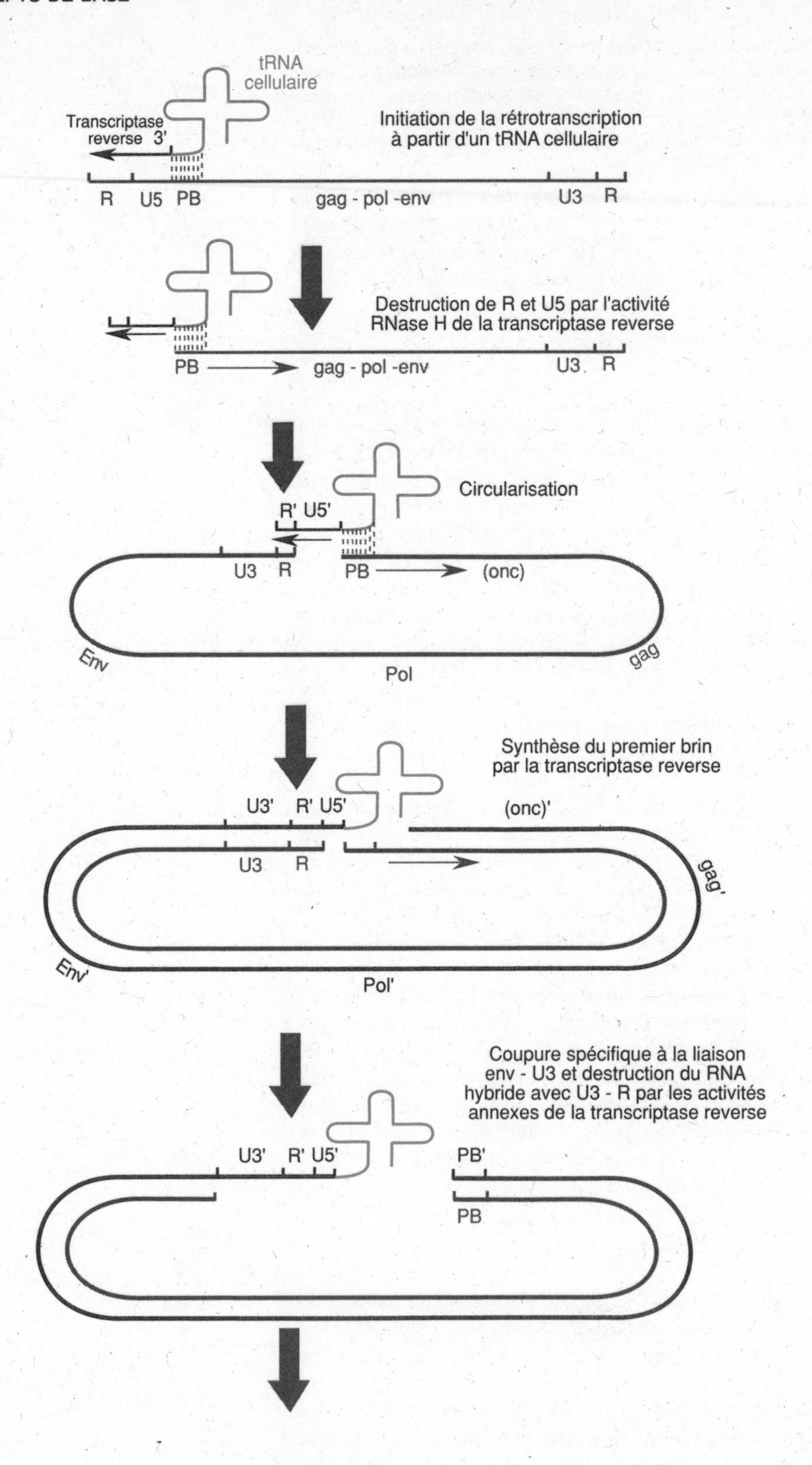

Figure 7-6 Mécanisme de la rétrotranscription des rétrovirus
Le mécanisme est décrit dans le texte.

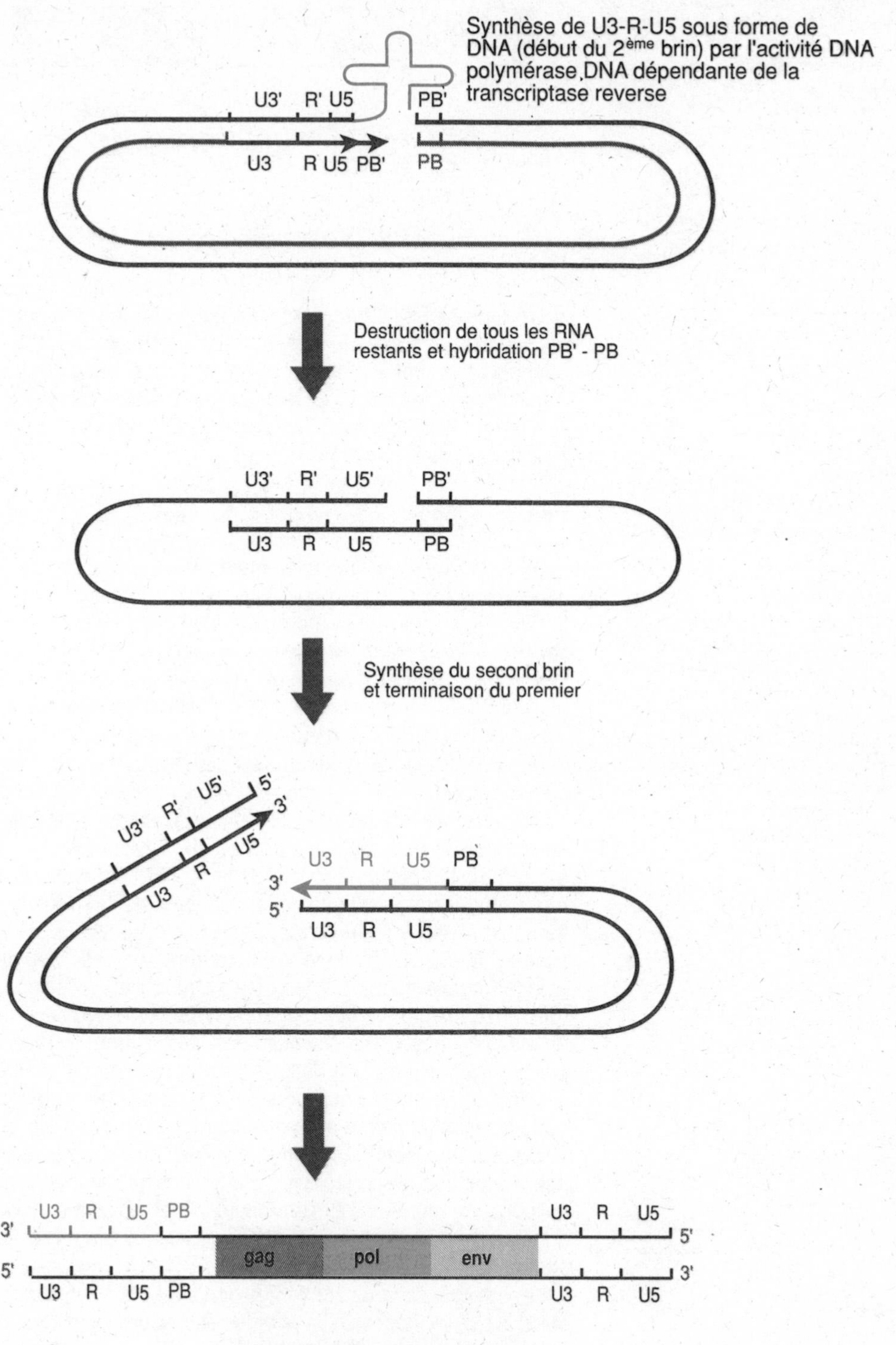

Virus sous forme DNA double brin avec ses deux LTR prêt à être intégré dans le DNA de la cellule hôte

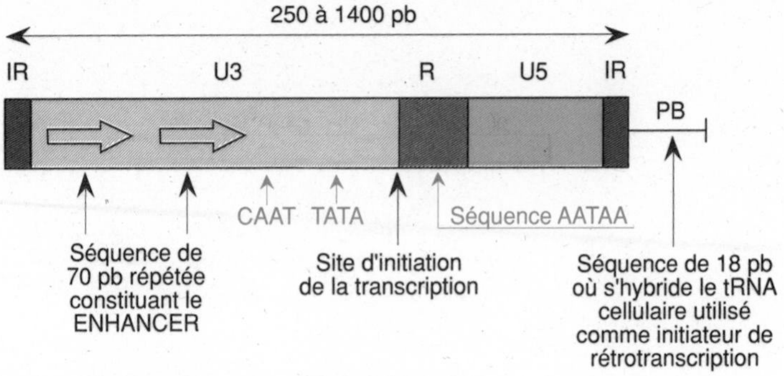

Figure 7-7 **Schéma d'un LTR de rétrovirus**
Un LTR est constitué des séquences U3, R et U5. Il est borné par deux séquences inversées répétées courtes. Il est suivi de la séquence PB ou vient s'hybrider un tRNA cellulaire lors de la rétrotranscription. U3 contient deux séquences identiques de 70 paires de bases orientées dans le même sens qui constituent le *enhancer*. Elle contient aussi la CAAT box et la TATA box. Le début de R correspond au site d'initiation de la transcription et contient aussi la séquence AATAAA dite de polyadénylation.

250 à 1400 pb
IR U3 R U5 IR
PB
CAAT TATA
Séquence AATAA
Séquence de 70 pb répétée constituant le ENHANCER
Site d'initiation de la transcription
Séquence de 18 pb où s'hybride le tRNA cellulaire utilisé comme initiateur de rétrotranscription

Le gène facultatif ***onc*** est tout à fait particulier. Il n'est pas indispensable au virus. Les expériences de délétion et l'isolement de mutants conditionnels thermosensibles ont montré qu'il était responsable du pouvoir transformant des virus qui le possèdent. Cette donnée majeure, qui est la base de la compréhension des mécanismes de la cancérisation, sera détaillée dans le chapitre 15.

La découverte et la caractérisation du virus du SIDA

La gravité de cette maladie a justifié un effort important qui a abouti, 5 ans après les premières observations cliniques, à la caractérisation complète du virus et à la détermination de la séquence des quelque 10 000 bases qui constituent son génome. Il s'agit là d'un exemple de ce que peut apporter aujourd'hui la biologie moléculaire à la médecine. En effet sans le génie génétique pratiquement rien n'aurait pu être fait et les espoirs de traitement et de vaccination seraient inexistants.

Les rétrovirus humains, le modèle du virus HIV

Si les rétrovirus ont été initialement découverts et très étudiés dans des espèces animales (oiseaux, rongeurs), les rétrovirus susceptibles d'infecter l'homme sont peu nombreux. Il s'agit des **HTLV I** et **II** *(Human T cell Leukemia Virus)* responsables d'une pathologie des lymphocytes T, d'où leur nom, et du **HIV** *(Human Immunodeficiency Virus),* qui est responsable du **SIDA** (Syndrome d'Immuno-Déficience Acquise).

Le HIV appartient à la catégorie des **lentivirus** (comme le virus visna du mouton, le virus de l'immunodéficience félin et le virus de l'anémie infectieuse du cheval). Deux types ont été identifiés chez l'homme : HIV-1 et HIV-2*. Le plus répandu est HIV-1 que nous prenons comme modèle de description. Il provoque une pathologie à progression lente dont l'issue est semble-t-il toujours fatale à partir du moment où la maladie est déclarée. Son génome est diploïde ; il est composé de deux copies d'un RNA monocaténaire (+) d'environ 10 kb ; son organisation est décrite dans la **figure 7-8**. Sa structure est très différente de celle des autres rétrovirus puisqu'il contient, en plus des gènes gag, pol et env classiques des autres rétrovirus, six gènes ***(tat, rev, nef, vpu, vpr*** et ***vif)***, dont les produits ont un effet régulateur. Il ne contient pas d'oncogène. Contrairement à la plupart des autres rétrovirus, le RNA transcrit à partir du provirus intégré dans le génome de l'hôte subit un épissage, avec des variations au cours du cycle du virus (épissage alternatif). La régulation de l'expression du génome viral est particulièrement complexe, elle implique aussi bien des protéines virales que des protéines cellulaires. Une grande partie des données qui vont être fournies est très récente, certaines sont controversées. Il n'est donc pas impossible que les prochains travaux infirment des résultats présentés ici.

Le « cœur » du virus contient le génome, donc les deux copies du RNA, et les protéines nécessaires pour les étapes précoces (transcription inverse et intégration dans le génome de l'hôte) (figure 7-8). Il est entouré par les protéines de capside qui sont elles-mêmes entourées par une membrane lipidique. Les glycoprotéines d'enveloppe traversent la membrane et constituent l'enveloppe externe du virus.

* Il existe un homologue simien : SIV.

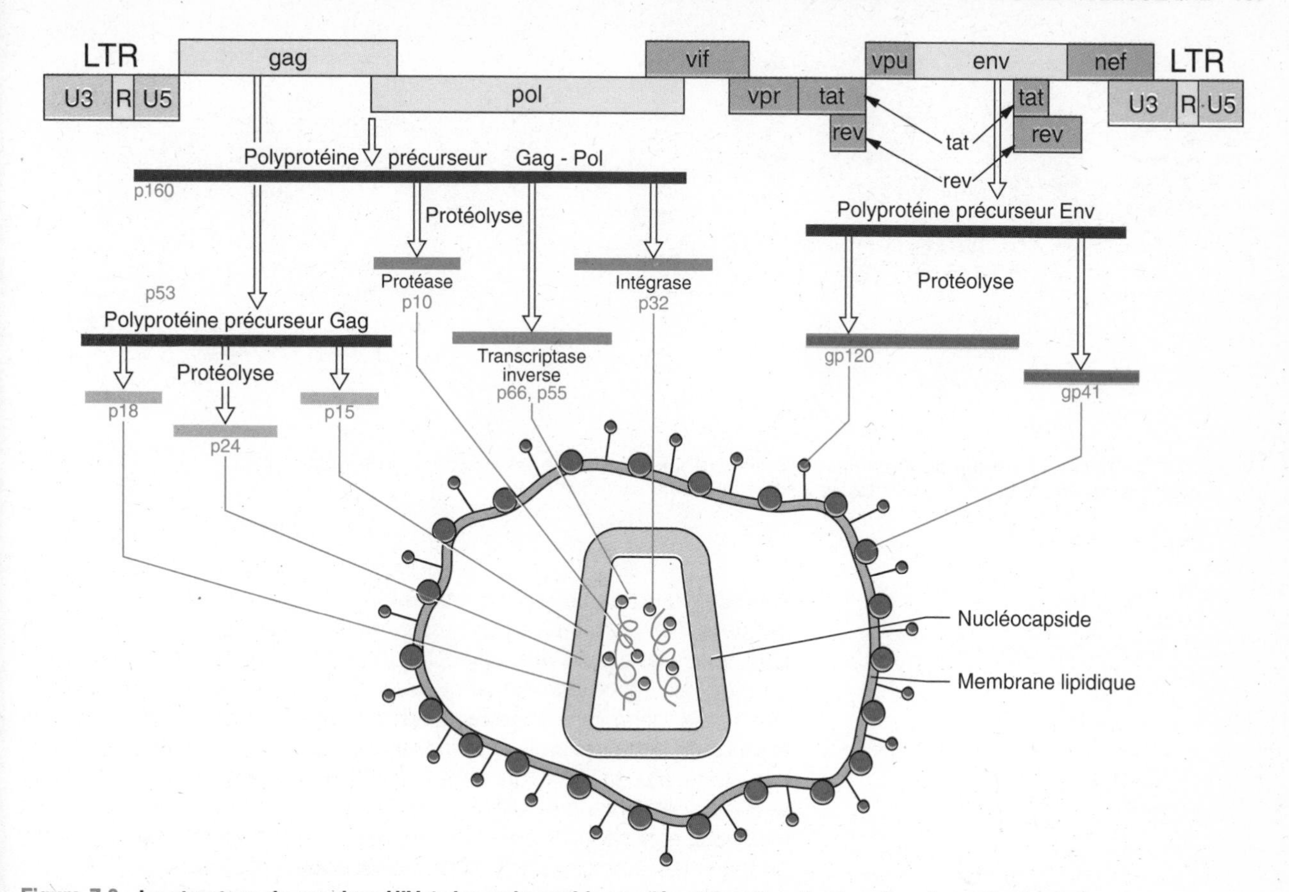

Figure 7-8 **La structure du provirus HIV-1, les polypeptides codés et leur localisation dans la particule virale**

La glycoprotéine d'enveloppe (gp120) possède une affinité pour une molécule appelée **CD4** qui est retrouvée à la surface de certains **lymphocytes T** et, en moindre quantité, à la surface des monocytes et des macrophages. Le virus fixé au CD4 fusionne avec la membrane cellulaire, ce qui permet son internalisation. Si la cellule est très riche en CD4 et que la concentration de virus est élevée, les fusions multiples entre la membrane et les virus entraînent la mort de la cellule avant toute réplication virale. La glycoprotéine gp120 apparaît à la surface des cellules infectées, ce qui peut être à l'origine d'interactions et d'infections inter-cellulaires.

Le génome viral s'intègre dans le DNA de l'hôte après transcription inverse

Le génome viral est transformé dans le cytoplasme de la cellule en une seule copie de cDNA double-brin grâce à la **transcriptase inverse** qui est codée par le génome viral, et ceci dans les 6 heures qui suivent l'infection. Cette enzyme, aussi bien que les autres protéines nécessaires à la transcription inverse et à l'intégration, est apportée par la particule virale. Le cDNA migre dans le noyau cellulaire et est ensuite intégré au hasard dans le génome de l'hôte grâce à une **intégrase** (apportée par la particule virale). Cette enzyme assure à la fois la finition du cDNA viral, la coupure du DNA de l'hôte et la ligature des deux DNA.

Le mécanisme de l'expression des gènes viraux est particulièrement complexe

Comme pour les autres rétrovirus, le LTR en 5' sert de promoteur pour la transcription du provirus intégré. Ce promoteur est la cible de toute une

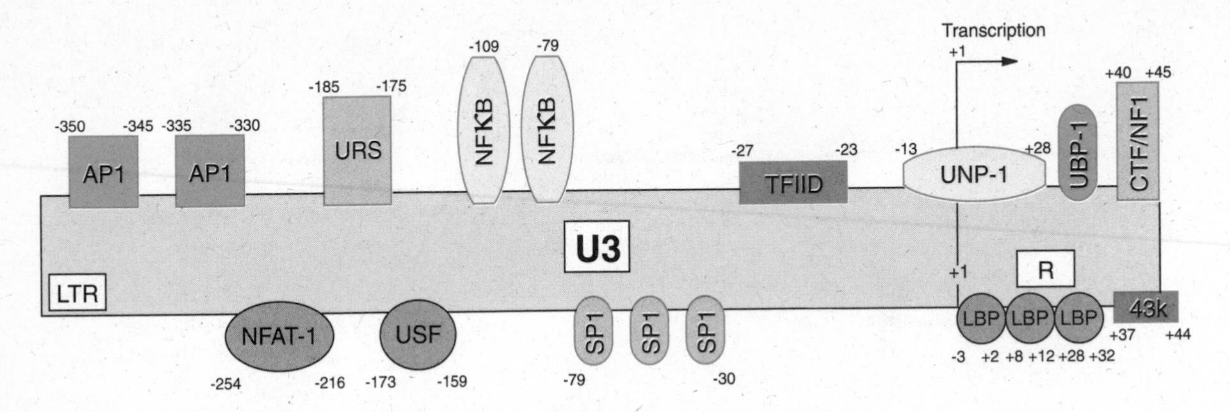

Figure 7-9 **La fixation en trans de protéines cellulaires régulatrices de la transcription du provirus HIV-1**
Les nombres représentent la position des bases limitant la zone d'interaction.

série de protéines cellulaires régulant la transcription, comme le montre la **figure 7-9**. Certaines de ces protéines sont ubiquitaires, d'autres sont spécifiques de tissu. Dans le lymphocyte T certaines de ces protéines ont un effet activateur, comme NFκB. Avant stimulation ce facteur est cytoplasmique, donc sans effet, du fait de son association au facteur IκB ; la stimulation entraîne la dissociation de ces deux protéines et la migration dans le noyau de NFκB qui se fixe au DNA et joue son rôle transactivateur (voir détails dans le chapitre 5 p. 110). D'autres facteurs ont un effet inhibiteur, comme USF. Le virus n'est pas transcrit dans les cellules cibles que sont les lymphocytes T CD4+ quiescents. Il n'est transcrit dans ces cellules que si elles sont activées. Cette donnée pourrait être en partie responsable du fait que le développement de la maladie peut ne survenir que plusieurs années après l'infection. Cependant l'activation de la transcription du provirus, observée lorsque le lymphocyte qui le possède est activé, n'est pas suffisante pour permettre une multiplication virale, et ceci pour au moins quatre raisons : 1) le LTR est un promoteur faible lorsqu'il est activé par les facteurs transcriptionnels cellulaires ; 2) le LTR contient des séquences extinctrices ; 3) en présence des seuls facteurs transcriptionnels cellulaires, la polymérase « décroche » souvent du DNA avant d'avoir terminé la transcription, la plupart des RNA produits étant de ce fait incomplets ; 4) l'extrémité 5' du RNA transcrit (nucléotide + 1 à + 60) possède une structure de type tige-boucle qui a un effet inhibiteur sur la traduction du RNA **(Figure 7-10A)**. Un taux suffisant de transcription ne peut être obtenu que grâce à l'intervention de protéines codées par le virus lui-même, que nous allons décrire.

La protéine ***Tat***, codée par le gène *tat*, est la première protéine virale intervenant dans l'activation de l'expression du virus. Elle se fixe au transcrit du provirus. Lorsqu'un lymphocyte T possédant un provirus intégré est stimulé, quelques copies d'un mRNA viral de 2 kb codant pour les protéines Tat, Rev et Nef (il résulte de l'épissage d'un transcrit plus long, car les gènes *tat* et *rev* sont composés de deux exons) migrent dans le cytoplasme où elles sont traduites. La protéine Tat est constituée d'une chaîne polypeptidique de 86 acides aminés, dont seuls les 72 premiers semblent indispensables à sa fonction. Trois domaines semblent importants. Le premier correspond à l'extrémité NH_2 terminale, il est riche en acides aminés acides, son rôle n'est pas encore clairement défini. Le second correspond à une région de 20 acides aminés, caractérisée par la présence de 7 cystéines. Cette région pourrait fixer des ions métalliques, et jouer par là un rôle dans l'interaction avec d'autres protéines cellulaires

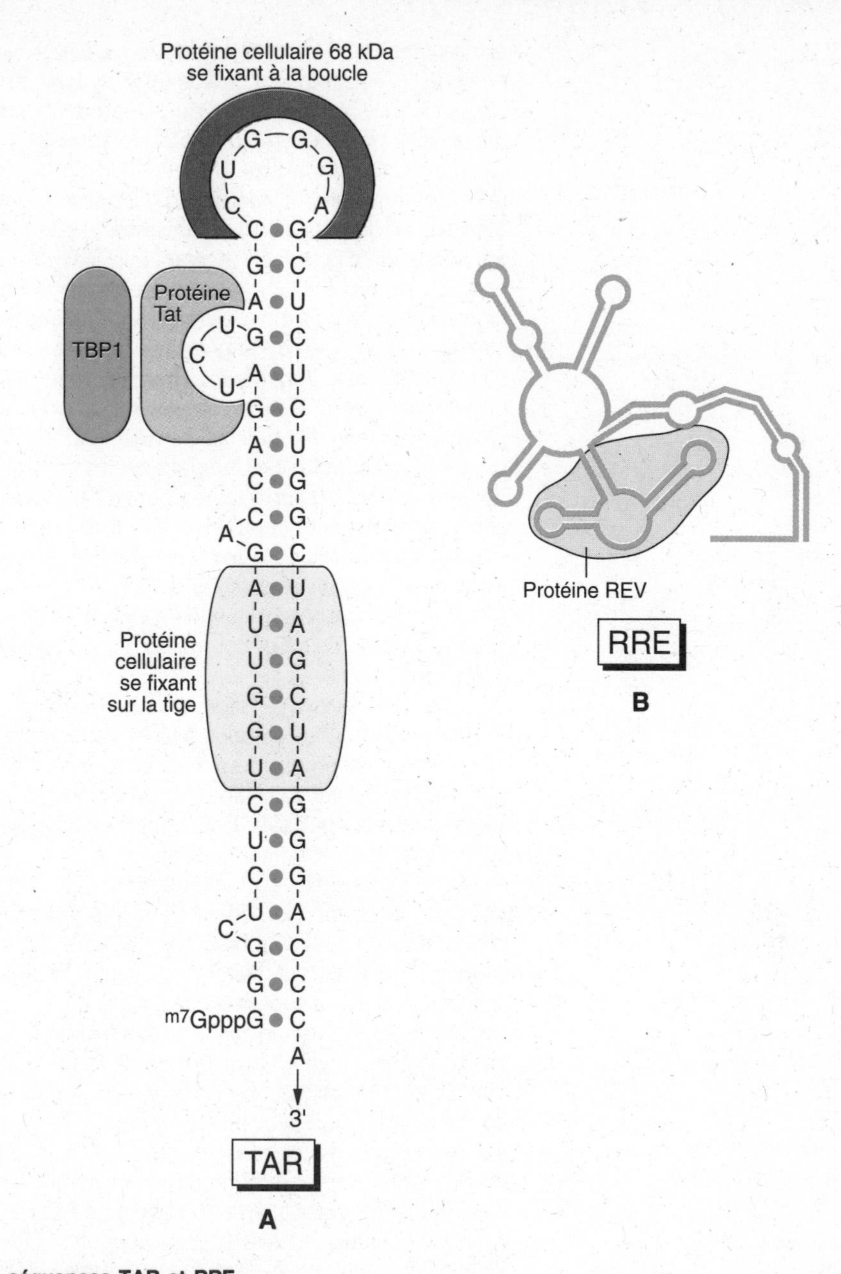

Figure 7-10 Structure des séquences TAR et RRE
En A : la séquence TAR qui correspond à la fraction du RNA viral où se fixe la protéine virale régulatrice Tat et quelques protéines cellulaires. Les points rouges signalent les appariements de bases.
En B : la séquence RRE qui correspond à la fraction du RNA viral où se fixe la protéine régulatrice virale Rev.

(bien que Tat ait une activité de type transactivation, il ne s'agit pas d'une structure en doigt de gant). Le troisième, qui est chargé positivement, possède entre les positions 48 et 52 la séquence GRKKR (gly-arg-lys-lys-arg), signal de localisation nucléaire qui permet à la protéine d'être transloquée dans le noyau et dans le nucléole. La fonction de ciblage de cette région a été confirmée par des constructions-transfections. Il semble aussi que les deux lysines centrales, par leur charge positive, jouent un rôle dans l'interaction entre la protéine Tat et le RNA viral (voir plus loin). La protéine Tat se fixe au niveau d'une séquence de 60 nucléotides appelée **TAR**, débutant au niveau de l'extrémité 5' du RNA viral, là où se trouve la structure tige-boucle déjà évoquée. Cette séquence TAR fixe aussi des protéines cellulaires dont une de 68 kDa, comme le montre la figure 7-10A. La fixation de Tat s'effectue au niveau d'une petite bosselure de la tige qui correspond à une région de 3 nucléotides qui ne s'hybrident pas avec le brin opposé de la tige. La présence de la protéine Tat se traduit par une augmentation considérable des transcrits viraux. Cette activation semble résulter de plusieurs mécanismes : 1) stimulation de l'initiation de la transcription, la protéine Tat ayant le même effet qu'un *enhancer* ; 2) suppression des arrêts prématurés de transcription, peut-être en levant un bloc à l'élongation ou en augmentant l'efficacité de la polymérase. Mais il semble que le rôle de la protéine Tat ne se limite pas à une augmentation de la transcription, les expériences de micro-injection, dans des œufs de xénopes, de messager possédant une séquence TAR associée à la protéine Tat, montrent que celle-ci agit aussi au niveau post-transcriptionnel, peut-être par un ciblage vers le système de traduction. Enfin la protéine Tat agit également sur d'autres gènes cellulaires. Certaines souris transgéniques possédant la protéine Tat développent une pathologie homologue au **syndrome de Kaposi** ; de plus Tat se comporte comme un facteur de croissance pour les cultures de cellules dérivant de sarcome de Kaposi. Ces données suggèrent que les syndromes de Kaposi observés chez les patients atteints de SIDA pourraient résulter, au moins en partie, des effets de la protéine Tat.

La protéine **Rev** *(régulation de l'expression du virus)*, qui est codée par le gène *rev* (composé de deux exons), est une phosphoprotéine virale (mais sa phosphorylation sur deux sérines semble être sans effet sur son activité) de 19 kDa à localisation nucléaire (en fait localisée presque exclusivement dans le nucléole). Trois domaines fonctionnels ont été caractérisés. Le premier domaine, qui correspond à l'extrémité NH_2 terminale de la protéine, s'étend sur 40 nucléotides et contient une zone centrale riche en arginine. La fonction de ce domaine est double : 1) ciblage de la protéine vers le noyau ; 2) interaction avec le RNA viral (voir plus loin). Le second domaine, qui suit immédiatement, permet la multimérisation, laquelle semble indispensable à l'activité de Rev. Enfin un dernier domaine semble interagir avec un système d'épissage ou avec un système d'exportation hors du noyau. La présence de la protéine Rev se traduit par une modification drastique de l'épissage. En son absence seul le messager épissé de 2 kb déjà évoqué est retrouvé*. En sa présence, il est remplacé par deux types de messagers, de 4 et 9 kb. La protéine Rev se fixe sur le RNA viral au niveau d'une structure particulière (figure 7-10B) appelée **RRE** (pour *Rev Responsive Element*) ; sa fixation met en jeu des acides aminés basiques. Aussi bien la séquence nucléotidique qu'une structure tridimensionnelle particulière du RNA au niveau de cette région sont indispensables pour que Rev puisse se fixer. Cette région du RNA correspond au gène de la glycoprotéine d'enveloppe, donc au gène *env* (nucléotides 7 300 à 7 531). L'action de Rev sur l'épissage semble aussi nécessiter des protéines cellulaires.

La protéine **Nef** *(negative expression factor)* est la troisième et dernière protéine du virus exprimée de façon précoce. Son gène ne contient pas d'intron ; il est situé à l'extrémité 3' de la partie codante du génome viral. Nef est une protéine à localisation cytoplasmique de 25-27 kDa, traduite à partir du messager précoce de 2 kb, comme Tat et Rev. Elle est retrouvée à la fois à l'état libre dans le cytoplasme et attachée à la membrane plasmique des cellules infectées par l'intermédiaire d'un acide myristique

* En fait des messagers non épissés sont tout de même retrouvés dans le noyau lorsque la protéine Rev est absente, mais ceux-ci, par un mécanisme non encore connu, restent séquestrés dans le noyau.

fixé sur une glycine de son extrémité NH_2 terminale. La protéine Nef présente une homologie de structure avec les protéines G. Elle pourrait fixer le GTP et jouer un rôle dans la transduction d'un signal, mais ces résultats sont controversés. Elle semble jouer un rôle négatif sur l'expression du virus par l'intermédiaire d'une séquence cis : **NRE** *(Negative-Regulatory Element)* située entre – 340 et – 185 sur le DNA proviral (donc dans le LTR), mais elle ne se fixe pas sur cette séquence. Son action est donc indirecte et l'on ne connaît pas les intermédiaires. Ce résultat est aussi l'objet de controverses.

Les trois autres protéines virales spécifiques du HIV sont des protéines régulatrices exprimées plus tardivement, leurs gènes sont situés dans la partie centrale du génome viral, dans l'ordre *vif*, *vpr*, *vpu* (figure 7-8).

*La protéine **Vif** (virus infectivity factor)* est un polypeptide de 23 kDa à localisation cytoplasmique. En l'absence de cette protéine, les virus libérés par la cellule ne sont pratiquement pas infectieux, de même la transmission inter-cellulaire du virus est partiellement altérée. La protéine Vif n'est pas retrouvée dans le virus, elle agit donc en trans en modifiant une ou plusieurs protéines virales. Il a été proposé que la protéine Vif possède une activité de type cystéine protéase susceptible de cliver la partie C-terminale de la glycoprotéine d'enveloppe gp41.

*La protéine **Vpr** (viral protein R)* est une petite protéine constituée de 96 acides aminés, pour une masse moléculaire de 15 kDa. Elle est retrouvée dans le virus qui en contient une centaine de copies. Sa présence dans le virus suggère qu'elle est nécessaire au tout début de l'infection, comme la transcriptase inverse, l'intégrase, etc. Elle a été la première protéine virale spécifique caractérisée. La protéine Vpr semble être capable d'activer l'expression de certains gènes cellulaires. Son action se traduit pour le virus par une accélération de sa réplication et par une exacerbation de ses effets cytopathologiques au sein du lymphocyte T $CD4^+$. Compte tenu de ses effets sur la transcription, la protéine Vpr pourrait jouer un rôle dans la transcription du RNA viral, au tout début, avant que la régulation par la protéine Tat n'entre en jeu.

*La protéine **Vpu** (viral protein U)* est une petite protéine constituée de 81 acides aminés. Elle est retrouvée dans le cytoplasme de la cellule infectée mais pas dans le virus. Elle participe, comme la protéine Vif, à la maturation du virus. En son absence de nombreux virus restent soit dans la cellule, soit accrochés à la membrane plasmique. La protéine est traduite à partir d'un mRNA polycistronique qui code aussi pour une protéine d'enveloppe. La séquence aussi bien que la taille de cette protéine varient considérablement suivant les souches de virus ; le HIV-2 comme la plupart des SIV en sont dépourvus (elle est remplacée par Vpx).

L'interaction entre les différentes protéines virales, et avec la membrane plasmique des cellules infectées, permet au virus de se constituer

Les protéines de capside ainsi que celles qui sont nécessaires à la réplication du virus, et qui seront intégrées dans la particule virale, sont traduites à partir d'un seul messager. Ce messager correspond à un transcrit n'ayant pas subit d'épissage. Il est traduit en une polyprotéine au niveau de ribosomes cytoplasmiques libres. Deux types de polyprotéines sont produits : Gag et Gag-Pol. Pour ce dernier un décalage de phase de lecture est nécessaire car les produits des gènes *gag* et *pol* ne sont pas codés par la même phase de lecture. Ce décalage de phase de lecture s'effectue en 3' du gène *gag*, pour un messager sur vingt. Les deux types de polyprotéines migrent vers la membrane plasmique de la cellule infectée avec laquelle ils interagissent par l'intermédiaire d'une molécule d'acide myristique fixée à l'extrémité NH_2 terminale de Gag. Deux copies de RNA

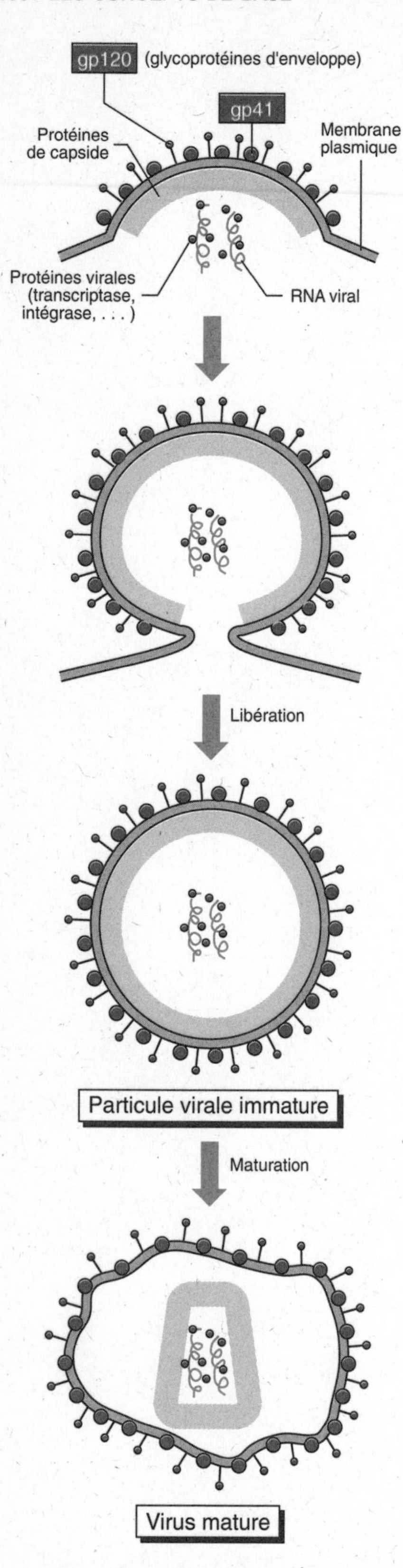

Figure 7-11 **Mécanisme de la formation des particules virales au niveau de la surface de la cellule infectée**

viral interagissent avec le précurseur Gag au niveau de la partie de la polyprotéine qui donnera la protéine nucléocapsidique p9. L'interaction s'effectue entre une séquence du RNA viral située entre un site donneur d'épissage et le codon d'initiation de gag, et un motif riche en cystéine de la protéine p9 qui ressemble aux structures en doigt de gant de certaines protéines régulatrices de transcription, mais on ne sait pas si l'ion Zn^{++} est nécessaire. Les deux précurseurs (Gag et Pol) sont clivés en leurs différentes protéines composantes grâce à une protéase codée par le virus ; ce clivage survient au cours de la maturation et de la libération du virus.

Les protéines d'enveloppe **gp120** et **gp41**, codées par le gène *env*, sont traduites sous forme d'un précurseur (gp160), à partir d'un transcrit ayant subit un unique épissage. Un peptide signal permet l'association des ribosomes en cours de traduction et de la protéine avec la membrane du réticulum rugueux. Les protéines synthétisées s'associent en dimères qui sont ensuite glycosylés au niveau de l'appareil de Golgi. Une vingtaine de motifs glucidiques complexes sont ainsi accrochés à des asparagines de chaque protéine. Cette glycosylation est suivie d'un clivage du précurseur, la partie NH_2 terminale fournissant la protéine gp120 qui s'ancre à la face externe de la membrane plasmique, là où le virus est en train de se constituer ; la partie COOH terminale fournit la gp41 qui s'intègre dans la membrane plasmique.

Le virus se constitue enfin grâce à un bourgeonnement de la membrane plasmique **(Figure 7-11)**, puis il est libéré par un processus qui n'est pas connu.

La compréhension des mécanismes moléculaires permet d'imaginer des stratégies thérapeutiques

Une première possibilité consiste à **agir au niveau de l'infection virale**. Plusieurs stratégies sont envisageables.

• La neutralisation du virus par des anticorps, soit naturels soit monoclonaux. Cette voie thérapeutique est semble-t-il peu efficace et ne peut être envisagée pour des traitements à long terme. Elle pourrait éventuellement être envisagée à titre préventif, lorsqu'une contamination est soupçonnée (accidents de laboratoire).

• L'inhibition de l'entrée du virus par une stratégie basée sur le fait que son interaction avec la protéine CD4 est nécessaire pour sa pénétration dans le lymphocyte T. L'idée a été d'apporter des molécules CD4 libres circulantes avec l'espoir qu'elles se comportent comme des leurres et piègent le virus. L'efficacité de cette stratégie n'a pas été satisfaisante, même avec les molécules de CD4 modifiées de manière à augmenter leur durée de vie (qui normalement n'est que de quelques minutes).

• L'inhibition de la réplication et de l'intégration du génome viral dans le génome de la cellule hôte, soit au niveau de la transcription inverse, soit en aval. Une possibilité consiste a administrer des analogues des nucléotides provoquant des arrêts de réplication (du fait de l'absence de groupement hydroxyle en 3' du 2' désoxyribose) et peut-être aussi une inhibition directe de la transcriptase inverse. Cette possibilité de traitement est la plus courante, les composés les plus utilisés étant l'**AZT** (3'azidothymidine), le **ddI** (2'-3' didéoxyinosine) et le **ddC** (2'-3' didéoxycytidine). Ces drogues ont une efficacité certaine, mais elles présentent aussi d'importants effets secondaires. De plus il existe maintenant de nombreuses souches résistantes à ces drogues.

Une seconde possibilité consiste à **empêcher la production du virus par la cellule infectée.** Là encore plusieurs stratégies sont envisageables.

• L'utilisation d'inhibiteurs des protéines virales régulatrices devrait permettre d'empêcher la formation des particules virales. Par exemple une substance anti-Tat devrait inhiber la transcription du provirus, une substance anti-Rev devrait empêcher la maturation et le transport des RNA vers le cytoplasme, etc. Cette approche reste encore théorique, aucune substance n'ayant fait la preuve de son efficacité. La possibilité d'inhibition de la réplication du génome viral a déjà été évoquée.

• L'utilisation de RNA anti-sens devrait permettre d'empêcher l'expression du génome viral ; de même l'utilisation de ribozymes devrait permettre de détruire les transcrits du provirus. Là encore ce type de stratégie reste théorique.

• L'utilisation d'inhibiteur de la protéase virale devrait permettre d'empêcher la coupure des polyprotéines à l'origine des différentes protéines virales, et par là empêcher la formation de particules virales. Les modélisations moléculaires ont permis de construire et produire des molécules susceptibles d'entraîner une telle inhibition. Les résultats obtenus in vitro sont satisfaisants, mais il reste à démontrer qu'ils sont utilisables et non toxiques chez l'homme.

Une dernière possibilité consiste à **détruire sélectivement les cellules infectées**. Au moins trois stratégies sont envisageables.

• L'utilisation de drogues susceptibles de détruire spécifiquement les cellules infectées : aucune n'a démontré son efficacité et sa spécificité ; les effets secondaires pourraient être particulièrement redoutables.

• Le ciblage immunologique de substances toxiques en mettant à profit le fait que les lymphocytes infectés expriment à leur surface la glycoprotéine d'enveloppe gp120. Des anticorps dirigés contre cette protéine et couplés à un agent toxique et susceptibles d'être internalisés seraient de bons candidats pour cette stratégie, qui n'en est encore qu'au stade expérimental.

• La génothérapie est aussi envisageable, compte tenu du fait de la longue période de latence entre l'infection et le développement de la pathologie. Les différentes possibilités envisageables sont décrites dans le chapitre 17.

Vers la production d'un vaccin

Le problème majeur rencontré pour la production d'un vaccin est l'extrême variabilité du virus. Les souches sont innombrables, de nouvelles apparaissent continuellement. Le virus qui a infecté un sujet peut ne plus être le même lorsque la maladie atteint son issue fatale. Cette variabilité est due au manque de fidélité de la transcriptase inverse. Les antigènes utilisés pour l'immunisation doivent correspondre à des régions suffisamment vitales pour le virus afin que les mutations ne puissent s'y accumuler. Malheureusement, les meilleurs antigènes candidats sont des protéines internes au virus, or le vaccin ne peut avoir d'efficacité que s'il provoque l'apparition d'anticorps dirigés contre des protéines situées à la surface du virus. La stratégie consiste donc à produire par génie génétique des polypeptides correspondant à des régions pour lesquelles des anticorps pourraient avoir un effet neutralisant. La région ne doit pas être trop longue afin que la probabilité de mutation soit faible. Dans le meilleur des cas il serait possible d'envisager les différentes évolutions possibles et de produire les différents antigènes correspondants.

La biologie moléculaire peut aussi améliorer les possibilités de diagnostic

Les sujets infectés sont détectés par des réactions immunologiques (ELISA, western-blot,...), mais la séroconversion nécessite plusieurs semaines, ce qui pose un énorme problème, par exemple en transfusion. La PCR, du fait de sa sensibilité, permet d'effectuer un diagnostic très précoce, bien avant la séroconversion. Cependant, la PCR pose des problèmes qui limitent son utilisation. Le premier résulte de l'extrême variabilité du virus. Les oligonucléotides doivent être choisis dans des régions du virus dont on sait qu'elles ne varient pratiquement pas (gène de la polymérase...), le résultat ne peut être considéré comme valide que si plusieurs amplifications, utilisant des couples d'oligonucléotides s'hybridant avec plusieurs régions du virus, ont toutes donné un résultat positif. De plus la PCR est utilisée à ses limites de résolution, et le risque de **contamination** par du DNA provenant d'amplifications antérieures est plus que jamais redoutable. De tels examens ne peuvent être envisagés que dans des laboratoires très expérimentés et conçus pour ce type d'exploration.

LE VIRUS DE L'HÉPATITE B (HBV)

Il est responsable de l'hépatite virale B, susceptible dans certains cas d'évoluer vers un **hépatocarcinome.** Il fait partie de la famille des *Hepadna viridae.* Son génome est constitué d'un DNA circulaire partiellement double brin. Aucun des brins n'est fermé, et le cercle du génome viral se ferme par hybridation, la fermeture étant due au chevauchement de ses extrémités cohésives **(Figure 7-12).**

Le brin le plus long est appelé L(—) (pour *long*), sa longueur est de 3 300 bases environ. Son extrémité 5', qui est localisée à la position 1 826, est associée à une protéine qui lui est liée par une liaison covalente. Le second brin appelé S(+) (pour *small*) n'a pas une longueur fixe, elle est comprise entre 50 et 100 p. 100 de celle du brin L(—). Son extrémité 5' est locali-

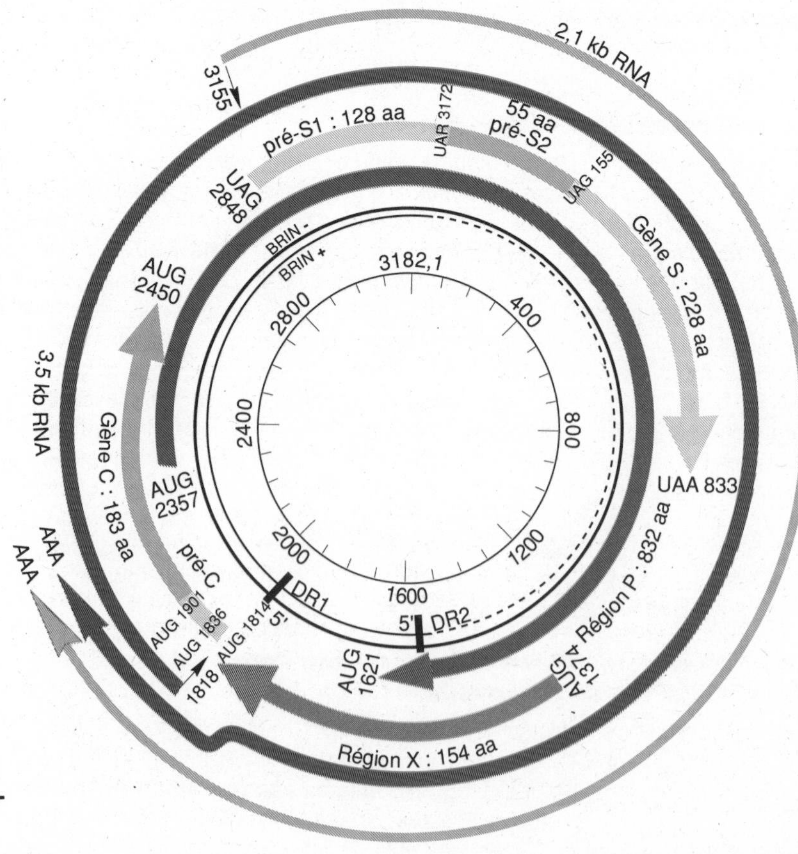

Figure 7-12 **Organisation et produits d'expression du génome du virus de l'hépatite B** *(D'après P. Tiollais)*

sée à la position 1 601. La région qui se situe entre 1 601 et 1 826 correspond donc à la portion cohésive déjà évoquée qui permet la circularisation du virus. Cette séquence est limitée de part et d'autre par les séquences DR1 et DR2 qui correspondent à une répétition directe de 11 bases (5'TTCACCTCTGC3'). Ces séquences sont importantes pour la réplication du virus et sont parfois utilisées pour son insertion dans le génome de l'hôte. Le brin S(+) se termine par un court oligoribonucléotide dont 11 bases sont complémentaires de la région correspondante du brin L(—).

Le brin S(+) semble dépourvu de gènes codants ; le brin L(—) contient 4 phases de lecture ouvertes (ORF) appelées respectivement S, C, X et P, cette dernière se superposant aux précédentes. La première phase de lecture ouverte, la région S, code pour les protéines d'enveloppe du virion ; elle est divisée en 3 régions : la région pré S1, la région pré S2 et le gène S. Le gène C code pour une protéine de 22 kDa, la protéine $p22^{C}$ qui constitue le corps du virion. Elle est phosphorylable et contient à son extrémité C-terminale une séquence riche en arginine qui semble interagir avec le DNA viral. La région X code pour une protéine de 15 kDa dont le rôle n'est pas connu mais qui pourrait être celui d'un transactivateur. Enfin le gène P code pour une protéine de 90 kDa qui est la DNA polymérase du virus. Elle possède une activité de type transcriptase inverse.

Deux types de messagers seulement sont transcrits, le seul brin L(—) étant utilisé comme matrice. Le plus long des transcrits a une longueur de 3,5 kb ; il est donc plus long que le génome viral ce qui implique que le RNA messager possède à ses extrémités la même séquence qui a été transcrite deux fois. L'origine de transcription de ce messager est localisée à la position 1 818, donc tout au début de la courte région pré C. Le second messager possède une longueur de 2,1 kb. Son site d'initiation est situé entre les régions pré S1 et pré S2 à la position 3 155. Aucun des deux messagers ne subit d'épissage.

La réplication du génome HBV ressemble à celle des rétrovirus

Bien que le génome viral soit constitué de DNA partiellement double-brin, sa réplication ressemble à celle des rétrovirus. Après infection le génome viral migre au niveau du noyau où il est complété par un mécanisme semblable à celui de la réparation (pour cela la protéine en 5' du brin L(—) et l'oligoribonucléotide en 5' du brin S(+) doivent être excisés). Il en résulte un DNA circulaire double-brin complet superenroulé. Une RNA polymérase, vraisemblablement la RNA polymérase II de la cellule hôte, transcrit un grand nombre de copie du brin L(—), ces RNA sont polyadénylés. Les transcrits sont transférés dans le cytoplasme où ils sont traduits puis encapsidés avec des molécules de DNA polymérase virale (produit du gène P) ; ils portent le nom de **prégénome**. Au sein de la particule virale cette polymérase, qui est une **transcriptase inverse**, rétro-transcrit le RNA en un brin de DNA L(—). L'initiation de cette rétro-transcription est, semble-t-il, assurée par une protéine fixée à l'extrémité du RNA au niveau de la séquence DR1. Le RNA matrice est ensuite détruit par l'activité RNase H de la polymérase virale. Un court RNA avec chapeau méthylguanosine, probablement issu d'une extrémité 5' d'un RNA prégénome non détruit par la RNase H, sert d'amorce pour la synthèse du brin S(+), toujours par la polymérase virale. La synthèse de ce second brin s'arrête de manière aléatoire en 3' ce qui explique pourquoi le génome viral n'est que partiellement double-brin et pourquoi sa longueur varie d'un virus à l'autre.

Une autre ressemblance avec les rétrovirus est qu'il peut s'intégrer dans le génome des cellules infectées.

Virus de l'hépatite B et sérologie

Lorsqu'un homme est infecté par le virus HBV, celui-ci se multiplie dans les cellules hépatiques et se déverse dans le sang circulant. Durant cette phase les particules retrouvées dans le sang sont principalement des virus complets (**particules de Dane** de 42 nm). Ultérieurement les particules retrouvées dans le sang (de 22 nm) correspondent à des virus vides. Chez les sujets infectés trois types majeurs d'antigènes sont détectables : les antigènes **HBs (antigène Australia), HBc** et **HBe.** L'antigène **HBs** correspond à une structure qui dérive des protéines d'enveloppe. L'enveloppe virale est constituée de trois types de protéines : les protéines majeure, moyenne et grande. Ces protéines sont codées par la région S du génome viral. La dimérisation de deux protéines de type majeur via un pont disulfure constitue l'antigène HBs. L'antigène HBc correspond à la protéine $p22^c$ de la nucléocapside codée par la région C du génome viral. Enfin l'antigène HBe correspond à un épitope cryptique qui émerge lors de la dislocation de la capside ; il est codé par la région pré C/C.

Virus de l'hépatite B et hépatocarcinome

Très tôt des études épidémiologiques avaient permis d'établir un lien entre l'hépatite B et l'hépatocarcinome. Le problème était de déterminer quel était le mécanisme en cause puisque le virus ne contient apparemment pas d'oncogène (voir chapitre 15). Ce sont les études sur le site d'intégration du virus dans le génome des cellules cancéreuses qui ont apporté les premiers éléments de réponse.

Bien qu'à l'évidence le site d'intégration ne soit pas unique, la stratégie a consisté à cloner, dans les cellules d'hépatocarcinome, la région d'intégration du virus et, dans un second temps, à cloner la séquence correspondante dans les hépatocytes normaux. Dans un seul hépatome précoce, le site d'intégration est situé dans un gène présentant de très fortes homologies avec le récepteur des glucocorticoïdes et l'oncogène viral v-*erb*A. Ce gène, situé sur le chromosome 3 et appelé ***hap***, code pour un **récepteur de l'acide rétinoïque** (voir chapitre 5). Cette intégration entraîne la production d'un messager chimère qui serait au moins l'une des causes de la transformation (voir chapitre 15).

Dans un autre cas le virus a été retrouvé intégré dans le gène de la **cycline A** qui, comme nous l'avons vu au chapitre 5, appartient à une famille de protéines jouant un rôle central dans le mécanisme de la division cellulaire et dont l'altération, par insertion de séquences étrangères, a été impliquée dans l'induction d'autres cancers. Enfin dans des modèles animaux (en particulier la marmotte) le virus est souvent retrouvé intégré à proximité des oncogènes c-myc et N-myc.

Les copies virales intégrées sont souvent incomplètes ou remaniées. Il n'en reste pas moins que, dans la majorité des cas, le rôle direct du virus dans l'induction de l'hépatocarcinome n'a pas encore été mis en évidence. Cette induction doit donc faire appel à des mécanismes indirects qui ne sont pas encore connus. Les modèles de souris transgéniques devraient permettre de déchiffrer ces mécanismes.

LE VIRUS DE L'HÉPATITE C

Les hépatites pour lesquelles l'agent causal n'avait pas été identifié, et qui apparaissaient sérologiquement différentes des hépatites A et B, avaient été appelées **non-A non-B** (hépatites NANB). Les études épidémiologi-

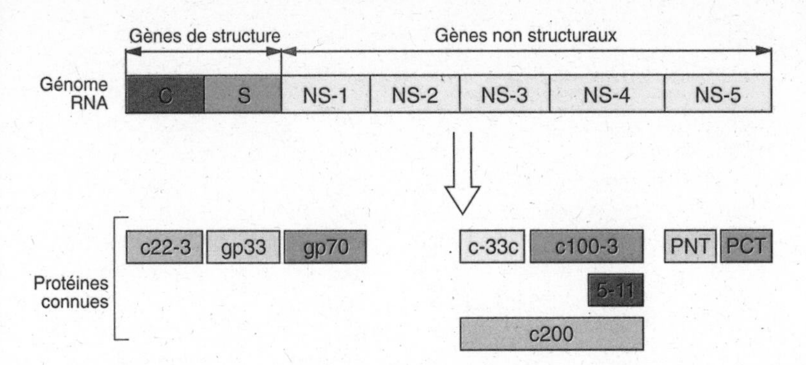

Figure 7-13 **Le virus de l'hépatite C**

ques ont montré que ces hépatites NANB étaient en fait hétérogènes et qu'il en existait au moins deux types. Le premier type correspond à une transmission féco-orale analogue à celle de l'hépatite A. On sait maintenant que ce type d'hépatite résulte de l'infection par un petit virus à RNA, sans enveloppe (de type calcivirus), appelé virus E. L'autre type présente une transmission parentérale, percutanée ou indéterminée avec évolution fréquente vers la chronicité puis la cirrhose, et souvent un cancer. Ce type d'hépatite résulte de l'infection par un virus avec enveloppe, à RNA simple-brin, polyadénylé de 10 kb proche des flavivirus ; il a été appelé virus C **(Virus de l'Hépatite C, HCV).**

Ce sont les techniques de biologie moléculaire qui ont permis la découverte de ce virus qui a été cloné avant d'avoir été caractérisé.

Le génome du virus de l'hépatite C a été cloné avant que le virus ne soit caractérisé (« virologie inverse »)

Le clonage du virus C a été réalisé par une équipe de la société Chiron. Pour cela une banque de cDNA, en vecteur d'expression (λgt11), a été réalisée en utilisant les acides nucléiques totaux (DNA + RNA) présents dans le plasma de singes infectés. En effet on ignorait au départ s'il s'agissait d'un virus à DNA ou à RNA. La banque a ensuite été criblée en utilisant du sérum d'un sujet atteint d'une hépatite C (malade ayant une hépatite chronique) comme anticorps. Un clone, avec un insert de 155 pb, a ainsi été isolé. Le produit d'expression de ce clone était reconnu par le sérum des sujets atteints d'hépatite C et non par le sérum des sujets sains. Ce clone, utilisé comme sonde, permit d'en isoler d'autres qui tous contenaient un insert codant pour des polypeptides uniquement reconnus par le sérum de sujets présentant une hépatite C. Ils permirent de mettre en évidence par hybridation la présence d'un RNA de 10 kb dans le plasma des patients. Ce RNA correspond au génome du virus. Sa séquence a été complètement déterminée. Il ne contient qu'une seule phase de lecture, il est donc traduit en une seule polyprotéine qui est ensuite clivée pour donner les 8 protéines codées par ce virus. Sa structure est décrite dans la **figure 7-13.**

Sélection de références bibliographiques : voir page 709.

Le virus C pose un important problème de santé publique

Le clonage du génome du virus a permis de développer des tests qui le mettent en évidence. La recherche est encore exclusivement immunologique (ELISA et RIBA), la mise en évidence par PCR est en cours de mise au point mais n'est pas encore utilisée. Les tests de première génération (1989) permettaient de rechercher une protéine non structurale : c100-3. Actuellement la société Ortho Diagnostics commercialise des tests ELISA de deuxième génération qui permettent de rechercher les protéines c100-3, c200 et c22-3, une confirmation étant apportée par des tests RIBA *(Recombinant Immunoblot Assay)* qui explorent les protéines c100-3, 5-11, c33c et c22-3. Les études épidémiologiques rendues possibles par ces tests ont montré (en France) que 7 unités de transfusion sur 1 000 sont contaminées par le virus et que tous les hémophiles nés avant que les préparations de facteur VIII ne soient traitées par chauffage/extraction aux solvants (1985) sont séropositifs pour le virus C (aucun des hémophiles nés ultérieurement ne sont séropositifs car le virus possède une enveloppe lipidique particulièrement sensible aux solvants utilisés lors du traitement des préparations antihémophiliques).

L'hépatite C pose donc un problème majeur de santé publique car les données actuelles montrent que ce type d'hépatite devient chronique dans environ 50 p. 100 des cas. Certaines conduisent à une cirrhose puis au cancer en l'absence de traitement, mais il est encore trop tôt pour savoir en quelles proportions.

Deuxième partie

Biologie moléculaire et pathologie

Principes de l'analyse génotypique

8

POURQUOI ANALYSER LE GÉNOTYPE ?

Le DNA est présent dans toutes les cellules nucléées, où il est en principe invariant, à l'exception des gènes de l'immunité. Son exploration directe, l'analyse **génotypique,** permet de circonvenir nombre de difficultés inhérentes à l'analyse **phénotypique,** c'est-à-dire à l'exploration des produits d'expression et de leurs effets biologiques.

Les avantages de l'analyse génotypique sont manifestes dans le domaine du **diagnostic**, en particulier dans les circonstances suivantes :

- lorsque le gène s'exprime différemment en fonction du temps (ontogenèse) ou du tissu (différenciation) ;
- lorsque le gène est situé sur le chromosome X, donc soumis à l'inactivation aléatoire de l'un des deux chromosomes X chez la femme (lyonisation) ;
- lorsque la manifestation phénotypique du trait génétique est caractérisée par une pénétrance et/ou une expressivité variables ;
- lorsque l'anomalie du gène n'a pas d'expression biologique connue ou pathognomonique ;
- lorsque le gène en cause et son produit d'expression n'ont pas été identifiés ;
- lorsque la maladie est due à un **génome étranger** hébergé de façon latente par l'organisme.

Le **tableau 8-1** illustre les différentes situations où le diagnostic phénotypique classique est mis en échec.

L'analyse génotypique permet d'étudier la **pathologie moléculaire** des DNA mutés (délétion, réarrangement, mutation ponctuelle), qu'il s'agisse d'une pathologie héréditaire (maladies génétiques) ou somatique (cancers).

Enfin l'exploration du DNA humain permet d'aboutir : (i) à l'établissement d'une **carte** complète du génome humain où plus de 90 p. 100 des gènes restent à découvrir, dont de nombreux gènes responsables de **maladies** ; (ii) à l'élucidation des mécanismes de **régulation** de l'expression génique. Ce dernier champ d'application contient la clé de problèmes biologiques aussi universels que la morphogenèse, la différenciation, la sénescence, le cancer, la neurobiologie.

Tableau 8-1 **Les avantages du diagnostic génotypique**

Difficulté à surmonter	Maladie	Diagnostic phénotypique	Diagnostic génotypique
Différenciation et accessibilité	**hémoglobinopathies**	globules rouges seulement	possible à partir de n'importe quelle cellule nucléée notamment en période prénatale (amniocytes, trophoblaste)
	hémophilies	plasma seulement	
	phénylcétonurie	plasma (hyperphénylalaninémie)	
Ontogenèse	**drépanocytose**	globules rouges à partir de la 18e semaine de grossesse	diagnostic prénatal possible dès la 10e semaine de grossesse (trophoblaste)
Lyonisation	**diagnostic des femmes conductrices pour les maladies liées au chromosome X**	inconstant à cause de la lyonisation (un seul chromosome X exprimé par cellule)	les deux chromosomes X sont analysés simultanément dans chaque cellule
Pénétrance variable	**rétinoblastome**	cancer rétinien	prédisposition : délétion du DNA au locus RB
Expressivité variable	**dystrophie musculaire de Steinert**	mal défini	diagnostic direct pré et post-natal
Pas d'expression biologique caractéristique	**mucoviscidose**	symptômes respiratoires et digestifs, test à la sueur.	diagnostic direct pré et post-natal
Produit du gène inconnu	**chorée de Huntington**	symptômes neurologiques tardifs	diagnostic indirect* présymptomatique et prénatal possible
Latence d'un génome étranger	**hépato-carcinome**	marqueurs sérologiques inconstants	intégration HBV directement décelable dans le DNA des hépatocytes

* Voir figure 13-1 page 316.

LES SONDES GÉNÉTIQUES PERMETTENT D'ANALYSER LE GÉNOTYPE

La condition nécessaire et suffisante pour envisager l'étude d'une maladie par les méthodes de la biologie moléculaire est la possession d'une **sonde** adéquate permettant de reconnaître, soit le **gène** étudié, soit des

marqueurs génotypiques proches de celui-ci. Cette reconnaissance est fondée sur le principe de l'hybridation moléculaire entre séquences complémentaires (voir chapitre 23).

Les sondes génétiques

Toute séquence d'acide nucléique - DNA ou RNA -, d'au moins 20 nucléotides, homologue à une séquence cellulaire de DNA ou de RNA s'hybride avec celle-ci de façon stable et spécifique par réassociation entre bases complémentaires. Cet appariement entre la sonde et sa cible peut s'effectuer quelle que soit la proportion de la séquence cible dans l'échantillon exploré, laquelle influe seulement sur la cinétique de réassociation. Le phénomène est d'une extraordinaire spécificité puisqu'une sonde est capable de reconnaître une séquence unique parmi des millions d'autres.

L'obtention des sondes est conditionnée par la connaissance du gène en cause et par les possibilités de clonage.

En pratique il existe deux types de sondes :

— les **sondes directes** correspondant au gène (ou au génome étranger) que l'on veut étudier ;

— les **sondes indirectes**, séquences reconnaissant des polymorphismes de restriction génétiquement liés au locus morbide et servant de marqueurs génétiques.

Les sondes directes

Il s'agit de toute séquence de DNA (ou RNA), correspondant à la totalité ou à une partie d'un gène donné, et le reconnaissant spécifiquement. L'hybride formé n'est stable que si au moins 20 nucléotides consécutifs participent à la formation du duplex.

Il existe cinq types de sondes directes : les cDNA, les fragments de DNA génomique, les ribosondes, les oligonucléotides de synthèse, les séquences de DNA exogène.

Les sondes cDNA sont en général clonées à partir de banques constituées par l'ensemble des copies cDNA des RNA messagers d'une cellule donnée. On les obtient à partir des messagers purifiés ou enrichis, provenant en particulier de cellules où ils sont fortement exprimés. Elles correspondent donc exclusivement à des séquences exoniques.

Les sondes de DNA génomique sont isolées à partir de banques génomiques.

Les stratégies pour l'obtention de ces deux catégories de sondes sont exposées dans le chapitre 26. Nous nous contenterons d'indiquer ici que l'étape décisive est le criblage qui permet de repérer le ou les clones intéressants. Ce criblage fait le plus souvent appel, mais non exclusivement, à l'un des principes suivants :
— reconnaissance par un cDNA d'une autre espèce - si le gène a déjà été cloné chez l'animal - en vertu de la conservation, plus ou moins forte, des séquences exoniques au cours de l'évolution ;
— reconnaissance par un oligonucléotide de synthèse reconstitué d'après un lambeau de séquence polypeptidique, ou d'après la séquence d'un exon candidat ;
— reconnaissance par des anticorps si le clonage a été effectué dans un vecteur d'expression (λgt11).

La taille des RNA messagers, et a fortiori des gènes dont ils dérivent, est telle que ces sondes directes ne correspondent qu'à des fractions du gène complet ou du cDNA complet. Leur position exacte sur la carte est connue avec précision. En ce qui concerne les sondes génomiques il est important de savoir si elles correspondent à une séquence exonique ou intronique, ou aux deux. Ces sondes sont incluses dans un vecteur recombiné, dont elles occupent une proportion variable, puisqu'elles ont été obtenues par clonage. Elles sont sous forme double-brin, sauf dans le cas des vecteurs de type M13.

La possession d'une sonde est un préalable à toute analyse génotypique, comme le montrent les exemples suivants

— **Les maladies de l'hémoglobine** ont été les premières à bénéficier des méthodes de la biologie moléculaire parce que les gènes responsables étaient connus (chaîne β pour la drépanocytose et les β-thalassémies ; chaîne α pour les α-thalassémies). L'abondance des mRNA de globine dans les réticulocytes a considérablement facilité leur isolement et leur clonage ;

— **l'hémophilie A** était depuis longtemps connue comme une maladie du facteur VIII. Cependant le clonage de ce gène s'est avéré particulièrement difficile, parce que la protéine, ainsi que son origine cellulaire, n'étaient que très imparfaitement connues. De très gros moyens, déployés par l'industrie privée soucieuse de commercialiser un facteur VIII humain cloné, ont été nécessaires pour parvenir au clonage du gène et à la préparation de sondes utiles au diagnostic ;

— il existe de nombreuses **maladies génétiques monofactorielles** où le gène responsable est inconnu. Or l'obtention d'une sonde spécifique exige l'isolement préalable du gène. La stratégie à mettre en œuvre, dite de la génétique inverse, sera exposée dans le chapitre 11. Celle-ci peut fournir, en attendant le gène lui-même, des sondes reconnaissant des polymorphismes génétiquement liés au locus morbide et utiles au diagnostic ;

— **la leucémie myéloïde chronique** est une prolifération maligne monoclonale de cellules hématopoïétiques, caractérisée par la translocation t(9;22) responsable du **chromosome Ph1.** Le clonage de la jonction entre ces deux chromosomes a fourni une séquence siégeant au niveau du remaniement (séquence **bcr**), permettant de déchiffrer l'anomalie du DNA ;

— pour **les maladies infectieuses,** il faut connaître, ou au moins avoir isolé, l'agent causal, pour effectuer le clonage de son génome. L'exemple des **virus du SIDA** (HIV1 et HIV2) est particulièrement représentatif.

Les ribosondes sont des séquences de RNA simple brin. On les obtient par voie biologique en transcrivant in vitro, par une RNA polymérase, un fragment de cDNA ou de DNA génomique inséré dans un vecteur pourvu d'un promoteur fort (SP6 par exemple). Ces sondes offrent certains avantages au stade de l'utilisation (marquage uniforme et de très forte activité spécifique, détection des mutations ponctuelles par méthode de la RNase A, possibilité de préparer la séquence dans les deux sens).

Les oligosondes de synthèse sont de courtes séquences de DNA mono-brin, synthétisées in vitro par les moyens de la chimie organique dans des appareils automatisés.

On distingue plusieurs types d'utilisations :

— pour le **criblage** d'une banque (de cDNA, plus rarement de DNA génomique), on reproduit in vitro la séquence nucléotidique correspondant à une séquence polypeptidique connue. On a intérêt à choisir à la fois la séquence la moins dégénérée et la plus longue (environ 40 nucléotides). Ici la sonde n'est utile qu'une seule fois : pour repérer et isoler le clone correspondant dans la banque ;

— pour le diagnostic des **mutations ponctuelles** : on reproduit in vitro la séquence nucléotidique génomique dans la région du gène où une mutation a été clairement identifiée. Ici la longueur optimale de la sonde est de 19 nucléotides, soit en général 9 nucléotides de part et d'autre de la mutation. On doit synthétiser la sonde sous ses deux versions, normale et mutée. La version normale forme un hybride stable avec le gène normal et instable avec le gène muté. Inversement la version mutée forme un hybride stable avec le gène muté et instable avec le gène normal **(Figure 8-1)**. L'instabilité des mésappariements est en fait variable **(Tableau 8-2)**. Elle exige des conditions expérimentales (stringence) très contrôlées. Cette technique a été appliquée pour la première fois au diagnostic prénatal de la mutation de la drépanocytose (voir chapitre 13) ;

— pour une **amplification génique in vitro** (technique **PCR** pour *Polymerase Chain Reaction*) : on synthétise un couple de sondes de 20 à 25 nucléotides, reproduisant chacune une séquence située sur un brin différent, en 3' du segment de DNA que l'on veut amplifier, donc l'encadrant. Elles servent d'**amorces** dont l'extension par une DNA polymérase permet de dupliquer les deux brins de ce segment (voir pages 211 et suivantes et chapitre 21).

Les sondes de DNA étrangers sont beaucoup plus faciles à cloner, car le génome des microorganismes que l'on désire mettre en évidence **(bactéries, virus, parasites)** est beaucoup moins complexe que le génome humain.

Tableau 8-2 **Stabilité des mésappariements *(mismatches)* de nucléotides**

Appariements stables	Mésappariements		
	très instables	moins instables	stabilité non connue
A-T	A-C A-A	A-G	
G-C	T-C T-T	G-T	G-G C-C

Dans la construction d'une oligosonde on évitera les séquences donnant les mésappariements A-G ou G-T, moins instables, en construisant une sonde anti-sens qui engendrera des mésappariements instables de type T-C ou A-C.

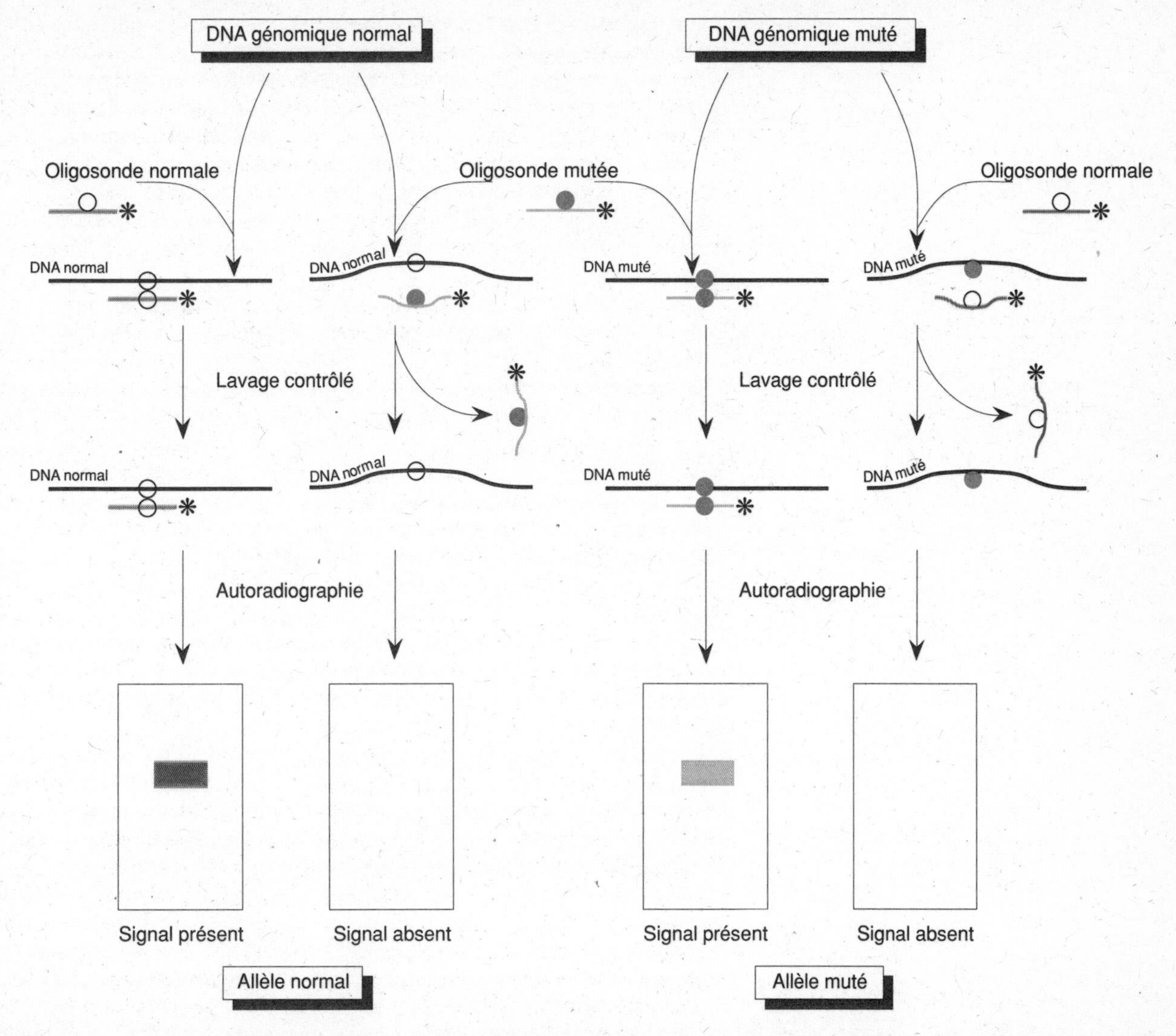

Figure 8-1 **Principe de la détection d'une mutation ponctuelle par oligosonde de synthèse (méthode dite ASO pour *Allele Specific Oligoprobe*)**
Les ronds blancs désignent la base normale sur un brin du DNA génomique et son complément sur la sonde (par exemple A sur le DNA et T sur la sonde). Les ronds rouges désignent la base mutée sur un brin du DNA génomique et son complément sur la sonde (par exemple T sur le DNA et A sur la sonde).
La version normale de la sonde ne peut s'hybrider qu'avec l'allèle normal. Réciproquement la version mutée de la sonde ne peut s'hybrider qu'avec l'allèle muté. Les hybridations croisées ne sont pas stables par suite du mauvais appariement *(mismatch)* entre bases non complémentaires (A et A ; T et T).

Les sondes indirectes

Ce sont des fragments de DNA provenant de banques de DNA génomique. On les utilise lorsque le gène que l'on veut explorer n'est pas encore cloné, ou a fortiori lorsqu'il est inconnu. Pour être utilisables ces sondes doivent satisfaire aux critères suivants :

— ne pas contenir de séquence de DNA hautement répétitif dispersé (membre de la famille Alu par exemple), afin de reconnaître une seule ou un nombre modéré de séquences dans le génome ;

— mettre en évidence un polymorphisme de restriction **(RFLP)** utilisable comme marqueur génotypique (voir chapitre 9).

Le plus souvent les sondes obéissant à ces critères correspondent à des séquences inter-géniques et ne renferment pas de séquence codante.

On les appelle souvent sondes **anonymes** pour souligner qu'elles sont constituées par des séquences a priori dénuées de contenu informationnel.

On les obtient dans un premier temps en sélectionnant dans une banque de DNA génomique, totale ou spécifique d'un seul chromosome (ou même d'une région chromosomique donnée), les clones ne donnant pas de signal d'hybridation avec du DNA génomique total marqué, c'est-à-dire ne contenant pas de DNA hautement répétitif. Les clones négatifs, utilisés comme sondes, doivent en revanche donner une seule bande ou un nombre limité de bandes dans le DNA génomique analysé par la méthode de Southern.

Dans un second temps on recherche si les sondes sélectionnées mettent en évidence des **polymorphismes**. Cet aspect est développé dans le chapitre 9.

La localisation sur le génome des sondes anonymes est effectuée par les moyens de la cartographie physique et génétique (voir chapitre 10).

Nomenclature

Il faut distinguer la dénomination des sondes, qui est toujours choisie par le laboratoire qui a effectué le clonage, et celle des **locus** auxquels elles correspondent. Ceux-ci sont répertoriés par le comité de nomenclature attaché aux conférences « Human Gene Mapping » qui ont lieu tous les deux ans.

Lorsqu'un locus correspond à un gène identifié, il prend le nom abrégé de ce gène. Par exemple la sonde pJW101 (nomenclature privée propre au laboratoire inventeur) correspond au gène α-globine, dont le symbole est HBA dans la nomenclature officielle.

Lorsqu'un locus est défini par une sonde anonyme, une nomenclature particulière est employée. La première lettre est **D**, pour DNA, suivie par le numéro ou la lettre désignant le chromosome. Ensuite les symboles suivants sont utilisés : **S** si la séquence est unique, **Z** si elle est répétée en un site chromosomique défini, **NF** si elle est répétitive et dispersée sur plusieurs chromosomes. Enfin un numéro est attribué pour une catégorie donnée en suivant l'ordre chronologique de leur mise en évidence sur le même chromosome. Par exemple D22S1 désigne le locus défini par la première sonde anonyme correspondant à une séquence unique du DNA du chromosome 22 (sonde pMS3-18) ; D22Z1 désigne le locus défini par la première sonde correspondant à une séquence répétitive localisée de ce même chromosome (sonde pM1-4-3).

L'ANALYSE DU DNA GÉNOMIQUE HUMAIN

On désigne habituellement sous ce nom le DNA nucléaire (ou chromosomique). Celui-ci peut être extrait à partir de n'importe quelle cellule, à l'exception des érythrocytes mûrs et des plaquettes qui ne contiennent pas de noyau. Le noyau de chaque cellule diploïde renferme une quantité constante de DNA : **6 picogrammes** (6×10^{-12} g).

La source de DNA nucléaire la plus communément utilisée est le sang périphérique non coagulé, d'où il est préparé à partir des **leucocytes.** Un ml de sang total contient de 30 à 50 microgrammes de DNA, mais la quantité finale obtenue dépend du rendement de la méthode et de la qualité de l'échantillon.

On peut aussi extraire le DNA génomique de cellules cultivées **(fibroblastes, lignées lymphoblastoïdes),** et de tissus prélevés par biopsie (voir tableau 13-1). Tout matériel cellulaire ou tissulaire peut être congelé et conservé à —70 °C indéfiniment jusqu'au moment de l'extraction du DNA. Les procédés d'extraction sont décrits dans le chapitre 20.

Quelques chiffres

Toute cellule nucléée = 6 picogrammes (6.10^{-12} g) de DNA

Taille du génome haploïde humain = 3.10^9 pdb
1 μg de DNA = 270 000 copies haploïdes = 135 000 cellules diploïdes
Seuil de détection par le bromure d'éthidium = 5.10^{12} pdb = 10^3 cellules = 6 ng de DNA.

Une fois extrait le DNA peut être conservé longtemps avant d'être analysé, à condition de se prémunir, par la présence d'EDTA, contre la dégradation par les DNases (voir chapitre 20).

Le DNA ainsi préparé convient pour une analyse du génotype constitutionnel. Comme il est en principe identique au DNA du zygote formé par la fusion des gamètes parentaux , on l'appelle parfois **DNA germinal,** ce qui ne signifie pas qu'il a été extrait à partir de cellules germinales. Cependant certains gènes peuvent faire l'objet de réarrangements ou de modifications somatiques spécifiques d'un clone cellulaire particulier : tels sont les réarrangements des **gènes de l'immunité** (immunoglobulines, récepteurs des cellules T), les mutations et réarrangements somatiques de certains **cancers.** Pour les analyser il faut extraire le DNA à partir des cellules intéressées par le processus monoclonal : cellules lymphomateuses, myélomateuses, tumeurs solides.

On s'assure par une électrophorèse de contrôle en gel d'agarose que le DNA n'est pas dégradé. Néanmoins, lorsqu'il est extrait par les procédés standards, le DNA est inévitablement cassé, par des forces mécaniques, en fragments dont les plus grands dépassent rarement 50 kb. Ceci ne présente aucun inconvénient pour l'analyse conventionnelle décrite ci-dessous, puisque le DNA doit être ultérieurement coupé par une enzyme de restriction en fragments de taille inférieure à 20 kb. En revanche si l'on désire dresser une macrocarte de restriction, par électrophorèse en champ pulsé (voir chapitre 10), il faut disposer de DNA de très haut poids moléculaire. Celui-ci est libéré à partir de cellules intactes (lymphocytes du sang périphérique, cultures de fibroblastes ou de lymphoblastes) emprisonnées dans un gel d'agarose. Les réactifs atteignent le noyau par diffusion passive ; celui-ci est lysé et déverse son DNA dans le gel environnant où il est immobilisé. Les agressions mécaniques étant réduites au minimum on obtient un DNA de haut poids moléculaire, c'est-à-dire, sinon intact, du moins fragmenté en morceaux de très grande taille (plusieurs **mégabases**). Inclus dans l'agarose, celui-ci peut être conservé très longtemps à +4 °C.

L'analyse du DNA génomique par la méthode de Southern

L'objectif poursuivi est le plus souvent de visualiser une séquence dite **unique** (une seule ou très peu de copies sur le génome). C'est ce que permet de réaliser la méthode décrite en 1975 par **Southern** (voir Figure 28-1, p. 651). Elle comporte les étapes suivantes :

— le DNA génomique est d'abord fragmenté par une enzyme de restriction appropriée (ou un mélange de deux enzymes) ;

— les fragments sont ensuite séparés par électrophorèse en gel d'agarose ;

— dénaturés in situ ;

— transférés par capillarité sur un support solide (filtre de nitrocellulose ou de nylon) ;

— hybridés avec une sonde monobrin marquée ;

— le ou les fragments reconnus par la sonde forment avec celle-ci un duplex résistant à un lavage exhaustif et se révélant par un signal persistant au niveau du filtre.

La visualisation d'une séquence unique à partir de DNA génomique demeure un exercice délicat, car la séquence recherchée ne présente qu'environ un millionième des différents fragments en présence, soit **1 ou quelques picogrammes** de séquence spécifique à déceler sur le filtre, si l'on est parti de 1 million de cellules. En attendant que les divers procédés de marquage non-radioactif aient fait la preuve de leur sensibilité, c'est le marquage radioactif de la sonde par le ^{32}P qui permet d'atteindre la sensibilité requise, et que l'on utilise couramment (chapitre 25).

La qualité du signal dépend en outre d'un grand nombre de facteurs expérimentaux, dont les principaux sont la nature de la sonde (plus celle-ci est longue, meilleur est le résultat), et la valeur du rapport signal/bruit de fond, qui dépend directement de la qualité des lavages. Si en théorie ceux-ci doivent être effectués dans des conditions aussi strictes (stringentes) que possible — qui doivent être contrôlées tant au niveau de l'hybridation qu'au niveau des lavages — il est souvent nécessaire de trouver empiriquement un compromis permettant d'optimiser le résultat.

Renseignements fournis par la méthode de Southern

L'utilisation de la méthode de Southern pour l'analyse génotypique suppose que la **carte de restriction** du domaine génomique exploré soit déjà connue. Le chapitre 28 décrit comment une telle carte est dressée. C'est cette connaissance qui détermine le choix du couple sonde/enzyme de restriction.

Les variations susceptibles d'être mises en évidence sont d'ordre **semi-quantitatif** (variation du nombre des copies) ou **qualitatif** (modification de la carte de restriction). Leur interprétation, abstraction faite des causes d'erreurs expérimentales, est très variable selon les situations.

La **figure 8-2** résume les principales interprétations possibles pour le cas simple où le couple sonde/enzyme visualisé n'engendre qu'un seul fragment.

Les **délétions complètes,** homozygotes ou hémizygotes, sont faciles à mettre en évidence car elles se traduisent par l'absence totale de signal (Figure 8-2, résultat 3). Plus délicates d'interprétation sont les délétions complètes hétérozygotes, qui obligent à recourir à un **dosage génique** (Figure 8-2, résultat 2). Celui-ci permet en principe d'estimer le nombre de copies d'un gène ou de toute séquence inconnue par une sonde unique, en comparant l'intensité du signal donné par le gène étudié à celle du signal obtenu à l'aide d'une sonde spécifique d'une autre séquence unique servant de témoin. L'intensité est mesurée par analyse densitométrique du signal autoradiographique. Celui-ci, pour les gènes autosomiques uniques, doit en principe varier de 50 p. 100 par copie haploïde délétée.

Les **délétions partielles** (Figure 8-2, résultats 4 et 5) ne peuvent pas être affirmées sans l'exploration par d'autres enzymes, de manière à apporter la preuve que le raccourcissement observé ne correspond pas simplement à une mutation ponctuelle créant un seul site supplémentaire. Cette dernière possibilité est une des causes des variations de longueur des fragments de restriction - également provoquées par des remaniements plus complexes - que l'on peut observer dans une population. Si la variation touche plus de 1 p. 100 des individus non apparentés il s'agit d'un **polymorphisme de restriction** (car il n'est révélé que par une modification de la carte de restriction) qui sera traité au chapitre 9.

Malgré son apparente limitation phénoménologique (signal présent ou absent ; site présent ou absent), l'analyse génotypique par la méthode de Southern demeure un outil d'une puissance incomparable car les phénomènes observés sont **codominants**. Toute variation allélique est détectable même à l'état hétérozygote, pour peu qu'elle ait entraîné une modification qualitative ou quantitative. Ceci est particulièrement important pour le DNA du chromosome X chez les femmes. Ici l'analyse génotypique circonvient en principe le problème de l' haploïdie fonctionnelle par inactivation de l'un des deux chromosomes X **(lyonisation)**, qui empêche tout diagnostic par le phénotype.

Influence de certaines modifications somatiques sur la carte de restriction

Si l'analyse génotypique par la méthode de Southern est en principe indépendante de l'état de différenciation de la cellule d'où provient le DNA, il faut faire un correctif en ce qui concerne l'influence des **méthylations** auxquelles certaines enzymes sont sensibles, et l'existence de **remaniements somatiques.**

Les inconvénients de la méthode de Southern sont nombreux

La méthode est longue, compliquée, coûteuse en réactifs et en main-d'œuvre, et surtout peu propice à l'automatisation. Les difficultés d'interprétation et les artéfacts possibles sont nombreux. C'est pourquoi elle a perdu sa prééminence avec l'apparition de la méthode PCR (voir pages 211 à 216 et chapitre 21).

Le clonage et le séquençage des gènes pathologiques

Ils sont nécessaires chaque fois que l'on désire connaître exactement la nature d'une lésion génique (mutation, délétion ou remaniement). Le procédé d'amplification in vitro (PCR) remplace l'étape préalable de clonage, car le fragment électivement amplifié peut être directement séquencé (voir figure 8-7).

Le DNA peut être analysé au niveau des chromosomes métaphasiques

Il peut être étudié par **hybridation in situ** sur des préparations cytogénétiques, ou après **tri chromosomique** effectué par un cytofluoromètre. Ces méthodes seront envisagées au chapitre 10.

Le DNA mitochondrial peut aussi être l'objet d'une analyse

Sa transmission **maternelle** et sa plus grande variabilité que le DNA nucléaire en ont fait un matériel de choix pour la paléoanthropologie moléculaire.

Il existe une pathologie du génome mitochondrial. Celle-ci est envisagée au chapitre 14 (page 433).

Le DNA des organismes exogènes

La détection de génomes viraux, bactériens et parasitaires dans des spécimens biologiques sera envisagée dans le chapitre 16.

L'ANALYSE DES RNA

L'analyse des RNA messagers est souvent plus délicate que celle du DNA génomique

L'étude des RNA messagers est moins couramment pratiquée en médecine que celle du DNA, sans doute en raison des difficultés inhérentes à ce genre de matériel. En effet les RNA messagers, qui constituent la fraction intéressante (environ 10 p. 100 des RNA cellulaires totaux), présentent les particularités suivantes :

Figure 8-2 **Exploration génotypique par la méthode de Southern**
La figure représente le cas simple où le couple sonde/enzyme engendre normalement un seul fragment.
La sonde indiquée par le trait ondulé est une séquence génomique de 2 kb. L'enzyme, par exemple Eco RI, coupe au niveau des sites indiqués par les flèches verticales.
Les situations illustrées ici ne représentent pas une liste exhaustive des anomalies possibles. Celles-ci peuvent aussi entraîner des modifications plus complexes, notamment en cas d'insertion, d'inversion ou de duplication.

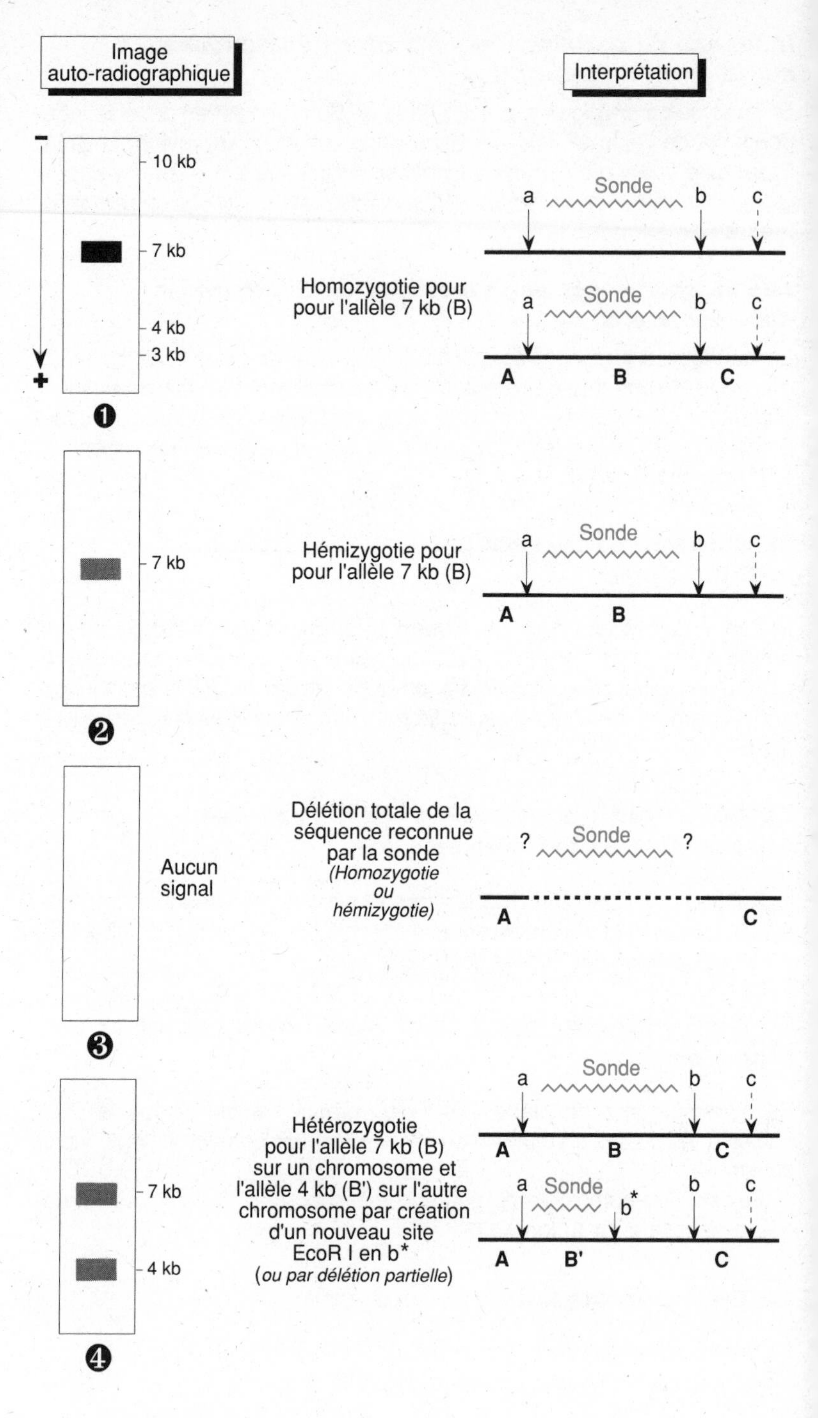

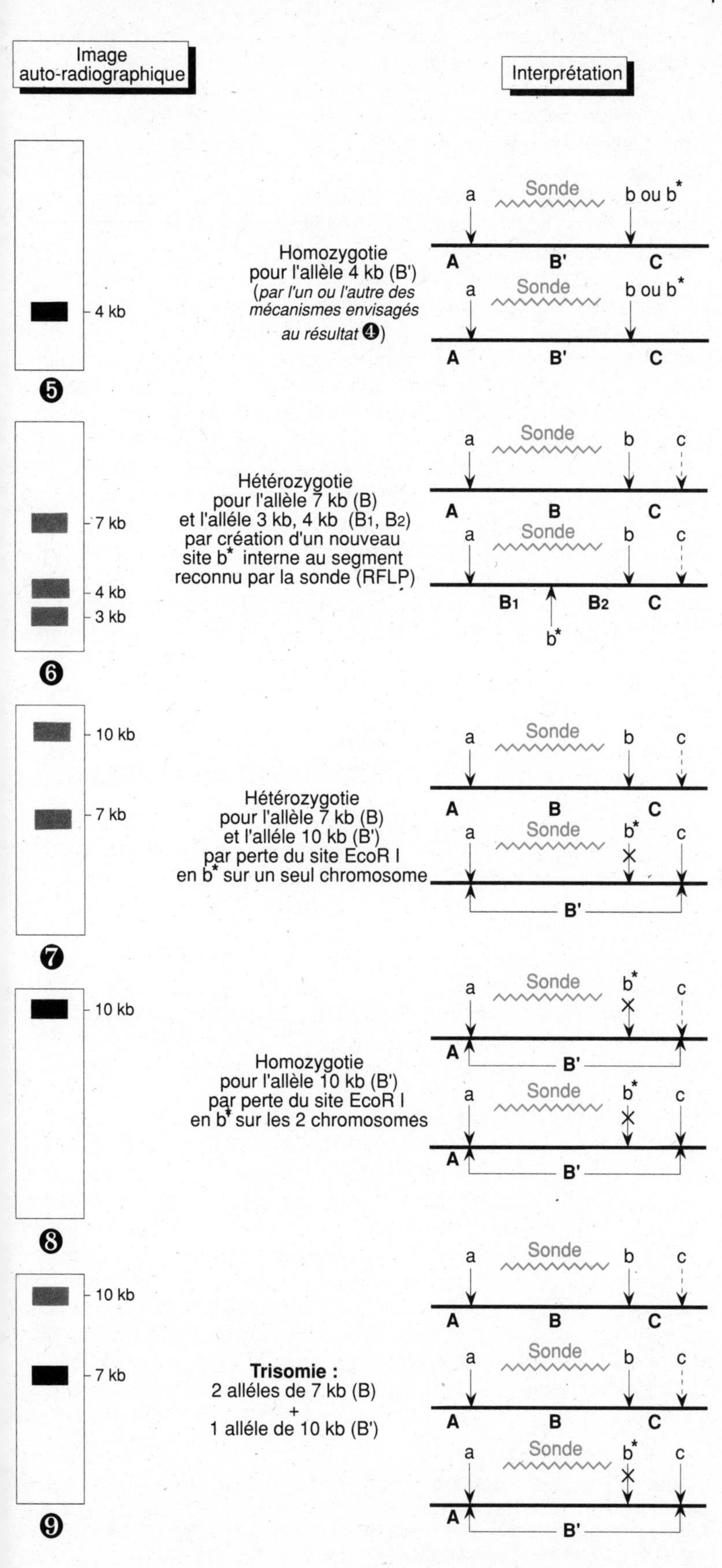
Image auto-radiographique
Interprétation
4 kb
5
Homozygotie pour l'allèle 4 kb (B') (par l'un ou l'autre des mécanismes envisagés au résultat 4)
a
Sonde
b ou b*
A
B'
C
7 kb
4 kb
3 kb
6
Hétérozygotie pour l'allèle 7 kb (B) et l'alléle 3 kb, 4 kb (B1, B2) par création d'un nouveau site b* interne au segment reconnu par la sonde (RFLP)
b
c
B
B1
B2
b*
10 kb
7 kb
7
Hétérozygotie pour l'allèle 7 kb (B) et l'allèle 10 kb (B') par perte du site EcoR I en b* sur un seul chromosome
8
Homozygotie pour l'allèle 10 kb (B') par perte du site EcoR I en b* sur les 2 chromosomes
9
Trisomie :
2 alléles de 7 kb (B)
+
1 alléle de 10 kb (B')

— grande **vulnérabilité** vis-à-vis des RNases, enzymes ubiquitaires et difficiles à inactiver complètement ;

— grande **complexité** et surtout, pour bon nombre d'entre eux, spécialisation cellulaire stricte : par exemple le messager de la phénylalanine hydroxylase n'est présent que dans l'hépatocyte, celui de la thyroglobuline dans la glande thyroïde ;

— très **faible abondance** pour certains d'entre eux : on connaît des transcrits qui ne représentent que 1/100 000e des RNA messagers de la cellule qui les produit.

Ces données opposent l'étude des RNA à celle du DNA où en principe tous les gènes sont également accessibles à l'analyse (les gènes des interférons ne sont pas plus difficiles à visualiser que ceux de la globine), et ceci dans n'importe quelle cellule (les gènes de la sérum-albumine — protéine hépatique —, ou de la globine — protéine érythrocytaire —, peuvent être étudiés dans une cellule d'obtention facile comme un leucocyte, qui pourtant ne contient aucun des transcrits correspondants).

Par conséquent le tissu à extraire doit être judicieusement choisi, compte tenu de l'expression variable en fonction de la différenciation (sauf pour les gènes dits **domestiques** parce qu'ils ont une expression ubiquitaire)*. Lorsque l'on part d'une biopsie et non pas d'une culture cellulaire, il y a un risque certain d'hétérogénéité cellulaire qui peut gêner l'analyse. Il faut se prémunir à tous les stades contre la dégradation par les RNases. On peut aussi avoir intérêt à procéder à un enrichissement en fraction intéressante, par préparation des RNA polyadénylés ou fraction dite poly A^{+} à laquelle appartiennent, en principe, tous les RNA messagers sauf ceux des histones.

La mise en évidence d'un RNA messager donné

Elle est fondée sur l'hybridation moléculaire avec une sonde complémentaire mono-brin (sonde de DNA dénaturée, de préférence cDNA, ou oligonucléotide anti-sens ou RNA anti-sens). Contrairement à l'analyse du DNA, il n'est pas nécessaire d'utiliser une étape de fragmentation par une enzyme de restriction.

Les principales méthodes d'exploration des RNA messagers, décrites au chapitre 29, sont les suivantes :

— **l'hybridation sur tache (ou *dot-blot*)** qui permet d'apprécier la présence et la quantité d'un transcrit donné dans une cellule donnée. Elle n'est valable que si aucune hybridation croisée ne risque d'interférer avec le résultat final ;

— **la méthode dite de Northern** (ainsi dénommée par opposition humoristique à la méthode décrite par E. Southern pour l'analyse du DNA). Les RNA sont séparés par électrophorèse en gel d'agarose dénaturant (il est en effet nécessaire d'abolir la structure secondaire qui gênerait la migration et l'hybridation), puis transférés sur filtre et enfin hybridés avec une sonde marquée (chapitre 29). Sur l'autoradiogramme final on observe une ou plusieurs bandes dont la taille, le nombre et l'intensité sont des indications qualitatives précieuses. C'est la méthode la plus courante pour l'analyse du RNA. Son principal inconvénient est son manque de sensibilité, et pour les RNA messagers minoritaires on doit recourir à des méthodes beaucoup plus sensibles : méthode à la nucléase S1 (voir ci-dessous), et méthode cDNA/PCR (voir page 215). Cependant la méthode de Nor-

* Cependant il existe une transcription à très bas bruit de gènes les plus tissus-spécifiques dans toutes les cellules, y compris les plus accessibles (lymphocytes). Ce phénomène, appelé **transcription illégitime**, est uniquement détectable par PCR (voir page 328). Son utilisation diagnostique est décrite au chapitre 13.

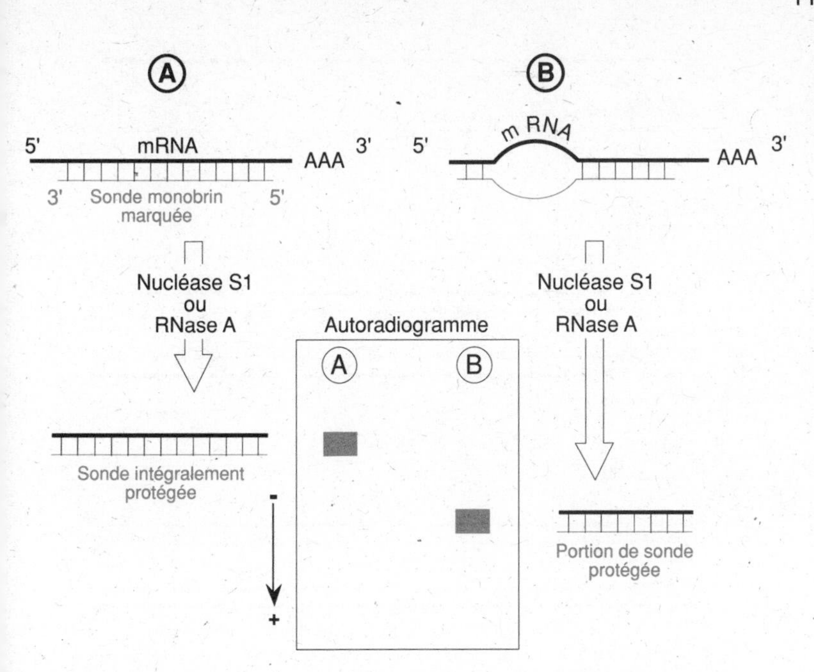

Figure 8-3 Exploration d'un RNA messager par la nucléase S1 ou la RNase A
La méthode comporte les étapes suivantes : a) une hybridation en *milieu liquide* entre le RNA étudié et une sonde monobrin marquée (en 5' si DNA, ou uniformément si RNA) ; b) une digestion par la nucléase S1 (sonde DNA ou RNA) ou la RNase A (sonde RNA) ; c) une électrophorèse en milieu dénaturant ; d) un transfert sur filtre et une autoradiographie.
A : la sonde est intégralement protégée et la taille du fragment radioactif est égale à celle de la sonde ;
B : un misappariement permet à la nucléase S1 (si > 3 nucléotides) ou la RNase A (si $\geqslant 1$ nucléotide) de cliver la sonde qui apparaît raccourcie sur l'autoradiogramme.

thern demeure irremplaçable pour apprécier d'un seul coup la taille des RNA messagers ;

— **l'exploration par la nucléase S1 ou par la RNase A** : pour mettre en évidence des différences entre la séquence d'une sonde et celle d'un RNA messager (recherche de **mutations ponctuelles**), on utilise la propriété qu'ont certaines enzymes de cliver seulement les séquences monobrin. Un mésappariement même partiel constitue donc une zone vulnérable, vis-à-vis de ces enzymes. Leur action se manifeste par un raccourcissement de la sonde marquée, visualisé en fin d'expérience par une électrophorèse en milieu dénaturant. La nucléase S1 clive seulement les séquences non appariées sur plus de trois nucléotides, alors que la RNase A peut révéler certains mésappariements d'une seule base **(Figure 8-3).** Cette dernière enzyme est donc très utile pour la détection des mutations ponctuelles. Cette méthodologie est aussi utilisée pour mettre en évidence des messagers extrêmement minoritaires et pour en déterminer l'extrémité 5' ;

— **la méthode cDNA/PCR (ou RT-PCR)** (voir page 215).

UNE RÉVOLUTION MÉTHODOLOGIQUE : LA MÉTHODE D'AMPLIFICATION ÉLECTIVE IN VITRO DE SÉQUENCES DE DNA (PCR)*

L'amplification de la cible

Si la séquence d'un segment de DNA est connue on peut l'amplifier spécifiquement in vitro par un procédé d'**extension d'amorce**. Celui-ci consiste à utiliser deux amorces oligonucléotidiques de synthèse complémentaire d'une séquence de 20 à 25 nucléotides située de part et d'autre de la séquence à amplifier, en 3' de chacun des brins. En mélangeant les deux amorces avec du DNA génomique dans des conditions d'hybridation, elles se positionnent en face de leurs séquences complémentaires

* En raison de son importance, la méthodologie PCR est traitée à plusieurs reprises dans cet ouvrage, notamment dans le chapitre 13 (applications diagnostiques) et dans le chapitre 21 (aspects méthodologiques).

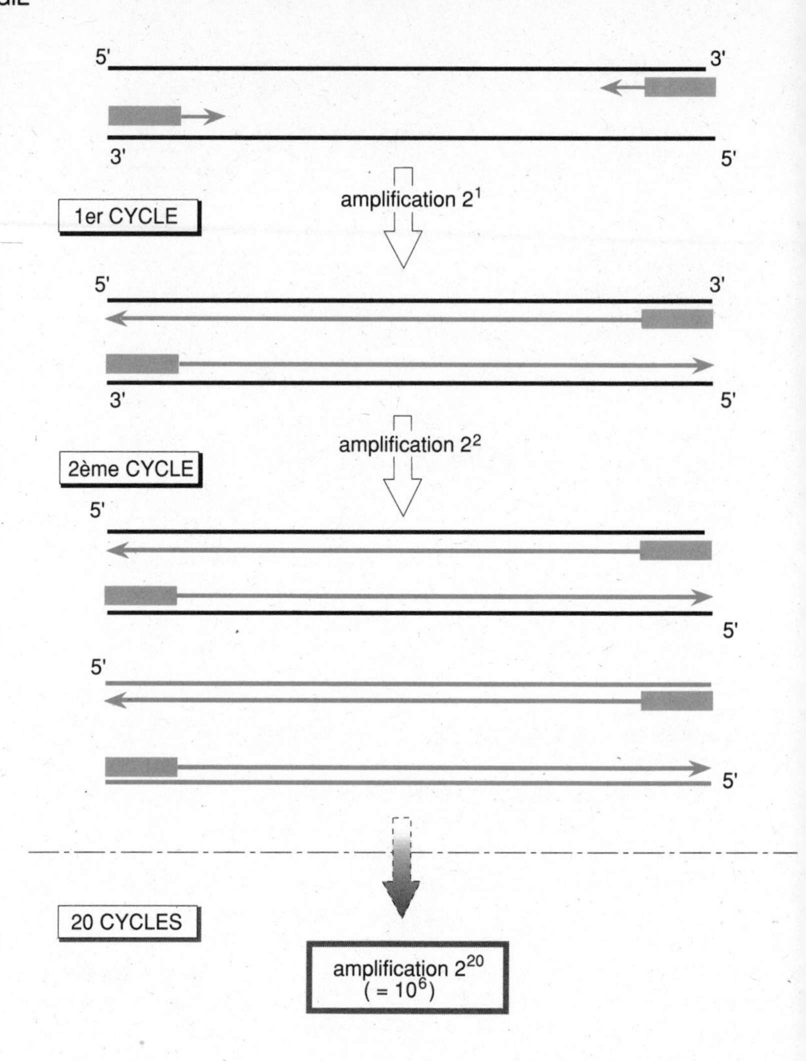

Figure 8-4 **Amplification élective in vitro (PCR) d'un segment de DNA compris entre deux amorces de DNA simple brin**
Chaque cycle entraîne un doublement de ce segment par extension d'amorce. Il en résulte une amplification théoriquement exponentielle.

respectives **(Figure 8-4).** Puis, en faisant agir une **DNA polymérase**, chaque amorce est allongée dans le sens 5'⟶3' d'une séquence exactement complémentaire du brin recopié. Il en résulte un doublement de la séquence considérée, puisque chaque brin est recopié. L'opération est ensuite recommencée, avec pour chaque cycle :
— un temps de dénaturation à 95° ;
— un temps d'hybridation avec les amorces supérieur à 40° ;
— un temps d'extension d'amorce à 70° **(Figure 8-5).**

Chaque étape dure en général moins d'une minute et chaque cycle produit un doublement de la séquence comprise entre les deux amorces. L'amplification est donc **exponentielle** : au bout de N cycles on obtient théoriquement 2^N exemplaires du segment de DNA dont les extrémités sont définies par les extrémités 5' des amorces utilisées. En 20 cycles la séquence initiale est en principe amplifiée un million de fois (en pratique le rendement effectif d'amplification est de l'ordre de 70 p. 100). La distance séparant les deux amorces conditionne la longueur du segment amplifié. Celle-ci dépasse rarement 1 kb.

La méthode — baptisée par abréviation **PCR** (pour ***P****olymerase* ***C****hain* ***R****eaction*) — est très simple à réaliser car elle ne nécessite aucune autre manipulation que des variations thermiques, tous les cycles étant réalisés dans un même tube. De plus l'utilisation d'une DNA polymérase thermo-résistante, la **Taq-polymérase** (voir encadré), évite d'avoir à rajou-

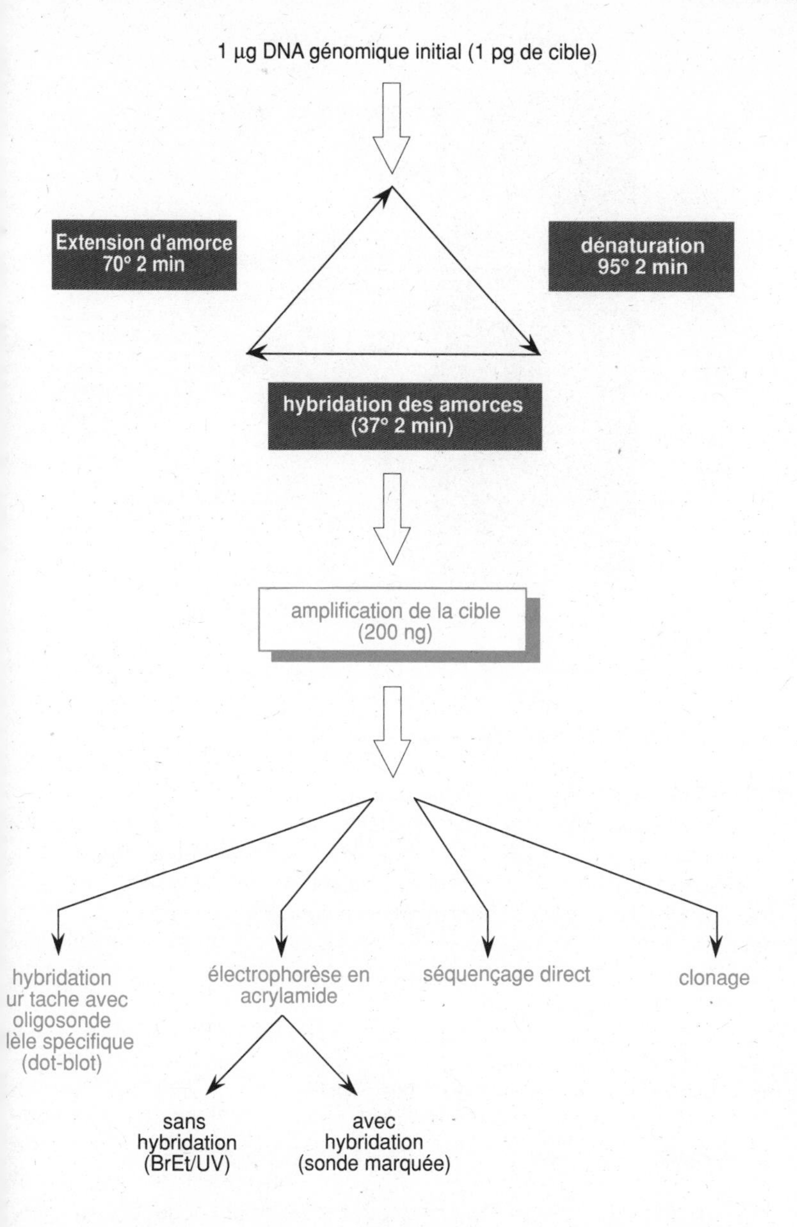

Figure 8-5 Les différentes exploitations diagnostiques des segments de DNA électivement amplifiés in vitro par la méthode PCR

ter l'enzyme à chaque cycle et augmente la spécificité de l'hybridation des amorces.

Par sa simplicité, cette technique se prête parfaitement à l'**automatisation** et il existe un appareillage permettant d'effectuer les variations thermiques de manière automatique et programmée.

L'intérêt de la méthode est considérable car elle permet d'amplifier à volonté n'importe quelle séquence de DNA à condition de disposer d'amorces adéquates c'est-à-dire de connaître la séquence considérée. L'amplification est rigoureusement spécifique si les amorces correspondent à des séquences uniques. Une amplification parasite est relativement rare parce que la longueur de chaque amorce — 20 à 25 nucléotides — évite en principe les hybridations non spécifiques. Une amplification non spécifique serait le résultat d'une double hybridation de part et d'autre d'un segment différent de celui que l'on cherche à amplifier, coïncidence improbable. Quant à l'extension d'une seule amorce, elle n'entraînerait qu'une augmentation linéaire et non exponentielle ($2 \times N$ au lieu de 2^N), c'est-à-dire une amplification négligeable.

La méthode PCR : une révolution méthodologique

L'apparition de la méthode PCR représente un progrès méthodologique décisif. Imaginée dès 1985 par K. Mullis (laboratoires Cetus), elle a connu un essor considérable à partir du moment où la commercialisation, en 1988, d'une DNA polymérase résistante aux températures élevées, la Taq polymérase, rendit possible une automatisation de la procédure. Tous les cycles pouvant être effectués dans le même tube, en présence d'un large excès d'amorces *(primers)*, de nucléotides précurseurs et d'enzyme, il suffit d'appliquer de manière programmée une série d'oscillations thermiques, correspondant aux trois températures critiques : dénaturation, hybridation, polymérisation. L'obtention, en 2 heures de machine, d'une séquence définie, pure et en quantités illimitées équivaut à un **clonage acellulaire**. Grâce à sa simplicité, et aussi à son universalité, le procédé a conquis une place prépondérante en biologie moléculaire. En permettant d'amplifier à volonté non seulement la cible, mais aussi la sonde, la méthode PCR est devenue la méthode de choix dans l'analyse génotypique. Elle a détrôné le classique *Southern-blot*, qui n'est désormais pratiqué que dans le cas où, la séquence du segment étudié n'étant pas connue, on ne peut construire les amorces nécessaires à la méthode PCR. Les champs d'application de la méthode PCR sont innombrables et concernent, en particulier, tous les aspects de la biologie moléculaire appliquée à la médecine. C'est notamment grâce à elle que l'analyse des mutations ponctuelles est devenue une pratique courante (voir chapitre 13). C'est elle aussi qui a révolutionné la notion de polymorphisme génotypique en permettant d'accéder aux polymorphismes de séquence, et notamment à celui des **microsatellites** (voir chapitre 9).

Le procédé PCR est d'une extraordinaire fécondité, car il a permis le développement d'une quantité étonnante d'innovations non prévues au départ. Il existe à présent des périodiques spécialisés, uniquement centrés sur les progrès de la méthodologie PCR et leurs applications.

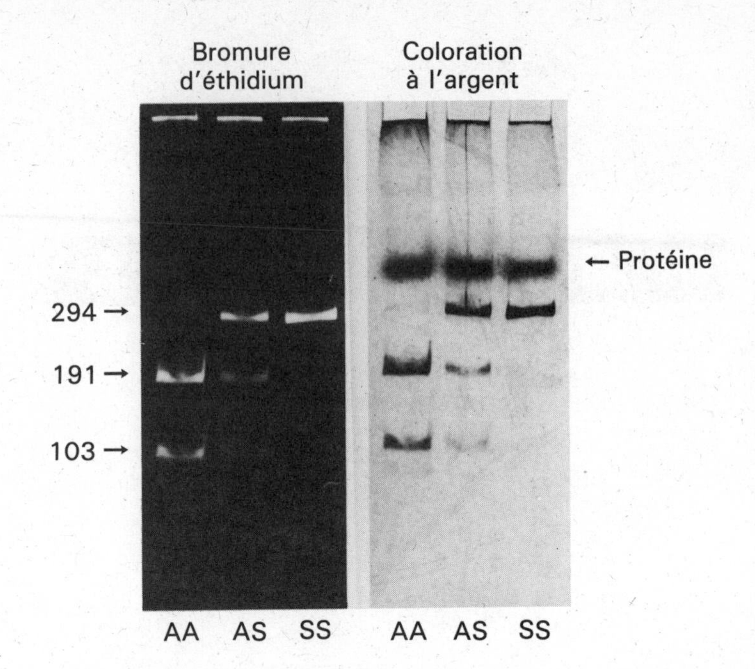

Figure 8-6 **Diagnostic génotypique de la drépanocytose par amplification élective (PCR) et visualisation directe des fragments de restriction**
Un segment de DNA de 294 pb a été amplifié entre deux amorces encadrant la région contenant le 6e codon de la β-globine, puis digéré par l'enzyme de restriction Oxa NI. Celle-ci coupe dans le codon normal (allèle β^A), ce qui engendre deux fragments de 191 et 103 pb. La mutation A⟶T de l'allèle β^S abolit le site de coupure. La quantité de DNA amplifiée et soumise à électrophorèse en gel de polyacrylamide est telle que les fragments sont vus directement, *sans hybridation avec une sonde marquée,* soit par fluorescence en présence de bromure d'éthidium, soit par coloration avec des sels d'argent (celle-ci révèle aussi les impuretés protéiques éventuellement présentes).
(Y.W. Kan. Nature, sept. 1987, p. 294, Macmillan Magazines Ltd. Publié avec l'aimable autorisation de l'auteur et de l'éditeur.)

Le procédé est révolutionnaire car il permet pour la première fois d'obtenir sans clonage une amplification considérable d'une **cible** donnée de DNA, donc un énorme gain en sensibilité. En effet, alors que la classique méthode de Southern réclame au moins 1 μg de DNA génomique au départ, soit l'équivalent de 150 000 cellules (en admettant un rendement d'extraction de 100 p. 100), la limite inférieure de sensibilité de la méthode PCR descend à une seule cellule ! Elle est donc particulièrement indiquée pour la détection de séquences très peu représentées dans un échantillon biologique (clone cellulaire leucémique résiduel, particule virale, traces d'intérêt médico-légal).

Le risque d'amplification accidentelle de traces de DNA contaminant est la rançon de cette extrême sensibilité. Il impose des précautions expérimentales qui sont décrites au chapitre 21.

L'exploitation de la cible amplifiée par PCR

Le DNA amplifié constitue une cible pure directement accessible à différents procédés d'analyse (Figure 8-5).

Le procédé de *dot-blot* consiste à déposer l'échantillon de DNA amplifié sur un filtre et à l'hybrider directement avec la sonde. Cette méthode est essentiellement utilisée pour détecter les mutations ponctuelles par mésappariement, en utilisant des oligosondes correspondant respectivement à l'allèle normal et à l'allèle muté (méthode ASO).

L'électrophorèse : le fragment amplifié est en quantité suffisante pour être directement visualisable par sa fluorescence en présence de bromure d'éthidium. Ceci offre la possibilité d'étudier directement, sans transfert ni hybridation, les variations alléliques, si le fragment considéré est le siège d'un RFLP **(Figure 8-6)**. L'hybridation moléculaire après transfert sur filtre peut cependant être pratiquée mais, à cause de la quantité énorme de cible présente et de sa pureté, la méthode de détection ne réclame pas la haute sensibilité requise par la méthode de Southern. Si on utilise une sonde radioactive le temps d'exposition de l'autoradiographie est très raccourci. On peut aussi utiliser un marquage non radioactif qui trouve enfin son application (voir chapitre 25).

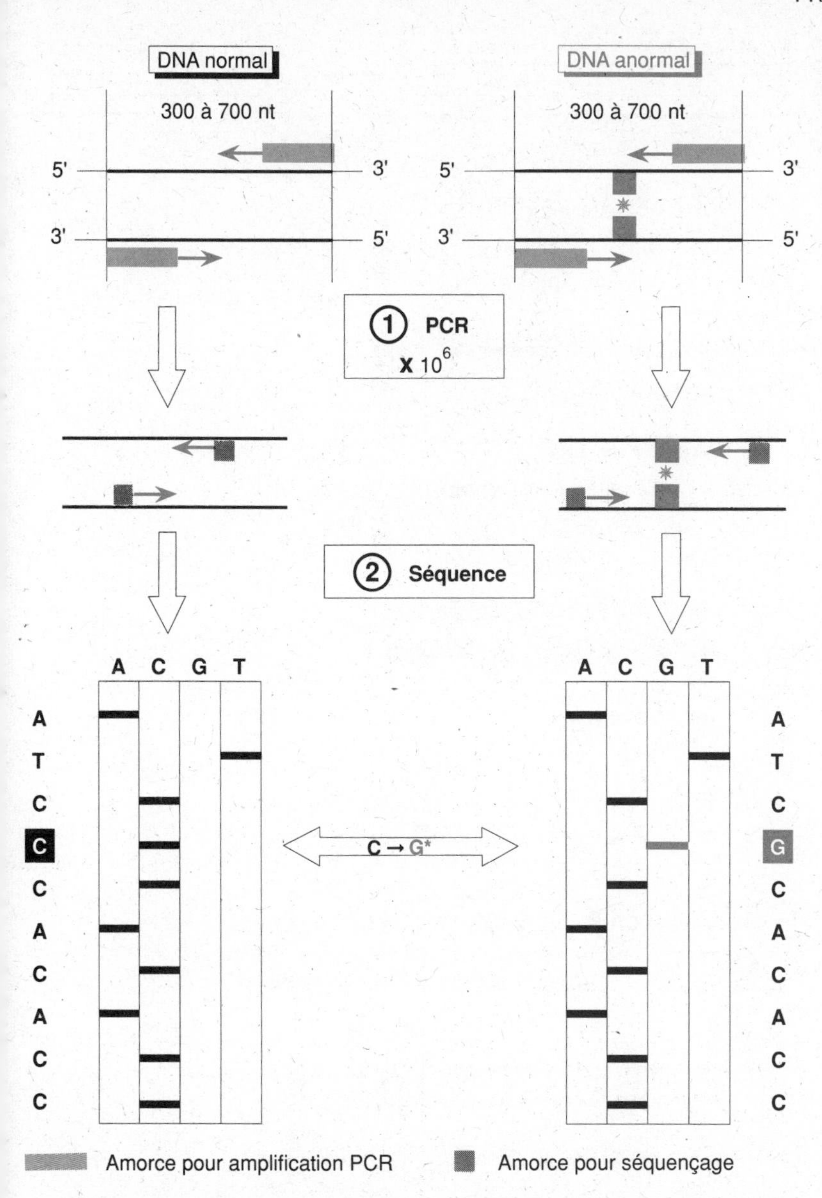

Figure 8-7 Analyse des mutations ponctuelles par amplification-séquençage
Dans l'exemple choisi il s'agit d'une mutation C⟶G. Noter que les amorces utilisées pour le séquençage ne sont pas les mêmes que pour l'amplification.
L'astérisque indique l'emplacement de la mutation.

Le séquençage du fragment amplifié peut être réalisé en utilisant la méthode de Sanger (di-désoxynucléotides), soit directement, soit après clonage en M13 (voir chapitre 21). La **figure 8-7** illustre le principe de la méthode d'amplification couplée au séquençage direct (voir chapitre 27).

Nature de la cible accessible à la méthode PCR

La seule limitation de la méthode concerne la longueur du segment amplifiable. L'amplification de segments de 100 à 1 000 bases est facile à obtenir. Il semble que la limite supérieure de la longueur amplifiable puisse difficilement dépasser la limite de 3 kb, en raison de la baisse considérable du rendement.

La méthode PCR a été appliquée avec succès à diverses séquences de DNA : génomique, mitochondrial, exogène (intérêt considérable en virologie et en médecine légale).

Enfin les **RNA messagers**, dont l'analyse par la méthode de Northern est toujours délicate, surtout pour les messagers peu abondants et/ou de grande taille, peuvent bénéficier de la méthode PCR. Dans un premier

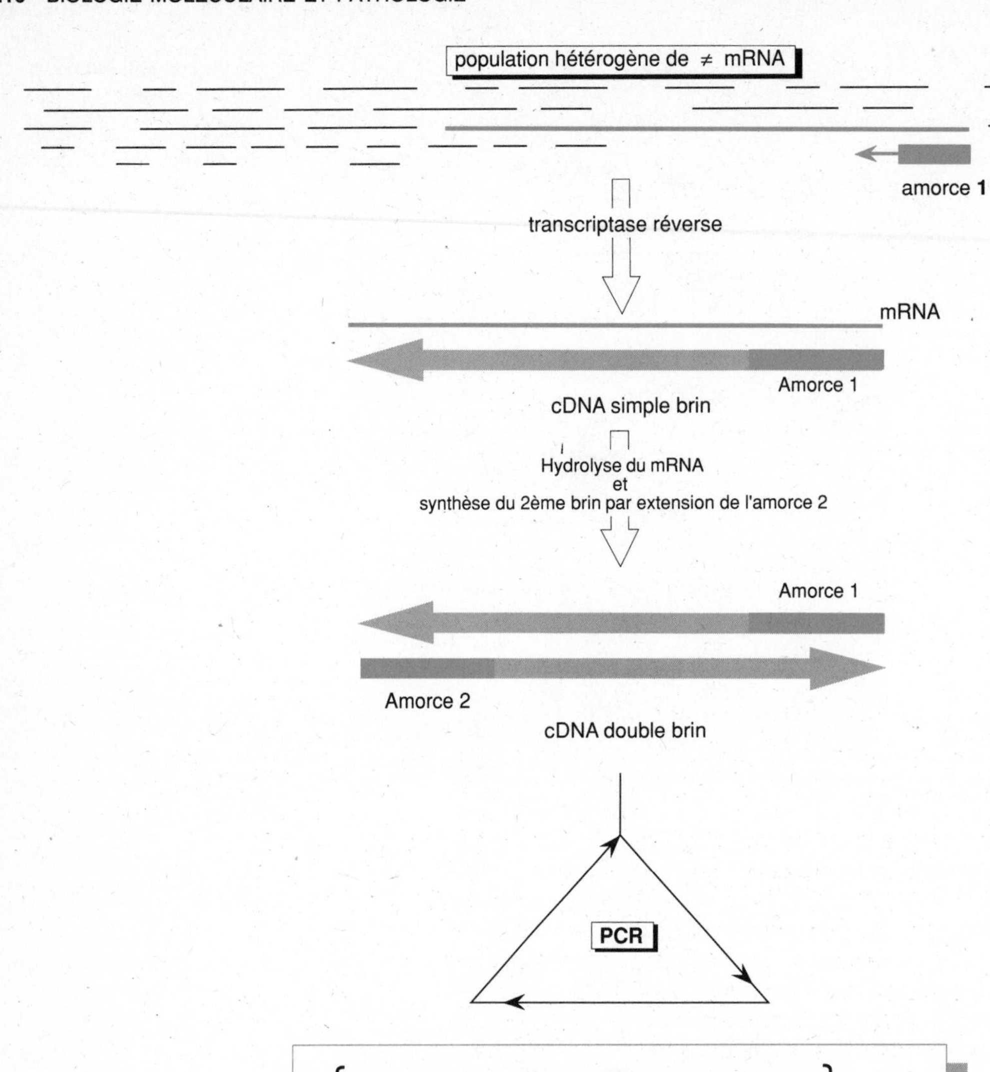

Figure 8-8 **Amplification élective d'un RNA messager par la méthode cDNA/PCR (RT-PCR)**
Dans le premier temps un brin de cDNA est synthétisé par la transcriptase inverse grâce à une première amorce anti-sens du messager. Dans le second temps une seconde amorce complémentaire du RNA messager est rajoutée dans le même tube, et la Taq polymérase réalise la synthèse du second brin entre les amorces, puis effectue l'amplification. La séquence amplifiée correspond au RNA messager épissé, ce qui permet l'exploration d'une séquence codante plus étendue que par amplification directe du DNA génomique, surtout si les introns sont de grande taille.

temps, on synthétise, grâce à la transcriptase inverse, un cDNA simple brin, soit à l'aide d'une amorce anti-sens qui s'hybride spécifiquement à l'extrémité 3' du seul RNA messager auquel on s'intéresse, soit à l'aide d'un mélange aléatoire d'hexanucléotides (voir chapitre 21), voire même à l'aide d'un oligo-dT. Le brin complémentaire est ensuite synthétisé par la DNA polymérase, par extension d'une amorce identique au mRNA et correspondant à un exon différent situé plus en 5'. Les cycles sont ensuite poursuivis par PCR **(Figure 8-8)**.

La possibilité d'amplifier à volonté n'importe quel mRNA dont on possède la séquence ouvre des perspectives en principe illimitées.

Sélection de références bibliographiques : voir page 711.

Les polymorphismes du DNA

9

Dès que le DNA génomique des organismes supérieurs est devenu accessible à l'analyse, il est apparu que la séquence d'un locus donné (segment génique ou extra-génique) pouvait varier d'un individu à l'autre au sein d'une même espèce. Ces variations stables et transmises de manière mendélienne, traduisaient un **polymorphisme génotypique**, substratum moléculaire de la **diversité phénotypique** intra-spécifique des individus. Les premiers polymorphismes du DNA furent mis en évidence par la méthode de Southern, qui révéla d'abord les variations ponctuelles de séquence touchant un site de restriction : ce sont les **polymorphismes de restriction** ou **RFLP** *(Restriction Fragment Length Polymorphism)* (1978). En 1985, la même méthode de Southern permit de découvrir une seconde catégorie de polymorphismes, les **polymorphismes de répétition**, dus à des différences dans le nombre de copies de séquences répétées en tandem, dont le motif de base est d'une longueur supérieure à 10 nucléotides : ce sont les **minisatellites** ou **VNTR** *(Variable Number of Tandem Repeats)*. L'avènement de la méthode d'amplification par PCR a permis d'accéder en 1989 à une deuxième catégorie de polymorphisme de répétition, où le motif de base répété en tandem est plus court (1 à 5 nucléotides) : ce sont les **microsatellites** ou **STR** *(Short Tandem Repeats)*.

Nous étudierons donc ces trois types de polymorphismes dans l'ordre de leur découverte.

LES POLYMORPHISMES DE RESTRICTION (RFLP) : PREMIERS MARQUEURS GÉNOTYPIQUES DÉCOUVERTS

On appelle polymorphismes de restriction des variations individuelles de la séquence du DNA révélées par des modifications de la carte de restriction. Celles-ci sont classiquement mises en évidence par la méthode de Southern qui montre des différences individuelles dans la taille des fragments de restriction obtenus avec une enzyme donnée et une sonde donnée, d'où le nom anglais de *Restriction Fragment Length Polymorphism,* en abrégé **RFLP**, sigle à présent universellement adopté.

Un RFLP est donc défini par un couple sonde/enzyme de restriction et correspond à un emplacement strictement défini sur le génome, c'est-à-dire à un locus génétique. Il se caractérise par sa variabilité d'un individu à l'autre et sa transmission mendélienne : c'est un **marqueur génétique**. Les différentes versions correspondant à un même emplacement sur le génome (locus) sont exclusives les unes des autres sur un même chromosome : ce sont des **allèles.** Chez un hétérozygote les deux allèles sont visibles : ce sont des **marqueurs codominants.**

Chaque système allélique de restriction définit un **locus polymorphe.** (Un polymorphisme est arbitrairement défini comme une variation génétique détectable dans au moins 1 p. 100 des individus d'une population).

> Seulement 1 p.100 des polymorphismes par mutation ponctuelle sont détectables par des enzymes de restriction et constituent des RFLP, car :
> - seulement une faible fraction des séquences variables comportent un site de restriction. Par exemple, sur les 4 096 séquences hexanucléotidiques possibles (4^6) seules 64 combinaisons ont la symétrie palindromique réclamée par les enzymes de restriction de classe II, et parmi elles seules 41 correspondent à des sites de clivage reconnus par des enzymes déjà caractérisées ;
> - les enzymes de restriction déjà caractérisées ne sont pas toutes disponibles ;
> - certains allèles sont difficilement discriminables ;
> - si le polymorphisme siège dans une séquence répétitive (30 p. 100 du DNA génomique) l'analyse par les moyens habituels est rendue difficile.

Les RFLP peuvent être intra-géniques ou extra-géniques

Les premiers RFLP ont été décelés chez l'homme dans des gènes de globine (Kan,1978 ; Jeffreys, 1979). En 1980 le premier RFLP **anonyme** (extra-génique) était décrit (locus DXS14, Wyman et White). D'emblée il fut évident que, sous l'apparente constance qui sous-tend la notion même d'espèce, le génome humain était, comme celui des autres êtres vivants, le siège de variations individuelles de séquence, le plus souvent neutres. Celles-ci ne dénaturent pas le message héréditaire, soit parce qu'elles siègent dans des régions non codantes (introns ou séquences intergéniques), soit parce qu'elles n'altèrent pas le contenu informationnel des exons. Dans ce dernier cas la neutralité de la mutation s'explique parce qu'elle n'altère pas la signification du codon (mutation au niveau de la 3e base), ou parce qu'elle entraîne un faux-sens sans conséquence fonctionnelle pour la protéine. La variabilité atteindrait 1 nucléotide sur 200, ce qui représente un nombre potentiellement considérable de sites polymorphes (de l'ordre de 10^7).

Seuls ceux d'entre eux qui perturbent un site de restriction sont accessibles à l'analyse classique, et le nombre de RFLP est beaucoup moins élevé que le nombre de sites polymorphes potentiels, même si la liste des enzymes de restriction augmente tous les jours (environ 500 enzymes connues).

Même si le nombre des polymorphismes touchant un site de restriction est très inférieur au nombre total des sites polymorphes sur le génome, ils constituent déjà un outil très puissant. En effet il en existe au moins plusieurs centaines de milliers, chiffre considérable si on le compare aux quelques dizaines de marqueurs phénotypiques jusqu'ici utilisés en génétique (groupes sanguins et tissulaires, isozymes, antigènes de membrane).

Mise en évidence des RFLP par la méthode de Southern

Les RFLP ont d'abord été mis en évidence par la méthode de Southern (voir chapitres 8 et 28).

Le type de sonde utilisé impose des contraintes propres :

— un cDNA ne peut mettre en évidence que des RFLP exoniques ou juxta-exoniques ;

— une sonde de DNA génomique correspondant à un gène ou un fragment de gène met en évidence des RFLP exoniques et introniques ;

— une sonde de DNA génomique anonyme explore des RFLP extra-géniques.

Chaque fois qu'une nouvelle sonde intra- ou extra-génique est clonée, elle est systématiquement utilisée pour rechercher des RFLP. Cette recherche est aléatoire et consiste à essayer un grand nombre d'enzymes de restriction différentes sur des échantillons de DNA génomique d'individus non apparentés. En utilisant une sonde longue et des enzymes coupant fréquemment (sites de reconnaissance à 4 nucléotides), on augmente le nombre de sites explorés par la sonde, donc les chances de trouver un RFLP.

Le choix des enzymes est arbitraire. On essaye toutefois en priorité les enzymes telles TaqI (site reconnu : TCGA) et MspI (site reconnu : CCGG), car elles comportent un doublet **CG**, où la cytosine est un site méthylable préférentiel, susceptible de muter en TG par désamination de la cytosine méthylée (mutation $^{m}C \longrightarrow T$). Le **tableau 9-1** donne les résultats d'une étude statistique de l'efficacité de diverses enzymes de restriction dans la recherche de RFLP.

Tableau 9-1 **Enzymes de restriction les plus efficaces pour la mise en évidence de RFLP**

Enzyme	Site reconnu	Nombre moyen de RFLP détectés avec 100 sondes[1]
Msp I	C↓C*G G	43
Taq I	T↓C*G A	30
Bgl II	A↓G A T C T	10
EcoR I	G↓A A T T C	9
Hind III	A↓A G C T T	8,5
Pst I	C T G C A↓G	5,7
Rsa I	G T↓A C	4,4
Hinc II	G TPy↓PuAC	2,2
Bam HI	G↓G A T C C	1,7

1 D'après une étude de H. Donis-Keller et al (1987), portant sur 226 sondes
↓ Site de coupure
* Site méthylable

Le nombre d'individus à étudier pour un couple sonde/enzyme donné ne doit pas être nécessairement élevé, car seuls les polymorphismes fréquents sont intéressants. Le calcul montre qu'une vingtaine d'individus non apparentés suffisent pour ne pas passer à côté d'un RFLP dont la fréquence de l'allèle le plus rare dans la population étudiée est de 0,10.

L'exploration des RFLP est grandement facilitée par la méthode PCR

Si l'on connaît la séquence **encadrant** un site de RFLP, on peut en déduire la séquence des amorces permettant d'amplifier par **PCR** la région correspondante. La cible intéressante est ainsi considérablement amplifiée, et le polymorphisme est directement analysable par simple électrophorèse du produit d'amplification digéré par l'enzyme (voir figure 14-22). La révélation se fait par coloration au bromure d'éthidium. Ni sonde, ni transfert, ni marquage ne sont plus nécessaires. Il en résulte un gain de temps considérable (un jour de travail au lieu d'une semaine) et une économie notable. C'est pourquoi on a de plus en plus tendance à utiliser cette méthode d'analyse des RFLP plutôt que la technique de Southern, ce qui suppose une détermination systématique des séquences autour des sites polymorphes.

Les différents types de RFLP et leur informativité

Pour pouvoir être exploité comme marqueur génotypique un RFLP doit correspondre à un **locus** bien individualisable sur le génome, et être **informatif.**

La 1re condition revient en principe à exiger que la sonde utilisée ne reconnaisse qu'une **séquence unique** sur le génome. Un polymorphisme de restriction définit alors un locus. L'exploitation des RFLP contenus dans du DNA répétitif est en revanche délicate. Nous verrons plus loin que certains d'entre eux, les **minisatellites**, peuvent représenter un outil précieux.

La 2e condition concerne l'**informativité**. Elle est définie par la probabilité pour un individu d'être hétérozygote au locus considéré, c'est-à-dire de porter à la fois 2 allèles différents. Cette probabilité dépend de la fréquence des allèles dans la population. Pour les RFLP situés sur le chromosome X seules les femmes peuvent être hétérozygotes.

On distingue les RFLP bi-, ou pauci-alléliques et les RFLP multialléliques.

Les RFLP bi-alléliques, les plus fréquents, correspondent le plus souvent à des polymorphismes par **mutation ponctuelle** abolissant ou créant un seul site de restriction, ce qui engendre seulement deux versions alternatives possibles pour un couple sonde/enzyme de restriction donné. C'est un système +/– dont le résultat visible sur l'autoradiogramme selon Southern dépend de la localisation du site polymorphe par rapport à la sonde, ce qui est illustré par la **Figure 9-1.** De la **loi de Hardy-Weinberg** ($p^2 + 2pq + q^2 = 1$) on déduit que le pourcentage maximum d'hétérozygotes ($2pq$) est égal à 50 p. 100 lorsque les deux allèles ont la même fréquence dans la population ($p = q = 0,5$). Connaissant la fréquence d'un allèle on peut calculer l'informativité ou **PIC** *(Polymorphism Information Content)* d'un RFLP autosomique par la formule :

$$PIC = 1 - (p^2 + q^2 + 2p^2q^2).$$

Cette formule est simplifiée à :

$$PIC = 1 - (p^2 + q^2),$$

c'est-à-dire à $2pq$, dans le cas des RFLP portés par le chromosome X. Plus le PIC est élevé plus le système est utile. Il ne peut dépasser 0,38 pour un RFLP autosomique et 0,50 pour un RFLP lié au chromosome X. Quelques exemples de sondes à polymorphismes bi-alléliques sont donnés dans le **tableau 9-2.**

L'étude individuelle d'un RFLP comporte la détermination de sa fréquence allélique dans la population, c'est-à-dire chez des sujets non apparentés. La fréquence allélique trouvée permet de calculer la fréquence

Tableau 9-2 **Exemples des premiers RFLP bi-alléliques ayant été utilisés pour le diagnostic**

Sonde/ enzyme	Locus exploré	Chromosome	Allèles en kb	Fréquence des allèles	Informativité PIC
Sondes géniques					
pPH 72/Msp I	Phénylalanine hydroxylase	12	23,0 19,0	0,44 0,56	0,37
pSsta 2/Sac I	α-globine	16	3,5 2,4	0,50 0,50	0,38
F8A/Bcl I	Facteur VIII C	X	1,2 0,9	0,3 0,7	0,41
Sondes anonymes					
G 8/ Hind III	Chorée de Huntington	4	17,5 15,0	0,79 0,21	0,28
pXV-2c/Taq I	Mucoviscidose	7	2,1 1,4	0,47 0,53	0,33
pERT87.1/ Xmn I	Myopathie de Duchenne	X	8,7 7,5	0,69 0,31	0,43

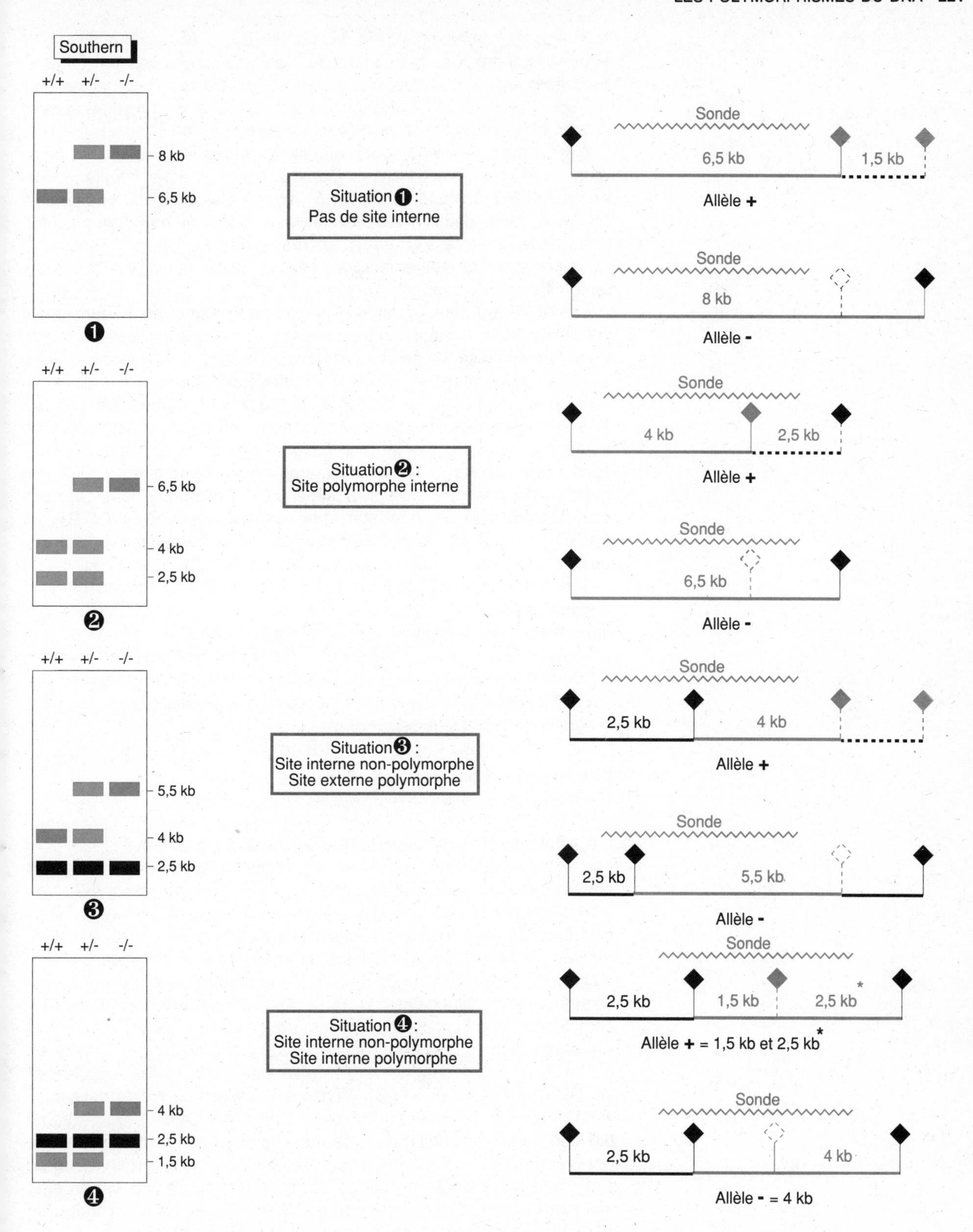

Figure 9-1 Les RFLP bi-alléliques et leur mise en évidence par la méthode de Southern
Les losanges noirs désignent les sites de restriction constants. Les losanges gris désignent les sites extérieurs au domaine de la sonde seulement révélés par l'abolition d'un site. Les losanges rouges désignent les sites polymorphes : pleins = site présent ; pointillés = site absent.

théorique des hétérozygotes et des homozygotes, en appliquant la loi de Hardy-Weinberg. Ces fréquences sont ensuite comparées aux fréquences effectivement trouvées, ce qui permet de savoir si les génotypes sont en équilibre dans la population considérée. Ces données permettent d'apprécier l'informativité du RFLP, mesurée par le PIC.

Il arrive qu'une même sonde détecte plusieurs RFLP avec des enzymes de restriction différentes. Dans ces cas chaque couple sonde/ enzyme définit un **système allélique** différent. L'assortiment sur un même chromosome de deux variants non-alléliques définit un **haplotype**. L'informativité de la sonde s'en trouve accrue, sauf s'il existe un déséquilibre de liaison entre les différents allèles de l'haplotype, ce qui peut être le cas lorsqu'il s'agit de sites très proches.

Les RFLP multi-alléliques sont des polymorphismes de réarrangement ou de répétition. Il s'agit le plus souvent d'une séquence répétée en tandem au même site. Le nombre de répétitions varie d'un individu à l'autre et constitue un allèle, la variation modifiant simultanément et de façon homothétique la carte de restriction de plusieurs enzymes (**Figures 9-2** et **9-3**). Il est vraisemblable que la juxtaposition de séquences répétées favorise les crossing-over inégaux ou les accidents de réplication aboutissant à une expansion ou à une contraction du nombre des copies. Ce mécanisme, générateur de diversité, a pu être démontré dans quelques cas. Les régions concernées sont appelées **minisatellites** ou **VNTR** (pour *Variable Number of Tandem Repeats*), car elles possèdent sur une distance relativement courte — quelques kilobases ou dizaines de kilobases — une organisation de DNA satellite (agglomération de séquences répétées en tandem) (voir figure 9-4). Elles représentent par leur très grande informativité des marqueurs génotypiques précieux.

Le nombre de minisatellites connus est encore restreint. Les premiers découverts paraissaient avoir une localisation chromosomique unique. Tel est le cas pour les minisatellites découverts près des gènes α-globine, Ha-*ras*1, insuline **(Tableau 9-3).**

Les minisatellites disséminés (VNTR) sont des marqueurs génotypiques précieux

Les **minisatellites hypervariables** découverts par Jeffreys (1985) sont apparus d'emblée correspondre à des régions dispersées sur plusieurs chromosomes et susceptibles d'être explorées simultanément avec une même sonde. Ce sont des séquences tout à fait particulières, car elles sont à la fois **répétitives, dispersées** et **très polymorphes.** A la différence de la famille des alpha-satellites, présente seulement dans l'hétérochromatine des centromères de tous les chromosomes (Willard), ces séquences sont dispersées en dehors de l'hétérochromatine sur tous les chromosomes, à l'exception des chromosomes X et Y.

Il s'agit d'une famille de séquences répétées en tandem, ayant en commun un motif central de 11 à 16 paires de bases (séquence : GGAGGTGGGCAGGA[A/G]G). A chaque localisation chromosomique les minisatellites sont d'une extraordinaire variabilité. Celle-ci s'expliquerait par une fréquence très accrue des recombinaisons inégales — 10 fois supérieure au taux méiotique moyen —, due à la fois à l'organisation en tandem et à la nature intrinsèque du motif central. Celui-ci est en effet très semblable à la **séquence chi** du DNA d'*E. coli* qui agit comme un signal de recombinaison. Un élément de variabilité supplémentaire, ajoutant des possibilités de polymorphismes bi-alléliques, est le taux de mutation très élevé des minisatellites (20 fois plus que dans le reste du génome).

Ce type de séquence permet d'explorer simultanément une soixantaine de locus autosomiques chez un seul individu. Comme chacun d'entre eux

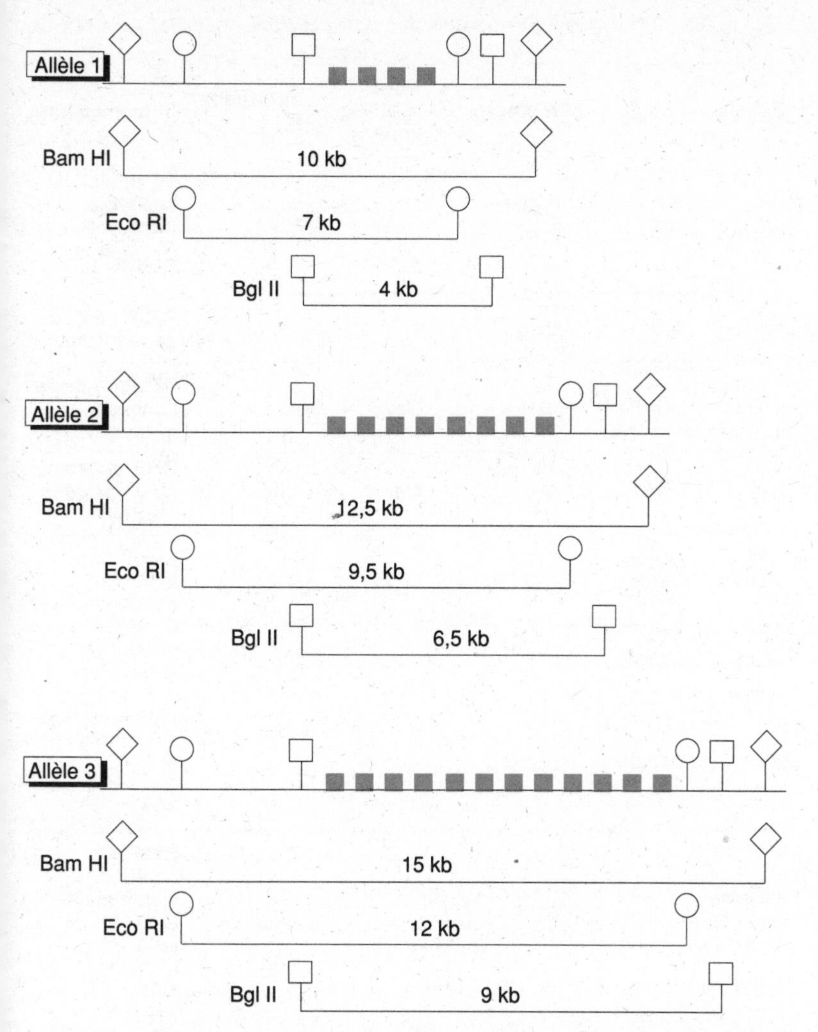

Figure 9-2 Exemple théorique de carte de restriction autour d'un RFLP multi-allélique (minisatellite)
Chaque carré rouge symbolise une séquence répétée.
Les variations sont homothétiques pour les différentes enzymes. Une seule enzyme suffit pour l'analyse. Voir la Figure 9-3 pour les résultats obtenus avec l'enzyme BamHI.

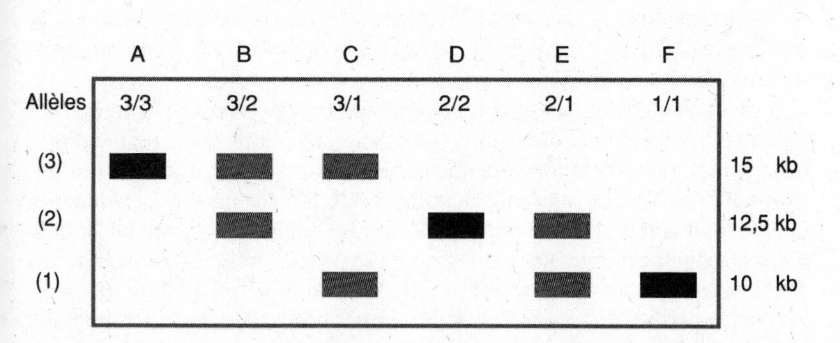

Figure 9-3 Assortiments alléliques possibles pour un RFLP multi-allélique à 3 allèles
Les allèles 1, 2, et 3, sont définis dans la figure 9-2 (enzyme BamHI). Le nombre de combinaisons possibles (A à F dans le cas décrit) est toujours plus élevé que dans le cas d'un RFLP bi-allélique.

Tableau 9-3 **Principaux polymorphismes de restriction multialléliques (VNTR)**

Sonde	Locus	Chromosome	Nombre d'allèles connus	Informativité (PIC)	Commentaires
pAW101	D14S1	14q32	> 15	0,85	**1er RFLP anonyme découvert (Wyman et White 1980)**
pHI	INS	11p15	⩾ 11	0,78	**RFLP en 5' du gène insuline**
pTBB-2	HRAS1	11p15	élevé	0,47	**RFLP en 5' de l'oncogène c-Ha-*ras*1**
HVR-3'	HBA	16p12	élevé	≈ 0,95	**RFLP à 8kb en 3' du gène α1-globine**
nombreuses	HLA classes I et II	6p21	élevé	≈ 1,00	**corrélation avec antigènes HLA**
St 14	DXS52	Xq28	10	0,76	**proche du facteur VIII**
29CI	DXYS14	Xp22 et Yp	> 20		**région pseudo-autosomique des chromosomes X et Y**
minisatellites très dispersés		nombreux autosomes	élevé	≈ 1,00	**RFLP de répétition dispersés sur tous les autosomes (Jeffreys, 1985)**

est multi-allélique avec une informativité idéale (PIC = 1), la probabilité de rencontrer deux individus non apparentés avec un profil de restriction identique est infime ($< 10^{-20}$). L'image obtenue est une véritable **empreinte génétique** individuelle où chaque individu apparaît comme la résultante d'un assortiment particulier d'allèles parentaux. Les minisatellites permettent donc d'établir facilement la spécificité génétique d'un individu ou d'une lignée cellulaire, et d'en établir la filiation. Les applications de ces empreintes génétiques à la médecine légale seront envisagées au chapitre 18.

Les minisatellites, d'autre part, constituent de puissants marqueurs génotypiques pour étudier la carte génétique. Ils permettent en effet d'étudier simultanément la ségrégation de nombreux locus. Mais l'utilisation des sondes minisatellites multi-locus est difficile, car au sein des images complexes obtenues il est impossible de reconnaître les paires alléliques. Pour y parvenir il faut sous-cloner les séquences uniques présentes au voisinage ou au sein des répétitions (**Figure 9-4**), afin d' obtenir des sondes mono-spécifiques pour un locus donné. Moyennant des conditions d'hybridation particulières, ces sondes reconnaissent alors des locus spécifiques hypervariables, particulièrement informatifs puisque l'allèle le plus fréquent ne dépasse pas quelques pour cent.

Le nombre exact et les relations entre les différentes familles de séquences minisatellites ne sont pas encore connus. Dans certains cas une homo-

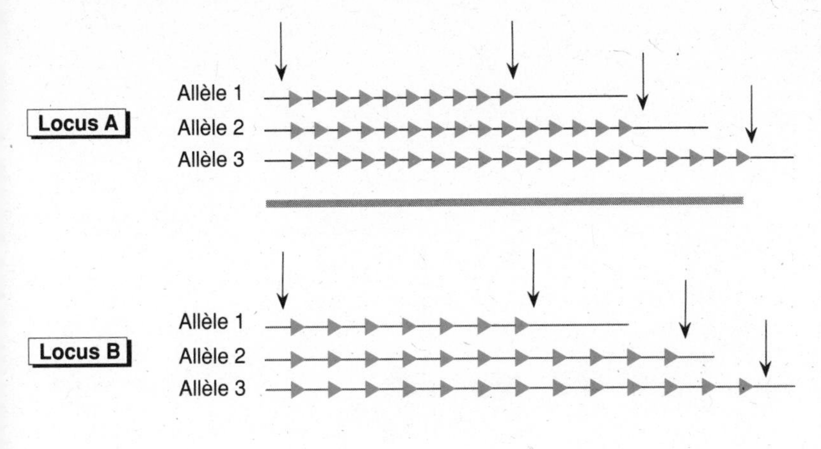

Figure 9-4 Organisation schématique d'un minisatellite
Les locus A et B sont des sites distincts sur le génome, pouvant être sur des chromosomes différents.
▶ représente le motif de base spécifique du minisatellite (11 à 16 nucléotides).
—— : séquences uniques caractéristiques du locus A.
—— : séquences uniques caractéristiques du locus B.
↓ : site d'une enzyme de restriction permettant de distinguer les versions alléliques de chaque locus (polymorphisme de répétition).
L'utilisation d'une sonde ne contenant que le motif répété ▶▶▶▶▶ conduit à visualiser *tous les locus* où figurent des minisatellites possédant le même motif de base ▶.
L'utilisation d'une sonde ne contenant qu'une séquence unique du locus A (——) ou du locus B (——) permet de reconnaître spécifiquement les allèles au locus A ou au locus B.

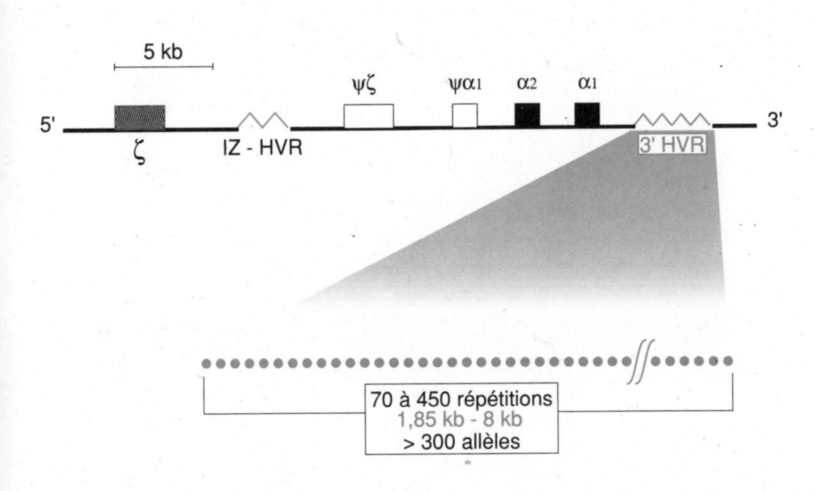

Figure 9-5 Régions hypervariables (minisatellites ou VNTR) dans le domaine de l'α-globine
Chaque point rouge représente un motif élémentaire de 17 nucléotides dans la région 3'HVR.
Comparaison de séquence avec d'autres VNTR :
3'HVR : GGGGGGAACAGCGACAC
IZ-HVR : **TGTGGGGCACAGGTTGTG**
insuline-HVR : **TGTGGGGACAGGGG**
VNTR de Jeffreys : GGAGGTGGGCAGGAXG
Les motifs 3'-HVR, IZ-HVR (inter-ζ) et insuline-HVR montrent une remarquable homologie. Le motif du VNTR de Jeffreys diffère sensiblement et représente une autre superfamille.
Le VNTR 3'-HVR, proche du locus de la polykystose rénale dominante (PKD1) est très employé comme marqueur de ce locus.

logie de la séquence du motif élémentaire a été retrouvée dans plusieurs familles, par exemple pour les séquences dites **hypervariables (HVR)** voisines des gènes de l'α-globine (chromosome 16) et de l'insuline (chromosome 11) **(Figure 9-5).** Il existe sans doute plusieurs super-familles différentes, que l'on commence à dénombrer et à déchiffrer.

Les RFLP sont authentifiés par une ségrégation mendélienne

La découverte d'un RFLP repose en général sur les résultats fournis par la méthode de Southern. Des artéfacts peuvent être responsables d'une variabilité non génétique : essentiellement les digestions incomplètes par l'enzyme de restriction, et les méthylations inhibant l'action de certaines enzymes. La démonstration d'une **ségrégation mendélienne** doit donc être exigée pour tout nouveau RFLP. Elle se pratique sur une ou plusieurs familles ayant un nombre élevé de méioses. La ségrégation mendélienne de RFLP autosomiques ou liés au chromosome X est illustrée par les **figures 9-6 et 9-7** pour des RFLP bi-alléliques et les **figures 9-8 et 9-9** pour des RFLP multi-alléliques.

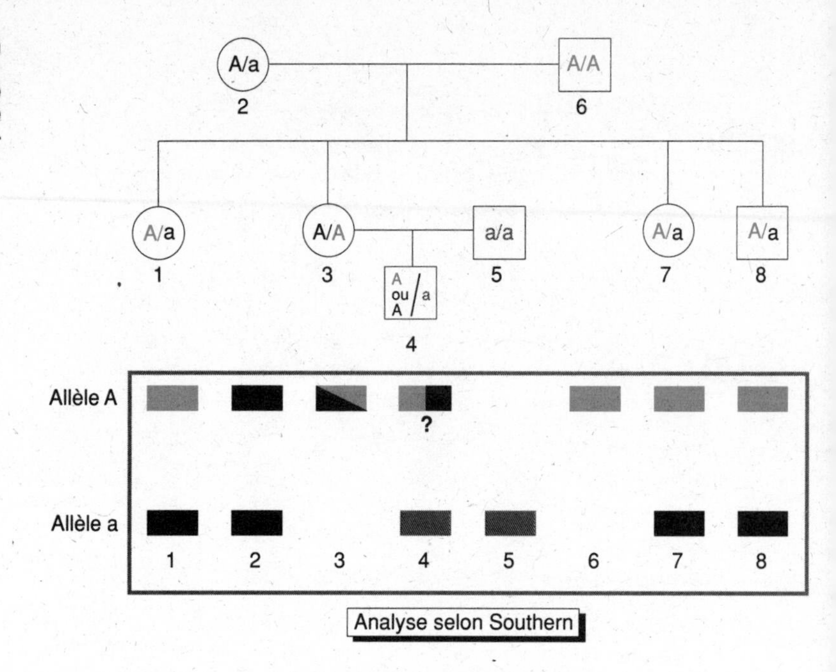

Figure 9-6 Ségrégation mendélienne d'un RFLP bi-allélique autosomique
En noir les allèles apportés par la grand-mère (sujet n° 2). En rouge les allèles apportés par le grand-père (sujet n° 6). En rouge foncé les allèles rapportés.

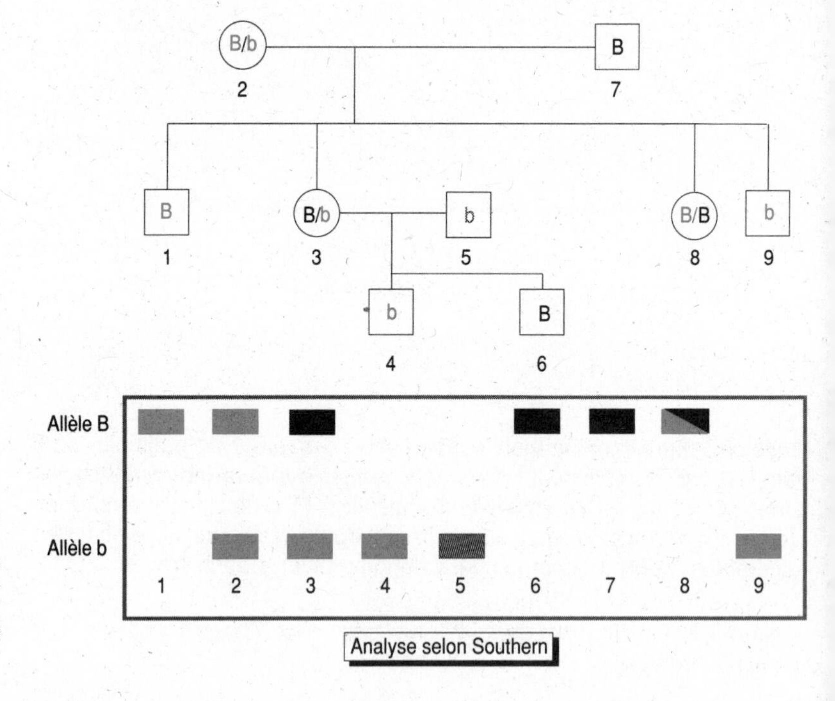

Figure 9-7 Ségrégation mendélienne d'un RFLP bi-allélique du chromosome X
En rouge les allèles apportés par la grand-mère (sujet n° 2). En noir l'allèle apporté par le grand-père (sujet n° 7).
L'allèle B du sujet n° 4 ne peut provenir que de sa mère.

L'emplacement de chaque RFLP sur le génome doit être établi

Le locus correspondant au RFLP doit être localisé sur un chromosome donné, et à un emplacement précis sur ce chromosome, par la combinaison de données physiques et de données génétiques.

La localisation **physique** est obtenue par les différentes méthodes qui sont exposées au chapitre 10.

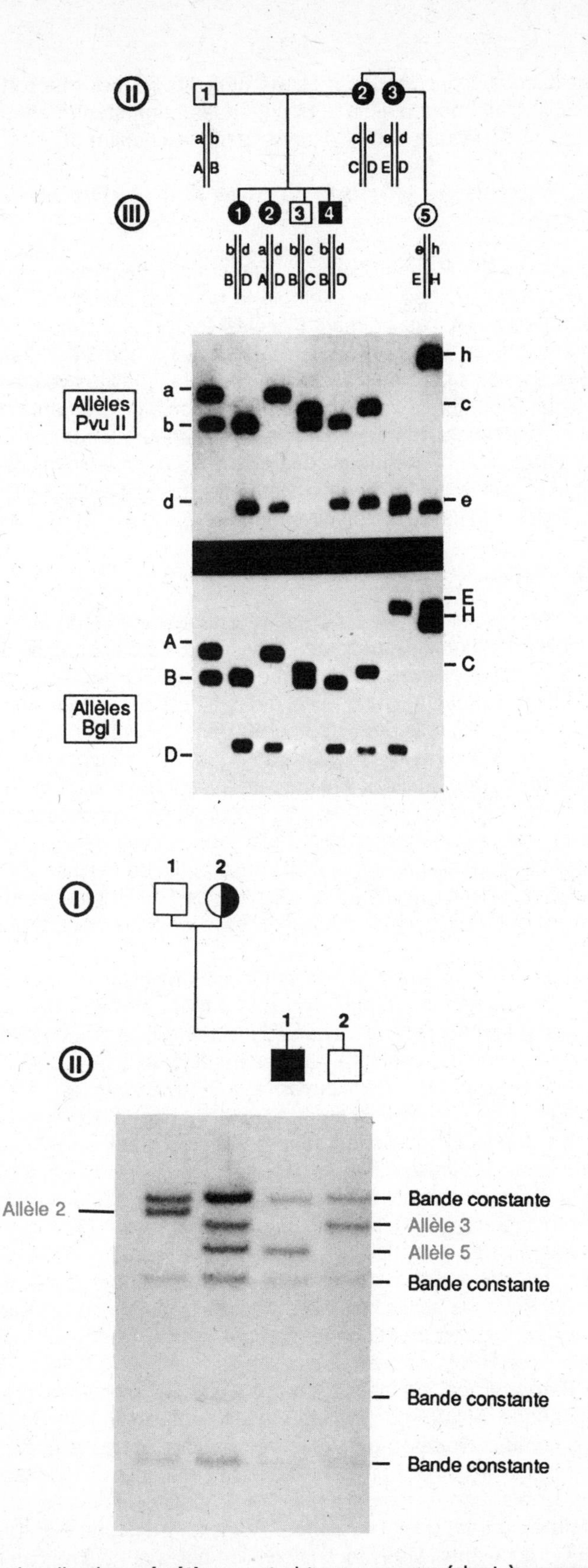

Figure 9-8 **Ségrégation mendélienne d'un RFLP multi-allélique autosomique**
L'exemple illustré ici concerne la sonde 3'-HVR reconnaissant un VNTR (au moins 30 allèles avec Pvu II, et autant avec BglI) au locus D16S85 à 8 kb du locus HBA (α-globine) sur le bras court du chromosome 16 (16p13). Ce locus est fortement lié au locus de la **polykystose rénale dominante** (PKD1) dont il permet le diagnostic génotypique indirect.
Les symboles en noir indiquent les sujets atteints de polykystose rénale. Dans cette famille le gène PKD1 anormal est marqué par l'allèle d (PvuII) ou D (BglI). L'utilisation alternative de PvuII et BglI permet de distinguer des allèles mal résolus électrophorétiquement par une seule de ces enzymes (allèles d et e chez le sujet II3 et allèles E et H chez le sujet III5).
(Cliché L. Bachner, Institut Cochin de Génétique Moléculaire, Paris)

Figure 9-9 **Ségrégation mendélienne d'un RFLP multi-allélique du chromosome X**
L'exemple illustré ici concerne la sonde St14 au locus DXS52, proche du gène du facteur VIII et utilisée pour le diagnostic génotypique d'**hémophilie A.** Le polymorphisme comporte une dizaine d'allèles, dont trois, les allèles 2, 3 et 5, sont présents dans cette famille. Noter que c'est ici l'allèle 5 qui marque le chromosome X porteur de l'allèle pathologique du facteur VIII.
(Cliché K. Nafa, Institut Cochin de Génétique Moléculaire, Paris)

La localisation **génétique** est obtenue en procédant à une analyse de liaison **(linkage)** avec un autre marqueur génétique déjà localisé et servant de référence. Le marqueur génétique utilisé comme référence peut aussi être un locus défini par une **maladie héréditaire monofactorielle** à transmission clairement définie. Les méthodes permettant d'effectuer une localisation génétique seront décrites dans le chapitre 10.

Des RFLP proches permettent de reconstituer des haplotypes

Lorsque plusieurs RFLP sont repérés sur un territoire génomique de longueur physique déterminée (par exemple le domaine des gènes de la famille de la β-globine), l'assortiment d'allèles figurant sur chaque chromosome constitue un **haplotype de restriction**. Le nombre théorique d'haplotypes possibles pour *n* RFLP bi-alléliques est 2^n. Nous verrons au chapitre 10 que le nombre d'haplotypes de restriction effectivement observés dans une population donnée peut être très inférieur au nombre théorique, ce qui traduit un **déséquilibre de liaison.** La première exploitation en génétique humaine de cette notion a été effectuée en 1982 par Orkin pour l'étude des β-thalassémies (voir chapitre 14).

Les stratégies de recherche de RFLP

A priori on peut penser que les RFLP sont distribués de façon aléatoire sur l'ensemble du génome. Cependant l'expérience a montré que ce n'est pas toujours le cas : par exemple la fréquence des RFLP sur le chromosome X est trois fois plus faible que celle des RFLP sur les autosomes.

Il existe à l'heure actuelle deux approches dans la caractérisation des RFLP selon qu'il s'agit de RFLP géniques ou de RFLP anonymes.

Les RFLP géniques, qu'ils soient intra- ou juxta-géniques, font l'objet d'une recherche intensive lorsqu'il s'agit de gènes en rapport avec une pathologie héréditaire : gènes de la globine (hémoglobinopathies), gène du facteur VIII (hémophilie A), gène DMD (myopathie de Duchenne) etc. Comme nous le verrons au chapitre 13, plus les RFLP intra- et juxtagéniques sont nombreux, meilleures sont les conditions du diagnostic génotypique.

Cette recherche est rendue difficile lorsque les dimensions du territoire à explorer sont grandes, et que les exons sont très petits et très dispersés, ce qui est notamment le cas du gène du facteur VIII et du gène DMD. Dans ces cas l'exploration systématique est en général d'abord effectuée avec des sondes de cDNA, qui explorent les RFLP exoniques et juxtaexoniques. Or ceux-ci ne représentent a priori qu'une faible proportion de l'ensemble des RFLP du gène, d'une part parce que les exons sont moins tolérants que les introns vis-à-vis des variations de séquence, d'autre part parce qu'ils ne représentent, en longueur de DNA, qu'une faible proportion du territoire occupé par le gène. Ainsi pour le facteur VIII la somme des exons représente 9 kb, soit une proportion de 1/20 ; pour le gène DMD, la somme des exons est de 14 kb, soit une proportion très inférieure à 1/100. Pour ces gènes l'établissement de la séquence des exons est prioritaire par rapport au séquençage des introns. C'est pourquoi la connaissance des RFLP introniques est moins avancée.

Les RFLP anonymes sont détectés par des sondes anonymes, provenant d'une banque de DNA génomique. Comme nous le verrons au chapitre 10, un nombre croissant de RFLP apparaissent tous les jours, au gré de l'intérêt scientifique des différentes équipes pour telle ou telle région du génome. Une entreprise commerciale (Collaborative Research, USA) s'est spécialisée, durant quelques années, dans la recherche systématique des RFLP anonymes. Des moyens considérables ont été mis en jeu et ont permis d'isoler plusieurs centaines de sondes révélant des RFLP. La stratégie de leur utilisation à des fins cartographiques sera décrite au chapitre 10.

LES MICROSATELLITES

Le polymorphisme des microsatellites : une découverte due à la méthode PCR

Les **microsatellites** sont un exemple extrême de répétition en tandem, où le motif de base est très court, ne dépassant pas quelques nucléotides*. Sur le **tableau 9-4** on voit que ce nombre varie de 1 à 4. Le nombre de répétitions ne dépasse pas une quarantaine, soit un chiffre beaucoup moins élevé que celui rencontré dans les VNTR, où il peut y avoir plus de 1 000 répétitions. La limite inférieure des répétitions est autour d'une douzaine. En deça de ce chiffre, le microsatellite cesse d'être informatif, et les allèles ne peuvent plus être distingués. Si l'on considère les microsatellites à 2 nucléotides, les plus fréquents et les mieux étudiés, le polymorphisme consiste en une série d'allèles dont la taille est comprise entre 24 et 80 paires de bases, avec des différences allant de 2 en 2 **(Figure 9-10)**. De telles variations étaient impossibles à détecter par la méthode de Southern.

Tableau 9-4 **Motifs répétés en tandem dans les microsatellites polymorphes**

Longueur du motif	Séquence du motif	Commentaires
1 pdb	$(A)_n$. $(T)_n$	Séquence poly (A) dans les répétitions de la famille Alu
2 pdb	**$(CA)_n$. $(GT)_n$**	le plus abondant des microsatellites (1 tous les 25 kb à 100 kb de DNA génomique)
	$(TC)_n$. $(AG)_n$	
3 pbd	$(TTA)_n$. $(AAT)_n$ $(AGC)_n$. $(TCG)_n$	fréquence : 1 tous les 300 à 500 kb
4 pdb	$(AATC)_n$. $(TTAG)_n$ $(AATG)_n$. $(TTAC)_n$ $(ACAG)_n$. $(TGTC)_n$	
	$(AAAT)_n$. $(TTTA)_n$ $(AAAG)_n$. $(TTTC)_n$	motifs polymorphes dérivant de séquences poly (A) des répétitions de la famille Alu

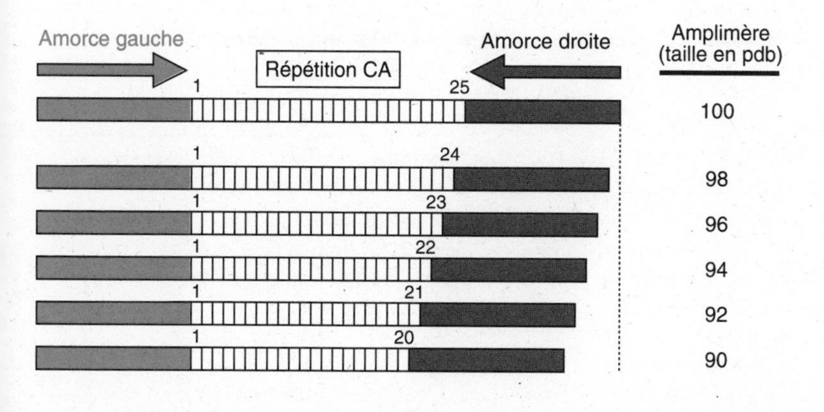

Figure 9-10 **Amplification par PCR d'un microsatellite de type $(CA)_n$**
Les amorces de PCR sont des séquences uniques situées de part et d'autre du microsatellite. Dans l'exemple choisi, six allèles allant de 25 à 20 répétitions sont indiqués avec la taille des amplimères. Ceux-ci sont en général résolus par électrophorèse en gel de polyacrylamide dénaturant.

* Pour cette raison on les appelle aussi STR *(Short Tandem Repeats)*, ou VNDR *(Variable Number of Dinucleotide Repeats)*.

C'est pourquoi, alors que ces répétitions courtes en tandem étaient connues depuis 1981, il fallut attendre la diffusion de la **méthode PCR** pour que leur caractère hautement polymorphe fût reconnu (1989 : Weber et May ; Litt et Luty ; Smeets et al). En plaçant des amorces dans les régions flanquant le microsatellite, qui sont uniques et caractéristiques du locus, il est possible de l'amplifier par PCR et d'analyser les produits de la réaction dans un système électrophorétique suffisamment discriminatif pour permettre de distinguer des variations de 2 bases sur une longueur totale d'amplimère comprise entre 70 et 200 pdb (Figure 9-10).

Les microsatellites de type $(CA)_n$ sont les plus fréquents et les mieux caractérisés

Les motifs de base rencontrés dans les microsatellites sont indiqués dans le tableau 9-4. En fait les microsatellites de type **$(CA)_n/(GT)_n$** seront seuls envisagés ici, en raison de leur intérêt particulier. En effet ils sont remarquablement **abondants** (35 000 à 130 000 pour l'ensemble du génome humain), et **uniformément distribués** (contrairement aux minisatellites qui sont plus abondants dans les régions télomériques), ce qui représente un exemplaire tous les 25 à 100 kb. De plus ils sont **très polymorphes** (le nombre d'allèles observés est d'autant plus grand que le microsatellite est plus long), et leur informativité est élevée. Avec un **PIC > 0,6** pour plus de 50 p. 100 d'entre eux, les microsatellites sont presque aussi informatifs que les minisatellites, et beaucoup plus que les RFLP bi-alléliques **(Tableau 9-5)**.

Le mécanisme généralement admis pour expliquer la grande variabilité individuelle des répétitions au sein des microsatellites est l'erreur par **dérapage intra-chromatidien** *(strand slippage)* au moment de la **réplication**, et non pas le crossing-over inégal. Ce phénomène serait en quelque sorte la reproduction in vivo, en « grandeur nature », de ce qui est observé in vitro pendant le PCR, où la *Taq* polymérase éprouve quelques difficultés à reproduire très fidèlement le nombre de répétitions de départ (voir plus loin).

Les polymorphismes des microsatellites sont aisément mis en évidence par PCR

La mise en évidence du polymorphisme d'un microsatellite se fait par PCR, à l'aide d'amorces oligonucléotidiques situées dans les séquences uni-

Tableau 9-5 **Informativité comparée des RFLP et des microsatellites de type $(CA)_n$**

PIC	Pourcentage	
	RFLPs	Microsatellites
< 0,1	2	
0,1-0,2	7	
0,2-0,3	15	
0,3-0,4	45	3
0,4-0,5	13	16
0,5-0,6	10	22
0,6-0,7	3	30
0,7-0,8	2	20
0,8-0,9	1	9
0,9-1,0	1	

(d'après J.-L. Weber *in Genome Analysis Volume 1 : Genetic and Physical Mapping,* KE Davies & SM Tilghman Ed, Cold Spring Harbor Laboratory Press, 1990, 159-181).

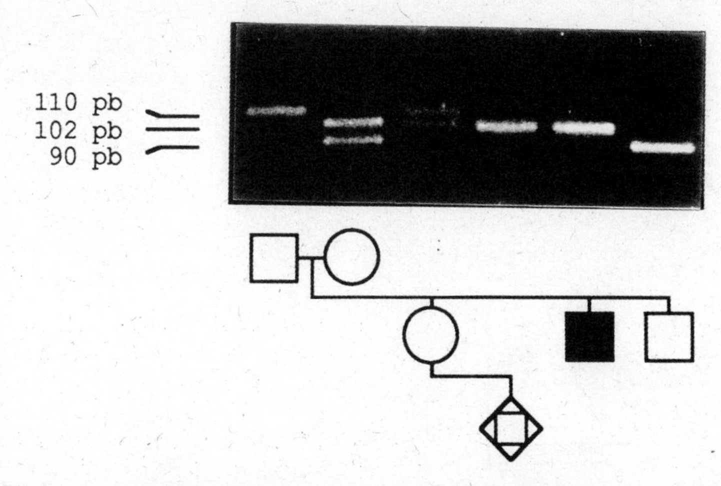

Figure 9-11 **Diagnostic prénatal de myopathie de Duchenne à l'aide d'un microsatellite situé dans le promoteur du gène de la dystrophine**
Dans cette famille, les allèles sont visualisables par coloration au bromure d'éthidium après migration dans un gel non dénaturant (agarose). Le fœtus porte le même allèle (102 pdb) que son oncle maternel myopathe.
(Cliché M. Jeanpierre, Laboratoire de Biochimie Génétique, Hôpital Cochin, Paris).

ques flanquantes (Figure 9-10). Le produit d'amplification est ensuite analysé par électrophorèse en **gel de polyacrylamide dénaturant**, de type gel de séquence, en principe seul capable de discriminer des variations de 2 nucléotides. En fait lorsque les allèles les plus fréquents diffèrent de 5 à 10 répétitions, ils sont clairement résolus par un gel non dénaturant d'agarose de type Nusieve® **(Figure 9-11)**. Dans les gels dénaturants, le DNA simple brin est mal visualisé par le bromure d'éthidium, et la révélation des allèles implique le plus souvent un marquage de l'amplimère, soit par incorporation d'un nucléotide marqué à l'α-^{32}P, soit par kination du produit amplifié par de l'ATP-γ-^{32}P. L'emploi d'un marquage radioactif constitue sans nul doute un inconvénient majeur de la méthode, laquelle est par ailleurs beaucoup plus simple et plus expéditive que la classique méthode de Southern. C'est pourquoi on essaie, chaque fois que possible, de visualiser les allèles directement par le **bromure d'éthidium**, c'est-à-dire dans un gel non dénaturant (Figure 9-11), surtout si l'expérience est faite dans un but diagnostique. Si au contraire le microsatellite est utilisé dans un but de cartographie par linkage, on a intérêt à transférer le contenu du gel sur une membrane et à **hybrider** celle-ci avec une sonde correspondant à l'un des oligonucléotides d'amplification marqué par un procédé non-radioactif (par exemple par chemiluminescence). Cette méthode, dite **multiplex**, permet d'explorer par réhybridations successives un grand nombre de microsatellites polymorphes.

Quel que soit le procédé utilisé, on obtient souvent des bandes multiples pour chaque allèle, au lieu de la bande unique attendue **(Figure 9-12)**. Ce phénomène n'a pas encore reçu d'explication univoque. L'hypothèse la plus vraisemblable est qu'il s'agit d'erreurs de la Taq polymérase, qui se trompe par défaut lors des étapes d'élongation. La multiplicité des bandes peut gêner l'analyse chez les hétérozygotes porteurs d'allèles ne différant que par une seule répétition.

Les microsatellites ont supplanté les autres marqueurs polymorphes

Deux raisons principales ont très rapidement placé les microsatellites au premier plan des marqueurs génotypiques. La première est d'ordre **métho-**

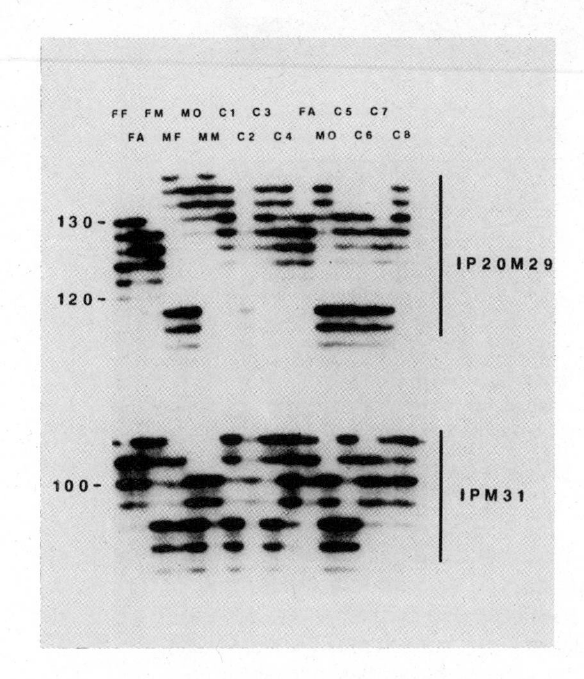

A

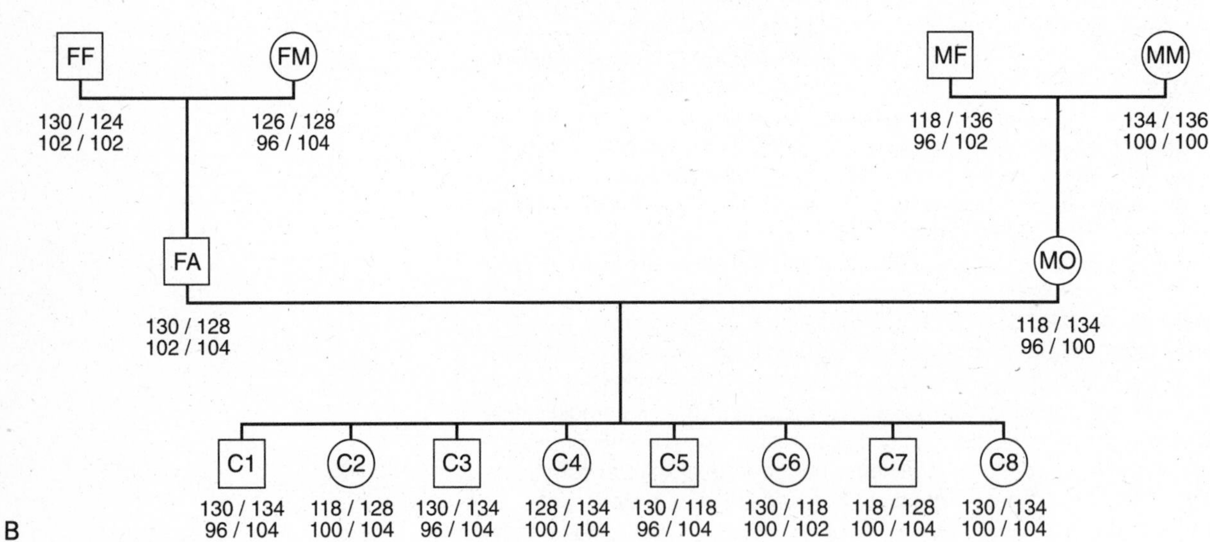

B

Figure 9-12 **Analyse génotypique d'une famille du CEPH à l'aide de 2 microsatellites polymorphes non liés, IP20M29 et IPM31**
A : autoradiogramme après hybridation des deux sondes spécifiques (IP20M29 et IPM31) avec les produits d'amplification simultanée des microsatellites correspondants, d'abord séparés par électrophorèse en gel de polyacrylamide dénaturant, puis transférés sur filtre. Chaque allèle apparaît sous forme de plusieurs bandes : celle qui a le plus haut poids moléculaire possède la taille attendue ; les bandes de taille inférieure (– 2, – 4 et parfois – 6 pdb) résultent d'artefacts de polymérisation par la *Taq* pol. Lorsque deux allèles ne diffèrent que par 2 pdb (cas du sujet FA dans les deux systèmes) il y a chevauchement des bandes, l'allèle le plus grand correspondant à la bande la plus lourde, l'allèle plus petit se distinguant par un renforcement d'une bande intermédiaire.
Dans la famille considérée le microsatellite IP20M29 se manifeste par 7 allèles (136, 134, 130, 128, 126, 124, 118 pdb) sur les 12 allèles connus ; le microsatellite IPM31 présente 4 allèles (104, 102, 100, 96 pdb) sur les 7 allèles connus.
B : reconstitution de la généalogie montrant la transmission mendélienne des allèles, et l'absence de liaison entre les locus IP20M29 et IPM31.
C : enfants ; FA : père ; MO : mère : FF : grand-père paternel ; FM ; grand-mère parternelle ; MF : grand-père maternel ; MM : grand-mère maternelle.
(Documents obligeamment fournis par Jean Weissenbach, Institut Pasteur, Paris)

dologique : la relative simplicité d'emploi, et la possibilité d'automatisation, ce qui facilite considérablement les analyses de linkage. L'autre est d'ordre génétique : les microsatellites sont, nous l'avons vu, le plus souvent très informatifs, c'est-à-dire **multi-alléliques**. Il est vite apparu qu'ils étaient très nombreux et, apparemment, **régulièrement répartis** sur le génome, ce qui en fait un marqueur idéal. C'est pourquoi ils sont très activement recherchés, soit dans une région donnée pour en affiner la carte génétique ou dans un gène donné pour améliorer le **diagnostic semi-direct** (voir Figure 9-11 et chapitre 13), soit systématiquement dans le cadre du projet général de cartographie du génome humain (voir chapitre 10). Une fois détectés et leur polymorphismes caractérisé, les microsatellites sont ensuite localisés sur le génome.

L'exploitation des polymorphismes du DNA

Les marqueurs génotypiques codominants que sont les RFLP et surtout les microsatellites sont des outils d'une extraordinaire puissance pour l'analyse du génome humain. Nous verrons dans les chapitres suivants qu'ils sont utilisés pour :

— l'établissement de la **carte génétique** humaine ;
— la recherche de gènes nouveaux par la démarche dite de la **Génétique Inverse** ;
— le **diagnostic** des maladies génétiques monofactorielles ;
— l'approche des maladies **polygéniques** ;
— la vérification de la **monoclonalité** des proliférations cellulaires ;
— la détection d'un **mosaïcisme** cellulaire ;
— la mise en évidence d'un phénomène d'**empreinte parentale (genetic imprinting)** ;
— l'analyse des anomalies de disjonction chromosomique **(aneuploïdies)** ;
— le contrôle de la **prise des greffes** ;
— **l'identification** des individus (organismes et cellules).

Sélection de références bibliographiques : voir page 711.

10 La cartographie du génome humain

Avant la génétique moléculaire

Jusqu'à l'avènement des techniques de la génétique moléculaire, la cartographie du génome humain progressait lentement. Les seuls marqueurs connus ne pouvaient être caractérisés que par des propriétés **phénotypiques** : protéines caractérisées par leur antigénicité (groupes sanguins et tissulaires), leur mobilité électrophorétique (électromorphes), ou leur fonction (enzymes) ; caractères morphologiques ; pathologie monofactorielle (locus morbides). Leur nombre, limité à quelques centaines à l'aube des années 1980, ne pouvait augmenter qu'au fur et à mesure de la découverte de nouvelles protéines, de nouveaux antigènes, de nouveaux phénotypes normaux et pathologiques, c'est-à-dire à un rythme lent. D'autre part, nombre de protéines n'avaient pu être localisées sur un chromosome particulier faute de pouvoir discriminer le produit du gène humain de celui du gène animal dans des hybrides somatiques interspécifiques, soit parce qu'ils ne pouvaient pas être distingués, soit parce qu'ils ne s'y exprimaient pas. La nature fibroblastique de ces hybrides imposait en effet une contrainte sévère en limitant la méthode aux seuls gènes exprimés dans ce type cellulaire. C'est pour cela que les gènes de la sérum-albumine ou de la globine, par exemple, n'avaient pu être assignés à un chromosome particulier.

L'avènement de la génétique moléculaire

La méthodologie de la génétique moléculaire a complètement débloqué la situation et il est probable que les grandes lignes de la carte génétique humaine seront connues avant la fin du siècle. C'est en ce sens qu'on a pu parler de « Révolution Génétique » ou de « Nouvelle Génétique ».

Le progrès comporte à la fois un aspect **qualitatif** : la très grande spécificité de l'exploration par les sondes ; et un aspect **quantitatif** : la multiplicité des sondes.

Au point de vue qualitatif la nouveauté est que l'hybridation moléculaire avec des sondes clonées permet d'une part de discriminer les gènes humains des gènes animaux dans des cellules hybrides interspécifiques (fibroblastes), d'autre part de détecter les gènes indépendamment de leur expression, c'est-à-dire sans être limité aux gènes s'exprimant dans les fibroblastes.

Reprenons l'exemple de la β-globine humaine. Une sonde clonée permet de détecter le gène correspondant en analysant, selon la méthode de Southern, le DNA d'hybrides somatiques interspécifiques. La détection du gène de la β-globine dans les hybrides somatiques n'est pas contrariée par le fait que ces cellules, des fibroblastes, n'expriment pas la protéine correspondante. La discrimination indispensable avec le gène animal est obtenue à la fois en augmentant la **stringence** des conditions d'hybridation, et en utilisant une enzyme de restriction, ou une association d'enzymes, donnant des fragments de restriction de taille différente dans les deux espèces.

Au point de vue quantitatif, il est possible de cloner non seulement des gènes connus, mais aussi n'importe quelle séquence génomique, qu'elle soit génique ou intergénique (sondes **anonymes**). A partir de banques de DNA génomique on peut ainsi obtenir un nombre illimité de sondes de DNA à séquence unique reconnaissant chacune un emplacement déterminé sur le génome. Pour s'en servir comme **marqueurs génotypiques** il faut pouvoir distinguer des versions alléliques au locus défini par les sondes. Nous avons vu que celles-ci sont constituées par des **RFLP**. Ceux-ci représentent des jalons co-dominants permettant de baliser le génome de façon de plus en plus serrée, c'est-à-dire de dresser une carte dont la résolution ira en croissant.

L'énormité du génome humain (3×10^9 pb) ne constitue pas un obstacle méthodologique puisque le nombre des RFLP potentiels, 10^5 à 10^6, est largement suffisant, et que leur distribution est très probablement assez uniforme. Le problème a été envisagé dès 1980 sous l'angle théorique par Botstein, White, Skolnick et Davis*. Dans une étude véritablement prophétique, ces auteurs ont prédit les modalités de l'établissement de la future carte du génome humain par les RFLP, et conçu la stratégie à suivre, en considérant qu'on pouvait envisager de saturer et de cartographier complètement le génome en se servant des RFLP dont le nombre est quasi illimité. Un premier objectif serait de dresser une carte à l'aide de RFLP régulièrement espacés tous les 20 centimorgans (20 millions de pb) soit 150 en tout, la liaison et la distance par rapport à des marqueurs déjà localisés étant déterminées par la méthode des lod scores (voir page 246). Cette résolution serait en première approximation suffisante pour permettre de localiser les très nombreux locus morbides correspondant à des maladies monofactorielles à gène inconnu. Cette carte devrait aussi permettre d'approcher les gènes de prédisposition à des maladies polyfactorielles.

Cette approche repose :
— sur la constitution d'un arsenal de sondes régulièrement espacées et détectables des RFLP suffisamment informatifs ;
— sur l'étude systématique de familles sélectionnées pour leur grand nombre de méioses sur plusieurs générations**.

* D. Botstein, R.L. White, M. Skolnick, R. W. Davis. Construction of a genetic linkage map in man using restriction fragment length polymorphisms. Am J Hum Genet, 1980, *32* : 314-331.

** Au Centre Européen d'Étude des Polymorphismes (CEPH, J. Dausset et D. Cohen), une collection d'échantillons de DNA a été préparée en grandes quantités à partir d'un lot sélectionné de 58 familles (couples avec 6 enfants et 4 grands-parents vivants), où chaque individu a déjà été phénotypé à l'aide des marqueurs conventionnels. Les échantillons de cette collection, qui représente 1 212 méioses informatives, sont distribués à un consortium international de laboratoires participant à l'élaboration de la carte génétique humaine.

La prédiction de Botstein et al est en passe de se réaliser, grâce à un effort de coopération internationale sans précédent et à la convergence des données vers les ateliers « Human Gene Mapping » se réunissant tous les deux ans.

Clonage du génome humain - Cartes de restriction - RFLP

Depuis 1980 le nombre de séquences de DNA humain cloné va croissant. La **figure 10-1** et le **tableau 10-1** illustrent l'accélération spectaculaire du processus.

L'établissement de la carte des sites de restriction, ou **carte de restriction**, est le stade élémentaire de la carte moléculaire. Dès qu'une séquence de DNA est clonée, elle est utilisée pour explorer le territoire génomique correspondant, à l'aide d'enzymes donnant des fragments de taille compatible avec la méthode de Southern, soit entre 500 pb et 20 kb. L'opération consiste à ordonner les différents sites de restriction les uns par rapport aux autres (voir chapitre 28). Une carte primaire d'un segment limité est dressée. Elle est ensuite étendue de part et d'autre grâce à des clones chevauchants. Cette marche est au départ limitée à quelques dizaines de kilobases.

L'étape suivante consiste à séquencer des portions du territoire où la carte de restriction primaire a été établie. De la séquence on déduit, en utilisant des programmes informatiques, l'emplacement précis de tous les sites de restriction pour toutes les enzymes connues (voir chapitre 32).

La carte de restriction d'un segment génomique est caractéristique de l'espèce, mais au sein de l'espèce certains sites peuvent être facultatifs chez certains individus, ce qui nous l'avons vu correspond aux **RFLP**. Un autre type de polymorphisme concerne les régions comportant des séquences répétées en nombre variable (voir chapitre 9).

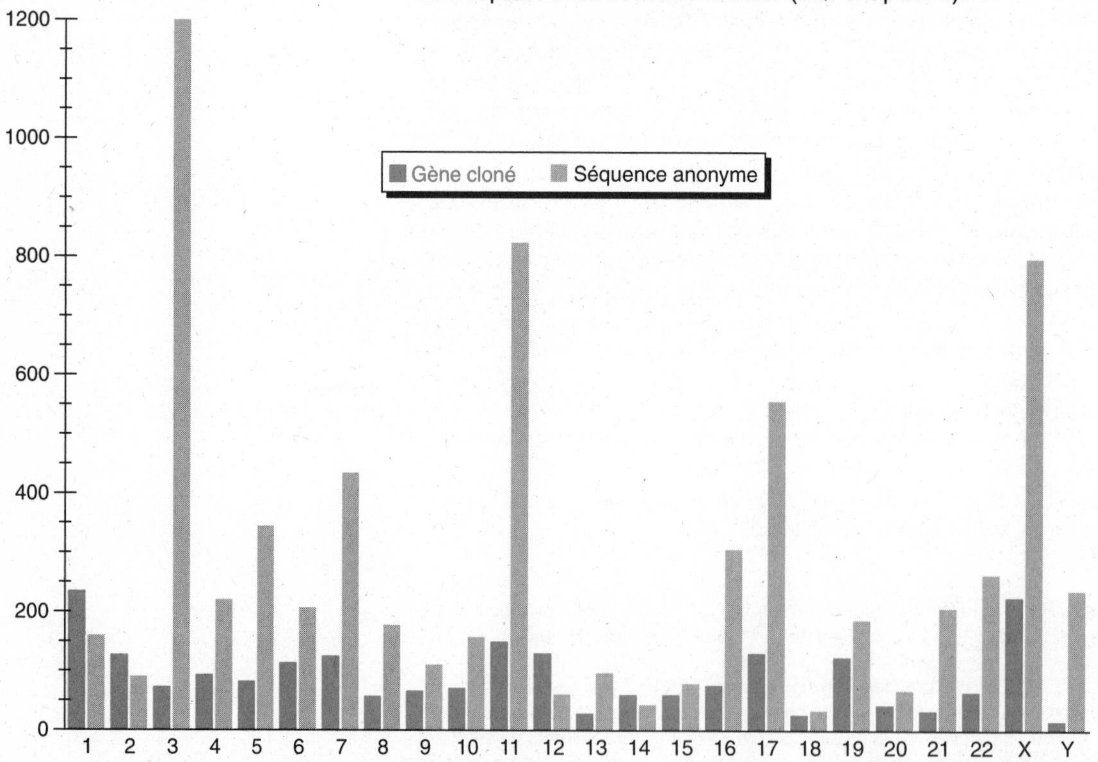

Figure 10-1 **Localisation chromosomique des séquences clonées**
(d'après le relevé de la Conférence HGM 11, Londres, 1991)

Tableau 10-1 **Récapitulation par chromosome des segments de DNA cloné (conférence HGM 11, Londres 1991)**

Chromosome	Gènes		Anonymes (D-segments)		Gènes + Anonymes	
	total	poly-morphes	total	poly-morphes	total	poly-morphes
1	242	55	161	104	403	159
2	134	39	91	60	225	99
3	82	23	1 198	323	1 280	346
4	98	37	224	121	322	158
5	90	21	345	194	435	215
6	122	48	209	119	331	167
7	131	38	439	168	570	206
8	64	17	181	109	245	126
9	71	14	111	49	182	63
10	78	17	161	85	239	102
11	153	47	820	240	973	287
12	132	27	63	43	195	70
13	31	13	101	49	132	62
14	67	26	50	28	11	54
15	63	16	82	42	145	58
16	82	13	302	136	384	149
17	133	44	552	192	685	236
18	28	8	33	27	61	35
19	128	21	185	54	313	75
20	45	9	69	48	114	57
21	38	11	203	63	241	74
22	68	25	265	104	333	129
X	226	31	794	230	1 020	261
Y	18	2	233	26	251	28
XY	3	1	23	15	26	16
Total HGM 11	2 327	603	6 895	2 629	9 122	3 232
Total HGM 10 (1989)	*945*	*391*	*3 417*	*1 495*	*4 362*	*1 886*

En normalisant le nombre de séquences clonées par rapport à la taille du chromosome (contenu en DNA), la répartition est à peu près homogène pour les gènes, mais très inégale pour les séquences anonymes. Cette densité inégale reflète l'intérêt suscité par certains chromosomes en raison de la pathologie qui y est attachée. A l'issue de la conférence HGM 11 (août 1991), plus de 9 000 marqueurs clonés, dont 3 000 polymorphes, ont été répertoriés. Si l'on considére arbitrairement qu'ils sont régulièrement répartis sur l'ensemble du génome, ceci représente en théorie $3 \times 10^3/3 \times 10^9 = 10^{-6}$, soit un jalon par mégabase. L'abondance des sondes pour un chromosome donné n'est pas nécessairement corrélée au degré d'avancement de la carte physique. C'est ainsi que la carte physique est, pour l'instant, beaucoup moins avancée pour le chromosome 3 que pour le chromosome 21, bien que le nombre de marqueurs soit plus grand dans le premier cas (1 280 marqueurs pour 200 Mb) que dans le second cas (241 marqueurs pour 50 Mb).

A la cartographie de restriction « conventionnelle », c'est-à-dire établie par la méthode de Southern, s'est ajoutée récemment la macrocartographie de restriction qui permet un changement d'échelle (100 kb à plusieurs milliers de kb). Elle requiert une méthodologie particulière qui sera décrite plus loin dans ce chapitre.

Sondes non polymorphes et sondes polymorphes - Cartographie physique et cartographie génétique

Selon qu'une sonde d'acide nucléique détecte ou non un polymorphisme, elle n'aura pas la même utilisation cartographique. C'est pourquoi, dans les inventaires de segments de DNA cloné on distingue toujours les deux catégories (Tableau 10-1).

C'est un abus de langage, désormais consacré par l'usage, que de parler de sonde polymorphe, car ce ne sont pas les sondes elles-mêmes mais les séquences génomiques qu'elles permettent d'explorer qui sont polymorphes.

Les sondes non polymorphes sont des jalons invariants permettant seulement d'effectuer une **cartographie physique**.

Les sondes polymorphes sont à la fois utilisables pour une cartographie physique et une **cartographie génétique**. En effet elles permettent de distinguer les deux chromosomes d'une même paire, et par conséquent d'évaluer la fréquence des recombinaisons méiotiques, cette évaluation étant elle-même la base de l'estimation des distances génétiques.

La recherche de polymorphismes est un processus laborieux et purement aléatoire qui ne fournit pas des marqueurs régulièrement espacés. A l'atelier HGM 11 (Londres, août 1991), plus de 3 000 polymorphismes à localisation chromosomique connue étaient répertoriés, mais leur répartition était très inégale (Tableau 10-1). Certaines régions sont particulièrement saturées en raison de l'intérêt suscité par l'existence de locus morbides activement recherchés (par exemple région Xp21 à cause du locus DMD ; région 11p à cause de la tumeur de Wilms ; région 21q11 à cause du mongolisme).

Si la recherche et la localisation des polymorphismes ont suivi jusqu'à présent un rythme de plus en plus soutenu, elles ont été le fruit d'une recherche en ordre dispersé au gré de l'intérêt des différentes équipes. Il se dessine à présent une volonté de coordination et de systématisation nécessaire à l'accomplissement de la tâche qui est gigantesque. Des programmes très ambitieux, mettant en jeu des moyens considérables sont lancés dans le but de cloner un nombre élevé de séquences permettant de détecter des polymorphismes. L'objectif ultime est de saturer chaque chromosome par un réseau aussi dense que possible de marqueurs polymorphes. La stratégie concrètement utilisée est donc moins économe que dans le projet initial de Botstein et al, mais elle n'en diffère pas dans son principe.

LA CARTOGRAPHIE PHYSIQUE

L'établissement de la carte génétique humaine à l'aide des sondes de DNA cloné, reconnaissant si possible des polymorphismes, comporte d'abord une localisation physique globale sur un chromosome donné, puis une localisation régionale de plus en plus précise.

On recourt concurremment à plusieurs méthodes. Pour que la localisation soit validée, il faut qu'elle soit confirmée par au moins deux méthodes et deux équipes différentes.

Les hybrides somatiques interspécifiques

L' hybridation de la sonde par la méthode de Southern avec le DNA extrait d'hybrides somatiques interspécifiques (homme/souris ; homme/hamster) ne contenant qu'un nombre réduit de chromosomes humains, est directement inspirée de la méthode de cartographie classique par les marqueurs phénotypiques. Mais on s'affranchit ici du problème de l'absence d'expression dans les fibroblastes.

Certains chromosomes humains portent des gènes permettant une sélection positive après fusion avec une souche murine déficiente pour le marqueur : gène HPRT (chromosome X), gène APRT (chromosome 16), gène TK (chromosome 17). Ceci permet d'obtenir des hybrides somatiques ayant perdu tous les chromosomes humains sauf celui qui porte le gène de sélection. Les autres chromosomes ne sont pas sélectionnables, et il faut établir une collection de clones cellulaires ayant des compléments de chromosomes humains différents.

En examinant les concordances et les discordances entre les résultats obtenus par la méthode de Southern et la présence ou l'absence de chacun des chromosomes, il est possible d'attribuer à la sonde utilisée une localisation définie. C'est l'approche la plus courante. Elle est fiable à condition que la collection de cellules utilisée ait été parfaitement contrôlée par examen des chromosomes et vérification des marqueurs déjà connus (marqueurs classiques et marqueurs génotypiques). La localisation peut être difficile si la sonde reconnaît des séquences dispersées sur le génome (famille de gènes, pseudo-gènes). Quant à la distinction avec le signal provenant du DNA du rongeur, elle est en général facile à effectuer grâce aux différences de carte de restriction, même si la divergence des séquences a été faible entre les deux espèces.

L'hybridation in situ sur chromosomes métaphasiques

Les chromosomes sont préparés en métaphase, ou mieux en prométaphase (après traitement par la bromo-désoxyuridine), à partir de lymphocytes circulants ou de lignées lymphoblastoïdes, plus difficilement à partir de fibroblastes.

L'hybridation est réalisée directement sur les préparations cytogénétiques fixées sur lame, après traitement par la RNase pour détruire le RNA messager, et déprotéinisation par la protéinase K. Selon les techniques, les procédés de *banding* indispensables à la reconnaissance des chromosomes et des régions chromosomiques sont appliqués soit avant, soit après l'hybridation. Celle-ci est pratiquée avec une sonde marquée à l'aide d'un isotope radioactif, le plus souvent ^{3}H. L'étape autoradiographique finale comporte une exposition de plusieurs jours à plusieurs semaines en présence d'une émulsion radio-sensible coulée sur la préparation. Le résultat est lu sous microscope où les signaux positifs apparaissent sous forme de grains disposés sur les chromosomes **(Figure 10-2)**.

La méthode est très délicate en raison de l'extrême sensibilité requise. C'est pourquoi elle a d'abord été mise au point sur des modèles expérimentaux très favorables comme les chromosomes polytènes de drosophile, où chaque gène est représenté par de multiples exemplaires, et à l'aide de sondes correspondant à du DNA répétitif. Elle n'a cessé de progresser depuis, et à l'heure actuelle il est possible de visualiser un gène unique sur un chromosome humain, c'est-à-dire une quantité de DNA d'environ 10^{-17}g grâce à des sondes de haute activité spécifique. La petitesse de la cible explique la faiblesse du signal, qui n'est visible que sur une fraction seulement des mitoses observées, à raison de 1 à 2 grains par mitose. Ceci oblige à examiner un grand nombre de mitoses, à cumuler le nombre de grains observés au niveau de chaque bande chromosomique et à déterminer si l'accumulation des grains en un endroit précis est statistiquement significative (Figure 10-2).

Cette méthode fournit des renseignements très précieux sur la localisation et la distribution des séquences hybridant avec des sondes clonées, qu'elles soient uniques ou répétitives. Parmi ces dernières les séquences répétées en tandem sont bien mises en évidence. Elle fournit aussi l'interprétation des remaniements chromosomiques : translocations, délétions, trisomies.

Depuis peu, il est possible d'utiliser des procédés de **marquage non radioactif** efficaces, permettant de visualiser directement les séquences uniques sans avoir à recourir à un décompte statistique. Leur introduction, couplée à l'utilisation d'une nouvelle génération de sondes, a révolutionné la technique d'hybridation in situ. Cette révolution est envisagée plus loin (page 265).

Figure 10-2 Localisation d'un gène par hybridation in situ sur chromosomes métaphasiques
Un cDNA du gène de la grande sub-unité des neurofilaments de **rat** (gène NF-H), marqué au tritium, a été hybridé avec des chromosomes **humains** :
A (I) : autoradiogramme après hybridation et coloration par le Giemsa.
A (II) : autoradiogramme des mêmes chromosomes après R-banding.
B : répartition des grains d'argent sur les différents chromosomes (200 métaphases examinées ; 620 grains chromosomiques observés dont 16,7 p. 100 sur le chromosome 22).
C : diagramme cumulatif de 53 grains observés sur le chromosome 22, dont les 2/3 sont localisés dans la région 22q12.1-q13.1.
Conclusion : le gène NF-H humain est localisé sur le chromosome 22 (q12.1-q13.1). Il existe un pic secondaire d'hybridation sur le chromosome 1 (B) suggérant l'existence d'un second locus, peut-être un pseudo-gène.
(M.G. Mattei et al, 1988. Clichés reproduits avec l'aimable autorisation des auteurs).

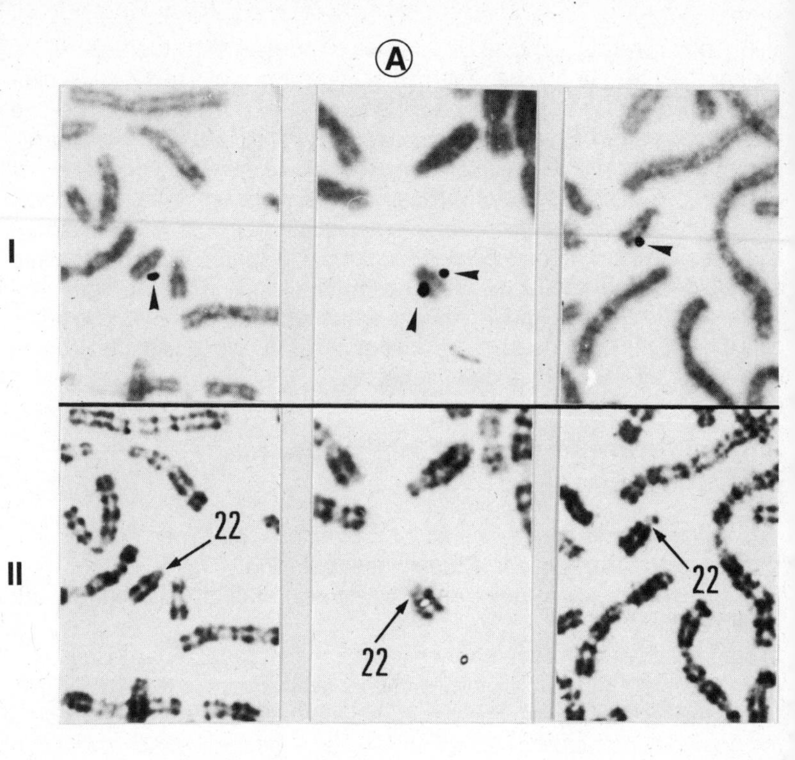

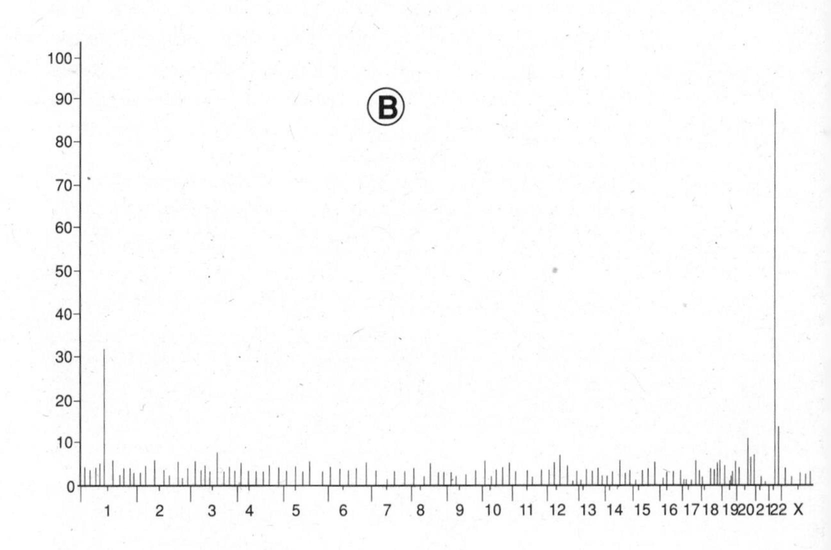

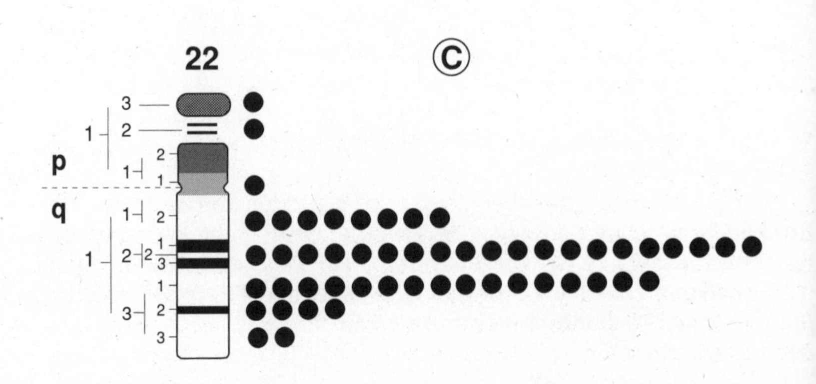

La séparation des chromosomes par cytofluorométrie de flux

Elle consiste à appliquer aux chromosomes le procédé de séparation initialement élaboré pour séparer les cellules en fonction de différences d'intensité d'un signal fluorescent. Mis en présence de colorants du DNA les chromosomes deviennent des objets fluorescents lorsqu'ils sont frappés par un rayon laser de longueur d'onde appropriée. Le signal est d'autant plus intense que le chromosome est plus grand et il est possible d'imposer à l'appareil la consigne de trier les chromosomes en fonction de la fluorescence émise **(Figures 10-3 et 10-4)**. La discrimination parfaite de chacun des 22 autosomes et des 2 chromosomes sexuels est difficile à obtenir, même avec les systèmes à double coloration et deux lasers. Néanmoins certains chromosomes peuvent être obtenus à l'état quasi pur, notamment les plus petits : chromosome 21, chromosome 22, chromosome Y.

Un nombre élevé de mitoses peut être exploré, ce qui permet d'obtenir suffisamment de chromosomes d'une catégorie donnée pour en extraire le DNA. Celui-ci est en principe vérifié par la méthode dite des ***flow-blots***, où les chromosomes sont directement recueillis et fixés sur un filtre de nitro-cellulose ou de nylon, puis hybridés avec une sonde de contrôle correspondant à une séquence préalablement assignée avec certitude au chromosome étudié.

Le DNA des chromosomes purifiés par tri peut aussi servir à confectionner une banque de DNA génomique spécifique de chromosome.

Les banques spécifiques d'un chromosome donné

L'isolement du chromosome humain peut être obtenu :

• *dans des hybrides somatiques interspécifiques,* les deux écueils étant la difficulté d'obtenir des hybrides n'ayant plus qu'un chromosome humain — à l'exception des 3 chromosomes sélectionnables : 16 (gène APRT), 17 (gène TK) et X (gène HPRT) — et la présence d'un fond de DNA animal qui sera nécessairement cloné en même temps et qu'il faudra discriminer ;

• *à partir d'un isolement physique par cytofluorométrie de flux.* Cette méthode est en principe idéale. Elle possède cependant des limitations. D'une part, certains groupes de chromosomes sont mal séparés, en particulier 9 à 12 et 13 à 15 (Figure 10-4). D'autre part la quantité de DNA obtenue est en général trop faible pour permettre de construire une banque chevauchante, ce qui empêche d'établir une liaison physique entre les clones ;

• *par micro-manipulation*, permettant l'introduction d'un chromosome dans une cellule animale pour obtenir une lignée, voire même par un clonage direct d'un chromosome micro-manipulé.

La cartographie par aberration chromosomique

Elle consiste à mettre à profit des délétions partielles ou des translocations, et à rechercher par l'une des trois méthodes décrites si le signal d'hybridation est aboli (délétion) ou déplacé sur un autre chromosome (translocation). La **figure 10-5** montre comment par recoupements successifs on a pu améliorer la localisation régionale du gène de la β-globine.

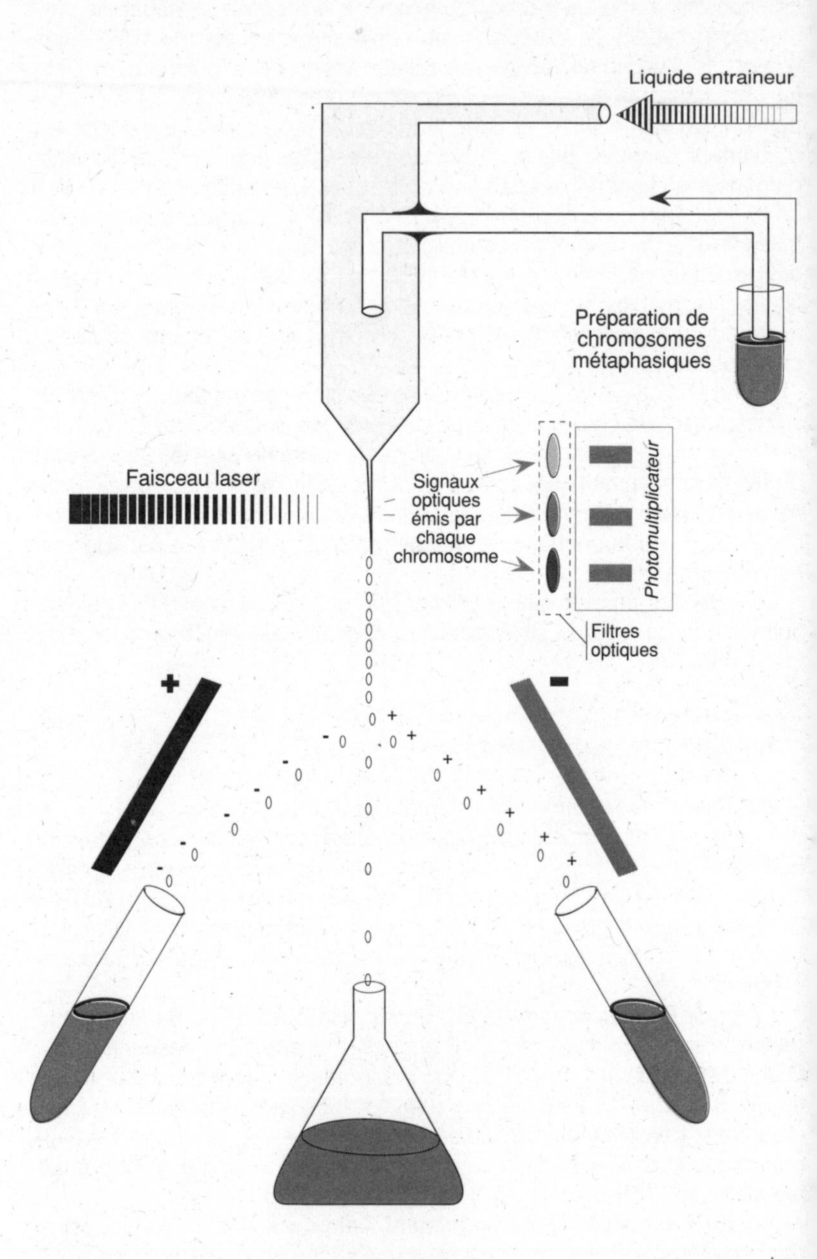

Figure 10-3 **Principe de la séparation chromosomique par cytofluorométrie de flux**
Chaque chromosome métaphasique, préalablement coloré par un fluorochrome, est frappé par un faisceau laser et émet un signal fluorescent sélectionné par des filtres et orienté vers des photomultiplicateurs. Si les paramètres analysés révèlent un chromosome intéressant à trier, celui-ci sera entouré d'une gouttelette de liquide chargée électriquement. Selon sa charge celle-ci sera attirée par l'une ou l'autre des plaques d'un condensateur, et, après déviation de sa trajectoire, recueillie dans un tube, où chaque chromosome pourra être étudié individuellement.

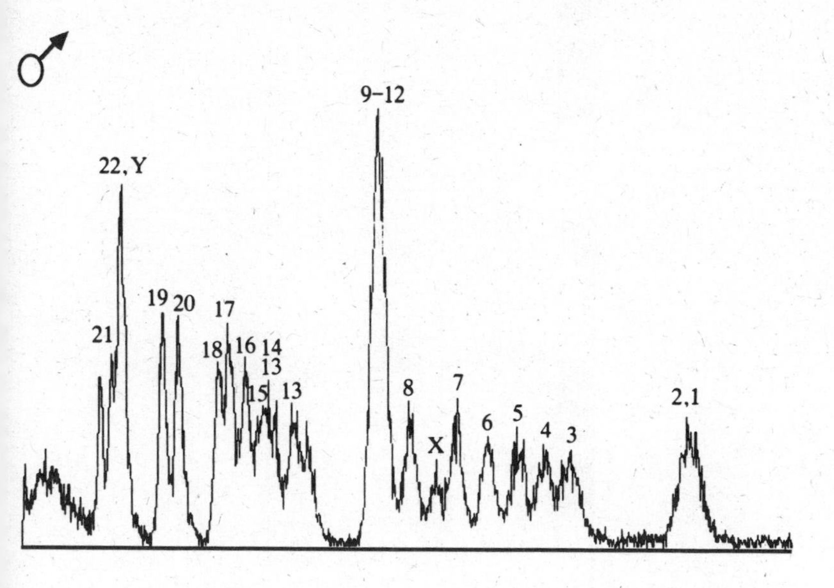

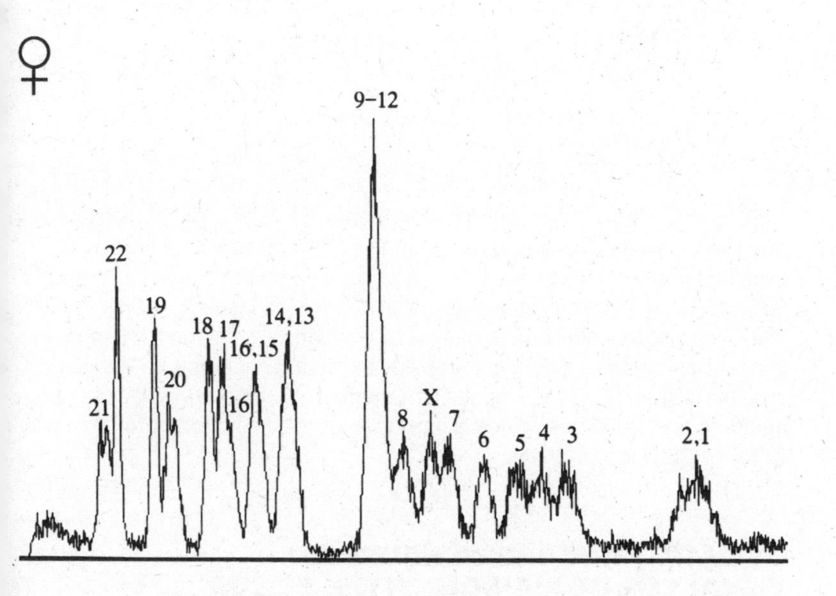

Figure 10-4 **Diagramme reconstituant le caryotype après cytofluorométrie de flux**
Le spectre de séparation est reconstitué par traitement sur ordinateur. La position sur l'axe des abscisses de chaque chromosome, ou groupe de chromosomes, est fonction de son contenu en DNA, qui est croissant de gauche à droite.
(A. Ferguson-Smith, J.-M. Connor. Essential medical genetics, 2nd Ed, Blackwell Scientific Publications, 1987. Publié avec l'aimable autorisation des auteurs et de l'éditeur).

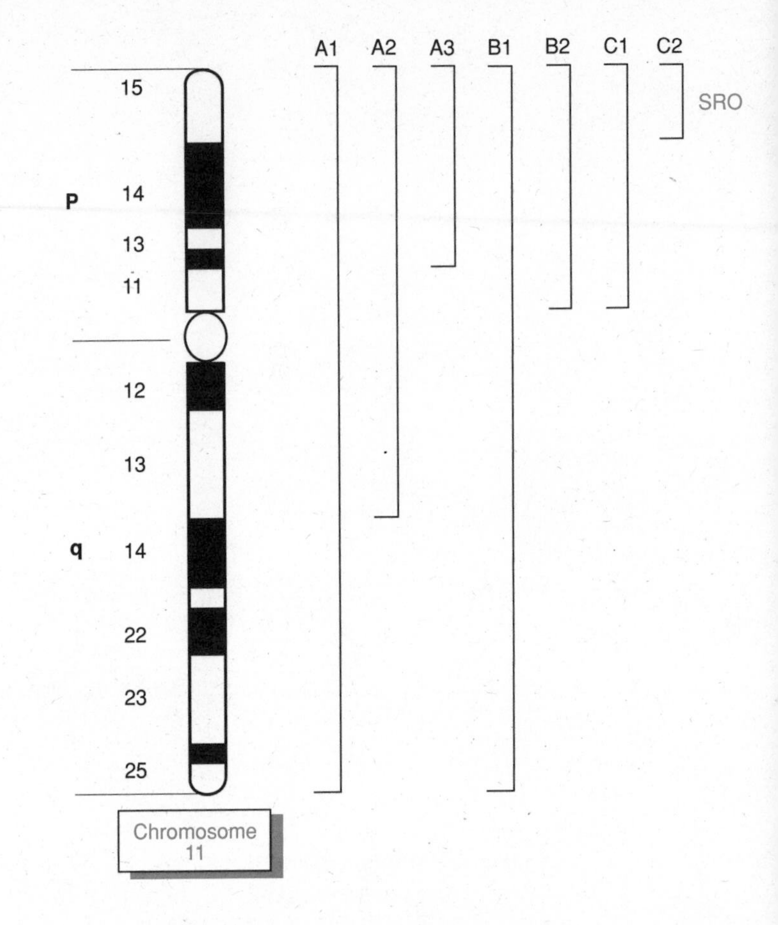

Figure 10-5 **Localisation régionale progressive du gène de la β-globine humaine sur le chromosome 11 par hybridation moléculaire**
A : par cytofluorométrie de flux
B : par hybrides somatiques inter-spécifiques
C : par hybridation in situ

En A2, A3, B2, C1, C2, on a utilisé des délétions partielles ou des translocations. La portion commune à toutes ces localisations (SRO = *smallest region of overlap*) correspond à la région où se trouve le gène, ici en 11p15 pter (15 millions de pb).

Si la précision peut paraître satisfaisante à l'échelle de la cytogénétique (une bande ou une sous-bande), elle ne l'est guère au niveau moléculaire, car la localisation est à 5 à 15 millions de pb près, soit une longueur de DNA pouvant renfermer plusieurs dizaines de gènes. Parfois cependant une translocation ou une recombinaison peut aider à orienter les gènes. Par exemple, grâce aux translocations du lymphome de Burkitt (voir chapitre 15) on a pu déterminer l'orientation du gène c-myc sur le chromosome 8 et celle des gènes d'immunoglobulines sur les chromosomes 2, 14 et 22 **(Figure 10-6)**.

LA CARTOGRAPHIE GÉNÉTIQUE : L'ANALYSE DE LIAISON ENTRE LOCUS

La distance génétique est un paramètre déterminé par la fréquence des recombinaisons méiotiques ou **crossing-over**. Cette approche, qui a permis depuis longtemps de dresser des cartes génétiques chez les organismes à génération rapide, comme la drosophile, était plus difficilement applicable à l'espèce humaine tant que le nombre de marqueurs génétiques était limité. Avec l'apparition des RFLP, les études de liaison ont cessé d'être l'apanage exclusif des généticiens formels, et elles font désormais partie de la routine quotidienne dans les services de génétique médicale.

Les recombinaisons sont des événements strictement aléatoires et imprévisibles. Elles obéissent néanmoins à une loi statistique : la proba-

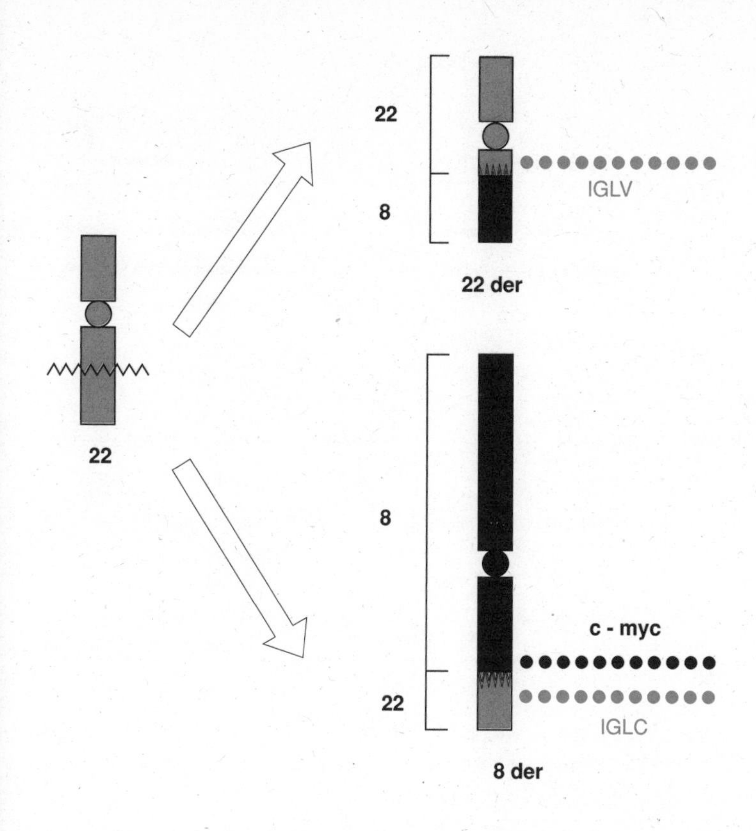

Figure 10-6 Cartographie par translocation Dans la translocation t(8;22) observée dans certains lymphomes de Burkitt, l'hybridation in situ montre que les gènes codant pour la région constante de la chaîne légère lambda des immunoglobulines (IGLC) sont transloqués sur le chromosome 8 à côté du gène *c-myc*, tandis que les gènes de la région variable de cette chaîne (IGLV) demeurent sur le chromosome 22. Comme les gènes des régions V sont toujours en 5' des gènes des régions C, on en déduit l'orientation sur le bras long du chromosome 22 normal :
centromère - 5' IGLV 3' - 5' IGLC 3' - télomère.

bilité de recombinaison entre deux locus dépend de la distance physique qui les sépare. Plus cette distance est grande, plus les chances de recombinaison augmentent. Inversement plus les locus sont rapprochés plus les chances de recombinaison sont faibles : on dit alors que ces locus sont **génétiquement liés**. Cette liaison n'est mesurable que par une observation empirique : la co-ségrégation au cours des générations successives sans changement de phase.

Il faut donc procéder à une analyse familiale au cours de laquelle on examine le couplage des marqueurs sur le même chromosome. Une première exigence est que les allèles à un même locus doivent pouvoir être distingués, par exemple par un marqueur génotypique comme un RFLP, ou un marqueur phénotypique comme un trait pathologique. Une seconde exigence est que le nombre d'événements pouvant donner lieu à une recombinaison, c'est-à-dire le nombre de méioses, soit suffisant pour permettre à l'analyse statistique d'être significative.

En première approximation on peut considérer que les recombinaisons sont des événements survenant avec une probabilité égale en n'importe quel point du génome, se produisant avec une fréquence égale dans les deux sexes, et n'interférant pas entre eux. Si l'on admet que toutes ces conditions sont simultanément remplies, on peut faire correspondre la notion de **distance génétique**, définie par une fréquence de recombinaison méiotique, à une **distance physique** c'est-à-dire une longueur de DNA. L'unité de mesure pour la cartographie génétique est le **morgan**, ou unité de recombinaison qui correspond à un intervalle statistique où se produit obligatoirement une recombinaison à chaque méiose. Comme l'observation des chromosomes humains montre qu'il existe en moyenne 60 chiasmas au cours de la 1ère division méiotique (génome diploïde), la « longueur génétique » totale du génome humain haploïde (3×10^9 pb) est de 30 morgans, soit 10^8 pb pour 1 morgan et **10^6 pb pour 1 centimorgan (cM)**.

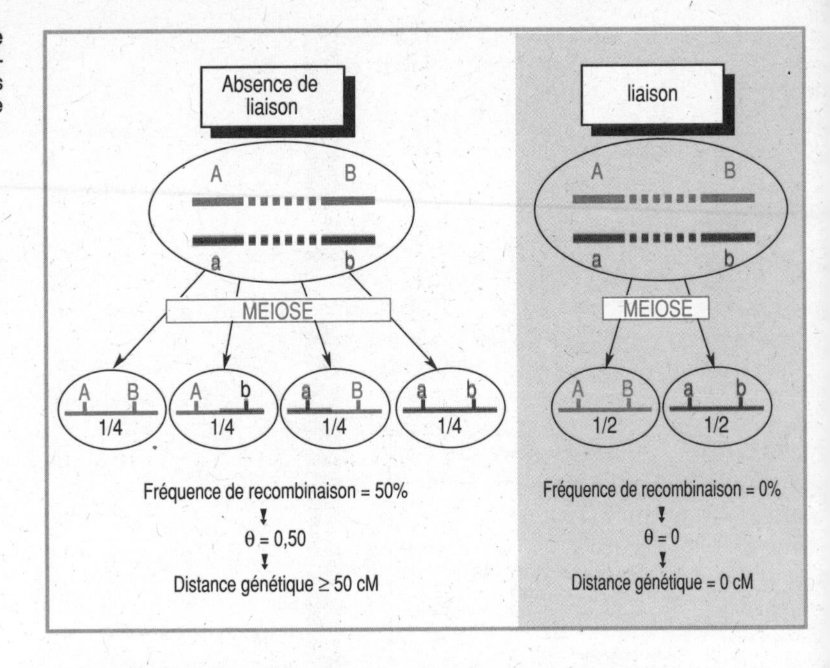

Figure 10-7 Principe de la liaison génétique La liaison entre deux locus dépend de la fréquence des recombinaisons méiotiques, révélées par le réassortiment de leurs allèles sur le même chromosome.

Il s'agit d'une approximation immédiatement mise en défaut si l'une quelconque des exigences énumérées ci-dessus cesse d'être satisfaite. Nous verrons plus loin que c'est souvent le cas.

L'évaluation des distances génétiques est statistique : la méthode des lod scores

En pratique on analyse la **ségrégation** entre des locus définis par des polymorphismes. Ceci permet d'inférer la **distance** respective entre 2 locus et, pour plus de 2 locus, leur **ordre** sur le chromosome.

Prenons l'exemple de deux RFLP définissant chacun un système bi-allélique : A et a au locus 1, et B et b au locus 2 **(Figure 10-7)**. Si les deux locus ségrègent indépendamment, par exemple parce qu'ils sont sur deux chromosomes différents, les haplotypes sont complètement réassortis dans la descendance. L'indépendance complète donne la fréquence 1/4,1/4,1/4,1/4, ce qui correspond à une fréquence de recombinaison maximale $\theta = 0,5$ (Figure 10-7). Si au contraire les haplotypes sont stables dans la descendance, on dit que les locus correspondants sont **génétiquement liés**. Si aucune recombinaison n'est observée ($\theta = 0$) la distance génétique est nulle (Figure 10-7). Celle-ci varie donc dans les limites de 0 à 0,5 et les valeurs de θ sont données par la relation :

$$\theta = \frac{\text{nombre de gamètes recombinés}}{\text{nombre de gamètes transmis}}$$

Pour que l'analyse soit statistiquement significative elle doit être effectuée sur un grand nombre de méioses.

Le résultat est analysé en recourant à un procédé de **calcul statistique**, élaboré en 1955 par N. Morton, qui évalue le rapport de vraisemblance de deux hypothèses opposées.

Hypothèse 1 : il y a liaison, et θ est $< 0,5$. La vraisemblance de cette hypothèse est symbolisée par L (θ).

Hypothèse 2 : il n'y a pas de liaison, et $\theta = 0,5$. La vraisemblance de cette hypothèse est symbolisée par L ($\theta_{0,5}$).

Le rapport des vraisemblances pour une série de valeurs de θ permet de calculer la meilleure probabilité.

Pour faciliter le calcul on utilise le logarithme décimal du rapport de vraisemblance ou **lod score** symbolisé par Z(θ).

$$\textbf{lod score ou } Z(\theta) = \log_{10} \frac{L(\theta)}{L(\theta_{0,5})}$$

Z(θ) représente le score pour une vraisemblance de liaison donnée. Le meilleur score est donné par la valeur maximum du lod score ou Z_{max}.

Le calcul de Z est effectué pour toutes les valeurs de θ comprises entre 0 et 0,5, et si un nombre de méioses suffisant a été exploré on obtient le profil de la courbe A de la **figure 10-8**. Si le lod score maximum atteint ou dépasse 3, le résultat est significatif et indique que la valeur de θ correspondante est fiable à au moins 1 000 contre 1. Celle-ci donne la **distance génétique** entre les marqueurs, puisqu'à une fraction de recombinaison de 1 p. 100, c'est-à-dire θ = 0,01, correspond 1 centimorgan. Si le lod score maximum est négatif on peut conclure à une absence de liaison (courbe C de la figure 10-8). S'il est compris entre 1 et 3, le résultat est ambigu (courbe B de la figure 10-8). Il convient alors d'affiner en augmentant le nombre des méioses analysées.

Ceci est possible en augmentant le nombre de familles étudiées, car les **lod scores sont additifs**. Soient les familles F1, F2, F3, ..., Fn pour lesquelles on mesure les lod scores Z1, Z2, Z3, ..., Zn, on peut amplifier le lod score en calculant Z = Z1 + Z2 + Z3 .... + Zn, et atteindre le niveau de significativité, car il s'agit d'un test séquentiel.

On obtient en définitive la distance génétique la plus probable. Comme il s'agit d'une estimation, il faut exprimer le résultat dans les limites d'un intervalle de confiance donné par les valeurs de θ pour $Z_{max} - 1$ (Figure 10-8).

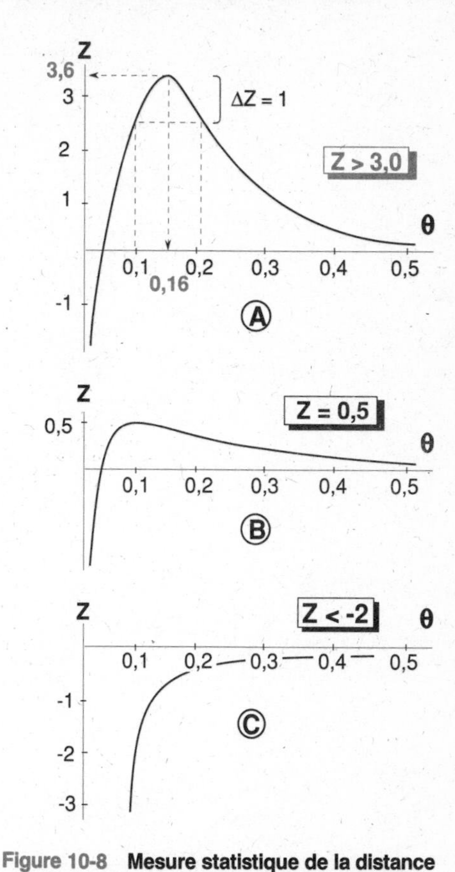

Figure 10-8 Mesure statistique de la distance génétique par la méthode des lod scores
Les données obtenues après étude des génotypes dans les familles sont analysées par ordinateur grâce à un programme qui calcule la vraisemblance de liaison pour chaque valeur de θ. Chaque hypothèse est comparée à la vraisemblance de l'absence de liaison, et le rapport des deux vraisemblances est calculé pour un θ donné. Si on obtient la valeur 100, cela signifie que pour une certaine valeur de θ les chances de liaison sont 100 fois supérieures à celles d'une non liaison. Le lod score (Z) est le logarithme décimal de cette valeur, c'est-à-dire 2. On trace la courbe Z = f(θ), qui passe par un maximum si le nombre de données est suffisant. Ce maximum indique la valeur de θ pour laquelle l'hypothèse est la meilleure. Si aucune recombinaison n'est observée et que le nombre de méioses est important, le maximum de la courbe se situe à θ = 0. Si le nombre de recombinaisons est élevé le maximum se déplace vers la droite et la valeur la plus probable de θ augmente. On admet que le seuil de significativité est atteint lorsque le Z_{max} est supérieur ou égal à 3 (1 000 contre 1).

A : La valeur maximum de Z est > 3,0. Le lod score est donc significatif. Il correspond ici à une fraction de recombinaison θ = 0,16, soit 16 centimorgans. L'intervalle de confiance est donné par l'écart entre les deux valeurs de θ correspondant à un lod score égal à $Z_{max} - 1$. Ici l'intervalle de confiance (⩾ 90 p. 100) donné par Z = 2,6 est compris entre 10 et 21 cM.
B : Le lod score est insuffisant pour pouvoir déterminer θ. Il faut multiplier les observations.
C : Le lod score est < – 2 : il n'y a pas de liaison.

Des programmes permettent d'effectuer le calcul des lod scores

Le calcul d'un lod score est complexe. Il existe des programmes, fonctionnant sur des micro-ordinateurs de modèles courants, permettant d'effectuer très rapidement les calculs en fonction des données observées. Dans la méthode classique à 2 points, on calcule les lod scores entre 2 marqueurs (programme LIPED de J. Ott), ce qui fournit l'intervalle génétique le plus probable entre 2 locus.

Lorsqu'on étudie plus de deux marqueurs simultanément on peut aussi établir l'**ordre** le plus probable par une analyse **multipoint**. Celle-ci exige un programme très élaboré (LINK-MAP de J.M. Lalouel et G.M. Lathrop) permettant de calculer les probabilités respectives de chaque ordre possible *(loc score)*. Cette méthode est particulièrement utile pour positionner un locus morbide par rapport à plusieurs marqueurs liés à ce locus, et dont l'ordre est déjà connu.

Le concept de distance génétique : centimorgans et kilobases

En première approximation on peut passer d'une notion de fréquence de recombinaison, c'est-à-dire de distance génétique, à celle de distance physique, en divisant la longueur physique du génome (nombre total de nucléotides) par le nombre total de recombinaisons méiotiques **(Tableau 10-2)**.

En fait l'équation **1 centimorgan = 10^6 pb** est mise en défaut dans différentes circonstances. Si par exemple il existe une région privilégiée favorisant les recombinaisons ***(hot-spot)*** la relation devient 1 cM ≪ 10^6 pb. Inversement si les recombinaisons sont rares, 1 cM peut correspondre à une beaucoup plus grande distance physique. D'autre part on sait que les régions distales des chromosomes (télomères) recombinent plus fré-

Tableau 10-2 **Équivalence théorique entre distance génétique et distance physique**

Cette correspondance n'est valable que sur la base d'une stricte équivalence entre la distance génétique (conditions énumérées dans le texte).

Distance physique en kilobases	Distance génétique en centimorgans	θ	Probabilité de recombinaison
10 000	10	0,10	10^{-1}
5 000	5	0,05	5×10^{-2}
1 000	1	0,01	10^{-2}
100	0,1	0,001	10^{-3}
10	non mesurable	non mesurable	10^{-4}
1	non mesurable	non mesurable	10^{-5}

quemment. C'est ainsi qu'on a constaté qu'au niveau du chromosome 4 les recombinaisons sont diminuées près du centromère (locus de l'albumine en 4q11) et augmentées près du télomère (sonde G8 proche du locus de la chorée de Huntington en 4p16).

Alors que le contenu en DNA de chaque chromosome (longueur physique) ne varie pas selon le sexe, des différences de longueur génétique sont observées entre l'homme et la femme **(Tableau 10-3)**.

Ces différences peuvent également concerner des territoires différents sur un même chromosome (voir l'exemple du chromosome 12 dans la **figure 10-9**). En définitive le centimorgan est un étalon « élastique » puisqu'il peut fluctuer entre $5x10^5$ et $1x10^7$ pb. Cette notion est importante car elle entre en ligne de compte dans la fiabilité du diagnostic indirect par polymorphisme génétiquement lié (voir chapitre 13).

On peut aussi parcourir le chemin inverse, c'est-à-dire aller des kilobases vers les centimorgans. Connaissant la distance physique précise, en kilobases, entre 2 marqueurs génotypiques, on peut estimer la fréquence

Tableau 10-3 **Longueurs physiques et génétiques des chromosomes humains** *(d'après N. E. Morton, PNAS 1991, 88, 7474-7476)*

	Bras court (p)			Bras long (q)		
	physique Mb	génétique cM		physique Mb	génétique cM	
Chromosome		♂	♀		♂	♀
1	128	106	189	135	104	188
2	99	83	152	156	105	192
3	99	80	106	115	104	136
4	56	52	117	147	94	213
5	52	53	93	142	101	75
6	65	57	110	118	87	166
7	65	60	81	106	91	124
8	50	50	75	105	88	131
9	51	50	64	94	79	100
10	44	54	81	100	84	129
11	58	53	84	86	63	100
12	39	45	80	104	84	148
13	16	—	—	98	100	160
14	16	—	—	93	104	131
15	17	—	—	89	102	199
16	39	60	96	59	56	90
17	28	51	126	64	66	161
18	20	50	76	65	63	97
19	30	50	97	37	50	97
20	31	42	109	41	42	109
21	11	—	—	39	76	108
22	13	—	—	43	70	92
X	62	50	87	102	—	133
Y	13	50		46	—	
Autosomes	**3 063 Mb**			**♂=2 809 cM**		**♀=4 782 cM**

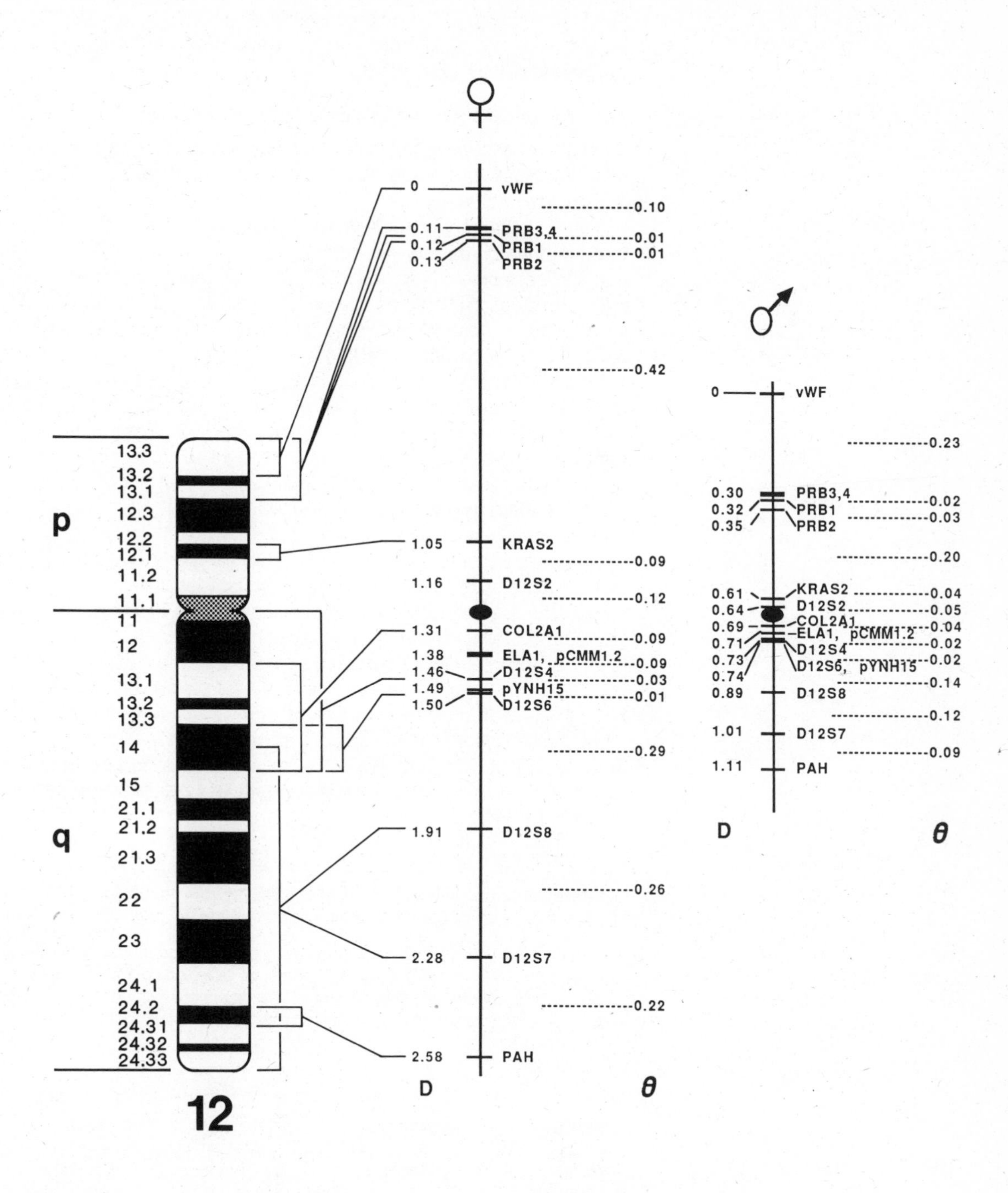

Figure 10-9 Cartes génétiques comparatives du chromosome 12 chez l'homme et la femme
A gauche de chaque diagramme les distances génétiques sont cumulées à partir du point 0 et exprimées en morgans (D). A droite de chaque diagramme les intervalles entre chaque locus sont exprimés en fraction de recombinaison (θ).
La relation entre les deux suit une courbe exponentielle. Cependant pour les valeurs faibles de θ (< 0,10) elle s'approche d'une proportionnalité arithmétique.
La longueur *génétique* totale du chromosome est plus de 2 fois plus grande chez la femme (2,58 morgans) que chez l'homme (1,11 morgans). La longueur *physique* appréciée par les moyens de la cytogénétique est en revanche identique dans les deux sexes (134 mégabases). On remarquera que si chez la femme la distance génétique séparant les locus PRB2 et KRAS2 est deux fois plus grande que chez l'homme, la distance génétique entre les locus vWF et PRB3,4 y est 2,3 fois plus petite que chez l'homme.
(O'Connell et al. Genomics, 1987, 1 : 93-102. Reproduit avec l'aimable autorisation de l'auteur et de l'éditeur).

approximative des recombinaisons : 1 pour 100 000 méioses pour 1 kb, et 1 pour 1 000 méioses pour 100 kb (Tableau 10-2). Ceci permet d'évaluer la divergence (distance chronologique) entre 2 locus, ce qui est particulièrement utile en **génétique des populations** et en **anthropologie moléculaire** (voir chapitre 18).

Liaison génétique et déséquilibre de liaison

La distance génétique qui sépare 2 locus est en principe une constante cartographique indépendante de la généalogie étudiée* et de la nature des allèles rencontrés.

L'étude de la fréquence des **haplotypes** de restriction dans une population donnée permet de comparer la fréquence observée à la fréquence théorique calculée qui est le produit des fréquences géniques. Lorsqu'il n'y a pas d'écart notable on dit que les locus sont en **équilibre**. Lorsque les haplotypes observés ont une distribution différente de la valeur théorique, il y a **déséquilibre de liaison**, c'est-à-dire associations alléliques préférentielles. Ceci résulte de la superposition de deux facteurs : la **distance génétique** entre les locus (éloignement physique et fréquence des recombinaisons), et la **distance chronologique** (éloignement dans le temps, c'est-à-dire ancienneté de la mutation) qui nous sépare de l'événement générateur de polymorphisme. Les deux distances concourent à l'établissement de l'équilibre, celui-ci étant d'autant plus long à s'établir qu'elles sont plus faibles.

L'existence d'un déséquilibre de liaison comporte un inconvénient : il réduit l'informativité de l'analyse par des marqueurs multiples. En revanche lorsque le déséquilibre inclut un locus morbide monoallélique (cas de la drépanocytose, du déficit en α1-antitrypsine avec génotype Pi^z/Pi^z, de la mucoviscidose, etc.), il permet de procéder à une datation de la mutation pathologique, et de savoir si l'événement est survenu une seule fois sur un seul individu **(effet fondateur)**, ou s'il est survenu indépendamment chez plusieurs individus géographiquement séparés (origine **multicentrique**) (voir encadré). En outre l'existence d'un fort déséquilibre de liaison permet des applications **diagnostiques** qui seront exposées au chapitre 13.

Le déséquilibre de liaison permet la datation et la démonstration de l'origine géographique de certaines maladies monofactorielles monoalléliques

— La **drépanocytose** est due à une homozygotie pour le gène HbS, où la mutation est toujours GAG⟶GTG dans le 6ᵉ codon de la β-globine.
— Le **déficit sévère en α1-antitrypsine** est communément dû à la mutation GAG⟶AAG, à l'état homozygote, dans le codon 342 du gène de l'α1-antitrypsine (allèle Pi^Z).

maladie	haplotype	origine	datation
drépanocytose (HbS/HbS)	plusieurs	multicentrique (3 foyers en Afrique, 1 foyer en Asie)	2 à 3 000 ans
déficit en α1-antitrypsine (génotype Pi^Z/Pi^Z)	un seul	un seul fondateur (Europe du Nord)	environ 6 000 ans

* Dans certaines régions du génome il peut exister des fréquences de recombinaison variables selon les familles (région du site Xfra en Xq27).

Il est très important de ne pas confondre la notion de liaison génétique qui exprime la proximité de deux locus sur le DNA sans préjuger des allèles présents, et la notion de déséquilibre de liaison, qui est une **association** préférentielle retrouvée entre certains allèles.

On peut cartographier les locus morbides en mesurant leur liaison à des RFLP

Lorsqu'un gène est le siège d'une mutation à effet pathologique, on est en présence d'un système à au moins deux allèles : l'un (ou plusieurs) correspond(ent) à l'état morbide, par exemple la mucoviscidose, l'autre à l'état normal. Il s'agit donc d'un marqueur génétique phénotypique, et non génotypique tant que la mutation n'est pas caractérisée. Ce type de marqueur concerne non seulement les gènes déjà identifiés — lesquels sont déjà clonés, ou le seront tôt ou tard —, mais surtout les **gènes inconnus** (chorée de Huntington, polykystose rénale dominante, etc.). Ceux-ci, dès lors que l'on a la certitude qu'un seul gène est en cause, sont assimilés à des locus, en attendant d'être identifiés. Ces **locus morbides** sont cartographiés en explorant leur liaison génétique aux polymorphismes. Ici les études sont faites dans les familles où la maladie s'est manifestée. L'analyse génétique doit tenir compte du mode de transmission (récessive ou dominante, autosomique ou liée au sexe), et de la pénétrance. Ces éléments sont incorporés dans les programmes de calcul de lod scores. Nous reviendrons sur les particularités propres à chacune de ces catégories dans le chapitre 11.

Les recombinaisons entre locus très proches sont rares mais très précieuses pour la cartographie

Plus deux locus sont génétiquement proches plus les recombinaisons méiotiques qui les séparent sont rares. Quand une telle recombinaison survient elle fournit des informations cartographiques précieuses, car en examinant l'haplotype qui en résulte on peut situer deux marqueurs l'un par rapport à l'autre **(Figure 10-10)**. En pratique une recombinaison se

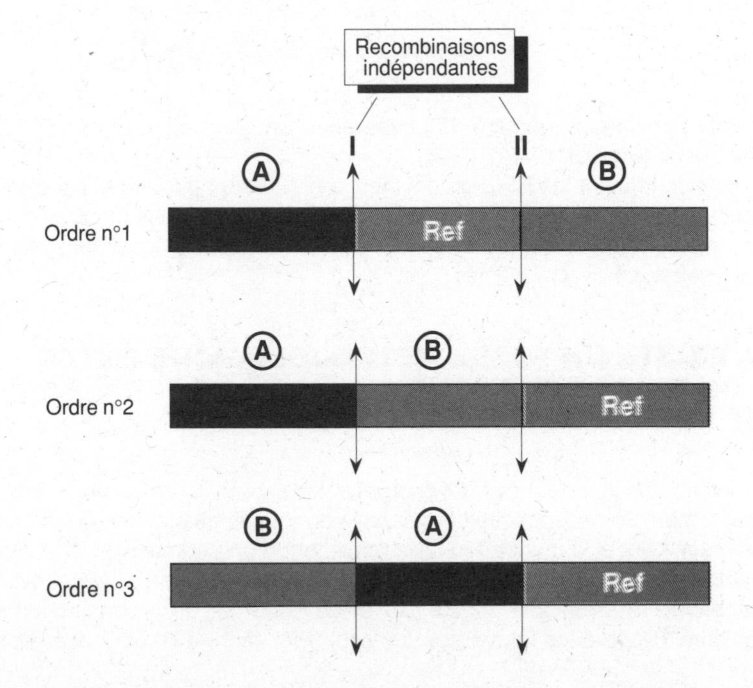

Figure 10-10 **Les recombinaisons permettent de déterminer l'ordre entre des marqueurs proches**
A et B sont des locus définis par un RFLP. On cherche à les localiser par rapport à un marqueur de référence **Ref**, par exemple un locus morbide. L'analyse génétique par la méthode des lod scores a indiqué la très grande proximité de ces trois locus ($\theta = 0$). Leur ordre sur le chromosome n'est pas connu, mais peut se révéler à la faveur d'une recombinaison.
Il suffit d'une seule recombinaison entre le locus A et l'ensemble [Ref, B] (flèche en I), et d'une seule recombinaison survenant indépendamment entre le locus B et l'ensemble [Ref, A] (flèche en II), pour authentifier l'ordre n° 1. Si une recombinaison intervient entre l'ensemble [A, B] et Ref, l'ordre n° 1 est exclu, et on peut hésiter entre l'ordre n° 2 et l'ordre n° 3. Une recombinaison survenant indépendamment entre A et B permet de trancher selon le locus avec lequel Ref a coségrégé sur le chromosome recombiné.

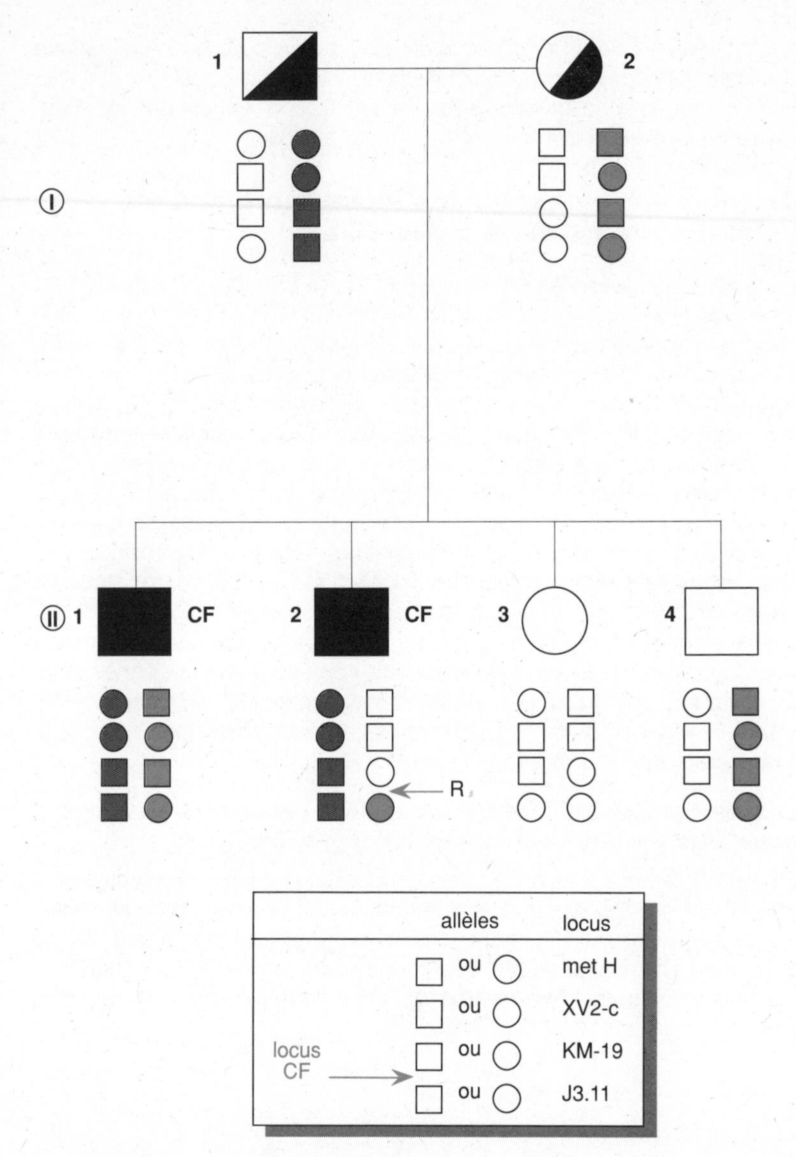

Figure 10-11 Des recombinaisons rarissimes ont permis de mieux situer le gène CF
Le gène CF, dont l'anomalie est responsable de la mucoviscidose, a été activement recherché dans la région 7q31. Des sondes pour les sites polymorphes (met, XV2c, KM19 et J3.11) cernent le gène CF dans un territoire d'environ 100 kb. On croyait initialement que le gène CF était situé entre XV2c et KM19. Après l'étude de plusieurs milliers de méioses, 4 recombinaisons seulement ont été observées entre le bloc KM19-XV2c d'une part, et le gène portant la mutation CF d'autre part, comme dans la famille représentée sur la figure. Ceci indique que le gène CF est en réalité entre KM19 et J3.11.
En rouge foncé : le chromosome paternel porteur du gène CF. En rouge : le chromosome maternel porteur du gène CF.
Les cercles et les carrés figurent les versions alléliques distinctes à chaque locus.
(D'après M. Williamson et al)

traduit par un changement de phase entre un gène muté et son RFLP marqueur **(Figure 10-11)**.

En accumulant les RFLP anonymes et en utilisant largement l'analyse multi-point, on est parvenu à dresser des cartes génétiques humaines de chromosomes entiers (Figure 10-9). Ces cartes sont très inégalement détaillées selon les chromosomes.

IL EXISTE UN FOSSÉ MÉTHODOLOGIQUE ENTRE L'ANALYSE GÉNÉTIQUE ET L'ANALYSE MOLÉCULAIRE

L'accumulation de sondes polymorphes, isolées de façon aléatoire dans une région chromosomique donnée, ne permet pas de combler l'intervalle qui existe entre, d'une part la taille maximum d'un segment de DNA clonable (environ 50 kb), et d'autre part le pouvoir de résolution de la cytogénétique (environ 2 à 5×10^6 pb) et de l'analyse de recombinaisons (environ 10^6 pb dans le meilleur des cas) **(Figure 10-12)**. Ce fossé équi-

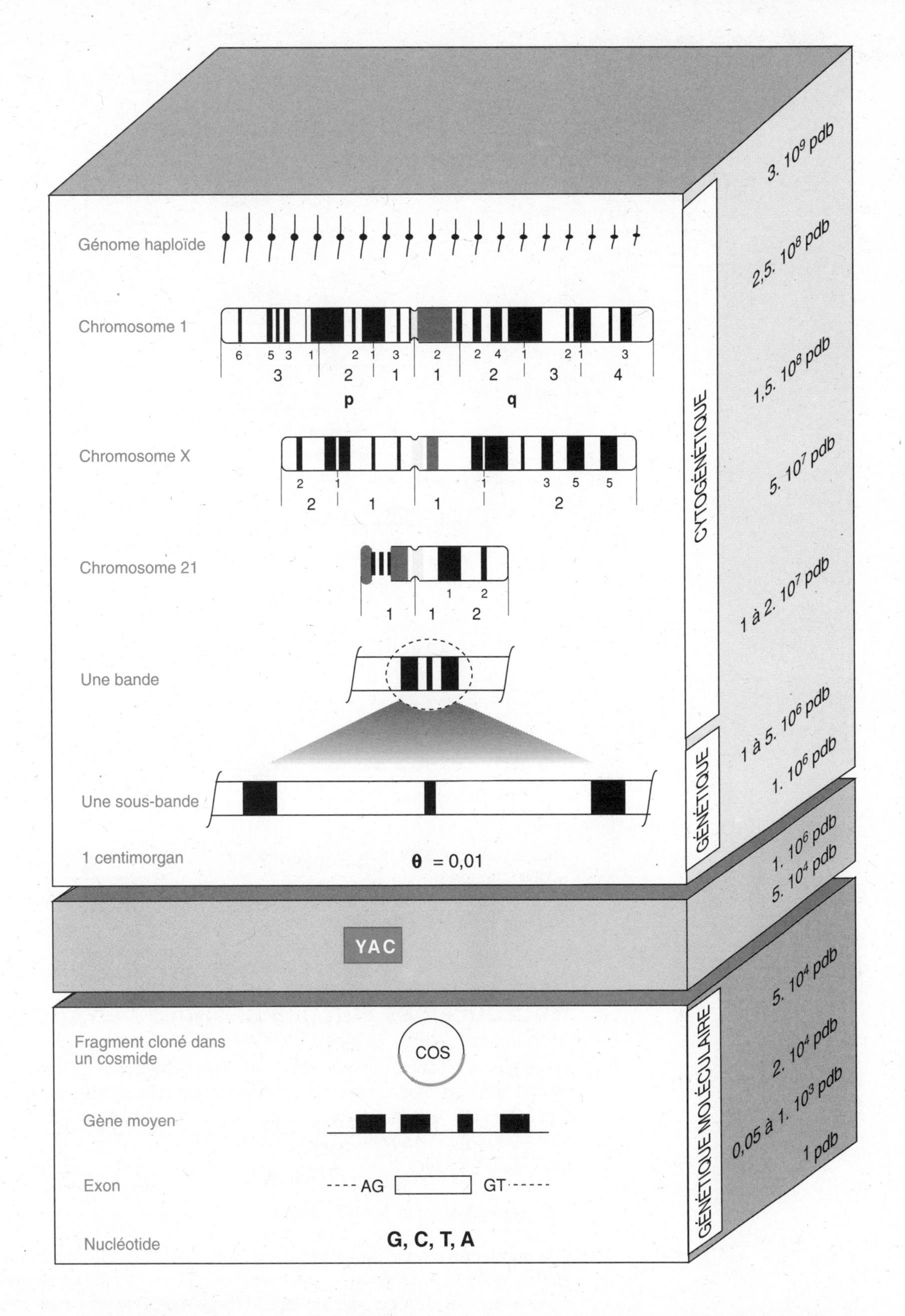

Figure 10-12 **Les YAC comblent le fossé méthodologique séparant le domaine de l'analyse génétique et cytogénétique de celui de l'analyse moléculaire**

Figure 10-13 Pouvoir résolutif des différentes méthodes d'exploration du génome humain

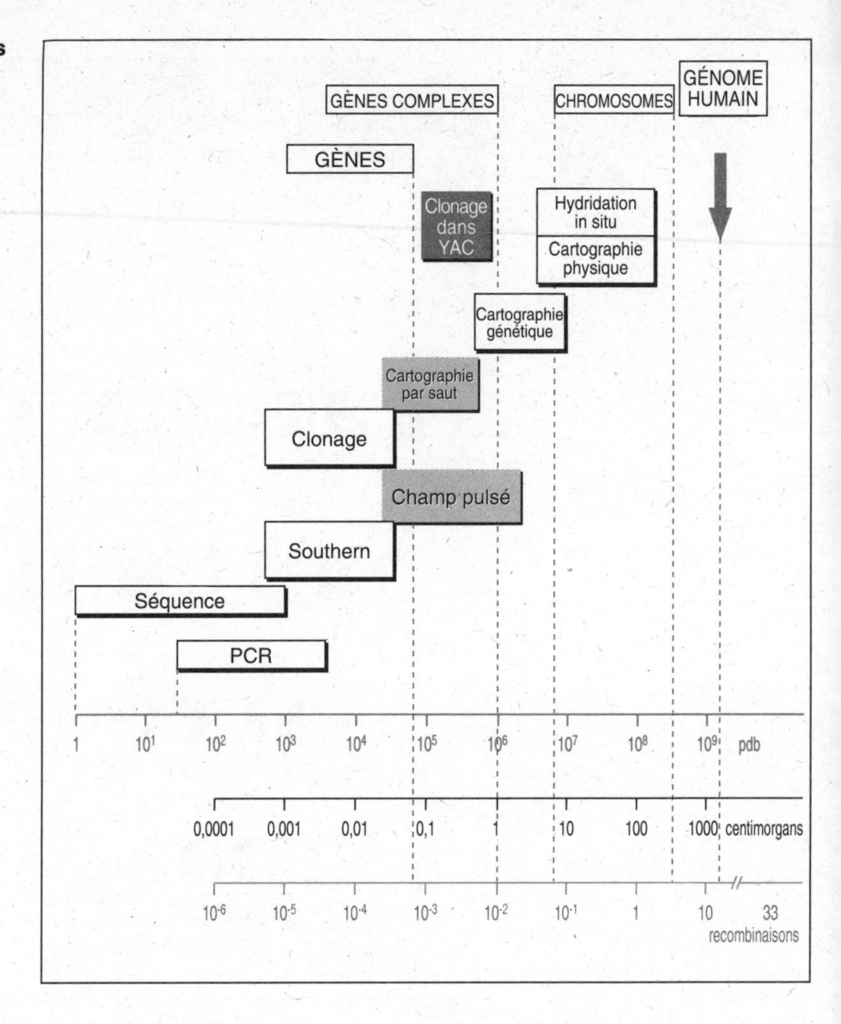

vaut à celui qui sépare le pouvoir résolutif de l'œil nu de celui du microscope optique !

Un certain nombre de méthodes ont été récemment développées pour combler ce fossé **(Figure 10-13)**.

VERS L'ÉTABLISSEMENT DE CARTES MOLÉCULAIRES SUR DES GRANDES DISTANCES

Le problème n'est plus seulement d'ordonner des séquences clonées sur le chromosome, mais de les relier physiquement pour obtenir des séquences continues de plusieurs centaines de kb. Rappelons que la longueur maximum de DNA cloné est de 15 à 20 kb pour un phage et de 50 kb pour un cosmide.

La marche sur le génome

Elle permet en théorie de se déplacer de part et d'autre d'une séquence clonée, qui sert de point de départ. Les extrémités de cette séquence sont sous-clonées et utilisées pour cribler une banque génomique chevauchante **(Figure 10-14)**, dont on va à son tour sous-cloner les extrémités des clones positifs.

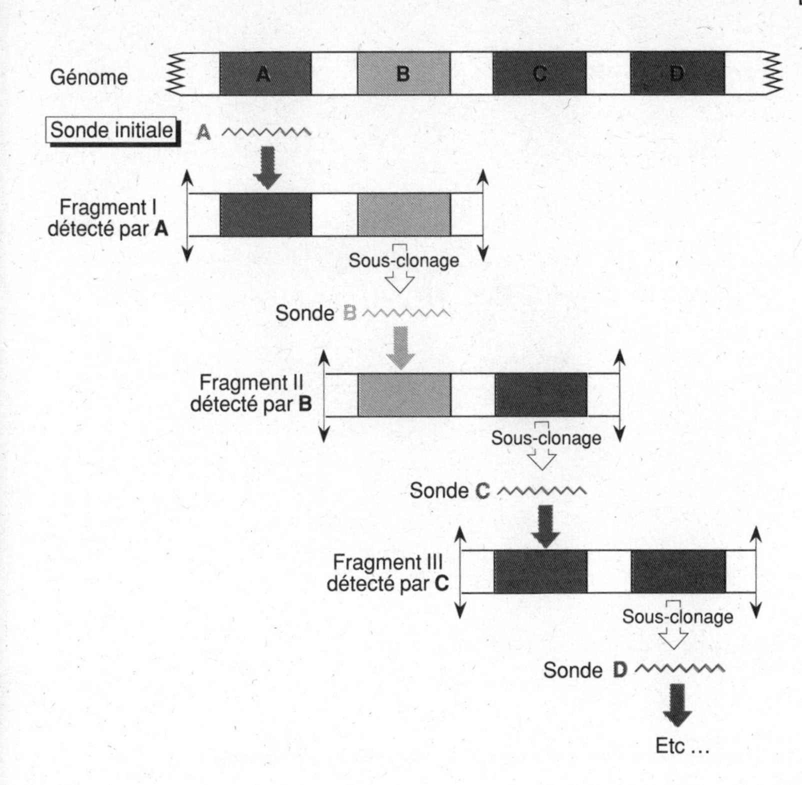

Figure 10-14 Principe de la marche sur le génome

La taille des fragments d'une telle banque ne dépassant pas 50 kb pour une banque de cosmides, et 20 kb pour une banque de phages lambda, il faut théoriquement 20 à 40 pas pour franchir une distance de 1cM (1 million de pb). En pratique, le nombre de pas à faire est beaucoup plus grand et la progression très lente (quelques kb par mois) d'autant plus que l'orientation est impossible et qu'il est nécessaire de marcher simultanément dans les deux directions. Enfin, si au cours de la marche on rencontre une séquence non clonable chez *E. coli* ou une séquence répétitive, la progression est définitivement stoppée.

La macrocartographie de restriction

Les cartes de restriction conventionnelles sont établies sur des fragments de DNA dont la taille ne dépasse pas 20 kb. Il est désormais possible de dresser des cartes de restriction sur des domaines couvrant 10 à 15 fois plus, grâce à l'utilisation d'enzymes coupant rarement et à la séparation électrophorétique de gros fragments de DNA, compris entre 50 et 2 000 kb.

Certaines enzymes de restriction coupent le génome peu fréquemment, car la séquence qu'elles reconnaissent et clivent est peu représentée du fait de sa grande longueur **(Tableau 10-4)**. Ainsi les enzymes Not I et Sfi I coupent en moyenne tous les 1 000 kb, soit environ 100 à 1 000 fois moins souvent que les enzymes habituellement utilisées.

Pour obtenir des fragments pouvant atteindre et dépasser 1 000 kb il faut éviter de casser le DNA au départ. C'est pourquoi au lieu d'utiliser les moyens de préparation conventionnels, on prépare le DNA directement à partir de cellules intactes (de préférence lymphocytes ou lymphoblastes) incluses dans un bloc d'agarose au travers duquel on fait diffuser les réactifs puis l'enzyme de restriction.

Pour obtenir une migration et une discrimination électrophorétiques de fragments supérieurs à 50 kb il faut recourir à un procédé dit d'**électrophorèse en champ pulsé** (Cantor) (voir aussi chapitre 20).

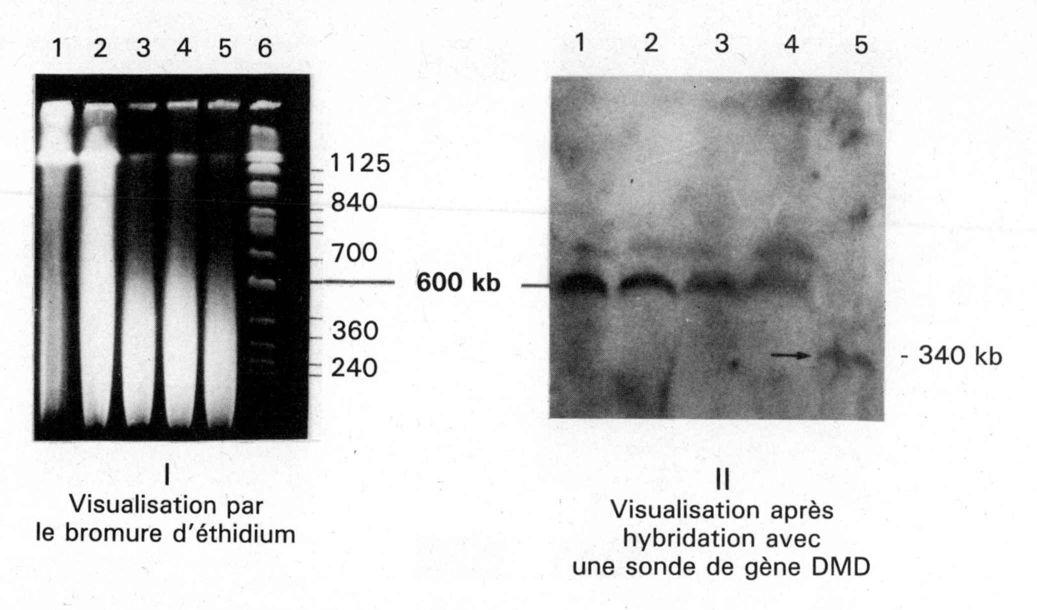

Figure 10-15 **Électrophorèse en champ pulsé de DNA génomique humain clivé par l'enzyme Sfi I**
Le dispositif est celui du champ clampé (méthode C.H.E.F.)
1 : sujet témoin normal.
2 à 5 : malades atteints de myopathie de Duchenne.
6 : marqueurs (chromosomes intacts de *Saccharomyces cerevisiae*).
La sonde utilisée pour l'hybridation en II (sonde P20) correspond à une séquence intronique dans la région médiane du gène DMD. Seul le sujet n° 5 présente une anomalie dans cette région (délétion de 250 kb).
(Cliché H. Gilgenkrantz, Institut Cochin de Génétique Moléculaire, Paris)

Tableau 10-4 **Enzymes de restriction produisant des coupures peu fréquentes sur le génome et utilisables pour la macrocartographie en champ pulsé**

Asu II	TTCGAA	Not I	GCGGCCGC
Aat II	GACGTC	Nru I	TCGCGA
BssH II	CGCGCG	Pvu I	CGATCG
Cla I	ATCGAT	Sac II	CCGCGG
Fsp I	TGCGCA	Sal I	GTCGAC
Mlu I	ACGCGT	Sfi I*	GGCCNNNNNGGCC
Nae I	GCCGGC	Sma I	CCCGGG
Nar I	GGCGCC	Xho I	CTCGAG
		Xma III	CGGCCG

* Sfi I est la seule enzyme de cette série qui ne comporte pas le doublet électivement méthylable CG. Elle est donc insensible à la méthylation.

Dans une électrophorèse conventionnelle en gel d'agarose les très gros fragments de DNA ne sont plus discriminés par l'effet de tamisage qui permet normalement la séparation de fragments inférieurs à 20 kb. Au moment où le champ électrique est établi, les gros fragments de DNA sont capables de subir une certaine déformation leur permettant de pénétrer par « reptation » dans les pores du gel. Celle-ci ne permet qu'une progression très lente et surtout non proportionnelle à la taille du fragment. En revanche si le courant change de direction (à 90°, 120° ou même à 180°) de manière alternative, le fragment est constamment réorienté, et la vitesse de réorientation est directement proportionnelle à la taille. On peut ainsi obtenir une discrimination fondée sur les différences du temps de réorientation, lui-même proportionnel au poids moléculaire de la particule. La durée de chaque impulsion doit être approximativement du même ordre de grandeur que le temps de réorientation afin que le pouvoir séparateur soit optimal. Trois principaux types de champs alternés sont utilisables : le champ pulsé orthogonal ou O.F.A.G.E. (champs alternant à 90°), le champ inversé ou F.I.G.E. (champs alternant à 180°), le champ « clampé » ou C.H.E.F. (champs alternant à 120°) (voir chapitre 20). Le premier et le troisième conviennent mieux pour séparer des fragments de taille supérieure à 1 000 kb ; le second convient mieux pour les fragments plus petits **(Figure 10-15)**.

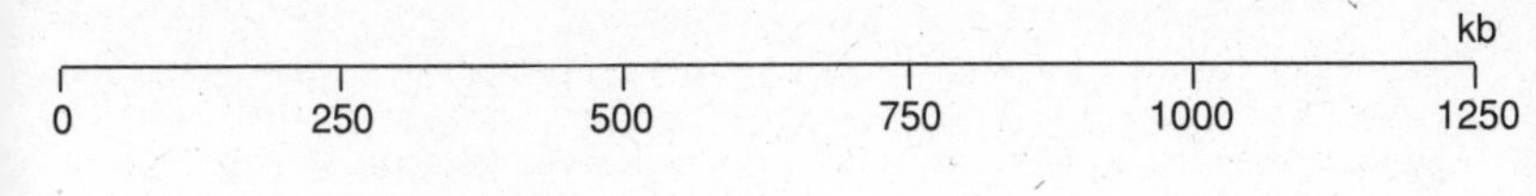

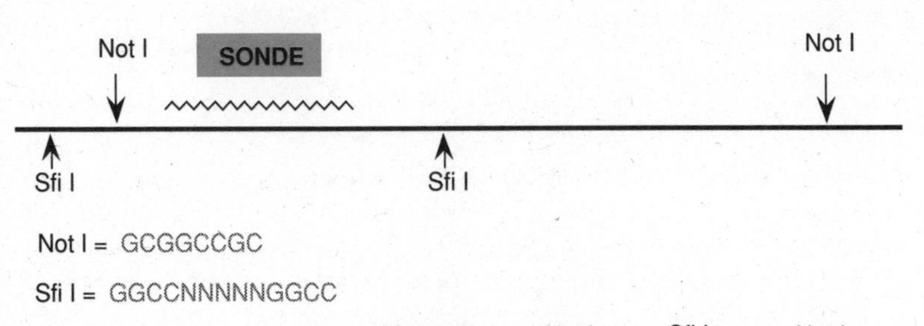

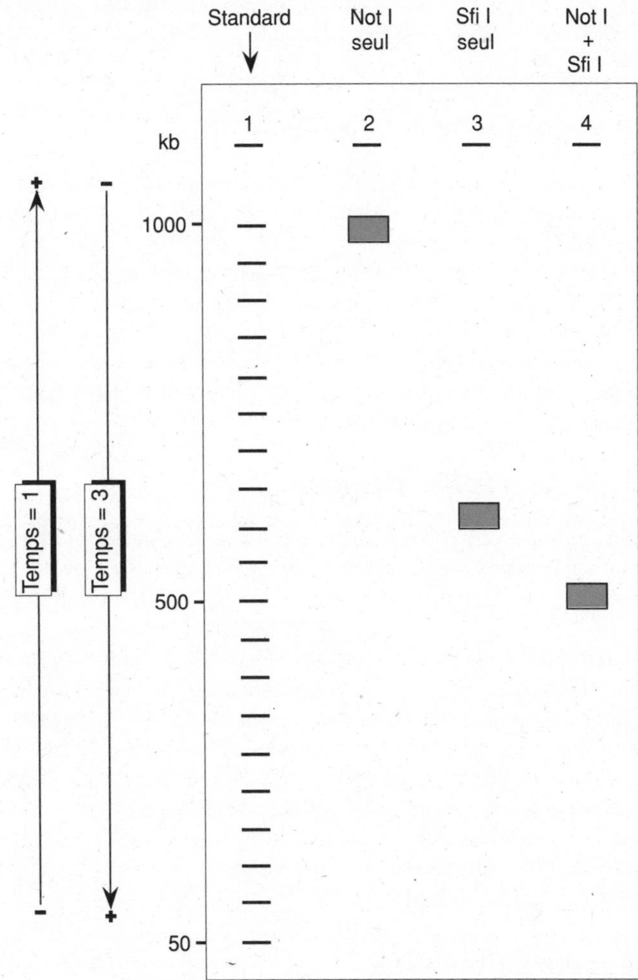

Figure 10-16 Macro-cartographie de restriction par électrophorèse
La double digestion par Not I + Sfi I permet de localiser les sites l'un par rapport à l'autre.

Après séparation électrophorétique les fragments sont morcelés in situ dans le gel par irradiation UV, pour faciliter leur transfert sur membrane de nylon. La suite des opérations (dénaturation, transfert, hybridation, lavage, autoradiographie) est identique à celle décrite à propos de la méthode de Southern (voir chapitre 28).

La méthode permet de dresser une carte sur plusieurs centaines de kb **(Figure 10-16)**. Elle permet aussi de relier physiquement deux sondes éloignées si elles reconnaissent le même macro-fragment de restriction.

A l'exception de Sfi I, les enzymes utilisées pour engendrer des grands fragments (Tableau 10-4) reconnaissent des sites méthylables parce qu'ils comportent un ou plusieurs doublets CG. Cette particularité, qui aurait pu être gênante, offre en fait deux avantages :
- la méthylation favorise les digestions partielles, ce qui fournit de précieux renseignements sur les fragments contigus qui ne sont pas normalement visualisables avec la sonde utilisée ;
- les ^{met}CG sont des sites privilégiés de mutation (en TG) ce qui engendre des RFLP. Les sites rares offrent donc l'intérêt d'être à la fois espacés et polymorphes.

Enfin, il est possible de cloner le DNA ainsi séparé, sous la forme de mini-banques de plusieurs dizaines de clones. Ces derniers fournissent à leur tour le moyen de progresser sur le génome avec des pas beaucoup plus grands que dans la marche simple. Mais la progression est difficile car les clones obtenus ne sont pas chevauchants. Celle-ci peut être considérablement accélérée grâce à la procédure par saut et la cartographie de jonction.

La stratégie des « contigs »

Elle consiste à découper le DNA génomique en fragments **chevauchants** d'environ 50 kb qui sont clonés dans un cosmide. La carte de restriction de chaque clone individuel est étudiée et introduite dans un ordinateur, qui effectue la comparaison et indique les clones ayant des fragments communs. A l'aide des premiers clones contigus, d'où le nom de **« contigs »**, on peut progressivement ordonner les clones. Cette stratégie s'est révélée très fructueuse pour dresser une première carte des 100 mégabases du génome de *Cænorhabditis elegans*. Elle a aussi servi dans l'approche du gène de la mucoviscidose (locus CF).

La cartographie par saut

Cette méthode consiste à obtenir la juxtaposition en un même clone de deux séquences de DNA situées aux deux extrémités d'un macro-fragment de restriction. Ceci peut être obtenu par le procédé décrit dans la **figure 10-17**.

On obtient ainsi, après sélection, une banque ***(jumping library)*** où en principe chaque clone recombinant contient un marqueur de sélection flanqué de deux séquences de DNA originellement éloignées sur le génome de 100 à 800 kb. Chacune d'entre elles peut ensuite servir de sonde pour reconnaître un fragment de restriction commun (par électrophorèse en champ pulsé), lequel correspond nécessairement au segment génomique qui les sépare. Ainsi sont physiquement reconstitués de grands segments de DNA, qui peuvent être ensuite reliés entre eux grâce à des clones de jonction (voir ci-dessous).

Le saut délétionnel

La pathologie délétionnelle peut être encore une fois mise à profit à des fins cartographiques. Une délétion met en continuité deux séquences de DNA normalement éloignées sur le génome. On peut effectuer un saut cartographique par clonage d'un DNA porteur de délétions, si l'on possède déjà une sonde pour l'une des séquences juxtaposées. De plus la macro-cartographie par électrophorèse en champ pulsé du DNA génomique délété apporte de précieux renseignements en permettant de relier physiquement des jalons — sites de restriction ou sondes — dont on savait la proximité génétique sans avoir pu la mesurer sur un génome normal. Cette stratégie de saut délétionnel s'est montrée fructueuse pour l'exploration du domaine gigantesque couvert par le gène DMD (voir chapitre 14).

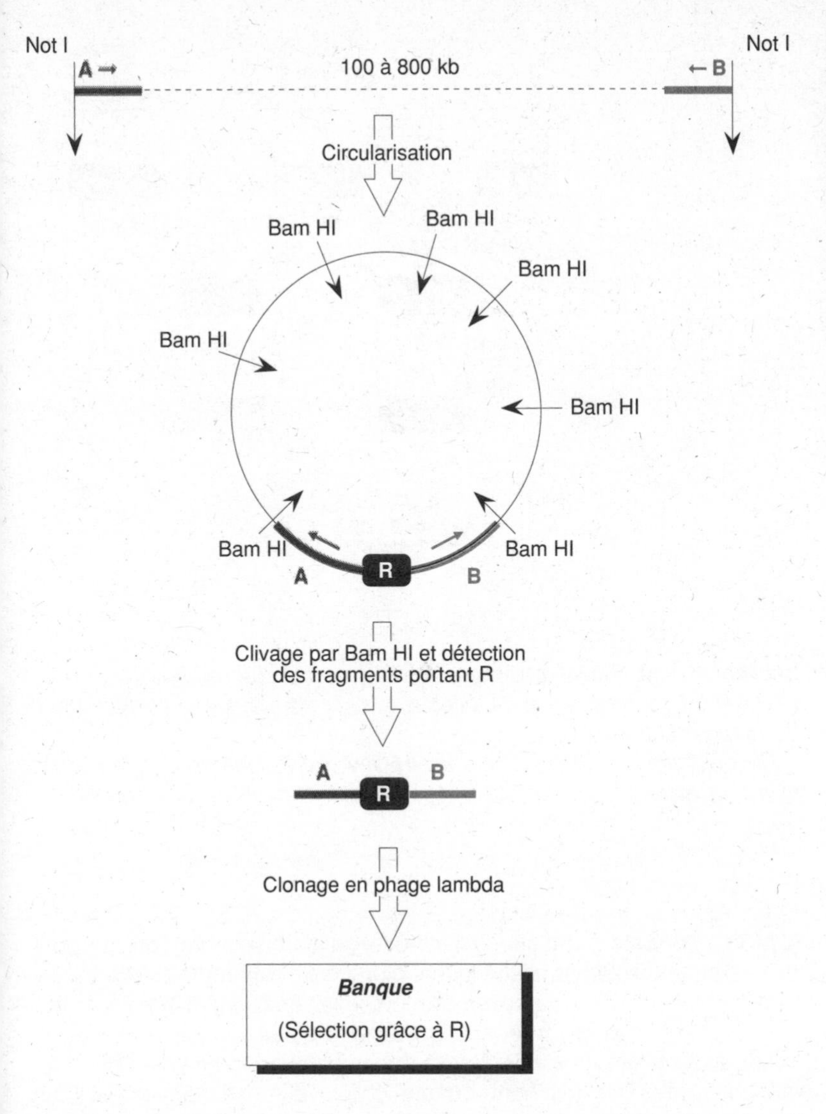

Figure 10-17 Construction d'une banque pour cartographie par saut *(jumping library)*
Des fragments de 100 à 800 kb sont obtenus après digestion par l'enzyme de restriction Not I (sites rares). Ils sont circularisés en englobant un gène **reporter (R)** permettant à la fois la détection et la sélection. Les constructions obtenues sont ensuite découpées par une enzyme coupant fréquemment (BamH I). Le fragment du cercle qui contient toujours le gène reporter renferme aussi les séquences A et B situées antérieurement aux extrémités du fragment Not I. Il est cloné dans un phage sous la pression sélective du gène reporter. On obtient une banque constituée de fragments initialement éloignés sur le génome et rapprochés par la circularisation.
(D'après Collins et Weissman, 1984)

Une fois que l'on dispose des moyens de borner de grands fragments, il faut pouvoir relier ces fragments entre eux à l'aide de clones de jonction.

Les banques de jonction

Elles sont obtenues en réalisant l'opération inverse de la précédente. Au lieu de cloner 2 à 2 les extrémités de grands fragments, on clone toutes les séquences contenant un seul site rare (Not I). Chaque clone d'une telle banque doit reconnaître la jonction entre deux fragments de grande taille obtenus avec la même enzyme et analysés par électrophorèse en champ pulsé.

La combinaison du saut et de la liaison permet d'ordonner de grands fragments et de progresser à grands pas dans les deux directions **(Figure 10-18)**. Cette double stratégie, très délicate à mettre en œuvre, a déjà permis de dresser des cartes continues de génomes relativement simples : des **chromosomes bactériens**, qui avec une taille de 5 à 20 mégabases, représentent 10 à 40 clones distants de 50 kb qu'il faut ordonner ; un **chromosome de levure** (le plus petit des génomes eucaryotiques), 10 mégabases ; le **chromosome de *Cænorhabditis elegans*** (ce néma-

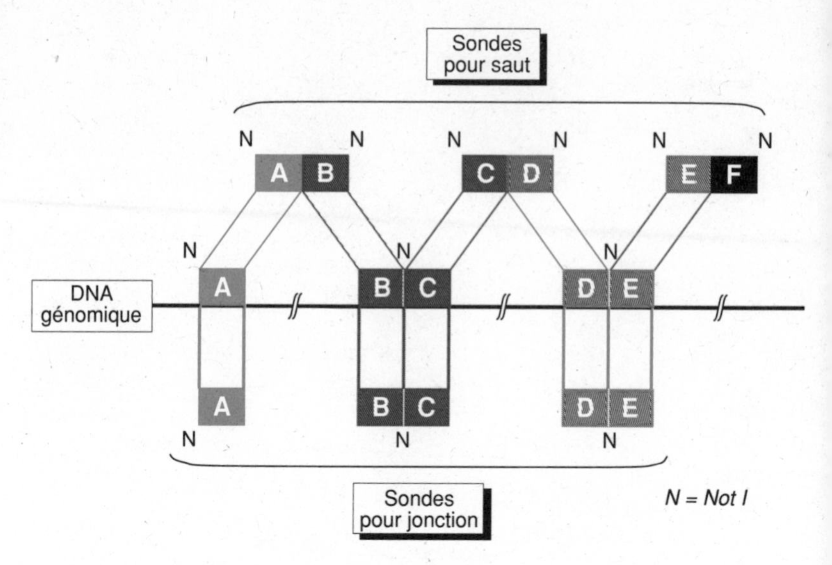

Figure 10-18 **Macrocartographie orientée par saut et jonction**
On utilise conjointement des sondes obtenues par saut et des sondes de jonction. Cette stratégie permet de procéder par bonds de plusieurs centaines de kilobases.
(D'après Poutska et Lehrach)

tode possède le plus petit génome des eucaryotes pluricellulaires) qui avec ses 100 mégabases est déjà à l'échelle d'un chromosome humain (50 à 250 mégabases).

On peut prévoir que très vite des **cartes physiques** de chromosomes humains entiers pourront être dressées par ce type de procédé.

Le transfert de segments de chromosome

Cette méthode, appelée en anglais *chromosome mediated gene transfer* **(CMGT)**, consiste à transférer dans une cellule eucaryote non humaine des fragments subchromosomiques, d'une taille variant de 1 à 50 mégabases. Pour cela les chromosomes métaphasiques sont co-précipités par le phosphate de calcium, et appliqués sur la culture cellulaire. La pénétration et l'expression stable de ces fragments de génome sont des événements rares ne touchant qu'une cellule sur 10^6, aussi faut-il un système de sélection. Celle-ci est obtenue grâce à des anticorps monoclonaux reconnaissant des antigènes de surface, ou bien grâce à un gène dominant. Dans cette dernière catégorie figurent les oncogènes activés (ici le marqueur est endogène et permet de transférer la région chromosomique qui l'entoure), et le gène de résistance à la néomycine (plasmide pSV2-*neo*) permettant la sélection par le G-418 (ici le marqueur est exogène et doit être intégré dans les chromosomes humains avant l'opération de CMGT).

Il semble qu'après CMGT les fragments puissent soit demeurer à l'état libre dans la cellule receveuse, soit s'intégrer dans un chromosome. Cette méthode diffère de la transfection de DNA, car cette dernière ne concerne que des petits fragments de DNA nu, dépassant rarement 100 kb. Elle a déjà permis de remporter des succès, dans la cartographie de la région 11p15, autour du proto-oncogène **Ha-*ras* 1** activé, et dans celle de la région 7q31 en permettant, grâce au proto-oncogène ***met*** activé, de se rapprocher du gène de la mucoviscidose (locus CF, Williamson).

Le macro-clonage dans la levure (YAC)

Un important pas en avant a été franchi avec la construction d'un nouveau vecteur dont la forme recombinée est capable de se propager dans la levure (Burke, Carle et Olson 1987) (voir chap. 24 et 26). Il s'agit d'un **mini-chromosome artificiel de levure** (**YAC** : *Yeast Artificial Chromosome*), comportant tous les signaux spécifiques d'un chromosome de levure (origines de réplication, centromère, télomère) et assurant ainsi une propagation fidèle et stable dans cet eucaryote unicellulaire. Le vecteur est nanti d'un site de clonage dans un gène marqueur permettant l'incorporation contrôlée de DNA exogène, et de marqueurs de sélection qui permettent de sélectionner les levures recombinées. Après transfert dans la levure, le mini-chromosome recombiné demeure raisonnablement stable au cours des mitoses successives*. L'intérêt de ce vecteur est de pouvoir acepter des fragments de plusieurs centaines de kilobases (100 à 2 000 kb), ce qui représente 2 à 40 fois plus que la capacité d'un cosmide. Ceci devrait grandement faciliter la cartographie du génome humain (à raison de 150 kb par insertion, celui-ci tiendrait tout entier dans une banque de 20 000 clones seulement). La méthode sert essentiellement à construire des **banques chevauchantes** représentatives. A partir de 1990, un nombre croissant de banques de YAC ont vu le jour, soit à partir de DNA génomique total, soit à partir du DNA d'un chromosome particulier. Elles sont à présent activement exploitées, et constituent un irremplaçable trait d'union entre carte physique et carte génétique. Leur exploitation rationnelle consiste à les cribler avec des sondes déjà existantes pour permettre d'ordonner les YAC chevauchants.

Il existe plusieurs procédés de criblage. On peut immobiliser le DNA de chaque clone de YAC sur un filtre et l'hybrider avec les sondes dont on dispose. L'opération implique la préparation de nombreuses répliques, où l'on dépose le maximum d'échantillons de DNA de clones individuels en un quadrillage pouvant atteindre jusqu'à 10 000 clones par filtre. On peut aussi travailler en milieu liquide dans des puits de plaques à microtitration (96 échantillons par plaque), où l'on repère la séquence recherchée par un couple d'amorces et une amplification par PCR. Ce criblage par PCR est simple et très rapide, d'autant plus qu'on peut accélérer la procédure en mélangeant d'une part tous les puits d'une même rangée verticale, ce qui donne 12 échantillons, et d'autre part tous les puits d'une même rangée horizontale, ce qui donne 8 échantillons. En pratiquant la PCR sur ces 20 échantillons seulement, on peut reconstituer les coordonnées de chaque puits positif (voir figure 26-3 page 634). Toutes ces manipulations réclament une organisation rigoureuse, et rendent nécessaire le recours à des robots capables d'effectuer sans erreur des milliers de tâches répétitives.

Schématiquement les YAC peuvent rendre les services suivants :

— ils permettent d'accroître considérablement le nombre de sondes pour une région chromosomique donnée, notamment par l'utilisation extensive de la méthode *Alu*-PCR (voir plus loin) ;

— dans la stratégie dite « de bas en haut » ***(bottom-up)*** ils permettent de marcher rapidement sur le chromosome à partir d'un point de repère donné, et d'élargir la cartographie du territoire génomique considéré, en ordonnant et en analysant les **YAC contigs**. C'est grâce aux YAC que la génétique inverse a connu un démarrage foudroyant, permettant la découverte et l'identification de très grands gènes, comme par exemple le gène CFTR de la mucoviscidose, le gène NF1 de la neurofibromatose, le gène de la polypose colique familiale, le gène du syndrome X-fra. C'est sur eux que repose l'espoir d'identification de nombreux gènes dont le domaine génomique a pu être délimité physiquement (gène de la chorée de Huntington, de l'ataxie de Friedreich, etc., voir chapitre 11) ;

— dans la stratégie dite « de haut en bas » ***(top-down)*** les YAC sont utilisés directement pour l'hybridation in situ sur des chromosomes. On peut repérer leur emplacement sur les chromosomes et procéder à la car-

* Il existe cependant un risque non négligeable de chimérisme, c'est-à-dire de fusion entre deux fragments non contigus de DNA humain, voire entre DNA humain et DNA de rongeur (si l'on est parti d'hybrides somatiques).

tographie sur une grande distance d'une région chromosomique donnée ;

— les YAC, grâce à leur intense activité de recombinaison méiotique (équivalente à celle des chromosomes de levure intacts, soit 3 kb pour 1 centimorgan, soit 300 fois plus que chez l'homme), peuvent être utilisés pour reconstituer des grands gènes en un seul YAC. C'est ainsi que l'on a pu reconstituer les 250 kb du gène CFTR (gène de la mucoviscidose, voir chapitre 14) en un seul YAC de 790 kb à partir de fragments initialement répartis dans 30 contigs de YAC couvrant 1,5 mégabase (Green et Olson, 1990). La très grande taille de certains gènes a cessé d'être un obstacle à leur étude fonctionnelle, soit ex vivo, soit même in vivo. En effet, après reconstitution en un YAC unique, ils peuvent être transfectés dans des cellules de mammifères où ils peuvent s'exprimer, voire s'intégrer dans le chromosome de la cellule hôte ;

— les YAC peuvent servir à isoler des régions exerçant une fonction particulière (cas des télomères).

Les hybrides somatiques irradiés

Il est possible de réduire la taille du complément chromosomique humain dans un hybride somatique HPRT+, en procédant à une irradiation létale (8 000 rad de rayons X), qui entraîne une fragmentation des chromosomes. Les cellules irradiées sont ensuite fusionnées avec des cellules de rongeurs HPRT-, et les hybrides secondaires sont sélectionnés en milieu HAT. Si l'on part d'un hybride ne contenant qu'un seul chromosome humain, on obtient une collection de clones cellulaires contenant des fragments chevauchants de ce chromosome. Ceux-ci sont analysés avec une collection de sondes spécifiques du chromosome étudié. Comme le procédé n'entraîne pas de réarrangement des fragments produits, la fréquence avec laquelle deux marqueurs distincts sont retrouvés dans un même clone est inversement proportionnelle à la distance physique qui les sépare sur le chromosome intact. En estimant la fréquence des cassures par irradiation, on peut estimer la distance entre les marqueurs, et finalement établir leur ordre. Cette méthode, récemment développée par D. Cox et al, remplace la ségrégation méiotique sexuée de la cartographie génétique classique par une ségrégation somatique après irradiation. Couplée à l'électrophorèse en champ pulsé (p. 255) la méthode permet d'ordonner des grands fragments (1 à 10 Mb) avec une résolution de 500 kb. Elle a déjà rendu de grands services pour la carte des chromosomes 4, 11, 21 et 22.

CARTOGRAPHIE ET PCR

Les services rendus à la cartographie du génome humain par la méthode PCR sont innombrables.

D'une part le procédé a permis de simplifier et d'accélérer des procédés déjà existants :

— confection rapide des sondes (véritable clonage in vitro) ;

— simplification de la détection des polymorphismes ;

— aide au séquençage ;

— analyse des chromosomes isolés, soit au sein d'hybrides somatiques, soit après tri chromosomique ;

— criblage des banques de YAC ;

— automatisation des procédures.

D'autre part la méthode PCR a permis d'introduire un certain nombre d'innovations jusqu'ici techniquement irréalisables.

La micro-dissection d'une région chromosomique

Elle est possible par **micro-manipulation**. Le micro-clonage direct de régions micro-disséquées n'avait été jusqu'à présent réalisé que sur les chromosomes géants de drosophile, avec un rendement de clonage très faible. L'amplification préalable par PCR du matériel micro-disséqué augmente considérablement ce rendement, ce qui a permis de l'appliquer avec succès à des chromosomes humains visualisés en bandes G.

L'opération a été réussie pour la première fois par Lüdecke et al (1989) qui ont réalisé la micro-dissection de la bande 8q23, soit environ 10 000 kb, impliquée dans le syndrome de Langer-Giedion. Le produit de la dissection de 20 à 40 chromosomes (soit environ 3 à 6×10^{-13} g de DNA) a été digéré par une enzyme de restriction coupant fréquemment, et les fragments obtenus ont été liés à des amorces universelles de clonage, permettant d'effectuer ensuite une micro-amplification par PCR en utilisant ces mêmes amorces. Après clonage du produit d'amplification dans un plasmide, 20 000 clones ont été obtenus. L'ensemble des opérations est réalisé dans une micro-goutte (1 nanolitre).

Bien qu'elle soit d'un rendement global encore très imparfait (les clones obtenus ne représentent que quelques pour cent du DNA micro-disséqué), la méthode devrait rendre de grands services pour la recherche des gènes contenus dans des régions chromosomiques impliquées dans des syndromes microdélétionnels, ou syndromes des gènes contigus (voir p. 437). Elle est déjà utilisée pour les régions chromosomiques suivantes : 8q23.3 – q24.1 (syndrome de Langer-Giedion), 11p13 (syndrome WAGR), 15q11.2 – q13 (syndrome de Prader Willi), 22q12 – q13.1 (méningiome).

L'analyse des microsatellites polymorphes

L'existence d'une famille de séquences répétitives de type $(CA)_n.(GT)_n$, dispersées dans le génome, était connue depuis 1981, mais il a fallu attendre l'introduction de la méthode PCR pour qu'apparaisse leur caractère très polymorphe (1989). Les microsatellites, répétitions de doublets (CA) où le nombre de répétitions est supérieur à 12, représentent un nouveau type de marqueurs polymorphes multi-alléliques, particulièrement utiles en raison de leur informativité (valeur moyenne du PIC = 0,6), et de leur fréquence (voir chapitre 9). On en estime le nombre à environ 50 000, en principe répartis sur l'ensemble du génome. Leur mise en évidence n'est possible qu'après amplification par PCR à l'aide de séquences uniques flanquant le microsatellite, et révélation des variations du nombre de répétitions par électrophorèse. Pour pouvoir distinguer des allèles ne différant que par un doublet on doit, le plus souvent, recourir à une électrophorèse en gel de polyacrylamide dénaturant, type gel de séquence. La méthode ne requiert aucun transfert de type Southern, ni hybridation. Elle nécessite parfois, mais pas toujours, un marquage radioactif des amplimères. La méthode est automatisable grâce à l'emploi de la *Taq* polymérase, et des dizaines d'échantillons peuvent être traités puis analysés simultanément. Il est même possible de co-amplifier dans un même tube un mélange de différents microsatellites et, après électrophorèse et transfert sur une membrane, de les révéler successivement par hybridation avec les différentes amorces marquées, ou simultanément si la taille des fragments le permet (méthode ***multiplex***) (voir Figure 9-12). Plus faciles à identifier, et plus informatifs que les RFLP, les microsatellites les ont supplantés pour les analyses de linkage et l'établissement des cartes génétiques. C'est pourquoi ils sont activement recherchés, d'une part par interrogation des banques de séquence, d'autre part en criblant systématiquement des banques génomiques avec des sondes de type $(CA)_n/(TG)_n$. Dans chaque clone ainsi repéré : 1) on établit la séquence unique qui se trouve de part et d'autre du microsatellite, afin de pouvoir l'étudier systématiquement par PCR ; 2) on vérifie s'il est polymorphe et on mesure le PIC ; 3) on procède à sa localisation chromosomique. Dans la liste établie lors de la conférence HGM 11 (Londres, 1991) on en dénombrait déjà plusieurs centaines.

La multiplication des sondes par la méthode *Alu*-PCR

Les longues séquences répétées dispersées appartenant à la famille Alu (p. 36) sont au nombre de 900 000 copies par génome, soit en moyenne tous les 4 kb. En utilisant des amorces contenant des séquences typiquement représentées dans les membres de la famille Alu on peut, par la méthode PCR, amplifier les séquences séparant deux répétitions Alu, si l'intervalle n'est pas trop grand (moins de 3 kb) et en tenant compte des orientations. Cette ingénieuse méthode (proposée en 1989 par Nelson et al) permet d'engendrer, au sein d'un segment de DNA plus ou moins grand (cosmide, YAC, chromosome entier, chromosome irradié), une collection de séquences, lesquelles sont directement utilisables comme sondes uniques à condition d'éliminer, par compétition avec un excès de DNA humain total, les signaux dus aux séquences Alu présentes sur les sondes (voir page suivante). La méthode offre les avantages suivants : 1) elle dispense du sous-clonage ; 2) elle fournit d'emblée de nombreuses sondes ; 3) dans les hybrides somatiques, elle distingue parfaitement le DNA humain du DNA de rongeur, puisque les amorces Alu ne reconnaissent que le DNA humain ; 4) dans les YAC, elle constitue le seul moyen d'isoler rapidement les inserts de DNA humain, sans contamination par le DNA de levure, afin d'analyser leur localisation chromosomique régionale et de les ordonner en contigs ; 5) l'ensemble des séquences amplifiées à partir du DNA d'un chromosome connu peuvent être marquées en totalité et utilisées pour identifier un chromosome, en métaphase ***(chromosome painting)***, voire en interphase.

L'application de la méthode PCR au DNA d'un seul spermatozoïde

Par dilution limite ou micromanipulation, il est possible d'isoler un seul spermatozoïde et d'amplifier par PCR une ou plusieurs séquences de DNA à partir d'amorces spécifiques. La méthode est très délicate car le niveau de sensibilité requis la rend vulnérable à la moindre contamination, et elle n'a pas jusqu'à présent été concrètement exploitée. Pourtant, en théorie, elle recèle un potentiel énorme pour la mesure des distances génétiques. En effet, typer les allèles polymorphes et les combinaisons haplotypiques dans un seul spermatozoïde revient à analyser le résultat d'une méiose. En répétant l'analyse sur 100 spermatozoïdes différents d'un même individu, on explore d'un seul coup 100 méioses, soit l'équivalent d'une énorme généalogie. La méthode recèle donc en théorie un moyen d'augmenter considérablement la résolution de la carte génétique par linkage chez l'Homme.

Un nouveau langage universel pour la cartographie du génome : les STS

En 1989 M. Olson, L. Hood, C. Cantor et D. Botstein ont proposé de généraliser le concept de marqueurs amplifiés in vitro par PCR sous le nom de **STS *(sequence-tagged sites)***. On désigne ainsi toute séquence unique, polymorphe ou non, amplifiable par une paire spécifique d'amorces et dont la localisation chromosomique est définie. Toute sonde clonée, quel que soit son usage, peut donc être définie par un couple d'amorces pour PCR, pour peu que l'on ait établi un lambeau de séquence. L'information correspondante est facile à stocker dans les banques de données ; elle peut aisément circuler au sein de la communauté scientifique, et remplace avantageusement les envois de sondes ou de clones. Le langage des STS consiste donc à formater pour la méthode PCR les différents types de marqueurs polymorphes ou non. Les microsatellites polymorphes illustrent bien l'intérêt de ce langage.

L'hybridation in situ révolutionnée par les sondes non radioactives

Grâce à l'avènement de nouveaux procédés de marquage non radioactif des chromosomes et à l'utilisation de nouveaux types de sondes, l'hybridation in situ connaît à présent un développement remarquable. Les progrès concernent d'une part les procédures de marquage des sondes, d'autre part les cibles que l'on peut atteindre avec ces sondes.

Le marquage non radioactif

Il est maintenant possible de marquer les sondes par des procédés non radioactifs raisonnablement sensibles, permettant de détecter des séquences uniques avec une sensibilité équivalente à celle du ^{3}H. Le principe consiste à accrocher de manière covalente au DNA de la sonde soit de la biotine, soit un haptène (par exemple de la digoxigénine), qui les rend révélables après hybridation soit avec l'avidine, soit avec un anticorps, marqués par un fluorochrome ou une enzyme. Le signal final peut être amplifié en révélant la biotine ou l'anticorps par un système amplificateur (systèmes sandwich utilisant plusieurs couches d'anticorps). Le plus souvent le signal mesuré est fluorescent, d'où le nom de **FISH *(Fluorescence In Situ Hybridization)*** donné à la méthode. Par extension ce sigle désigne tout procédé d'hybridation in situ sur chromosome par un marqueur non-radioactif, même non fluorescent. Cette méthode permet de visualiser simultanément plusieurs sondes différentes marquées par des fluorochromes différents. Les résultats sont obtenus en quelques jours, au lieu de plusieurs semaines pour l'hybridation in situ radioactive.

Les cibles

Il est possible de visualiser par FISH des **cibles uniques** de l'ordre de 1 kilobase en utilisant des petites sondes. Par rapport au marquage radioactif, en plus de la sécurité, de la stabilité du marquage dans le temps et de la commodité de détection, le FISH offre une **résolution spatiale** incomparable. Celle-ci est telle que l'on peut aisément distinguer le marquage d'un gène sur deux chromatides sœurs. Cependant la méthode FISH est surtout utilisée pour visualiser des cibles plus grandes, grâce à l'emploi de grandes sondes (après fragmentation du DNA), telles que cosmides, YAC, et même chromosome individuel, voire DNA total. On peut aussi utiliser des mélanges de sondes, provenant d'un chromosome donné, comme par exemple une collection de sondes obtenues par *Alu*-PCR. L'emploi des grandes sondes pour visualiser des cibles de plus en plus grandes est possible si on élimine l'hybridation non spécifique produite par les séquences répétitives dispersées, lesquelles sont nécessairement présentes dans ces sondes. On y parvient par compétition préalable de la sonde ou du mélange de sondes avec du DNA humain total (en anglais *chromosomal in situ suppression (CISS) hybridization*). Ce procédé a représenté un progrès décisif, permettant de visualiser jusqu'à un chromosome entier ***(chromosome painting)***. Les multiples applications peuvent être regroupées en deux catégories :

— **cartographie de sondes :** localisation de cosmides et de YAC sur chromosomes métaphasiques marqués par une technique de bande, avec une résolution de quelques Mb, pouvant être améliorée par l'utilisation de deux fluorochromes. Une application particulièrement précieuse est la détection des **YAC chimères** contenant du DNA humain artificiellement remanié, c'est-à-dire possédant des séquences non contiguës sur le génome humain de départ ;

— **identification de chromosomes :** par exemple dans des hybrides somatiques, surtout après irradiation où la fragmentation des chromosomes les rend méconnaissables par les techniques de marquage en bandes (**Figure 10-19,** planche couleur hors texte).

L'identification, souvent difficile, de petits segments chromosomiques transloqués est également grandement facilitée.

Une perspective intéressante : l'hybridation in situ en interphase. Il est désormais possible de marquer la chromatine interphasique, où des séquences distantes de 100 kb seulement ont pu être distinguées, par exemple dans le gène de la dystrophine (Lawrence et al, 1990). Le pouvoir de résolution est ainsi augmenté d'une magnitude. Il est même envisageable de descendre à moins de 50 kb en s'adressant à du DNA de spermatozoïde humain ayant subi une décondensation maximale après fusion avec des ovocytes de hamster (Brandriff et al, 1991). Ainsi se dessine la perspective de pouvoir attribuer une mesure physique à un intervalle entre deux locus, c'est-à-dire d'aider au comblement du fossé méthodologique entre carte génétique et carte physique, déjà entamé grâce aux YAC et à l'électrophorèse en champ pulsé. Enfin l'hybridation in situ sur chromatine ouvre la voie à l'établissement du **« caryotype interphasique »**, où les chromosomes seraient dénombrés par l'emploi d'une batterie de sondes chromosomes-spécifiques.

CARTE GÉNÉTIQUE NORMALE ET CARTE DES LOCUS MORBIDES

En août 1991 (à la Conférence HGM 11 de Londres) on recensait près de 10 000 locus cartographiés sur le génome humain, définis par un gène identifié, un marqueur génétique, une sonde clonée anonyme ou un site chromosomique fragile. Ce nombre représente un doublement par rapport au nombre de locus recensés deux ans auparavant à la Conférence HGM 9 (Yale, 1989). Il existe à l'heure actuelle un nombre de sondes suffisant en théorie pour réaliser des cartes de liaison couvrant la totalité du génome avec une définition de 1 centimorgan (approximativement 1 mégabase).

En réalité 90 p. 100 des marqueurs ne sont ni suffisamment informatifs, ni régulièrement distribués pour permettre d'atteindre cet objectif. C'est pourquoi l'accent est mis à l'heure actuelle sur le développement des marqueurs de type microsatellites, dont déjà plusieurs centaines ont été caractérisés à la Conférence HGM 11 (août 1991).

Sur plus de 5 000 maladies à transmission héréditaire monofactorielle (répertoriées en 1992 par V. McKusick dans son répertoire *Mendelian Inheritance in Man*), seulement 10 p. 100 sont localisées (506 locus morbides cartographiés à la Conférence HGM 11, Londres 1991).

Aux locus morbides correspondant à un gène identifié (305 répertoriés) s'ajoutent de très nombreux autres où le gène demeure inconnu. Leur localisation constitue la première étape de la stratégie de la génétique inverse qui vise à identifier le gène responsable et la protéine en cause. Déjà une trentaine de gènes ont été identifiés par cette stratégie (voir tableau 11-5).

Le projet « Génome Humain »

Le projet de séquencer complètement le génome humain a été lancé en 1986 aux États-Unis, sous l'impulsion de W. Gilbert et J. Watson. Cette énorme tâche a d'abord été évaluée à 30 000 années/chercheurs, pour un coût de 1 dollar le nucléotide, soit 3 milliards de dollars. Initialement la faisabilité de cette entreprise ambitieuse a été sérieusement mise en doute, notamment à cause de la lenteur des procédures non encore automatisées, et aussi à cause des difficultés inhérentes aux séquences répétitives ou non clonables dans *E. coli.* D'autre part, son coût a soulevé des inquiétudes de la part de chercheurs craignant que l'argent attribué à cette recherche ne soit détourné des autres projets en cours. Enfin son utilité même a été vivement contestée par certains, considérant que la stratégie consistant à chercher des ilôts codants disséminés dans un océan de DNA non codant ne pouvait être payante.

En fait la communauté scientifique internationale, tout en reconnaissant l'intérêt du projet, s'est prononcée en faveur d'objectifs plus immédiats : 1) forger les outils technologiques nécessaires, c'est-à-dire des dispositifs permettant d'automatiser l'analyse et la saisie des résultats. Ceci devrait réduire d'un facteur 10 le temps et les coûts ; 2) assurer un financement exceptionnel et indépendant de l'enveloppe recherche normale ; 3) se contenter dans un premier temps de produire une carte à l'aide de clones ordonnés, ceux-ci étant ultérieurement séquencés par les laboratoires intéressés.

Quelles que soient les retombées à long terme de l'entreprise, ce sont les bénéfices pour la médecine qui semblent motiver surtout les partisans du projet : ils y voient le moyen d'accélérer l'élucidation des gènes impliqués dans la carcinogenèse, et des gènes responsables des maladies génétiques à gène inconnu.

A l'heure actuelle, trois tendances complémentaires se dessinent :

• *Cartographier les locus morbides et en extraire les gènes impliqués,* c'est-à-dire développer la génétique inverse (voir chapitre 11). Cette stratégie est à la fois utilitaire (diagnostic, compréhension, espoir de traitement pour un nombre croissant de maladies), et sûre (puisque le locus morbide contient nécessairement un gène, ou une séquence régulatrice, responsable directement ou indirectement de la pathologie considérée). Cependant, comme nous le verrons en détail dans le chapitre 11, la démarche de la génétique inverse est parfois lente ; de plus le nombre de gènes restant à découvrir (environ 50 000, voire 100 000) est 10 fois plus grand que le nombre de maladies à gène inconnu. Celles-ci ne suffiront donc pas à apporter toute la lumière sur le génome humain. C'est pourquoi il faut en parallèle aborder le problème différemment.

• *Découvrir des gènes nouveaux par le séquençage systématique des banques de cDNA.* Cette approche consiste à considérer que celles-ci sont des « concentrés » de génome, réduit à sa substantifique moelle : les exons. Logiquement la séquence de chaque clone de cDNA doit apporter une information précieuse, à la fois comme morceau de gène et comme balise génomique aisément réplicable in vitro par PCR, d'où le sigle **EST** *(Expressed Sequence Tag)* par analogie avec les STS. Avantage supplémentaire, les banques de cDNA de départ peuvent être dérivées de tissus donnés et à un stade de développement donné, ce qui permet d'effectuer un classement spatio-temporel et d'offrir un éclairage sur la fonction. Cette stratégie implique de séquencer systématiquement et au

Tableau 10-5 Les modèles de génomes étudiés dans le cadre du projet « Génome Humain »

Organisme	Classification	Nombre de chromosomes (haploïde)	Taille du génome haploïde (Mb)	% du génome séquencé*
Homo sapiens	Mammifère	23	3 500	0,6
Mus musculus	Mammifère	20	3 000	0,3
Drosophila melanogaster	Insecte	4	160	1,8
Caenorhabditis elegans	Nématode	6	100	1,1
Arabidopsis thaliana	Plante	5	100	0,6
Saccharomyces cerevisiae	Levure	16	14	27,0
Escherichia coli	Bactérie	1	4,8	76,0

*d'après la banque de données de séquence du Laboratoire Européen de Biologie Moléculaire (EMBL, Heidelberg, juin 1992).

Trois grandes avancées en 1992 dans le domaine du génome humain

Coopération, industrialisation des procédures et informatique sont à l'origine de progrès décisifs.

• ***Sur le front de la carte génétique, l'établissement de la première carte globale par analyse de* linkage**. Grâce à une coopération internationale sans précédent, un consortium de 77 laboratoires, utilisant 676 marqueurs génétiques polymorphes, préalablement localisés sur un chromosome, pour analyser 40 familles du CEPH (familles de 3 générations totalisant 517 individus), a permis de dresser la première carte génétique ayant une **résolution meilleure que 5 centimorgans** *(NIH/CEPH Collaborative Mapping Group, Science 1992, 258, 67).* Cette carte couvre 92 p. 100 du génome contenu dans les autosomes et 95 p. 100 de celui du chromosome X. Une particularité essentielle de l'énorme travail accompli est qu'il est autocatalytique. En effet, toute addition d'un nouveau marqueur polymorphe facilite le positionnement des marqueurs suivants (un peu comme dans la coopérativité positive de la théorie de l'allostérie). Il en résulte qu'à l'heure actuelle il n'est même plus nécessaire d'appliquer les nouveaux marqueurs polymorphes aux 40 familles, car 5 ou 6 familles suffisent pour les positionner par rapport aux autres marqueurs figurant sur la carte. Il existe des procédures automatiques (programmes de lecture, de saisie et de calcul) permettant d'intégrer quasi instantanément toute nouvelle donnée de linkage dans la carte existante. Une robotisation et une standardisation poussée ont permis à J. Weissenbach et al (1992) d'isoler des centaines de microsatellites hyperpolymorphes et de les positionner dans les familles du CEPH.

• ***Sur le front de la carte physique chromosomique, l'établissement des premières cartes physiques de chromosomes à l'aide de clones de YAC :***

— **chromosome Y**, par 196 YAC chevauchants, couvrant sans lacune les 28 Mb de la région euchromatique *(Foote et al, Science 1992, 258, 60)* ;

— **chromosome 21**, par 810 YAC chevauchants, couvrant sans lacune les 43 Mb du bras long (21q) *(Chumakov et al, Nature 1992, 359, 380)*.

• ***Sur le front de la carte physique génomique globale, la reconstitution de 50 p. 100 du puzzle***, par l'ordonnancement de 1 000 clones de YAC chevauchants *(Bellané-Chantelot et al, Cell 1992, 70, 1059)*.

Tableau 10-6 **État d'avancement de la carte du génome humain au 15 juin 1992** *(d'après Science 2 octobre 1992)*

Chromosomes	Gènes localisés	Locus morbides	Marqueurs totaux	Marqueurs polymorphes (hétérozygotie >0,7)	STS totaux (polymorphes)	Nombre de locus séquencés	Longueur physique en Mb	Longueur séquencée en Mb (%)
1	247	55	466	197 (24)	63 (44)	144	263	0,760 (0,28)
2	138	24	266	121 (14)	66 (36)	92	255	0,867 (0,34)
3	85	24	1 351	442 (14)	93 (45)	52	214	0,204 (0,09)
4	99	25	495	179 (19)	81 (39)	148	203	0,379 (0,18)
5	92	23	491	242 (28)	51 (46)	53	194	0,302 (0,15)
6	131	27	396	185 (17)	41 (26)	87	183	0,778 (0,42)
7	132	25	608	226 (12)	34 (23)	83	171	0,598 (0,35)
8	64	22	308	178 (12)	34 (26)	41	155	0,229 (0,14)
9	77	26	242	105 (34)	65 (57)	50	145	0,277 (0,19)
10	79	15	263	116 (11)	29 (21)	43	144	0,303 (0,21)
11	154	46	1 059	320 (23)	67 (48)	84	144	0,815 (0,56)
12	136	23	218	82 (7)	27 (19)	93	143	0,648 (0,45)
13	31	13	200	87 (11)	28 (25)	12	114	0,113 (0,10)
14	66	19	133	63 (11)	20 (13)	49	109	0,686 (0,63)
15	65	17	173	76 (8)	33 (29)	31	106	0,183 (0,17)
16	83	17	516	163 (19)	59 (37)	53	98	0,429 (0,43)
17	135	26	932	268 (23)	269 (46)	98	92	0,860 (0,93)
18	28	9	79	51 (14)	25 (19)	17	85	0,137 (0,16)
19	132	24	364	97 (11)	42 (31)	86	67	0,487 (0,72)
20	45	14	143	66 (21)	42 (38)	24	72	0,175 (0,24)
21	39	8	322	110 (19)	62 (44)	23	50	0,095 (0,19)
22	71	17	360	140 (6)	16 (11)	41	56	0,402 (0,71)
X	225	111	1 382	290 (21)	136 (52)	72	164	0,553 (0,33)
Y	18	1	406	32 (2)	180 (0)	10	59	0,024 (0,04)
Total	**2 372**	**1 502**	**11 173**	**3 556 (381)**	**1 350 (775)**	**1 486**	**3 132**	**10,304 (0,30%)**

hasard un maximum de clones dans des banques de cDNA. Ici les innovations technologiques initialement prévues pour séquencer directement le génome à l'aveugle doivent trouver un champ idéal d'application*.

Les premiers résultats publiés (Adams et al, 1991) ont été obtenus à partir d'une banque de cDNA de cerveau humain (région de l'hippocampe). Ils sont spectaculaires : 600 clones séquencés, fournissant 337 gènes « nouveaux », dont, fait très significatif, 48 possèdent des similitudes frappantes avec des gènes déjà séquencés dans d'autres organismes (levure, drosophile). A ce rythme le répertoire de tous les gènes humains exprimés pourrait être établi en 5 ans, au lieu des 20 initialement prévus.

• *Attaquer le génome d'autres espèces* **(Tableau 10-5)** soit parce que la carte génétique y est particulièrement bien connue (la souris *Mus musculus*), soit parce qu'il s'agit d'organismes moins complexes, possédant un génome simplifié, comme la mouche du vinaigre *Drosophila melanogaster* (140 Mb), le nématode *Caenorhabditis elegans* (100 Mb), soit pour les deux raisons, cas de la bactérie *Escherichia coli* (4,7 Mb), dont une carte de restriction quasi complète a été établie en 1987 (Kohara et al), et de la levure *Saccharomyces cerevisiae* (14 Mb). Étant donné ce que l'on sait de la très grande conservation de l'information génétique au cours de l'évolution, cette démarche doit nécessairement profiter au projet « Génome Humain ».

Après plusieurs années de flottement et de tergiversations, il semble que les pays qui en ont les moyens (États-Unis, Communauté Européenne, Japon) aient pris conscience de l'importance de ce projet et de la nécessité de le mener à bien le plus rapidement

* Toutes les opérations de criblage sont maintenant facilitées par une robotisation poussée (exemple du Généthon).

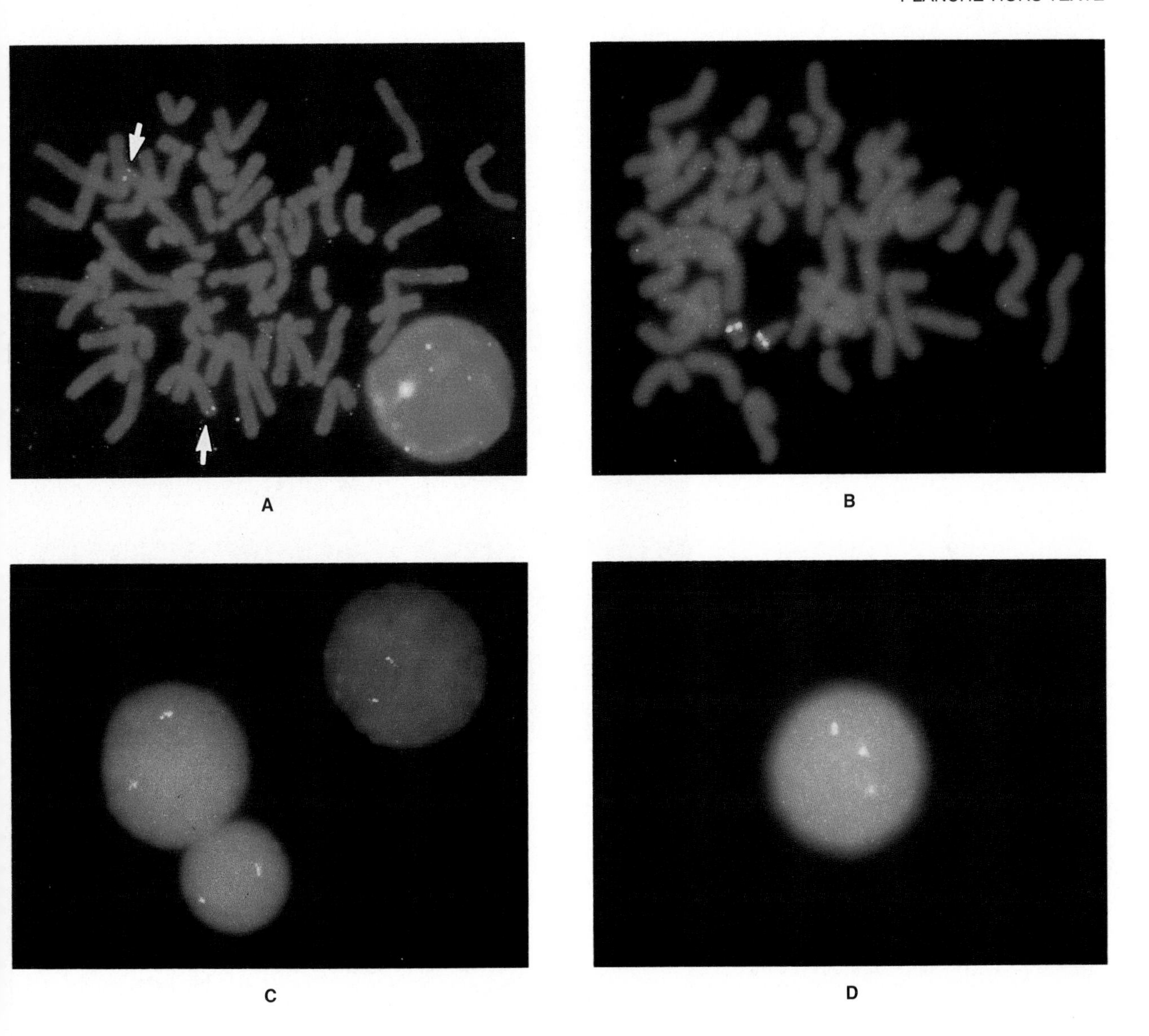

Figure 10-19 **Hybridation in situ à l'aide de sondes fluorescentes (FISH)**

A : Visualisation d'une séquence unique (gène **ETS1**) **sur chromosomes métaphasiques** (sonde biotinylée révélée par avidine-FITC). Le signal d'hybridation est indiqué par des flèches (en 11q23.3).
Examen au microscope à fluorescence. Le signal d'hybridation apparaît en jaune sur des chromosomes colorés en rouge (iodure de propidium).
(Cliché D. Chérif et R. Berger, U 301, INSERM, Paris)
B : Visualisation d'une séquence correspondant à la région 21q22.2 sur des chromosomes métaphasiques, à l'aide d'une sonde préparée par Alu-PCR à partir d'un YAC du chromosome 21.
Sonde biotinylée et révélée par avidine-FITC.
(Cliché P.S. Romana, U 301, INSERM, Paris)
C : Visualisation d'une séquence correspondant à la région 21q22.2 sur des noyaux interphasiques de lymphocytes normaux. Chaque noyau renferme deux signaux d'hybridation correspondant aux deux chromosomes 21.
Même sonde qu'en B.
(Cliché P.S. Romana, U 301, INSERM, Paris).
D : Visualisation d'une trisomie 21 sur des noyaux interphasiques de lymphocytes. Noter les 3 signaux d'hybridation attestant l'existence de 3 exemplaires du chromosome 21.
Même sonde qu'en B et C.
(Cliché P.S. Romana, U 301, INSERM, Paris).

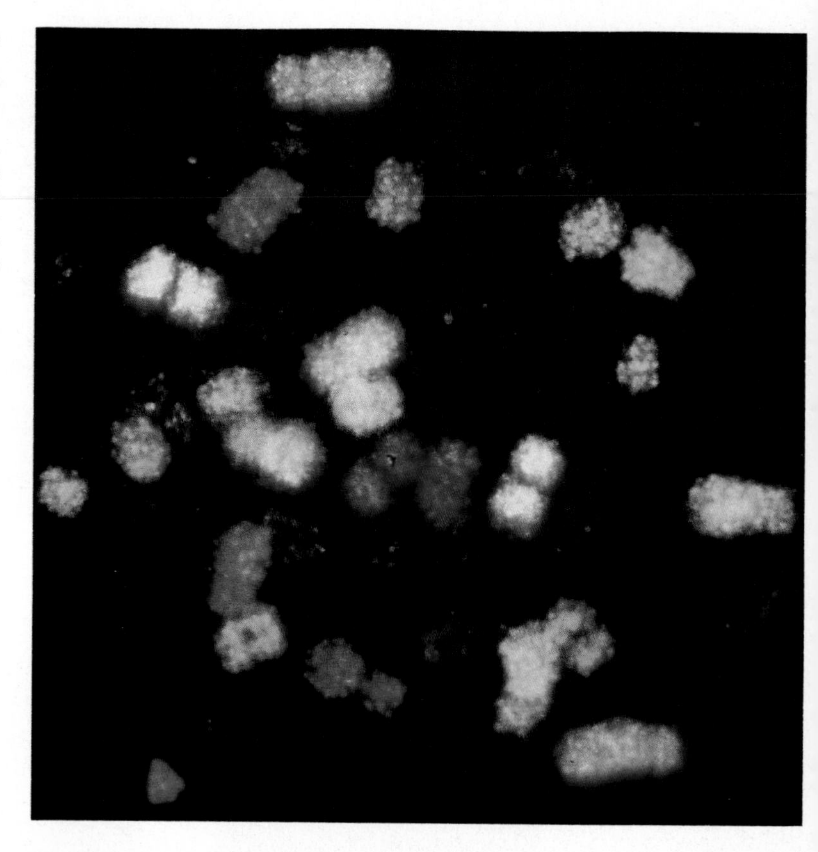

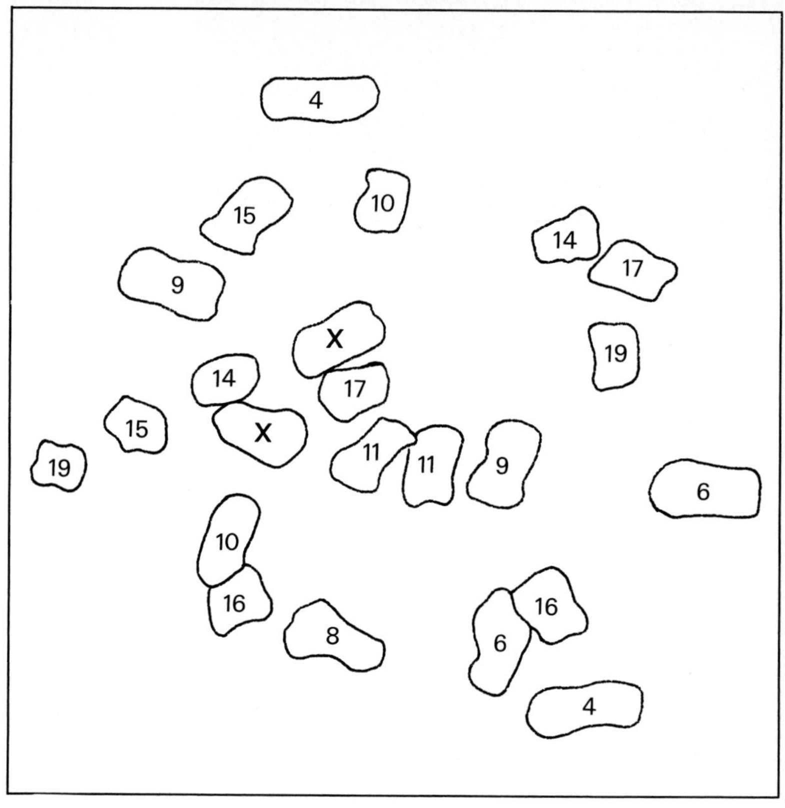

E

Figure 10-19 *(suite)* **Hybridation in situ à l'aide de sondes fluorescentes (FISH)**
E : Visualisation de chromosomes métaphasiques par « peinture » multicolore *(chromosome painting)*.
Les sondes sont des mélanges de séquences provenant de banques génomiques spécifiques de chromosomes, marquées par un fluorochrome rouge (TRITC), vert (FITC) ou bleu (AMCA) (technique décrite par Wiegant et al, 1991). L'identification des chromosomes est donnée sur le schéma.
(Cliché extrait du travail de Dauwerse et al, 1992, aimablement communiqué par G.J.B. Van Ommen, Rijks universiteit, Leiden, Pays-Bas, que nous remercions).

possible. Ceci implique un effort sans précédent de coopération internationale, où un langage informatique commun (base centralisée de données) et une réflexion commune sur les inévitables retombées éthiques et sociologiques, représentent des préalables importants. Le projet « Génome Humain » devrait être la grande entreprise humaine de la fin du XXe siècle, et de l'aube du XXIe.

L'état d'avancement de la carte et du séquençage du génome humain, à l'été 1992, est donné dans le **tableau 10-6.**

Le séquençage complet des 315 kb du chromosome III de levure *(S. cerevisiae)* a constitué en 1992 une grande première, exemplaire sur le plan de la coopération internationale (35 équipes). Il a révélé cinq fois plus de gènes qu'on en attendait...

Sélection de références bibliographiques : voir page 712.

« Bonne nouvelle, nous possédons la séquence complète du génome humain. Mauvaise nouvelle, l'ordinateur l'a sortie par ordre alphabétique. »
(Dessin de Julie Cherry paru dans Science, 1990, 248 : 1023. Reproduit avec aimable autorisation. Copyright 1990 par AAAS)

11 La génétique inverse

« ...les polymorphismes de restriction constituent sans doute de nouveaux outils pour la génétique et l'étude de l'évolution. Ces polymorphismes, capables d'identifier les variations au niveau même du gène, semblent représenter un saut quantitatif dans la gamme des marqueurs génétiques utilisables... Si, comme le suggèrent les premières études, le niveau de polymorphisme de ces sites est suffisamment élevé, et vu la gamme des enzymes de restriction disponibles, on peut envisager de trouver assez de marqueurs pour couvrir systématiquement la totalité du génome humain. Dans cet esprit il suffirait de 200 à 300 sondes convenablement sélectionnées pour disposer d'un marquage génétique tous les 10 centimorgans. Une telle batterie de marqueurs est susceptible de révolutionner notre capacité d'étudier le déterminisme génétique des caractères complexes et de suivre la transmission de caractères qu'il est à présent impossible d'étudier au niveau cellulaire. La découverte dans une famille d'une association entre un marqueur génétique défini et un caractère dont l'hérédité est mal définie fournirait, par l'analyse de liaison, la preuve d'un déterminisme génétique. Jusqu'à présent cette stratégie, très puissante, était limitée par le nombre de marqueurs génétiques disponibles, mais les polymorphismes de restriction devraient rapidement résoudre ce problème. »

E. Solomon et W.F. Bodmer
(Evolution of sickle variant gene. Lancet, 1979, i, 923. Publié avec aimable autorisation)

Découvrir des protéines nouvelles à partir de gènes nouveaux

Une faible fraction des gènes humains est connue : à peine plus de 3 000 sur les 50 000 à 100 000 supposés exister. Jusqu'à présent l'isolement d'un gène passait obligatoirement par l'identification préalable et la caractérisation de son produit (protéine). Son clonage était effectué grâce à la connaissance que l'on avait de celui-ci, permettant de déduire la taille du mRNA, de fabriquer des anticorps, de construire des sondes oligonucléotidiques à partir de la séquence polypeptidique. C'est ainsi que pour les hémoglobinopathies et les hémophilies la connaissance préalable de la protéine défectueuse a permis de remonter au gène lésé. Cette démarche est celle de la génétique « classique » **(Figure 11-1)**.

Une nouvelle démarche est née avec la découverte des RFLP. Ceux-ci permettent non seulement d'établir la carte génomique humaine, mais encore de découvrir les gènes nouveaux formant la partie immergée de l'iceberg. La stratégie consiste à isoler en première intention des séquences clonées de DNA **génomique** impliquées dans une **pathologie héréditaire** (locus morbide), dans une **fonction** (morphogenèse, différenciation, cycle cellulaire) ou dans un **phénotype** cellulaire (phénotype transformé de la cellule cancéreuse). Une fois le segment de DNA isolé, l'information y est recherchée sous forme de séquences nucléotidiques codantes d'où l'on déduit la séquence protéique. On peut aussi imaginer que la découverte soit le fait du hasard au cours de l'exploration de séquences anonymes.

Cette démarche qui part du gène pour conduire à la protéine définit ce qu'on appelle désormais la **génétique inverse** (Figure 11-1).

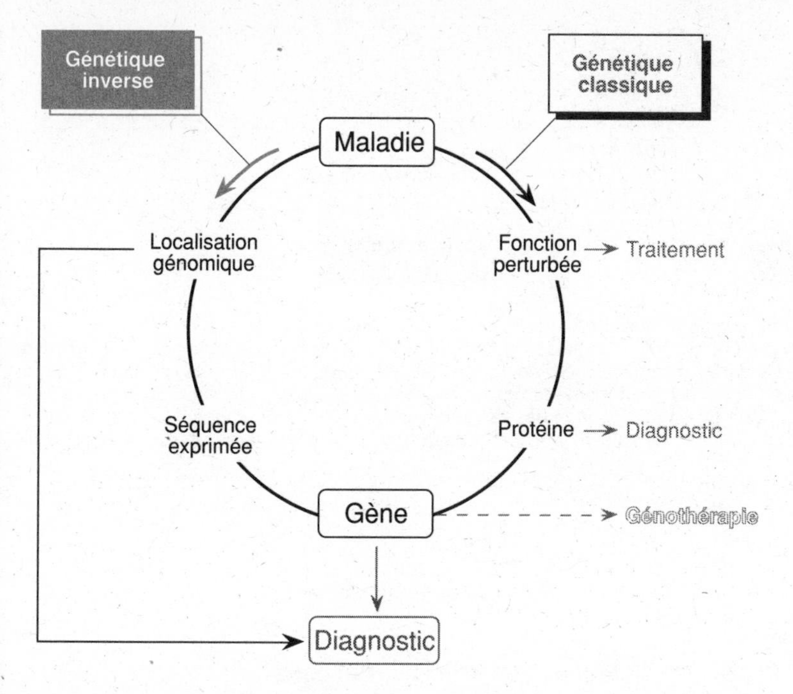

Figure 11-1 Les démarches opposées de la génétique inverse et de la génétique classique

« La *génétique inverse* » : une mise au point sémantique.

Dès que le génome des organismes complexes est devenu accessible à l'analyse directe, le terme de ***génétique inverse*** a désigné l'identification directe de gènes impliqués dans des maladies héréditaires dont la protéine défectueuse est inconnue. Cette opération consiste à repérer au niveau du locus morbide considéré des séquences génomiques exprimées, à les déchiffrer et à en déduire la séquence polypeptidique correspondante. C'est cette stratégie qui a permis l'identification des protéines de la myopathie de Duchenne, de la mucoviscidose, de la neurofibromatose de von Recklinghausen, de plusieurs anti-oncogènes. Sans nier l'importance de ces conquêtes, certains contestent le terme de « génétique inverse » en faisant remarquer que le processus consistant à aller du gène vers la protéine n'est pas « inverse », mais qu'il correspond au contraire au cours naturel des choses, puisque les gènes sont à l'origine des protéines. Dans l'acception que nous défendons, le caractère inverse n'est pas d'ordre biologique, mais d'ordre épistémologique et historique, en opposition à la démarche « classique » de la génétique humaine. En effet, jusqu'alors, celle-ci procédait d'abord à l'identification de la protéine responsable de la maladie, par exemple le facteur VIIIc dans l'hémophilie A, la chaîne β de l'hémoglobine dans la drépanocytose, la glucose-6-phosphate déshydrogénase dans le favisme, etc., la connaissance acquise sur la séquence polypeptidique permettant ensuite de « remonter » au gène. En ce qui concerne la myopathie de Duchenne, la mucoviscidose, la neurofibromatose, le rétinoblastome, c'est bien une démarche « inverse » de la démarche classique qui a été suivie.

D'autres font remarquer que le terme de génétique inverse devrait être réservé aux manipulations génétiques, telles que la mutagenèse dirigée et la création de modèles pathologiques animaux par ciblage génique, où l'Homme, en dictant sa loi, inverse en quelque sorte la loi naturelle. Ici l'expression « génétique inverse » aurait une acception quasi philosophique.

Un dernier avatar a été le remplacement de l'expression génétique inverse par le terme « clonage positionnel » ***(positional cloning)*** vivement prôné par F. Collins (1992). A nos yeux, cette nouvelle désignation ne concerne qu'une des stratégies possibles (voir Tableau 11-5), et ne recouvre pas la totalité du concept. C'est pourquoi, dans cet ouvrage nous continuons à parler de « génétique inverse », terme à la fois explicite et consacré par l'usage. Mais nous reconnaissons que, du fait de la banalisation du concept et de son application, la génétique inverse est destinée à devenir la démarche normale, le qualificatif « inverse » devant tôt ou tard disparaître.

Les locus candidats à la génétique inverse

Dès 1979* il est apparu que des maladies génétiques monofactorielles graves à gène inconnu, comme la myopathie de Duchenne, la chorée de Huntington, la mucoviscidose, pourraient bénéficier de la nouvelle approche. La stratégie de la génétique inverse possède une logique propre qui lui permet d'aboutir *obligatoirement* au gène en cause, d'éclairer la compréhension de la maladie, d'offrir des perspectives thérapeutiques. En outre, cette démarche offre, avant même d'avoir complètement abouti, la possibilité de pratiquer un diagnostic génotypique (diagnostic prénatal, diagnostic des porteurs sains, diagnostic pré-symptomatique). Enfin cette approche doit conduire à de nombreux gènes codant pour des protéines quantitativement peu représentées, mais qualitativement importantes pour la vie cellulaire et la différenciation (oncogènes, facteurs de croissance).

LES STRATÉGIES DE LA GÉNÉTIQUE INVERSE

La marche vers le gène

Cette première phase comporte schématiquement cinq étapes :
— la recherche d'un fil d'Ariane ;
— la localisation chromosomique ;

* Voir en marge de la page 270 la citation extraite de l'article remarquablement clairvoyant de E. Solomon et W.F. Bodmer. L'année suivante, D. Botstein, R.L. White, M. Skolnick et R.W. Davis ont jeté les bases théoriques de la stratégie d'utilisation généralisée des RFLP (*Construction of a genetic linkage map in man using restriction fragment length polymorphisms. Am J Hum Genet, 1980, 32 : 314-331).*

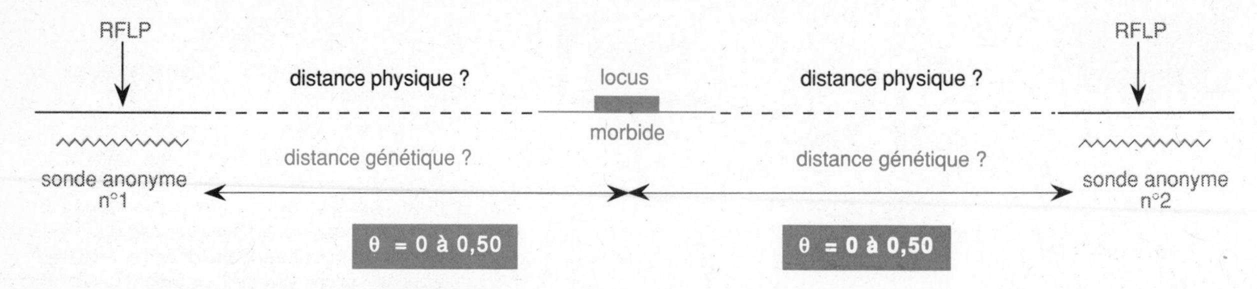

Figure 11-2 **Approche d'un locus morbide par des sondes indirectes**
Si θ = 0 avec un lod score de 3 (probabilité d'au moins 1 000 contre 1) : la liaison est forte et le marqueur est utilisable pour le diagnostic. Si θ = 0,1 : la distance génétique est de 10 centimorgans (distance physique d'environ 10 000 kb), et le marqueur n'est pas fiable (risque d'erreur de diagnostic par recombinaison = 10%), sauf si on utilise en même temps un marqueur situé de l'autre côté du locus morbide (le risque d'erreur par double recombinaison est égal au produit des risques des recombinaisons simples si elles sont indépendantes). Si θ = 0,5 (distance génétique de 50 centimorgans) : il n'y a pas de liaison, le RFLP considéré n'est pas un marqueur du locus morbide.

— l'encadrement du locus ;
— la recherche d'une hétérogénéité génétique ;
— l'arrivée au gène.

Étape 1 : la recherche d'un fil d'Ariane

On tente de trouver une **liaison génétique** entre le locus morbide et un marqueur génotypique (polymorphisme), par une analyse de ségrégation dans les familles atteintes. La non indépendance de ségrégation entre les deux locus est attestée par une valeur de $\theta \ll 0,50$ sous réserve que le lod score soit supérieur à 3 (vraisemblance supérieure à 1 000 contre 1) **(Figure 11-2)**.

Dans certains cas privilégiés il existe un élément permettant de suspecter dès le départ un chromosome ou même une partie d'un chromosome. Ainsi pour la **myopathie de Duchenne** (locus DMD), maladie récessive liée au sexe, le problème était d'emblée circonscrit aux sondes polymorphes du chromosome X. De plus dans les rares cas de myopathie de Duchenne *féminine* on avait remarqué l'existence d'une anomalie cytogénétique : translocation X ; autosome, dans laquelle le chromosome X est constamment cassé en Xp21, alors que le point de cassure autosomique varie d'un cas à l'autre (voir figure 14-24). Cette précieuse indication a d'emblée permis de concentrer les recherches sur les RFLP du bras court du chromosome X. De même, le locus du **rétinoblastome** (gène RB) devait être d'emblée recherché dans la région 13q14, siège d'une délétion interstitielle associée à la maladie.

En revanche la localisation de la **mucoviscidose** (gène CF) n'a bénéficié d'aucun fil conducteur, et il a fallu recourir à une longue et fastidieuse **cartographie d'exclusion** qui a duré plusieurs années (1980-1985). Cette procédure consiste à éliminer progressivement les différents chromosomes (lod scores < -2 pour tous les RFLP explorés).

A l'opposé, la localisation rapide dès 1983 du gène de la **chorée de Huntington** (bras court du chromosome 4) a été le fruit d'un hasard favorable qui a voulu qu'une sonde intéressante (G8) figurât parmi les premières testées.

A l'heure actuelle, la prolifération considérable des marqueurs génotypiques sur tous les chromosomes fournit le moyen d'explorer méthodiquement chaque chromosome à l'aide de sites polymorphes régulièrement espacés.

Cette première étape présente des difficultés variables selon le mode de transmission de la maladie. Idéalement il faudrait pouvoir identifier tous les sujets porteurs du gène anormal. Ceci est en principe possible dans

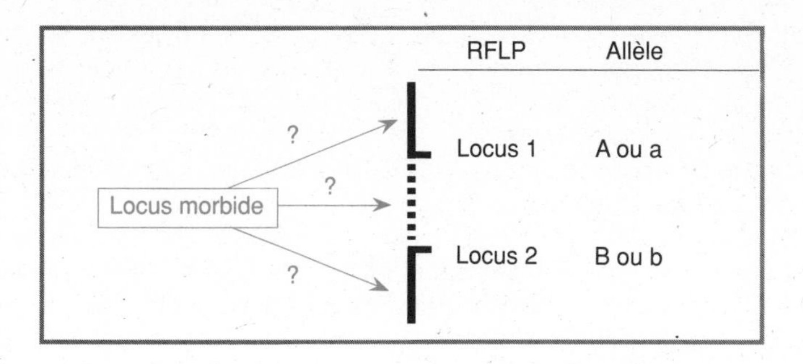

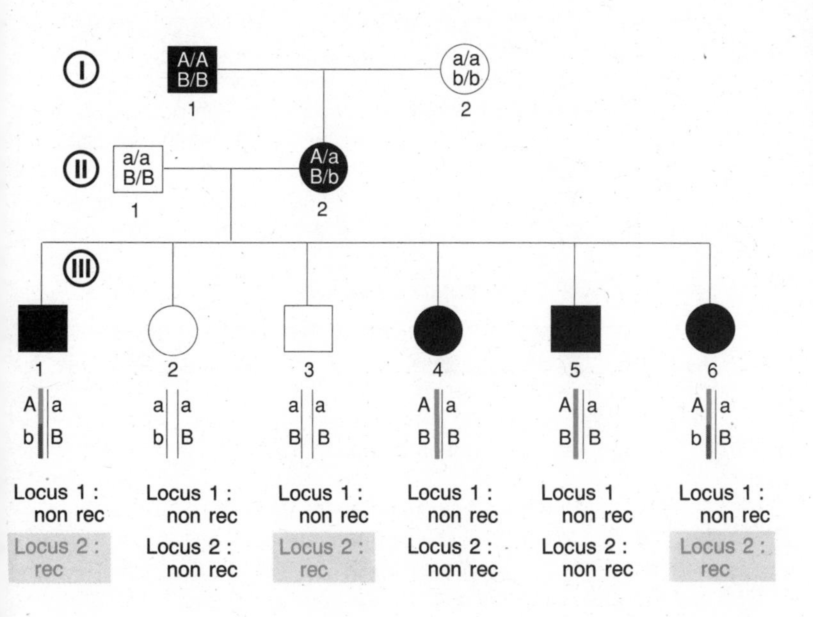

Figure 11-3 **Principe de la recherche d'une liaison entre un locus morbide autosomique dominant et deux locus définis chacun par un RFLP**

Les sujets atteints par la maladie sont représentés par des symboles noirs.

Le sujet I^1 est homozygote pour les RFLP aux 2 locus anonymes 1 et 2. Donc le locus morbide est nécessairement sur un chromosome portant à la fois les allèles A et B. La phase chez les individus de la génération III est connue grâce au génotype des sujets I^2 et II^1. On voit que sur les 6 individus de la génération III, aucun n'a recombiné entre le locus 1 et le locus morbide (maintien du couplage du phénotype pathologique avec l'allèle A), alors que 3 sujets ont recombiné entre le locus 2 et le locus morbide (couplage du phénotype pathologique tantôt avec l'allèle B, tantôt avec l'allèle b).

Ce résultat suggère que le locus morbide est plus proche du locus 1 que du locus 2. L'accumulation d'un grand nombre de méioses, donc de familles, est indispensable pour calculer la distance génétique (exprimée en centimorgans) avec une vraisemblance suffisante (lod score > 3).

NB : l'exemple choisi est idéal car la distribution des allèles chez les grands-parents permet de connaître la phase chez leurs descendants.

les *maladies autosomiques dominantes,* à la double condition que la **pénétrance** soit complète, et la manifestation précoce. Dans la chorée de Huntington seule la première condition est satisfaite. Dans le cas de la polykystose rénale dominante, l'échographie rénale, en désignant les sujets porteurs asymptomatiques de kystes, facilite l'analyse génétique chez les sujets n'ayant pas encore atteint l'âge de la maladie clinique.

Pour les maladies *récessives autosomiques* à gène inconnu il est en général seulement possible de détecter les homozygotes, seuls malades, et les hétérozygotes obligatoires, c'est-à-dire les parents. Il est essentiel de disposer de familles où il existe dans une même fratrie au moins deux homozygotes vivants (familles dites multiplex). Cette condition est difficile à remplir lorsque la maladie entraîne la mort en bas âge.

Lorsque l'on dispose de plusieurs familles multiplex pour une maladie autosomique récessive, on peut recourir, pour un défrichage rapide, à la méthode simplifiée dite des **germains** (en anglais : ***sib-pair analysis***). Celle-ci consiste à étudier tout simplement avec quelle fréquence les germains co-héritent du même couple d'allèles parentaux pour un marqueur donné. Si la fréquence est significativement supérieure à la fréquence aléatoire, qui est de 1/4, le marqueur mérite attention. C'est ainsi que fut constatée en 1985 la première liaison du locus CF (mucoviscidose) avec un marqueur polymorphe (DOCRI 917).

Pour les *maladies récessives liées au chromosome X,* le problème est facilité par l'haploïdie du chromosome X chez les garçons, ceux-ci étant obligatoirement soit porteurs et atteints, soit non porteurs et sains, ce qui permet de déterminer la phase. En revanche, chez les femmes le phénomène de **lyonisation** empêche d'identifier avec certitude celles qui ne sont pas porteuses, et complique l'analyse de ségrégation.

Nous donnons dans la **figure 11-3** l'illustration d'une recherche de liaison pour une maladie autosomique dominante.

Cette phase préliminaire comporte donc, d'une part la recherche d'une co-ségrégation allélique dans chaque famille, d'autre part un cumul des résultats obtenus dans différentes familles, tous allèles confondus. Cette opération est autorisée par l'additivité des lod scores. On en déduit l'existence éventuelle d'une **liaison génétique** (voir chapitre 10).

• *Une approche originale appliquée aux mutations somatiques des tumeurs, la perte de l'hétérozygotie.* En dehors des délétions cytogénétiquement visibles, qui constituent des éléments directs d'orientation, il existe un moyen de détecter des délétions infra-cytogénétiques résultant d'événements somatiques, non inscrits dans le patrimoine constitutionnel de l'individu, et responsables de tumeurs. Cette approche, inaugurée par Cavenee en 1983 à propos du rétinoblastome, est particulièrement adaptée à la recherche de **gènes suppresseurs de cancer** (ou anti-

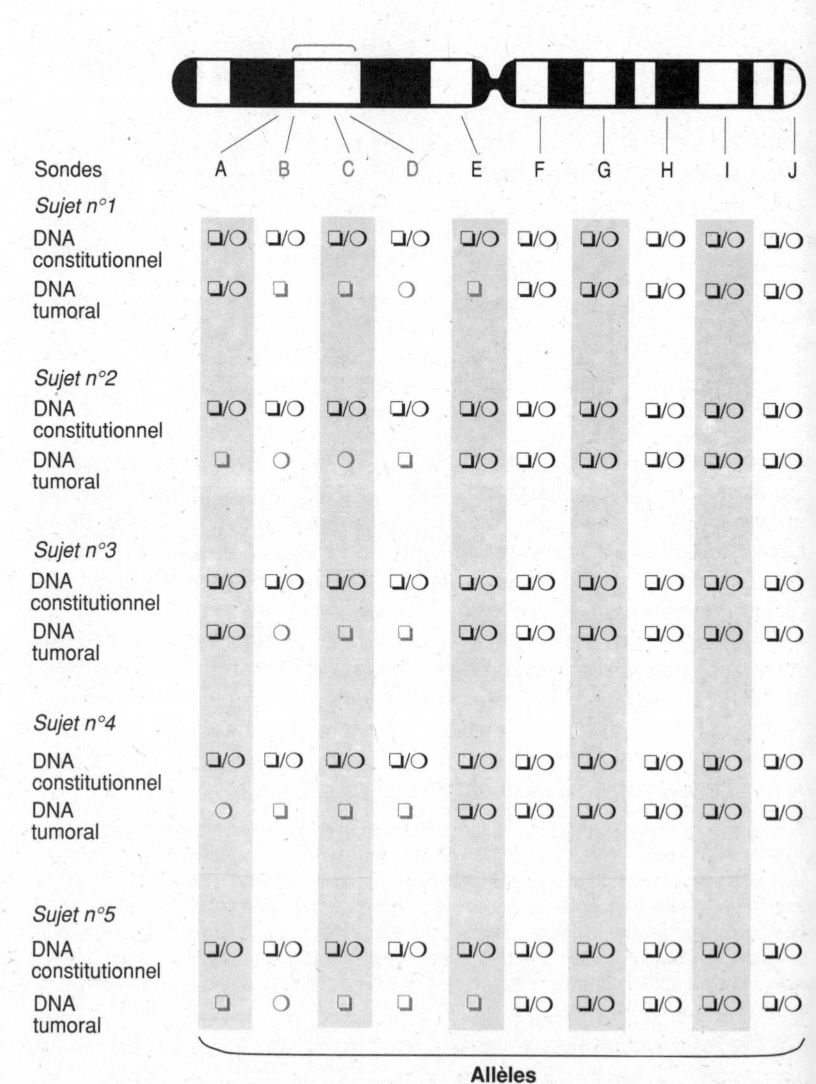

Figure 11-4 Localisation d'un gène suppresseur de cancer (anti-oncogène) par perte d'hétérozygotie
Les 5 sujets sont hétérozygotes pour les 10 RFLP explorés par les sondes A à J (coexistence des allèles □ et ○ dans le DNA constitutionnel). Dans le DNA tumoral une perte de l'hétérozygotie est observée au niveau de certains locus. La région suspecte correspond au segment B, C, D.

oncogènes). Elle consiste à étudier systématiquement les sites polymorphes dans différents territoires génomiques des sujets porteurs de cancer, en comparant le DNA constitutionnel et le DNA tumoral. S'il existe une hétérozygotie constitutionnelle, et qu'un allèle a disparu dans le DNA tumoral, c'est qu'un territoire chromosomique plus ou moins important a été perdu dans les cellules tumorales. Il est possible de cerner la région par l'étude des différents polymorphismes **(Figure 11-4)**. Cette approche s'est avérée extrêmement fructueuse en oncologie, puisqu'elle a permis de localiser, en plus du gène du rétinoblastome (RB), des gènes impliqués dans plusieurs autres tumeurs (tumeur de Wilms, adénocarcinome colique, cancer pulmonaire à petites cellules, carcinome rénal familial, neurinome de l'acoustique, etc.) (voir chapitre 15).

Étape 2 : localisation chromosomique du premier marqueur génotypique pour lequel une liaison significative a été trouvée

Cette étape est nécessaire lorsque la sonde n'a pas été localisée préalablement à l'analyse (cas de la chorée de Huntington pour la sonde G8, secondairement localisée sur le chromosome 4 ; de la mucoviscidose pour la sonde DOCRI-917, secondairement localisée sur le chromosome 7). Une localisation régionale est ensuite obtenue par les méthodes décrites au chapitre 10.

Étape 3 : cerner le gène dans un territoire délimité

Une fois que la localisation chromosomique régionale est obtenue, on s'efforce de multiplier les marqueurs de polymorphisme dans la région, afin de se rapprocher du locus morbide (diminution de θ), et si possible de l'encadrer (Figure 11-2). Dès qu'une fourchette est délimitée on lui compare tous les marqueurs nouveaux en ne gardant que ceux qui sont inclus dans le domaine suspecté.

Étape 4 : recherche d'une hétérogénéité génétique, un ou plusieurs locus ?

Une maladie génétique à gène inconnu peut résulter de l'atteinte alternative d'un gène parmi plusieurs : par exemple l'ostéogenèse imparfaite, le nanisme hypophysaire, la persistance héréditaire de l'hémoglobine F **(Tableau 11-1)**. Lorsque l'hétérogénéité est inconnue a priori il faut la rechercher systématiquement en comparant les familles entre elles. Les résultats de chaque famille sont analysés **séparément** pour savoir s'ils sont compatibles avec l'hypothèse de l'unicité du locus morbide. C'est

Tableau 11-1 **Exemple d'hétérogénéité génétique : une même maladie peut être produite par l'atteinte alternative de plusieurs gènes distincts (mutations non-alléliques)**

Maladie	Gène ou locus candidat	Autre(s) gène(s) ou locus
Nanisme hypophysaire	somathormone *(17q22)*	récepteur de la somathormone *(5p13)*
Ostéogenèse imparfaite	α1 (I) collagène *(17q21)*	α2 (I) collagène *(7q21)*
Rétinite pigmentaire dominante	rhodopsine *(3q21)*	périphérine *(6p)* gène inconnu *(8cen)*
Polykystose rénale dominante	gène inconnu *(locus PKD1, 16pter)*	gène inconnu *(locus PKD2, ?)*

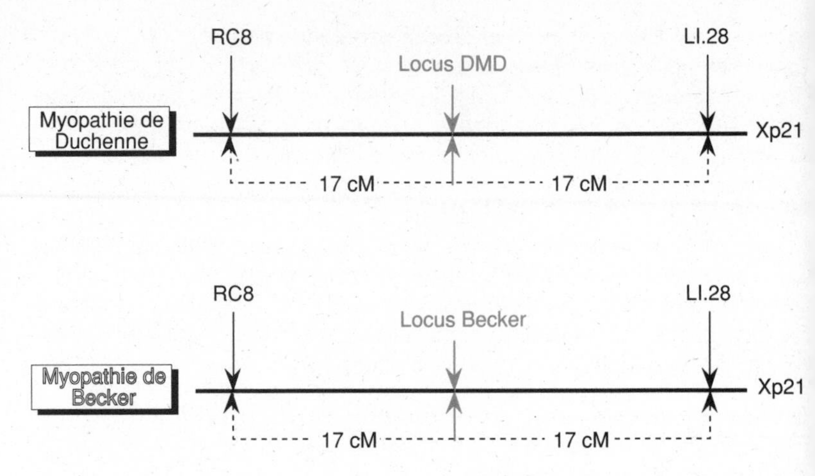

Figure 11-5 **Homogénéité génétique de deux maladies cliniquement différentes : les myopathies de Duchenne (DMD) et de Becker (BMD)** Les deux affections se distinguent par leur sévérité et leur évolutivité. Les distances génétiques obtenues avec les premiers marqueurs génotypiques du locus DMD (RFLP détectés par les sondes anonymes RC8 et L1.28) sont les mêmes pour le locus BMD. De nombreux autres RFLP de la région Xp21 (non montrés sur la figure) ont ensuite donné le même résultat. L'analyse directe des mutations dans les deux maladies a enfin démontré qu'elles touchaient le même gène, celui de la dystrophine (voir chapitre 14).

la démarche inverse de celle suivie dans l'étape 1 où l'on cherchait à valider les sondes en cumulant les résultats obtenus dans un maximum de familles.

Le problème est difficile, car l'hétérogénéité génétique peut être insoupçonnable sur le plan clinique (c'est le cas du nanisme hypophysaire). Pour résoudre ce problème on a récemment proposé de mesurer la distance génétique par rapport à un **intervalle** séparant deux marqueurs génétiques, et non plus par rapport à un seul site polymorphe. La méthode gagne en puissance statistique et le nombre de familles indépendantes à tester est considérablement réduit (Lender et Botstein).

Inversement une certaine hétérogénéité clinique peut faire croire à tort que l'on a affaire à 2 gènes différents, lorsque les dissemblances sont dues à des formes alléliques différentes touchant un même locus.

C'est ainsi qu'une même localisation génétique du locus morbide par rapport à des RFLP a été trouvée pour la **myopathie de Duchenne** classique et la **myopathie de Becker,** plus tardive et d'évolution moins rapide **(Figure 11-5).** Les deux maladies correspondent en fait à des anomalies différentes touchant un même gène (locus DMD), ce que la caractérisation du gène devait ultérieurement confirmer (voir chapitre 14).

Le cas des amyloïdoses héréditaires (**Tableau 11-2**) est particulièrement démonstratif, car il montre qu'un même syndrome clinique peut être dû à des anomalies siégeant dans des gènes différents (hétérogénéité génétique), et qu'inversement des mutations différentes dans un même gène (hétérogénéité allélique) peuvent engendrer des phénotypes cliniques différents. Par exemple une mutation dans le gène APP engendre soit une maladie d'Alzheimer présénile héréditaire, soit un syndrome d'hémorragies cérébrales à forme familiale, selon qu'elle siège au codon 717 ou au codon 693 (voir Tableau 11-2).

Au terme de cette étape, si l'on dispose de sondes suffisamment proches ($\theta < 0{,}05$ soit 5 centimorgans), de préférence situées de part et d'autre du locus morbide, et si un seul locus paraît en cause quelles que soient la forme clinique et la population étudiée, on peut d'ores et déjà les utiliser à des fins diagnostiques si elles détectent des polymorphismes (voir chapitre 13).

Étape 5 : du locus au gène, ou comment savoir qu'on touche au but ?

Le domaine où l'on a cerné le gène est en général long de plusieurs mégabases et l'étape ultime consistant à mettre le doigt sur le gène lui-même n'est pas une tâche facile. Le problème est double : il faut s'approcher du gène et démontrer qu'on a touché au but.

Tableau 11-2 **Hétérogénéité génétique et phénotypique des amyloses héréditaires**

Gène (symbole, localisation)	Mutation	Syndrome (n° MIM)	Commentaires
Précurseur de la protéine amyloïde β (A4) *(APP, 21q21)*	val 717→ile val 717→phe val 717→gly	**Alzheimer héréditaire, à début précoce** *(104300)*	mutation retrouvée dans quelques familles seulement
	glu 693→gln	**Amylose cérébroartérielle** type Hollandais HCHWA-D *(105160)*	mutation de l'APP responsable à la fois du dépôt amyloïde et de l'activité anti-protéase
Cystatine C *(CST3, 20q13)*	leu→glu	**Amylose cérébroartérielle** type Islandais HCHWA-I *(105150)*	mutation de CST3 responsable à la fois du dépôt amyloïde et de l'activité anti-protéase
Protéine prion *(PRNP, 20pter)*	plusieurs mutations faux-sens	**Amylose cérébrale, avec encéphalopathie spongiforme** maladie de Gerstmann-Straüssler-Scheinker *(137440)*	mutation retrouvée dans toutes les familles
Transthyrétine (=préalbumine) *(TTR, 18q11.2)*	met (30)	**Polyneuropathie amyloïde familiale** type Portugais ; type Suédois *(176300)*	hétérogénéité des manifestations cliniques
	met (111)	**Cardiopathie amyloïde** type Danois *(176300)*	
	nombreuses mutations faux-sens différentes	**Polyneuropathie amyloïde forme mixte** (Indiana, Appalaches, etc.) *(176300)*	
Apolipoprotéine A1 *(APOA1, 11q23)*	arg (26)	**Polyneuropathie amyloïde avec néphropathie** type Iowa *(107680.0010)*	une seule famille
	arg (26)	**Néphropathie amyloïde** type Ostertag *(105210)*	
Gelsoline *(GSN, 9q34)*	asn (187)	**Neuropathie crânienne, avec dystrophie cornéenne** type Finlandais *(13735)*	rapporté dans deux familles

Plusieurs leçons doivent être tirées de ce tableau : (i) un même processus pathologique peut avoir des pathogénies différentes (le dépôt amyloïde peut être dû à une mutation dans l'un des 6 gènes énumérés) ; (ii) différentes mutations dans un même gène peuvent entraîner des tableaux cliniques radicalement différents, par exemple dans le gène APP ou le gène TTR ; (iii) une même mutation peut engendrer des tableaux cliniques différents (par exemple la mutation met 30 dans le gène TTR produit soit une amylose précoce [type Portugais], soit une amylose tardive [type Suédois]).

• *L'approche aléatoire* consiste à essayer de se rapprocher au maximum du gène recherché en multipliant les sondes et les sites polymorphes, par exemple à l'aide de banques de cosmides chevauchants et couvrant toute la région suspectée. Théoriquement si le polymorphisme étudié est situé dans le locus recherché, on ne doit plus observer de recombinaison (voir figure 10-11). Cette approche est extrêmement laborieuse et ses progrès sont nécessairement très lents. L'apparition d'un **déséquilibre de liaison** est un indice très encourageant, montrant qu'on se rapproche du locus morbide. Il a été déterminant dans la marche vers le gène de la mucoviscidose (gène CFTR). Mais cet indice ne concerne que les cas où il existe un effet fondateur, unique, ou largement prédominant (cas de la mutation ΔF508 de la mucoviscidose associée à l'haplotype B en Europe du Nord, voir page 410).

• *L' approche ciblée* permet d'aller droit au but lorsque certaines particularités chromosomiques peuvent être mises à profit, ou bien lorsque le gène peut être révélé par une activité fonctionnelle.

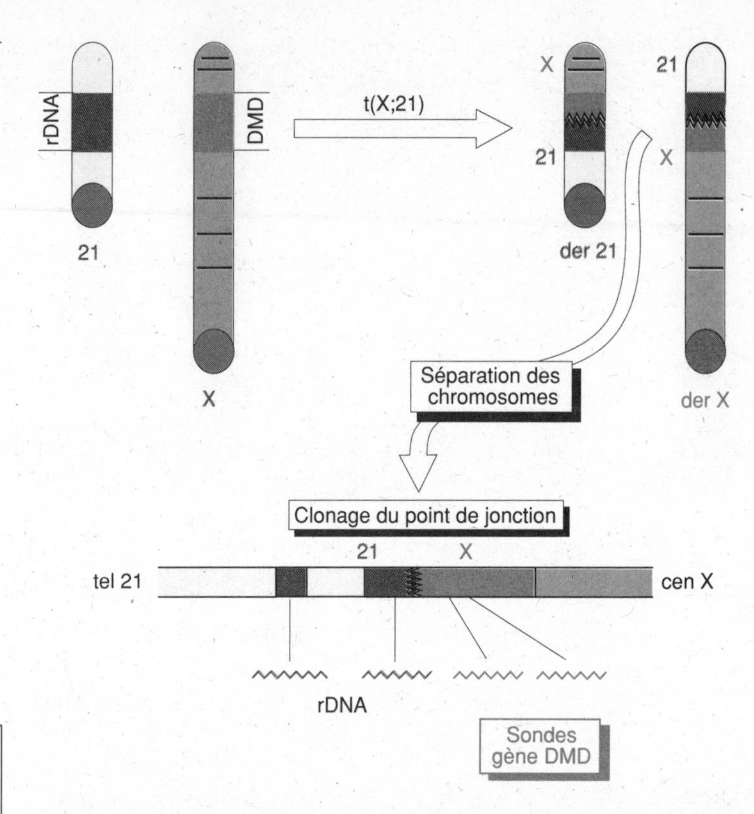

Figure 11-6 Stratégie de clonage de la jonction 21;X dans une translocation t(21;X) responsable d'une myopathie de Duchenne (gène DMD) chez une fille
Les deux chromosomes dérivés ont été séparés physiquement par ségrégation dans des hybrides somatiques. Le der(21) contenait 40 à 60 copies de gènes pour le RNA ribosomal (rDNA). Le der(X), contenant 3 à 5 copies de rDNA, a été cloné et les fragments renfermant à la fois du rDNA (en rouge foncé) et du DNA du chromosome X (en rouge) ont été isolés grâce à une sonde de rDNA. Le DNA du chromosome X juxtaposé au rDNA fait partie du domaine DMD.
(D'après Worton et Ray, 1985)

Le clonage dirigé des gènes de la myopathie de Duchenne (DMD) et de la granulomatose chronique (CGD)

Pour la myopathie de Duchenne on a mis à profit l'existence chez deux malades différents d'anomalies cytogénétiques très exceptionnelles.

- Chez une fille atteinte de myopathie de Duchenne avec une translocation t(21;X), intéressant la région des gènes du RNA ribosomal (rDNA) sur le chromosome 21, Worton et Ray ont utilisé une sonde de rDNA pour repérer, après clonage, les fragments correspondant au point de jonction **(Figure 11-6).**
- Chez un garçon (malade BB) atteint **à la fois** de myopathie de Duchenne, de granulomatose chronique, de rétinite pigmentaire, et de syndrome de McLeod, une délétion de la région Xp21 était **cytogénétiquement visible.** Le fragment de DNA manquant, représentant environ 5 000 kb, a été directement cloné par Kunkel et Monaco (1985) grâce à une élégante méthode d'hybridation-compétition entre un excès de DNA du malade et un DNA normal **(Figure 11-7).** Dans la banque obtenue (clones pERT) les clones intéressants ont pu être facilement mis en évidence parce qu'ils ne donnaient aucun signal avec le DNA génomique du malade initial, ce qui prouvait qu'ils étaient bien compris dans la séquence délétée. On a pu vérifier par la suite que ces clones correspondaient bien à des fragments du gène DMD recherché.

Dans cette même banque d'autres clones correspondaient au gène CGD, et ont permis l'isolement et la caractérisation de ce gène, qui code pour la chaîne β du **cytochrome b_{245}** (Orkin, 1987).

L'orientation par la **cytogénétique** a permis d'atteindre le gène de la myopathie de Duchenne (gène DMD), celui de la granulomatose chronique (gène CGD) et celui du rétinoblastome (gène RB) (voir encadré ainsi que Figures 11-6 et 11-7).

L'orientation par un **test fonctionnel** est possible lorsque le gène étudié est capable de conférer par transfection des propriétés particulières à une cellule ; on dispose alors d'un moyen très spécifique pour le repérer dans une collection de clones. Ce procédé a été très employé pour mettre en évidence des gènes transformants à partir de DNA tumoral, et a mis sur la voie de nombre d'**oncogènes**. En pathologie héréditaire humaine il a été jusqu'à présent peu exploité. Pour qu'il le soit il faut non seulement disposer d'un test de complémentation par transfection, mais aussi que la taille du gène soit suffisamment petite pour qu'il soit contenu dans un seul clone (or nombre de gènes ont une taille supérieure à 50 kb).

L'utilisation de tests de complémentation est un raccourci utilisé pour cloner les gènes inconnus impliqués dans les maladies de la réparation du DNA, ou **réparatoses**, comme le Xeroderma pigmentosum (voir tableau 11-3).

On peut parfois être orienté vers un **gène candidat**, si l'on soupçonne fortement qu'une protéine ou une catégorie de protéines puisse être vraisemblablement impliquée dans le déterminisme de la maladie. Cette appro-

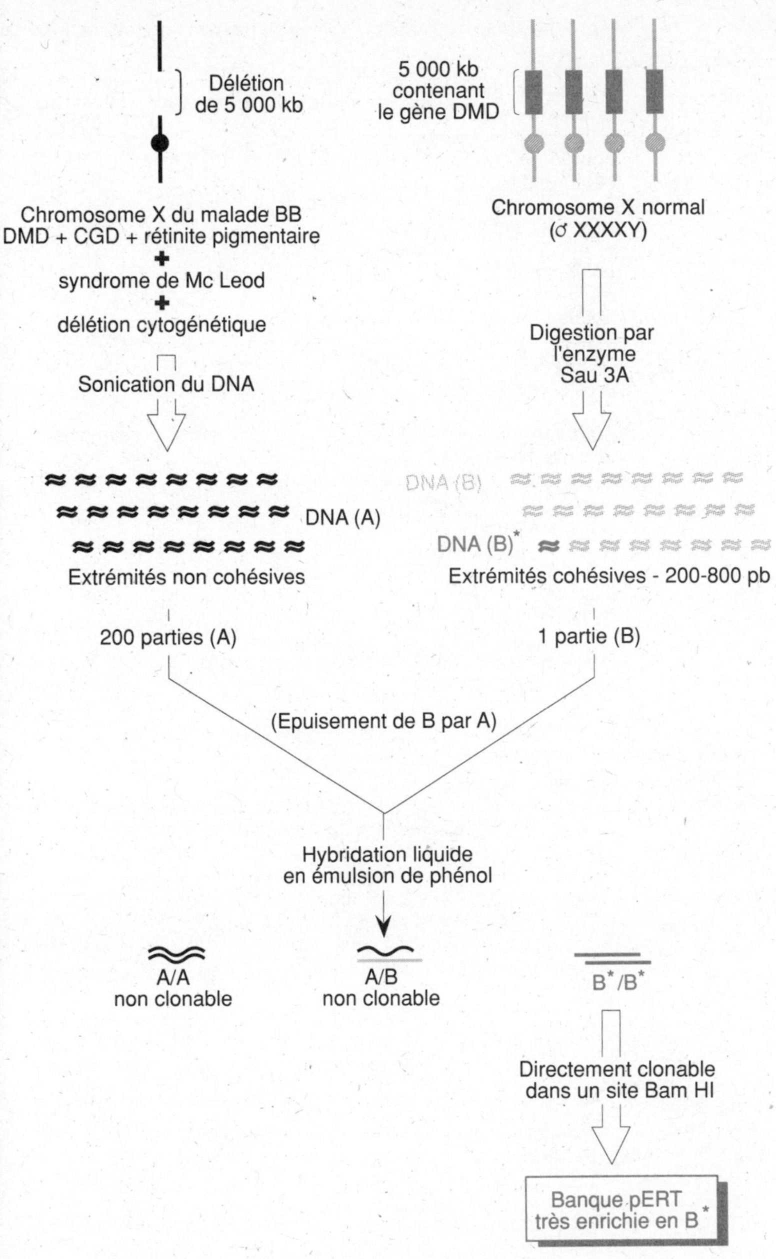

Figure 11-7 Stratégie de clonage direct de fragments de DNA correspondant à une délétion cytogénétique. Application aux gènes de la myopathie de Duchenne (DMD) et de la granulomatose chronique (CGD)
Un très large excès de DNA (A en noir) d'un malade présentant une délétion cytogénétiquement visible de la région Xp21 est hybridé avec du DNA normal (B en rouge). Seul le DNA B a des extrémités cohésives directement clonables. La technique pERT *(phenol enhanced reassociation technique)* consiste à pratiquer une hybridation liquide en présence d'une émulsion de phénol. Ceci augmente la vitesse de réassociation par un facteur de 20 000. Le DNA (B)*, sans contrepartie dans le DNA A, ne peut se réassocier qu'avec lui-même et donne des duplex directement clonables. La banque pERT obtenue est considérablement enrichie en séquences contenant notamment des fragments de gène DMD et de gène CGD.
(D'après Kunkel et al, 1985)

che, particulièrement séduisante, n'est envisagée que dans les cas où l'on peut formuler une solide hypothèse physio-pathologique. Même dans ces cas elle constitue un véritable pari. Celui-ci a été récemment gagné pour un certain nombre de maladies (Tableaux 11-3 et 11-5). Ce fut le cas pour certaines **rétinites pigmentaires*** où l'on a suspecté a priori une protéine très spécifique de la rétine, la **rhodopsine** ; pour certaines **cardiomyopathies hypertrophiques familiales** où l'on a d'abord suspecté une anomalie d'une protéine contractile spécifique du myocarde, comme l'isoforme cardiaque de la chaîne lourde de la **myosine** ; pour la **paralysie périodi-**

* Les rétinites pigmentaires héréditaires constituent un groupe génétiquement très hétérogène, où, en plus du gène de la rhodopsine, au moins quatre autres locus ont été repérés (voir Tableaux 11-6 et 11-8).

Tableau 11-3 **Approches déjà utilisées pour la stratégie de la génétique inverse**

Approche	Exemples de maladies	Gène ou locus	Localisation	Protéine
Aléatoire	chorée de Huntington	HD	4p	?
	mucoviscidose	CF	7q	CFTR
	polykystose rénale dominante	PKD1	16p	?
Orientée par la **cytogénétique**	myopathie de Duchenne	DMD	Xp21	dystrophine
	granulomatose chronique	CYBB	Xp21	cytochrome b_{245} (chaîne β)
	rétinoblastome	RB	13q14	Rb
	polypose colique familiale	FAP	5q21	APC
	neurofibromatose de type I	NF1	17q11	NF1 (activité GAP)
Orientée par une **perte d'hétérozygotie**	neurofibromatose centrale (type II)	NF2	22q11-q13	?
Orientée par un **test fonctionnel**				
transformation après transfection	cancers	nombreux oncogènes		protéines variées (PTK, récepteurs, facteurs de croissance, protéines se liant au DNA, etc.)
correction d'une anomalie de réparation du DNA	Xeroderma pigmentosum I	XPA	9q34.1	protéine se liant au DNA (Zn-finger)
	Xeroderma pigmentosum II	XPB	2q21	hélicase
Orientée par un **gène candidat**	rétinite pigmentaire (autosomique dominante)	RP4	3q21	rhodopsine
	cardiomyopathie familiale, hypertrophique, 1	CMH1	14q11	myosine (cardiaque, chaîne lourde α ou β)
	syndrome de Marfan	FBN1	15q15	fibrilline 1
	paralysie périodique familiale hyperkaliémique	HYPP	17q13.1	canal sodium, sous-unité α

que hyperkaliémique, où il existait de solides raisons d'incriminer le défaut d'un **canal sodium** essentiel pour la transmission neuromusculaire. Cette approche du gène candidat fait bien partie de la démarche de la génétique inverse, car elle passe par le gène avant la protéine. En effet dans les exemples précités la validation de l'hypothèse n'a pas été obtenue par la découverte d'une anomalie de la protéine en cause (non détectable par un critère biochimique ou fonctionnel spécifique), mais par une anomalie du gène, précédée par la découverte d'un linkage indiscutable ($Z \gg 3$, $\theta = 0$). Malgré ces succès spectaculaires, l'approche du gène candidat a aussi connu des échecs dans d'autres maladies. Elle mérite cependant d'être tentée en première intention avant de se lancer dans une cartographie d'exclusion aléatoire.

Le tableau **11-3** récapitule les principales stratégies d'approche utilisées par la génétique inverse.

Tableau 11-4 **Principales caractéristiques des locus morbides de la myopathie de Duchenne (DMD), de la granulomatose chronique (CGD) et du rétinoblastome (Rb)**

Gènes	DMD	CGD	RB
Tissu affecté	muscle	phagocytes	rétine et os
Quête du gène			
clonage de point de cassure chromosomique	+	−	−
clonage de délétion chromosomique	+	+	+
validation par délétion infra-cytogénétique	+	+	−
marche sur le chromosome >100 kb	+	−	−
Recherche d'exons			
par conservation interspécifique	+	−	+
par enrichissement de cDNA	−	+	−
Taille du gène	>2 000 kb	~30 kb	>70 kb
mRNA			
spécificité tissulaire	muscle	phagocytes	absent dans rétinoblastome et ostéo-sarcome
taille	11 kb	4,7 kb	4,7 kb
abondance	0,01%	0,05%	très faible
délétions internes portant sur des exons	+	+	+
Protéine			
taille	427 000	55 000	105 000
identification	**dystrophine**	**chaîne β du cytochrome b_{245}**	**Protéine Rb**

(D'après S. Orkin, Cell, 1986, 47 : 845-50, modifié)

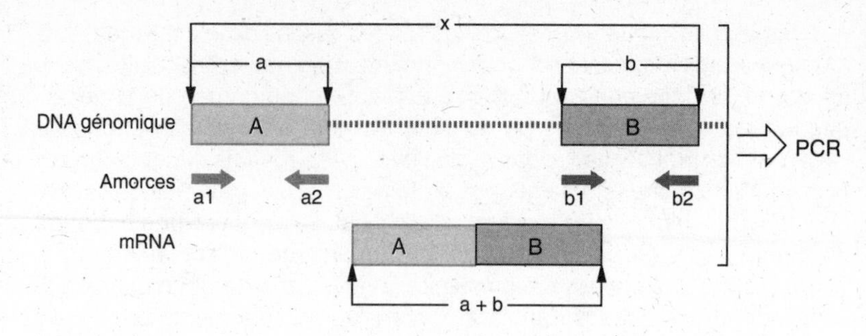

Figure 11-8 **Stratégie dite « exon connection »** *(Fearon et al, 1990)*
A et B sont des exons candidats à partir desquels on a synthétisé des amorces pour amplification par PCR (a1, a2, b1 et b2) soit de DNA génomique, soit de mRNA. Si les amorces sont convenablement orientées et situées dans des exons différents, seul le mRNA est amplifié (sauf si la séquence intronique qui les sépare sur le DNA est suffisamment courte). Un résultat positif (indiqué en caractères gras) valide les exons candidats et indique leur orientation respective.

Couple d'amorces utilisées pour l'amplification	Taille de l'amplimère obtenu	
	à partir du DNA génomique	à partir du mRNA
a1/a2	a	a
a1/b1	0	0
a1/b2	**0** (si x trop long) ou **x** ($\gg$ a+b)	**a+b**
b1/b2	b	b
b1/a2	0	0

• *La démonstration* que le gène inconnu est atteint est difficile à apporter. Il faut démontrer d'une part que l'on tient un gène, d'autre part que c'est bien le gène que l'on recherche. Les premiers succès de la stratégie de la génétique inverse ont concerné les gènes de la myopathie de Duchenne (DMD), de la granulomatose chronique (CGD), du rétinoblastome (RB). Ils ont permis de mesurer la difficulté de l'entreprise et d'indiquer les démarches les plus fructueuses. Le **tableau 11-4** résume les principaux résultats que la génétique inverse a permis d'obtenir pour ces trois premiers locus morbides identifiés. Dans les trois cas l'élément décisif a été l'existence de formes délétionnelles, où tout ou partie du gène recherché était emporté. Une carte délétionnelle peut être dressée en comparant les différents malades. Elle conduit nécessairement au gène. En revanche si la maladie ne comporte pas de formes délétionnelles, la progression est considérablement freinée.

Hormis ces cas privilégiés où l'on est parvenu d'emblée au cDNA (voir encadré), la mise en évidence d'un gène dans un territoire génomique physiquement circonscrit, mais pouvant dépasser plusieurs dizaines de milliers de kb (**contigs** ou **YAC**) pose des problèmes redoutables. En effet il s'agit de savoir si un segment de DNA génomique cloné contient ou non un fragment de gène, c'est-à-dire au moins un **exon**. Comment repérer un ou plusieurs exons dans un océan de DNA non codant ?

Un certain nombre d'indices doivent être recherchés :

— la **conservation** de la séquence candidate au cours de l'évolution, décelée par une hybridation croisée avec le DNA de différentes espèces animales ***(Zoo blots)***. En effet les exons divergent moins vite que les introns et les séquences intergéniques ;

— la mise en évidence, par les enzymes de restriction coupant très rarement (voir Tableau 10-3), d'**îlots riches en CG hypométhylés** (îlots HTF de Bird) qui sont souvent la marque de l'extrémité 5' des gènes (voir chapitre 2) ;

— le séquençage et la mise en évidence d'un **cadre ouvert de lecture *(ORF)***, sur les 6 cadres possibles (à raison de 3 par brin), flanqué de **séquences consensus d'épissage** est une étape importante qui, du fait de sa lourdeur, n'est mise en œuvre que sur des séquences forte-

Mise à profit des mutations délétionnelles pour l'identification de séquences clonées candidates

Dans le cas de la myopathie de Duchenne les clones pERT 87 obtenus par Kunkel (figure 11-7) ont permis de découvrir des délétions infracytogénétiques chez environ 6 p. 100 des malades. La diversité des délétions, qui peuvent s'étendre à droite comme à gauche de la région pERT 87, et l'énormité du domaine couvert ont apporté la preuve que les sondes pERT 87 correspondent en fait à la partie médiane d'un gène gigantesque (> 2 000 kb).

La banque pERT, obtenue à partir du malade BB décrit dans la figure 11-7, contenait aussi le gène de la **granulomatose chronique.** Celui-ci a pu être caractérisé par Royer-Pokora et Orkin (1986) en utilisant la stratégie suivante : une banque de cDNA de phagocytes normaux a été enrichie par hybridation soustractive avec des mRNA provenant du malade avec délétion (sujet BB). Les clones des cDNA ainsi enrichis ont servi à détecter un clone dans la banque génomique pERT (obtenue par enrichissement du DNA grâce au même malade). Ce clone a été finalement validé parce qu'il révélait un mRNA de 4,7 kb présent dans les leucocytes normaux mais *absent* chez certains malades atteints de granulomatose chronique.

Les malades atteints de **rétinoblastome** avec délétion dans la région 13q14 ont permis d'isoler le gène par une stratégie d'authentification assez comparable.

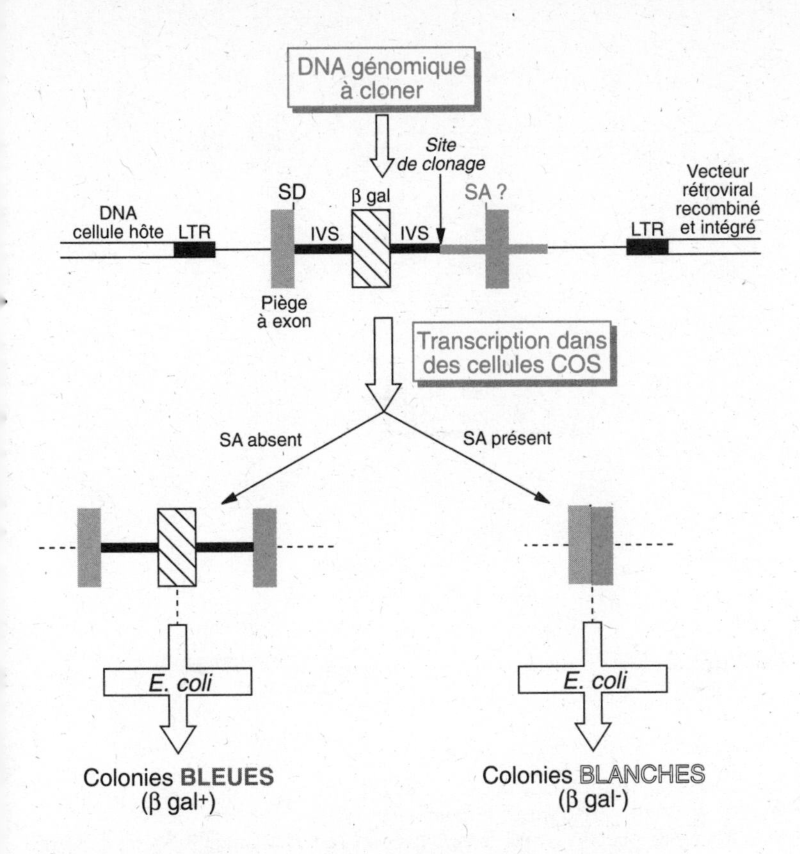

Figure 11-9 Stratégie dite « exon trapping » *(Duyk et al, 1990)*
Dans un premier temps le DNA génomique est cloné dans un vecteur rétroviral, le site de clonage étant situé à l'extrémité 3' d'un intron (IVS) contenant un gène reporter (gène β-gal) et borné en 5' par le site donneur d'épissage (SD) du premier exon de la β-globine qui servira de **piège à exon**. Tout exon potentiel qui serait ainsi cloné apporterait sa propre séquence acceptrice (SA) ce qui entraînerait l'épissage du gène reporter au niveau du transcrit mûr exprimé dans des cellules COS. Ce transcrit est exploré par amplification cDNA/PCR et clonage dans un vecteur d'expression procaryotique. La disparition du gène *β-gal* (colonies blanches) trahit la présence d'un exon dans le fragment de DNA génomique cloné.

ment suspectes de contenir un exon. En fait plusieurs paramètres sont à considérer dans le traitement des données de séquence : ORF suffisamment long (au moins 50 nucléotides), sites putatifs d'épissage (par comparaison avec les séquences consensus), composition hexanucléotidique particulière (qui est différente dans les exons et les introns), et éventuellement similarités segmentaires avec des protéines déjà connues. Cette **analyse multi-paramétrique** ne peut être effectuée que par un traitement informatique complexe (voir chapitre 32) * ;

— plusieurs méthodes permettant de repérer directement les **exons**, avant tout séquençage, ont été récemment proposées.

L'une, appelée ***« exon connection »***, repose sur l'amplification par PCR de séquences transcrites, à l'aide d'amorces situées dans des exons candidats distincts **(Figure 11-8)**.

L'autre, appelée « ***exon trapping*** », consiste à cloner les séquences génomiques suspectes de contenir des exons, et à repérer ces derniers par la présence d'un nou-

* Le traitement informatique d'une séquence génomique de 67 kb a été une aide précieuse à l'isolement du gène responsable du syndrome de Kallmann (Legouis et al, 1991).

Figure 11-10 **Stratégie dite « exon amplification »** *(Buckler et al, 1991)*
Du DNA génomique est cloné dans un vecteur capable de s'exprimer dans les cellules eucaryotes. Celui-ci contient une construction composée d'un intron connu (du gène *tat* du virus HIV par exemple) flanqué par deux séquences exoniques du gène de la β-globine. Les recombinants sont transfectés dans des cellules COS, où leurs transcrits sont extraits et analysés par méthode cDNA/PCR à l'aide d'amorces de β-globine. Tout insert contenant un exon complet flanqué de ses sites d'épissage (SD : site donneur et SA : site accepteur) doit être retenu dans l'amplimère, car ceux-ci sont reconnus par les sites d'épissage 5' et 3' de l'intron *tat*.

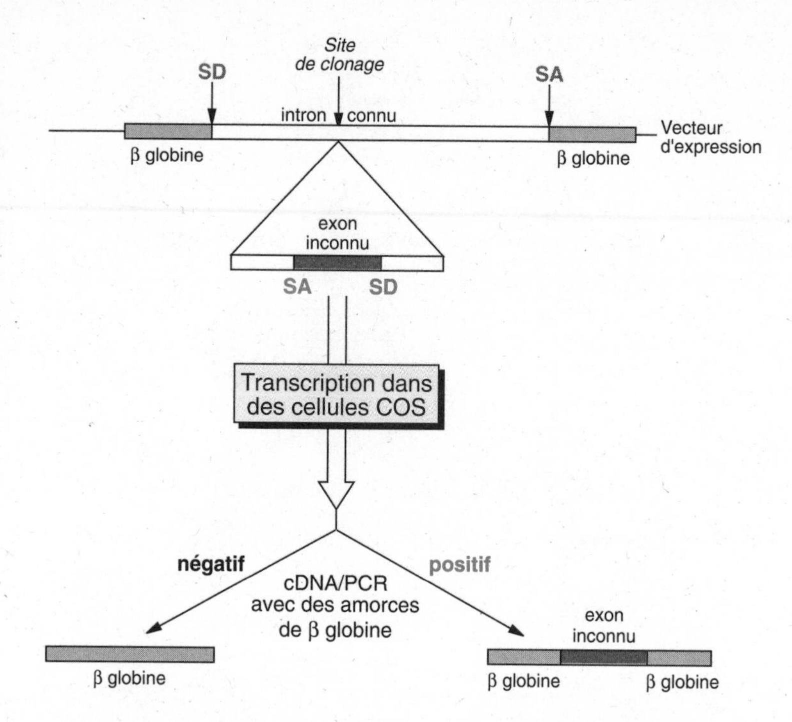

veau site accepteur d'épissage qui entraîne l'élimination d'un gène β-gal témoin présent dans le vecteur de clonage **(Figure 11-9)**.

Une troisième, appelée ***« exon amplification »***, est fondée sur le même principe que la précédente, mais ici les inserts de nature exonique sont reconnus parce qu'ils entraînent l'épissage de séquences flanquantes, ce que l'on met en évidence par PCR **(Figure 11-10)**.

L'étape décisive est finalement la mise en évidence de **séquences exprimées**, la séquence candidate (exon putatif) étant utilisée comme sonde capable de s'hybrider avec un mRNA ou un cDNA. La taille du mRNA révélé, ainsi que le tissu où on le trouve, sont autant d'informations très précieuses. En pratique la détection directe d'un mRNA sur un Northern-blot à l'aide d'une sonde génomique est une méthode beaucoup trop peu sensible pour avoir des chances de réussir, et il faut toujours passer par l'obtention d'un clone de cDNA. A cet effet on utilise la séquence génomique contenant un exon putatif pour cribler une **banque représentative de cDNA**, préparée à partir d'un tissu où le gène recherché a le plus de chances d'être exprimé*. La reconstitution du cDNA complet, parfois très laborieuse si le gène est très morcelé et/ou très grand, est le stade ultime et indispensable.

Si, par malchance, le territoire génomique exploré contient plusieurs gènes, comme peut le laisser prévoir par exemple une multiplicité d'îlots HTF, la difficulté de cette étape s'en trouve considérablement accrue.

Un gène étant obtenu, il reste à prouver que c'est le bon, c'est-à-dire à mettre en évidence qu'il est anormal chez les malades. Cette étape de **validation** est, nous l'avons vu, aisément franchie lorsque la pathologie du gène recherché est principalement délétionnelle. Par exemple dans le cas du gène de la myopathie de Duchenne, la pathologie délétionnelle a été un fil conducteur constant, sans lequel ce gène gigantesque (2,3

* Le criblage des banques de cDNA à l'aide de **YAC entiers**, directement utilisés comme sondes, paraît représenter une alternative très intéressante, puisqu'elle permet de court-circuiter la laborieuse recherche d'exons.

I. Reconstitution d'une séquence génique à partir d'une séquence protéique (*génétique classique*)

PROTEINE	val	ala	ser	leu	arg	arg	val	gly	pro	ser
codons possibles	GTT	GCT	TCT	CTT	CGT	CGT	GTT	GGT	CCT	TCT
	GTC	GCC	TCC	CTC	CGC	CGC	GTC	GGC	CCC	TCC
	GTA	GCA	TCA	CTA	CGA	CGA	GTA	GGA	CCA	TCA
	GTG		TCG	CTG	CGG	CGG	GTG	GGG	CCG	TCG
			AGT	TTA	AGA	AGA				AGT
			AGC	TTG	AGG	AGG				AGC

II. Reconstitution d'une séquence protéique à partir d'une séquence de DNA (*génétique inverse*)

cadre 1 ouvert		GTA	GCT	TCA	CTT	AGA	AGA	GTT	GGT	CCT	AGT
		val	ala	ser	leu	arg	arg	val	gly	pro	ser
cadre 2 fermé	G	TAG	CTT	CAC	TTA	GAA	GAG	TTG	GTC	CTA	GT
		stop									
cadre 3 fermé	GT	AGC	TTC	ACT	TAG	AAG	AGT	TGG	TCC	TAG	T
					stop					stop	

Figure 11-11

I : La reconstitution d'une séquence génique à partir d'une séquence protéique est difficile à cause de la dégénérescence du code. Dans l'exemple qui est donné ici — où à dessein les acides aminés à codons multiples ont été accumulés — il y a 5 971 968 versions polynucléotidiques possibles pour le même déca-peptide. En fait elles n'ont pas une probabilité équivalente, à cause de l'utilisation préférentielle des codons qui varie selon les espèces. Il existe des programmes informatiques permettant de reconstituer les versions les plus vraisemblables (voir chapitre 32).
II : Il est beaucoup plus facile de reconstituer une séquence protéique à partir d'une séquence polynucléotidique. S'il s'agit de la portion codante d'une séquence de cDNA ; le seul élément dont il faut tenir compte est le **cadre de lecture**. Cependant s'il s'agit de DNA génomique, il est très difficile de savoir si on a affaire à une séquence codante. L'absence de cadre ouvert est un argument négatif décisif ; en revanche la présence d'un cadre ouvert n'est pas suffisante. C'est pourquoi la recherche de séquences codantes dans des clones de DNA génomique passe obligatoirement par le clonage du cDNA correspondant (mise en évidence et clonage des séquences exprimées).

mégabases) n'aurait sans doute pas pu être si rapidement délimité. En même temps ces délétions permettent une validation facile des gènes venant d'être isolés. Lorsque les lésions génomiques sont plus discrètes, le problème se complique, car de leur découverte dépend l'incrimination du gène que l'on vient d'isoler. S'il s'agit de mutations ponctuelles la validation peut être difficile à obtenir. De plus une mutation ponctuelle peut être difficile à distinguer d'un simple **polymorphisme** de séquence.

Une preuve définitive, qu'il est difficile d'exiger en première intention, consiste à induire directement une **correction phénotypique** par l'introduction du gène normal dans des cellules de malades (obtenu en 1990 par Rich et al et par Drumm et al pour le gène CFTR dans des cellules mucoviscidosiques), ou inversement le déclenchement d'une pathologie par **transfection** ex vivo ou **transgenèse** in vivo chez la souris d'une version mutée du gène candidat (expériences de Coulombe et al, et Vassar et al 1991, démontrant le rôle du gène de la kératine K14 dans le déterminisme d'une forme d'épidermolyse bulleuse).

L'après-gène

Une fois le gène découvert, les étapes suivantes peuvent être logiquement déduites.

Étape 6 : reconstitution de la séquence polypeptidique à partir de la séquence codante

Cette opération est facile car à une séquence nucléotidique codante (cadre ouvert) ne correspond qu'une seule séquence polypeptidique alors que l'inverse n'est pas vrai à cause de la dégénérescence du code **(Figure 11-11).** L'interrogation des banques de données où figurent toutes les séquences polypeptidiques et nucléotidiques déjà déchiffrées permet de savoir instantanément si l'on a affaire à une protéine entièrement originale, ou au contraire identique ou apparentée à une protéine déjà connue, notamment par partage de certains domaines.

Étape 7 : isolement de la protéine

L'isolement de la protéine s'effectue grâce à des anticorps dirigés contre des peptides synthétiques, ou contre le produit du gène cloné et exprimé par une bactérie.

Étape 8 : caractérisation de la structure et de la fonction de la protéine ; physio-pathologie de la maladie

Étape 9 : anatomie du gène et régulation de son expression

Étape 10 : pathologie moléculaire du gène

Elle prend en compte : le déterminisme des lésions, les corrélations avec l'aspect clinique et la fréquence des mutations *de novo*.

Étape 11 : tentative de diagnostic phénotypique

Le diagnostic phénotypique s'effectue notamment à l'aide des anticorps obtenus à l'étape 8. En cas de succès, cette étape peut déboucher sur des tests diagnostiques plus simples et moins laborieux que le diagnostic génotypique. En matière de diagnostic prénatal il est important de savoir si le diagnostic phénotypique est possible dans du matériel fœtal aisément accessible (trophoblaste). En revanche, pour la détection des conductrices de maladies liées à l'X, l'analyse génotypique demeure irremplaçable à cause du phénomène de lyonisation.

Étape 12 : élaboration d'une thérapeutique rationnelle

Elle découle de la compréhension de la maladie et des possibilités de correction. Les résultats acquis par la génétique inverse sont trop récents et trop peu nombreux pour avoir déjà eu des conséquences thérapeutiques. Rappelons qu'il existe en revanche un nombre croissant de maladies qui, ayant franchi l'étape 4 ci-dessus décrite, bénéficient déjà de possibilités diagnostiques, notamment à visée préventive (diagnostic prénatal, diagnostic des hétérozygotes) (voir chapitre 13).

LES SERVICES RENDUS PAR LA GÉNÉTIQUE INVERSE

Un premier bilan des réalisations de la génétique inverse

Un nombre croissant de **maladies monogéniques** à gène initialement inconnu bénéficie à présent de cette approche. Il faut distinguer :

— les cas où le but initial a été atteint et où l'on est entré dans la phase de « l'après-gène » ;

— les cas où le gène a été approché de près dans un territoire génomique physiquement délimité, sans être encore identifié ;

— les cas où le gène a seulement été localisé par les outils de la cartographie génétique.

Le **Tableau 11-5** donne la liste des maladies appartenant à la première de ces catégories. Nous y attirons l'attention sur les cas où la maladie est génétiquement hétérogène, ceux où le décodage du gène découvert a révélé qu'il correspond à une protéine déjà identifiée mais non soupçonnée, ceux où l'hypothèse du gène candidat s'est trouvée confirmée, ceux où des mutations différentes dans un même gène peuvent engendrer une pathologie différente.

Pour les maladies où le gène coupable n'a pas encore été identifié, nous avons opéré une distinction entre les cas où le **gène est physiquement cerné**, parfois de très près, ce qui laisse espérer un succès proche **(Tableau 11-6)**, et les cas où le succès paraît devoir être atteint moins rapidement, car le locus morbide a été seulement cartographié **(Tableau 11-7)**. Cette division est cependant un peu arbitraire, car il est très difficile de faire des pronostics dans ce domaine, le laps de temps écoulé entre l'obtention d'une localisation primaire et l'identification d'un gène étant très variable d'un cas à l'autre (voir le cas particulièrement rebelle du gène de la chorée de Huntington).

La génétique inverse permet de valider ou d'invalider des « gènes candidats »

Il s'agit de mettre en cause ou au contraire d'innocenter certains gènes suspectés d'être responsables de certaines maladies.

Il existe des maladies génétiques monofactorielles où d'emblée le soupçon se porte sur un gène déterminé, en général parce que la maladie comporte une anomalie protéique ou un dysfonctionnement qui ont valeur d'indication.

Ainsi le nanisme hypophysaire évoque une anomalie du gène de la somathormone, l'ostéogenèse imparfaite une anomalie d'un gène du collagène. S'il existe une hétérogénéité génétique l'analyse de ségrégation famille par famille permet de s'en rendre compte, comme nous l'avons déjà vu (Tableau 11-1).

La même stratégie permet de vérifier l'hypothèse de la participation d'un gène donné à une maladie manifestement polygénique : par exemple l'implication des gènes des apolipoprotéines dans la maladie athéromateuse (voir chapitre 14).

Tableau 11-5 **Génétique inverse : tableau de bord chronologique des premiers succès (identification des gènes coupables)**

Année	Maladie (n° MIM)	Localisation	Symbole (locus morbide)	Protéine	Stratégie de clonage	Références clés
1986	**Granulomatose chronique** (306400)	Xp21.1	CYBB (CGD)	cytochrome b_{245} chaîne bêta*	B	**1**
	Rétinoblastome (180200)	13q14	RB	anti-oncogène Rb	B	**2**
1987	**Myopathies de Duchenne et de Becker** (310200)	Xp21.2	DYS (DMD)	dystrophine	B	**3**
1988	**Testicule féminisant** (313700)	Xq12	AR	récepteur des androgènes**	D	**4**
1989	**Mucoviscidose** (219700)	7q22	CFTR (CF)	protéine CFTR	A	**5**
	Spondylodysplasie polyépiphysaire (183900)	12q13	COL2A1	collagène type II, chaîne alpha1*	D	**6**
	Maladie de Pelizaeus-Merzbacher (312080)	Xq21.3-q22	PLP	protéine protéolipidique* (PMD)	D	**7**

(suite du tableau pages suivantes)

Tableau 11-5 *(suite)*

Année	Maladie (n° MIM)	Localisation	Symbole (locus morbide)	Protéine	Stratégie de clonage	Références clés
1990	**Mâles XX** (278850) **Femmes XY** (306100)	Yp11.3	SRY	déterminant de la masculinité	D	**8**
	Tumeur de Wilms (194070)	11p13	WT1	anti-oncogène WT1	B	**9**
	Rétinite pigmentaire autosomique dominante (180380)	3q21	RHO	rhodopsine*	D	**10**
	Neurofibromatose type-1 (von Recklinghausen) (162200)	17q11	NF1	NF1 (protéine de type GAP)	B	**11**
	Syndrome d'Alport (301050)	Xq22	COL4A5 (ATS)	collagène de type IV chaîne alpha-5*	D	**12**
	Hémorragie cérébrale héréditaire avec amyloidose-type Hollandais (104760)	21q21	APP	protéine précurseur de l'amyloïde bêta (A4)**	D	**13**
	Paralysie périodique hyperkaliémique (170500)	17q23	SCN4A (HYPP)	canal sodium du muscle adulte, subunité alpha	D	**14**
	Choroïdérémie (303100)	Xq21	TCD		B	**15**
	Cardiomyopathie hypertrophique familiale (192600)	14q11.2	MYH6 MYH7	myosine cardiaque, chaîne lourde, subunité alpha-, bêta*	D	**16**
	Xeroderma pigmentosum (groupe de complémentation A) (278700)	9q34.1	XPA	enzyme d'excision réparation du DNA (doigt de zinc)	C	**17**
	Xeroderma pigmentosum (groupe de complémentation B) **sans/avec syndrome de Cockayne** (216400, 278710)	2q21	ERCC3 (XPB)	hélicase	C	**18**
	Syndrome de Li-Fraumeni (191170)	17p13	TP53	anti-oncogène p53*	D	**19**
1991	***Maladie d'Alzheimer, à début présénile*** (104300)	21q21	APP	protéine précurseur de la protéine amyloïde bêta (A4)*	D	**20**
	Syndrome de l'X fragile (syndrome de Martin-Bell) (309550)	Xq27.3	FMR1 (FRAXA)		B	**21**
	Maladie de Kennedy (313200)	Xq13	AR (SBMA)	récepteur des androgènes**	D	**22**
	Syndrome de Marfan 1 (154700)	15q21	FBN1 (MFS1)	fibrilline 1*	D	**23**
	Hyperthermie maligne (145600)	19q12	RYR1 (MHS)	récepteur de la ryanodine*	D	**24**
	Syndrome céphalopolysyndactylique de Greig (175700)	7p13	GLI3 (GCPS)	protéine à doigt de zinc GLI3* (famille GLI-Krüppel)	A	**25**
	Polypose colique familiale (175100)	5q21	APC (FAP)	protéine APC	B	**26**
	Epidermolyse bulleuse simplex, type Dowling-Meara (131760)	17q12-q21	KRT14 (EBS)	kératine K14*	D	**27**
	Syndrome de Kallmann (308700)	Xp22.3	ADLM (KAL)	protéine d'adhésion	B	**28**
	Rétinite pigmentaire autosomique dominante (180380)	6p	RDS (RP6)	périphérine*	D	**29**
	Aniridie (106210)	11p13	PAX6 (AN2)	protéine Pax-6	B, D	**30**

Tableau 11-5 *(suite)*

Année	Maladie (n° MIM)	Localisation	Symbole (locus morbide)	Protéine	Stratégie de clonage	Références clés
1991 *(suite)*	**Dystrophie myotonique de Steinert** (160900)	19q13.3	MT-PK (DM)	Myotonine protéine kinase	A	**31**
	Syndrome de Waardenburg (type I) (193500)	2q35	HUP2	homologue de Pax-3	D	**32**
	Syndrome de Zellweger (214100)	7q11.23	« PAF1 » (ZWS)	facteur 1 d'assemblage des peroxysomes	C	**33**
	Piebaldisme (172800)	4q11-q12	KIT (PBT)	récepteur du facteur de croissance des mastocytes	D	**34**
1992	**Diabète juvénile de la maturité** (125850)	7p	GLC (MODY)	glucokinase*	D	**35**
	Anémie de Fanconi, groupe C de complémentation (227650)	9q22.3	FACC		C	**36**
	Ataxie-télangiectasie, groupe D de complémentation (208900)	11q23	ATDC (AT)		C	**37**
	Syndrome oculo-cérébro-rénal de Lowe (309000)	Xq25	OCRL	inositol poly phosphate-5'-phosphatase	B	**38**
	Myotonie congénitale, dominante (Thomsen) (160800)	7q35	CLC-1 (ADMC)	canal chlore musculaire	D	**39**
	Myotonie généralisée, récessive (Becker) (255700)	7q35	CLC-1	canal chlore musculaire	D	**39**
	Diabète insipide, néphrogénique (304800)	Xq28	AVPR2 (CNDI)	récepteur V2*	D	**40**
	Maladie de Norrie (310600)	Xp11.4	ND	protéine ND	B	**41**
	Maladie de Charcot-Marie type Ia (118220)	17p11.2	PMP22	protéine de la myéline périphérique*	B, D	**42**
1993	**Maladie de Menkes** (309400)	Xq13	MNK		B	**43**
	Agammaglobulinémie liée à l'X (Bruton) (300300)	Xq22	ATK	agammaglobulinémie (XLA) tyrosine kinase	A	**44**
	Adrénoleucodystrophie (300100)	Xq28	ALD	ALD protéine	B	**45**

A = « Clonage positionnel » aléatoire ; B = « Clonage positionnel » orienté ; C = Clonage fonctionnel ; D = Gène candidat. *Italiques* = maladies où il existe une hétérogénéité génétique. * = protéines déjà connues avant que le gène pathologique ait été identifié ; ** = protéines dont des versions mutées différentes engendrent des maladies différentes.

Références clés (les références complètes se trouvent dans la bibliographie du chapitre 11, p. 716) :
1 : Royer-Pokora et al, 1986. **2** : Friend et al, 1986. **3** : Monaco et al, 1985 ; Ray et al, 1985 ; Monaco et al, 1986 ; Koenig et al, 1987 ; Burghes et al, 1987. **4** : Brown et al, 1988. **5** : Rommens et al, 1989 ; Riordan et al, 1989 ; Kerem et al, 1989. **6** : Lee et al, 1989. **7** : Gencic et al, 1989 ; Trofatter et al, 1989. **8** : Sinclair et al, 1990 ; Berta et al, 1990. **9** : Gessler et al, 1990 ; Call et al, 1990. **10** : Dryja et al, 1990. **11** : Viskochil et al, 1990 ; Cawthon et al, 1990 ; Wallace et al, 1990. **12** : Barker et al, 1990. **13** : van Broeckhoven et al, 1990 ; Levy et al, 1990. **14** : Fontaine et al, 1990 ; Rojas et al, 1991 ; Ptacek et al, 1991. **15** : Cremers et al, 1990. **16** : Geisterfer-Lowrance et al, 1990 ; Tanigawa et al, 1990. **17** : Tanaka et al, 1990 ; Satokata et al, 1990. **18** : Weeda et al, 1990. **19** : Malkin et al, 1990 ; Srivastava et al, 1990. **20** : Goate et al, 1991 ; Murrell et al, 1991. **21** : Oberlé et al, 1991 ; Yu et al, 1991 ; Kremer et al, 1991 ; Verkerk et al, 1991. **22** : La Spada et al, 1991. **23** : Dietz et al, 1991. **24** : MacLennan et al, 1990 ; Fujii et al, 1991. **25** : Vortkamp et al, 1991. **26** : Kinzler et al, 1991 ; Nishisho et al, 1991 ; Groden et al, 1991 ; Joslyn et al, 1991. **27** : Coulombe et al, 1991. **28** : Franco et al, 1991 ; Legouis et al, 1991. **29** : Farrar et al, 1991 ; Kajiwara et al, 1991. **30** : Ton et al, 1991 ; Jordan et al, 1992. **31** : Harley et al, 1992 ; Buxton et al, 1992 ; Aslanidis et al, 1992 ; Mahadevan et al, 1992 ; Fu et al, 1992 ; Brook et al, 1992. **32** : Tassabehji et al, 1992 ; Baldwin et al, 1992. **33** : Shimozawa et al, 1992. **34** : Giebel & Spritz, 1991. **35** : Froguel et al, 1992 ; Vionnet et al, 1992 ; Stoffel et al, 1992. **36** : Strathdee et al, 1992. **37** : Kapp et al, 1992. **38** : Attree et al, 1992. **39** : Koch et al, 1992. **40** : Rosenthal et al, 1992 ; van der Ouweland et al, 1992 ; Pan et al, 1992. **41** : Berger et al, 1992 ; Chen et al, 1992 ; Meindl et al, 1992. **42** : Matsunami et al, 1992 ; Patel et al, 1992 ; Timmerman et al, 1992 ; Valentijn et al, 1992. **43** : Chelly et al, 1993 ; Mercer et al, 1993 ; Vulpe et al, 1993. **44** : Vetrie et al, 1993. **45** : Mosser et al, 1993.

Tableau 11-6 **Génétique inverse : quelques gènes morbides, cernés dans un territoire physiquement délimité, mais non encore atteints**

Maladie (n° MIM)	**Symbole**	**Position**	**Année de première localisation**
Chorée de Huntington* (143100)	HD	4p16.3	**1983**
Polykystose rénale dominante 1 (173900)	PKD1	16p13.3	**1985**
Rétinite pigmentaire liée à l'X (312610)	RP3	Xp21.1	**1985**
Ataxie de Friedreich (229300)	FRDA	9q13-q21.1	**1988**

* Ce gène a été finalement atteint en 1993 (voir encadré page 425).

Il faut bien distinguer cette démarche où il s'agit de relier un locus à une pathologie, éventuellement polyfactorielle, de celle qui consiste à y associer un allèle déterminé **(association allélique)**. Cette dernière implique que la possession par un individu d'un allèle donné constitue une marque génétique de prédisposition, par exemple au diabète, ou à une hyperlipidémie. De nombreux travaux sont effectués dans ce sens (voir chapitre 14).

De la drosophile à l'homme en passant par la souris : une filière logique de la génétique inverse.

Le syndrome de Waardenburg type I (MIM n° 193500) est une maladie autosomique dominante associant une surdité, des anomalies de pigmentation et une dysmorphie faciale. Le gène défectueux (***HuP2***) a été découvert grâce à une démarche combinant la stratégie du gène candidat à l'observation d'une mutation animale : la souris ***splotch***. Les étapes de la découverte ont été les suivantes :

— découverte chez un malade d'une anomalie cytogénétique touchant la région 2q35-q37, et confirmation de la localisation par linkage ;

— la région chromosomique homologue de la souris (chromosome 1) contient un gène de développement, ***Pax-3***, cloné par son homologie avec les gènes *paired* et *gooseberry* de la drosophile. Une délétion de 32 pb dans ce gène est trouvée chez les souris présentant le phénotype *splotch*, caractérisé par des anomalies du développement de la crête neurale, avec, à l'état hétérozygote, un tableau clinique évoquant le syndrome de Waardenburg humain ;

— le gène *Pax-3* code pour un facteur transcriptionnel, renfermant un motif caractéristique « paired box » (130 amino-acides) et un homéodomaine caractéristiques des protéines se liant au DNA ;

— chez des malades atteints de syndrome de Waardenburg, des mutations sont découvertes dans l'équivalent humain *HuP2* du gène murin, ce qui valide ce gène candidat (Tassabehji et al, 1992 ; Baldwin et al, 1992).

Il faut noter qu'un gène d'**aniridie** (sur le chromosome 11 humain) a été identifié par une démarche identique : il s'agit d'un homologue humain de l'homéogène de souris ***Pax-6*** responsable de l'anomalie *small eye* (Ton et al, 1991).

La génétique inverse permet de résoudre des énigmes biologiques

La stratégie de la génétique inverse ne s'applique pas uniquement à l'étude des maladies à gène inconnu. Elle permet d'identifier de nouveaux gènes et de nouvelles protéines, qu'ils soient ou non impliqués dans un processus pathologique.

La plupart des **oncogènes** ont été découverts avant les protéines qu'ils spécifient. La découverte de **gènes homéotiques** chez la drosophile procède aussi de la démarche de la génétique inverse (clonage de segments de DNA dont la cartographie physique peut être effectuée grâce à des mutants de développement) (voir encadré ci-contre). C'est ainsi d'une manière générale que les nombreuses protéines très minoritaires qui sont impliquées dans la régulation du cycle cellulaire ont été découvertes.

La découverte récente des premiers **récepteurs olfactifs** procède de la même démarche (voir encadré p. 291). C'est finalement par l'isolement et le déchiffrage de nouveaux gènes qu'il sera possible d'accéder aux dizaines de milliers de protéines restant à découvrir.

La génétique inverse peut réserver des surprises

La découverte de gènes nouveaux a considérablement enrichi nos connaissances sur l'anatomie, la physiologie et la pathologie du génome humain. En ce qui concerne les protéines nouvellement mises à jour, un fait essentiel apparaît : la plupart d'entre elles sont **apparentées**, au moins dans certains domaines, à des séquences polypeptidiques déjà connues. Ceci prouve le bien-fondé de l'hypothèse de W. Gilbert selon laquelle la grande variété des protéines présentes chez les organismes supérieurs résulterait d'une combinatoire d'exons préexistants (***exon shuffling***), sans cesse réutilisés au cours de l'évolution comme de véritables éléments préfabriqués.

Tableau 11-7 **Génétique inverse : quelques gènes morbides localisés mais non encore cernés**

Maladie (n° MIM)	**Symbole**	**Localisation**
Ataxie spinocérebelleuse, dominante (164400)	SCA1	6p24-p23
Amyotrophie spinale (253300, 253400, 253550)	SMA	5q11.2-q13.3
Cancer du sein précoce (susceptibilité)* (113705)	BCRA1	17q12-q21
Central core disease (117000)	CCD	19q12-q13.2
Déficit immunitaire combiné, lié à l'X (300400)	SCIDX	Xq13.1
Dysplasie ectodermale anhidrotique (305100)	EDA	Xq13.1
Dystrophie musculaire d'Emery-Dreifuss (310300)	EMD	Xq28
Epilepsie bénigne néonatale familiale (121200)	EBN	20q
Epilepsie myoclonique (Unverricht-Lundborg) (254800)	EPM1	21q22.3
Fente palatine, liée à l'X (303400)	CPX	Xq21
Hypoplasie surrénale congénitale (300200)	AHC	Xp21.3-p21.2
Maladie de Batten (ceroid-lipofuscinosis) (204200)	CLN3 (BTS)	6p12
Maladie périodique (249100)	FMF	16p13.3
Maladie de Von Hippel-Lindau (193300)	VHL	3p26-p25
Maladie de Wilson (277900)	WND	13q14-q21
Myopathie des ceintures, dominante (159000)	LGMD1	5q22-q34
Myopathie des ceintures, récessive (253600)	LGMD2	15q15-q22
Myopathie myotubulaire, liée à l'X (310400)	MTMX	Xq28
Néoplasie endocrinienne multiple I* (131100)	MEN1	1q13
Néoplasie endocrinienne multiple II* (171400)	MEN2	10q11.2
Neurofibromatose centrale 2* (101000)	NF2	22q11.2-q13
Neuropathie de Charcot-Marie-Tooth 2 (118200)	CMT1B	1q21.1-q23.3
Neuropathie de Charcot-Marie-Tooth, liée à l'X (302800)	CMTX	Xq11-q13
Rétinite pigmentaire autosomique dominante (180100)	RP1	8p11-q21
Rétinite pigmentaire, liée à l'X (312600)	RP2	Xp11.4-p11.23
Sclérose latérale amyotrophique (105400)	ALS1	21q22
Sclérose tubéreuse de Bourneville 1 (191100)	TSC1	9q33-q34
Sclérose tubéreuse de Bourneville 2 (191090)	TSC2	11q23
Sclérose tubéreuse de Bourneville 3 (191091)	TSC3	12q23.3
Syndrome de Coffin-Lowry (303600)	CLS	Xp22.2-p22.1
Syndrome de Treacher-Collins (154500)	TCFS	5q23-q34
Syndrome de Wiskott-Aldrich (301000)	WAS	Xp11.2
Syndrome du QT Long (Ward-Romano) (192500)	LQT	11p15.5
Syndrome lymphoprolifératif lié à l'X (308240)	XLP	Xq25-q26

* Cancers héréditaires.

Génétique inverse et bases moléculaires de l'olfaction

L'homme est capable de distinguer des milliers d'odeurs différentes, ce qui implique un extraordinaire pouvoir de discrimination entre des molécules chimiques ne différant parfois que par des différences subtiles. Les bases moléculaires de cette discrimination viennent d'être élucidées par la découverte d'une très grande famille multigénique codant pour des récepteurs transmembranaires dont l'expression est restreinte à l'épithélium olfactif (Buck et Axel, 1991). Cette découverte a été permise par une stratégie de **génétique inverse** fondée sur les postulats suivants :

— les récepteurs olfactifs sont très diversifiés, mais probablement apparentés à la famille des protéines transmembranaires, qui, comme les **récepteurs adrénergiques**, appartiennent au système de transduction du signal par couplage à l'adénylate cyclase via les protéines G ;

— l'expression de ces récepteurs est restreinte à **l'épithélium olfactif**.

Cette double hypothèse a été vérifiée en utilisant plusieurs couples d'amorces oligonucléotidiques pour amplifier par PCR des mRNA présents dans un extrait de RNA total d'épithélium olfactif. La séquence des amorces, dont plusieurs versions dégénérées ont été utilisées simultanément, correspondait à des motifs polypeptidiques conservés chez tous les membres de la famille des récepteurs de type β-adrénergique. L'amplification a produit une grande variété de séquences, comme prévu. Remarquable synthèse de raisonnement inductif et déductif, cette expérience de « clonage par apparentement » a permis d'accéder à la nouvelle superfamille des gènes des récepteurs olfactifs, qui pourrait comporter plus de 100 représentants.

La génétique inverse a aussi permis de faire des découvertes inattendues : gigantisme de certains gènes qui, comme celui de la **dystrophine** (2,3 Mb), possède des introns énormes (plusieurs centaines de kilobases), avec conservation phylogénétique de cette organisation surprenante ; multiplicité et complexité des **épissages alternatifs** et des **promoteurs alternatifs** ; existence de **gènes gigognes** (gènes inclus dans des introns, comme cela a été trouvé dans le gène NF1 et dans celui du facteur VIII) ; pathologie insolite par insertion d'un **transposon** au beau milieu d'un gène (gène du facteur VIII et gène NF1), ou par **amplification** monstrueuse d'une répétition instable de triplets (syndrome X-fra, maladie de Kennedy, maladie de Steinert) (voir chapitre 12).

Sélection de références bibliographiques : voir page 716.

La pathologie du DNA

12

Depuis que les gènes humains sont devenus des objets concrets accessibles à l'analyse expérimentale, on a appris à connaître les anomalies dont ils peuvent être l'objet. On a ainsi constaté que leur fonction pouvait être perturbée par des lésions siégeant soit dans le gène, soit en dehors, à proximité plus ou moins immédiate.

Notre connaissance de la **pathologie moléculaire** du DNA est pour le moment strictement unidimensionnelle : les anomalies de séquence sont interprétées au premier degré, c'est-à-dire en tant qu'événements perturbant immédiatement soit le **contenu informationnel**, soit des **signaux** essentiels de commande pour l'expression ou pour la maturation des transcrits (épissage).

Quant à l'éventuelle induction de perturbations à distance pouvant aboutir à une micro-modification d'une région de chromatine, elle est vraisemblable, mais encore peu accessible à l'investigation.

Historiquement, c'est encore une fois la pathologie moléculaire des gènes de l'hémoglobine qui a ouvert la voie en montrant que pratiquement toutes les lésions imaginables étaient bel et bien retrouvées.

LE DNA PEUT SUBIR UNE GRANDE VARIÉTÉ DE LÉSIONS

On peut distinguer les lésions *importantes* (« macrolésions ») et les lésions *minimes* (« microlésions »), qui, nous l'avons vu au chapitre 8, posent des problèmes analytiques différents.

Les macrolésions

Les délétions résultent de l'excision d'un segment de DNA avec rétablissement de la continuité de la double hélice. La perte de matériel est très variable, pouvant aller du seuil de détectabilité sur une carte de restriction selon Southern (quelques dizaines de pb) au seuil de détectabilité par les méthodes de la *cytogénétique* (2 à 5 millions de pb). Ce seuil est largement dépassé dans les très grandes délétions intéressant un segment chromosomique plus ou moins important, voire un chromosome entier.

La duplication d'un segment plus ou moins long de DNA est la contrepartie des délétions, et procède souvent d'un mécanisme comparable.

L'amplification concerne la multiplication, en général en tandem, de séquences normalement uniques. Elle peut aboutir à une expansion considérable d'une même séquence (plusieurs centaines de milliers de copies) et se manifester à l'échelle cytogénétique par l'apparition de minichromosomes surnuméraires **(double-minute)** ou de segments chromosomiques possédant des propriétés tinctoriales anormales (*Homogeneous Staining Region* ou **HSR**).

La fusion de gènes concerne un cas particulier de réarrangement où une double cassure s'est produite dans deux gènes avec transposition de l'un dans l'autre. Cette transposition peut se faire à l'intérieur d'un même chromosome, ou intéresser deux chromosomes différents. Dans ce dernier cas il s'agit d'une translocation qui peut être soit détectable par les méthodes de la cytogénétique (fusion *bcr-abl* du chromosome Philadelphie), soit infra-cytogénétique (fusion *bcr-abl* sans chromosome Philadelphie visible). Dans le DNA résultant de la translocation, les gènes raboutés sont soit dans la même orientation, c'est-à-dire sur le même brin — comme dans la fusion *bcr-abl* de la leucémie myéloïde chronique —, soit dans une orientation opposée, c'est-à-dire sur des brins opposés — comme le gène c-*myc* et le gène C-μ dans les lymphomes de Burkitt avec translocation 8;14.

L'inversion est un changement d'orientation, tête-bêche, d'un segment plus ou moins long de DNA.

Les insertions correspondent à l'introduction dans un gène d'une séquence soit mobile (transposon, voir p. 298), soit virale (voir chapitre 15).

Le déterminisme des macrolésions

Les recombinaisons inégales induisent des changements quantitatifs

En dehors des accidents dus à une malségrégation chromosomique, les macrolésions résultent en général, mais non obligatoirement, d'accidents de **recombinaison méiotique**. Les délétions et duplications sont produites par recombinaison « illégitime » entre séquences très semblables mais non nécessairement identiques, responsable d'une erreur d'alignement (crossing-over *inégal*). On voit sur la **figure 12-1** que ce mécanisme aboutit à la fois à l'élimination d'un gène sur un chromosome et à la duplication sur l'autre. Ainsi s'expliquent les délétions et les duplications des gènes de la famille de l'alpha-globine dans les alpha-thalassémies (voir chapitre 14).

La recombinaison inégale est un phénomène très important car il explique en grande partie l'évolution des gènes, et notamment la création de familles et de superfamilles à partir d'un gène ancestral (voir chapitres 2 et 6). Ce phénomène est favorisé par l'existence de séquences homologues très rapprochées sur le même chromosome, celles-ci pouvant être des séquences codantes (comme dans le cas de l'alpha-globine) ou non codantes. Dans cette dernière catégorie le DNA répétitif dispersé, notamment de la famille **Alu**, joue probablement un rôle important dans le déterminisme des délétions-duplications.

Ce type d'accident pourrait aussi se produire en dehors de la méiose. On a démontré que des délétions portant sur des gènes du chromosome X, responsables notamment de l'hémophilie A ou de la myopathie de Duchenne, sont apparues de novo dans des gamètes mâles. Ceux-ci ne comportant qu'un seul chromosome X, force est de conclure que l'acci-

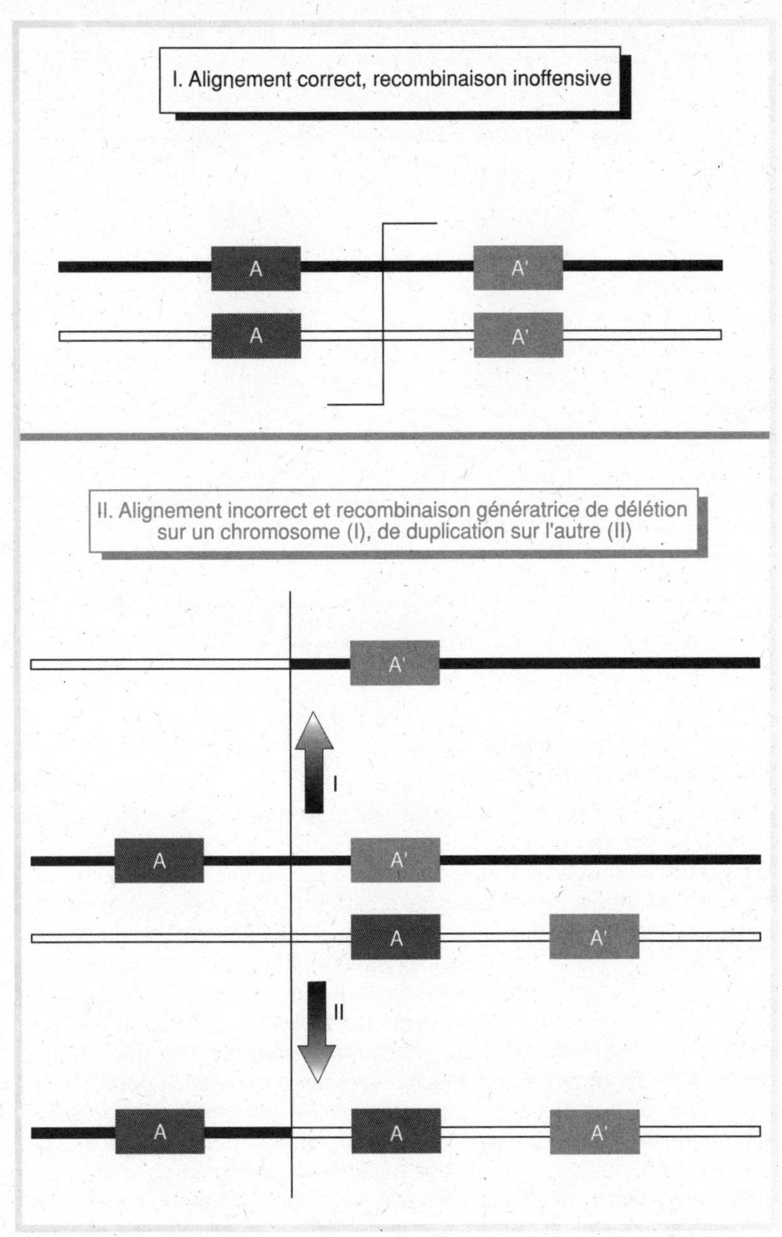

Figure 12-1 Une recombinaison inégale peut entraîner une délétion et une duplication
La contiguïté sur un même chromosome de séquences homologues ou identiques favorise les erreurs d'alignement méiotique. Celles-ci engendrent la formation de deux types de gamètes, l'un porteur d'une délétion, l'autre d'une duplication.

dent est d'origine mitotique, pour autant que la délétion ait résulté d'un crossing-over inégal. Le rôle des séquences répétées directes ou inversées dans la production des délétions mitotiques est ici aussi probable, mais non encore formellement démontré. Ce phénomène de recombinaison réplicative, non encore élucidé chez les eucaryotes supérieurs, pourrait résulter du même mécanisme que la transposition observée chez les procaryotes, et certains eucaryotes comme la drosophile et le maïs.

Les accidents méiotiques ou mitotiques aboutissant à une **translocation** sont responsables de phénomènes de **fusion** en orientation directe ou inversée. Une question importante concerne les translocations réciproques équilibrées parce que les cytogénéticiens n'y décèlent aucune perte de matériel. Le problème a pu être récemment abordé au niveau moléculaire dans le cas des translocations somatiques (mitotiques) observées dans le lymphome de Burkitt et la leucémie myéloïde (voir encadré).

Les translocations réciproques peuvent entraîner la juxtaposition, voire la fusion de gènes

• *Le lymphome de Burkitt* est une lymphopathie maligne monoclonale caractérisée par une translocation chromosomique entre le chromosome 8 cassé dans ou au voisinage du proto-oncogène *c-myc* et l'un des trois chromosomes portant des gènes des immunoglobulines : le plus souvent chromosome 14 (chaînes lourdes), plus rarement chromosome 2 (chaîne légère kappa) ou chromosome 22 (chaîne légère lambda). L'aspect cytogénétique est celui d'une translocation équilibrée. Le clonage moléculaire a montré que la juxtaposition entre *c-myc* et l'un des gènes (V ou C) des immunoglobulines s'accompagnait d'une délétion allant de quelques nucléotides à plusieurs centaines de nucléotides, avec dans certains cas une inversion tête-bêche des séquences (voir chapitre 15).

• *La leucémie myéloïde* chronique est caractérisée cytogénétiquement par le chromosome Philadelphie (Ph1) qui résulte d'une translocation entre chromosomes 9 et 22. Cet échange, apparemment réciproque, entraîne la fusion d'un gène du chromosome 22 ***(bcr)*** et d'un gène du chromosome 9 (proto-oncogène *c-abl*) au cours de laquelle le gène *c-abl* subit une amputation plus ou moins importante de sa partie 5'. De nombreux autres exemples de fusion génique avec formation d'une protéine chimère sont maintenant connus (voir chapitre 15).

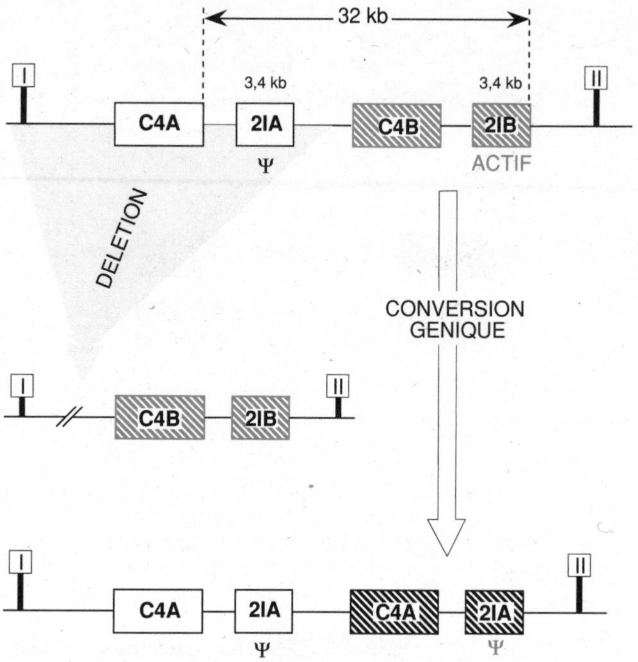

Figure 12-2 **Recombinaison inégale et conversion génique intéressant des gènes de classe III du système HLA**
La **recombinaison inégale** entraîne la délétion des gènes C4A et 21A, sans conséquence pathologique puisque 21A est un pseudo-gène. La perte de matériel génétique entraîne un raccourcissement de la distance entre les sites I et II.
La **conversion génique** homogénéise les séquences au détriment des gènes C4B et 21B qui deviennent identiques à C4A et 21A. Il s'ensuit une perte de fonction (déficit en 21-hydroxylase et hyperplasie surrénale congénitale) puisque le gène actif 21B est converti en pseudo-gène 21A. Noter que dans ce processus il n'y a aucune perte de matériel génétique (la distance entre les sites I et II est inchangée).
(D'après Higashi et al, 1988)

La conversion génique induit des changements qualitatifs

La contiguïté de deux gènes très semblables, mais non identiques, favorise non seulement les recombinaisons inégales aboutissant à une délétion sur une chromatide et une duplication sur l'autre (Figure 12-1), mais aussi la **conversion génique** (voir chapitre 3). Ce phénomène est très difficile à mettre en évidence, et le seul exemple démontré chez l'homme concerne les gènes de la **21-hydroxylase** — 21A et 21B — situés à côté de gènes du complément dans le domaine des gènes de classe III du complexe HLA **(Figure 12-2)**. Les gènes 21A et 21B diffèrent très peu, et sur les 3 400 nucléotides qui les composent il n'existe que 88 différences. Seul le gène 21B est fonctionnel, car le gène 21A, dont le cadre de lecture est fermé, est un pseudogène. En utilisant des oligosondes correspondant aux séquences légèrement différentes, on arrive à distinguer les deux gènes. Une analyse détaillée de la région chez les sujets présentant soit une disparition des allèles phénotypiques du complément C4A (allèle nul), soit un déficit en 21-hydroxylase **(hyperplasie surrénale congénitale)**, a permis de conclure que dans le premier cas il s'agit d'une délétion du bloc C4A-21A, et dans le second cas d'une conversion génique avec perte de l'allèle C4B et perte de l'activité 21-hydroxylasique sans perte de matériel génétique (Figure 12-2).

Un mécanisme plausible de délétion : l'excision d'une boucle chromatinienne

L'observation de délétions d'une centaine de kilobases dans le domaine des gènes de la β-globine, génératrices de **syndrome HPFH** ou de γδβ-**thalassémies** (voir chapitre 14), amène à postuler l'existence d'un mécanisme de délétion indépendant de toute notion d'homologie de séquence : l'excision d'une boucle chromatinienne au moment de la réplication. On sait en effet que de telles boucles, contenant en particulier des gènes exprimés, sont formées entre deux points d'ancrage dans la matrice chromatinienne distants de 30 à 130 kb. Le phénomène n'a jusqu'à présent été postulé qu'à propos des gènes de globine (α et β) (Collins et al, 1987).

Des microlésions peuvent induire des mutations ponctuelles

De multiples facteurs physiques et chimiques, endogènes et exogènes, tendent en permanence à altérer le DNA génomique. Le plus souvent les lésions produites (cassure d'un brin, création de liaisons covalentes entre deux bases contiguës ou complémentaires, modification chimique d'une base, excision d'une ou de plusieurs bases, erreur de réplication) sont reconnues et réparées par des systèmes enzymatiques (voir chapitre 3). Lorsque la réparation n'a pas lieu, ou si elle est défectueuse, l'événement accidentel survenu sur un seul brin peut être fixé lors de la réplication suivante : il s'agit alors d'une *mutation ponctuelle* qui va se perpétuer dans les générations cellulaires suivantes **(Figure 12-3)**.

Les mutations ponctuelles sont considérées comme les causes les plus fréquentes de maladies génétiques. On les trouve à l'origine de près de 70 p. 100 des cas de maladies génétiques où un défaut moléculaire intragénique a pu être caractérisé avec précision. Elles consistent en substitutions, suppressions ou additions de bases.

Leur déterminisme est variable. Elles peuvent résulter de perturbations biochimiques endogènes :

— **dépurination** spontanée, due à une plus grande labilité de la liaison N-glycosidique reliant les bases puriques au squelette de polydésoxyribose-phosphate ;

— **transitions tautomériques** (forme -NH2 ⟶ forme = NH ; forme C = O ⟶ forme = C — OH) favorisant les appariements contre nature ;

— surtout **désamination**, avec transition de l'adénine en hypoxanthine, de la guanine en xanthine, de la cytosine en uracile. En fait ces transformations ont peu de chances de se perpétuer, car les dérivés formés sont aussitôt reconnus, excisés et remplacés par les systèmes de réparation. Il n'en est pas de même si la désamination porte sur une cytosine méthylée, puisque le produit formé, le 5-méthyle uracile, n'est autre que la thymine, non reconnue comme élément étranger au DNA. La transition accidentelle C⟶T est donc fixée par le remplacement d'un G par un A sur le brin opposé au moment de la réplication qui suit (Figure 12-3). Les sites comportant une cytosine méthylée, c'est-à-dire certains doublets CG, sont donc des cibles vulnérables, et constituent des **points chauds** *(hot-spots)* de mutation. L'examen du code génétique montre que la fixation de ce type de lésion dans les générations suivantes peut induire 6 faux sens possibles et 1 non-sens (arg⟶ stop) sur le brin où a eu lieu l'accident, et 2 faux sens possibles sur son complémentaire.

Les mutations ponctuelles peuvent aussi résulter d'une **erreur de réplication** ou de **réparation** échappant à la vigilance des systèmes de contrôle. Ainsi s'expliquent sans doute les mutations par délétion ou addition d'une base ou d'un très petit nombre de bases.

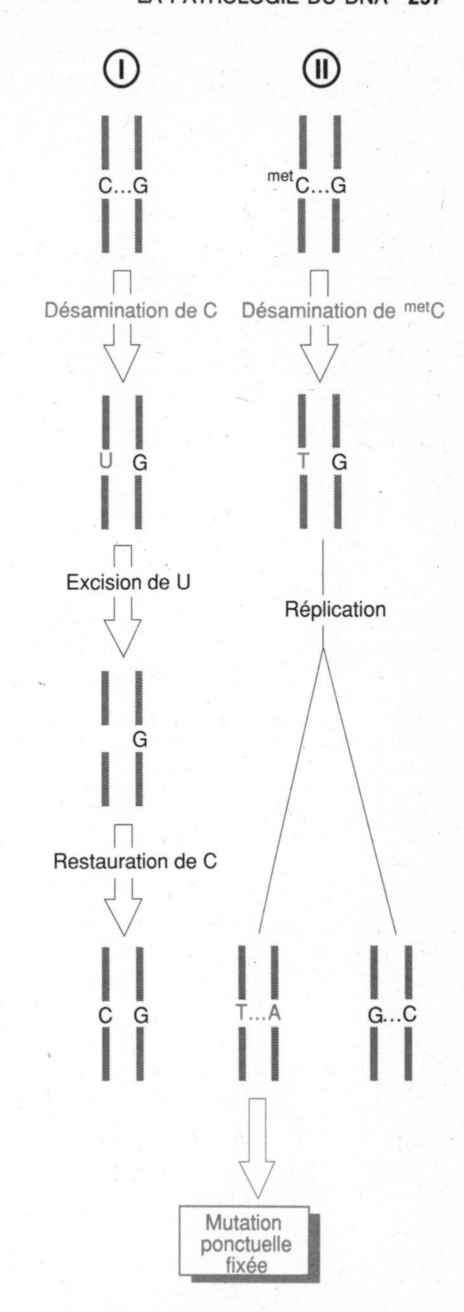

Figure 12-3 Mutation par désamination d'une cytosine méthylée
I : La désamination d'une cytosine non méthylée (C) produit un uracile qui, reconnu comme illégitime dans une séquence de DNA, est excisé et remplacé par une cytosine.
II : La désamination sur un brin d'une cytosine méthylée (metC) en thymine (T) produit une mutation ponctuelle non reconnue par les systèmes de réparation et fixée à la génération suivante, résultant en une transition d'une paire CG en paire TA.

Des accidents de réplication se produisent au niveau des séquences courtes répétées

Le **dérapage réplicatif *(slipped-strand mispairing)*** est un mécanisme qui a été récemment proposé pour expliquer l'instabilité de certaines régions du génome comportant une succession de courts motifs répétés (mono- ou oligonucléotidiques) **(Figure 12-4)**. Il s'agit d'accidents de **réplication, mitotiques ou pré-méiotiques,** favorisant une amplification ou une réduction du nombre de répétitions. Ce mécanisme semble être à l'origine du polymorphisme des microsatellites (voir chapitre 9). Lorsqu'une structure de type microsatellite existe dans un gène, elle peut constituer une zone d'instabilité. Ce type de pathologie génique, jusqu'alors ignoré,

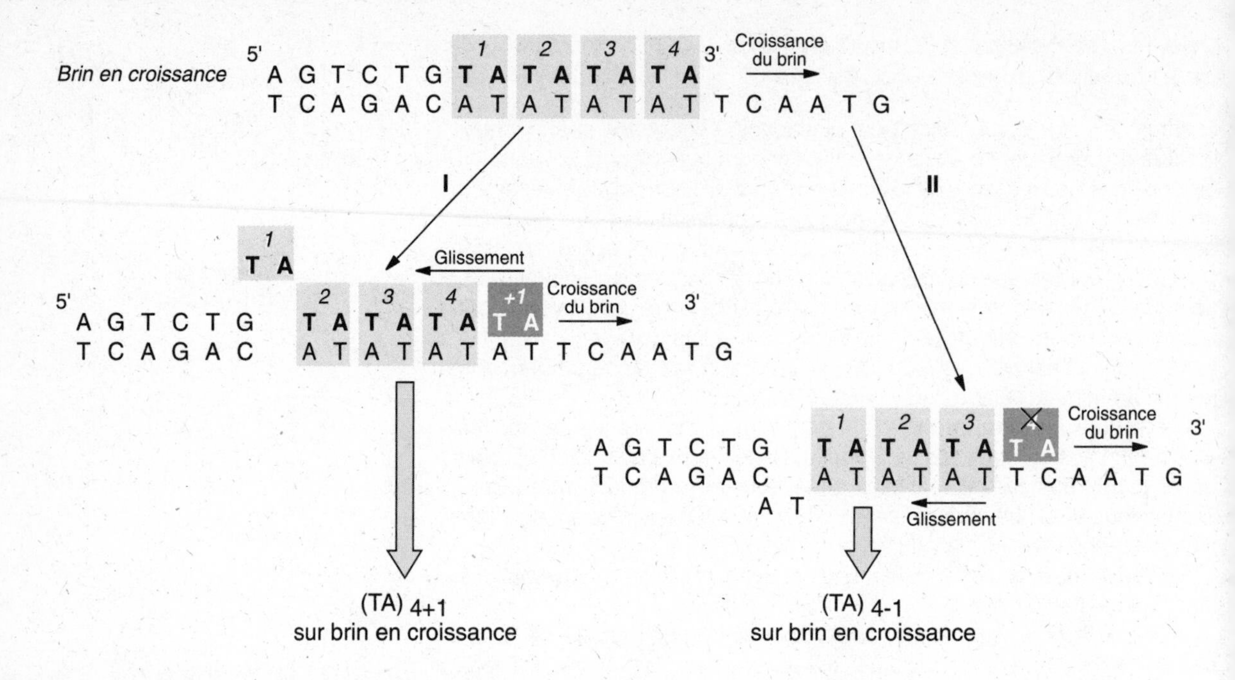

Figure 12-4 **Mécanisme du dérapage réplicatif au niveau des séquences courtes répétées** *(d'après Levinson, 1987)*
I. Si le glissement du brin en croissance se fait dans le sens 3'—>5', il en résulte une boucle sur ce brin, et une addition d'un TA supplémentaire.
II . Si le glissement du brin en croissance se fait dans le sens 5'—>3', il en résulte une boucle sur le brin matrice, et le dernier TA sur le brin en croissance (en position 4) est excisé par l'activité 3'—>5' exonucléasique de la DNA polymérase.

Tableau 12-1 **Pathologie par expansion de triplets**

Maladie	Gène	Triplet répété sur le brin codant	Situation normale	Amplification pathologique
Syndrome de Kennedy	Récepteur des androgènes (Xq13)	$(CAG)^*_n$	n = 13-30	n = 39-60
X-fragile	FMR1 (Xq27.3)	$(CGG)_n$	n = 6-46	n = 50-200 (prémutation) n>300 (mutation complète)
Dystrophie myotonique	myotonine-protéine-kinase (19q13)	$(CTG)^*_n$	n = 5-27	n = 52->1 000

* noter que les triplets CAG et CTG sont complémentaires.

également dénommé « **mutation dynamique** », a été récemment reconnu dans plusieurs maladies : **syndrome de l'X- fragile** (amplification d'une répétition de triplets CGG dans le premier exon du gène FMR-1, voir page 408 et Figure 14-41), **syndrome de Kennedy** (gène du récepteur aux androgènes), et **dystrophie myotonique de Steinert (Tableau 12-1)**.

La pathologie par insertion d'éléments mobiles

Les séquences moyennement répétitives appartenant à la famile LINE et Alu ont une structure de **transposon** (voir chapitre 2). On suppose qu'elles jouent un rôle important dans la plasticité du génome au cours de l'évolution, et au cours du développement. On sait très peu de choses sur la

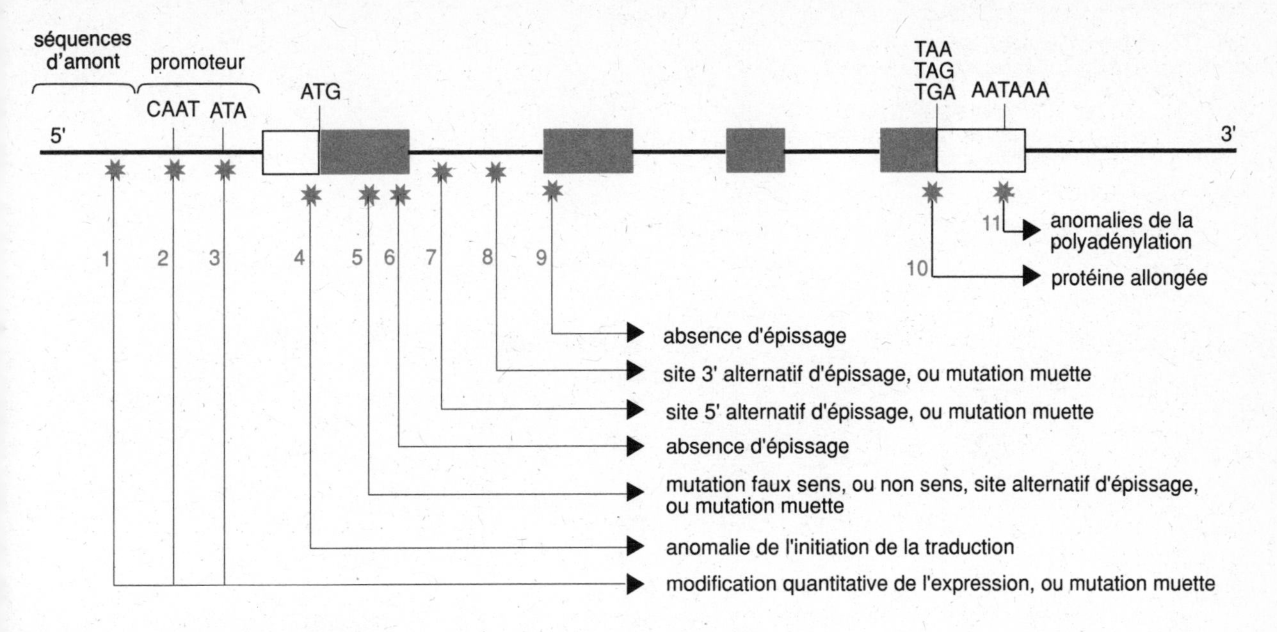

Figure 12-5 **Conséquences possibles des mutations ponctuelles d'un gène et de ses régions régulatrices**
(Reproduit avec l'aimable autorisation d'A. Kahn)

transposition chez les eucaryotes supérieurs, mais on a découvert (1991) qu'elle peut être génératrice d'une pathologie par **mutagenèse insertionnelle,** si l'insertion se fait en plein milieu d'un gène*. Les premiers exemples identifiés concernent un cas d'hémophilie A par transposition d'une **séquence LINE** dans l'exon 14 du facteur VIII ; un cas de neurofibromatose par insertion d'une **séquence *Alu*** dans un intron du gène NF1 ; un cas de déficit en cholinestérase par insertion d'une séquence *Alu* dans le gène de cette enzyme. Le mécanisme le plus probable est qu'il s'agit de phénomènes de **rétrotranspositions**, car les séquences en cause sont transcrites, et certaines d'entre elles renferment une séquence codant pour une **transcriptase inverse**. Ces mécanismes pourraient aussi être responsables d'une pathologie somatique du DNA au cours des cancers, car les séquences LINE sont hyper-exprimées dans les proliférations néoplasiques.

Les conséquences des mutations sur l'information génétique sont variées

Lorsqu'elles touchent une séquence **non codante** mais essentielle pour la régulation des gènes, elles peuvent perturber plus ou moins gravement leur expression. On en connaît encore peu d'exemples en pathologie humaine, sans doute à cause de notre connaissance très imparfaite des mécanismes de régulation de l'expression des gènes. Signalons que l'induction expérimentale de mutations, par mutagenèse dirigée, est précisément le meilleur moyen de localiser les séquences intéressantes.

Les mutations intragéniques déjà reconnues peuvent toucher les diverses parties du gène **(Figure 12-5)**.

* Le génotype responsable du phénotype ridé du pois *(Pisum sativum)*, rendu célèbre par les travaux de G. Mendel, a été élucidé : il s'agit de l'insertion d'un élément transposable dans le gène de l'enzyme branchant de l'amidon (Bhattacharya et al, 1990).

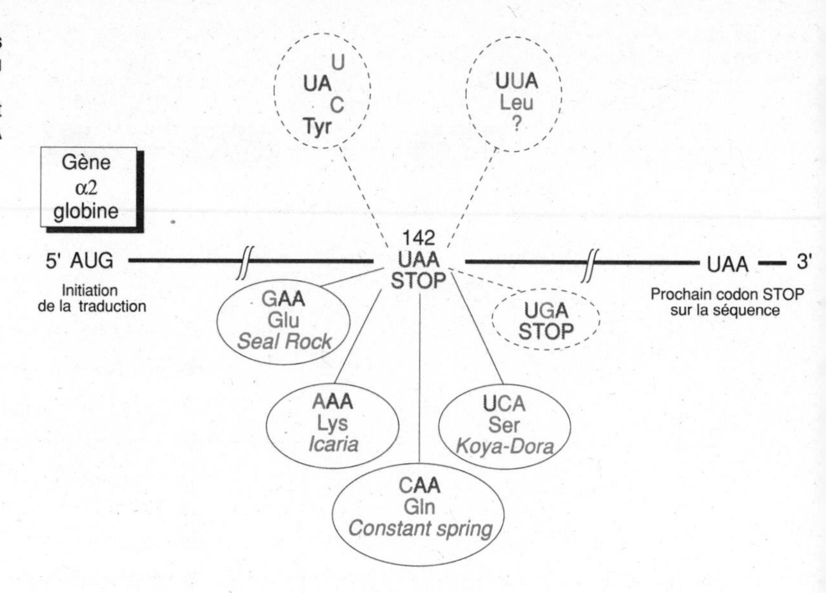

Figure 12-6 Conséquences sémantiques des mutations dans le codon de terminaison du gène α2-globine
Les mutations STOP → Tyr et STOP → Leu n'ont pas été détectées. La mutation UAA → UGA est sans conséquence pathologique.

Les mutations dans les régions codantes

Les mutations **faux sens** modifient la signification d'un codon **(Tableau 12-2).** Si le codon muté est l'un des 61 codons signifiants, il peut en résulter un changement d'acide aminé dans la protéine correspondante. L'impact final est éminemment variable selon la nature du changement et son emplacement sur la chaîne polypeptidique : la mutation peut retentir sur la fonction et/ou la stabilité de la protéine. Elle peut au contraire n'avoir aucune conséquence (mutations « neutres »).

Si la mutation porte sur la séquence correspondant à l'un des trois codons stop du RNA messager : UAA, UAG, UGA, il peut devenir signifiant, et entraîner une prolongation de la traduction jusqu'au codon stop suivant. Il en résulte une **élongation** de la chaîne polypeptidique **(Figure 12-6).**

Les mutations **non-sens** (Tableau 12-2) résultent d'une substitution aboutissant à la formation d'un codon UAA, UAG ou UGA. Elles entraînent l'interruption de la traduction, plus ou moins tôt selon leur emplacement sur le messager, et la protéine finale n'est en général pas exprimée. C'est le cas de la mutation globine β^{39stop}, responsable d'une β°-thalassémie fréquente dans le bassin méditerranéen.

Tableau 12-2 Exemples de mutations ponctuelles par substitution (transition ou transversion) se produisant dans une séquence codante

Localisation de la mutation	Codon muté	Type de mutation	Conséquence clinique
sur codon sens			
GAA (glu)	GA**G** (glu)	iso-sémantique	mutation silencieuse
GAG (glu)	GTG (**val**)	**faux sens**	**Hb S**
CAG (gln)	TAG (**stop**)	**non-sens**	**β° thalassémie**
sur codon stop			
TAA (stop)	TA**G** (stop)	iso-sémantique	mutation silencieuse
TAA (stop)	**C**AA (**gln**)	**élongation**	**Hb Constant-Spring**

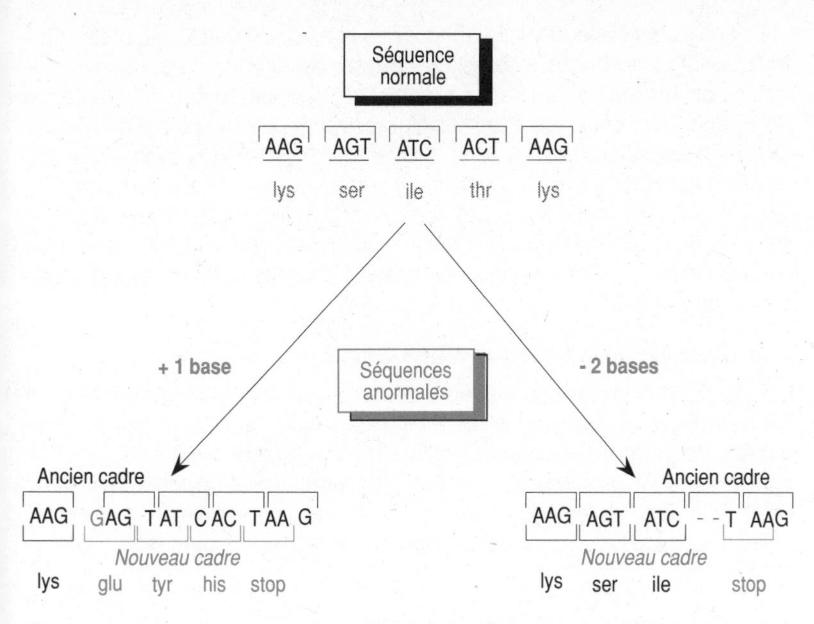

Figure 12-7
Les mutations frame-shift décalent le cadre de lecture par délétion ou insertion d'une base, de deux bases ou d'un non-multiple de 3.

Les mutations **iso-sémantiques** (Tableau 12-2) modifient la séquence d'un codon sans en modifier la signification. Elles sont en principe silencieuses sauf si elles limitent l'efficacité de la traduction à cause de la rareté du tRNA correspondant. Ce mécanisme n'a pas été démontré chez l'homme. Ces mutations peuvent être à l'origine de polymorphismes exoniques.

Les mutations perturbant le cadre de lecture (frame-shift)

Toute insertion ou délétion d'un non-multiple de 3 bases dans un exon entraîne nécessairement une modification du cadre de lecture *(frame-shift)*. Celle-ci fait en général apparaître tôt ou tard en aval un codon non-sens prématuré **(Figure 12-7)**. Cependant si la perturbation a lieu près de l'extrémité 3' de la séquence codante, celle-ci peut au contraire se trouver allongée jusqu'à un codon non-sens néoformé dans la région 3' non codante du messager. Si la variation du nombre de base touche 3 ou un multiple de 3 bases, le cadre de lecture est maintenu. Cette dernière situation concerne la mutation ΔF508 de la mucoviscidose (voir chapitre 14), où une délétion de 3 bases entraîne la perte d'une phénylalanine sans altérer le cadre de lecture (voir Figure 14-47).

Les mutations perturbant l'épissage

Si la mutation touche une région consensus d'épissage (site donneur ou accepteur) l'épissage n'a pas lieu normalement. En général l'exon situé en amont d'un site donneur muté, ou en aval d'un site accepteur muté, est éliminé. Cette omission d'exon ***(exon skipping)*** peut perturber le cadre de lecture et aboutir à une interruption prématurée de la traduction, si les exons raboutés ne sont pas en phase. Si ceux-ci demeurent en phase, la traduction n'est pas interrompue et il se forme une **protéine tronquée**, dont la valeur fonctionnelle résiduelle dépend de la nature du domaine protéique manquant. A l'anomalie qualitative s'ajoute souvent une anomalie quantitative, liée à une instabilité du mRNA et/ou de la protéine tronqués.

Des mutations siégeant en dehors des sites d'épissage obligatoire peuvent aussi perturber la maturation du transcrit si elles surviennent dans un **site cryptique**, qui se trouve ainsi activé. Si celui-ci siège dans un exon il s'en suivra un épissage intempestif, raccourcissant un exon (voir l'exemple de l'**hémoglobine Knossos**, figure 14-13). Si le site cryptique activé est intronique, une portion d'intron se retrouvera sur le transcrit mûr. En général cette anomalie fait apparaître, plus ou moins rapidement, un codon stop en aval. Sinon la protéine devient aberrante par addition d'une portion nouvelle. Un site cryptique peut aussi devenir actif en cas de mutation abolissant un site normal d'épissage.

Les fusions de gène par translocation

Lorsque la fusion respecte le cadre de lecture, un véritable gène **chimère** est formé, qui est transcrit en un RNA messager chimère, lequel est finalement traduit en une protéine chimère. Son niveau d'expression et sa spécificité sont dictés par la nature du promoteur appartenant au gène resté en 5', qui représente en quelque sorte le gène « receveur ». De nombreux exemples sont connus en pathologie oncologique (voir Tableau 15-11).

Les mutations à effet quantitatif

En dehors des mutations modifiant qualitativement le contenu informationnel du messager, il existe des mutations perturbant **quantitativement** l'expression du transcrit primaire et/ou sa maturation en RNA messager mûr. Tous les cas de figure ont déjà été rencontrés, notamment à propos de la pathologie moléculaire des gènes de l'hémoglobine (voir chapitre 14).

C'est ainsi que l'on connaît des mutations siégeant dans la région promotrice, dans le codon d'initiation de la transcription, dans les sites consensus d'épissage, dans le site de polyadénylation.

Des mutations peuvent perturber la longévité des messagers

On connaît des mutations affectant la stabilité du RNA messager, soit en l'augmentant (cas de l'oncogène c-*myc*), soit en la diminuant. Le phénomène est probablement lié à une perturbation de la **structure secondaire** du messager.

Beaucoup de mutations demeurent silencieuses

Ce sont des mutations qui n'ont aucune des conséquences fâcheuses précédemment décrites. C'est le cas de la plupart des mutations introniques (à condition qu'elles ne perturbent pas l'épissage), et des mutations survenant hors des gènes et des séquences qui en contrôlent l'expression. Leur seule conséquence tangible pour le biologiste moléculaire est d'être génératrices de **polymorphismes** intra- ou extra-géniques.

Les mutations survenant dans les cellules somatiques et dans les cellules germinales ont des conséquences génétiques différentes

Les macrolésions non réparées et les mutations ponctuelles fixées se perpétuent dans le DNA de la descendance cellulaire.

Si l'événement s'est produit dans une cellule **somatique**, la mutation demeure somatique et n'altère pas le capital génétique transmissible par l'individu à sa descendance. Seules sont touchées les cellules qui dérivent de la cellule où l'événement mutationnel s'est produit : le phénomène touche exclusivement **un clone cellulaire**. Si la mutation entraîne un amoindrissement fonctionnel de la cellule, le clone s'éteint spontanément. Si elle est sans effet, le clone se dilue dans la population générale et la mutation passe inaperçue. Si la mutation, en agissant sur sa croissance et sa prolifération, confère à la cellule un avantage sélectif, le clone cellulaire muté peut s'amplifier considérablement. On explique ainsi la genèse des **cancers**, qui apparaissent comme des proliférations monoclonales résultant d'une altération fortuite du patrimoine génétique d'une cellule somatique. Comme nous le verrons dans le chapitre 15 l'oncogenèse implique en fait l'addition de plusieurs événements.

Si la mutation survient dans une cellule **germinale**, elle se retrouve dans le gamète final, ovocyte ou spermatozoïde. Si celui-ci est utilisé pour une fécondation, la mutation est transmise à la descendance, produisant un sujet hétérozygote en cas de mutation siégeant sur un autosome. Si la mutation siège sur le chromosome X elle sera présente à l'état hétérozygote chez une fille, à l'état hémizygote chez un garçon.

Lorsqu'une maladie héréditaire dominante, ou récessive liée au sexe, n'est pas retrouvée dans les générations antérieures au cas index, il peut s'agir d'une mutation récemment apparue dans la généalogie (**néomutation** ou mutation **de novo**). La génétique classique ne permettait pas d'en apporter la preuve. Les méthodes de la génétique moléculaire permettent désormais d'approcher cet important problème. Les analyses génomiques familiales effectuées dans certaines maladies liées au chromosome X, comme l'hémophilie A et la myopathie de Duchenne, ont confirmé la fréquence des mutations de novo. Elles ont permis de déterminer enfin avec précision dans quel gamète parental l'événement accidentel s'est produit. Néanmoins, la possibilité d'une mosaïque parentale ne permet pas d'exclure le risque de récurrence (voir encadré).

Une surprise en génétique humaine : les mutations en mosaïque

Dans le cas de la myopathie de Duchenne l'approche moléculaire a réservé une surprise en suggérant la possibilité de **mutations en mosaïque** dans les gamètes (voir chapitre 14, figure 14-34). Il s'agit de familles où la lésion du gène DMD est absente dans le génome constitutionnel maternel, bien qu'elle ait affecté de manière récurrente la descendance (plus d'un enfant atteint). Cette situation ne peut résulter que de la coexistence d'ovocytes normaux et anormaux. Cette mosaïque peut s'expliquer par un accident **mitotique**, soit somatique au cours de l'embryogenèse (mosaïque généralisée), soit pré-germinal dans un précurseur gamétique (mosaïque germinale).

La fréquence des mutations n'est pas connue avec précision chez les eucaryotes

L'analyse des procaryotes a montré une fréquence moyenne de 10^{-5} à 10^{-6} événements mutationnels spontanés **par locus** et par **génération**. Chez les eucaryotes, et en particulier chez l'homme, on ne possède pas encore d'indication précise sur la mutabilité du génome.

Celle-ci a été jusqu'à présent évaluée sur la base indirecte du retentissement pathologique. Cette approche consiste à mesurer la fréquence d'apparition de novo de gènes pathologiques. Elle n'est possible que si les hétérozygotes sont phénotypiquement détectables. Elle n'a donc pas pu être appliquée aux maladies *autosomiques récessives.* En revanche une estimation a pu être faite dans les maladies *autosomiques dominantes,* et dans les *maladies récessives liées au sexe.* Le taux de néo-mutation varie selon le locus de 10^{-6} à 10^{-4} mutation par gamète et par génération. Le record de fréquence pour un gène autosomique appartient à celui de la **neurofibromatose** (1.10^{-4} à 5.10^{-5}), et pour un gène du chromosome X à celui de la **myopathie de Duchenne** (1.10^{-4} à 5.10^{-5}).

Ce problème peut désormais être abordé par l'analyse directe du DNA génomique. Certaines cibles sont privilégiées et constituent des points chauds, soit ponctuels (nous avons vu la vulnérabilité des cytosines méthylées), soit à cause de la présence de domaines instables — séquences répétées favorisant les erreurs d'alignement, séquences spécifiquement reconnues par les recombinases, séquences hypervariables des gènes d'immunoglobulines —, soit à cause de leur taille. Il est désormais certain que tous les gènes ne sont pas « égaux » devant le risque de mutation, et que cette inégalité est due à des différences dans leur structure.

L'approche moléculaire devrait enfin fournir une réponse au problème si souvent posé de l'influence du sexe des gamètes et de l'âge parental sur le déterminisme des maladies monogéniques.

Les conséquences pathologiques des mutations

La pathologie moléculaire est née avec l'identification de l'anomalie protéique responsable de la **drépanocytose** : la substitution glu⟶val dans le 6e codon de la chaîne β de la globine (Ingram, 1958). C'est encore la pathologie de l'hémoglobine qui a valu ses premiers succès à la génétique moléculaire. Ceci s'explique par la richesse et la fréquence de la pathologie des gènes de globine, qui ont été les premiers à être accessibles par des sondes clonées (1977). L'analyse fine des mutations dans ces gènes a montré que toutes les lésions imaginables pouvaient se produire. Les conséquences physio-pathologiques de ces mutations, d'abord étudiées chez les malades eux-mêmes, puis explorées par l'étude de l'expression du gène anormal, cloné et inséré dans un vecteur d'expression, ont démontré que les conséquences pathologiques des diverses mutations étaient en tout point conformes à la théorie.

Nous donnons dans le **tableau 12-3** la liste théorique des répercussions

Tableau 12-3 **Retentissement fonctionnel théorique des mutations pathologiques**

Mutations	Effet sur le mRNA	Effet sur la protéine
	Effet principalement qualitatif [1]	
Faux sens	mutation ponctuelle	protéine anormale
Perte ou insertion d'un codon	mRNA anormal	protéine anormale[1]
Codon de terminaison	mRNA élongué	protéine anormale[1]
Fusion génique	mRNA chimère	protéine chimère
	Effet principalement quantitatif	
Délétion, inversion, insertion	mRNA absent ou aberrant	protéine absente ou tronquée
Duplication extra-génique	mRNA normal ou augmenté	protéine normale ou augmentée
Duplication intra-génique	mRNA aberrant	protéine absente
Conversion génique (gène→pseudogène)	mRNA non codant	protéine absente
Non-sens	mRNA présent	protéine absente ou raccourcie
Frame-shift	mRNA présent	protéine absente
Affectant la maturation (épissage ; polyadénylation)	mRNA diminué ou absent	protéine diminuée ou absente
Affectant la stabilité du mRNA	mRNA instable ou stabilisé	protéine diminuée ou augmentée
Affectant une séquence *cis*-régulatrice	mRNA diminué ou absent	protéine diminuée ou absente
Affectant une région *trans*-régulatrice	mRNA diminué, absent ou augmenté	protéine diminuée, absente ou augmentée
Altérant la configuration chromatinienne	mRNA absent	protéine absente

1. Un effet quantitatif peut se surajouter si le mRNA ou la protéine sont instables (cas de l'hémoglobinose E qui s'accompagne d'un syndrome β-thalassémique).

Tableau 12-4 **Exemples de conséquences pathologiques des lésions du DNA**

Type de lésion	Conséquence	Exemple
	Macrolésions	
Délétion intra-génique totale ou partielle	gène non exprimé	α-thalassémie
Délétion extra-génique	perte de régulation	HPFH
Duplication partielle	gène non exprimé	myopathie de Duchenne
Amplification	gène surexprimé et dérégulé	certains cancers
Fusion entre 2 gènes	protéine chimère	Hb Lepore
Inversion	gène non exprimé	$(\delta\beta)^{\circ}$ thal (Inde)
Insertion	gène non exprimé	neurofibromatose de type I.
	Microlésions	
Mutation ponctuelle faux sens	protéine anormale	Hb S
Mutation non-sens	gène non exprimé	β-thal$^{\circ 39}$
Mutation « frame-shift »	gène non exprimé	certaines β-thal°
Mutation codon d'initiation ou de terminaison	gène non exprimé	
Mutation promoteur	expression diminuée	hémophilie B Leyden
Mutation affectant la maturation du mRNA :		
1. à un site d'épissage (donneur ou accepteur)	mRNA absent	certaines β-thal°
2. création d'un nouveau site d'épissage dans un intron	mRNA diminué ou aboli	certaines β-thal^{+} et β-thal°
3. mutation dans un exon activant un site cryptique d'épissage	protéine anormale et expression diminuée	Hb E

fonctionnelles que des mutations différentes sont susceptibles d'avoir sur les produits de transcription et de traduction.

Le **tableau 12-4** illustre par des exemples concrets les différentes conséquences pathologiques des mutations.

L'expression phénotypique des mutations peut différer selon l'origine parentale du chromosome qui les porte

Grâce aux marqueurs génotypiques polymorphes (chapitre 9) il est possible de distinguer l'origine maternelle ou paternelle d'un chromosome portant une anomalie du DNA. Lorsque l'expression phénotypique n'est pas équivalente, il y a phénomène d'**empreinte parentale** (***genetic imprinting,*** ou ***parental imprinting***). Cette non-équivalence n'est que l'émergence sur le plan de la pathologie de la non-équivalence biologique de chaque chromosome parental au sein d'un couple de chromosomes homologues. Ce phénomène, dont l'importance n'est apparue qu'assez récemment, joue un rôle essentiel au cours du développement embryonnaire. Le mécanisme moléculaire de la discrimination est encore très mal connu, mais il est certain que la **méthylation** joue un rôle essentiel, sinon unique. La méthylation différentielle a lieu au cours de la gamétogenèse. Par étude de la descendance de souris transgéniques portant un transgène sur un autosome, P. Leder a démontré que la méthylation a lieu au cours de la gamétogenèse femelle, et que la déméthylation s'effectue au cours de la spermatogenèse. Seuls certains gènes, voire certaines régions chromosomiques, sont en cause, c'est pourquoi l'impact en pathologie ne concerne pas toutes les maladies héréditaires. Dans les cas où l'empreinte génétique entre en jeu, la transmission génétique peut paraître non-mendélienne.

Les cas où celle-ci a été mise en évidence concernent surtout les syndromes délétionnels, ou syndrome des **gènes contigus** (voir Figure 14-55). Les cas les mieux documentés sont celui du **syndrome de Prader-Willi** et du **syndrome d'Angelman**. Dans les deux cas on note souvent une délétion interstitielle de la région 15q11-13. Lorsqu'elle porte sur le chromosome 15 du père, il existe un tableau de Prader-Willi (hypotonie, obésité, hypogonadisme, retard mental modéré) ; lorsqu'elle porte sur le chromosome 15 de la mère il s'ensuit un tableau d'Angelman, dont la symptomatologie est très différente (convulsions, rire paradoxal, faciès particulier, retard mental). Ceci suggère une inéquivalence de la région chromosomique considérée. Cette hypothèse d'une empreinte parentale a pu être confirmée dans des cas où il n'existait pas de délétion visible, mais une **disomie uniparentale**, c'est-à-dire deux chromosomes 15 provenant du même parent : la mère dans le cas du syndrome de Prader-Willi, et le père dans le cas du syndrome d'Angelman. Ceci prouve bien qu'il ne s'agit pas d'un effet quantitatif. Le même phénomène est également suspecté dans d'autres syndromes délétionnels : syndrome de Wolf-Hirschorn (del 4p), syndrome du cri du chat (del 5p), syndrome de Miller-Dieker (del 17p13), syndrome de Di George (del 22q). Son implication dans les cancers avec remaniement chromosomiques portant sur des territoires contenant des anti-oncogènes reconnus ou supposés, comme la **tumeur de Wilms** (chromosome 11p), le **syndrome de Beckwith-Wiedemann** (chromosome 11p), le **rétinoblastome** (chromosome 13q), est très probable.

UNE OU PLUSIEURS MUTATIONS ? UN OU PLUSIEURS GÈNES ?

Les maladies héréditaires, quel que soit leur mode de transmission, peuvent être dues à des lésions univoques ou variées portant sur un seul gène, ou sur plusieurs gènes alternativement ou simultanément. Le terme d'**hétérogénéité génétique**, souvent employé pour désigner les lésions non univoques, recouvre des situations variables que l'analyse génotypique a permis de clarifier.

Quelques définitions importantes à propos de l'hétérogénéité génétique

Monoallélisme : mutation unique, répandue par effet fondateur à la suite d'un accident génétique *unique* (origine géographique unique : comme l'allèle Pi^Z du *déficit en α1-antitrypsine*) ou *répété* (origine géographique pluricentrique de la *drépanocytose*).

Polyallélisme : mutations différentes affectant un même gène, - donc alléliques -, et déterminant une maladie, dont l'expression clinique peut varier selon le type de lésion. Exemple : les *β-thalassémies* ; les *myopathies de Duchenne et de Becker*.

Non-allélisme : caractérise les maladies génétiques déterminées par une anomalie portant alternativement sur un seul gène parmi plusieurs gènes possibles. Exemple : *ostéogenèse imparfaite*.

Polygénisme : définit les maladies où *plusieurs* gènes participent *conjointement* au déterminisme pathologique.

Le monoallélisme : une seule maladie, un seul gène, un seul allèle

Il s'agit des maladies génétiques dues à une lésion unique d'un seul gène. Peu d'exemples sont connus : la drépanocytose (HbS), le déficit en α1-antitrypsine (allèle Pi^Z).

Il faut alors soupçonner un **effet fondateur**, c'est-à-dire un accident mutationnel initial non récurrent qui s'est produit une seule fois chez un seul individu. La maladie peut alors avoir une origine **unicentrique** si elle s'est répandue à partir d'un point géographique précis. Si l'événement fondateur n'est pas unique, c'est-à-dire s'il s'est produit indépendamment chez des individus non apparentés en différents lieux du globe et à des moments différents, l'origine est **pluricentrique**. Grâce aux marqueurs génotypiques il est possible de distinguer les deux situations. En cas d'origine unicentrique, il existe un très fort déséquilibre de liaison entre les polymorphismes entourant le gène muté : tous les gènes mutés se trouvent sur un **même haplotype**. Ceci a été prouvé pour *l'allèle Pi^Z* du déficit en **α1-antitrypsine** dont on pense qu'il est apparu il y a 6 000 ans chez un individu vivant en Europe du Nord.

Pour la **drépanocytose,** l'analyse des haplotypes dans la région du gène de la β-globine a montré que la mutation β^S pouvait siéger dans un environnement génotypique variant selon les régions géographiques d'Afrique. Ceci indique une origine pluricentrique (Pagnier et al, 1984). Comme le nombre de foyers fondateurs en Afrique et en Asie est assez restreint, il serait plus correct de parler d'origine paucicentrique (voir chapitre 14).

Il est probable que les maladies génétiques à distribution géographique particulière résultent d'un effet fondateur. Que celui-ci soit unicentrique ou pluricentrique il reste à expliquer que la mutation ait pu se maintenir et se répandre dans la population. L'hypothèse la plus vraisemblable est celle de l'**avantage sélectif** des hétérozygotes, soit vis-à-vis de facteurs extrinsèques, principalement environnementaux, soit vis-à-vis de facteurs intrinsèques. En ce qui concerne la diffusion du trait drépanocytaire, il ne fait pas de doute que le facteur sélectif a été le **paludisme**, les hétérozygotes A/S présentant une résistance accrue vis-à-vis du Plasmodium.

La caractéristique essentielle de ces maladies est leur **monomorphisme moléculaire** : la lésion génétique est univoque, et le diagnostic par analyse du DNA s'en trouve considérablement facilité. En effet, si la lésion génétique est directement accessible (perturbation d'un site de restriction ou misappariement avec une sonde synthétique), le diagnostic est spécifique. De plus il est effectué sur un seul échantillon de DNA, celui du propositus ou du sujet à risque, et aucune étude familiale n'est requise.

Le polyallélisme : plusieurs variantes d'un même gène

La plupart des maladies génétiques répandues dans toutes les populations résultent vraisemblablement d'événements indépendants et répétés sans effet fondateur. Dans ces cas les néomutations (ou mutations de novo) sont fréquentes et sont caractérisées par la diversité moléculaire **(polyallélisme)**. Les **myopathies de Duchenne** et **de Becker** en sont de bons exemples, avec une proportion de 30 p. 100 de mutations nouvelles et différentes d'un cas à l'autre. D'autres maladies liées au chromosome X, comme l'**hémophilie A**, dont le taux de néo-mutation est élevé, entrent dans cette catégorie.

Le polyallélisme des **β-thalassémies** est remarquable si l'on considère la population mondiale (voir chapitre 14). Si l'on examine une population donnée, comme celle du bassin méditerranéen, l'hétérogénéité diminue, mais il persiste une certaine diversité. Il ne s'agit pas ici de mutations de novo, mais vraisemblablement de la fixation par effet sélectif de différentes mutations fondatrices.

Quelle que soit son origine, cette diversité complique le diagnostic. Il faut en effet savoir de quelle mutation il s'agit avant d'envisager un diagnostic prénatal direct ou indirect (voir chapitre 13).

Le non-allélisme : plusieurs gènes candidats

Une maladie génétique cliniquement bien caractérisée peut être due à l'atteinte **alternative** d'un seul gène parmi plusieurs candidats possibles. Par exemple l'**ostéogenèse imparfaite** peut être due à l'atteinte quelconque de l'un des gènes du collagène de type I (voir chapitre 14).

Dans le **nanisme hypophysaire**, les formes dues à une délétion dans le complexe des gènes de l'hormone de croissance demeurent l'exception. Dans la plupart des cas ces gènes sont non seulement normaux, mais encore l'étude des polymorphismes montre que le locus morbide en cause n'est pas lié à ce complexe.

Nous avons vu au chapitre 11 que l'une des étapes essentielles de la génétique inverse est de rechercher une éventuelle hétérogénéité génétique de la maladie, laquelle rend caduque toute tentative de diagnostic indirect par polymorphisme lié sans identification préalable du gène en cause.

Le polygénisme : plusieurs gènes « anormaux » agissant de concert

Il s'agit des maladies **polygéniques**, où plusieurs gènes concourent **simultanément** à la production d'un état pathologique.

Des maladies aussi communes que le diabète sucré, l'hypertension artérielle, l'athérome ont certainement un déterminisme complexe.

C'est l'un des grands objectifs de la biologie moléculaire que de dénombrer les gènes en cause et de déterminer la nature des allèles responsables. Il s'agit ici d'asseoir la notion empirique de « terrain » ou de « prédisposition » sur des bases objectives. Cette tâche, jusqu'alors inabordable, est désormais envisageable grâce à la multiplication des marqueurs polymorphes, et aux progrès de notre connaissance de la carte génomique humaine.

LA CRÉATION DE MODÈLES PATHOLOGIQUES ANIMAUX

Les mutations animales siégeant dans des gènes homologues à des gènes humains présentant un intérêt médical demeurent peu nombreuses, même chez la souris où de nombreuses souches mutées à l'aide d'agents mutagènes ont déjà été créées. L'utilité de lignées de souris portant de telles lésions est pourtant considérable. Elles permettraient en effet d'aborder une véritable expérimentation physio-pathologique et thérapeutique complètement affranchie des limitations imposées par l'expérimentation sur le malade. Elles constituent enfin un moyen irrécusable pour valider un gène candidat (voir chapitre 11), voire même une mutation dont on veut démontrer qu'elle est bien pathogène et qu'elle ne correspond pas à un simple polymorphisme.

Les techniques du génie génétique permettent d'aborder ces problèmes d'une façon beaucoup plus interventionniste et plus dirigée.

La manipulation du génome de la souris permet d'induire des lésions géniques

Le problème consiste à obtenir une modification pathologique stable du génome, c'est-à-dire à créer des **souris transgéniques** présentant un défaut dans un gène endogène.

La mutagenèse insertionnelle aléatoire des souris transgéniques

Elle est obtenue par intégration génomique d'une séquence de DNA cloné. Les différents procédés d'introduction sont passés en revue dans le chapitre 30. Le DNA exogène peut être nu et introduit soit par micro-injection dans le pronucleus d'un ovocyte fécondé, soit par transfection ou électroporation dans des cellules embryonnaires. Il peut aussi faire partie d'un **rétrovirus recombiné** utilisé pour infecter l'embryon à différents stades **(Figure 12-8)**.

Quel que soit le mode d'introduction, le pourcentage d'insertion est de l'ordre de 5 p. 100, mais le type d'intégration dépend du procédé utilisé.

La **micro-injection** produit l'intégration de plusieurs copies en tandem, en un site chromosomique unique, mais variable d'une expérience à l'autre. L'intégration s'accompagne en général de perturbations importantes dans le génome de la cellule hôte : délétions, duplications, réarrangements plus ou moins complexes. Celles-ci peuvent siéger à distance du site d'intégration, ce qui complique l'analyse de la lésion responsable de l'anomalie phénotypique produite.

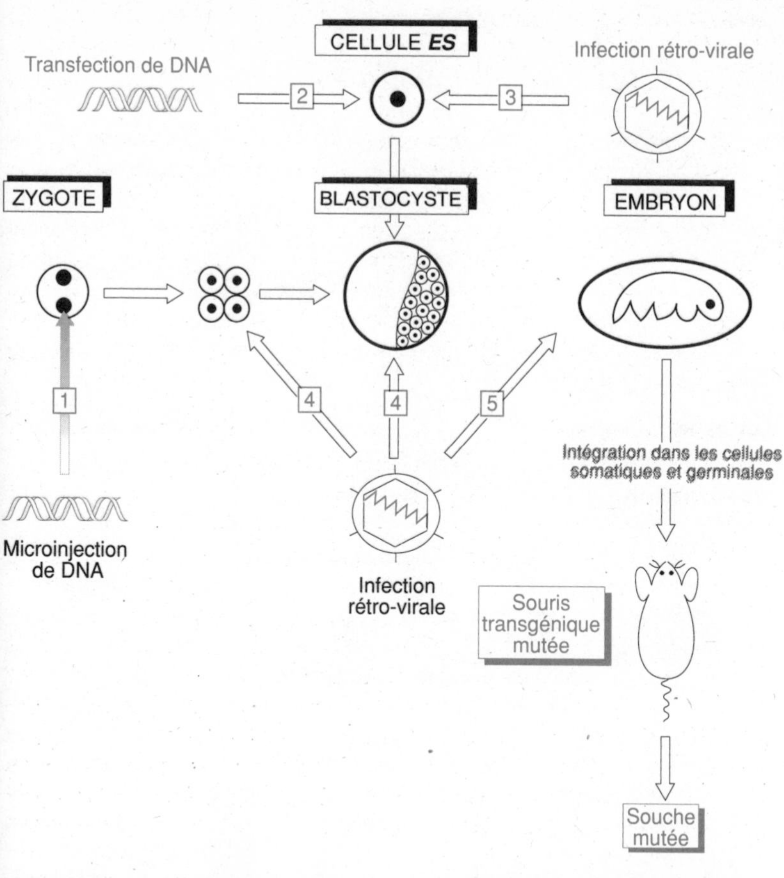

Figure 12-8 Création de souches de souris mutées par manipulation génétique
L'introduction de DNA exogène (par exemple un gène muté) dans le génome de la souris est effectuée, soit par **micro-injection** (1), soit par **transfection** (2), soit par **infection rétrovirale** (3, 4 et 5). Le lieu d'introduction peut-être : (1) le pronucleus d'**ovocytes fécondés**, (2, 3) les **cellules ES** (cellules pluripotentes réimplantables dans le blastocyste), (4) l'**embryon** avant implantation, (5) l'**embryon** après implantation.
Si la souris transgénique obtenue a intégré le DNA exogène dans la lignée germinale, elle est à l'origine d'une nouvelle souche mutée stable.

L'**infection rétro-virale** n'a pas ces inconvénients : elle entraîne l'intégration d'une copie unique, elle perturbe peu ou pas le DNA hôte au site d'intégration, elle détermine une intégration préférentielle au niveau des sites d'hypersensibilité à la DNase I, lesquels sont fréquemment retrouvés à l'extrémité 5' des gènes actifs.

L'intégration est **aléatoire** et peut toucher n'importe quel gène, dont le fonctionnement sera perturbé. La lésion génétique est récessive chez les animaux transgéniques directs. Ceux-ci sont hétérozygotes et produisent dans leur lignée germinale des gamètes portant l'anomalie. Par croisement on peut obtenir des homozygotes dont la pathologie est étudiée. Si celle-ci est létale, la souche est néanmoins maintenue par les hétérozygotes.

C'est Jaenisch (1983) qui a ouvert la voie à ce type de manipulation, en montrant que l'infection d'un embryon de souris de 8 jours par le virus murin de Moloney (M-MuLV) pouvait produire une mutation insertionnelle bien tolérée à l'état hétérozygote, mais létale chez les animaux homozygotes. La lésion concernait le premier intron du gène $\alpha1(I)$ du procollagène. Le site d'intégration est facilement repérable sur le génome grâce à la séquence exogène qui sert ici à la fois d'élément mutagène et de sonde (un peu comme l'élément P dans les transpositions mutationnelles de la drosophile). De nombreuses autres expériences de mutagenèse insertionnelle ont suivi mais, du fait de son caractère aléatoire, cette méthode n'est pas utilisable pour produire une pathologie déterminée.

Un système permettant la sélection des mutations : les cellules ES (Figure 12-9)

Les **cellules ES** (pour *Embryonic Stem cells*) sont des cellules embryonnaires indifférenciées de souris. Elles sont **pluri-potentes** et cultivables

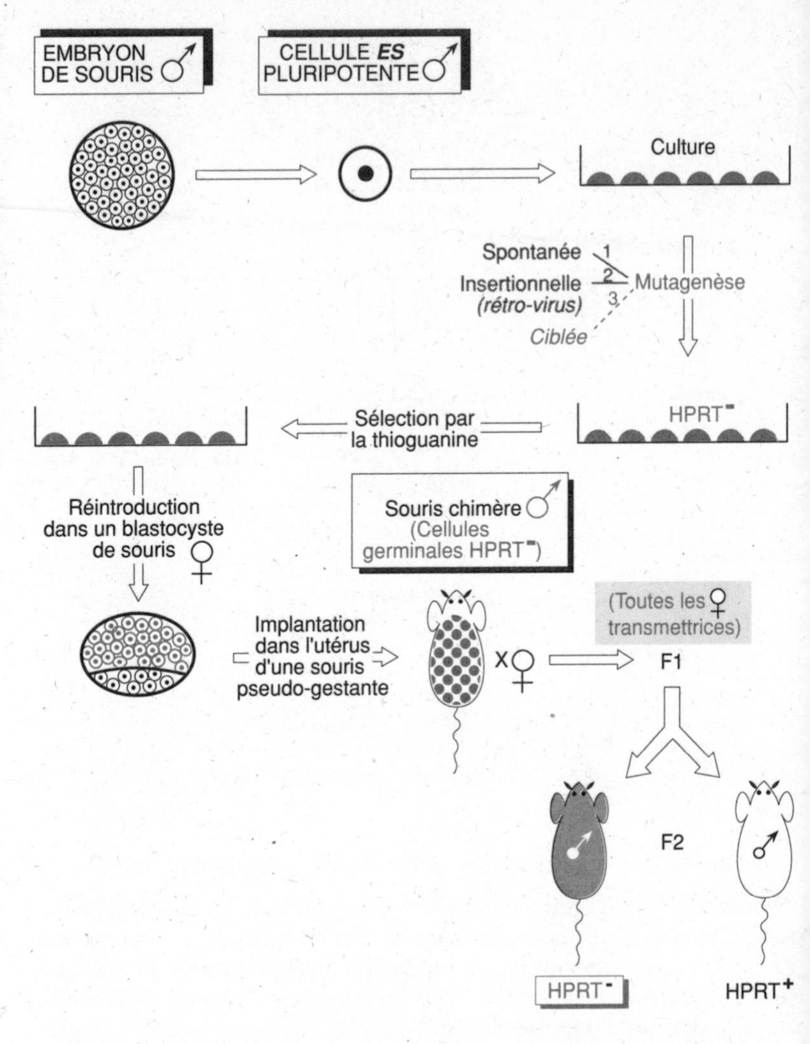

Figure 12-9 Création par manipulation génétique d'une souche de souris défectives pour un gène porté par le chromosome X (souche HPRT−)
Il s'agit du gène de l'hypoxanthine phosphoribosyl transférase (locus HPRT). La manipulation a lieu sur des cellules embryonnaires pluripotentes ES mâles. La mutagenèse est soit spontanée (1), soit induite par un rétrovirus (2). Il existe une possibilité de mutagenèse ciblée (3) favorisée par l'introduction de séquences homologues au gène HPRT. Les rares cellules devenues HPRT− sont sélectionnées grâce à leur résistance à la thioguanine. L'introduction massive de ces cellules dans un blastocyste de souris femelle peut aboutir à la production d'une souris chimère de sexe mâle dont les cellules germinales possèdent toutes le même chromosome X muté. Dans les générations suivantes on obtient des femelles hétérozygotes, puis des mâles hémizygotes.

in vitro de façon prolongée sans perdre cette potentialité (Evans et Kaufman, 1981). Après transfert dans un blastocyste et réimplantation de l'ensemble dans l'utérus d'une souris pseudo-gestante ces cellules contribuent à la formation d'une souris entière. Celle-ci est une **chimère** constituée par la juxtaposition des cellules originelles du blastocyste et des cellules ES ajoutées (distinguables par un marqueur génétique affectant la couleur du pelage). Si ces dernières contribuent à la formation de cellules germinales le génome des cellules ES peut être transmis à la descendance.

Les cellules ES sont donc un modèle privilégié pour obtenir, après manipulation génétique somatique, des souris chimères portant des mutations dans des gènes importants en pathologie génétique humaine.

Un premier succès a été obtenu en 1987 avec la création des premières souris déficientes en **hypoxanthine phosphoribosyl transférase** (HPRT−). Ce gène, situé sur le chromosome X, a été choisi parce que sa lésion conduit à une maladie humaine, la **maladie de Lesch-Nyhan**. Dans cette redoutable encéphalopathie hyperuricémique l'absence de tout modèle animal est un obstacle aux tentatives de génothérapie somatique expérimentale qui sont actuellement envisagées (voir chapitre 17). Un autre élément décisif dans le choix de ce gène est la résistance à la thioguanine des cellules HPRT−, qui fait de cette mutation un caractère cellulaire sélectionnable.

La **figure 12-9** schématise les expériences qui ont permis d'obtenir des lignées de souris HPRT–. Des cellules ES provenant d'un embryon de souris **mâle** sont d'abord soumises à une mutagenèse. Celle-ci est obtenue :

— soit par culture prolongée sur thioguanine qui sélectionne positivement les cellules qui ont subi une **mutation spontanée** ayant inactivé le gène HPRT (Hooper et al, 1987) ;

— soit par infection massive par un **rétrovirus** (virus de Moloney recombiné portant un marqueur de sélection, le gène *neo*) dont en moyenne 20 copies sont intégrées par cellule (Kuehn et al, 1987). L'intégration est aléatoire mais, si elle intéresse le gène HPRT — unique chez le mâle car localisé sur le chromosome X —, les cellules deviennent HPRT– par désorganisation du locus (mutagenèse insertionnelle attestée par l'insertion du gène néomycine au milieu du gène HPRT). Ce système est très performant, car le gène *neo* confère la possibilité de sélectionner positivement les cellules ayant intégré le rétrovirus (résistance à l'antibiotique G418). Parmi celles-ci, les cellules ayant acquis le phénotype HPRT– sont sélectionnées par leur aptitude à pousser en présence de thioguanine.

Les cellules ES HPRT– sont ensuite injectées dans un blastocyste **femelle** (XX). Si le nombre de cellules transplantées est suffisant, il se développe une souris chimère de **sexe mâle** où tous les spermatozoïdes dérivent obligatoirement des cellules ES HPRT– (en effet les cellules XX du blastocyste receveur ne peuvent pas participer à la formation des spermatogonies). Après croisement de la chimère mâle avec des souris femelles normales, 100 p. 100 des femelles F1 sont hétérozygotes pour le déficit en HPRT. Celles-ci donneront ensuite naissance à 50 p. 100 de mâles HPRT–.

Un espoir : la mutagenèse insertionnelle ciblée par recombinaison homologue

On peut cibler le site de la mutagenèse insertionnelle en introduisant une séquence homologue au gène que l'on veut léser. Celle-ci reconnaît électivement le gène endogène et provoque une **recombinaison homologue** responsable soit d'une insertion par addition, soit d'une insertion par remplacement, selon la construction utilisée (Thomas et Capecchi, 1987). Il en résulte une inactivation du gène cible.

Des résultats prometteurs ont été obtenus avec un vecteur plasmidique contenant à la fois un fragment de gène HPRT remanié et un gène *neo.* Ce vecteur est introduit par électroporation dans des cellules ES. Les cellules ayant intégré le DNA sont sélectionnées par leur résistance au G418 conférée par le gène *neo* ; celles où l'intégration s'est faite par le truchement d'une recombinaison homologue ayant inactivé le gène HPRT sont ensuite sélectionnées par leur résistance à la thioguanine (sélection des cellules HPRT–). Par rapport à la mutagenèse insertionnelle aveugle ce procédé représente un progrès considérable, parce qu'il est **dirigé**, même si son rendement est de l'ordre de 1 cellule sur 1 000.

Les expériences de recombinaison homologue ont d'abord été effectuées sur des cibles dont l'inactivation était directement sélectionnable, comme le gène HPRT. Pour pouvoir réaliser la même opération sur des **gènes non sélectionnables**, un ingénieux système de double sélection a été élaboré (Mansour, Thomas et Capecchi, 1988). Le procédé de **sélection positive et négative** pour sélectionner les événements où la recombinaison a bien touché sa cible est illustré par la **figure 12-10**. On utilise une construction contenant des séquences du gène cible, interrompues par un premier gène de sélection positive, le gène ***neo*** (conférant la résistance au G418) muni d'un promoteur fort. A l'extrémité 3' on ajoute le gène de la **thymidine kinase** du virus de l'herpes simple *(tk)* qui confère la sen-

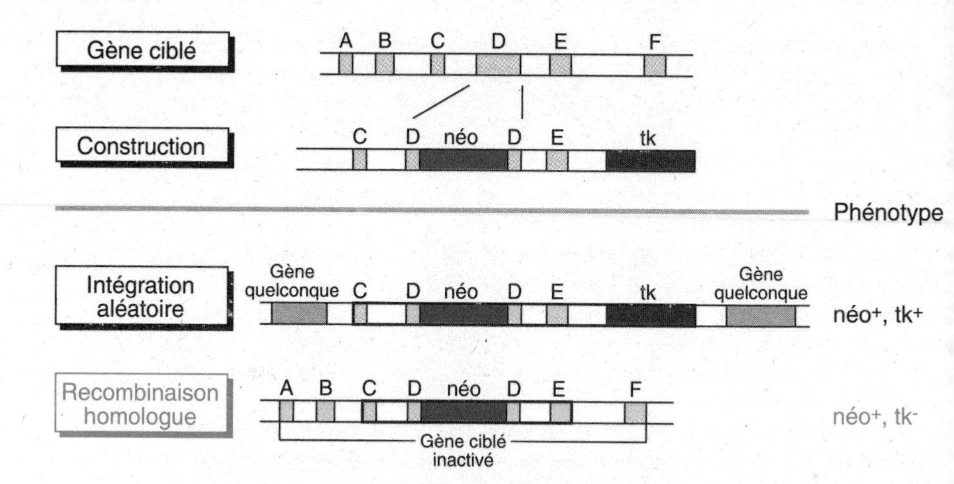

Figure 12-10 Recombinaison homologue avec sélection positive et négative *(Mansour, Thomas et Capecchi, Nature, 1988, 336, 348-352)*
Si l'intégration se fait de manière aléatoire, c'est-à-dire par insertion, la construction utilisée est intégrée en totalité, et le gène cible n'est pas touché. La cellule est sélectionnée positivement par le G418 et négativement par le ganciclovir (tk$^+$).
En cas de recombinaison homologue par remplacement (structure en Ω), les exons C, D et E endogènes sont remplacés par ceux de la construction, tandis que le gène *tk* est éliminé en raison de sa position terminale. Le gène cible est inactivé car l'exon D exogène est interrompu par le gène *neo*. La cellule est sélectionnée positivement par le G418 (neo$^+$) et résiste au ganciclovir (tk$^-$). Les événements de recombinaison homologue réussie sont aisément vérifiables par la méthode PCR, en utilisant une amorce correspondant à une séquence exogène (par exemple *neo*) et une amorce correspondant à une séquence endogène (par exemple exon F).

sibilité à une drogue antivirale, le ganciclovir (analogue de la thymine). Si l'intégration est aléatoire, la construction est insérée en totalité, conférant à la cellule ou l'événement s'est produit une résistance au G418 *et* une sensibilité au ganciclovir. Si le ciblage est réussi, il y a eu recombinaison homologue par remplacement (structure en Ω, voir Figure 30-5) avec perte du gène *tk*, conférant à la cellule une double résistance au G418 et au ganciclovir (Figure 12-10).

D'autres procédés rivalisant d'ingéniosité ont été proposés, sans qu'aucun ne se soit encore imposé. Ils diffèrent par la nature de la construction utilisée et par le principe de sélection :

• **séquence du gène cible fusionnée au gène *neo* sans promoteur** : si l'intégration se fait au hasard, il n'y a pas d'expression de neo, et pas de résistance au G418. Si une résistance au G418 apparaît, elle traduit soit une intégration aléatoire à côté d'un promoteur endogène, soit une recombinaison homologue dans le gène ciblé. On distingue entre les deux situations par une analyse de la carte de restriction du gène cible qui n'est perturbée qu'en cas de succès (Schwartzenberg et al, 1989) ;

• **plasmide contenant l'exon à remplacer + gène *neo* sans promoteur + gène létal** (gène *DT-A* de toxine diphtérique) muni de son propre promoteur (Yagi et al, 1990). Trois cas de figures peuvent se présenter : 1) les cellules sont à la fois neo$^+$ et DTA$^-$: la recombinaison homologue ciblée est réussie, car la séquence ciblée est interrompue par *neo*, et le gène *DT-A* est éliminé par l'événement recombinationnel, d'où sélection positive possible par le G418 ; 2) les cellules sont neo$^+$ et DTA$^+$: il y a eu intégration aléatoire, mais à côté d'un promoteur endogène. Le gène *neo* est exprimé (G418 résistance), mais *DT-A* aussi, donc mort cellulaire ; 3) les cellules sont neo$^-$ et DTA$^-$: il y a eu intégration aléatoire loin d'un promoteur endogène : les cellulles sont sensibles au G418 ;

• la méthode de **« *hit and run* »** permettant d'introduire dans n'importe quel gène non sélectionnable une mutation ponctuelle, par remplacement d'un exon normal par sa version mutée (Hasty et al, 1991). Elle comporte deux temps :

— 1er temps : recombinaison homologue de type insertionnel (voir Figure 30-5 B) entraînant l'insertion d'un exon muté à proximité de l'exon endogène, mais séparé de lui

---

Le *knock-out* des gènes : un moyen de compréhension physiopathologique

La recombinaison homologue dans les cellules ES permet d'obtenir des souris homozygotes pour une lésion majeure d'un gène donné (*gene knock-out*). Ces animaux constituent des modèles très précieux pour comprendre la fonction des gènes, et pour comprendre certaines maladies humaines. Le nombre de modèles obtenus est encore restreint. En voici quelques exemples.

I. La fonction par la pathologie :
— *gène de l'immunité :*
recombinases RAG-1 et RAG-2
cytokines
récepteur des cellules T
— *gènes de développement, de croissance, de différenciation :*
gènes homéotiques Hox -1.3, Hox -1.5, Hox -3.1.
gènes de développement PAX
gènes de différenciation myogénique : MyoD, myf5
gène de différenciation érythroïde GATA-1
gène du récepteur du NGF (p75^{NGFR})
gène de DNA-méthyltransférase
— *oncogènes et anti-oncogènes :*
gène *myb*
gène *N-myc*
gène *p53*
gène *RB*

II. La création d'équivalents animaux d'une pathologie humaine :
hémoglobinopathies (thalassémies ; drépanocytose)
maladie de Gaucher (gène de la glucocérébrosidase)
mucoviscidose (gène *CFTR*)

par les gènes de sélection *neo* et *tk*. Les cellules contenant cette duplication sont donc neo+ (résistantes au G418) et TK+ (sensibles à un analogue du ganciclovir) ;
— 2e temps : recombinaison intra-chromosomique spontanée dans la région dupliquée aboutissant à l'élimination, d'une part de l'exon endogène, désormais remplacé par l'exon muté, d'autre part des marqueurs de sélection (neo) et de contre-sélection (TK). Donc les cellules finales sont devenues à la fois neo− (G418 sensibles) et TK− (résistantes à l'analogue).

Ces cellules, qui sont en quelque sorte des révertants spontanés que l'on peut sélectionner, contiennent le gène à son emplacement normal, avec la mutation désirée, à l'exclusion de toute autre séquence parasite (gène de sélection ou promoteur exogène), d'où le nom de *Hit* (1er temps) *and Run* (2e temps).

Malgré l'enrichissement permis par les systèmes de sélection, le rendement demeure très faible (une cellule sur 10^6 en moyenne), rendant nécessaire un criblage très laborieux des cellules ES ayant subi la mutagenèse insertionnelle dans le gène désiré. Ici encore la méthode PCR rend de très grands services en permettant de vérifier facilement le résultat de la mutagenèse insertionnelle. En dépit de ce mauvais rendement, la méthode de mutagenèse insertionnelle par recombinaison homologue dans des cellules ES, avec double sélection positive/négative, est très prometteuse. Elle permet de réaliser un véritable ***knock-out*** des gènes (voir encadré p. 312). Cette méthode est activement exploitée dans deux directions : d'une part pour élucider le rôle de gènes dont on ne connaît pas bien l'effet biologique ; d'autre part pour créer des modèles de maladies génétiques humaines, préalables obligés à toute tentative de thérapie génique somatique (voir encadré).

Une autre forme de ciblage : la greffe d'un gène inversé produisant un anti-messager
En théorie la production par une cellule d'un **anti-messager** (ou transcrit « anti-sens »), c'est-à-dire d'un transcrit complémentaire du RNA messager normal, doit entraîner une hybridation avec celui-ci et empêcher sa traduction. Cet objectif ne peut être atteint que si la production d'anti-messager est abondante et continue. Ceci peut être obtenu en créant des souris transgéniques par micro-injection dans l'ovocyte d'une séquence génique antisens placée sous contrôle d'un promoteur fort. On peut y ajouter des séquences régulatrices dans l'espoir d'obtenir une expression ciblée chez la souris transgénique. L'expérience a été tentée avec succès pour créer un modèle artificiel de souris « **shiverer** » (souris « trembleuses » où le défaut neurologique est dû à une anomalie du gène **MBP** codant pour la protéine basique de la myéline) (Katsuki et al, 1988). Ce modèle a été choisi car on sait qu'une simple diminution de la quantité de protéine MBP suffit pour entraîner un phénotype pathologique. Les animaux transgéniques portant l'anti-messager MBP ont effectivement développé les symptômes de la maladie.

Les mutations induites chez la souris ne reproduisent pas nécessairement une pathologie identique à celle de l'homme

Les souris HPRT− obtenues par le procédé que nous avons décrit sont totalement déficientes en hypoxanthine phospho-ribosyl-transférase. Pourtant elles ne présentent aucun signe pathologique. Cette souche ne constitue donc pas un modèle idéal de la maladie de Lesch-Nyhan.

On a d'abord cru que cette tolérance pourrait être due au fait que, contrairement à l'homme, les murins ne sont pas uricotéliques (ils possèdent une urate oxydase qui dégrade l'acide urique). On sait maintenant que cette tolérance remarquable des murins vis-à-vis du déficit en HPRT s'explique en réalité par une utilisation préférentielle de la voie de sauvetage par l'APRT. Si les animaux HPRT− reçoivent un anti-métabolite bloquant cette dernière voie (9-méthyl-adénine), ils présentent alors des symptômes caractéristiques de la maladie de Lesch-Nyhan (auto-mutilation).

D'autres exemples de ce type montrent que la pathologie humaine n'est pas nécessairement extrapolable à la souris : les souris déficientes en phénylalanine hydroxylase ne sont pas phénylcétonuriques, les souris déficientes en dystrophine (mutation *mdx*) ne présentent pas une myopathie aussi sévère que la myopathie de Duchenne.

Ces animaux n'en demeurent pas moins de remarquables modèles expérimentaux pour la mise au point des protocoles de thérapie génique (voir chapitre 17).

Sélection de références bibliographiques : voir page 719.

13 Le diagnostic génotypique

L'analyse du génome humain à des fins diagnostiques est entrée en vigueur vers la fin des années 1970, lorsque les premières sondes de globine furent appliquées à l'étude des hémoglobinopathies. Y. W. Kan devait ouvrir la voie en découvrant la première délétion d'un gène humain (α-thalassémie, 1976) et le premier polymorphisme de restriction associé à une maladie (drépanocytose, 1978). Depuis cette date le champ d'application de l'analyse génotypique à des fins diagnostiques s'est progressivement développé au fur et à mesure de l'apparition de nouvelles sondes permettant d'explorer de nouveaux gènes et de nouvelles pathologies.

La méthodologie, longtemps exclusivement fondée sur la méthode de Southern, s'est peu à peu enrichie. Elle a connu un progrès majeur avec le développement de la technique d'amplification élective in vitro (technique **PCR**) et de ses corollaires (détection des mutations ponctuelles).

Quelle que soit la méthode utilisée, deux grands principes, développés dans les chapitres précédents, demeurent en vigueur :

— l'hybridation spécifique avec les **sondes** ou les **amorces** ;

— la coupure spécifique par des **enzymes de restriction**.

Les applications diagnostiques de ces méthodologies ont connu un développement considérable. Elles concernent désormais la plupart des secteurs de la pathologie où le DNA est l'objet d'une perturbation **héréditaire** (pathologie génétique) ou **acquise** (cancers, maladies infectieuses et parasitaires).

Un survol

L'analyse du DNA de n'importe quelle cellule peut permettre de diagnostiquer une maladie génétique constitutionnelle. La méthode employée est conditionnée par la connaissance du gène en cause et de la lésion qu'il porte. Si le gène est cloné et si la lésion est connue et univoque, elle peut être mise en évidence **directement**. Ce **diagnostic direct** ne réclame aucune étude familiale préalable.

Si la lésion est très variable, ou inconnue, le diagnostic peut être obtenu par l'exploration de polymorphismes intra- ou juxta-géniques à l'aide de sondes spécifiques du gène **(diagnostic semi-direct)**.

Si le gène n'est pas cloné, c'est le cas en particulier des maladies à gène inconnu mais déjà localisé sur le génome, on utilise la même approche en employant des sondes extra-géniques situées aussi près que possible du locus morbide et l'encadrant **(diagnostic indirect)**.

Lorsque la maladie résulte d'un effet fondateur, les allèles et haplotypes correspondant aux polymorphismes intra-, juxta-, voire extra-géniques, peuvent être caractéristiques de l'allèle pathologique **(association par déséquilibre de liaison)** et servir d'indicateurs diagnostiques.

Dans tous les autres cas l'association entre allèle de restriction et allèle pathologique est fortuite et varie d'une famille à l'autre. Il faut alors pratiquer une étude généalogique des polymorphismes dans chaque famille. La fiabilité du diagnostic par polymorphisme lié dépend du risque de recombinaison, qui est proportionnel à la distance génétique entre le site de restriction utilisé pour le diagnostic et le siège de la mutation pathologique. C'est une méthode probabiliste, dont le succès est de surcroît conditionné par le degré d'informativité des polymorphismes explorés.

Ces stratégies sont appliquées avec profit à un certain nombre de **maladies génétiques** monofactorielles, pour le diagnostic prénatal, le diagnostic des hétérozygotes, le diagnostic des néo-mutations. Lorsqu'elles sont applicables elles permettent d'affiner considérablement le conseil génétique.

En cancérologie, les **anomalies du DNA somatique** bénéficient de la même approche méthodologique, qui permet notamment la détection des mutations ponctuelles dans les oncogènes et les anti-oncogènes, le typage des lymphomes, la détection du caractère clonal des tumeurs, la surveillance de certaines leucémies, le suivi des greffes de moelle.

Nous décrivons dans ce chapitre les stratégies et applications qui viennent d'être citées, les problèmes inhérents à certaines pathologies étant envisagés dans les chapitres suivants.

LES STRATÉGIES DIAGNOSTIQUES

Elles diffèrent selon que le gène a été ou non identifié, qu'il est déjà cloné ou non, que la lésion est connue ou non, elle-même étant monomorphe (monoallélisme) ou polymorphe (polyallélisme).

Une condition préalable est néanmoins commune à toutes les stratégies : aucune exploration génomique ne peut être envisagée si la maladie n'a pas déjà été solidement diagnostiquée ; pour choisir la ou les bonnes sondes, il faut évidemment savoir quel est le gène ou le locus à explorer.

Il existe deux types de méthodes d'analyse génotypique : les **méthodes directes**, qui mettent en évidence la lésion génétique elle-même ; les **méthodes indirectes** qui utilisent des marqueurs indirects, les polymorphismes **(Figure 13-1)**.

Le diagnostic génotypique direct

La mise en évidence d'une lésion génomique est de difficulté variable selon le type de lésion. Dans tous les cas, pour explorer directement un gène il faut disposer d'une **sonde** clonée spécifique de ce gène (sonde de DNA génomique cloné ou cDNA) ou en connaître la **séquence** normale, soit pour synthétiser une oligosonde spécifique, soit pour amplifier par **PCR** le segment génomique où siège la lésion.

Les lésions grossières, comme les duplications, inversions, fusions, transpositions, sont en général faciles à mettre en évidence par la méthode de Southern, car elles perturbent les cartes de restriction à la fois chez

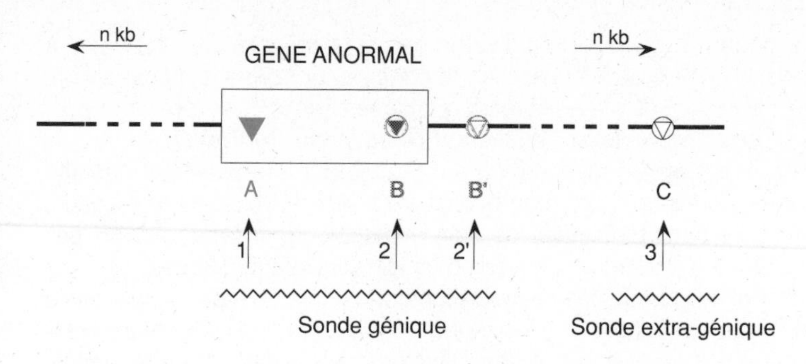

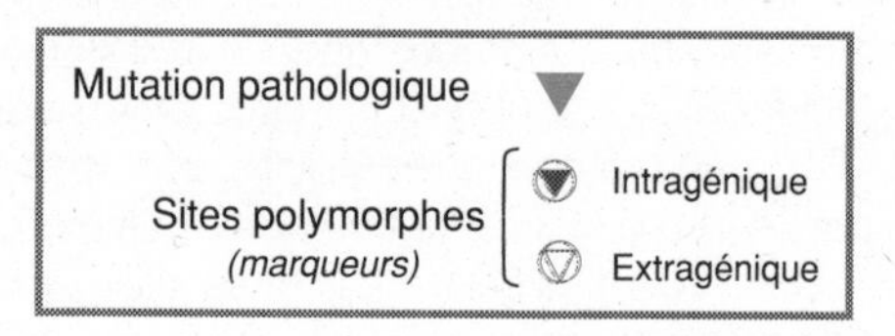

Figure 13-1 Les trois méthodes de diagnostic d'un gène anormal
1. *Méthode directe* : détection de la mutation par une sonde spécifique du gène et la reconnaissance de la lésion **A**.
2. et 2'. *Méthode semi-directe* : mise en évidence d'un site polymorphe intra-génique **(B)** ou juxta-génique **(B')** par une sonde spécifique du gène.
3. *Méthode indirecte* : mise en évidence d'un site polymorphe (RFLP) extra-génique **(C)** génétiquement lié au locus morbide à l'aide d'une sonde anonyme.

les homozygotes et chez les hétérozygotes, ou dans certains cas par PCR.

Pour les **délétions** il existe deux cas de figure. Dans le premier cas le territoire de DNA génomique exploré par la sonde ou par l'amplification est délété **en totalité**, et il s'ensuit une abolition du signal normal. L'anomalie est flagrante si la délétion est homozygote ou hémizygote (gène porté par le chromosome X, le malade étant de sexe masculin) **(Figure 13-2)**. On peut tenter d'explorer son étendue, soit en choisissant une enzyme de restriction coupant plus rarement, soit en choisissant des sondes situées de part et d'autre de la zone explorée par la première sonde.

Si la délétion ne porte que sur un seul chromosome — autosome et chromosome X chez la femme —, elle ne se traduit que par un affaiblissement du signal, qui peut être difficile à mettre en évidence et oblige à recourir à un **dosage génique** par comparaison de l'intensité du signal d'hybridation avec celui donné par une sonde explorant un gène témoin **(Figure 13-3)**. Cette méthode est en fait assez imprécise et ses résultats devront être considérés avec circonspection. Cependant, dans les cas favorables où le sujet devrait être obligatoirement hétérozygote pour un polymorphisme (à cause du génotype de ses parents), la délétion se manifeste par la perte de l'un des allèles. Cette **perte d'hétérozygotie** trahit sans ambiguïté une délétion. Cette approche a permis de détecter les premiers anti-oncogènes (voir chapitre 15).

Dans le second cas de figure, le territoire exploré par la sonde est **partiellement** délété. Paradoxalement cette anomalie est plus facile à détecter qu'une délétion totale, car elle provoque dans tous les cas une perturbation du fragment de DNA génomique hybridant avec la sonde. Celle-ci est mise en évidence à la fois chez les homozygotes et chez les hétérozygotes, dans la limite du pouvoir résolutif de la méthode **(Figure 13-4)**.

Ces considérations méthodologiques imposent de choisir avec soin la ou les sondes à utiliser, ainsi que les enzymes de restriction.

Le diagnostic est facile à standardiser pour les petits gènes, comme par exemple ceux de la globine où les délétions génératrices d'α-thalassémies sont aisément mises en évidence. L'exploration des grands gènes pose, en revanche, des problèmes difficiles en particulier si les exons sont petits et dispersés, comme c'est le cas pour le gène DMD (myopathie de Duchenne), où les lésions sont très polymorphes sur un territoire s'étalant sur plus de 2 mégabases. Pour mieux balayer le gène DMD, on peut utiliser une batterie de sondes de cDNA, dont chacune

Un progrès décisif a été accompli en appliquant la méthode PCR à la recherche des délétions dans le gène DMD. La méthode dite **PCR multiplex** consiste à amplifier simultanément des fragments de taille différente à l'aide d'une batterie de couples d'amorces explorant les exons les plus fréquemment délétés (voir chap. 14).

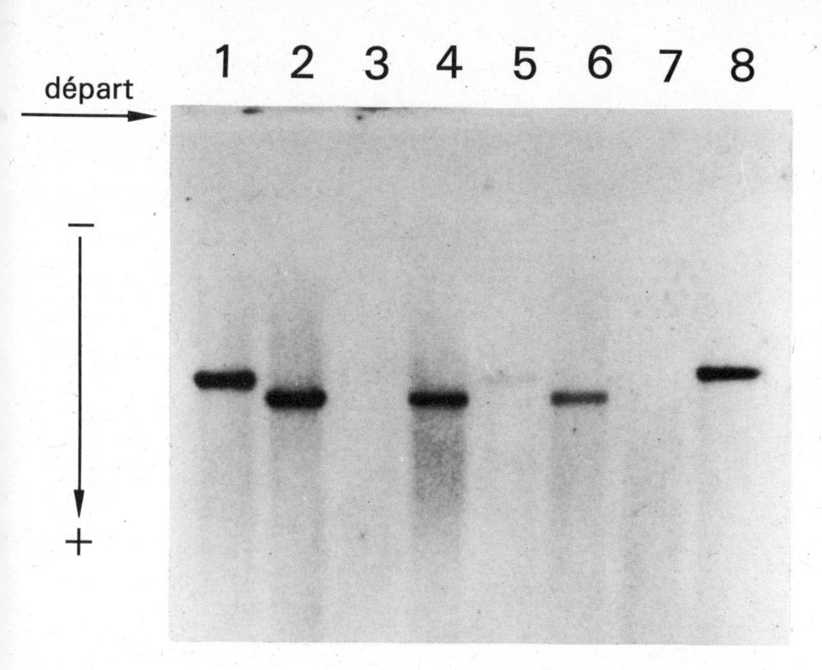

Figure 13-2 **Détection par la méthode de Southern d'une délétion d'un gène du chromosome X chez un malade de sexe masculin (hémizygote)**
Gène de la myopathie de Duchenne (gène DMD) exploré par une sonde intronique (pERT 87-1) détectant un RFLP bi-allélique. Les échantillons proviennent de 8 sujets de sexe masculin atteints de myopathie de Duchenne.
en 1, 5 et 8 : allèle – ;
en 2, 4 et 6 : allèle + ;
en 3 et 7 : délétion.
La faiblesse du signal en 5 provient de l'état dégradé de l'échantillon de DNA soumis à l'action de l'enzyme.
(Cliché J. Chelly, Institut Cochin de Génétique Moléculaire, Paris)

explore un territoire génomique en moyenne 100 fois plus étendu que celui exploré par une sonde génomique de même taille (1 kb de cDNA « voit » 100 kb de DNA génomique, alors que 1 kb de DNA génomique « voit » 1 kb sur le génome).

Un autre procédé consiste à augmenter considérablement la taille des fragments génomiques explorés, grâce à l'emploi d'enzymes coupant rarement (par exemple Not I ou Sfi I). De telles **macrocartes de restriction** sont obtenues après séparation par électrophorèse en champ pulsé (voir chapitres 10 et 20). Quel que soit le procédé utilisé, il faudra toujours pren-

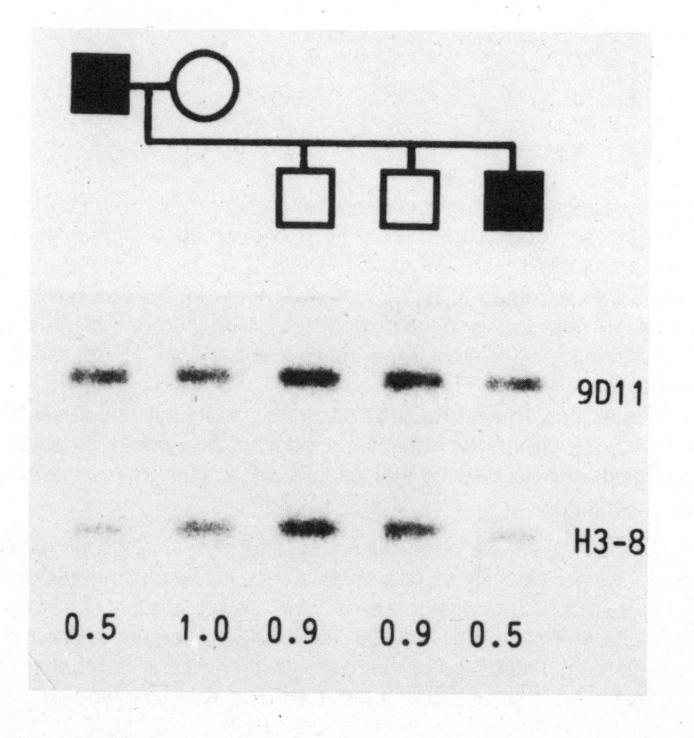

Figure 13-3 **Détection d'une délétion hétérozygote d'un gène autosomique par la méthode de Southern**
Gène du rétinoblastome (gène RB1 en 13q14). La délétion est attestée par dosage génique, en comparant l'intensité respective du signal d'hybridation obtenu avec une sonde génomique du **gène RB1** (H3-8) et avec une **sonde témoin** explorant un site anonyme en 13q22 (sonde 9D11). Les rapports d'intensité entre les bandes sont indiqués à la partie inférieure de l'autoradiogramme. Les deux sujets porteurs de la délétion sur un seul de leurs chromosomes 13 ont un rapport de 0,5 correspondant à la valeur théorique attendue.
(B. Horsthemke et al. Lancet, 1987, i : 511-512. Reproduit avec l'aimable autorisation de l'auteur et de l'éditeur)

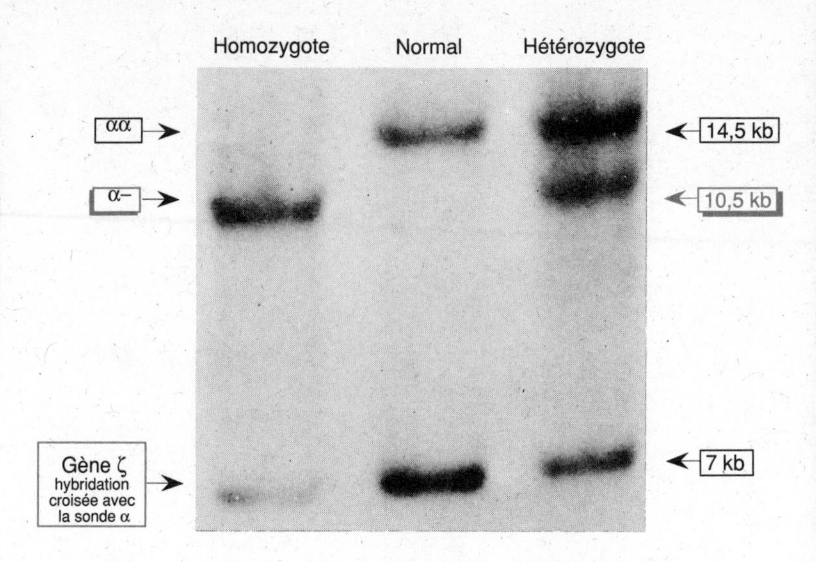

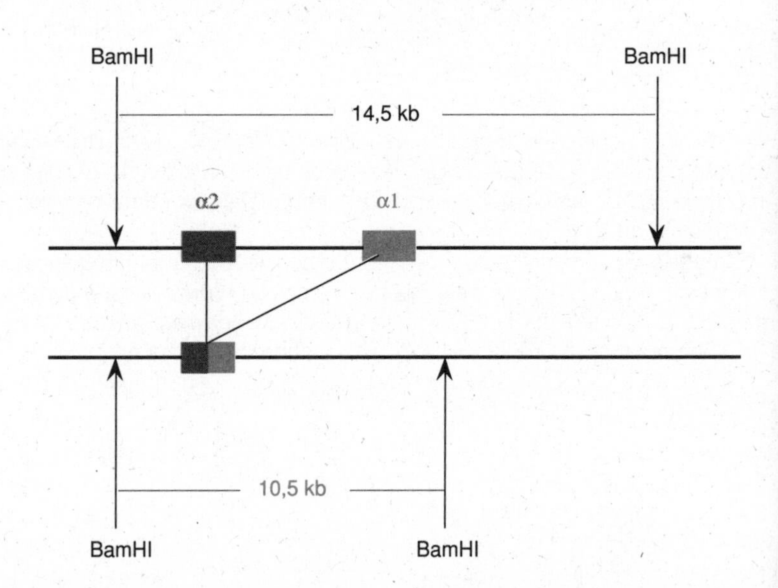

Figure 13-4 Détection par la méthode de Southern d'une délétion partielle pour un gène autosomique
Gènes de l'α-globine (α^2 et α^1). Dans une variété délétionnelle d'α-thalassémie (délétion droite, voir chapitre 14) la délétion est partielle et laisse persister un gène α *(hybride α^2-α^1)*. Celui-ci est compris dans un fragment BamH I dont la taille anormale (10,5 kb) est facile à distinguer du fragment normal (14,5 kb) même à l'état hétérozygote. Les génotypes (αα/αα pour le normal ; α —/α— pour l'homozygote, α—/αα pour l'hétérozygote) sont aisément reconstitués par l'image obtenue. *(Cliché C. Dodé, Institut de Pathologie Moléculaire, Paris)*

dre garde de ne pas confondre l'anomalie de la carte de restriction (délétion ou réarrangement) avec un RFLP rare et sans rapport avec la pathologie explorée.

Les lésions minimes telles que les mutations ponctuelles posent des problèmes différents selon qu'il s'agit de la recherche de mutations connues, univoques et fréquentes (allèles communs) ou de mutations inconnues.

Pour les **allèles communs**, les mutations portant sur une seule base, ou sur un très petit nombre de bases, peuvent être mises en évidence par modification de la carte de restriction et par misappariement avec une sonde spécifique.

Le diagnostic direct par perturbation de la carte de restriction concerne les mutations ponctuelles qui abolissent un site de restriction préexistant, ou qui créent un site nouveau. La coïncidence est fortuite et se produit rarement. Quand elle existe, elle facilite considérablement le diagnostic, puisqu'une simple digestion par l'enzyme suffit à fournir la réponse. Les hétérozygotes sont détectables aussi bien que les homozygotes.

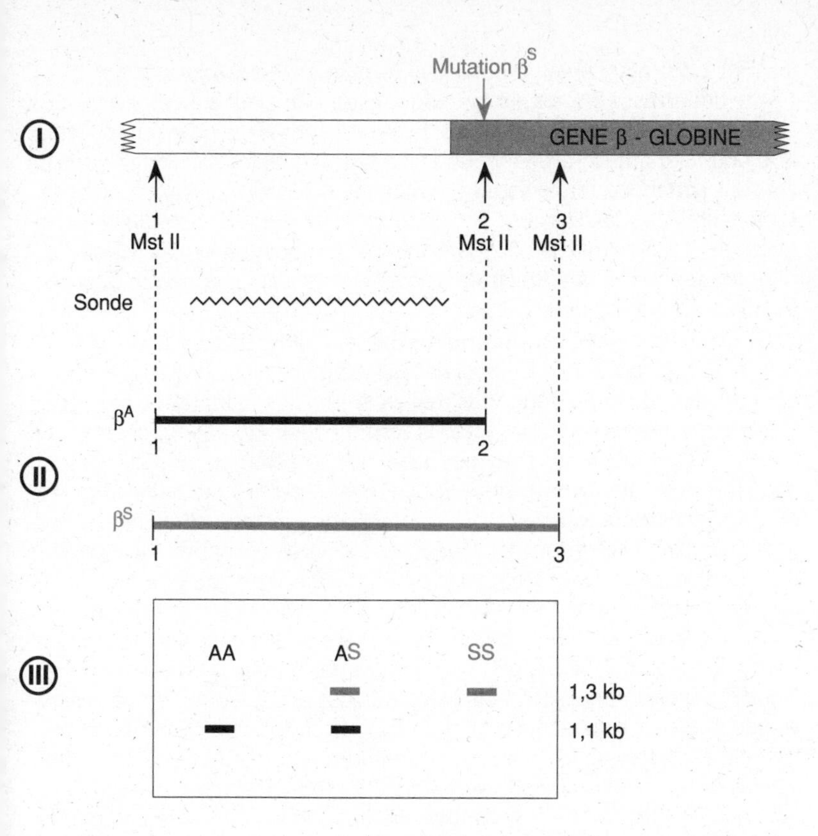

Figure 13-5 Détection directe à l'aide de l'enzyme Mst II de la mutation de l'hémoglobine S responsable de la drépanocytose (GAG→GTG sur le 6ᵉ codon du gène de la β-globine)
I. Emplacement des sites Mst II sur le génome normal. Noter que le site n° 2 coïncide avec le site de la mutation responsable de la drépanocytose.
II. Fragments obtenus par clivage du DNA génomique par Mst II. La mutation A⟶T abolit le 2ᵉ site Mst II, ce qui augmente la taille du fragment reconnu par la sonde (celui-ci est limité par le site 3 plus éloigné).
III. Séparation électrophorétique et visualisation des allèles après hybridation avec la sonde (allèle normal = A ; allèle muté = S).

Le premier exemple est celui de la drépanocytose (hémoglobine S), où la mutation A→T dans le 6ème codon (CCTGAGGAG → CCTG**T**GGAG) de la β-globine abolit un site normalement reconnu et coupé par Dde I (motif spécifique : CTN**A**G), et par Mst II (motif spécifique : CCTN**A**GG). Comme l'indique la **figure 13-5**, il est possible de discriminer sans ambiguïté l'allèle pathologique sous la forme d'un fragment de restriction de taille anormale. On remarque qu'une autre mutation G⟶A du 6ᵉ codon de la β-globine responsable de l'hémoglobine C (CCT**A**AGGAG) ne perturbe ni le site Dde I, ni le site Mst II, puisqu'elle touche le nucléotide « indifférent » N. La méthode est donc très sensible. Cependant elle n'est pas d'une spécificité absolue, puisqu'une autre mutation siégeant dans le codon 6, mais responsable de β-thalassémie, entraîne aussi une abolition du site Mst II, ce qui la rend indistinguable de la mutation β^S (voir figure 14-8).

Le développement de la méthode d'amplification élective in vitro (méthode PCR) a considérablement simplifié la procédure, comme nous le verrons dans les paragraphes suivants.

En dehors de la drépanocytose, dont la mutation est univoque dans tous les pays où elle sévit, la méthode de détection directe par enzyme de restriction trouve peu d'applications : citons les mutations Hb O Arab avec abolition d'un site EcoR I, et une thalassémie $\beta^{IVS\text{-}2}$ avec création d'un site Hph I.

Le diagnostic direct des mutations a été révolutionné par la méthode PCR

En permettant d'amplifier à volonté in vitro n'importe quelle cible de DNA, à condition de disposer d'amorces flanquantes, la méthode PCR a complètement modifié les conditions du diagnostic direct des mutations. En effet l'amplimère produit après 20 à 30 cycles d'amplification (soit en moyenne 2 heures de machine) est en quantité suffisante pour se prêter à toutes les méthodes énumérées ci-dessous. De plus il est pratiquement pur, c'est-à-dire débarrassé de toutes les séquences parasites situées en dehors du segment que l'on veut explorer. L'amplification de la cible (en moyenne 200 000 fois) améliore beaucoup le rapport signal/bruit, donc la sensibilité de la méthode d'analyse, ce qui autorise l'emploi de marqueurs non radioactifs. Ces facilités ont considérablement stimulé l'imagination des utilisateurs qui ont rivalisé d'ingéniosité pour gagner en simplicité, en rapidité, en spécificité, en sensibilité, pour éviter l'emploi de la radioactivité, et pour réduire les coûts.

La distinction entre état **homozygote** et état **hétérozygote** est facilitée par la méthode PCR. En effet celle-ci comporte une succession d'oscillations thermiques au cours desquelles le DNA est alternativement sous forme dénaturée (monobrin) et sous forme native (double-brin). Chez les sujets homozygotes, normaux ou mutés, les amplimères produits existent sous forme unique **(homoduplex)**. En revanche chez les hétérozygotes, où coexistent deux espèces de DNA double-brin, normal *et* muté, se résolvant par dénaturation en deux espèces de DNA monobrin, la méthode PCR engendre, en plus des deux homoduplex attendus, des molécules de type **hétéroduplex**. Celles-ci résultent de l'appariement, avec *mismatch*, entre un brin sauvage et un brin muté. Il existe en fait deux variétés d'hétéroduplex selon que la mutation est portée par le brin + ou par le brin –. Ceux-ci peuvent être discriminés grâce au pouvoir séparateur du gel d'acrylamide, soit parce que le type de mutation induit des changements de conformation visibles dans un gel non-dénaturant (c'est le cas de la mutation ΔF508 de la mucoviscidose, avec délétion de 3 bases dans l'exon 10 du gène CFTR, **figure 13-6**), soit parce que la mutation entraîne une modification de Tm d'un domaine de DNA, mise en évidence dans un gel avec gradient de dénaturation (méthode DGGE décrite ci-dessous, figures 13-8 et 13-9).

Le problème du diagnostic direct des mutations se pose différemment selon que l'on souhaite détecter une **mutation donnée** en un endroit précis, ou que l'on cherche à déceler une **mutation non définie** dans un segment de DNA plus ou moins précisément délimité.

• ***Recherche d'une mutation donnée :***

Par hybridation spécifique : on utilise une oligosonde d'une vingtaine de nucléotides, interne par rapport aux amorces d'amplification, et dont la séquence est spécifique de l'allèle recherché (**ASO** pour ***allele specific oligoprobe***). L'hybridation est réalisée après immobilisation de la cible sur filtre (méthode dite du *dot-blot*). Une très grande sensibilité n'est pas requise puisque la cible est abondante, aussi peut-on utiliser n'importe quelle méthode de marquage non radioactif (voir chapitre 25). Le problème est celui de la spécificité : il faut que les conditions expérimentales soient telles qu'un seul mésappariement suffise à déstabiliser l'hybride, permettant la discrimination entre **hybride parfait** (signal positif) et **hybride imparfait** (signal négatif). Il faut toujours faire l'hybridation avec les deux versions (sauvage et mutée), en utilisant un témoin normal, et un témoin muté authentifié. Ceci implique une optimisation des conditions de stringence*. La **figure 13-7** donne quelques exemples de mutations ponctuelles pouvant être diagnostiquées par cette méthode.

Lorsqu'il existe une hétérogénéité allélique dans la région amplifiée (cas par exemple des β-thalassémies), plutôt que de recourir à une succession d'hybridations avec une série d'ASO, on peut inverser la procédure. Dans cette dernière méthode, dite « *reverse dot-blot* », on ajoute l'ampli-

* Un excès d'appariements CG au voisinage de la mutation est une situation défavorable, car elle risque de stabiliser les hybrides imparfaits et d'empêcher toute discrimination des mésappariements par ASO.

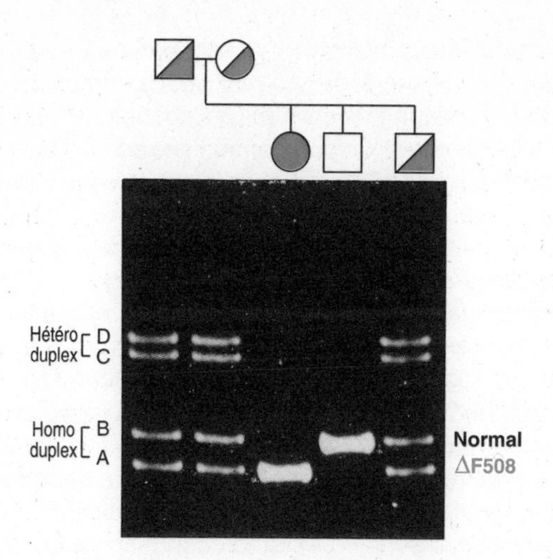

Figure 13-6 Détection par la méthode PCR de la mutation ΔF508 dans le gène CFTR (mucoviscidose)
La délétion de 3 bases permet de visualiser directement les homozygotes normaux (bande B unique) ou mucoviscidosiques ΔF508/ΔF508 (bande A unique), et les hétérozygotes N/ΔF508 (bandes homoduplex A et B + bandes hétéroduplex C et D).

mère, marqué par exemple par la biotine, à un filtre où l'on a fixé de manière covalente une batterie de sondes de type ASO. Une tache doit apparaître avec un seul ASO, indiquant directement la nature de la mutation. Cette méthode a été appliquée avec succès à l'exploration systématique des mutations dans les **gènes β-thalassémiques** et dans le **gène HLA-DQα**.

Par clivage d'un site de restriction : si la mutation crée ou abolit un site de restriction, on peut la mettre directement en évidence en soumettant l'amplimère à l'action de l'enzyme considérée. Une simple électrophorèse en agarose suivie de coloration par le bromure d'éthidium permet de visualiser directement la présence ou l'absence de coupure. C'est le procédé le plus couramment utilisé pour la détection de la mutation drépanocytaire (voir Figure 8-6). Si la mutation recherchée ne perturbe pas de site de restriction, on peut en créer artificiellement dans l'amplimère en utilisant une amorce positionnée juste avant le site susceptible d'être muté.

Sondes pour la mutation HbS (codon 6, β globine)	N : CTCCTGAGGAGAAGTCTGC M : CTCCTGTGGAGAAGTCTGC
Sondes pour la mutation HbC (codon 6, β globine)	N : CTCCTGAGGAGAAGTCTGC M : CTCCTAAGGAGAAGTCTGC
Sondes pour la mutation $\beta^{39\ stop}$ (Thalassémie)	N : CCTTGGACCCAGAGGTTCT M : CCTTGGACCTAGAGGTTCT
Sondes pour la mutation PI^{z} (α1 - antitrypsine Codon 342)	N : ACCATCGACGAGAAAGGAC M : ACCATCGACAAGAAAGGAC
Sondes pour la mutation PAH^{ivS12} (phénylcétonurie)	N : TCCATTAACAGTAAGTAATTT M : TCCATTAACAATAAGTAATTT

Figure 13-7 Exemples d'oligonucléotides de synthèse allèle-spécifiques pour le diagnostic de mutations ponctuelles
On hybride séparément la cible avec la version normale (N) et la version mutée ***(M)***.
Un signal positif (N + ou ***M +***) signifie que l'allèle correspondant est présent.
Les trois situations suivantes peuvent exister :
N + ; M – : génotype homozygote N/N ;
M + ; N – : génotype homozygote **M/M** ;
M + et N + : génotype hétérozygote **M/N**.

Cette amorce a subi une modification de séquence telle qu'un site de restriction est **créé** dans l'amplimère normal ; dans l'amplimère muté il est aboli. En abaissant la stringence on peut ainsi obtenir une amplification malgré le mésappariement volontairement introduit. Dans l'amplimère obtenu la version sauvage sera clivée, mais pas la version mutée (Haliassos et al, 1989). Ce procédé a l'intérêt d'être très sensible, et de permettre de détecter les mutations somatiques présentes dans une minorité de cellules (surveillance des cancers).

Par amplification allèle-dépendante : ici, on fait en sorte que la base mutée se trouve à l'extrémité 3' de l'une des amorces. On augmente la stringence afin que l'amplification ne puisse avoir lieu que si l'appariement est parfait, ce qui permet de déterminer si le DNA exploré porte ou non la mutation. La méthode est du type tout ou rien, le résultat étant analysé par une simple électrophorèse en gel d'agarose (méthode **ASPCR**, Wu et al, 1989). Elle peut être sensibilisée par l'introduction d'une seconde mutation à distance dans l'une des amorces, destinée à déstabiliser les hybrides imparfaits (méthode **ARMS**, Newton et al, 1989). On peut utiliser des marqueurs fluorescents de couleurs différentes pour distinguer directement les allèles après électrophorèse (Chehab et Kan, 1989).

Le problème des hétérozygotes : la détection des hétérozygotes par les procédés énumérés ci-dessus peut être délicate, si elle repose sur l'existence d'un signal positif obtenu à la fois avec les versions sauvage et mutée de la sonde (ou de l'amorce). La méthode par enzyme de restriction est plus fiable, à condition d'éliminer le risque de digestion partielle. En fait la formation d'hétéroduplex est un phénomène d'un très grand secours pour le diagnostic, car il signe l'hétérozygotie. C'est pourquoi on s'efforce de le favoriser et de le rendre perceptible.

• ***Recherche d'une mutation inconnue :*** le problème revient à chercher systématiquement une anomalie de séquence dans un segment de DNA préamplifié par PCR.

Le séquençage : c'est évidemment la méthode la plus sûre, puisqu'elle ne peut laisser passer aucune anomalie. Elle n'est pas mise en œuvre systématiquement à cause de la lourdeur de l'opération et de son prix de revient. Elle est certainement appelée à se développer de plus en plus au fur et à mesure des progrès de l'automatisation et de l'abaissement des coûts. La méthode de **séquençage direct**, plus délicate mais aussi plus rapide que le séquençage après sous-clonage dans un vecteur de type M13, a l'avantage sur cette dernière méthode de ne pas pâtir des erreurs introduites par la Taq polymérase, puisque celles-ci ne sont pas clonales.

En dehors du séquençage on peut recourir à trois méthodes capables de révéler une variation de séquence dans un amplimère plus ou moins long. En cas de résultat positif il faudra de toute façon analyser la séquence pour positionner et identifier complètement la mutation.

L'électrophorèse en gradient dénaturant (DGGE) : des variations de séquence dans un segment de DNA peuvent affecter, dans un sens ou un autre, la température de fusion (Tm) d'un domaine donné, dit **domaine de fusion**. On peut donc comparer la séquence où l'on recherche une mutation à une séquence servant d'étalon. L'électrophorèse dans un gel de polyacrylamide où l'on a créé un gradient dénaturant linéaire, le plus souvent chimique (urée + formamide), permet de discriminer les deux espèces par une différence de migration **(Figure 13-8)**. Celle-ci s'explique parce que l'espèce qui est dénaturée la première (domaine le moins stable) adopte une conformation partiellement simple-brin, ce qui entraîne un ralentissement considérable de la progression dans le gel. La méthode est lourde car elle réclame une **analyse informatique** préalable de la séquence, au moyen d'un algorithme indiquant les domaines de fusion

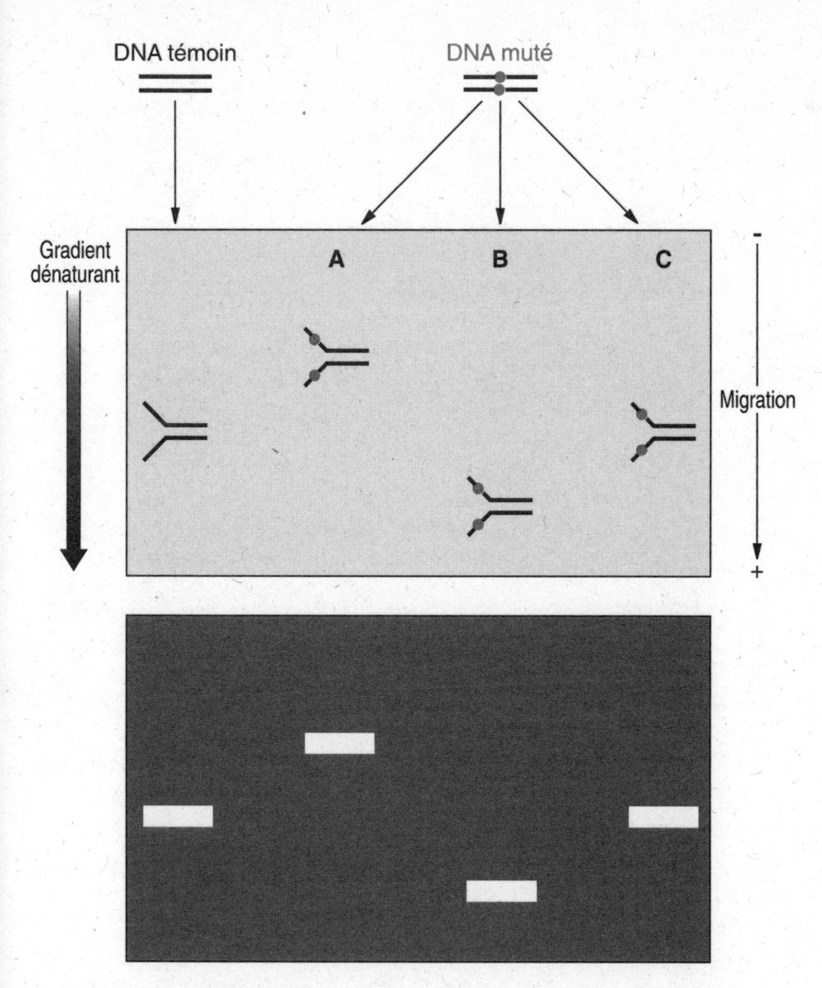

Figure 13-8 Principe général de la méthode DGGE
Une mutation peut entraîner l'une des trois conséquences suivantes :
1. elle perturbe un domaine de fusion, en abaissant la Tm (cas A) ;
2. elle perturbe un domaine de fusion, en augmentant la Tm (cas B) ;
3. elle ne perturbe pas sensiblement la Tm (cas C). Dans ce dernier cas on peut sensibiliser la méthode par l'incorporation d'une pince GC *(GC clamp)* (voir texte).

et leur Tm (Lerman et Silverstein, 1987). Cette analyse préalable est indispensable pour déterminer exactement les conditions expérimentales. Si la région explorée ne contient pas un domaine de fusion bien individualisé, il faut sensibiliser la méthode en ajoutant une séquence GC à l'extrémité 5' de l'une des amorces, ce qui engendre sur l'amplimère obtenu par PCR une séquence GC double-brin (pince GC ou ***GC clamp****) dont la Tm élevée contraste avec celle de la séquence explorée adjacente. Inventée dans son principe dès 1983, c'est-à-dire avant l'avènement de la PCR, cette méthode n'a vraiment pu être exploitée qu'à partir du moment où la PCR a permis d'obtenir des quantités illimitées d'amplimères purs.

Malgré sa complexité la méthode s'est révélée très fructueuse, par exemple dans la découverte des mutations rares de la mucoviscidose (voir chapitre 14).

Lorsque la mutation est présente à l'état hétérozygote, les **hétéroduplex** formés au cours de l'amplification par PCR sont aisément visualisés **(Figure 13-9)**. En fait les hétéroduplex sont un élément favorable, au point qu'il est parfois nécessaire de les créer de toutes pièces par un mélange de séquences normales et mutées.

* La taille du GC clamp nécessaire peut varier entre 30 et 80 nucléotides, ce qui en fait une méthode onéreuse. Une molécule simple et peu coûteuse, le **psoralène**, qui établit une liaison covalente entre les 2 brins après irradiation aux UV, peut avantageusement remplacer cette queue GC.

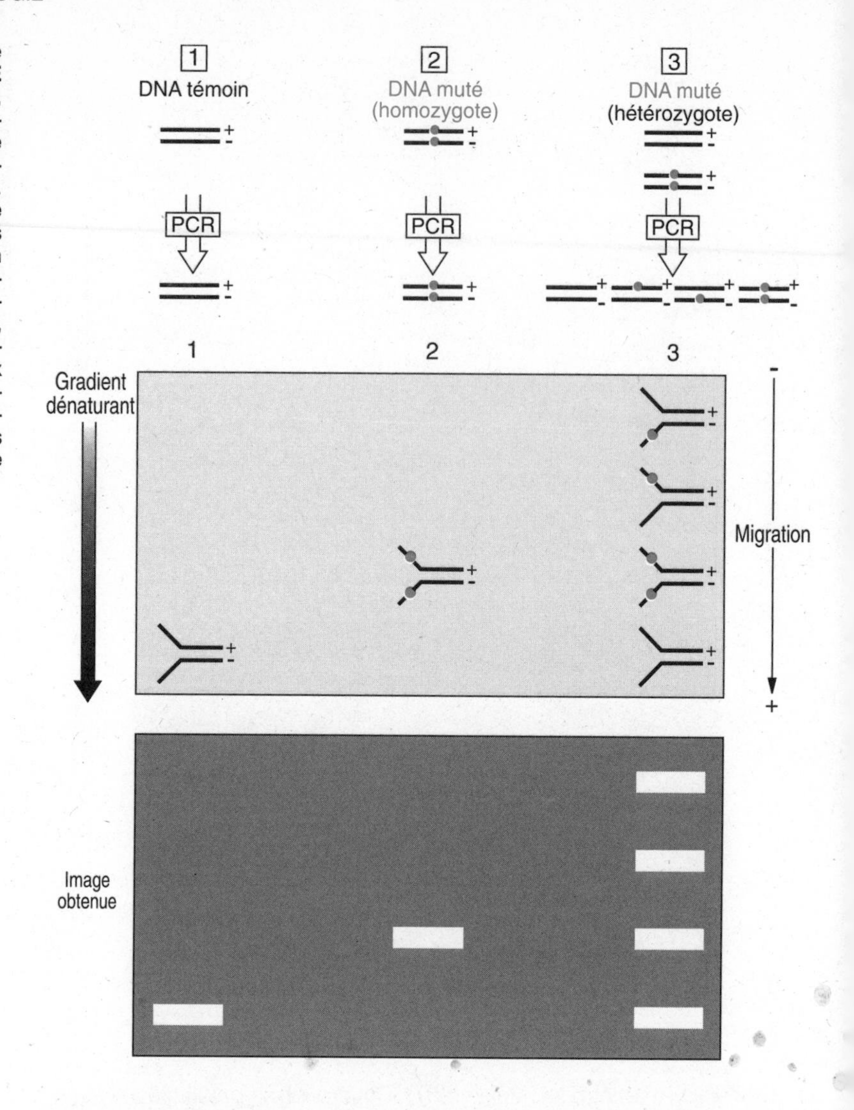

Figure 13-9 Principe de la détection d'une mutation ponctuelle par la méthode DGGE L'échantillon n° 1, utilisé comme témoin normal, engendre après PCR un amplimère unique constitué par un homoduplex, dont le domaine de fusion détermine la dénaturation, et la quasi-immobilisation dans le gel à un niveau donné. L'échantillon n° 2, provenant d'un DNA muté homozygote (ou hémizygote), engendre après PCR un seul type d'homoduplex, où la mutation a déstabilisé le domaine de fusion (Tm↓) entraînant un arrêt plus précoce dans le gel. L'échantillon n° 3 provient d'un hétérozygote et engendre, après PCR, 4 types d'amplimères : deux homoduplex et deux hétéroduplex. Les homoduplex migrent de la même manière que leurs homologues sauvage et muté ; les hétéroduplex se distinguent non seulement des homoduplex, mais aussi l'un de l'autre, car la Tm diffère selon que la mutation siège sur le brin + ou le brin – .

Le clivage chimique des mésappariements : après dénaturation des produits d'amplification par PCR et renaturation en présence d'une séquence témoin radiomarquée (sonde), l'utilisation de réactifs chimiques permet la **reconnaissance** et la **modification** spécifique des bases qui se seraient mal appariées par suite d'une différence de séquence. L'**hydroxylamine** modifie les **cytosines**, et le **tétraoxyde d'osmium** modifie les **thymines**, lorsque l'une de ces bases est impliquée dans un mésappariement. Le DNA est ensuite clivé par la pipéridine au niveau des bases altérées, et les produits de clivage sont analysés par électrophorèse sur un gel de polyacrylamide dénaturant **(Figure 13-10)**. La taille du fragment obtenu permet de positionner approximativement (à 30 bases près) la mutation par rapport à l'une des extrémités.

La méthode de clivage chimique est particulièrement adaptée à la caractérisation de mutations nouvelles. On peut l'utiliser pour analyser des grands fragments (1 200 bases) sans pour autant connaître la totalité de la séquence, ce qui est intéressant dans les cas où l'on recherche un site polymorphe dans les introns. La méthode est très efficace, puisqu'elle permet de détecter pratiquement toutes les mutations. Cependant elle est peu adaptée à une analyse de routine du fait de la lourdeur du protocole, des risques inhérents aux produits utilisés et de l'impossibilité de distinguer les hétérozygotes des homozygotes.

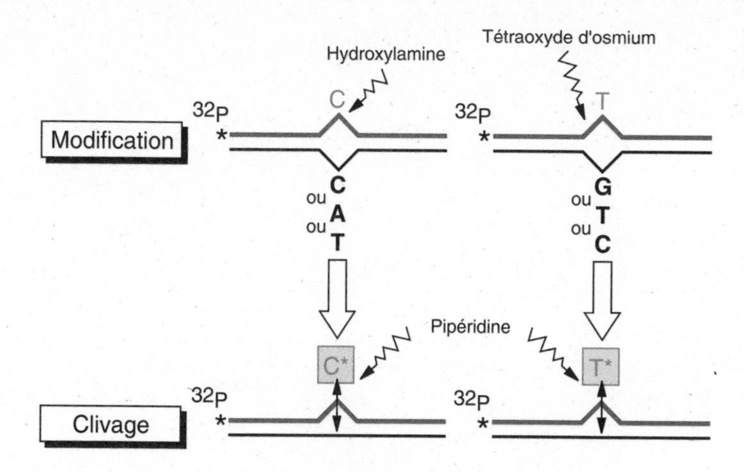

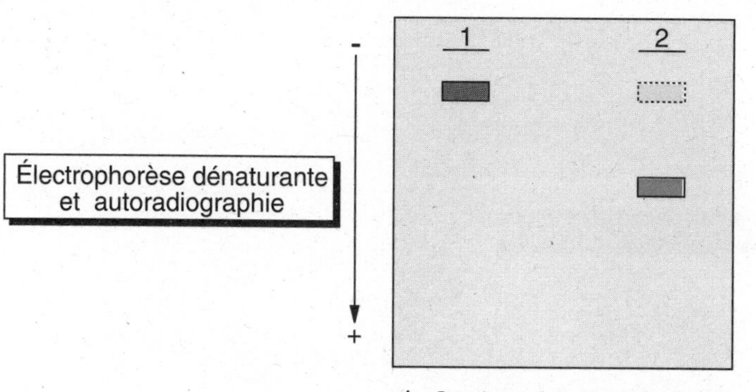

1 : Sonde parfaitement appariée
2 : Sonde avec mésappariement

Figure 13-10 **Détection d'une mutation par clivage chimique**
Les C ou T mésappariés sont modifiés, respectivement par l'hydroxylamine ou le tétraoxyde d'osmium, puis clivés par la pipéridine. Le résultat est analysé par électrophorèse des brins dénaturés.
En 1 : sonde parfaitement appariée et non clivée.
En 2 : sonde clivée par suite d'un mésappariement. Noter la présence d'une bande faible correspondant à du DNA non clivé, car la coupure n'est jamais totale. Ceci empêche la détection des hétérozygotes.
NB : L'utilisation d'une sonde double-brin permet d'obtenir dans tous les cas un mésappariement impliquant, sur l'un ou l'autre brin, un C ou un T.

La méthode SSCP (Single Strand Conformation Polymorphism) : elle repose sur le principe suivant : lorsqu'un segment de DNA double-brin est dénaturé par la chaleur, puis refroidi brutalement, les brins restent séparés. Si on les soumet ensuite à une **électrophorèse non dénaturante** dans un gel de polyacrylamide faiblement réticulé, chaque brin se renature sur lui-même, et prend une conformation spécifique conditionnant sa migration électrophorétique. Une variation de séquence aussi minime qu'une mutation ponctuelle peut se manifester par une différence de conformation **(Figure 13-11)**. La méthode (élaborée par Orita et al en 1988) est à la fois très simple et très sensible, et paraît susceptible d'être un auxiliaire précieux pour mettre en évidence toutes variations de séquence dans une région amplifiable par PCR. Un obstacle à sa diffusion à des fins diagnostiques a été jusqu'à présent le recours obligatoire au marquage radioactif des brins amplifiés, qui est nécessaire pour la visualisation finale. Le recours à des techniques de marquage non radioactives devrait permettre d'étendre son utilisation.

En ce qui concerne les trois méthodes ci-dessus : **DGGE, clivage chimique** et **SSCP**, il faut souligner qu'elles ne sont qu'indicatives d'une différence de séquence par rapport à un témoin pris comme référence. Dans tous les cas il faudra donc confirmer par une analyse de séquence et déterminer s'il s'agit d'une mutation pathogène (responsable de la maladie étudiée), ou neutre (polymorphisme de séquence). En outre il n'est pas certain que chacune de ces méthodes soit capable de détecter toutes les mutations ponctuelles.

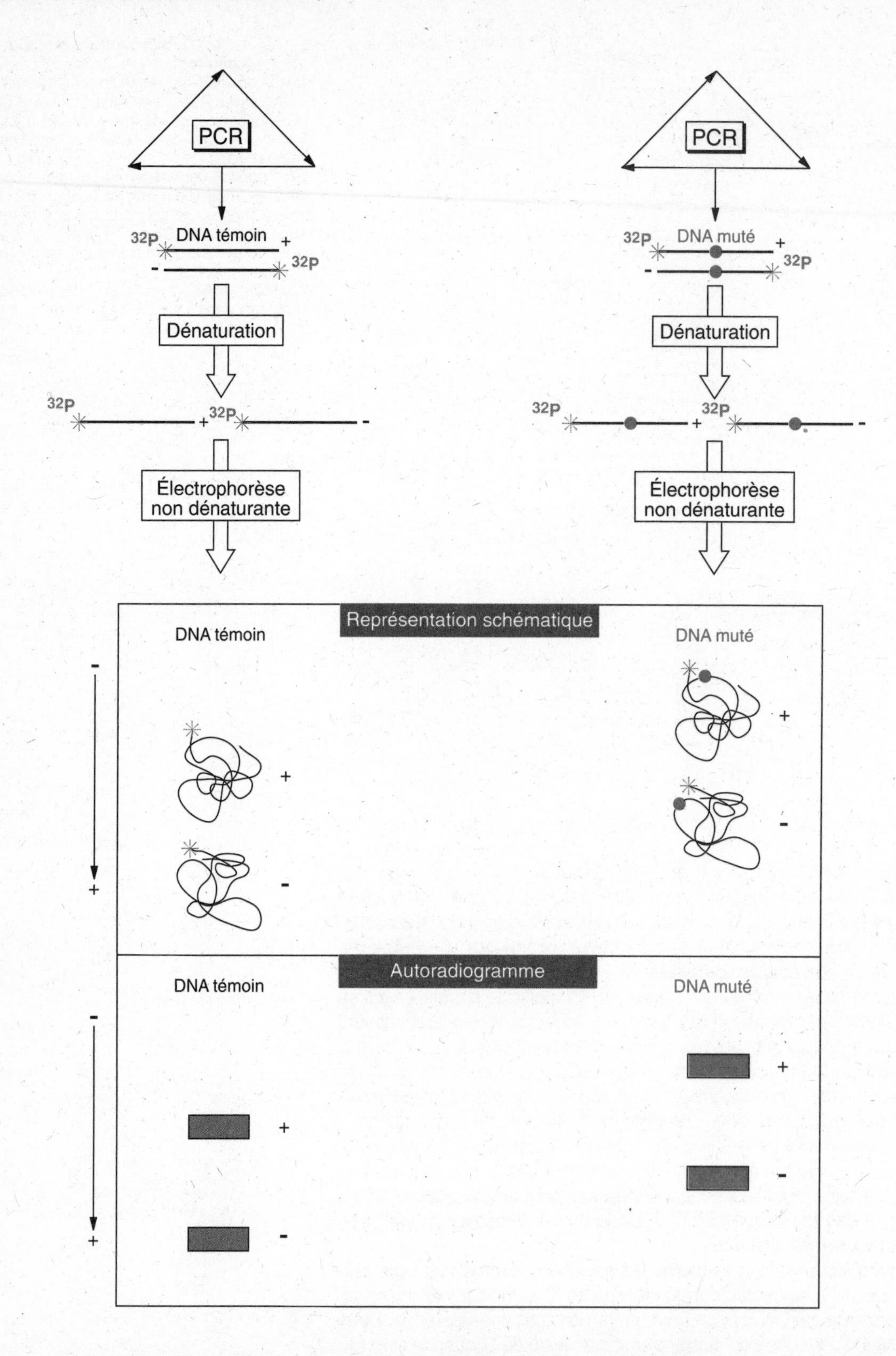

Figure 13-11 Mise en évidence d'une variation de séquence génomique par la méthode SSCP
Le DNA est d'abord amplifié par PCR avec marquage au ^{32}P (soit par une amorce radioactive, soit par incorporation d'un nucléotide radioactif). Les brins du produit de PCR sont dénaturés par chauffage suivi d'un refroidissement brutal. Au moment de la décongélation chaque brin se renature sur lui-même en prenant une conformation spécifique, entraînant une différence de migration dans une électrophorèse **non dénaturante** en gel de polyacrylamide. Si une mutation modifie la conformation du monobrin, il en résulte une différence de migration.

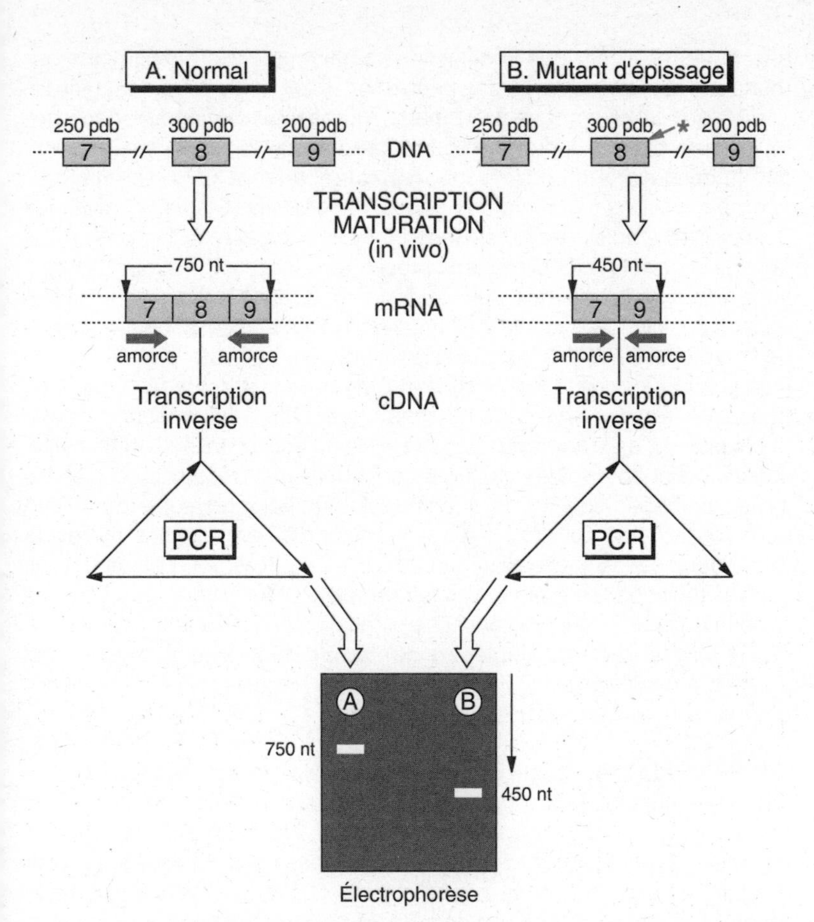

Figure 13-12 Visualisation d'un épissage anormal par amplification du mRNA
En A : situation normale avec amplification d'un fragment de taille attendue (exons 7+8+9 compris entre les amorces).
En B : une mutation sur le site donneur d'épissage au début de l'intron 8 entraîne un court-circuitage *(exon skipping)* de l'exon 8, directement détectable par l'électrophorèse et coloration au bromure d'éthidium.

• ***Mise en évidence des anomalies dans les transcrits :*** la méthode PCR permet d'amplifier les RNA messagers : il suffit d'une étape préliminaire de **synthèse de cDNA simple-brin** par la transcriptase inverse, suivie d'amplification avec des amorces appropriées (voir chapitre 8 et chapitre 21). Celles-ci doivent être dans des **exons différents**, ce qui permet de distinguer l'amplimère obtenu à partir du transcrit de celui qui aurait pu être amplifié accidentellement à partir de traces de DNA contaminant la préparation.

On part généralement d'une préparation de RNA total. En effet toute tentative d'enrichissement en RNA messager par préparation d'une fraction de RNA polyA + est inutile, car la méthode PCR-cDNA (RT-PCR) est extraordinairement sensible (une seule copie dans la préparation suffit). Elle est même néfaste car elle entraîne un appauvrissement, notamment en transcrits de grande taille.

L'exploration des RNA messagers pathologiques amplifiés par PCR offre de nombreux avantages :

— elle permet d'analyser directement les **délétions internes**, les **duplications**, les **insertions** (à condition de placer les amorces de part et d'autre de la région anormale) ;

— elle permet de rechercher systématiquement les mutations ponctuelles sur une séquence beaucoup plus ramassée qu'au niveau génomique. Ceci est particulièrement intéressant lorsque l'on a affaire à un grand gène très morcelé, où l'exploration systématique du DNA exon par exon serait fastidieuse ;

— elle est idéale pour visualiser les conséquences des **mutations d'épissage**, qu'il s'agisse d'un court-circuitage d'exon ***(exon skipping)*** **(Figure 13-12)**, ou d'un épissage aberrant par activation d'un site crypti-

La transcription illégitime permet d'accéder à n'importe quel mRNA dans n'importe quel tissu

Il existe dans toutes les cellules, qu'il s'agisse d'organes ou de cellules en culture, un niveau basal de transcription de tous les gènes. Ce niveau est très faible puisqu'il est de l'ordre d'une seule copie par gène pour 10^2 à 10^3 cellules. Le phénomène a été décrit en 1989, et dénommé « **transcription illégitime** » (Chelly et al), ou « **transcription ectopique** » (Sarkar et Sommer). Il paraît dénué de toute signification biologique et son mécanisme n'est pas encore élucidé. Il pourrait s'agir d'un phénomène d'échappement transcriptionnel au moment de la réplication. Quoi qu'il en soit, il permet de trouver dans des cellules d'accès facile (lymphocytes, fibroblastes) les RNA messagers de tous les gènes physiologiquement exprimés dans des tissus difficilement accessibles. Les transcrits illégitimes représentent un reflet fidèle des « transcrits légitimes », car ils sont initiés et épissés comme eux. On y retrouve le résultat des **épissages normaux et pathologiques** (mutant d'épissage, délétions, duplications ou insertions intragéniques). La liste des gènes très spécifiques de tissu où le phénomène de transcription illégitime a été retrouvé s'allonge tous les jours. En voici un échantillon : dystrophine, hormone anti-mullérienne, facteurs anti-hémophiliques VIIIc et IX, CFTR *(cystic fibrosis transmembrane regulator)*, β-globine, pyruvate kinase (type L), pigment bleu rétinien, phénylalanine hydroxylase, tyrosine hydroxylase, protéine de liaison de la vitamine D, α-fœtoprotéine, albumine, certains gènes du collagène (COL1A1, COL1A2, COL2A1, COL3A1), α-actine cardiaque, proacrosine, protamine 2, myosine cardiaque (chaîne β). Pour un certain nombre d'entre eux le phénomène a reçu une exploitation diagnostique (Tableau 13-1)

que. Il faut souligner que la détection primaire au niveau génomique des mutations responsables de ces phénomènes est particulièrement difficile, car il s'agit le plus souvent de mutations ponctuelles situées dans des régions introniques, dont on ne connaît pas toujours la séquence. En revanche la découverte d'un transcrit anormal représente un indice majeur.

En principe les transcrits des gènes à expression tissulaire spécifique doivent être étudiés dans les tissus où ils ont une expression physiologique, ce qui peut poser de sérieux problèmes d'accessibilité (par exemple dans le muscle pour le mRNA de la dystrophine, dans le foie pour le mRNA du facteur VIIIc, dans les épithéliums respiratoire et digestif pour le mRNA de la protéine CFTR). En fait il est possible dans ces cas de mettre à profit le phénomène de la **transcription illégitime** (n'importe quel gène est transcrit à très bas bruit dans n'importe quel tissu, voir encadré ci-contre et chapitre 4), en s'adressant à des cellules d'accès facile : lymphocytes, lignées lymphoblastoïdes, cultures de fibroblastes. Dans ces cellules les transcrits illégitimes sont en quantité infime (une seule copie de mRNA pour 100 à 1 000 cellules), mais sont cependant amplifiables en recourant à deux séries successives de 20 cycles de PCR, en utilisant pour le second tour des amorces incluses **(*nested* PCR)**. Malgré les difficultés expérimentales — qui proviennent essentiellement de la très grande sensibilité exigée, donc du **risque de contamination** — cette méthode est appelée à se développer. Elle a déjà fait ses preuves dans le diagnostic d'un certain nombre de maladies **(Tableau 13-1).**

Le choix de la stratégie de diagnostic direct dépend de plusieurs facteurs. Les principaux sont la connaissance a priori de la mutation et de la taille du gène. Si la mutation est connue à l'avance, cas de la drépanocytose, on peut recourir directement à la détection spécifique sans avoir à étudier un cas index dans la famille. Si au contraire il s'agit d'une maladie où la lésion n'est pas univoque (poly-allélisme), comme les β-thalassémies, on doit d'abord identifier la lésion. Ceci peut être facilité par l'existence d'une distribution géographique particulière des allèles pathologiques (par exemple l'allèle β-thalassémique $\beta^{39 \text{ non-sens}}$ en Sardaigne).

S'il s'agit d'un allèle inconnu, on aura recours aux méthodes décrites ci-dessus. Celles-ci réclament toutefois de connaître l'emplacement

Tableau 13-1 **La pathologie moléculaire des gènes à expression tissulaire spécifique peut être analysée sur des transcrits illégitimes**

Maladie	Gène	Taille du gène (nombre d'exons)	Taille du mRNA	Spécificité tissulaire
Myopathies de Duchenne et de Becker	dystrophine	2300 kb (79 exons)	14 kb	muscle
Hémophilie A	facteur VIIIc	186 kb (26 exons)	9 kb	foie
Mucoviscidose	CFTR	250 kb (27 exons)	6 kb	cellules épithéliales (tractus respiratoire et digestif)
Spondylodysplasie épiphysaire	COL2A1	38 kb (52 exons)	4,7 kb	chondrocytes
Cardiomyopathie familiale hypertrophique	β-myosine (chaîne lourde)	30 kb (40 exons)	2,4 kb	myocarde

approximatif de la mutation. La **taille** du gène est un élément important à considérer : il est beaucoup plus facile d'explorer un petit gène comme celui de la β-globine (1 700 pb) qu'un grand gène comme celui du facteur VIII (186 kb) ou celui de la myopathie de Duchenne (2 300 kb). Dans ces cas l'exploration ne peut pour l'instant porter que sur les exons, le plus souvent sur le DNA, plus rarement sur le mRNA.

Lorsqu'il est possible, le diagnostic direct des mutations présente un très grand intérêt en raison de sa spécificité et de sa fiabilité. Ces critères sont particulièrement appréciables dans un contexte de **diagnostic prénatal** (voir ci-dessous). De plus, en ce qui concerne les maladies génétiques dues à un allèle commun (mutation monomorphe) le diagnostic direct permet de détecter les **hétérozygotes**.

Le diagnostic génotypique par analyse de liaison avec des marqueurs polymorphes

Cette méthode fait appel à des marqueurs génotypiques tels que les polymorphismes de restriction (RFLP), les mini-satellites et les microsatellites (voir chapitre 9). Le principe consiste à distinguer le chromosome porteur du gène pathologique de son homologue normal, non plus par une détection de la lésion génomique elle-même, mais par l'étude des polymorphismes voisins de celle-ci servant de **marqueurs**. Ceci permet d'effectuer un diagnostic chez des sujets dont le statut génotypique est inconnu (fœtus ou individu à risque).

En raison de ses limitations intrinsèques (**informativité** et **recombinaisons**, que nous discuterons plus loin), cette stratégie ne s'applique que si la lésion génique n'est pas directement explorable.

Au point de vue opérationnel il faut distinguer les cas où la sonde utilisée est intra-génique, explorant des polymorphismes intra- ou juxtagéniques **(diagnostic semi-direct)**, et ceux où elle est extra-génique, explorant des polymorphismes situés à une « certaine distance » génétique de la lésion génomique **(diagnostic indirect)** (voir figure 13-1).

Le diagnostic semi-direct par analyse des polymorphismes intra- ou juxta-géniques

Il consiste à utiliser une sonde spécifique du gène en cause pour mettre en évidence des polymorphismes situés dans le gène ou à proximité immédiate. Le marqueur est en principe très proche de la lésion génomique, en général quelques kilobases, ce qui suppose un risque de recombinaison infime (théoriquement 10^{-5} par kilobase). La fiabilité est telle qu'on peut se contenter d'un seul marqueur informatif.

La présence à côté d'un gène anormal d'un allèle polymorphe donné peut soit résulter d'un **déséquilibre de liaison** entre celui-ci et l'allèle pathologique (association allélique), soit représenter une association fortuite variable d'une famille à l'autre.

• *Le diagnostic par association allélique* : dans certains cas, rares mais privilégiés, cette association n'est pas fortuite mais significative, parce qu'il existe un déséquilibre de liaison entre la mutation et le RFLP en question (voir chapitre 9). Dès lors l'association entre allèle morbide et allèle de restriction représente une constante propre à la maladie à étudier.

Le premier exemple a été celui du RFLP bi-allélique Hpa I (7,6 kb/13 kb) — situé quelques kb en aval du gène de la β-globine —, où l'allèle 13 kb a été trouvé associé à la mutation β^S de la drépanocytose chez des noirs américains (Y.W. Kan, 1978) (**Figure 13-13**). Comme il existe aussi des individus portant le gène β^A dans un contexte Hpa I/13 kb, il est probable que la divergence 7,6 kb → 13 kb a précédé l'apparition de la mutation β^S. Celle-ci est survenue sur un chromosome 13 kb, et s'est ensuite

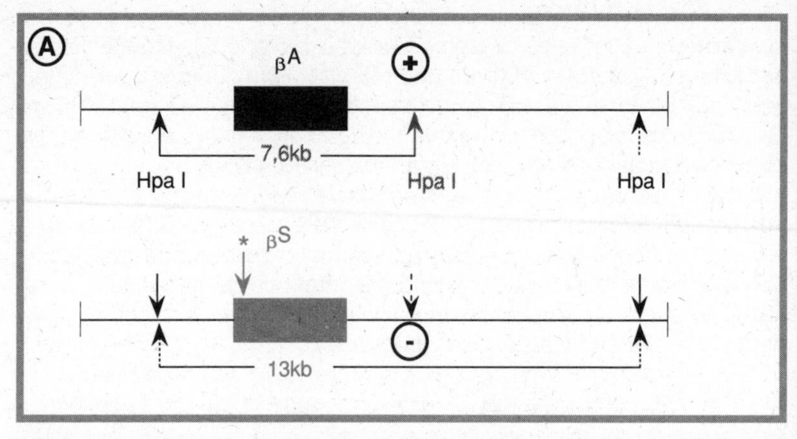

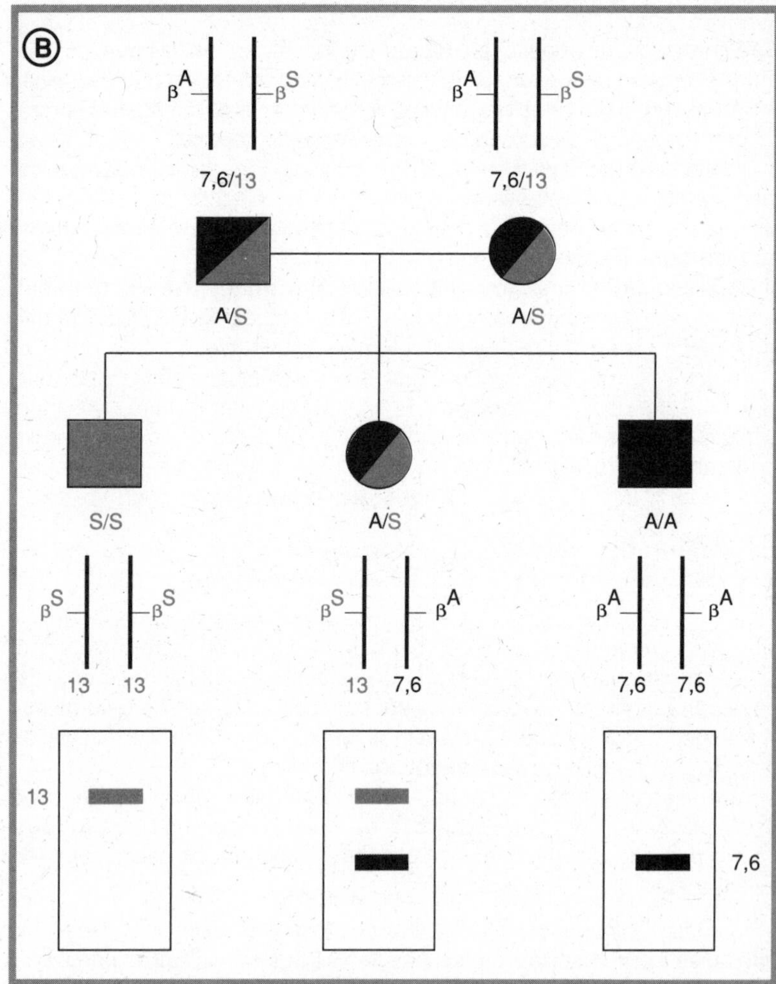

Figure 13-13 Diagnostic prénatal semi direct par un allèle de restriction associé à une mutation : l'exemple historique de la drépanocytose Les chromosomes porteurs du site de restriction Hpa I (allèle + : 7,6 kb) portent aussi le gène normal β^A ; les chromosomes où ce site est aboli (allèle – : 13 kb) peuvent porter le gène de la drépanocytose (β^S). Cette association allélique permet le diagnostic des 3 situations génotypiques possibles : normalité (homozygotie β^A/β^A), hétérozygotie (β^A/β^S) et drépanocytose homozygote (β^S/β^S), en particulier chez un fœtus. En fait l'association allélique n'est pas absolue (origine multicentrique de la mutation). Il suffit que l'un des parents soit homozygote pour le RFLP (13/13 ou 7,6) pour que le diagnostic prénatal devienne impossible.
(D'après Y.W. Kan, 1978)

répandue en association avec l'allèle 13 kb. Cette association allélique a été mise à profit pour le premier diagnostic prénatal effectué par analyse de RFLP (Y.W. Kan, 1978). Son principe est analysé dans la figure 13-13. En fait il est très vite apparu que la mutation β^S n'est pas associée dans tous les cas à l'allèle 13 kb, soit par suite de recombinaisons dans la descendance d'un fondateur unique, soit parce que la mutation β^S est apparue indépendamment chez plusieurs fondateurs dans des territoires géographiquement éloignés. C'est cette dernière hypothèse qui s'est avérée exacte. Grâce à l'étude des haplotypes de la région du gène de la β-globine, on a pu démontrer l'existence d'au moins 4 foyers géographiques indépendants où la mutation β^S a pris naissance (voir chapitre 14). Dans chaque foyer celle-ci s'est répandue grâce à l'avantage sélectif vis-à-vis du paludisme que confère l'hétérozygotie β^A/β^S (voir encadré).

L'exemple historique de la drépanocytose illustre les limitations de la méthode de diagnostic reposant exclusivement sur l'association allélique.

Cette méthode n'est applicable qu'aux maladies génétiques résultant d'un effet fondateur, c'est-à-dire d'une **mutation unique**, conférant un avantage sélectif pour atteindre un niveau détectable dans une population donnée. Peu de maladies génétiques obéissent à ces critères, et rares sont les exemples où le diagnostic peut être fondé sur la présence d'un allèle de polymorphisme spécifique.

Citons **l'allèle Pi^Z** du déficit en α1-anti-trypsine, qui à l'état homozygote (Z/Z) comporte un risque d'emphysème grave et de cirrhose. L'allèle Pi^Z est toujours associé à certains allèles correspondant à des sites Ava II intra- et juxta-géniques. Ces allèles Ava II ne sont pas retrouvés dans la population normale, et représentent des marqueurs spécifiques directement utilisables pour un diagnostic prénatal sans étude familiale préalable.

Lorsque plusieurs sites polymorphes proches sont en déséquilibre de liaison avec une mutation donnée, celle-ci peut être significativement associée à une **combinaison haplotypique** donnée. Ce phénomène est observé pour certaines mutations responsables de β-thalassémies, de phénylcétonurie, et pour la mucoviscidose (voir chapitre 14).

• *Le diagnostic semi-direct par analyse de liaison sans association allélique préférentielle* : il consiste à se fier à un ou plusieurs polymorphismes intra- ou juxta-géniques, sans recherche d'un allèle ou d'un haplotype particulier. Il faut donc procéder à une analyse génotypique complète **dans chaque famille** pour déterminer lequel des allèles de chaque site polymorphe est couplé à la mutation. Il est indispensable d'étudier au moins un malade atteint, sauf si le couplage peut être reconstitué par une informativité favorable de la généalogie.

La **figure 13-14** montre les résultats d'une analyse par des sondes intra- et juxta-géniques. Ceux-ci ne valent que dans la famille étudiée. Comme il convient de procéder à une nouvelle analyse pour chaque famille différente, la méthode se prête bien aux maladies caractérisées par une grande variété de mutations pathologiques (multi-allélisme) puisqu'elle n'exige pas la connaissance de la lésion génique. Tel est le cas des β-thalassémies et de la phénylcétonurie.

La **fiabilité** du diagnostic semi-direct est en général excellente et il est appliqué avec succès à un certain nombre de maladies à gène connu et cloné, où le diagnostic direct de la mutation n'a pu être effectué, par exemple : hémophilie A, phénylcétonurie, mucoviscidose. Toutefois lorsque le gène est de grande dimension et que la lésion peut siéger en un point quelconque de ce gène, il apparaît un risque de recombinaison entre le site polymorphe et le site muté. Cette notion trouve son illustration extrême dans la myopathie de Duchenne (locus DMD). Les premières sondes explorant des RFLP dans le gène DMD ont montré qu'elles ne garantissaient pas une sécurité totale du diagnostic, à cause de la possibilité de **recombinaison intra-génique**. Ce phénomène s'explique par la longueur extrême du territoire où peuvent siéger les mutations : 2 mégabases, soit 2 centimorgans. Ici la variabilité des mutations et l'énormité du domaine mutable posent des problèmes spécifiques. On ne peut utiliser des RFLP proches du site muté puisque l'on ignore a priori sa localisation précise. En revanche, en utilisant des RFLP extra-géniques encadrant le gène, on peut se mettre à l'abri du risque d'erreur par recombinaison simple.

Un phénomène d'auto-stop génétique

Les hétérozygotes β^A/β^S ont un avantage sélectif dans les régions du monde fortement impaludées, car le *Plasmodium falciparum* infeste moins bien les globules rouges renfermant de l'hémoglobine S. La survenue de la mutation β^S, il y a probablement 3 milliers d'années chez un individu porteur de l'allèle 13 kb, rare et neutre, a très vraisemblablement contribué à répandre l'allèle 13 kb dans la population de la région du Bénin. En effet la très grande proximité du site polymorphe Hpa I par rapport à la mutation β^S (quelques kilobases), et l'absence de hot-spot de recombinaison entre les deux expliquent qu'ils soient demeurés couplés. L'allèle 13 kb s'est donc répandu dans la population en « profitant » de l'allèle β^S.

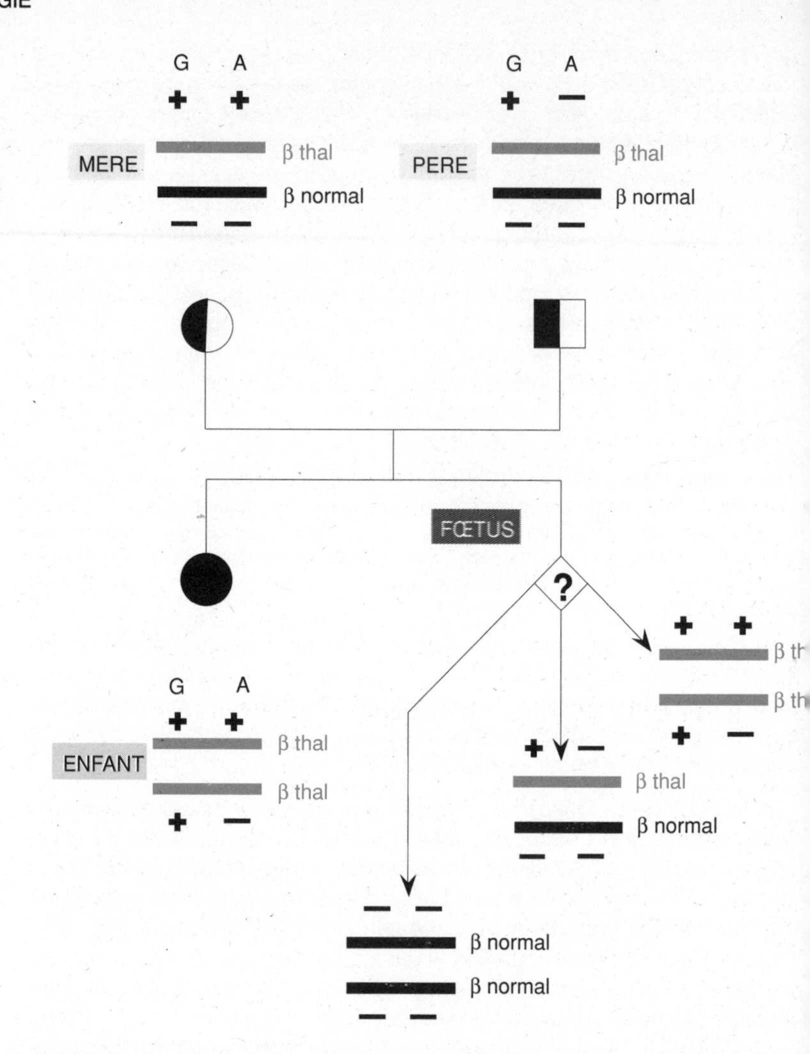

Figure 13-14 Diagnostic semi-direct de β-thalassémie chez un fœtus
La sonde utilisée reconnaît deux RFLP, l'un dans le gène $^{G}\gamma$ et l'autre dans le gène $^{A}\gamma$, situés à 25 kb du gène de la β-globine. La combinaison des allèles (+ ou – à chaque site polymorphe) sur chaque chromosome constitue un haplotype utilisé pour le diagnostic prénatal.

Le diagnostic indirect par les marqueurs extra-géniques

On l'utilise en dernier recours, lorsque les procédés précédents ne peuvent être utilisés (voir figure 13-1). Ce type de diagnostic concerne donc surtout, mais non exclusivement, les nombreuses maladies génétiques monofactorielles à gène inconnu. Celles-ci sont justiciables de l'approche de la génétique inverse (voir chapitre 11), à l'aide de **sondes anonymes** qui sont utiles au diagnostic si elles détectent des polymorphismes à la fois informatifs et proches du locus morbide (voir figure 11-2).

Comme dans le cas du diagnostic semi-direct utilisant des sondes géniques, le diagnostic par sondes anonymes extra-géniques comporte un certain nombre de contraintes pour arriver au but, qui est la reconnaissance du chromosome porteur du gène anormal par le couplage entre des allèles de polymorphisme génotypique et le locus morbide. Ces contraintes sont la nécessité d'étudier au moins un cas index dans la famille, et de reconstituer sans ambiguïté la phase. Ceci n'est obtenu qu'au prix d'une étude familiale parfois exhaustive, et seulement si la constellation étudiée est **informative**. Certains membres essentiels pour établir la phase peuvent faire défaut parce qu'ils sont morts ou inaccessibles, ce qui affaiblit plus ou moins le résultat final.

A l'informativité familiale s'ajoute l'informativité des marqueurs. Plus ils sont polymorphes meilleures sont les chances de pouvoir discriminer les 2 chromosomes porteurs du gène anormal et de suivre leur ségrégation

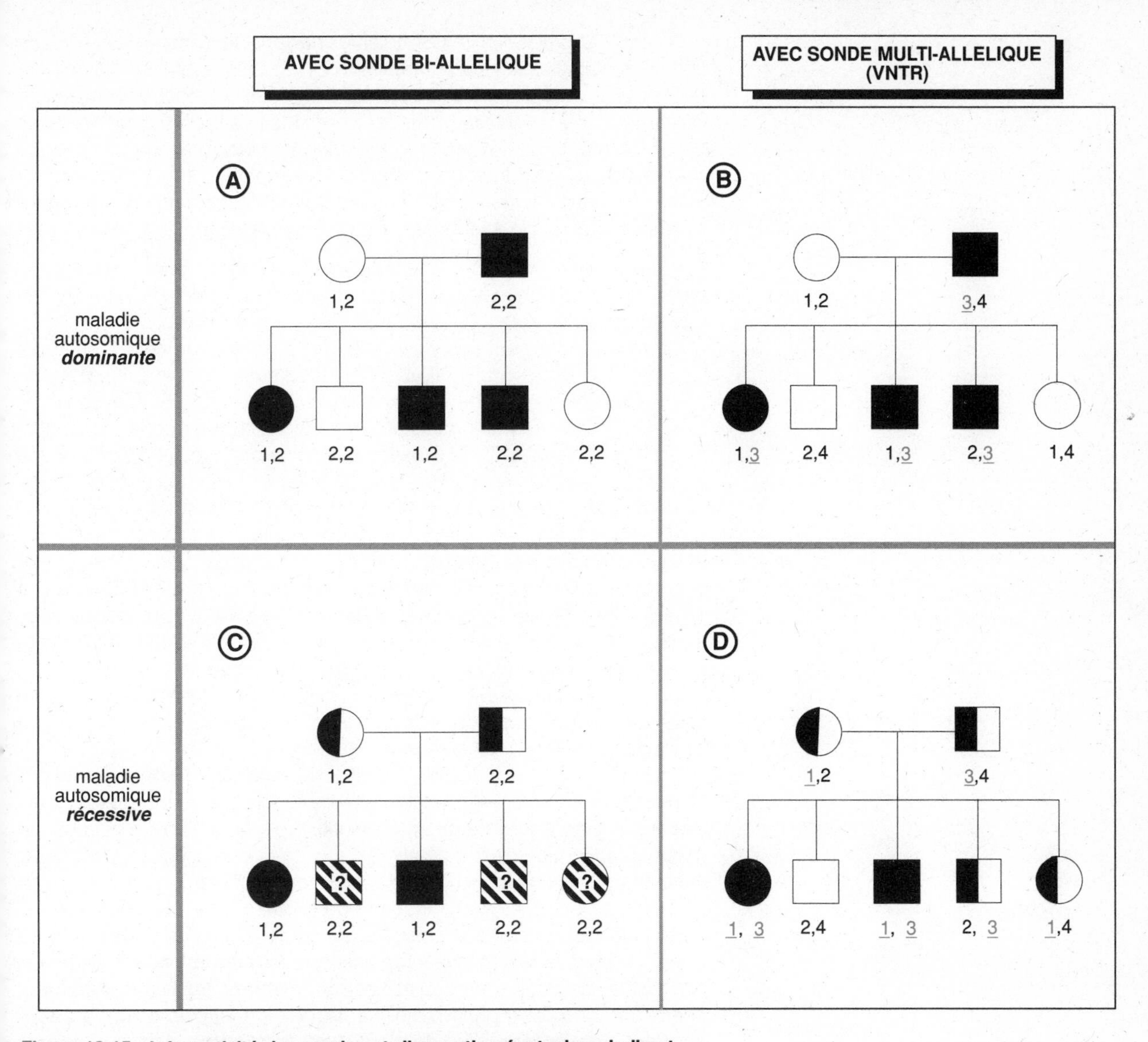

Figure 13-15 Informativité des sondes et diagnostic génotypique indirect
L'informativité est meilleure avec une sonde multi-allélique (VNTR).
Pour une *maladie dominante autosomique :* **(A)** aucune informativité et le diagnostic est impossible ; **(B)** informativité par l'allèle 3.
Pour une *maladie récessive autosomique :* **(C)** informativité partielle, le génotype 2,2 permet seulement d'exclure l'homozygotie pour le gène pathologique ; à cause de la non-informativité du père, le diagnostic de certitude d'homozygotie pour le gène pathologique, celui d'hétérozygotie ou celui de normalité sont impossibles ; **(D)** : informativité totale, la distinction est possible entre homozygotes malades (allèles 1 *et* 3), hétérozygotes (allèles 1 *ou* 3) et homozygotes normaux (allèles 2 *et* 4).

dans la famille jusqu'au sujet à explorer. Les meilleurs marqueurs sont les RFLP multi-alléliques détectés par les sondes de type **minisatellites** (VNTR) et les **microsatellites (Figure 13-15)**.

Le diagnostic est donc d'une difficulté variable selon le mode de transmission de la maladie et selon le type de sonde utilisable.

• *Les maladies liées au chromosome X* sont en général plus faciles à analyser, car la phase est directement donnée par l'étude des sujets masculins qui ne peuvent être qu'**hémizygotes** et qui transmettent obligatoirement leur chromosome X à toutes leurs filles. On peut même déduire l'haplotype d'un cas index décédé si on a pu étudier sa mère et son frère normal.

On peut dans certains cas détecter les **néo-mutations,** fréquentes dans certaines maladies liées au chromosome X. Cette possibilité, qui est une des grandes acquisitions de la génétique moléculaire, repose sur la découverte qu'un même chromosome X, caractérisé par son haplotype, porte dans une même famille tantôt la mutation pathologique (chez un hémophile ou un myopathe de Duchenne par exemple), tantôt le gène normal (chez un sujet à l'évidence sain comme un frère normal ou un grand-père maternel normal). Un exemple en est donné plus loin dans la figure 13-19.

• *Les inconvénients du diagnostic génotypique indirect.* Celui-ci est grevé de trois inconvénients : le risque d'absence d'informativité ; le risque de recombinaison ; le risque d'hétérogénéité génétique.

L'**informativité** peut poser un problème difficile pour les petites familles où un membre clé fait défaut pour résoudre une phase. Elle est également tributaire du type de sonde utilisé (voir figure 13-15). L'avènement des micro-satellites hautement polymorphes a considérablement facilité la tâche (voir chapitre 9). La situation dite d'informativité est plus fréquente dans les maladies dominantes que dans les maladies récessives. Dans ce dernier cas, elle peut être **totale**, permettant le diagnostic des homozygotes et des hétérozygotes ; **partielle**, permettant seulement le diagnostic des homozygotes ; ou **nulle**, empêchant tout diagnostic si les parents sont tous les deux homozygotes pour les marqueurs disponibles **(Figure 13-16)**. Une connaissance de la fréquence des allèles de chaque marqueur dans la population générale permet de connaître d'avance la proportion de familles qui pourront bénéficier de l'analyse.

La **recombinaison** est un problème majeur car elle peut conduire à un diagnostic erroné si elle passe inaperçue. On peut la détecter grâce à l'utilisation d'un second marqueur situé de l'autre côté de la lésion.

Comme l'indique la **figure 13-17** une **recombinaison simple** par crossing-over unique entre la lésion génique et le site du marqueur passe inaperçue si on n'explore que ce seul site. Le risque d'erreur est égal au risque de recombinaison à ce niveau, c'est-à-dire en théorie 1 p. 100 par centimorgan. Si l'on explore deux marqueurs situés de part et d'autre de la lésion, on visualise le changement de phase produit par une recombinaison simple, que celle-ci se soit produite de l'un ou de l'autre côté de la lésion. Seule passerait inaperçue une **double recombinaison**, qui maintiendrait le couplage entre les allèles polymorphes tout en changeant la phase par rapport au gène muté. Le risque d'un tel événement est égal au produit de la probabilité de chaque recombinaison simple d'un côté ou de l'autre de la lésion, en admettant qu'il s'agisse d'événements indépendants. Pour deux marqueurs flanquants situés chacun à 1 centimorgan de la lésion, le risque est de $0{,}01 \times 0{,}01 = 0{,}0001$, c'est-à-dire très faible. En pratique on a donc intérêt à multiplier les marqueurs lorsque l'on explore une zone sensible du fait de son étendue ou d'un risque accru de recombinaison.

L'exploration par plus d'un marqueur permet de construire un **haplotype**. Cette opération réclame l'étude des ascendants pour établir le couplage (ou phase) entre allèles. Les haplotypes obtenus sont très informatifs et permettent de détecter à coup sûr les recombinaisons simples, voire doubles.

La constatation d'une recombinaison simple empêche tout diagnostic, en particulier prénatal. On peut y remédier en poursuivant l'analyse des polymorphismes jusqu'à ce que l'on ait réussi à encadrer le siège de la mutation. Il faut pour cela disposer de nombreuses sondes différentes et d'une marge de temps suffisante, ce qui est rarement le cas dans le contexte d'un diagnostic prénatal.

Il en résulte que le diagnostic génotypique par polymorphisme lié est de nature **probabiliste.** Le risque de recombinaison indétectable doit être

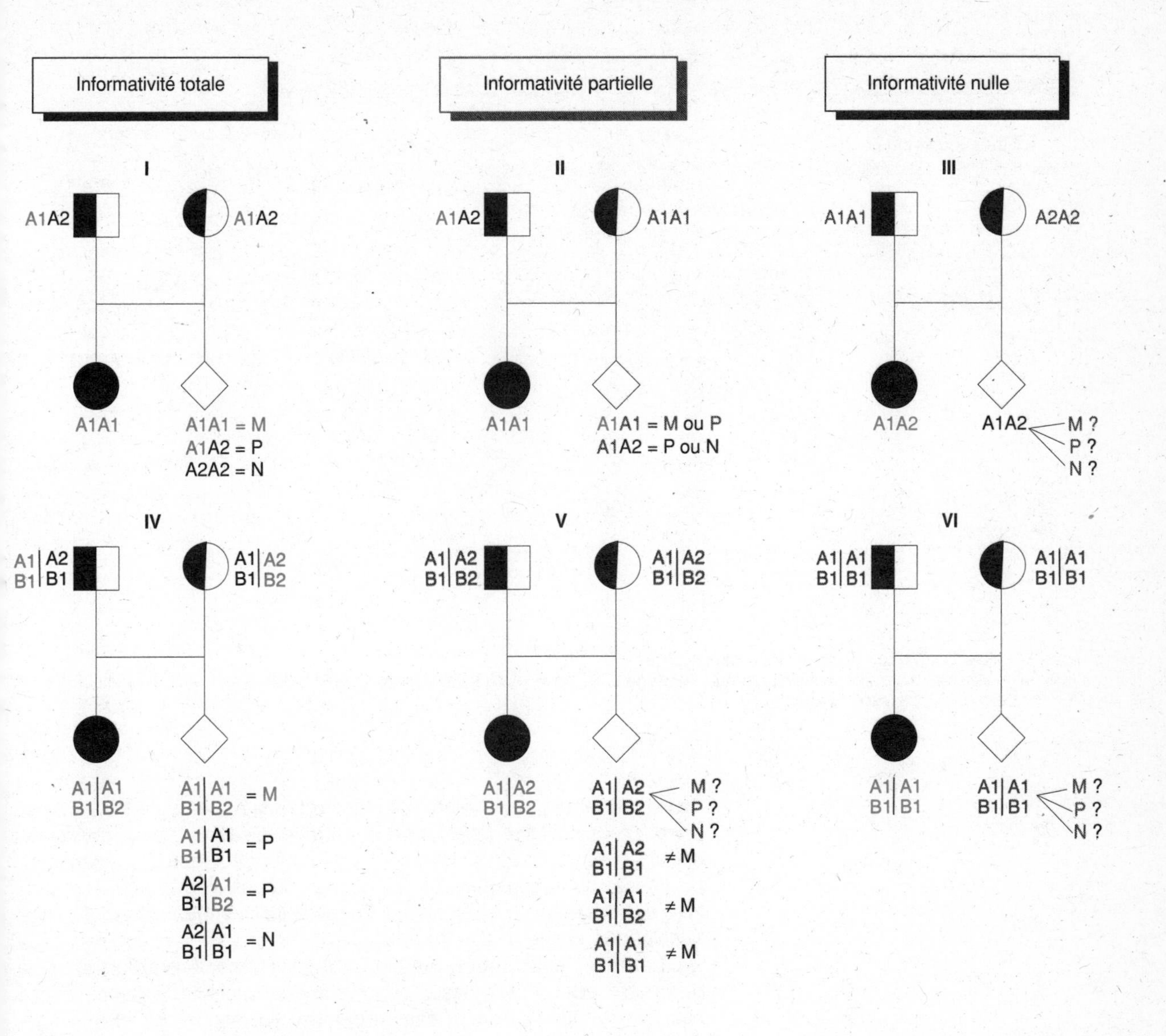

Figure 13-16 Informativité et diagnostic prénatal d'une maladie autosomique récessive par des RFLP bi-allélique liés (diagnostic indirect)
En rouge : l'allèle ou l'haplotype désignant un chromosome porteur du gène pathologique ; en noir : l'allèle ou l'haplotype désignant un chromosome porteur du gène normal ; en rouge foncé : situation indécise.

M : malade (homozygote pour le gène pathologique) ;
P : porteur sain (hétérozygote pour le gène pathologique) ;
N : normal (non porteur du gène pathologique) ;
Disque noir : cas index ;
Losange blanc : fœtus.

Dans cet exemple on admet qu'il n'y a pas de déséquilibre de liaison, ni de recombinaison chez les sujets étudiés.

Informativité totale :
— en I obtenue avec une seule sonde ;
— en IV obtenue avec 2 sondes (la phase est connue, ce qui permet d'établir des haplotypes).

Informativité partielle permettant d'exclure l'état M dans certains cas :
— en II obtenue avec une seule sonde (noter qu'elle peut devenir totale après analyse avec une deuxième sonde, voir situation IV) ;
— en V obtenue avec 2 sondes (ici la phase reste inconnue sauf si le fœtus est A1A1, B1B1).

Informativité nulle :
— en III avec une seule sonde ;
— en VI avec 2 sondes.

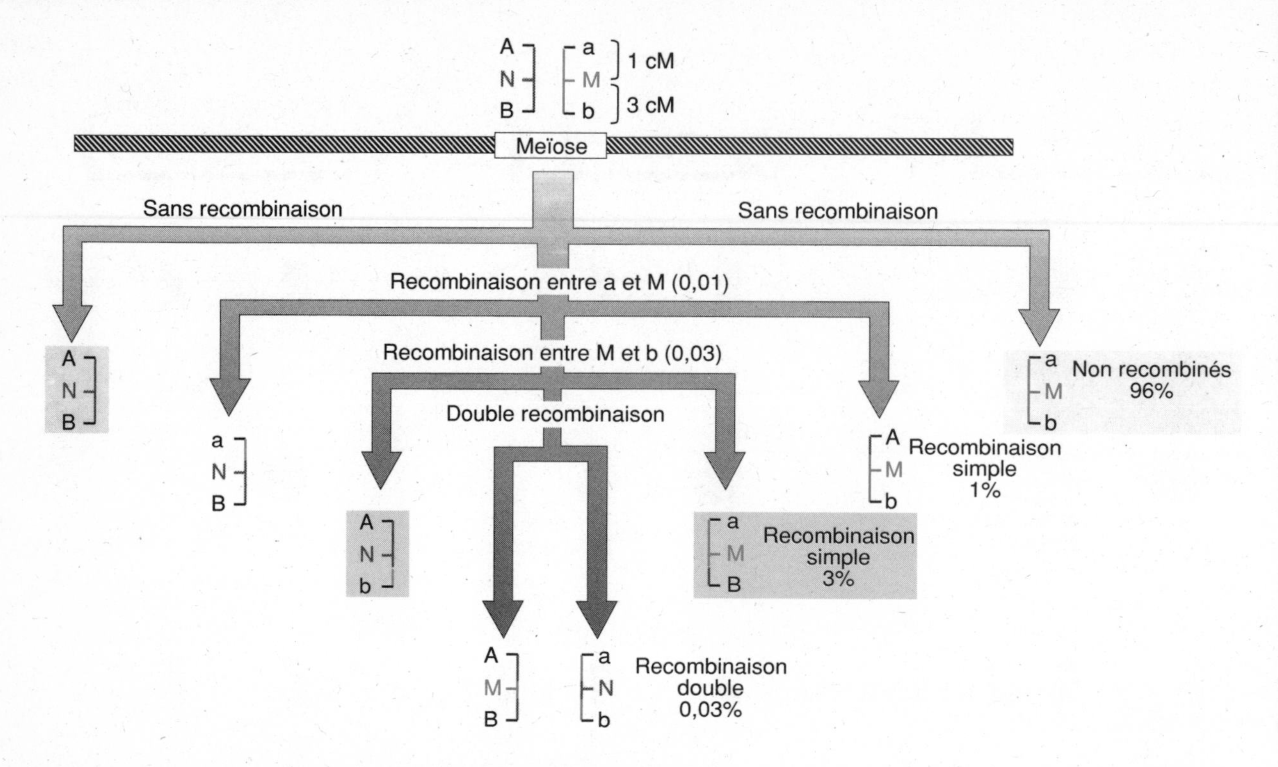

Figure 13-17 **Recombinaison et diagnostic génotypique par RFLP lié**
En utilisant 2 marqueurs flanquant la lésion génétique, on peut détecter les recombinaisons simples. Seule une double recombinaison, dont le risque est faible, passerait inaperçue.

estimé en tenant compte de la distance génétique présumée des polymorphismes explorés par rapport à la lésion. Cette estimation peut être difficile si la distance génétique est mal précisée (grand intervalle de confiance), ou si, comme nous l'avons vu à propos du gène DMD, le territoire des mutations est très grand. Ce facteur doit entrer en compte dans le calcul de risque final.

L'**hétérogénéité génétique** est un facteur à considérer lorsque l'on désire procéder au diagnostic génotypique de maladies à gènes inconnus. Par exemple l'**ostéogenèse imparfaite** peut résulter de l'atteinte alternative de 2 gènes du collagène : COL1A1 (chromosome 17) ou COL1A2 (chromosome 7). Cette hétérogénéité est un obstacle majeur, car elle impose de préciser au préalable dans chaque famille quel est le gène atteint, avant d'envisager tout diagnostic prénatal indirect. En règle générale chaque fois qu'un nouveau locus morbide à gène inconnu est cerné par des marqueurs indirects, il faut s'assurer de l'unicité du locus avant toute tentative d'application diagnostique.

LES APPLICATIONS DU DIAGNOSTIC GÉNOTYPIQUE

Les sources de matériel utilisable pour le diagnostic génotypique sont récapitulées dans le **tableau 13-2**.

Les méthodes et les stratégies décrites dans les chapitres précédents permettent de réaliser :

— le diagnostic des anomalies du DNA **constitutionnel,** responsables de maladies héréditaires ;

Tableau 13-2 **Les sources d'acides nucléiques pour l'analyse génotypique**

En post-natal

Sang périphérique (leucocytes)
Fibroblastes
Lignées lymphoblastoïdes
Tissu tumoral (directement ou sur lignée cellulaire)
Cellules buccales (rinçage de bouche)
Tache de sang sur papier (recueillie à la naissance pour test de Guthrie)
Pièce fixée pour examen anatomopathologique
Momies

En prénatal

Trophoblaste :
en direct : 10e semaine
Amniocytes :
en direct : 17-18e semaine
cultivés : 20e semaine

Quelques chiffres

- **Toute cellule humaine nucléée = 6 picogrammes (6.10^{-12}g) de DNA**
- Taille du génome haploïde humain = 3.10^9 pb
- 1μg de DNA = 270 000 copies haploïdes = 135 000 cellules diploïdes.
- Seuil de détection par le bromure d'éthidium = 5.10^{12} pdb = 10^3 cellules = 6 ng DNA, soit 10 cycles de PCR à partir d'une seule cellule (si le rendement d'amplification est de 100 p. 100)

— le diagnostic des anomalies du DNA **somatique,** responsables de prolifération cellulaire monoclonale maligne. Le diagnostic d'invasion par un génome étranger (DNA ou RNA) sera envisagé au chapitre 16.

Le diagnostic des anomalies du DNA constitutionnel

Il a pour objet la prévention des maladies génétiques responsables d'un handicap grave, non ou difficilement détectables par les moyens conventionnels. Il s'agit du **diagnostic prénatal**, et de la **détection des hétérozygotes**.

Le diagnostic prénatal

Il est pratiqué lorsqu'il existe un risque a priori que le fœtus soit atteint. La notion de risque découle de la naissance préalable d'un enfant atteint (cas index) dans la famille.

Le risque génétique que le fœtus soit atteint est calculable avant toute analyse génotypique en partant des données génétiques (mode de transmission de la maladie) et de la place des parents dans la généalogie (plus ou moins grande proximité de filiation par rapport au cas index). Ces données sont chiffrables grâce à l'application du **théorème de Bayes** (probabilités conditionnelles) qui fournit une probabilité de risque a priori.

L'intérêt et l'originalité du diagnostic génotypique par analyse du DNA fœtal sont de fournir des indications impossibles à obtenir par les moyens conventionnels du diagnostic phénotypique, qui repose le plus souvent sur le dosage d'une protéine spécifique. Si cette protéine n'est pas d'accès facile chez le fœtus (hémoglobine strictement érythrocytaire pour le diagnostic des hémoglobinopathies, phénylalanine hydroxylase strictement hépatique pour le diagnostic de phénylcétonurie), le recours au DNA fournit une alternative de choix, en raison de sa présence dans du matériel fœtal facile à obtenir (amniocytes et surtout trophoblaste). Si le produit du gène anormal est inconnu, et s'il n'existe pas chez le fœtus de stigmate phénotypique permettant le diagnostic in utero, l'analyse génotypique indirecte par polymorphismes liés est l'unique recours.

Le **DNA fœtal** est préparé soit à partir des cellules amniotiques (amniocytes), soit à partir des villosités choriales (trophoblaste).

Les amniocytes sont recueillis par amniocentèse, qui est pratiquée vers la 17e semaine. La quantité de cellules recueillies est généralement insuffisante pour permettre une extraction directe, ce qui impose une culture préalable et retarde l'analyse génotypique de 2 semaines. Comme

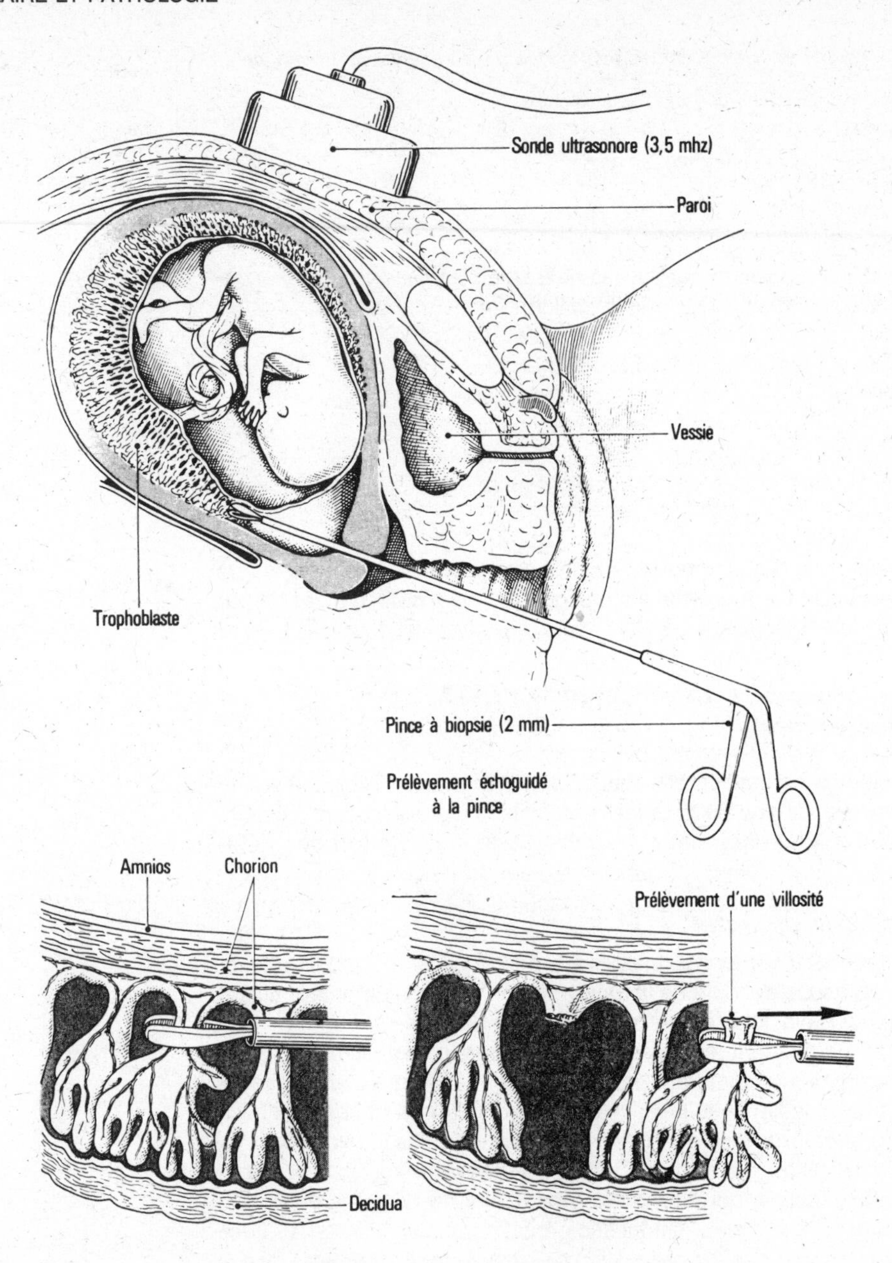

Figure 13-18 Prélèvement de villosités choriales (trophoblaste)
(R. Henrion et al. Diagnostic prénatal et médecine fœtale, Masson SA, Paris, 1987. Reproduit avec l'aimable autorisation de l'auteur et de l'éditeur)

les méthodes d'analyse du DNA sont souvent relativement longues et laborieuses, l'analyse du DNA amniocytaire fournit un diagnostic **tardif**. C'est pourquoi on préfère recourir à l'analyse du **trophoblaste**, qui est recueilli entre la 8e et la 12e semaine d'aménorrhée, ceci malgré un risque de fausse couche légèrement supérieur à celui de l'amniocentèse. Le fragment est obtenu par prélèvement biopsique de villosités choriales accessibles par voie basse, trans-cervicale **(Figure 13-18)** ou plus souvent par voie trans-abdominale. Il contient suffisamment de DNA (10 à 50 μg) pour pratiquer l'analyse génotypique sans culture préalable des cellules trophoblastiques.

Le trophoblaste est un matériel de choix pour ce type d'examen. En effet c'est un tissu exclusivement fœtal, riche en cellules donc en DNA, celui-ci étant facile à extraire. Il peut supporter les délais d'acheminement vers les centres spécialisés soit à la température ordinaire (immergé dans du sérum stérile) si le délai ne dépasse pas 24 heures, soit congelé à sec si le délai est plus long. Une précaution s'impose dans tous les cas : le fragment d'où le DNA est extrait ne doit contenir aucun tissu d'origine maternelle. On peut s'en assurer par un examen au microscope qui permet de distinguer sans peine les villosités fœtales de la caduque maternelle et d'effectuer la séparation.

L'accès précoce au DNA fœtal présente de multiples avantages. D'une part il permet, si le fœtus est atteint de la maladie recherchée, de pratiquer une interruption de grossesse avant la fin du premier trimestre, beaucoup moins traumatisante que l'interruption tardive. D'autre part il donne du temps au biologiste moléculaire. En effet les délais requis sont très variables selon la stratégie utilisable : **délais courts** (quelques jours voire un seul jour grâce aux techniques accélérées de type PCR) chaque fois que la connaissance préalable de la lésion génique permet son diagnostic direct (par exemple la drépanocytose) ; **délais moyens** (1 à 2 semaines) lorsqu'il faut recourir au diagnostic semi-direct ou indirect ; **délais longs** (plusieurs semaines) pour les situations défavorables où l'information est difficile à obtenir (cas index non accessibles, famille incomplète, sondes non informatives). Dans les cas où l'analyse génotypique a fourni une réponse trop tardive pour permettre une interruption de grossesse précoce, la possibilité d'interruption tardive demeure un recours appréciable.

Pour réduire au minimum les délais du diagnostic, surtout lorsqu'il est fondé sur des polymorphismes indirects, il faudrait idéalement procéder à un typage de la famille **avant la conception**. Cette condition peut être obtenue moyennant une bonne information des familles à risque et une coopération étroite entre médecins de famille, conseillers génétiques et biologistes moléculaires.

Hormis les cas relativement rares où le diagnostic est obtenu par détection directe de la lésion, la réponse est obtenue grâce à des marqueurs liés. Elle est donc par essence de nature **probabiliste**. En effet le risque de recombinaison, qui n'est jamais nul, doit être pris en compte dans le **calcul final de risque**. Celui-ci combine les probabilités de risque a priori (théorème de Bayes), et les probabilités déduites de l'analyse génotypique (résultats bruts pondérés du risque de recombinaison). Des programmes informatiques permettent d'intégrer les données brutes et de chiffrer le risque final.

La détection des hétérozygotes

Elle consiste à déterminer la constitution génétique par l'analyse du DNA chez des individus déjà nés. Elle ne souffre donc pas des mêmes contraintes de temps que le diagnostic prénatal, mais les stratégies mises en œuvre sont les mêmes.

Les indications du diagnostic génotypique d'hétérozygotie concernent les **porteurs sains** susceptibles de transmettre la maladie (femmes conductrices pour les maladies récessives liées au chromosome X, individus des deux sexes pour les maladies récessives autosomiques) et les porteurs non encore malades pour les maladies **dominantes** à révélation plus ou moins tardive au cours de la vie. Ce type de diagnostic entre dans le cadre de ce que l'on a appelé la **Médecine prédictive**. Celle-ci comporte des aspects éthiques qui seront discutés dans le chapitre 19.

Pour les **maladies récessives liées au sexe**, la possibilité de détection des **femmes conductrices** dans les familles à risque déjà éprouvées par la naissance d'un cas index est un progrès considérable. Elle permet de rassurer celles qui ne sont pas conductrices, en leur évitant un diagnostic prénatal inutile ; elle assure aux femmes conductrices les meilleures conditions d'un diagnostic prénatal facilité par l'analyse génotypique préconceptionnelle.

Rappelons que le diagnostic phénotypique des femmes conductrices de maladie liée au sexe se heurte à l'obstacle de l'inactivation aléatoire de l'un des chromosomes X dans chaque cellule XX (phénomène de **lyonisation**). Si la proportion de cellules où le chromosome X anormal est inactivé l'emporte, le phénotype devient indistinguable du phénotype normal : une proportion importante de femmes conductrices d'hémophilie ont un taux normal de facteur anti-hémophilique A ou B ; environ un tiers des conductrices de myopathie de Duchenne ont un taux de créatine kinase sérique normal. L'analyse génotypique permet de contourner cet obstacle puisque les résultats obtenus sont indépendants de l'état d'activation ou d'inactivation du chromosome X.

Une autre conséquence importante de l'analyse génotypique est de permettre dans certains cas la détection des **néo-mutations**. Le problème se pose en particulier pour les gènes où le taux de néo-mutation est particulièrement élevé (myopathie de Duchenne, hémophilies), et où il importe de distinguer les cas isolés qui résultent d'une néo-mutation (cas dits « sporadiques » parce qu'un seul sujet est atteint dans la famille), de ceux qui proviennent de la transmission familiale d'un gène anormal. La distinction est d'importance, car s'il s'agit d'une néo-mutation il n'y a en principe aucun risque de récurrence autre que pour la descendance directe du cas index. Si la néo-mutation s'est produite dans un gamète de la mère du cas index, aucune femme n'est conductrice dans la famille ; si elle s'est produite dans un gamète du grand-père ou de la grand-mère maternels, seule la mère du cas index est conductrice **(Figure 13-19)**. Dans les cas où il s'agit à l'évidence d'une forme familiale et pour les cas isolés où une néo-mutation n'a pu être démontrée par l'analyse du DNA, une analyse familiale complète est justifiée pour détecter les femmes à risque. Des cas concrets seront envisagés plus loin à propos de l'hémophilie A et de la myopathie de Duchenne. Il reste cependant le problème des **mosaïques germinales** qui complique singulièrement le conseil génétique dans les cas de néomutation caractérisée.

La détection des porteurs sains pour les **maladies autosomiques récessives** ne se pose pas encore, en raison du risque très faible de récurrence dans les familles non consanguines. Le conseil génétique pour ce type de maladie concernait jusqu'à présent uniquement le diagnostic prénatal pour les grossesses **postérieures** à la naissance d'un cas index, laquelle confère automatiquement aux parents le statut d'hétérozygotes obligatoires.

L'analyse génotypique ouvre pour les maladies récessives autosomiques des possibilités nouvelles, soit parce que la lésion du DNA est directement détectable, soit parce qu'il existe une association allélique ou haplotypique significative entre marqueurs polymorphes et lésion génique.

Une application inédite du diagnostic en découle, consistant en un dépistage systématique des individus pour les anomalies récessives fréquentes, en dehors de tout contexte familial pathologique (cas des régions à endémie thalassémique comme la Sardaigne et Chypre). Le problème pourrait se poser pour la mucoviscidose en raison de la très grande fréquence du gène dans les populations européennes (1 sujet sur 20 à 25) (voir chapitre 14).

En ce qui concerne les **maladies dominantes** à expression tardive : les porteurs du trait génétique sont des « malades en puissance ». Grâce à l'analyse génotypique ils sont désormais détectables quels que soient la **pénétrance** de la tare et son degré d'**expressivité**. Il s'agit d'un véritable diagnostic pré-symptomatique porté avant l'apparition des premiers signes. Un tel diagnostic peut avoir de l'intérêt lorsqu'il implique une quelconque conséquence thérapeutique préventive et/ou un conseil génétique. Lorsqu'il ne comporte aucune mesure thérapeutique particulière le

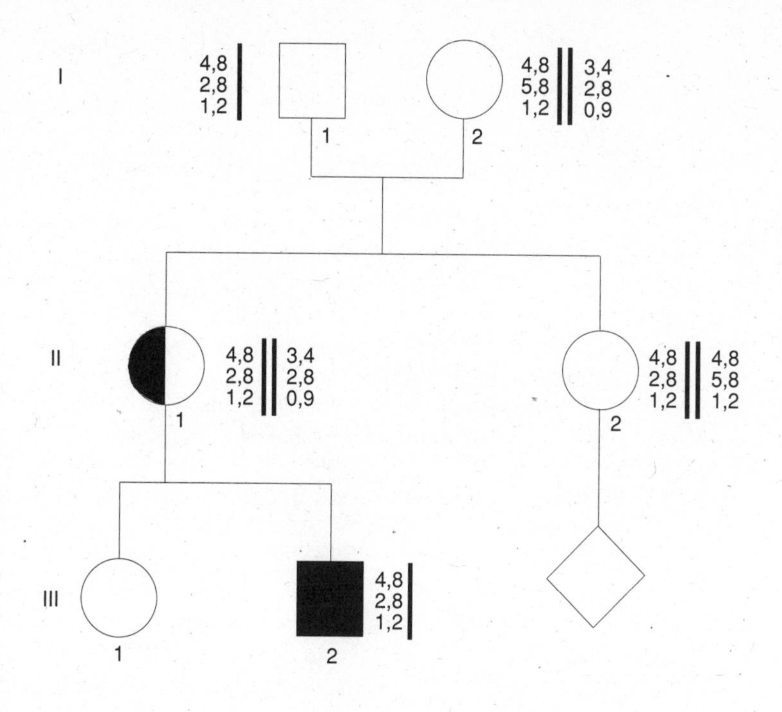

Locus	RFLP	Enzyme
DXS52	4,8 / 3,4	Taq I
DXS15	5,8 / 2,8	BglII
FVIII	1,2 / 0,9	BclI

Figure 13-19 **Diagnostic de mutation de novo dans une maladie liée au sexe (hémophilie A)** L'analyse a été effectuée à l'aide d'un RFLP intragénique (gène du facteur VIII) et de deux RFLP extra-géniques (DXS52 et DXS15) situés du même côté par rapport au gène. Elle montre que l'hémophile (sujet III-2) porte le chromosome X de son grand-père non hémophile (sujet I-1). Ce chromosome a dû subir une mutation de novo dans un gamète grand-paternel, car le sujet II-1 possède un taux de facteur VIII significativement diminué. Cette femme est a priori seule conductrice, et sa sœur (sujet II-2) n'a pas besoin de diagnostic prénatal.
NB : si le sujet I-1 est porteur d'une mosaïque, il existe un risque de transmission d'un gamète muté au sujet II-2. Ce risque ne peut être évalué.

diagnostic pré-morbide pose de sérieux problèmes éthiques (voir chapitre 19).

Hormis le cas privilégié, quasi unique, de la drépanocytose, où le mécanisme génétique de la maladie est univoque (une seule mutation — une seule maladie), chaque maladie possède ses particularités, qui dictent le choix de la stratégie de diagnostic. Les éléments qui entrent en jeu sont, pour les maladies à gène connu : les particularités et la taille du gène, la nature et la variété des lésions géniques ainsi que leur détectabilité, la fréquence des néo-mutations, le type de sondes dont on dispose, l'informativité des polymorphismes.

Pour les maladies à gène non encore identifié, les éléments importants à considérer sont : la fiabilité non garantie et variable d'une maladie à l'autre des sondes extra-géniques ; la possibilité d'une hétérogénéité génétique. Il faut y ajouter le fait que pour ces maladies les moyens du diagnostic génotypique sont par définition destinés à évoluer au fur et à mesure de la progression vers le gène. Enfin, la démarche n'est pas la même selon le mode de transmission.

Quelques exemples concrets

• *Les maladies liées au chromosome X* sont en principe plus simples à diagnostiquer, car l'hémizygotie des mâles facilite l'établissement de la **phase**. La détection des femmes **conductrices** est ici un problème très important, dont il faut se préoccuper si possible avant toute grossesse. En effet l'analyse familiale du DNA permet en général :

— de désigner les conductrices avec une fiabilité supérieure à 99 p. 100, et, grâce à l'identification de l'haplotype marquant le gène pathologique, d'effectuer le moment venu un diagnostic prénatal en connaissance de cause ;

— de désigner les non conductrices pour leur épargner un diagnostic prénatal non justifié ;

— de détecter dans certains cas les mutations de novo (environ 30 p. 100 des hémophiles et des myopathes) ce qui permet de circonscrire le risque dans la famille (Figure 13-19). Quant à l'analyse du DNA trophoblastique elle n'est entreprise que si le fœtus est de sexe masculin.

Les problèmes les plus fréquemment rencontrés concernent :

— les **hémophilies**, surtout l'hémophilie A : 1 cas pour 5 000 naissances mâles (l'hémophilie B est 4 fois moins fréquente) ;

— les **myopathies de Duchenne et de Becker** : 1 cas pour 3 500 naissances mâles ;

— le **syndrome X-fragile avec retard mental** : 1 cas pour 1 500 à 2 000 naissances mâles.

Le problème de l'**hémophilie A** — que l'on peut aussi diagnostiquer de façon fiable sur un échantillon de sang fœtal, mais au prix d'un prélèvement délicat et tardif à la 20ème semaine —, se caractérise par la grande taille du gène du facteur VIIIC (186 kb) (voir chapitre 14). Ici la rareté des délétions, la grande diversité des mutations ponctuelles, dont seulement un petit nombre a été caractérisé, empêchent presque toujours de pratiquer un diagnostic direct. Le diagnostic semi-direct n'est pas toujours possible, car peu de RFLP intra-géniques ont été identifiés, et leur informativité est faible (voir chapitre 14). Il faut donc souvent recourir à des sondes extra-géniques, dont les seules connues sont malheureusement situées du même côté du gène. L'une est particulièrement informative (sonde St 14 au locus DXS52) car elle explore un polymorphisme multi-allélique de type VNTR (illustré dans la figure 9-9), situé au maximum à 5 centimorgans du gène du facteur VIII. L'exploration systématique des différents RFLP fournit une réponse dans plus de 90 p. 100 des cas. Cependant lorsque le diagnostic de fœtus normal n'est obtenu qu'avec un seul RFLP extra-génique, le risque de recombinaison (voisin de 5 p. 100) impose une vérification ultérieure par dosage direct du facteur VIIIC dans le sang de cordon. Les mutations de novo peuvent être diagnostiquées lorsque l'informativité est favorable (Figure 13-19). Ceci représente un progrès notable dans le conseil génétique de l'affection, où le diagnostic phénotypique des conductrices d'hémophilie A se heurtait jusqu'à présent non seulement au phénomène de la lyonisation, mais aussi à une certaine imprécision d'ordre méthodologique.

Pour les **myopathies de Duchenne et de Becker** l'énormité du gène pose des problèmes spécifiques. La fréquence des formes délétionnelles est exceptionnellement élevée (environ 60 p. 100 des cas), ce qui facilite en principe le diagnostic. Cependant la taille et l'emplacement des délétions sont très variables d'une famille à l'autre, ce qui impose de multiplier les explorations. Cette difficulté est surmontée par la méthode PCR multiplex (voir figure 14-32). Quant aux mutations apparemment non délétionnelles, elles imposent l'emploi de RFLP et surtout de microsatellites intra-géniques. Cette stratégie comporte un risque d'erreur par recombinaison qui est difficile à chiffrer puisque l'emplacement de la mutation est une variable imprévisible. On doit donc essayer d'encadrer cette dernière, au besoin à l'aide de sondes extra-géniques **(Figure 13-20)**. Ceci impose un calcul de **risque global** prenant en compte les différents risques spécifiques (calcul bayésien du risque génétique a priori, créatine kinase, DNA).

Une dernière complication, très préoccupante, provient de la découverte de la possibilité d'une transmission inattendue de la maladie à plusieurs

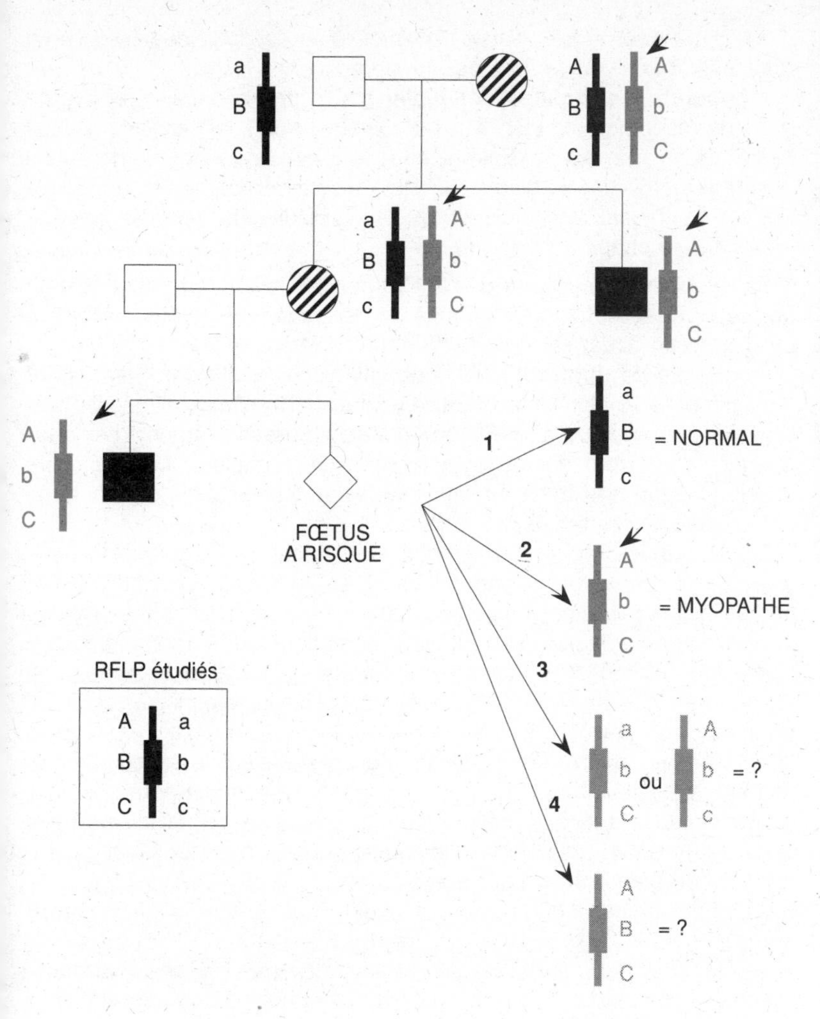

Figure 13-20 Diagnostic prénatal de la myopathie de Duchenne (gène DMD) dans une forme familiale sans délétion détectable
Un diagnostic direct étant impossible, on étudie les haplotypes constitués par les assortiments d'allèles détectés par 3 sondes explorant des RFLP : *dans* le gène DMD normal (allèles B/b) et de part et d'autre (allèles A/a et C/c). Le chromosome portant le gène muté est en rouge.
Dans les situations 1 et 2, le résultat n'est pas ambigu (sauf double recombinaison, très improbable, à l'intérieur de l'intervalle compris entre site extra- et site intra-génique).
Dans la situation 3, il existe une recombinaison simple dont on ignore où elle a eu lieu par rapport à la lésion génique. Le diagnostic est dès lors impossible.
Dans la situation 4, il s'est produit une double recombinaison : en principe l'échange pourrait avoir apporté la totalité du gène DMD normal dans un haplotype AC. On ne peut cependant l'affirmer avec une seule sonde intra-génique en raison de l'énormité du gène DMD et de la localisation variable des lésions.

enfants par une mère apparemment non conductrice **(mosaïque germinale ou somatique)**. Le problème est envisagé plus en détail dans le chapitre 14, à propos de l'étude de la myopathie de Duchenne.

Le **syndrome de l'X-fragile avec retard mental** peut maintenant être diagnostiqué par la mise en évidence de l'anomalie génomique, qui consiste en une amplification pathologique du triplet CGG dans le premier exon du gène FMR-1 (identifié en 1991). Le diagnostic direct prénatal et des conductrices est possible, il a supplanté le diagnostic par la cytogénétique. L'analyse génotypique permet aussi de distinguer l'état normal (6 à 46 triplets CGG) de la « **prémutation** » (52 à 200 triplets CGG), laquelle précède l'apparition à la génération suivante de la **mutation complète** (> 300 triplets CGG). La pathologie moléculaire de ce syndrome et son diagnostic sont discutés dans le chapitre 14.

• *Les maladies récessives autosomiques* imposent dans presque tous les cas d'étudier le cas index soit pour identifier la lésion, préalable nécessaire à la méthode directe, soit pour identifier chacun des deux chromosomes par des polymorphismes intra ou extra-géniques. Dans ce dernier cas les deux parents doivent obligatoirement être étudiés (voir figure 13-16).

La **mucoviscidose** peut être diagnostiquée in utero soit directement si la mutation a pu être caractérisée dans un cas index, soit indirectement par des RFLP et surtout des microsatellites intra et juxta-géniques.

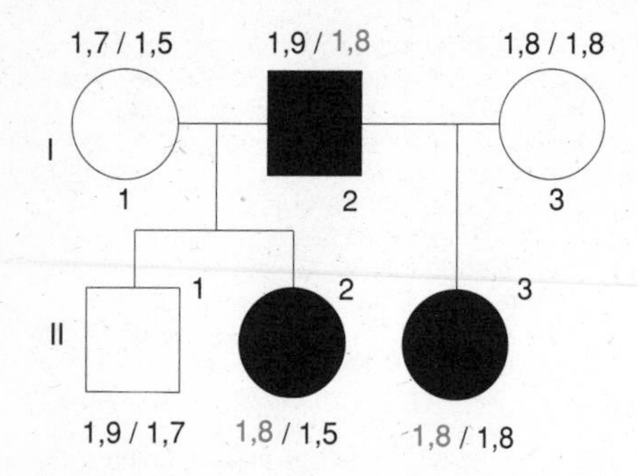

Figure 13-21 **Diagnostic prédictif de rétinoblastome héréditaire par RFLP intra-génique.** Le sujet I_2, atteint dans l'enfance de rétinoblastome bi-latéral, a eu deux enfants avec rétinoblastome (II_2 et II_3) et un enfant non atteint (II_1). L'analyse à l'aide de la sonde p68RS20 d'un RFLP très polymorphe *dans* le gène RB montre que dans cette famille la prédisposition au rétinoblastome (anomalie du gène RB sur le chromosome 13), co-ségrège avec l'allèle 1,8 kb. Le chromosome 13 normal du sujet I_2 est marqué par l'allèle 1,9 kb qu'il a transmis à son enfant sain.
Un diagnostic prédictif est donc possible pour d'autres enfants à naître, soit sous forme de diagnostic prénatal, soit sous forme de diagnostic présymptomatique. Seule cette analyse génotypique permet de distinguer avec certitude les enfants non porteurs du gène RB anormal, leur évitant d'avoir à subir tous les 3 mois un examen approfondi de la rétine.
(D'après Wiggs et al, N Engl J Med 1988, 318, 151-157)
NB : L'analyse est rendue possible par l'informativité du sujet I2, chez qui les deux chromosomes 13 peuvent être distingués. La prédiction n'est valable que si le diagnostic clinique du cas index est absolument certain.

• *Les maladies autosomiques dominantes* susceptibles de bénéficier du diagnostic génotypique sont peu nombreuses.

L'**hypercholestérolémie familiale**, due à une anomalie variable du gène du récepteur des LDL, touche 1 sujet sur 500. Ici l'analyse génotypique, théoriquement possible puisque le gène est cloné, n'offre aucun avantage particulier, le diagnostic étant aisément obtenu par un simple dosage de cholestérol. La biologie moléculaire de cette maladie sera étudiée dans le chapitre 14.

La **dystrophie myotonique de Steinert** est due à une amplification pathologique d'un triplet CTG dans un gène identifié en 1992 (MT-PK). Le diagnostic direct est donc possible (voir chapitre 14).

La **chorée de Huntington** et la **polykystose rénale dominante** sont des affections se manifestant tardivement chez l'adulte.Le diagnostic présymptomatique et le diagnostic prénatal sont possibles grâce à des marqueurs indirects proches du locus morbide (voir chapitre 14). Ici la justification du diagnostic se discute et pose des problèmes éthiques inhérents à la médecine prédictive (voir chapitre 19).

Le **rétinoblastome familial** est dû à une mutation constitutionnelle hétérozygote au niveau de l'anti-oncogène RB sur le chromosome 13 (13q14), parfois visible sur le caryotype sous la forme d'une délétion interstitielle. La survenue ultérieure d'une mutation somatique sur le même locus au niveau du chromosome 13 normal d'une cellule de la rétine entraîne le passage à l'homozygotie et le développement d'un rétinoblastome. La fréquence du second événement mutationnel est telle (pénétrance 80 p. 100) que la maladie est dominante alors que stricto sensu la mutation est récessive (il faut une double dose de gène muté pour entraîner le cancer). Le diagnostic prénatal peut être effectué par la mise en évidence du premier événement, responsable de la prédisposition génétique, soit en détectant une délétion cytogénétique ou moléculaire sur l'un des chromosomes 13 (Figure 13-3), soit par RFLP lié au locus RB **(Figure 13-21)**.

Le diagnostic de prédisposition est ainsi devenu une réalité susceptible de voir son champ d'application s'étendre rapidement, notamment pour les maladies génétiques communes (voir l'exemple du **diabète MODY** au chapitre 14).

• *Les anomalies chromosomiques constitutionnelles* peuvent être explorées avec profit par des sondes dont la localisation précise est connue. Cette méthodologie est certainement appelée à un développement considérable en raison de son pouvoir de résolution 100 fois meilleur que les méthodes cytogénétiques les plus fines. Elle n'est cependant pas encore utilisée en routine diagnostique. Nous envisagerons le problème des aberrations chromosomiques constitutionnelles dans le chapitre 14.

Conclusions et perspectives

D'importants progrès sont prévisibles, à la fois technologiques (simplification des procédures, emploi de sondes non radioactives, amélioration des possibilités de détection) et conceptuels (meilleure connaissance des gènes normaux et pathologiques, meilleure compréhension des mécanismes des mutations, identification de nouveaux locus morbides au fur et à mesure des progrès de la génétique inverse).

Si le diagnostic prénatal par analyse du DNA représente un progrès considérable, il ne faut pas méconnaître ses difficultés intrinsèques. En effet, dans les cas assez fréquents où le diagnostic direct est impossible, il faut recourir à un diagnostic indirect ou semi-direct. Cette stratégie diagnostique oblige presque toujours à analyser plusieurs individus en plus du fœtus ; elle dépend de l'informativité, variable selon les sondes et selon les familles, ainsi que de la disponibilité des individus clés (dont le cas index), d'où une quête parfois laborieuse ; elle offre souvent une réponse purement probabiliste réclamant un calcul de risque ; elle impose une organisation lourde, comportant notamment une interaction efficace entre généticiens, cliniciens et biologistes moléculaires que seuls peuvent offrir des centres ultra-spécialisés.

Aussi cette méthodologie diagnostique constitue-t-elle pour le moment une indication rare. Elle ne saurait supplanter les méthodes diagnostiques phénotypiques « classiques » qui, lorsqu'elles sont applicables, sont en général plus aisées, moins coûteuses et infiniment plus rapides. Il serait par exemple illogique, pour le diagnostic prénatal de la maladie de Tay-Sachs, de remplacer le très simple dosage d'hexosaminidase trophoblastique (réponse sûre quelques heures après le prélèvement) par une analyse génotypique.

Pour les maladies à gène inconnu, qui sont à présent justiciables, faute de mieux, de l'analyse génotypique par des marqueurs polymorphes indirects, l'identification de la protéine en cause pourrait permettre d'effectuer un simple diagnostic phénotypique si la protéine est exprimée dans le trophoblaste normal. Cependant il est probable que la plupart des maladies à gène inconnu correspondent à des gènes très faiblement exprimés, ce qui devrait empêcher le recours au diagnostic phénotypique une fois le gène identifié par la génétique inverse. L'exemple de la mucoviscidose (voir chapitre 14) est particulièrement probant à cet égard. Dans le même ordre d'idée on remarquera que parmi les maladies dues à un gène identifié par génétique inverse (voir tableau 11-5), bien peu bénéficient d'un diagnostic par la protéine. Dans ces cas la biologie moléculaire continue à rendre service au stade de « l'après-gène ».

L'exploration du DNA somatique

Il s'agit de détecter une population de cellules particulières se distinguant du reste des cellules de l'organisme, soit parce qu'elles ont acquis une autonomie proliférative, ce sont les proliférations **monoclonales** des **cancers** et des **leucémies**, soit parce qu'elles proviennent d'une **greffe de moelle osseuse.**

Le diagnostic de la clonalité cellulaire peut aider à porter un diagnostic de cancer ou de leucémie

Il peut être effectué par l'analyse du DNA si le génotype des cellules appartenant à la population clonale diffère des cellules environnantes.

Cinq types de marqueurs de clonalité peuvent être utilisés à cet effet : les réarrangements clonaux de **gènes de l'immunité** ; l'inactivation clonale d'un **chromosome X chez la femme** ; la **perte d'hétérozygotie** pour un ou plusieurs allèles de RFLP sur un même chromosome ; les **mutations ponctuelles dans des oncogènes** ; les **fusions géniques par translocation chromosomique**.

• *Les réarrangements des gènes de l'immunité* : les gènes des **immunoglobulines** et ceux du **récepteur des cellules T (TCR)** sont composés de fragments génomiques discontinus à l'état basal. Leur expression est conditionnée par une reconfiguration génomique préalable permettant la transcription en un mRNA fonctionnel (voir chapitre 6). Ces réarrangements sont **somatiques** et se produisent au cours de la maturation lymphocytaire. Les lymphocytes B réarrangent les gènes des immunoglobulines dans l'ordre suivant : chaînes lourdes, puis chaîne légère kappa, puis chaîne légère lambda si le réarrangement kappa n'est pas productif. Les lymphocytes T réarrangent les gènes du récepteur des cellules T (TCR) dans l'ordre suivant : γ, puis β, puis α. Dans chaque lymphocyte

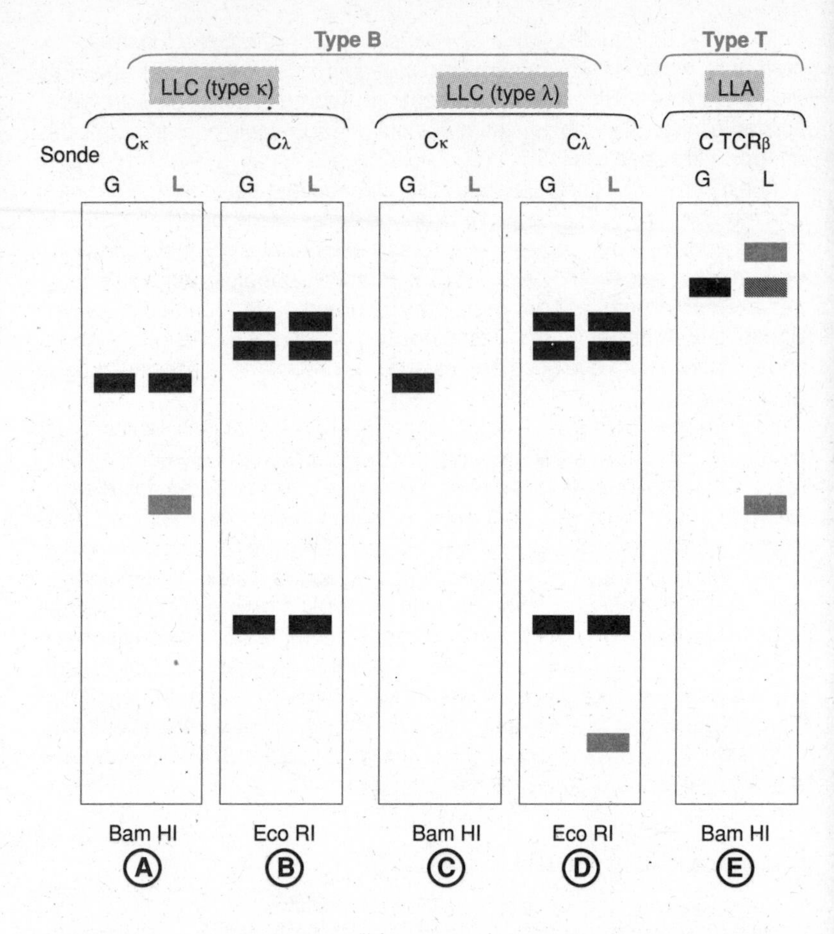

Figure 13-22 Caractérisation des lymphopathies monoclonales par les réarrangements des gènes de l'immunité
Les bandes noires correspondent à l'état non réarrangé. Les bandes rouges indiquent les fragments correspondant à un réarrangement dans les gènes de la région constante des Ig κ (A), des Ig λ (D) et de la chaîne β du TCR (E). Noter en C la délétion du gène Cκ sur les 2 chromosomes dans une leucémie avec réarrangement Cλ.
G = configuration germinale observée dans le DNA des fibroblastes.
L = cellules leucémiques de leucémie chronique de type B (A-B, C-D) et de leucémie lymphoïde aiguë de type T (E).

un gène est réarrangé une seule fois sur chaque chromosome au cours de sa vie.

Les organes lymphoïdes et le sang circulant comportent normalement des populations lymphocytaires hétérogènes où sont mélangées des cellules appartenant à tous les stades du réarrangement dans l'un ou l'autre des systèmes (immunoglobulines et TCR). Les réarrangements individuels ne sont donc pas détectables par analyse selon Southern qui fournit l'image commune à tous les gènes non réarrangés, c'est-à-dire la configuration dite **germinale**. Dans les lymphopathies monoclonales (lymphomes et leucémies, de type B et de type T), le ganglion, la tumeur ou le sang périphérique sont envahis par une prolifération de lymphocytes dérivant d'une seule cellule. Si celle-ci a réarrangé un gène de l'immunité ce réarrangement se retrouve dans toutes les cellules qui en dérivent, et devient visible par analyse selon Southern **(Figure 13-22)**.

Les sondes généralement utilisées correspondent aux gènes des régions constantes. L'enzyme de restriction est choisie pour sa capacité à explorer la juxtaposition à un gène de la région variable.

La méthode permet d'affirmer la **monoclonalité** d'une prolifération lymphocytaire et d'effectuer son **typage**. Comme les gènes sont réarrangés avant d'être exprimés, cette méthode permet de typer les cellules à un stade précoce, où les marqueurs phénotypiques de membrane ne sont pas encore informatifs (cellules ni B, ni T). Il est donc possible de distinguer les cellules **pré-B** des cellules **pré-T**. La discrimination n'est cependant pas absolue, car 10 à 20 p. 100 des cellules des leucémies lymphoïdes aiguës de type T peuvent présenter un réarrangement de leurs gènes des chaînes lourdes d'immunoglobulines. Inversement une propor-

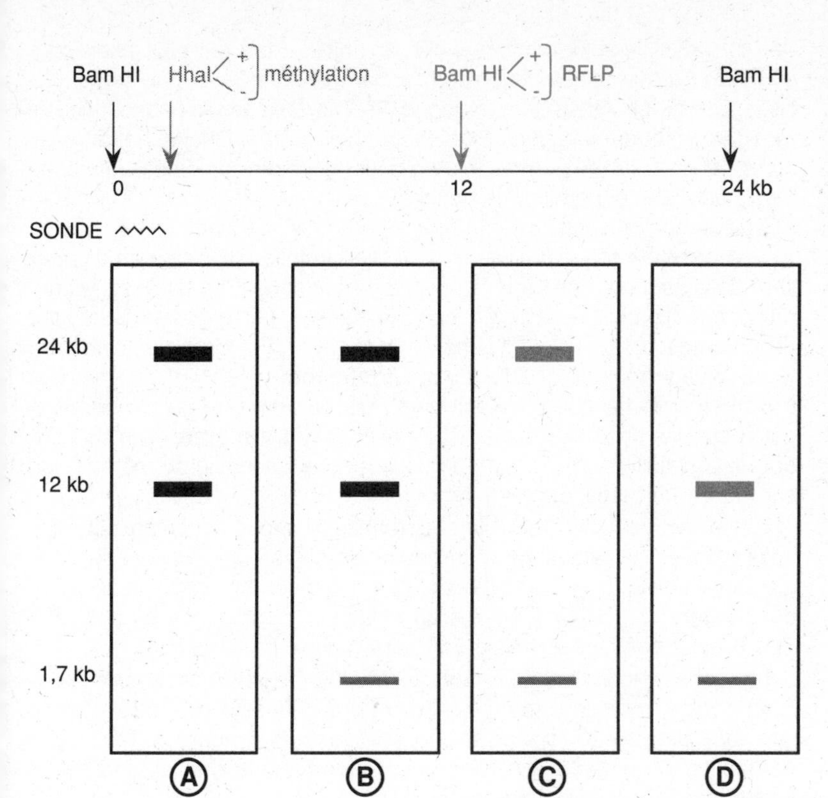

Figure 13-23 Principe du diagnostic de monoclonalité cellulaire chez la femme par exploration d'un gène du chromosome X
Une enzyme (ici BamH I) révèle un RFLP intragénique (12 ou 24 kb). Chez une femme hétérozygote pour ce RFLP toutes les cellules contiennent les deux allèles, qui permettent de distinguer les deux chromosomes X (A). La région explorée par la sonde contient aussi des sites méthylables clivés par des enzymes de restriction sensibles à la méthylation (par exemple Hha I). Ils sont situés de telle sorte qu'une digestion par ces enzymes coupe l'un et l'autre des allèles BamH I en fragments plus petits dont l'un est reconnu par la sonde utilisée (ici 1,7 kb). B, C et D correspondent à une double digestion par BamH I et par Hha I. Si le DNA exploré provient d'un mélange de cellules où l'inactivation a touché tantôt le chromosome X portant l'allèle 24 kb, tantôt celui portant l'allèle 12 kb, on obtient l'image en B (situation polyclonale normale). Si le DNA exploré contient une population monoclonale où l'inactivation a porté sur le même chromosome X dans toutes les cellules, on obtient l'image en C ou en D.

tion comparable de cellules B peuvent réarranger leurs gènes TCR dans les leucémies B.

Une autre utilisation de la méthode est la détection des **rechutes** et l'évaluation des cellules **résiduelles** pendant les rémissions. Le seuil de sensibilité de la méthode est d'environ 1 à 5 p. 100 si l'on utilise la méthode de Southern. L'amplification élective in vitro (PCR) permet d'abaisser considérablement ce seuil (1 cellule sur 10^5), à condition de connaître la configuration réarrangée du clone malin. D'où l'intérêt de procéder à une analyse génotypique avant la mise en œuvre du traitement.

• *L'exploration de la monoclonalité par un marqueur du chromosome X* : les RFLP du chromosome X permettent chez les femmes hétérozygotes de distinguer le chromosome X d'origine paternelle du chromosome X d'origine maternelle. Si la région explorée contient en outre des sites de restriction pour des enzymes sensibles à la méthylation (Hha I ou Hpa II), et si ces sites sont l'objet d'une méthylation associée au processus d'inactivation du chromosome X, il est possible de distinguer le DNA du chromosome actif de son homologue inactivé (cette corrélation n'est pas univoque, l'hyperméthylation pouvant inactiver certains gènes et en activer d'autres). La **figure 13-23** montre la stratégie permettant de distinguer les populations polyclonales où l'inactivation porte alternativement sur les 2 chromosomes X, et les populations monoclonales où l'inactivation concerne toujours le même chromosome X.

Cette méthode permet en principe de distinguer les **hyperplasies** (proliférations polyclonales) des **néoplasies** (proliférations monoclonales). Elle souffre néanmoins de nombreuses limitations. Certaines sont communes à toutes les approches fondées sur l'inactivation du chromosome X, qu'elles soient phénotypiques ou génotypiques : contamination par du tissu sain ; impossibilité de distinguer la monoclonalité de l'oligoclonalité. D'autres sont propres à la stratégie utilisée, qui ne peut s'appliquer qu'à des malades de sexe féminin. Celles-ci doivent être hétérozygotes pour un RFLP situé dans une région dont la méthylation est informative et explorable. Des RFLP situés dans le gène **HPRT** (hypoxanthine phosphoribosyl transférase) et dans le gène **PGK** (phosphoglycérate kinase) ont été utilisés à cet effet. Ils ont permis de confirmer l'origine clonale de la leucémie myéloïde aiguë et de différents cancers solides. La méthode a aussi permis de démontrer la clonalité de polypes coliques sporadiques et familiaux.

• *Le passage à l'homozygotie pour des mutations récessives responsables de cancers* : certains cancers se développent après deux événements mutationnels, touchant successivement le même gène, d'abord sur un chromosome, puis sur l'autre (voir chapitre 15). Comme l'a montré Cavenee à propos du modèle du **rétinoblastome** (1983), un événement mutationnel somatique (2e événement) peut rendre une cellule homozygote pour une anomalie touchant un gène, dit **gène suppresseur de cancer**, si la cellule était déjà « préparée » par une anomalie du même gène sur l'autre chromosome (1er événement).

L'état hétérozygote préalable peut résulter d'une mutation constitutionnelle (cancers familiaux) ou d'une mutation somatique (cancers sporadiques). Le passage à l'homozygotie, dont les différents mécanismes sont décrits dans la figure 15-17, est un événement somatique responsable du développement d'un clone cellulaire malin.

Les gènes intervenant dans ces cancers dits récessifs sont appelés **anti-oncogènes**, pour souligner qu'à l'état normal ils se comportent comme des suppresseurs dominants de cancers. Le premier anti-oncogène cloné et identifié est le gène RB (13q14), impliqué dans le **rétinoblastome** et l'**ostéosarcome** (voir chapitre 15).

Le diagnostic de la mutation somatique responsable du passage à l'homozygotie est pratiqué sur le DNA tumoral. Dans le tissu tumoral de rétinoblastomes et d'ostéosarcomes, des délétions géniques (homozygotes ou hémizygotes) de taille variable ont été décelées, associées à des anomalies du mRNA, absent ou tronqué.

Pour les anti-oncogènes **non clonés**, on doit recourir à une stratégie indirecte à la recherche de la **perte d'un allèle** de RFLP et surtout de microsatellite dans la région chromosomique suspectée. Cette stratégie, inaugurée par Cavenee en 1983, s'est avérée très fructueuse dans la recherche et la localisation de nouveaux anti-oncogènes responsables de tumeurs solides.

Le principe de la méthode est le suivant : on recherche dans le **DNA constitutionnel** (sang périphérique) si l'individu est hétérozygote, à l'aide d'une batterie de marqueurs polymorphes. La comparaison est effectuée avec le **DNA tumoral** (biopsie ou pièce chirurgicale) où l'on recherche si l'hétérozygotie a été perdue pour un ou plusieurs locus. La figure 11-4 illustre le principe de la méthode.

Pour les locus où il n'y a pas d'hétérozygotie au niveau du DNA constitutionnel, la perte d'un allèle dans le DNA tumoral doit, en principe, se manifester par un affaiblissement du signal, quantifiable par densitométrie. En raison de l'imprécision du procédé ce résultat est moins fiable que l'observation de la perte de l'hétérozygotie.

La recherche systématique de la perte d'hétérozygotie dans le DNA des tumeurs est devenue un outil très employé. Toutefois, les remaniements chromosomiques non spécifiques étant fréquents dans les cellules tumorales, la signification des pertes d'allèles observées peut être sujette à caution. Ceci impose d'explorer un maximum de sites chromosomiques distincts et de ne retenir que les anomalies concordantes pour une région chromosomique donnée.

Outre le gène RB déjà cloné, cette stratégie a permis le repérage et le clonage d'un nombre croissant d'anti-oncogènes : **gène WT1** pour la tumeur de Wilms (11p13), **gène APC** pour le cancer colique et la polypose colique familiale (5p21). Quant au **locus NF2** pour le neurinome bilatéral de l'acoustique (22q), il est cerné mais non encore cloné au moment où ces lignes sont écrites (voir tableau 15-13).

• *Les mutations ponctuelles dans les oncogènes dominants :* les gènes de la famille RAS (H-*ras*, K-*ras* et N-*ras*) sont activés par des mutations siégeant plus particulièrement dans les codons 12, 13 et 61 (voir chapitre 15).

L'exploration systématique par PCR de toutes les mutations ponctuelles décrites jusqu'à présent dans les gènes de la famille RAS pose des problèmes techniques : celui de la pureté de l'échantillon tumoral analysé, à cause du risque de contamination par du tissu non cancéreux ; celui de la méthodologie à employer pour une détection fiable et rapide ; celui du risque d'amplification accidentelle de traces d'amplimères contaminants.

• *Les fusions géniques par translocation chromosomique :* le lymphome de Burkitt, la leucémie myéloïde chronique et le lymphome folliculaire sont les trois premières hémopathies malignes avec translocation constante et caractéristique à avoir été caractérisées au niveau moléculaire (voir chapitre 15).

Dans le **lymphome de Burkitt** la translocation juxtapose le gène *c-myc* à un gène d'immunoglobuline : chaîne lourde pour t (8;14), ou chaîne légère kappa pour t (2;8) ou lambda pour t (8;22). Cependant les points de raccordement sont très variables, ce qui est un obstacle à l'analyse moléculaire.

Le **lymphome folliculaire** s'accompagne dans 99 p. 100 des cas de la translocation spécifique t(14;18) (q32;q21) qui opère la juxtaposition entre un gène de chaîne lourde d'immunoglobuline (cassé près des segments J1 à J6 en 14q32) et l'**oncogène *bcl-2*** (cassé près de son extrémité 5').

La détection spécifique du réarrangement est réalisée grâce à la technique PCR. Comme l'indique la **figure 13-24**, des amorces complémentaires situées de part et d'autre du point de cassure permettent d'amplifier plusieurs centaines de milliers de fois la région comprise entre les deux amorces. L'amplification est exponentielle à condition que les deux amorces recopient **simultanément** les deux brins complémentaires. Donc en l'absence de fusion entre JH et *bcl-2* il ne peut y avoir d'amplification. La méthode n'est applicable que si la région fusionnée varie dans les limites étroites comprises entre deux amorces, ce qui est le cas dans 2/3 des lymphomes folliculaires.

La technique est d'une sensibilité incomparable car elle permet de détecter l'anomalie dans une seule cellule parmi 100 000. C'est donc un outil de choix pour évaluer la qualité des rémissions thérapeutiques **(maladie résiduelle)**, et surveiller la survenue des rechutes.

La même approche s'applique à la détection de la fusion des **gènes *bcr*** et **c-*abl*** caractérisant le **chromosome Philadelphie** (Ph^1) de la leucémie myéloïde chronique et de certaines leucémies aiguës. Comme ici les points de cassure génomique varient beaucoup d'un cas à l'autre, il est impossible de les encadrer à coup sûr au niveau du DNA (voir figure 15-16). Il faut donc amplifier le mRNA après une étape initiale de synthèse du cDNA correspondant.

De nombreuses autres hémopathies malignes avec translocation spécifique ont été décrites (voir tableau 15-11). Celles-ci bénéficient du diagnostic par PCR si l'on connaît avec précision le point de cassure.

Le suivi des greffes de moelle

Il est possible de discriminer les cellules du receveur de celles du donneur par l'analyse de leur DNA (sauf pour des jumeaux monozygotes).

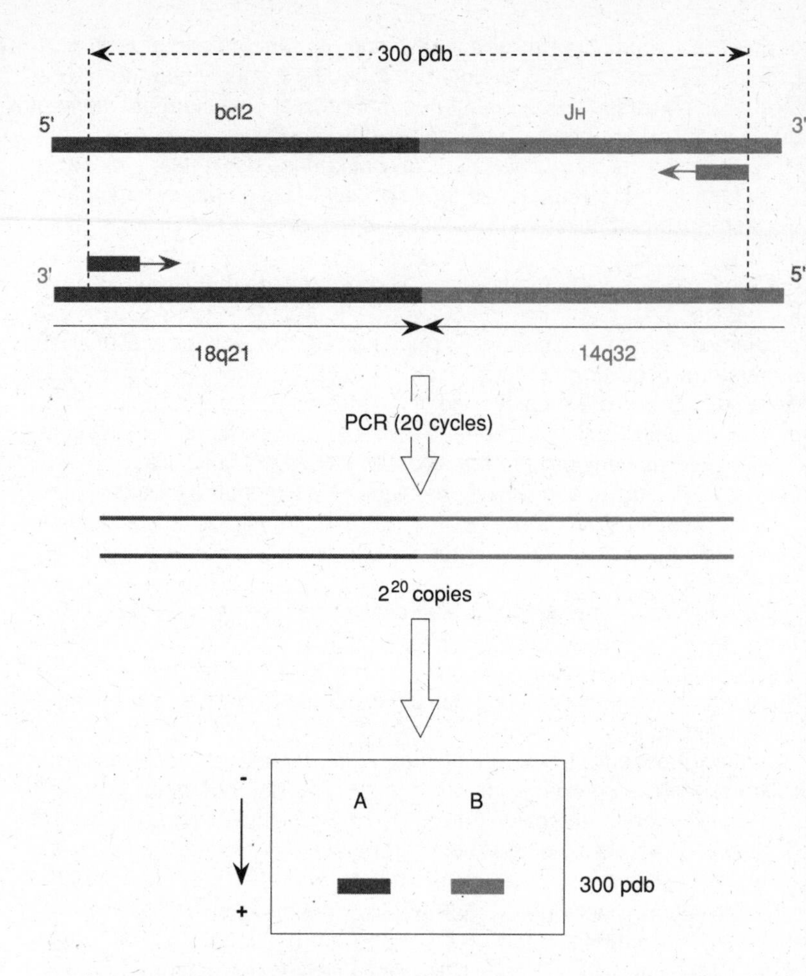

Figure 13-24 Détection par amplification in vitro (méthode PCR) de la fusion génique entre bcl2 et J_H, caractéristique de la translocation (14;18) du lymphome folliculaire
Le fragment de 300 pb spécifiquement amplifié correspond aux séquences fusionnées, et, après électrophorèse en gel de polyacrylamide, hybride à la fois avec une sonde bcl2 (A) et une sonde J_H d'immunoglobuline (B).

L'emploi des sondes de type **minisatellite**, dont l'informativité est optimale, offre le maximum de chances de discrimination. On peut aussi utiliser une batterie de microsatellites.

Le DNA du receveur peut être préparé avant la greffe à partir du sang périphérique, ou après la greffe à partir des fibroblastes de la peau qui ne sont pas concernés par l'anomalie hématopoïétique.

Dans les suites de la greffe médullaire l'analyse des marqueurs polymorphes permet de contrôler :

— le succès de la greffe ;

— l'apparition des rechutes (qui intéressent le plus souvent les cellules du receveur, mais peuvent aussi concerner les cellules du donneur) ;

— le chimérisme cellulaire, l'analyse des marqueurs permettant de mesurer l'importance de chaque population.

Cette application du diagnostic génotypique au suivi des greffes est un progrès considérable, car il n'existait auparavant aucune méthode capable d'apporter **dans tous les cas** l'information recherchée.

Sélection de références bibliographiques : voir page 721.

Génétique moléculaire de quelques maladies constitutionnelles

14

Le nombre des **maladies héréditaires monogéniques** devenues accessibles à l'analyse moléculaire s'accroît sans cesse. Ceci est dû au rythme accéléré du clonage des séquences de DNA humain (gènes et séquences anonymes) qui fournissent de nouvelles sondes utiles à la cartographie du génome et à l'exploration des gènes pathologiques. S'y ajoutent désormais la **pathologie chromosomique constitutionnelle**, qui est loin d'être toujours héréditaire, mais qui est une variété de pathologie du DNA de l'individu entier (la pathologie du DNA somatique fait l'objet du chapitre suivant), et la **pathologie du DNA mitochondrial**. Enfin la recherche de la contribution individuelle des gènes multiples concourant au déterminisme des **maladies polygéniques** communes commence à être abordée.

Il est devenu impossible de dresser un bilan exhaustif de toutes les maladies ayant déjà bénéficié de l'approche de la génétique moléculaire. Nous avons choisi de présenter dans ce chapitre l'étude individuelle de quelques-unes de ces maladies, sélectionnées pour leur représentativité et leur exemplarité.

On peut schématiquement distinguer :

— les maladies dues à un gène **connu** avant d'avoir été **cloné** ;
— les maladies à gène identifié ou approché par la **génétique inverse** ;
— les anomalies **chromosomiques** constitutionnelles ;
— les anomalies du **DNA mitochondrial** ;
— les maladies **polygéniques**.

Quelques chiffres (qui seront rapidement dépassés)

La 10e édition (1992) de l'inventaire des maladies génétiques humaines, dressé et régulièrement mis à jour par Victor A. McKusick depuis 1966 (*Mendelian Inheritance in Man. Catalogs of autosomal dominant, autosomal recessive, and X-linked phenotypes. The Johns Hopkins University Press, Baltimore et Londres 1992),* contient près de 6 000 entrées. Au congrès *Human Gene Mapping 11* (Londres, septembre 1991) 1 400 gènes humains clonés ont été répertoriés, dont environ 200 gènes étaient reconnus comme directement responsables d'une pathologie héréditaire monofactorielle parce que des anomalies intragéniques y avaient été identifiées. Ce nombre représente environ 40 p. 100 des 550 locus morbides déjà localisés sur un chromosome. A ces 200 gènes correspondent près de 300 phénotypes morbides distincts, car des anomalies différentes d'un même gène peuvent engendrer des pathologies distinctes.

Les maladies génétiques monofactorielles à gène connu avant d'avoir été cloné

LE MODÈLE DES MALADIES DE L'HÉMOGLOBINE

Les maladies de l'hémoglobine constituent un modèle privilégié en pathologie moléculaire. Toutes les conditions étaient réunies pour qu'il en soit

Figure 14-1 La famille des gènes de l'alpha-globine humaine
En rouge : les exons traduits ; en hachuré : les exons non traduits ; en blanc : les introns ; en rouge foncé : les pseudo-gènes.

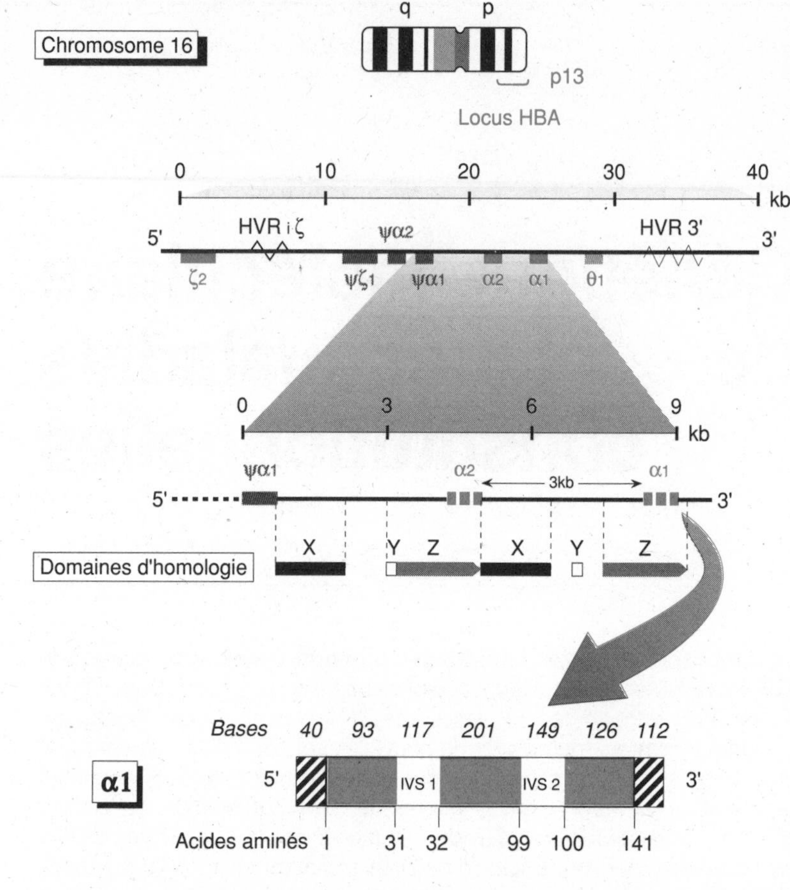

ainsi : protéine abondante, facile à préparer et à étudier, très majoritaire dans les érythrocytes mûrs ; mutations très variées et très fréquentes dans certaines populations soumises à la pression sélective du paludisme ; mRNA très majoritaire dans les derniers stades de l'érythropoïèse, facilitant le clonage moléculaire ; gènes de petite taille rassemblés en 2 familles très resserrées.

C'est pourquoi l'histoire de la biologie et de la pathologie moléculaires est jalonnée par les progrès effectués dans le domaine de l'hémoglobine.

De nombreuses découvertes de portée générale ont été effectuées grâce à des travaux portant sur l'hémoglobine

- Première protéine mutée dans une maladie humaine : caractérisation électrophorétique de l'hémoglobine de la drépanocytose (HbS) par Pauling et Itano en 1949.
- Première mutation ponctuelle humaine identifiée, au niveau de la protéine (glu⟶val, Ingram, 1956), puis du gène (GAG⟶GTG dans le 6e codon du gène β).
- Premier gène humain cloné (β-globine, Wilson et al, 1976).
- Première organisation génomique d'une famille de gènes (α et β globine).
- Première découverte d'un pseudo-gène (ψβ-globine).
- Premier diagnostic prénatal par hybridation moléculaire (α-thal).
- Premier RFLP utilisé à des fins diagnostiques (Hpa II/13 kb et HbS).
- Premier gène humain s'exprimant de manière tissu-spécifique après transplantation génique (1988).

L'anatomie des gènes de l'hémoglobine

Les gènes de l'hémoglobine sont répartis en 2 familles situées sur des chromosomes différents (voir aussi chapitre 6).

La famille des gènes α

Elle est située sur la partie terminale du bras court du chromosome 16 (locus HBA en 16p13.2-pter) (**Figure 14-1**). Elle comporte 4 gènes fonctionnels distribués sur un territoire de 30 kb : ζ2, α2, α1 et θ1 dans l'ordre 5'→3'.

Le gène ζ2 n'est exprimé que pendant la période embryonnaire, les gènes α2 et α1 sont exprimés à partir du stade fœtal et le demeurent tout au long de la vie extra-utérine (**Figure 14-2**).

Le gène θ1, découvert le dernier, possède chez l'homme toutes les caractéristiques d'un gène fonctionnel codant pour une protéine de 141 résidus, comme un gène α, mais celle-ci n'a pas encore été détectée dans les conditions physiologiques. Un produit de transcription a cependant été trouvé dans la lignée érythroleucémique K562.

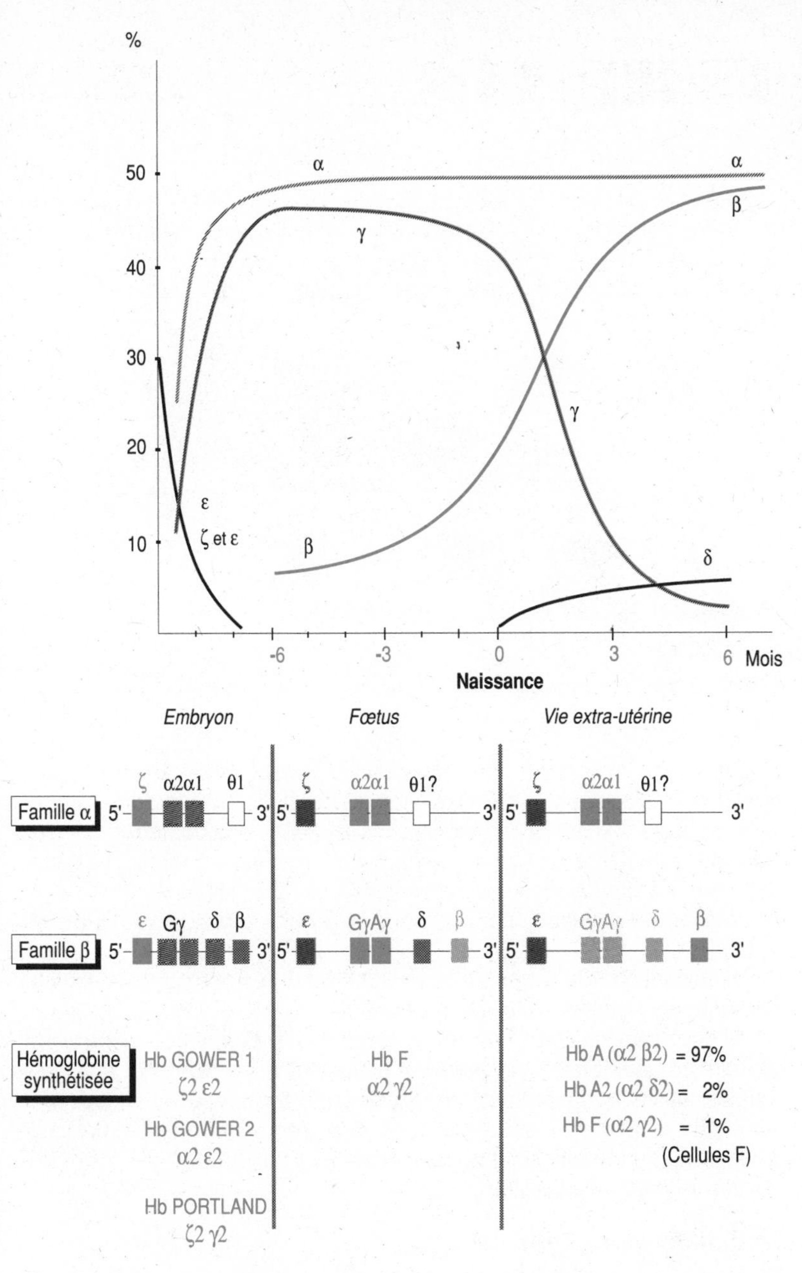

Figure 14-2 Activation ontogénique des gènes de globine
En rouge : gènes actifs (pleine expression) ; en rose : gènes peu actifs ; en noir : gènes non encore actifs ; en rouge foncé : gènes ayant été actifs et devenus non fonctionnels ; en blanc : gène θ peut-être actif à un stade très précoce.

Il pourrait s'agir d'un gène seulement exprimé à un stade très précoce du développement embryonnaire.

Il existe aussi 3 **pseudo-gènes** : $\psi\zeta 1$, $\psi\alpha 2$ et $\psi\alpha 1$

La principale caractéristique du domaine génomique renfermant le groupe des gènes de la famille de l'α-globine est la répétition de longues séquences homologues. Cette homologie est évidente si l'on compare les gènes α1 et α2, qui sont non seulement identiques dans leur région codante (exons), mais aussi quasi identiques dans leurs introns où il n'existe que 2 différences ponctuelles et une insertion de 7 nucléotides dans le deuxième intron. La seule divergence concerne les séquences non codantes des deux gènes. Cette homologie concerne aussi les séquences intergéniques dans des régions apparemment dépourvues de contenu informationnel (régions X et Y de la figure 14-1). En définitive 4 kb de DNA sont dupliquées au sein du complexe α.

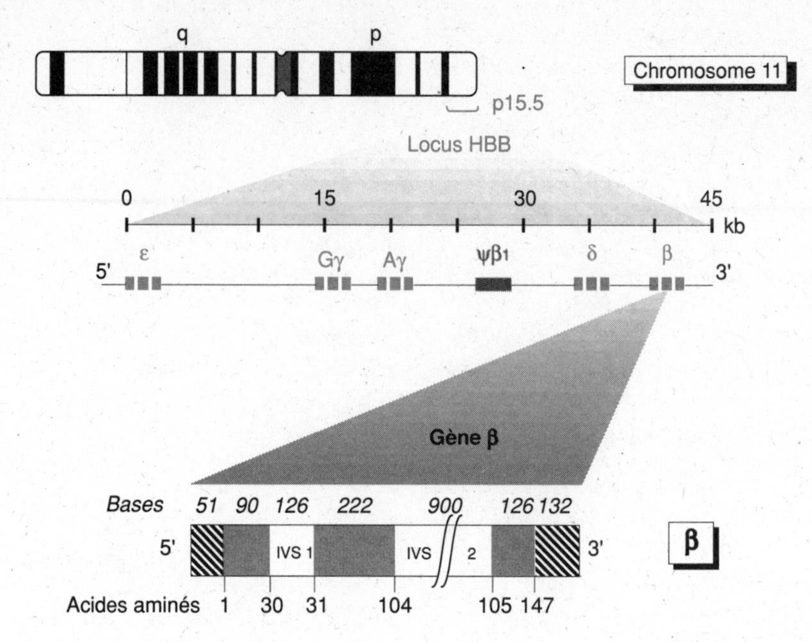

Figure 14-3 La famille des gènes de la bêta-globine humaine
En rouge : les exons traduits ; en hachuré : les exons non traduits ; en rouge foncé : pseudo-gène.

Cette situation évoque non seulement une duplication ancestrale des séquences géniques et intergéniques, mais aussi le maintien de leur homologie au cours de l'évolution (évolution concertée), sans doute par **conversion génique** (transfert non réciproque d'information vers un autre gène). Cette duplication favorise les mécanismes de recombinaison homologue génératrice de délétions, comme nous le verrons à propos des α-thalassémies.

L'organisation des gènes de la famille α est donc propice aux crossing-over inégaux, générateurs de délétions.

Les deux gènes α2 et α1, dont le produit final est identique, contribuent de manière équivalente à la synthèse de la chaîne d'α-globine. Cette équivalence résulte d'une balance équilibrée entre deux processus opposés : d'une part le mRNA α2 est transcrit en plus grande abondance, par suite d'une plus grande efficacité de son promoteur ; d'autre part le mRNA α1 est traduit plus efficacement.

La famille des gènes β

Elle occupe un territoire d'environ 45 kb à l'extrémité distale du bras court du chromosome 11 **(Figure 14-3)**. Elle comporte 5 gènes fonctionnels : ε, Gγ, Aγ, δ et β dans l'ordre 5'→3' et un pseudogène ψβ1 (appelé aussi ψη chez les primates).

Chacun des gènes fonctionnels contient 3 exons séparés par 2 introns. La taille des exons et des introns est semblable dans les différents gènes. Le produit des deux gènes Gγ et Aγ ne diffère que par un seul acide aminé en position 136 sur la chaîne polypeptidique : glycine dans le gène Gγ ou alanine dans le gène Aγ. Ces deux gènes sont très homologues non seulement dans les exons mais aussi dans les introns, malgré les 30 millions d'années écoulées depuis la duplication initiale des gènes γ. Cette conservation est due à une évolution concertée (O. Smithies).

Il existe toutefois un polymorphisme dans le premier exon du gène Aγ, en position 75, correspondant à un polymorphisme phénotypique reconnu de longue date (ile→thr).

Le degré d'expression des gènes de la famille β varie au cours du développement ontogénique (Figure 14-2). Le gène ε est actif exclusivement pendant la vie embryonnaire, les gènes γ sont actifs pendant la période fœtale avec un rapport Gγ:Aγ = 3:1 (après la naissance ils sont faiblement exprimés avec un rapport Gγ:Aγ = 2:3). Le gène β commence à s'exprimer dès la fin du premier trimestre de la vie intra-utérine, et atteint un taux d'expression maximal plusieurs semaines après la naissance. Quant au gène δ il n'est actif qu'après la naissance et demeure faiblement exprimé. Cette séquence temporelle correspond à l'arrangement spatial des différents gènes dans le sens 5'→3'.

La régulation de l'expression des gènes de la globine

Le problème est dominé par trois données.

— L'expression est **spécifique de tissu** (sac vitellin chez l'embryon, foie et rate pendant la plus grande partie de la vie fœtale, moelle osseuse pendant la vie extra-utérine).

— L'expression de tous les gènes de la famille est **coordonnée**, et l'activation séquentielle des gènes embryonnaires, fœtaux et adultes implique une commutation unique embryon—>fœtus pour la famille α, et une double commutation : embryon—>fœtus et fœtus—>adulte pour la famille β (Figure 14-2). Cette évolution ontogénique est reproduite au cours de la **maturation** érythrocytaire.

— Il existe une coordination en **trans** permettant une **expression équilibrée** des gènes des deux familles.

Le problème de la **spécificité tissulaire** n'est encore que partiellement élucidé. L'existence d'un petit nombre de facteurs transactivateurs spécifiques des tissus érythroïdes a été mise en évidence. L'un de ces facteurs, appelé **GATA-1** car il reconnaît une séquence consensus GATA que l'on retrouve à proximité de tous les gènes de globine, a maintenant été caractérisé, isolé, cloné, séquencé (Orkin, 1990). Son gène est situé sur le chromosome X (Xp21-11). Son activation précède celle des gènes de globine et est limitée au stade transcriptionnel dans les précurseurs érythroïdes. Il est nécessaire à leur maturation. Il intervient également dans la régulation d'autres gènes exprimés dans les mêmes cellules.

Les facteurs mis en jeu dans la **commutation *(switch)*** γ—>β, commencent, eux aussi, à se dessiner. Ils ont été ces dernières années l'objet de multiples études, d'une part en raison de l'exemplarité du modèle théorique plus facile qu'un autre à étudier, d'autre part en raison de leur implication thérapeutique potentielle. La réactivation des gènes γ serait en effet une solution biologiquement élégante du traitement de tous les désordres pathologiques dus à des mutations du gène β-globine : dans la drépanocytose, parce que l'Hb F interrompt le polymère d'Hb S ; dans les β-thalassémies, parce que le désordre physiopathologique majeur est un déséquilibre α/non-α, donc α/β + γ

Plusieurs abords méthodologiques, qui éclairent la question, ont été employés.

Un des premiers a été l'étude de **modèles pathologiques**, qui a fourni quelques indications sur le problème du *switch*.

Les diverses catégories de lésions génomiques responsables de la persistance héréditaire de l'hémoglobine fœtale (syndrome **HPFH**) — un état non pathologique au cours duquel les gènes γ demeurent actifs au cours de la vie adulte — ont été particulièrement éclairantes. On distingue deux types d'HPFH : les formes délétionnelles (délétion des gène β et δ) où les gènes G_γ et A_γ sont simultanément exprimés, et les formes non délétionnelles où soit le gène G_γ soit le gène A_γ demeure actif.

Dans les formes **délétionnelles**, il existe constamment une délétion d'environ 100 kb, englobant la région inter γ-δ et les gènes δ et β et entraînant le rapprochement d'une séquence de type ***enhancer***, qui se retrouve

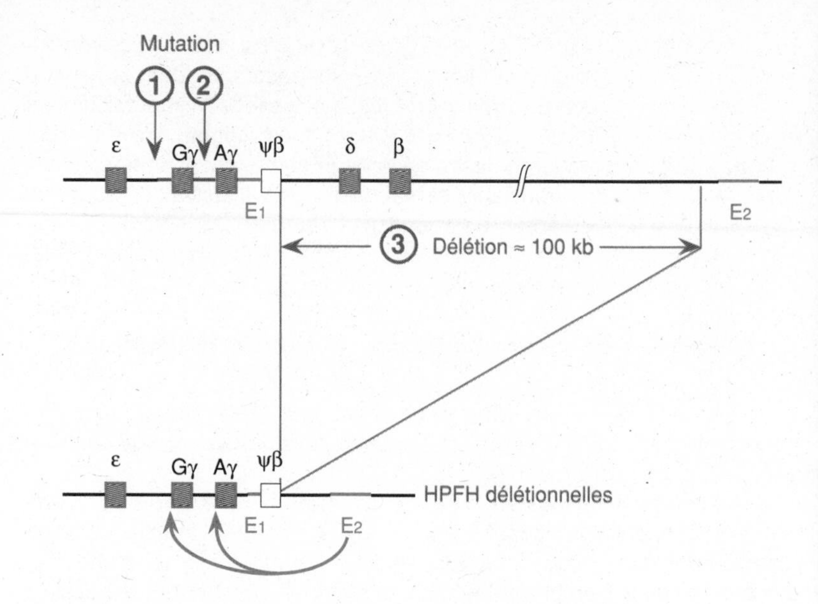

Figure 14-4 Le syndrome de persistance héréditaire de l'hémoglobine fœtale (HPFH) fournit des indications sur les zones régulatrices des gènes γ
E1 et E2 : séquences stimulatrices *(enhancers)*.
1 et 2 : mutations ponctuelles responsables des **formes non délétionnelles de syndrome HPFH,** soit dans le promoteur du gène $^{G}\gamma$ (en 1) avec production exclusive de chaîne $^{G}\gamma$, soit dans le promoteur du gène $^{A}\gamma$ (en 2) avec production exclusive de chaîne $^{A}\gamma$.
3 : **syndromes de HPFH délétionnelle.** La perte d'environ 100 kb rapproche la séquence enhancer E2 des gènes γ. Les deux gènes $^{G}\gamma$ et $^{A}\gamma$ sont simultanément exprimés.

alors immédiatement en aval du gène A_γ **(Figure 14-4).** Dans cette configuration nouvelle les gènes G_γ et A_γ seraient en permanence sous la dépendance d'un enhancer situé en 3', normalement trop éloigné pour agir.

Dans les syndromes HPFH **non délétionnels**, on a mis en évidence des mutations ponctuelles siégeant soit sur le promoteur G_γ soit sur le promoteur A_γ, expliquant la persistance de l'expression de l'un ou l'autre gène (figure 14-4).

Ces modèles évoquaient l'existence de facteurs **trans** exerçant une régulation négative et/ou positive. Ils sont en fait peu nombreux, et la combinatoire retrouvée fait toujours intervenir les mêmes facteurs non spécifiques, et peu de facteurs spécifiques de la lignée rouge, dont le principal est le GATA-1 vu plus haut.

L'établissement de la **séquence** complète sur les 50 kb de la famille β permet la recherche de séquences régulatrices dans les régions stratégiques, par exemple en amont des gènes, au niveau des régions promotrices. C'est ainsi qu'ont été identifiés les signaux caractéristiques en amont : boîte TATA à —30 pb, boîte CAAT à —80 pb, séquence CACC à —100 pb, boîte GC (type CCGCCC) pour la fixation des protéines de type Sp1. Tous ces éléments interviennent en fait dans l'expression constitutive et ne fournissent pas la clé du phénomène de commutation. L'analyse a cependant permis de découvrir de nombreuses anomalies dans le promoteur du gène δ, et de fournir l'explication du faible taux d'expression de ce gène qui se comporte comme un gène naturellement *thalassémique*.

D'autre part des expériences **fonctionnelles** ont été réalisées à l'aide de constructions dans des vecteurs permettant soit d'explorer le niveau d'expression in vitro (système utilisant un gène reporter dont on étudie l'expression), soit d'explorer l'expression transitoire in vivo dans une cellule eucaryote (voir chapitre 30). La séquence introduite dans le vecteur est soit la version normale de la séquence génomique étudiée, soit une version où l'on a introduit une lésion par mutagenèse dirigée plus ou moins étendue (délétion ou mutation ponctuelle). Cette approche dynamique a permis de localiser avec précision les **régions cis-régulatrices**, d'évaluer leur efficacité et d'apprécier leur tolérance vis-à-vis des mutations. Elle a permis de confirmer que le promoteur du gène δ était remarquablement peu efficace. Elle a permis aussi de rechercher systématiquement les séquences stimulatrices ***(enhancers)***. Une séquence de ce type a été trouvée entre le gène Aγ et le pseudogène ψβ (Figure 14-4). Il en existe une autre en 3' du gène β-globine (Figure 14-4).

Les facteurs se fixant à ces séquences ont été étudiés. Ce sont, en règle générale, les mêmes qui se fixent par ailleurs aux zones promotrices. Des zones de régulation négative ***(silencers)*** ont également été identifiées en 5' des gènes ε- et β-globine, mais les facteurs trans qui s'y fixent sont encore mal caractérisés.

Une autre piste de recherche a été la constatation d'une corrélation entre l'état de **méthylation** des doublets CG à proximité des gènes de globine et l'activité de ces gènes dans les différents tissus. D'autre part le degré de méthylation de certains sites présente une corrélation significative avec le taux d'expression. En particulier le niveau de méthylation est maximal dans les cellules non érythropoiétiques. Cette hypothèse a semblé corroborée par le fait que l'administration in vivo de 5-azacytidine, qui induit une déméthylation des CG, entraîne une certaine réactivation des gènes γ chez des drépanocytaires ou des thalassémiques*.

Des observations ultérieures ont montré que l'action de la 5-azacytidine est double, et qu'elle agit comme cytotoxique en même temps qu'agent de déméthylation. Ce serait alors la **régénération érythroïde** qui serait à l'origine du programme modifié d'expression de l'Hb F dans les précurseurs de la lignée rouge. A l'appui de cette hypothèse, on a pu montrer qu'un effet analogue à celui de la 5-azacytidine était obtenu par des agents cytotoxiques non déméthylants, en particulier par l'**hydroxyurée**. Celle-ci a été utilisée d'abord chez le babouin, puis chez les sujets porteurs d'hémoglobinopathies. Des essais thérapeutiques sont actuellement en cours chez les sujets drépanocytaires, et une synthèse accrue d'Hb F a été observée dans une proportion importante de cas. Cette réversion du *switch* démontre donc que ce dernier est « plastique » et peut être manipulé.

Un autre modèle pharmacologique est parti de l'observation que les dérivés de l'**acide butyrique** étaient susceptibles de retarder, et même de réverser la commutation Hb F⟶Hb A au cours du développement ontogénique chez les ovins.

Enfin, on peut également rattacher au programme de la maturation érythroïde l'action de l'**érythropoiétine** sur l'expression des gènes γ-globine. Dans des conditions déterminées, et généralement en association avec l'hydroxyurée, la stimulation induite de cette expression se trouve potentialisée.

Toutes ces manipulations pharmacologiques ont été faites chez le babouin, l'homme ou de gros animaux. Les renseignements les plus complets ont cependant été obtenus par l'emploi de **souris transgéniques** (voir encadré p. 358).

Les premières expériences, faites vers 1985, avaient montré la possibilité d'exprimer chez la souris des gènes de globine humaine. La régulation tissulaire était correcte, ainsi que la régulation en fonction du stade de développement. Ces gènes n'étaient exprimés que dans les tissus érythroïdes, les gènes γ dans le foie fœtal, les gènes β dans les cellules de la moelle osseuse. Cependant, cette expression n'était retrouvée que chez peu d'animaux, et à un taux beaucoup plus faible que celui de la globine endogène. Les séquences nécessaires à la régulation tissulaire et à la régulation en fonction du stade du développement sont donc des séquences voisines des gènes eux-mêmes, mais d'autres séquences semblent nécessaires pour une régulation quantitative de l'expression des transgènes.

Une autre série d'observation doit être prise en considération. Il s'agit de l'**hypersensibilité à la DNase I**. Une étude de l'ensemble du locus β-globine avait montré deux séries de sites hypersensibles. On trouve des

* Les espoirs thérapeutiques fondés sur ce produit ont cependant été abandonnés lorsqu'on s'est aperçu des conséquences neurologiques adverses de son administration.

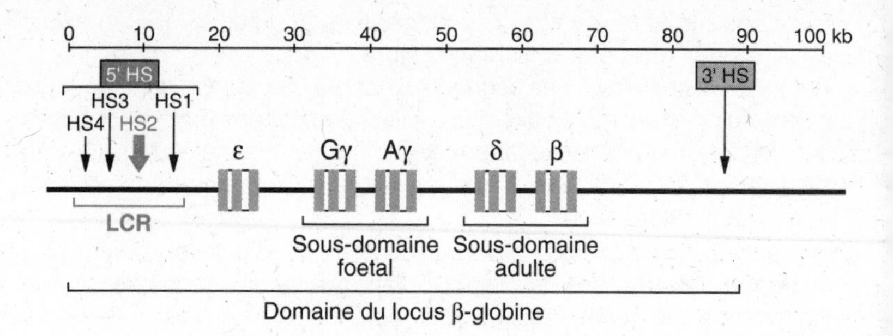

Figure 14-5 Les régions cis-régulatrices situées aux bornes de la boucle chromatinienne contenant les gènes de la famille de la β-globine HS : sites hypersensibles ; LCR : *locus control region*.

sites hypersensibles en 5' de tous les gènes de globine, dont l'hypersensibilité se modifie au cours de l'ontogenèse et est bien corrélée à l'entrée en activité de chaque gène. Une autre série de cinq sites hypersensibles à la DNase I ont été mis en évidence, quatre d'entre eux très en amont du gène ε, et le cinquième loin en aval du gène β-globine. Ces sites sont érythroïdes-spécifiques, mais stables au cours du développement, c'est-à-dire que la chromatine du locus β-globine est « ouverte » quel que soit le gène exprimé à ce stade du développement. C'est l'ensemble des sites situés en 5' du gène ε, que l'on désigne sous l'appellation globale de **LCR *(Locus Control Region)***.

On a pu démontrer que les séquences de ce LCR jointes au gène de β-globine lui-même étaient effectivement les séquences susceptibles d'en assurer l'expression dans toutes les souris transgéniques, à un **taux comparable à celui des gènes endogènes**, proportionnel au nombre de copies intégrées. Ce même LCR β, joint au transgène α-globine, est susceptible d'en activer l'expression. L'injection simultanée des gènes α- et β-globine provoque chez la souris la synthèse d'hémoglobine humaine A, ou S si le gène β est un gène β^S. Un modèle naturel enfin a confirmé l'importance des séquences du LCR : une **délétion** englobant ces séquences, mais laissant intact l'ensemble des gènes de structure, empêche totalement l'expression de ces gènes.

On a tenté de disséquer la valeur fonctionnelle des différents sites et d'identifier les séquences d'importance critique. Les sites **5' HS-2 et 3 (Figure 14-5)** sont les plus importants, mais il semble qu'ils soient tous nécessaires pour une pleine efficacité. Leur rôle serait à la fois celui d'un ***enhancer*** classique, et celui d'un facteur favorisant l'**inductibilité** des gènes. A l'appui de l'importance de ces séquences LCR, il faut noter leur très remarquable degré de **conservation** à travers l'évolution des espèces animales.

Plus récemment, enfin, un LCR a également été démontré en amont du locus α-globine.

La manipulation du *switch* en souris transgénique

Les séquences LCR, jointes à l'un quelconque des gènes de la famille β, permettent son expression exclusivement dans les tissus érythroïdes, mais semblent faire perdre à cette expression sa relation avec le développement normal : les gènes adultes comme les gènes fœtaux sont exprimés à tous les stades. Seul, le gène ε présenterait une extinction autonome. Différentes expériences ont démontré que la régulation en fonction du développement pouvait être restaurée par l'injection, en même temps que les gènes, de larges zones intergéniques. Les séquences responsables de cette dernière régulation sont encore mal identifiées, probablement situées entre la paire de gènes fœtaux et la paire de gènes adultes. Leur présence permet une régulation de modèle compétitif. On sait enfin que la position de chaque gène par rapport au LCR peut modifier l'ordre d'expression et moduler la compétition. Cette manipulation pharmacologique et la dissection progressive des séquences impliquées dans la régulation du *switch* font espérer la compréhension du phénomène pour un avenir proche. Il est significatif qu'au cours de ces travaux l'existence de modèles naturels a toujours pu conforter les hypothèses formulées.

Intérêt des RFLP de la famille des gènes de la β-globine

Les 60 kb du domaine génomique contiennent de nombreux sites polymorphes. Une vingtaine, dont la répartition est indiquée sur la **Figure 14-6**, ont été particulièrement étudiés. Il s'agit de variations ponctuelles responsables d'un polymorphisme de restriction bi-allélique (+/−). La plupart siègent dans des régions inter-géniques. La fréquence des allèles au niveau de chaque site diffère dans les divers groupes ethniques. L'étude simultanée de tous les sites permet d'établir des **haplotypes**.

Les premiers haplotypes décrits (Orkin) comportaient 7 sites (Figure 14-6 et Tableau 14-3). Alors que le nombre d'haplotypes théoriques — assortiment d'allèles à chacun des sites — est considérable (2^n), le nombre d'haplotypes réellement rencontrés dans chaque population est beaucoup

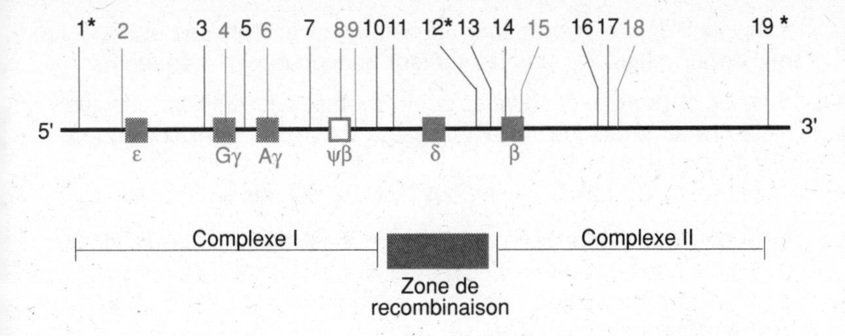

Figure 14-6 Les RFLP du domaine des gènes de la famille de la β-globine
1* : Taq I ; **2 : Hinc II** ; 3 : Xmn I ; **4 : Hind III** ; 5 : Taq I ; **6 : Hind III** ; 7 : Pvu II ; **8 : Hinc II** ; **9 : Hinc II** ; 10 : Rsa I ; 11 : Taq I ; 12* : Hinf I ; 13 : Rsa I ; 14 : Hgi AI ; **15 : Ava II** ; 16 : Hpa I ; 17 : Hind III ; **18 : Bam H I** : 19 Rsa I.

Les polymorphismes marqués d'un astérisque sont privés, et n'ont été trouvés que dans la race noire. Noter que les sites 11, 12 et 13 n'appartiennent à aucun des complexes d'association préférentielle I ou II. Les sites en rouge sur la figure (en gras dans la liste ci-dessus) sont couramment utilisés pour définir des haplotypes en déséquilibre de liaison avec certaines β-thalassémies.

plus réduit, inférieur à une dizaine. Il s'agit d'un exemple typique de **déséquilibre de liaison.**

Les assortiments préférentiels dans la famille des gènes β-globine peuvent être eux-mêmes subdivisés en deux régions (Figure 14-6). Le complexe I comporte tous les sites situés en amont du gène où un petit nombre de sous-haplotypes est retrouvé dans chaque population (quatre dans l'Europe méditerranéenne). Ce sous-haplotype englobe la région des gènes γ, et nous en reverrons l'intérêt clinique potentiel. Le complexe II comporte tous les sites situés en aval du gène δ. Avec l'usage de la PCR, il s'est enrichi en nouveaux sites polymorphes informatifs.

Les assortiments préférentiels en deux sous-haplotypes suggèrent que les recombinaisons sont particulièrement rares au sein de chacun des complexes I et II. En revanche dans la région qui les sépare, à cheval sur le gène δ (Figure 14-6), les recombinaisons sont 10 fois plus fréquentes et constituent un véritable point chaud ***(hot spot)***.

Le domaine des gènes de la famille β a été séquencé complètement à plusieurs reprises, ce qui a permis d'apprécier le dégré réel de variabilité de la séquence nucléotidique (les polymorphismes de restriction n'explorant que les variations qui créent ou abolissent un site reconnaissable par une enzyme de restriction). La séquence du gène β lui-même a été trouvée remarquablement constante avec seulement quatre variétés, appelées ***frameworks***. Ceux-ci constituent une structure très ancienne ayant sans doute précédé la divergence des races (au moins 50 000 années).

Par ailleurs, de nombreux polymorphismes ont été mis en évidence dans des régions régulatrices ayant une importance fonctionnelle, mutations ponctuelles ou nombre variable d'éléments répétitifs. Il faut signaler, pour son intérêt particulier, la région située en amont du gène β, polymorphe dans la zone de fixation d'un facteur de régulation négative, fixation dont l'intensité est variable selon la séquence. Il faut signaler aussi les régions régulatrices des gènes fœtaux, où des polymorphismes ont été retrouvés tant dans la région *enhancer* que dans les zones promotrices des deux gènes γ. Les conséquences fonctionnelles de ces derniers polymorphismes n'ont encore été que partiellement étudiées.

L'existence d'haplotypes prédominant dans certains groupes ethniques offre la possibilité d'étudier l'origine des mutations pathologiques, comme nous le verrons à propos de la drépanocytose et des thalassémies. Ils fournissent d'une manière plus générale une base moléculaire à la génétique des populations.

Pathologie des gènes de l'hémoglobine

La pathologie des gènes de l'hémoglobine est d'une extraordinaire richesse. Elle représente le modèle privilégié des biologistes moléculaires. On peut dire que toutes les situations anormales possibles ont été trouvées au niveau du gène de l'hémoglobine et que leur étude permet de passer en revue tous les mécanismes de la pathologie génique.

• Au point de vue *moléculaire* on distingue les **délétions** et les **mutations ponctuelles**, les dernières étant beaucoup plus fréquentes.

• Au point de vue *fonctionnel* deux niveaux peuvent être affectés :
— le niveau protéique : avec synthèse de chaîne polypeptidique normale, diminuée ou nulle ;
— le niveau du mRNA : qui peut être normal, diminué ou aboli.

• Au point de vue *physio-pathologique* il est d'usage de distinguer :
— les mutations responsables d'un effet qualitatif pur, ce qui est le cas des **hémoglobinopathies** comme la drépanocytose, les hémoglobinoses M, les hémoglobines instables ;
— les mutations n'affectant pas la structure de la protéine mais sa synthèse, comme les **thalassémies**.

Mais il existe aussi des cas où les deux conséquences pathologiques sont intriquées (syndromes thalassémiques accompagnant les hémoglobines E et Knossos).

Les hémoglobines anormales

Toutes les variantes structurales de l'hémoglobine sont dues à des mutations siégeant dans une région exonique traduite.

Plus de 500 variantes structurales de l'hémoglobine ont été décrites. Il s'agit dans la majorité des cas de substitutions d'un seul acide aminé dans la chaîne β ou α. Elles n'ont de conséquence pathologique que si elles altèrent la solubilité (HbS), la fonction (HbM et Hb à affinité anormale) ou la stabilité (Hb instable) de la molécule. Elles sont détectables au niveau protéique lorsqu'elles entraînent une modification de la charge électrique, mise en évidence par électrophorèse simple ou par focalisation iso-électrique.

L'approche de la génétique moléculaire n'a pas apporté de véritable bouleversement dans la connaissance de ces maladies où la pathologie moléculaire avait déjà été étudiée par les moyens conventionnels. L'accès direct aux gènes a permis de préciser la nature des mutations nucléotidiques, déjà suspectées par la connaissance de l'anomalie de la séquence peptidique. Il a surtout permis le **diagnostic prénatal** par analyse du DNA, ce qui est un progrès décisif, en particulier pour la plus fréquente et la plus sévère des hémoglobinopathies : la **drépanocytose** (Hb S homozygote).

Les principaux exemples d'hémoglobinopathies structurales où les méthodes de la génétique moléculaire ont déjà apporté une contribution substantielle sont indiqués dans le **tableau 14-1**.

Tableau 14-1 **Mutations du gène β responsables de quelques hémoglobines anormales**

Nom	Mutation (protéine)	Mutation (DNA)	Détection génotypique	Commentaires
Hb S	β^6 glu⟶val	GAG⟶GTG	Dde I ou Mst II ; oligo	fréquence (plusieurs millions d'individus) origine paucicentrique (Afrique, Asie) avantage contre le *Plasmodium*
Hb C	β^6 glu⟶lys	GAG⟶AAG	oligo	origine unicentrique (plateau voltaïque)
Hb E	β^{26} glu⟶lys	GAG⟶AAG	oligo	origine paucicentrique (Asie du SE) thalassémie par épissage anormal
Knossos	β^{27} ala⟶ser	GCC⟶TCC	oligo	thalassémie par épissage anormal

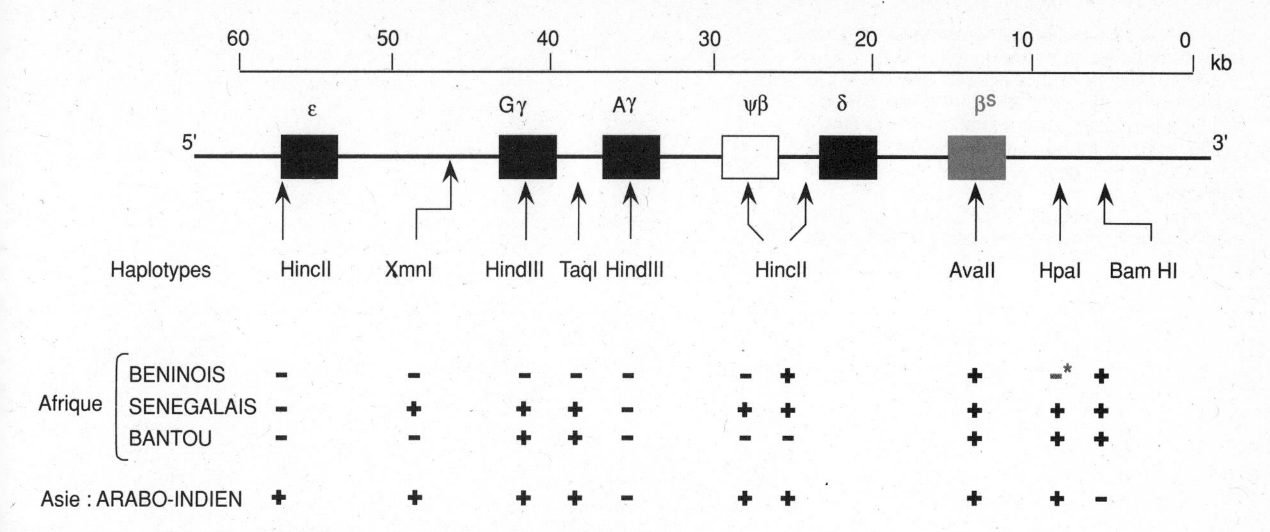

Figure 14-7 Origine multicentrique de la mutation drépanocytaire (β^S)
Les signes + et – indiquent la présence ou l'absence du site de restriction dont l'emplacement est désigné par une flèche. L'astérisque désigne le polymorphisme Hpa I dont l'allèle – (13 kb) a été initialement découvert en association avec la mutation β^S (Kan, 1978). On voit que ce marqueur ne concerne en fait que le foyer béninois.

L'HÉMOGLOBINE S

L'hémoglobine S de la drépanocytose est due à une substitution homozygote de l'acide glutamique par une valine en position 6 sur la chaîne β de la globine. L'analyse du DNA a confirmé qu'elle est due à une transition ponctuelle A⟶T, le codon normal GAG devenant GTG. Au point de vue physiopathologique, la notion de maladie drépanocytaire englobe non seulement la forme homozygote S/S, mais aussi les **hétérozygotes composites** S/C, S/β-Thal et des formes plus rares S/D^{Punjab} et $S/O^{Arab.}$.

La maladie est particulièrement fréquente dans les populations originaires d'Afrique tropicale (Afrique, Antilles, Amériques) et à un moindre degré dans celles du bassin méditerranéen, du Moyen-Orient et de l'Inde. Cette répartition géographique est due à l'avantage sélectif vis-à-vis du paludisme que confère l'hétérozygotie A/S. Dans toutes les populations touchées, la mutation est **identique**. Ce monomorphisme allélique strict est tout à fait remarquable et contraste avec l'hétérogénéité habituellement rencontrée dans les autres maladies génétiques. Pourtant l'affection ne présente pas la même gravité clinique dans toutes les populations touchées. Elle est par exemple beaucoup moins sévère au Moyen-Orient.

Le gène β^S résulte-t-il d'un événement mutationnel unique qui s'est répandu dans une même population en raison de la pression de sélection du paludisme, et dans les autres populations à la faveur des courants migrateurs (effet fondateur) ? Au contraire est-il apparu plus d'une fois et indépendamment dans des populations différentes (origine multi-centrique) ? La génétique moléculaire a démontré le bien-fondé de cette dernière hypothèse (Pagnier et al, 1984). L'analyse d'un certain nombre de RFLP situés dans la famille du gène β a permis de construire des haplotypes présents sur les chromosomes portant la mutation β^S. Au moins quatre haplotypes distincts ont été retrouvés, chacun étant caractéristique d'une population donnée **(Figure 14-7)**. La mutation serait née il y a 2 000 ou 3 000 ans dans au moins 4 foyers indépendants, 3 africains, 1 asiatique (Figure 14-7). L'haplotype « Bénin » est également retrouvé chez les drépanocytaires du pourtour méditerranéen, ce qui démontre la migration génique.

L'expression de la maladie drépanocytaire diffère sensiblement selon les ethnies. Elle est beaucoup moins sévère au Moyen-Orient et en Asie,

Figure 14-8 Utilisation de l'enzyme Mst II pour le diagnostic de la mutation β^S
Le site de reconnaissance est CC↓TNAGG. Noter que le site est aboli non seulement par la mutation β^S, mais aussi par la mutation neutre GAG→GAA et par la mutation *frame-shift* par délétion de A dans le 6ème codon engendrant une β° thalassémie.
En revanche la mutation GAG→AAG dans le même codon (mutation β^C) ne perturbe pas le site Mst II.

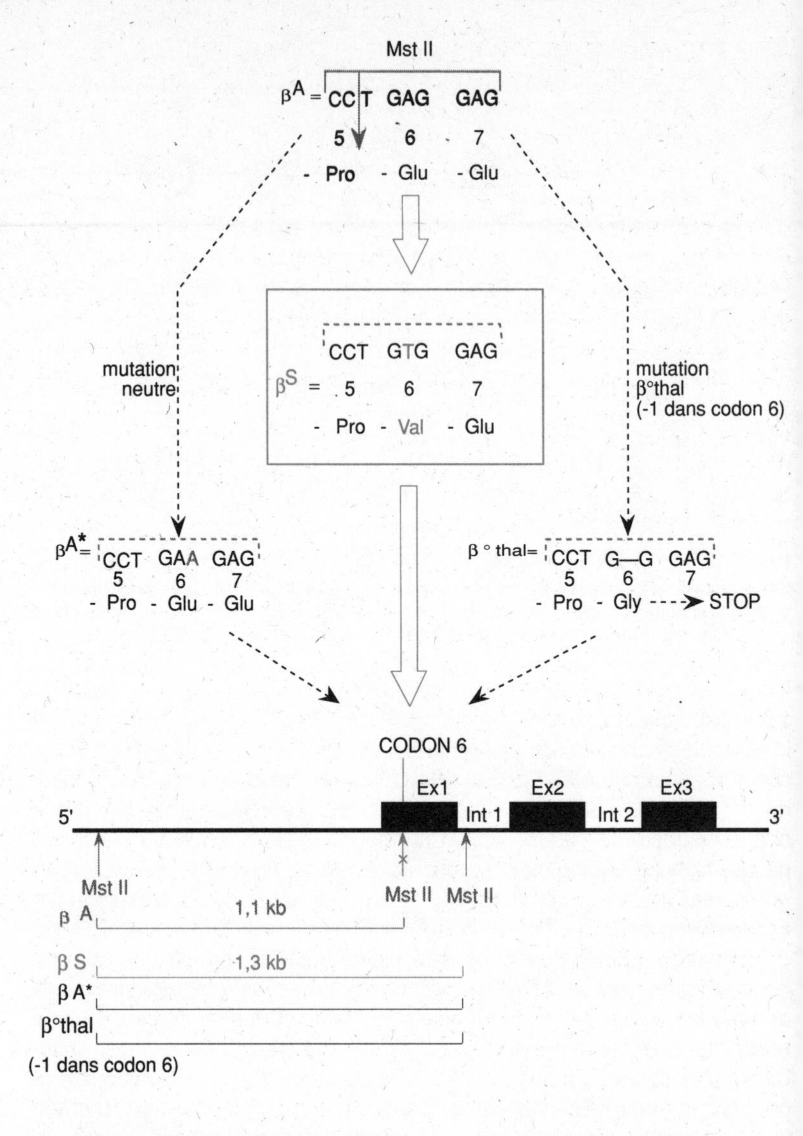

et semble également plus bénigne dans la région sénégalaise qu'en Afrique Centrale (voir encadré).

Le diagnostic génotypique de la mutation β^S ne se justifie que dans un contexte prénatal, surtout à un stade précoce, vers la fin du 1er trimestre où il n'est pas encore possible d'objectiver la présence d'hémoglobine S chez le fœtus. Ce diagnostic peut être effectué par deux méthodes **directes** appliquées au DNA trophoblastique, préalablement amplifié par PCR :

— soit à l'aide d'une oligosonde de 19 nucléotides dont on utilise les deux versions, normale et mutée (méthode ASO). Dans des conditions stringentes la sonde pour la version normale ne s'hybride qu'avec la séquence β^A, et la sonde pour la version mutée qu'avec la séquence β^S (voir figures 8-1 et 13-7) ;

— soit à l'aide de l'enzyme de restriction Mst II (ou l'un de ses isochizomères) qui reconnaît et clive spécifiquement une séquence comportant le 6e codon du gène β dans sa version normale (**Figure 14-8** ; voir aussi figures 8-6 et 13-5). **La mutation** β^S abolit ce site. Le risque de confusion avec d'autres mutations dans le 6e codon (Figure 14-8) est plus virtuel que réel (sauf dans certaines populations d'Afrique du Nord). Il peut être éliminé par une étude phénotypique des deux parents.

Haplotype et pronostic

Une corrélation significative entre l'haplotype et la tolérance de la maladie a été trouvée, la drépanocytose étant beaucoup moins grave chez les asiatiques (Inde) que chez les africains. On ignore les facteurs « péri-géniques » qui interviennent. Certains concernent sans doute le taux d'expression de l'hémoglobine F dont l'effet anti-falciformant est certain. Des études familiales menées sur différentes populations apportent des arguments en faveur d'une régulation de l'expression de l'Hb F par un déterminant situé sur le chromosome X (en Xp22.2, donc distinct du facteur GATA-1). Ce déterminant agirait par un mécanisme cellulaire de production de **cellules F**. En attendant que les facteurs en cause soient élucidés, l'analyse des haplotypes associés à la mutation β^S comporte un intérêt pratique, car elle permet de porter un pronostic.

LES AUTRES VARIANTES STRUCTURALES DE L'HÉMOGLOBINE (Tableau 14-1)
Parmi elles se détachent en raison de leur fréquence l'**hémoglobine C** (Afrique de l'Ouest) et l'**hémoglobine E** (Asie du Sud-Est).

La mutation β^C est GAG (glu)⟶AAG (lys) dans le 6e codon. Elle ne perturbe pas le site Mst II utilisé pour le diagnostic de la drépanocytose. Elle peut être détectée par une oligosonde spécifique de la mutation β^C, qui est capable de faire la discrimination entre gènes β^A, β^S, β^C. Ceci permet de faire le diagnostic prénatal d'hémoglobine S/C (plus grave que l'homozygotie C/C). L'analyse haplotypique des chromosomes portant le gène β^C a permis de démontrer le caractère unicentrique de la mutation, originaire du plateau voltaïque.

Parmi les autres variantes structurales pathologiques de l'hémoglobine, environ un tiers seraient décelables par une perturbation d'un site de restriction. En fait, le diagnostic prénatal de ces hémoglobinopathies rares n'étant pas justifié, leur analyse génotypique ne présente pas d'intérêt diagnostique. En revanche la technique de séquençage couplée à l'amplification élective (technique PCR) représente un procédé idéal, capable d'objectiver les mutations ponctuelles correspondant à n'importe quelle variante de l'hémoglobine, à condition que son emplacement sur le gène soit déjà connu.

LE CAS PARTICULIER DES HÉMOGLOBINES E ET KNOSSOS
Il s'agit de variantes structurales où l'anomalie qualitative de la chaîne β est associée à un syndrome β-thalassémique. Ceci s'explique parce que la mutation entraîne non seulement un changement de signification du codon (glu⟶lys sur le codon 26 pour la mutation β^E, et ala⟶ser sur le codon 27 pour la mutation $\beta^{Knossos}$), mais également la réactivation d'un site cryptique d'épissage voisin. Ce mécanisme moléculaire sera revu à propos des β-thalassémies (Figure 14-13).

Les syndromes thalassémiques et apparentés

On regroupe sous ce nom toutes les anomalies génétiques entraînant une diminution ou une absence de synthèse d'une ou de plusieurs chaînes de l'hémoglobine majeure de l'adulte : α ou β. Elles sont très fréquentes dans les populations originaires du bassin méditerranéen, d'Afrique, du Moyen-Orient, de l'Inde, du Sud-Est asiatique. Elles sont remarquables par la variété des mutations susceptibles de perturber à des degrés divers la synthèse des chaînes α ou β de la globine. Il est certain qu'elles se sont répandues et maintenues dans certaines régions du monde à la faveur d'un avantage sélectif vis-à-vis du paludisme. On distingue les traits α^+ ou β^+ et les traits α° ou β° selon que la synthèse de la chaîne polypeptidique α ou β est diminuée ou absente.

LES ALPHA-THALASSÉMIES
D'après les estimations de D.J. Weatherall il s'agirait de la lésion monogénique la plus répandue dans le monde.

La pathologie des alpha-thalassémies est dominée par un certain nombre de caractéristiques :

— il existe deux gènes α identiques par chromosome 16 ;
— l'anomalie peut porter sur un seul ou sur les deux gènes α ;
— l'absence totale de synthèse de la chaîne α est incompatible avec la vie extra-utérine ;
— la pathologie délétionnelle est de loin la plus fréquente.

Tous ces traits les distinguent des β-thalassémies.

• *Les α-thalassémies délétionnelles* sont les plus fréquentes : selon le nombre de gènes affectés par la délétion, on distingue par chromosome la configuration α^+ thal (1 seul gène fonctionnel = $-\alpha$) ; la configuration α° thal (aucun gène fonctionnel = $- -$).

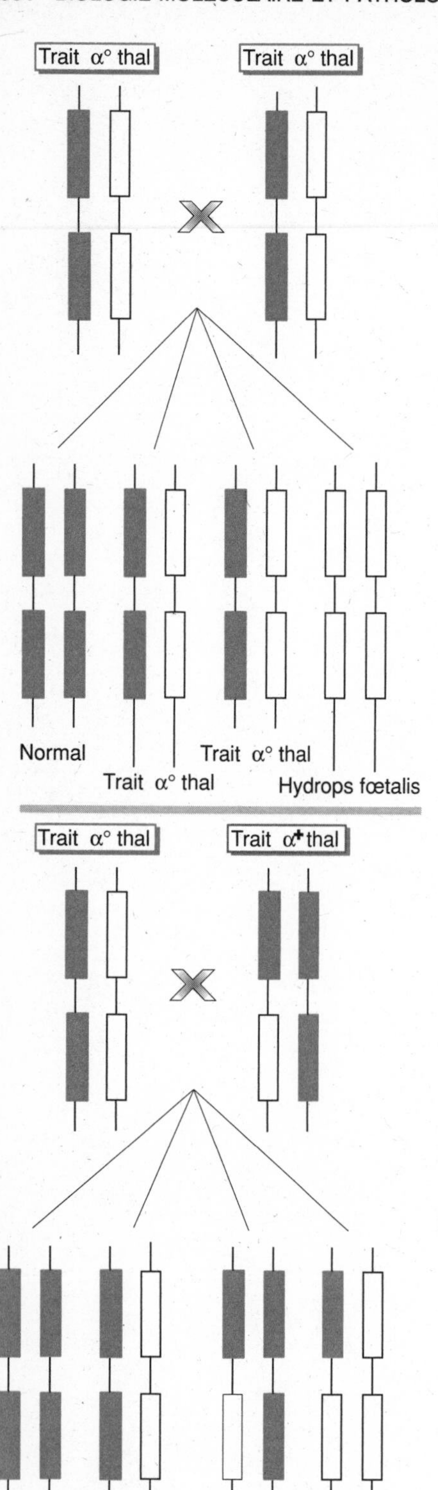

Figure 14-9 Les différents génotypes responsables d'α-thalassémie

Selon les associations il existe donc 4 génotypes pathologiques :

— le trait α^+ thal (ou α thal-2) : 3 gènes fonctionnels (αα/ – α) ;

— le trait α° thal (ou α thal-1) : 2 gènes fonctionnels sur un seul chromosome (αα/ – –) ;

— l'**hémoglobinose H** : 1 gène fonctionnel (– α/ – –) ;

— l'**hydrops fœtalis** (α° thal homozygote : 0 gène fonctionnel (– – / – –).

La **figure 14-9** montre ces diverses combinaisons génotypiques.

Les délétions portant sur un seul gène alpha, de type α^+, sont communément rencontrées dans le bassin méditerranéen, en Afrique et en Asie. Ces délétions sont favorisées par l'existence de zones d'homologie répétées autour de chacun des gènes α2 et α1, ce qui favorise les erreurs d'alignement au moment de la méiose.

Il existe 2 catégories principales de délétion α^+ selon qu'elle résulte d'une erreur d'appariement par glissement des régions Z (délétion « droite » de 3,7 kb, où le gène α restant provient d'une fusion du gène α2 d'un chromosome et du gène α1 de l'autre chromosome) ou des régions X (délétion « gauche » de 4,2 kb, où le gène α résiduel est α1) **(Figure 14-10)**. Ces deux variétés sont aisément distinguées par l'enzyme Bgl II qui fait apparaître un fragment de 15,8 kb en cas de délétion droite, de 7 kb en cas de délétion gauche, au lieu des deux fragments normaux de 12,5 kb et 7 kb (Figure 14-10).

Les délétions de type α°, supprimant les gènes α1 et α2 sur un même chromosome, s'étendent de part et d'autre sur une longueur variable selon les cas et selon les régions géographiques **(Figure 14-11)**. Elles respectent en général le gène ζ fonctionnel chez l'embryon, et les homozygotes sont alors viables in utero grâce à la formation d'hémoglobine Gower 1 ($\zeta^2\varepsilon^2$), puis Portland ($\zeta^2\gamma^2$). Ils meurent dès la naissance dans un tableau d'anasarque fœto-placentaire **(hydrops foetalis)**, car ils ne peuvent produire ni Hb A, ni Hb F.

Un même sujet peut porter une combinaison entre une délétion α° sur un chromosome et une délétion α^+ sur l'autre (Figure 14-9). Il ne reste alors qu'un seul gène α fonctionnel : c'est l'**hémoglobinose H** caractérisée par la présence du tétramère γ4 **(Hb Bart's)** à la naissance, ensuite remplacé par le tétramère β4 **(Hb H).**

• *Les α-thalassémies non délétionnelles* semblent beaucoup plus rares, peut-être parce qu'il est plus difficile de les mettre en évidence. Les lésions identifiées ne touchent qu'un seul des deux gènes α (la plupart du temps le gène α2), et même à l'état homozygote elles ne peuvent produire qu'un syndrome de type α2 thalassémique.

Les anomalies sont variées mais peuvent être regroupées en 5 catégories selon leur répercussion :

— *RNA messager non fonctionnel,* par mutation décalante dans le codon 14 du gène α1 (Arabie Saoudite) ou par mutation ATG→AGG dans le codon d'initiation du gène α2 (Méditerranée) ;

— *épissage aberrant,* par délétion de 5 nucléotides au début du premier intron du gène α2, emportant le site consensus donneur (rares cas chez des Méditerranéens) ;

— *perturbation de la maturation* de l'extrémité 3' du messager, par mutation AATAAA→AATAAG dans le signal de polyadénylation du gène α2 (Arabie Saoudite) ;

— *production d'une chaîne α-globine hyperinstable,* par mutation leu→pro dans le codon 125 du gène α2 (Chine). Le produit formé (Hb Quong Sze) ne peut s'associer à la chaîne β et est rapidement détruit ;

— *mutation dans le codon de terminaison* (UAA), le transformant en codon signifiant et allongeant la chaîne de 31 acides aminés. Le messager produit est très instable et la synthèse de chaîne anormale est très diminuée d'où un syndrome thalassémique. On en connaît 4 variétés dif-

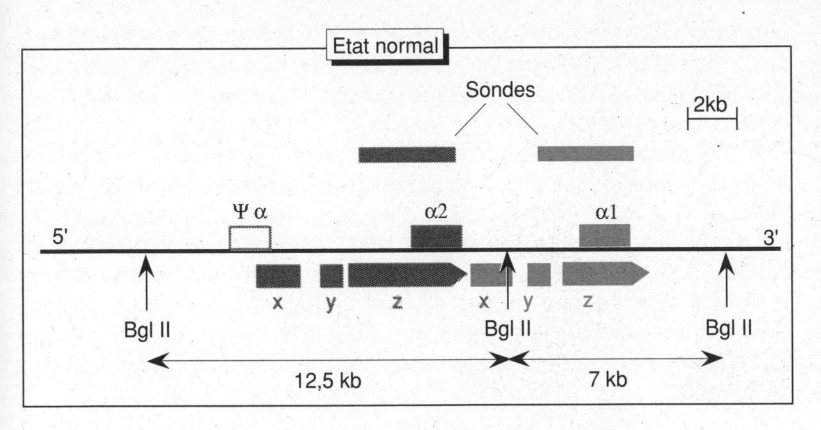

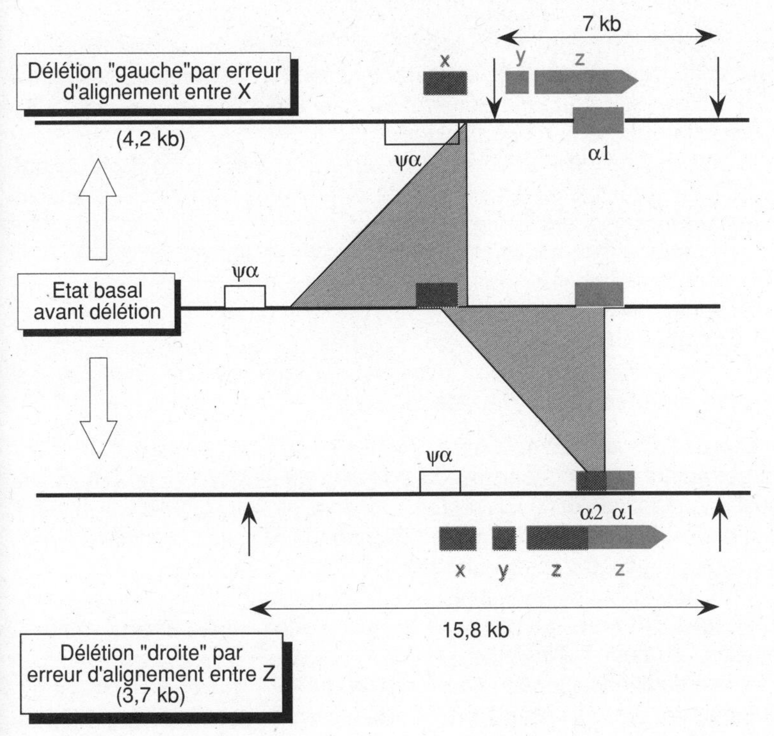

Figure 14-10 Mécanisme des délétions responsables d'α-thalassémie par erreur d'alignement entre zones X ou Z

La délétion « gauche » entraîne la perte d'un segment de 4,2 kb contenant le gène α2 (glissement X→X).

La délétion « droite » entraîne la perte d'un segment de 3,7 kb et entraîne la formation d'un gène composite fonctionnel α2/α1 (glissement Z→Z).

Les deux variétés sont distinguées par la taille du fragment de restriction Bgl II hybridant avec une sonde α : un seul fragment, de 7 kb pour la délétion « gauche », ou de 15,8 kb pour la délétion « droite ».

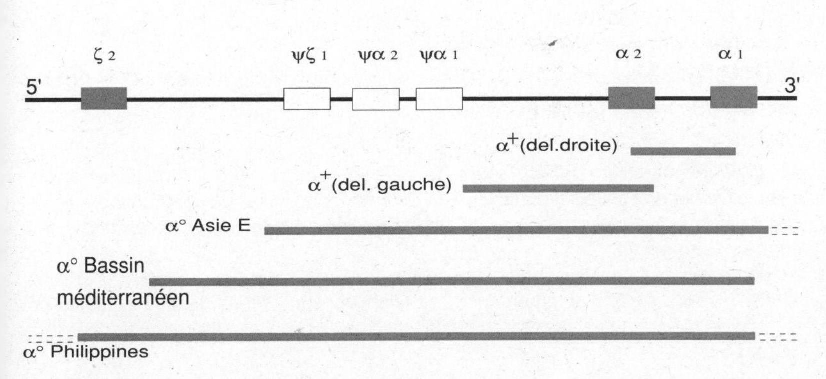

Figure 14-11 Quelques exemples de délétions observées dans le domaine des gènes de l'α-globine

Les barres rouges indiquent la zone délétée. Les pointillés désignent les régions où l'extrémité de la délétion n'est pas connue.

férant selon la nature de l'acide aminé remplaçant le codon stop (position 141) : **Constant Spring** (gln), Icaria (lys), Koya Dora (ser) et Seal-Rock (glu) (voir figure 12-6). Dans tous les cas connus l'anomalie intéresse uniquement le gène α2.

Le diagnostic génotypique des α-thalassémies concerne surtout les formes délétionnelles les plus fréquentes et les plus sévères. Il est réalisé par la méthode de Southern après digestion par les enzymes BamH I et Bgl II, qui permettent de détecter les délétions de type α^+, même à l'état hétérozygote (voir figure 13-4). Cependant la coexistence possible chez un même sujet de deux lésions différentes (hétérozygotie composite), et la variété des délétions, peuvent compliquer le diagnostic et réclamer des investigations poussées, notamment avec une sonde du gène ζ2, voire du gène θ1.

LES BÊTA-THALASSÉMIES ET SYNDROMES APPARENTÉS

Leur pathologie moléculaire est caractérisée par les éléments suivants :

— il n'existe qu'un seul gène fonctionnel chez l'adulte, le gène β (la contribution du gène δ est négligeable) ;

— les deux gènes γ produisent une chaîne polypeptidique parfaitement capable de remplacer la chaîne β dans le tétramère final, mais ils ne sont exprimés que pendant la vie fœtale ;

— l'hétérogénéité allélique des β-thalassémies est remarquable ;

— contrairement aux α-thalassémies les mutations ponctuelles sont de loin les plus fréquentes.

Selon que, à l'état homozygote, la synthèse de la chaîne polypeptidique β est totalement abolie ou seulement diminuée on distingue les **β°-thalassémies** et les **β^+-thalassémies**.

• *Les lésions les plus fréquentes sont les mutations ponctuelles :* le spectre des anomalies déjà élucidées est très large et représente un modèle idéal en pathologie moléculaire. On a recensé plus de 100 lésions et cette liste s'accroît sans cesse. Une classification, présentant quelques exemples, est proposée dans le **tableau 14-2**. Elle comporte :

— les mutations responsables d'un **RNA messager non fonctionnel,** ou **absent,** par mutation non-sens, mutation décalant le cadre de lecture, mutation du codon d'initiation ;

— les mutations altérant la **maturation du RNA messager**, dues à un changement des séquences GT ou AG, un changement des séquences consensus avoisinant ces jonctions exon-intron, une modification de la séquence intronique ou de la séquence d'un exon (dont l'Hb E) ;

— les **défauts quantitatifs de transcription** dus à des mutations touchant les boîtes constitutives auxquelles se fixent les facteurs trans : boîte TATA, boîte CACC (aucune mutation n'a jusqu'à présent été décrite dans la boîte CATT) ;

— les mutations du **site de polyadénylation** empêchant le clivage du RNA et le déstabilisant ;

— une mutation du **site cap**.

Le tableau 14-2 présente le détail des lésions déjà identifiées, et la **figure 14-12** leur topographie générale.

A la liste du tableau 14-2 il faut ajouter des mutations plus rares :

— quelques mutations du troisième exon se traduisent par une chaîne β inachevée, l'impossibilité de l'association tétramérique d'hémoglobine et un syndrome thalassémique avec inclusions intracellulaires à transmission dominante qui correspond à une forme hétérozygote ;

— dans deux cas une variation de structure a été retrouvée dans une région (AT) riche située à environ – 530 pb en amont du site cap, zone impliquée dans la fixation d'un *silencer* et qui contrôle l'expression quantitative de l'Hb S dans différents groupes ethniques ;

Tableau 14-2 **Quelques mutations particulièrement significatives de la β-globine responsables de β-thalassémie**

Nature de la mutation	Type (0 = β° ; + = β⁺)	Origine	Commentaires
I. mRNA non fonctionnel			
Mutations non-sens			
Codon 39 (C—>T)	0	**Méditerranée occidentale**	**Sardaigne ~90%**
Codon 15 (C—>A)	0	Inde	
Codon 17 (A—>T)	0	Chine	La première décrite
Codon 121 (G—>T)	+	Europe du Nord	Hétérozygotes, Hb hyper-instable
Mutations décalantes (frameshift) [34 mutations connues]			
Codon 6 (– A)	0	**Méditerranée** surtout Afrique du Nord	Même site MstII que Hb S
Codon 8 (– AA)	0	Turquie et Méditerranée orientale	
Codons 8/9 (+ G)	0	Inde	
Codons 41/42 (– CTTT)	0	Asie du Sud-est, Chine, Inde	
Codon 44 (– C)	0	Juifs du Kurdistan	Très spécifique
Codons 71/72 (+ A)	0	Chine de l'Est	
Mutations du codon d'initiation			
2 cas : ATG—>AGG et ATG—>ACG	0		
II. Mutations affectant l'épissage du mRNA			
Charnière exon/intron			
IVS-1 position 1 (G—>A)	0	Méditerranée	Prédominance en Algérie
IVS-1 position 1 (G—>T)	0	Inde, Chine	
IVS-2 position 1 (G—>A)	0	Foyers dans le Bassin méditerranéen	
IVS-1 extrémité 3' (– 25 pdb)	0	Inde (rare)	
IVS-2 extrémité 3'(A—>G ou A—>C)	0	Noirs américains	
Séquence consensus			
IVS-1 position 5 (G—>C)	+	Asie, Inde	
IVS-1 position 5 (G—>T)	+	Noirs américains, Europe	
IVS-1 position 5 (G—>A)	+	Algérie	
IVS-1 position 6 (T—>C)	+	Méditerranée	Prédominance Sicile
IVS-1 extrémité 3' (TAG—>GAG)	+		Cas unique
IVS-2 extrémité 3' (CAG—>AAG)	+	Moyen-Orient	
IVS-2 extrémité 3' – 8 (T—>G)	+		Cas unique dans son mécanisme
Mutations à l'intérieur d'un intron			
IVS-1 position 110 (G—>A)	+	Méditerranée orientale	
IVS-1 position 654 (C—>T)	0	Chine	
IVS-2 position 745 (C—>G)	+	Méditerranée	
Mutations à l'intérieur d'un exon			
Codon 26 (G—>A) = Hb E	+	Asie du Sud-Est	Rares cas européens
Codon 24 (T—>A : gly—>gly)	+	Noirs américains	
Codon 27 (G—>T) = Hb Knossos	+	Méditerranée	
Codon 19 (A—>G) = Hb Malay	+	Malaisie	
III. Mutations du promoteur			
Dans la TATA box (– 28 à – 31) nombreuses mutations	+		
Dans la CCAAT box pas de mutations décrites			
Dans la CACCC box (– 92 à – 105) plusieurs mutations	+		
IV. Mutations du site de polyadénylation			
AATAAA—>AACAAA	+	Noirs américains	
V. Mutations du site de *capping*			
Un seul exemple : + 1 (A—>C)	+		

Une liste exhaustive ne peut être donnée, car elle serait trop longue et rapidement caduque. Dans chaque catégorie nous indiquons quelques exemples, choisis parce qu'il s'agit de mutations prévalentes dans un groupe éthnique donné **(en gras)**, ou en raison de leur exemplarité. Dans les rares cas où aucune mutation n'a pu être identifiée dans le gène β lui-même, le syndrome thalassémique pourrait résulter d'une mutation à distance : zones en 5' du promoteur, LCR, voire site régulateur en *trans*.

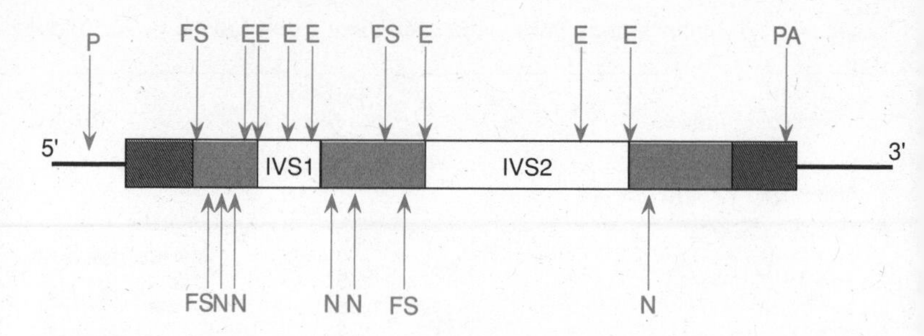

Figure 14-12 Topographie des lésions génératrices de β-thalassémies
IVS : introns ; en rouge : séquences exoniques traduites ; en rouge foncé : séquences exoniques non traduites ; P : mutations affectant la promotion ; E : mutations affectant l'épissage ; FS : mutations (insertions ou délétions) décalant le cadre de lecture *(frame-shift)* ; N : mutations non-sens ; PA : mutations affectant la polyadénylation. Les flèches indiquent les zones principalement touchées. Les mutations répertoriées dans le tableau 14-2 ne sont pas individualisées sur ce schéma.

— malgré une détermination complète de la séquence du gène β et de ses régions régulatrices, un nombre non négligeable de formes n'ont pu être encore identifiées. On peut supposer que d'autres mutations délétères existent à distance du gène β-globine.

La corrélation entre la mutation et ses conséquences a fourni des renseignements très précieux sur le fonctionnement des gènes.

Selon que l'effet de la lésion est plus ou moins drastique il en résulte, à l'état homozygote, soit une β°-thalassémie — cas des mutations non-sens et décalantes —, soit une β⁺-thalassémie — cas des mutations dans la région promotrice.

Les mutations perturbant l'**épissage**, particulièrement nombreuses, sont de gravité variable. Elles ont contribué à éclairer le mécanisme de l'épissage des transcrits primaires.

Lorsque la mutation siège au niveau même de la charnière intron-exon (tableau 14-2), l'épissage est complètement empêché, ce qui entraîne un syndrome β°-thalassémique. En revanche les autres mutations ont un effet moins drastique, puisque la synthèse de chaîne β est seulement diminuée. Les mécanismes de ces perturbations mineures sont variables : soit diminution de l'efficacité de la séquence consensus ; soit activation d'un site d'épissage aberrant dans un intron ou même un exon. C'est par ce mécanisme que s'explique le syndrome thalassémique des hémoglobines E et Knossos où la mutation transforme un site normalement non utilisé pour l'épissage (site cryptique) en site donneur fonctionnel **(Figure 14-13)** avec production d'un messager anormal amputé de la fin de l'exon 1.

La pathologie moléculaire des mutations spontanées de la β-globine peut être aussi riche d'enseignements que la mutagenèse dirigée expérimentale. Par exemple la mutation G>C en position 5 du 1er intron perturbe gravement l'épissage et diminue de 90 p. 100 la quantité de mRNA normal, alors que la mutation T>C sur la position voisine a des conséquences beaucoup moins graves.

La distribution géographique des mutations responsables de β-thalassémies n'est pas uniforme (Tableau 14-2). En général une mutation donnée ne se rencontre qu'au sein d'une même population. Inversement une même population peut renfermer une grande variété de mutations différentes. Le cas des populations méditerranéennes, où l'hétérogénéité allélique des β-thalassémies est remarquable, illustre ces deux possibilités.

L'utilisation systématique de la méthode d'amplification élective (PCR), a montré à la fois la diversité des mutations dans le bassin méditerranéen, et la prédominance de certaines d'entre elles dans des populations circonscrites, généralement insulaires. Par exemple en Sardaigne c'est la mutation non sens 39 qui prédomine à plus de 90 p. 100. Une telle situation facilite grandement le diagnostic prénatal.

La première étude des haplotypes par RFLP (Orkin, 1982) **(Tableau 14-3)** a permis de démontrer que dans une population donnée chaque mutation est le plus souvent associée à un haplotype, plus rarement à deux haplotypes ou un petit nombre d'haplotypes ayant en général un sous-haplotype 3' commun. Ceci indique que chaque mutation est survenue dans des foyers ethniques distincts sur des haplotypes pré-existants. Cette association haplotypique est utilisée comme élément d'orientation du diagnostic moléculaire et dans les études de génétique des populations. Elle

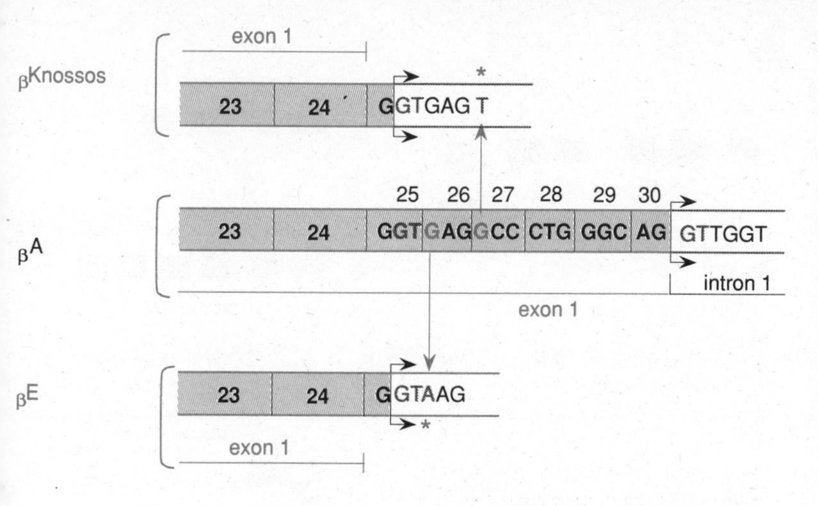

Figure 14-13 Mutations des hémoglobines E et Knossos

Ce sont des mutations exoniques faux sens produisant à la fois une hémoglobine anormale et un syndrome β-thalassémique par épissage aberrant. Normalement l'épissage se situe au niveau du codon 30 où se trouve le GT du site donneur au début du 1er intron. Le GT du codon 25 fait partie d'un site donneur non utilisé normalement **(site cryptique)**, car la séquence environnante n'est pas rigoureusement conforme à la séquence consensus d'épissage. La mutation G→A de l'hémoglobine E ou G→T de l'hémoglobine Knossos active ce site. Il en résulte un épissage prématuré dans le codon 25 affectant une certaine proportion de transcrits et responsable d'un syndrome thalassémique. Les transcrits épissés normalement portent la mutation faux sens caractéristique de l'hémoglobine E ou de l'hémoglobine Knossos (marquée par un astérisque).

Tableau 14-3 Fréquence des mutations β-thalassémiques dans certaines populations et haplotypes associés*

Les haplotypes sont définis par les RFLP indiqués en rouge sur la figure 14-6 (de gauche à droite sites 2 - 4 - 6 - 8 - 9 - 15 - 18). Le signe + indique la présence, et le signe − l'absence, de chaque site de restriction.

Mutation	Population	Fréquence par rapport à l'ensemble des β-thalassémies	Haplotype associé
Codon non-sens 39	Méditerranée	30%	− + + − + + + + − − − − + +
IVS-1 position 110	Méditerranée	35%	+ − − − − + + − + + − + + +
IVS-1 position 6	Méditerranée	10%	− + + − − − −
IVS-1 position 745	Méditerranée	5%	+ − − − − − +
IVS-1 position 1	Méditerranée	10%	+ − − − − + −
IVS-2 position 1	Méditerranée	10%	− + − + + + −
−87 (C⟶G)	Méditerranée	1%	− + − + − + −
IVS-1 position 5	Inde	35%	+ − − − − − − − + + − + − −
−29 TATA box	Noirs USA	40%	− + − + + + +
T⟶C site de polyadénylation	Noirs USA	25%	+ − − − − + +
IVS-2 position 654	Chine	40%	+ − − − − + +

* *D'après S. Orkin.*

peut aussi donner des indications concernant l'expression des gènes fœtaux.

• *Les délétions dans les gènes de la famille β sont plus rares que les mutations ponctuelles :* elles touchent des territoires de taille variable (0,6 kb à plus de 100 kb), lésant soit un seul gène, soit beaucoup plus souvent plusieurs gènes. Dans deux cas au moins il en résulte une fusion en phase de deux gènes : fusion δ-β pour l'**hémoglobine Lepore**, et fusion

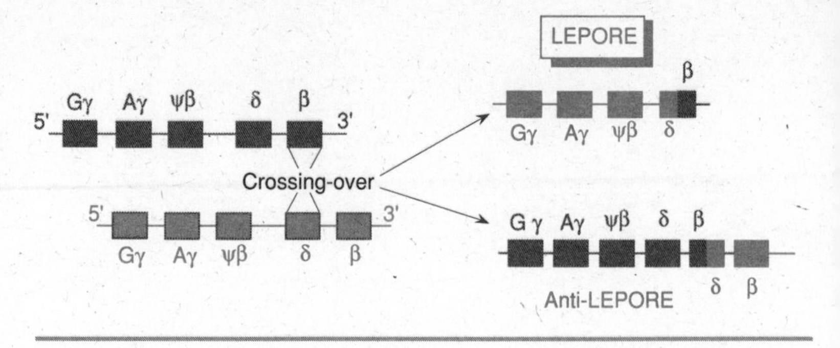

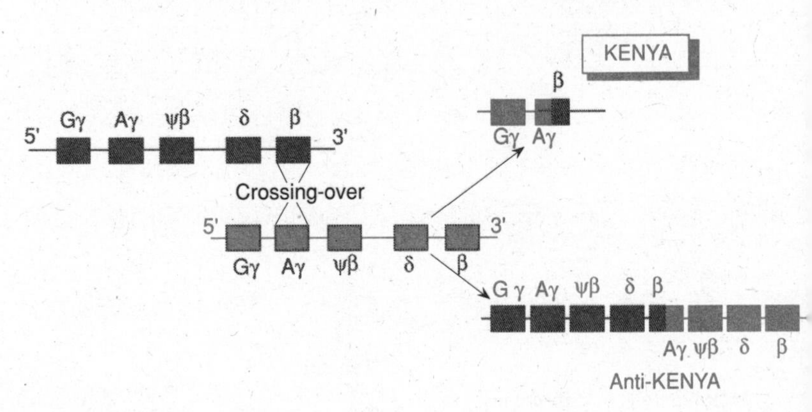

Figure 14-14 Genèse des hémoglobines Lepore et Kenya par crossing-over inégal
L'hémoglobine Lepore est formée par une fusion des gènes δ et β, la situation réciproque étant trouvée dans l'hémoglobine anti-Lepore.
Dans l'hémoglobine Kenya il y a fusion des gènes $^{A}\gamma$ et β avec délétion de la séquence intermédiaire. La réciproque anti-Kenya n'a pas été observée.

Aγ-β pour l'hémoglobine Kenya. Ces gènes hybrides résultent d'une recombinaison inégale entre séquences non homologues, comme en témoigne l'existence d'une hémoglobine anti-Lepore, réciproque de l'hémoglobine Lepore **(Figure 14-14)**.

Les principales délétions observées dans la région de la famille β sont représentées dans la **figure 14-15**. Leurs conséquences pathologiques sont variables, et leur gravité n'est nullement proportionnelle à l'étendue de la délétion. Selon le degré de compensation de la perte du gène β par une expression persistante d'un seul ou des deux gènes γ il existe un syndrome thalassémique patent (rares β° thal délétionnelles : types Indien, Noir Américain, Hollandais), un syndrome thalassémique modéré (δ-β thalassémies), ou une latence clinique complète (persistance héréditaire de l'hémoglobine fœtale ou **HPFH**). Dans au moins 5 cas la délétion emporte environ 100 kb (Figure 14-15), ce qui suggère la perte d'une boucle chromatinienne complète.

Il existe aussi des syndromes HPFH non délétionnels. Au moins 11 variétés ont été décrites, différant par le taux d'expression de l'hémoglobine F, sa distribution pancellulaire ou hétérocellulaire, la nature des chaînes γ exprimées (Gγ, Aγ, ou les deux), la nature de la mutation ponctuelle — identifiée dans 6 cas dans le promoteur Gγ ou dans le promoteur Aγ (Figure 14-4).

Comme nous l'avons vu ces différentes lésions géniques responsables de syndromes HPFH ont fourni des indications sur les régions impliquées dans la commutation $\gamma \longrightarrow \beta$.

Le diagnostic génotypique des β-thalassémies : compte tenu des difficultés du diagnostic phénotypique, il fournit des renseignements précieux. Cependant la diversité des lésions possibles complique le diagnostic et impose une stratégie raisonnée, surtout en matière de diagnostic prénatal où le facteur temps est très contraignant.

Pour un **diagnostic prénatal,** la stratégie à employer sera différente

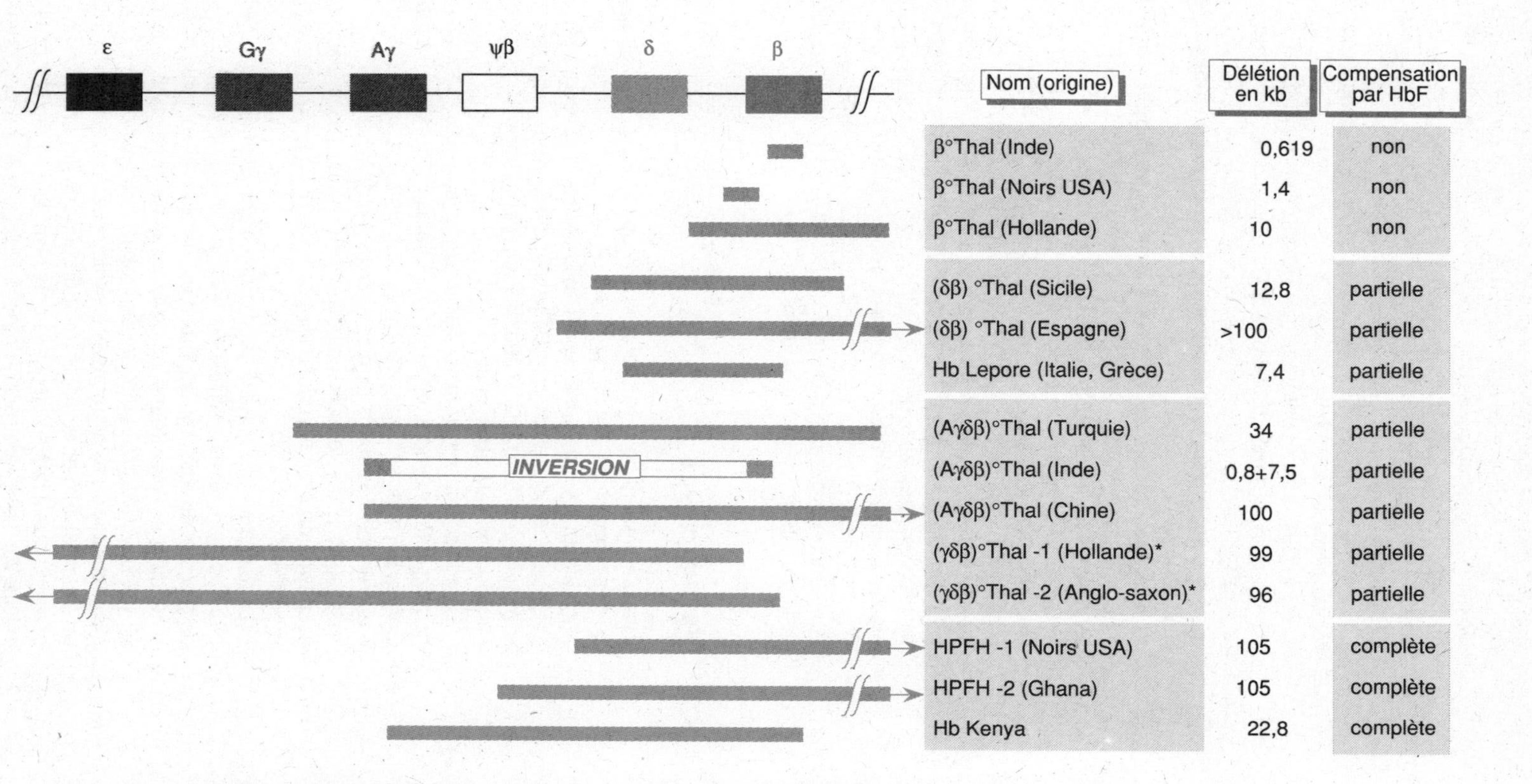

ε
Gγ
Aγ
ψβ
δ
β
Nom (origine)
Délétion en kb
Compensation par HbF
β°Thal (Inde)
0,619
non
β°Thal (Noirs USA)
1,4
non
β°Thal (Hollande)
10
non
(δβ) °Thal (Sicile)
12,8
partielle
(δβ) °Thal (Espagne)
>100
partielle
Hb Lepore (Italie, Grèce)
7,4
partielle
(Aγδβ)°Thal (Turquie)
34
partielle
INVERSION
(Aγδβ)°Thal (Inde)
0,8+7,5
partielle
(Aγδβ)°Thal (Chine)
100
partielle
(γδβ)°Thal -1 (Hollande)*
99
partielle
(γδβ)°Thal -2 (Anglo-saxon)*
96
partielle
HPFH -1 (Noirs USA)
105
complète
HPFH -2 (Ghana)
105
complète
Hb Kenya
22,8
complète

Figure 14-15 **Exemples de délétions observées dans le domaine des gènes de la famille de la β-globine**
Les différentes variétés sont rangées de haut en bas par ordre de gravité décroissante. Les parenthèses désignent les gènes manquants. On notera que dans la variété hollandaise de (γδβ)° thalassémie la délétion respecte le gène β. Celui-ci n'est cependant pas exprimé et demeure en configuration chromatinienne inactive, sans doute par perte d'un élément cis-stimulateur éloigné en 5' du gène ε. Les variétés marquées par un astérisque sont létales in utero à l'état homozygote.

selon que l'on a affaire à une famille déjà caractérisée ou non. Dans le premier cas, on peut le plus souvent faire un **diagnostic direct** : la mutation déjà identifiée chez un cas index est recherchée chez le fœtus par les méthodes classiques (amplification par PCR suivie d'une identification par oligosonde ou, dans les meilleurs cas, par une enzyme de restriction) ; certaines mutations peuvent aussi être identifiées par une amplification allèle-spécifique.

Dans les cas où la mutation n'a pas encore été identifiée, plusieurs stratégies peuvent être envisagées :

— on peut être orienté par une **notion géographique**, et rechercher directement la ou les mutations dans la population à laquelle appartient la famille ;

— on peu recourir à un **diagnostic semi-direct** par analyse des haplotypes parentaux ;

— on peut utiliser une approche de **criblage rapide :** amplification par PCR de la totalité du gène β, en plusieurs segments, et migration, parallèlement à un témoin normal, des différents fragments dans une électrophorèse en gradient de gel dénaturant (**DGGE**). Cette technique permet l'identification immédiate du segment de gène porteur de la mutation qui pourra être vérifiée soit par les méthodes enzymatiques ou d'hybridation vues plus haut, soit en déterminant la séquence du fragment en question.

Le problème se pose de façon différente s'il n'y a pas l'impératif de temps d'un diagnostic prénatal. On pourra alors employer toutes les techniques d'**amplification, clonage, séquençage**. L'existence de formes non identifiées, même dans les laboratoires de référence disposant d'une haute technologie, fait présumer que la liste des défauts moléculaires thalassémiques n'est pas encore close.

Perspectives

Jusqu'à présent pour étudier la très riche pathologie moléculaire du gène de l'hémoglobine il fallait mettre en œuvre des techniques lourdes. Pour caractériser les mutations non encore décrites il fallait obligatoirement cloner avant de séquencer. Une nouvelle ère s'est ouverte avec l'amplification élective in vitro (PCR) couplée au séquençage, capable de fournir la mutation en quelques jours.

La correction par **génothérapie somatique** des hémoglobinopathies homozygotes sévères, comme les β-thalassémies majeures **(anémie de Cooley)**, paraissait jusqu'à présent hors d'atteinte. En effet le taux d'expression des gènes de globine transfectés dans des cellules de moelle osseuse de souris, ensuite réimplantées chez l'animal irradié, est très insuffisant, même en recourant à des constructions rétrovirales contenant un promoteur fort.

La raison de ces échecs est à présent partiellement élucidée. En transférant, via un vecteur rétro-viral, non pas un cDNA mais un gène complet de globine, on a obtenu un taux d'expression faible, mais stable, de β globine, exclusivement dans les cellules de la lignée érythroïde (Dzierzak et al, 1988). On pourrait améliorer le niveau d'expression en incorporant dans la construction des séquences stimulatrices normalement situées à 50 kb en amont (LCR) et 20 kb en aval du gène β. En effet, chez les animaux transgéniques, ces séquences conservent leur pleine efficacité et leur spécificité tissulaire, indépendamment de leur position par rapport au gène et quel que soit le site d'intégration dans le génome. Ces données récentes replacent les gènes de globine au rang des candidats éventuels pour une génothérapie somatique (voir chapitre 17). Ceci d'autant plus qu'il existe maintenant un modèle expérimental de β-thalassémie chez la souris.

GÈNE DU RÉCEPTEUR DES LDL ET HYPERCHOLESTÉROLÉMIE FAMILIALE

L'**hypercholestérolémie familiale** (hyperlipidémie de type IIA, n° MIM 143890), dont la transmission est autosomique dominante, est la plus fréquente des maladies génétiques monofactorielles. Un sujet sur 500 est hétérozygote, et souffre d'athérome à manifestations cardio-vasculaires plus ou moins graves au cours de l'âge adulte. Chez les homozygotes (un sujet sur un million), la symptomatologie est beaucoup plus sévère et précoce (infarctus du myocarde dans l'enfance).

En 1974 Brown et Goldstein ont découvert que cette maladie était due à un défaut du **récepteur des LDL** (lipoprotéines de faible densité). Ce défaut touche la moitié des récepteurs chez les hétérozygotes et la totalité d'entre eux chez les homozygotes.

Le Prix Nobel de Brown et Goldstein
Suivant une démarche d'une rigoureuse logique et d'une remarquable efficacité, ces auteurs ont successivement caractérisé le récepteur des LDL, élucidé sa fonction — essentielle dans le recyclage du cholestérol —, isolé le gène correspondant, identifié les différentes sortes de mutations qui le frappent, démontré la physio-pathologie de ces anomalies, proposé une base rationnelle à la thérapeutique. Cette œuvre a été couronnée par le Prix Nobel de Médecine en 1985. Elle repose entièrement sur l'étude du modèle pathologique de l'**hypercholestérolémie familiale.** On doit remarquer qu'il n'a pas été nécessaire de recourir à la stratégie de la génétique inverse, puisque la protéine responsable — le récepteur des LDL — a pu être reconnue par les moyens de la biochimie classique, et que la remontée au gène s'est effectuée à partir de cette connaissance.

Le récepteur des LDL est constitué d'une mosaïque de domaines indépendants à fonctions distinctes

L'organisation de la protéine en 5 domaines totalisant 839 acides aminés, auxquels s'ajoute la séquence signal commune à de nombreuses protéines membranaires, correspond à une logique topographique et fonctionnelle **(Figure 14-16)**. En partant de l'extrémité N-terminale, on trouve :

— un domaine tourné vers l'extérieur liant spécifiquement les LDL et les IDL grâce à une interaction avec leurs constituants protéiques (apo-B-100 et apo-E) ;

— un domaine possédant une grande homologie de séquence polypeptidique avec la protéine précurseur du facteur de croissance EGF, et participant aussi à la fixation du ligand ;

— un domaine fortement 0-glycosylé, jouant probablement un rôle dans les mouvements intra-cellulaires de la protéine ;

— un domaine trans-membranaire hydrophobe, responsable de l'ancrage à la membrane plasmique ;

— un domaine C-terminal responsable du ciblage vers les vésicules mantelées *(coated pits)* des molécules de récepteur ayant fixé les LDL.

Cette structure protéique correspond à une organisation similaire du gène. La **figure 14-17** montre la correspondance entre les 18 exons et les 5 domaines protéiques. Certains d'entre eux se superposent exactement à des régions d'homologie de séquence peptidique avec des domaines présents dans d'autres protéines (complément C9 pour les exons 2 à 6, précurseur d'EGF pour les exons 7 à 14, et facteur IX, facteur X et protéine C pour les exons 7, 8 et 14). Cette organisation particulière reflète l'origine du gène, qui s'est certainement formé au cours de l'évolution par un véritable brassage d'exons provenant d'autres gènes. Ceux-ci sont assimilables à des pièces détachées mises en commun pour différentes constructions géniques.

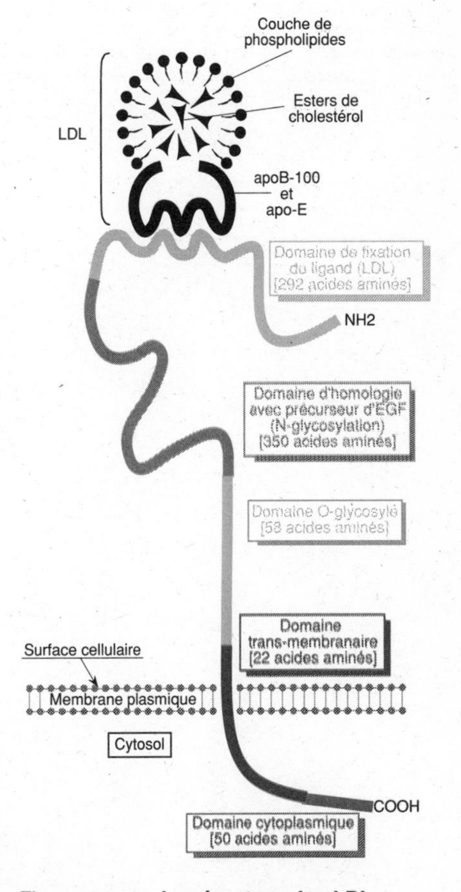

Figure 14-16 Le récepteur des LDL

Des mutations différentes ont des conséquences fonctionnelles différentes

Au moins 54 mutations (38 remaniements et 16 mutations ponctuelles), différant par leur nature et leur emplacement, ont déjà été élucidées dans le gène du récepteur des LDL. Une remarquable corrélation physiopathologique a pu être établie entre la lésion, définie au niveau moléculaire, et la classification phénotypique fondée sur les allèles trouvés dans les fibroblastes de plus de 100 malades atteints d'hypercholestérolémie familiale *homozygote*.

Cette classification comporte 4 classes. La classe I correspond aux allèles indétectables (protéine absente). Environ 50 p. 100 des allèles entrent

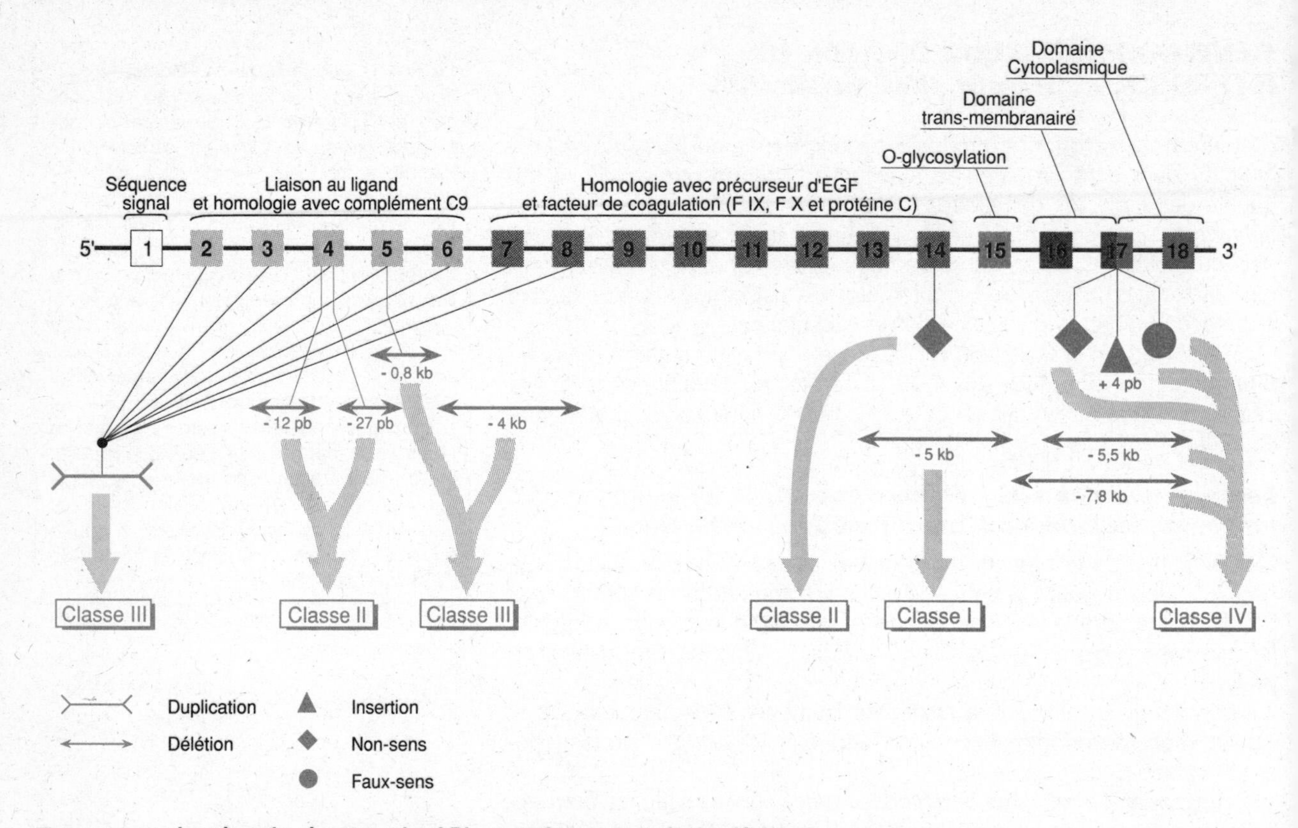

Figure 14-17 **Le gène du récepteur des LDL et quelques unes de ses lésions**
Les 18 exons (non représentés à l'échelle) sont répartis sur un territoire génomique de 45 kb. L'équivalence avec les 5 domaines caractéristiques de la protéine (figure 14-16) est indiquée par les couleurs. Les lésions sont indiquées au-dessous, avec leurs conséquences (les différentes classes correspondent à la classification de Brown et Goldstein, cf. texte).

dans cette catégorie. La classe II (38 p. 100 des allèles) est caractérisée par un défaut de transport de la protéine depuis son lieu de fabrication (réticulum endoplasmique) vers sa destination (appareil de Golgi et surface cellulaire) ; la classe III est définie par les allèles ayant un défaut plus ou moins prononcé de fixation des LDL ; la classe IV concerne les allèles incapables de s'internaliser dans les vésicules mantelées *(coated pits)* après fixation des LDL. La figure 14-17 montre l'emplacement des 12 premières mutations répertoriées et leurs conséquences.

Des séquences Alu intra-géniques jouent un rôle dans la plasticité du gène

Des éléments répétitifs de la famille Alu sont à l'origine de crossing-over intra-géniques inégaux responsables de 4 délétions et d'une duplication (exons 2 à 8). Le rôle déstabilisateur de ces séquences expliquerait non seulement la fréquence des avatars génétiques, source permanente de mutations de novo, mais aussi le phénomène de brassage des exons au cours de l'évolution.

Un diagnostic génotypique ne paraît pas être immédiatement utile en pratique courante

En effet le diagnostic est aisément obtenu par la symptomatologie phénotypique. Celle-ci est suffisamment riche, tant au niveau métabolique (élévation plasmatique du cholestérol et des LDL) qu'au niveau du récepteur des LDL, qui peut être étudié au niveau des membranes des fibroblastes. En revanche si la caractérisation des lésions géniques devait s'avérer nécessaire, elle pourrait se faire par amplification élective in vitro (PCR).

PATHOLOGIE MOLÉCULAIRE DES GÈNES DU COLLAGÈNE

La grande famille des gènes du collagène comporte au moins 21 gènes différents, localisés avec précision sur 12 chromosomes différents **(Tableau14-4)**. Ils gouvernent la synthèse des subunités de la triple hélice du collagène.

La molécule de collagène existe sous la forme d'un homotrimère, comme dans les collagènes II et III, ou d'un hétérotrimère, comme dans le collagène de type I, constitué de 2 subunités α1 (I) et d'une seule subunité α2 (I).

Malgré leur dispersion sur différents chromosomes, les différents gènes du collagène ont la même organisation, caractérisée par un très grand morcellement en nombreux exons (une cinquantaine) de petite taille (<100 paires de bases) **(Figure 14-18)**. La plupart de ces exons n'ont que 54 paires de bases, correspondant à la répétition de 6 motifs gly-X-Y, où X ou Y sont souvent représentés par la proline ou l'hydroxyproline. Cette organisation indique une origine commune née de la duplication d'un exon ancestral de 54 paires de bases.

Tableau 14-4 Les gènes du collagène impliqués dans une pathologie

Symbole	Localisation chromosomique	Subunité	Maladie	N° MIM	Transmission
COL1A1	17q21.3-q22	proα1(I)	OI type I	166220	D
			OI type II	166210	D
			OI tarda, Sillence type I	166200	D
			ED type VIIA1*	130060	D
COL1A2	7q21.3-q22.1	proα2(I)	OI type III	259420	R
			OI type IV	166220	D
			ED type VIIA2*	130060	D
COL2A1	12q14.3	proα1(II)	DSE congénitale	120140.0001	D
			DSE	120140.0004	D
			Ostéoarthrite avec chondro-dysplasie modérée	120140.0006	D
			Arthro-ophtal-mopathie	120140.0005	D
			Achondrogé-nésie, type II	200610	R
COL3A1	2q31-q32.3	proα1(III)	ED type IV	130050	D
				225350	R
			Anévrisme aortique	120180.0002	D
			Anévrismes artériels familiaux	120180.0004	D
COL4A5	Xq22	proα5(IV)	Syndrome d'Alport	301050	X

* La maladie d'Ehlers-Danlos type VI (225400) et la maladie d'Ehlers-Danlos type VIIB (225410) sont des affections récessives dues à une anomalie de la maturation post-traductionnelle (déficit en lysyl-hydroxylase pour la première, déficit en procollagène N-peptidase pour la seconde).

D = mode dominant ; R = mode récessif ; X = mode récessif lié à l'X ; OI = osteogenesis imperfecta ; ED = Ehlers-Danlos ; DSE = dysplasie spondylo-épiphysaire.

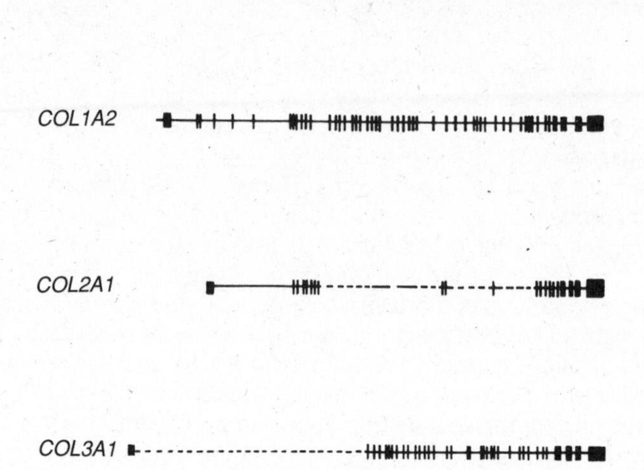

Figure 14-18 Organisation générale de certains gènes du collagène
(D'après Tsipouras et Ramirez, 1987)

Les principales maladies dues à un défaut qualitatif ou quantitatif du collagène sont l'**ostéogenèse imparfaite** (*osteogenesis imperfecta*, ou OI) et la **maladie d'Ehlers-Danlos**. Chacune de ces affections est remarquable par la diversité des symptômes, et la gravité variable. Par exemple l'ostéogenèse imparfaite peut se manifester dès la naissance par des fractures multiples et une évolution rapidement létale. Elle peut au contraire être compatible avec une vie prolongée, seulement marquée par une certaine fragilité osseuse. Entre ces formes extrêmes il existe des formes intermédiaires. Ces maladies sont le plus souvent dominantes, mais il existe aussi des formes récessives (Tableau 14-4).

Le clonage de la plupart des gènes et leur exploration dans différentes pathologies ont permis d'asseoir la nosologie, jusqu'ici imprécise, sur une base moléculaire. D'autre part la connaissance des lésions génomiques a parfois fourni une explication de la plus ou moins grande sévérité de l'affection, voire même de son mode de transmission.

La pathologie des gènes du collagène est dominée par l'hétérogénéité clinique et allélique

Les maladies du collagène peuvent être dues à un défaut de métabolisme, portant par exemple sur la maturation post-traductionnelle des subunités du pro-collagène.

Il existe 3 formes différentes de la maladie d'Ehlers-Danlos (ou syndrome de *cutis laxa*) entrant dans cette catégorie : le type V dû à un défaut de la *lysyl-oxydase*, indispensable pour assurer une réticulation inter-chaînes ; le type VI dû à un défaut de la *lysyl-hydroxylase* ; le type VII dû à un défaut de clivage du pro-collagène par une *collagène-N- peptidase.*

Nous ne traiterons ici que des anomalies portant sur les gènes de structure du collagène, jusqu'à présent démontrées pour 5 gènes seulement : COL1A1, COL1A2, COL2A1, COL3A1, COL4A5 (Tableau 14-4).

• La pathologie des gènes COL1A1 et COL1A2 comporte :

— une série de substitutions gly⟶cys ou gly⟶arg identifiées tout au long du domaine hélicoïdal (**Figure 14-19**) ;

— des délétions ou insertions siégeant soit dans le domaine hélicoïdal soit dans le domaine N ou C terminal du pro-collagène.

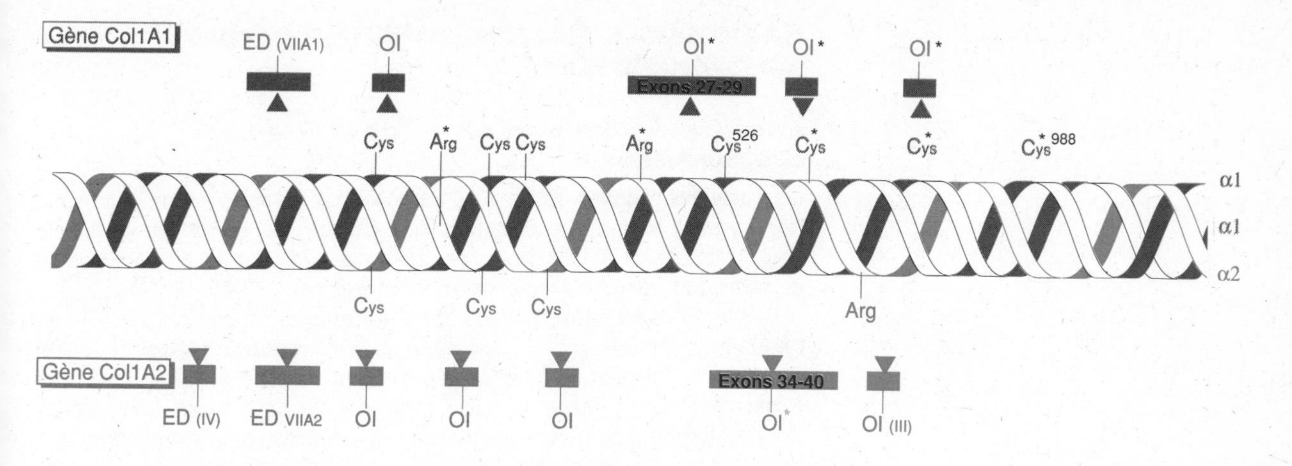

Figure 14-19 Pathologie moléculaire de deux gènes du collagène : COL1A1 et COL1A2
Les traits verticaux indiquent le siège des substitutions : gly→cys **(Cys)** ou gly→Arg **(Arg)** qui sont génératrices d'ostéogenèse imparfaite. OI = ostéogenèse imparfaite ; ED = Ehlers-Danlos ; * = forme sévère avec létalité périnatale.
= délétions ; = insertions.

Les conséquences pathologiques dépendent à la fois de la nature de la lésion et de son emplacement (Figure 14-19).

Sur 9 substitutions identifiées dans le gène COL1A1, 5 sont responsables d'une ostéogenèse imparfaite dominante létale à la naissance. En revanche les 4 substitutions identifiées sur le gène COL1A2 ont des conséquences moins graves. Ceci s'explique par la stœchiométrie des chaînes dans la triple hélice finale (deux chaînes α1 (I) pour une chaîne α2 (I)). Chez un hétérozygote, 75 p. 100 des molécules sont anormales en cas de substitution dans COL1A1, 50 p. 100 des molécules sont anormales pour une substitution dans COL1A2.

La substitution gly—>cys en position 988 a des conséquences beaucoup plus graves que la même substitution en position 526. Ce gradient de sévérité décroissante dans le sens C terminal—>N terminal correspond au sens de formation de la structure en hélice.

Les délétions ont également des conséquences variables selon leur emplacement et selon qu'elles perturbent ou non le cadre de lecture (triplets nucléotidiques) et le cadre polypeptidique (triplets d'acides aminés gly-X-Y). Paradoxalement les délétions qui ne respectent pas le cadre de lecture sont mieux tolérées. En effet, dans ce cas, aucune chaîne n'est produite, et l'anomalie ne se manifeste que sur le plan quantitatif, pathologique seulement à l'état homozygote. Ainsi s'explique la transmission **récessive** de l'ostéogenèse imparfaite de type III, où une délétion de 4 nucléotides dans le gène COL1A1 décale complètement le cadre de lecture dans la région C terminale ce qui empêche toute synthèse de chaîne α2 (I). Le collagène formé est un homotrimère α1 (I), mieux toléré que ne le serait un trimère comportant une chaîne mutée.

Lorsque la délétion perturbe le clivage polypeptidique d'une chaîne de pro-collagène en chaîne de collagène, il s'ensuit une maladie d'Ehlers-Danlos type VII.

• COL3A1 a pu être incriminé dans la maladie d'Ehlers-Danlos de type IV où il existe une chaîne α1 (III) anormale et une liaison significative avec des RFLP du gène COL3A1.

• Le gène COL4A5, situé sur le chromosome X, code pour une subunité propre au collagène de la membrane basale. Ses défauts entraînent une pathologie rénale avec surdité : le **syndrome d'Alport**.

De la pathologie complexe des gènes du collagène on retiendra deux notions :

— un même gène peut être diversement lésé et donner lieu à des maladies phénotypiquement distinctes *(hétérogénéité allélique)* ;

— une même maladie peut être due à l'atteinte alternative de plusieurs gènes *(hétérogénéité génétique)*.

PATHOLOGIE MOLÉCULAIRE DES GÈNES DU CHROMOSOME X

L'analyse du DNA peut permettre le diagnostic des conductrices

Les maladies **récessives liées au sexe** se manifestent uniquement à l'état hémizygote, c'est-à-dire dans le sexe mâle (un seul chromosome X). Un seul chromosome est en cause, ce qui facilite la reconstitution de la phase, et se traduit par une meilleure informativité des polymorphismes.

Les femmes **transmettrices** sont hétérozygotes et en principe asymptomatiques. En raison du phénomène de la **lyonisation** elles sont constituées par une mosaïque de cellules exprimant chacune soit le chromosome X paternel, soit le chromosome X maternel. Selon la proportion respective de chaque type de cellule, on aura une expression phénotypique globale variable d'une femme à l'autre : soit de type franchement hétérozygote (50 p. 100 d'activité résiduelle d'une enzyme par exemple), soit de type homozygote pour l'anomalie (activité très diminuée), soit de type homozygote normal (activité voisine de 100 p. 100). L'analyse phénotypique permet donc de détecter l'hétérozygotie dans les cas favorables, mais elle ne permet pas de l'exclure.

L'analyse génotypique surmonte cette difficulté, car elle explore le DNA des deux chromosomes X à la fois, rendant théoriquement possible la détection de **toutes les conductrices**. Nous avons vu au chapitre 13 que cette possibilité est essentiellement limitée par la détectabilité des lésions directes à l'état hétérozygote et par l'informativité pour les diagnostics semi-directs et indirects. Quand il est réalisable, ce diagnostic permet de rassurer les non conductrices et de leur éviter un diagnostic prénatal inutile ; il permet de préparer les conductrices au **diagnostic prénatal**.

L'analyse du DNA peut permettre le diagnostic des néo-mutations

Nombre de ces maladies sont caractérisées par la grande fréquence des mutations nouvelles (néo-mutations), que l'analyse phénotypique est incapable de distinguer avec certitude des mutations héritées. Cette possibilité nouvelle permet de vérifier la validité de l'hypothèse de Haldane qui avait prédit en 1937 que le taux de mutations de novo sur les gènes responsables de l'hémophilie et de la myopathie de Duchenne devrait être équivalent dans les deux sexes.

D'autre part elle représente un progrès considérable en matière de conseil génétique car, si l'on a identifié le sujet où la mutation est intervenue, il devient possible de délimiter les risques de récurrence dans la famille, et notamment de rassurer les membres qui se situent « latéralement » par rapport à la mutation nouvelle (voir figure 13-19).

Cependant cette sécurité doit être **tempérée** depuis la découverte que des femmes apparemment non transmettrices constitutionnellement peuvent transmettre la myopathie de Duchenne de façon itérative (phénomène de **mosaïque**). On ignore encore la fréquence réelle de ce phénomène qui n'a été documenté qu'à propos de la myopathie de Duchenne et soupçonné dans un cas d'hémophilie A. Celle-ci varie probablement d'un gène à l'autre.

Le modèle de l'hémophilie A

L'hémophilie A (n°MIM 306700) est due à une anomalie génétique du facteur VIII de la coagulation, qui touche 1 garçon sur 5 000. Elle est 10 fois plus fréquente que l'hémophilie B (due à un défaut du facteur IX, n° MIM 306900).

La structure du gène du facteur VIII a été présentée dans le chapitre 6. Ce grand gène (symbole F8C) couvre un domaine de 186 kb (dont 9 kb sont exoniques), situé à l'extrémité du chromosome X (Xq28), distal par rapport au facteur IX et au site fragile (FRAXA). Cette région du génome est à la fois riche en gènes et particulièrement vulnérable car elle ne compte pas moins de 14 locus morbides dénombrés (voir carte du chromosome X dans le hors-texte couleur en fin d'ouvrage), parmi lesquels le déficit en glucose-6-phosphate déshydrogénase (G6PD), le daltonisme, l'adrénoleucodystrophie, la myopathie d'Emery-Dreifuss.

Les traits caractéristiques de la pathologie du gène du facteur VIII concernent les trois aspects suivants :

- *L'aspect phénotypique :* le tableau clinique est variable et fonction de l'activité résiduelle du facteur VIII. On distingue : les formes sévères (activité < 1 p. 100), dont une certaine proportion développe des anticorps inhibiteurs induits par l'apport de facteur VIII exogène ; les formes modérées (activité résiduelle = 1 à 5 p. 100) ; les formes bénignes (activité résiduelle > 5 p. 100).
- *L'aspect génétique :* la maladie est récessive liée au sexe et les femmes transmettrices, cliniquement indemnes, sont difficiles à détecter par le dosage du facteur VIII, relativement imprécis et soumis aux aléas de la lyonisation. Le taux de mutation de novo serait très élevé, de l'ordre de 30 p. 100.
- *L'aspect moléculaire :* il est dominé par la difficulté de détecter des lésions sur un gène morcelé en 26 exons dont la taille moyenne est de 75 à 200 pb, éparpillés sur un territoire 100 fois plus grand que celui d'un gène de globine.

La pathologie moléculaire du facteur VIII est encore mal connue

Les délétions visibles par la méthode de Southern et après hybridation avec des sondes de cDNA sont rares. Une étude portant sur 507 échantillons de DNA d'hémophiles A n'a permis de déceler que 19 cas de délétions, soit 3,7 p. 100. Cette situation contraste avec celle du gène de la myopathie de Duchenne (DMD) où les délétions sont très fréquentes (voir pages 386 et suivantes).

La **figure 14-20** représente quelques exemples de cas où une délétion a été observée et délimitée avec précision. Dans tous les cas sauf un le tableau clinique réalisé est celui d'une hémophilie sévère. Cependant il ne semble pas exister de corrélation entre le siège ou l'étendue de la délétion et le développement d'anticorps. On notera que dans la délétion la plus grande — qui dépasse les limites du gène — le malade n'a pas développé d'anticorps.

Une délétion partielle de l'exon 14 — seul exon de taille importante (3 kb) et codant pour la totalité du domaine protéique B qui est éliminé lors de l'activation du facteur VIII — donne une hémophilie sévère. En revanche une délétion portant sur la totalité de l'exon 22 — domaine fonctionnel A3 du facteur VIII activé — n'entraîne qu'une hémophilie modérée. Ceci pourrait s'expliquer par un retentissement différent sur l'épissage et le cadre de lecture. La délétion partielle de l'exon 14 perturbe nécessairement l'épissage en abolissant le site accepteur de la fin de l'intron qui précède. En revanche la délétion totale de l'exon 22 ne perturbe pas l'épissage. Cet exon possède un nombre entier de codons et peut être délété sans bouleversement de la transcription ni de la traduction. Il en résulte la synthèse d'une protéine amputée de 52 acides aminés suffisamment active pour ne donner lieu qu'à une hémophilie modérée.

Dans plus de 95 p. 100 des cas d'hémophilie A, le gène du facteur VIII ne présente pas d'altération grossière aisément mise en évidence. Il est

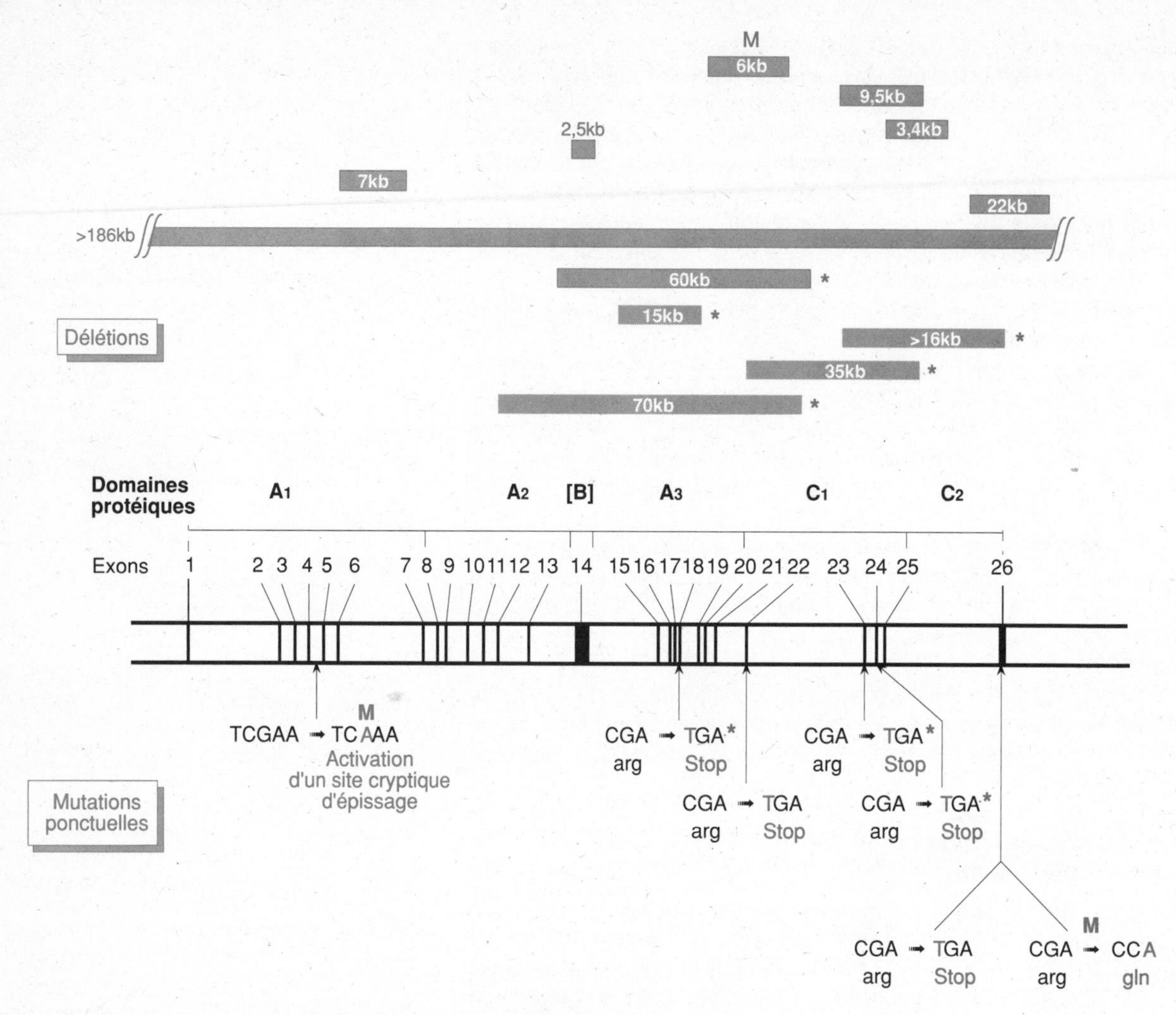

Figure 14-20 Quelques exemples de mutations dans le gène du facteur VIII
* = hémophilie sévère avec anticorps circulant ; M = hémophilie modérée.

sans doute le plus souvent victime de **mutations ponctuelles**. En raison de l'énormité du gène et de sa structure très morcelée, leur caractérisation est difficile, car il n'existe pas encore de procédé permettant de rechercher systématiquement les mutations ponctuelles sur un territoire aussi grand.

Les premières mutations mises en évidence ont pu être détectées grâce à une stratégie ingénieuse consistant à considérer les doublets CG comme des points chauds de mutation où la désamination d'une cytosine méthylée forme une thymine. Nous avons vu dans le chapitre 12 que ce mécanisme transforme un triplet CGA codant pour l'arginine en un triplet TGA qui est un codon stop. Si la transition C → T a lieu sur le brin non codant, c'est-à-dire dans un triplet complémentaire d'un CGA, elle entraîne sur le brin codant la transition G → A et la formation du triplet CAA codant pour la glutamine, d'où faux sens arg → gln. Les doublets CG sont sous-représentés dans le génome (1/5 de la fréquence attendue), et figurent dans le site de reconnaissance de l'enzyme de restriction Taq I (TCGA) qui est aboli en cas de mutation C → T. Cette enzyme a été employée systématiquement pour l'exploration des mutations ponctuelles dans le facteur VIII, ce qui a permis de détecter nombre de mutations différentes

(Figure 14-20). Dans les exons, conformément aux prédictions, il s'agit le plus souvent d'une mutation arg → stop. Cette stratégie a également permis de déceler une mutation intronique CG → CA qui perturbe l'épissage par activation d'un site cryptique.

Les différentes mutations trouvées chez les hémophiles A ont été répertoriées, au niveau mondial, fin 1991. À cette date 80 mutations ponctuelles, 6 insertions, 60 grandes délétions, et 7 petites délétions (1 à 23 pb) ont été recensées. L'analyse de ces résultats montre qu'il n'existe pas de point chaud de mutation dans le gène du facteur VIII. La majeure partie des mutations sont localisées dans les exons 8, 11, 14, 18, 23, 24 et 26 (mais les exons 14 et 26 représentent à eux deux plus de la moitié des 9 kb du RNA messager). Toutes les mutations non-sens se traduisent par une hémophilie sévère, la majorité des mutations faux sens conduisent à une hémophilie modérée. Quelques mutations conduisant à des perturbations de l'épissage, de différents types (site consensus, activation de sites cryptiques...) ont aussi été observées. Il semble qu'une même mutation ne se traduit pas obligatoirement par une pathologie identique, mais ce résultat est à prendre avec réserve car les tests biologiques du facteur VIII sont par nature très imprécis et la gravité d'une hémophilie est une donnée non dénuée de subjectivité. Sur 12 patients présentant un inhibiteur, une mutation non-sens a été trouvée dans 10 cas. Toutes les grandes délétions, sauf trois, se traduisent par une hémophilie sévère. Un cas très intéressant est celui d'un hémophile avec une délétion de 39 kb au niveau des exons 23-25. La mère et la sœur de cet hémophile possèdent au contraire une duplication d'un fragment de 23 kb de l'intron 22, la copie dupliquée étant insérée entre les exons 23 et 24. Il semble que cette insertion ait entraîné une instabilité et une perte de matériel chez l'hémophile. Parmi les autres insertions, deux cas correspondent à l'insertion d'une **séquence LINE** (voir chapitre 2) dans l'exon 14, mais pas à la même place. Dans les deux cas l'hémophilie est de type sévère. Le polyallélisme indique que les mutations nouvelles doivent être fréquentes. L'étude de certaines généalogies a permis de démontrer que la mutation est effectivement apparue de novo, soit dans un gamète de la mère, soit dans un gamète d'un grand-parent maternel.

La figure 13-19 représente une famille où la mutation de novo a pu être localisée.

Une mutation prédominante dans le gène du facteur VIII

Le paradoxe de l'absence de mutation détectable chez la moitié des hémophiles A sévères est maintenant résolu. L'analyse par RT-PCR du messager du facteur VIII a montré qu'il était impossible d'obtenir une amplification chez presque la moitié des hémophiles lorsque les oligonucléotides sont choisis dans les exons 22 et 23 *(Naylor et al. 1993, Human Mol. Genet. 2 : 11-17)*. Ce résultat indiquait le siège d'une anomalie dans l'intron 22. Peu auparavant il avait été montré que cet intron contenait deux gènes dont l'un, le gène A, était retrouvé répété en 5' du gène du facteur VIII. L'analyse par Southern, en utilisant des sondes génomiques correspondant à l'intron 22 a montré qu'une recombinaison avec inversion s'est produite entre la copie intronique et l'une des copies d'amont. Les exons 1 à 22 sont de ce fait inversés et le promoteur est transposé dans l'intron 22 et possède une orientation inverse. Le facteur VIII ne peut plus être synthétisé, ce qui explique le caractère sévère de l'hémophilie *(Lakich et al. 1993 Nature Gernet., 5 : 236-241)*. Cette mutation était passée inaperçue car seule les parties codantes étaient jusqu'alors analysées et les recherches de délétion avaient été effectuées en utilisant le cDNA comme sonde, or l'inversion ne change pas la taille des fragments révélés par le cDNA. Il est encore trop tôt pour savoir si ce type de mutation permet d'expliquer l'ensemble des mutations qui n'avaient pas été retrouvées. Les premiers résultats montrent que cet événement pourrait être fréquent car un certain nombre de cas d'inversion correspondent à des néomutations.

Le diagnostic génotypique de l'hémophilie A repose le plus souvent sur l'étude des polymorphismes de restriction

En effet le diagnostic direct est rarement possible, d'une part parce que les lésions géniques ne sont qu'exceptionnellement identifiées, d'autre part parce que le polyallélisme important constitue un obstacle méthodologique sérieux. Le diagnostic prénatal et celui des conductrices sont donc entièrement fondés sur les polymorphismes : diagnostic semi-direct à l'aide de sondes intra-géniques, et diagnostic indirect à l'aide de sondes extra-géniques.

Les polymorphismes intragéniques sont décrits dans la **figure 14-21** et dans le **tableau 14-5**. Il existe d'autre RFLP (TaqI dans la région 5' non codante du gène, Hind III dans l'exon 19, Hind III dans l'intron 19, BstXI et MspI dans l'intron 22 et MspI en 3' du gène) mais leur déséquilibre de liaison avec les autres polymorphismes diminue considérablement leur intérêt ; ils ne sont pas utilisés en pratique. Des polymorphismes de séquences ont aussi été observés, mais ils ne sont pas non plus utilisés en routine. Compte tenu de l'étendue du gène, les polymorphismes sont remarquablement peu fréquents. Ceci pourrait être dû au fait que les sites polymorphes sont plus rares sur le chromosome X, et au fait que le gène

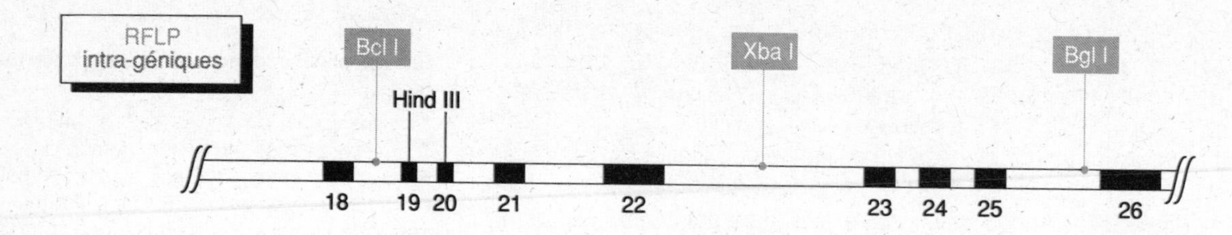

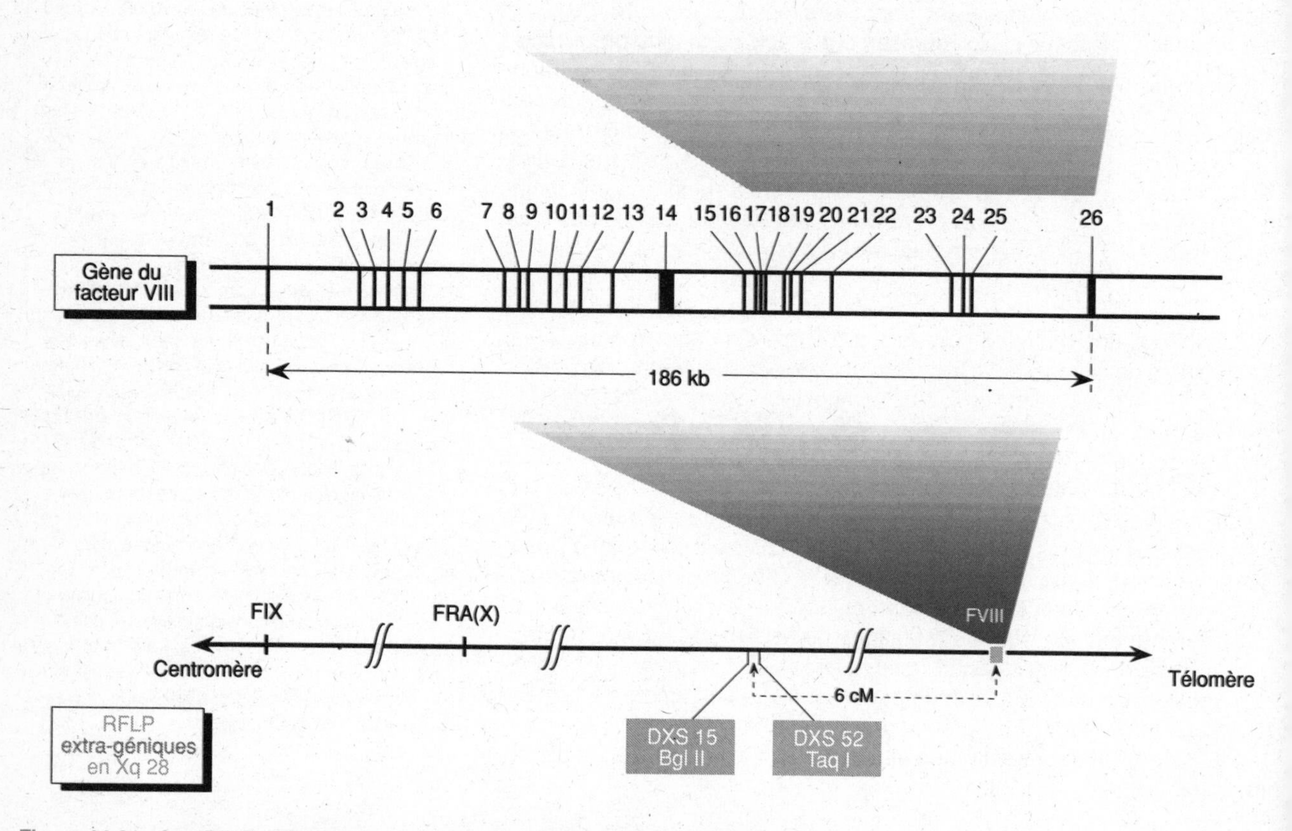

Figure 14-21 **Les RFLP utilisés pour le diagnostic génotypique d'hémophilie A**

Tableau 14-5 **Les principaux polymorphismes de restriction dans le facteur VIII utilisés pour le diagnostic**

Enzyme	Localisation	Fréquence allélique +/−	Informativité	Population
Bcl I	intron 18	0,50/0,50	0,50	Méditerranée
		0,60/0,40	0,48	Nord Europe
		0,70/0,30	0,42	Inde
		0,20/0,80	0,32	Noirs USA
Xba I	intron 22	0,60/0,40	0,48	
Bgl I	intron 25	0,90/0,10	0,18	Europe
		0,75/0,25	0,37	Noirs USA

a été essentiellement exploré jusqu'à présent par des sondes exoniques. La plupart des polymorphismes situés dans les grands introns restent à découvrir.

En attendant seuls 3 RFLP sont couramment utilisés (Figure 14-21 et tableau 14-5). Leur emploi cumulé est informatif dans deux tiers des cas. L'information est fiable, car le risque de recombinaison intra-génique entre le siège de la lésion et le RFLP étudié est négligeable. Un microsatellite de type $(CA)_n$ (n compris entre 16 et 24), situé dans l'intron 13, a été récemment exploité. Ce polymorphisme est difficile à explorer et les résultats sont encore limités. Il semble cependant très informatif puisque plus de 92 p. 100 des femmes étudiées sont hétérozygotes. L'utilisation de ce polymorphisme devrait considérablement améliorer les possibilités de diagnostic et permettre de réaliser un diagnostic semi-direct chez la majorité des hémophiles. Quatre autres polymorphismes de répétition CA ont été repérés dans les introns 6, 22 et 25 mais ils n'ont pas encore été caractérisés. Dans les cas restants il faut recourir à des RFLP extra-géniques (Figure 14-21 et **Tableau 14-6**). L'un d'entre eux (DXS52) a une structure de VNTR et est particulièrement informatif. Ces marqueurs sont malheureusement du même côté du gène et le risque de recombinaison passant inaperçue ne peut être négligé. Compte tenu de la distance génétique, estimée à 4 à 5 centimorgans, il est théoriquement d'environ 4 à 5 p. 100 à chaque méiose.

Tableau 14-6 **Polymorphismes de restriction hors du facteur VIII utiles pour le diagnostic génotypique d'hémophilie A**

Les deux sites sont très proches l'un de l'autre, et à environ 4 centimorgans du même côté du gène du facteur VIII

Locus	Sonde	Enzyme	Allèles	Informativité
DXS15	DX13	Bgl II	0,62 (+) 0,38 (−)	0,47
DXS52	St14	Taq I	1 système multi-allélique (VNTR)	0,77
			1 système bi-allélique	0,15

Les performances et les limites du diagnostic prénatal de l'hémophilie A et de la détection des conductrices ont déjà été illustrées dans le chapitre 13. Dans les cas non informatifs le dernier mot revient au diagnostic prénatal par dosage du facteur VIII dans le sang de cordon.

Malgré tous les acquis l'hémophilie A reste une maladie pour laquelle tous les problèmes de diagnostic sont loin d'être résolus. En raison du faible nombre de polymorphismes intragéniques et de leur informativité réduite, certaines familles restent non informatives. De nombreuses autres ne le sont que pour des polymorphismes extragéniques, avec un risque de recombinaison de 4 à 5 p. 100. On peut espérer que l'utilisation des polymorphismes de répétition CA améliorera cette situation. La difficulté majeure provient des néo-mutations. La plupart des familles d'hémophiles ayant été étudiées, tous les nouveaux cas qui sont soumis aux laboratoires correspondent à des **néo-mutations** pour lesquelles il est impossible de répondre en dehors du diagnostic direct. En effet il est rarement possible de déterminer où s'est produit la mutation : chez la mère ou chez l'hémophile ? Même lorsque les tests de coagulation permettent de le déterminer, reste le problème des mosaïques germinales dont on ne connaît pas la fréquence (en l'absence de diagnostic direct) et qui induisent un risque d'erreur. Dans la pratique la biologie moléculaire est impuissante

Figure 14-22 Principe de l'exploration d'un RFLP intra-génique du facteur VIII par la méthode PCR
Le site polymorphe Bcl I étant dans un intron dont la séquence n'était pas connue, il a fallu cloner la région du DNA génomique renfermant le site et en établir la séquence. On en déduit *une fois pour toutes* la séquence des amorces A et B à synthétiser (20 à 25 nucléotides) pour amplifier la séquence contenant le site intéressant.
(D'après Kogan et al, 1987)

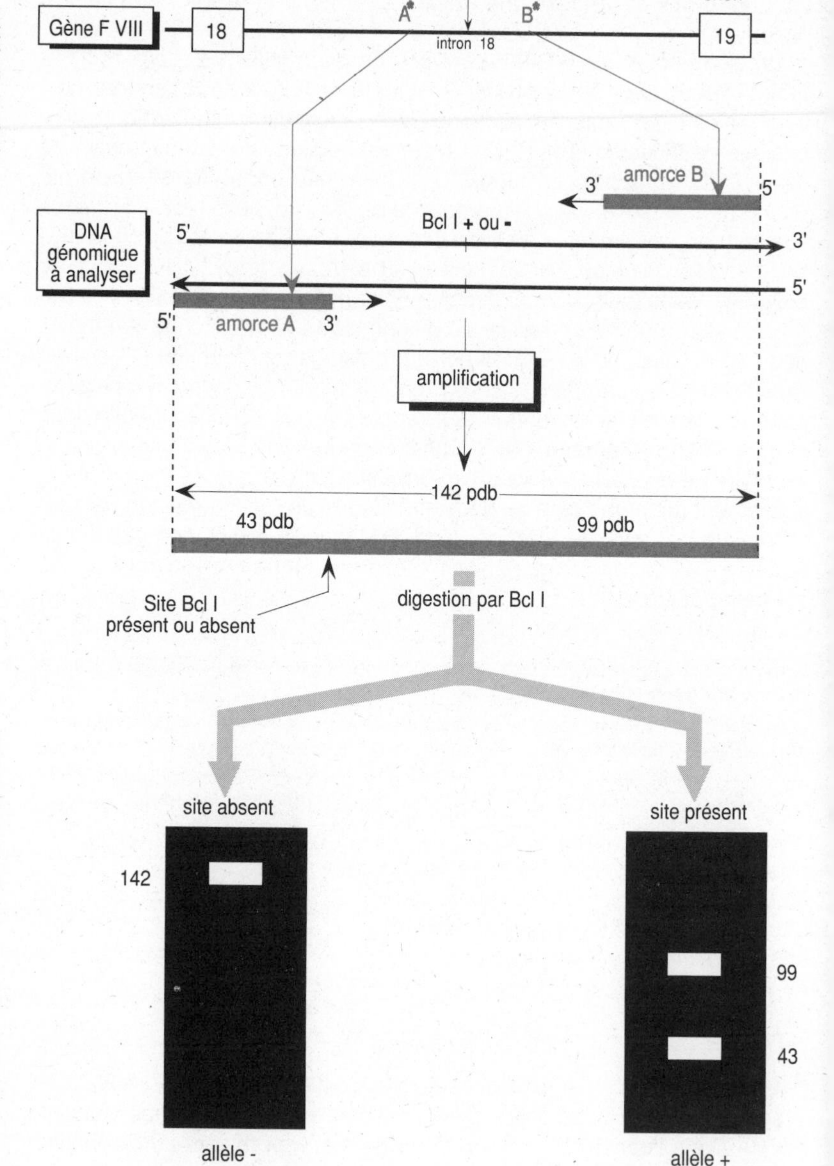

Le diagnostic semi-direct est désormais possible en moins de 24 heures

La méthode d'analyse des RFLP par amplification élective in vitro (PCR) a trouvé sa première application dans le diagnostic génotypique de l'hémophilie A. Les deux sites polymorphes intra-géniques Bcl I (intron 18) et Xba I (intron 22) ont été séquencés pour connaître la séquence des amorces à synthétiser pour obtenir l'amplification du segment de DNA renfermant le site polymorphe.

Après amplification chaque fragment est analysé par électrophorèse avant et après coupure par l'enzyme Bcl I ou Xba I. Le résultat peut être lu sans hybridation par la simple inspection sous UV de la fluorescence provoquée par le bromure d'éthidium **(Figure 14-22)**. Il peut être obtenu en moins de 24 heures, ce qui est un progrès considérable par rapport à la méthode de Southern. Le procédé comporte néanmoins les écueils suivants :

— il existe un risque d'amplification parasite de segments situés ailleurs sur le génome. Ce risque est minimisé par l'emploi de la Taq polymérase, qui permet de travailler à température élevée (70°C) donc d'augmenter la stringence. Une hybridation avec une oligosonde de contrôle contenant le site polymorphe (version +) et ne le contenant pas (version –) permet dans tous les cas d'éliminer les artefacts de cet ordre ;

— la digestion partielle peut faire croire à tort à la coexistence de deux allèles (hétérozygotie +/–, seule possible chez une femme). C'est la principale difficulté de la méthode.

dans les formes sporadiques d'hémophilie A. La seule solution consiste à recourir au diagnostic direct. Malgré le développement des techniques, la recherche systématique des mutations reste difficile et coûteuse du fait de la taille du gène. Qui plus est, les premiers résultats sont particulièrement décevants. Une recherche systématique de mutation par DGGE a été effectuée chez 30 hémophiles A sévères. Bien que la région explorée ait couvert 99 p. 100 de la partie codante, 94 p. 100 des liaisons intron-exons, le promoteur et le site de polyadénylation, des mutations n'ont été trouvées que dans la moitié des cas (la technologie utilisée ne peut être mise en cause puisqu'elle a permis de caractériser la mutation dans pratiquement tous les cas d'hémophilie modérée étudiés). Le plus vraisemblable est que les mutations sont introniques (l'intron 22 semble l'un des candidats), mais d'autres mécanismes comme des défauts de méthylation ou des mutations dans des régions régulatrices situées loin en amont (comme dans le LCR des gènes globine) sont aussi envisageables. L'étude de telles mutations est considérablement plus complexe et ne peut pas encore être envisagée à grande échelle.

Les maladies monogéniques ayant bénéficié de la génétique inverse

> *« Jamais la Nature ne se dévoile autant que lorsqu'elle s'écarte des sentiers battus. De même n'y a-t-il pas de meilleur moyen de faire progresser la Médecine que d' étudier les maladies les plus rares afin de percer à jour les lois de la Nature. Car la signification des choses ne nous apparaît jamais aussi bien que dans leur manque ou leur dérangement »*
> *William Harvey (1657)*

Sur les quelque 5 000 maladies génétiques monofactorielles répertoriées par McKusick en 1992, moins de 5 p. 100 concernent des gènes dont le produit est connu. Dans les autres cas le gène ne se trahit que par des manifestations pathologiques dues aux mutations dont il est victime. Nous avons vu au chapitre 11 comment la stratégie de la génétique inverse permet d'identifier ces gènes. Ceux-ci se manifestant comme des locus morbides, ils reçoivent en général le nom de la maladie qui leur est associée. C'est ainsi que l'on parle, en attendant d'en savoir plus, du « gène de l'amyotrophie spinale » (locus SMA), du « gène de la polykystose rénale dominante » (locus PKD1), du « gène de la chorée de Huntington » (locus HD), etc.

Près de 600 maladies de ce type ont déjà été localisées par cette approche. Tantôt orientée par un indice cytogénétique (translocation, délétion minime), tantôt purement aléatoire (cartographie d'exclusion), l'étape initiale de localisation chromosomique est le plus souvent franchie grâce à des analyses familiales révélant une liaison génétique significative (lod score > 3) avec un ou plusieurs marqueurs polymorphes (RFLP et surtout microsatellites). Parfois aussi c'est une microdélétion moléculaire (perte d'un allèle de restriction sur un autosome ou, pour un locus du chromosome X, absence complète d'allèle chez un malade masculin) qui permet de mettre sur la voie. Enfin le rapprochement avec une pathologie animale, où le gène responsable a été identifié, ou une hypothèse physiopathologique très plausible permettent parfois d'envisager une stratégie de gène candidat.

Nous avons vu au chapitre 11 qu'à partir de 1986 les progrès de la génétique inverse ont permis d'arriver au gène recherché et à la protéine incriminée dans une cinquantaine de maladies monogéniques (Tableau 11-5), et de cerner ou d'approcher un certain nombre d'autres locus morbides (Tableaux 11-6 et 11-7). Il est désormais évident que cette approche va permettre d'identifier les milliers de gènes encore inconnus dont la seule manifestation phénotypique connue est pathologique, et d'enrichir considérablement notre connaissance du répertoire des protéines humaines. Cette ambition va de pair avec celle de l'établissement de la carte du génome humain (voir chapitre 10). Elle est chargée d'espoirs en matière de compréhension et de traitement d'un nombre croissant de maladies, ce qui a fait dire à l'Association Française contre les Myopathies que la période actuelle correspondait au « printemps de la génétique ».

Nous avons sélectionné dans ce chapitre quelques exemples particulièrement significatifs. Tout d'abord ceux où la démarche de la génétique inverse a été couronnée de succès. Il s'agit de la **myopathie de Duchenne,** du **syndrome de l'arriération mentale avec X fragile,** de la **mucoviscidose** et de la **myotonie de Steinert**. Dans ces quatre maladies, le gène responsable et la protéine qu'il code ont été identifiés, ce qui les fait entrer dans l'ère dite du « post-gène ». Nous envisagerons ensuite le cas de deux maladies dominantes où, bien que cerné dans un territoire bien délimité, le gène morbide n'a pas encore été isolé : il s'agit de la **chorée de Huntington** et de la **polykystose rénale dominante.**

UN DES PREMIERS SUCCÈS DE LA GÉNÉTIQUE INVERSE : LA MYOPATHIE DE DUCHENNE

La myopathie individualisée par Duchenne vers 1860, ou **dystrophie musculaire de Duchenne (DMD)**, est la plus grave et la plus fréquente des dystrophies musculaires progressives. Elle est caractérisée par une dégénérescence lente des fibres musculaires squelettiques se manifestant cliniquement à partir de l'âge de la marche. Celle-ci devient impossible vers 10 ans et l'extension inéluctable à la plupart des groupes musculaires aboutit à la mort vers 20 ans par insuffisances respiratoire et cardiaque. La maladie est transmise sur le mode récessif lié au sexe et frappe un garçon sur 3 500 naissances mâles quelle que soit la population.

A côté de cette forme très sévère, la **dystrophie musculaire de Becker (BMD)**, individualisée en 1955, est une forme plus tardive et évoluant plus lentement. Elle n'est totalement invalidante qu'au cours de la vie adulte, n'empêchant pas la procréation ni une certaine vie socio-professionnelle. Elle est aussi liée au sexe, mais elle est dix fois moins fréquente que la forme de Duchenne.

Les myopathies de Duchenne et de Becker, on le sait maintenant, sont des variantes phénotypiques d'une pathologie affectant un même gène, celui de la **dystrophine**.

Le gène DMD fut l'une des premières cibles de la génétique inverse

A l'aube des années 1980 le savoir sur les myopathies de Duchenne et de Becker se limitait à une bonne connaissance de la symptomatologie clinique, à la notion d'une élévation importante et précoce (néonatale) de la **créatine kinase** sérique, et à la localisation du ou des gènes en cause sur le **chromosome X**, attestée sans équivoque par le mode de transmission. Aucun mécanisme physio-pathologique n'était connu, aucun indice ne permettait d'incriminer une protéine musculaire particulière. Aucun traitement ne s'était montré capable d'enrayer le cours inexorable de la maladie. Le diagnostic prénatal était impossible, et le conseil génétique des femmes à risque — par exemple les tantes maternelles des myopathes — reposait exclusivement sur la mesure de la créatine kinase sérique. Mais ce paramètre n'étant informatif que chez les deux tiers des transmettrices obligatoires, un résultat normal ne permettait pas d'exclure le statut de conductrice.

Dès la formulation théorique de la stratégie de la génétique inverse (Botstein et al, 1980), il apparut que la localisation, l'isolement et l'identification du gène inconnu responsable de la myopathie de Duchenne étaient devenus des objectifs envisageables. Ceux-ci furent effectivement atteints au cours des années suivantes **(Figure 14-23)**.

La recherche était d'emblée circonscrite aux 160 mégabases du chromosome X, ce qui éliminait déjà 95 p. 100 du génome. De plus il existait une suspicion de localisation plus précise : sur le bras court, dans la région **Xp21**, en raison de l'observation de cas de myopathie de Duchenne chez des filles présentant une translocation (X;autosome) avec un point de cassure variable sur les autosomes mais constant sur le chromosome X, en Xp21 **(Figure 14-24)**. On pouvait supposer que ces translocations avaient

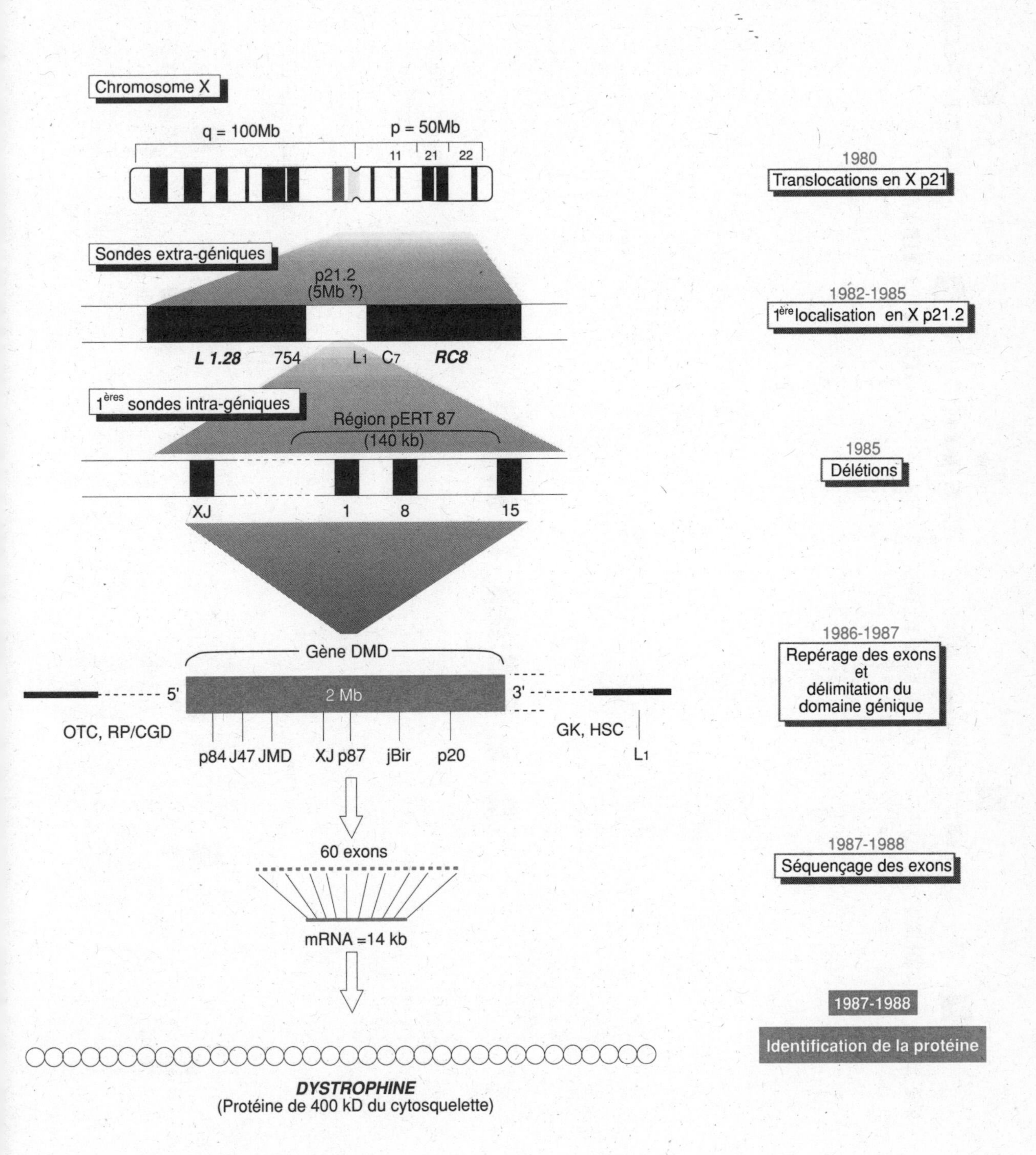

Figure 14-23 Les principales étapes de la découverte du gène de la myopathie de Duchenne et de son identification

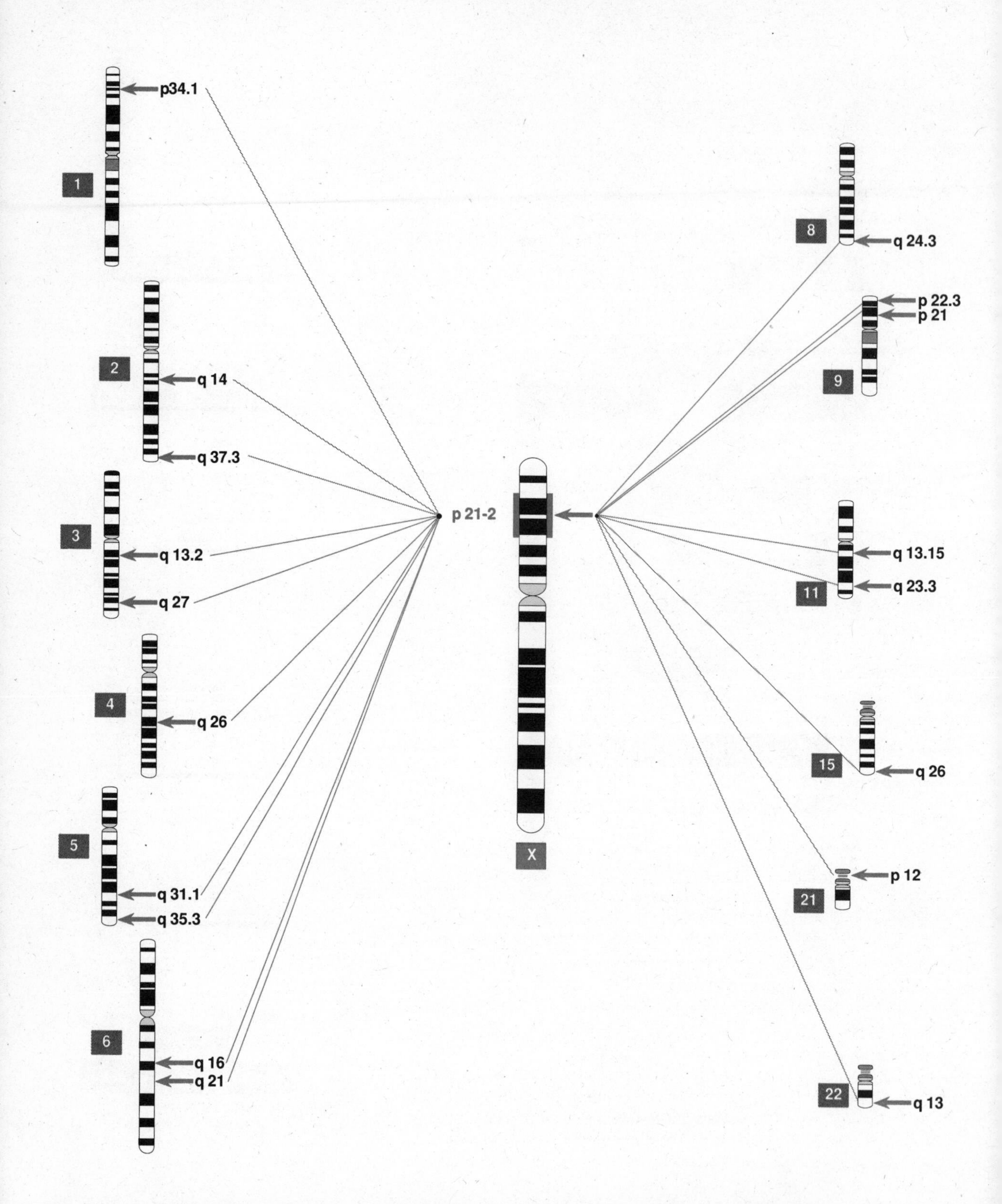

Figure 14-24 Translocations (X;autosome) observées chez des filles atteintes de myopathie de Duchenne
Différents autosomes peuvent être impliqués, avec des points de cassure variables. La cassure sur le chromosome X est constamment située en Xp21.2. En fait l'analyse moléculaire a permis de constater que les cassures siègent en des points différents, tous situés à l'intérieur du gène DMD.

les conséquences suivantes : d'une part l'inactivation préférentielle du chromosome X intact, comme il est de règle dans toutes les translocations (X ; autosome) équilibrées* ; d'autre part la lésion d'un gène, appelé **DMD**, qui serait directement lésé par la cassure sur le chromosome X.

Le bien-fondé de cette hypothèse a été démontré par des analyses de linkage utilisant des RFLP isolés à partir d'une banque de DNA du chromosome X et localisés dans la région Xp21 (Davies et Williamson, 1982). Les deux premières sondes ayant montré une liaison significative avec le locus morbide — les sondes RC8 et L1.28 — étaient à 17 centimorgans du locus DMD, soit environ 17 mégabases, c'est-à-dire trop éloignées pour permettre une utilisation diagnostique immédiate. Néanmoins elles fournissaient déjà deux renseignements précieux :

— l'analyse des recombinaisons démontrait qu'elles **encadraient** le locus DMD ;

— l'analyse des familles atteintes de myopathie de Becker montrait la même distance génétique, suggérant que les myopathies de Duchenne et de Becker étaient dues à des **mutations alléliques** (voir figure 11-5).

De nombreuses sondes détectant des RFLP plus proches furent ensuite mises en évidence **(Figure 14-25)**. Leur proximité, à quelques centimorgans du locus DMD et leur situation de part et d'autre de ce dernier autorisaient leur utilisation pour le **diagnostic prénatal**, dont le premier fut effectué en 1985 (Bakker et al).

Du locus au gène

C'est par deux stratégies directement orientées par la cytogénétique que furent obtenues les premières sondes du gène DMD (1985).

La première, due à Worton, a consisté à cloner le **fragment de jonction** d'une translocation (X;21), situé au niveau du point de cassure, comportant sur le versant du chromosome 21 des gènes codant pour le RNA ribosomal (voir figure 11-6). Les clones obtenus (XJ) contenaient des fragments de DNA qui se révélèrent, grâce à des RFLP, être génétiquement liés au locus DMD. Utilisés comme sondes ces fragments identifiaient des délétions chez certains myopathes.

La seconde stratégie, due à Kunkel, a consisté à mettre à profit une **micro-délétion** cytogénétique interstitielle en Xp21, observée chez un garçon présentant l'association *myopathie de Duchenne + granulomatose chronique + rétinite pigmentaire + syndrome de McLeod* (malade BB de la figure 14-25). Grâce à une méthode très ingénieuse d'hybridation soustractive, illustrée dans la figure 11-7, des séquences de DNA absentes chez le malade ont été clonées. La mini-banque obtenue contenait des fragments de DNA n'hybridant pas avec le génome du malade, donc nécessairement inclus dans la délétion. Certains d'entre eux se révélèrent génétiquement très proches — par analyse de linkage — du locus DMD. Mais c'est surtout leur utilisation pour la recherche systématique chez des myopathes de **délétions moléculaires**, et non plus cytogénétiques, qui s'avéra fructueuse. Le pari engagé par Kunkel était que, par analogie avec la pathologie moléculaire du gène HPRT dans la maladie de Lesch-Nyhan — une autre maladie liée au chromosome X —, une proportion significative de cas de myopathie était due à une pathologie délétionnelle. Si les sondes étudiées étaient proches du gène, elles devaient pouvoir la révéler. Cette prédiction fut pleinement confirmée pour les sondes de la série « pERT 87 » qui détectèrent 5 délétions sur les 57 premiers cas explorés.

* Ceci s'explique par le fait que, lorsque l'inactivation porte sur le chromosome X transloqué, elle se propage à l'autosome et est létale pour la cellule.

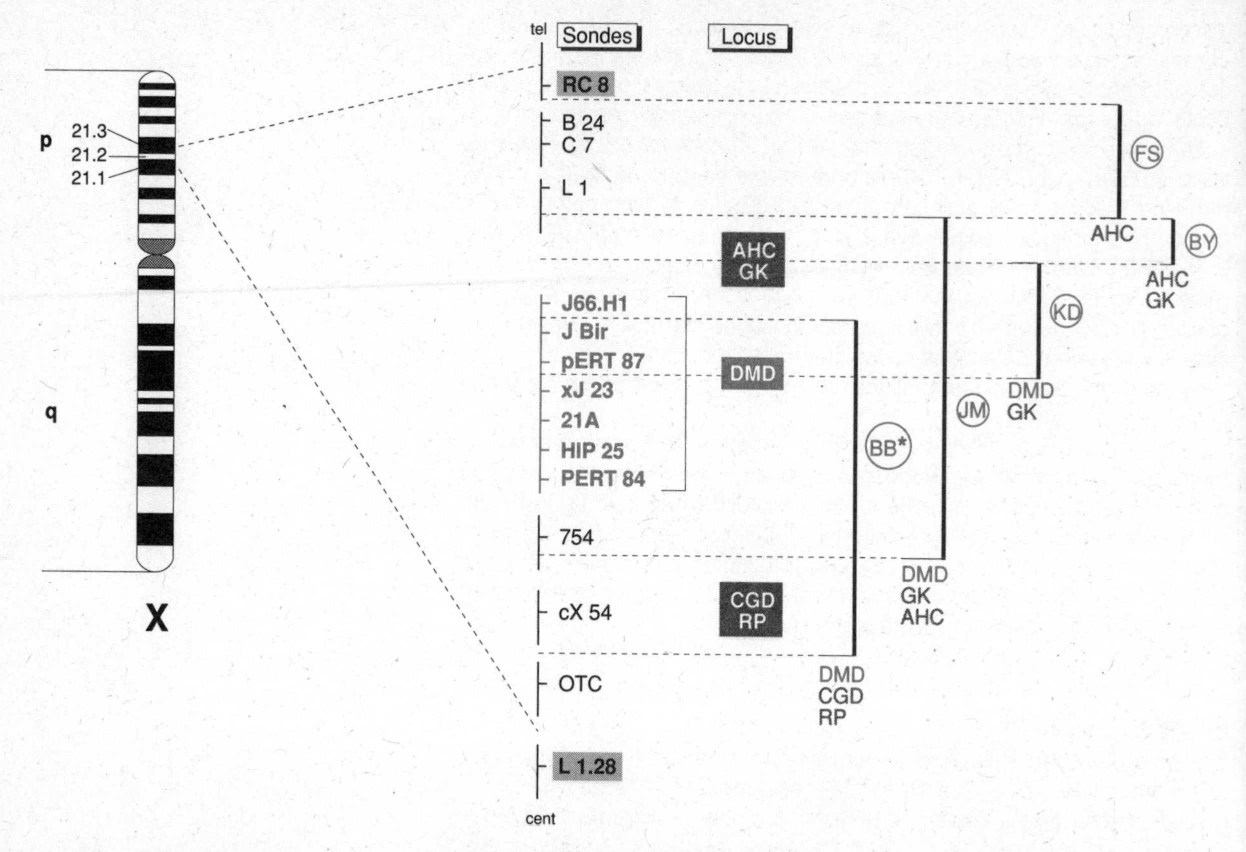

Figure 14-25 Localisation ordonnée des différents marqueurs du DNA et carte morbide de la région Xp21.2
Le chromosome X est représenté sous forme d'un idéogramme des bandes G en haute résolution. Les sondes en rouge sont situées dans le gène DMD, les sondes en noir sont des séquences anonymes. La discontinuité indique que la distance entre deux marqueurs successifs n'est pas connue. Les délétions sont représentées par les barres verticales, chacune correspondant à un cas différent désigné par des initiales. Le DNA du cas BB* a été utilisé par Kunkel pour cloner le gène DMD (voir figure 11-7). Les malades FS et BY n'ont pas de myopathie, ce qui a permis d'ordonner les locus morbides GK et AHC et de les localiser entre L1 et la fin du gène DMD.
DMD = dystrophie musculaire de Duchenne ; AHC = hypoplasie congénitale des surrénales ; GK = déficit en glycérol kinase ; CGD = granulomatose chronique ; RP = rétinite pigmentaire ; OTC = ornithine transcarbamylase.

Une marche bi-directionnelle sur le chromosome aboutit ensuite au clonage d'une région de 220 kb (locus DXS164), et à l'isolement de nouvelles sondes reconnaissant d'autres séquences uniques, dont certaines **polymorphes**. Une coopération internationale exemplaire permit ensuite de démontrer que l'on touchait au but. En effet l'analyse de 1 346 malades atteints de myopathie de Duchenne ou de Becker devait montrer que les sondes détectaient des délétions très variables, tantôt couvrant la totalité de la région clonée, tantôt s'étendant partiellement d'un côté ou de l'autre **(Figure 14-26)**. Le territoire exploré, qui atteignait 140 kb, était donc nécessairement **inclus** dans le « gène DMD ».

La très grande taille du gène recherché compliquait la tâche consistant à découvrir les régions codantes. Cet objectif fut atteint grâce à la technique dite du ***« zoo-blotting »*** consistant à rechercher systématiquement les séquences uniques conservées dans le règne animal (en effet les séquences exoniques divergent beaucoup moins vite que les séquences introniques). Quelques séquences conservées et possédant un cadre ouvert de lecture furent identifiées. Elles permirent de cribler une banque de cDNA de muscle d'où furent progressivement isolés les fragments permettant de reconstituer le puzzle de la séquence codante. Ces clones de cDNA ont permis de visualiser par Northern-blot un très grand RNA mes-

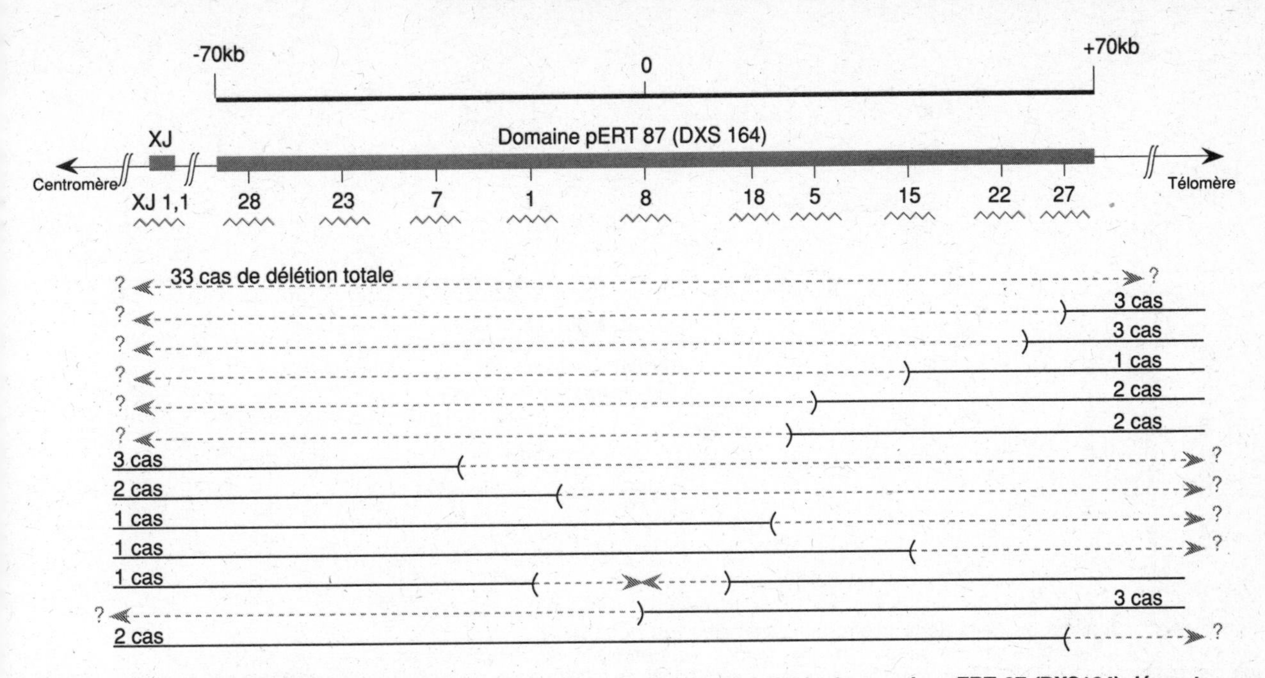

Figure 14-26 La cartographie délétionnelle de la myopathie de Duchenne à l'aide des sondes pERT 87 (DXS164) démontre que celles-ci sont situées dans le gène lui-même

sager (14 kb). Ils furent ensuite ordonnés et séquencés sur la longueur totale du RNA messager.

Concurremment il fallait établir la taille et la carte du domaine génomique concerné. Cette difficile entreprise fut abordée par la méthode d'électrophorèse en champ pulsé permettant de dresser des cartes sur de longues distances (voir chapitre 10). Parallèlement, la cartographie délétionnelle du DNA des myopathes permit d'effectuer des **sauts**, notamment par le clonage des **points de jonction** correspondant à des délétions comprises dans les limites du gène. Ce gène couvre un territoire génomique de 2 300 kb.

Le gène DMD est le plus grand de tous les gènes connus

Ses 2,3 mégabases constituent pour l'instant un record de longueur. Celle-ci représente plus de 1 000 fois la taille d'un gène de globine, et la moitié du génome total d'*E. coli* ! Le temps de transcription d'un pareil gène doit être de 10 à 30 heures. Il contient 79 exons, dont la topographie exacte sur le DNA génomique est difficile à élucider. En effet si la taille des exons est très petite — en moyenne 100 pb, sauf pour **l'exon 3' non codant** qui couvre 3 kb d'un seul tenant —, celle des introns est très variable, allant de quelques centaines de pb à plus de 300 kb. Les polymorphismes introniques servent de jalons autour desquels les séquences exoniques sont peu à peu ordonnées **(Figure 14-27)**.

Cette organisation insolite n'est pas propre à l'espèce humaine, car on la retrouve dans des espèces aussi éloignées que la souris et le poulet. Les séquences codantes sont elles-mêmes très conservées, avec des homologies homme/poulet pouvant atteindre 100 p. 100 dans certains segments (J.L. Mandel). Dans l'organe électrique de la torpille *(Torpedo marmorata)* il existe une dystrophine extraordinairement homologue à la dystrophine humaine malgré la très grande distance phylogénétique (600 millions d'années). Cette remarquable conservation au cours de l'évolution n'a pas encore reçu d'interprétation, mais elle suggère que le produit du gène remplit une fonction essentielle chez tous les vertébrés.

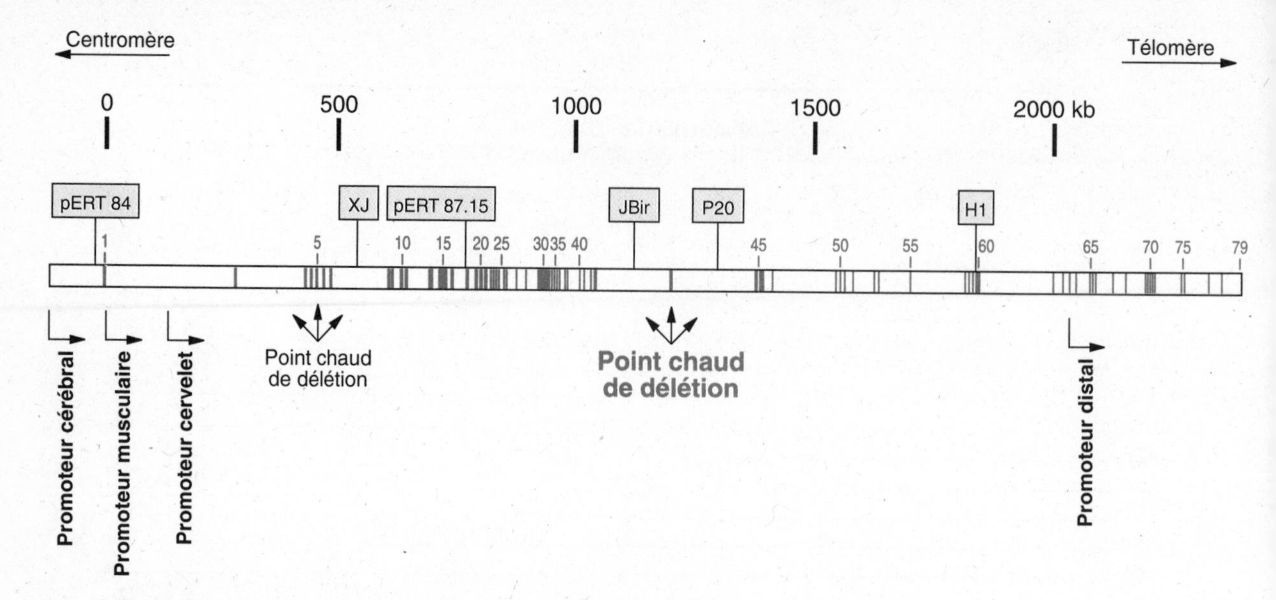

Figure 14-27 Schéma du gène de la dystrophine humaine (ou gène DMD)
Les exons sont représentés par des barres verticales rouges. Leur emplacement n'est pas connu avec précision car les introns, dont la somme représente plus de 2 000 kb, n'ont pas encore été séquencés en totalité. L'emplacement des 4 promoteurs déjà identifiés est indiqué. Les vignettes roses désignent les principales sondes introniques détectant des RFLP explorés pour le diagnostic semi-direct. Noter l'existence de deux régions correspondant à des points chauds pour les délétions. Celle qui est indiquée en rouge est prédominante (la sonde P20 détecte à elle seule la moitié des délétions).

On a réussi l'exploit de reconstituer la totalité du gène DMD, soit un insert de 2 300 kb, dans un seul YAC, en faisant appel à une série de recombinaisons méiotiques dans la levure.

La protéine codée par le gène DMD, appelée dystrophine, est une protéine nouvelle apparentée à la spectrine

C'est une protéine de 3 685 acides aminés dont la séquence a été entièrement déduite de la séquence du cDNA. Sa masse, 427 kilodaltons, est beaucoup plus faible que ne le laissait prévoir la taille du gène car la séquence codante proprement dite n'est que de 11 kb, soit 0,5 p. 100 de la longueur totale du gène.

L'examen de la structure primaire de la chaîne polypeptidique de la **dystrophine**, reconstituée par le déchiffrage du cDNA, a permis d'en tirer un portrait robot avant même que la protéine ait été purifiée et analysée par les méthodes de la chimie des protéines **(Figure 14-28).** Elle possède une structure fibrillaire et comporte 4 domaines :

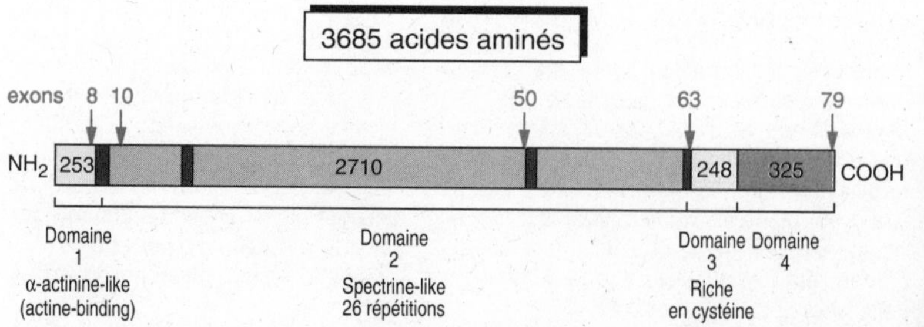

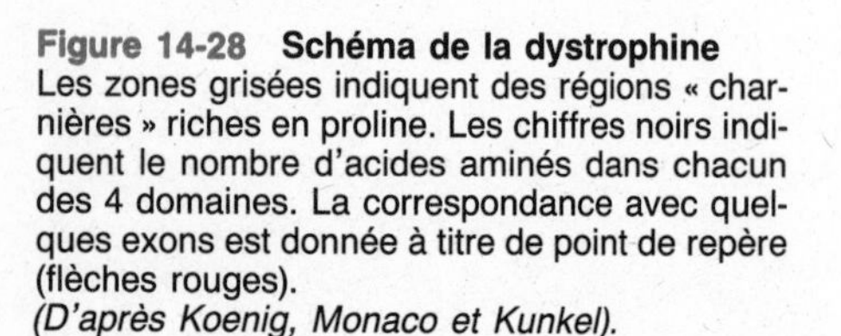

Figure 14-28 Schéma de la dystrophine
Les zones grisées indiquent des régions « charnières » riches en proline. Les chiffres noirs indiquent le nombre d'acides aminés dans chacun des 4 domaines. La correspondance avec quelques exons est donnée à titre de point de repère (flèches rouges).
(D'après Koenig, Monaco et Kunkel).

— un domaine N-terminal de 240 acides aminés très semblable au domaine de l'α-**actinine** fixant l'actine ;
— un domaine d'environ 2 700 acides aminés composés de 26 répétitions en tandem (motif de base 109 résidus) formant une hélice élémentaire α, elle-même repliée en une triple hélice ; cette configuration est très semblable à celle de la chaîne alpha de la **spectrine** ;
— un domaine de 280 résidus riche en cystéine, très semblable à un domaine de l'α-actinine ;
— un domaine C-terminal de 420 résidus, sans apparentement connu, probablement responsable de son attachement à la membrane plasmique.

Cette structure en fait sans doute un membre de la superfamille des protéines du **cyto-squelette**. Elle est principalement exprimée dans les tissus musculaires (muscle squelettique, muscle lisse, cœur), où elle est accolée à la face interne du **sarcolemme** par l'intermédiaire d'un complexe membranaire constitué de plusieurs glycoprotéines appelées **DAG** (pour *dystrophin associated glycoproteins*) (Campbell). Elle est très peu abondante par rapport aux autres protéines musculaires (environ 1/50 000 des protéines totales). Elle a aussi été décelée dans le cerveau où elle est localisée dans certains neurones du cortex cérébral et cérébelleux, sous la membrane post-synaptique.

Complexité des produits d'expression du gène de la dystrophine

Cette complexité est due d'une part à un **épissage alternatif**, surtout dans la région 3' du transcrit, d'autre part à une **promotion alternative.** Ce dernier phénomène est dû à l'existence d'au moins 4 promoteurs (voir Figure 14-27) :

— un **promoteur musculaire** responsable de l'initiation de la transcription d'un RNA messager qui est traduit en dystrophine musculaire (427 kDa) ;

— un **promoteur neuronal**, situé à environ 100 kb en amont du précédent, permettant l'initiation d'un messager commençant par un exon codant pour 3 acides aminés, différent du premier exon (11 acides aminés) de la dystrophine musculaire. Les deux types de transcrits sont traduits en une dystrophine de poids moléculaire pratiquement identique. Comme on le voit sur la **figure 14-29**, le transcrit primaire initié au niveau du promoteur cérébral contient un premier intron de 400 kb environ ;

— un **promoteur cérebelleux**, situé entre le premier exon musculaire et le deuxième exon. Ce dernier est donc commun aux trois transcrits ;

— un **promoteur distal**, situé entre les exons 62 et 63, permettant l'initiation d'un RNA messager d'environ 4,5 kb, ayant en commun avec les précédents le tiers distal du transcrit, mais débutant par un exon particulier, qui demeure cryptique dans la dystrophine musculaire et cérébrale. Il est à l'origine d'une protéine de 75 kDa qui, à la différence de la dystrophine de 427 kDa, est exprimée dans tous les tissus sauf le muscle.

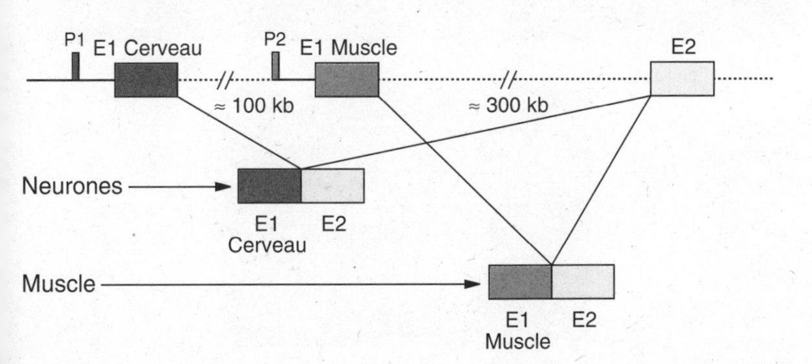

Figure 14-29 Génération par promotion alternative de deux transcrits différents du gène de la dystrophine
P1 = promoteur de la dystrophine neuronale ;
P2 = promoteur de la dystrophine musculaire.
Le promoteur cérebelleux n'est pas figuré.

La dystrophine est le premier représentant d'une famille multigénique

Il existe sur un autosome, le chromosome 6 (en 6q24), un gène correspondant à une protéine de même poids moléculaire que la dystrophine musculaire, et qui montre une homologie frappante avec la dystrophine : 73 p. 100 en séquence nucléotidique, et 83 p. 100 en séquence polypeptidique. Cette protéine, appelée ***dystrophin-related protein (DRP)***, ou ***DMD-like protein (DMDL)***, est ubiquitaire, avec une abondance particulière dans les jonctions neuro-musculaires.

Les protéines de la famille dystrophine font manifestement partie de l'appareil cytosquelettique, mais leur rôle n'est pas encore élucidé.

Les myopathies de Duchenne (DMD) et de Becker (BMD) sont dues à une anomalie quantitative et/ou qualitative de la dystrophine

Dès que la dystrophine a été reconstituée par la séquence nucléotidique de son cDNA, des anticorps ont pu être préparés contre cette protéine. En raison de sa très faible abondance dans l'organisme, l'antigène n'a pas été préparé par purification de la dystrophine musculaire, mais en utilisant deux méthodes concurrentes : d'une part en produisant dans *E. Coli* une **protéine de fusion** chimère de β-galactosidase et de dystrophine, par clonage dans un vecteur d'expression de type λgt 11 ; d'autre part en synthétisant des **oligopeptides** de longueur variable (20 à 50 amino-acides). Les anticorps obtenus, polyclonaux et monoclonaux, dirigés contre différents segments de la dystrophine, ont permis de la visualiser sur des coupes de biopsies musculaires (immunofluorescence) **(Figure 14-30)** et par Western-blot. D'emblée est apparue une bonne corrélation entre le phénotype clinique et le résultat de l'analyse de la dystrophine. Cette dernière permet de distinguer les dystrophies musculaires sévères, de type Duchenne où la dystrophine est **absente**, des dystrophies moins sévères, de type Becker où la dystrophine est plus ou moins **diminuée**, mais non absente, avec souvent une **anomalie de taille** (diminution = délétion ; augmentation = duplication) (voir Figure 14-36).

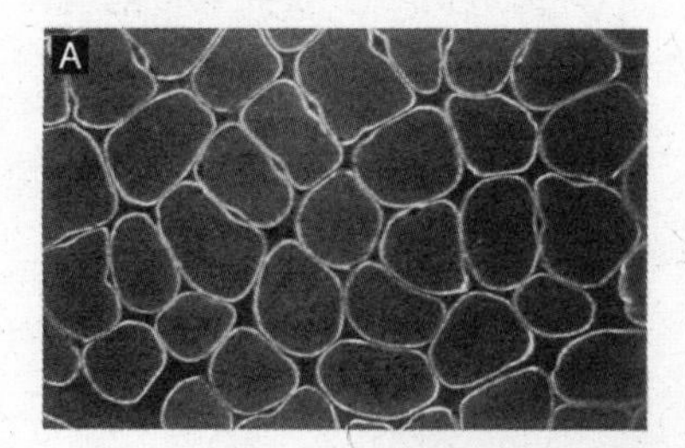

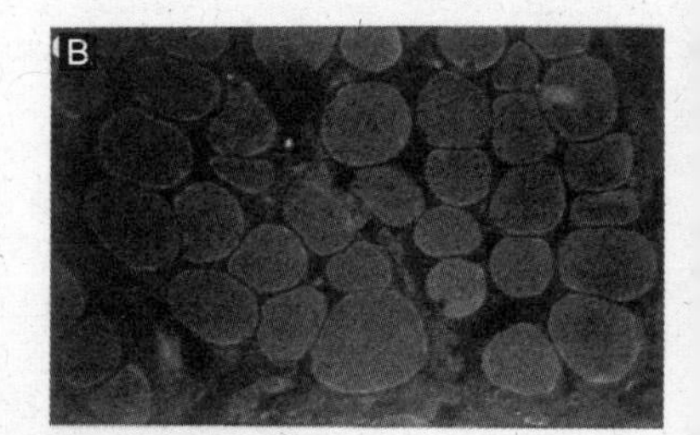

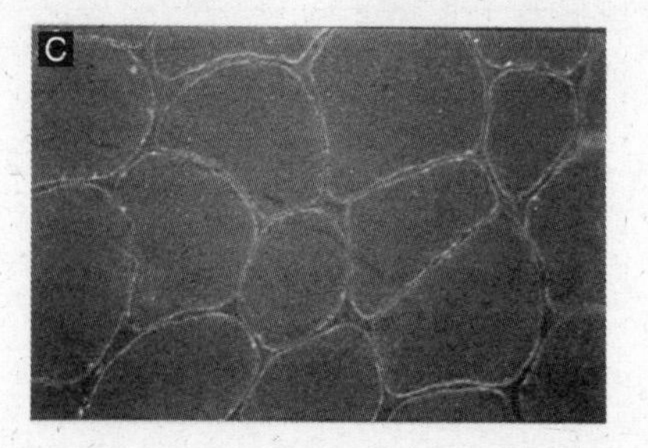

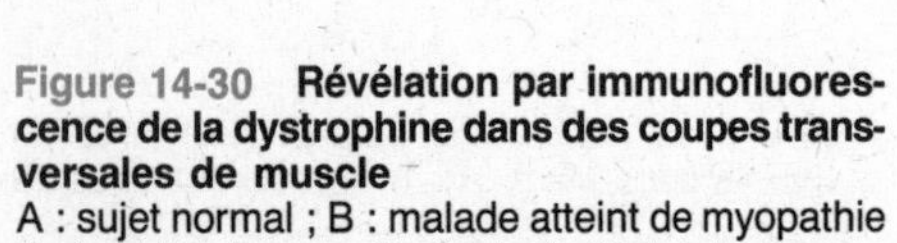

Figure 14-30 **Révélation par immunofluorescence de la dystrophine dans des coupes transversales de muscle**
A : sujet normal ; B : malade atteint de myopathie de type Duchenne ; C : malade atteint de myopathie de type Becker.
(Clichés F. Tomé, INSERM U153, Paris).

La pathologie du gène DMD est dominée par la fréquence et la diversité des délétions

L'analyse systématique du DNA de malades atteints de myopathie de Duchenne ou de myopathie de Becker a montré que les **délétions** sont la cause majeure de dysfonctionnement du gène. En pratique l'énormité du gène et la très grande variabilité dans la topographie et l'extension des délétions **(Figure 14-31)** rendent difficile leur recherche systématique. La fréquence des délétions observées n' a fait que croître au fur et à mesure de la multiplication des sondes, d'abord introniques, puis exoniques. La mise en œuvre systématique de la macrocartographie par électrophorèse en champ pulsé a permis de retrouver une délétion dans près de 50 p. 100 des cas. Grâce à l'emploi de sondes de cDNA capables de mieux cibler les lésions génomiques ce chiffre est maintenant dépassé (voir page suivante).

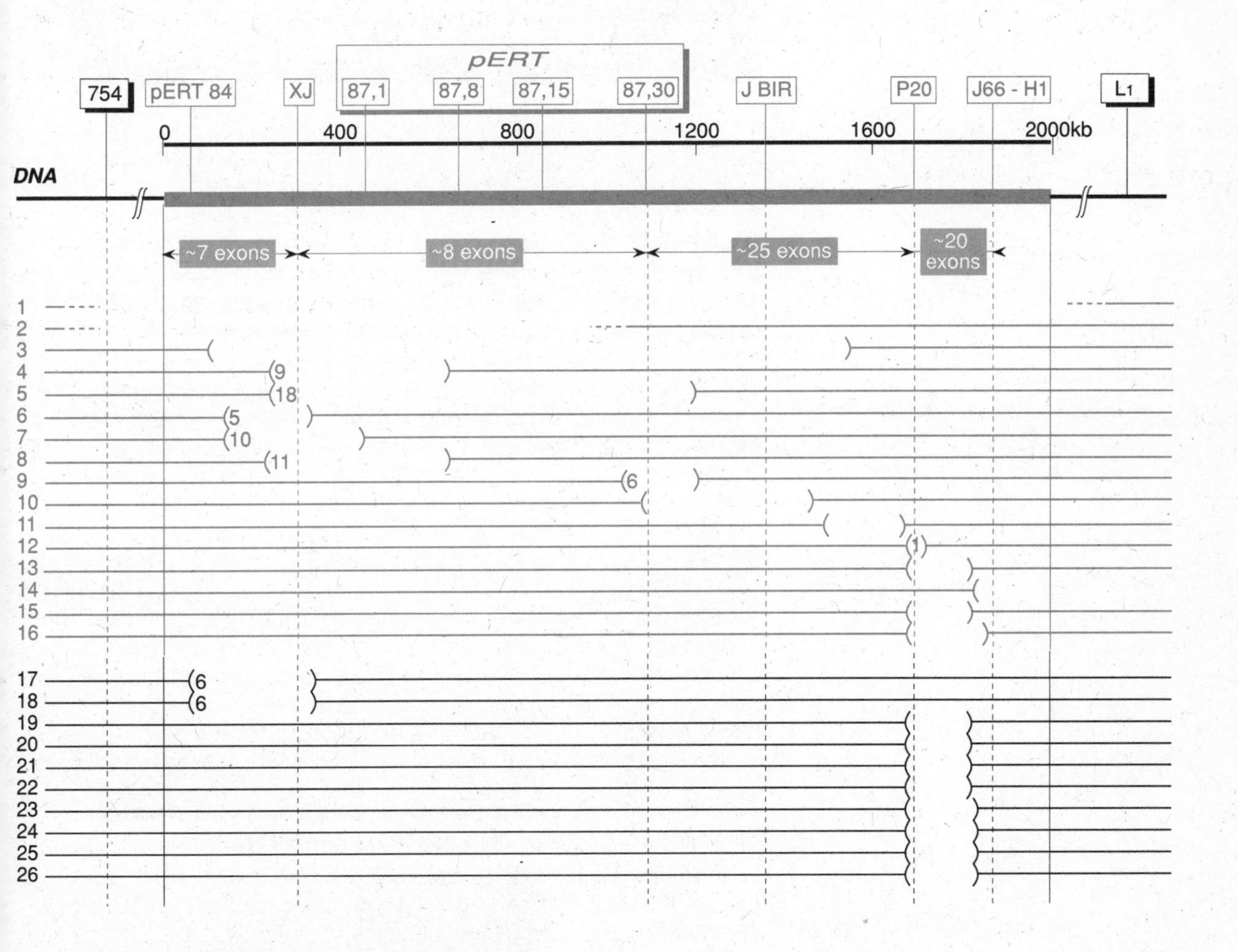

Figure 14-31 Diversité des délétions dans le gène DMD
Les myopathies de Duchenne sont en rouge, les myopathies de Becker en noir.
Il n'existe pas de corrélation entre la taille de la délétion et la gravité de la forme clinique. En effet dans le cas n° 5 la délétion touche 18 exons, et entraîne un tableau clinique peu évolutif, intermédiaire entre la forme de Duchenne et celle de Becker, contrastant avec la délétion très minime du cas n° 12 (un seul exon est manquant) qui est responsable d'une forme sévère. L'élément important est l'effet de la délétion sur le cadre de lecture (Figure 14-33). Les chiffres indiqués dans les délétions correspondent au nombre d'exons perdus.

(H. Gilgenkrantz et J. Chelly, Institut Cochin de Génétique Moléculaire, Paris)

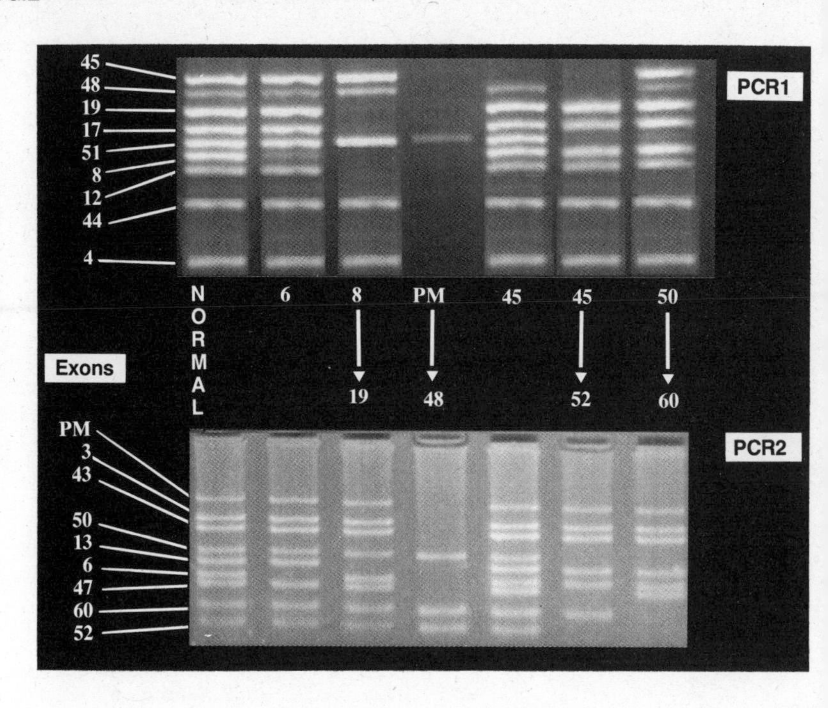

Figure 14-32 Mise en évidence des délétions du gène de la dystrophine par la méthode PCR multiplex
Chaque échantillon de DNA génomique (malades atteints de myopathie de Duchenne ou de Becker) est mélangé dans deux tubes différents à une série de couples d'amorces PCR permettant d'amplifier simultanément le DNA génomique situé dans les zones sensibles du gène (exons 4, 8, 12, 17, 19, 44, 45, 48, 51 pour la série PCR1 ; promoteur musculaire (PM), exons 3, 6, 13, 43, 47, 50, 52, 60 pour la série PCR2). Les produits d'amplification sont analysés par électrophorèse en agarose et visualisés par le bromure d'éthidium. Les exons délétés sont indiqués par les chiffres situés entre les deux clichés.
Le procédé, élaboré par Chamberlain et al (1988), et développé par Beggs et al (1990), permet de déceler 98 p. 100 des délétions dans le gène DMD.
(Clichés J.C. Barbot et S. Llense, Laboratoire de Biochimie Génétique, Hôpital Cochin, Paris).

La méthode PCR permet une exploration rationnelle du gène DMD

Il est théoriquement possible d'amplifier individuellement par PCR sur DNA génomique tous les exons de la dystrophine. En raison de leur petite taille, et pour ne pas passer à côté d'anomalies situées au début ou à la fin d'un exon, ou d'anomalies de la charnière intron-exon, il faut placer les amorces d'amplification en dehors et de part et d'autre de l'exon que l'on veut explorer. Il a donc fallu séquencer les zones introniques flanquantes. Les exons étant très nombreux, les efforts ont porté d'abord sur les régions du gène les plus fréquemment délétées (hot spots). Dans la méthode dite **PCR multiplex** (Chamberlain), on co-amplifie simultanément plusieurs segments dans un même tube, les amplimères produits étant distingables grâce à un choix judicieux de l'intervalle entre les amorces **(Figure 14-32)**.

En combinant les divers procédés d'analyse du gène, on détecte une **délétion dans deux tiers des cas** de myopathie de Duchenne ou de Becker.

Dans environ 30 p. 100 des cas il n'existe pas de délétion détectable par ces méthodes. Ces cas correspondent à des lésions plus subtiles, **micro-délétions** ou **mutations ponctuelles** (essentiellement non-sens ou perturbant l'épissage), particulièrement difficiles à mettre en évidence.

Le siège et l'étendue des délétions sont très variables, mais il existe deux localisations préférentielles

La taille des délétions déjà observées est très variable, allant de 6 kb à plus de 2 000 kb (Figure 14-31). Il existe cependant deux régions préférentiellement atteintes : l'une autour du site intronique P20, l'autre plus en 5' autour du site intronique XJ (Figure 14-27). L'emploi systématique de sondes correspondant à ces deux points chauds permet de détecter les deux tiers des délétions.

Il n'existe aucune corrélation entre la taille de la délétion et le tableau clinique réalisé (Figure 14-31). Cependant l'analyse précise des points de cassure, possible dans le cas privilégié des délétions internes ne touchant

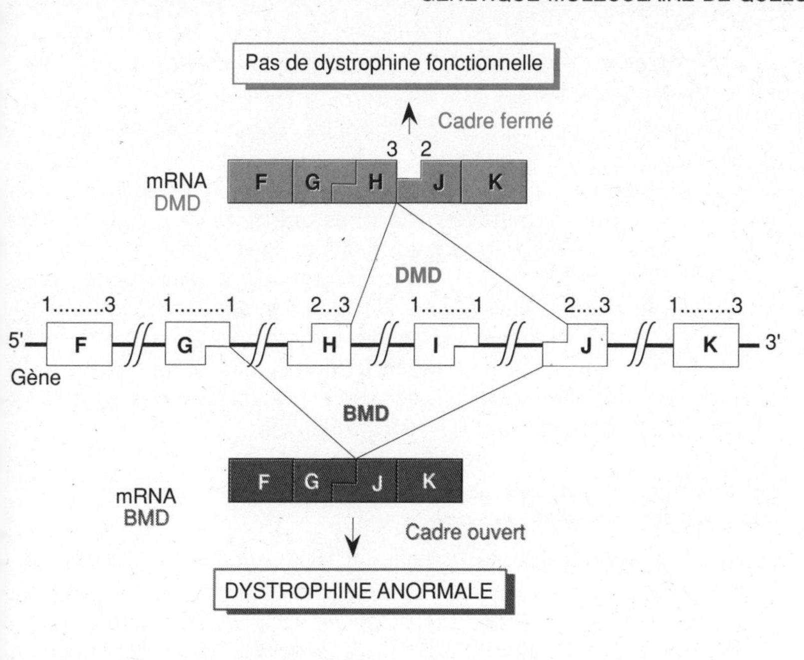

Figure 14-33 Délétions internes du gène DMD et cadre de lecture
Les exons sont désignés par les lettres F à K. Le premier et le dernier nucléotide de chaque exon est surmonté d'un chiffre indiquant le rang qu'il occupe dans son triplet. Le schéma montre la situation de la myopathie de Duchenne (DMD), où les délétions changent le cadre de lecture, et celle de la myopathie de Becker (BMD), où les délétions ne le modifient pas.

pas les extrémités du gène, a permis de comprendre que le retentissement clinique des délétions dépend de leur effet sur le cadre de lecture.

Une explication moléculaire de la moindre sévérité de la myopathie de Becker

Sur un plan pratique, la discrimination entre forme de Duchenne et forme de Becker est désormais possible par une étude de la dystrophine dans des fragments de biopsie musculaire : cette protéine est en principe absente dans la myopathie de Duchenne et présente, mais diminuée et/ou de taille anormale, dans la myopathie de Becker.

La délimitation précise des frontières exons/introns a permis de constater que dans les délétions responsables de myopathie de Becker, l'excision d'un certain nombre d'exons se faisait **sans abolition du cadre de lecture (Figure 14-33)**. Il en résulte la transcription en un messager tronqué traduit en une dystrophine raccourcie.

Les délétions en phase ne touchant que le domaine central peuvent être remarquablement tolérées, comme en témoigne le cas d'un sujet présentant une délétion des exons 17 à 48 et qui n'a souffert des premières manifestations de faiblesse musculaire qu'après l'âge de 60 ans (K. Davies). Ceci indique qu'une « **minidystrophine** » amputée de 60 p. 100 dans la région des répétitions homologues à la spectrine conserve encore une certaine fonctionnalité.

Dans les délétions donnant naissance à une myopathie de Duchenne, le raboutage des exons restants produit dans 90 p. 100 des cas un décalage du cadre de lecture empêchant toute synthèse de dystrophine (Figure 14-33).

Ainsi s'expliqueraient les différences d'évolutivité des deux formes de myopathie. Ceci a pu être vérifié par l'analyse directe des transcrits amplifiés par la technique cDNA/PCR.

Quelques cas semblent faire exception à cette règle du cadre de lecture : des délétions théoriquement hors phase peuvent s'accompagner d'un tableau clinique de type Becker. En fait il existe dans ces cas un épissage alternatif rétablissant le cadre de lecture dans une faible proportion des transcrits, expliquant la production d'une certaine quantité de dystrophine. Inversement, de rares cas de délétions respectant le cadre de lecture peuvent entraîner une pathologie de type Duchenne. Celle-ci est sans doute due à une instabilité particulière du transcrit tronqué, et/ou à une instabilité ou une perte de fonction de la protéine tronquée.

Les délétions débordant le gène DMD peuvent s'accompagner d'une pathologie de contiguïté

Il existe des cas rares, mais très significatifs, où divers syndromes cliniques peuvent s'associer au tableau de myopathie de Duchenne. Ces formes sont dues à des délétions s'étendant d'un côté ou de l'autre du gène DMD. Leur intérêt cartographique est très grand, car leur comparaison a permis de déterminer l'ordre des locus morbides de part et d'autre du gène DMD (Figure 14-25). Sur le versant proximal se trouvent les locus de la **granulomatose chronique** (CGD), la **rétinite pigmentaire** (RP), le gène de l'**ornithine transcarbamylase** (OTC). Sur le versant distal se trouvent les locus du déficit en **glycérol kinase** (GK) et de l'**hypoplasie surrénale congénitale** (AHC). La distance physique entre le gène DMD et ces gènes contigus n'est pas encore connue.

Le déterminisme des délétions dans le gène DMD n'a pas encore été élucidé

Le taux des néo-mutations dans le gène DMD est 100 fois plus grand que dans la plupart des autres gènes. La taille exceptionnelle de la cible n'est pas suffisante pour l'expliquer, car la longueur totale des séquences codantes dans le domaine génomique DMD n'excède pas 5 à 10 fois celle d'un gène « moyen ». C'est très probablement dans l'architecture particulière de ce gène que réside l'explication des accidents délétionnels. Le très grand morcellement des exons et le caractère répétitif des exons correspondant au domaine central de la dystrophine pourraient être propices à des erreurs d'alignement. L'existence de deux points chauds préférentiels (Figures 14-27 et 14-31), et notamment la grande fréquence des cassures dans l'intron 44 (contenant le marqueur P20) laissaient supposer que des séquences répétitives, de type Alu par exemple, pourraient avoir un effet déstabilisant. Jusqu'à présent les recherches effectuées dans ce sens sont restées infructueuses.

D'autres facteurs semblent donc être en cause. Les points sensibles pourraient par exemple correspondre à des sites d'attachement des boucles chromatiniennes à la matrice nucléaire.

L'observation de plusieurs cas de duplication partielle dans le gène DMD suggère l'existence d'un crossing-over inégal au cours de la première division méiotique de la gamétogenèse chez la femme. Mais il est maintenant démontré que les délétions peuvent aussi apparaître dans des gamètes mâles, dans la formation desquels n'intervient qu'un seul chromosome X. Il faut pour ces cas invoquer d'autres mécanismes, tels que des échanges intra- ou inter-chromosomiques non homologues.

Le problème des mosaïques

L'existence de familles avec transmission d'une délétion à plusieurs enfants par une mère apparemment non porteuse de la délétion dans son DNA constitutionnel laisse supposer que des femmes pourraient porter une **mosaïque gamétique**, voire **constitutionnelle (Figure 14-34)**. Dans les deux cas il ne peut s'agir que d'un accident mitotique, survenu soit dans les cellules précurseurs des gamètes, soit à un stade précoce de l'embryogenèse et donnant deux populations de cellules dans tous les tissus de l'organisme, y compris dans la lignée germinale. Cette hypothèse est très difficile à vérifier.

On ne sait pas si de telles mosaïques existent aussi chez les hommes. Si c'était le cas, ceux-ci seraient alors des transmetteurs bien portants, susceptibles d'engendrer des filles transmettrices.

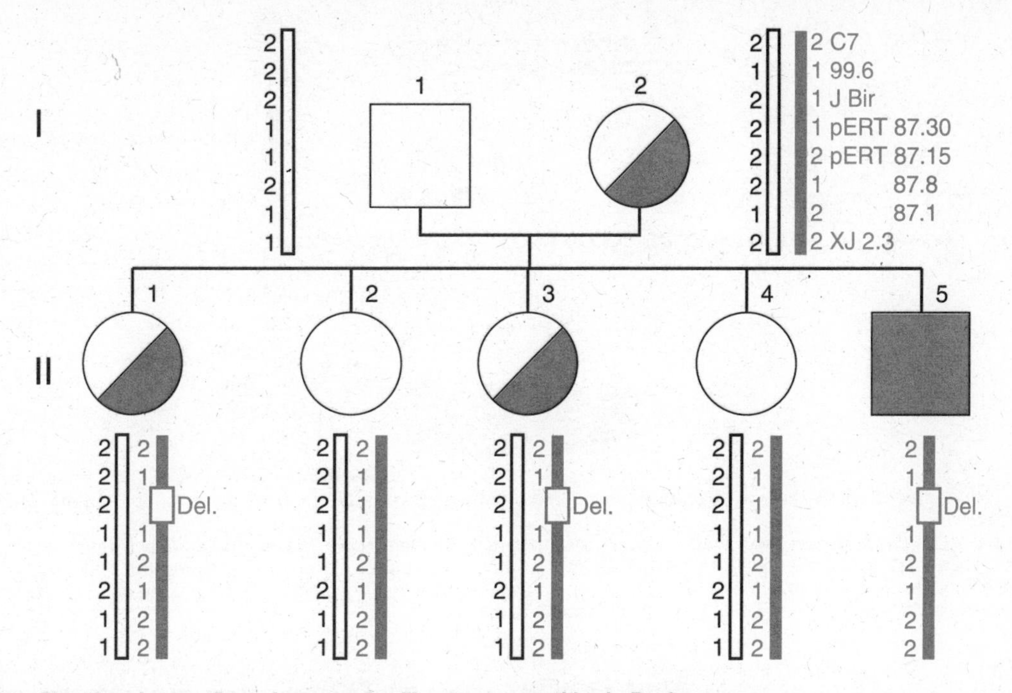

Figure 14-34 **Situation de mosaïque dans une famille avec myopathie de Duchenne**
Le myopathe (sujet II-5) présente une délétion localisée faisant disparaître le marqueur JBir. Cette délétion n'est pas retrouvée dans le DNA constitutionnel de sa mère (I-2) puisque celle-ci porte 2 allèles JBir différents (génotype 1/2). Elle n'est donc pas en principe conductrice. Elle a cependant transmis la délétion à deux filles (II-1 et II-3). Noter que le même chromosome (en rouge), aisément distinguable par l'haplotype, a aussi été transmis à 2 autres filles sous une forme non délétée. La transmission itérative d'une délétion dans le gène DMD par une femme apparemment non transmettrice implique que celle-ci porte un mélange de gamètes normaux et de gamètes délétés (mosaïque germinale ou généralisée).

La fréquence des mosaïques n'est pas connue. Elles compliquent singulièrement le conseil génétique, en introduisant un facteur d'incertitude lorsque l'on tente de déterminer, dans une famille donnée, le stade auquel une mutation de novo s'est produite.

Le diagnostic génotypique des anomalies du gène DMD est complexe

Les buts à atteindre sont le diagnostic **prénatal** et celui des femmes **conductrices**, dont les modalités générales ont déjà été discutées dans le chapitre 13.

Le diagnostic phénotypique est désormais possible, par une recherche de la dystrophine dans des fragments de biopsie musculaire, par exemple pour confirmer un diagnostic hésitant, ou pour permettre de discriminer précocement les formes de Duchenne (dystrophine absente) et de Becker (dystrophine détectable mais anormale). Mais ce type d'investigation ne s'adresse qu'aux malades, et ne peut servir ni au diagnostic prénatal (problème d'accès au tissu spécifique), ni au diagnostic des conductrices (problème de la lyonisation), où le diagnostic génotypique conserve une place irremplaçable.

• *Le diagnostic prénatal.* Les moyens dont on dispose sont :
— le diagnostic direct, par la détection des délétions ;
— le diagnostic semi-direct et indirect par les marqueurs polymorphes.
Les différentes sondes utilisées à cet effet sont représentées dans la **figure 14-35.**

En raison de leur très grande fréquence les délétions doivent être systématiquement recherchées dans le DNA des **cas index**.

L'étendue du gène et la grande variabilité des lésions d'une famille à l'autre compliquent la tâche. En pratique on effectue en première intention une exploration systématique des exons les plus souvent délétés par

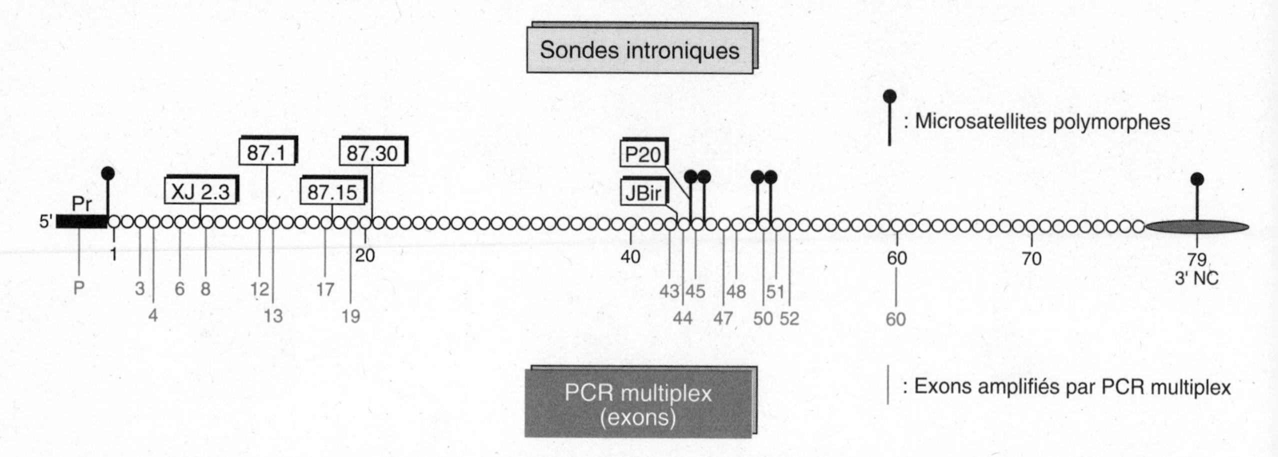

Figure 14-35 **Exploration du gène de la dystrophine pour le diagnostic de myopathie de Duchenne ou de Becker** ***(seuls les exons sont représentés)***
Au-dessous : localisation des amorces permettant l'amplification par PCR multiplex pour le **diagnostic direct** des délétions.
Au-dessus : localisation des marqueurs polymorphes, RFLP (encadrés) et microsatellites, permettant un **diagnostic semi-direct.**
Une exploration complète du gène peut être effectuée en analysant par Southern-blot les produits de disgestion du DNA génomique hybridés avec une panoplie de 8 sondes de cDNA couvrant la totalité du gène.

PCR multiplex à partir du DNA génomique. En utilisant successivement deux séries de 9 couples d'amorces, on explore 17 exons et la région promotrice (Figures 14-32 et 14-36), ce qui permet de couvrir 90 p. 100 des délétions. En cas de résultat négatif on peut recourir à une exploration de toutes les parties codantes du gène, par méthode de Southern, en utilisant successivement des sondes dérivant de clones de cDNA **(Figure 14-36)**.

L'analyse par PCR peut aussi être effectuée sur le **RNA messager** de la dystrophine, soit à partir de muscle, soit en mettant à profit la transcription illégitime (voir chapitre 13). En utilisant une batterie d'amorces régulièrement réparties, on doit pouvoir couvrir la totalité du transcrit, et procéder non seulement à la détection des délétions, mais aussi à l'identification des autres lésions : non pas tant les mutations faux sens, moins probables, que les mutations non-sens et surtout les mutations perturbant l'épissage normal.

Si une délétion a été mise en évidence chez un cas index, un diagnostic prénatal dans la famille concernée est possible, fournissant une réponse directe, rapide et sans ambiguïté **(Figure 14-37)**.

En l'absence de délétion détectable, on doit recourir à la méthode des RFLP, dont nous avons vu au chapitre 13 les contraintes et les limites. Celles-ci se résument essentiellement à un problème d'**informativité**, et de **recombinaison**. Il existe de nombreux RFLP dans le gène DMD et de part et d'autre de celui-ci (Figure 14-27). Leur utilisation pour le diagnostic prénatal soulève deux types de difficultés. Une première difficulté est d'ordre génétique et concerne le risque de recombinaison qui est proportionnel à la distance entre le RFLP et la mutation. Celle-ci ne peut être estimée a priori, car l'emplacement des mutations par rapport aux marqueurs informatifs n'est pas connu. La dimension du territoire mutable étant d'au moins 2 mégabases, il existe un risque *théorique* de recombinaison de 2 p. 100 si par malchance le RFLP informatif et la mutation sont situés chacun à une extrémité du gène (l'expérience a montré que cette approximation est inférieure à la réalité). Force est donc de recourir à plusieurs RFLP informatifs, ce qui réduit non pas le risque de recombinaison, mais le risque de la méconnaître. Idéalement on devrait recourir à un RFLP intragénique et à deux RFLP flanquant le gène. Le risque final d'erreur peut ainsi être minimisé.

Un certain nombre de **microsatellites** polymorphes ont été identifiés

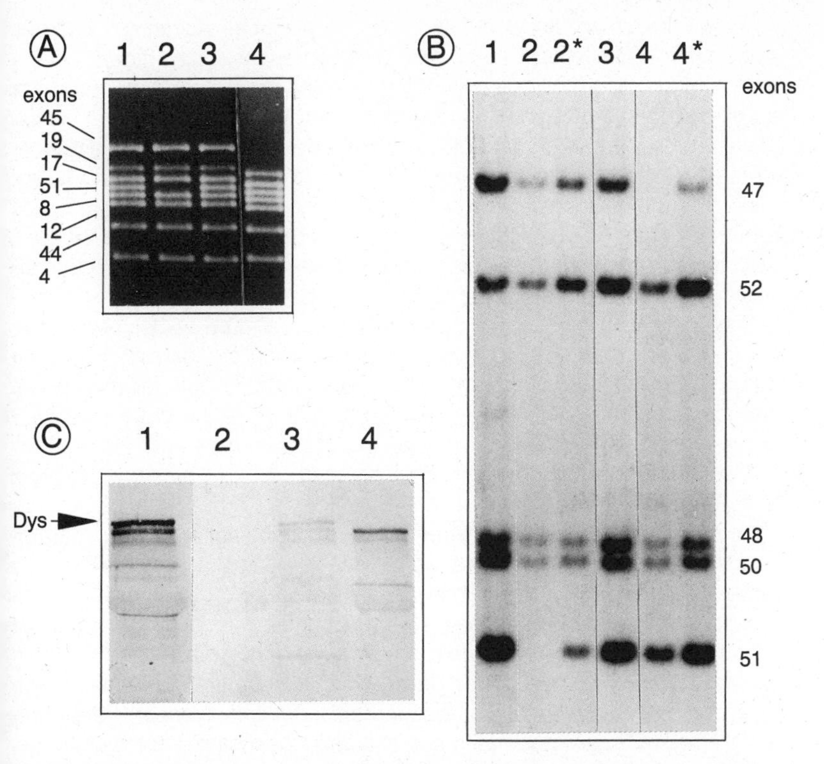

Figure 14-36 Exploration de la myopathie de Duchenne (DMD) et de la myopathie de Becker (BMD) par analyse de la dystrophine et de son gène
A : PCR multiplex sur DNA génomique.
B : *Southern-blot* après digestion du DNA génomique par HindIII. Hybridation par une sonde sous-clonée de cDNA explorant les exons 47 à 52.
C : Visualisation de la dystrophine musculaire par *Western-blot.*
1 : sujet témoin non myopathe ; 2 : sujet DMD avec délétion de l'exon 51 ; 2* : mère du sujet n°2 portant la même délétion que son fils sur l'un de ses chromosomes X (noter en B l'affaiblissement de la bande contenant l'exon 51) ; 3 : sujet BMD sans délétion détectée. Noter en C une dystrophine quantitativement diminuée mais de taille normale ; 4 : sujet BMD avec délétion des exons 45 (en A) à 47 (en B). Noter la dystrophine quantitativement diminuée et de taille inférieure à la normale ; 4* : mère du sujet n°4 portant la même délétion que son fils sur l'un de ses chromosomes X (noter en B l'affaiblissement de la bande contenant l'exon 47).
(Cliché D. Récan et F. Leturcq, Laboratoire de Biochimie Génétique, Hôpital Cochin, Paris).

dans le gène DMD. Leur utilisation offre de nombreux avantages par rapport aux RFLP classiques : simplicité d'exécution (amplification par PCR au lieu de la méthode de Southern), meilleure informativité, enfin fiabilité accrue en raison de leur distribution sur le gène (Figure 14-35).

L'autre difficulté est d'ordre pratique et concerne la lourdeur de l'investigation lorsqu'elle doit être effectuée sous la contrainte temporelle du diagnostic prénatal. C'est dire l'importance que revêt la planification souhaitable d'un tel diagnostic, qui devrait toujours être précédé par une analyse complète de la famille à un stade *pré-conceptionnel.* Cette manière de procéder possède en outre l'intérêt de clarifier l'indication du diagnostic prénatal. En effet les futures candidates à un diagnostic prénatal ne sont pas toujours des transmettrices authentifiées, et il vaut infiniment mieux déterminer leur statut préalablement, pour éviter un diagnostic prénatal inutile et non entièrement dépourvu de risques. Ceci rejoint le problème difficile du diagnostic des femmes transmettrices.

• *Le diagnostic des femmes transmettrices* est important pour toutes les femmes ou filles qui ont un risque quelconque d'avoir reçu le chromosome X anormal présent chez le ou les myopathes de la famille. Il ne concerne que celles qui ne sont pas classables en transmettrices obligatoires,

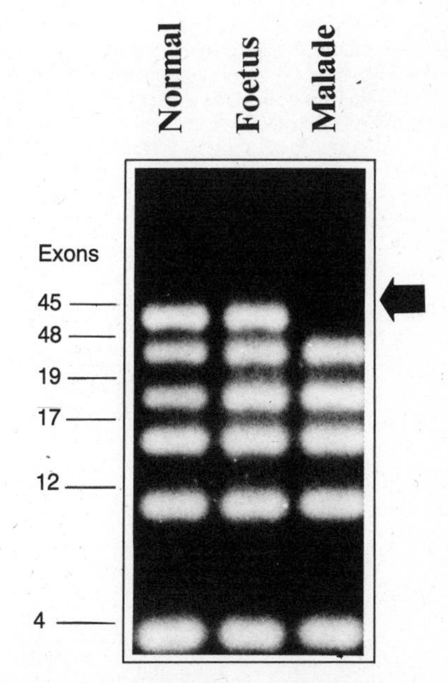

Figure 14-37 Diagnostic prénatal de myopathie de Duchenne par la technique PCR multiplex
Le fœtus n'est pas atteint car son DNA ne possède pas la délétion de l'exon 45 présente chez son frère.
(Cliché M. Jeanpierre, Laboratoire de Biochimie Génétique, Hôpital Cochin, Paris).

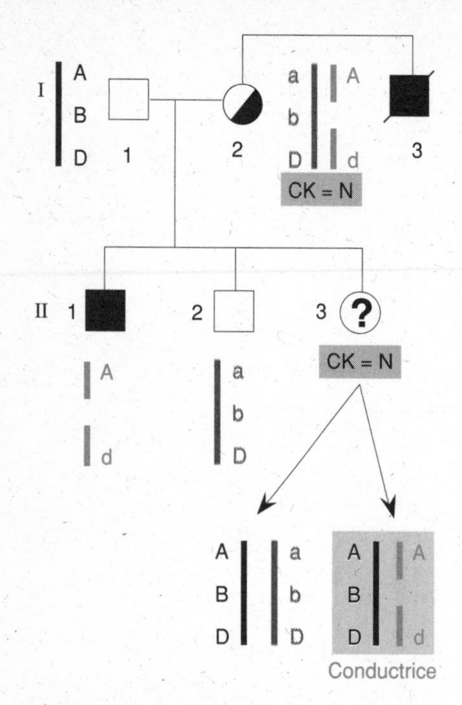

Figure 14-38 Diagnostic de conductrice chez la fille d'une conductrice obligatoire à taux de créatine kinase (CK) normale
B/b = RFLP intra-génique, flanqué de deux RFLP extra-géniques (A/a et D/d).
Le cas est idéal parce que : (i) le statut de la mère est connu avec certitude, (ii) le cas index (sujet II 1) a pu être étudié et présente une délétion dans une région portant un site polymorphe informatif dans la famille (discrimination entre l'allèle normal b de la mère et l'allèle B du père). Chez la fille II 3 le statut sera déterminé avec certitude par la simple présence ou absence de l'allèle b.
Si le sujet II 1 ne pouvait être examiné, ou s'il ne présentait pas de délétion informative, le diagnostic de conductrice du sujet II 3 reposerait sur la présence ou l'absence de l'allèle d, comportant le risque d'erreur inhérent à la possibilité de recombinaison.

parce qu'elles n'entrent dans aucune des catégories suivantes : femmes ayant déjà eu un enfant myopathe et appartenant à une famille où il y a déjà eu plus d'un cas de myopathie (formes familiales), femmes ayant eu plus d'un enfant myopathe, femmes ayant un taux de créatine kinase élevé. Le risque a priori peut être établi d'après les données de la généalogie en utilisant le théorème des probabilités conditionnelles de Bayes. L'intérêt du diagnostic est de permettre de préciser ce risque initial, soit en l'augmentant significativement, soit au contraire en l'abaissant.

Chez les femmes les délétions sont difficiles à mettre en évidence par le simple examen du signal d'hybridation, puisque le chromosome X normal se manifeste toujours. Le **dosage génique** (Figure 14-36), obtenu par comparaison densitométrique soigneuse avec un standard interne (une autre sonde du chromosome X) est une opération délicate réclamant une perfection technique difficile à obtenir en routine. Aussi l'analyse des **RFLP** demeure-t-elle prédominante. Elle permet de déterminer par les haplotypes observés si la femme examinée a hérité du chromosome présent chez le myopathe.

Le problème se pose différemment selon qu'il s'agit d'un cas sporadique ou d'un cas familial. Dans les formes familiales la réponse est plus facile à obtenir. Elle est sûre lorsque la délétion peut être attestée ou éliminée chez la femme examinée par une configuration allélique favorable **(Figure 14-38)**. Dans les formes sporadiques le diagnostic doit tenir compte de la possibilité des mutations de novo. Le calcul final du risque d'être conductrice doit alors intégrer les éléments suivants : probabilité a priori (théorème de Bayes), taux de créatine kinase, génotype (haplotype) et risque de recombinaison pour chaque RFLP.

• *Le problème des mutations de novo :* le diagnostic de mutation de novo chez un myopathe est très important, car il exonère sa mère de la nécessité d'un diagnostic prénatal pour des grossesses ultérieures, et met définitivement hors de cause ses soeurs, tantes et cousines. La possibilité de mosaïques remet en question cette sécurité en ce qui concerne le problème de la mère et des soeurs. En revanche il ne remet pas en cause le statut des tantes et des cousines.

En définitive, le diagnostic du statut de conductrice n'est possible que dans environ 80 p. 100 des cas, moyennant parfois une étude longue et exhaustive, portant sur de nombreux individus. Les échecs sont dûs soit à l'absence d'informativité, soit à la composition défavorable de la généalogie (impossibilité de reconstituer la **phase**).

Le diagnostic génotypique des anomalies du gène DMD est donc une entreprise difficile réclamant une organisation lourde et une équipe spécialisée associant cliniciens, généticiens et biologistes moléculaires.

La **figure 14-39** récapitule les différentes étapes du diagnostic sous forme d'un arbre décisionnel.

Les modèles animaux de la myopathie de Duchenne

Maintenant que le gène de la myopathie de Duchenne est identifié, les espoirs thérapeutiques reposent sur la possibilité d'effectuer une expérimentation animale. Des mutations ciblées dans le gène DMD n'ont pas encore été induites, mais il existe déjà deux modèles animaux spontanés.

La mutation ***mdx*** de la souris, d'abord considérée comme génétiquement différente de la myopathie humaine en raison de la bénignité de son tableau clinique, est due à une mutation dans le gène DMD. Il s'agit d'une mutation non-sens (CAA ⟶ TAA sur le codon 993) empêchant toute synthèse de dystrophine. Le modèle mdx pose essentiellement le problème de sa remarquable tolérance clinique. Sa compréhension pourrait éclairer la physio-pathologie de la myopathie humaine.

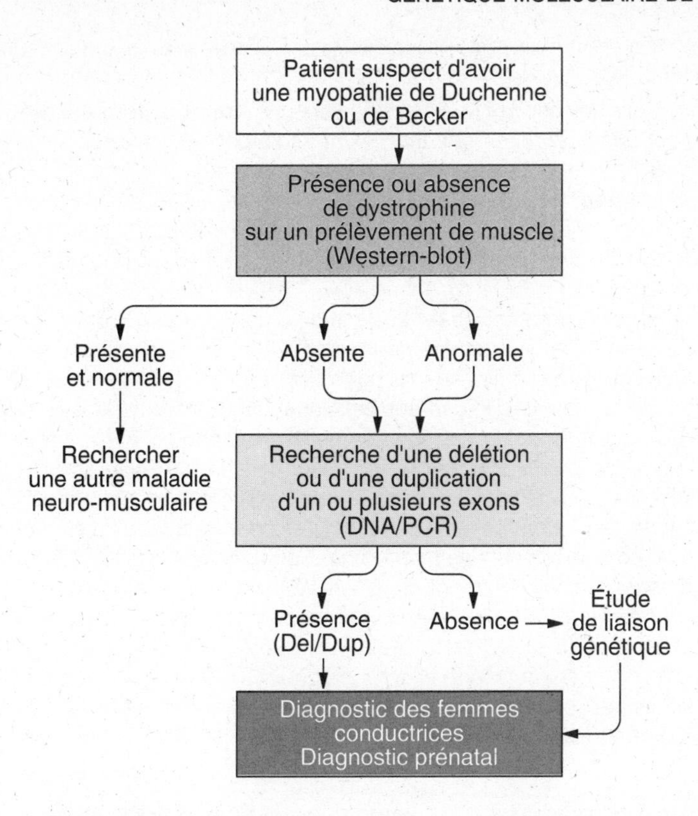

Figure 14-39 **Diagramme décisionnel pour le diagnostic de myopathie de Duchenne ou de Becker**

La mutation spontanée ***CXMD*** du chien Labrador réalise une myopathie très semblable à la myopathie de Duchenne, tant par ses manifestations cliniques, que par son évolutivité et ses lésions histologiques (Cooper et al, 1988). Elle se caractérise aussi par une disparition de la dystrophine musculaire. La mutation abolit un site accepteur d'épissage et entraîne un shunt de l'exon 7 qui interrompt le cadre de lecture. Ce modèle, de découverte récente, soulève de grands espoirs par sa très grande homologie avec la maladie humaine.

Les perspectives thérapeutiques

La physio-pathologie de la maladie est encore ignorée, car on ne connaît pas le rôle exact de la dystrophine. Dans le muscle, celle-ci est sans doute amarrée d'un côté à l'armature cyto-squelettique de la cellule, de l'autre côté à la matrice extracellulaire via le complexe transmembranaire des DAG. Dans un tel schéma, un défaut de dystrophine pourrait avoir des **conséquences mécaniques**, en particulier en désorganisant la membrane (ceci expliquerait l'augmentation de la perméabilité membranaire, l'influx exagéré de calcium, l'efflux des enzymes intracellulaires, etc.). Si le rôle de la dystrophine est principalement **structural**, il faut parvenir à l'**apporter**, ou à en obtenir la **fabrication**, dans un maximum de cellules musculaires.

À titre expérimental, plusieurs procédés ont été testés chez la souris *mdx*. L'**injection de myoblastes normaux** restaure au point d'injection une synthèse de dystrophine, car la cellule musculaire est un syncytium dans lequel les noyaux des myoblastes injectés peuvent s'incorporer. L'effet est cependant très localisé et, malgré quelques tentatives sur des malades, le procédé ne semble pas avoir d'avenir thérapeutique véritable. En effet, sans parler des problèmes immunologiques, il n'est pas possible d'implanter des myoblastes dans tous les groupes musculaires essentiels (notamment diaphragme et myocarde). L'**injection intramusculaire** directe de DNA (ici le cDNA de dystrophine) a été essayée, donnant lieu à une production étonnamment prolongée de dystrophine au point d'injection. Mais l'efficacité, en terme de synthèse de dystrophine, est très faible, et ici aussi l'apport est purement local.

En fait tous les espoirs sont tournés vers une **thérapie génique somatique** apportant le gène dans un maximum de cellules musculaires. Des prémices expérimentales encourageantes existent :

— la **transfection** dans des cellules COS de cDNA de dystrophine inséré dans un vecteur d'expression dérivé de SV40 induit une production de dystrophine, dont la localisation est principalement membranaire (Lee et al) ;

— il est possible d'envisager l'utilisation d'un **vecteur viral** qui apporterait le gène de la dystrophine dans tout l'organisme. Il s'agirait non pas tant d'un rétrovirus, qui a besoin pour s'intégrer de cellules en division active (ce qui n'est pas le cas des cellules musculaires), mais d'un **adénovirus** dont le tropisme musculaire est bien connu ;

— a priori la taille considérable du cDNA à insérer est évidemment un obstacle. Mais il n'est peut-être pas nécessaire d'utiliser les 14 kb du cDNA pleine longueur, ni même les 11 kb du cDNA codant, puisqu'un mini-gène de 6,5 kb semble capable de fournir une dystrophine encore fonctionnelle, malgré son raccourcissement (K. Davies)*.

De nombreux problèmes restent à résoudre, concernant notamment le taux d'expression et la fonctionnalité du cDNA inséré, l'obtention d'un ciblage strictement musculaire, dont on ignore s'il est indispensable. Ces problèmes peuvent être abordés grâce aux modèles expérimentaux (souris *mdx* et surtout chien *CXMD*).

LES BASES MOLÉCULAIRES D'UNE ARRIÉRATION MENTALE LIÉE AU CHROMOSOME X : LE SYNDROME X-FRAGILE

Le syndrome du retard mental avec fragilité du chromosome X, ou **syndrome X-fragile**, est la cause la plus fréquente des retards mentaux héréditaires. Il serait la cause de 10 p. 100 de tous les retards mentaux masculins. Il touche 1 garçon sur 1 500, chez lequel il se manifeste par une **arriération mentale** plus ou moins prononcée, parfois associée à des anomalies morphologiques (dysmorphie faciale, macro-orchidie post-pubertaire). Environ un tiers des femmes transmettrices présentent un retard mental léger ou moyen. L'association à un **site fragile** proche de l'extrémité distale du bras long du chromosome X (interface **Xq27-q28**) a été notée pour la première fois en 1969 (Lubs), mais elle est inconstante. Le diagnostic cytogénétique doit être sensibilisé en analysant le caryotype sur des lymphocytes cultivés en présence de méthotrexate (Sutherland). Même dans ces conditions, le site fragile ne se manifeste que dans une fraction des mitoses chez les mâles atteints (10 à 50 p. 100). Il n'est observé que chez 50 p. 100 des transmettrices obligatoires, et dans une proportion de cellules parfois à peine plus élevée que le bruit de fond.

Les étapes de la découverte du gène : du site fragile à l'anomalie de méthylation (1983-1991)

Le gène responsable de la maladie a été découvert en suivant une démarche de génétique inverse, où la connaissance de l'anomalie cytogénétique a servi à la fois de point de départ et de fil conducteur.

* Les premières expériences d'injection intra-musculaire chez la souris *mdx* d'adénovirus défectif recombiné à la mini-dystrophine ont fourni des résultats encourageants (Ragot et al, 1993).

Les prémices génétiques

Des particularités relatives au mode de transmission ont d'emblée attiré l'attention. En effet les généalogies comportant trois générations montraient qu'un grand-père apparemment normal pouvait transmettre la maladie à ses petits-fils. D'où la notion troublante de **mâles normaux transmetteurs**. Chose curieuse, cette **pénétrance incomplète** semblait varier selon les générations. Faible chez les frères des mâles normaux transmetteurs, ainsi que chez leurs filles, elle augmente brutalement à la génération suivante, puisque les filles normales qui ont reçu un chromosome X muté provenant d'un père mâle normal transmetteur ont des enfants ayant un risque élevé de présenter tous les symptômes cliniques et cytogénétiques de la maladie. Ce phénomène, parfois appelé **paradoxe de Sherman**, a suggéré que le substratum moléculaire de la maladie, et de la fragilité cytogénétique, pouvait être expliqué par une **instabilité** d'un segment de DNA, avec aggravation au cours des générations.

La cartographie génétique

Les premiers travaux ont consisté à isoler des marqueurs polymorphes dans la région fragile, pour effectuer une analyse de linkage qui a montré que le locus recherché était en **Xq27.3**, c'est-à-dire entre le gène du facteur IX (hémophilie B) du côté proximal, et le gène du facteur VIII (hémophilie A) du côté distal. Des marqueurs de plus en plus proches furent ensuite découverts, permettant d'envisager un diagnostic prénatal génotypique indirect (le diagnostic prénatal ne peut être effectué par la cytogénétique, car le site fragile est très difficile à mettre en évidence dans les villosités choriales).

La cartographie physique

L'étape suivante a consisté à recourir à l'**électrophorèse en champ pulsé**. On pouvait en effet raisonnablement espérer, sur la base des anomalies cytogénétiques, que la région suspecte, comprise au départ dans plusieurs mégabases, était l'objet de remaniements importants chez les malades. C'est ce qui fut observé (Vincent et al, 1991). Comme les enzymes utilisées pour ce type d'analyse (BssHII, SacII, EagI) sont inhibées par la méthylation, on pouvait penser que l'abolition de tels sites de coupure résultait d'une méthylation intempestive d'un îlot HTF (riche en CpG). On sait aussi que ces îlots, normalement hypométhylés, marquent souvent l'extrémité 5' des gènes. Ces deux indices devaient conduire quasi simultanément à la découverte d'une pathologie nouvelle, et à celle du gène lui-même. En analysant des clones YAC couvrant la région X-fra, les équipes de J.L. Mandel et de K. Davies finirent par découvrir un îlot HTF suspect anormalement méthylé chez les malades (Heitz et al, 1991 ; Bell et al, 1991). Une sonde de la région (StB12.3) devait ensuite permettre de mettre en évidence, à proximité de la région **hyperméthylée**, une séquence de **DNA instable**, dont la taille est considérablement amplifiée chez les malades (Oberlé et al, 1991). Cette séquence est située au début d'un gène, qui a été appelé **FMR**, pour *Fragile X Mental Retardation* (Verkerk et al, 1991) (voir Figure 14-41).

La pathologie originale du locus X-fra : une amplification en deux étapes d'une zone hypervariable

L'anomalie présentée par les mâles atteints est toujours une augmentation anormale de taille d'une séquence de DNA dont la longueur varie normalement dans certaines limites. L'analyse précise de cette séquence a montré qu'elle est constituée d'une succession de **triplets CGG** répétés

Figure 14-40 Analyse génotypique du syndrome X-fra par double digestion EcoRI/EagI et hybridation avec la sonde StB 12.3
(D'après Rousseau et al, 1991).
Les différents génotypes énumérés dans le Tableau 14-7 sont discriminables par analyse du DNA génomique leucocytaire par la méthode de Southern. La sonde StB 12.3 est un fragment génomique cloné du gène FMR-1. Le principe de la méthode repose sur les données suivantes : (i) la prémutation se traduit par un incrément de taille Δ^P compris entre 100 et 600 pb (bandes en rouge hachuré) ; (ii) la mutation complète se traduit par un incrément de taille Δ^M compris entre 600 et 3 000 pb (bandes en rouge plein), souvent visible sous forme d'une zone aux limites imprécises traduisant une instabilité somatique (mitotique) de la région amplifiée. Les trois situations (N, Δ^P et Δ^M) sont aisément distinguées par une digestion par EcoRI. L'état de méthylation du gène FMR-1 peut être apprécié en étudiant l'effet ajouté de l'enzyme EagI, qui coupe dans l'îlot CpG situé en amont du gène seulement s'il n'est pas méthylé. Chez la femme on peut ainsi distinguer le gène porté par le chromosome X actif de celui qui est porté par le chromosome X inactif.

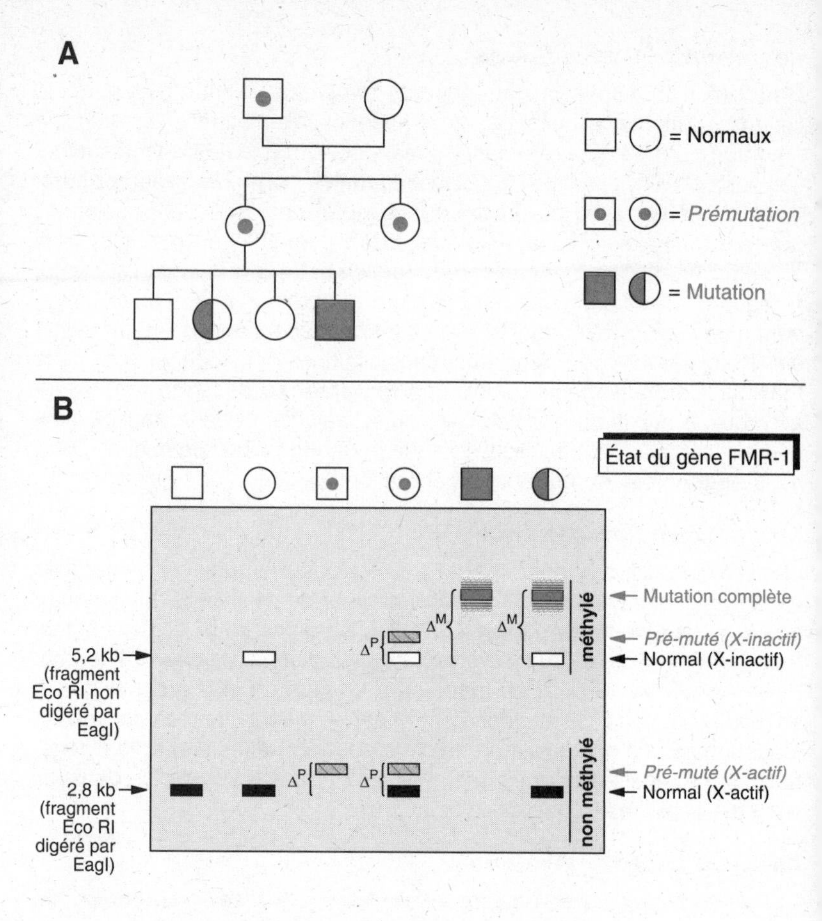

Tableau 14-7 Génotypes et phénotypes du locus FRAXA

Génotype	Phénotype retard mental	Phénotype site fragile	(CGG)n	Amplification (Δ moyen en pb)	Méthylation anormale
Normal					
□ et ○	-	-	n = 6 à 46	-	-
Prémutation					
⊡ et ⊙	-	- (*)	n = 52 à 200	Δ = 100 à 600	-
Mutation					
■	+	+	n > 300	Δ > 600	+
◐	±	+(-)	n > 300	Δ > 600	+
Mosaïque					
■ + ⊡	+	+	n > 300 et n = 52 à 200	Δ > 600 et Δ < 600	+ et -
◐ + ⊙	±	+(-)	n > 300 et n = 52 à 200	Δ > 600 et Δ < 600	+ et -

(*) en cas de prémutation on peut observer une expression du site fragile dans une faible proportion de cellules

n fois. Chez les sujets normaux, le nombre de répétitions est très variable, n étant compris entre 6 et 46, avec une valeur moyenne de 28. Chez les mâles atteints n est toujours supérieur à 300, ce qui se traduit par un incrément allant de 600 à 3 000 pb sur un fragment EcoRI de 5 kb (**Figure**

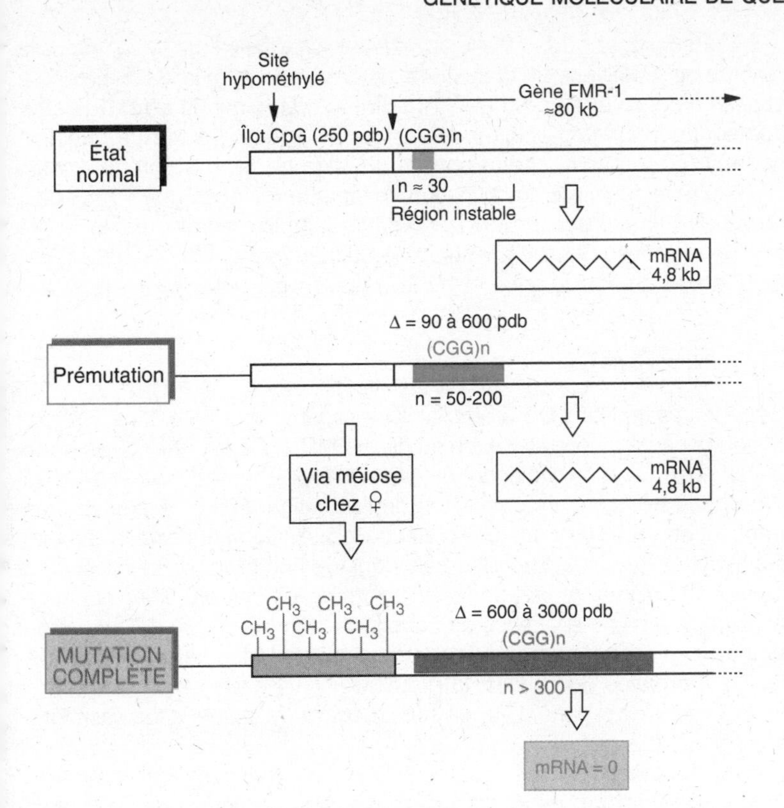

Figure 14-41 Pathologie moléculaire du syndrome X-fra
L'amplification exagérée de la région instable entraîne une hyper-méthylation en amont du gène FMR-1 et une abolition de son expression.
NB : Ce schéma pathologique est le plus fréquent mais n'est pas exclusif.

14-40 et Tableau 14-7). Cette expansion anormale est absolument spécifique de la maladie. Elle s'accompagne invariablement d'une **hyperméthylation** d'une séquence située immédiatement en amont (**Figures 14-40 et 14-41**). Cette expansion pathologique est elle-même **instable**, car le nombre de répétitions CGG varie au sein d'une même fratrie. Il varie aussi chez un même individu où l'existence d'une zone floue sur le Southern-blot (Figure 14-40) traduit l'existence d'une **mosaïque somatique**, le nombre de répétitions variant d'une cellule à l'autre. Le mécanisme de cette expansion à géométrie variable, qui survient donc à la fois à la méïose et à la mitose, est probablement un **dérapage réplicatif** (chapitre 12), ce qui expliquerait que l'on puisse aussi observer, rarement il est vrai, un phénomène inverse de contraction. Chez les **mâles normaux transmetteurs** le nombre de répétitions CGG est toujours compris entre 52 et 200 (Tableau 14-7), c'est-à-dire intermédiaire entre celui du sujet normal et celui du mâle atteint, et sans anomalie de méthylation. Ainsi est défini un stade de **prémutation*** qui ne s'accompagne d'aucune manifestation pathologique (un site fragile peut cependant être observé sur de rares mitoses). Cet allèle prémuté est transmis à des filles sans variation de taille (Figures 14-40 et 14-41). Celles-ci on un phénotype normal. C'est à la génération suivante qu'on assiste au passage de la prémutation à la mutation complète (Figures 14-40 et 14-41). Cette mutation en deux temps, avec passage obligé par une méïose féminine, explique le paradoxe de Sherman**. On ignore pourquoi les méïoses masculines ne possèdent pas d'effet amplificateur.

* Le concept de prémutation avait été antérieurement proposé par Pembrey et al (1985).
** Contrairement à ce qu'on avait pensé initialement, le deuxième événement ne semble pas lié à l'inactivation du chromosome X portant la prémutation.

Il faut souligner que la limite supérieure « normale » de la variation du nombre de répétitions CGG ($n \leqslant 46$) est très proche de la limite inférieure observée dans l'allèle prémuté ($n \geqslant 52$). Il existe dont un **effet de seuil**, au-delà duquel l'amplification devient pathologique. Le site en question pourrait être un point chaud pour la création de novo de prémutations.

Cette pathologie par amplification de triplets (voir aussi page 298), déjà observée dans le syndrome de Kennedy (amplification de CAG), a été ensuite retrouvée dans la myotonie de Steinert (page 420), où cependant il n'y a pas d'effet de seuil et où la mutation est unique.

Le gène FMR-1

La zone des triplets CGG à amplification variable est située dans la région 5' non codante du premier exon du gène FMR-1. Celui-ci se trouve immédiatement en aval du site anormalement méthylé chez les malades. Il s'agit d'un gène très conservé au cours de l'évolution (80 kb, 3 exons). Il est transcrit en un mRNA de 4,8 kb, découvert initialement dans le cerveau, les lymphocytes et le placenta, puis dans de nombreux autres tissus. La séquence codante n'offre pas d'homologie avec des protéines connues, à l'exception d'une séquence de transduction vers le noyau. Effectivement grâce à des anticorps préparés contre un oligopeptide de synthèse, révélant une protéine de 70 kDa, la protéine FMR-1 a été retrouvée dans le noyau, mais aussi dans d'autres substructures (reticulum endoplasmique, mitochondrie).

La plupart des malades (mutation complète) n'ont pas de mRNA détectable, et **l'inhibition de l'expression de FMR-1** semble être une conséquence directe de l'anomalie de méthylation. On ne sait pas par quel mécanisme l'amplification des triplets CGG du premier exon au-delà d'un certain seuil entraîne une hyperméthylation.

La fonction de la protéine FMR-1 n'a pas encore été explorée, et le déterminisme du phénotype (retard mental, dysmorphie) n'est pas connu. Il n'est pas impossible que d'autres gènes de la région soient aussi inactivés par l'hyperméthylation, ou soient le siège de la mutation.

Le diagnostic génotypique

Le conseil génétique (diagnostic prénatal et détection des femmes transmettrices) peut désormais être effectué par analyse directe de l'anomalie. La séquence anormale étant difficile à amplifier par la méthode PCR, il faut recourir à la méthode de Southern. Comme l'indiquent le tableau 14-7 et la figure 14-40, cette méthode permet la discrimination entre allèles normaux, allèles pré-mutés et allèles mutés, tant chez l'homme que chez la femme. Il peut être intéressant d'étudier simultanément l'amplification et la méthylation par une double digestion EcoRI/EagI (Figure 14-40). L'existence d'une mosaïque dans les cellules trophoblastiques peut compliquer le diagnostic prénatal. Pour l'exclure il faut analyser le DNA d'autres cellules fœtales, en pratique les amniocytes.

Dans les cas difficiles on peut avoir recours à une méthode de **diagnostic indirect.** Celle-ci est grandement facilitée par l'existence de microsatellites (FRAXAC1 et FRAXAC2) situés de part et d'autre du site muté et à très courte distance (10 kb).

Le diagnostic par analyse génotypique directe de la mutation est beaucoup plus sensible et spécifique que l'analyse cytogénétique, et l'a complètement supplantée. Du fait de la relative simplicité de la méthode, et sachant la **fréquence des femmes transmettrices** dans la population générale (environ **1/500**), il est envisageable de l'appliquer à un dépistage systématique en dehors des familles reconnues comme étant à risque.

LA MUCOVISCIDOSE : PREMIÈRE MALADIE AUTOSOMIQUE RÉCESSIVE AYANT BÉNÉFICIÉ DE LA GÉNÉTIQUE INVERSE

L'application de la stratégie de la génétique inverse aux gènes autosomiques responsables d'une pathologie **récessive** se heurte à une difficulté intrinsèque : l'impossibilité de distinguer les hétérozygotes, porteurs sains du trait génétique, des homozygotes normaux. En d'autres termes il y a deux phénotypes (malade ou bien portant) pour trois génotypes (homozygote pour le trait, hétérozygote et homozygote normal). Ceci complique la recherche d'une liaison génétique avec un marqueur polymorphe. En pratique, contrairement aux maladies dominantes qui se prêtent bien à l'analyse des très grands pedigrees s'étendant sur plusieurs générations, les enquêtes concernant les gènes des maladies récessives portent le plus souvent sur des familles de taille réduite, familles nucléaires comportant obligatoirement au moins deux malades vivants — dont les parents sont des hétérozygotes obligatoires — et si possible des collatéraux cliniquement normaux. Lorsqu'il s'agit d'affections pédiatriques graves et précoces, de telles familles sont rares, soit que la maladie entraîne une mort en bas âge, soit que les parents limitent le nombre de leurs enfants.

Une stratégie élégante consiste à étudier préférentiellement les familles consanguines, où les sujets malades sont homozygotes non seulement pour la mutation mais aussi pour les marqueurs avoisinants. Si une série de marqueurs contigus sont retrouvés de manière constante **homozygotes par filiation** dans des familles consanguines différentes, ces marqueurs ont des chances d'être voisins du locus morbide. L'information génétique recueillie grâce à un seul enfant issu de mariage consanguin équivaut à celle obtenue avec une fratrie de 3 enfants atteints dans une famille nucléaire non consanguine (Lander et Botstein). Cette stratégie devrait se montrer opérationnelle dès que l'ensemble du génome sera suffisamment jalonné par des marqueurs régulièrement espacés.

De la mucoviscidose au gène CFTR

La **mucoviscidose** est la maladie récessive autosomique la plus fréquente dans les populations d'origine européenne, où elle touche un enfant sur 2 500 naissances. Si on applique l'équilibre de Hardy-Weinberg, cette fréquence implique qu'1 individu sur 25 est hétérozygote dans la population, et que la fréquence du gène muté est de 2 p. 100.

Dans sa forme la plus classique, la maladie entraîne une pathologie des sécrétions exocrines, frappant essentiellement l'épithélium des voies respiratoires, encombrées d'épaisses sécrétions muqueuses et particulièrement exposées à la surinfection par le *Pseudomonas*. Dans 85 p. 100 des cas s'y ajoutent des manifestations digestives traduisant une insuffisance pancréatique majeure. Parfois la maladie se manifeste très précocement et 10 p. 100 des nouveau-nés mucoviscidosiques présentent un **iléus méconial**. Il n'existe pas de traitement spécifique et dans la plupart des cas la maladie est très invalidante, évoluant inexorablement vers une insuffisance respiratoire mortelle qui survient à un âge variable, dépassant souvent le cap des 20 ans grâce à l'amélioration des traitements palliatifs (pouvant aller jusqu'à la transplantation pulmonaire). Les sujets de sexe masculin qui parviennent à l'âge adulte sont stériles par azoospermie due à une imperméabilité des canaux déférents.

Jusqu'en 1989 le gène en cause est inconnu et la physiopathologie non comprise, même si l'élévation de l'ion Cl^- dans la sueur, signe biologique caractéristique sur lequel repose le diagnostic, avait attiré l'attention sur un possible dysfonctionnement du canal Cl^- dans les épithéliums. Les hétérozygotes sont cliniquement et biologiquement indistinguables des sujets non porteurs du gène.

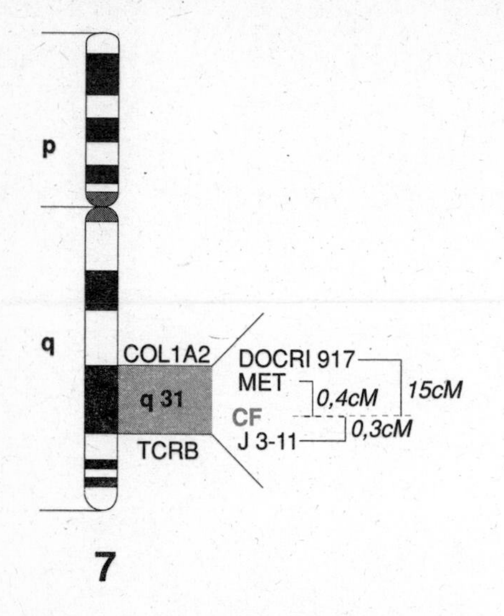

Figure 14-42 **Localisation du gène CF et de ses premiers marqueurs sur le chromosome 7**
COL1A2 : gène $\alpha 2$ du collagène de type I ; TCRB : gène de la chaîne β du récepteur des cellules T ; DOCRI917 : sonde anonyme au locus D7S15 ; J3-11 : sonde anonyme au locus D7S8.

La recherche du gène en cause, appelé **CF** (pour *Cystic Fibrosis*, nom anglais de la maladie), a été entreprise dès l'émergence de la stratégie de la génétique inverse (1980). Nous emploierons le terme de locus ou de **gène CF** pour désigner le site sur le génome sans préjuger des versions alléliques possibles (normales ou pathologiques), et le terme **allèle CF** pour désigner la version pathologique du gène, sans préjuger de la nature de la lésion.

La localisation primaire du locus CF sur le chromosome 7

Cette première étape a été particulièrement laborieuse, car l'absence d'indice en faveur d'un chromosome particulier imposait l'approche purement aléatoire de la cartographie d'exclusion (chapitre 11). C'est ainsi qu'il fallut 4 ans pour exclure environ 50 p. 100 du génome. Une question très débattue au départ concernait l'hétérogénéité génétique possible de l'affection, suspectée en raison de son hétérogénité clinique. Cependant la découverte d'une première liaison significative, avec un marqueur protéique polymorphe, mais à localisation chromosomique inconnue, la **paroxonase** (locus PON), plaidait en faveur d'un locus unique. Le locus CF fut finalement localisé grâce à la découverte en 1985 (Tsui) d'une liaison avec un site polymorphe exploré par la sonde anonyme, DOCRI 917 (Collaborative Research), localisée sur le bras long du **chromosome 7**. Ce premier marqueur était situé à environ 15 cM du locus CF. Rapidement celui-ci fut encadré par deux marqueurs plus proches, le proto-oncogène *met* et la sonde anonyme pJ3.11, situés respectivement à 0,4 cM et 0,3 cM du locus **(Figures 14-42 et 14-43)**.

La quête du gène CF

Le gène était désormais circonscrit dans un territoire ne devant pas excéder 1 million de paires de bases (Williamson, 1987).

La proximité du proto-oncogène *met* fut mise à profit en utilisant une lignée d'ostéosarcome portant une translocation chromosomique t(1;7) dans laquelle on savait que *met* était activé, donc capable de transformer in vitro les cellules de la lignée de souris NIH 3T3. La méthode de transfert de chromosome (**CMGT**, voir chapitre 10) fut utilisée pour cette transformation, en faisant le pari que le fragment de chromosome portant le gène *met* activé serait accompagné du gène CF. Le succès de cette expérience fut attesté par la présence, dans les cellules murines transformées par CMGT, de DNA humain hybridant avec la sonde pJ3.11 (Williamson, 1987). Le fragment de DNA humain ainsi transféré représentait environ 4 millions de paires de bases (Figure 14-43, étape III). Ce DNA fut cloné dans une banque de cosmides chevauchants où les clones contigus furent recherchés par la stratégie des « contigs » décrite au chapitre 10. Ainsi furent isolés deux cosmides situés à environ 700 kilobases de *met* en direction de pJ3.11.

Dans les sous-clones qui dérivaient de cette région on mit en évidence des sondes (sondes **XV-2c, CS7 et KM-19** au locus anonyme D7S23) permettant de détecter des RFLP en très fort **déséquilibre de liaison** avec le gène CF muté (Estivill et al, 1987).

Les haplotypes définis par ces RFLP sont décrits dans le **tableau 14-8**. Un très net déséquilibre de liaison, avec association préférentielle de l'allèle CF à l'haplotype B, a été trouvé pour la première fois dans des populations de l'Europe du Nord. Ce déséquilibre a été ensuite retrouvé dans la population d'origine européenne vivant aux États-Unis, et en Europe (Tableau 14-8).

Ce phénomène implique d'une part que le gène doit être très proche du domaine de quelques dizaines de kilobases exploré par ces marqueurs, d'autre part que la mutation doit avoir pris naissance une seule fois sur un haplotype unique commun, l'haplotype B qui accompagne l'allèle muté dans plus de 80 p. 100 des cas. L'existence d'un gradient décroissant de déséquilibre de liaison du Nord vers le Sud de l'Europe suggère que l'évé-

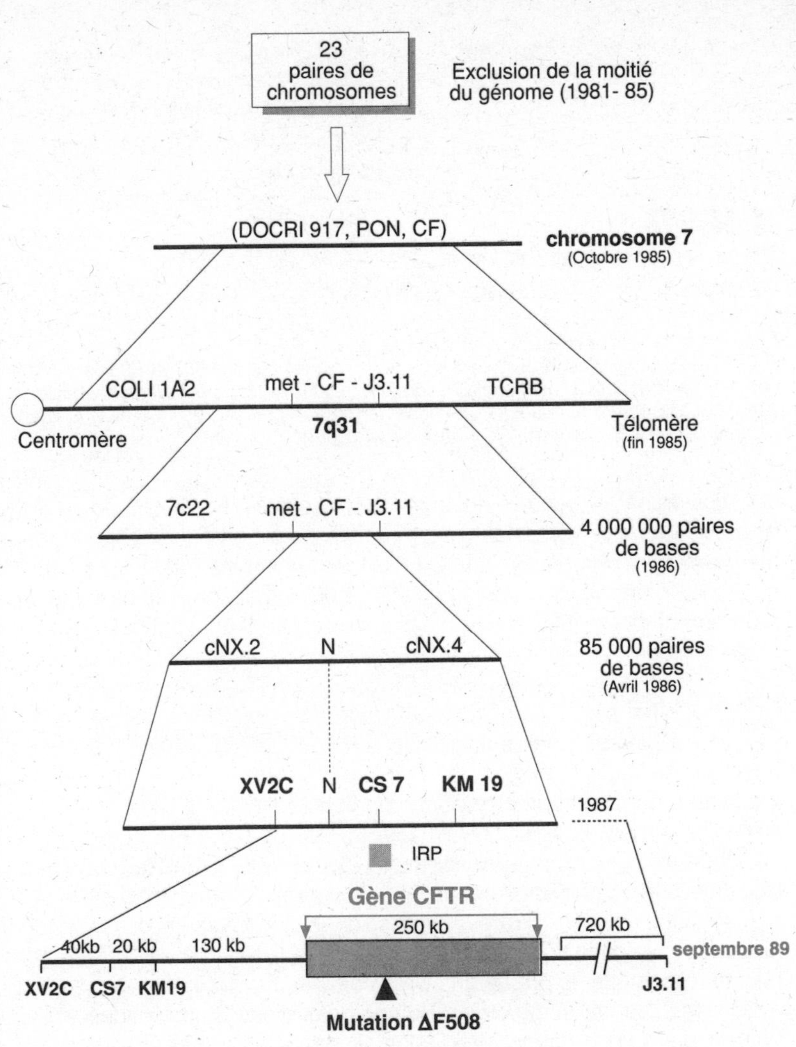

Figure 14-43 La marche vers le gène CF
PON : gène de la paroxonase ; cNX.2 et cNX.4 sont des cosmides contigus (contigs) juxtaposés sur le génome au niveau d'un site Not I (N).

Tableau 14-8 Déséquilibre de liaison entre l'allèle CF et les haplotypes définis par des RFLP proches du locus

Haplotype	Allèles XV-2c	KM-19 (ou CS.7)	Série britannique[1] (70 chromosomes) normal	CF	Série américaine[2] (186 chromosomes) normal	CF	Série française[3] (474 chromosomes) normal	CF
A	1	1	14%	0%	30%	7%	33%	4%
B	1	2	34%	94%	15%	86%	15%	84%
C	2	1	43%	0%	42%	2%	40%	5%
D	2	2	9%	6%	13%	5%	12%	7%

Les allèles utilisés comme marqueurs sont définis dans le tableau 14-7.
Ces données proviennent des travaux de (1) Estivill et al, 1987 ; (2) Beaudet et al, 1988 ; (3) Vidaud et al, 1989.

nement fondateur a eu lieu en Europe du Nord sans exclure la possibilité de plusieurs foyers originels indépendants.

Dès leur découverte (1987), les RFLP du locus D7S23 (sondes KM-19, CS-7 et XV-2C) furent utilisés avec succès pour effectuer les premiers dia-

Une fausse piste dans la quête du gène CF, ou les difficultés de la génétique inverse

Dans les 85 kb de DNA génomique présents dans les deux contigs cNX.2 et cNX.4 (Figure 14-43), des gènes candidats furent recherchés systématiquement en utilisant le fil conducteur des îlots HTF, régions à la fois riches en CG et hypométhylées, souvent rencontrées au début des gènes. Le clone génomique CS7 répondait à ces critères. Il possédait en outre des caractéristiques intéressantes : (i) présence de RFLP **ne recombinant pas** avec le locus CF dans des familles où une recombinaison avait été observée avec les sondes *met* et pJ3.11 ; (ii) **déséquilibre de liaison** prononcé avec le gène CF anormal, suggérant une très grande proximité ; (iii) présence d'une séquence **conservée** dans le règne animal ; (iv) cette séquence permet de détecter un **transcrit** dans un grand nombre de tissus dont le poumon ; (v) hybridation avec des clones d'une banque de **cDNA** pulmonaire.

Ces critères étaient néanmoins indirects, et la preuve ultime qu'il s'agissait du gène recherché restait à apporter en démontrant qu'il était muté chez les mucoviscidosiques. Le cDNA correspondant à cette séquence candidate fut entièrement séquencé chez un mucoviscidosique sans que la moindre anomalie ait été trouvée. La découverte de rarissimes cas de recombinaison entre les deux sondes XV2c et KM-19 qui flanquent la région CS7 où se trouve ce gène (apparenté au proto-oncogène int-1, d'où son nom de IRP pour *int related protein*) a finalement démontré que celui-ci ne pouvait pas être le gène CF (Farrall et al, 1988). Ce résultat négatif illustre bien la difficulté de l'entreprise lorsque l'on ne dispose pas d'un fil conducteur, comme par exemple l'existence de délétions (cf le gène DMD). Cependant le gène CF ne pouvait être éloigné de la région en question, comme l'indiquait l'existence d'un déséquilibre de liaison très significatif. Il fut en effet découvert à environ 100 kb au-delà du site de KM-19 en direction du locus D7S8 (sonde J3-11) (voir Figure 14-43).

Position	504	505	506	507	508	509	510	511
NORMAL								
DNA	...GAA	AAT	ATC	ATC	TTT	GGT	GTT	TCC...
Protéine	Glu	Asn	Ile	Ile	Phe	Gly	Val	Ser
CF ΔF508								
DNA	...GAA	AAT	ATC	AT-	--T	GGT	GTT	TCC...
Protéine	Glu	Asn	Ile	Ile		Gly	Val	Ser

Figure 14-44 L'anomalie ΔF508 dans le gène CFTR
La lésion est une délétion de 3 bases à cheval sur les codons 507 et 508 (exon 10). Les deux nucléotides provenant du codon 507 et le nucléotide provenant du codon 508 reconstituent un codon ATT (Ile) sans perturbation du cadre de lecture, ni changement de sens du codon 507. Il en résulte la perte du résidu Phe en 508.

gnostics prénatals génotypiques de mucoviscidose. La fiabilité de ce **diagnostic indirect** était bonne en raison de la grande proximité des marqueurs par rapport au gène CF (taux de recombinaison < 0,1 p. 100), et de leur informativité cumulée (>95 p. 100). La découverte du gène CF proprement dit en 1989 offrit ensuite la possibilité d'un diagnostic génotypique direct.

L'arrivée au gène

Le gène CF a été finalement identifié au cours de l'été 1989 par les équipes de L.C. Tsui (Toronto) et de F.S. Collins (Ann Arbor)*. Ce succès a été obtenu par une stratégie de marche et de saut sur un territoire de plusieurs centaines de kilobases en aval du site de KM-19, à la recherche de séquences à la fois **conservées** *(zoo-blot)* et **exprimées** dans une banque de cDNA de cellules de glandes sudoripares. L'une d'entre elles, correspondant à un îlot HTF, a permis d'isoler un clone pouvant correspondre au début d'un gène. Cette première séquence (seulement 113 pb) a permis de reconstituer le puzzle du cDNA complet. La **validation** de ce gène a été effectuée par la découverte d'une délétion de 3 nucléotides entraînant la perte d'un codon phénylalanine en position 508 (mutation dite **ΔF508) (Figure 14-44)**, retrouvée sur 70 p. 100 des chromosomes 7 portant à coup sûr l'anomalie CF, et dans aucun des chromosomes 7 à coup sûr non porteurs. Ceci a constitué l'argument décisif pour considérer que l'on avait bien atteint le gène responsable de la mucoviscidose. Un autre argument provient de la structure modélisée de la protéine putative codée par ce gène, qui est celle d'une protéine transmembranaire, apparentée à la superfamille des transporteurs actifs ATP-dépendants (voir encadré ci-contre).

A cause du rôle supposé indirect de cette protéine dans les transferts ioniques, en particulier de l'ion Cl^-, elle a été baptisée **CFTR**, pour ***C**ystic **F**ibrosis **T**ransmembrane **R**egulator.* Des expériences ultérieures de transfection **ex vivo** du cDNA de CFTR normal et muté devaient apporter la preuve définitive que le gène CFTR était bien le gène de la mucoviscidose, et que la protéine correspondante était bel et bien un canal chlore (voir encadré page 413).

Le gène CFTR et sa protéine

Le gène est morcelé en 27 exons répartis sur un territoire génomique de 250 kb **(Figure 14-45)** ce qui explique les difficultés rencontrées pour

* Rommens et al, *Science* 1989, 245, 1059-1065 ; Riordan et al, *ibid.*, 1066-1073 ; Karem et al., *ibid.*, 1073-1080.

l'identifier. Le RNA messager mûr est long de 6 129 nt, dont 4 400 nt de séquence codante. La **séquence protéique déduite** correspond à une chaîne polypeptidique de 1 480 acides aminés, dont la structure a été reconstituée par une analyse purement théorique, selon une démarche désormais classique, déjà illustrée à propos de la dystrophine. Celle-ci fait apparaître une structure typique de protéine **membranaire (Figure 14-46)** avec deux parties symétriquement répétées, contenant chacune 6 domaines de type hélice-α, probablement transmembranaires (domaines TM1 et TM2), suivis d'une région intracytoplasmique possédant des séquences consensus typiques pour la fixation de l'ATP (domaines **NBF**, pour *nucleotide-binding fold*), reliées par un domaine médian cytoplasmique, le **domaine R** (exon 13). Celui-ci (241 acides aminés) est riche en résidus hydrophiles, avec de nombreux sites phosphorylables par la protéine kinase A. Cette structure, hormis le domaine R qui semble spécifique de la protéine CFTR, est typique des membres de la superfamille des transporteurs actifs retrouvés aussi bien chez les bactéries que chez la drosophile et les mammifères, catégorie à laquelle appartient notamment la glycoprotéine-P du gène *MDR* (voir encadré page 412). Le PM théorique de cette protéine est de 170 kDa, ce qui correspond au PM effectivement mesuré par Western-blot, bien que la protéine native soit fortement N-glycosylée sur un court segment extracellulaire.

Jusqu'à présent l'étude de sa distribution tissulaire et subcellulaire a montré qu'elle est localisée dans la partie apicale de la membrane des cellules épithéliales du pancréas exocrine, des glandes salivaires, des glandes sudoripares, du tractus intestinal (dont il existe une lignée immortalisée très utilisée, la lignée T84). Dans l'arbre respiratoire elle prédomine au niveau des glandes sous-muqueuses. Dans toutes ces cellules le taux de la protéine CFTR (et de son mRNA) est cependant très faible, ce qui rend difficilement applicables les méthodes classiques de la biochimie des protéines*. La plupart des notions concernant la protéine CFTR dérivent donc essentiellement du portrait robot dressé d'après la lecture de la séquence codante du cDNA.

La pathologie du gène CFTR

La caractérisation des anomalies géniques responsables de la maladie a constitué le premier champ d'investigation, avant même que la fonction de la protéine CFTR ne soit clarifiée. Cette situation est typique de la démarche de la génétique inverse, et n'est pas propre à la mucoviscidose. La pathologie et dominée par un fait majeur dans les populations caucasoïdes : l'existence d'un **allèle commun**, la mutation ΔF508 (Figure 14-44), représentant 70 p. 100 des mutations, les 30 p. 100 restants étant constitués par une constellation d'**allèles rares et variés**.

Contrairement à ce qui s'était produit lors de la quête du gène de la myopathie de Duchenne, la découverte du gène CFTR n'a pas été facilitée par l'existence de lésions génomiques caricaturales. Au contraire, il a fallu recourir au séquençage systématique des exons des gènes supposés anormaux pour valider la candidature du nouveau gène. Heureusement la prévalence de la mutation ΔF508 devait faciliter l'entreprise. Cette anomalie étant trouvée dans 70 p. 100 des chromosomes CF provenant de malades d'origine caucasoïde (Kerem et al, 1989), on pouvait espérer que la maladie serait, sinon complètement mono-allélique, du moins pauci-allélique, ce qui en simplifierait considérablement le diagnostic. Pour répondre à cette question, à l'initiative de l'un des découvreurs du gène CFTR (L.C. Tsui), un **consortium international** fut constitué, regroupant 90 équipes appartenant à 26 pays *(The Cystic Fibrosis Genetic Analysis Consortium)*. Sa mission était de caractériser chez le plus grand nombre de malades possible la (ou les) mutation(s) autre(s) que la mutation ΔF508, et de centraliser les données recueillies par les différents membres du réseau. Grâce à cet effort de coordination sans précédent, la réponse fut rapidement obtenue : celle d'une

* La caractérisation immunochimique de la protéine CFTR s'est avérée difficile, d'une part en raison de la faiblesse des anticorps fabriqués contre des peptides de synthèse ou des protéines de fusion, d'autre part à cause des réactions croisées parasites.

Le produit du gène CFTR est un canal Cl⁻ : quand la biologie moléculaire vient au secours de la physiologie cellulaire

Le portrait robot de la protéine CFTR, avec ses deux domaines de liaison à l'ATP, et ses six hélices α transmembranaires, l'apparentait de prime abord à la famille des protéines dites **ABC** *(ATP-binding cassette)*, dont un exemple très étudié en cancérologie est la glycoprotéine-P, produit du gène de résistance multiple aux drogues ***MDR***. Or les protéines de cette famille sont des pompes ATP-dépendantes et non des canaux ioniques. Comme on savait que le défaut cellulaire caractéristique de la mucoviscidose est une anomalie de l'activation AMPc-dépendante (via la protéine kinase A) du passage de Cl^- à travers la membrane des cellules épithéliales, on crut donc que la protéine CFTR agissait comme un régulateur d'un canal Cl^-, d'où la lettre R de son sigle. Par une succession d'expériences très ingénieuses, fondées sur la **transfection ex vivo de cDNA** normal ou muté intégré dans un vecteur d'expression (le très faible taux d'expression de la protéine CFTR empêchant de recourir aux méthodes de la biochimie conventionnelle), on a pu démontrer que le produit du gène CFTR est en fait le canal Cl^- lui-même.

Les principales étapes de la connaissance ont été les suivantes :

1990 : l'anomalie du transport de Cl^- dans les cellules épithéliales de malades atteints de mucoviscidose est **corrigée** par le transfert ex vivo, via un vecteur viral, du cDNA CFTR ;

1991 : le même type d'expériences permet de **conférer** de novo à des cellules non épithéliales, n'exprimant pas normalement CFTR (de souris, d'insectes), un courant Cl^- AMPc-dépendant possédant les mêmes caractéristiques électrophysiologiques que celui qui est impliqué dans la mucoviscidose. Ce courant est normal si le vecteur viral renferme un cDNA normal ; il est anormal si le cDNA porte la mutation ΔF508. Bien plus, si le cDNA utilisé est mutagénisé sur des résidus des domaines transmembranaires ou sur le domaine R, la sélectivité du courant anionique conféré est perturbée ;

1992 : deux preuves ultimes sont apportées : (i) dans **un système acellulaire** : à partir d'une lignée transfectée avec un vecteur viral et hyperproductrice de protéine CFTR, celle-ci est purifiée à homogénéité, et incluse dans des membranes artificielles protéoliposomiques, où elle entraîne l'apparition d'un courant Cl^- AMPc-dépendant ; (ii) **in vivo** : chez des souris homozygotes CFTR(−/−) créées par knock-out du gène CFTR, le courant Cl^- AMPc-dépendant est aboli dans les cellules épithéliales. La protéine CFTR possède donc bien une activité intrinsèque de canal Cl^-.

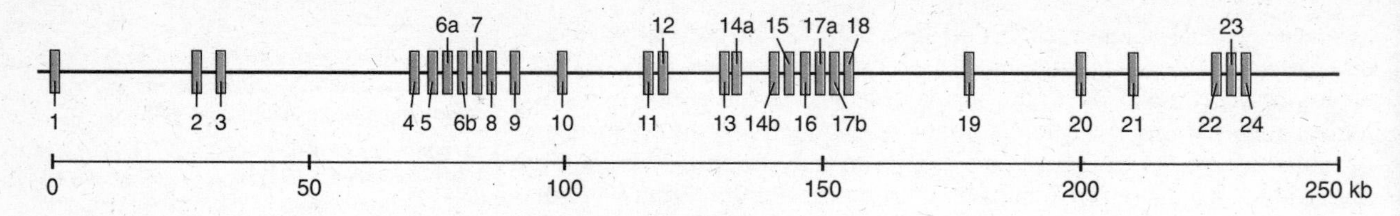

Figure 14-45 **Schéma de la répartition des exons dans le gène CFTR**

remarquable **hétérogénéité allélique** pour les mutations non-ΔF508 (230 mutations différentes répertoriées en deux ans et demi).

La mutation ΔF508

La première mutation découverte est une délétion de 3 nucléotides dans l'exon 10 faisant disparaître le résidu Phe en position 508 (Figure 14-44). Elle siège au niveau du domaine de liaison à l'ATP NF1, dont la conformation et la capacité de fixer l'ATP sont probablement perturbées. Elle

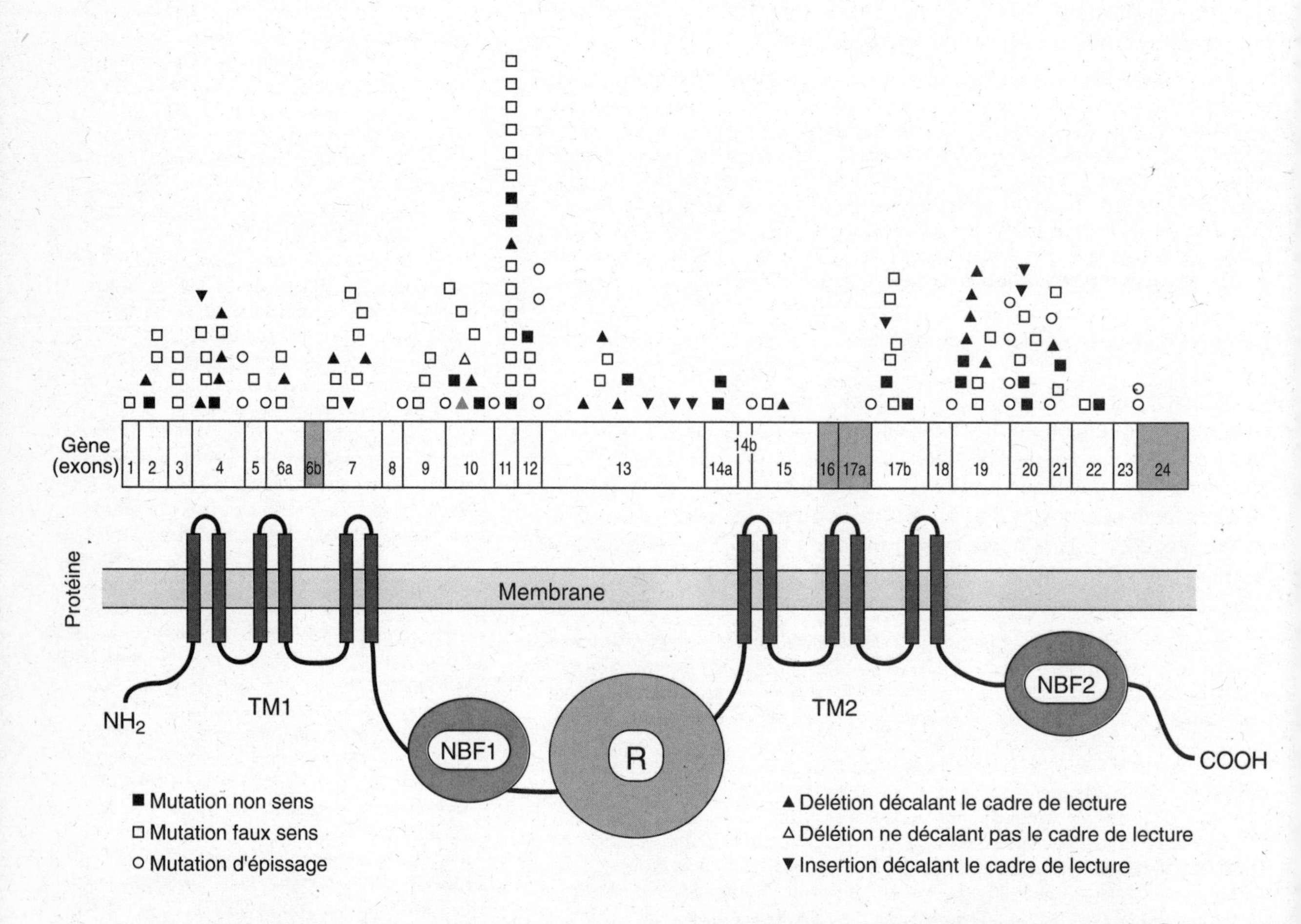

Figure 14-46 **Schéma de la protéine CFTR et spectre des 131 premières mutations responsables de mucoviscidose**
TM1 et TM2 : domaines protéiques transmembranaires ; NBF1 et NBF2 : domaines fixant l'ATP ; R : domaine régulateur non retrouvé dans les autres protéines de la même famille.
Les 131 premières mutations détectées dans le gène CFTR sont indiquées par différents symboles. La mutation ΔF508, de loin la plus fréquente (70 p. 100 des chromosomes mutés), est figurée par le symbole rouge. Noter la prédominance des mutations dans les deux domaines liant l'ATP (NBF1 et NBF2). Les exons en gris sont ceux où aucune mutation n'a encore été décrite.
En trois ans plus de 230 mutations ont été dénombrées par le Consortium International pour l'analyse génétique du gène de la mucoviscidose, formé en novembre 1989 par L.C. Tsui (Toronto) sous les auspices de la Cystic Fibrosis Foundation (Etats-Unis).

représente en moyenne **70 p. 100 des allèles CF** des populations d'Europe occidentale. Elle est fortement corrélée à l'haplotype B décrit dans le tableau 14-8 (92 p. 100 des mutations ΔF508 sont accompagnées de l'haplotype B), et, comme celui-ci, la fréquence de l'allèle ΔF508 est maximale en Europe du Nord avec un gradient décroissant Nord-Sud, confirmant l'hypothèse d'un effet fondateur en Europe septentrionale. On ignore comment l'allèle a pu se répandre avec une telle fréquence dans la population (1 sujet sur 35 dans la population de l'Europe de l'Ouest porte un allèle ΔF508), une situation qui suggère un avantage sélectif des hétérozygotes.

Un avantage sélectif des hétérozygotes pour les mutations CF ?
Une hypothèse séduisante a été proposée (Baxter et al, 1988) pour expliquer cet avantage sélectif des hétérozygotes pour une mutation CF : ceux-ci seraient relativement protégés contre une excessive déperdition hydrique et saline au cours des diarrhées par entérotoxine (principale cause de mortalité infantile dans les populations primitives).

Les mutations non-ΔF508

En 1992 plus de 230 mutations non-ΔF508 étaient déjà répertoriées par le consortium. Pour les désigner on utilise une nomenclature qui est explicitée dans le **tableau 14-9**. Elles sont remarquables par leur variété (Figure 14-46). Ce sont toujours des lésions minimes, qui dans la moitié des cas entraînent soit un blocage de lecture (codon stop), soit un décalage du cadre de lecture, ou encore une anomalie d'épissage. Bien que toutes les régions du gène puissent être touchées, il faut noter une certaine inhomogénéité dans la distribution topographique des mutations (Figure 14-46). Elles sont individuellement rares, mais leur fréquence varie beaucoup selon les populations **(Tableaux 14-10** et **14-11)**. Une vingtaine d'allèles sont un peu moins rares dans les populations d'origine européenne. En raison de leur rareté par rapport à la mutation ΔF508, on les trouve la plupart du temps associées à cette dernière sur l'autre chromosome, les malades étant alors des **hétérozygotes composites** (ΔF508/non-ΔF508).

Tableau 14-9 **Nomenclature des mutations du gène CFTR**

- **Délétion d'un acide aminé :**
  [Δ] [code de l'acide aminé] [position sur la chaîne polypeptidique]
  ex : ΔF508 (= délétion d'une phénylalanine en 508)
  ΔI507 (= délétion d'une isoleucine en 507)
- **Délétion nucléotidique :**
  [position nucléotidique] [del] [A, C, G, ou T]
  ex : 444delA ; 1677delTA
- **Insertion nucléotidique :**
  [position nucléotidique] [ins] [A, C, G, ou T]
  ex : 1154insTC
- **Substitution d'un acide aminé par un autre (mutation faux sens) :**
  [code de l'acide aminé remplacé] [position sur la chaîne polypeptidique]
  [code de l'acide aminé remplaçant]
  ex : G551D ; A455E ; R560T
- **Mutation non-sens :**
  [code de l'acide aminé remplacé] [position sur la chaîne polypeptidique] [X]
  ex : G542X ; Y122X ; R553X
- **Mutation affectant un site d'épissage :**
  [position nucléotidique] [emplacement dans l'intron par rapport au site accepteur (signe −) ou au site donneur (signe +)] [ancienne base⟶nouvelle base]
  ex : 1717 − 1G⟶A ; 2789 + 5G⟶A

Les corrélations entre génotype et phénotype

Devant une pareille hétérogénéité allélique, il était tentant de trouver des corrélations entre le type de mutation et le tableau clinique qui est lui-même assez hétérogène. On a par exemple cherché une base génotypique à certains traits cliniques particuliers comme l'iléus méconial, l'absence d'insuffisance pancréatique, l'atteinte hépatique. On a effectivement constaté que la mutation ΔF508, et une dizaine d'autres allèles rares, sont,

Tableau 14-10 Fréquence des mutations du gène CFTR dans le monde et leur localisation dans le gène

L'analyse de 8 exons permet en théorie d'identifier 93,2 p. 100 des mutations.

Localisation	Mutation	Fréquence globale[1] (p. 100)	Fréquence particulière dans certaines populations (p. 100)
Exon 10	**ΔF508**	**68,2**	Finistère : 81,2 Ile de la Réunion : 39 Québec : 58 à 71 p. 100 selon les régions Israël (Juifs Ashkénazes) : 30 Pays Basque espagnol (Basques) : 87 Espagne (Espagnols non Basques) : 50 Danemark : 88
	ΔI507	0,5	
	Q493X	0,3	
	V520F	0,2	
Exon 11	**G542X**	**3,4**	Israël (Juifs Ashkénazes) : 12
	G551D	**2,4**	Finistère : 4,1 Irlande : 3,5 à 4,4 Ecosse : 6 Bohème : 4
	R553X	**1,3**	Allemagne orientale : 8,3
	1717-1G⟶A	**1,1**	
	R560T	0,4	
	S549R	0,3	
	S549N	0,2	
Exon 20	**W1282X**	**2,1**	Israël (Juifs Ashkénazes) : 48
	3905insT	**2,1**	
Exon 19	**3849 + 10kbC⟶T**	**1,4**	Israël (Juifs Ashkénazes) : 4
	3849 + 4A⟶C	**1,0**	
	R1162X	0,9	
	3659delC	0,8	
Exon 4	**621 + 1G⟶T**	**1,3**	Québec : 5 à 23 p. 100 selon les régions Pays de Galles : 6,7
	R117H	0,8	
	Y122X	0,3	Ile de la Réunion : 27
Exon 7	**1078delT**	**1,1**	Finistère : 4,9
	R347P	0,5	
	R334W	0,4	
Exon 21	N1303K	2,1	Israël (Juifs Ashkénazes) : 3 Italie du sud : 5,1 Turquie : 6,3
Exon 14b	2789 + 5G⟶A	1,1	

1. Calculée sur l'ensemble des résultats colligés par le Consortium et portant sur des milliers de chromosomes CF.

en première approximation, responsables d'une forme clinique sévère lorsqu'ils sont à l'état homozygotes, alors que d'autres allèles, en général des mutations faux sens, paraissent déterminer une forme modérée. Mais certains allèles sont tellement rares qu'ils ne sont trouvés que sous la forme d'hétérozygotes composites, ce qui complique l'analyse des corrélations. Il semble qu'en cas d'association entre un allèle « sévère » et un allèle

Tableau 14-11 Exemples de populations pauci-alléliques pour la mucoviscidose
Dans ces populations la prédominance de certains allèles, due à des effets fondateurs, permet d'atteindre aisément un taux de couverture de l'ordre de 90 p. 100.

Population	Mutation	Exon	Fréquence (p. 100)
Bretons			
(Finistère)	**ΔF508**	10	81,2
	1078delT	7	4,93
	G551D	11	4,10
	1717-1G⟶A	11	1,09
	W846X	14a	1,09
Canadiens français			
(Québec : Saguenay-Lac St Jean)	**ΔF508**	10	58
	621+1G⟶T	4	23
	A455E	9	8
(Québec : zones urbaines)	**ΔF508**	10	71
	711+1G⟶T	5	9
	621+1G⟶T	4	5
Juifs Ashkénazes			
(Israël)	**W1282X**	20	48
	ΔF508	10	30
	G542X	11	12
	3849+10kbC⟶T	19	4
	N1303K	21	3

« modéré » ce dernier se comporte de manière dominante. En fait il ne se dégage pas encore de corrélations très nettes, surtout en ce qui concerne la gravité de l'atteinte pulmonaire, qui conditionne la létalité. Ceci peut être dû à l'intervention d'autres facteurs génétiques et environnementaux encore inconnus.

L'accès direct aux mutations a par ailleurs permis d'élargir notablement la palette des manifestations cliniques de la pathologie du gène CFTR. En effet l'analyse systématique d'adultes se présentant avec une **pathologie respiratoire mineure** ou seulement une **azoospermie** a montré une proportion significative de cas où ce gène est muté. La mucoviscidose-maladie typique n'est donc pas la seule manifestation possible d'une atteinte du gène.

Le diagnostic génotypique de la mucoviscidose

Il faut souligner que la mise en évidence d'une mutation pathogène dans le gène CFTR est le seul critère diagnostique objectif à l'heure actuelle. En effet le classique test à la sueur manque par trop de sensibilité et de fiabilité. D'autre part les tests électro-physiologiques mettant en évidence un défaut d'activabilité du courant Cl^- par le cAMP ne sont pas applicables à des fins diagnostiques courantes.

• *Le diagnostic direct :* la fréquence élevée de la mutation ΔF508 chez les mucoviscidosiques des populations caucasoïdes ($q = 0,7$) facilite considérablement le diagnostic direct de la mutation puisque, en vertu de la loi de Hardy-Weinberg, la moitié d'entre eux sont homozygotes ΔF508/ΔF508 ($q^2 = 0,7^2 = 0,49$). La détection est effectuée après amplification par PCR d'un fragment de DNA génomique contenant le codon 508, dont l'analyse est effectuée par l'un quelconque des procédés décrits dans le chapitre 13, notamment par la méthode des **hétéroduplex** ou la **méthode ASO**. La méthode des hétéroduplex est la plus simple. Elle consiste en une simple visualisation de l'amplimère coloré par le bromure d'éthidium après migration électrophorétique en gel de polyacrylamide (voir Figure 13-6). L'amputation de 3 bases entraîne un raccourcissement aisément détectable, soit sous la forme d'une seule bande (homoduplex) chez les mucoviscidosiques homozygotes pour la mutation ΔF508, soit sous la forme de bandes multiples (homo- et hétéroduplex) si le sujet est hétérozygote pour l'allèle ΔF508 **(Figure 14-47)**.

Dans une analyse familiale, en général dans un contexte de conseil génétique en vue d'un futur **diagnostic prénatal**, il importe donc de rechercher en priorité la mutation ΔF508 chez le propositus. Si celui-ci est homozygote ΔF508/ΔF508, le diagnostic prénatal direct sur trophoblaste est effectué en quelques heures. S'il n'y a pas de cas index vivant, on recherche la mutation ΔF508 chez les parents, et si tous deux sont hétérozygotes pour cette mutation, on est ramené au cas précédent pour un diagnostic prénatal.

Lorsque le cas index est ΔF508/non-ΔF508 (cas C de la Figure 14-47) ou non-ΔF508/non-ΔF508 (cas A de la figure 14-47), ou lorsque, en l'absence de cas index vivant, l'allèle ΔF508 n'est pas retrouvé chez un parent à risque, se pose le délicat problème de l'identification de la mutation de l'allèle non-ΔF508. L'extrême diversité des mutations non-ΔF508 (Figure 14-46) complique considérablement la tâche. Comme il n'est pas question de rechercher systématiquement toutes les mutations déjà décrites (> 230), force est de rechercher en priorité les mutations les plus fréquentes parmi les non-ΔF508. C'est ainsi que dans une importante série de malades d'origine caucasoïde, on a montré qu'en recherchant 4 mutations (G542X, G551D, R553X dans l'exon 11 et N1303K dans l'exon 21), en plus de la mutation ΔF508, on pouvait améliorer substantiellement le taux de couverture (voir Tableau 14-10). La stratégie dépend beaucoup des populations ; plus celles-ci sont mélangées plus grande est l'hétérogénéité allélique. Au contraire dans certaines populations il peut exister une situation privilégiée de pauci-allélisme dû à la prédominance d'effets fondateurs et permettant une couverture satisfaisante avec l'étude d'un minimum d'allèles (Tableau 14-11). Il existe des protocoles ingénieux permettant de pratiquer une analyse multiplex (simultanée) de plusieurs mutations. En fait, devant l'hétérogénéité allélique de la mucoviscidose — comme de beaucoup d'autres maladies génétiques monogéniques — un besoin croissant d'analyse automatisée des séquences se fait sentir. Cette méthodologie n'est pas encore développée, mais représente une nécessité incontournable. En attendant qu'elle apparaisse, certains préconisent l'analyse systématique des allèles non-ΔF508 par électrophorèse en gradient dénaturant (DGGE, voir chapitres 13 et 28), qui permet de localiser rapidement la région exonique à séquencer.

• *Le diagnostic indirect :* il peut être pratiqué à l'aide de RFLP extragéniques (comme XV2C et KM-19, Figure 14-43), ou mieux de microsatellites intragéniques. Il conserve sa place pour le diagnostic prénatal dans deux circonstances particulières : lorsque l'allèle CF non-ΔF508 n'a pu être mis en évidence et lorsque l'on ne dispose pas d'échantillon de DNA du cas index.

Le problème du dépistage systématique dans la population générale

L'accès direct à la pathologie du gène CFTR ouvre en principe la perspective d'un dépistage systématique des hétérozygotes pour n'importe quel allèle CF, notamment chez des futurs parents. L'entreprise se heurte aux difficultés suivantes :

— *techniques,* en raison de l'hétérogénéité allélique que nous avons vue, et qui empêche d'atteindre pour le moment un taux de couverture suffisant à un coût acceptable ;

— *économiques,* en raison du nombre considérable de sujets à examiner et de la lourdeur des techniques à mettre en œuvre ;

— *éthiques,* car la mucoviscidose est une affection dont la gravité est

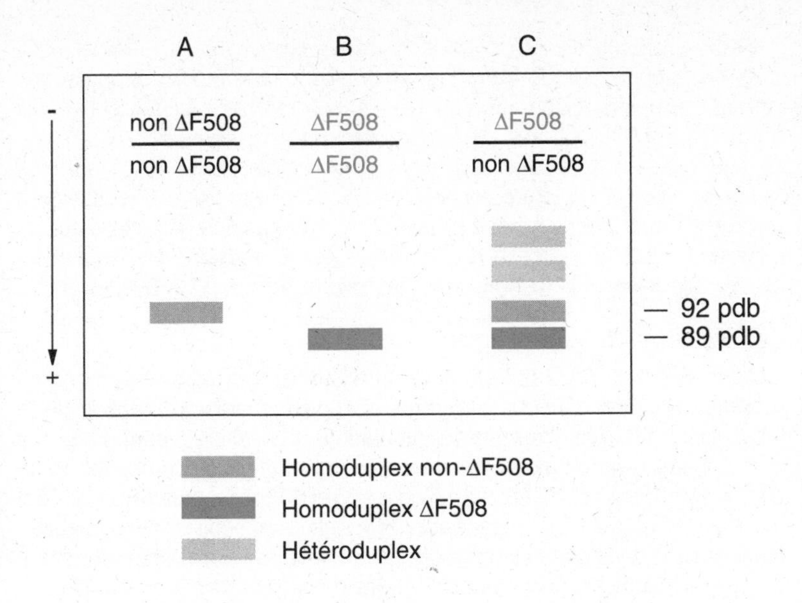

Figure 14-47 **Détection de la mutation ΔF508** Les produits d'amplification par PCR à l'aide d'amorces encadrant la mutation sont séparés par électrophorèse en gel de polyacrylamide et visualisés par le bromure d'éthidium. Les brins amplifiés se réassocient pour former des homoduplex, et éventuellement des hétéroduplex si le sujet est hétérozygote.
A : Si le sujet a un *phénotype normal* il peut être soit non porteur de mutation CF (génotype : non CF/nonCF ; *fréquence dans la population = 98,8 p. 100)*, soit porteur sain d'une mutation CF non-ΔF508 (génotype : non CF/CF ; *probabilité dans la population = 1/83).* Si le sujet a un *phénotype mucoviscidosique* il est porteur de 2 allèles rares non-ΔF508, le plus souvent non identiques (sauf dans certaines populations ; *fréquence dans la population des mucoviscidosiques = 8 p. 100).*
B : Le sujet est mucoviscidosique homozygote pour l'allèle CF commun ΔF508 *(fréquence dans la population des mucoviscidosiques = 50 p. 100).*
C : Si le sujet a un phénotype normal il est hétérozygote pour la mutation CF ΔF508 (génotype non CF/CF ; *probabilité dans la population = 1/28).* Si le sujet a un phénotype mucoviscidosique il est hétérozygote composite pour 2 allèles CF (génotype : CF ΔF508/CF non-ΔF508 ; *fréquence dans la population des mucoviscidosiques = 42 p. 100).*

loin d'être univoque. D'autre part la confrontation d'un couple à un résultat positif chez l'un des partenaires n'est pas sans risque psychologique. On est ici confronté à tous les problèmes de la médecine prédictive (voir chapitre 19).

La communauté scientifique a adopté une attitude prudente en attendant l'amélioration de la couverture des mutations et le résultat d'études pilotes. En revanche, le problème se pose tout différemment si l'un des partenaires du couple appartient à une famille de mucoviscidosique. Dans ces cas il est raisonnable de s'efforcer de déterminer son statut de transmetteur ou non et, en cas de résultat positif, d'évaluer le risque en recherchant un allèle CF dans le gène CFTR de l'autre membre du couple.

Perspectives

Le gène CFTR étant découvert, les efforts portent actuellement sur la compréhension de sa physiopathologie et sur la recherche de moyens thérapeutiques spécifiques.

La physiopathologie de la mucoviscidose

Le problème est centré sur la fonction de la protéine CFTR. Par une stratégie typique de génétique inverse (voir encadré page 413) il vient d'être clairement démontré que, nonobstant sa structure, elle possède une fonction de **canal Cl^- à faible conductance** (8 picoSiemens). Elle pourrait avoir en outre d'autres fonctions qui ne sont pas encore élucidées. On commence seulement à analyser l'impact des mutations. Il semble que, en dehors des cas où la protéine CFTR ne peut être fabriquée (mutations non-sens), la protéine mutée soit présente en quantité normale (donc pas d'espoir d'un diagnostic phénotypique par analyse purement quantitative du produit du gène muté). Des anomalies qualitatives de la protéine CFTR portant la mutation ΔF508 ont été mises en évidence : un **défaut de glycosylation**, l'empêchant d'arriver normalement à la membrane (Cheng et al, 1990) ; une **anomalie fonctionnelle du canal Cl^-**, qui est moins fréquemment ouvert que normalement (Dalemans et al, 1991). L'absence totale de protéine CFTR n'est pas létale, comme le montrent les rares cas d'homozygotie pour une mutation non-sens. Paradoxalement chez ces malades, le tableau clinique semble même moins sévère, et il semble qu'il vaille mieux pour un épithélium être totalement privé de CFTR que d'en posséder une version mutée.

Un succès très prometteur : la création de souches de souris mucoviscidosiques

Le *knock-out* du gène CFTR a été obtenu, non sans difficulté, chez des souris par ciblage génique dans des cellules ES. Les animaux homozygotes CFTR(– / –) — où le gène CFTR porte une insertion du gène *neo* introduisant un codon stop dans l'exon 10 (mutation S489X) — sont plus chétifs à la naissance que leurs congénères hétérozygotes CFTR(+ / –) ou normaux CFTR(+ / +), et présentent des troubles du transit intestinal dus à un épaississement du mucus, aboutissant à la mort par occlusion avant le 45e jour de vie. Cette pathologie rappelle l'**iléus méconial**, qui serait pratiquement de règle dans la mucoviscidose humaine, même si ses manifestations sont de gravité variable (depuis les manifestations bruyantes de l'occlusion néonatale jusqu'à la latence complète due à une résorption spontanée du bouchon intestinal). En revanche plusieurs différences notables distinguent la maladie de la souris CFTR(– / –) de la mucoviscidose humaine : les mâles ne sont pas stériles, il n'y a pas de troubles pancréatiques importants ni aucun signe de souffrance pulmonaire. Mais comme les premières observations publiées concernent des animaux élevés en milieu bactériologiquement stérile, il est possible que l'atteinte pulmonaire, qui fait toute la gravité de la maladie humaine, résulte exclusivement de phénomènes de surinfection. Malgré ces différences, il est avéré que ces animaux constituent un modèle pathologique assez proche de la mucoviscidose humaine (contrairement aux souris HPRT – / – qui n'ont aucun symptôme de maladie de Lesch-Nyhan, parce que les souris possèdent une voie métabolique particulière leur permettant d'échapper à l'hyperuricémie). D'autre part les cellules épithéliales aériennes et digestives des souris CFTR (– / –) ont perdu la stimulation par l'AMP cyclique du transport transmembranaire de l'ion Cl^-, qui est le signe électrophysiologique caractéristique de la mucoviscidose humaine. Ceci apporte une double démonstration : (i) le gène CFTR code bien pour un canal chlorure-AMPc dépendant ; (ii) il n'existe pas d'autre système alternatif pouvant suppléer ce canal.

Par ses implications physio-pathologiques et thérapeutiques, l'obtention d'un tel modèle animal est un succès scientifique et médical d'une immense importance.

Deux perspectives très prometteuses concernent :

— les expériences de transgenèse où l'on peut étudier sur des souris **transgéniques** la spécificité d'expression du promoteur CFTR, et l'impact du cDNA CFTR sous ses différentes versions mutées ;

— la création de **mutants nuls**, par *knock-out* du gène obtenu par recombinaison homologue en cellules ES. Ceci vient d'être réalisé (voir encadré). Même si ces lignées ne reproduisaient pas une pathologie nécessairement identique à celle de l'homme, leur possession représente un atout majeur pour la compréhension du rôle du gène CFTR.

Les espoirs thérapeutiques

Ils concernent d'une part l'approche **pharmacologique**, à la lumière des progrès effectués dans la compréhension du mécanisme d'action de la protéine CFTR (par exemple manipulations pharmacodynamiques des autres systèmes de flux ioniques transmembranaires, commes les voies alternes de transfert de Cl^- stimulables par l'ATP). Le facteur prépondérant de succès est ici la possession de modèles expérimentaux valables. Il existe déjà des lignées immortalisées de cellules épithéliales provenant de sujets mucoviscidosiques permettant des expériences de pharmacologie cellulaire. L'autre voie concerne la **thérapie génique** qui fait naître de très grands espoirs. Plusieurs vecteurs sont envisagés : **rétrovirus**, mais il faut des cellules en cycle, ce qui n'est pas le cas des cellules épithéliales respiratoires ; **adénovirus**, mais la greffe de gène ne serait pas stable, imposant des transferts répétés, avec ses risques d'immunisation contre le virus. Une première expérience encourageante a été effectuée sur l'animal : l'instillation intratrachéale d'adénovirus portant le cDNA de CFTR humain qui a été suivie de l'expression de ce dernier (Rosenfeld et al, 1992)*. Des vecteurs inertes sont également à l'étude (liposomes, complexes avec des protéines).

Ces différentes stratégies thérapeutiques vont pouvoir être largement expérimentées sur le nouveau modèle de souris « mucoviscidosiques » (voir encadré).

LA DYSTROPHIE MYOTONIQUE DE STEINERT

C'est la plus fréquente des affections musculaires héréditaires à transmission non liée au sexe (n° MIM : 160900). C'est en fait une maladie généralisée, touchant non seulement le muscle strié mais également d'autres tissus (cristallin, système nerveux, gonades, système endocrinien).

Elle est transmise sur le mode **dominant autosomique** avec une pénétrance considérée comme complète. Son expression clinique est de gravité variable, même au sein d'une même famille, ce qui peut en rendre le diagnostic difficile. En fonction de l'âge de survenue des premiers symptômes, on distingue classiquement trois formes : une forme **tardive**, se traduisant par une cataracte apparaissant chez des sujets d'âge mûr ou âgés ; une forme dite « **classique** », observée chez des sujets d'âge moyen, avec myotonie et faiblesse musculaire, dont les premiers symptômes se manifestent généralement au moment de l'adolescence ; une forme **néonatale** très sévère, avec hypoplasie musculaire généralisée, retard mental. Cette dernière forme ne survient que si l'affection est transmise par la mère, mais elle n'est observée que chez 10 p. 100 des mères transmettrices. Les individus qui survivent développent ultérieurement le tableau clinique de la forme « classique ». Lorsque la maladie est étudiée

* Des protocoles d'expérimentation humaine à l'aide d'un vecteur adénoviral ont reçu l'approbation du RAC américain en décembre 1992.

sur plusieurs générations, on observe une aggravation et une survenue de plus en plus précoce au cours des générations successives. Ce phénomène d'**anticipation**, qui constituait jusqu'à présent une énigme, vient de recevoir une explication avec la découverte du type de pathologie génomique responsable.

L'incidence de la maladie est estimée à 1 pour 8 000 naissances, avec un taux de néo-mutation très faible.

Localisation primaire du locus de la dystrophie myotonique (DM)

En raison de ses caractéristiques génétiques, la dystrophie myotonique s'est très tôt prêtée aux analyses de linkage, et une liaison avec les groupes sanguins *Lutheran* (Lu) et *Lewis* (Le) — ce dernier faisant lui-même partie du système *sécréteur* (Se) — fut découverte dès 1954 (Mohr). C'était le premier exemple de liaison génétique entre un locus morbide autosomique et un autre marqueur génétique phénotypique. Cette liaison devait permettre de localiser le locus sur le **chromosome 19**, grâce à la liaison entre les marqueurs Lu et Se et le facteur 3 du complément (C3), lui-même localisé sur ce chromosome en 1982. À partir de cette date l'analyse génétique a été poursuivie à l'aide de sondes de DNA du chromosome 19 détectant des RFLP.

Vers le gène DM (Figure 14-48)

La quête du gène DM a été caractérisée par l'absence de tout fil conducteur : pas d'hypothèse pathogénique orientant vers un gène candidat, pas d'anomalie biologique pouvant servir à des tests de complémentation, pas d'anomalie cytogénétique permettant un clonage direct. Il a donc fallu procéder à l'établissement d'une carte génétique de plus en plus dense. Cette phase initiale s'est étendue sur 8 années (1982-1990).

D'abord localisé dans la région juxta-centromérique du bras long du chromosome 19 (près des gènes APOE, APOC2 et CKMM), le locus DM a été peu à peu replacé en une situation plus distale sur le bras long, en 19q13.2-q13.3 où Il a pu être encadré par deux marqueurs : **ERCC1** et **D19S51**, séparés par une distance génétique de 2 cM. À partir de ce moment une carte physique du domaine concerné a pu être dressée, en utilisant la panoplie méthodologique désormais classique (hybrides irradiés, YAC, contigs de cosmides). La découverte d'un **déséquilibre de liaison** très fort a enfin permis d'aboutir, en montrant que certains marqueurs (D19S63 et D19S95) étaient très proches du locus morbide. Ce déséquilibre indiquait aussi que la mutation pouvait être unique et provenir d'un ancêtre commun.

Une amplification du DNA permet de découvrir le gène DM et d'expliquer le phénomène d'anticipation

Très près du marqueur D19S95, un polymorphisme d'insertion d'une séquence de 1 kb détectable par EcoRI (9/10kb) a révélé que tous les malades atteints de dystrophie myotonique présentent, en plus d'un fragment de taille normale (9 ou 10 kb), un fragment de taille supérieure à 10 kb non observé dans la population normale. Aucun fragment anormal n'est visible entre 9 et 10 kb. La taille du fragment anormal varie entre 10 et 18 kb, non seulement d'une famille à l'autre, mais aussi d'un malade à l'autre au sein d'une même famille. On remarque en outre que la taille du fragment anormal augmente au cours des générations, et ceci d'une manière corrélée avec l'anticipation des symptômes. Cette constatation, effectuée simultanément par plusieurs groupes à la fin de l'année 1991 et au début de l'année 1992, fournissait la preuve de l'arrivée au gène et montrait que celui-ci était victime d'un phénomène d'**amplification** pathologique (Figure 14-48). De plus, cette amplification n'a lieu qu'à partir de l'allèle 10 kb, suggérant une mutation ancestrale commune à tous les cas.

Les questions de l'après-gène

La découverte du gène responsable de la myotonie de Steinert et de sa pathologie suscite immédiatement les questions suivantes : quelle est la fonction du gène normal ? Par quel mécanisme est-il lésé ? Existe-t-il une mutation ancestrale unique ou plusieurs mutations indépendantes ? En quoi consiste cette mutation dont l'effet est de rendre instable une zone de DNA ? Comment expliquer la dominance ?

• Le **gène DM** n'est pas encore complètement caractérisé à l'heure où ces lignes sont écrites. Plusieurs clones de cDNA, hybridant avec un RNA messager de 3 kb environ, présent dans le cœur, le muscle squelettique et le cerveau, sont en cours de caractérisation. L'un d'eux contient une séquence à cadre ouvert d'au moins 1 747 nucléotides, correspondant à une séquence polypeptidique de 582 acides aminés. L'interrogation des bases de données a montré que cette protéine appartenait à la famille des **protéine-kinases** AMP cyclique-dépendantes. C'est pourquoi elle a été appelée ***myotonin protein kinase*** (MT-PK) **(Figure 14-48)**.

• Le **mécanisme** de la mutation est à l'évidence un phénomène d'amplification rappelant ce qui a déjà été observé dans le syndrome de Kennedy et dans le syndrome de l'X-fragile (voir chapitre 12). En effet une analyse fine par PCR a montré que la zone instable correspond à une région répétée de type $(CTG)_n$, où n varie entre 5 et 27 chez les sujets normaux, avec un maximum de fréquence compris entre 10 et 16. Chez les malades atteints de myotonie de Steinert le triplet CTG est considérablement amplifié, **n étant toujours supérieur à 50** et pouvant atteindre et dépasser 2 500 (voir tableau 12-1, page 298). Contrairement aux allèles normaux, qui sont stables et transmis de façon mendélienne, les allèles anormaux sont très instables, d'une part au cours des générations successives où ils augmentent de taille, d'autre part chez un même individu où il existe une **mosaïque cellulaire somatique.** Ce phénomène d'**expansion de triplets** est peut-être engendré par le mécanisme de dérapage réplicatif que nous avons envisagé dans le chapitre 12 (page 297). Cependant l'existence d'un très fort déséquilibre de liaison entre la mutation DM et les haplotypes de la région empêche de considérer la séquence des triplets $(CTG)_n$ comme une zone d'instabilité habituelle du DNA, génératrice de nombreuses mutations nouvelles. D'ailleurs il n'existe pas de continuum entre l'allèle normal le plus répété (n = 35) et l'allèle anormal le moins répété (n = 52). Ainsi, contrairement à la situation observée dans le syndrome de l'X-fragile, il y aurait un seuil tranché au-delà duquel l'allèle aura tendance à subir une expansion progressive de ses triplets. La mutation initiale, permettant le franchissement de ce seuil, se serait donc produite chez un seul individu avec effet fondateur uni ou paucicentrique. L'étude des haplotypes a permis d'en suivre la trace en Hollande, en Afrique du Sud et au Japon.

• Une autre question importante concerne le retentissement de la mutation sur l'expression du gène. En effet la zone des $(CTG)_n$ anormalement amplifiés est située dans la **partie 3' non codante** du RNA messager (Figure 14-48). Cette localisation contraste avec les amplifications de triplets observées dans le syndrome de Kennedy et dans le syndrome X-fra,

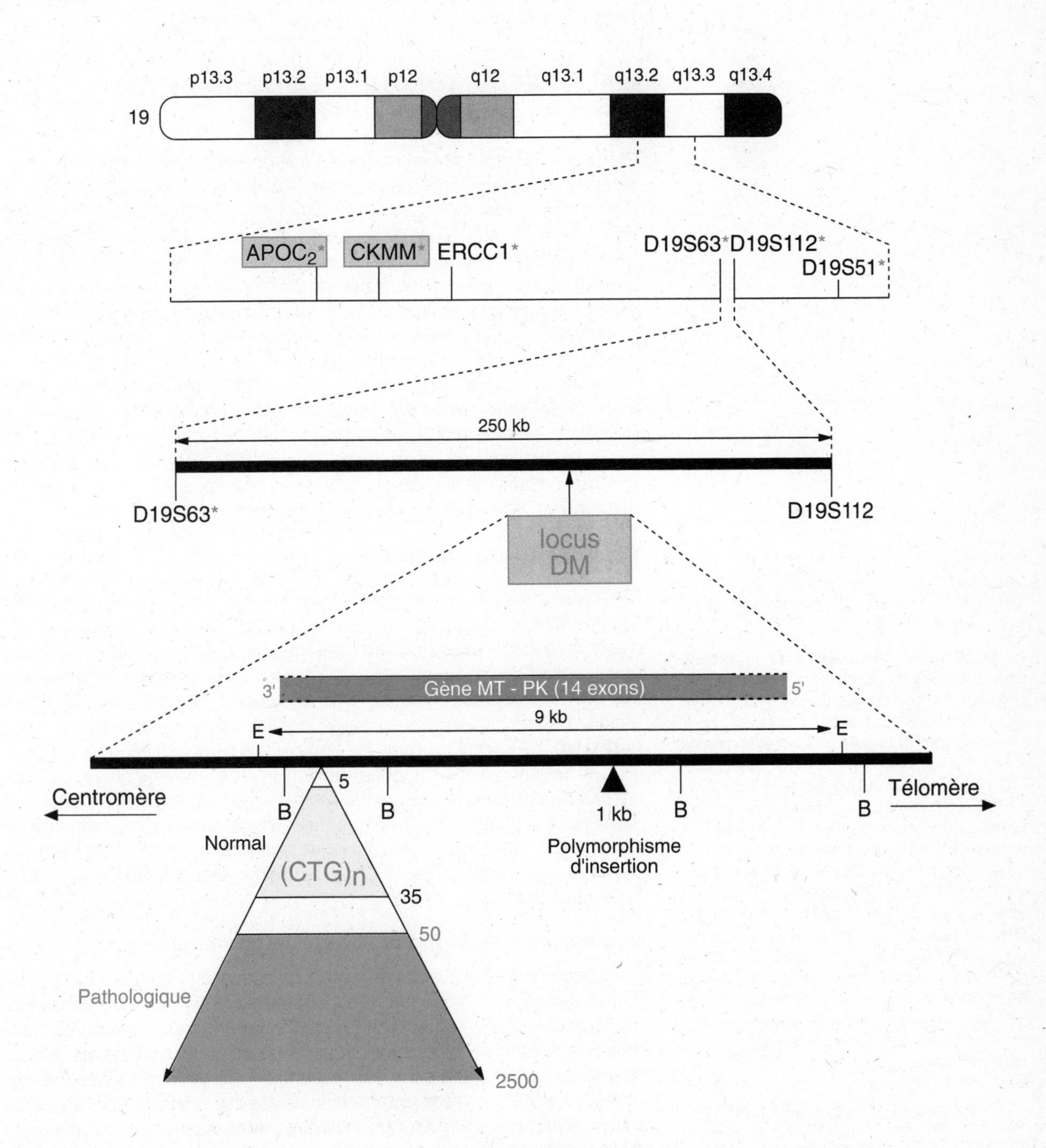

Figure 14-48 L'approche génétique et physique du gène MT-PK (dystrophie myotonique de Steinert)
Les astérisques rouges indiquent les marqueurs polymorphes utilisés pour le diagnostic indirect.
APOC2 : locus de l'apolipoprotéine C-II ; CKMM : locus de la créatine kinase, subunité M ; ERCC1 : enzyme d'excision-réparation (groupe de complémentation 1) ; E : site EcoRI ; B : site BamHI.
Les limites du gène et la carte des exons ne sont pas encore précisées.

qui siègent respectivement dans une région codante et dans la région non codante du premier exon. Il faut aussi expliquer pourquoi une telle mutation est dominante, c'est-à-dire comment elle peut entraîner un gain de fonction. Une réponse à cette question fournirait du même coup un éclairage sur la fonction très mal connue des séquences 3' non codantes des RNA messagers.

MALADIES AUTOSOMIQUES DOMINANTES DONT LE GÈNE EST APPROCHÉ

Parmi les maladies à gène inconnu justiciables de la stratégie de la génétique inverse, les maladies **dominantes** sont des candidates de choix. En effet la recherche d'une liaison génétique est facilitée par le fait que la présence d'un seul allèle muté suffit pour que la maladie se manifeste. Si la pénétrance est complète, tous les sujets hétérozygotes sont cliniquement identifiables. Tous les individus d'une famille sont dès lors informatifs, car à chaque phénotype correspond un seul génotype. Le problème se complique si la **pénétrance** est variable, ou si la manifestation clinique de la maladie est tardive dans la vie.

Deux maladies appartenant à cette catégorie, la **chorée de Huntington** et la **polykystose rénale dominante**, nous serviront de modèles. Elles ont déjà bénéficié de progrès substantiels et leur locus respectif a été circonscrit. Bien que l'objectif ultime, c'est-à-dire l'isolement et l'identification de chacun de ces gènes, n'ait pas encore été atteint, le chemin parcouru et les problèmes posés ont une valeur exemplaire.

La chorée de Huntington

C'est une maladie neurodégénérative (n° MIM : 143100) se manifestant seulement à partir de l'âge mûr (entre 30 et 50 ans). Elle est caractérisée par la co-existence de troubles neurologiques et de troubles psychiatriques évoluant vers la démence. Il n'existe aucun traitement et la maladie évolue inexorablement vers la mort au bout de 15 à 20 ans. C'est une affection génétique à transmission dominante avec une **pénétrance complète**. Sa fréquence dans les populations blanches est de 1 cas pour 10 000 naissances. Le taux de mutation de novo est très faible, car tous les cas rapportés appartiennent à des familles où la maladie s'était déjà manifestée antérieurement. Un de ses aspects les plus dramatiques est qu'il n'existe aucun moyen diagnostique présymptomatique, et que la maladie ne se manifeste qu'après l'âge de la procréation. Le gène responsable est inconnu.

La localisation du locus HD sur le chromosome 4

En l'absence de tout indice permettant de suspecter un chromosome particulier, le locus correspondant à la chorée de Huntington, ou **locus HD**, ne pouvait bénéficier d'aucune approche orientée. C'est donc par une étude de liaison à l'aide d'une batterie de RFLP anonymes choisis au hasard que sa localisation a été recherchée. Grâce à deux familles très étendues et parfaitement répertoriées un résultat significatif a été obtenu par Gusella et al en 1983, qui ont trouvé une liaison avec un marqueur du chromosome 4 (voir encadré).

Depuis la mise en évidence dans deux familles d'une liaison entre la sonde G8 — séquence anonyme au locus **D4S10** — et le locus HD (1983), le nombre de familles étudiées et de méioses explorées s'est considérablement amplifié, et le lod score maximum a dépassé 45 pour un $\theta = 0,04$ (intervalle de confiance = 0,01 — 0,08). La **figure 14-49** montre un exemple d'analyse familiale à l'aide de la sonde G8.

Le gène de la chorée de Huntington, premier locus morbide autosomique localisé par la génétique inverse

La sonde polymorphe anonyme G8, provenant de la première banque génomique humaine, dite banque de Maniatis (Lawn et al, 1978), figurait par hasard parmi les 12 premières sondes essayées par Gusella et ses collaborateurs (1983). Elle se révéla d'emblée fortement liée au locus HD (lod score maximum = 8,53 pour $\theta = 0,0$). La chance ne fut pas seule responsable de ce succès, mais aussi l'existence d'un excellent répertoire de familles atteintes et une organisation impeccable. Celle-ci a permis d'établir une lignée de cellules lymphoblastoïdes — par immortalisation de lymphocytes avec le virus EBV — à partir de tous les individus appartenant aux familles atteintes par la maladie. Ces lignées sont une source permanente et inépuisable de DNA, permettant d'étudier un nombre important de sondes. Le premier résultat a été obtenu en analysant une famille américaine de dimension moyenne, et surtout une très importante famille vivant au bord du lac Maracaïbo (Venezuela). La généalogie de cette dernière ne comporte pas moins de 7 000 individus descendant d'un ancêtre commun porteur du gène anormal. Parmi les sujets actuellement vivants il y a 100 malades déjà atteints, et 900 individus avec un risque de 50 p. 100. La collecte des échantillons a demandé plusieurs années, et a comporté une logistique très lourde.

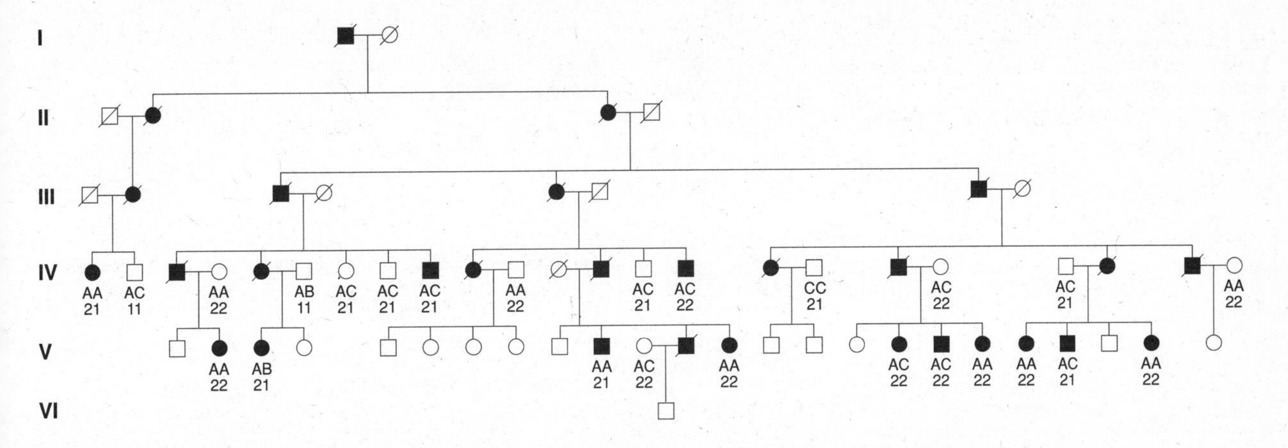

Figure 14-49 Analyse génotypique d'une famille de chorée de Huntington avec la sonde G8 (locus D4S10)
La même sonde a servi pour explorer deux sites polymorphes Hind III et un site polymorphe EcoR I. Les RFLP Hind III permettent de construire 4 haplotypes indiqués par A (– +) ; B (– –) ; C (+ +) ; D (+ –). Le RFLP EcoR I est bi-allélique (allèles 1 et 2). Dans cette famille le gène anormal au locus HD co-ségrège avec le couple A-2. Les génotypes des individus à risque (générations V et VI) ne sont pas indiqués par souci de confidentialité.
(D'après Youngman et al. Human Genetics, 1986, 73 : 333-339).

Les résultats obtenus avec ce premier marqueur étaient en faveur d'une homogénéité génétique, et la même liaison a toujours été retrouvée, quelle que soit l'évolutivité de la maladie. Le locus HD est distal par rapport au locus D4S10, et se trouve dans le segment chromosomique comprenant 4p16.2 et 4p16.3 **(Figure 14-50)**.

Depuis la mise en évidence de la liaison génétique du gène HD avec le marqueur D4S10, de nombreux autres marqueurs ont été décrits. Ceci a permis d'obtenir une carte physique assez précise s'étendant du locus D4S10 jusqu'à la région télomérique (Figure 14-50). Une région de taille encore imprécise, s'étendant du marqueur D4S168 au marqueur D4S96, est cependant encore inexplorée. L'analyse de malades recombinants ainsi que des études de déséquilibre de liaison ont suggéré une première localisation du gène HD proche du télomère (D4S90), une seconde localisation situe le gène entre les marqueurs D4S125 et D4S168 sur une région de 2 500 kb (Figure 14-50). Ces deux régions candidates ne se recouvrent pas, ce qui est en contradiction avec ce qu'on attendrait pour une maladie monogénique. Une des hypothèses serait que le phénotype HD soit dû à une mutation siégeant sur l'un de deux (ou plus) gènes physiquement distincts et situés dans la région 4p16.3. Dans cette hypothèse ces gènes fonctionneraient de manière intégrée, par exemple en concourant à la constitution d'une protéine hétérodimérique.

Une démonstration de la dominance phénotypique complète de la mutation HD

La famille vénézuélienne comporte 6 unions consanguines entre sujets porteurs de la maladie, ayant donné naissance à 31 enfants. Chez ceux-ci la proportion attendue d'homozygotes normaux, d'hétérozygotes et d'homozygotes pour le gène défectueux est de 1/4-1/2-1/4. Grâce aux marqueurs du locus HD une étude systématique de ces enfants a permis de détecter sans ambiguïté les trois catégories d'individus **(Figure 14-51)**. Un suivi neurologique s'étendant sur plusieurs années n'a pas permis de déceler une symptomatologie plus sévère, ni un début plus précoce, chez les sujets homozygotes pour la mutation pathologique. Ceci prouve qu'une seule dose de gène muté suffit à produire la symptomatologie maximale.

Le gène de la maladie de Huntington enfin découvert

Le gène IT15 *(« Interesting Transcript 15 »)* et la mutation responsable de cette pathologie ont été identifiés en 1993 grâce à un travail collaboratif de 6 équipes (58 signataires de l'article *« A novel gene containing a trinucleotide repeat that is expanded and unstable on Huntington's disease chromosomes » Cell 1993, 72, 971-983*). Le cDNA a été cloné par la méthode des exons piégés *(exon trapping)*. Ainsi fut notamment obtenu un exon contenant un triplet CAG répété, utilisé ensuite pour cribler une banque de cDNA de cortex frontal humain. Le RNA messager, d'environ 12 kb, est principalement exprimé dans certaines régions du cerveau, mais est aussi retrouvé dans d'autres tissus (foie, rein, rate, muscle). Il code pour une protéine d'environ 340 kD de fonction encore inconnue. La phase de lecture du cDNA contient une répétition du trinucléotide CAG, dont le nombre varie de 11 à 34 dans les allèles normaux. En revanche, chez tous les patients l'allèle muté contient un nombre de répétitions supérieur à 38. La maladie de Huntington est donc un exemple supplémentaire de maladie génétique résultant d'une expansion de triplets (voir page 298). Conformément à ce que l'on avait déjà observé dans le syndrome de l'X fragile, ou dans la myotonie de Steinert, les répétitions de triplets observées dans la maladie de Huntington sont instables et peuvent subir une expansion au cours des générations. Celle-ci explique le phénomène d'**anticipation**. En effet le nombre de répétitions de triplets semble être corrélé avec l'âge d'apparition des premiers symptômes, les répétitions les plus élevées étant toujours retrouvées dans les formes juvéniles.

Figure 14-50 **Localisation du locus de la chorée de Huntington (HD) et de ses marqueurs. Le marqueur D4S10 a permis la localisation primaire en 1983 (Gusella et al).**
Les deux régions possibles sont indiquées en rouge.

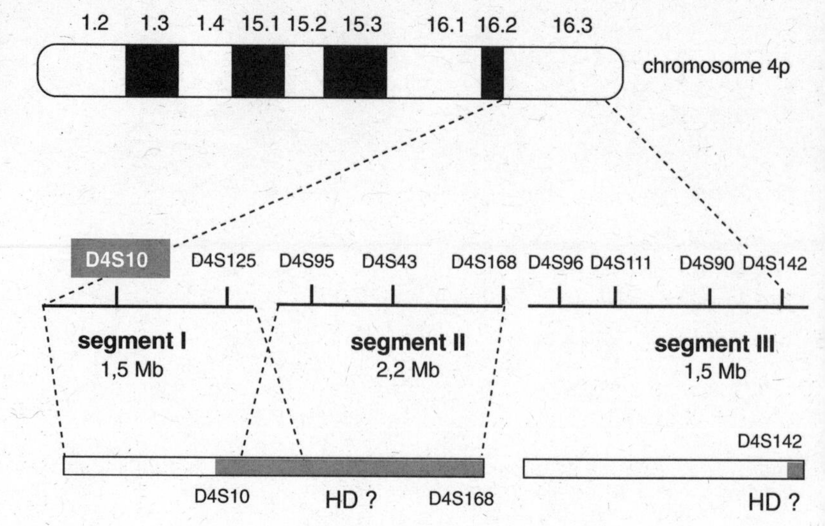

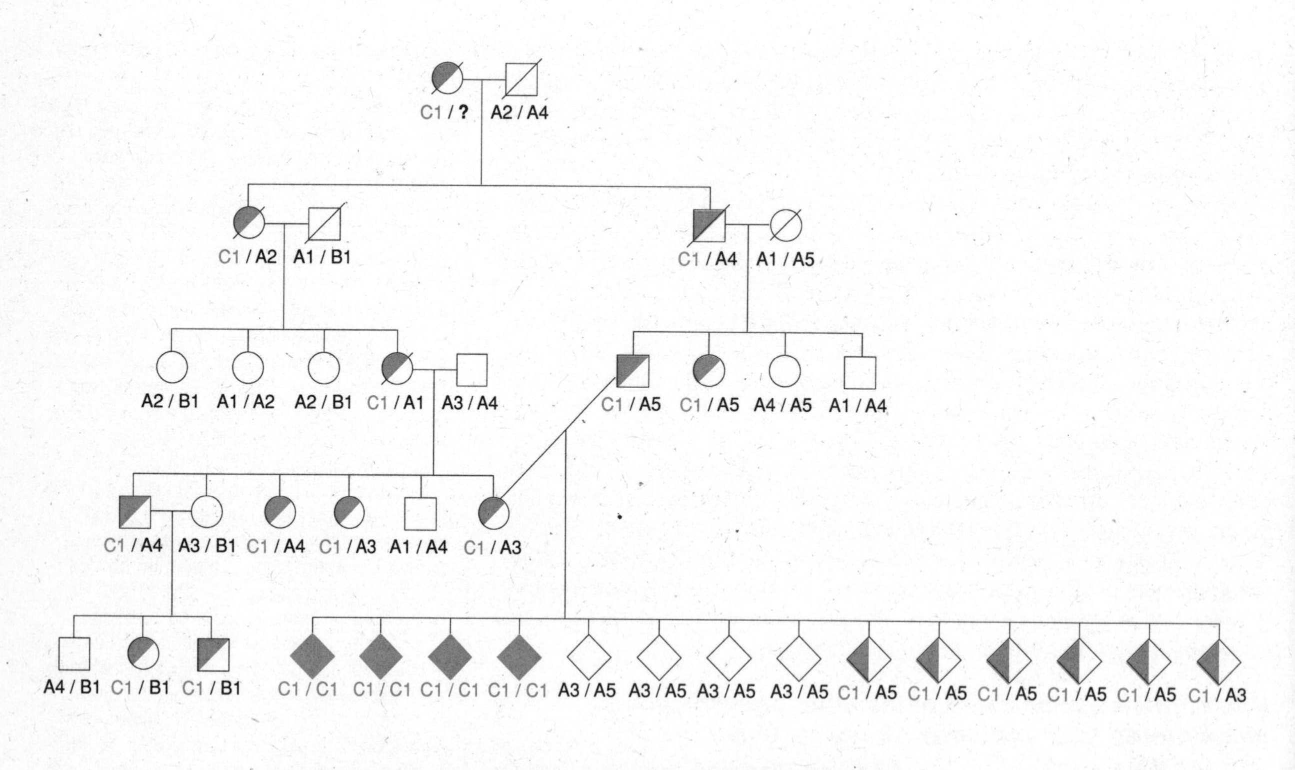

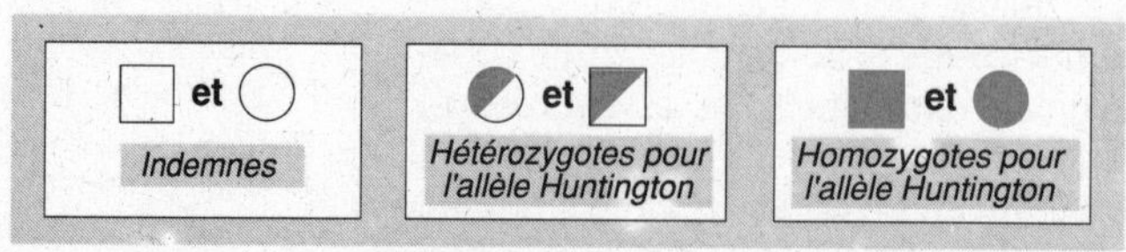

Figure 14-51 **Branche de la famille HD (Lac Maracaibo) où un mariage consanguin a produit des homozygotes**
Dans la fratrie où il existe des homozygotes pour l'allèle Huntington, le sexe des individus n'est pas indiqué, ni l'ordre des naissances afin de préserver l'anonymat.

(D'après Wexler et al, 1987)

Cette particularité laisse supposer que la maladie est déterminée non par une perte de fonction, comme c'est habituellement le cas, mais par l'acquisition d'une fonction anormale. Si tel est le cas toute tentative de correction du défaut génétique devrait viser non seulement à apporter une protéine normale, mais aussi à empêcher les effets pathologiques de l'allèle muté.

Les diagnostics prénatal et pré-symptomatique posent de graves problèmes éthiques

Dans les familles atteintes de chorée de Huntington chaque enfant de sujet porteur du gène défectueux court un risque de 50 p. 100 d'avoir hérité du gène pathologique, et de développer plus tard la maladie. Il peut paraître justifié d'interrompre la fatalité de cette transmission par un diagnostic prénatal. Mais celui-ci passe par un premier stade de dépistage du trait génétique chez le géniteur à risque, c'est-à-dire par un **diagnostic pré-morbide**. Celui-ci soulève de graves difficultés d'ordre psychologique, car il n'est assorti d'aucune proposition thérapeutique, et le verdict peut être très lourd à supporter. Cet aspect est tellement important que depuis l'apparition des marqueurs du gène HD en 1983, il n'a cessé de dominer la scène, suscitant de la part des découvreurs de la sonde G8 une évaluation très soigneuse de l'impact psychologique de ce type de diagnostic dans les familles affectées. Les conclusions d'une première enquête mettent l'accent sur l'importance d'un accompagnement psychologique et sur la nécessité d'informer parfaitement les sujets demandeurs sur les tenants et les aboutissants de ce type de diagnostic prédictif.

Les polykystoses rénales

Deux types génétiques distincts de polykystose rénale, recouvrant des tableaux évolutifs assez différents, ont été individualisés : la forme **dominante** (n° MIM : 173910) se manifestant principalement à l'âge adulte ; la forme **récessive** (n° MIM : 263200), beaucoup plus sévère, et se manifestant beaucoup plus tôt dans la vie. Dans chacun de ces types le mode de transmission est en faveur d'une atteinte monogénique, mais le produit du gène et sa fonction sont totalement ignorés.

La forme dominante est de loin la plus fréquente : une personne sur 1 000 est porteuse du gène anormal, et celui-ci est responsable de 10 p. 100 des insuffisances rénales chroniques réclamant une hémodialyse. Le taux de néo-mutations a été estimé entre 6,5 et 10.10^{-5}.

La localisation du locus de la polykystose rénale dominante **(locus PKD1)** sur le bras court du **chromosome 16**, effectuée en 1985 par Reeders et al, a constitué la première application de la génétique inverse à l'étude des néphropathies héréditaires.

Localisation sur le chromosome 16 du locus de la polykystose rénale dominante (locus PKD1)

Aucun fil conducteur ne permettait d'incriminer au départ un chromosome plutôt qu'un autre, et c'est à une stratégie d'exclusion aléatoire qu'il a fallu recourir, en utilisant des RFLP diversement situés sur le génome. Celle-ci fut couronnée de succès avec la découverte d'une liaison d'emblée très significative entre le locus morbide, appelé PKD1, et un site hautement polymorphe, constitué par une région hypervariable située à 8 kb en 3' du gène α1 de la globine (région dite **3'HVR** homologuée sous le numéro D16S85) (Reeders et al, 1985). Il s'agit d'un VNTR dont le polymorphisme est très informatif (plusieurs centaines d'allèles différents caractérisés par les enzymes de restriction PvuII, RsaI et BglI) (Voir Figure 9-5). C'était la première indication d'une localisation du locus PKD1 sur l'extrémité du bras court du chromosome 16. La liaison a été mise en évidence grâce à l'étude de 9 familles comportant en tout 127 méioses. Les familles, sélectionnées sur des critères stricts, tant cliniques que génétiques, afin d'éviter le biais d'une éventuelle hétérogénéité génétique, présentaient toutes la forme typique de polykystose rénale de l'adulte, définie par l'apparition d'une insuffisance rénale terminale à 50 $\pm$ 10 ans. La significativité statistique de la liaison était attestée par la valeur élevée du lod score (Z_{max} = 25,85) pour une distance génétique de 5 centimorgans (intervalle de confiance à 99 p. 100 compris entre 2 et 11 centimorgans).

Le problème de la pénétrance

S'agissant d'une maladie dominante à manifestation clinique tardive (vers la 4e décennie) il est essentiel de connaître le statut exact des individus pour les études de liaison. Les kystes sont souvent détectables à un stade pré-symptomatique par ultra-sonographie, mais la méthode manque de sensibilité en laissant passer 34 p. 100 des cas entre 15 et 20 ans, 14 p. 100 des cas entre 20 et 30 ans, et 5 p. 100 au-delà de 30 ans. Ces valeurs doivent être prises en compte dans le calcul des lod scores, et les sujets de moins de 15 ans ne sont pas inclus dans les études visant à valider un marqueur. En revanche, s'il est validé, ce qui est le cas pour D16S85, le marqueur devient utilisable pour détecter les sujets porteurs asymptomatiques quel que soit leur âge.

Le problème de l'hétérogénéité génétique

Alors qu'une première étude portant sur 28 familles n'avait pas révélé d'hétérogénéité génétique, l'étude systématique de familles dans plus de 15 pays a démontré l'existence d'une hétérogénéité génétique, en particulier dans une grande famille italo-américaine ou plus de 150 personnes ont été génotypées. Le locus correspondant **(PKD2)** n'est pas encore localisé. Il faut noter que la taille de la famille citée plus haut rend possible à elle seule la découverte d'un linkage significatif. La proportion de familles non liées à PKD1 est de l'ordre de 10 p. 100. Au point de vue clinique, la seule différence décrite serait un âge plus avancé de survenue de l'insuffisance rénale terminale (IRT). Cependant on connaît aussi des familles liées à PKD1 où l'âge de l'IRT est très tardif, et où une proportion importante de porteurs du gène n'atteint jamais ce stade. D'autre part la possibilité que la rare forme de polykystose rénale dominante à manifestation clinique très précoce, néonatale ou infantile, soit due à une hétérogénéité génétique n'a pas été confirmée.

Les autres marqueurs génétiques du locus PKD1

Actuellement il existe plus de 20 marqueurs polymorphes de différents types (RFLP, VNTR, microsatellites) situés dans la région suspecte des deux côtés du locus PKD1 **(Figure 14-52)**. Leur recherche fut facilitée au départ par la découverte d'une deuxième sonde (24-1, locus D16S80) située de l'autre côté du locus PKD1 par rapport au locus HBA, ce qui permit de délimiter d'emblée la région à explorer. Les plus proches de ces sondes n'ont révélé aucune recombinaison sur plus de 100 méioses, ce qui les place à moins de 1 centimorgan du locus PKD1 (Figure 14-52). Les études de cartographie génétique et physique ont permis de cerner le locus PKD1 dans une région d'environ 70 kb comportant au moins 25 gènes exprimés.

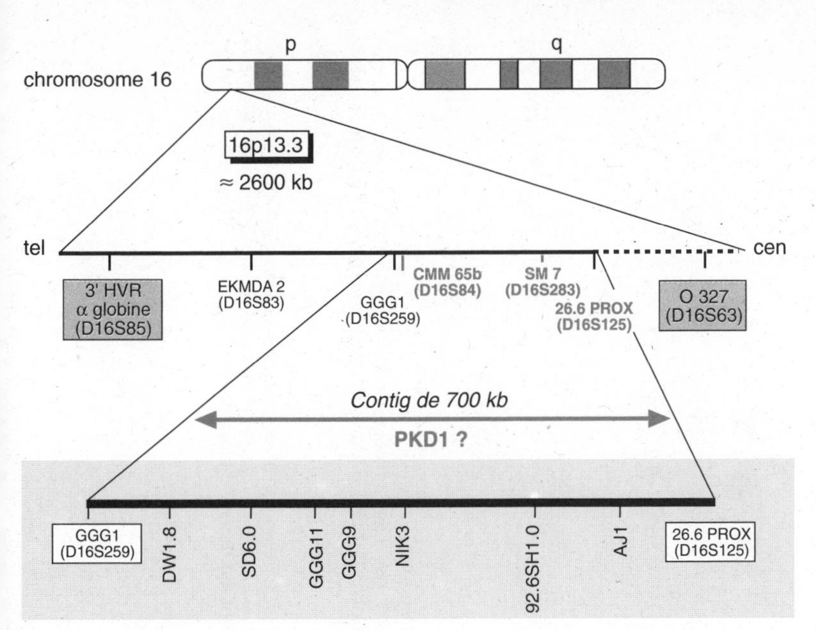

Figure 14-52 **Cartographie du locus PKD1 en 16p13.3**
(D'après Germino et al, Genomics 1992, 13, 144-151).
Les marqueurs polymorphes indiqués en rouge ont permis d'établir la carte génétique de la région. Les autres marqueurs ont servi à l'établissement de la carte physique.

Les locus des deux formes de polykystose rénale sont distincts

La polykystose rénale récessive est en principe aisée à distinguer de la forme dominante, dont elle diffère par l'âge de début, par l'existence d'une fibrose hépatique toujours associée, et surtout par l'absence de kystes rénaux chez les ascendants. Les analyses de liaison avec la sonde 3'HVR ont montré que les deux formes de polykystose ne sont pas alléliques. On ignore le siège du, ou des, locus responsable(s) de la forme récessive.

Les applications diagnostiques

Les nombreuses sondes existantes rendent possible un diagnostic présymptomatique et prénatal indirect. La principale difficulté vient de l'hétérogénéité génétique qui introduit une incertitude a priori de l'ordre de 10 p. 100. Cette incertitude ne peut être levée que dans les rares cas où la taille de la famille est suffisante pour permettre d'obtenir un lod-score significatif avec les marqueurs de PKD1. Dans ce cas le taux d'erreur peut être réduit, parfois jusqu'à 1 p. 100, grâce à la proximité et à l'informativité élevée de certaines sondes.

La **figure 14-53** montre le résultat d'une analyse familiale par exploration des locus D16S80 et D16S85 (voir aussi la figure 9-8).

S'il ne pose pas de problèmes techniques, le diagnostic génotypique pose des problèmes **éthiques**. En effet on peut s'interroger sur l'indication du diagnostic prénatal d'une maladie qui ne se manifestera que 40 ans plus tard et dont on sait que l'hémodialyse constitue un traitement palliatif efficace. On peut d'autre part s'interroger sur l'opportunité du diagnostic pré-symptomatique précoce, dès lors qu'aucune mesure thérapeutique préventive n'existe.

Perspectives

Bien que la région contenant le locus PKD1 soit clonée et délimitée dans un espace inférieur à 1 mégabase, le gène n'est pas encore isolé. Cette situation n'est pas sans rappeler celle de la chorée de Huntington, autre maladie dominante à manifestation tardive. Les difficultés principales dans les deux cas proviennent de l'absence d'hypothèses sur la nature et la

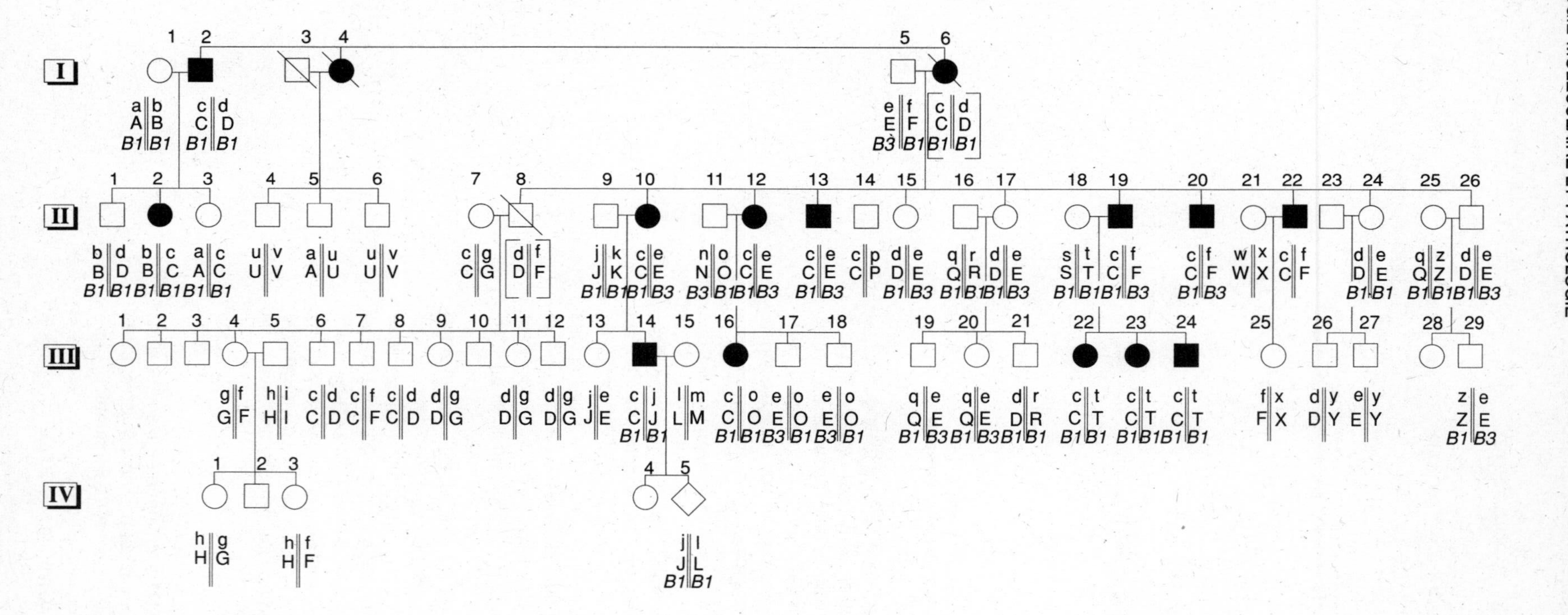

Figure 14-53 Exploration d'une famille atteinte de polykystose rénale dominante à l'aide de RFLP liés au locus PKD1
Les sujets ont pu être étudiés sur 4 générations à l'aide de la sonde hyperpolymorphe 3'HVR au locus D16S85 proche du gène de l'α-globine, avec l'enzyme Pvu II (allèles en lettres minuscules), et l'enzyme Bgl I (allèles en lettres capitales). Certains sujets ont aussi été étudiés avec la sonde 24-1, au locus D16S80, situé de l'autre côté du locus morbide (système tri-allélique noté B1, B2, B3).
Les haplotypes entre crochets ont été reconstitués à partir de leurs descendants.
Les allèles liés à la maladie dans cette famille sont **c-C-*B1***.
Il n'y a pas de recombinants entre D16S85 et PKD1, par contre il y a des recombinants entre D16S85 et D16S80 sur les chromosomes paternels des sujets II-19, II-20, II-24.
Les sujets II-7 et II-14, conjoints bien portants de porteurs potentiels du gène morbide, ont au locus D16S85 des allèles indistingables des allèles **c-C** liés à la maladie. Bien que la cause du décès de II-8 ne soit pas connue on peut conclure qu'il n'était pas transmetteur de la maladie (au pourcentage de recombinaison près, soit 4 p. 100) et que les allèles **c-C** portés par ses enfants viennent du côté maternel. Ils ne sont donc pas porteurs du gène pathologique.
Le fœtus IV-5 a été l'objet d'un diagnostic prénatal montrant qu'il n'était pas atteint.

(L. Bachner, Laboratoire de Biochimie Génétique, Hôpital Cochin, Paris)

fonction de ces gènes, ainsi que l'absence de tout fil conducteur physique (anomalie cytogénétique, microdélétion). Cependant la puissance des moyens actuels rend inévitable la caractérisation du gène PKD1 dans un avenir proche, suivie par celle du ou des autre(s) gène(s) responsable(s) de la même pathologie. Outre les conséquences évidentes dans le domaine du diagnostic et éventuellement du traitement, la caractérisation de ces gènes devrait apporter les premières lumières sur les mécanismes moléculaires impliqués dans le développement et la différenciation des néphrons.

Les anomalies chromosomiques constitutionnelles

L'apport de la biologie moléculaire à la cytogénétique

Les sondes moléculaires représentent un outil précieux pour l'exploration des aberrations chromosomiques. Celles qui correspondent à une séquence génomique unique peuvent servir à repérer et identifier un fragment de chromosome. En outre la plupart des chromosomes peuvent être distingués par des sondes correspondant au DNA répétitif **centromérique** (sondes du type DZ dans la nomenclature des séquences anonymes). L'exploration des remaniements complexes d'interprétation difficile, qu'ils soient constitutionnels ou somatiques, bénéficie grandement de l'utilisation des différents types de sondes, soit dans un but qualitatif, soit dans un but quantitatif.

Le diagnostic en routine des **aneusomies** par la biologie moléculaire s'est longtemps heurté à des problèmes techniques. Depuis l'avènement des techniques de FISH (voir chapitre 10), l'hybridation moléculaire rend les plus éminents services pour l'analyse des aberrations chromosomiques. Il est maintenant possible d'effectuer une hybridation in situ sur chromosome en prométaphase, voire même pendant l'interphase. La technique se raffine sans cesse, au bénéfice du pouvoir de résolution. Grâce à la remarquable spécificité de la méthode, l'identification des remaniements les plus fins est devenue possible.

Comme outil de recherche les sondes moléculaires occupent une place de plus en plus importante en cytogénétique. Elles permettent d'identifier un fragment chromosomique transloqué ou surnuméraire non identifiable par les moyens de la cytogénétique classique.

C'est par ce moyen que le fragment de chromosome surnuméraire observé dans le syndrome de l'œil de chat **(cat-eye syndrome)** a pu être identifié comme provenant du chromosome 22.

D'autre part l'étude des marqueurs polymorphes peut servir à explorer les aneuploïdies et à analyser le mécanisme des **malségrégations chromosomiques**. Dans la **trisomie 21** (mongolisme), cette approche a déjà permis de déterminer l'origine parentale du chromosome supplémentaire et d'explorer le déterminisme de la non-disjonction.

Cette possibilité de distinguer l'**origine parentale** de chaque chromosome d'une paire a permis de mettre en évidence l'existence d'une pathologie jusqu'alors insoupçonnée, due à la contribution d'un seul parent pour une région chromosomique donnée : **disomie uniparentale.** Si le gène en cause est muté, il s'ensuit la naissance d'un enfant homozygote à partir d'un seul parent hétérozygote (comme dans un cas de mucoviscidose chez un enfant dont les deux chromosomes 7 porteurs d'une mutation dans le gène CFTR provenaient de sa mère). Si le gène en cause n'est pas muté, la pathologie ne peut provenir que d'une non-équivalence d'expression de allèles selon l'origine parentale, ou **empreinte parentale** (voir pages 100 et 305).

Le **dosage génique** moléculaire consiste à mesurer le nombre de copies d'une séquence unique. Normalement, dans un organisme ou dans une cellule diploïde, ce nombre est égal à 2 pour les séquences autosomiques. Il passe à 3 pour une trisomie, à 1 pour une monosomie, et à 0 pour une nullisomie. La technique FISH a grandement facilité le décompte, qui peut être effectué sur des chromosomes métaphasiques, et même sur des noyaux en interphase (voir page 266 et hors-texte couleur Figure 10-19).

L'apport de la cytogénétique à la biologie moléculaire

Les anomalies chromosomiques constitutionnelles, seules envisagées ici, peuvent contribuer à la découverte de nouveaux gènes par la stratégie de la génétique inverse. Trois types de situations peuvent se rencontrer.

— Des anomalies cytogénétiques constantes peuvent être la marque distinctive d'un syndrome hérité comme une maladie monogénique. Tel est le cas par exemple du **syndrome X-fragile**, principale cause d'arriération mentale masculine génétiquement transmise.

— Des anomalies cytogénétiques peuvent être observées à titre exceptionnel dans des maladies génétiques **monofactorielles**. Elles constituent alors un précieux indice pour la localisation d'un gène morbide inconnu. Tel fut le cas pour les rares translocations (X;autosome) chez les filles myopathes, qui ont permis de soupçonner la présence du **gène DMD** en Xp21 ; ce fut le cas pour une unique observation de délétion interstitielle en 5q21 chez un sujet atteint de **polypose colique familiale**, premier indice d'une localisation possible du gène en cause (gène APC).

Dans ces très rares observations, on suppose que la lésion produite par la translocation, ou la délétion, touche directement le gène. L'expression pathologique de cette lésion, qui ne porte que sur un seul chromosome, s'explique soit parce que le chromosome normal est inactivé (cas de la pathologie de gènes du chromosome X lors des translocations X;autosome), soit parce qu'il est victime d'un second événement se produisant au stade **somatique** et entraînant une perte de l'allèle normal (cas des gènes dits suppresseurs de cancer, ou **anti-oncogènes**), soit parce que la perte de fonction est dominante (on n'en connaît pas encore d'exemple).

En plus de leur intérêt cartographique, ces anomalies peuvent servir au clonage direct du gène morbide, comme ce fut le cas pour plusieurs gènes du chromosome X (gène de la myopathie de Duchenne, gène de la granulomatose chronique, gène de la choroïdérémie).

— La plupart des remaniements chromosomiques non équilibrés sont significativement associés à un syndrome clinique particulier comportant toujours un syndrome polymalformatif, et souvent un retard mental. Il s'agit ici d'une pathologie **multigénique**, où les gènes intéressés sont contigus sur le même territoire chromosomique. L'exemple le plus classique, et aussi le plus fréquent puisqu'il touche une naissance sur 700, est celui de la **trisomie 21** responsable du **mongolisme** (ou syndrome de Down pour les anglo-saxons). Le problème qui se pose est de dénombrer et d'isoler les gènes dont le surnombre entraîne un tableau clinique aussi stéréotypé, et finalement de comprendre la physio-pathologie de l'affection. L'existence de rares cas de trisomies très partielles a permis de localiser le domaine en cause en 21q22.1 **(Figure 14-54)**. Encore plus intéressantes sont les observations de mongolisme sans trisomie cytogénétiquement détectable, même à haute résolution. Elles suggèrent que des remaniements moléculaires infra-cytogénétiques peuvent engendrer le syndrome. Ceci focalise l'analyse du DNA à l'échelle moléculaire sur un territoire inférieur à 5 mégabases. L'importance du problème et sa difficulté expliquent que des efforts intensifs aient été déployés pour multiplier les sondes

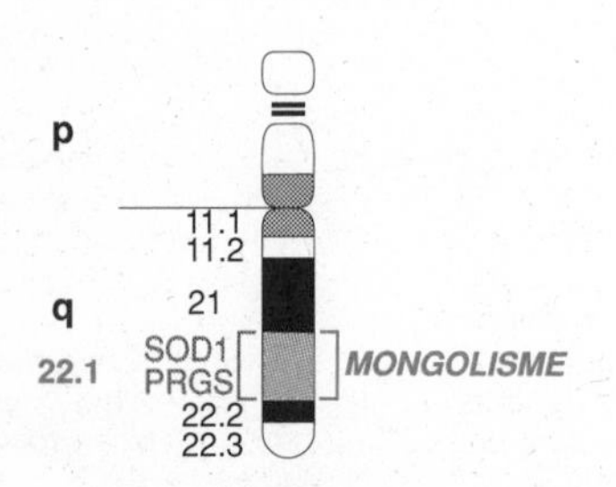

Figure 14-54 Localisation cytogénétique de la région minimale responsable du mongolisme (trisomie 21)
SOD1 : locus de la superoxyde dismutase soluble ; PRGS : locus de la phosphoribosyl glycinamide synthétase.

nécessaires à la cartographie moléculaire de la région. Plus d'une centaine de séquences uniques anonymes spécifiques du bras long du chromosome 21 ont déjà été isolées. Elles devraient permettre une approche moléculaire du problème de la trisomie 21.

Au fur et à mesure des progrès effectués dans la cartographie du génome humain, cette approche devrait s'appliquer à tous les syndromes en rapport avec une aberration chromosomique constitutionnelle, qu'il s'agisse d'un excès de matériel génétique (trisomies), ou d'un défaut (monosomies partielles, comme la maladie du cri du chat due à une délétion de la région 5p15).

Une catégorie particulièrement intéressante pour le biologiste moléculaire concerne les **syndromes micro-délétionnels**, ou **syndromes des gènes contigus**, illustrés dans la **figure 14-55**. Un fait important est que

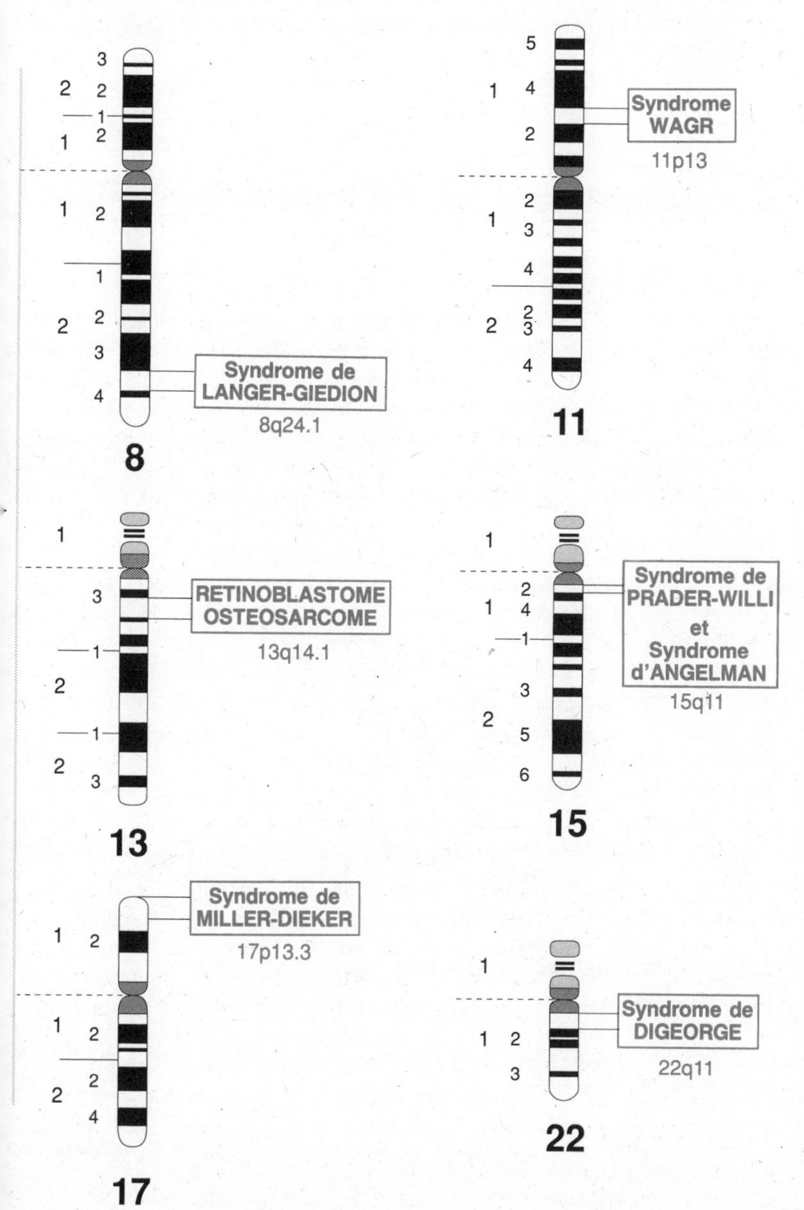

Figure 14-55 Exemples de syndromes micro-délétionnels des gènes contigus et leur localisation chromosomique
Le **syndrome de Langer-Giedion** associe dysmorphie faciale, exostoses multiples, microcéphalie et retard mental (MIM n° 150 230).
Le **syndrome WAGR** (tumeur de Wilms, aniridie, gonadoblastome, retard mental ; MIM n° 194 070) associe des cancers embryonnaires à un syndrome malformatif. Parmi les différents gènes impliqués dans la micro-délétion figurent la catalase (CAT), un gène de l'aniridie (AN2), un gène suppresseur de cancer au locus WT (pour Wilms' Tumour), cerné de près en 11p13, mais non encore cloné.
Le **rétinoblastome héréditaire** (MIM n° 180 200) est une tumeur embryonnaire des cellules rétiniennes, souvent associée à un syndrome polymalformatif, une prédisposition au développement d'un ostéosarcome. Dans le domaine de la délétion figure le gène RB1, premier gène suppresseur de cancer, ou anti-oncogène, à avoir été cloné.
Le **syndrome de Prader-Willi** associe hypotonie, acromicrie, retard mental, obésité et hypogonadisme (MIM n° 176 270).
Le **syndrome d'Angelman** associe retard psychomoteur important, hypotonie, épilepsie et dysmorphie faciale donnant un faciès « hilare » très particulier (MIM n° 234 400).
Le **syndrome de Miller-Dieker** associe une lissencéphalie à un syndrome polymalformatif (MIM n° 247 200). C'est le seul de la série a être transmis comme un caractère récessif.
Le **syndrome de DiGeorge** est un syndrome polymalformatif avec dysmorphie et anomalie de développement du 4ème arc branchial entraînant des malformations cardiaques, une agénésie des parathyroïdes et du thymus (MIM n° 188 400).

pour certaines de ces affections, l'anomalie chromosomique n'est pas toujours visible, ce qui laisse supposer, là encore, l'existence de délétions infra-cytogénétiques.

L'analyse de l'origine parentale des chromosomes microdélétés a montré dans certains cas l'existence d'une empreinte parentale. Les exemples les plus typiques concernent le **syndrome de Prader-Willi** et le **syndrome d'Angelman** (Figure 14-55), dont le tableau clinique est très différent, bien que l'anomalie chromosomique affecte apparemment la même région en 15q11. Il semble que le syndrome de Prader-Willi soit produit par une unidisomie maternelle (la délétion est portée par le chromosome 15 parternel), et que le syndrome d'Angelman résulte d'une unidisomie paternelle (la délétion est portée par le chromosome 15 maternel).

Dans la plupart des cas la complexité du tableau clinique et l'extension à plusieurs mégabases des lésions du DNA, déduite de l'existence de lésions cytogénétiquement visibles, laissent supposer que plusieurs gènes pourraient être atteints. Cette pathologie de **contiguïté** devrait permettre d'isoler un certain nombre de gènes impliqués dans la morphogenèse et le développement (par exemple dans le syndrome de DiGeorge, voir Figure 14-55).

Les anomalies du DNA mitochondrial

Le DNA mitochondrial constitue une entité autonome, physiquement distincte du DNA nucléaire, parfois assimilée à un « **25e chromosome** ». Bien que séquencé dès 1981, et de courte taille (environ 17 kb), il a fallu attendre 1988 pour que les premières anomalies du génome mitochondrial humain soient rapportées. Depuis, la pathologie moléculaire n'a cessé de s'enrichir, essentiellement grâce à l'introduction de la méthode PCR.

Rappelons que le génome mitochondrial est constitué par un DNA circulaire, double-brin, de **16 569 paires de bases,** extrêmement compacté, où figurent 37 gènes, dépourvus d'introns, et parfois chevauchants (voir chapitre 2). Treize gènes codent pour des polyptides participant, en association avec des polypeptides codés par le génome nucléaire, à l'édification des cinq complexes multi-enzymatiques transportant les électrons et permettant les phosphorylations oxydatives respiratoires ; 2 gènes codent pour des RNA ribosomaux, et 22 codent pour des tRNA. La transcription est polycistronique, avec une maturation post-transcriptionnelle en différents mRNA, les tRNA jouant un rôle de ponctuation. Autre particularité, certains mRNA n'ont pas de codons stop dans le transcrit, ceux-ci étant ajoutés lors de la maturation post-transcriptionnelle (« édition »).

La pathologie des gènes mitochondriaux retentit sur la chaîne respiratoire mitochondriale, soit parce qu'un constituant enzymatique est défectueux ou absent, soit parce que l'appareil de traduction est touché.

La génétique mitochondriale n'est pas mendélienne*

La génétique mitochondriale se distingue de la génétique « nucléaire » par un certain nombre d'éléments.

* Les particularités de la génétique mitochondriale ont fait dire à V. McKusick que la génétique mitochondriale était galtonienne, c'est-à-dire procédant par un gradient continu, par opposition à la discontinuité de la génétique mendélienne.

• Il y a **plusieurs milliers de copies** de DNA mitochondrial par cellule (environ 10 molécules de DNA par mitochondrie, et plusieurs centaines de mitochondrie par cellule).

• Lors de la formation du zygote les mitochondries sont essentiellement apportées par l'ovocyte, ce qui entraîne une transmission exclusivement matrilinéaire de toute variation intervenant dans une molécule de DNA mitochondrial. Dans les formes familiales, qui sont loin d'être la règle, la pathologie du DNA mitochondrial est à **hérédité maternelle**.

• Le **taux de mutations** du DNA mitochondrial est 17 fois plus élevé que celui du DNA nucléaire.

• Au cours de la mitose les mitochondries se répartissent au hasard dans chaque cellule-fille. Si la cellule-mère contenait au départ deux types de mitochondries, cette **ségrégation mitotique** engendre une distribution aléatoire dans la descendance cellulaire. Il en résulte dans une même cellule, ou un même tissu, une proportion variable de molécules de DNA mitochondrial normal et de DNA mitochondrial muté. Cette caractéristique, appelée **hétéroplasmie**, peut s'accompagner d'un effet de seuil.

• Les conséquences phénotypiques des mutations sont ainsi variables d'une cellule à l'autre, d'un tissu à l'autre, d'un individu à l'autre.

La pathologie du génome mitochondrial

Elle est responsable d'une dizaine de maladies, rares, la plupart étant de type neuro-musculaire.

On peut distinguer les mutations ponctuelles et les réarrangements plus complexes pouvant intéresser plusieurs gènes **(Tableau 14-12 et Figure 14-56).**

Les mutations ponctuelles

Le premier exemple découvert concerne une mutation faux sens (arg→his) au codon 340 du **gène de la NADH déshydrogénase 4** (locus MTND4) dans l'**atrophie optique de Leber** (LHON). Cette mutation est essentiellement homoplasmique (toutes les molécules de DNA mitochondriales portent la mutation), mais on a observé des cas avec hétéroplasmie. Elle a été retrouvée dans plusieurs familles. Le diagnostic moléculaire en est facile, puisque la mutation abolit un site de restriction par l'enzyme *Sfa*NI, qu'il suffit de faire agir sur un fragment de DNA mitochondrial amplifié in vitro par la méthode PCR. Depuis, d'autres mutations dans un gène de NADH-déshydrogénase ont été décrites.

Des mutations ponctuelles ont aussi été détectées dans des **gènes de tRNA :** tRNA lysine dans le syndrome **MERRF** (voir Tableau 14-12), et tRNA leu dans le syndrome **MELAS** (voir Tableau 14-12). Elles siègent dans des régions invariantes de la molécule, et doivent gravement perturber la configuration, donc la fonction du tRNA muté. Leurs effets devraient être pléiotropiques, puisqu'il s'agit de molécules impliquées dans la traduction de tous les RNA messagers mitochondriaux ; cependant on ne connaît pas encore l'impact final de ces anomalies de tRNA, sauf pour la mutation dans le gène du tRNA leu qui perturbe un site de fixation d'un facteur de terminaison de la transcription. Il est tout à fait remarquable que le phénotype pathologique soit aussi différent selon que la mutation touche un tRNA lysine ou un tRNA leucine. Dans les deux cas, la mutation crée un nouveau site de restriction, ce qui en facilite le diagnostic après PCR.

Les réarrangements complexes

Dans deux tiers des cas les points de cassure se font au niveau de séquences répétées directes, qui constituent des points chauds. Ceci a fait pen-

Tableau 14-12 Quelques exemples de pathologie moléculaire du DNA mitochondrial

Maladie	Mutation	Gène(s) impliqué(s)	Transmission
	Mutations ponctuelles		
LHON	G⟶A(nt 3460)	ND1 (ala⟶thr, codon 52)	familiale
	G⟶A(nt 11778)	ND4 (arg⟶his, codon 340)	familiale
MERRF	A⟶G(nt 8344)	tRNA lys (boucle TΨC)	
MELAS	A⟶G(nt 3243)	tRNA leu (boucle DHU)	
CEOP	A⟶G(nt 10006)	tRNAgly	
	A⟶G(nt 12246)	tRNAser	
	A⟶G(nt 12308)	tRNAleu	
	Délétions et autres réarrangements		
KSS	del 5275-11680	DN2-ND4	sporadique
	del 7440-10256	Cox II-ND3	sporadique
	del 7850-13000	Cox II-ND5	sporadique
	del 8286-13701	ATPase 8-ND5	sporadique
	del 9020-16048	ATPase 6-cyt b	sporadique
	del 10256-16048	ND3-cyt b	sporadique
Pearson	del 8483-13460	ATPase 8-ND5	sporadique
	del 11232-13980	ND4-ND5	
	dup 14700-15700	Cox III-ND5	
	Délétions multiples dues à une mutation dans le DNA nucléaire		
Myopathie mitochondriale		gène(s) inconnu(s) dans le DNA nucléaire	autosomique dominante

del = délétion ; dup = duplication

LHON *(Leber's Hereditary Optic Neuropathy)* : atrophie optique de Leber.
MERRF *(Myoclonic Epilepsy and Ragged-Red Fiber Disease)* : épilepsie myoclonique avec fibres en lambeaux.
MELAS *(Mitochondrial Myopathy, Encephalomyopathy, Lactic Acidosis, and Stroke-like episodes)* : myopathie, encéphalopathie, acidose lactique avec crises.
KSS: syndrome de Kearns-Sayre.
CEOP *(Chronic External Ophtalmoplegia Plus)* : ophtalmoplégie progressive.
Pearson : Syndrome de Pearson.

ND1, 2, 3, 4 = NAD-déshydrogénases ; Cox I, II, III = cytochrome c oxydases ; cyt b = cytochrome b.

ser à un mécanisme de dérapage au moment de la réplication. Il faut remarquer qu'une même délétion peut donner lieu tantôt à un syndrome de **Pearson**, tantôt à un syndrome de **Kearns-Sayre**, tantôt à une **myopathie mitochondriale**.

Il faut enfin signaler l'existence d'une pathologie mitochondriale multi-délétionnelle à expression mendélienne dominante, où la mutation causale touche un **gène nucléaire**. Celui-ci doit être normalement responsable de l'intégrité du DNA mitochondrial, et sa pathologie met en lumière le rôle de gènes nucléaires ayant un impact sur le DNA mitochondrial (la réplicase mitochondriale codée par un gène nucléaire en est un exemple classique).

De nombreux mystères entourent encore la pathologie du DNA mitochondrial, ce qui est paradoxal si on considère sa taille modeste et le fait qu'on en connaît la séquence complète.

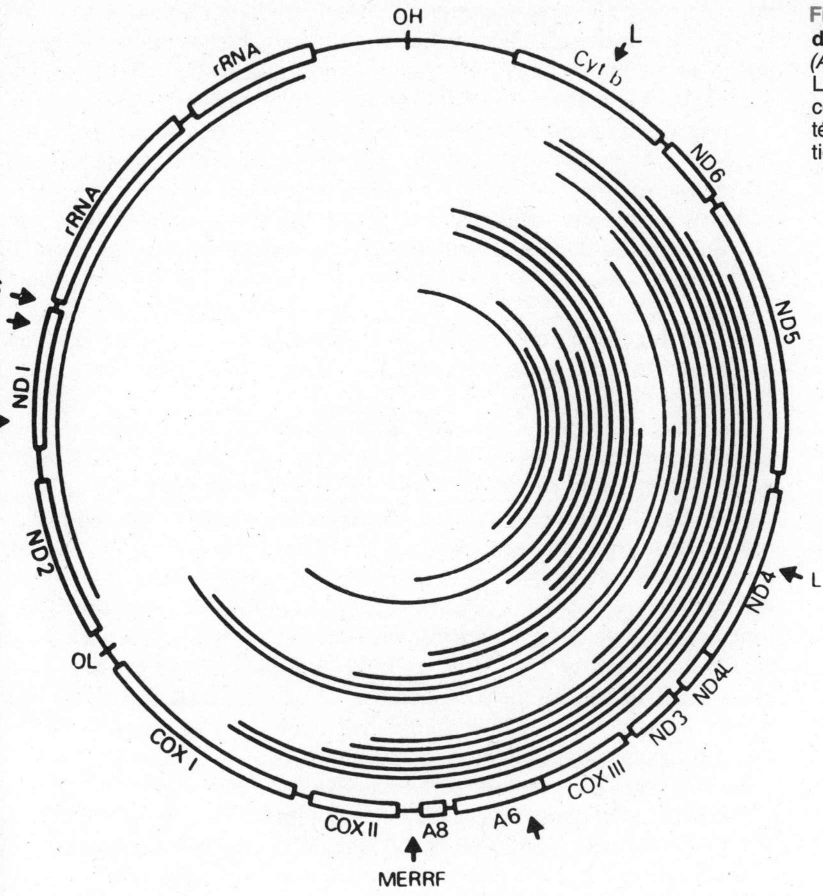

Figure 14-56 **Carte des principales anomalies déjà détectées dans le DNA mitochondrial** *(A. Rötig, INSERM U12, Paris).* Les délétions sont représentées par des arcs de cercle. Les mutations ponctuelles sont représentées par des flèches (voir tableau 14-12). L = mutation de la maladie de Leber (LHON).

Vers une approche moléculaire des maladies polygéniques

Si plusieurs gènes sont impliqués dans le déterminisme d'une pathologie constitutionnelle, ils peuvent être soit **contigus** sur le génome, soit **dispersés** sur des chromosomes différents.

Dans le cas des gènes contigus ils peuvent être victimes d'un accident unique, comme une délétion. L'anomalie polygénique est alors transmise *en bloc*, et se comporte sur le plan génétique comme un trait mendélien mono-factoriel. Nous en avons vu des exemples à propos de la pathologie de contiguïté autour du gène DMD, et des syndromes des gènes contigus avec ou sans délétions cytogénétiquement visibles (page 433). Dans ces cas le problème cartographique est résolu, puisque le groupe de gènes à rechercher est situé dans un territoire déjà délimité.

Si les gènes sont dispersés, on tombe dans le cas des **maladies héréditaires polygéniques**. Les gènes impliqués sont plus ou moins nombreux, chaque allèle étant nécessaire mais non suffisant. S'y ajoute éventuellement l'intervention de multiples facteurs environnementaux. Ces maladies multifactorielles sont fréquentes et constituent une cause majeure de morbidité et de mortalité dans la population adulte (contrairement à la population pédiatrique qui paie un plus lourd tribut aux maladies génétiques monofactorielles). Entrent dans cette catégorie les **maladies cardio-**

vasculaires (athérome, hypertension artérielle), le **diabète** et sans doute nombre de **cancers** et de **maladies mentales**. L'incrimination des gènes en cause par l'approche phénotypique classique est souvent difficile, car elle implique l'analyse de **variables quantitatives**.

La génétique moléculaire est-elle en mesure d'aborder ces maladies à déterminisme génétique et environnemental complexe ? La réponse est affirmative. En effet elle fournit des outils capables de discerner la composante génétique qu'il était jusqu'alors si difficile de démontrer. Elle permet en outre de déterminer combien de gènes sont impliqués, et en fin de compte lesquels. Avant son avènement la contribution génétique pouvait être soupçonnée grâce à l'**analyse épidémiologique**, notamment à la recherche d'une concordance entre jumeaux monozygotes ou d'une agrégation familiale (proportion significativement élevée de parents au 1er degré également affectés).

La contribution génétique peut être **monogénique** (un seul gène est en cause, mais le problème est compliqué par la possibilité d'une hétérogénéité génétique) ou **polygénique** (concours **simultané** de plusieurs gènes). La première de ces deux situations est évidemment plus facilement accessible. C'est pourquoi, parmi les maladies multifactorielles, on a tendance à privilégier l'étude de certaines formes nosologiques où le trait pathologique obéit à une transmission mendélienne simple suggérant une possible origine monogénique. Même si ces formes sont exceptionnelles par rapport à la pathologie commune que l'on veut élucider, elles ont une valeur heuristique considérable car elles peuvent mener sur des pistes intéressantes. Nous le verrons à propos d'une forme rare de diabète non insulinodépendant, le diabète MODY.

En fait, dans les maladies communes, la fréquence élevée du ou des traits génétiques dans la population rend souvent très difficile la classique distinction entre affection monogénique et affection polygénique.

Schématiquement il y a deux stratégies possibles : l'approche raisonnée et l'approche aléatoire.

L'approche raisonnée : la stratégie des gènes candidats

Elle consiste à décomposer le problème en imaginant, sur des bases physio-pathologiques, quels peuvent être les divers facteurs intervenant. Chacun constitue un co-candidat plausible. Par exemple pour l'athérome coronarien on peut sérier les questions, et tenter d'y répondre séparément en recherchant une liaison avec un gène appartenant à l'une des quatre catégories suivantes :

— gènes gouvernant le métabolisme des lipides ;
— gènes gouvernant les facteurs de coagulation ;
— gènes impliqués dans l'agrégabilité des plaquettes ;
— gènes impliqués dans la structure de la membrane vasculaire (actines, collagènes, etc.).

Cette approche est déjà entrée en vigueur par la recherche des gènes participant au déterminisme des **hyperlipidémies** d'origine polygénique. Elle consiste à analyser systématiquement la liaison avec des polymorphismes situés dans ou immédiatement à côté des gènes des apolipoprotéines, de leurs récepteurs, et des enzymes impliquées dans le transport, l'élimination et le métabolisme du cholestérol et des triglycérides.

En pratique la candidature d'un gène peut être examinée de deux manières : soit en cherchant une **association allélique** particulière, soit en cherchant une **liaison** avec un locus donné.

• *La recherche d'une association allélique* significative entre un allèle donné du marqueur choisi et le trait morbide repose sur le postulat que les déséquilibres de liaison ne s'observent que dans des limites de proximité étroites (< 0, 1 cM). En cas de résultat positif on a fait d'une pierre deux coups : d'une part en montrant que le locus étudié est effectivement incriminé, d'autre part en trouvant qu'un allèle particulier peut éventuellement servir de **marqueur de prédisposition**.

• *La recherche d'une liaison avec un locus candidat* : les méthodes appliquées sont essentiellement l'analyse par paire de germains (***sib pair** analysis*), qui se prête particulièrement bien à ce type d'approche (voir chapitres 10 et 11). L'analyse génétique par étude de linkage (analyse à deux points et multi-points) à l'aide de marqueurs choisis de manière aléatoire est en revanche très délicate. En effet la multiplicité des gènes en cause diminue le poids apparent individuel de chacun d'entre eux. D'autre part l'hétérogénéité génétique complique considérablement la tâche (risque de constituer un panel de familles génétiquement hétérogènes, alors que le phénotype est univoque). Enfin et surtout la méconnaissance du mode de transmission (dominance ou récessivité) est un obstacle à l'analyse de vraisemblance.

Ce type de recherche nécessite une coordination étroite entre cliniciens, épidémiologistes et généticiens moléculaires. Il s'agit d'entreprises de longue haleine réclamant la mise en œuvre de gros moyens, sans commune mesure avec la démarche jusqu'à présent suivie par la génétique inverse des maladies monogéniques.

L'approche purement aléatoire

On dispose à l'heure actuelle d'un nombre suffisamment élevé de marqueurs très informatifs, en particulier de type microsatellites (voir chapitre 10), pour envisager une pareille stratégie. La méthodologie est ici aussi fondée sur l'analyse par *sib pairs.*

Des modèles animaux sont précieux pour l'analyse des maladies humaines communes

Il existe des modèles animaux où la pathologie obéit à un déterminisme génétique indiscutable. Dans certains cas celui-ci est monogénique avec une transmission mendélienne simple, indépendante des facteurs environnementaux, comme la **souris obèse *ob/ob*** et la **souris diabétique *db/db*,** toutes deux récessives autosomiques. Cette situation idéale permet la localisation du gène responsable (chromosome 6 de souris pour le gène *ob*, chromosome 4 de souris pour le gène *db*) et à brève échéance son identification par une stratégie de génétique inverse*. Une fois cette étape franchie la recherche de l'homologue humain ne pose aucun problème. Il reste à déterminer la part de responsabilité de ce gène en pathologie humaine, ce dont on ne peut préjuger a priori.

Dans d'autres cas les modèles animaux connus obéissent à un déterminisme polygénique, comme en pathologie humaine. Ils sont très utiles car ils permettent une analyse génétique formelle visant à dénombrer les gènes en cause. D'autre part la carte génétique de la souris, de tout temps en avance sur la carte humaine, puis plus récemment celle du rat, atteignent un degré de résolution tel qu'il devient de plus en plus facile de positionner les locus morbides et de préciser les régions d'homologie avec l'homme (déjà 65 p. 100 de ces homologies sont reconnues). Parmi les modèles paucigéniques les plus étudiés on trouve la souris diabétique non-

* Les modèles murins de maladies monogéniques sont entretenus dans des lignées génétiquement pures, ce qui permet d'étudier l'intervention d'éventuels facteurs **épistatiques** (modulation du phénotype pathologique par d'autres gènes que celui qui est affecté par le défaut primaire). L'épistasie est attestée par la production de variations phénotypiques lorsque le gène muté est introduit par croisements dans un environnement génétique différent.

obèse **(NOD)** et le rat **BB** qui seraient des modèles de diabète de type I, le rat hypertendu **(SHR)**.

Le cas particulier des maladies liées au système HLA

Il existe une quarantaine de maladies associées à des haplotypes particuliers du système HLA. Les plus caractéristiques sont les maladies rangées dans la catégorie des maladies auto-immunes (diabète juvénile insulino-dépendant, polyarthrite rhumatoïde, myasthénie, lupus érythémateux disséminé, etc.).

Le clonage des gènes des trois classes du système HLA, et la cartographie des 3 mégabases qu'ils occupent sur le bras court du chromosome 6 donnent un éclairage nouveau à ces maladies. Le problème est à présent :

— d'identifier directement ceux des gènes HLA qui pourraient avoir un rôle déterminant dans ces maladies ;

— d'identifier à l'intérieur du domaine HLA de nouveaux gènes qui seraient impliqués ;

— de repérer des gènes situés à distance et qui pourraient concourir au déterminisme pathologique (comme les gènes de l'immunité, les gènes des antigènes spécifiques de tissu).

Les premières pistes conduisant à des gènes de susceptibilité autres que ceux du système HLA

• ***Le diabète sucré :*** le *diabète de type I* (insulino-dépendant) résulte de la destruction des îlots de Langerhans par des auto-anticorps. Cette affection autoimmune touche 0,4 p. 100 de la population française. La contribution génétique est attestée par un taux de concordance de 40 p. 100 chez les jumeaux monozygotes. Dès les années 1970, avant l'avènement de la génétique moléculaire, le locus HLA-DRB1 du complexe majeur d'histocompatibilité (MHC) a été identifié sans ambiguïté comme un déterminant génétique majeur, car la quasi-totalité des patients possèdent l'un des deux haplotypes DR3 ou DR4, ou les deux à la fois. Ultérieurement des allèles particuliers, l'un au locus DQβ (non asp-57), l'autre au locus DQα (arg-52) ont semblé conférer chez les homozygotes un risque accru. Mais d'autres gènes non liés au MHC sont certainement aussi en cause, comme le démontre la différence entre le taux de concordance pour la maladie chez les jumeaux vrais (40 p. 100) et chez les germains HLA identiques (15 p. 100). Parmi les *gènes candidats*, ont été mis en cause les gènes des récepteurs à l'antigène (gènes des immunoglobulines, gènes du récepteur des lymphocytes T), des gènes impliqués dans la maturation et/ou la translocation extracellulaire des peptides antigéniques, enfin le gène de l'insuline lui-même. Cette dernière hypothèse est étayée par une association allélique avec le VNTR situé juste en 5' du gène de l'insuline (Bell et al, 1984) et huit autres marqueurs polymorphes de la même région répartis sur un territoire de seulement quelque 4 kb compris entre le gène de la tyrosine hydroxylase d'un côté et le gène IGF2 *(insulin-like growth factor)* (Julier et al, 1991). Cette région englobe le gène de l'insuline, mais celui-ci semble pouvoir être mis hors de cause, car les variants identifiés se trouvent à l'extérieur des régions codantes ou connues pour être régulatrices de ce gène. On ignore encore si le déterminant génétique dans cette région concerne un gène restant à découvrir, une séquence cis-régulatrice du gène de l'insuline (type *enhancer* ou LCR), voire une structure chromatinienne critique pour l'expression de ce dernier.

Parallèlement aux travaux effectués chez l'homme, des recherches sont intensivement poursuivies sur des modèles animaux, essentiellement la souris NOD et le rat BB. L'intérêt de ces modèles réside principalement dans la possibilité d'effectuer des croisements avec des animaux non diabétiques, ce qui permet de réaliser une analyse génétique fine. Ainsi un certain nombre de localisations régionales de « gènes de susceptibilité » au diabète de type I ont déjà été obtenues dans ces modèles. Une fois ces gènes localisés, il reste à les idendifier. Pour attester la validité du modèle animal, il faut repasser à l'homme, grâce aux régions d'homologie (ou synténiques) permettant de délimiter une région candidate. Par exemple chez la souris NOD, en plus du MHC, au moins quatre locus ont été incriminés dans des territoires dont on connaît la correspondance chez l'homme : deux correspondent à deux régions distinctes du chromosome 1, un au chromosome 3, un au chromosome 11.

Le *diabète de type II* (non insulino-dépendant) est une maladie différente, non autoimmune, remarquablement fréquente puisqu'elle affecte en moyenne un individu sur 20. Le poids de la contribution génétique est attesté par un taux de concordance très élevé entre jumeaux monozygotes (près de 90 p. 100). Dans cette catégorie une forme particulière, le diabète du jeune à développement tardif « **MODY** » *(maturity onset diabetes of the youth)*, constitue un modèle rare mais privilégié en raison de son hérédité évoquant une transmission autosomique dominante.

Parmi les gènes candidats plausibles figurent tous ceux qui codent pour des enzymes du métabolisme glucidique, au premier rang desquelles se trouve la **glucokinase**. Une analyse de linkage avec un polymorphisme situé dans ce gène a dans un premier temps démontré qu'il existait dans *certaines* familles une liaison significative (Froguel et al, 1992). Ce gène candidat a ensuite été validé par la découverte dans une famille d'une anomalie significative : une mutation non-sens (Vionnet al, 1992). Par la suite d'autres mutations dans ce même gène ont été mises en évidence dans d'autres familles de MODY, attestant de l'hétérogénéité des mutations. Surtout des mutations dans ce même gène ont été trouvées dans des formes plus classiques de diabète de type II, c'est-à-dire non-MODY. Mais d'autres gènes peuvent aussi être impliqués. Par exemple pour le MODY, une fraction notable de familles ne montrent pas de liaison avec le bras court du chromosome 7 où se trouve le gène de la glucokinase. Dans l'une de ces familles le locus MODY est lié à un marqueur proche du gène de l'adénosine désaminase sur le chromosome 20, témoignant de l'hétérogénéité génétique de ce syndrome.

Enfin il n'est pas jusqu'au **génome mitochondrial** qui ne puisse être incriminé, puisque dans une famille présentant une forme particulière de diabète de type II avec surdité et transmission purement maternelle, une délétion emportant 10,4 kb du DNA mitochondrial, a été trouvée (Ballinger et al, 1992).

• ***L'hypertension artérielle :*** l'hypertension artérielle essentielle est l'une des plus fréquentes des maladies communes (prévalence de 15 à 30 p. 100 dans les populations caucasoïdes). Les études épidémiologiques ont démontré que, parmi les multiples facteurs en cause, le facteur génétique était prépondérant. Cependant l'hétérogénéité étiologique, la multiplicité des facteurs entrant en jeu et l'impossibilité de définir un mode bien caractérisé de transmission constituent autant d'obstacles à l'analyse génétique classique. Les premiers résultats encourageants fournis par la génétique moléculaire chez l'homme ont été obtenus par l'approche du gène candidat couplée à l'analyse des paires de germains. De par son rôle important dans la régulation de la pression artérielle (homéostasie eau-sel et tonus vasculaire), le **système rénine-angiotensine** figure au premier rang des candidats possibles. Il comporte un substrat polypeptidique non vasoactif, l'**angiotensinogène**, synthétisé dans le foie et exporté dans le plasma, où il subit une première protéolyse par la **rénine** (une aspartyl-protéase) en un décapeptide non vasoactif, l'**angiotensine I**. Celle-ci est ensuite protéolysée par l'**enzyme de conversion** (dipeptidyl carboxypeptidase) en un octapeptide vasoactif, l'**angiotensine II.** L'analyse de paires de germains à l'aide d'un microsatellite situé dans le gène de l'angiotensinogène a montré une liaison significative. De plus des variants dans la séquence codante de ce gène sont significativement associés à l'existence d'une hypertension artérielle, ainsi qu'à une augmentation de l'angiotensinogène plasmatique (Jeunemaître et al, 1992). La même stratégie n'a montré, en revanche, ni liaison, ni association significative avec les gènes des deux protéases, rénine et enzyme de conversion.

Ces résultats sont à rapprocher de ceux obtenus dans différents modèles de rats génétiquement hypertendus où, au contraire, ces deux derniers gènes semblent être impliqués. Ainsi, chez les rats F2 issus d'un croisement entre souches de rats Dahl sensibles au sel (hypertendus) et rats Dahl résistants au sel (normotendus), il existe une coségrégation entre un polymorphisme du gène rénine et la pression artérielle. Plus récemment, utilisant une batterie de marqueurs anonymes sur l'ensemble du génome de rat SHR, deux équipes (Hilbert et al, 1991, Jacob et al 1991) ont retrouvé une liaison génétique très significative (lod score >5) entre la pression artérielle et une région située au niveau du chromosome 10 de rat, expliquant 20 p. 100 de la variance de la pression artérielle de cette souche. Ces travaux ont l'intérêt de désigner un candidat important, le gène de l'enzyme de conversion, dont le locus est justement situé à l'intérieur de cette région chromosomique. Cependant, aucune mutation du gène de l'enzyme de conversion lui-même n'a encore été mise en évidence.

• ***L'allergie :*** la susceptibilité à développer des réactions allergiques (asthme, rhume des foins, eczéma), depuis peu rebaptisée **atopie** ou **syndrome atopique**, se caractérise par l'augmentation de la production d'anticorps IgE en réponse à des antigènes. Bien que ce phénotype soit complexe, une composante génétique indéniable a été démontrée par la mise en évidence d'une ségrégation mendélienne dominante d'un locus situé sur le bras long du chromosome 11.

Perspectives

Au rythme actuel on peut aisément prédire deux grands axes de progression :

— la découverte d'un nombre croissant de gènes nouveaux grâce à l'approche de la génétique inverse ;

— le dénombrement des gènes intervenant dans le déterminisme des maladies communes (affections cardio-vasculaires, maladies neurodégénératives, cancers) dont la composante génétique serait mise en lumière.

Les bénéfices qu'on peut en attendre sont multiples. Ils concernent essentiellement le diagnostic, la compréhension des pathogénies, la thérapeutique et, grâce à la possibilité de détecter les prédispositions, la prévention de nombreux états pathologiques.

Sélection de références bibliographiques : voir page 722.

DNA et cancer 15

Malgré la diversité des cancers, la multiplicité de leur étiologie et les nombreuses obscurités qui persistent quant à leur déterminisme, un fait est certain : ils résultent d'un dérèglement du programme génétique de la cellule, donc d'une **pathologie du DNA**.

Les étapes qui ont conduit à une théorie moléculaire du cancer

Avant que les outils du génie génétique aient permis d'accéder à l'analyse du DNA des eucaryotes, l'essentiel des efforts avait porté sur la recherche de facteurs étiologiques. Celle-ci s'était concentrée sur trois modèles distincts : le modèle **viral**, le modèle des agents **mutagènes** physicochimiques, le modèle des cancers **héréditaires**.

- De nombreux virus étaient utilisés pour induire des cancers chez certains animaux (**Tableau 15-1**), mais aucun ne semblait intervenir dans un cancer humain.

- De nombreux agents mutagènes physiques (radiations ionisantes) et chimiques (dérivés d'hydrocarbures aromatiques) étaient couramment utilisés pour induire des cancers expérimentaux.

- Enfin, en pathologie humaine, outre les cancers produits par les radiations, l'attention avait été attirée sur de rares cas de **cancers héréditaires** (polypose colique familiale, néoplasies endocriniennes multiples, tumeur de Wilms), ainsi que sur une maladie génétique, le ***Xeroderma pigmentosum***, caractérisé par le développement de cancers cutanés produits par le simple effet des rayons ultraviolets de la lumière solaire. Ces observations attiraient bien entendu l'attention vers le DNA, mais les outils manquaient pour apporter la preuve de son implication* et en montrer les modalités.

* Dès 1914 Boveri avait postulé que le cancer était un problème cellulaire monoclonal, dans lequel le dérèglement des mitoses était provoqué par une anomalie chromosomique.

Une chronologie des concepts

• Un cancer peut être transmis par une particule ultra-filtrable : virus de l'érythroblastose aviaire (1907) ; virus du sarcome de Rous, ou RSV (1911).

• Une infection virale peut transformer en cellules cancéreuses des cellules normales en culture (1963).

• Les virus transformants à RNA s'intègrent dans le génome de la cellule hôte par transcription réverse (1970).

• Le pouvoir sarcomatogène du virus RSV est localisé dans un gène (le gène **v-*src***) (1975).

• Le premier oncogène viral (**v-*src***) dérive d'un proto-oncogène cellulaire (**c-*src***) présent normalement chez le poulet (1976) et chez tous les vertébrés (1978).

• On peut conférer le phénotype cancéreux à des cellules normales en les transfectant avec du DNA de tumeur chimio-induite (1979).

• On peut faire la même chose avec du DNA provenant de tumeurs spontanées (1980).

• Un rétrovirus sans oncogène (ALV) peut induire une leucémie aviaire en s'intégrant à proximité d'un proto-oncogène cellulaire (**c-*myc***) (1981).

• Une mutation ponctuelle dans un proto-oncogène (codon 12 du gène **c-Ha-*ras***-1) peut le rendre transformant (1982).

• Découverte d'un proto-oncogène cellulaire (**c-*int***-1) par intégration d'un virus cancérigène à proximité : virus MMTV (cancer mammaire de la souris) (1982).

• La translocation t(8;14) du lymphome de Burkitt accole un gène d'immunoglobuline à un oncogène cellulaire (**c-*myc***) (1982).

• Il faut la collusion d'au moins deux oncogènes activés (**c-*myc* et c-*ras***) pour transformer des fibroblastes normaux (1983).

• Le proto-oncogène **c-sis** n'est autre qu'un gène de facteur de croissance (PDGF) (1983).

• Le rétinoblastome résulte de l'homozygotie d'un clone cellulaire pour une mutation récessive dans un gène suppresseur de cancer (**anti-oncogène RB**) (1983).

• Le proto-oncogène **c-*erb* B** n'est autre que le gène du récepteur d'un facteur de croissance (EGFR) (1984).

• Dans la translocation t(9;22) spécifique de la leucémie myéloïde (chromosome Ph^1), l'oncogène cellulaire **c-*abl*** est juxtaposé à un nouveau gène ***(bcr)*** avec production d'une protéine chimère (1985).

• Le proto-oncogène **c-*erb* A** n'est autre que le gène d'un récepteur nucléaire de l'hormone thyroïde (1986).

• Le proto-oncogène **c-*jun*** code pour un facteur transcriptionnel *trans*-activateur (AP-1) (1987).

• Le gène ***« hap »***, un site d'intégration du virus HBV, code pour un récepteur nucléaire de morphogène (l'acide rétinoïque) (1988).

• La protéine spécifiée par l'anti-oncogène **RB** se lie spécifiquement à des oncoprotéines de virus à DNA (adénovirus et SV40) (1988).

Tableau 15-1 **Principales catégories de rétrovirus tumorigènes**

Chaque catégorie comporte plusieurs isolats différents dont la constitution génétique diffère.

Type de virus	Symbole	Espèce	Type de cancer
Tumorigenèse rapide			
Virus des sarcomes aviaires	ASV	Poulet	Sarcome
Virus de l'érythroblastose aviaire	AEV	Poulet	Érythroblastose, sarcomes
Virus des sarcomes murins	MSV	Souris	Sarcomes, leucémies
Virus des sarcomes félins	FeSV	Chat	Sarcomes
Virus des sarcomes simiens	SSV	Singe	Sarcomes
Tumorigenèse lente			
Virus de la leucose aviaire	ALV	Poulet	Leucémies
Virus des leucémies murines	MuLV	Souris	Leucémies
Virus des tumeurs mammaires	MMTV	Souris	Carcinomes mammaires
Virus des leucémies félines	FeLV	Chat	Leucémies
Virus des leucémies T humaines	*HTLV I*	*Homme*	*Leucémies T ; maladie de Sézary*
	HTLV II	*Homme*	*Leucémie à tricho-leucocytes*

Il fallut attendre le développement de la biologie moléculaire à partir des années 60 pour sortir de l'impasse. Ce sont les virologistes qui ont accompli les pas décisifs, en montrant :

— que l'on pouvait conférer à des cellules normales en culture un **phénotype cancéreux** par infection par un virus tumorigène (Dulbecco, 1963) ;

— que ces virus étaient capables de s'intégrer dans le génome cellulaire, via la **transcriptase inverse** (Temin ; Baltimore, 1970).

Le premier oncogène viral, le gène **v-*src*** du virus du sarcome découvert par Rous dès 1911, fut isolé en 1975 (Wang et al), et son équivalent cellulaire normal, le proto-oncogène **c-*src***, fut découvert dans le génome de cellules de poulet non infectées (Stehelin et Bishop, 1976), puis dans le génome de tous les autres vertébrés y compris l'homme (Spector et Bishop, 1978). Grâce aux méthodes de clonage moléculaire, nouvellement introduites, de nombreux autres oncogènes rétro-viraux furent rapidement découverts.

Enfin la preuve ultime du rôle primaire du DNA dans la tumorigenèse fut apportée en montrant qu'il était possible de transférer le phénotype cancéreux à des cellules normales en les transfectant avec du **DNA provenant de tumeurs non virales**, ce qui permit d'étendre le concept d'oncogène à des séquences non virales (travaux de Cooper et de Weinberg, 1980).

Depuis, l'oncologie moléculaire est devenue une branche de la génétique, avec ses deux aspects héréditaire et somatique, d'où le terme parfois employé d'« **oncogénétique** ». Elle a suscité une masse impressionnante de travaux, qui ont déjà permis d'accomplir des progrès substantiels dans le démontage des mécanismes. On trouvera dans l'encadré une liste des concepts ainsi acquis.

LE PHÉNOTYPE DE LA CELLULE CANCÉREUSE IN VITRO

Quel que soit le tissu intéressé par le processus cancéreux, celui-ci se caractérise par une prolifération anormale de cellules appartenant toutes à un même clone cellulaire. Cette origine **monoclonale** des cancers a pu être vérifiée dans de nombreux cas à l'aide de marqueurs génétiques, d'abord phénotypiques (par exemple par un polymorphisme de la glucose-6-phosphate déshydrogénase, dont le gène est sur le chromosome X), puis génotypiques (réarrangements somatiques des gènes d'immunoglobulines).

Les cellules cancéreuses ont des propriétés morphologiques qui les distinguent des cellules normales. Celles-ci varient selon le tissu concerné et constituent le fondement du diagnostic histologique des états néoplasiques.

Lorsque les cellules cancéreuses sont étudiées en **culture**, elles manifestent cependant un certain nombre de traits qui caractérisent ce qu'on appelle la cellule « **transformée** »*. Il est indispensable de les résumer ici, car ils forment la base des méthodes d'investigation en oncologie moléculaire.

Une fiche signalétique de la cellule transformée

Les principales caractéristiques phénotypiques des cellules transformées sont :

— *la perte de l'inhibition de contact :* alors que les cellules normales cessent de se multiplier lorsqu'elles arrivent à confluence, les cellules transformées continuent à se diviser, s'empilent sur plusieurs couches et forment des **foyers** ;

— *la perte de la dépendance vis-à-vis de l'ancrage :* les cellules normales, sauf les cellules hématopoïétiques qui croissent en suspension, ont besoin de s'attacher à la surface d'un support solide pour croître et se diviser. Les cellules cancéreuses sont souvent capables de croître en suspension dans un milieu semi-solide, comme l'agar mou ;

— *l'indépendance vis-à-vis des facteurs de croissance :* contrairement aux cellules normales, les cellules transformées sont capables de pousser dans un milieu sans sérum (le sérum fœtal de veau, généralement utilisé, apporte un grand nombre de facteurs de croissance protéiques ou peptidiques). Cette auto-suffisance traduit le fait que ces cellules sont généralement capables de sécréter dans le milieu leurs propres facteurs de croissance **(autocrinie)** ;

— *la croissance illimitée, c'est-à-dire l'**immortalité*** : contrairement aux cellules normales qui sont programmées pour ne se diviser qu'un nombre limité de fois (50 divisions pour des fibroblastes de fœtus ; moins de 50 divisions pour des fibroblastes d'adultes), les cellules transformées sont capables de se diviser indéfiniment. Cette propriété fondamentale peut être dissociée des autres, notamment de la tumorigénicité, et exister seule dans des lignées « précancéreuses », comme nous le verrons plus loin à propos de la lignée de fibroblastes de souris NIH/3T3 ;

— *la tumorigénicité* après injection dans un organisme immuno-tolérant (souris athymique dite ***nude***).

Tous les stigmates phénotypiques ci-dessus énumérés, notamment la tumorigénicité, ne sont pas obligatoirement manifestés simultanément par toutes les cellules cancéreuses. Leur possible dissociation est en faveur de l'intervention d'une multiplicité de facteurs, ce que tendent à confir-

* La transformation cancéreuse ne doit pas être confondue avec la transformation bactérienne qui désigne la pénétration d'un DNA exogène dans une bactérie.

mer les expériences d'oncogenèse in vitro. D'ores et déjà on retiendra la notion d'une dissociation possible entre l'**immortalisation** et la **transformation** proprement dite.

Les lignées cellulaires

Les lignées cellulaires permanentes établies à partir d'une tumeur donnée représentent un matériel de choix, puisqu'il permet de disposer de quantités illimitées de matériel pathologique. L'obtention de lignées à partir de tumeurs fraîches n'est cependant pas aisée. Un certain nombre de lignées ont toutefois été établies, et certaines (comme la fameuse lignée HeLa) ont connu une vogue universelle **(Tableau 15-2)**.

Tableau 15-2 **Quelques lignées cellulaires établies couramment utilisées en oncologie moléculaire**

	Provenance		Caractéristiques	
Lignée	*Espèce*	*Tissu*	*Morphologie*	*Utilité*
NIH 3T3	Souris	Endothélium	Fibroblaste	Tests de transformation
L	Souris	Conjonctif	Fibroblaste	Hybrides somatiques
CHO	Hamster chinois	Tumeur ovarienne	Épithélium	Hybrides somatiques
MPC	Souris	Myélome	Lymphoïde	Hybrides somatiques
F-MEL	Souris	Érythro-leucémie de Friend		Induction de différenciation par DMSO
HeLa	Humaine	K col utérin	Épithélium	
KB	Humaine	K naso-pharyngé	Épithélium	
K562	Humaine	Leucémie myéloïde chronique		
HL60	Humaine	Leucémie à promyélocytes		
Lignées lympho-blastoïdes	Humaine	Lymphocytes B immortalisés par virus EBV	Lymphoblastes	Immortalisation de cellules d'un individu donné

Toute lignée permanente, qu'elle soit d'origine tumorale ou non, jouit par définition de l'immortalité, qui est, nous l'avons vu, une caractéristique importante du phénotype cancéreux. Certaines de ces lignées sont par ailleurs tout à fait normales, tant en ce qui concerne leur morphologie que leur absence de pouvoir tumorigène. Elles n'en sont pas moins suspectes d'avoir déjà franchi une étape sur le chemin du cancer. Le fait que les cellules NIH/3T3 soient un révélateur de choix des gènes transformants le démontre bien.

Les anomalies biochimiques de la cellule cancéreuse

De nombreuses anomalies ont été décrites, touchant par exemple le métabolisme (prédominance de la glycolyse anaérobie malgré la présence d'oxygène, ou effet Warburg), ou les protéines des systèmes membranaires (défaut de fibronectine, anomalies du cytosquelette, anomalies d'expression des antigènes de surface). Mais ces anomalies ne sont ni systématiques, ni spécifiques, et leur étude n'a pas permis de démonter les mécanismes intimes du dérèglement cellulaire.

Maintenant que les gènes impliqués commencent à être déchiffrés, leurs produits spécifiques peuvent être étudiés. A partir des causes, peu à peu élucidées, on dispose d'un fil conducteur pour rechercher les conséquences.

LES VIRUS CANCÉRIGÈNES

On en connaît un grand nombre. Ils constituent un modèle expérimental idéal, et l'essentiel des progrès de l'oncologie moléculaire découle de leur étude.

On doit distinguer les virus à RNA et les virus à DNA.

Les virus tumorigènes à RNA (rétrovirus)

Bien que le pouvoir cancérigène du membre le plus représentatif de cette catégorie, le **virus du sarcome de Rous (RSV)**, ait été mis en évidence dès 1911, il a fallu attendre la découverte de la transcription inverse (1970) pour en comprendre la biologie et individualiser la nouvelle famille des **rétrovirus** (voir chapitre 7). Rappelons leurs propriétés essentielles : virus de petite taille (7 à 10 kb), dont le génome est constitué de deux copies de RNA codant (brin +), se répliquant en passant par un stade intermédiaire de DNA double-brin ou **provirus**, fabriqué par une DNA polymérase - RNA dépendante ou **transcriptase inverse**, codée par le virus lui-même (gène *pol*). Certains de ces virus sont défectifs pour ce gène et ne peuvent se reproduire que grâce à la présence simultanée d'un autre virus, dit **virus *helper***, qui fournit l'enzyme.

La forme réplicative provirale comporte à chaque extrémité une séquence **LTR** (U3-R-U5), absente du RNA viral infectieux et confectionnée par un mécanisme complexe à l'occasion de l'**intégration** dans le génome de la cellule hôte (voir chapitre 7). Ces LTR contiennent les signaux nécessaires à la transcription par la RNA polymérase II cellulaire et à la maturation des transcrits. Une fois intégrés les rétrovirus président à la fabrication de nouvelles copies de RNA viral fonctionnant les unes comme mRNA, les autres comme génome en subissant une encapsidation pour former de nouvelles particules virales infectieuses.

Le provirus fait partie intégrante du génome de la cellule hôte : il est répliqué avec celui-ci et demeure de façon stable dans la descendance cellulaire, sauf rare accident délétionnel. La cellule qui héberge le provirus ne montre pas de signe de souffrance aiguë, à la différence de ce qui se passe pour le virus HIV, un rétrovirus non transformant, agent du SIDA.

Si l'intégration se fait dans une cellule de la lignée germinale, le provirus est transmis verticalement à la descendance, constituant alors un **provirus endogène**. Il semble que le DNA génomique de tous les vertébrés puisse en héberger, y compris l'homme. Le génome de la souris contient de nombreuses copies de provirus endogènes qui demeurent complètement latents, car ils sont hyperméthylés. L'administration de bromodésoxyuridine peut réactiver leur expression. Ils ne semblent pas devoir jouer de rôle dans le développement des cancers. Ainsi la théorie imaginée en 1969 par Huebner et Todaro, qui pensaient que les cancers étaient dus à l'activation épigénétique d'oncogènes viraux endogènes, ne s'est pas confirmée. Néanmoins le concept d'oncogène endogène doit être porté à leur crédit.

Les rétrovirus animaux

Il en existe de nombreux représentants, que l'on peut classer en fonction de leur spécificité d'espèce. En principe un virus aviaire n'infecte pas les cellules de rongeur, un virus félin n'infecte pas les cellules humaines, etc. Le tableau 15-1 renferme la liste des principaux rétrovirus tumorigènes utilisés en expérimentation oncologique. Parmi ceux-ci il faut distinguer ceux qui sont responsables d'une **tumorigenèse rapide** et **polyclonale**, réalisant de véritables cancers aigus, surtout des sarcomes, et ceux qui sont responsables d'une **tumorigenèse lente** et **monoclonale** ne se manifestant que plusieurs mois après l'infection initiale de l'animal (Tableau 15-1). Cette distinction est fondamentale, car elle est sous-tendue comme nous allons le voir par une explication moléculaire.

Les rétrovirus humains

Ils sont de connaissance beaucoup plus récente (à partir des années 1980). Les deux premiers individualisés (Gallo, 1980), **HTLV I** et **II** (pour *Human T Lymphocyte Virus*) sont des virus lymphotropes T (lymphocytes T4) responsables de lymphopathies malignes des cellules T (leucémies T, maladie de Sézary, leucémie à tricholeucocytes). Les autres représentants sont appelés **HIV** *(Human Immunodeficiency Virus)* car ils sont responsables d'un syndrome d'immunodéficience acquise (SIDA), comme les virus **HIV I** (Montagnier, 1983) et **HIV II** (voir chapitre 7). Ils ont la même cible que les virus HTLV, — le lymphocyte T4 —, mais au lieu de l'immortaliser ils la détruisent. Le syndrome réalisé par HIV I et HIV II est donc l'inverse d'une tumorigenèse.

Les virus tumorigènes à DNA

Ce sont des virus à DNA double-brin, donc capables d'utiliser les systèmes de réplication et aussi de réparation de la cellule hôte. Ceci expliquerait que certains d'entre eux aient pu évoluer vers une très grande complexité (comme les *Herpes virus* qui dépassent les 100 kb).

Le **tableau 15-3** donne la liste des principaux types de virus entrant dans cette catégorie. En ce qui concerne **SV40**, commensal habituel des simiens, le **virus du polyome**, commensal habituel de la souris, et les **adénovirus**, très largement répandus chez les mammifères, y compris l'homme, il existe un point commun : l'existence d'une alternative entre le cycle lytique et la transformation. Le **cycle lytique** est l'infection de la cellule qui permet une multiplication virale intense aboutissant à la mort de la cellule. Cette infection, qui ne peut pas aboutir à la transformation cancéreuse, a lieu dans les cellules dites **permissives**, c'est-à-dire appartenant à l'espèce dont le virus est un hôte habituel (par exemple la souris pour le virus du polyome). La transformation a lieu au contraire en l'absence de toute multiplication virale, c'est-à-dire dans des cellules dites **non permissives** (par exemple la souris pour le virus simien SV40) ; elle se fait toujours par le truchement d'une **intégration** du virus dans le génome de la cellule hôte. Au cours de cette intégration une partie plus ou moins importante du génome viral est perdue. L'intégration semble se faire au hasard et selon des modalités variables. La chance pour chacune des intégrations de donner lieu à une transformation est très faible. Elle n'est observée expérimentalement que si on accroît les chances en ajoutant aux cellules non permissives une très grande quantité de particules virales. Nous verrons ultérieurement que l'on a pu disséquer et individualiser dans le génome de ces virus les régions responsables du pouvoir transformant.

En ce qui concerne les virus tumorigènes humains **HPV**, **EBV** et **HBV** (Tableau 15-3), la transformation passe obligatoirement par l'intégration, en tout cas pour l'hépato-carcinome induit par le virus HBV, et sans doute

Tableau 15-3 **Principaux virus tumorigènes à DNA**

Virus	Famille	Taille	Type de tumeur	Oncogène
Tumeurs animales				
SV40	Polyomavirus	5 kb	Tumeurs variées chez rongeur nouveau-né	Grand T (**i** *et* **t**)
Polyome	Polyomavirus	5 kb		Grand T (**i**) Moyen T (**t**)
Adénovirus	Adénovirus	35-40 kb		E1A (**i**) et E1B (**t**)
Tumeurs humaines				
HPV	Papillomavirus	8 kb	Cancers ano-génitaux (HPV 16 et 18)	E7 (**i** *et* **t**)
EBV	Herpesvirus	190 kb	Lymphome de Burkitt africain Cancer du naso-pharynx	?
HBV	Hepadnavirus	3 kb	Hépato-carcinome	non

(**i**) : pouvoir immortalisant ; (**t**) : pouvoir transformant.

aussi pour les cancers ano-génitaux induits par certaines variétés de virus du papillome (surtout HPV-16 et 18). Nous verrons ultérieurement que notre compréhension de l'oncogenèse par ces virus est beaucoup plus rudimentaire.

Les virus tumorigènes à DNA constituent des agents utiles pour l'immortalisation in vitro des cellules. C'est le plus souvent le virus d'Epstein-Barr, EBV, que l'on emploie pour immortaliser le lymphocyte B humain qui est sa cible. Les **lignées lymphoblastoïdes** obtenues sont immortelles et ne produisent pas de virus. Cette procédure est particulièrement utile chaque fois que l'on désire pérenniser un matériel génétique humain précieux.

ONCOGÈNES ET VIRUS

La découverte des premiers oncogènes grâce aux rétrovirus

Le virus rapidement tumorigène de Rous possède un gène transformant : v-src

Le premier oncogène a été découvert grâce à l'étude du premier virus cancérigène connu, le **virus du sarcome de poule** (RSV), découvert par Rous dès 1911, tombé dans l'oubli puis redécouvert 50 ans plus tard (un Prix Nobel venant récompenser tardivement le chercheur).

Contrastant avec cette longue latence historique, le RSV est le plus **rapide** de tous les virus tumorigènes, après l'inoculation au poulet il suffit de quelques jours pour que la tumeur se développe. In vitro, les fibroblastes de poulet acquièrent une morphologie de cellule transformée 24 heures après avoir été infectés par le RSV.

L'analyse génétique classique de souches de virus mutées à tout d'abord permis, vers 1970, de soupçonner que le pouvoir transformant était dû à un gène unique :

— des mutants thermo-sensibles (mutants *ts*) étaient capables de se multiplier et de transformer les cellules hôtes à 35 °C. Placées à 41 °C,

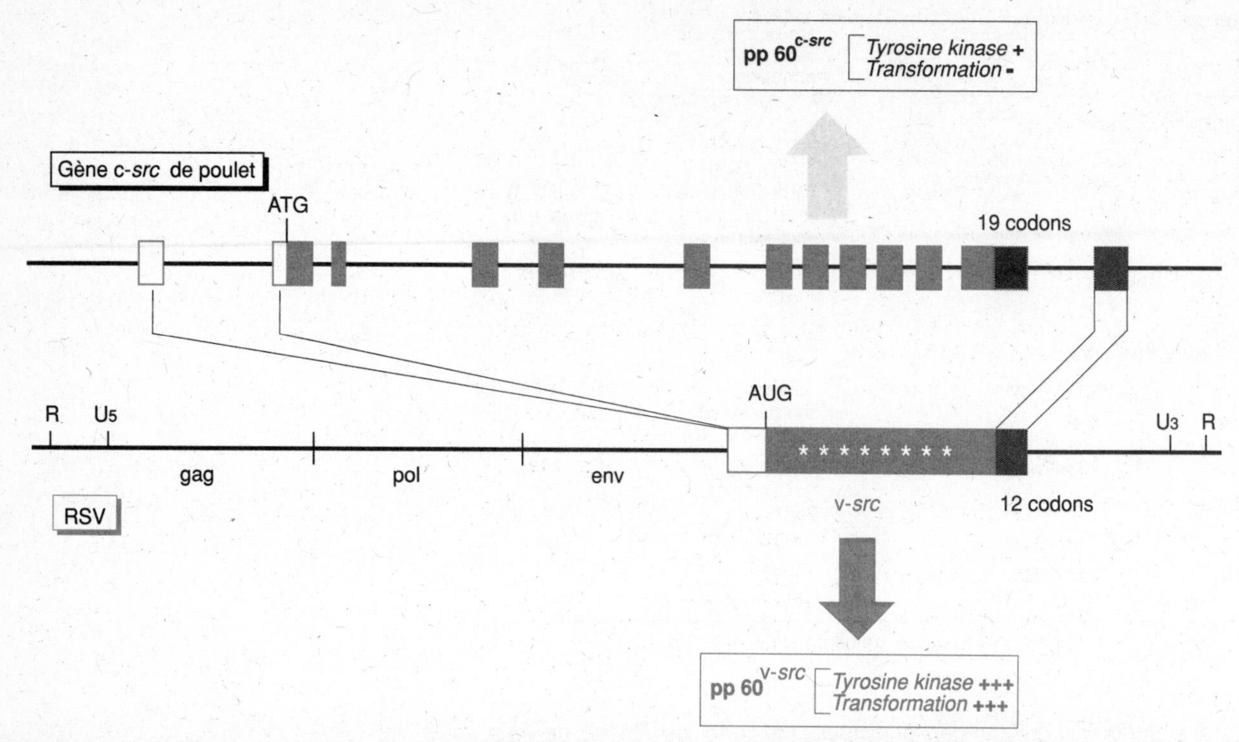

Figure 15-1 **Comparaison entre le v-*src* du virus du sarcome de Rous et le gène c-*src* cellulaire de poulet**
Dans le gène v-*src* on retrouve la totalité des exons du gène c-*src* de poulet, à l'exception des 19 derniers codons du dernier exon qui sont remplacés par 12 codons provenant d'une séquence située en dehors du gène cellulaire (en rouge foncé). Les introns ont disparu dans v-*src* qui est en outre le siège de 8 mutations ponctuelles. Ces différences structurales entraînent une exaltation de l'activité tyrosine kinasique de la protéine formée par le gène v-*src*.

ces cellules reprenaient un phénotype normal, sans que la réplication virale soit affectée ; replacées à 35 °C elles récupéraient un phénotype transformé ;

— des mutants ayant perdu le pouvoir transformant (mutants *td*) sont victimes d'une délétion d'environ 1kb. Cette délétion porte sur un gène, appelé ***src***, situé à l'extrémité 3' du génome viral en aval des 3 gènes essentiels *gag, pol* et *env* caractéristiques des rétrovirus **(Figure 15-1)**. Ce gène, long de 1 590 nucléotides code pour une **tyrosine protéine kinase** de 526 acides aminés, d'un poids moléculaire égal à 60 kDa retrouvée dans toutes les cellules transformées par RSV. Ce gène renferme à lui seul toute l'information pour l'activité transformante : c'est un **oncogène**.

L'oncogène viral v-src dérive d'un gène cellulaire normal de poulet

Aussitôt isolé à partir du virus RSV le gène ***src*** a été utilisé comme sonde et a révélé l'existence d'une séquence unique équivalente dans le génome des cellules de poulet non infectées (1976). L'oncogène ***src*** existe donc normalement dans le génome de la cellule hôte. La comparaison du gène viral et du gène cellulaire montre que s'ils codent pour la même protéine (avec de très minimes différences) leur structure générale diffère, avec en particulier une disparition des introns dans l'oncogène viral (Figure 15-1). On distingue les deux versions par le préfixe **v-** pour le gène viral et le préfixe **c-** pour le gène cellulaire.

Le gène **c-*src*** est non seulement présent dans le génome du poulet normal, mais aussi dans toutes les autres espèces animales étudiées, ainsi que chez l'homme (ce qui a fait dire à Bishop : **« Les ennemis sont parmi**

nous »). Dans tous les cas le gène est unique et possède un emplacement chromosomique défini (chez l'homme il est en 20q12). Ceci contraste avec le site d'insertion variable du virus RSV dans les chromosomes de poulet infecté. Il est donc évident que le gène **v-*src*** dérive du gène **c-*src***, et non l'inverse comme le laissait supposer la théorie de Huebner et Todaro. Un argument décisif le démontrant directement a été l'obtention à partir d'une souche de RSV défective pour le gène **v-*src*** (donc non transformante) de particules transformantes complètes, ayant récupéré un **v-*src*** après culture prolongée sur cellules de poulet.

Les autres virus tumorigènes rapides contiennent aussi un oncogène (parfois deux)

La découverte de l'oncogène **v-*src*** a immédiatement suscité une exploration systématique de tous les autres virus tumorigènes touchant les oiseaux, les murins, les félins, les singes. Parmi ceux-ci une cinquantaine se comportent comme le virus de Rous : ils sont rapidement tumorigènes, et **transforment les cellules in vitro.** Leur étude a permis de découvrir environ 25 oncogènes viraux différents de **v-*src*** et distincts les uns des autres. Chacun de ces **v-*onc*** correspond à un oncogène cellulaire, **c-*onc***, différent **(Tableau 15-4)**.

Certains oncovirus rapides contiennent même deux oncogènes : c'est le cas de trois virus aviaires (AEV-ES4 qui contient ***erb*A** + ***erb*B** ; AMV-E26 qui contient ***myb*** + ***ets*** ; MH2 qui contient ***myc*** + ***raf***).

En règle générale, à la différence du virus de Rous qui est une exception, le génome des rétrovirus transformants est incomplet, car l'oncogène a pris la place d'un ou plusieurs des gènes proprement viraux, notamment *pol, env,* plus rarement *gag.* Ces virus sont défectifs et ne peuvent se multiplier qu'en association avec un **virus helper**. Le site d'intégration de l'oncogène dans le génome viral est très variable. Dans les virus défectifs l'oncogène est parfois exprimé sous forme d'une protéine fusionnée avec une protéine virale : par exemple la protéine *gag*-***myc*** dans le virus aviaire MC29, la protéine *gag*-***abl*** dans le virus murin d'Abelson.

La découverte des oncogènes viraux a eu un impact considérable, car elle ouvrait des perspectives conceptuelles et expérimentales entièrement originales. D'emblée un certain nombre de questions ont été posées : est-ce que la présence d'un v-*onc* est nécessaire et suffisante pour la tumorigenèse virale aiguë ? Si oui, comment un gène cellulaire nécessairement inoffensif au départ a-t-il pu être piraté et subverti au point de devenir un « gène de cancer » ? Comment la protéine produite par ce gène peut-elle transformer la cellule ? Quelle est la fonction des c-*onc* dans les cellules normales ? Comment expliquer le déterminisme de la tumorigenèse induite par les oncovirus lents qui sont dépourvus de v-onc ? Un seul oncogène suffit-il pour déclencher le processus de transformation cellulaire ? Existe-t-il d'autres gènes transformants, autrement dit d'autres oncogènes, en dehors de v-*onc*, et comment les rechercher ? S'il existe une oncogenèse non virale, quels sont les mécanismes par lesquels un oncogène endogène, c'est-à-dire un **c-*onc***, peut être activé ? Quel rôle jouent les oncogènes dans le déterminisme des cancers humains, si nombreux et si variés ?

Nous allons voir les réponses qui ont pu être apportées. Elles sont souvent partielles, mais les progrès accomplis sont déjà substantiels.

On désigne les oncogènes par un symbole à trois lettres s'inspirant du type de tumeur produite ou du nom du virus, par exemple *src* pour sarcome, *abl* pour virus d'Abelson. Il n'y a pas de règle de nomenclature et celle-ci est provisoire, car si la fonction du produit de l'oncogène est identifiée celui-ci change de nom. Ainsi l'oncogène ***erb* B** est devenu **EGFR** et l'oncogène ***fms*** est devenu **CSF1R** lorsque l'on s'est rendu compte que le premier codait pour le récepteur du facteur de croissance EGF et le second pour le récepteur du facteur de croissance CSF1. La multiplication des dénominations synonymes est parfois une source de confusion, à laquelle le comité de la Nomenclature officielle des gènes de l'organisation Human Gene Mapping vient parfois mettre bon ordre... en choisissant un autre symbole (par exemple l'oncogène ***neu*** a dû être rebaptisé ***ngl*** le symbole neu étant déjà attribué au gène de la neuraminidase).

Proto-oncogènes cellulaires et oncogènes rétroviraux

Chaque fois qu'un nouvel oncogène **v-*onc*** a été mis en évidence par la dissection d'un rétrovirus, son équivalent cellulaire, **c-*onc***, a régulièrement

Tableau 15-4 Principaux oncogènes découverts dans des rétrovirus transformants aigus (par ordre alphabétique)

onc	Isolat viral (symbole)	Espèce	Tumeur produite	Localisation chromosomique du c-onc humain (locus)
abl	v. d'Abelson (MLV)	Souris	Leucémie pré-B	9q34 (**ABL**)
***erb* A**	v. érythro-blastose aviaire (AEV)*	Poulet	Erythroblastose et sarcome	17q11 (**ERB A1**)
***erb* B**	v. érythro-blastose aviaire (AEV)*	Poulet	Erythroblastose et sarcome	7p13 (**ERB B = EGFR**)
ets	v. E26 (AMV)**	Poulet	Myéloblastose et érythro-blastose	11q23.3 (**ETS1**) 21q22.3 (**ETS2**)
fes	v. de Snyder-Theilen (FeSV) v. de Fujinami (FuSV)	Chat	Sarcome	15q25-q26 (**FES**)
fgr	v. de Gardner-Rasheed (FeSV)	Chat	Sarcome	1p36 (**FGR**)
fms	v. de McDonough (FeSV)	Chat	Sarcome	5q33 (**FMS = CSF1R**)
fos	v. murin FBJ (MSV)	Souris	Ostéosarcome	14q24-q31 (**FOS**)
kit	v. de Hardy-Zuckerman (FeSV)	Chat	Sarcome	4q11-q22 (**KIT**)
myb	v. E26 (AMV)**	Poulet	Myéloblastose et érythro-blastose	6q22 (**MYB**)
mos	v. de Moloney (MSV)	Souris	Sarcome	8q22 (**MOS**)
myc	v. MC29	Poulet	Myélocytome	8q24 (**MYC**)
raf	v. murin 3611 (MSV)	Souris	Sarcome	Xp13-p11 (**ARAF1**)
H-*ras*	v. de Harvey (Ha-MSV)	Rat	Sarcome et érythroleucémie	11p15.5 (**HRAS1**)
K-*ras*	v. de Kirsten (Ki-MSV)	Rat	Sarcome et érythroleucémie	12p12.1 (**KRAS2**)
rel	v. de la réticulo-endothéliose (REV)	Dindon	Réticulo-endothéliose	2p13-cen (**REL**)
ros	v. aviaire UR2 (ASV)	Poulet	Sarcome	6q22 (**ROS**)
sis	v. simien (SSV)	Singe	Sarcome	22q12 (**SIS = PDGFB**)
ski	v. aviaire (SKV)	Poulet	Carcinome squameux	1q22-q24 (**SKI**)
src	v. de Rous (RSV)	Poulet	Sarcome	20q12 (**SRC**)
yes	v. de Yamaguchi (ASV)	Poulet	Sarcome	18q21 (**YES1**)

* Le virus AEV possède 2 oncogènes : ***erb*-A** et ***erb*-B**.
** Le virus AMV-E26 possède 2 oncogènes : ***myb*** et ***ets***.

Noter que certains v-*onc* ont plusieurs homologues humains situés sur plus d'un locus chromosomique.

Lorsque la protéine codée par un oncogène est reconnue comme identique à une protéine déjà identifiée le locus se voit attribuer le symbole correspondant à celle-ci : c'est le cas pour ERB B devenu EGFR (récepteur d'EGF) ; FMS devenu CSF1R (récepteur de CSF1) ; SIS devenu PDGFB (pour chaîne β du PDGF).

été retrouvé, non seulement dans l'espèce sensible au virus, mais dans **toutes les espèces étudiées.** En ce qui concerne l'homme, l'emplacement chromosomique de chacun de ces **c-*onc*** a pu être déterminé avec précision par les méthodes décrites au chapitre 10. Le clonage de chacun de ces gènes a permis d'en étudier la structure, et a montré dans certains cas l'existence dans un même génome de plusieurs gènes apparentés à un même oncogène rétroviral (Tableau 15-4). Il existe donc aussi, comme pour bien d'autres gènes, des **familles** de proto-oncogènes répartis sur plusieurs chromosomes, et comportant parfois des pseudogènes.

A l'aide des séquences clonées de **v-*onc*** utilisées comme sondes, une hybridation positive a pu être obtenue non seulement chez les vertébrés supérieurs (mammifères, oiseaux), mais aussi chez les vertébrés inférieurs et les invertébrés, notamment la drosophile chez qui une dizaine de proto-oncogènes ont déjà été retrouvés. Certains oncogènes, tels que ***ras***, ont même été retrouvés chez des eucaryotes unicellulaires comme la **levure**. Les comparaisons de séquence ont confirmé l'existence d'une très grande conservation au cours de l'évolution. Celle-ci suggère que les gènes en question exercent des fonctions primordiales, communes à tout le monde des eucaryotes.

Pour bien distinguer la version cellulaire normale de ces gènes qui ne sont devenus oncogènes qu'à la faveur d'une capture virale, on emploie souvent le terme de **proto-oncogène**. Comment cette capture a-t-elle converti un gène innocent en un gène immédiatement cancérigène ? La comparaison entre les versions virales des oncogènes et leur version cellulaire fournit des éléments de réponse.

Transduction et subversion des proto-oncogènes par les rétrovirus

Le mécanisme précis de la capture d'un proto-oncogène par un rétrovirus **(transduction)** n'est pas connu précisément. On admet que dans un premier temps le rétrovirus s'intègre juste en amont d'un proto-oncogène. Un épissage aberrant amènerait la formation d'un RNA messager chimère comportant la partie 5' du virus raboutée en 3' à l'oncogène cellulaire (avec par exemple une fusion *gag-onc*). Cette version tronquée du virus serait ensuite complétée en 3' par co-rétrotranscription simultanée avec la version sauvage. Le nouveau génome proviral formé contient désormais un oncogène. Ce virus est souvent défectif parce que l'oncogène a pris la place d'un gène viral.

A la faveur de ces remaniements, le proto-oncogène subit un certain nombre d'avatars altérant sa structure, sa fonction, voire son expression. Le premier exemple connu concerne évidemment **v-*src*** (Figure 15-1). Par la suite tous les oncogènes viraux se sont révélés être aussi des versions plus ou moins aberrantes des proto-oncogènes dont ils dérivent. En général ils ont perdu tous leurs introns, ils sont souvent tronqués et fusionnés à un gène *gag* et ils sont le siège de mutations ponctuelles. Celles-ci ont été particulièrement révélatrices dans le gène **v-H-*ras*** et **v-K-*ras***, puisqu'elles ont attiré l'attention sur le rôle crucial de certains codons comme le **codon 12**, dont nous reverrons l'importance **(Tableau 15-5)**.

Quelles sont les relations entre ces altérations et l'acquisition du pouvoir transformant ? Cette question cruciale n'est pas encore complètement élucidée. Pour répondre il faudrait connaître avec précision la fonction des protéines codées par les oncogènes (parfois appelées **oncoprotéines**) et la régulation de leur expression, ce qui est loin d'être toujours le cas. Les possibilités illimitées de bricolage par les techniques du génie génétique ont cependant déjà apporté de substantiels éléments de réponse au problème du mode d'activation des proto-oncogènes transduits.

Tableau 15-5 **Les gènes de la famille *ras* sont activables par des mutations en des points sensibles**

Provenance	Tumeur	Acide aminé à la position			
		12	13	59	61
Gènes du groupe H-*ras*-1					
c-H-*ras*-1 humain normal		gly	gly	ala	gln
Lignée humaine T24/EJ*	Vessie	**val**			
Lignée humaine HS242	Sein				**leu**
Rat traité par NMU**	Mammaire	**glu**			
Virus de Harvey (v-H-ras)		**arg**		**thr**	
Gènes du groupe K-*ras*-2					
c-K-*ras*-2 humain normal		gly	gly	ala	gln
Lignée humaine Calu	Poumon	**lys**			
Lignée humaine SW480	Côlon	**val**			
Carcinone du pancréas	Pancréas	**val**			
Cellules myéloïdes humaines	Myélodysplasie		**asp**		
Virus de Kirsten (v-K-ras)		**ser**		**thr**	
Gènes du groupe N-*ras*					
c-N-*ras* humain normal		gly	gly	ala	gln
Lignée humaine SK-N-SH	Neuroblastome				**lys**
Lignée humaine HL60	Leucémie à promyélocytes				**lys**
Lignée humaine HT1080	Fibrosarcome				**lys**
Lignée humaine AML33	Leucémie aiguë myéloïde		**asp**		
Cellules myéloïdes humaines	Myélodysplasie		**arg**		

* Présence d'une seconde mutation (A→G) dans le dernier intron responsable d'une stimulation de l'expression (x 10).
** NMU : nitroso-méthyl-urée.

Si on admet que les modifications de structure observées dans la version virale des oncogènes leur confèrent un pouvoir transformant, ces mutations doivent être **dominantes**. En effet il n'existe qu'une version provirale par cellule transformée, et une seule copie de **v-*onc*** par cellule est capable de changer son phénotype. Les mutations de **v-*onc*** induisent donc soit une modification **qualitative** (exaltation de propriétés préexistantes ou acquisition d'une fonction nouvelle), soit une modification **quantitative** (surexpression ou expression constitutive dérégulée), ou bien les deux à la fois.

• *L'activation qualitative par mutation(s)* dans une séquence codante. On connaît de multiples exemples de **v-onc** activés de cette manière. Nous en citerons trois :

— **v-*src*** (Figure 15-1) qui produit une tyrosine protéine kinase, pp60$^{v\text{-}src}$ beaucoup plus active que la protéine codée par le proto-oncogène pp60$^{c\text{-}src}$ (mais on ne connaît pas le substrat cellulaire sur lequel agissent ces kinases) ;

— **v-*erb B*** qui se comporte comme un récepteur dérégulé de l'EGF *(Epidermal Growth Factor)* après amputation d'une séquence C-terminale contenant un site régulateur auto-phosphorylable ;

— **v-H-*ras*** et **v-K-*ras*** qui portent chacun une mutation ponctuelle dans les codons 12 et 59 (Tableau 15-5). Ces mutations semblent suffisantes pour induire un pouvoir transformant, comme l'ont démontré des expériences de **mutagenèse dirigée** sur **c-*ras*** lui-même. Elles perturbent une zone fonctionnelle de la protéine.

• *L'activation par amputation* d'une séquence régulatrice non codante amenant un changement **quantitatif**. Citons deux exemples démonstratifs :

— **v-*mos*** a perdu une séquence inhibitrice non codante située en 5' du gène et s'exprime en permanence (dérégulation transcriptionnelle) ;

— **v-*fos*** a subi une amputation d'une séquence non codante de 67 nucléotides située en 3' du gène ce qui stabilise considérablement la durée de vie du messager (dérégulation post-transcriptionnelle).

La distinction entre l'activation qualitative et l'activation quantitative n'est pas de pure forme, car elle conduit à distinguer deux types de proto-oncogènes :

— ceux dont le produit naturel n'est pas directement transformant* et qui ont besoin d'une modification de leur séquence codante pour être activés (exemples : ***src***, ***ras***, ***erb* B**) ;

— ceux dont le produit normal est transformant s'il est exprimé en abondance et/ou en permanence. Ils pourront être activés par n'importe quel mécanisme de dérégulation, par exemple par une promotion intempestive. C'est justement ce type de mécanisme qui est mis en jeu par les rétrovirus tumorigènes lents.

Le problème des rétrovirus tumorigènes lents

De nombreux virus tumorigènes n'agissent qu'après une incubation longue de plusieurs mois. Les plus représentatifs induisent des leucémies chez les aviaires **(ALV)**, les murins **(MuLV)**, les félins **(FeLV)**, et un cancer mammaire chez la souris **(MMTV)** (Tableau 15-1). Nous y ajouterons le virus humain **HBV** qui, bien qu'étant un virus à DNA, est assimilable à un rétrovirus en raison de son cycle réplicatif. Il induit des hépatocarcinomes 20 à 30 ans après l'infection initiale.

Comme leurs homologues rapides, ces rétrovirus lents s'intègrent dans le DNA des cellules hôtes. Mais ils présentent deux particularités importantes qui les distinguent des précédents :

— ils provoquent des proliférations **monoclonales** ;

— ils ne contiennent **pas d'oncogène.**

Leur étude systématique a permis de découvrir de nouveaux mécanismes d'activation des proto-oncogènes et aussi de nouveaux oncogènes.

La démarche expérimentale est dans tous les cas la même et consiste à utiliser le provirus cloné comme sonde pour rechercher son site d'intégration dans le génome (en anglais « *provirus tagging* »). Pour cela on prépare une banque génomique à partir du **DNA tumoral**, que l'on crible à l'aide de la sonde provirale. On valide les clones isolés en recherchant ceux qui, utilisés à leur tour comme sonde, révèlent des fragments de restriction particuliers au DNA tumoral (non retrouvés dans le DNA constitutionnel). On sépare ensuite dans les clones intéressants ce qui revient au DNA proviral et au DNA cellulaire. Ces séquences de DNA cellulaire limitrophes du site d'intégration sont enfin utilisées pour répondre aux questions suivantes :

— s'agit-il d'un site unique du génome cellulaire utilisé de façon préférentielle par le virus ?

— sur quel chromosome se trouve ce site ?

— existe-t-il un gène dans les parages, et notamment existe-t-il un transcrit spécifique de la tumeur ?

— si un candidat oncogène est trouvé, il faut le valider en démontrant qu'il permet

* On ne peut pas transformer des cellules 3T3 avec le proto-oncogène **c-*src*** accolé à un LTR viral.

de transformer une cellule cible transfectée. Pour ce type d'expérience les constructions où le gène étudié est placé dans un vecteur rétroviral derrière un promoteur fort se sont avérées très utiles.

Les résultats obtenus dans l'étude des rétrovirus lents démontrent que le mécanisme de la tumorigenèse n'est pas aussi univoque que dans le cas des rétrovirus rapides. Schématiquement on peut classer les résultats obtenus en 5 types de situations **(Tableau 15-6)** :

— le virus s'intègre à proximité d'un proto-oncogène antérieurement découvert sous sa version v-*onc* ;

Tableau 15-6 Gènes découverts au site d'insertion de provirus

Virus	Tumeur	Espèce	Gène cellulaire	Localisation chromosomique du gène humain	Mécanisme oncogenèse
Cas des proto-oncogènes déjà reconnus dans les rétrovirus rapides					
ALV	*Lymphome B*	Poulet	**c-*myc***	8q24	LTR-activation
FeLV	*Lymphome T*	Chat	**c-*myc***	8q24	LTR-activation
ALV	*Érythroblastose*	Poulet	**c-*erb* B** (récepteur EGF)	7p13	LTR-activation
MLV	*Myéloïde*	Souris	**c-*myb***	6q22	LTR-activation
CPA*	*Plasmocytome*	Souris	**c-*mos***	8q22	LTR-activation
F-MLV	*Myéloblastique*	Souris	***fim2* = c-*fms*** (= récepteur CSF1)	5q33	LTR-activation
Cas des nouveaux proto-oncogènes non encore identifiés					
MMTV	*Mammaire*	Souris	***int*-1**	12q12	LTR-activation
			***int*-2**	11q13	LTR-activation
MCF	*Lymphome T*	Souris	***pim*-1**	6p21	LTR-activation
F-MLV	*Myéloblastique*	Souris	***fim*-1**	6p23	LTR-activation
			fim-3	3q27	LTR-activation
Cas des gènes déjà connus par une fonction « respectable »					
GLV	*Lymphome T*	Singe	**IL2** (interleukine-2)	4q26	LTR-activation
CPA*	*Promyélocytes*	Souris	**IL3** (interleukine-3)	5q23	LTR-activation
Cas des sites d'insertion où aucun gène n'a été trouvé					
Mo-MLV	*Lymphome T*	Rat	***pvt*-1**	8q24	?
			***mlvi*-1**	?	?
			***mlvi*-2**	5p14	?
			mlvi-3	?	?
Cas d'intégration avec chimérisme protéique					
HBV	*Hépato-carcinome*	Homme	**RARB** (= récepteur β acide rétinoïque)	3p24	Fusion génique

*CPA : particule intra-cisternale A, élément transposable du génome de la souris (ressemblant au gène *copia* de la drosophile), assimilable à un virus endogène.
F-MLV : virus de la leucémie murine de Friend.
Mo-MLV : virus de la leucémie murine de Moloney.

— le virus s'intègre à proximité d'un gène déjà connu mais pas comme oncogène ;

— le virus s'est intégré à côté d'un nouveau gène, représentant un nouvel exemplaire d'oncogène sans équivalent v-*onc* ;

— le virus s'est intégré dans une séquence de DNA génomique ne contenant apparemment pas de gène à proximité immédiate ;

— le virus s'est intégré au beau milieu d'un gène et entraîne la formation d'une protéine chimère (cas jusqu'à présent unique du virus HBV).

L'intégration-promotion à côté d'un proto-oncogène déjà identifié dans un rétrovirus rapide : l'exemple ALV / c-myc

Le virus lent de la leucémie aviaire ALV induit des lymphomes B chez le poulet. Dans les cellules de ces tumeurs monoclonales le virus est toujours intégré sous forme d'une copie unique d'un provirus ayant souvent subi une délétion plus ou moins étendue, pouvant emporter tous les gènes viraux, mais respectant toujours au moins un LTR. Ceci indique que le provirus ne peut contenir d'oncogène. La découverte en 1981 (Hayward et al) que l'intégration a toujours lieu au voisinage immédiat d'un proto-oncogène, **c-*myc*** — antérieurement identifié par son intégration dans le virus rapide MC29 — fut une étape décisive. En effet elle indiquait un mécanisme et fournissait une explication.

Le mécanisme est celui de la **cis-activation** d'un proto-oncogène par simple juxtaposition d'un LTR viral. Le site d'intégration à proximité de **c-*myc*** est variable (**Figure 15-2**). Lorsque l'intégration a lieu en 5' de **c-*myc***, l'activation transcriptionnelle est fournie par le **promoteur** viral du LTR 3'. Lorsque l'intégration a lieu en 3' de **c-*myc***, l'activation rétrograde s'explique par l'***enhancer*** du LTR 5' (rappelons l'activité bi-directionnelle des enhancers).

Quel que soit le mode d'intégration du provirus, le gène **c-*myc*** est désormais placé sous la dépendance du LTR viral qui en assure une transcription permanente, donc dérégulée. Ainsi s'explique l'augmentation du taux du messager de **c-*myc*** dans ces cellules, qui est augmenté de 10 à 50 fois.

L'explication concerne la lenteur de la tumorigenèse virale et son caractère monoclonal. On peut, à la lumière du mécanisme mis à jour à propos de l'ALV, supposer que la tumorigenèse dépend étroitement de l'intégration d'un LTR viral à proximité de **c-*myc***. Celle-ci est un événement rare et aléatoire qui n'a de chance statistique de se produire qu'au bout d'un temps long. Cet événement unique est suffisant pour assurer à la descendance cellulaire une croissance préférentielle, d'où la monoclonalité.

Le phénomène d'activation par **intégration-promotion** d'un LTR viral a été ensuite observé avec d'autres virus que l'ALV (Tableau 15-6). C'est ainsi que **c-myc** est aussi activé dans des lymphomes T induits par des virus lents félins ou murins. D'autres proto-oncogènes déjà connus, comme **c-*erb* B**, **c-*myb***, **c-*mos***, **c-*fms*** sont également activés par le même mécanisme dans d'autres tumeurs.

La généralité du phénomène est attestée par deux faits remarquables :

— un même virus, ALV, peut s'intégrer chez le poulet à côté de l'un ou l'autre de deux proto-oncogènes différents et déterminer des maladies différentes (un lymphome si c'est à côté de **c-*myc***, une érythroleucémie si c'est à côté de **c-*erb* B**) ;

— un virus lent peut devenir rapide après transduction d'un proto-oncogène (cas du virus ALV qui peut récupérer ***erb* B**).

On déduit de cette série de faits trois conclusions importantes :

— les rétrovirus rapides sont d'anciens virus lents ayant transduit un proto-oncogène ;

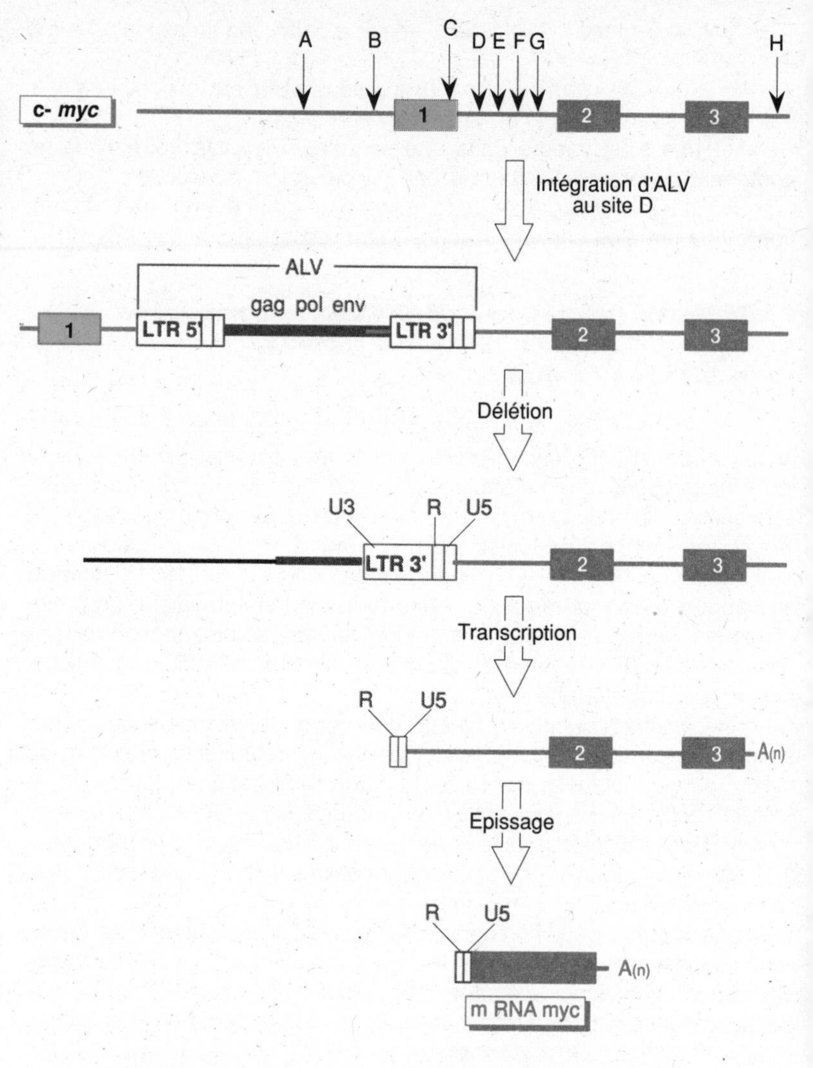

Figure 15-2 **Activation - promotion du proto-oncogène c-myc de poulet par insertion du virus ALV**
Les sites A à G sont les sites d'intégration du provirus ALV observés dans différentes leucémies B viro-induites. Dans l'exemple illustré ici l'intégration a eu lieu au site D, suivie d'une délétion intéressant l'exon 1 de c-myc et la majeure partie du virus dont seul persiste le LTR en 3'. Celui-ci sert de promoteur fort activant la transcription d'un mRNA tronqué, fusionné aux séquences résiduelles R et U5 du LTR 3' viral. Son taux de transcription est augmenté de 10 à 50 fois, ce qui dérégule la cellule.

— les rétrovirus lents ne sont tumorigènes que par leur insertion accidentelle à proximité d'un proto-oncogène ;

— l'insertion-promotion d'un proto-oncogène intact indique que l'activation peut être strictement quantitative*.

De ces conclusions naît tout naturellement l'interrogation suivante : existe-t-il des cas de tumeurs induites par des virus lents qui se seraient insérés à côté de gènes déjà connus ou bien à côté de proto-oncogènes non encore identifiés ? Ces deux types de situations ont effectivement été observés.

Des gènes codant pour des protéines déjà connues peuvent être activés par intégration provirale

Dans certaines leucémies animales le provirus s'intègre près de gènes « honorablement » connus dans le monde des facteurs de croissance lymphocytaire. Tel est le cas de gènes codant pour des lymphokines, comme l'**interleukine-2** et **l'interleukine-3** (Tableau 15-6). Si l'on n'avait

* On peut transformer des cellules 3T3 avec le proto-oncogène ***c-mos*** accolé à un LTR viral.

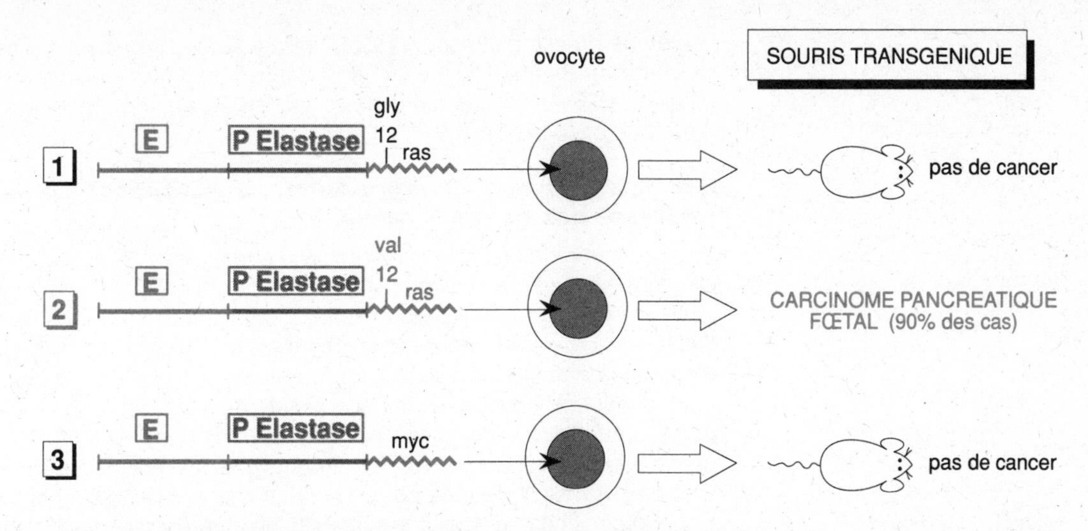

Figure 15-3 Cancérogenèse dirigée du pancréas chez des souris transgéniques *(Expérience de Quaife et al, 1987)*
Un segment de 4,5 kb comportant la région promotrice (P) et la séquence enhancer (E) du gène de l'élastase I de rat (gène exprimé spécifiquement dans le pancréas) est placé en amont d'un oncogène, et la construction est utilisée pour produire des souris transgéniques. Trois types de construction sont effectués : 1 : avec le gène *ras* normal (gly au codon 12) ; 2 : avec le gène *ras* activé (val au codon 12) ; 3 : avec le gène *myc* normal. Seule la construction n° 2 produit un cancer pancréatique.

pas déjà identifié la protéine et sa fonction, ces gènes auraient sans doute été classés parmi les oncogènes.

La découverte de nouveaux oncogènes par intégration-activation provirale

(Tableau 15-6)

Le virus du carcinome mammaire de la souris **(MMTV)** ne contient pas d'oncogène et détermine un cancer après une incubation de 4 à 9 mois.

Au moins 4 sites d'intégration ont été caractérisés et un gène authentique, anormalement exprimé dans la tumeur, retrouvé à proximité. Ces gènes ont été appelés ***int* -1**, ***int* -2**, ***int* -3**, ***int* -4**. Seuls les deux premiers ont été localisés chez l'homme (Tableau 15-6). Le site d'intégration du provirus varie dans un intervalle de 30 kb autour du gène endogène et l'intégration a lieu dans une orientation telle qu'il ne s'agit pas d'une promotion mais d'une stimulation par l'activité *enhancer* du LTR en 3'. Ce sont de véritables proto-oncogènes car on a pu transformer des cellules épithéliales (mais non des fibroblastes) de souris par ***int*-1** inséré dans un vecteur rétroviral. Cette transformation n'est pas obtenue si l'oncogène apporté contient une mutation décalant le cadre de lecture.

On ne connaît pas le rôle de ces gènes, dont l'expression n'a jamais été trouvée chez l'homme, ni dans une tumeur, ni dans un tissu normal, mais dont la séquence codante est très conservée entre les deux espèces.

Chez la drosophile ***int*-1** est un **gène de développement**, détectable à différents stades du développement embryonnaire et post-embryonnaire, mais pas chez l'insecte adulte. Il correspond au gène de segmentation déjà connu sous le nom de *wingless* et a été rebaptisé ***Dint-1/wingless***. Bien que le rôle de ce gène ne soit pas élucidé chez les mammifères, il est tentant de considérer que la tumorigénicité du virus MMTV résulte de la cis-activation d'un gène de développement.

Un point très important concernant le LTR du virus MMTV est qu'il semble **spécifique de tissu**. Ceci a pu être démontré de la manière suivante : une construction associant un LTR de MMTV au gène **c-*myc*** est injecté dans des ovocytes de souris fécondées, et les souris transgéniques femelles obtenues développent dans certains cas une tumeur mammaire post-gravidique (Leder).

Oncogènes et souris transgéniques

La création de souris transgéniques pour des oncogènes est une méthode très puissante. Son intérêt principal est que, selon la nature du promoteur et du *enhancer* accompagnant l'oncogène dans les constructions injectées dans les ovocytes, on peut obtenir une expression ciblée de l'oncogène chez l'animal transgénique. Ceci permet d'analyser la spécificité tissulaire des oncogènes. Une des premières expériences a consisté à créer des souris transgéniques avec les gènes T du virus SV40 sous leur propre *enhancer*. Les souris transgéniques développent des tumeurs des plexus choroïdes. En l'absence du *enhancer* de SV40 elles développent d'autres types de tumeurs. Les expériences ultérieures ont consisté à varier les oncogènes et les séquences promoteurs-*enhancers* spécifiques de tissus. La **figure 15-3** montre qu'en utilisant un promoteur d'élastase (spécifique du pancréas) on détermine chez les animaux transgéniques un cancer pancréatique uniquement avec un gène c-*ras* activé (muté en position 12), mais pas avec un gène c-*ras* normal, ni avec un gène c-*myc*.

L'étude du site d'intégration d'autres rétrovirus lents murins a permis de découvrir d'autres gènes authentiques, comme ***pim* -1**, ***fim* -1**, ***fim* -3** (Tableau 15-6). Le rôle de ces gènes candidats au statut de proto-oncogène n'est pas encore connu.

Certaines régions d'intégration provirale spécifique ne semblent pas contenir de gène

Le virus murin de Moloney s'intègre de manière reproductible, donc spécifiquement, dans des régions génomiques qui ont été clonées et où aucun gène n'a été retrouvé (Tableau 15-6). En fait il est bien difficile d'affirmer l'absence totale de gène dans un territoire génomique, sauf si on en a établi entièrement la séquence. Or le critère utilisé ici est l'absence de transcrits identifiables avec les séquences clonées. L'un de ces locus, ***pvt*-1**, a été trouvé « dans les parages » de **c-*myc***, en fait à une distance comprise entre 100 et 500 kb. Le rôle promoteur ou stimulateur du LTR viral ne peut expliquer une cis-activation sur une aussi longue distance. On invoque ici un véritable effet de position chromosomique, car de très grands segments de DNA peuvent faire partie d'un même domaine chromosomique d'activité, par exemple délimité entre deux points d'attache à la matrice nucléaire.

Le virus humain de l'hépatite B (HBV) s'insère parfois dans un gène

Le virus HBV est un virus à DNA (famille *Hepadnavirus*) de très petite taille (3 kb), dont nous avons vu au chapitre 7 qu'il se réplique par rétrotranscription d'une copie RNA complète du génome viral (ou prégénome). En cela il ressemble à un rétrovirus.

Après infection aiguë (hépatite B) ou inapparente, le virus HBV peut persister sous une forme chronique, chez environ 5 p.100 des sujets, où il se manifeste par la production permanente d'antigènes viraux (HBs et HBc). Une proportion élevée de ces sujets développe, au bout de 20 à 30 ans, un **hépatocarcinome** cellulaire. Celui-ci est probablement déterminé par l'intégration du DNA viral dans le DNA des cellules hépatiques, où il est constamment retrouvé.

Le site d'intégration est variable. Dans une tumeur particulière il a été démontré qu'une partie du génome viral s'était intégrée dans une séquence unique de DNA présentant un cadre ouvert de lecture, et s'exprimant par un transcrit détectable. Elle semblait appartenir à un gène authentique, appelé provisoirement ***hap*** et localisé sur le chromosome 3. Le séquençage du cDNA de ce gène candidat a permis de reconstituer une séquence protéique rappelant, par ses similitudes et son organisation, la structure générale des récepteurs nucléaires d'hormones (stéroïdes et thyroïdiennes). Le gène *hap* a finalement été identifié comme correspondant à un récepteur de l'**acide rétinoïque** (récepteur β, ou RARB), substance dont l'activité morphogénétique a été mise en évidence chez le poulet (c'est le premier morphogène découvert chez les vertébrés).

Un élément important dans le déterminisme de l'hépatocarcinome viro-induit par l'HBV pourrait être la formation d'une protéine chimère possédant les 29 premiers acides aminés du gène préS1 du virus suivis par la séquence du gène endogène **(RARB)**. Ce produit anormal est surexprimé et dérégulé, car il est sous la dépendance du promoteur viral. On ne connaît pas les conséquences cellulaires exactes de cette anomalie. D'autre part il est certain que le gène RARB n'est pas le site obligatoire d'intégration du virus HBV dans tous les hépatocarcinomes.

Une situation analogue a été observée dans un cas d'hépatocarcinome précoce, où le gène préS1 du virus HBV s'est inséré au début du gène de la **cycline A**, avec formation d'une protéine chimère.

Le cas particulier des rétrovirus humains leucémogènes de type HTLV

Les premiers rétrovirus humains ont été isolés dans des syndromes lympho-prolifératifs de l'adulte intéressant les lymphocytes T (R. Gallo). Ces leucémies et lymphomes existent à l'état endémique dans certaines régions (Japon, Caraïbes). Ils se comportent comme des virus lents, avec un long délai entre infection et maladie.

Les virus HTLV I et II sont capables de transformer les lymphocytes T humains in vitro. Ils sont constamment intégrés dans les cellules des leu-

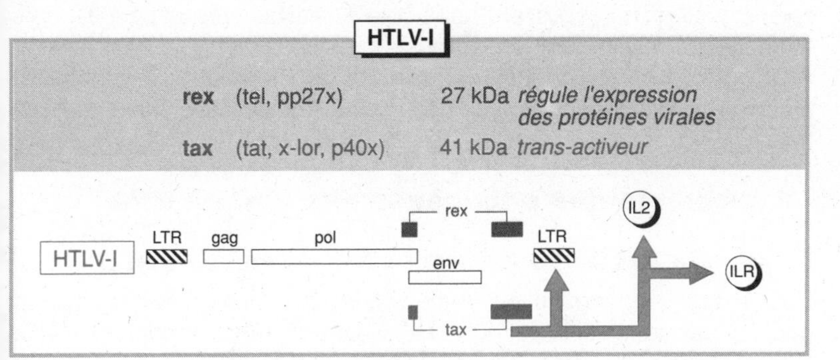

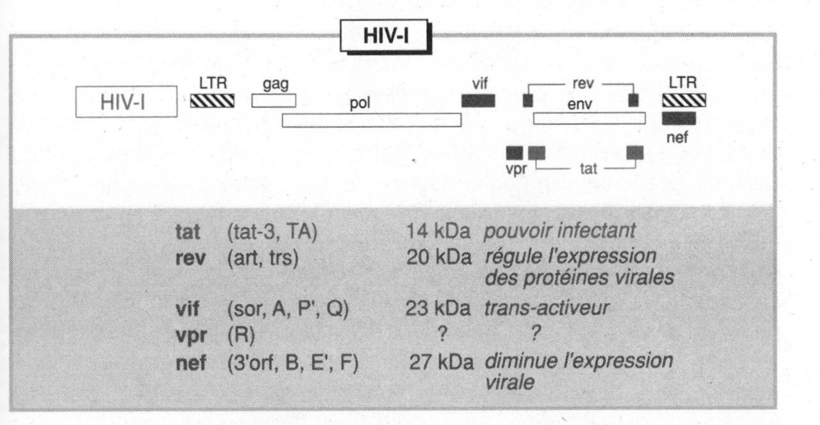

Figure 15-4 Nomenclature des gènes des rétrovirus humains HTLV-I (leucémies T) et HIV-1 (SIDA)
En rouge les gènes trans-activateurs ; en rouge foncé les gènes régulant l'activité virale ; en blanc les gènes communs des rétrovirus.
IL2 et ILR : gènes cellulaires de l'interleukine-2 et de son récepteur.
Pour le HIV, voir aussi figures 7-8 à 7-10.

Provirus	Exemples	Tumorigenése	Clonalité	Insertion	Mécanisme
LTR gag (pol) env *onc* LTR	ASV AEV MSV FeSV SSV	Rapide	Poly	Au hasard	Oncogène viral pré-activé (Ex : v-*src*)
LTR gag (pol) env LTR	ALV MMTV	Lente	Mono	Localisée	Cis-activation d'un oncogène cellulaire (Ex : c-*myc*)
LTR gag (pol) env *tat* LTR	HTLV I HTLV II	Très lente	Mono	Variable	Trans-activation de gènes cellulaires ?

Figure 15-5 Mécanismes de la tumorigenèse rétro-virale
La séquence responsable du pouvoir tumorigène est indiquée en rouge.

cémies qu'ils induisent. Ces virus s'intègrent apparemment n'importe où. Cependant ils sont dépourvus d'oncogène et la prolifération cellulaire est monoclonale. Ces critères ne cadrent pas avec ceux qui caractérisent les rétrovirus transformants rapides ou lents connus jusqu'à présent. En revanche, ils contiennent un gène trans-activateur, le gène ***tax***, dont le produit active la transcription de tous les gènes viraux en agissant sur leur LTR. Ce même facteur trans-activateur est responsable du pouvoir transformant en activant des gènes cellulaires spécifiquement exprimés dans les lymphocytes T, les gènes de l'interleukine-2 (IL-2) et de son récepteur **(Figure 15-4)**. Ces deux protéines sont produites en abondance par des lymphocytes T transfectés par le gène *tax*. Ce mécanisme est entièrement original pour un rétrovirus, et s'apparente à celui qui prévaut pour les virus tumorigènes à DNA (voir ci-dessous).

La **figure 15-5** récapitule les principales caractéristiques des mécanismes de l'oncogenèse rétrovirale que nous avons évoqués dans ce chapitre.

Le problème des oncogènes des virus à DNA

Le modèle des polyomavirus : virus du polyome et SV40

Nous avons vu que dans les cellules dites non permissives ces virus ne peuvent pas se multiplier et qu'ils induisent une transformation en s'intégrant n'importe où dans le génome cellulaire. Ceci exclut a priori un mécanisme de cis-activation d'un gène cellulaire.

Deux autres mécanismes pourraient être envisagés : les provirus intégrés apportent un oncogène directement transformant, comme le font les rétrovirus rapides, ou bien ils apportent un gène dont le produit est susceptible d'agir sur d'autres gènes (effet trans-activateur) ou sur d'autres protéines. La première hypothèse est à rejeter : les virus oncogènes à DNA ne contiennent pas d'oncogène de type v-*onc*. La seconde hypothèse est plus plausible. Elle a été confirmée par les résultats expérimentaux.

La recherche d'une explication moléculaire du pouvoir transformant de ces virus a été d'emblée orientée par la notion du rôle déterminant de la région dite **précoce** (voir chapitre 7). Dans le provirus des cellules transformées cette région est la seule qui ait conservé son intégrité. Inversement les virus mutants ayant subi une délétion dans cette région ont perdu leur pouvoir transformant. Les produits d'expression de la région précoce sont au nombre de trois pour le virus du polyome : **grand T**, **moyen T** et **petit T**, et au nombre de deux pour SV40 : grand et petit T. Ces protéines résultent de l'épissage différentiel d'un transcrit primaire unique **(Figure 15-6)**. Ce mécanisme complexe a longtemps gêné la dissection des gènes puisque ceux-ci ne sont pas individualisés sur le génome. C'est par le clonage des cDNA, qui eux correspondent à des entités codantes distinctes, que le résultat fut obtenu. En intégrant chacun de ces cDNA dans un vecteur eucaryote derrière un promoteur fort et en transfectant ces constructions dans différents types de cellules, leur rôle respectif a pu être élucidé.

Le partage des rôles dans le virus du polyome

Le cDNA de la protéine **moyen T** est capable de transformer des lignées déjà établies (cellules immortalisées mais non tumorigènes). Cette transformation se manifeste par l'apparition d'un pouvoir tumorigène. En revanche la protéine moyen T ne transforme pas des cellules non pré-immortalisées, c'est-à-dire n'importe quelle cellule normale en culture (on s'adresse à des cellules embryonnaires qui poussent mieux que des cellules d'adulte). Le cDNA de la protéine **grand T** est capable d'immor-

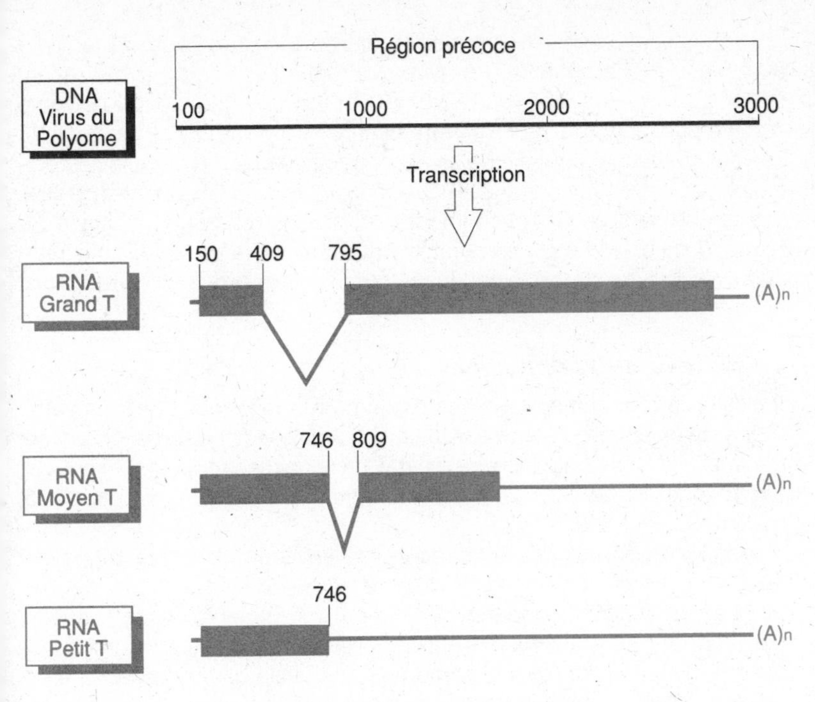

Figure 15-6 Expression de la région précoce du virus du polyome
Trois protéines différentes résultent de l'épissage alternatif du même transcrit primaire et de l'utilisation de trois cadres de lecture différents. Les chiffres indiquent la position des nucléotides sur la séquence du génome viral.

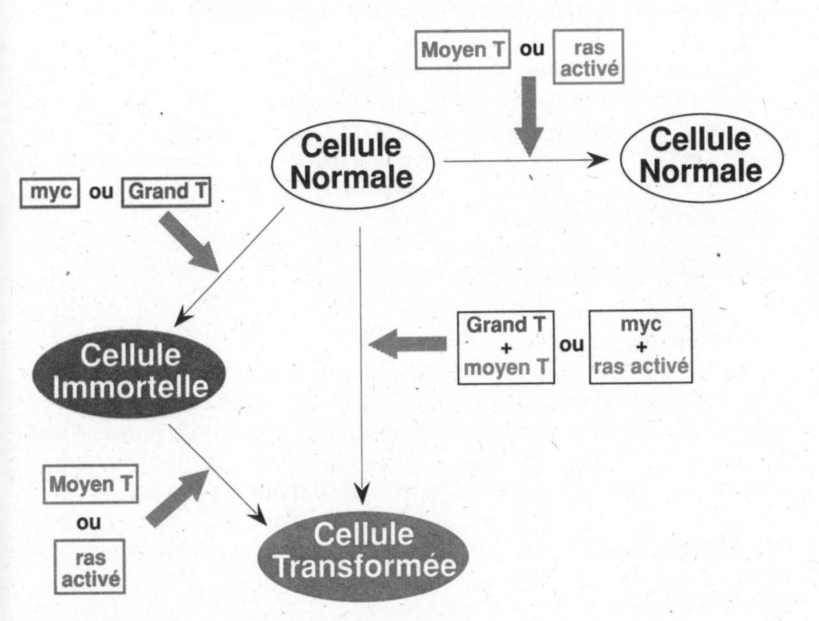

Figure 15-7 Oncogènes immortalisants et oncogènes transformants
Les oncogènes utilisés sont soit des cDNA du virus du polyome (grand T et moyen T), soit *c-myc* et *c-ras* activé. Ils sont insérés dans un vecteur eucaryote sous le contrôle d'un promoteur fort. Ces constructions sont ensuite transfectées dans des cellules de types différents : cellules normales d'embryon ; lignées établies immortelles mais non tumorigènes (par exemple NIH/3T3).
Le résultat est l'immortalisation ou la transformation + tumorigénicité selon l'oncogène utilisé. Noter que moyen T et *ras* activé n'agissent pas sur les cellules normales en l'absence de gène immortalisant.

taliser ces cellules normales, mais sans les rendre tumorigènes. Si on mélange les deux cDNA on obtient d'un seul coup la transformation complète des cellules normales qui deviennent à la fois **immortelles** et **tumorigènes (Figure 15-7)**.

Cette expérience démontre que la transformation à partir d'une cellule entièrement normale peut être décomposée en au moins deux étapes consécutives : l'immortalisation et la transformation proprement dite. Grand T serait un gène **immortalisant**, moyen T serait un gène **transformant**.

Dans le cas de SV40 les deux propriétés seraient contenues dans la même protéine grand T. Quant à la protéine petit T du polyome comme de SV40, on ne connaît pas encore son rôle.

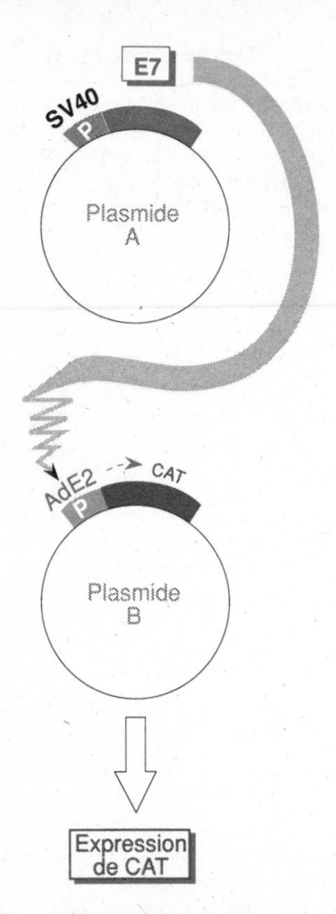

Figure 15-8 Mise en évidence du rôle trans-activateur d'un oncogène putatif du virus HPV-16
(Expérience de Phelps et al, 1988)
Le virus HPV-16 est retrouvé dans plus de 70 p. 100 des biopsies de cancer du col utérin, où il est le plus souvent intégré au génome de la cellule hôte. Le gène E7 démontre in vitro une double activité immortalisante et transformante et représente un oncogène putatif, ressemblant par ses propriétés et sa séquence à l'oncogène **EIA** de l'adénovirus. Dans l'expérience illustrée ici on démontre que le gène E7 possède aussi, comme E1A, une activité **trans-activatrice.** Cette fonction est mise en évidence en montrant que le produit du gène E7, placé dans la construction A sous la dépendance du promoteur constitutif de SV40, est capable de stimuler le promoteur AdE2 d'adénovirus dans une construction plasmidique (plasmide B) où le gène reporter est le gène CAT (chloramphénicol acétyl-transférase). Le promoteur AdE2 est conditionnel et ne permet l'expression du gène CAT que s'il reçoit un signal trans-activateur. L'expérience est réalisée en effectuant une co-transfection des deux plasmides dans des cellules de rein de singe.

La question essentielle est maintenant de comprendre le mécanisme du pouvoir immortalisant ou transformant tel qu'il apparaît si clairement dissociable dans le virus du polyome. On sait que grand T du polyome est une phosphoprotéine **nucléaire** de 100 kDa et qu'elle se lie au DNA. Elle est également capable de se fixer directement sur des protéines produites par des anti-oncogènes (Rb), en exerçant sur elles un effet de titration aboutissant au déclenchement des mitoses (passage en phase S). Moyen T du polyome est une protéine **membranaire** de 56 kDa qui interagit avec la tyrosine protéine kinase codée par le proto-oncogène ***c-src*** et l'active.

Le modèle de l'adénovirus

Il existe de très nombreux types d'adénovirus répandus chez les vertébrés y compris chez l'homme. Aucun des adénovirus humains n'a encore été impliqué dans un cancer humain. Chez l'animal (rongeurs) le pouvoir tumorigène des adénovirus humains varie selon le type : nul pour Ad5, maximal pour Ad12.

A bien des égards ces virus, pourtant beaucoup plus gros, rappellent les virus du groupe précédent : comme eux ils transforment les cellules non permissives et provoquent des tumeurs chez des animaux nouveau-nés (hamster), comme eux ils s'intègrent sous forme de versions tronquées dans le génome cellulaire, comme eux une faible partie du génome est indispensable au pouvoir transformant (8 p.100).

Les adénovirus utilisent des procédures d'épissage alternatif d'une extraordinaire complexité (voir figure 7-3). Parmi les unités transcriptionnelles on distingue deux régions contiguës sur le génome : **E1A** et **E1B**, donnant chacune plusieurs protéines par épissage différentiel. On a pu associer E1A au pouvoir immortalisant, et E1B au pouvoir transformant. La protéine E1A contient un domaine d'une vingtaine d'acides aminés qui est essentiel pour sa fonction immortalisante. Ce domaine est également retrouvé dans la protéine grand T de SV40.

Le modèle des papillomavirus

Ces petits virus ont été particulièrement étudiés chez les bovins **(BPV)** et l'homme **(HPV)**.

Parmi les nombreux représentants du virus humain (au moins 50), certains sont responsables de proliférations bénignes (verrues, papillomes), d'autres sont très sérieusement suspectés d'induire des cancers ano-génitaux. Par exemple les isolats **HPV-16** ou **HPV-18** sont retrouvés intégrés dans le DNA tumoral de plus de 80 p. 100 des cancers du col utérin où le DNA viral est activement transcrit. Ces virus ont la particularité de se répliquer sous une forme épisomale qui se maintient de façon stable dans les cellules. Certains types de virus HPV peuvent transformer les cellules in vitro, mais on ne connaît pas la (ou les) séquence(s) du génome d'HPV responsable(s) du pouvoir transformant. On s'oriente ici aussi vers un mécanisme de trans-activation de gène endogène, comme tend à le démontrer l'expérience illustrée dans la **figure 15-8**.

LA RECHERCHE DES ONCOGÈNES EN DEHORS DE LA FILIÈRE VIRALE

La filière virale a été déterminante en montrant pour la première fois, grâce à des modèles simples, que le cancer résultait d'une anomalie acquise du DNA, mettant en cause un seul gène, ou un très petit nombre de gènes, appartenant à une catégorie de gènes cellulaires dénoncée sous le nom d'oncogène. En ce qui concerne les cancers humains, qui sauf cas particuliers n'ont pas une étiologie virale, les deux questions suivantes se sont posées d'emblée :

— existe-t-il dans les cancers humains une activation de proto-oncogènes déjà identifiés par la filière virale, mais en dehors de toute intervention virale ?

— existe-t-il d'autres proto-oncogènes que ceux que les virus ont permis de répertorier ?

L'étude du DNA des tumeurs non virales a fourni une réponse positive aux deux questions.

La filière du pouvoir transformant du DNA tumoral

Il est possible de conférer le phénotype cancéreux à des cellules normales par transfection de DNA tumoral

S'il est apparemment aisé de disséquer un génome viral de 5 kb pour y détecter une séquence transformante, comment procéder à partir d'un génome de 3 millions de kb ? Une première approche a consisté à mettre au point un test biologique de transformation de cellules en culture (1979-80 : Weinberg et al ; Cooper et al). Le principe de la méthode est simple : si le cancer résulte d'une anomalie mono- ou pauci-factorielle du DNA, il devrait être possible de conférer le phénotype cancéreux à des cellules normales en culture en les transfectant avec du DNA provenant de cellules cancéreuses.

Les cellules utilisées pour recevoir le DNA appartiennent à une lignée de fibroblastes de souris, établie de manière stable depuis de nombreuses années, la lignée **NIH/3T3**.

Ces cellules ne sont pas tout à fait normales, car elles sont immortelles, hétérodiploïdes et manifestent un taux de transformation spontanée plus élevé que les autres cellules. Elles ont cependant été choisies parce qu'elles incorporent plus facilement le DNA exogène que les autres cellules, et parce qu'il est plus commode de travailler sur une lignée permanente que sur une primo-culture.

Du DNA de haut poids moléculaire, préparé par sonication (fragments de 30 à 50 kb), est transfecté par la méthode au phosphate de calcium (voir chapitre 30). Dans les expériences initiales ce DNA provenait exclusivement de **lignées** cellulaires établies à partir de la tumeur étudiée. La transformation de cellules NIH/3T3 se manifeste par l'apparition du phénotype transformé que nous avons décrit au début de ce chapitre : les cellules qui poussaient jusque-là en mono-couche prolifèrent activement, se superposent et forment des foyers, bien individualisés au bout de deux semaines **(Figure 15-9)**. La transformation des cellules est attestée par l'apparition du caractère tumorigène qui n'existait pas au départ. Le DNA des cellules isolées d'un foyer primaire peut être utilisé à son tour pour réaliser un ou plusieurs cycles successifs de transfection, donnant chaque fois des foyers typiques (Figure 15-9). En revanche aucune transformation n'est observée à partir de DNA de cellules non tumorales.

Le DNA d'un certain nombre de lignées cellulaires provenant de tumeurs solides humaines et animales s'est révélé doué d'un pouvoir transformant sur les cellules NIH/3T3.

Le clonage du premier gène transformant les cellules 3T3

Il est d'emblée apparu que l'activité transformante relevait dans chaque expérience d'un seul gène, car cette activité était spécifiquement abolie par certaines enzymes de restriction et pas par d'autres, cette spécificité se maintenant au cours des cycles successifs de transfection. Il était donc envisageable d'isoler ce gène par clonage. Celui-ci a été effectué pour

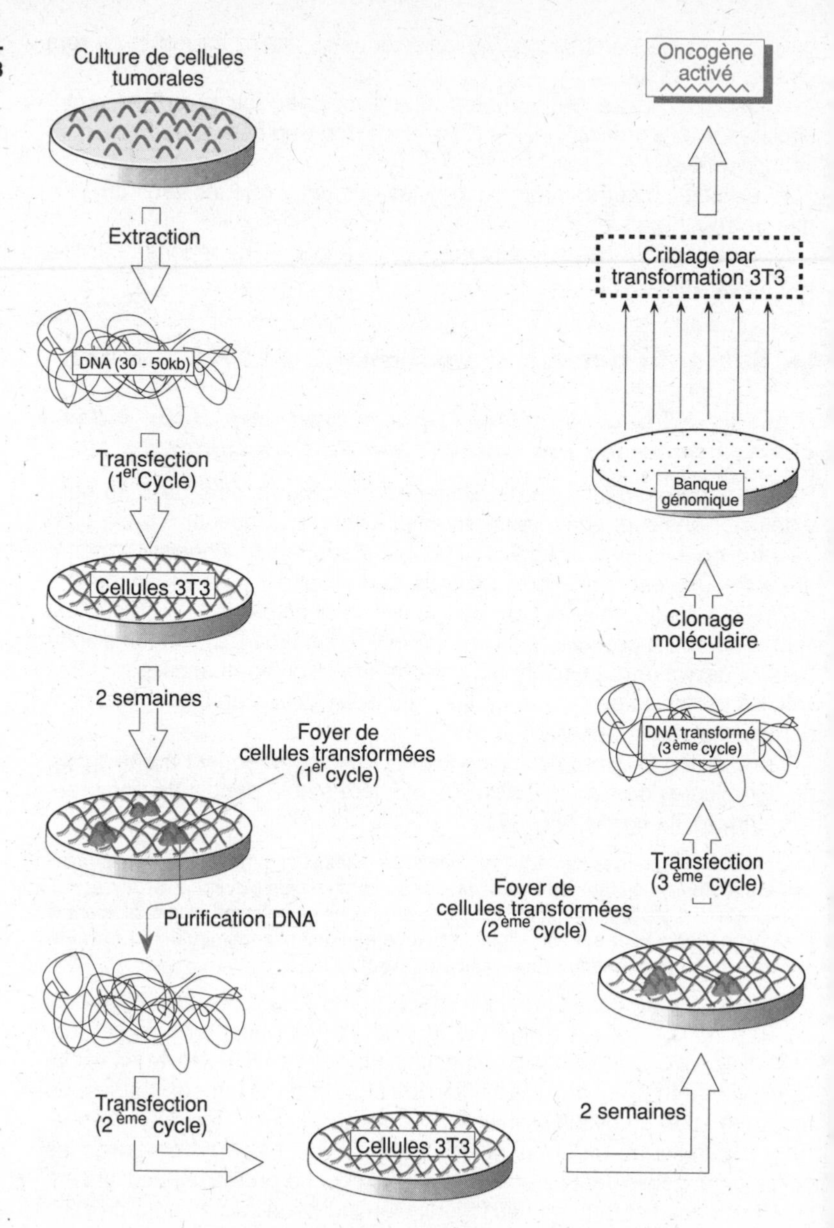

Figure 15-9 Isolement d'un oncogène tumoral par transfection dans des cellules NIH/3T3

la première fois à partir de la lignée **EJ** dérivant d'un carcinome vésical humain.

La méthode de clonage a consisté à enrichir dans un premier temps le gène recherché au cours de plusieurs cycles de transfection (Figure 15-9). Sachant que chaque cellule transfectée peut recevoir environ 1/1000 du DNA ajouté, au cours du premier cycle de transfection cette proportion représente environ 3 mégabases fragmentées en une centaine de fragments. Au cours du second cycle le DNA apporté est considérablement dilué par le DNA de souris, ce qui équivaut, dans les cellules à nouveau transformées, à un enrichissement en DNA humain transformant par rapport au DNA humain non transformant. Deux ou trois cycles suffisent à assurer une purification du gène humain transformant. Une banque génomique est préparée avec le DNA des cellules transformées. La discrimination entre DNA humain et DNA de souris est aisément obtenue par hybridation des clones avec une sonde de DNA humain hautement répétitif, de type Alu. Les séquences Alu ont suffisamment divergé au cours de l'évolution pour ne donner aucune hybridation croisée entre les deux espèces. Elles offrent de plus l'avantage d'être très nombreuses, au moins 600 000 copies, et d'être dispersées sur le génome. Il y a donc de fortes chances pour qu'une séquence Alu se trouve au voisinage ou dans le gène humain recherché, et serve de fil conducteur pour suivre, par analyse selon Southern, l'enrichissement au cours des cycles de transfection **(Figure 15-10)**.

Cette stratégie a effectivement permis d'isoler un clone contenant la séquence responsable du pouvoir transformant des cellules EJ. Cette séquence reconnaît sur le DNA humain normal un gène qui n'est autre qu'un gène cellulaire qui avait déjà été identifié par la filière virale (virus de Harvey) : le **proto-oncogène H-*ras*-1** (symbole HGM : HRAS1).

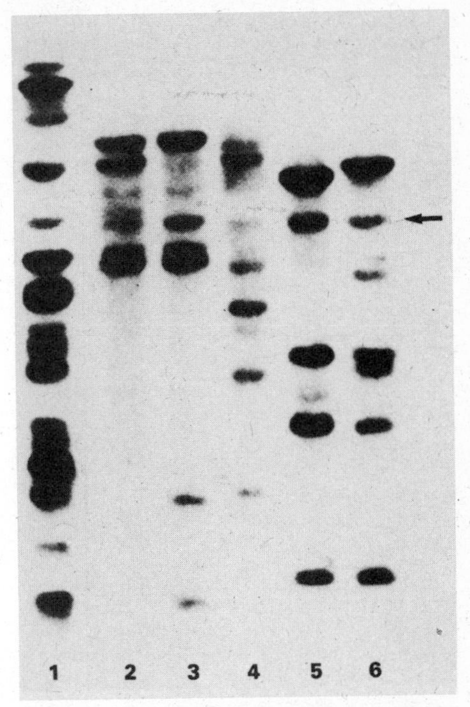

Figure 15-10 **Clonage moléculaire d'un oncogène après transformation de cellules NIH 3T3**
Le DNA des cellules transformées est analysé par la méthode de Southern (digestion EcoRI) en utilisant une sonde Alu (DNA répétitif humain).
1 : DNA d'un foyer *primaire* ; 2 à 6 : DNA de cinq foyers *secondaires* indépendants. Dans ces derniers le nombre de bandes de DNA est réduit. La flèche indique le seul fragment commun à tous les foyers transformés. Celui-ci a le plus de chances de contenir le gène transformant.
(Cliché A. Hall In P.W.J. Rigby « Genetic engineering », vol. 5, Academic Press 1986, reproduit avec l'aimable autorisation de l'auteur et de l'éditeur).

La famille RAS : un seul groupe de gènes pour plusieurs cancers

La même opération, effectuée à partir du DNA d'autres cancers humains, a permis de retomber soit sur **H-*ras*-1**, soit sur le gène apparenté **K-*ras*-2** (KRAS2), également découvert antérieurement par la filière virale (virus de Kirsten). La méthode a même permis de découvrir un nouveau membre de la famille **RAS** non encore identifié, baptisé **N-*ras*** (NRAS1) parce qu'il a été cloné à partir d'un neuroblastome. Ce nouveau proto-oncogène est aussi impliqué dans des cancers très différents, y compris des leucémies **(Tableau 15-7)**.

En définitive on retrouve un gène transformant de la famille **RAS** dans environ 15 à 20 p.100 des cancers humains spontanés. Le taux de succès est inférieur si, au lieu d'une lignée tumorale établie, on part du DNA de la tumeur fraîche.

Les points sensibles des gènes de la famille RAS

Les gènes **H-*ras*-1**, **K-*ras*-2** et **N-*ras*** trouvés dans le DNA tumoral transformant portent toujours une unique mutation ponctuelle faux sens dans un exon. Inversement il est impossible de transformer les cellules 3T3 avec un gène **RAS** non muté. La mutation observée dans les gènes **RAS** des tumeurs est donc responsable de la transformation.

La localisation de ces mutations activatrices est exquisément limitée aux codons 12 ou 13 dans le premier exon, et 59 ou 61 dans le deuxième exon (Tableau 15-5). Il s'agit des seuls points sensibles de la protéine susceptibles de lui conférer un pouvoir transformant. En effet ce sont ces mêmes codons que l'on retrouve mutés dans les gènes viraux **v-Ha-*ras*-1** et **v-Ki-*ras*-2** (où 2 codons sont mutés), dans les gènes **RAS** rendus transformants par mutagenèse provoquée in vitro, et enfin dans les gènes **RAS** des tumeurs chimio-induites voire radio-induites du rat (Tableau 15-5).

Une explication moléculaire de l'activation des oncoprotéines RAS par mutation ponctuelle

Les gènes de la famille **RAS** codent pour des protéines très voisines, possédant 189 résidus et un poids moléculaire de 21 000, appelées **p21**.

Ce sont des protéines intra-membranaires liant spécifiquement le GTP qu'elles hydrolysent. Elles font probablement partie du système de transduction des signaux mitogènes extra-cellulaires (facteurs de croissance) vers le noyau, via une cascade d'événements dont nous parlerons plus loin (Figure 15-18). Le rôle de la p21 serait de transmettre le signal à la phospholipase C. Par analogie avec les protéines G du système de transduction d'un certain nombre d'hormones extra-cellulaires vers l'AMP cyclique, on suppose que sous sa forme active la p21 se lie au GTP, et que son activité GTPasique la fait passer sous forme inactive en convertis-

Tableau 15-7 **Exemples d'oncogènes de tumeurs humaines décelés par le test de transformation in vitro des cellules NIH 3T3**

Gène *(chromosome)*	Tumeur	Lignée	Tumeur fraîche
Oncogènes déjà détectés par la filière rétrovirale			
HRAS1 (11p15)	Cancer de la vessie	+	
	Cancer du poumon	+	
	Cancer du sein	+	
	Mélanome		+
KRAS2 (12p12)	Cancer de la vessie	+	
	Cancer du poumon	+	+
	Cancer du côlon	+	+
	Cancer de l'ovaire	+	
	Rhabdomyosarcome		+
RAF1 (3p25)	Cancer de l'estomac		+
ROS (6q22)	Cancer du sein	+	
Oncogènes nouveaux			
NRAS1 (1p22)	Neuroblastome	+	
	Fibrosarcome	+	
	Rhabdomyosarcome	+	
	Mélanome	+	
	Cancer du poumon	+	
	Cancer du sein	+	
	Leucémie aiguë myéloïde	+	+
MET (7q31)	Ostéosarcome	+ *	
MCF2 (Xq27)	Cancer du sein	+	
MAS (6q24)	Cancer épidermoïde	+	
MEL (19)	Mélanome	+	
DBL (Xq27-q28)	Lymphome B		+

* Lignée « surtransformée » in vitro par la N-méthyl-N'-nitrosoguanidine.

sant le GTP en GDP. Les mutations dans les codons sensibles des gènes ***ras*** entraînent une diminution de l'activité GTPasique, d'où le maintien du transducteur p21 sous une forme activée en permanence. Ainsi pourrait s'expliquer l'apparent paradoxe d'une perte de fonction dominante.

Ce modèle est attesté par une série d'expériences de micro-injection intra-cellulaire, soit de p21 activée qui stimule l'entrée en phase S (synthèse pré-mitotique de DNA), soit d'anticorps anti-p21 qui bloque la cellule en phase G1.

De rares oncogènes autres que RAS ont été révélés par le système 3T3

Le test de transformation in vitro des cellules 3T3 n'a pas permis de découvrir un grand nombre d'oncogènes autres que ***ras***. Comme le montre le tableau 15-7, certains oncogènes de DNA tumoral ont, tel ***ras***, été antérieurement décelés dans des rétrovirus ***(raf*** **1, *ros)***. D'autres comme ***met*** et ***mcf*** **2** sont entièrement nouveaux, d'autres enfin ne sont pas définitivement homologués en attendant leur localisation chromosomique sur le génome humain. Il faut y ajouter l'oncogène **NGL** (ex-***neu***) isolé à partir de neuroblastome de rat mais retrouvé ensuite dans de nombreux cancers humains.

Tous ces oncogènes sont activables par simple mutation ponctuelle.

La coopération entre oncogènes : plusieurs gènes pour un cancer

Toutes les expériences de cancérologie expérimentale effectuées avant l'ère des oncogènes indiquaient que le cancer devait être un processus **multi-étapes**. Par exemple pour induire un cancer cutané il faut associer un agent initiateur, le diméthylbenzanthracène, à un agent promoteur, le TPA (ester de phorbol). Faut-il remettre en cause cette notion à la lumière de la transformation in vitro des cellules 3T3 par un seul gène ayant subi une seule mutation ? Assurément non, comme le démontre la série d'expériences suivantes.

Il n'est pas possible de transformer avec un gène ***ras*** activé des fibroblastes ordinaires non déjà immortalisés. Seules les cellules 3T3 sont sensibles, ce qui suggère qu'étant déjà immortelles elles sont en quelque sorte préparées par un premier événement à l'effet d'un ***ras*** activé. Pour le démontrer il fallait utiliser des fibroblastes n'appartenant pas à une lignée établie. En choisissant comme cellules cibles des fibroblastes d'embryon de rat ou de rein de rat nouveau-né on a pu obtenir la transformation à condition de les co-transfecter à la fois avec un ***ras*** activé et avec **c-*myc*** normal. Cette coopération entre oncogènes rappelle ce que nous avons vu à propos des gènes immortalisants du virus du polyome et de l'adénovirus. La similitude est frappante, car ***myc*** seul, comme grand T et E1A, immortalise, et il peut être remplacé par l'un ou l'autre dans les expériences de complémentation avec ***ras*** activé (Figure 15-7).

Deux autres exemples illustrent la notion de synergie entre oncogènes. D'une part l'existence de rétrovirus aigus à double détente portant à la fois deux oncogènes, tous deux nécessaires à la transformation soit simultanément soit successivement. Trois virus aviaires de ce type (AEV avec **v-*erb* A** + **v-*erb* B** ; AMV-E26 avec **v-*myb*** + **v-*ets*** ; MH2 avec **v-*raf*** + **v-*myc***) ont constitué des modèles exemplaires. D'autre part on a identifié dans la lignée promyélocytaire humaine HL60 la coexistence de 2 oncogènes activés : **c-*myc*** et **N-*ras***.

Depuis ces expériences on classe les oncogènes en 2 catégories :

— les gènes **immortalisants** : ***myc***, ***myb*** parmi les gènes cellulaires ; grand T et E1A pour les virus à DNA. Tous ces gènes codent pour des protéines nucléaires se liant au DNA, soit directement, soit indirectement par l'intermédiaire d'autres facteurs protéiques ;

— les gènes **transformants** : ***ras***, ***met***, **NGL** parmi les gènes cellulaires ; moyen T et E1B pour les virus à DNA.

Pour expliquer le pouvoir cancérigène de l'événement unique que constitue l'intégration d'un rétrovirus aigu, porteur d'un **v-*ras*** activé (virus de Harvey ou de Kirsten), on considère qu'à l'activation qualitative du gène s'ajoute un effet quantitatif dû au fort taux d'expression sous la commande d'un LTR viral. La découverte d'une mutation intronique responsable d'une hyper-expression du gène ***ras*** muté dans la lignée EJ renforce la notion d'un double mécanisme d'activation.

Il est plus que probable qu'il faut la coexistence dans une seule cellule d'au moins 2 événements pour déclencher la transformation cancéreuse. D'autre part on sait depuis longtemps que la malignité des cancers s'aggrave au cours du temps. L'invasivité progressive, les métastases sont sans doute les manifestations de désordres géniques intéressant successivement un nombre croissant de gènes.

La filière cytogénétique : chromosomes et cancers

Les anomalies chromosomiques somatiques des cellules cancéreuses

Cancer et chromosomes

Pour disséquer et comprendre les mécanismes moléculaires complexes qui président au déterminisme des cancers et de leur progression, les biologistes moléculaires et les cytogénéticiens collaborent de façon étroite. Sous l'égide de l'organisation « Human Gene Mapping » un comité spécial est chargé de faire l'inventaire des anomalies chromosomiques clonales observées dans les tissus néoplasiques. L'établissement de cette cartographie est indispensable pour localiser et, en dernière analyse, identifier les nombreux gènes impliqués.

Les anomalies chromosomiques font partie de la description classique du phénotype cytologique des cellules tumorales. Néanmoins elles avaient d'abord paru trop variées dans leur localisation et leur nature (aneuploïdies, hétéroploïdies, cassures, délétions, inversions, translocations, duplications totales ou partielles) pour pouvoir être systématisées. Le développement des techniques de la cytogénétique fine, avec la possibilité d'améliorer la résolution en passant des 800 bandes classiques des chromosomes métaphasiques à 3 000 bandes sur les chromosomes prophasiques, a permis de reconnaître la spécificité de certains remaniements **non aléatoires**. Les progrès simultanés de la biologie moléculaire ont permis de réussir la jonction entre approche cytogénétique et approche moléculaire. Ce succès a été remporté essentiellement dans le domaine des hémopathies malignes, car les cellules sanguines se prêtent beaucoup mieux que les cellules des tumeurs solides à l'exploration cytogénétique.

Schématiquement on peut distinguer 3 types de lésions distinctes tant sur le plan morphologique que sur le plan moléculaire :
— les amplifications ;
— les translocations ;
— les délétions.

Une amplification de proto-oncogènes au niveau de certaines régions anormales

Il est fréquent d'observer dans les cellules tumorales, surtout à un stade avancé, des régions chromosomiques se colorant de manière uniforme (régions dites **HSR** pour *homogeneous staining region*), ou se présentant comme des mini-chromosomes surnuméraires **(double minutes)**. Ces anomalies avaient déjà été remarquées dans des cellules non cancéreuses cultivées en présence d'un antimétabolite, le méthotrexate, où elles sont dues à l'accumulation d'un grand nombre de copies du gène de la di-hydrofolate réductase. Cette **amplification génique**, qui peut produire plusieurs centaines de gènes arrangés en tandem sur une distance énorme pouvant atteindre 1 000 kb, est soit stable (HSR), soit instable (double minutes).

Dans les cellules cancéreuses on a pu observer que la présence de ces anomalies correspond aussi à une amplification génique, portant sur certains proto-oncogènes. Ce sont surtout les gènes de la famille **MYC** qui font l'objet de cette amplification (**Tableau 15-8**).

Le phénomène d'amplification a pu être corrélé expérimentalement à celui de la transformation. En soumettant à des conditions particulières de culture des cellules de souris transfectées avec le gène **v-*src***, on obtient soit des cellules très tumorigènes contenant un **v-*src*** amplifié (x 50) si la culture a lieu à basse densité cellulaire, soit des cellules non tumorigènes sans amplification de l'oncogène si la densité cellulaire est maintenue élevée.

L'amplification est un signe de mauvais pronostic : elle traduit un stade évolué dans les cancers pulmonaires à petites cellules et les neuroblastomes où elle serait responsable de la tendance métastatique, peut-être en réprimant l'expression des antigènes du système majeur d'histocompatibilité.

Tableau 15-8 **Quelques exemples d'amplification d'oncogène observés dans des cancers humains***

Tumeur ou lignée	Oncogène amplifié	Amplification
HL-60 (leucémie à promyélocytes)	c-*myc*	20
COLO 320 (carcinome colique)	c-*myc*	50
Adénocarcinome gastrique	c-*myc*	15-30
Cancer pulmonaire à petites cellules	c-*myc*	20-75
Cancer pulmonaire à petites cellules	L-*myc*	10-20
Neuroblastome	N-*myc*	140
Rétinoblastome	N-*myc*	20
K562 (Lignée de leucémie myéloïde)	c-*abl*	10
Glioblastomes	c-*erb* B	10-60
Carcinome mammaire	*neu*	10

* *D'après S. Saule, 1987.*

Certaines translocations provoquent des juxtapositions aberrantes ou des fusions de gènes au niveau de proto-oncogènes

Les deux exemples les plus caractéristiques concernent deux hémopathies malignes s'accompagnant d'une translocation stéréotypée : le **lymphome de Burkitt** et la **leucémie myéloïde chronique.**

• *Le modèle du lymphome de Burkitt* Ce lymphosarcome de l'enfant est dû à une prolifération monoclonale maligne des cellules B. Il s'observe à l'état endémique en milieu tropical (Afrique centrale et orientale, Nouvelle-Guinée) chez des enfants ayant été préalablement infectés par le virus d'Epstein-Barr (EBV), et à l'état sporadique dans les régions tempérées où il est 20 fois plus rare et survient en général chez des sujets EBV négatifs.

Les lignées lymphoblastiques, facilement obtenues à partir du lymphome de Burkitt, montrent dans tous les cas une translocation chromosomique réciproque intéressant toujours un **chromosome 8** (cassé en 8q24) échangeant du matériel tantôt avec un **chromosome 14** (75 p.100 des cas), tantôt avec un **chromosome 22** (20 p.100 des cas), tantôt avec un **chromosome 2** (5 p.100 des cas). Des translocations équivalentes sont observées dans les plasmocytomes de souris chimio-induits.

La translocation entraîne un échange de matériel entre la région du proto-oncogène **c-*myc***, normalement situé en 8q24, et une région contenant des gènes d'**immunoglobulines**, soit au niveau des gènes C des chaînes lourdes au locus IGHC (14q32), soit des gènes C de la chaîne légère des immunoglobulines lambda au locus IGLC (22q11), soit des gènes V ou C de la chaîne légère des immunoglobulines kappa au locus IGKV ou IGKC (2p12) **(Figure 15-11).**

Dans la translocation t(8;14), la plus fréquente, le gène **c-*myc*** est déplacé sur le chromosome 14 où il est juxtaposé en 5' de gènes de la région constante (le plus souvent $C\mu$) des IGH, dans une orientation inverse et en subissant ou non une troncation du premier exon **(Figure 15-12).**

Dans les translocations variantes, t(8;22) et t(2;8), le gène **c-*myc*** est

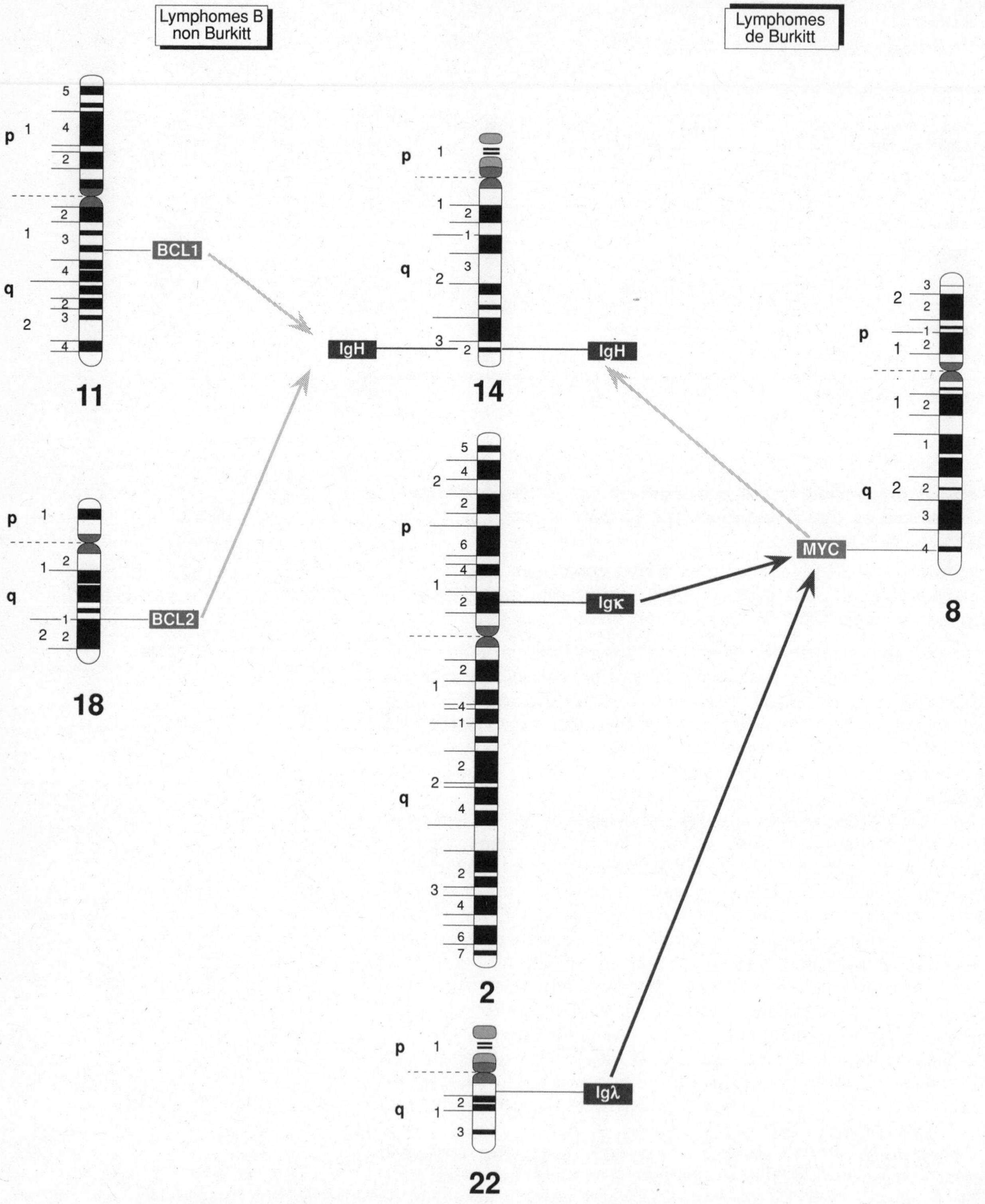

Lymphomes B non Burkitt

Lymphomes de Burkitt

BCL1

IgH

IgH

11

14

BCL2

MYC

Igκ

8

18

2

Igλ

22

Figure 15-11 Les translocations des lymphomes B
En rouge : les oncogènes ; en rouge foncé les gènes d'immunoglobulines.

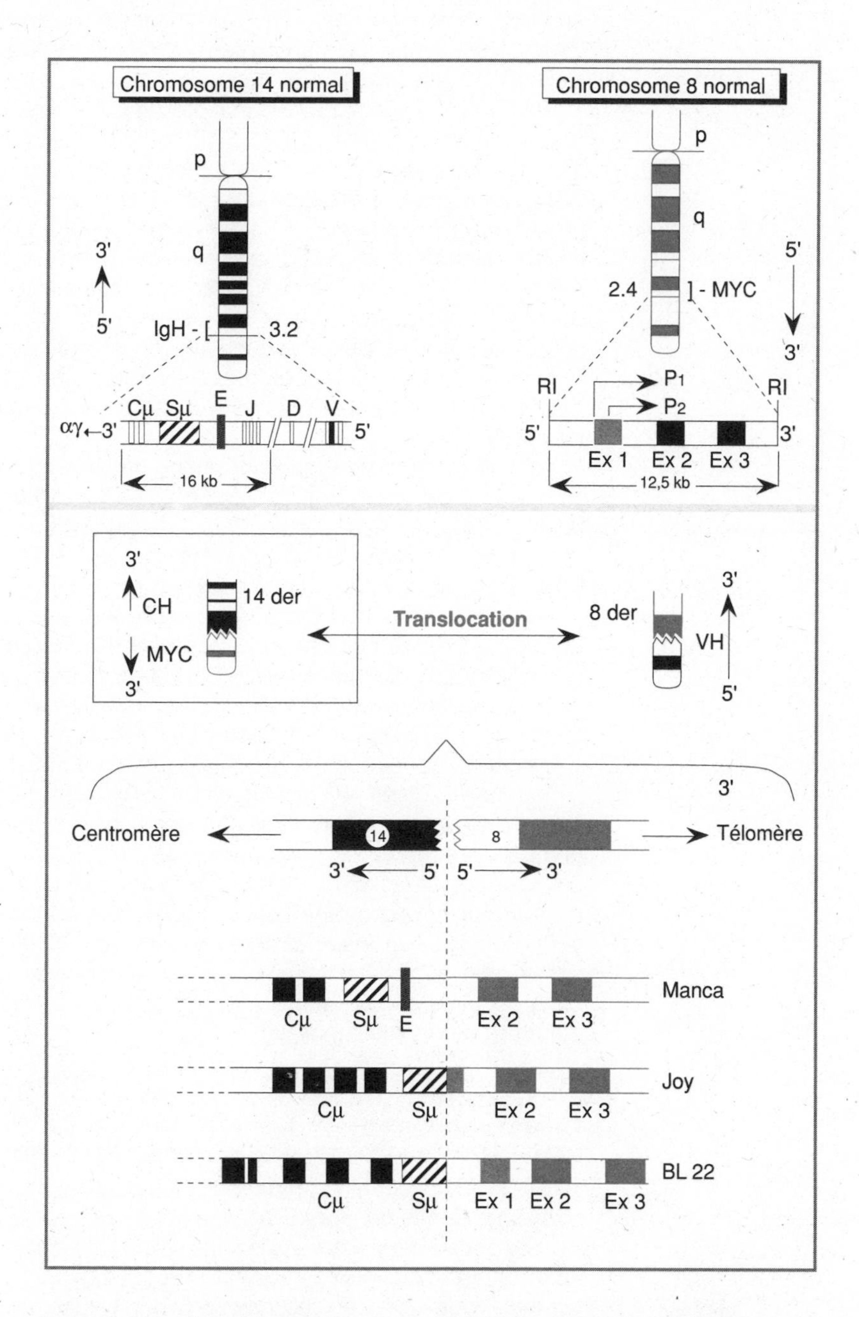

Figure 15-12 Pathologie moléculaire de la translocation t(8;14) du lymphome de Burkitt

La translocation transporte le gène *c-myc* en 5' d'un gène d'immunoglobuline (Cμ). En haut à gauche : organisation du chromosome 14 intact et des gènes d'immunoglobulines non réarrangés. E : *enhancer* ; S : *switch*.
Encadré : juxtaposition de *c-myc* et de la région Cμ après translocation.
En bas : illustration de la fusion entre *c-myc* et Cμ. Noter l'orientation opposée des deux gènes et la variabilité des points de cassure par rapport au premier exon de *c-myc* dans les différentes lignées (Manca, Joy, BL22).

resté sur le chromosome 8 où il est juxtaposé à un gène Igλ ou Igκ, qui se place en 3' à une distance variable, parfois importante (plusieurs dizaines de kb) **(Figures 15-13 et 15-14)**.

Ces translocations siégeant dans ou au voisinage de **c-*myc*** font suspecter une activation de ce proto-oncogène. Effectivement le gène **c-*myc*** s'exprime d'une façon anormale, soit franchement élevée, soit à un taux modéré mais permanent, au contraire des cellules normales où il ne s'exprime que dans une fenêtre étroite du cycle cellulaire (entre G0 et G1).

Quel est l'événement activateur de **c-*myc*** ? La diversité des anomalies observées (Figures 15-12, 15-13 et 15-14) n'est pas en faveur d'un mécanisme unique. On invoque tantôt une lésion grossière, comme la décapitation du premier exon qui semble jouer un rôle essentiel dans la régulation de l'expression du gène **c-*myc*** par son propre produit (auto-inhibition), tantôt un effet de cis-activation par le rapprochement d'un *enhancer* de la région du *switch* des gènes des chaînes lourdes d'immunoglobulines, tantôt des mutations ponctuelles siégeant dans et autour du premier exon. Ces dernières sont susceptibles de désensibiliser le premier exon vis-à-vis de facteurs trans-régulateurs ou cis-régulateurs (atténuation), ou encore de stabiliser la durée de vie normalement brève du messager.

Enfin, lorsque la translocation amène des gènes d'immunoglobulines loin en aval de **c-*myc***, on imagine qu'il en résulte une perturbation de la chromatine — nécessairement en configuration « ouverte » au niveau des gènes d'immunoglobulines dans une cellule B active —, facilitant l'accès des facteurs de transcription au gène **c-*myc***.

Cette multiplicité des hypothèses s'explique à la fois par la diversité des lésions, par la complexité des mécanismes transcriptionnels et post-transcriptionnels du gène **c-*myc***, et par la connaissance partielle que nous en avons. D'autre part il est très probable, mais non encore absolument démontré, que **c-*myc*** n'est pas le seul oncogène impliqué*.

La cause de la translocation, laquelle implique toujours des gènes d'immunoglobulines et n'intéresse que les cellules qui les expriment, est sans doute une erreur de recombinaison mitotique au cours des réarrangements des gènes d'immunoglobulines (voir chapitre 6). On a effectivement trouvé que les points de cassure se trouvaient précisément au niveau de **signaux de recombinaison**, soit séquences heptamère-nonamère qui participent au réarrangement des régions J (voir chapitre 6), soit séquences de type *switch*. Ces mêmes signaux se retrouvent justement au voisinage du gène **c-*myc***, soit en amont, soit en aval, et sont une source d'erreur pour la recombinase.

Il existerait sur le génome un grand nombre de ces pseudo-signaux de recombinaison susceptibles de leurrer la recombinase. Si la recombinaison aberrante a lieu n'importe où, elle passe inaperçue ; si elle implique **c-*myc***, elle l'active et procure à la cellule et à sa descendance un avantage permettant l'expansion du clone cellulaire.

En ce qui concerne la physio-pathologie du lymphome de Burkitt et le problème du rôle du virus EBV, on pense que celui-ci pourrait, dans les régions endémiques, immortaliser les cellules de manière polyclonale (par un mécanisme non élucidé), et que la population des lymphocytes B, très hyperplasique en raison des infections et infestations multiples, échapperait au contrôle des cellules T (effet immuno-dépresseur du paludisme hyper-endémique). De telles cellules recombinent activement leurs gènes d'immunoglobulines ce qui augmente leurs chances de subir un accident de recombinaison. Celui-ci, en activant **c-*myc***, conférerait à la cellule un

* D'autres gènes transformant les cellules 3T3 (**B-*lym*** et **N-*ras***) ont été exceptionnellement trouvés dans des tumeurs de Burkitt.

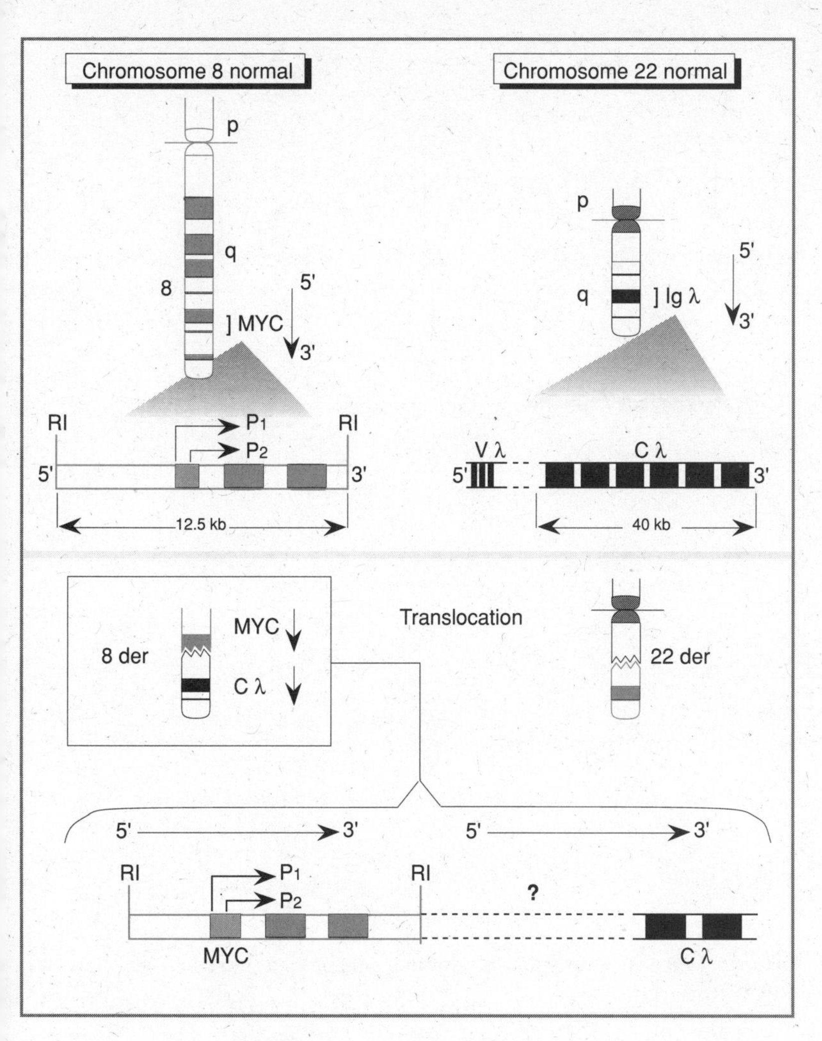

Figure 15-13 Pathologie moléculaire de la translocation variante t(8;22) du lymphome de Burkitt
La translocation transporte un gène Cλ en 3' du gène *c-myc*. Noter l'orientation identique des deux gènes.

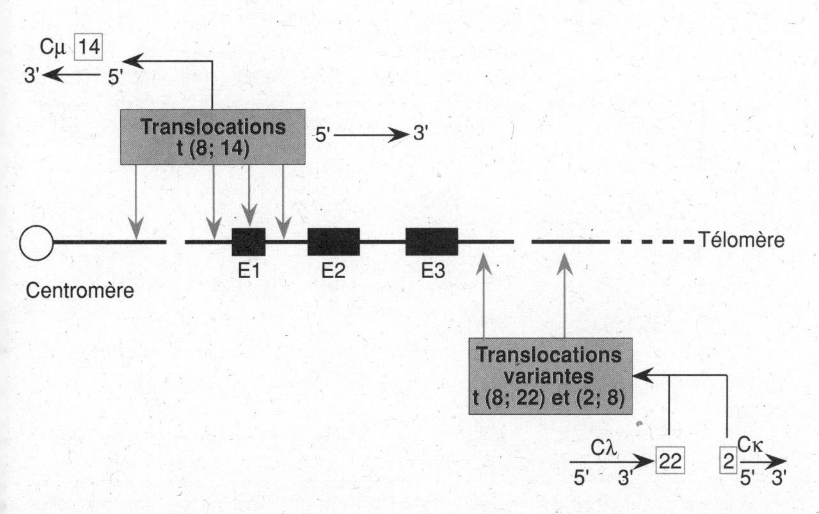

Figure 15-14 Récapitulation des points de cassure dans les différentes translocations chromosomiques du lymphome de Burkitt
Dans tous les cas la translocation place un gène *c-myc*, intact ou tronqué, en 5' d'un gène C d'immunoglobuline, soit en orientation inverse (gènes des chaînes lourdes), soit dans la même orientation (gènes des chaînes légères).

avantage prolifératif d'où l'émergence d'une lignée monoclonale de type Burkitt **(Figure 15-15)**.

Le modèle du lymphome de Burkitt a révélé le potentiel oncogénétique des juxtapositions accidentelles de gènes au cours des translocations somatiques. L'étude d'autres lymphomes B et aussi T a confirmé l'impor-

Figure 15-15 Schéma hypothétique de la séquence des événements susceptibles d'aboutir au lymphome de Burkitt
On admet que l'infection par le virus EBV est un premier événement polyclonal qui immortaliserait un certain nombre de lymphocytes B. Un second événement, lié au paludisme, est la prolifération, également polyclonale, de ces lymphocytes qui échapperaient au contrôle par les lymphocytes T. Un troisième événement, monoclonal, serait la translocation provoquée par une recombinaison accidentelle entre c-*myc* et des gènes d'immunoglobulines. Il faut noter que pour les lymphomes de Burkitt *sporadiques*, les rôles des virus EB et du paludisme sont tenus par d'hypothétiques facteurs x et y. L'immuno-dépression des cellules T induite par le virus HIV pourrait être un second événement (facteur y) et expliquerait le développement des lymphomes de Burkitt parfois observé dans le SIDA.

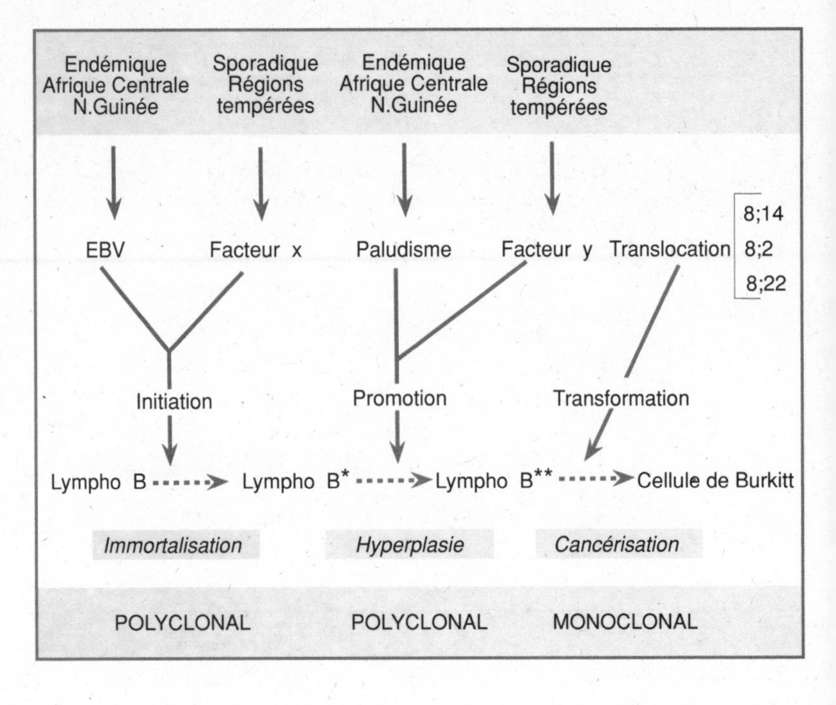

Tableau 15-9 Réarrangements chromosomiques et moléculaires dans les lymphomes

Type cellulaire	Variété hématologique	Translocation *(localisation)*	Gènes de l'immunité		Proto-oncogène partenaire
Cellules B	Lymphome de Burkitt	t(8;14)	IgH (14q32)	←	**c-*myc*** (8q24)
		t(8;22)	Igλ (22q11)	→	**c-*myc*** (8q24)
		t(2;8)	Igϰ (2p12)	→	**c-*myc*** (8q24)
	Lymphome folliculaire	t(14;18)	IgH (14q32)	←	***bcl*-2** (18q21)
	Leucémie lymphoïde chronique	t(11;14)	IgH (14q32)	←	***bcl*-1** (11q13)
Cellules T	Leucémie à T-lymphocytes	t(11;14)	TCR α (14q11)	⇔	« tcl-1 » (11p13)
	Leucémie à T-lymphocytes	t(8;14)	TCR α (14q11)	→	**c-myc** (8q24)

Les lymphomes B et T sont des proliférations malignes monoclonales dans lesquelles il existe pratiquement toujours une translocation chromosomique spécifique. Celle-ci amène la juxtaposition de séquences de DNA appartenant à la superfamille des **gènes de l'immunité** (immunoglobulines ou récepteur des cellules T) et de gènes appartenant à la catégorie des **proto-oncogènes**. Le symbole « tcl-1 » désigne un oncogène putatif. La flèche rouge indique le sens du déplacement ayant abouti à cette juxtaposition. On admet que celle-ci est responsable de l'activation du proto-oncogène. Celui-ci peut être soit déplacé vers la séquence partenaire (flèche de droite à gauche), soit recevoir la séquence partenaire (flèche de gauche à droite).

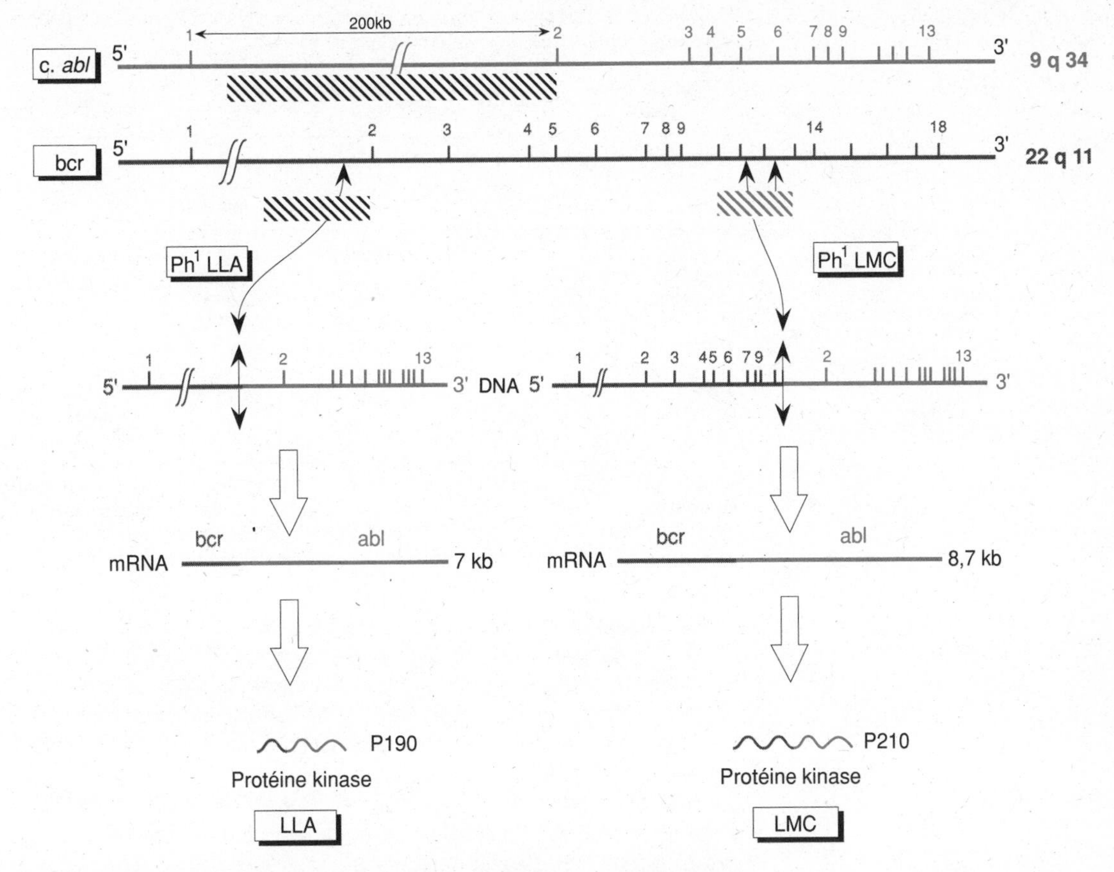

Figure 15-16 **Fusion des gènes *bcr* et c-*abl* dans le chromosome Philadelphie**
Le point de cassure est variable à l'intérieur du premier intron géant (200 kb) de c-*abl*. Sur *bcr* il se produit dans une zone de 5 kb correspondant aux introns 11 ou 12 dans le cas des LMC, et dans le premier intron dans les LLA. Le produit final n'est pas le même dans les deux cas (voir tableau 15-10). Les zones hachurées désignent les zones de cassure (en rouge, la zone *bcr* originelle).

tance de ce type de mécanisme. Notamment, c'est en étudiant systématiquement le caryotype des lymphomes de type non Burkitt que l'on a découvert d'autres translocations, impliquant toujours un gène de l'immunité (immunoglobulines ou **récepteur de cellules T**) et un oncogène, soit **c-*myc***, soit un autre oncogène découvert à cette occasion (***bcl*-1, *bcl*-2, *tcl*-1**) (**Tableau 15-9** et figure 15-11).

• *La leucémie myéloïde chronique* La leucémie myéloïde chronique (LMC) résulte de la transformation néoplasique monoclonale d'une cellule souche hématopoïétique pluripotente. L'élément caractéristique est la présence dans plus de 90 p.100 des cas d'un chromosome 22 raccourci : **le chromosome Philadelphie (Ph¹)** produit par une translocation réciproque entre chromosomes 9 et 22 (Rowley, 1973). Au cours de cette translocation le proto-oncogène **c-*abl*** du chromosome 9 est fusionné avec une séquence du chromosome 22 toujours retrouvée au niveau du point de cassure, et appelée ***bcr*** (pour *breakpoint cluster region*) (Groffen et al, 1984). Cette séquence contient un authentique gène exprimé, auquel on a donné le même nom.

Dans le chromosome Philadelphie les gènes ***bcr*** et **c-*abl*** sont fusionnés dans la même orientation transcriptionnelle : $^{5'}$bcr-abl$^{3'}$. Ce gène chimère est exprimé par un transcrit hybride *bcr/abl*, initié dans le promoteur de ***bcr*** et chevauchant le point de fusion. Sur le RNA messager les séquences **bcr** sont épissées en phase avec le 2e exon du gène **c-*abl*** pour former un mRNA hybride de 8,7 kb traduit en un polypeptide de 210 kDa **(Figure 15-16)**. Cette protéine, P210, est une protéine de fusion respec-

Démonstration par transgenèse du pouvoir leucémogène du gène hybride *bcr-abl*

Des souris transgéniques portant une construction *bcr-abl* de type P190 meurent rapidement, peu après la naissance, de leucémie aiguë, soit myéloblastique soit lymphoblastique *(Heisterkamp et al, 1990)*.

Tableau 15-10 **Différentes versions protéiques, dérivant du proto-oncogène *c-abl*, sont associées à des processus malins différents**

État du gène *c-abl*	mRNA	Protéine produite taille	fonction	Maladie
Normal	7 et 6 kb	145K	tyrosine kinase faible	
Fusion gag-abl (v-abl du virus d'Abelson)		160K	tyrosine kinase *activée*	leucémie murine d'Abelson
Fusion bcr-abl (chromosome Ph[1])	8,7 kb	210K	tyrosine kinase *activée*	leucémie myéloïde chronique avec ou sans chromosome Ph[1]
Fusion bcr-abl (chromosome Ph[1])	7 kb	190K	tyrosine kinase *activée*	leucémie aiguë à chromosome Ph[1]

tant la totalité du domaine de la tyrosine protéine kinase de ***c-abl***. Or la P210, contrairement au produit normal de ***c-abl*** (P145), est douée d'une forte activité tyrosine protéine kinasique. Cette situation rappelle en tous points la fusion *gag-abl* observée dans le génome du virus rapide d'Abelson laquelle est responsable de la production d'une tyrosine protéine kinase activée (P160) **(Tableau 15-10)**.

La fonction normale du gène ***bcr*** n'est pas encore élucidée. Son clonage a permis non seulement de pratiquer une analyse moléculaire du chromosome Ph[1] classique, mais aussi d'examiner les cas atypiques. Ceux-ci comportent d'une part les LMC sans chromosome Ph[1] détectable, d'autre part les leucémies lymphoïdes aiguës (LLA) avec chromosome Ph[1]. Dans le premier cas la fusion *bcr-abl* a pu être retrouvée malgré l'absence de lésion cytogénétiquement visible. Il s'agit donc d'un remaniement génomique infra-microscopique. Dans le second cas, le point de cassure est plus en 5' et entraîne la formation d'une protéine différente (P190) (Figure 15-16).

Les modèles privilégiés que sont le lymphome de Burkitt et la leucémie myéloïde chronique ont ouvert une voie nouvelle d'investigation. C'est surtout en **onco-hématologie** qu'elle s'est montrée fructueuse. Le **tableau 15-11** présente une récapitulation des cas où l'on a pu préciser la nature des deux gènes partenaires accidentellement rapprochés par une translocation. Il existe beaucoup d'autres exemples où un oncogène a été trouvé dans ou à côté d'un point de cassure sans que la significativité du phénomène ait pu être formellement établie.

En ce qui concerne les tumeurs solides où l'analyse cytogénétique fine dépend de l'obtention de lignées, les progrès ont été moins rapides **(Tableau 15-12)**. Cependant l'étude des **délétions** chromosomiques observées dans le DNA constitutionnel de certains enfants atteints de cancer à forme familiale (rétinoblastome, néphroblastome) a permis de découvrir le phénomène de l'oncogenèse par perte d'un gène suppresseur de cancer.

Cancers et délétions chromosomiques constitutionnelles et somatiques : le concept d'anti-oncogène

Le **rétinoblastome** et le néphroblastome ou **tumeur de Wilms** sont des tumeurs embryonnaires de l'enfant. Elles sont habituellement sporadiques, mais dans une proportion significative des cas ces cancers sont transmis comme un **caractère héréditaire dominant** (dans 30 p. 100 des rétinoblastomes et 2 p. 100 des tumeurs de Wilms). Dans les cas familiaux, certains sujets peuvent présenter une délétion, en 13q14 pour le rétinoblastome, en 11p13 pour la tumeur de Wilms. Les limites de ces délétions interstitielles sont variables, ce qui élimine l'hypothèse d'une activation par cassure stéréotypée dans un proto-oncogène. La prédisposition au cancer provient donc d'une perte de matériel génétique entraînant obligatoirement une **perte de fonction**. Or toutes les mutations portant sur les oncogènes entraînent un gain de fonction dominant. Il faut donc envisager un nouveau mécanisme dans lequel l'oncogenèse serait déterminée par la perte récessive d'un facteur suppresseur de cancer ou **anti-oncogène**.

L'existence de gènes dominants suppresseurs de cancers est suspectée depuis longtemps, car il est parfois possible de supprimer le phénotype transformé d'une cellule par fusion somatique avec une cellule normale. D'autre part le terrain conceptuel était préparé par la théorie élaborée par **Knudson** en 1971 pour expliquer l'existence des deux formes de rétino-

Tableau 15-11 **Oncogènes et translocations chromosomiques dans des hémopathies malignes**

1er gène partenaire	Chromosome	Type de cancer	Translocation	2e gène partenaire	Chromosome
Lymphocytes B					
c-myc	8	Lymphome de Burkitt	t(8;14)(q24;q32)	***IGH***	14
c-myc	8	Lymphome de Burkitt	t(2;8)(p11;q24)	***IGK***	2
c-myc	8	Lymphome de Burkitt	t(8;22)(q24;q11)	***IGL***	22
bcl-1	11	Leucémie, lymphome	t(11;14)(q13;q32)	***IGH***	14
bcl-2	18	Lymphome folliculaire	t(14;18)(q32;q21)	***IGH***	14
pbx-1*	1	Leucémie, lymphome	t(1;19)(q23;p13)	***E2A****	19
IL-3	5	Leucémie, lymphome	t(5;14)(q31;q32)	***IGH***	14
Lymphocytes T					
tal-1	1	Leucémie, lymphome	t(1;14)(p32;q11)	***TCRD***	14
tan-1	9	Leucémie lymphoblastique	t(7;9)(q34;q34.3)	***TCRB***	7
rbtn-2	11	Leucémie, lymphome	t(7;11)(q35;p13)	***TCRB***	7
c-myc	8	Leucémie, lymphome	t(8;14)(q24;q11)	***TCRA***	14
hox-11*	10	Leucémie, lymphome	t(10;14)(q24;q11)	***TCRD****	14
rbtn-1*	11	Leucémie, lymphome	t(11;14)(p15;q11)	***TCRD****	14
rbtn-2*	11	Leucémie, lymphome	t(11;14)(p13;q11)	***TCRD****	4
TCRA	14	Leucémie, lymphome	inv(14)(q11;q32)	***IGH***	14
Autres hémopathies					
c-abl*	9	Leucémie myéloïde chronique et leucémie lymphoïde aiguë	t(9;22)(q34;q11) = **Ph^1**	***bcr****	22
dek*	6	Leucémie lymphoïde aiguë	t(6;9)(p23;q34)	***can****	9
pml*	15	Leucémie aiguë à promyélocytes	t(15;17)(q22;q21)	***RARA****	17
ALL-1* ***(trithorax)***	11	Leucémies aiguës lymphoïdes et myéloïdes	t(4;11)(q21;q23)	***AF-4****	4

* Protéine chimérique détectée.

ALL-1 : gène homologue au gène homéotique trithorax de la drosophile ; *E2A* : gène codant pour des facteurs trans-activateurs (E12/E47) se liant aux *enhancers* des immunoglobulines ; *hox11* : gène homéotique (ancien *TCL3*) ; *IGL* : gène de la chaîne légère λ des immunoglobulines ; *IGK* : gène de la chaîne légère κ des immunoglobulines ; *IL-3* : gène de l'interleukine-3 ; *IGH* : gène de la chaîne lourde des immunoglobulines ; *RARA* : gène de la chaîne α du récepteur de l'acide rétinoïque ; *tan-1* : homologue du gène de développement *Notch* de la drosophile ; *TCRA* : gène de la chaîne α du récepteur des cellules T ; *TCRB* : gène de la chaîne β du récepteur des cellules T ; *TCRD* : gène de la chaîne δ du récepteur des cellules T ; *TCRG* : gène de la chaîne γ du récepteur des cellules T.

ALL-1, AF-4, bcl-1, bcl-2, bcr, can, dek, hox11, pbx-1, pml, rbtn-1, rbtn-2, tal-1, tan-1 : gènes découverts par leur participation à des réarrangements chromosomiques.

Tableau 15-12 **Anomalies chromosomiques clonales observées dans des tumeurs solides**

Type de cancer	Anomalie chromosomique	Formes familiales	Commentaires
Rétinoblastome	del(13)(q14)	oui	anti-oncogène **RB** cloné
Tumeur de Wilms	del(11)(p13)	oui	anti-oncogène **WT1** cloné
Sarcome d'Ewing	t(11;22)(q24;q12)		gène **EWS** (sur le chromosome 22 cloné)
Méningiome, neurinome, astrocytome	monosomie 22 ou del(22)(q11.2-qter)	oui	
Neuroblastome	1p36-p32, del ou t		amplification de N-myc (MYCN)
Mélanome malin	1p22-p11, del ou t		
Carcinome ovarien	del(6)(q21)		
Carcinome du testicule	iso(12p)		
Rhabdomyosarcome alvéolaire	t(2;5)(p23;q35)		
Sarcome synovial	t(X;18)(p11;q11)		

blastome : l'une sporadique, avec tumeur unilatérale, l'autre familiale, transmise comme un caractère dominant à pénétrance quasi complète, avec une localisation souvent bilatérale et avec le développement fréquent d'un ostéosarcome dans les années suivant le traitement. Cette théorie prédisait l'existence de deux mutations consécutives touchant une même cellule sur deux locus alléliques. Si les deux événements sont somatiques leur chance de survenir dans une même cellule est très faible, le rétinoblastome est sporadique et unilatéral. Si la première mutation est constitutionnelle, un deuxième événement somatique a beaucoup plus de chance de se produire dans la même cellule d'où la transmission dominante avec forte pénétrance, et la possibilité de tumeur bilatérale **(Figure 15-17)**.

Les anti-oncogènes

La perte de l'hétérozygotie et la découverte du premier anti-oncogène

La démonstration de la théorie de Knudson et de la réalité des anti-oncogènes a été apportée par l'étude du DNA tumoral dans des cas de rétinoblastome familial avec délétion constitutionnelle en 13q14 (Cavenee et al, 1983). Celle-ci a montré une **perte de l'hétérozygotie** pour certains RFLP proches du locus.

Cette découverte avait été précédée par la constatation d'une perte de l'hétérozygotie au niveau phénotypique, car l'activité de l'estérase D — un gène compris dans la délétion constitutionnelle — était diminuée de 50 p.100 dans toutes les cellules de l'organisme et nulle dans le tissu tumoral.

Au niveau génotypique la perte de l'hétérozygotie était prouvée par le fait que ces sujets avaient deux allèles distincts dans leur DNA constitutionnel (DNA des leucocytes) alors qu'un seul était visible par analyse selon Southern du **DNA tumoral** (voir figure 11-4). Cette perte ne pouvait donc représenter qu'un second événement somatique, survenant nécessairement sur le chromosome non porteur de la délétion en 13q14.

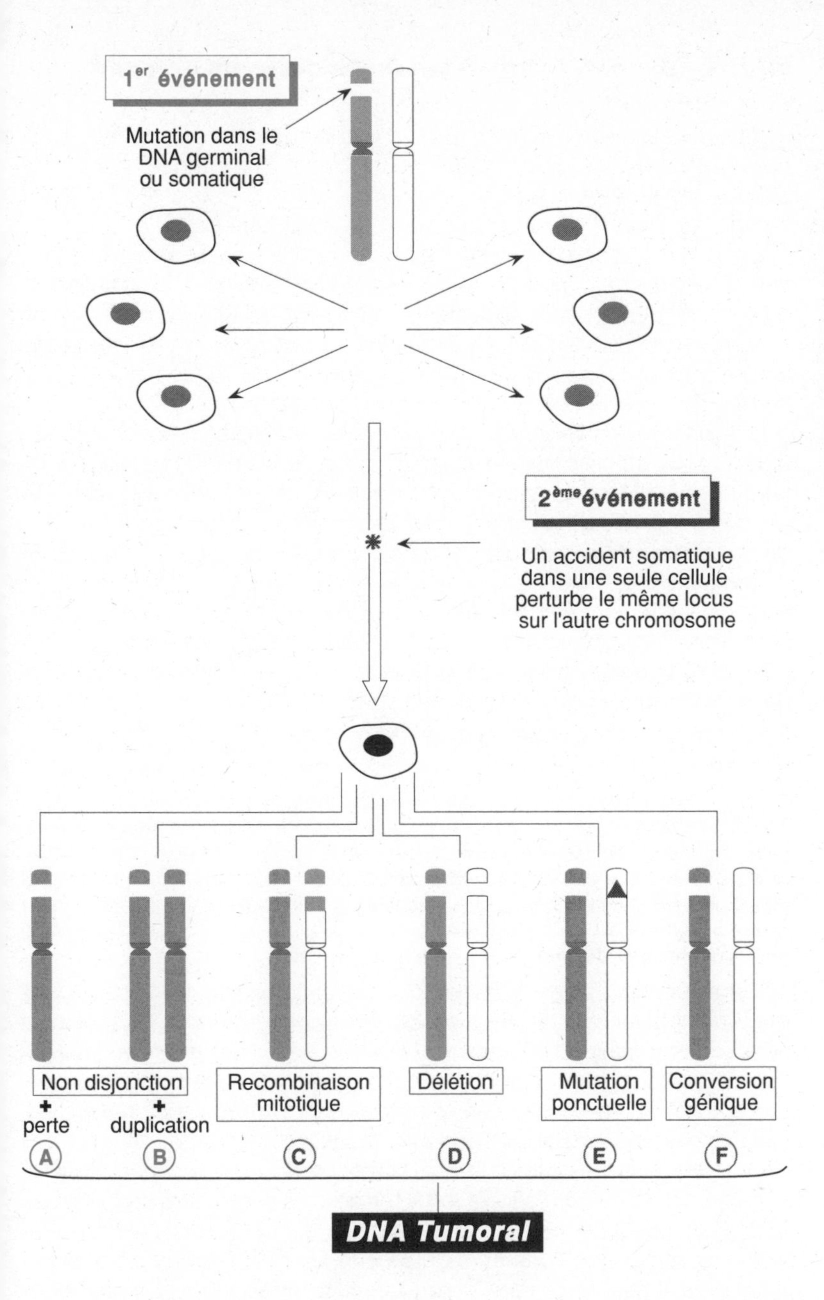

Figure 15-17 **Déterminisme des mutations récessives portant sur des gènes suppresseurs de cancer (anti-oncogènes)**
Un premier événement altère un locus sur un chromosome (mutation sub-microscopique ou délétion cytogénétiquement visible) et inactive un anti-oncogène. Cette lésion demeure latente, et ne se démasque que si un second événement fait passer la cellule à l'état hémizygote ou homozygote par un des mécanismes énumérés au bas de la figure. Si le premier événement s'est produit dans le DNA germinal, il est générateur d'une prédisposition dans la descendance (cas familiaux). S'il s'est produit dans une cellule somatique il donne lieu à une forme sporadique de cancer à condition que le deuxième événement survienne dans le même clone cellulaire. Seuls les événements A et B ont pu être formellement démontrés jusqu'à présent.
(D'après Cavenee et al, 1983).

L'analyse du caryotype de ces tumeurs est venue confirmer la perte du chromosome 13 normal, soit simple avec monosomie pour le chromosome 13 délété (hémizygotie, situation A de la figure 15-17), soit suivie d'une duplication du chromosome 13 délété (homozygotie vraie, situation B de la figure 15-17).

La découverte de la perte de l'hétérozygotie dans les cellules tumorales a été riche de conséquences : d'une part en fournissant un moyen inédit d'analyser les événements mutationnels somatiques générateurs de cancers ; d'autre part en démontrant l'existence de gènes dominants réclamant une inactivation homozygote pour qu'un cancer se développe : les **anti-oncogènes** ou gènes suppresseurs de cancers, parfois aussi appelés « gènes récessifs de cancer »*.

* Cette désignation est trompeuse car ce ne sont pas les gènes qui sont récessifs mais les mutations.

Matérialisation et pathologie moléculaire du premier anti-oncogène : RB

L'anti-oncogène **RB** a été cloné en employant la stratégie de la génétique inverse (Friend et al, 1986) (voir tableau 11-3). L'opération a été aidée, comme dans le cas du gène DMD, par l'existence d'un matériel pathologique où le gène est délété, ici le tissu tumoral.

Les sondes utilisées ne permettent de déceler une anomalie génomique grossière que dans un tiers des cas, le plus souvent à l'état hétérozygote. Ceci signifie que les lésions sont variables et souvent minimes (mutations ponctuelles), et aussi que les lésions ne sont pas identiques sur les deux chromosomes, ce qui est parfaitement en accord avec la théorie des deux événements indépendants de Knudson.

Les cancers mésenchymateux, comme les ostéosarcomes, qui se développent souvent secondairement chez les malades guéris de leur rétinoblastome héréditaire, présentent exactement les mêmes anomalies du DNA tumoral au niveau du gène **RB**. Ceci démontre une origine génique commune pour les deux types de cancers successivement développés par le même individu.

Le gène **RB** couvre un territoire de plus de 180 kb et code pour un messager de 4,7 kb correspondant à une protéine de 927 acides aminés (environ 110 kDa) entièrement déduits de la structure du cDNA. Il s'agit d'une phosphoprotéine (**p110^{RB}**) retrouvée dans les noyaux de tous les types cellulaires, et possédant les caractéristiques structurales d'une *DNA-binding* protéine.

Elle se lie spécifiquement à des oncoprotéines immortalisantes de virus à DNA, comme E1A de l'adénovirus, grand T de SV40 et E7 du virus HPV. Ces facteurs viraux pourraient agir par un effet de titration, en complexant la protéine codée par le gène RB, ce qui équivaut à la « suppression d'un suppresseur ». L'introduction d'un gène RB normal, à l'aide d'un vecteur rétroviral recombinant, dans des cellules de rétinoblastome en culture abolit leur tumorigénicité chez la souris *nude*. Il s'agit donc bien d'un **gène suppresseur de tumeur**.

L'analyse des lésions du gène RB au niveau génomique n'est pas toujours informative car elle laisse passer les lésions mineures. En revanche l'étude des produits d'expression, RNA messager par méthode de Northern et protéine par détection immunologique, est beaucoup plus sensible, et a permis de déceler des anomalies dans tous les rétinoblastomes. Cette approche a également permis de constater des anomalies du gène RB ou de son expression en dehors du rétinoblastome : cancers du sein, et cancers du poumon (cancer à petites cellules et tumeurs carcinoïdes). Ainsi l'anti-oncogène RB, dont l'expression est ubiquitaire, semble être aussi impliqué dans d'autres cancers que les tumeurs embryonnaires.

On ne sait pas encore quelle place occupe la lésion du gène RB dans la chaîne des événements qui se produisent au cours de la progression cancéreuse.

Mais le rôle de la protéine p110^{RB} commence à se préciser : il semble que sa fonction normale soit de réguler négativement la prolifération cellulaire : (i) d'une part en séquestrant directement une variété de protéines nucléaires, dont les facteurs transcriptionnels **E2F** et **DRTF**, et les oncoprotéines **c-fos** et **c-myc**, sous forme de complexe inactif. Les oncoprotéines de virus à DNA (**E1A, grand T** et **E7**) transformeraient les cellules en libérant ces protéines de ces complexes (par un effet de titration), permettant à la cellule d'entrer en phase S ; (ii) d'autre part en réprimant, par fixation au niveau de leur promoteur, l'expression des gènes *c-fos* et *c-myc*. Ainsi en ce qui concerne *c-myc*, le produit du gène RB agit à la fois sur l'oncogène et sur l'oncoprotéine, ce qui justifie bien son titre d'anti-oncogène.

Vers d'autres anti-oncogènes

La démarche employée à propos du rétinoblastome a été appliquée avec succès à d'autres cancers : d'abord au modèle voisin représenté par la

tumeur de Wilms (néphroblastome), montrant une perte de l'hétérozygotie pour des marqueurs de la région 11p13*, puis à d'autres cancers embryonnaires, **hépatoblastome** et **rhabdomyosarcome** intéressant la région 11p15. La stratégie a ensuite été appliquée systématiquement à un grand nombre de cancers en commençant par ceux où des cas familiaux ont été rapportés**. Le **tableau 15-13** donne une liste des cas où cette stratégie s'est montrée fructueuse. Il est important de noter que les données des analyses de linkage qui ont été effectuées dans les formes familiales ont montré une excellente corrélation avec les résultats de l'analyse génotypique du DNA tumoral. C'est le cas de la **polypose colique familiale** avec adénocarcinome (locus APC sur le chromosome 5) et du **neurinome de l'acoustique** (locus NF2 sur le chromosome 22) (Tableau 15-13). Les gènes impliqués dans la tumeur de Wilms (gène **WT1**), dans la neurofibromatose de type 1 (gène **NF1**) et dans la polypose colique familiale (gène **APC**) ont été clonés.

p53 : un anti-oncogène impliqué dans de nombreux cancers

La **phosphoprotéine nucléaire p53** a été découverte en 1979 dans un complexe où elle est associée à l'antigène grand T de SV40. Ceci contraste avec les autres oncogènes et anti-oncogènes déjà mentionnés dans ce chapitre, où le gène a été impliqué et reconnu avant la protéine. Un autre caractère distinctif, intéressant au point de vue historique, est le fait qu'au départ p53 a été à tort considéré comme un proto-oncogène, à cause de l'effet transformant ex vivo et tumorigénique in vivo de certains clones de p53. Ce n'est qu'en 1989 que l'on a démontré que ces clones dérivaient en fait d'un gène p53 muté, et que la version sauvage de ce gène n'avait aucun pouvoir transformant (voir encadré).

Le gène p53 (situé en 17p13.1) est le gène le plus communément porteur de mutation somatique dans les cancers sporadiques humains, tels que les cancers du côlon, du poumon, du sein, du foie, de l'œsophage, du cerveau, de la prostate, de la vessie, et dans certaines leucémies. En outre des mutations constitutionnelles dans le gène p53 ont été trouvées chez des sujets présentant un **syndrome de Li-Fraumeni**, une forme très rare de cancer héréditaire où les malades présentent un cancer solide atteignant l'un des tissus suivants : sein, cerveau, os, cortico-surrénale, ou une leucémie. Dans le tissu tumoral de cancer colique sporadique une perte des deux allèles normaux de p53 (délétion sur un chromosome, mutation sur l'autre) est fréquemment observée. Cette réduction à l'homozygotie, également retrouvée dans d'autres cancers humains, est tout à fait conforme à la théorie des deux événements de Knudson, étayée par Cavenee à propos du rétinoblastome (voir page 481). Ceci indique que les mutations au locus p53 sont **récessives**, ce que l'on attend normalement d'un anti-oncogène classique. Un effet suppresseur de tumeur de la protéine p53 a été aussi démontré par des expériences directes, dans lesquelles l'introduction d'une version normale du gène inhibe la croissance des cellules tumorales en culture et le développement de tumeurs chez l'animal. Ces résultats suggèrent que la plupart des mutations de p53 provoquent une perte récessive de fonction. Cependant certains allèles peuvent exercer un effet transformant dominant, et ont conduit à l'erreur initiale

Une erreur judiciaire : la découverte de p53

• **p53 comme antigène tumoral :** une nouvelle phosphoprotéine nucléaire de 53 kDa est exprimée en abondance dans des cellules transformées par SV40, où elle est complexée à l'antigène grand T.

• **p53 comme oncogène :** des clones de cDNA de p53 peuvent immortaliser des cellules en culture et coopérer avec *ras* pour transformer des fibroblastes d'embryon de rat en culture primaire.

• **p53 est un anti-oncogène :** les clones de cDNA transformant proviennent en fait d'un p53 muté, et, bien au contraire, les clones de cDNA ou génomiques de la version sauvage de p53 suppriment l'effet transformant des oncogènes, inhibent la croissance des cellules déjà transformées et abolissent le pouvoir tumorigène in vivo des cellules transformées. De plus le gène p53 est souvent perdu ou muté dans un grand nombre de cancers humains. La protéine p53 normale régule négativement la croissance cellulaire et la division, et induit une mort programmée cellulaire **(apoptose)**.

C'est parce que des allèles mutés de p53 peuvent acquérir un pouvoir oncogène dominant que p53 a été indûment considéré au départ comme un proto-oncogène.

* Les lignées cellulaires de tumeur de Wilms sont tumorigènes. Elles cessent de l'être si on introduit dans la cellule un chromosome 11 normal, ce qui démontre bien le caractère dominant de l'anti-oncogène.

** Il faut remarquer que jusqu'à présent les seules lésions génétiquement transmises que l'on ait mises en évidence dans des cancers touchent des anti-oncogènes et non pas des oncogènes.

Tableau 15-13 **Génétique inverse et recherche de nouveaux gènes du cancer**

Type de cancer	Indice	Gène ou locus
Filière cytogénétique :		
Carcinome rénal familial	Cassure en 3p14	« RCC »
Cancer pulmonaire à petites cellules	Délétion 3p14-p23	« SCLC »
Polypose colique	Délétion 5q15-q22	APC
Tumeur de Wilms	Délétion 11p13	WT1
Lymphomes B	Cassure en 11q13	BCL1
Rétinoblastome	Délétion 13q14	RB
Neurofibromatose de type I	Cassure en 17q11	NF1
Lymphome B	Cassure en 18q21	BCL2
Leucémie myéloïde chronique	Chromosome Ph[1] (cassure en 22q11)	BCR
Méningiome	Délétion 22q-	MGCR
Sarcome d'Ewing	Cassure en 22q12	EWS
Filière familiale (cancers héréditaires) :		
Polypose et adénocarcinome colique	Linkage 5q21-q22	APC
Néoplasies endocriniennes multiples de type 2	Linkage 10p11-q21	MEN2A
Néoplasies endocriniennes multiples de type 1	Linkage 11q13	MEN1
Neurinome bilatéral du nerf acoustique	Linkage 22q12	NF2
Cancer du sein à début précoce	Linkage 17q21	? (locus D17S74)
Filière des marqueurs génotypiques dans le DNA tumoral :		
Carcinome rénal familial	Perte hétérozygotie en 3p14	« RCC »
Cancer pulmonaire à petites cellules	Perte hétérozygotie en 3p21	« SCLC »
Adénocarcinome colique	Perte hétérozygotie en 5q21	APC
Tumeur de Wilms (syndrome de WAGR)	Perte hétérozygotie en 11p13	WT1
Rhabdomyosarcome	Perte hétérozygotie en 11p15	BWS
Rétinoblastome	Perte hétérozygotie en 13q14	RB
Neurinome de l'acoustique	Perte hétérozygotie en 22q11	NF2
Méningiome	Perte hétérozygotie en 22q12-qter	MGCR

APC : *adenomatosis polyposis coli* ; BCL : *B-cell lymphoma* ; BWS : *Beckwith-Wiedemann syndrome* ; BCR : *breakpoint cluster region* ; EWS : *Ewing sarcoma* ; MEN1 : *multiple endocrine neoplasia type I* ; MEN2A : *multiple endocrine neoplasia type IIA* ; MGCR : *meningioma chromosome region* ; NF2 : neurofibromatose 2 (centrale) ; RB : rétinoblastome ; SCLC : *small cell lung carcinoma* ; WAGR : Wilms -aniridie-(anomalies) génitales-retard mental.

Les gènes déjà clonés sont indiqués en rouge ; les locus non encore homologués sont entre guillemets.

de classification de p53 (voir encadré page 483). Comment des mutations dans un anti-oncogène peuvent-elles provoquer tantôt une perte récessive de fonction, tantôt un gain dominant de fonction ? Cette dernière situation peut s'expliquer si certaines versions mutées de la protéine sont capables de former avec le produit du gène normal un complexe oligomérique inactif. Le fait que les protéines p53 mutées ont souvent une durée de vie beaucoup plus longue que celle de la version normale tend à conforter cette hypothèse. On conçoit que cet effet de titration puisse conférer aux cellules hétérozygotes pour la mutation un avantage prolifératif sélectif.

Les mutations ponctuelles affectant le gène p53 sont pour la plupart des faux sens. Elles ne sont pas uniformément distribuées sur les 393 codons, et touchent préférentiellement des points chauds : les résidus 117 à 142, 171 à 181, 234 à 258, et 270 à 286, qui appartiennent à des régions très conservées. Un fait saillant est que le spectre des mutations diffère selon le type de tumeur. Ceci fait naître l'espoir d'une compréhension moléculaire du déterminisme de la spécificité tissulaire des tumeurs.

La fonction précise de la protéine p53 est encore très mal connue. Deux hypothèses sont actuellement à l'étude : (i) p53 inhibe l'assemblage ou la fonction du complexe d'initiation de la **réplication du DNA** (en effet elle se lie à plusieurs des protéines impliquées) ; (ii) p53 inhibe par transinactivation la transcription de certains gènes dont l'expression est requise pour la transition G1⟶S dans le cycle cellulaire. Cette dernière hypothèse est fondée sur une preuve indirecte : la protéine p53 a des caractéristiques structurales d'une **protéine de liaison au DNA** auquel elle se lie effectivement. On ne connaît pas encore la cible de cette interaction. Le double impact, à la fois sur des facteurs protéiques et sur le DNA, rappelle ce qui a été observé avec l'anti-oncogène Rb.

En attendant d'en savoir plus sur le rôle exact de la protéine p53 normale et mutée, son implication dans la plupart des cancers paraît évidente, si l'on en juge par la fréquence des anomalies géniques somatiques.

Des agents carcinogènes environnementaux ont également un impact sur p53 : (i) l'**aflatoxine**, puissant carcinogène chimique hépatique dans certaines régions du monde (Chine, Afrique du Sud), induit des mutations très spécifiques dans le gène p53 (transversion G⟶T au codon 249, remplaçant une sérine par une arginine) ; (ii) l'**oncoprotéine E6**, produite par les types de papillomavirus HPV16 et 18 à haut pouvoir oncogénique (notamment impliqués dans le cancer du col de l'utérus), induit la dégradation spécifique, ubiquitine-dépendante, de la protéine p53.

ONCOGÈNES, ANTI-ONCOGÈNES ET ONCOGENÈSE : UN BILAN

Les oncoprotéines font partie d'un réseau de contrôle de la division cellulaire

La compréhension des mécanismes moléculaires du cancer a commencé par la mise à jour d'un certain nombre d'éléments du programme génétique de la cellule dont l'activation intempestive par des facteurs exogènes — virus, agents mutagènes —, ou endogènes — mutations spontanées somatiques et éventuellement constitutionnelles —, confère à la cellule le phénotype cancéreux.

Le problème central est à présent de coordonner les informations qui affluent sur les gènes (oncogènes et anti-oncogènes) et leurs dérèglements pour déboucher sur un modèle explicatif cohérent. Le chaînon manquant est la connaissance de la fonction exacte de chaque protéine codée par les nombreux gènes mis à jour. Si nos connaissances dans ce domaine sont très limitées, c'est parce que ces protéines sont de découverte très récente — presque toujours obtenue par la démarche de la génétique inverse —, et aussi parce que nous ignorons tout des mécanismes contrôlant la **mitose** et la **différenciation** cellulaire. Une présentation détaillée des données concernant le versant protéique des oncogènes, c'est-à-dire les oncoprotéines*, sort du cadre de cet ouvrage, essentiellement consacré aux acides nucléiques. Nous nous bornerons à en exposer succinctement les grandes lignes.

Connaissant le rôle mitogène des facteurs de croissance, et l'autocrinie caractéristique des cellules transformées, il est raisonnable de considérer que les oncoprotéines font partie intégrante de la chaîne d'événements qui, partant du signal extra-cellulaire délivré par les facteurs de croissance, se propage jusqu'à la commande intra-nucléaire de la réplication **(Figure 15-18)**. De ce postulat découle une classification reposant essentiellement sur la compartimentation cellulaire des différentes oncoprotéines. On peut ainsi distinguer 6 grandes classes d'oncoprotéines en suivant l'ordre logique de la signalisation cellulaire **(Figure 15-19** et **Tableau 15-14)**.

Classe 1 : les facteurs de croissance

Jusqu'à présent, peu d'oncogènes se sont révélés être des facteurs de croissance. Le seul représentant avéré de cette catégorie de protéines — qui sont nécessairement excrétées hors de la cellule — est le proto-oncogène **c-*sis*** qui est le gène de la chaîne B du PDGF *(Platelet Derived Growth Factor)*, et qui a été rebaptisé **PDGFB**. Le pouvoir transformant du virus SSV est lié à l'autocrinie des cellules qui ont intégré le **v-*sis*** viral. Ce pouvoir transformant dépend de la présence à la surface de la cellule du récepteur correspondant : les cellules qui le possèdent sont transformées (fibroblastes), les cellules qui en sont dépourvues (cellules épithéliales) ne sont pas transformées. Un gène transformant isolé d'un cancer gastrique, l'oncogène ***hst***, possède une très grande ressemblance avec le gène du FGF *(Fibroblast Growth Factor)*.

Il est intéressant de noter que l'on a réussi à transformer des cellules en les rendant autocrines pour des facteurs de croissance non connus pour leur oncogénicité. Ce résultat a été obtenu à l'aide de vecteurs eucaryotiques où un facteur de croissance a été placé sous la dépendance d'un promoteur fort (par exemple **GM-CSF**, *Granulocyte Macrophage-Colony Stimulating Factor*, ou **EGF**, *Epidermal Growth Factor*). Ainsi nombre de facteurs de croissance peuvent se comporter comme des oncoprotéines si on rend leur expression constitutive.

Classe 2 : les récepteurs de facteur de croissance

Ce sont des glycoprotéines comportant généralement 3 domaines : un domaine extra-cellulaire se liant au signal externe (facteur de croissance), un domaine transmembranaire et un domaine intra-cellulaire possédant un site catalytique pour une activité de tyrosine protéine kinase. Celle-ci est probablement responsable de la stimulation par phosphorylation d'un grand nombre d'effecteurs intra-cellulaires.

Le proto-oncogène **c-*erb* B** n'est autre que le gène du récepteur de l'EGF (il s'appelle désormais **EGFR**). Dans le produit de l'oncogène **v-*erb* B** le domaine extra-cellulaire liant l'EGF est perdu et le domaine C-terminal intra-cellulaire est modifié. Ce pseudo-récepteur ne peut plus fixer son signal externe et envoie sans doute en permanence des signaux mitogè-

* En pratique on emploie souvent le même terme d'oncogène pour désigner soit le gène, soit son produit.

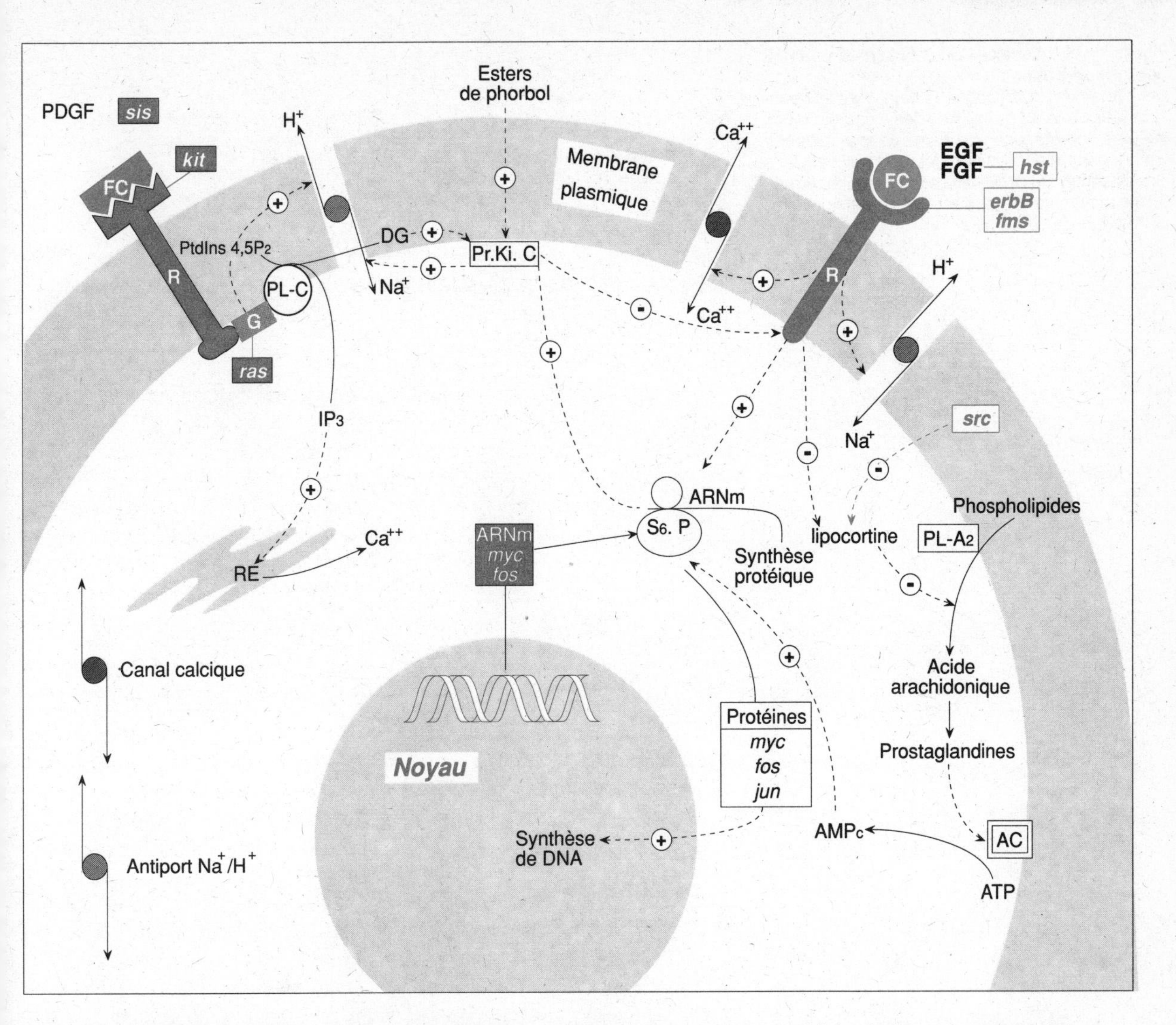

Figure 15-18 Relations entre quelques oncoprotéines et la cascade des signaux mitogènes (schéma hypothétique)
FC : facteur de croissance ; R : récepteur ; G : protéine G ;
PL-C : phospholipase C ; Pr.Ki. C : protéine kinase C ; DG : diacylglycérol ;
Ptdins : phosphatidyl inositides : PL-A2 : phospholipase A2 ;
AC : adénylate cyclase ; AMPc : AMP cyclique ; S6.P : protéine ribosomale S6 ;
RE : réticulum endoplasmique ; IP3 : inositol triphosphate.
(D'après A. Kahn).

nes vers le noyau. Le proto-oncogène ***c-fms*** est le récepteur du facteur de croissance CSF-1 (nouveau symbole du gène : **CSF1R**). D'autres oncoprotéines sont aussi des protéines membranaires et sont des candidates au statut de récepteur de facteur de croissance (***c-kit*** serait analogue sinon identique au récepteur de PDGF ; l'oncogène ***mas*** code pour le récepteur de l'angiotensine).

Classe 3 : les protéines membranaires liant le GTP

Le système de **transduction** entre les signaux extra-cellulaires et leur impact intra-cellulaire comporte un mécanisme complexe dans lequel des **G-protéines** (protéines liant les nucléotides à guanosine) oscillent entre une forme active liée au GTP et une forme inactive liée au GDP (**Figure 15-20**, page 490). L'hydrolyse du GTP en GDP est provoquée par une GTPase. Dans les **grandes G-protéines hétérotrimériques** (comme les

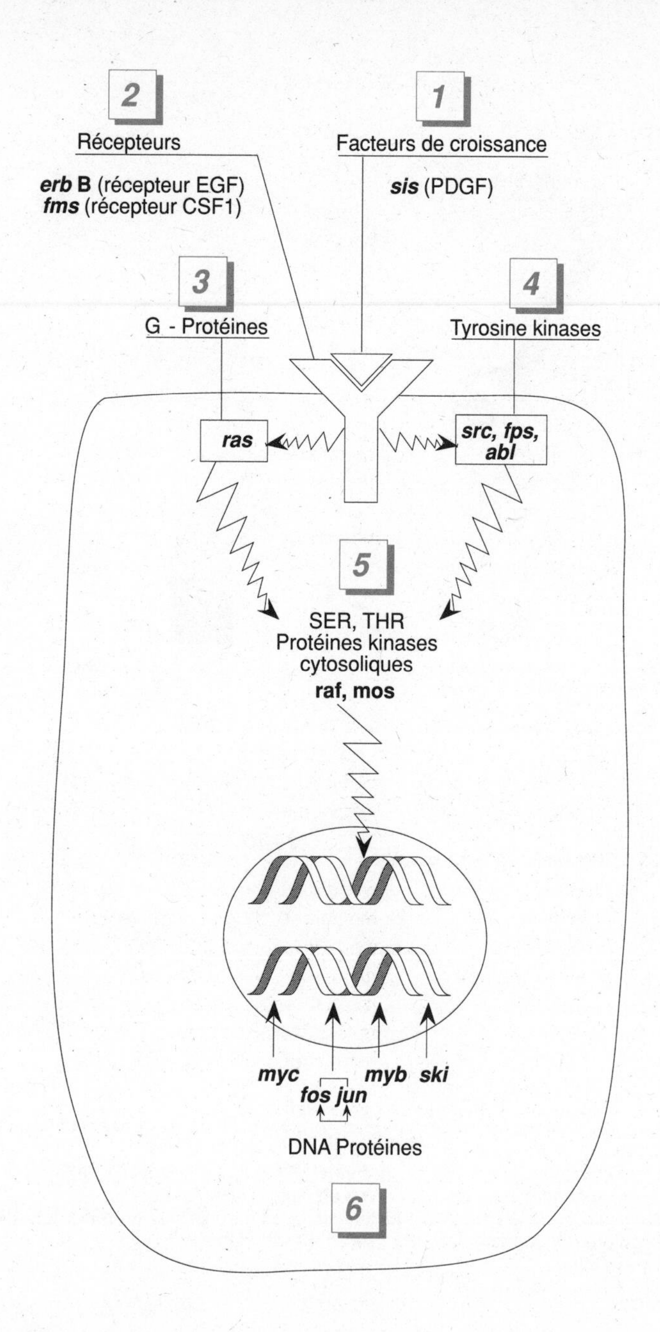

Figure 15-19 Localisation cellulaire et fonction des oncoprotéines
Les protéines des oncogènes déjà identifiés peuvent être classées dans l'une des 6 catégories de facteurs appartenant à la chaîne de signaux intervenant dans le déclenchement de la mitose. Cette classification est provisoire et se compliquera au fur et à mesure de la découverte de nouvelles catégories de signaux.

protéines G_s) l'activité GTPasique est portée par la subunité α. Les protéines **p21^{ras}** spécifiées par les gènes membres de la famille des **oncogènes RAS (Ha-*ras*-1, Ki-*ras*-2, N-*ras*-1)** appartiennent à la catégorie des **petites G-protéines**, dont l'activité GTPasique résulte d'une liaison intermittente avec une protéine activatrice (**GAP** pour *GTPase activating protein*). Des mutations dans chacun de ces éléments ($G_{\alpha s}$, p21^{ras}, GAP) peuvent bloquer la dégradation du GTP, gelant le système dans une forme activée en permanence (Figure 15-20). Des mutations ponctuelles en des points sensibles des gènes RAS (Tableau 15-5) sont les causes les plus fréquentes d'activation de ce système.

Classe 4 : les tyrosines protéine-kinases membranaires

Un grand nombre d'oncogènes entrent dans cette catégorie : **c-src**, **c-*abl***, **c-*fps***, **c-*yes***, **c-*fgr***, **c-*ros***. Ils codent pour des protéines différen-

Tableau 15-14 Classification des oncoprotéines

Oncogène	Protéine	Localisation	Fonction
Classe 1 - Facteurs de croissance			
sis	PDGF (chaîne B)	extra-cellulaire	facteur de croissance
hst	famille FGF	extra-cellulaire	facteur de croissance
int-2	famille FGF	extra-cellulaire	facteur de croissance
Classe 2 - Récepteurs de facteurs de croissance			
erb B	récepteur tronqué d'EGF	membrane plasmique	tyrosine PK
fms	récepteur muté de CSF-1	membrane plasmique	tyrosine PK
kit	récepteur tronqué	membrane plasmique	tyrosine PK
met	récepteur tronqué	membrane plasmique	tyrosine PK
ros	récepteur tronqué	membrane plasmique	tyrosine PK
sea	récepteur tronqué	membrane plasmique	tyrosine PK
trk	récepteur tronqué	membrane plasmique	tyrosine PK
mas	récepteur de l'angiotensine	membrane plasmique	
Classe 3 - Protéines G			
H-ras	$p21^{Hras}$	membrane plasmique	liaison GTP/GTPase
Ki-ras	$p21^{Kiras}$	membrane plasmique	liaison GTP/GTPase
N-ras	$p21^{Nras}$	membrane plasmique	liaison GTP/GTPase
gsp	mutant activé de $G_s\alpha$	membrane plasmique	liaison GTP/GTPase
gip	mutant activé de $G_i\alpha$	membrane plasmique	liaison GTP/GTPase
Classe 4 - Tyrosine protéine-kinases			
src	$pp60^{src}$	membrane plasmique	tyrosine PK
yes	$pp60^{yes}$	membrane plasmique	tyrosine PK
fgr	$pp60^{fgr}$	membrane plasmique	tyrosine PK
lck	$pp56^{lck}$	membrane plasmique	tyrosine PK
abl	$pp150^{abl}$	membrane plasmique	tyrosine PK
fps	$p92^{fps}$	membrane plasmique	tyrosine PK
fes	$p98^{fes}$	membrane plasmique	tyrosine PK
Classe 5 - Sérine protéine-kinases cytosoliques			
mos		cytoplasme	ser/thr PK
raf/mil		cytoplasme	ser/thr PK
pim-1		cytoplasme	ser/thr PK
Classe 6 - Protéines de liaison au DNA			
myc		noyau	facteur transcriptionnel
myb		noyau	facteur transcriptionnel
fos		noyau	facteur transcriptionnel (partie d'AP1)
jun		noyau	facteur transcriptionnel (partie d'AP1)
ets		noyau	facteur transcriptionnel
erb-A	mutant récepteur T3	noyau	facteur transcriptionnel
rel	mutant NF-κB	noyau	facteur transcriptionnel

tes ayant la propriété commune de phosphoryler leur cible protéique sur une **tyrosine**, au lieu d'une sérine ou d'une thréonine comme le font les protéine-kinases « classiques ».

Le problème essentiel est de connaître la cible de ces phosphorylations et la commande en amont. Il existe encore peu d'éléments permettant de répondre à ces questions. Pourtant ***v-src*** fut, nous l'avons vu, le premier oncogène identifié et son produit, la **$pp60^{src}$** — une phospho-protéine

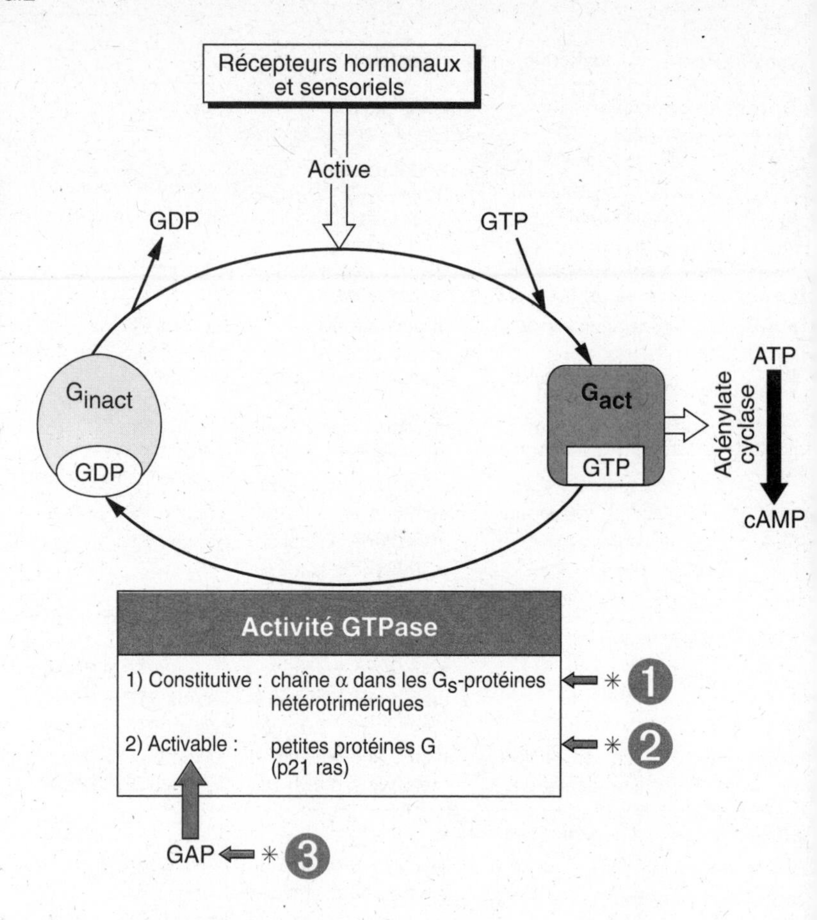

Figure 15-20 GTPase membranaire et oncogenèse
Des mutations inactivantes (*) dans au moins trois cibles différentes peuvent **abolir** l'activité GTPasique, maintenant le système de signalisation sous une forme indûment activée en permanence.
1 : mutations touchant les **grandes protéines G** (effet oncogène « gsp » des tumeurs endocrines : hypophyse, surrénales, ovaires, thyroïde).
2 : mutations activant le **proto-oncogène p21^{ras}** (nombreux cancers, en particulier vessie, côlon).
3 : mutations touchant la protéine de type **GAP** produite par le **gène NF1** (neurofibromatose de Recklinghausen).

autophosphorylable —, a été la première tyrosine protéine kinase découverte. Dans les cellules transformées par le virus du sarcome de Rous, la pp60$^{v\text{-}src}$ est à la fois augmentée et hyper-active, et le niveau des tyrosines phosphorylées dans les protéines cellulaires reflète étroitement l'état transformé chez les mutants thermo-sensibles. On sait maintenant que sa cible principale, une certaine protéine « p36 » longtemps non identifiée, est la **lipocortine II**. Or celle-ci exerce dans les conditions basales un effet inhibiteur sur la phospholipase A2. Sa phosphorylation par la pp60$^{v\text{-}src}$ lèverait cette inhibition et permettrait à l'enzyme de produire de l'acide arachidonique, précurseur des **prostaglandines** qui stimulent la production d'AMP cyclique intra-cellulaire (Figure 15-18).

En fait l'action des oncoprotéines douées d'une activité de tyrosine protéine kinase n'est pas univoque. Elles stimulent aussi la voie des inositol phosphatides, et interagissent avec des protéines de choc thermique ***(heat shock proteins*** ou HSP). Ces effets multiples sont le reflet de l'effet pléiotropique des phosphorylations de protéines.

Quel est le stimulus en amont de ces kinases ? Une réponse est connue pour l'effet du gène transformant **moyen T** du virus du polyome. En effet la protéine moyen T se lie à la pp60$^{c\text{-}src}$ qu'elle stimule. Cette activation est particulière car elle s'accompagne d'un changement du site de phosphorylation, qui passe d'une tyrosine à une autre, exactement comme dans le cas de la protéine virale pp60$^{v\text{-}src}$.

Classe 5 : les protéine-kinases cytosoliques

Les oncogènes **c-*mos*** et **c-*raf*-1** sont des protéine-kinases solubles agissant sur les résidus sérine et thréonine. Leur rôle exact n'est pas connu.

Classe 6 : les protéines à activité nucléaire

Un nombre croissant d'oncoprotéines peuvent être classées dans cette catégorie très hétérogène. Certaines ont été formellement identifiées, c'est-à-dire assimilées à une protéine antérieurement reconnue : le produit de ***c-erb* A** qui est le **récepteur de l'hormone thyroïdienne**, le produit de ***c-jun*** qui est le facteur de régulation transcriptionnelle **AP-1**.

L'oncogène ***c-erb* A** est l'homologue cellulaire d'un oncogène viral présent dans le virus aviaire AEV où il est accompagné par un autre oncogène ***v-erb* B**. Le premier désigne au second la cellule cible à transformer : l'érythroblaste, dont le programme de différenciation terminale est bloqué.

Cet effet de spécificité tissulaire s'éclaire à présent que le facteur a été reconnu comme étant un récepteur de l'hormone thyroïdienne.Le proto-oncogène fait partie de la famille multigénique des récepteurs nucléaires d'hormones (stéroïdes, thyroïdiennes) et d'un morphogène (l'acide rétinoïque), qui ont en commun de posséder un domaine d'homologie riche en cystéine (structure « dactyle ») interagissant avec le DNA (voir chapitre 5). Ces facteurs agissent en se fixant sur des séquences enhancers spécifiques de certains gènes. Ce sont donc des facteurs transcriptionnels **spécifiques de tissus**.

L'entrée dans le cercle des oncogènes de cette catégorie de protéines régulatrices, agissant au niveau le plus élevé — le génome lui-même —, est un fait important (Green et Chambon, 1986), bien que l'on ne connaisse pas encore quels sont les gènes qu'elles trans-activent. La découverte de l'insertion du virus HBV en plein milieu d'un récepteur de l'acide rétinoïque (gène RARB), déjà présentée dans ce chapitre, est un autre exemple des potentialités oncogéniques des protéines de ce type. Le fait que ***v-erb* A** ait perdu le site de fixation de l'hormone thyroïdienne indique quel désastre cellulaire la dérégulation des récepteurs nucléaires est susceptible de déclencher.

L'oncogène appelé ***v-jun*** a été découvert dans un isolat viral sarcomatogène aviaire (ASV-17). Contrairement à tous les autres oncogènes des virus de la série ASV, celui-ci ne code pas pour une tyrosine protéine kinase. L'analyse par ordinateur de la séquence nucléotidique codante — démarche indispensable dans toute opération de génétique inverse — a montré l'existence d'une certaine analogie avec un facteur d'activation transcriptionnelle de la levure, le facteur GCN4, puis d'une très grande homologie voire d'une identité avec le facteur trans-activateur humain **AP-1**. Celui-ci active plusieurs gènes en se liant à leur région promotrice. Parmi les séquences sensibles à cette stimulation figurent la séquence enhancer du virus SV40, le promoteur du gène de la métallothionéine, et surtout le promoteur de plusieurs gènes de protéases inductibles par les **esters de phorbol** (TPA). Ces esters sont de puissants agents promoteurs au cours de la carcinogenèse chimique, probablement via une stimulation de la protéine kinase C (Figure 15-18). L'oncogène ***c-jun***, identique ou homologue au facteur AP-1, est comme ***c-erb* A** au bout de la cascade des événements mitogènes. Celle-ci est en train de se compléter avec deux notions récentes : l'une est l'association de la protéine AP-1 avec l'oncoprotéine ***c-fos*** (ou $p62^{c\text{-}fos}$), l'autre est la stimulation rapide de la transcription de ces deux gènes par l'EGF **(Figure 15-21)**.

Les principaux autres oncogènes nucléaires sont ***c-myc***, ***c-fos***, ***c-myb***, ***c-ski***. Il s'agit de protéines agissant vraisemblablement aussi par liaison directe au DNA et il est tentant de les considérer aussi comme des trans-activateurs. Le rôle de ces gènes comme maillons terminaux de la cascade repose sur le fait que leurs propres messagers ont une durée de vie très brève, de l'ordre de quelques minutes, en raison de la présence sur le transcrit d'une séquence lui conférant une grande instabilité.

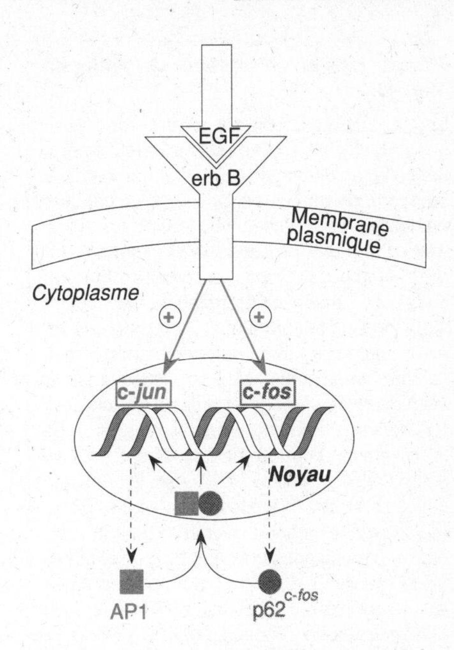

Figure 15-21 Relations possibles entre une oncoprotéine de la membrane et deux oncoprotéines nucléaires
Via son récepteur *c-erb* B (= EGFR) le facteur de croissance EGF stimule les gènes dont les produits respectifs (AP-1 et $p62^{c\text{-}fos}$) forment un complexe protéique trans-activateur de plusieurs gènes essentiels au déclenchement de la mitose. Les points obscurs concernent (i) le mécanisme de la stimulation par EGF de la transcription de *c-jun* et *c-fos* ; (ii) la nature des gènes trans-activés par le complexe AP-1/$p62^{c\text{-}fos}$.

Il est de plus en plus difficile de définir un oncogène

Le qualificatif d'oncogène est devenu difficile à maintenir. Il a surtout eu une valeur opérationnelle, en désignant au départ une certaine catégorie de gènes responsables de cancers particuliers : les cancers viro-induits aigus porteurs d'une version pervertie d'un gène cellulaire impliqué dans le programme de croissance et de différenciation. Mais cette situation est caricaturale, et il est progressivement apparu qu'un nombre sans cesse croissant de gènes sont impliqués. Découverts par les désordres qu'engendrent leurs anomalies qualitatives ou quantitatives, ils font partie de la cohorte innombrable des gènes codant pour des protéines jusqu'ici inconnues. Comme les gènes des locus morbides des maladies génétiques à gène inconnu, les gènes inconnus du cancer bénéficient de la démarche de la **génétique inverse** à laquelle nous nous sommes si souvent référés, et qui se révèle de plus en plus fructueuse (Tableau 15-13). Parfois la recherche des gènes impliqués de près ou de loin dans des cancers conduit à incriminer des gènes « respectables » comme ceux des immunoglobulines, des interleukines, etc. Enfin une catégorie nouvelle de gènes qui semblent agir comme des gènes du maintien de l'ordre, les anti-oncogènes, semble aussi jouer un rôle fondamental dans la pathogénie du cancer. A la limite il y a peut-être des centaines de gènes dont une perturbation quelconque pourrait constituer un maillon dans la chaîne des événements qui conduisent au cancer et à sa progression. Dans ces conditions si l'on veut éviter d'être trop restrictif ou au contraire trop vague il n'est plus possible de donner une définition satisfaisante des termes « oncogène » et « anti-oncogène ».

Cette séquence est faite de répétitions monotones (A-U) sur une longueur de 50 à 60 nucléotides dans la région 3' non traduite du messager. Elle est présente sur tous les transcrits à durée de vie éphémère correspondant à des oncogènes (c-*fos*, c-*myc*, c-*myb*) et à des facteurs de croissance. Curieusement cette séquence est mieux conservée au cours de l'évolution que les parties codantes, ce qui fait penser qu'elle représente un motif commun de reconnaissance par une RNase.

Des lésions portant sur ces séquences pourraient avoir un effet activateur par stabilisation du messager (régulation post-transcriptionnelle).

Les mécanismes d'activation des oncogènes

A la lumière des différentes situations observées dans l'oncogenèse virale et non virale il est maintenant possible de faire un bilan des désordres génomiques impliqués dans le déterminisme des cancers.

Excepté le cas particulier des cancers animaux déterminés par des rétrovirus rapides, la lésion aboutit toujours à une activation d'un proto-oncogène cellulaire, voire à sa fabrication de toutes pièces.

L'intégration virale

Les situations diffèrent selon les virus.

• Un rétrovirus rapide insère un oncogène « armé » : **v-*onc***. Le cas type est représenté par le virus du sarcome de Rous qui apporte **v-*src*** muté. Le LTR viral assure un taux d'expression élevé. Le cancer est aigu et polyclonal. Le site d'insertion est sans importance. Ce type de cancer n'a jamais été observé chez l'homme.

• Un rétrovirus lent dépourvu d'oncogène s'insère à proximité d'un proto-oncogène dont il prend la commande par son propre LTR : c'est l'**intégration-promotion**. Le phénomène est lent, monoclonal et dépend de l'insertion du virus en un site approprié. Il a été mis en évidence chez les aviaires avec l'activation de **c-*myc*** par le LTR d'un virus **ALV**, et chez les rongeurs avec la stimulation de **c-*int*-1** par le LTR de **MMTV**. On ne connaît pas de modèle de ce type en pathologie humaine.

• Un virus s'insère dans un gène de régulation pour former un gène chimère et une protéine hybride : c'est l'**intégration-chimérisme**. L'exemple est fourni par l'insertion du **virus HBV** dans le gène d'un récepteur de l'acide rétinoïque (morphogène) responsable d'un hépatocarcinome. Le cancer se développe très longtemps après l'infection virale.

• Un rétrovirus humain nanti de séquences trans-activatrices s'intègre n'importe où. C'est l'**intégration** avec **trans-activation** par les virus **HTLV I** et **II** portant le gène ***tax*** et déterminant des leucémies T à développement lent et monoclonal.

• Un virus humain à DNA nanti de séquences trans-activatrices s'intègre n'importe où. C'est comme ci-dessus une insertion avec trans-activation dont l'exemple est fourni par les virus **HPV** (surtout HPV-16) dans les cancers du col utérin.

La mutation ponctuelle dans les régions codantes d'un proto-oncogène

L'exemple le plus typique est celui des gènes de la famille **RAS** où nous avons vu que les mutations activatrices sont étroitement localisées sur seulement 4 codons. L'activation est liée à des modifications fonctionnelles de l'oncoprotéine (la perte de l'activité GTPasique maintient en permanence le système sur la position « marche »).

La transposition-activation somatique

Ce mécanisme est à l'origine des **lymphomes** (Burkitt et autres) où des recombinaisons aberrantes rapprochent des gènes de l'immunité et un proto-oncogène (par exemple IgH et **c-*myc***). Il en résulte soit une lésion activatrice de l'oncogène, soit une dérégulation par contiguïté.

Le modèle du lymphone du Burkitt vaut pour de nombreux types de leucémies lymphoïdes avec translocations chromosomiques, lesquelles impliquent presque toujours des gènes d'immunoglobulines ou des gènes du récepteur de cellules T. Les points de cassure siègent dans des séquences semblables aux séquences heptamère-nonamère normalement responsables des réarrangements des gènes de l'immunité, et leurrant les **recombinases**. Ainsi s'expliqueraient ces translocations chromosomiques qui, lorsqu'elles entraînent la juxtaposition de certains gènes, peuvent exercer un effet de **dérégulation en cis**. C'est par l'étude des séquences juxtaposées que l'on a abouti à l'isolement et à la caractérisation d'un certain nombre de gènes impliqués dans ces processus (voir Tableau 15-11). Souvent le gène transposé code pour un facteur transcriptionnel dont la spécificité d'expression tissulaire peut être subvertie par la spécificité d'expression tissulaire imposée par le gène partenaire (immunoglobulines ou récepteur des cellules T).

Il peut être responsable d'une véritable **fusion de gènes** comme c'est le cas dans le **chromosome Philadelphie** de la leucémie myéloïde chronique, où le gène ***bcr*** est fusionné au proto-oncogène **c-*abl***. L'oncoprotéine anormale formée a des propriétés enzymatiques modifiées (exaltation de l'activité tyrosine protéine kinase de **c-*abl***).

On connaît à présent de nombreux exemples d'oncogenèse par **chimérisme protéique**. Les premiers caractérisés sont indiqués dans le Tableau 15-11. Plusieurs gènes non encore identifiés chez l'Homme, comme les homéogènes *hox-11* (anciennement *TCL3*), *pbx-1*, et *trithorax*, ont été ainsi découverts et incriminés grâce à leur fusion avec un autre gène, responsable de la formation d'un mRNA chimère. Particulièrement significatif est le cas de la translocation 15;17, responsable de la leucémie aiguë à promyélocytes, où la subunité α du récepteur de l'acide rétinoïque (gène RARA sur le chromosome 17) est altérée par fusion de son extrémité N-terminale avec une séquence polypeptidique provenant d'un gène du chromosome 15. Ce gène (anciennement ***myl***) est appelé ***PML*** pour *promyelocytic leukemia*. Celui-ci code pour une nouvelle protéine à doigt de zinc, agissant probablement comme un facteur transcriptionnel myéloïde. Dans la protéine chimère une partie est fusionnée au produit du gène RARA dont les domaines de fixation de l'hormone et au DNA sont préservés. On ignore comment cette protéine monstrueuse peut exercer un effet dominant (il demeure une copie intacte de chacun des gènes responsables), de même on n'a pas encore élucidé l'effet spectaculaire, mais temporaire, sur la leucémie promyélocytaire de l'acide rétinoïque administré à fortes doses.

L'amplification génique

Le nombre de copies d'un proto-oncogène est multiplié par 10 à 100. Il est surexprimé. Cet accident serait un phénomène tardif au cours de l'évolution du cancer, touchant surtout les gènes de la famille **MYC**.

La stabilisation du RNA messager d'un proto-oncogène

Ce phénomène concerne essentiellement les oncogènes dont les transcrits ont une durée de vie très courte (oncoprotéines nucléaires). Il a été démontré pour **c-*myc*** dans certains lymphomes de Burkitt avec amputation de la partie 5' non codante du RNA messager. Il faut noter que dans

Une perte de fonction dans un anti-oncogène peut être dominante

Les mutations induisant un **gain de fonction** sont habituellement dominantes : c'est ainsi qu'on explique l'effet oncogène de l'activation d'une seule copie d'un proto-oncogène.

Les mutations induisant une **perte de fonction** sont habituellement récessives : dans la plupart des cas un seul événement touchant un anti-oncogène ne suffit pas à déclencher une tumeur, la copie non mutée du gène suffisant à maintenir la cellule dans un état normal.

Dans certains cas cependant il semble qu'un seul événement touchant une seule copie d'un anti-oncogène puisse avoir un effet dominant (certaines mutations dans p53, et les mutations dans le gène APC). On peut avancer deux explications à cet apparent paradoxe : (i) il peut exister un effet de dose, la quantité de protéine produite par un seul gène étant insuffisante. L'effet anti-oncogénique est alors stoechiométrique, et un seul événement produit une « haplo-insuffisance » ; (ii) une copie de l'allèle muté inactive son équivalent normal en formant un complexe hétéro-dimérique non fonctionnel.

ces exemples, la partie amputée n'est pas la partie destabilisante en 3' du messager, mentionnée précédemment.

La perturbation d'un anti-oncogène

La lésion sur chacun des chromosomes peut être une délétion ou n'importe quelle mutation inactivatrice. Elle porte sur un gène dominant exerçant un effet inhibiteur sur la division cellulaire. L'homozygotie est atteinte à la suite de deux événements touchant successivement la même cellule. Le premier événement est soit germinal (formes familiales), soit somatique (formes sporadiques) ; le second événement est toujours somatique. L'exemple le mieux connu est celui du rétinoblastome, mettant en jeu le seul anti-oncogène déjà cloné **(RB)**.

Comme nous l'avons déjà souligné, certaines mutations hétérozygotes de p53 peuvent avoir un effet dominant. Le problème de la dominance d'une perte de fonction est discuté dans l'encadré.

L'oncogenèse par des gènes trans-activateurs exogènes

La plupart des mécanismes primaires envisagés jusqu'à présent font intervenir un effet en cis. Il est maintenant avéré que le pouvoir oncogénique de certains virus humains, dont l'effet est a priori indépendant de leur site d'activation, est dû à la production par le provirus intégré de facteurs trans-activateurs, agissant sur des gènes cellulaires endogènes jouant un rôle critique dans des phénomènes comme la prolifération, la différenciation, l'apoptose. Le premier exemple connu est celui de la protéine **TAX**, spécifiée par le gène *tax* du virus **HTLV1** (homologue de *tat* du virus HIV), qui stimule en trans un certain nombre de gènes de cytokines, soit directement par liaison au DNA, soit indirectement par liaison à des facteurs protéiques comme NF-κB.

Le cancer n'est pas une maladie mono-factorielle

La mise en évidence des facteurs élémentaires que sont les oncogènes et les anti-oncogènes pourrait faire penser que la perversion ou le déchaînement d'un seul gène suffit à provoquer un cancer*. Cette vue réductionniste, indispensable lorsque l'on tente de disséquer expérimentalement un processus complexe, ne résiste pas à l'examen des faits.

Au niveau moléculaire : nous avons vu le phénomène de **coopération** entre oncogènes dits « immortalisants » et oncogènes dits « transformants ». L'étude biochimique des protéines commence aussi à révéler des interactions moléculaires de type protéine-protéine, soit entre oncoprotéines (**c-*jun*** et **c-*fos***), soit entre une oncoprotéine et une « anti-oncoprotéine » (RB1 et E1A). Ces faits sont de connaissance très récente et démontrent que les produits de gènes indépendants forment un réseau interdépendant. C'est ce réseau qu'il faut maintenant patiemment reconstituer.

D'autre part certains oncogènes ont un effet pléiotrope à cause de leur effet trans-activateur de plusieurs autres gènes.

Au niveau cellulaire : bien que les cancers dérivent d'une prolifération cellulaire monoclonale, l'hétérogénéité phénotypique des cellules tumorales est une donnée constante. Elle résulte d'une hypermutabilité des cellules du clone tumorigène qui engendre à son tour des sous-populations secondaires. Parmi celles-ci certaines se distinguent par des caractères

* On a fait justement remarquer que si une mutation unique dans un gène *ras* suffisait pour déterminer un cancer, tous les membres de l'espèce humaine mourraient avant l'âge de la reproduction.

acquis en cours de route : **résistance** à la chimiothérapie, pouvoir **invasif**, pouvoir **métastatique**.

La résistance à la chimiothérapie de certaines cellules cancéreuses a reçu une explication moléculaire. Elle résulte de l'amplification génique d'un gène, le gène ***mdr*** (locus MDR2 en 7q36) codant pour une protéine de 140 kDa (appelée P-glycoprotéine) qui joue le rôle d'une pompe refoulant hors de la cellule les molécules administrées pour la chimiothérapie des cancers. Le phénomène est en tout point semblable à celui de la classique amplification du gène de la di-hydrofolate réductase (DHFR) dans les cellules cultivées en présence de méthotrexate. Même si au départ le phénomène est clonal ou pauci-clonal, les cellules concernées finissent par envahir la population tumorale en raison de leur avantage sélectif.

Le pouvoir métastatique des cellules cancéreuses est un caractère apparaissant secondairement au cours de l'évolution, il fait partie avec le pouvoir prolifératif et le pouvoir invasif de caractères témoignant d'un phénomène capital, celui de la **progression** tumorale. Ce problème bénéficie maintenant de l'approche de la génétique moléculaire.

Deux approches expérimentales ont été utilisées. La première consiste à essayer de savoir si le pouvoir métastatique est transférable par transfection de cellules transformées non métastasiantes avec du DNA provenant de tumeurs métastatiques. Une première réponse a été affirmative, ce qui devrait conduire, si elle se confirme, à l'isolement et au clonage d'une séquence responsable. Celle-ci pourrait être soit un oncogène déjà connu, soit un autre type de gène déjà connu, soit un nouveau gène qui aurait subi une activation **secondaire** dans un sous-clone tumoral.

L'autre approche consiste à mettre en évidence des anomalies portant sur des oncogènes déjà connus. La plus communément rencontrée est l'**amplification**, en particulier des gènes de la famille ***MYC*** dans les stades avancés des neuroblastomes et des cancers pulmonaires à petites cellules. On a également trouvé des anomalies multiples portant sur des oncogènes différents, voire sur un même oncogène. On a même observé dans le carcinome cutané expérimental de la souris un passage à l'homozygotie d'une mutation dominante dans un gène *RAS*, ou son amplification.

En cancérologie humaine, ce problème est surtout étudié à propos du cancer du sein, à la recherche de facteurs pronostiques. L'amplification de certains oncogènes (***neu*** = NGL, ***erb*** **B**, ***int*-2**) semble pouvoir être corrélée avec le risque de récidive post-opératoire. Un autre mécanisme plausible dans la progression tumorale pourrait être la perte homozygote d'un anti-oncogène, notamment **RB**.

La multiplicité des anomalies trouvées témoigne de la grande instabilité génétique des clones de cellules cancéreuses. Il sera important de déterminer s'il existe un ordre stéréotypé dans l'apparition des différentes lésions du DNA.

Manifestement de nombreux faits demeurent ignorés, tant en ce qui concerne l'initiation des cancers que leur progression, mais les progrès méthodologiques et conceptuels accomplis ces dernières années laissent augurer d'un rythme soutenu et même accéléré de découvertes.

Les courants actuels en oncogenèse moléculaire

Malgré la complexité croissante du tableau qui se dessine depuis la découverte du premier oncogène, une donnée importante domine : un nombre relativement restreint de gènes sont impliqués dans le déterminisme des cancers. Il faut donc en dresser un inventaire exhaustif, et élucider, au niveau moléculaire et cellulaire, leur rôle physiologique et pathologique.

Identifier tous les gènes de cancer

Tout porte à croire que chaque gène impliqué dans la régulation d'une fonction cellulaire essentielle (comme l'expression des gènes tissu-spécifiques, la mitose, la morphogenèse, la différenciation, la mort programmée) peut, s'il est subverti, donner lieu au cancer, soit par un effet positif (activation d'un gène stimulateur), soit par un effet négatif (inactivation d'un gène freinateur). On est loin d'avoir identifié tous ces gènes, tout simplement parce que l'inventaire des gènes humains n'en est qu'à ses débuts. Cet inventaire est en cours grâce aux progrès de la **génétique inverse** et à l'étude des lésions du **DNA tumoral** lui-même. Ces deux approches combinées ont permis d'obtenir les premiers succès avec le clonage et l'identification des premiers anti-oncogènes impliqués dans le rétinoblastome **(Rb)**, la tumeur de Wilms **(WT1)**, la neurofibromatose de type 1 **(NF1)**, la polypose colique **(APC)**. Les anomalies chromosomiques clonales sont un excellent fil conducteur, même s'il est souvent très difficile à dénouer en raison de la fragilité chromosomique secondaire qui est une des constantes de la cellule cancéreuse. Environ une douzaine de gènes ont été identifiés à la jonction de deux chromosomes transloqués. Parmi eux on trouve des gènes de développement **(homéogènes)**, des morphogènes **(récepteurs de l'acide rétinoïque)**, des gènes impliqués dans le cycle cellulaire **(cyclines)**. La connection entre des cyclines d'une part et d'autre part des oncoprotéines (c-*src* et c-*abl*) et des anti-oncoprotéines (p53 et RB) est maintenant établie. Enfin la mort programmée des cellules **(apoptose)** est elle-même régulée par des protéines appartenant à la filière du cancer : inhibée par le produit de l'oncogène ***bcl-2***, stimulée par celui de l'anti-oncogène **p53**.

Élucider le rôle des gènes de cancer

La plupart de ces gènes ont été découverts par l'effet pathologique de leur version subvertie, et leur fonction physiologique précise demeure inconnue. Les progrès accomplis dans la **recombinaison homologue** dans les cellules ES (voir chapitres 12 et 17) permettent d'effecteur le ***knock-out*** de n'importe quel gène. Elle commence en particulier à être appliquée à un nombre croissant d'oncogènes et d'anti-oncogènes (voir encadré page 312). En permettant d'étudier sur l'animal entier les effets de l'abolition hétérozygote et homozygote d'un gène de la filière cancer, cette stratégie doit fournir des enseignements précieux, et pas nécessairement imaginables a priori (l'oncoprotéine **myb** est apparue à la lumière de ce type d'expérience comme un facteur hématopoiétique du foie fœtal).

Ces étapes sont les préalables à l'analyse multifactorielle qui seule pourrait livrer la clé de la compréhension du déterminisme et de la progression des cancers. Même si le réseau intriqué de la *« cancer connection »* et l'équilibre qui le régit sont loin d'être élucidés, une compréhension même très fragmentaire peut déjà déboucher sur des stratégies thérapeutiques originales.

BIOLOGIE MOLÉCULAIRE ET CANCÉROLOGIE MÉDICALE

En attendant que les nombreuses questions en suspens soient résolues, la biologie moléculaire a déjà un impact concret sur la pratique médicale. Nous évoquerons brièvement les principales applications.

Les cancers d'origine virale

La détection par hybridation moléculaire des génomes des virus **HBV** chez les porteurs chroniques et dans les biopsies hépatiques est entrée dans la pratique (voir chapitre 16). Dans la pathologie associée au virus **HPV**, essentiellement les cancers ano-génitaux, et surtout le cancer du col utérin, le génome des différents types peut être mis en évidence par hybridation moléculaire dans des fragments biopsiques, et même des frottis (voir chapitre 16).

L'onco-hématologie

La première utilisation des méthodes de la biologie moléculaire a consisté à rechercher la monoclonalité des lymphomes, soit dans un but diagnostique, soit dans un but de typage, soit dans un but pronostique. Nous en avons décrit la méthodologie dans le chapitre 13. Rappelons ici que l'on recherche habituellement un réarrangement monoclonal de gène d'immunoglobuline pour les lymphomes B ou de récepteur des lymphocytes T (TCR) pour les lymphomes T (voir figure 13-22). Cette méthode n'est cependant ni assez spécifique, ni assez sensible, et elle ne s'est pas imposée en pratique courante.

Les fusions stéréotypées de gènes, comme dans la **leucémie myéloïde chronique** (fusion des gènes *bcr* et *abl* dans le chromosome Ph^1), ou le **lymphome folliculaire** (translocation t(14;18) avec fusion des gènes IgH et *bcl*-2) commencent à pouvoir être explorées (voir figure 13-24). La méthode est d'une très grande spécificité car l'emploi de la technique d'amplification élective in vitro (PCR) permet d'atteindre une sensibilité extraordinaire (1 cellule sur 100 000). Une limitation considérable de la méthode concerne les cas où, comme dans le chromosome Ph^1, les points de cassure sont introniques et variables, ce qui empêche de prévoir la séquence des amorces d'amplification. L'application de la méthode PCR à la détection des RNA messagers chimères, dont on connaît par contre précisément la séquence, est de nature à résoudre cette difficulté. Cette détection est appelée à rendre les plus grands services, en particulier dans la surveillance de la **maladie résiduelle**.

Les cancers héréditaires

C'est pour l'instant seulement le **rétinoblastome** qui bénéficie déjà du diagnostic prénatal, et du diagnostic **présymptomatique**, puisque le gène RB est cloné. La méthodologie consiste à étudier le DNA constitutionnel des porteurs à risque soit pour y rechercher une délétion hétérozygote (voir figure 13-3), ce qui est toujours techniquement délicat, soit pour y analyser les RFLP que permettent de détecter les sondes du gène RB (voir figure 13-21). Il faut souligner l'intérêt pratique que revêt le diagnostic prédictif chez les nourrissons à risque. Si celui-ci est écarté par l'analyse du DNA ils ne sont plus astreints à une surveillance ophtalmologique contraignante.

Les autres cancers héréditaires mentionnés dans le tableau 15-13 devraient pouvoir bénéficier assez rapidement de ce type d'investigation, dès que des sondes suffisamment proches du locus seront obtenues.

Les tumeurs solides de l'adulte

Dans cette catégorie de cancers, qui sont les plus courants, les applications de la biologie moléculaire se font attendre.

L'aide au diagnostic, par la caractérisation de la lésion activant l'oncogène, n'est pas encore pratiquée. Même si l'on a fait d'immenses progrès dans le pouvoir de détection des mutations ponctuelles (méthode PCR qui est même applicable à des fragments biopsiques fixés par les techniques histologiques), il faut avoir une connaissance a priori de la mutation à détecter. Or, nous l'avons vu, hormis quelques cas privilégiés les lésions sont rarement stéréotypées et univoques.

En attendant que la systématisation des lésions dans les oncogènes ait suffisamment progressé, il faut définir la place de la biologie moléculaire par rapport aux techniques d'investigation morphologique classiques. Les techniques d'hybridation moléculaire pourraient avoir un intérêt dans trois circonstances :

• Pour les *états précancéreux* on est encore à la recherche de mutations spécifiques ayant une valeur prédictive à un stade précoce où le diagnostic histologique est impuissant. Les espoirs fondés sur la découverte des mutations dans les gènes ***RAS*** n'ont pas été confirmés.

On tend maintenant à rechercher des associations de mutations dans différents oncogènes ou anti-oncogènes. Cette recherche est considérablement facilitée par la méthode PCR. De plus celle-ci est très sensible et peut détecter des anomalies dans une population cellulaire très minoritaire. On peut aussi prévoir le développement de l'analyse des produits d'expression des oncogènes et anti-oncogènes, c'est-à-dire :

— les RNA messagers étudiés soit in vitro, soit in situ sur les coupes histologiques ;

— les oncoprotéines étudiées à l'aide d'anticorps monoclonaux.

• Pour apprécier les *facteurs pronostiques* (invasivité, risques de métastases, risques de récidive). C'est dans ce domaine que la biologie moléculaire pourrait apporter une contribution vraiment originale. Nous avons déjà mentionné les premiers résultats obtenus dans ce domaine.

• Pour effectuer un *diagnostic de prédisposition* : il ne s'agit plus ici des rares cancers héréditaires mentionnés précédemment, mais des facteurs génétiques qui pourraient être mis en évidence dans les familles où la fréquence de certains cancers est anormalement élevée (par exemple le cancer du sein)*. De tels marqueurs de risques permettraient de détecter les sujets prédisposés non seulement dans ces familles particulières, mais dans la population générale**.

Tableau 15-15 Exemples d'expériences où un transfert de gène ex vivo dans des lignées cancéreuses a entraîné une suppression du phénotypique cancéreux

Gène transféré	Lignée cellulaire	Auteurs
RB	rétinoblastome, ostéosarcome, prostate	Huang et al, 1988
RAP1A (K-rev)	cellules transformées par RAS	Kitayama et al, 1989
p53	cancer colique, ostéosarcome, gliome	Mercer et al, 1991
NF1	neurofibromatose 1	Declue et al, 1991
NME1 (nm23)	mélanome	Leone et al, 1991
JE/MCP1	ovaire	Rollins et al, 1991

* Une liaison entre un gène de susceptibilité au cancer précoce du sein et le locus anonyme D17S74 en 17q21 a pu être obtenue grâce à l'analyse génétique de 23 familles très étendues comportant 146 cas, avec un lod score de 5.98. Ce gène ne peut être p53 qui est sur le bras court du chromosome 17. En revanche le lod score de ce marqueur est négatif dans les familles à cancer du sein d'apparition tardive, ce qui indique une hétérogénéité de la prédisposition.

** Un polymorphisme génétique fréquent affectant un gène de la superfamille du cytochrome P450 et inactivant son produit, la débrisoquine 4-hydroxylase, chez 5 à 10 p. 100 des sujets dans la population, paraît pouvoir entrer dans cette catégorie (Gonzalez et al, 1988). En effet, les sujets présentant le déficit — les « non-métaboliseurs » — auraient une sensibilité accrue vis-à-vis de carcinogènes chimiques environnementaux (risque de cancer pulmonaire, vésical et hépatique).

Il n'est pas possible de conclure un tel chapitre sans indiquer que les progrès de la biologie moléculaire des cancers devraient déboucher sur des stratégies thérapeutiques originales. Certaines d'entre elles sont évoquées dans le chapitre consacré à la thérapie génique (chapitre 17). La démonstration récente d'un effet d'extinction du phénotype cancéreux, obtenu ex vivo par transfert de divers anti-oncogènes **(Tableau 15-15)**, ouvre en particulier des perspectives intéressantes.

Sélection de références bibliographiques : voir page 733.

16 Pathologie due à des génomes exogènes

La caractérisation des génomes des micro-organismes présente un intérêt fondamental qui dépasse le cadre de cet ouvrage. Nous ne développerons ici que les aspects **diagnostiques** de la question.

La diversité taxonomique des organismes étrangers infectant l'organisme humain est considérable, et à l'intérieur d'un même genre il existe souvent un grand nombre d'espèces différentes. Cette diversité est sous-tendue par des différences de séquences d'acides nucléiques. Elle peut donc être révélée par les méthodes d'**hybridation moléculaire** et d'**amplification élective in vitro** (PCR) dont le pouvoir discriminatif est considérable. Toute infection ou infestation par un micro-organisme bactérien, viral, fungique ou parasitaire doit pouvoir être détectée si l'on possède une ou plusieurs séquences nucléotidiques spécifiques du génome de cet organisme (sonde clonée ou oligonucléotide).

L'approche de la biologie moléculaire permet de déceler la présence ou l'absence du génome étranger dans l'échantillon biologique examiné, même s'il est intégré dans le génome de la cellule hôte (forme provirale de certains virus pathogènes). En outre elle permet dans certains cas d'effectuer un typage du micro-organisme : identification de l'**espèce**, détection de certains gènes de **résistance aux antibiotiques**.

UN CAHIER DES CHARGES DU DIAGNOSTIC GÉNOTYPIQUE DES BACTÉRIES, DES VIRUS, DES PARASITES

La très grande spécificité de la biologie moléculaire est en même temps une contrainte car l'emploi d'une sonde implique un choix préalable, et le diagnostic est nécessairement **ciblé**.

Pour pouvoir constituer un réel progrès par rapport aux méthodes classiques (mise en culture, caractérisation microbiologique, typage sérologique, détection indirecte par la présence d'anticorps), l'hybridation moléculaire doit offrir les avantages suivants :

— simplicité et rapidité (perspectives d'automatisation) ;

— possibilité de détecter des agents infectieux difficiles ou impossibles à cultiver in vitro ou qui cultivent lentement ;

— possibilité d'effectuer la détection directement au sein d'une flore commensale et sur n'importe quel échantillon pathologique (sang, urine, fécès, LCR, liquide d'épanchement, prélèvement biopsique, etc.), c'est-à-dire sans présélection de l'agent recherché par une culture préalable (population microbienne mélangée) ;

— possibilité d'estimer la quantité d'organismes pathogènes dans les milieux complexes.

Considérations techniques

Celles-ci concernent la nature des sondes, les conditions d'hybridation, le caractère génotypique étudié et sa détection.

Les sondes

Elles doivent permettre une reconnaissance spécifique de l'organisme recherché et ne pas hybrider avec les séquences de l'hôte (DNA et RNA humains). Elles doivent correspondre à des séquences génomiques aussi stables que possible dans cet organisme, ce qui peut poser un réel problème pour certains génomes particulièrement instables (virus HIV).

Il peut s'agir de **séquences uniques** codantes ou non codantes du génome de l'agent infectieux.

L'utilisation des sondes correspondant à des **séquences répétées** dans le génome du micro-organisme permet d'augmenter la sensibilité. Tel est le cas des sondes spécifiques du RNA ribosomal bactérien, dont il peut exister jusqu'à 10 000 copies par cellule. En choisissant judicieusement la séquence répétée utilisée comme sonde, on peut moduler le degré de spécificité et parvenir à des niveaux variables de discrimination : par exemple bactéries Gram + /Gram –, entérobactéries/non-entérobactéries, espèces différentes.

Pour la détection des **parasites**, comme *Plasmodium falciparum* (paludisme) ou *Brugia malayi* (filariose), des sondes de DNA répétitif non codant ont été également employées avec succès. Pour *Leishmania* c'est le DNA mitochondrial qu'on détecte.

Ainsi chaque micro-organisme représente un problème particulier, et le choix de la séquence qui servira de sonde est une étape décisive. Une connaissance étendue des séquences dans les différentes espèces, sous-espèces et souches, permet de moduler à volonté la spécificité des sondes utilisées. Par exemple une sonde de la région 3' des entérovirus est peu spécifique, et ne permet qu'une détection générale des virus appartenant à cette catégorie. En revanche la région 5' est beaucoup plus discriminative, et une sonde correspondant aux 220 premiers nucléotides peut reconnaître spécifiquement le **poliovirus**.

L'emploi d'**oligonucléotides** de synthèse de taille variable permet parfois de moduler à volonté la spécificité de détection. Ainsi, selon la nature de la séquence du gène de structure de la thymidine kinase sélectionnée, on peut obtenir une sonde strictement spécifique du virus HSV-1, ou du virus HSV-2, ou des deux.

Avec l'avènement de la méthode PCR les oligonucléotides de synthèse sont devenus des outils indispensables, tant comme amorces d'amplification que comme sondes. C'est pourquoi la connaissance des séquences nucléotidiques est un préalable incontournable.

Les procédures d'hybridation

Quel que soit le procédé choisi, les conditions de stringence conditionnent le degré de discrimination : une même sonde peut, à forte stringence, ne reconnaître qu'une souche bactérienne donnée, et à faible stringence reconnaître tous les représentants de la même espèce ou famille.

Différentes procédures d'hybridation ont été utilisées avec succès sans qu'un protocole universel n'ait été dégagé. En effet celui-ci doit être adapté à la nature et à l'état de la cible.

• Dans *l'hybridation sur support fixe*, la cible à analyser est déposée sous forme de tache calibrée sur une membrane (nitro-cellulose ou nylon) où elle est dénaturée et fixée, puis hybridée (après une étape de préhybridation pour saturer les sites non spécifiques de la membrane) et lavée à une stringence donnée. L'échantillon déposé peut être du DNA que l'on a déjà extrait (technique dite de *dot-blot*), ou être au contraire sous forme brute, suspension de micro-organisme cultivé, ou échantillon pathologique, comme le sérum pour la détection du virus HBV, on parle alors de *spot-test*). Une variante de la méthode consiste à immobiliser la sonde, et non plus la cible, sur une plaque de micro-titration ou le fond d'un tube. Ce procédé se prête bien à l'analyse automatique si la détection finale est colorimétrique. Il est utilisé dans la technique dite d'**hybridation-sandwich**, où une première sonde, non marquée et immobilisée sur une membrane, sert à capturer la cible, et une deuxième sonde, marquée et non complémentaire à la première, sert pour la détection de la cible **(Figure 16-1)**.

• *L'hybridation en solution* se prête à l'analyse des échantillons biologiques bruts où la cible est libérée puis hybridée dans le même milieu. L'hybridation est accélérée par un facteur 10 par rapport à l'hybridation sur support solide, car les chances de collision entre sonde et cible sont augmentées. Le problème est ici de séparer les duplex formés par l'hybridation entre sonde et cible, par exemple sur hydroxyapatite qui retient le DNA double-brin. Cette procédure est encore peu employée mais, comme elle se prête bien à l'automatisation, elle est certainement appelée à se développer.

• *L'hybridation in situ* consiste à détecter la cible par hybridation moléculaire sur des coupes de tissu ou de cellules. Elle est particulièrement utile en **virologie** où elle permet de visualiser dans une seule cellule soit le génome viral, soit ses transcrits . Cette méthode est idéale pour l'étude des **virus lents** (type Visna) où très peu de cellules sont infectées.

• *L'analyse par la méthode de Southern* explore non seulement la présence ou l'absence de la cible, mais sa carte de restriction. Elle est donc beaucoup plus spécifique. Elle permet de procéder à l'identification d'une espèce bactérienne, d'un parasite. Elle permet, d'autre part, de détecter les copies de **provirus** intégrées dans le génome humain.

Le problème de la sensibilité

Le marquage de la sonde par incorporation d'α-^{32}P-désoxynucléosides-triphosphates et la détection des hybrides par autoradiographie reste le procédé le plus couramment employé, en raison de sa grande sensibilité. Celle-ci permet de détecter une cible dont la quantité est $\leqslant$ 1 pg (soit moins de 10^6 copies d'une séquence de 1 kb). Cette sensibilité correspond à celle qui est couramment requise pour l'exploration des gènes humains par la méthode de Southern. S'agissant de DNA exogène, on voit que l'échantillon à analyser doit comporter un nombre minimum de copies.

Le problème de la sensibilité a jusqu'à présent constitué un obstacle majeur au développement en routine des procédés de marquage par des procédés non radio-actifs (voir chapitre 25). En effet aucun des nombreux procédés proposés, parfois très ingénieux, n'a réussi à égaler le seuil de sensibilité atteint par le marquage au ^{32}P. Pourtant l'utilisation de **sondes froides** — où le marquage est stable pendant très longtemps (des mois ou des années) — représenterait un progrès très souhaitable. Il permettrait enfin l'automatisation, et le diagnostic par hybridation moléculaire

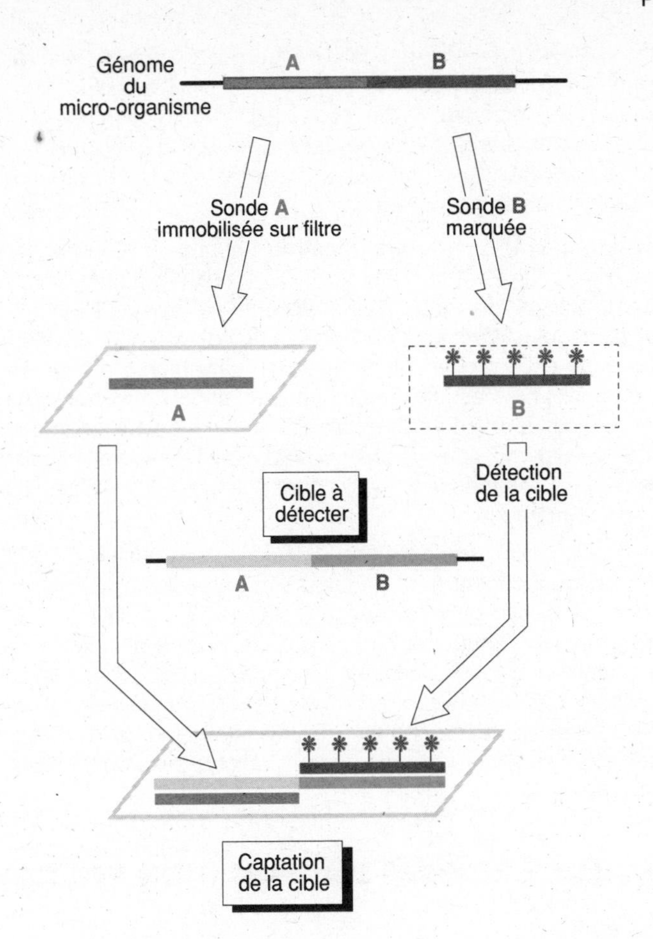

Figure 16-1 **Principe de la méthode d'hybridation « sandwich »**
La cible est captée par la sonde immobilisée (A), puis détectée par la sonde marquée (B).

deviendrait une véritable méthode de routine en microbiologie. Il est prévisible que le jour où ce problème sera résolu, l'industrie des biotechnologies offrira aux laboratoires de bactériologie, virologie et parasitologie une gamme croissante de trousses *(kits)* comportant toutes les sondes nécessaires sous une forme pré-marquée.

En attendant ces progrès, une autre manière d'améliorer la sensibilité est d'augmenter substantiellement la quantité de **cible**. Ceci peut être obtenu par culture préalable du micro-organisme quand cela est possible, mais on perd alors de vue l'objectif essentiel qui est de s'affranchir des méthodes bactériologiques classiques en effectuant un diagnostic par hybridation directe. Un autre moyen est d'explorer le **RNA ribosomal**, qui est une cible naturellement amplifiée. L'utilisation de sondes spécifiques du RNA ribosomal, lorsqu'elle est possible, revient à multiplier la sensibilité par un facteur pouvant atteindre 10^4 par rapport aux sondes de séquences uniques.

La méthode PCR a déplacé le problème de la sensibilité

La **méthode PCR**, en permettant l'amplification élective in vitro de n'importe quelle cible comprise entre deux amorces de séquence connue, a complètement bouleversé les données du problème. En effet la cible est amplifiable à volonté, par un facteur d'au moins 10^5, en quelques heures seulement. Il n'y a pas de seuil de sensibilité, puisqu'une seule copie présente dans le tube à essai peut être détectée (voir chapitre 21). La méthode est donc en mesure de résoudre très généralement tous les problèmes de sensibilité, quel que soit le micro-organisme que l'on veut détecter. Ce faisant, elle permet enfin de recourir aux sondes non radioactives et ouvre la voie à l'automatisation.

En réalité, si la méthode PCR a résolu le problème de la détection des cibles très faiblement représentées, son utilisation a fait apparaître des problèmes nouveaux justement liés à sa **trop grande** sensibilité. Deux ordres de problèmes se posent :

• **les faux positifs par contamination :** si une seule copie de DNA peut servir de matrice à la méthode PCR, on risque d'amplifier spécifiquement une copie qui se trouverait présente par accident dans le tube à essai. Le risque majeur provient non pas tant d'une contamination classique que de celle provenant de copies d'amplimères précédemment engendrés par PCR, lesquels imprègnent le matériel et l'atmosphère du laboratoire (sous forme d'aérosol). Ce dernier type de contamination, qui ne peut être évité qu'au prix de précautions draconiennes (voir chapitre 21), représente un écueil important qui s'oppose à la généralisation et à la banalisation de la méthode ;

• **les positifs non significatifs :** la détection en quantité infime d'une séquence correspondant à un gène de virulence ne signifie pas nécessairement que celui-ci est exprimé (gène silencieux). Ici, détection ne veut pas dire virulence. D'autre part un gène de résistance peut se comporter différemment selon l'hôte bactérien (par exemple les conséquences ne sont pas les mêmes chez une bactérie à Gram + et une bactérie à Gram –). On ne doit donc pas tout attendre de la méthode PCR qui ne peut prétendre supplanter les méthodes phénotypiques de la microbiologie classique.

QUELQUES EXEMPLES D'APPLICATION PRATIQUE

Bactéries

En **bactériologie générale** l'hybridation moléculaire a déjà permis de remporter des succès spectaculaires dans le domaine de la **taxonomie**, avec la découverte de l'étendue du phénomène de **circulation génétique** entre des bactéries extrêmement distantes sur le plan de l'évolution (échange de gènes entre micro-organismes très différents, tel le passage de gènes de résistance aux antibiotiques d'un germe à Gram + à un germe à Gram – , ou vice versa).

En **bactériologie médicale**, l'intérêt des sondes moléculaires a suscité le développement des protocoles et la commercialisation d'un nombre croissant de trousses de diagnostic (voir encadré). Les applications les plus intéressantes sont celles où l'hybridation moléculaire est a priori susceptible d'être plus performante que les techniques classiques. Trois domaines semblent être prioritaires :

— la caractérisation des germes **fastidieux** — dont la croissance lente empêchait jusqu'à présent tout diagnostic rapide —, comme par exemple les mycobactéries (bacille de Koch, bacille de la lèpre), les tréponèmes (syphilis), les *Brucella*, les *Chlamydia* ;

— la **détection directe d'un agent pathogène** dans un mélange polymicrobien (prélèvement de gorge, produit d'expectoration, fécès). Cette application est d'interprétation facile pour les germes strictement pathogènes. Elle est d'interprétation plus difficile pour les germes dont le caractère pathogène dépend de la quantité présente (pneumocoque, *Haemophilus*), et doit être assortie d'une estimation quantitative ;

— la détection rapide des germes (*Salmonella, Listeria, Brucella,* etc.) et des gènes de virulence (entérotoxines) qui ne doivent pas être présents dans l'**alimentation**.

Quelques micro-organismes détectés par des sondes commercialisées sous forme de trousses

Borrelia burgdorferi
Campylobacter
Chlamydia trachomatis
Enterococcus jejuni
Escherichia coli
Haemophilus influenzae
Legionella pneumophila
Listeria monocytogenes
Mycobacterium avium
Mycobacterium avium complex
Mycobacterium bovis
Mycobacterium fortuitum
Mycobacterium gordonae
Mycobacterium intracellulare
Mycobacterium kansasii
Mycobacterium paratuberculosis
Mycobacterium tuberculosis
Mycoplasma pneumoniae
Neisseria gonorrhoeae
Salmonella
Staphylococcus aureus
Streptococcus A
Streptococcus B
Streptococcus pneumoniae
Yersinia enterocolitica

On peut en outre prévoir un important développement de la détection par des sondes spécifiques des **gènes de résistance aux antibiotiques**, notamment pour le traitement des infections nosocomiales dues à des souches multi-résistantes.

Virus

En **virologie médicale**, le diagnostic par hybridation permet en principe de s'affranchir des techniques de culture et d'isolement classiques, parfois longues (7 à 14 jours pour le cytomégalovirus), ou même impossibles (HBV, HPV). Le principal avantage de la méthode est la rapidité, qui permet d'envisager des analyses sur de grandes séries. Les sondes permettent aussi un typage rapide des souches virales.

L'hybridation moléculaire avec des sondes virales clonées a été appliquée avec succès au diagnostic des virus à DNA (en particulier herpès, varicelle, cytomégalovirus, virus d'Epstein-Barr, adénovirus, HBV, HPV) et aux virus à RNA (entérovirus, rétrovirus). La méthode PCR est la seule à permettre la détection d'un rétrovirus intégré **(provirus)**. La mise en évidence directe du virus est parfois possible par hybridation in situ directement effectuée dans des coupes histologiques de fragments biopsiques.

En pratique les méthodes d'hybridation moléculaire ont déjà trouvé d'importantes applications dans le domaine du virus de l'hépatite B **(HBV)**, du virus du papillome **(HPV)** et des rétrovirus, en particulier dans le cas du SIDA **(HIV)**.

La détection du virus HBV

Le clonage du génome viral a permis de développer très tôt l'application des techniques d'hybridation *(spot test, Southern blot)* pour la détection du génome HBV dans le sérum, les cellules mononucléées du sang périphérique et les tissus. Schématiquement on peut distinguer trois applications :

— la détection des porteurs chroniques du virus de l'hépatite B se fait par analyse directe du sérum par hybridation moléculaire avec les particules virales infectieuses (particules de Dane). Ce test est considéré comme le meilleur témoin de la multiplication virale et de l'infectiosité du sérum. Des études comparatives ont en effet permis de montrer que la détection du DNA viral est plus fiable que celle de l'antigène HBe, seule utilisée jusqu'à ces dernières années. Ce test permet de sélectionner les sujets pouvant bénéficier d'une thérapeutique anti-virale et d'en suivre les effets ;

— la détection du DNA proviral dans les hépatocytes obtenus par biopsie (problème de l'hépatocarcinome évoqué au chapitre 15). En fait des séquences du génome viral sont intégrées dans un grand nombre d'autres cellules (du rein, de la peau, lymphocytes et monocytes du sang périphérique). Les problèmes de sensibilité étant résolus par la méthode d'amplification in vitro (PCR), on peut imaginer que l'analyse des lymphocytes périphériques puisse remplacer la biopsie hépatique ;

— le problème des virus « non A non B » a été résolu par la découverte du virus C (**HCV**, voir chapitre 7). Celui-ci est encore principalement détecté par des méthodes immunologiques, même si la détection par PCR est possible.

La détection des papillomavirus (HPV)

Ces virus ne peuvent pas être étudiés par les moyens classiques de la virologie, car on ne peut les cultiver in vitro. Sur la base de différences génotypiques, on distingue plus de 50 types, discriminables par des sondes spécifiques. Cette discrimination présente un très grand intérêt à la fois théorique et pratique, car, si la plupart sont impliqués dans des tumeurs bénignes (verrues), certains types viraux ont un pouvoir oncogène. Ainsi dans l'**épidermolyse verruciforme**, où plus de 15 types différents de virus HPV peuvent être impliqués, seuls les types HPV-5 et HPV-8 sont retrouvés dans les lésions évoluant vers la cancérisation (un tiers des cas).

Dans les **lésions du tractus génital**, en particulier du col utérin, la détection du virus HPV offre un intérêt diagnostique et pronostique. En effet seuls les types HPV-16 et HPV-18 semblent être associés au **cancer du col utérin**, où le virus est intégré dans le génome cellulaire. En revanche, dans les lésions cervicales bénignes ou pré-malignes, le virus demeure épisomal. Dans les **condylomes ano-génitaux** à très faible risque de cancérisation, on trouve essentiellement HPV-6 et HPV-11.

La détection des virus du SIDA (HIV-1 et HIV-2)

Le diagnostic par hybridation moléculaire est subordonné aux impératifs suivants :

— nécessité d'explorer une région du génome HIV aussi **conservée** que possible (ce virus est remarquable par sa variabilité génomique). Les régions comprises dans les LTR, *gag* et *pol* satisfont cette condition ;

— nécessité de détecter le virus soit sous sa forme provirale (DNA double-brin épisomal ou intégré au DNA chromosomique), soit sous sa forme de RNA viral ;

— offrir une sensibilité suffisante puisque la proportion de lymphocytes circulants infectés est inférieure à 1/10 000.

La technique d'amplification élective in vitro (PCR) permet de satisfaire ces impératifs. Les versions provirales présentes dans les lymphocytes périphériques des sujets séropositifs sont directement amplifiables à partir d'amorces choisies dans les régions conservées. Elle permet de démontrer la présence du virus en moins de 3 jours, au lieu des 3 à 4 semaines nécessaires pour l'isolement du virus par les procédés virologiques habituels. La méthode a permis de retrouver le virus chez tous les sujets séropositifs et virus-positifs, et chez les sujets séropositifs mais virus-négatifs. Enfin, elle permet de détecter l'infection silencieuse chez les sujets séronégatifs, c'est-à-dire pendant la période de latence qui précède la séroconversion.

L'amplification du RNA viral après une étape de transcription inverse in vitro devrait être beaucoup plus sensible, puisque le nombre de copies virales sous forme de RNA excède largement celui des copies provirales. Elle ne peut toutefois être positive que dans les cellules où le provirus est biologiquement actif, c'est-à-dire producteur de RNA viral.

En pratique hospitalière, après une période de tâtonnements, la méthode PCR s'est avérée particulièrement utile dans les indications suivantes :

• ***indications diagnostiques :***

— détection du virus HIV dans les cellules mononucléées circulantes chez les **nouveau-nés de mères séropositives**, où le diagnostic sérologique est limité par la persistance prolongée des anticorps maternels ;

— détection précoce **avant séroconversion** chez les sujets considérés comme à haut risque ;

— détection des **doubles infections** à HIV-1 et HIV-2 ;

• ***indications pronostiques :*** distinction et **quantification** des différentes formes que peut revêtir le virus : RNA de la particule virale, DNA du provirus et des formes circulaires réplicatives. La mesure de la charge virale cellulaire ou plasmatique fournit des indications prédictives sur l'évolution de la maladie et sur sa réponse aux traitements anti-viraux ;

• ***indications épidémiologiques :*** la variabilité génétique du virus ne peut être étudiée qu'en recourant au **séquençage systématique**, ce que la méthode PCR avec séquençage direct a rendu possible. Elle permet notamment la comparaison rapide des différents isolats, la mise en évidence des régions conservées — essentielles pour la conception de vaccins — et l'identification des mutations conférant la résistance aux médicaments anti-viraux.

Parasites

En parasitologie, le diagnostic par hybridation moléculaire a été pratiqué avec succès pour la détection des différentes variétés de ***Leishmania*** (par une sonde spécifique de DNA mitochondrial ou kinétoplaste), de ***Plasmodium*** (par une sonde pour une cible répétitive), de ***Schistosoma*** (par une sonde de RNA ribosomal), de **trypanosomes**, de **toxoplasmes**.

Le degré de sensibilité atteint en général celui des techniques classiques. Par exemple pour la détection du *Plasmodium* le seuil de parasitémie détectable est de 20 à 50 parasites par microlitre de sang. L'amplification par PCR a considérablement abaissé ce seuil et elle est très largement utilisée pour la détection d'un grand nombre de parasites.

Le principal avantage de la méthode de détection par hybridation serait d'être applicable à des études épidémiologiques de masse pratiquées sur le terrain. Pour cette utilisation, l'emploi de sondes non radio-actives est impératif. Une perspective particulièrement intéressante est la possibilité, grâce à la technique d'amplification par PCR, de déceler la présence de parasites dans le vecteur lui-même. L'objectif à atteindre est de détecter par exemple une seule filaire dans une seule simulie.

Sélection de références bibliographiques : voir page 741.

17 La thérapie génique

L'utilisation des méthodes du génie génétique pour la correction des anomalies génétiques est la plus spectaculaire des applications de la biologie moléculaire à la médecine. C'est aussi la plus difficile en raison des nombreux problèmes biologiques, méthodologiques et éthiques qui se posent. Les aspects éthiques seront discutés dans le chapitre 19, et nous n'envisagerons ici que les aspects biologiques et méthodologiques de la question.

Les données du problème

Réparation in situ ou greffe ectopique ?

La correction d'un défaut génétique par intervention sur le DNA peut se concevoir à deux niveaux : soit comme une **thérapie des gènes**, c'est-à-dire comme une correction du génotype par réparation de l'anomalie génique ; soit comme une **thérapie par les gènes**, c'est-à-dire comme une correction du phénotype, par greffe en un site quelconque du génome d'une version normale du gène, assurant la suppléance du gène défectueux laissé en place. Entre aussi dans cette catégorie l'administration à des cellules données d'un gène spécifiant pour une fonction cellulaire particulière capable de contrecarrer un processus pathologique (conception du **DNA médicament** envisagée à la fin de ce chapitre).

La première opération est idéale car la correction a lieu in situ, le gène réparé restant dans son environnement génomique naturel et demeurant soumis à ses mécanismes de régulation normaux. C'est pour l'instant un objectif techniquement hors d'atteinte, car on ne sait pas encore réparer spécifiquement une lésion donnée dans un gène donné. Cependant, par le biais de la recombinaison homologue, qui permet en théorie de réaliser un ciblage génique, le défi technique n'est probablement pas insurmontable, comme nous le verrons à la fin de ce chapitre.

La seconde opération consiste à apporter un gène fonctionnel en laissant en place le gène muté. Le gène greffé est inséré de manière aléa-

Tableau 17-1 **Les premières expériences de thérapie génique germinale chez la souris (souris transgéniques)**

Gène transféré	Phénotype de départ	Phénotype obtenu	Auteurs
Somathormone de rat	souris naine	souris géante*	Hammer et al, 1984
Gène E_{α} de souris (MHC de classe II)	souris immuno-déficiente	souris normale**	Le Meur et al, 1985 Yamamura et al, 1985 Pinkert et al, 1985
Protéine basique de la myéline (MBP) de souris	souris « shiverer »	souris normale	Redhead et al, 1987
β-globine de souris, β-globine humaine	souris β-thalassé-mique	souris normale	Costantini et al, 1986
Ornithine carbamyl-transférase (OCT) de rat	souris *spf-ash* (déficit en OCT)	souris normale	Cavard et al, 1988

* Expression non régulée.
** Expression spécifique de tissu.

toire et il a perdu sa régulation, sauf si on peut le flanquer de ses séquences régulatrices. Il peut dans certains cas ne pas être intégré et demeurer sous forme épisomale.

Cette approche a déjà donné lieu à de nombreuses expériences intéressantes **(Tableaux 17-1 et 17-2)**.

Génothérapie germinale et génothérapie somatique

Si la correction est effectuée dans une cellule germinale ou dans une cellule de l'embryon précoce, elle est transmissible à la descendance : c'est une manipulation du génome constitutionnel (génothérapie germinale).

Si la correction est effectuée sur des cellules somatiques, elle apporte une correction phénotypique à un groupe cellulaire déterminé et à sa descendance, sans affecter le patrimoine génétique constitutionnel de l'individu (génothérapie somatique).

La **génothérapie germinale** est inapplicable à l'homme, pour des raisons à la fois techniques et éthiques qui seront discutées dans le chapitre 19. En revanche elle constitue chez l'animal un précieux modèle expérimental.

La **génothérapie somatique** appliquée à l'homme ne soulève pas plus de problèmes éthiques* que n'importe quelle greffe ou transplantation. Elle pose en revanche de multiples problèmes méthodologiques. Les toutes premières tentatives ont été effectuées en 1991, et à l'heure où ces lignes sont écrites leur bilan n'a pas encore été dressé dans la presse scientifique.

Les modèles expérimentaux

Les contraintes biologiques et expérimentales

Quelle que soit la stratégie envisagée, on essaie toujours de rester aussi près que possible des conditions physiologiques. Idéalement il faudrait

* L'expérience effectuée par Cline en 1981 est discutée au chapitre 19.

Tableau 17-2 **Exemples de thérapie génique ex vivo, parfois suivie d'autogreffe des cellules corrigées**

Cellule receveuse	Gène greffé	Vecteur	Expression	Auteurs
		Moelle osseuse		
Moelle de souris	*HPRT humaine*	rétrovirus	ex vivo et in vivo	Miller et al, 1984
Moelle humaine	*HPRT humaine*	rétrovirus	ex vivo	Gruber et al, 1985
Moelle humaine	*NEO et DHFR*	rétrovirus	ex vivo	Hock et al, 1986
Moelle de souris	*ADA humaine*	rétrovirus	ex vivo in vivo	Wilson et al, 1990
Moelle de singe	*ADA humaine*	rétrovirus	ex vivo in vivo : faible	Eglitis et al, 1987
		Fibroblastes		
Lignée NIH/3T3 (souris)	*α1-antitrypsine humaine*	rétrovirus	stable ex vivo et in vivo	Garver et al, 1987
Fibroblastes ADA$^-$ humains*	*ADA humaine*	rétrovirus	correction ex vivo	Palmer et al, 1987
Fibroblastes Gaucher type I*	*glucocérébrosidase humaine*	rétrovirus	correction ex vivo	Sorge et al, 1987
Fibroblastes humains immortalisés par SV40	*facteur IX humain*	rétrovirus	ex vivo (faible)	Anson et al, 1987
Lignée Ltk$^-$ (souris)	*hGH*	plasmide (+gène TK)	ex vivo et in vivo	Selden et al, 1987
Fibroblastes normaux de souris	*facteur IX humain*	rétrovirus	ex vivo et in vivo (transitoire)	St Louis et Verma, 1988
		Kératinocytes		
Kératinocytes humains	*hGH*	rétrovirus	ex vivo in vivo : échec	Morgan et al, 1987
		Hépatocytes		
Hépatome de souris	*PAH*	rétrovirus	ex vivo	Ledley et al, 1986
Hépatocytes primaires de souris	*NEO*	rétrovirus	ex vivo	Ledley et al, 1987
Hépatocytes primaires de rat	β-galactosidase	rétrovirus	ex vivo	Wilson et al, 1988
Hépatocytes primaires de lapin Watanabe (LDLR$^-$)*	*LDL-R*	rétrovirus rétrovirus	ex vivo ex vivo → in vivo (durable)	Wilson et al, 1988 Chowdhury et al, 1991
		Myoblastes		
Lignée myoblastique murine C2C12	*hGH*	plasmide (+gène neo)	ex vivo → in vivo	Barr et Leiden, 1991
Lignée myoblastique murine C2C12	*hGH*	rétrovirus	ex vivo → in vivo (stable)	Dhawan et al, 1991

Tableau 17-2 *(suite)*

Cellule receveuse	Gène greffé	Vecteur	Expression	Auteurs
		Cellules épithéliales		
Cellules épithéliales trachéo-bronchiques de rat	*α1AT*	adénovirus	ex vivo ; in vivo	Rosenfeld et al, 1991
Cellules épithéliales trachéo-bronchiques de rat	*CFTR*	adénovirus	ex vivo ; in vivo	Rosenfeld et al, 1992

α1AT = α1-antitrypsine ; ADA = adénosine désaminase ; CFTR = *cystic fibrosis conductance regulator* ; DHFR = dihydrofolate réductase ; hGH = hormone de croissance humaine ; HPRT = hypoxanthine ribosyl phosphotransférase ; LDL-R = récepteur des LDL ; NEO = résistance à la néomycine ; PAH = phénylalanine hydroxylase ; TK = thymidine kinase.
** Expériences de thérapie génique vraie effectuées sur des cellules portant une anomalie génétique.*

que le gène réparé ou greffé soit exprimé normalement et de façon régulée, c'est-à-dire :

— *au bon endroit* (dans un type cellulaire approprié) ;

— *au bon moment* (à un stade approprié du développement ou de la différenciation) ;

— *en quantité normale et adaptée* aux besoins.

De plus la correction ou la greffe doivent être **stables** indéfiniment. La satisfaction de ces multiples exigences pose un formidable défi technique, qui n'a pas encore été relevé de manière satisfaisante.

Le matériel génétique transféré

On utilise en général des **constructions** comportant : le gène à greffer, muni de séquences annexes assurant un bon niveau d'expression (promoteur fort, éventuellement séquence de type *enhancer*), auquel on adjoint éventuellement un gène auxiliaire conférant un avantage sélectif (gène *neo,* conférant la résistance à l'antibiotique G418 ; gène *dhfr,* conférant la résistance au méthotrexate). Ces constructions sont effectuées soit dans un **vecteur plasmidique**, soit dans un **vecteur viral**.

Le gène à greffer est toujours une séquence clonée. Le plus souvent on utilise un cDNA, qui représente une forme compactée de l'information génique. Ce faisant on se prive toutefois des séquences régulatrices endogènes. Lorsque le gène est petit on peut envisager de transplanter le DNA génomique muni de ses séquences régulatrices proches. Ceci a été réalisé avec 4 kb de DNA génomique humain englobant le gène de la β-globine (voir expérience de Dzierzak et al, décrite pages 518-519).

Le mode de transfert

Il varie en fonction de deux critères principaux : le type de cellule cible, et l'efficacité recherchée.

Pour les expériences de génothérapie *germinale*, on recourt soit à la **micro-injection** dans le pronucleus mâle d'un ovocyte fécondé (en général de souris) de quelques centaines de copies d'une séquence de DNA, soit au transfert par **électroporation** ou par **vecteur rétroviral** dans des cellules embryonnaires pluripotentes (cellules **ES**).

Pour les expériences portant sur les cellules *somatiques*, on cherche à obtenir une efficacité maximale. C'est pourquoi l'utilisation de **vecteurs** viraux, qui offre une efficacité proche de 100 p.100, a supplanté les autres procédés (transfert par électroporation, transfection sous forme de précipité de phosphate de calcium, fusion de protoplastes ou de liposomes) **(Tableau 17-3)**.

Tableau 17-3 **Les stratégies de transfert génique somatique**

Procédé	Problèmes*
EX VIVO	
Méthodes physiques — coprécipitation par le phosphate de calcium — électroporation — micro-injection — fusion de protoplastes — liposomes — bombardement (« biolistique »)	Efficacité, stabilité
Vecteur viral — rétrovirus — virus de l'herpès simplex — adénovirus	Efficacité, stabilité, dangerosité
IN VIVO	
Véhicule cellulaire ayant préalablement reçu le gène ex vivo — cellules souches hématopoïétiques — lymphocytes — hépatocytes — cellules endothéliales — cellules épithéliales — myoblastes	Stabilité du pool cellulaire réinjecté
Par vecteur inerte — liposomes	Efficacité, ciblage tissulaire
Par vecteur viral — rétrovirus — adénovirus	Efficacité, ciblage tissulaire, stabilité, dangerosité
DNA nu — injection intra-musculaire	Efficacité, distribution

* Compte non tenu des problèmes relatifs au niveau d'expression et à sa régulation.

Les vecteurs viraux

• **Rétrovirus :** les premiers vecteurs utilisés ont été les **vecteurs rétroviraux** que l'on a rendu **amphotropes** pour permettre leur utilisation dans différentes espèces, et **défectifs** pour contrôler leur dissémination. Le système utilisé met ingénieusement à profit les particularités des rétrovirus.

Le virus naturel de départ est le virus murin de Moloney (Mo-MLV) dont on a séparé les éléments agissant en cis et les éléments agissant en trans pour former deux génomes défectifs. Le **vecteur** proprement dit a conservé les séquences cis indispensables : les **LTR** pour le contrôle de la transcription et de l'intégration, la séquence ψ, nécessaire pour l'encapsidation, la séquence **PB** nécessaire pour la réplication virale. Les gènes viraux

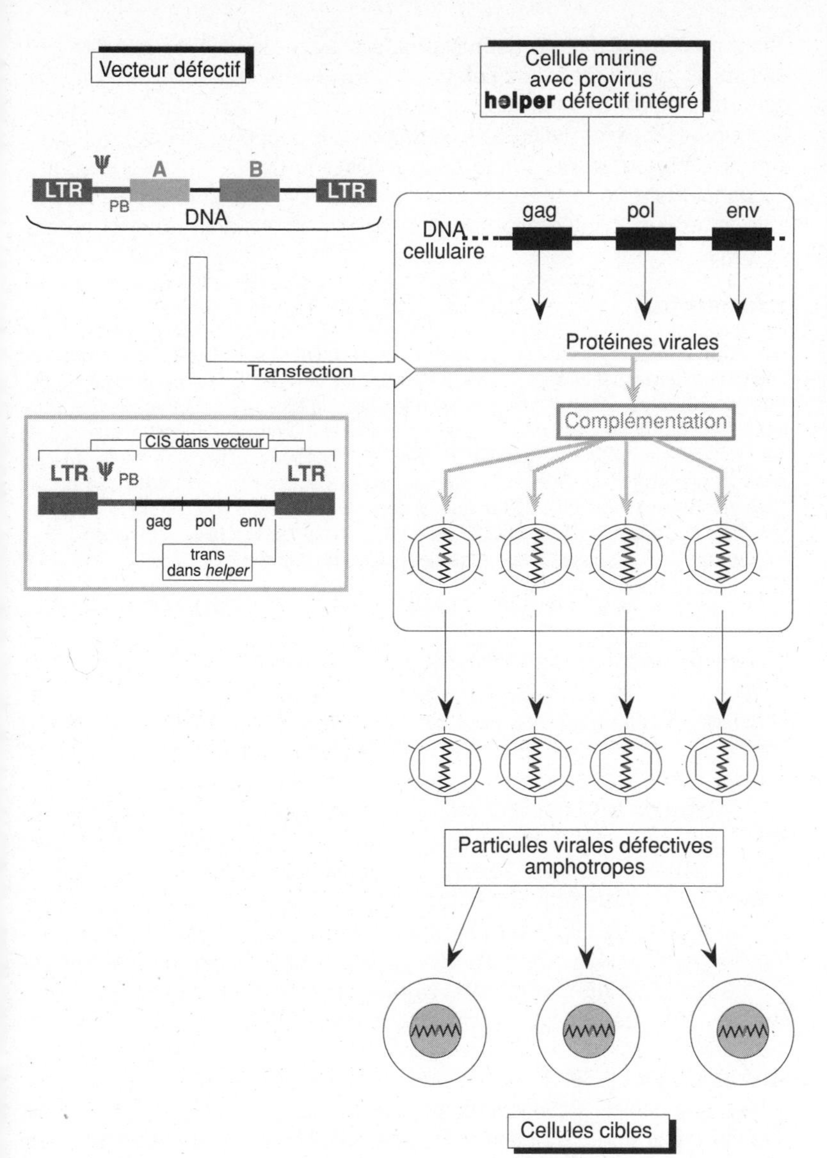

Figure 17-1 Principe de l'utilisation de rétrovirus défectifs pour la thérapie génique
Le vecteur défectif est sous la forme d'un plasmide portant le gène à greffer (B), un gène de sélection (A) et les séquences cis-régulatrices indispensables pour la transcription (LTR), pour l'encapsidation (Ψ) et pour la réplication (PB). Après transfection dans une souche cellulaire murine contenant l'information complémentaire pour les autres fonctions rétrovirales (provirus helper dépourvu de la séquence Ψ), le vecteur s'y propage et y est encapsidé en particules virales. La souche produit seulement le vecteur rétroviral à l'exclusion du virus helper. Au cours d'une coculture avec d'autres cellules, humaines par exemple, celles-ci sont infectées par le virus qui s'intègre dans le génome cellulaire, sans pouvoir se multiplier dans ce nouvel hôte.

(gag, pol, env) sont délétés et remplacés par le gène à greffer, placé en principe sous son propre promoteur, ou sous un promoteur jugé plus puissant (celui du virus SV40 par exemple), et éventuellement accompagné d'un autre gène servant de marqueur de sélection **(Figure 17-1).** Le virus **helper** porte les gènes rétroviraux nécessaires à la multiplication du génome viral et à la formation de particules virales complètes *(gag, pol, env)*, mais il est défectif pour les séquences indispensables en cis qui sont portées par le vecteur. La forme provirale du helper est en général intégrée dans le génome d'une lignée cellulaire murine (par exemple les fibroblastes NIH/3T3), qui joue à la fois un rôle d'hôte pour le vecteur et de helper pour les fonctions qui lui font défaut. Après transfection du vecteur la souche cellulaire devient capable de produire des particules virales infectieuses (Figure 17-1).

Le système est conçu pour empêcher toute propagation ultérieure. En effet la complémentation dans le sens helper (facteurs trans) → vecteur (facteurs cis) est unidirectionnelle, et la souche de cellules murines produit seulement le rétrovirus défectif portant le gène à greffer, à l'exclusion du virus helper. Si le virus porteur du greffon pénètre dans une cellule dépourvue de l'information de type helper il ne peut plus se multiplier, mais il peut s'intégrer et du même coup réaliser la greffe du gène exogène. Le transfert génique souhaité demeure ainsi un événement unique, non auto-entretenu. L'intégration dans la cellule hôte n'a lieu que si celle-ci se divise.

• **Adénovirus**

Les **adénovirus**, dont il existe de nombreux sérotypes, sont des hôtes naturels de l'homme, pour lequel ils sont rarement pathogènes (infections respiratoires bénignes). Seuls les sérotypes 4 et 7 sont tumorigènes chez le hamster nouveau-né. Les sérotypes 2 et 5, qui sont les mieux caractérisés biochimiquement et génétiquememnt, sont dépourvus de tout pouvoir tumorigène ou oncogène, et sont de ce fait utilisés comme vecteur de gènes à visée thérapeutique. Leur génome est constitué par un DNA bicaténaire linéaire de 36 kb, qui est décrit au chapitre 5. On distingue les gènes d'expression précoce : E1A et E1B du côté 5', essentiels pour la réplication, E3 et E4 du côté 3', non essentiels, et les gènes d'expression tardive.

Dans les constructions d'adénovirus recombinant on poursuit les objectifs suivants :

— le **désarmer**, c'est-à-dire lui ôter toute possibilité de propagation. Pour cela on excise la région E1, nécessaire à la réplication. Ce vecteur défectif est incapable de se multiplier. On le multiplie sur une lignée de cellules d'embryon de rein humain ayant intégré de façon stable les gènes E1A et E1B **(lignée 293)**. Ceux-ci agissent par **transcomplémentation** ;

— y **faire de la place** pour des inserts de taille aussi grande que possible. Pour cela, outre la région E1, on délète la région E3 qui ne contient pas de gènes essentiels. Dans ces conditions on a pu y insérer jusqu'à 9 kb. Il est envisageable d'y introduire des inserts plus longs à condition de déléter des gènes essentiels (par exemple pour l'empaquetage). Les fonctions perdues devraient alors être complémentées par un virus *helper* ;

— assurer un **niveau d'expression** maximal. Pour cela on peut utiliser, en amont de l'insert, un promoteur résident (5780-6040 nt), le promoteur majeur tardif **(MLP)**. On peut aussi y substituer n'importe quel autre promoteur, viral (LTR de RSV) ou humain, en particulier tissu-spécifique.

Bien que défectif, l'adénovirus recombinant cultivé sur cellules 293 fournit des titres extrêmement élevés (jusqu'à 10^{13} pfu/ml). Les virions produits sont normalement encapsidés et reconnus par des récepteurs membranaires présents sur toutes les cellules humaines (mais avec une densité variable). L'efficacité de la transduction du gène apporté est donc de 100 p. 100. Le vecteur adénoviral offre l'intérêt de pouvoir infecter les cellules même si elles ne se divisent pas, contrairement aux rétrovirus qui ne peuvent s'intégrer que dans des cellules en cycle. Il ne peut se répliquer en l'absence des protéines trans-activatrices qui lui font défaut. Les séquences introduites demeurent stables dans le noyau, mais elles sont extra-chromosomiques, donc non intégrées au DNA. Elles peuvent s'exprimer de manière durable si la cellule est quiescente.

Ce type de vecteur présente donc des avantages par rapport aux vecteurs rétroviraux **(Tableau 17-4)**. Un de ses atouts est l'innocuité. En effet les sérotypes sauvages 4 et 7 sont utilisés dans l'armée américaine depuis 20 ans sans inconvénient, comme vaccin vivant oral. Il a déjà fourni des résultats expérimentaux intéressants chez l'animal, où on l'a administré par voie trachéale pour apporter le gène de l'**α1-antitrypsine**, et le gène **CFTR** (voir à la fin de ce chapitre).

• D'autres vecteurs viraux sont à l'étude, en particulier dérivés du virus de l'**herpès simplex** qui est intéressant pour cibler les cellules nerveuses.

Tableau 17-4 Avantages et inconvénients des rétrovirus et des adénovirus comme vecteurs de thérapie génique

Avantages	Inconvénients
Rétrovirus	
— titres élevés	— taille de l'insert limitée à moins de 7 kb
— vecteur défectif incapable de se propager	— **ne s'intègre que dans des cellules en cycle**
— efficacité d'intégration	— potentiel oncogénique non exclu (par activation de proto-oncogène ou inactivation d'un anti-oncogène)
— une seule intégration par cellule	— réarrangements fréquents
Adénovirus	
— titres très élevés	— taille de l'insert limitée à moins de 9 kb *(mais pourrait être accrue)*
— vecteur défectif incapable de se répliquer	— risque de récupération de fonctions par recombinaison avec un adénovirus sauvage (reconstitution d'adénovirus recombinant infectieux)
— **peut fonctionner durablement dans des cellules ne se divisant pas** *(intra-nucléaire, mais extra-chromosomique)*	
— réarrangements peu fréquents	
— virus non pathogène (utilisé comme vaccin vivant)	

La cellule cible

Dans les expériences de transfert **germinal** le gène apporté est en principe présent à l'état intégré dans le DNA de chaque cellule de l'organisme transgénique. Le succès est conditionné par plusieurs facteurs difficiles à contrôler : le rendement du transfert (dans le meilleur des cas un seul animal transgénique est obtenu pour 50 ovocytes injectés), le siège de l'intégration (qui peut avoir un effet délétère si elle a lieu dans un gène), et l'expression du transgène qui peut être nulle, ou au contraire indésirable si elle est **ectopique**. Lorsqu'elle a lieu dans le tissu convenable elle risque de ne pas être soumise aux mécanismes de régulation spécifiques du gène endogène.

Le transfert dans les **cellules somatiques** offre en revanche de nombreux avantages, en éliminant les problèmes éthiques, le risque d'expression ectopique, les difficultés liées au rendement aléatoire.

La stratégie comporte deux temps :

— transfert dans des cellules en culture ;

— réintroduction dans l'animal des cellules efficacement greffées.

La *greffe de gènes dans les cellules somatiques* (expériences ex vivo) : l'introduction de matériel génétique dans des cellules en culture a d'abord été effectuée sur des cellules **hématopoïétiques**. D'autres types cellulaires sont à présent également utilisés comme cible : **fibroblastes**, **kératinocytes**, **hépatocytes**, **myoblastes** (Tableau 17-2). L'objectif est d'obtenir une intégration et une expression stables dans les cellules considérées, souvent sélectionnées grâce à un marqueur de sélection dominant ajouté au gène à greffer (si celui-ci ne confère pas de lui-même un avantage sélectif).

La *réimplantation in vivo :* les cellules où la greffe génique a réussi sont réintroduites dans l'animal dont les cellules sont originaires. Il s'agit donc, au point de vue cellulaire, d'une auto-greffe, même si le gène greffé appartient à une espèce différente. Ceci élimine le risque de conflit immunologique immédiat. En revanche la protéine fabriquée par le gène exogène peut à la longue déclencher la production d'anticorps chez l'animal receveur. En cas d'application de cette stratégie à l'homme, cette éventualité n'est pas à négliger car l'organisme risque de monter une réaction immunitaire contre une protéine qu'il ne connaît pas.

Quelques succès de la thérapie génique germinale

Correction d'un déficit de la réponse immune de la souris dû à une délétion d'un gène de classe II du système majeur d'histocompatibilité (gène $E_\alpha{}^k$).

Une séquence de DNA génomique cloné (8,2 kb), contenant tous les exons de $E_\alpha{}^k$ flanqués par 2 kb de DNA en amont du site d'initiation de la transcription, et de 1,4 kb en 3' du site de polyadénylation, a été introduite par micro-injection dans le pronucleus mâle d'œufs fécondés de souris immuno-déficiente. Chez les souriceaux transgéniques le déficit a été corrigé, le gène greffé étant transcrit de manière spécifique de tissu, et inductible de manière physiologique par l'interféron γ *(Le Meur et al, 1985).*

Un résultat similaire a été obtenu avec des souris défectives pour un autre gène MHC de classe II, le gène $E_\alpha{}^d$ *(Pinkert et al, 1985).*

La correction du déficit en ornithine carbamyl transférase (OCT) par transgenèse chez des souris* spf-ash *(Cavard et al, 1988)

Cette maladie héréditaire liée au chromosome X est chez l'homme la cause la plus fréquente des **hyper-ammoniémies néo-natales héréditaires.** Normalement l'enzyme est exprimée au niveau des mitochondries hépatiques et intestinales, mais elle est codée par un gène nucléaire porté par le chromosome X (région Xp21.1). Il existe deux formes de maladies de gravité différente. La forme la plus sévère, avec absence complète ou quasi complète d'OCT fonctionnelle, entraîne la mort dans les premiers jours ou les premières semaines de la vie. Le second groupe se manifeste moins sévèrement et plus tardivement, avec une activité OCT résiduelle comprise entre 5 p. 100 et 35 p. 100. Il existe deux lignées de souris reproduisant ces deux formes cliniques : la lignée *spf (sparse-fur)* pour la première, et la lignée *spf-ash (sparse-fur with abnormal skin and hair)* pour la seconde. Elles constituent d'excellents modèles animaux de la maladie humaine, et des modèles privilégiés pour les expériences de thérapie génique. Chez la souris *spf-ash*, outre les signes biologiques observés chez l'homme, le phénotype est caractérisé par une absence de pelage et une hypotrophie marquée jusqu'au sevrage. Une thérapie génique a été réalisée par micro-injection dans des embryons mâles atteints de la mutation *spf-ash* d'une construction plasmidique (50 copies) comportant un cDNA codant pour l'OCT de rat attaché au promoteur précoce du virus SV40. Les souriceaux porteurs du transgène OCT ont un phénotype normal (**Figure 17-2**, voir planche couleur hors texte).

Biologiquement la correction phénotypique s'accompagne d'une disparition de l'élimination urinaire d'acide orotique, stigmate majeur de la maladie. Chez les animaux transgéniques l'OCT de rat transférée est majoritairement exprimée dans le foie, et de façon très faible dans le poumon et la rate. Cette expression ectopique n'entraîne pas de phénomène pathologique chez l'animal.

(suite page 516)

(suite de la page 515)

Les expériences portant sur les gènes de la globine

En raison de la fréquence et de la gravité de la pathologie des gènes de la globine chez l'homme, de nombreuses tentatives de transplantation germinale ont été effectuées chez la souris. Elles ont montré que si une expression spécifique de tissu (lignée érythroïde) pouvait être obtenue, celle-ci était en général faible, imprévisible d'un animal à l'autre, et non exempte d'une certaine production ectopique (Costantini, 1985). Toutefois la correction phénotypique du syndrome β-thalassémique chez des souris porteuses d'une délétion homozygote du gène β^{maj} a pu être obtenue (Costantini, 1986). Comme cette dernière expérience a pu être effectuée avec un gène humain, la démonstration est faite que l'on peut produire des souris transgéniques portant une hémoglobine hybride α-souris/β-humaine. Cet exploit ouvre la très intéressante perspective de création d'un modèle animal de la drépanocytose, par transgenèse du gène β^{S} humain chez les souris β-thalassémiques.

Le rendement des expériences de transgenèse est faible

Pour un souriceau transgénique vivant obtenu il faut avoir injecté de 50 à 100 ovocytes, dont 40 à 80 ont pu être réimplantés et ont donné naissance à seulement 4 à 8 animaux viables. Parmi ces derniers, un quart seulement portent le gène transféré.

Les premiers résultats expérimentaux

Dans l'ensemble les résultats obtenus chez l'animal indiquent qu'on ne maîtrise pas encore les techniques de thérapie génique. La plupart des travaux ont essentiellement porté sur la recherche d'une expression stable, abondante et surtout spécifique de tissu, dans des cellules non déficientes. Ce ne sont pas des expériences de thérapie génique à proprement parler, mais des préalables indispensables à l'élaboration de la méthodologie. Dans un petit nombre de cas cependant un véritable effet thérapeutique a été recherché, et parfois obtenu.

Les résultats de la génothérapie germinale (souris transgéniques)

Les expériences les plus significatives qui ont été effectuées dans un but de thérapie génique sur des animaux porteurs d'un défaut génétique sont récapitulées dans le tableau 17-1. Les plus significatives sont commentées dans l'encadré.

Les principaux obstacles rencontrés dans ces expériences concernent le caractère aveugle de l'intégration, la difficulté d'obtenir une expression suffisante et régulée dans le bon tissu, le caractère aléatoire et imprévisible des résultats.

Les résultats de la génothérapie somatique

Les principales expériences de transfert génique somatique sont récapitulées dans le tableau 17-2, où l'on remarquera que les tentatives de thérapie génique proprement dite ont été jusqu'à présent beaucoup moins nombreuses que les expériences de transfert génique dans des cellules normales.

Les cellules les plus communément utilisées comme cible ont été les cellules de la **moelle osseuse**. Ce matériel offre en effet l'avantage de pouvoir être cultivé facilement, et de contenir des cellules souches pluripotentes à grande capacité de renouvellement pouvant être facilement réimplantées chez l'animal. De plus si la réimplantation est effectuée chez un animal rendu aplasique par irradiation, on obtient un enrichissement considérable. Celui-ci peut aussi être amélioré par une sélection préalable des cellules greffées, si la construction comporte un gène directement sélectionnable. Le principe général de la stratégie est illustré par la **figure 17-3**.

En pratique, si la greffe génique est en général obtenue dans les cellules en culture ***(ex vivo)***, celle-ci est rarement efficace après réimplantation dans l'animal entier ***(in vivo)***. L'extinction de l'expression du greffon est due à des causes mal élucidées, et probablement multiples. La principale semble être liée au phénomène de différenciation terminale des cellules hématopoïétiques. Il faudrait idéalement pouvoir infecter exclusivement les cellules souches pluripotentes — qui ne représentent que 0,01 p. 100 de la population des cellules médullaires —, ce que l'on ne sait pas encore faire. On a aussi incriminé l'inefficacité transcriptionnelle des séquences virales intégrées, ou leur inactivation (méthylation).

Outre sa faible efficacité cette stratégie comporte un autre inconvénient : le matériel greffé, et éventuellement réimplanté, n'est pas homogène. En effet l'utilisation d'un vecteur rétroviral entraîne l'infection de nombreuses cellules où l'intégration s'effectue chaque fois de manière aléatoire et différente. Si le clonage cellulaire des cellules médullaires greffées n'est pas réalisable, il n'en est pas de même pour les autres cellules qui ont été récemment utilisées comme cible — fibroblastes, kératinocytes, hépatocytes —, où il est possible de sélectionner très précisément un clone cellulaire intéressant, et de lui faire subir tous les contrôles. Néanmoins, même

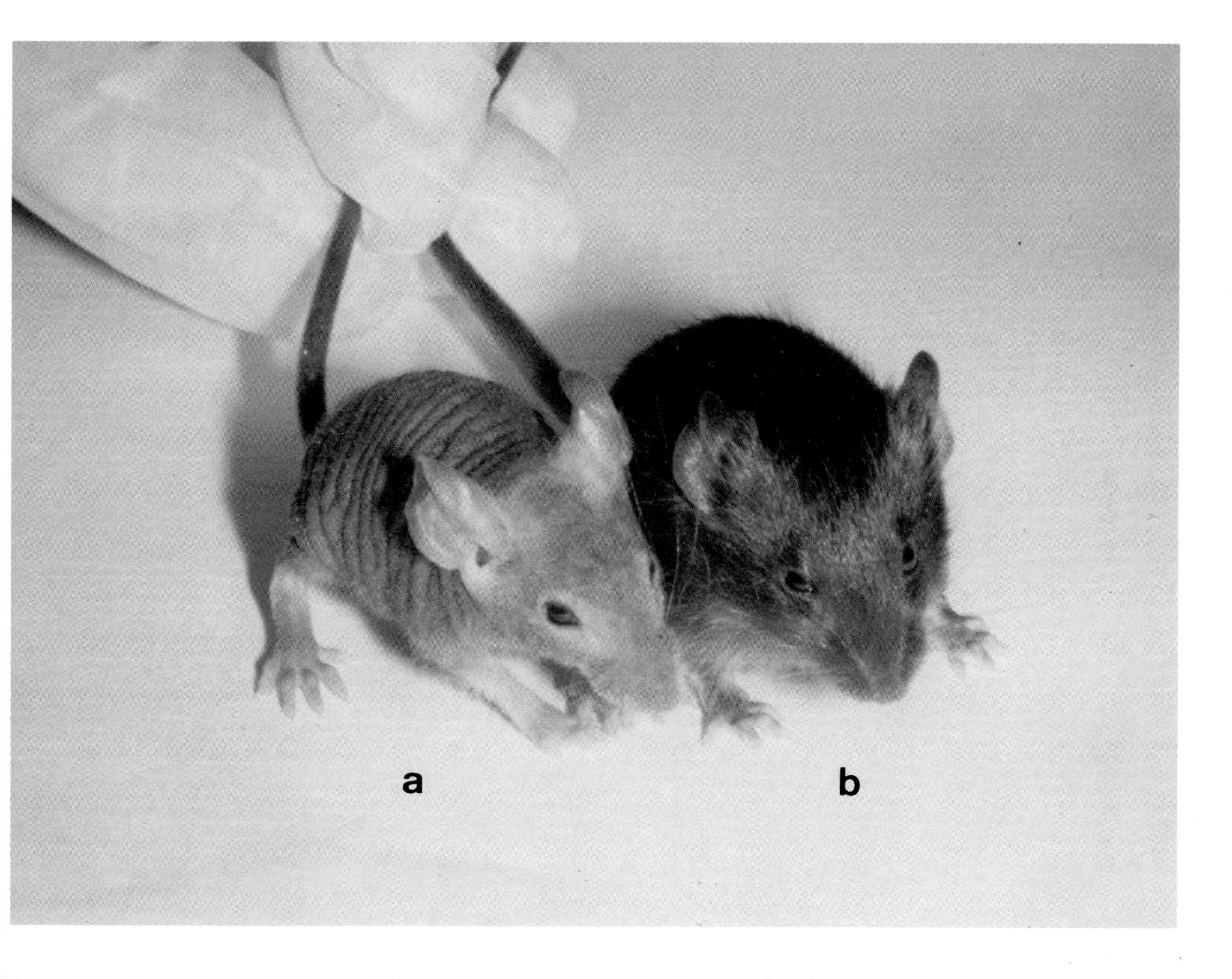

Figure 17-2 **Correction du déficit en ornithine carbamyl transférase (lignée de souris *spf-ash*) par génothérapie germinale** *(Expérience de Cavard et Briand, 1988)*

Les deux animaux représentés sur la figure appartiennent à la même portée et sont photographiés à 15 jours de vie
a : animal non transgénique présentant le phénotype caractéristique de la mutation *spf-ash*
b : animal transgénique exprimant le transgène OTC (construction décrite dans le texte) et montrant un phénotype complètement normalisé
(Cliché P. Briand, reproduit avec l'aimable autorisation des auteurs)

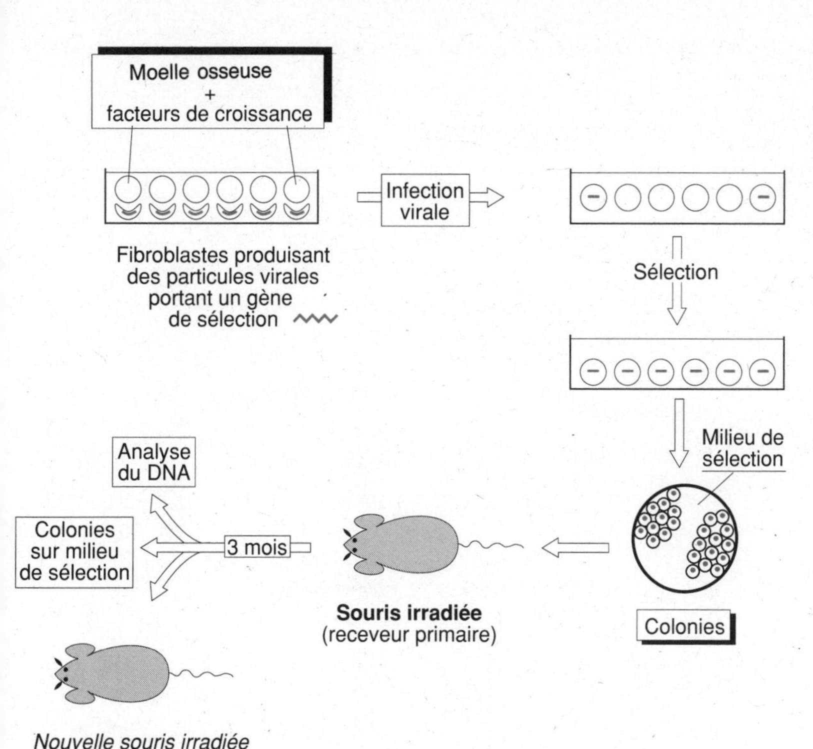

Figure 17-3 Protocole de transfert génique par vecteur rétroviral dans des cellules de moelle osseuse
Le gène permettant une sélection est soit le gène *neo*, soit le gène *dhfr*, soit le gène *hprt*, sélectionnables respectivement par le G418, le méthotrexate, le milieu HAT.

si ces cellules semblent exprimer efficacement le greffon génique ex vivo, aucune expression stable n'a encore été rapportée après réimplantation.

Bilan critique et perspectives

Les rares succès expérimentaux, même s'ils sont parfois spectaculaires, marquent les étapes d'un progrès dont il faut bien reconnaître qu'il est lent. Des succès ont été récemment enregistrés chez l'animal **(Tableau 17-5)**. Ils permettent de défricher le terrain et de mieux cerner le contexte dans lequel s'inscriront les premières tentatives qui seront effectuées chez l'homme.

Deux expériences représentent cependant une substantielle source d'espoir : l'une pour une **génothérapie régulée**, l'autre pour une **génothérapie ciblée.**

• *Un espoir de thérapie génique avec expression spécifique de tissu :* toutes les expériences de transfert génique se sont jusqu'à présent heurtées au double problème du faible taux d'expression et du risque d'expression ectopique. Pour y pallier on a imaginé des constructions utilisant soit des promoteurs puissants conférant une expression constitutive (promoteurs viraux), ou conditionnelle (promoteur du gène de la métallothionéine activable par le Zn^{++}), soit des promoteurs spécifiques de tissu (par exemple le promoteur du gène de l'élastase très spécifique du pancréas). Dans ce dernier cas le gène conserve une sensibilité à des facteurs transspécifiques d'un type cellulaire donné.

Une expression stable de β-globine humaine strictement limitée aux cellules de la lignée rouge a été obtenue par infection de cellules hématopoïétiques médullaires pluripotentes de souris à l'aide d'un rétrovirus portant le gène humain. Ce succès, qui s'est maintenu de façon prolongée après réimplantation in vivo chez des animaux irradiés, est dû au fait que pour la première fois le greffon n'était pas constitué par un cDNA mais par du **DNA génomique** comportant, outre les 2 kb du gène, environ 2 kb

Tableau 17-5 **Exemples de greffes de gène chez l'animal avec expression stable in vivo**

Organe cible	Méthode d'introduction	Gène	Auteurs
Muscle	Injection directe (voie IM)	**luciférase** **β-galactosidase**	Wolff et al, 1990
	Injection directe (voie IM)	**dystrophine**	Acsadi et al, 1991
	Injection de myoblastes (C2C12) transfectés ex vivo	***hGH***	Barr et al, 1991
	Injection de myoblastes (C2C12) transfectés ex vivo	***hGH***	Dhawan et al, 1991
	Injection d'adénovirus recombiné	**« mini-dystrophine »**	Ragot et al, 1993
Foie	Hépatocytes autologues transfectés ex vivo	***LDL-R***	Chowdhury et al, 1991
	Injection IV d'adénovirus recombiné	***OTC***	Stratford-Perricaudet et al, 1990
	Injection de rétrovirus recombiné dans la circulation porte (en dérivation)	**β-galactosidase**	Danos et al, 1991
Poumon	Instillation intra-trachéale d'adénovirus recombiné	***α1AT***	Rosenfeld et al, 1991
	Instillation intra-trachéale d'adénovirus recombiné	***CFTR***	Rosenfeld et al, 1992

α1AT = α1-antitrypsine ; *CFTR = cystic fibrosis conductance regulator ; hGH* = hormone de croissance humaine ; *LDL-R* = récepteur des LDL ; *OTC* = ornithine transcarbamylase.

Vers une thérapie génique de la drépanocytose par ciblage génique ex vivo

On peut envisager de greffer ex vivo un gène de β-globine normale (gène β^A) dans des cellules souches de sujets drépanocytaires en lieu et place du gène anormal β^S, puis de réimplanter dans la moelle du malade les cellules où le ciblage génique aurait réussi. Un certain nombre de préalables expérimentaux doivent être levés avant d'envisager un pareil acte thérapeutique. Il est notamment nécessaire de conférer aux cellules « corrigées » un certain avantage prolifératif, car le rendement du ciblage est très faible. Ceci peut être obtenu en ajoutant un gène de sélection, comme le gène *neo* sélectionnable positivement par le G418. Mais celui-ci ne doit pas perturber le fonctionnement normal du gène greffé. Une expérience préliminaire encourageante a été réalisée par Shesely et al (1991) grâce au modèle expérimental des cellules d'une lignée érythroleucémique murine **(cellules MEL)** où la production d'hémoglobine n'est pas constitutive mais induite in vitro par le diméthylsulfoxyde. Dans des cellules MEL ayant incorporé, par hybridation somatique, un chromosome 11 humain contenant un gène β^S, une **recombinaison homologue** par remplacement (ou méthode Ω, voir Figure 30-5) a été obtenue en utilisant 4,7 kb de séquence génomique de la région β^A-globine humaine, comportant en plus un gène *neo* (en amont) et une séquence pour vérification par PCR de la recombinaison. L'efficacité de recombinaison est très faible : **1 cellule seulement sur 10 000** cellules résistantes à la néomycine. Les cellules recombinées ont une carte de restriction normale, et n'ont apparemment pas subi de remaniement. Surtout, elles ont conservé une inductibilité normale par le diméthyl-sulfoxyde, avec production de polypeptide β^A au lieu de β^S. Ceci prouve que la correction obtenue est fonctionnelle, et que la régulation du gène β^A n'est apparemment pas perturbée par la présence d'un gène *neo* fonctionnel placé juste en amont. Cette expérience est un encourageant prélude à l'étape suivante, qui devrait comporter des essais sur cellules souches hématopoïétiques, d'abord greffées puis réintroduites dans la moelle. On peut néanmoins se demander si le ciblage génique aura le même effet sur une chromatine « fermée » dans la région des gènes de globine, comme l'est celle des cellules souches.

de séquences non codantes jouxtant le gène (expérience de Dzierzak et al, 1988) **(Figure 17-4)**. Ceci démontre l'importance des séquences endogènes activables en cis par des facteurs cellulaires spécifiques. Le taux d'expression obtenu est cependant demeuré bas, sans doute parce que d'autres séquences agissant en cis mais distantes du gène sont nécessaires pour une pleine expression, notamment les séquences LCR (voir chapitre 14). Ces séquences conservent leur effet stimulateur même dans des constructions où elles sont rapprochées du gène de la globine, et paraissent insensibles au site d'intégration chromosomique.

La perspective de construction de **minigènes** de globine pourvus de toutes leurs séquences régulatrices fait renaître un très sérieux espoir de génothérapie de certaines hémoglobinopathies humaines. Il est trop tôt pour prédire ce qui pourrait être fait avec d'autres gènes, en particulier lorsqu'ils sont de grande taille.

• *Un espoir de thérapie génique ciblée :* la première expérience de thérapie génique ciblée réussie concerne la correction d'une délétion du gène HPRT (Doetschman et Smithies, 1987). Cette expérience, décrite dans la **figure 17-5**, a été effectuée « *ex vivo* » dans une lignée embryonnaire ES pluripotente de souris (voir chapitre 12) où, grâce à une **recombinaison homologue**, une restauration de l'intégrité du gène anormal a pu être obtenue. Le rendement absolu de la correction était faible (1 cellule corrigée sur 700 000), à cause du mauvais rendement de la transfection effectuée par électroporation (1 cellule sur 100 000). Mais le rendement relatif, 14 cellules « réparées » sur 100 cellules ayant incorporé le DNA, n'était pas négligeable. Ce succès démontre que la voie du **ciblage génique**, inaugurée pour créer des modèles animaux (voir chapitre 12), est prometteuse. Un pas supplémentaire a été franchi avec la correction ciblée du gène β^S de globine pratiquée ex vivo dans des cellules murines (voir encadré).

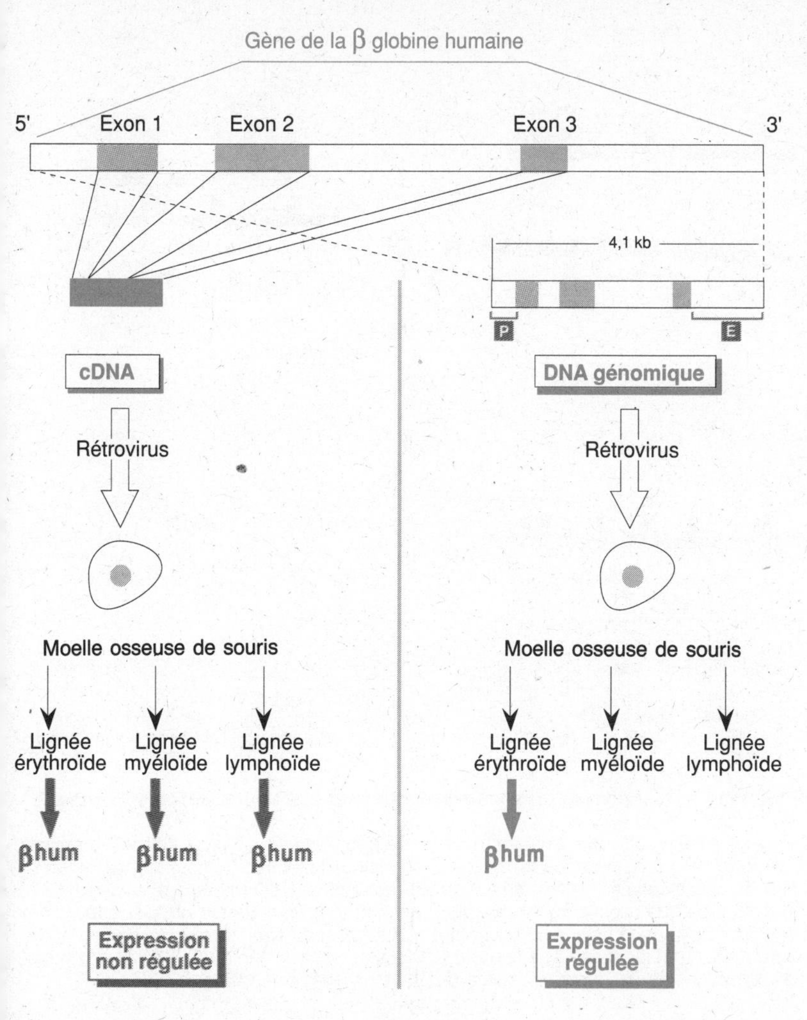

Figure 17-4 Greffe somatique via un vecteur rétroviral du gène de la β-globine humaine dans des cellules hématopoïétiques de souris
Si le greffon est constitué par le *cDNA* il est produit indistinctement par les cellules des trois lignées de différenciation (à gauche).
Si le greffon est constitué par le *gène entier* flanqué de ses propres séquences régulatrices (P = promoteur ; E = enhancer) l'expression est strictement limitée à la lignée érythroïde (à droite) *(expérience de Dzierzak et al, 1988)*.

Les modèles humains potentiels

Les considérations éthiques, qui paraissaient au départ un obstacle majeur, ont cessé d'être un facteur limitant dans la mesure où il existe à présent un consensus :

— sur ce qui est considéré comme licite ;

— sur la nécessité d'un contrôle très strict des protocoles par les agences scientifiques avant toute application humaine.

Nous reviendrons sur ces aspects éthiques dans le chapitre 19, mais il faut d'emblée souligner que seules sont prises en considération les tentatives de thérapie génique **somatique**. Celle-ci peut être assimilée à une **greffe moléculaire**, sa signification biologique n'étant pas fondamentalement différente d'une simple greffe de tissu ou d'organe.

Le cahier des charges de la thérapie génique somatique humaine

Une réflexion approfondie sur les aspects scientifiques, techniques, médicaux et éthiques des futures applications à l'homme des protocoles de thérapie génique a été menée en 1984 par un comité de scientifiques américains, à l'instigation du Congrès des États-Unis*. Depuis lors les élé-

* Voir le document *Human Gene Therapy - A Background Paper (Washington, DC : US. Congress, Office of Technology Assessment. OTA-BP-BA-32, December 1984).*

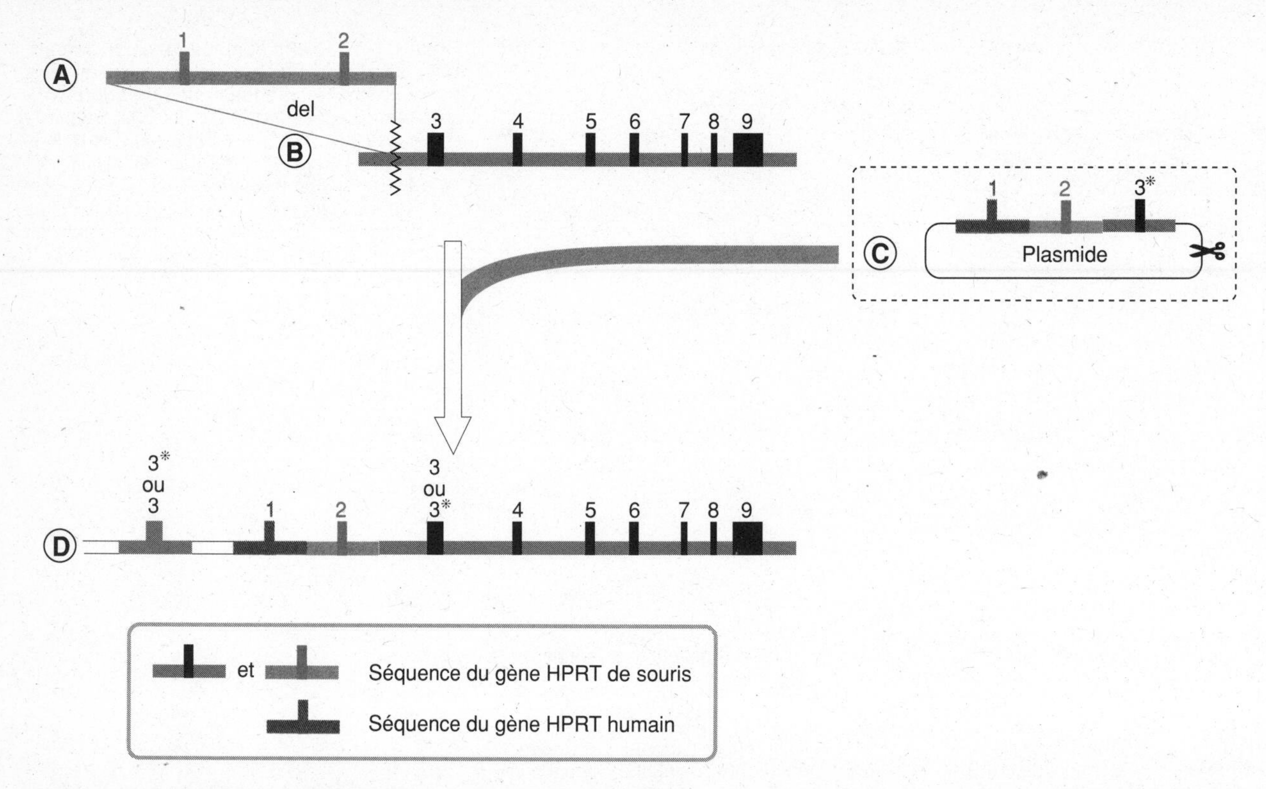

Figure 17-5 Correction génique ciblée du gène HPRT dans des cellules embryonnaires pluripotentes de souris (cellules ES HPRT⁻) *(Expérience de Dœtschman et Smithies, 1987).*
Une lignée de cellules ES mâles déficientes pour l'enzyme HPRT porte une délétion de 10 kb emportant le promoteur et les 2 premiers exons du gène HPRT **(A et B)**. Une construction plasmidique, effectuée avec les exons 2 et 3 de souris et l'exon 1 humain **(C)**, est ouverte, puis introduite par électroporation dans les cellules HPRT⁻. Les cellules dont le déficit est corrigé sont sélectionnées sur le milieu HAT. Leur gène HPRT (en **D**) est restauré par recombinaison homologue au niveau de l'exon 3, avec apport des exons 1 et 2, et duplication de l'exon 3 (la copie en 5' est soit celle du plasmide : 3*, soit celle de la cellule ES d'origine, 3). Le fait que l'exon 1 retrouvé soit d'origine humaine permet d'authentifier la réalité de la recombinaison entre plasmide et gène endogène. La correction génique a lieu dans 1,4 cellule sur 10^6, soit une proportion de 14 p.100 des cellules ayant effectivement absorbé du DNA par électroporation.

ments de cette réflexion constituent en quelque sorte une charte sur laquelle la communauté scientifique s'est accordée*. Nous en reprenons ci-dessous les grandes lignes.

Avant toute tentative de thérapie génique chez l'homme les exigences suivantes doivent être satisfaites :

— le gène défectueux ne doit pas être **dominant** par rapport au gène normal que l'on pourrait greffer (sinon la greffe serait inopérante) ;

— si le produit du gène à greffer est **spécifique de tissu**, le greffon génique doit être exprimé dans la bonne cellule et à un taux adéquat (cas de l'hémoglobine par exemple). En fait pour les protéines exportées, comme les facteurs de coagulation (facteurs anti-hémophiliques) ou d'autres facteurs sériques (α1-antitrypsine), le site de synthèse ne devrait pas être critique, à condition que la maturation post-traductionnelle ainsi que l'éventuelle production d'autres molécules dont la coopération est nécessaire (par exemple la bioptérine pour l'activité de la phénylalanine hydroxylase) aient lieu dans le type cellulaire où la greffe pourrait être effectuée. De même une greffe ectopique peut être efficace si elle permet d'agir efficacement sur des substrats diffusibles (déficits en adénosine désaminase, en purine nucléoside phosphorylase, en hypoxanthine ribosyl phosphotransférase, en glucose cérébrosidase, etc.) ;

* Voir le document *Recommendations of European Medical Research Councils. Gene therapy in man (Lancet, 1988, i : 1271-1272).*

— la transplantation doit être efficace et concerner toutes les cellules cibles (on ne peut se contenter de l'efficacité de 10^{-6} obtenue par le procédé classique de transfection au phosphate de calcium). Une efficacité de 100 p. 100 peut être obtenue à l'aide de virus. Ceux-ci doivent être rigoureusement défectifs pour empêcher toute multiplication (voir figure 17-1), et tout risque de formation de révertant doit être écarté. L'intégration d'un rétrovirus étant polyclonale et aléatoire d'une cellule à l'autre, il faudra chaque fois que possible procéder à un clonage des cellules receveuses, pour disposer d'un matériel homogène ;

— le greffon doit être intégré et exprimé de façon **stable**, ce que l'on peut vérifier par culture prolongée ;

— les cellules greffées doivent **se maintenir** après transplantation in vivo. Ceci est sans doute l'une des exigences les plus difficiles à satisfaire, en dehors d'un système conférant aux cellules un avantage sélectif. Dans cette dernière hypothèse la procédure peut être d'une lourdeur extrême si elle consiste à irradier la moelle du receveur, puis à la repeupler par des cellules hématopoïétiques ayant co-intégré un gène sélectionnable comme celui de la dihydrofolate réductase, ce qui impose en principe un traitement permanent par le méthotrexate ;

— l'efficacité thérapeutique de la greffe génique envisagée doit avoir été vérifiée préalablement par **expérimentation animale**, et la reproductibilité du protocole expérimental doit être assurée. Ces exigences sont également difficiles à satisfaire car les modèles animaux sont rares **(Tableau 17-6)**. Des efforts considérables sont actuellement déployés pour les obtenir, essentiellement par **recombinaison homologue** (voir chapitre 12).

Parmi les rares modèles animaux disponibles il faut citer la souris déficiente en **ornithine carbamyl transférase** (OTC) : souches *spf* et *spf-ash* déjà citées, où le phénotype a pu être corrigé par un adénovirus recombinant administré immédiatement

Tableau 17-6 Quelques modèles animaux utilisables pour les recherches en thérapie génique

Animal	Origine de la mutation	Gène défectueux	Équivalent humain
Lapin Watanabe	Spontanée	Récepteur LDL	Hypercholestérolémie familiale
Rat Gunn	Spontanée	UDP-glycuronyl transférase	Maladie de Crigler-Najjar
Souris « *cone-head* »	Spontanée	β-glycuronidase	Syndrome de Sly (mucopolysaccharidose type VII)
Souris *mdx*[a]	Spontanée	Dystrophine	Myopathie de Duchenne
Souris *sparse-fur*	Spontanée	Ornithine carbamyl-transférase	Déficit en OCT
Souris Min	Spontanée	APC	Polypose familiale
Souris[b]	*Knock-out*	HPRT	Maladie de Lesch-Nyhan
Souris[c]	*Knock-out*	Glucose-cérébrosidase	Maladie de Gaucher
Souris[d]	*Knock-out*	CFTR	Mucoviscidose
Chien[e] *(Golden retriever)*	Spontanée	Dystrophine	Myopathie de Duchenne
Chien (Setter irlandais)	Spontanée	Facteur VIII	Hémophilie A
Chien Beagle	Spontanée	Facteur IX	Hémophilie B

a : dystrophie musculaire peu sévère et non évolutive ; **b** : pas de phénotype pathologique ; **c** : phénotype très sévère (mort à la naissance) ; **d** : phénotype assez proche de la maladie humaine ; **e** : phénotype plus sévère que la maladie humaine.

Succès de la thérapie génique somatique de l'hypercholestérolémie du lapin Watanabe

Le lapin Watanabe, atteint d'hypercholestérolémie par déficit en récepteur des LDL (LDLR), est un modèle animal de l'**hypercholestérolémie familiale humaine (FH)** (voir pages 373-374).

Le succès de la transplantation hépatique orthotopique dans des cas de FH a fait penser que la thérapie génique ex vivo pourrait être efficace. La stratégie employée par Chowdhury et al (1991) a consisté à infecter ex vivo des hépatocytes autologues de lapin Watanabe avec un vecteur rétroviral recombinant contenant le cDNA total de LDLR de lapin derrière un promoteur de β-actine de poulet. L'efficacité de transduction a été de 20 p. 100. Les hépatocytes ont été ensuite réinjectés par voie splénique, à raison de 2×10^8 cellules, soit 2 p. 100 du nombre d'hépatocytes d'un foie entier. Une expression stable pendant au moins 6 mois du mRNA de LDLR a été observée dans le foie et la rate. L'effet sur le taux de cholestérol a été très net : diminution de 25 à 45 p. 100 dès le lendemain de la réimplantation, se maintenant de façon persistante. Le gain de fonction LDLR était modeste mais significatif, l'activité passant de 0 à 2-4 p. 100. La tolérance immunologique était excellente, aucun anticorps anti-LDLR de lapin n'étant détecté chez les animaux transplantés. Cette stratégie ouvre des perspectives en thérapie génique humaine des malades homozygotes pour la FH, puisque, à la différence de la transplantation hépatique, aucune thérapie immunosuppressive ne serait nécessaire.

après la naissance (Stratford-Perricaud et al, 1990) ; le lapin Watanabe, modèle de l'**hypercholestérolémie familiale** par déficit en récepteur des LDL. Chez ce dernier on a pu obtenir un effet thérapeutique par transfert génique ex vivo dans des hépatocytes autologues secondairement réimplantés chez l'animal (voir encadré). Pour la **myopathie de Duchenne** (déficit en dystrophine) la souris mdx et le chien CXMD constituent des modèles expérimentaux de choix (voir chapitre 14) ;

— le procédé doit offrir des **garanties de sécurité**, non seulement à court terme, mais à long terme, en particulier vis-à-vis du risque d'interférence avec la lignée germinale (pour éviter tout effet sur la descendance), et du risque de cancérogenèse. Cette dernière préoccupation est justifiée par le caractère aléatoire du site d'intégration du greffon dans le génome, et par l'utilisation de vecteurs rétroviraux. C'est elle qui empêche d'utiliser comme cible pour la greffe génique toute souche cellulaire préalablement immortalisée par un virus cancérigène (par exemple des fibroblastes immortalisés par le virus SV40, ou des lymphoblastes immortalisés par le virus EBV) ;

— l'application à l'homme des méthodes de thérapie génique n'est envisageable que pour des **maladies très graves**, non curables par d'autres moyens ;

— tout projet d'**essai thérapeutique humain** devra être soumis à l'approbation d'un comité ad hoc, qui statuera sur les aspects médicaux, techniques et éthiques du dossier.

Les maladies héréditaires candidates à une thérapie génique somatique

Les exigences qui viennent d'être énumérées limitent strictement les maladies susceptibles de bénéficier d'une thérapie génique à un nombre très restreint de cas. Ceci d'autant plus qu'un nombre croissant de maladies génétiques peuvent désormais bénéficier d'une transplantation d'organe (en particulier de moelle osseuse, de foie).

Les maladies génétiques constitutionnelles pour lesquelles on envisage, à des titres divers, un bénéfice par thérapie génique somatique sont récapitulées dans le **tableau 17-7**. On peut remarquer que les immunodéfi-

Tableau 17-7 **Les premières maladies candidates à une thérapie génique**

Maladie	Gène défectueux
Citrullinémie	Argino-succinate synthétase
Défaut d'adhésion des leucocytes	CD-18
Déficience immunitaire	Adénosine désaminase Purine nucléoside phosphorylase
Emphysème	α1-antitrypsine
Hémoglobinopathies :	
β-thalassémies	β-globine
drépanocytose	β-globine
Hémophilie A*	Facteur VIII
Hémophilie B*	Facteur IX
Hyperammoniémie*	Ornithine transcarbamylase
Hypercholestérolémie*	Récepteur des LDL
Maladie de Gaucher	Glucocérébrosidase
Maladie de Lesch-Nyhan	Hypoxanthine phosphoribosyl transférase
Mucopolysaccharidose type VII	β-glycuronidase
Mucoviscidose*	CFTR
Myopathie de Duchenne*	Dystrophine
Phénylcétonurie	Phénylalanine hydroxylase

* Maladies pour lesquelles il existe un modèle animal exploitable (voir Tableau 17-6).

cits par **déficit en adénosine désaminase** ou en **purine nucléoside phosphorylase** et la **maladie de Lesch-Nyhan** ont d'emblée fait figure de bons candidats, car ils ne posent pas de problème de différenciation ou d'accessibilité (les métabolites puriques sont diffusibles).

Par ailleurs les résultats encourageants obtenus ex vivo avec des cultures primaires d'hépatocytes ouvrent des perspectives concernant la thérapie génique de maladies touchant des gènes à expression hépatique comme le déficit homozygote en récepteur de LDL (avec hypercholestérolémie gravissime) (voir encadré p. 522), la phénylcétonurie (la phénylalanine hydroxylase requiert la présence de bioptérine qui est seulement synthétisée par le foie), les anomalies de l'uréogenèse.

Enfin des résultats également encourageants ont été obtenus à l'aide d'adénovirus recombiné soit avec le gène de l'**α1-antitrypsine**, soit avec le gène **CFTR** : l'injection par voie trachéale chez le *cotton rat* a été suivie d'une expression dans les cellules de l'épithélium des voies aériennes (Rosenfeld et al, 1991 ; Rosenfeld et al, 1992). Ceci permet d'envisager une thérapie génique des sujets déficients en α1-antitrypsine, et des mucoviscidosiques où le gène défectueux serait apporté par aérosol.

Les progrès expérimentaux sont constants et la thérapie génique somatique a cessé d'être un tabou ou une utopie. Témoin de cet état de chose, l'apparition en 1990 d'un journal scientifique uniquement consacré à ces problèmes ***(Human Gene Therapy)***.

Les premières tentatives de thérapie génique humaine : le transfert de lymphocytes ayant reçu une greffe de gène ex vivo

Les premiers essais thérapeutiques ont débuté en 1989-1991, aux États-Unis, les comités ad hoc ayant donné leur autorisation après une instruction longue et minutieuse des dossiers. Les modèles et les protocoles expérimentaux retenus témoignent d'une grande prudence dans la démarche*. Ils ont concerné le **mélanome** malin avancé et le déficit immunitaire combiné sévère par **déficit en adénosine désaminase** (ADA). Dans les deux cas, les protocoles comportaient un transfert de gène effectué ex vivo par transduction **rétrovirale** dans des lymphocytes autologues, suivi d'une réinjection chez le malade.

- Dans le cas du mélanome métastasé, l'autorisation a d'abord été accordée pour vérifier le ciblage tumoral des **TIL** *(tumor-infiltrating lymphocytes)* **, munis d'un gène traceur, le gène ***neo***. Il ne s'agissait donc pas de thérapie proprement dite. Après injection par voie veineuse des TIL portant le gène traceur, celui-ci a été retrouvé par PCR dans le tissu tumoral et les métastases où il a persisté plusieurs semaines (Rosenberg et al, 1990). L'étape suivante, thérapeutique celle-ci, a consisté à munir les TIL du gène TNF *(tumor necrosis factor)* pour obtenir une destruction des cellules tumorales. Les essais sont en cours.
- Dans le cas du déficit en ADA, le protocole a consisté à prélever les lymphocytes circulants par leucophérèse, à isoler les lymphocytes, à les cultiver en présence de cytokines, à les infecter par un rétrovirus recombinant renfermant le gène ADA, à sélectionner les lymphocytes ayant intégré le vecteur et à les réinjecter, ceci de manière répétée à intervalles réguliers (Culver et al, 1991). Pour des raisons éthiques, le traitement substitutif par l'injection d'enzyme stabilisée par le polyéthylène glycol (PEG-ADA) n'a pas été suspendu pendant ces essais, ce qui complique l'interprétation. Les résultats préliminaires font état d'une excellente tolérance et d'une amélioration significative de l'état immunitaire, biologique et clinique.

Le **Tableau 17-8** présente la liste des premières tentatives de thérapie génique humaine.

* Voir notamment *The ADA human gene therapy clinical protocol (Hum. Gene Ther. 1990, 1, 327-329)*.

** Les TIL sont des lymphocytes cytotoxiques dont l'activité anti-tumorale peut être dopée in vitro par culture en présence d'interleukine 2.

Le DNA médicament

La maîtrise accrue de la méthodologie de transfert des gènes, alliée à une compréhension de plus en plus raffinée du mode de fonctionnement des gènes, permet d'envisager leur utilisation dans la lutte contre les **maladies acquises**. Le principe consiste à munir certaines cellules d'une construction génique permettant la production locale (autocrine), régionale (paracrine), voire générale (endocrine) de facteurs protéiques (ou nucléiques) ayant un intérêt thérapeutique. Les maladies candidates à cette approche sont les **cancers** et les **maladies virales**.

Dans la **thérapie des cancers** les premières expériences effectuées avec les TIL (Rosenberg) montrent que l'on peut armer des cellules avec des facteurs cytotoxiques (TNF) ou les doper avec des cytokines (un succès thérapeutique a été obtenu par Golumbek et al (1991) sur des cancers rénaux de souris traités par des cellules produisant de l'interleukine 4).

Dans la **thérapie anti-virale**, l'idée est de fournir à la cellule les moyens de se défendre spécifiquement contre le virus par une stratégie adaptée à la biologie du virus considéré. Ce concept d'**immunisation intracellulaire** par des moyens non immunologiques a été proposé par Baltimore (1988). C'est évidemment dans la lutte contre le SIDA que l'imagination des biologistes moléculaires s'est le plus exercée. Il s'agit de mettre à profit la masse de connaissances accumulées sur la biologie du virus HIV, par exemple en munissant les cellules T de constructions contenant des **gènes mutants transdominants** codant pour des protéines virales structurales ou régulatrices anormales, ou pour un récepteur viral modifié. On peut aussi imaginer de fabriquer des **leurres** pour le virus : leurre protéique comme un CD4 soluble comportant un signal de rétention intracellulaire pour piéger la protéine gp120, ou même leurre de RNA comportant une pseudo-séquence TAR.

Une dernière approche consiste à essayer d'éliminer spécifiquement la cellule indésirable (infectée par HIV) par une toxine protéique (toxine diphtérique, ricine) dont le gène est placé dans une construction qui en assure une **expression conditionnelle** (Harrison et al, 1991). Il s'agit en quelque sorte d'une bombe à retardement qui est actionnée par le virus lui-même, par exemple par une des protéines régulatrices (TAT). Une autre variante de cette **toxigénétique** conditionnelle consiste à combattre le virus HIV en lui apportant le gène de thymidine kinase (TK) sous contrôle du LTR du HIV, cette construction étant elle-même incluse dans un adénovirus recombinant qui en assure la transduction. Seules les cellules infectées produisent les signaux transactivateurs du LTR, ce qui entraîne l'expression du gène TK, rendant les cellules sensibles au **gancyclovir** (un analogue pyrimidique cytotoxique) administré comme médicament (Venkatesh et al, 1990).

Tableau 17-8 Les premières greffes de gènes en thérapeutique humaine

Protocole	Maladie	Institution et responsable	Date de début
Marquage cellulaire			
NeoR/TIL	Mélanome malin	1	mai 89
	Mélanome malin	2	déc. 91
	Mélanome malin	3	mars 92
	Mélanome malin et cancer rénal	4	*approuvé**
NeoR/moelle	Leucémie aiguë myéloïde	5	sept. 91
	Neuroblastome	5	janv. 92
	Leucémie myéloïde chronique	6	*approuvé**
	Leucémies aiguës myéloïdes et lymphoïdes	7	*approuvé**
NeoR/hépatocytes	Insuffisance hépatique	8	*approuvé**
Thérapie génique			
ADA/lymphocytes T	Déficit en ADA	9	sept. 90
ADA/lymphocytes T et moelle enrichie en cellules souches	Déficit en ADA	10	mars 92
ADA/moelle	Déficit en ADA	11	*approuvé**
TNF/TIL	Mélanome malin	1	janv. 91
TNF/cellules cancéreuses	Cancers avancés	1	oct. 91
IL-2/cellules cancéreuses	Cancers avancés	1	mars 92
Facteur IX/fibroblastes	Hémophilie B	12	déc. 91
Récepteur des LDL/hépatocytes	Hypercholestérolémie familiale	13	*approuvé**
TK de HSV/cellules cancéreuses	Cancer ovarien	14	*approuvé**
Antigène HLA-B7/ cellules tumorales (in vivo)	mélanome malin	15	*approuvé**
TK de HSV/lymphocytes T cytotoxiques	SIDA	16	*approuvé**

* Désigne les protocoles approuvés et non encore commencés en mai 92.

ADA = gène de l'adénosine désaminase ; HSV = virus de l'herpès simplex ; IL-2 = Interleukine-2 ; NeoR = gène de résistance à la néomycine ; TIL = *Tumor Infiltrating Lymphocytes* ; TK = gène de la thymidine kinase ; TNF = *Tumor Necrosis Factor* ; LDL = *Low-density Lipoproteins.*
(d'après W.F. Anderson, Science, 1992, 256, 808, et A.D. Miller, Nature, 1992, 357, 455)

Références des laboratoires : 1. NIH, Bethesda, MD, USA (S.A. Rosenberg) ; 2. Centre Léon Bérard, Lyon, France (M.C. Favrot) ; 3. Université de Pittsburgh, PA, USA (M.T. Lotze) ; 4. UCLA, Los Angeles, CA, USA (J.S. Economou) ; 5. St Jude Hospital, Memphis, TN, USA (M.K. Brenner) ; 6. M.D. Anderson Cancer Center, Houston, TX, USA (A.B. Deisseroth) ; 7. Indiana University, Indianapolis, IN, USA (K. Cornetta) ; 8. Baylor College of Medicine, Houston, TX (F.D. Ledley) ; 9. NIH, Bethesda, MD, USA (R.M. Blaese) ; 10. Scientific Institute San Raffaele, Milan, Italie (C. Bordignon) ; 11. Université de Leiden, Pays-Bas (P.M. Hoogerbrugge) ; 12. Université Fudan et Hôpital de Shanghai, Shanghai, Chine (J.L. Hsueh) ; 13. University of Michigan, Ann Arbor, MI, USA (J.M. Wilson) ; 14. University of Rochester, Rochester, NY, USA (S.M. Freeman) ; 15. University of Michigan, Ann Arbor, MI, USA (G.J. Nabel) ; 16. Fred Hutchinson Cancer Research Center, University of Washington, Seattle, WA (P.D. Greenberg).

Ces essais préliminaires ouvrent la voie à une ère thérapeutique nouvelle, permettant de s'attaquer à des maladies jusqu'ici incurables : non seulement les maladies héréditaires graves et fréquentes (myopathie de Duchenne, mucoviscidose), mais aussi les maladies acquises comme les maladies cardio-vasculaires, les cancers et le SIDA. Dans ces deux derniers cas la thérapie génique **cyto-ciblée** pourrait apporter un éclairage nouveau, qu'il s'agisse d'immunothérapie adoptive ou de toxigénétique (voir l'encadré).

Sélection de références bibliographiques : voir page 742.

18 DNA et filiation moléculaire

Origines de l'Homme - Médecine légale

Le caractère semi-conservatif de la réplication du DNA autorise la reconstitution des généalogies des molécules de DNA. Celles-ci peuvent être retracées par l'analyse et la comparaison des séquences nucléotidiques, ou plus modestement des polymorphismes génotypiques. L'outil est d'une puissance incomparable, car il permet d'aborder sans exception tous les aspects de la **filiation moléculaire** :

— filiation entre cellules : pour résoudre des problèmes de **génétique somatique** (diagnostic de mono-clonalité évoqué au chapitre 13) ;

— filiation entre individus d'une même famille : pour résoudre des problèmes de **pathologie génétique** (maladies héréditaires) ou de **médecine légale** ;

— filiation entre individus appartenant à des populations différentes : pour donner une assise moléculaire à la **génétique des populations** et à **l'anthropologie** ;

— filiation entre espèces différentes : l'anatomie comparée des génomes donne accès à une véritable **phylogenèse moléculaire.**

Dans ce chapitre nous évoquerons succinctement les applications de l'analyse génotypique à l'étude des origines de l'Homme et à la médecine légale.

DNA ET ORIGINES DE L'HOMME

Comparaison des séquences protéiques et évolution moléculaire

Le concept d'horloge moléculaire a été proposé en 1963 par L. Pauling et E. Zuckerkandl sur la base d'une comparaison des séquences polypeptidiques de l'hémoglobine dans différentes espèces. Très vite il est apparu que cette horloge ne bat pas au même rythme dans les différents gènes. En effet en comparant les séquences de plusieurs protéines dans de nombreuses espèces, on a constaté qu'elles divergeaient à une vitesse différente **(Tableau 18-1)**.

En comparant les différents domaines protéiques on constate que les régions les mieux conservées, c'est-à-dire possédant le plus grand degré de similitude entre espèces très éloignées, sont celles qui ont un rôle fonctionnel bien défini (poche de l'hème pour une hémoprotéine, site catalytique pour une enzyme, site de fixation à un récepteur pour un facteur de croissance). Pour une protéine, et plus encore pour un domaine protéique donné, on admet que les comparaisons inter-spécifiques de séquences d'acides aminés fournissent un moyen de reconstituer des arbres phylétiques. Le principe utilisé pour cette reconstitution est celui de la **parcimonie**, qui consiste à choisir parmi les différents points d'embranchement possibles ceux qui correspondent au nombre minimal de différences **(Figure 18-1)**. On admet que deux organismes sont d'autant plus éloignés dans le temps de l'évolution que leurs divergences sont plus grandes. D'où la notion de distance génétique employée ici dans son acception phylogénétique, c'est-à-dire temporelle, et non cartographique.

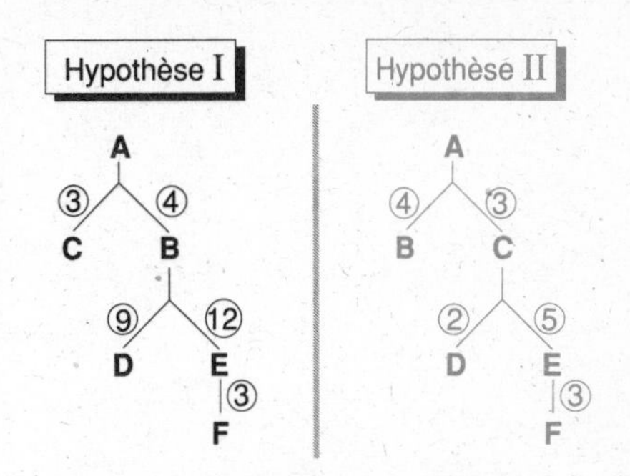

Figure 18-1 **Construction d'un arbre phylétique selon le principe de parcimonie**
La comparaison de séquence protéique ou nucléotidique correspondant à un gène conservé est effectuée entre les organismes A, B, C, D, E et F. Les points d'embranchement des arbres phylétiques sont construits en tenant compte du nombre de différences de chaque organisme issu d'un ancêtre commun (par exemple il y a 3 différences entre C et A, et 4 différences entre B et A). L'hypothèse II est la plus vraisemblable car elle comporte un minimum de différences entre A et D et A et F.

Tableau 18-1 **Vitesse d'évolution des protéines** *(d'après Doolittle et al, 1986)*

Protéine	**Nombre de mutations ponctuelles** (pour 100 acides aminés et pour 100 millions d'années)
Fibrinopeptides	90
Lactalbumine	27
Lysozyme	24
Ribonucléase	21
Hémoglobine	12
Protéases acides	8
Triose phosphate isomérase	3
Phosphoglycéraldéhyde déshydrogénase	2
Glutamate déshydrogénase	1

L'évolution du monde vivant est inscrite dans les séquences de DNA

L'analyse du génome de tous les organismes vivants, et même fossiles, est désormais possible, ce qui élargit considérablement le champ d'investigation. Au lieu de se contenter d'analyser indirectement le reflet phénotypique de l'évolution, nécessairement limité aux exons, et plus particulièrement aux deux premières bases des triplets codants, on peut maintenant étudier l'évolution des génomes pris dans leur ensemble.

D'emblée il est apparu que la vitesse d'évolution diffère grandement selon que l'on se trouve dans une séquence codante ou non codante. La séquence des exons est en général beaucoup plus conservée que celle des introns. Inversement les pseudogènes divergent beaucoup plus vite que les gènes proprement dits.

Les comparaisons de génomes ont jusqu'à présent été effectuées par deux procédés :

— l'un, direct, consiste à comparer des données de **séquence** accumulées dans les différentes espèces sur un territoire génomique donné, contenant un gène conservé, et le plus long possible ;

— l'autre, indirect, consiste à étudier la **température de fusion** des séquences uniques dans les hétéro-duplex formés après hybridation liquide entre les deux DNA comparés. L'abaissement de cette température reflète le degré de non appariement entre séquences homologues.

Les deux méthodes ont leurs avantages et leurs inconvénients. En théorie la méthode des comparaisons de séquence est idéale, mais elle est encore peu appliquée car les données de séquence sont pour l'instant peu nombreuses (à peine quelques millions d'enchaînements nucléotidiques, toutes espèces confondues, sont emmagasinés dans les banques de données). Cependant, avec l'automatisation des procédures et grâce aux énormes efforts déployés pour la cartographie physique des génomes des différentes espèces (voir chapitre 10), les données de séquences s'accumulent. La méthode mesurant la température de fusion des hybrides moléculaires interspécifiques est en principe plus globale car elle explore d'un seul coup une multiplicité de sites. Elle est cependant techniquement délicate et d'interprétation difficile, et sa validité expérimentale est loin d'être unanimement acceptée.

Une ou plusieurs horloges moléculaires ?

Les seules données expérimentales obtenues sont des pourcentages de différences. Pour les convertir en temps il faut connaître le taux moyen de mutations. Celui-ci est généralement exprimé en pourcentage de changement par million d'années. Par exemple si le taux de mutation est égal à 1 p.100 et si l'on trouve une différence de 10 p.100 entre deux séquences homologues, on peut estimer l'éloignement du point de branchement à environ 10 millions d'années. Or le taux de mutation dépend de la séquence que l'on étudie. On a donc proposé de remplacer la notion d'horloge moléculaire globale par celle d'horloges spécifiques de chaque séquence et donnant un temps « local ». Cette conception de temps local absolu, spécifique d'un gène, est elle-même remise en question par la découverte de grandes variations interspécifiques dans le taux de substitution au même site dans des gènes homologues. Ainsi chez les rongeurs ce taux serait 4 à 10 fois plus élevé que chez les primates supérieurs.

En fait la vitesse d'évolution moléculaire paraît toujours plus élevée dans les espèces à reproduction rapide, et les différences s'estompent si l'on tient compte du temps de génération de l'espèce. Autrement dit le temps universel d'évolution ne devrait pas être exprimé en années mais en nombre de générations.

Dans tous les cas les divergences sont reconstituées en faisant appel au principe de parcimonie (Figure 18-1), et les résultats sont confrontés aux données de la paléontologie et de la taxonomie classiques.

La confrontation est parfois discordante. La principale critique adressée à l'approche moléculaire est qu'elle est fondée sur des méthodes de calcul dont la validité n'est pas démontrée. Plus que les données brutes c'est leur traitement statistique et le mode de reconstitution des filiations qui sont contestés par certains.

Le DNA nucléaire et le DNA mitochondrial évoluent indépendamment

L'évaluation des distances génétiques par analyse comparative du **DNA nucléaire** repose sur des différences observées en des sites équivalents. Mais celles-ci ne reflètent pas exclusivement le taux de mutation, car elles sont aussi conditionnées par les recombinaisons, la dérive génétique, l'avantage sélectif de certains allèles.

En revanche il n'en est pas de même pour le **DNA mitochondrial**, qui présente les particularités suivantes :

— c'est un petit DNA (16 500 nucléotides chez l'homme) ;

— il n'est pas sujet à recombinaison ;

— il est soumis à une transmission purement maternelle (un ovocyte contient 400 à 200 000 mitochondries, alors qu'un spermatozoïde en contient très peu) ;

— il est l'objet d'un taux de mutation 10 fois supérieur à celui du DNA nucléaire.

Ces caractéristiques en font un matériel privilégié pour étudier l'évolution moléculaire, en particulier sur des périodes relativement brèves. Cependant si le DNA mitochondrial permet de retracer une filiation, il ne renseigne pas sur le DNA nucléaire qui évolue indépendamment.

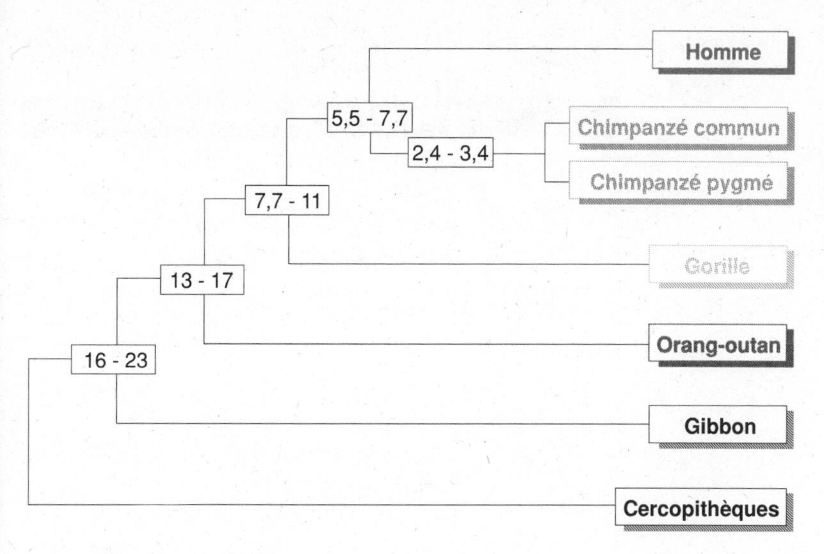

Figure 18-2 Arbre phylogénétique des singes supérieurs déduit de l'analyse du DNA nucléaire
L'arbre est construit sur les données de : (i) l'hybridation interspécifique des séquences uniques de DNA *(Sibley et Ahlquist, 1987)* (ii) l'analyse comparative d'une séquence de 7,1 kilobases dans une région des gènes de la famille de la β-globine (gène pseudo-β1 humain aussi appelé η chez les primates) *(Miyamoto et al, 1987)*.
Les chiffres indiquent la datation de la divergence en millions d'années.

Ceci a été démontré chez la souris. Les deux espèces existant en Europe, *Mus domesticus* à l'ouest, *Mus musculus* à l'est, diffèrent par leur DNA nucléaire et par leur DNA mitochondrial. Elles sont interfertiles. Dans certaines régions de Scandinavie, à la frontière entre les domaines géographiques des deux espèces, on trouve une expansion du génome mitochondrial de type *domesticus* chez des souris ayant conservé les gènes nucléaires de type *musculus,* alors que peu de gènes nucléaires de type *domesticus* ont pénétré dans cette population.

L'émergence de l'Homme parmi les simiens

La place exacte de l'espèce humaine parmi les singes supérieurs est un problème de taxonomie très débattu. Une analyse comparative du DNA nucléaire, effectuée par deux méthodes différentes, a fourni des résultats concordants, plaçant l'homme plus près du chimpanzé que du gorille **(Figure 18-2)**. La séparation entre Hominiens et singes supérieurs serait ainsi beaucoup plus récente que ne le laissaient prévoir les estimations antérieures, qui étaient de l'ordre de 30 millions d'années. Mais cette hypothèse est loin de faire l'unanimité. Elle est en particulier en contradiction avec les données de la cytogénétique, qui placent le chimpanzé plus près du gorille que de l'homme.

Le DNA mitochondrial de l'humanité actuelle proviendrait d'une seule Eve africaine

De nombreux arguments paléontologiques ont fait supposer que l'Afrique pourrait être le berceau de l'humanité. Cette hypothèse est à présent renforcée par les données de l'analyse du DNA mitochondrial (Cann et al, 1987).

L'étude du polymorphisme du DNA mitochondrial à l'aide de 12 enzymes de restriction a été effectuée sur 147 sujets originaires de 5 régions géographiques distinctes : Afrique Noire, Asie, Europe, Australie, Nouvelle-Guinée. Elle a révélé 133 types distincts. Leur distribution a été comparée et la méthode de la plus grande parcimonie a permis de déduire la filiation la plus probable, grâce à un calcul très complexe. Il en ressort que la population originelle, celle qui manifeste la plus grande diversité, est africaine, et qu'un rameau issu de celle-ci aurait donné naissance aux autres populations **(Figure 18-3)**. Tous les rameaux de l'arbre ainsi reconstitué convergent vers une origine unique, avec une divergence maximale de 0,57 p.100 entre les points les plus éloignés. Or le taux de mutation du DNA mitochondrial est de 2 à 4 p.100 par million d'années soit envi-

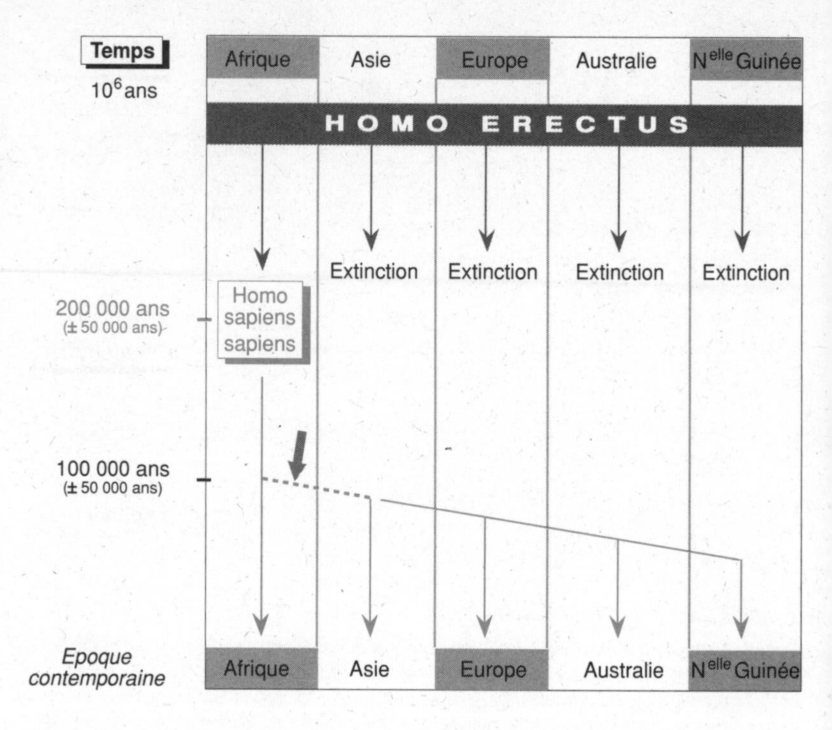

Figure 18-3 **Origine probable de l'Homme moderne**
L'origine africaine de *Homo sapiens sapiens* est attestée par un faisceau d'arguments convergents : paléontologiques (anatomie comparée des fossiles et leur datation par le ^{14}C), et génétiques (analyses du DNA mitochondrial et du DNA nucléaire dans les populations vivantes).
Selon cette hypothèse les hominiens non africains auraient disparu, et le peuplement de la planète se serait effectué à partir d'un échantillon numériquement très réduit ayant quitté l'Afrique il y a environ 100 000 ans. Ce goulot d'étranglement est indiqué par la flèche et le trait pointillé.

Tableau 18-2 **Principales dates dans l'évolution de la Biosphère**

Événement	**Datation en millions d'années**
Origine de l'Univers	environ 15 000
Formation du système solaire	4 600
Premier système capable d'auto-réplication	3 500
Divergence entre procaryotes et eucaryotes	1 800
Divergence entre règne animal et règne végétal	1 000
Divergence entre vertébrés et invertébrés	500
Apparition des mammifères	100
Apparition de **Homo sapiens sapiens**	**0,20 (± 0,050)**
Séparation des groupes Négroïdes/Caucasoïdes-Mongoloïdes	~ 0,10
Séparation des groupes Caucasoïdes et Mongoloïdes	~ 0,05

ron 200 000 ans pour la divergence observée. Ce chiffre est justement en accord avec les estimations de la paléo-anthropologie classique **(Tableau 18-2)**.

Une nouvelle étude portant sur deux séquences hypervariables du DNA mitochondrial a permis d'aboutir aux mêmes conclusions, c'est-à-dire la convergence de l'arbre vers une ancêtre africaine commune, datée entre – 166 000 et – 249 000 ans (Vigilant et al, 1991).

Dans cette hypothèse l'émergence de l'espèce *Homo sapiens sapiens* serait **monocentrique**. En effet si l'origine était polycentrique, on n'aurait pas observé une convergence de l'arbre à la date de 200 000 ans. Il en découle qu'une seule Eve africaine aurait donné naissance à l'humanité actuelle, et qu'il n'y aurait pas eu de descendance pour les hominiens des autres régions du monde (Figure 18-3).

Pour vérifier cette hypothèse fondée sur l'exploration d'un marqueur de filiation strictement maternelle, on a logiquement proposé d'utiliser des marqueurs de filiation paternelle, c'est-à-dire d'étudier le chromosome Y, ce qui permettrait de remonter à Adam. Malgré son aspect de boutade la proposition est tout à fait sérieuse. Elle se heurte cependant à deux difficultés : d'une part la séquence du chromosome Y (3 000 fois plus long que le DNA mitochondrial) est encore mal connue ; d'autre part les recombinaisons avec le chromosome X (régions pseudo-autosomiques) compliquent la situation. Il reste que cette approche symétrique serait très riche d'enseignements. Elle devrait nous indiquer s'il n'y a eu qu'un seul Adam, et si, comme on s'en est plaisamment inquiété, il vivait au même endroit qu'Eve.

L'étude des RFLP nucléaires semble également indiquer une origine africaine de l'humanité

Une étude systématique de 5 RFLP dans la région du gène de la β-globine humaine, pratiquée dans 8 populations différentes, a permis de reconstruire une filiation d'après les haplotypes observés (Wainscoat et al, 1986) **(Figure 18-4)**. Il en ressort que toutes les populations contemporaines auraient une origine africaine commune. Le rameau qui émane du tronc initial et qui aurait donné naissance à toutes les autres populations correspondrait à un effectif très réduit ayant quitté l'Afrique pour l'Asie il y a environ 100 000 ans (Figure 18-3). Cependant cette théorie n'est pas acceptée unanimement (voir encadré).

Une polémique sur les origines d'Eve : *« Out of Africa or not ? »*

L'hypothèse d'une Eve africaine reposait initialement uniquement sur des analyses de RFLP mitochondrial dans différentes populations, traitées statistiquement par un programme particulier fondé sur le principe de parcimonie. La validité de ce mode de traitement a été récemment contestée. Pourtant les résultats de l'analyse directe des polymorphismes de séquence, désormais possible grâce à la méthode PCR, tant dans le DNA mitochondrial que dans le DNA nucléaire, semblent aller plutôt dans le même sens que les premières analyses effectuées à l'aide des RFLP. Ils montrent en tout cas que le DNA des populations africaines est beaucoup plus polymorphe que celui des autres populations, ce qui traduirait en principe une plus grande ancienneté. Ce sujet fait en ce moment l'objet d'une vive polémique parmi les anthropologistes moléculaires. La solution pourrait provenir de l'analyse, parfois possible, du DNA contenu dans des restes humains fossiles...

Vers une génétique moléculaire des populations

La **génétique des populations** est fondée sur l'analyse des marqueurs phénotypiques, et l'**épidémiologie génétique** qui se préoccupe de la répartition des gènes pathologiques dans les différentes populations en est un aspect. Toutes deux bénéficient désormais de l'analyse des séquences de DNA dans les populations contemporaines.

Les problèmes qui pourront être résolus sont : l'origine des divers peuplements dans les différentes régions du monde ; l'origine des mutations pathologiques non récurrentes, c'est-à-dire responsables d'un **effet fondateur**. Il est désormais envisageable de dater et de localiser géographiquement ces événements grâce à la mise en évidence d'un déséquilibre de liaison avec les haplotypes de restriction. Nous avons déjà évoqué quelques problèmes de ce genre dans le chapitre 14, notamment à propos de la drépanocytose et de la mucoviscidose. L'objectif n'est pas purement formel lorsqu'il est assorti d'un espoir de comprendre le mode d'extension de certaines mutations pathologiques fréquentes.

Il existe aussi un projet coopératif international visant à explorer le génotype dans certains isolats menacés de disparition.

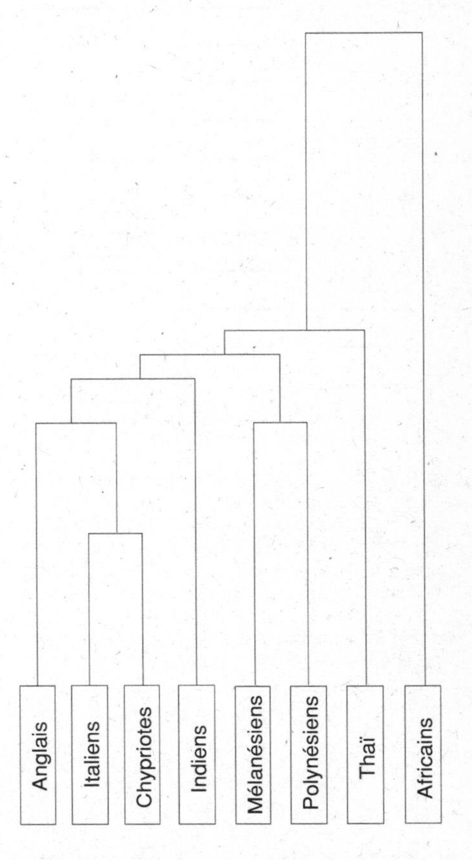

Figure 18-4 **Filiation hypothétique entre 8 groupes ethniques**
L'arbre a été dressé d'après les haplotypes de restriction observés dans la région du gène β de la globine.
(D'après Wainscoat et al, Nature, 1986, 319-491)

DNA ET MÉDECINE LÉGALE

La carte d'identité phénotypique

L'identité biologique des individus a été jusqu'à présent établie grâce à des **marqueurs phénotypiques**, tels que les groupes sanguins (A1, A2, B, 0, MNS, Rh, P, Kell, Fy) ; les groupes sériques (Hp, Gc, Tf, Gm) ; les enzymes érythrocytaires (AK, AcP, PGM) ; le système HLA. Pris individuellement ces marqueurs ont une informativité limitée, à l'exception du système HLA, qui à lui seul permet de résoudre 94 p.100 des problèmes d'exclusion de paternité. Au prix d'une multiplication des marqueurs phénotypiques, il est possible d'atteindre une fiabilité supérieure à 99 p. 100. La méthode est utilisable pour des affaires d'exclusion de pater-

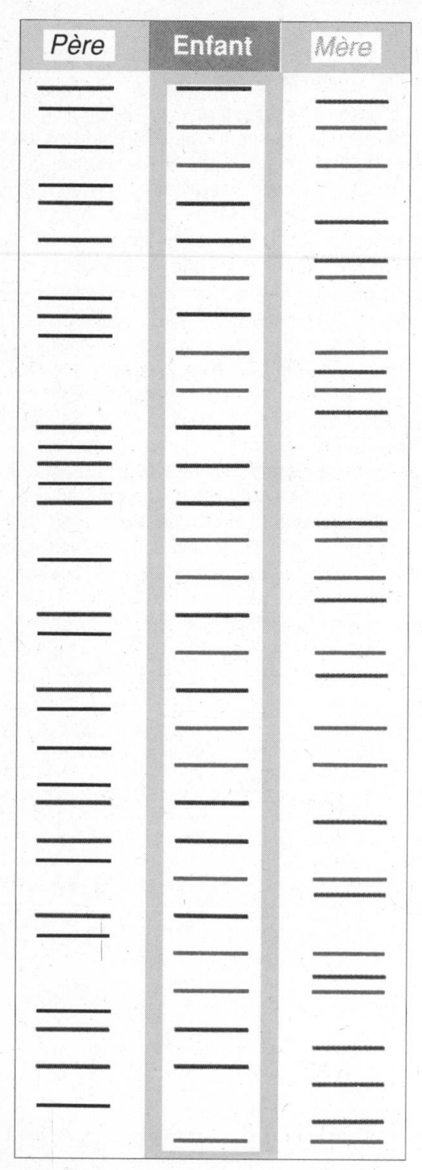

Figure 18-5 Les empreintes génétiques permettent d'authentifier une filiation directe
Cette représentation théorique montre qu'un enfant est exclusivement constitué par un assortiment d'allèles parentaux. Les allèles non transmis peuvent être présents chez un autre enfant du même couple. Les profils ne sont complètement identiques que chez des sujets génétiquement identiques, c'est-à-dire des jumeaux vrais.

nité, ou pour disculper un criminel ayant laissé des traces biologiques analysables. En revanche ces marqueurs ne permettent pas de procéder à une identification véritable, c'est-à-dire à une « incrimination », car la probabilité de coïncidence entre deux individus non apparentés n'est pas négligeable.

La carte d'identité génotypique

L'identification génotypique par les minisatellites

Nous avons vu au chapitre 9 que, parmi les marqueurs génotypiques, il existe une catégorie de polymorphismes de répétition particulièrement informatifs, correspondant à des régions hypervariables du génome, les **minisatellites**. Ceux-ci se caractérisent par un remarquable poly-allélisme, chacun des allèles étant présent avec une faible fréquence dans la population.

On les explore avec deux types de sondes :

— soit à l'aide des sondes **multi-locus** de Jeffreys, sondes 33.6 et 33.15*, contenant de courtes séquences « matrices » *(core sequences)* de 10 à 16 paires de bases, partagées par de nombreux minisatellites présents sur tous les autosomes** ;

— soit à l'aide de sondes **mono-locus** capables de discriminer des minisatellites siégeant en un locus particulier **(Tableau 18-3)**.

L'utilisation des **sondes multi-locus** de Jeffreys permet de visualiser d'un seul coup chez un même individu au moins 60 locus hyperpolymorphes différents. En pratique, en raison des limites du pouvoir de discrimination de la méthode de Southern, 30 à 40 bandes sont visibles simultanément. L'image obtenue est pour chaque individu d'une extraordinaire spécificité. En effet, la probabilité de coïncidence du profil pour deux individus non apparentés est de 3×10^{-11} avec la sonde 33.15, et de l'ordre de 10^{-20} en combinant les deux sondes. Il s'agit de véritables **« empreintes génétiques »** *(DNA fingerprints)* capables de résoudre les nombreux problèmes d'identification qui se posent en médecine légale.

Les **sondes minisatellites mono-locus** sont moins discriminatives car elles explorent un seul locus à la fois. Elles fournissent en revanche des images d'une parfaite lisibilité. Leur pouvoir discriminateur dépend en fait du nombre d'allèles possibles. Ainsi la sonde explorant le locus D5S43 (Tableau 18-3), avec ses 9 allèles, comporte un risque de coïncidence de 2 p.100, alors que celui-ci est 100 fois plus faible pour le locus D7S21. Prises isolément ces sondes ne permettent donc pas d'établir une véritable empreinte génétique. Cependant en les associant on peut atteindre un pouvoir discriminateur cumulé équivalent à celui des sondes multi-locus.

Enfin les **microsatellites** polymorphes de type $(CA)_n$ (voir chapitres 9 et 10) constituent un outil supplémentaire d'une très grande puissance en raison de leur informativité et de leur nombre dans le génome.

DNA et filiation : exclusion et inclusion

L'utilisation des polymorphismes révélés par les minisatellites et les microsatellites permet de résoudre avec une fiabilité quasi absolue tous les problèmes de filiation.

* Ces sondes ont fait l'objet d'un brevet d'exploitation commerciale déposé par la firme britannique ICI qui en assure l'exclusivité à la Compagnie Cellmark Diagnostics.

** On peut aussi utiliser comme sonde multi-locus un fragment de 280 pb du phage M13, contenant un motif répétitif de 15 pb. Étrangement les minisatellites reconnus sont conservés dans le règne animal. Ils étaient passés inaperçus à cause de l'emploi systématique de DNA de sperme de poisson comme compétiteur d'hybridation non spécifique des filtres dans la méthode de Southern (Vassart et al, 1987).

Tableau 18-3 **Quelques sondes minisatellites mono-locus utilisables pour l'identification en médecine légale**

Locus	Chromosome	Nombre d'allèles	Hétérozygotie (%)
Minisatellites dérivés des sondes multi-locus de Jeffreys			
D1S7*	1p	très élevé	98
D1S8*	1q	9	97
D5S43**	5	7	90
D7S21*	7p	> 50	99
D7S22*	7q36-qter	> 50	97
D12S11**	12	> 50	94
Autres minisatellites			
INS : insuline (5')	11p15.5	6	75
HRAS1 : c-Ha-*ras* 1 (3')	11p15.5	7	47
D16S85 : α-globine (3')	16p13	>30	90
D14S1	14q32	>80	90
DXS52 (sonde St14)	Xq28	10	77
DXYS15 *(région pseudo-autosomique)*	Xp22.3 ; Yp	8	
DXYS17 *(région pseudo-autosomique)*	Xp22.3 ; Yp	8	42

* Sondes dérivées du minisatellite multi-locus 33.15.
** Sondes dérivées du minisatellite multi-locus 33.6.

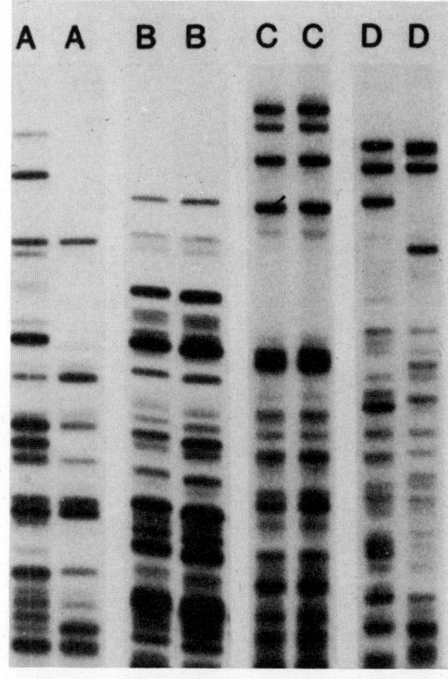

Figure 18-6 **Identification des jumeaux mono- et di-zygotiques par empreinte génétique**
Autoradiogramme après digestion du DNA génomique par Hinf I, transfert selon Southern et hybridation avec une sonde multi-locus. On distingue aisément les deux couples de vrais jumeaux des deux couples de faux jumeaux.
(A. Jeffreys, DNA Probes, Cold Spring Harbor Laboratory, New York, 1986. Reproduit avec l'aimable autorisation de l'auteur et de l'éditeur)

Si l'on utilise une sonde multi-locus le profil obtenu chez chaque individu est une **empreinte génétique**. Dans le profil complexe obtenu il est impossible de reconnaître les bandes alléliques au même locus. Cependant la transmission des allèles est mendélienne, et un individu donné fournit une image composite correspondant à un assortiment de bandes parentales à l'exclusion de toute autre **(Figure 18-5)**. Cette méthode permet donc de distinguer clairement les jumeaux vrais, qui ont des empreintes identiques, et les jumeaux di-zygotes, qui n'ont en commun que certaines bandes **(Figure 18-6)**.

L'**exclusion de paternité** est facile à réaliser par cette méthode. C'est un acte de médecine légale pratiqué à la requête de l'autorité judiciaire pour résoudre un problème familial.

La **vérification de paternité,** obtenue par les mêmes procédés, est parfois nécessaire pour valider une enquête familiale effectuée en vue d'un diagnostic génotypique indirect (voir chapitre 13). Cet acte est pratiqué à l'initiative du laboratoire de génétique moléculaire, sous couvert du secret médical le plus absolu. Il permet d'éviter de graves erreurs de diagnostic.

L'**identification positive**, autrement dit l'**inclusion** de paternité et de maternité, est un problème de société récemment apparu. Il concerne les litiges opposant les autorités d'immigration et des familles soupçonnées de substitution de personne. Ce genre de problème est impossible à résoudre par les moyens phénotypiques conventionnels. Depuis 1985, en Grande-Bretagne, la méthode des empreintes génétiques a permis de résoudre un nombre croissant de ces litiges.

Il faut souligner que pour résoudre des problèmes précis de parenté, tels que la distinction entre cousins, il faut pouvoir distinguer les allèles parentaux. Ceci impose le recours aux minisatellites mono-locus et aux microsatellites. La méthode est non seulement très performante, mais aussi très fiable en raison du très faible taux de néo-mutations.

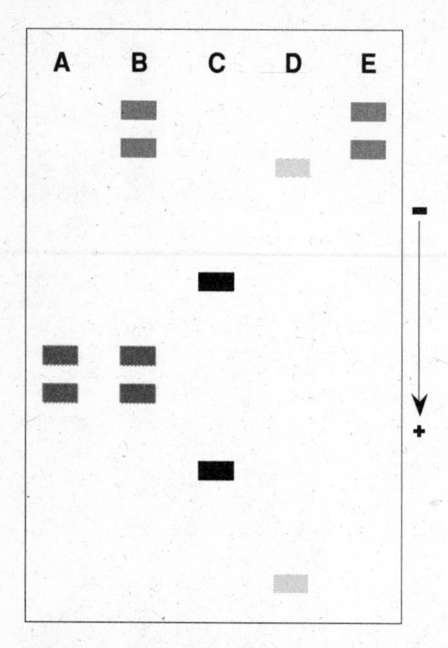

Figure 18-7 Utilisation d'un minisatellite mono-locus en criminologie
Un individu X est soupçonné d'avoir violé et tué les victimes Y et Z. Divers prélèvements ont été effectués aux fins d'analyse du DNA par la sonde λMS 1 qui explore un minisatellite du chromosome 1 (locus D1S7) :
A : victime Y (racine de cheveu prélevée 2 jours après la mort)
B : victime Y (prélèvement vaginal effectué sur le cadavre)
C : suspect (prélèvement de sang frais)
D : victime Z (prélèvement de sang par ponction cardiaque post-mortem)
E : victime Z (prélèvement vaginal effectué sur le cadavre)
On peut déduire de cette étude que Y et Z sont victimes d'un même individu (en rouge), et que le suspect X (en noir) peut être disculpé.
(D'après Wong et al, Ann Hum Genet, 1987, 51, 269-288)

DNA et criminologie : discrimination et incrimination

En matière de criminologie l'étude des polymorphismes génotypiques représente un apport décisif. En effet la méthode des empreintes génétiques permet d'effectuer non seulement une **discrimination** — c'est-à-dire une disculpation d'un suspect —, mais aussi une **incrimination** par identification du DNA d'un suspect et de traces de DNA laissées sur les lieux du crime.

Une originalité intéressante de la méthode tient au fait que le DNA est un matériel biologique très **résistant**. En effet la stabilité du DNA est remarquable. Elle atteint plusieurs années si l'échantillon est maintenu à l'état sec. Ceci contraste avec la fragilité des protéines qui se dégradent rapidement hors de l'organisme ou après la mort.

Pour pouvoir être soumis à une analyse par empreinte génétique les échantillons criminologiques doivent satisfaire plusieurs conditions :

— être dans un état de conservation convenant à l'analyse multi-locus, c'est-à-dire contenir du DNA de haut poids moléculaire. Cette condition est remplie pour les taches de sang, les taches de sperme, les racines de cheveu (où sont concentrés les noyaux cellulaires) ;

— fournir une quantité suffisante de DNA pour l'exploration par la méthode de Southern. Il faut au minimum 1 μg de DNA (100 000 copies de la cible), soit environ 60 μl de sang, ou 5 μl de sperme, ou 5 racines de cheveu. Pour des quantités moindres il faut recourir à l'analyse mono-locus, qui réclame 10 fois moins de matériel, et qui peut à elle seule s'avérer très informative. La **figure 18-7** illustre un cas réel où une analyse par sonde mono-locus a puissamment contribué à la manifestation de la vérité ;

— permettre une distinction entre la victime et l'agresseur. Le DNA de la victime est facile à obtenir à partir du sang prélevé dans les 24 h après la mort, ou même après un délai plus long à partir des racines de cheveu. En cas de viol il est possible de séparer par lyse différentielle les cellules vaginales des spermatozoïdes, et d'analyser séparément leur DNA.

Méthode PCR et identification génotypique

La révolution technologique apportée par la possibilité d'amplifier électivement le DNA in vitro par la méthode PCR (voir chapitres 8 et 21) concerne aussi les applications **médico-légales**. D'abord utilisée pour analyser les polymorphismes de séquence dans certains gènes du complexe HLA et dans le DNA mitochondrial, la méthode PCR a surtout permis un progrès décisif en livrant accès au polymorphisme des **microsatellites** (voir chapitre 9), et plus généralement à n'importe quel polymorphisme de séquence. Il en résulte une amélioration considérable du pouvoir discriminateur de l'analyse génotypique.

En plus de son pouvoir intrinsèque d'investigation, la méthode PCR offre deux avantages techniques :

— elle permet d'effectuer l'analyse même si le DNA est dégradé,

— elle est applicable à des quantités infimes de DNA.

Ces particularités expliquent qu'elle soit devenue la méthode de choix en **criminalistique**.

Par exemple l'extraordinaire pouvoir amplificateur de la méthode PCR permet de rendre accessible à l'analyse 1 ng de DNA, soit environ le 1/5 du contenu en DNA dans une seule tige de cheveu (sans la racine). Il est donc possible de caractériser individuellement le DNA dans chaque cheveu retrouvé sur la scène d'un crime, moyennant les indispensables précautions d'usage pour éviter les contaminations (voir chapitre 21).

Sélection de références bibliographiques : voir page 744.

Biologie moléculaire et éthique médicale

19

La biologie des organismes supérieurs bénéficie depuis une dizaine d'années de progrès spectaculaires, tant dans le domaine des connaissances pures que dans celui des technologies. Ces progrès conduisent à des possibilités nouvelles et à de nouvelles maîtrises qui, lorsqu'elles s'appliquent à la médecine, peuvent poser des problèmes d'ordre éthique. Nous n'envisagerons, dans le cadre de cet ouvrage, que ceux qui sont engendrés par l'essor soudain de la biologie moléculaire, en laissant de côté ceux qui n'en dérivent pas directement, comme par exemple la fécondation in vitro et l'expérimentation sur les embryons.

Avant d'envisager les problèmes éthiques qui se posent à l'heure actuelle, il convient de se rappeler le contexte dans lequel la « Nouvelle Génétique » a fait son apparition. La perspective d'accéder au patrimoine génétique humain, pour l'étudier et éventuellement le modifier, a été d'abord perçue comme fondamentalement attentatoire à la personnalité génétique de l'individu et de l'espèce, comme potentiellement dangereuse et comme une porte ouverte à l'eugénisme. Ces craintes étaient contemporaines de la période initiale (1972-1978), où la communauté scientifique d'abord, l'ensemble du corps social ensuite, s'interrogeaient sur les risques de tous ordres que pouvaient comporter les « manipulations génétiques » (voir chapitre 1). On sait ce qu'il en est advenu en ce qui concerne les risques expérimentaux qui, la réflexion et l'expérience aidant, ont été jugés inexistants.

Restent les problèmes éthiques, en particulier d'ordre médical. Avec le recul du temps et vu l'état de l'art, il est possible de mieux les appréhender. On peut les regrouper en deux catégories, selon que l'accès aux gènes humains constitue seulement une interrogation, c'est-à-dire un **acte diagnostique**, ou qu'il comporte une intervention, c'est-à-dire un **acte thérapeutique**.

DNA et médecine prédictive

Les problèmes éthiques engendrés par l'extraordinaire puissance prédictive du diagnostic génotypique sont multiples. Les uns sont d'ordre strictement médical, les autres sont de véritables problèmes de société. En effet, pour la première fois ce n'est plus seulement l'homme malade qui est en cause, mais chaque individu, dont on pourra de plus en plus prédire l'avenir pathologique, pour lui-même et pour sa descendance.

Les problèmes éthiques du diagnostic génotypique

Au fur et à mesure des progrès du déchiffrage de la carte génétique humaine, un nombre croissant de locus morbides devient accessible à l'analyse génotypique, permettant de déchiffrer chez chaque individu un nombre croissant de maladies, de susceptibilités, de **prédispositions**. Les **porteurs sains** des anomalies génomiques récessives les plus fréquentes pourront être identifiés, non seulement dans les familles à risque, mais aussi dans la population générale.

Les problèmes éthiques ainsi posés se ramènent au **diagnostic prénatal** et au **diagnostic présymptomatique**. Ces deux types de diagnostic sont des actes de médecine préventive. Cette dernière consiste à refuser la fatalité, ce qui est le fondement de l'attitude médicale face à la maladie. Lorsque la fatalité est d'ordre génétique faut-il s'y opposer ou au contraire s'y résigner ? Le problème n'est pas strictement d'ordre religieux. Le diagnostic prénatal, assorti d'une interruption de grossesse, est largement admis et pratiqué pour un grand nombre de handicaps graves et incurables. Se pose dès lors le problème de la définition du handicap. Le refus du handicap est un fait de société, encouragé par les progrès de la médecine portés à la connaissance du public. C'est en définitive au couple, convenablement éclairé par le généticien, qu'appartient la décision d'interrompre ou de poursuivre une grossesse.

Mais un problème éthique se pose si l'exigence de qualité du produit de conception pousse les parents à refuser le moindre handicap. Jusqu'à présent c'était le médecin qui en conscience fixait les limites d'acceptabilité de cette exigence. Devant l'accroissement du pouvoir prédictif, il ne lui est plus possible de prendre seul la responsabilité de tracer la frontière entre l'acceptable et l'inacceptable. C'est aux **comités d'éthique** qu'appartient de plus en plus cette responsabilité. C'est une tâche difficile, à cause de l'évolution rapide des connaissances, des savoir-faire et des mœurs.

Dès maintenant un problème se pose pour la prédiction des handicaps à manifestation tardive dans le cours de la vie, lorsqu'il n'existe pas encore de mesure thérapeutique préventive. Les **polykystoses rénales héréditaires** en sont un exemple. Au moins deux locus sont en cause, l'un pour la forme dominante de l'adulte — locus PKD1 sur le chromosome 16 —, l'autre pour la forme récessive infantile, non encore localisé. Le diagnostic prénatal de cette dernière, très sévère, à manifestation précoce et non curable, paraît justifié. Il n'est cependant pas encore possible, le gène n'étant pas localisé. En revanche le diagnostic prénatal de la forme dominante de l'adulte est possible grâce à des RFLP proches du locus PKD1 (voir chapitre 14). Cependant un tel diagnostic pose un problème éthique puisque l'insuffisance rénale de la forme évoluée de la polykystose est justiciable d'une épuration extra-corporelle longtemps efficace. D'autre part si le diagnostic génotypique fœtal est porté aujourd'hui, la maladie ne se développera que dans une quarantaine d'années, à un moment où on peut espérer que des progrès thérapeutiques (découlant de la découverte du gène et de la compréhension des mécanismes physiopathologiques) seront intervenus.

Ceci pose plus généralement le problème du diagnostic présymptomatique des maladies graves à manifestation tardive et non encore justiciables d'une thérapeutique. La **chorée de Huntington** en est l'exemple le plus typique. C'est une maladie neurodégénérative grave, apparaissant en général après la quarantaine, sans aucun symptôme clinique ou biologique avant-coureur, évoluant en plusieurs années vers la déchéance mentale et la mort, sans aucun recours thérapeutique. Or le gène responsable de cette maladie dominante a été localisé sur l'extrémité du bras court du chromosome 4. Ce gène n'a pas encore été identifié, mais il existe des polymorphismes proches permettant d'effectuer un diagnostic indirect avec une fiabilité de l'ordre de 96 p. 100 (voir chapitre 14). Pour le moment le diagnostic génotypique de la chorée de Huntington ne peut avoir qu'un seul objectif, celui de permettre aux sujets en âge de procréer d'avoir une descendance normale. Cette interruption de la chaîne fatale dans une famille ne peut se faire qu'au prix de l'identification pré-morbide des sujets porteurs du gène anormal. Si chez les sujets déclarés indemnes le soulagement est considérable, la révélation de la vérité aux sujets atteints représente un verdict lourd de conséquences, puisqu'aucun traitement ne peut leur être proposé pour le moment. Les individus à risque — rappelons que le risque est de 1/2 chez chaque enfant de sujet ayant développé la maladie — ont-ils le droit de savoir, le droit de ne pas savoir, le devoir de savoir ? Qu'en est-il du conjoint ? Ces graves problèmes d'éthique individuelle et familiale sont tellement importants qu'ils ont empêché toute banalisation du diagnostic génotypique de la chorée de Huntington. Des études de faisabilité psychologique ont été entreprises. Elles concluent à la nécessité impérative d'une préparation soigneuse des familles et d'une véritable assistance à la décision. Celle-ci doit comporter d'une part une information complète des candidats à la connaissance, ceci avant de pratiquer le test génotypique, d'autre part un accompagnement médical et psychologique très soigneux chez les sujets qui persistent dans leur détermination. Seuls de rares centres multi-disciplinaires spécialisés sont en mesure de fournir ces services.

Génotype et société

La possibilité de déterminer aujourd'hui le **sexe** des fœtus, et même celui des embryons, voire des spermatozoïdes (par détection des séquences du chromosome Y après amplification par PCR) conduit à la maîtrise de la détermination du sexe dans l'espèce humaine. Cette maîtrise potentielle représente évidemment, quelle que soit l'autorité qui se l'arroge — parentale ou étatique — un très sérieux problème éthique.

Un autre problème concerne la sauvegarde et l'utilisation de l'**information génotypique**. Si celle-ci a été obtenue chez un malade avant sa mort, elle peut à son tour être indispensable pour permettre d'effectuer dans la même famille un diagnostic de transmettrice de maladie liée au chromosome X, un diagnostic de gène morbide dominant, un diagnostic prénatal. La nécessité de recueillir et de stocker ce genre d'information, dans les familles à risque pour les maladies génétiques graves, se fera de plus en plus sentir, imposant le recours à l'informatique.

L'établissement de **registres génétiques** pose un problème de confidentialité, celle-ci étant imposée par la double nécessité de respecter le secret médical et de se conformer à la loi Informatique et Libertés.

Comme il devient possible d'explorer le génome de chaque individu de manière de plus en plus approfondie, il n'est pas absurde d'imaginer qu'on puisse un jour établir pour chacun une carte d'identité génétique où tous les secrets de la personnalité physique, biologique, et même psychique seraient consignés.

Au point de vue strictement médical le bénéfice de ce stade avancé de la médecine prédictive ne paraît pas discutable si à la prédiction s'attache une possibilité de prévention, par des mesures diététiques ou environnementales appropriées. On peut l'imaginer par exemple pour l'hypertension artérielle, l'athérosclérose, certains cancers. D'un autre côté, si l'avenir biologique de chacun peut être lu dès son plus jeune âge, à qui cette information peut-elle être dévoilée ? A l'individu lui-même ? A sa famille ? A une autorité médicale désintéressée et tutélaire ? D'autre part de nombreux organismes privés, voire publics, peuvent avoir intérêt à lire dans l'avenir médical des individus, pour des raisons professionnelles ou actuarielles.

La médecine prédictive fondée sur l'information génotypique est donc une arme à double tranchant : d'une part elle vise à libérer l'homme du fardeau génétique, d'autre part elle risque de restreindre la liberté de l'individu en exposant ses faiblesses constitutionnelles.

Éthique et thérapie génique

Nous avons envisagé dans le chapitre 17 les aspects techniques de la thérapie génique. Rappelons la distinction fondamentale, mais encore mal perçue par le grand public et la presse chargée de l'informer, entre génothérapie **germinale** et génothérapie **somatique**.

Inacceptabilité et absurdité de la génothérapie germinale

La génothérapie germinale n'est pas véritablement à la source de problèmes, puisqu'elle est unanimement rejetée, par les experts scientifiques comme par les autres représentants du corps social appelés à réfléchir sur les problèmes éthiques (philosophes, religieux, juristes, simples citoyens). Ce rejet est fondé avant tout sur des considérations morales considérant le patrimoine génétique humain **transmissible** comme inaliénable. Chez les généticiens moléculaires s'y ajoutent des considérations scientifiques : actuellement la génothérapie humaine est techniquement impraticable, d'un rendement très faible chez la souris (de l'ordre de 1 p. 100 des ovocytes micro-injectés) et d'un résultat totalement imprévisible. Le risque de mutagenèse insertionnelle, d'activation d'un proto-oncogène, et surtout l'**absence complète de garantie thérapeutique** représentent des obstacles médicaux rédhibitoires. On doit y ajouter une objection de pure logique. Elle concerne le fait qu'il paraît absurde de tenter un geste irréparable et définitif engageant les générations ultérieures alors que, grâce au diagnostic prénatal déjà en vigueur, il est possible d'assurer aux parents une descendance normale. La génothérapie germinale ne peut s'adresser qu'à un embryon dont on est certain qu'il est anormal. Or le risque est de 1 sur 4 pour les maladies autosomiques récessives, et de 1 sur 2 pour les maladies liées au sexe et les maladies dominantes*. Il faudrait donc effectuer un criblage préalable, c'est-à-dire un diagnostic pré-implantatoire, lequel grâce à la méthode PCR est techniquement possible (par analyse d'une cellule au stade 4 ou 8 cellules). Mais on conçoit l'absurdité d'un tel tri qui, au lieu de conserver l'embryon normal, ne sélectionnerait que l'embryon anormal à des fins de thérapie génique germinale !

En raison des progrès de la technologie, qui permettent d'envisager à brève échéance le typage génétique d'une seule cellule par la méthode PCR, on peut même imaginer de tester les gamètes individuellement. Cette possibilité de **tri gamétique** préconceptionnel rendrait caduque toute idée de génothérapie germinale.

La génothérapie somatique : l'éthique précède le savoir-faire

Nous avons envisagé dans le chapitre 17 les problèmes techniques qui se posent et qui ne sont pas encore résolus, ainsi que les maladies apparaissant comme les meilleures candidates. Si très peu de tentatives ont

* Seuls les embryons conçus par deux parents homozygotes pour une maladie récessive, par exemple la mucoviscidose ou la phénylcétonurie, ont 100 p. 100 de risques d'être anormaux.

jusqu'à présent été effectuées chez l'homme, c'est faute d'un savoir-faire satisfaisant et non pas pour des raisons éthiques.

A priori la greffe d'un gène activement exprimé et convenablement régulé dans une cellule somatique et sa réimplantation chez l'homme ne devraient pas susciter plus de réserves éthiques qu'une greffe de moelle ou une transplantation d'organe. Pourtant les gènes humains et leur manipulation exercent sur le public et sur la presse un impact où le magique le dispute au tabou. Ainsi s'explique que dès le début les perspectives de transplantation génique somatique chez l'homme aient suscité une intense réflexion d'ordre éthique. La nécessité d'une approche à la fois prudente et rigoureuse est illustrée par le scandale qu'a représenté l'affaire Cline.

L'affaire Cline

En 1980 un hématologiste de l'université californienne UCLA, Martin Cline, a effectué chez deux malades atteints de thalassémie majeure une greffe médullaire du gène de la β-globine humaine cloné dans un vecteur. La transplantation génique a échoué, et les malades n'en ont tiré aucun bénéfice. Une autorisation préalable avait été demandée par Cline au comité ad hoc de son hôpital et, comme la réponse se faisait attendre, celui-ci choisit ses sujets d'expérience l'un en Italie, l'autre en Israël. Dans ce dernier pays il avait obtenu le consentement des autorités locales pour une transplantation de gène humain normal sans qu'il soit fait mention de DNA recombinant. Or le gène de globine transfecté dans les cellules de la moelle des receveurs était inséré dans un vecteur. La tentative de Cline souleva un tollé général, d'abord parmi ses pairs, puis dans l'opinion publique. On lui reprocha d'avoir, en effectuant son expérimentation sur des malades non américains, voulu brusquer le cours des événements, violant en quelque sorte par avance une interdiction qui lui fut notifiée par le comité de l'université UCLA quelques jours plus tard. Ce geste parut à la fois prématuré et non éthique et fut unanimement condamné. D'autre part cette tentative ne donna pas lieu à publication, et on accusa Cline d'être animé par des motivations plus publicitaires que scientifiques. Il perdit son poste et ses crédits de recherche. L'émotion soulevée par cette affaire, où les malades ne semblent pas avoir subi de conséquences fâcheuses, est significative. Pour la première fois dans l'histoire on avait cherché à transférer un gène chez l'homme, ce qui était déjà une forme de transgression, et on avait délibérément bravé l'interdiction d'un comité d'éthique médicale.

Cette affaire est à rapprocher d'une expérience pratiquée quelques années auparavant et qui n'avait suscité aucune condamnation. Entre 1970 et 1973 S. Rogers avait inoculé le virus du papillome de Shope à trois sœurs atteintes d'argininémie (déficit en arginase) en espérant que ce virus induirait une baisse de l'arginine sanguine (l'infection par ce virus était censée provoquer une hypo-argininémie). L'expérience fut infructueuse. Même rétrospectivement elle ne fut pas jugée condamnable. En effet Rogers n'avait enfreint aucune réglementation... puisqu'il n'y en avait pas.

L'affaire Cline a eu un aspect négatif, qui est la très mauvaise impression donnée au public et aux pouvoirs publics par un médecin refusant de se soumettre au jugement des experts. Ainsi s'explique le moratoire de fait qui s'est établi depuis. L'affaire a aussi eu un aspect positif en stimulant une intense réflexion de la part des experts et des agences scientifiques, en particulier aux États-Unis. Celle-ci a abouti à une sorte de charte, soumise à révisions périodiques, soumettant les tentatives futures à une réglementation très stricte.

La génothérapie somatique étroitement surveillée

Le cadre scientifique, technique et éthique dans lequel les premières tentatives doivent s'inscrire a déjà été soigneusement défini. Nous avons vu au chapitre 17 le cahier des charges auquel les expérimentateurs doivent se soumettre. Au point de vue éthique les points essentiels sont les suivants :

— la maladie choisie doit être grave et incurable par tout autre moyen en vigueur ;

— le système biologique doit être complètement caractérisé et l'efficacité démontrée par un stade d'**expérimentation préclinique chez l'animal** ;

— le bénéfice escompté et les risques supposés sont soigneusement pesés ;

— la qualification des chercheurs et les moyens logistiques doivent être adéquats ;

— le choix des patients doit être soigneusement déterminé ;

— on aura recours à la procédure du « consentement éclairé » ;

— on assurera la confidentialité de l'expérience et on préservera l'anonymat des patients face à la curiosité des media.

En pratique tous ces points sont vérifiés par des comités d'experts examinant tous les aspects médicaux et éthiques. En ce qui concerne les Etats-Unis où les projets sont les plus avancés, le feu vert est exigé d'une série d'agences fédérales dont les plus importantes sont le *National Institutes of Health (NIH)* — via son comité consultatif traitant du DNA recombinant (RAC) —, et la *Food and Drug Administration (FDA).*

Des garde-fous mis en place par la loi

Tous les problèmes éthiques que nous avons envisagés sont désormais du ressort des **CCPPRB** (Comités Consultatifs de Protection des Personnes en Recherche Biologique), mis en place par la loi Huriet, qui siègent dans les CHU. Le **Comité national consultatif d'éthique** peut être également appelé à donner son avis. Cette structure de réflexion rassemble des médecins, des biologistes fondamentaux, des juristes, des philosophes, des représentants des divers courants de pensée religieuse et laïque, des usagers représentés par les associations de malades. Elle a à connaître des problèmes éthiques que soulèvent les innovations médicales, dont l'accès au gène ne représente qu'un des aspects.

En matière de thérapie génique, l'autorisation finale doit être obtenue auprès de la **Commission de Génie Génétique**, organisme réglementaire régi par la loi du 13 juillet 1992.

Biologie moléculaire et société

Les activités médicales recouvertes par ce qu'on appelle désormais la **Bioéthique** réclament une réflexion approfondie de la part de la société tout entière, immédiatement informée des moindres possibilités d'innovation.

Si l'impact médical de la génothérapie somatique peut être objectivement considéré comme quantitativement modeste, la vision beaucoup plus subjective qu'ont de ces problèmes les philosophes, les autorités religieuses, les sociologues, les journalistes, et finalement le public est toute différente. Ces derniers sont extrêmement vigilants, et attentifs à tout ce qui touche les applications médicales du génie génétique.

La possibilité de déchiffrer le génome humain, d'identifier les gènes morbides responsables du lourd tribut payé aux maladies génétiques*, et, en

* Chez les enfants ce tribut est particulièrement lourd : les maladies génétiques sont responsables d'un tiers des admissions en pédiatrie et de la moitié de la mortalité infantile.

attendant de les comprendre et de les soigner, la possibilité de les diagnostiquer par une analyse génotypique, ont un impact considérable sur les familles concernées. Il faut souligner le rôle de plus en plus important que jouent les **associations de malades** qui regroupent les malades et leurs familles affectés par une pathologie génétique déterminée. Ces associations jouent un rôle déterminant, d'une part en répertoriant, en informant, en mobilisant et en motivant les familles, d'autre part en favorisant les enquêtes familiales menées à l'échelon national et international, de plus en plus nécessaires pour la localisation des gènes inconnus. Leur impact sur le grand public et sur les pouvoirs publics est un important fait de société.

Un fait de société récent, sur lequel les bioéthiciens ne se sont pas encore penchés, mais qui préoccupe déjà les biologistes moléculaires, concerne l'irruption des **impératifs économiques** sur la scène scientifique. Ce fait renferme un risque indiscutable d'aliénation des progrès de la science, tout particulièrement dans le domaine médical. Ceci est particulièrement sensible dans les domaines suivants :

— risque d'appropriation de l'information génétique : on le voit à propos de la question des **brevets** concernant les séquences de cDNA ;

— risque d'une pression de la part des firmes commerciales, désireuses de rentabiliser les trousses **(kits)** de diagnostic génotypique, en prônant une utilisation massive de leurs tests, sans que soit tenu compte du bien-fondé d'une pareille généralisation :

— risque de conflits économiques susceptibles de surgir entre les impératifs de la médecine moléculaire et les contraintes budgétaires de la collectivité.

Sélection de références bibliographiques : voir page 745.

Troisième partie

Les outils du génie génétique

Le matériel biologique et les techniques générales de biologie moléculaire

20

Le matériel biologique

Toute étude de génétique moléculaire implique la disposition d'échantillons d'acides nucléiques. Les applications médicales actuelles de routine se limitent le plus souvent à l'étude du génome lui-même c'est-à-dire du DNA. Les quantités nécessaires sont infimes, **quelques microgrammes** suffisent. Les études sont facilitées par le fait que toute cellule nucléée renferme dans le DNA de son noyau **toute l'information** génétique de l'individu entier, la différenciation ne consistant pas (sauf rarissime exception) en une perte d'information. N'importe quelle cellule nucléée peut donc être utilisée comme source de DNA. En revanche l'étude des RNA, premiers produits de l'expression des gènes, n'a pas encore d'application clinique courante.

Les techniques d'extraction des acides nucléiques sont relativement simples. Il convient seulement d'éviter toute destruction enzymatique ou mécanique. En effet les acides nucléiques, qui sont stables dans la cellule intacte, deviennent très vulnérables à la digestion par les nucléases endogènes une fois la cellule lysée. De plus le très long filament de DNA génomique est « cassant ».

La préparation du DNA en routine

Préparation à partir du sang total

Les leucocytes sanguins représentent la source majeure de DNA pour les études de routine en médecine. A partir de prélèvements de 10 à 30 ml de sang recueillis sur anticoagulant, de préférence de l'EDTA, il est possible d'obtenir quelques **centaines de microgrammes** de DNA sous forme de fragments d'une taille supérieure à 20 kb, ce qui est suffisant aussi bien en **quantité** qu'en **qualité** pour les études envisageables. Les échantillons de sang total anticoagulé peuvent voyager par la poste à température ambiante ; il est possible ensuite de les conserver congelés à – 20°C ou mieux – 80°C pendant plusieurs mois (certains préfèrent congeler le culot leucocytaire obtenu par centrifugation plutôt que le sang total). Il est primordial que l'ensemble des opérations soit effectué stérilement, et que la décongélation ait lieu juste avant l'extraction.

Réalisation

Le sang fraîchement recueilli ou décongelé est vigoureusement mélangé à une solution hypotonique pour faire éclater les globules rouges. Les globules blancs sont récupérés par centrifugation puis lavés avec la même solution. Ils sont ensuite traités par un mélange de **détergent** (SDS ou sarcosyl) et d'une protéinase très active, la **protéinase K**, ce qui a pour effet de libérer le DNA nucléaire dans le milieu et de digérer les protéines qui lui étaient associées. Le DNA subit ensuite une série d'extractions (phénol, chloroforme, dont les effets seront décrits ultérieurement), puis est précipité par l'alcool éthylique absolu froid (—20°C) à haute force ionique. Il précipite sous forme de filaments, visibles à l'œil nu, qui sont récupérés par enroulement sur une fine baguette de verre.

Le DNA est enfin repris par une solution de tampon TE (Tris 10mM, EDTA 0,1 à 1mM). Il peut être conservé ainsi plus d'un an à 4°C (la concentration d'EDTA peut être augmentée pour diminuer les risques de digestion par les nucléases contaminantes, mais dans ce cas il sera nécessaire de s'en débarrasser avant d'utiliser le DNA, les enzymes étant inhibées par l'EDTA).

Il est préférable de ne pas congeler le DNA génomique car la prise en glace et la décongélation provoquent des contraintes mécaniques qui se traduisent par de nombreuses cassures de la molécule.

Une évolution actuelle des techniques tend vers la simplification en supprimant l'étape phénolique, les protéines étant simplement éliminées par hydrolyse enzymatique. Enfin il existe des appareils automatisés permettant d'extraire le DNA à partir de sang total en quelques heures, et de traiter plusieurs échantillons simultanément.

Préparation à partir de tissus ou de cellules en culture

Les sources cellulaires, lors des analyses de routine, peuvent être des biopsies (par exemple des biopsies de villosités choriales lors d'un diagnostic prénatal) ou des cultures de cellules (amniocytes, lignées lymphoblastoïdes...). Les cellules sont homogénéisées en présence de détergent avec un petit appareil de Potter. Le reste de la technique est identique à celle décrite pour le sang total. Il est possible de récupérer quelques dizaines de microgrammes de DNA à partir d'une biopsie de quelques milligrammes.

Préparation des acides nucléiques en recherche

Le DNA est préparé de la même manière que pour les analyses de routine, sauf pour les organes trop durs pour être broyés dans un appareil de Potter. Ceux-ci sont congelés dans l'azote liquide, puis broyés dans un mortier rempli d'azote liquide. Cette méthode est la moins traumatisante pour les constituants cellulaires ; les polysomes par exemple ne sont pas altérés. La poudre obtenue par ce broyage est traitée comme décrit pour les cellules en culture.

Préparation des RNA totaux

Les RNA sont plus difficiles à étudier que le DNA parce qu'ils sont très vulnérables vis-à-vis de la ribonucléase (RNase A). Celle-ci est ubiquitaire (les doigts par exemple en sont couverts), extrêmement active et très résistante à toutes les agressions habituellement néfastes pour toutes les enzymes ; par exemple un traitement à 90°C pendant une heure n'altère pas son activité. Tout travail sur les RNA doit donc être effectué le plus stérilement possible à cause des RNases microbiennes. Les milieux (eau, tampons) et matériels doivent être autoclavés ; les pièces qui ne peuvent pas subir un tel traitement (pièces de plastique par exemple) doivent être lavées à l'acide iodoacétique 10mM puis rincées à l'eau distillée autoclavée.

Principe de la préparation

Les tissus ou cellules sont homogénéisés dans un tampon contenant un détergent puissant à haute concentration (SDS ou sarcosyl), un agent dissociant (chlorure ou thiocyanate de guanidine), une solution tampon (acétate) et un agent réducteur à haute concentration (2-mercaptoéthanol ou DTT). La composition de ce tampon a été ainsi choisie pour répondre à deux impératifs :

— inhiber les RNases endogènes ;

— dénaturer les acides nucléiques et dissocier les protéines qui pourraient y être fixées.

Les débris cellulaires sont éliminés par centrifugation. Les RNA sont ensuite extraits.

Une technique procurant des RNA relativement purs avec un très bon rendement repose sur la précipitabilité différentielle du RNA et du DNA selon le pH et la concentration d'éthanol.

Une technique plus sophistiquée repose sur le fait que la densité du RNA est très supérieure à celle du DNA. Dans cette technique l'extrait cellulaire est ultracentrifugé sur un coussin de chlorure de césium 5,7 M pendant une vingtaine d'heures. Seul le RNA est capable de traverser un tel coussin ; il est récupéré au fond du tube, après centrifugation, sous forme d'un petit cristal très pur.

Quelle que soit la technique utilisée, le RNA doit ensuite être lavé par de l'acétate de sodium 3M pH 5 et précipité à l'éthanol. Les RNA peuvent être conservés plus d'un an, soit sous forme précipitée dans l'éthanol, soit sous forme congelée à —70°C dans de l'eau contenant de la RNasine (inhibiteur de RNase extrait de placenta humain).

Préparation des RNA poly A^+

La très grande majorité des RNA messagers eucaryotes possèdent une queue constituée d'une longue séquence polyadénylique qui peut dépasser 100 A consécutifs. Cette caractéristique est mise à profit pour les purifier par affinité. Pour cela les RNA totaux sont passés sur colonne d'oligo dT-cellulose ou de poly U-Sépharose®. La séquence poly A des messagers s'hybride avec le poly U ou l'oligo dT, et ceux-ci sont de ce fait fortement fixés à la colonne. Après lavage, qui élimine les RNA non fixés, les RNA poly A^+ sont élués par abaissement de la force ionique. Ils sont récupérés de l'éluat par précipitation par l'alcool éthylique absolu froid (—20°C). Il existe des kits prêts à l'emploi et à usage unique pour la purification de RNA poly A^+ sur microcolonne. On a récemment introduit sur le marché des billes magnétiques revêtues d'oligo dT. Cette méthode permet, après passage dans un champ magnétique, de récupérer très rapidement les RNA poly A^+, même à partir de très petits échantillons.

Techniques générales utilisées en biologie moléculaire

LES EXTRACTIONS

Elles sont utilisées chaque fois que l'on souhaite éliminer des substances indésirables comme des protéines ou du bromure d'éthidium.

Principe

Utilisation de la solubilité différentielle des molécules (acides nucléiques/contaminants) entre deux phases non miscibles.

Réalisation

(Figure 20-1)

La solution d'acides nucléiques est vigoureusement mélangée à une phase non miscible pendant quelques minutes. La phase aqueuse, qui contient les acides nucléiques, est récupérée délicatement à la pipette après centrifugation.

Principales extractions

• *Extraction phénolique* : le phénol est un déprotéinisant puissant dans lequel les acides nucléiques ne sont pas solubles. La qualité du phénol est une donnée majeure ; il doit être parfaitement pur et non oxydé (distillé). L'extraction phénolique est utilisée chaque fois que les acides nucléiques doivent être débarrassés des protéines : purification de DNA ou RNA à partir de cellules, extraction des enzymes (comme les enzymes de restriction) après qu'elles aient agi.

• *Extraction au chloroforme ou à l'éther* : ce type d'extraction complète toujours une extraction phénolique, elle permet d'éliminer les traces de phénol qui auraient pu être emportées avec la phase aqueuse.

• *Extraction à l'isobutanol* : cette extraction a deux effets :
— extraire les molécules organiques comme le bromure d'éthidium ;
— concentrer de 10 p. 100 environ une solution d'acides nucléiques.
Un facteur de concentration supérieur peut être obtenu en multipliant les extractions successives.

LES PRÉCIPITATIONS

Elles ont pour but de récupérer les acides nucléiques sous forme solide, ce qui permet d'une part de les protéger, d'autre part, après séchage, de les resolubiliser à la concentration souhaitée. Dans le même temps, les sels peuvent être éliminés. Les principales précipitations sont :

• *Précipitation à l'alcool éthylique* : elle doit être effectuée à haute force ionique. L'éthanol doit aussi être à haute concentration (2,5 volumes d'éthanol à 95° par volume d'échantillon). Dans ces conditions les acides nucléiques sont presque totalement précipités. Pour les faibles concentrations de DNA et RNA ($< 50 \mu g/ml$) les temps de précipitation doivent être très longs (>10 heures). Quand cela est possible, la présence d'un entraîneur comme du tRNA est souhaitable. Les précipitations sont accélérées par le froid (—20 à —70°C). Le précipité est récupéré par centrifugation.

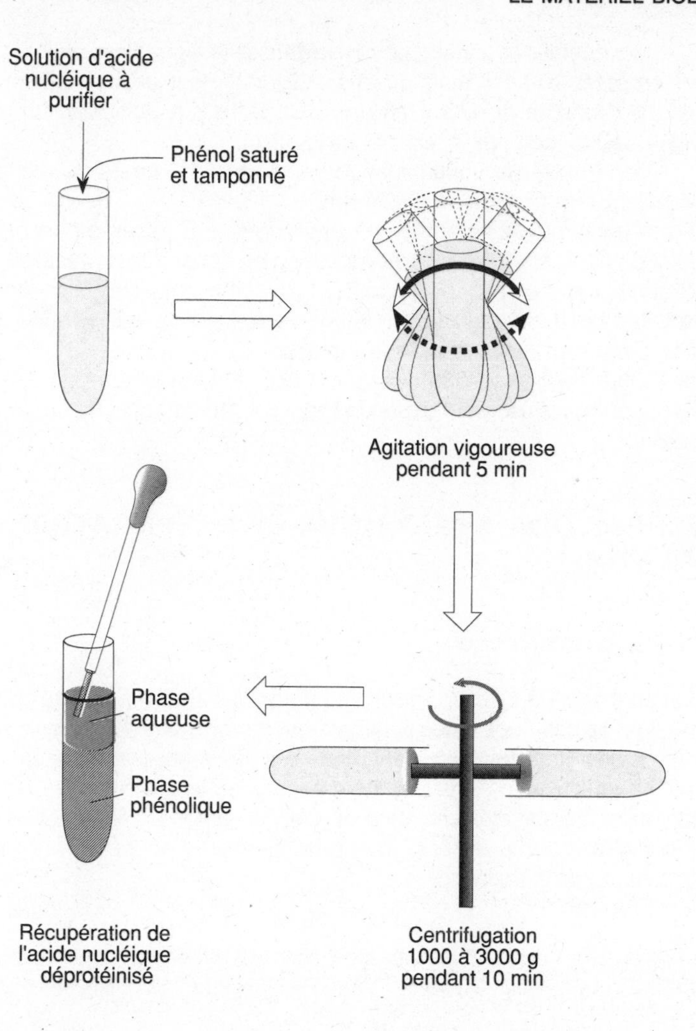

Figure 20-1 **Réalisation d'une extraction phénolique pour éliminer les protéines contaminant une solution d'acides nucléiques**
Lors des extractions à l'éther ou à l'isobutanol les phases sont inversées (eau en bas, éther au dessus).

• *Précipitation à l'isopropanol* : le principe est le même. Deux caractéristiques majeures la différencient de la précipitation éthanolique :

— le sel n'est pas nécessaire,

— les très petits fragments de DNA même à haute concentration ne sont pas précipités, ce qui permet de les éliminer. La précipitation à l'isopropanol se fait volume à volume.

Dans tous les cas le précipité doit être **lavé** avec de l'éthanol à 70 p. 100, pour se débarrasser des sels ou des traces d'isopropanol, et **séché**.

LE DOSAGE DES ACIDES NUCLÉIQUES

Il est rarement nécessaire d'effectuer un dosage très précis et dans la pratique une simple estimation de la concentration est suffisante. Elle est effectuée par photométrie, les bases puriques et pyrimidiques absorbant fortement dans l'ultra-violet à 260 nm.

Une unité de densité optique à 260 nm correspond à :

— une solution de DNA double brin à **50 μg/ml** ;

— une solution de RNA ou de DNA simple brin à **25 μg/ml**.

Ces valeurs s'appliquant à des acides nucléiques parfaitement purs et en solution homogène, certains contrôles doivent être effectués. Il convient de rechercher :

— une éventuelle contamination **protéique** (les protéines absorbent non seulement à 280 nm mais aussi à 260 nm). Pour cela on effectue une seconde mesure de DO à 280 nm. Un DNA pur doit avoir un rapport DO_{260}/DO_{280} compris entre 1,8 et 2,0 ;

— une éventuelle contamination par du **phénol** peut être recherchée en mesurant l'absorption à 270 nm.

Ces contaminations entraînent une surestimation de la concentration réelle du DNA, elles risquent d'inactiver ou de gêner les enzymes qui seront utilisées ultérieurement. Enfin le DNA ne doit pas être trop concentré car de telles solutions sont extrêmement visqueuses ce qui entraîne d'énormes erreurs de volume lors du pipetage.

Le DNA peut aussi être dosé avec plus de sensibilité et de spécificité par fluorimétrie après coloration par un produit spécifique (Hoechst 33258).

SÉPARATION ANALYTIQUE ET PRÉPARATIVE DU DNA

L'électrophorèse

Son emploi est quotidien, aussi bien à des fins analytiques que préparatives. Les acides nucléiques sont des macromolécules polyanioniques uniformément chargées, on peut donc les faire migrer dans un champ électrique. La charge relative étant constante, le système de discrimination utilisé est l'effet de filtration du gel. Suivant les théories de l'électrophorèse la mobilité **u** dans un champ électrique au sein d'un gel doué de pouvoir de filtration est :

$$\text{Log } u = \text{Log } u_0 - K_r C$$

Log u_0 étant la mobilité de la molécule en milieu liquide, **K_r** étant le coefficient de retardement dû au gel, qui est lui-même une **fonction de la masse moléculaire** de la molécule, **C** étant la concentration du gel.

Il résulte de cette équation que la vitesse de migration d'une molécule d'acide nucléique sera fonction de deux paramètres : sa masse moléculaire, donc le **nombre de bases** ou de paires de bases, et la concentration d'acrylamide ou d'agarose du gel. Le choix de la nature et de la concentration du support de l'électrophorèse est fonction de la taille moyenne des fragments à séparer. Les valeurs usuelles sont données dans le **tableau 20-1**.

Tableau 20-1 **Choix de la concentration du support de l'électrophorèse en fonction de la taille des fragments à séparer**

% d'acrylamide	Taille des fragments à séparer (paires de bases ou nucléotides)
4	200 à 800
5	80 à 200
8	40 à 100
11	10 à 50
% agarose	**Taille des fragments à séparer en kb**
0,6 à 0,8	1 à 20
0,9 à 1,2	0,5 à 7
1,2 à 1,5	0,2 à 5

• *Le gel de polyacrylamide* : il est utilisé pour la séparation des petits fragments c'est-à-dire de moins de 1 000 paires de bases. Ses trois applications majeures sont :

— la **purification des oligonucléotides** de synthèse et l'élimination des nucléotides libres après leur marquage radioactif ;

— la **détermination des séquences** de DNA. Pour cette application des gradients d'épaisseur qui induisent des gradients de champ électrique sont souvent utilisés ;

— la **séparation des petits fragments** de DNA dont la longueur est inférieure à 500 paires de bases.

Le gel est coulé entre deux plaques de verre à l'abri de l'oxygène ; la migration est verticale.

• *Le gel d'agarose* : c'est le support le plus utilisé. Dans la pratique les concentrations d'agarose sont comprises entre 0,6 et 1,5 p. 100. Les tailles des fragments qu'il est possible de séparer, sauf conditions expérimentales particulières (voir plus loin : PFG), sont comprises entre 0,5 et 20 kb. Les gels sont coulés à l'horizontale dans des appareils transparents aux UV de manière à pouvoir suivre périodiquement la migration. Quand la force ionique est très faible une circulation de tampon entre les deux bacs doit être assurée afin de diminuer les variations de pH de chaque bac qui résultent de la décomposition par électrolyse.

• *Electrophorèse en champ pulsé (Pulse Field Gel Electrophoresis) :* ce type d'électrophorèse a été développé par Schwartz et Cantor en 1984 afin de séparer les grandes molécules de DNA (>50 kb), que l'électrophorèse classique en agarose ne permet pas de résoudre, même en diminuant la concentration de l'agarose à la limite de ce qui est possible (en dessous de 0,4 p. 100 les gels sont tellement mous qu'il n'est plus possible de les manier sans les casser). Aux concentrations d'agarose utilisées, la porosité du gel est inférieure au micron ; la longueur d'une molécule de DNA de 50 kb complètement étirée est d'environ 18 microns. Il en résulte que les molécules de DNA dont la taille est supérieure à 20 kb ne peuvent se déplacer dans le gel que par reptation. Lorsque le champ électrique est appliqué, la molécule de DNA s'allonge dans le sens du champ puis commence sa reptation à partir de l'une de ses extrémités. La vitesse de migration n'est plus affectée par l'effet de filtration, elle est constante quelle que soit la taille de la molécule, d'où l'absence de pouvoir séparateur du gel.

Le principe de l'électrophorèse en champ pulsé consiste à changer l'orientation et/ou la polarité du champ électrique alternativement au cours du temps. A chaque modification du champ électrique la molécule de DNA doit se réorienter parallèlement au nouveau champ. Le temps nécessaire à la réorientation est proportionnel à la longueur de la molécule. Lorsque le champ est rétabli dans son sens initial, la molécule doit une nouvelle fois se réorienter. Ces temps de réorientation provoquent un retardement de la migration nette qui est proportionnel à la taille de la molécule.

L'électrophorèse en champ pulsé est réalisée dans un gel d'agarose à 1 p. 100 ; elle permet de séparer des fragments de DNA d'une taille comprise entre 50 kb et une dizaine de mégabases, donc quelques centimorgans (voir chapitre 10). Il n'est pas possible d'utiliser des échantillons de DNA purifié par les moyens classiques qui le cassent en fragments d'une taille inférieure à 100 kb. Les cellules dont on souhaite étudier le DNA sont incluses dans un bloc d'agarose et la digestion par les enzymes de restriction à très faible fréquence de coupure est réalisée in situ. Ce bloc constitue l'échantillon.

Dans la technique originale (Schwartz et Cantor) l'un des deux champs n'était pas homogène **(Figure 20-2A)**, l'une des électrodes étant ponc-

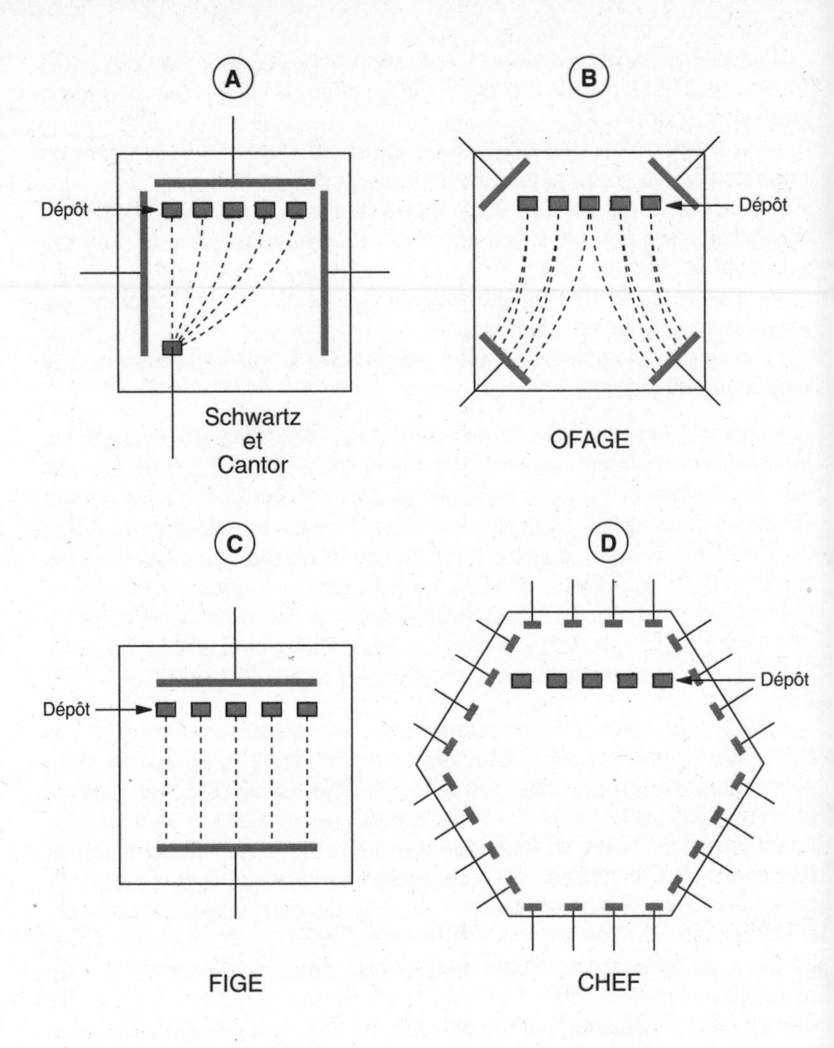

Figure 20-2 **Les différents types d'électrophorèse en champ pulsé**
Les rectangles rouges représentent les blocs contenant les échantillons. Les T plus ou moins grands représentent les électrodes.

tuelle et l'autre longue. De ce fait la migration n'est pas linéaire, tous les échantillons convergeant vers l'électrode ponctuelle, ce qui n'est pas satisfaisant pour l'étalonnage des gels et la détermination de la taille des bandes. Pour pallier cet inconvénient et optimiser la qualité des séparations sur de plus larges gammes de tailles de fragments, d'autres systèmes ont été développés. Nous ne décrirons que ceux qui sont le plus utilisés.

L'**OFAGE** *(**O**rthogonal **F**ield **A**lternating **G**el **E**lectrophoresis) est une technique dans laquelle deux champs non homogènes orthogonaux sont appliqués alternativement* **(Figure 20-2B)** ; l'angle de réorientation est de 90°. Les migrations sont plus linéaires que dans la technique originale, il est possible de séparer des fragments dont la taille peut atteindre 9 Mb (chromosomes de levure).

Le **FIGE** *(**F**ield **I**nversion **G**el **E**lectrophoresis)* est une technique dans laquelle le champ est homogène ; son orientation est unique, le sens du champ électrique étant simplement inversé périodiquement **(Figure 20-2C)**. L'angle de réorientation est donc de 180°, et les migrations sont linéaires, même sur les bords du gel. Cependant la migration n'est pas proportionnelle à la taille des fragments sur la totalité du parcours : accélération pour certains fragments, retardement pour d'autres, ce qui rend difficile la détermination précise de la taille des bandes sur une grande gamme. La taille des fragments pour laquelle commence la non-proportionnalité taille/migration est fonction du rapport entre la durée de la migration dans le sens aller et la durée de la migration dans le sens retour, et de la valeur du champ électrique établi dans chacun des sens. Il est possible de séparer des fragments dont la taille peut atteindre 1 à 2 Mb.

Le **CHEF** *(Contour-clamped Homogeneous Electric Field)* est une technique dans laquelle le champ est homogène, six groupes de quatre électrodes disposées hexagonalement **(Figure 20-2D)** permettant des angles de réorientation de 120°. Les migrations sont linéaires, il est possible de séparer des fragments dont la taille peut atteindre 12 Mb. Une séparation proportionnelle à la taille est obtenue sur la quasi-totalité de la migration. Il s'agit là de la technique la plus performante ; elle est maintenant la plus utilisée.

D'autres techniques ont été décrites, mais elles n'ont été que fort peu utilisées. On peut citer le **RFGE** *(Rotating Field Gel Electrophoresis),* le **CFGE** *(Crossed Field Gel Electrophoresis),* le **PHOGE** *(Pulsed Homogeneous Orthogonal Gel Electrophoresis),* le **PACE** *(Programmable Autonomously Controlled Electrodes),* le **ZIFE** *(Zero Integrated Field Electrophorésis)* et le **SPFGE** *(Secondary Pulsed Field Gel Electrophoresis).*

Plusieurs dispositifs ont été développés pour réaliser les électrophorèses en champ pulsé. Les appareils actuels disposent d'électrodes multiples, chacune étant controlée individuellement par un ordinateur. Tous les types de champs imaginables peuvent être réalisés de manière simple et programmable. Des palpeurs mesurent continuellement la valeur réelle du champ au sein du gel, l'information étant utilisée par l'ordinateur pour ajuster le champ à la valeur programmée. Ces appareils permettent de faire migrer simultanément de nombreux échantillons (jusqu'à 45). Enfin, il permettent de panacher les techniques au cours d'une même migration (par exemple il est possible de commencer en CHEF et de finir en FIGE).

Révélation et étalonnage des gels d'agarose

Le bromure d'éthidium est une drogue intercalante (donc présentant un risque cancérigène) qui se glisse entre les bases des acides nucléiques. Cette molécule, spontanément non fluorescente, présente une fluorescence orange lorsqu'elle est intercalée entre les bases des acides nucléiques. Dans la pratique cette molécule est introduite dans l'agarose avant que le gel ne soit coulé. Après migration, sous illumination par des UV courts, vers 300 nm, le DNA est visualisé sous forme de bandes orange. Il est alors possible de prendre des photographies avec un film très sensible **(Figure 20-3A)**. On peut aussi colorer le DNA contenu dans le gel par le nitrate d'argent (qui colore aussi les protéines).

La migration est inversement proportionnelle au logarithme du nombre de paires de bases du fragment. Chaque gel doit être étalonné avec des marqueurs de taille connue ; par exemple du phage lambda coupé par Hind III en électrophorèse classique, et des concatémères de phages lambda ou des chromosomes de levure pour l'électrophorèse en champ pulsé **(Figure 20-3B)**.

Électrophorèse préparative

Les principes et conditions techniques sont identiques à ceux de l'électrophorèse analytique. Après migration les bandes correspondant à l'acide nucléique à purifier sont repérées. Trois procédés de récupération de l'échantillon sont possibles :

— procédé 1 : la bande est découpée et l'acide nucléique est obtenu après diffusion dans un tampon adéquat ;

— procédé 2 : un petit puits est découpé en avant de la bande de DNA à purifier. Ce puits est rempli de tampon et le courant est rebranché. Le DNA migre dans le puits. Il est récupéré à la pipette.

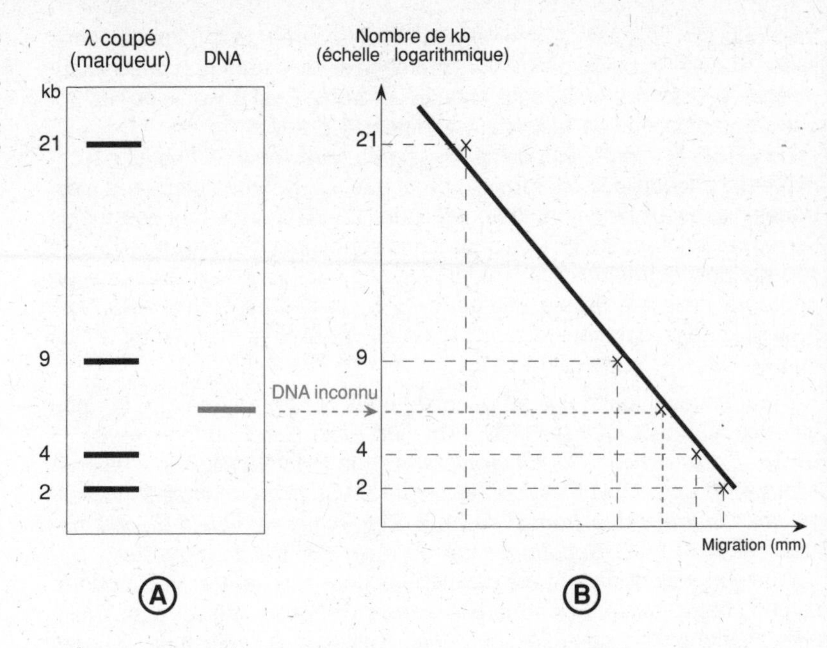

Figure 20-3 Séparation électrophorétique des acides nucléiques
A : Résultat d'une électrophorèse en gel d'agarose.
B : Détermination de la taille des fragments par rapport à des étalons : phage lambda coupé par Hind III.

Dans les deux cas le bromure d'éthidium doit être éliminé par trois ou quatre extractions à l'isobutanol ;

— procédé 3 : l'électrophorèse est réalisée dans un gel d'agarose spéciale (par exemple NuSieve® pour les fragments < 1 000 pb, SeaPlaque® pour les fragments plus grands) qui a pour propriété d'avoir un bas point de fusion (65°C). Après migration la bande est repérée sous ultraviolets (il faut opérer rapidement et utiliser des UV longs, environ 300 nm, car le DNA risque d'être détruit par les UV au cours de cette opération), puis est excisée. Le fragment d'agarose est repris dans un volume égal de tampon TE puis incubé à 65°C. Une fois l'agarose fondue, le DNA est récupéré par deux ou trois extractions au phénol puis au chloroforme, suivies d'une précipitation à l'alcool. Les centrifugations doivent être particulièrement soignées afin d'éviter les contaminations par l'agarose. Le DNA obtenu peut ensuite être purifié, par exemple sur silice (Geneclean®).

Les purifications peuvent aussi être effectuées avec des appareils spécialement conçus pour l'électrophorèse préparative.

Ultracentrifugations

• *Ultracentrifugation en gradient continu de chlorure de césium* : il s'agit d'une centrifugation isopycnique (en gradient de densité). Les solutions concentrées de chlorure de césium ont comme caractéristique de créer spontanément un gradient de densité lorsqu'elles sont soumises à un champ gravitationnel intense. La résolution de tels gradients atteint le centième d'unité de densité ce qui permet de séparer deux molécules identiques dont l'une est marquée par un isotope lourd. Ce type d'ultracentrifugation est très résolutif mais d'un maniement délicat. L'utilisation majeure de ce type d'ultracentrifugation est la préparation de **plasmides** et de **phages (Figure 20-4B)**.

• *Ultracentrifugation sur coussin (gradient discontinu) de chlorure de césium* : ce type de centrifugation permet de séparer rapidement et facilement des acides nucléiques ou des mélanges d'acides nucléiques dont les densités sont différentes, homogènes et connues. Le mélange est déposé sur le coussin ; seules les molécules dont la densité est supérieure à la densité du coussin de chlorure de césium pourront le traverser. Souvent plusieurs coussins de densités croissantes sont superposés. La fraction est récupérée à l'interface entre deux coussins. L'utilisation majeure des coussins multiples est la préparation rapide et à grande échelle des **phages (Figure 20-4A)**.

• *Ultracentrifugation en gradient de saccharose* : ce type de centrifugation correspond à la classique centrifugation de zone. Elle est utilisée pour séparer grossièrement l'ensemble des fragments dont les tailles se répartissent sur quelques kb. Ce type de centrifugation est principalement utilisé pour purifier les bras des phages, et la sélection des fragments de DNA de tailles correctes compte tenu du vecteur utilisé lors de la constitution des banques génomiques.

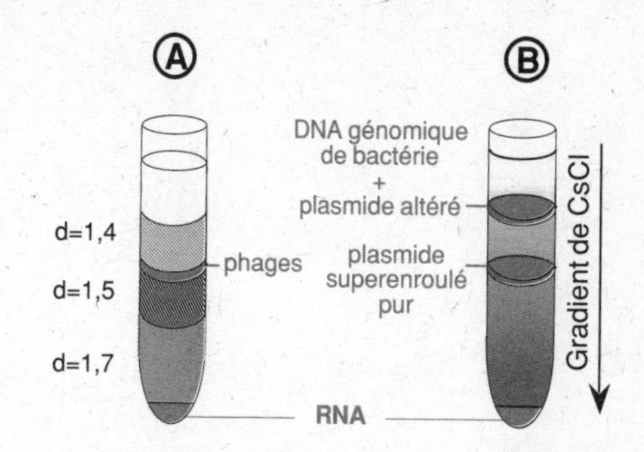

Figure 20-4 Ultracentrifugations en chlorure de césium
A : Ultracentrifugation sur coussins pour purifier des phages.
B : Ultracentrifugation sur gradient continu pour purifier des plasmides.

Chromatographie

Différents types de chromatographies sont utilisés en biologie moléculaire :
— la chromatographie d'affinité : sur poly U-Sépharose® ou sur oligo-dT-cellulose pour purifier les RNA messagers ;
— la gel-filtration pour séparer les acides nucléiques des nucléotides libres qui n'ont pas été incorporés lors d'un marquage ;
— l'échange d'ions en micro-colonnes pour récupérer de très petites quantités de DNA, après purification d'insert par exemple ;
— la HPLC *(High Performance Liquid Chromatography)* : son introduction dans ce domaine est récente. Elle est utilisée pour la purification d'oligonucléotides de synthèse (résolution : 1 base), la préparation de plasmides, la séparation de fragments de DNA.

LES OLIGONUCLÉOTIDES DE SYNTHÈSE

Compte tenu de la simplicité de sa structure, la molécule de DNA peut être synthétisée par voie organique sans difficulté. Pour des raisons techniques seuls sont synthétisés des DNA simple-brin. Lorsque cela est nécessaire (ce qui est rarissime), le deuxième brin peut être synthétisé par voie enzymatique (DNA polymérase).

Les premières synthèses d'oligonucléotides ont été effectuées manuellement par la voie des phosphodiesters, puis ultérieurement par la voie des phosphotriesters. Maintenant ces méthodes manuelles fastidieuses et dangereuses (manipulation de produits hautement toxiques) sont abandonnées. Les synthèses sont effectuées par des automates pilotés par des microprocesseurs. Dans la pratique il suffit de charger les réservoirs de l'appareil avec les réactifs appropriés, de taper la séquence désirée au clavier et de récupérer l'oligonucléotide synthétisé. La voie de synthèse utilisée par ces appareils est la voie des **phosphoramidites**.

Les réactions s'effectuent au sein d'une petite colonne contenant des microbilles de plastique ou de verre sur lesquelles est fixé le premier nucléotide (en 3') de l'oligonucléotide à synthétiser. Les fonctions réactives de ce nucléotide sont bloquées. Un cycle de réactions va permettre d'ajouter un nouveau nucléotide.

Chaque cycle est composé des étapes suivantes :
— déblocage du phosphore en 5' ;
— activation ;
— fixation du nucléotide suivant sous forme de β-cyanoéthylphosphoramidite bloqué ;
— blocage des produits d'avortement de la réaction, c'est-à-dire des extrémités 5' qui n'ont pas fixé le nucléotide apporté, afin de ne plus élonguer les produits non conformes à ce qui est attendu.

Un cycle a une durée de 6 minutes environ, un nucléotide est incorporé à chaque cycle. Le bon déroulement de la réaction peut être contrôlé par simple analyse visuelle des produits d'élution de la colonne (ils doivent avoir une couleur orange foncé).

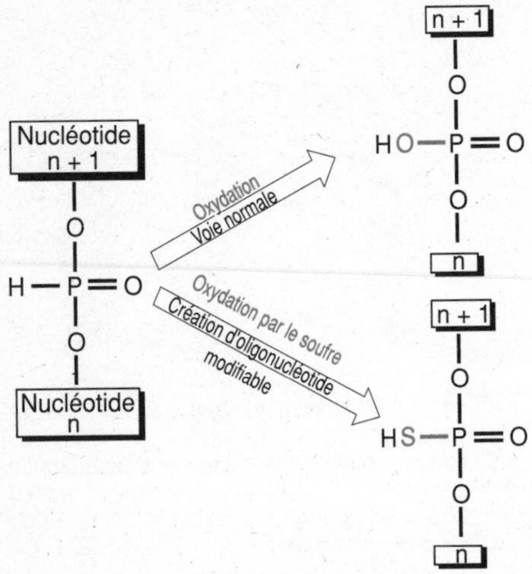

Figure 20-5 Dernière étape de la synthèse d'oligonucléotides par la voie des phosphonates
L'oxygène apporté lors de l'oxydation du phosphore peut être remplacé par un soufre, créant ainsi un groupement réactif où l'on pourra greffer une molécule marqueur.

Avec les appareils actuels il est possible de synthétiser des oligonucléotides de 100 à 120 bases. Il n'est cependant pas raisonnable de dépasser 40 à 50 bases. En effet les rendements à chaque étape sont inférieurs à 98 p. 100, la multiplication des cycles multiplie les produits d'avortement et les rendements ne deviennent plus intéressants quand les oligonucléotides sont trop longs.

Une fois synthétisé, l'oligonucléotide doit être purifié pour éliminer les produits des réactions ayant avorté. Cette purification est réalisée soit par électrophorèse préparative en gel d'acrylamide, soit par HPLC sur colonne en phase inverse ou en échange d'ions. Des micro-colonnes manuelles spécifiques sont maintenant commercialisées.

Synthèse des oligonucléotides modifiés

La détermination automatique des séquences nécessite des oligonucléotides marqués à leur extrémité 5' par un fluorochrome. Le séquençage en phase solide nécessite un produit d'amplification marqué en 5' par de la biotine (voir chapitre 27). Les marquages non radioactifs impliquent la fixation aux sondes de molécules diverses. Une stratégie simple consiste à synthétiser directement des oligonucléotides portant des groupements réactifs sur lesquels il sera possible de fixer spécifiquement n'importe quelle molécule.

Pour les marquages en 5' la solution consiste à utiliser comme dernier nucléotide de la synthèse un nucléotide ayant une extrémité 5' greffée à un groupement amine, éventuellement via un court bras aliphatique (pour supprimer les problèmes d'encombrement stérique).

Pour un marquage uniforme de l'oligonucléotide, le plus simple est de changer de voie de synthèse et d'utiliser la voie des **phosphonates**. En effet au cours de la synthèse par cette voie, l'une des valences du phos-

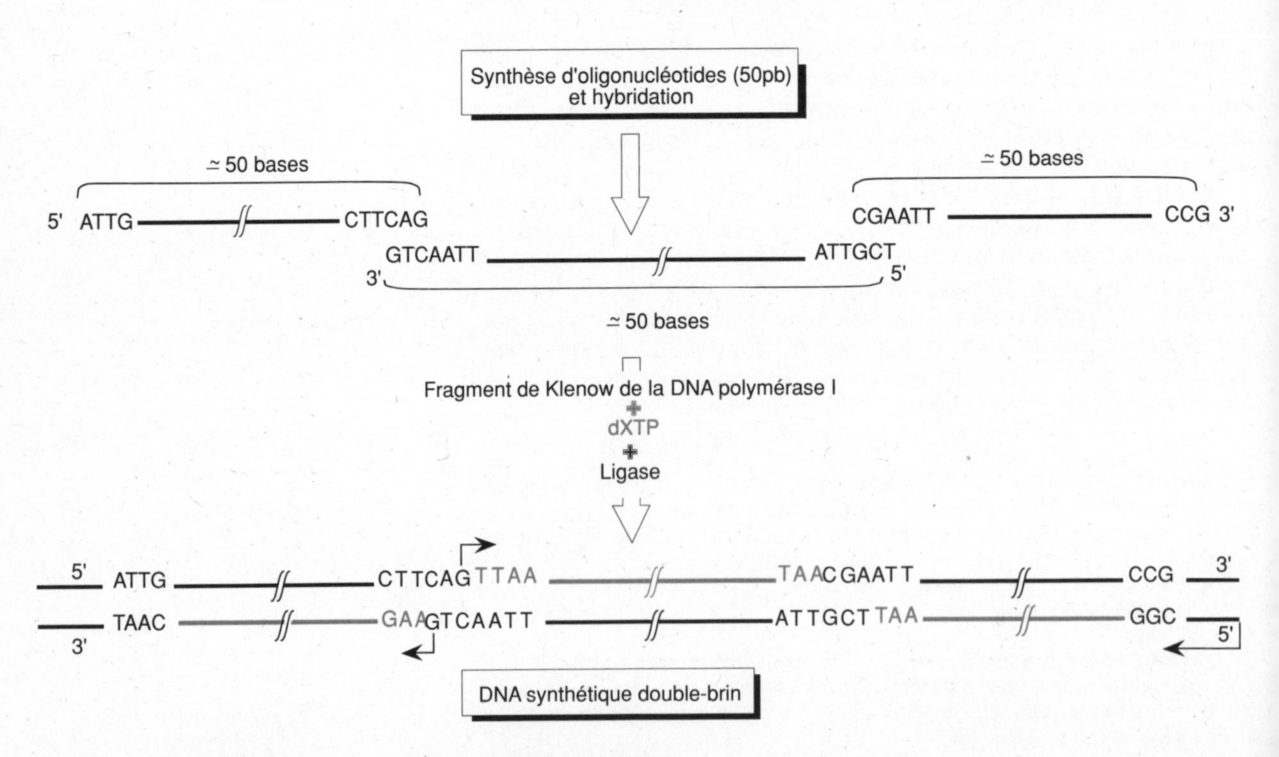

Figure 20-6 Synthèse de gènes ou de très longs polynucléotides
Une série d'oligonucléotides d'environ 50 bases, susceptibles de s'hybrider par leurs extrémités, sont synthétisés. Les zones manquantes sont comblées par le fragment de Klenow de la DNA polymérase I. Il en résulte un DNA double-brin ayant la longueur et la séquence souhaitée.

phore qui relie deux désoxyriboses doit être oxydée pour être transformée en hydroxyle (**Figure 20-5**). Il est possible d'employer à cette étape un autre atome que l'oxygène, par exemple du soufre, ce qui introduit un groupement réactif qui pourra être utilisé ultérieurement pour greffer une molécule marqueur, éventuellement via un bras aliphatique.

Synthèse des longues chaînes ou des gènes entiers

Pour être rentable, la longueur des oligonucléotides synthétisés ne doit pas dépasser une cinquantaine de bases. Quand cela est nécessaire il est possible de synthétiser des chaînes de DNA bien plus longues. Pour cela il suffit de synthétiser une série d'oligonucléotides d'une cinquantaine de paires de bases. Les séquences de ces oligonucléotides doivent être choisies de telle sorte qu'ils s'hybrident sur quelques bases à leurs extrémités, donc qu'ils correspondent alternativement à chacun des brins **(Figure 20-6)**. Les zones manquantes seront synthétisées par voie biologique par le fragment de Klenow de la DNA polymérase I.

Sélection de références bibliographiques : voir page 746.

21 Les techniques d'amplification élective in vitro (PCR, etc.)

L'écueil majeur limitant souvent les possibilités d'application des techniques de la biologie moléculaire à la routine médicale est le problème quantitatif. Les techniques d'amplification représentent une révolution, car elles permettent d'obtenir des dizaines, voire des centaines de nanogrammes d'une séquence dont on n'a que des quantités infimes (voir chapitre 8). Ces techniques sont basées sur la répétition de réplications in vitro du DNA à partir d'amorces spécifiques, éventuellement en passant par du RNA. La plus célèbre d'entre elles est la technique PCR *(Polymerase Chain Reaction).* Celle-ci a complètement bouleversé les stratégies utilisées jusqu'alors en biologie moléculaire, et ouvre d'immenses possibilités pour l'avenir. D'autres techniques d'amplification ont été proposées ; leur utilisation restant limitée, nous les décrirons brièvement.

LA TECHNIQUE PCR *(Polymerase Chain Reaction®)*

Cette technique, mise au point en 1985 par K. Mullis de l'équipe de H. Erlich (Cetus Corporation), est certainement celle qui a connu le développement le plus spectaculaire et le plus rapide dans l'histoire de la Biologie. Moins de trois ans plus tard, tous les laboratoires de biologie moléculaire l'utilisaient. En 1991 est paru le premier numéro d'une revue entièrement consacrée à la **technique PCR** : *« PCR Methods and Applications »,* Cold Spring Harbor Laboratory Press.

Derrière une très grande simplicité, à la fois dans le principe et dans la réalisation, se cachent de nombreux pièges susceptibles d'entacher la valeur des résultats obtenus. Son utilisation impose une organisation particulière des laboratoires, une connaissance de tous les écueils, et une grande expérience. Chaque résultat doit être analysé avant d'être validé, le principal écueil étant la **contamination** par les produits des amplifications précédentes.

Principe de la technique PCR

L'une des propriétés de toutes les DNA polymérases est de ne pouvoir synthétiser le brin complémentaire qu'à partir d'une **amorce**. Cette propriété, qui complique considérablement pour la cellule le processus de la réplication (voir chapitres 3 et 7), est indispensable à la stabilité de l'information cellulaire. En effet, s'il suffisait que le DNA soit sous forme simple-brin pour qu'il soit répliqué, de nouvelles séquences, plus ou moins longues et initiées de manière aléatoire, ne cesseraient d'être synthétisées (par exemple au cours de la transcription) et de s'accumuler au cours de la vie de la cellule. Cette propriété des DNA polymérases est mise à profit dans la technique PCR pour amplifier, par réplications successives, la séquence désirée. Il suffit pour cela de choisir des amorces oligonucléotidiques synthétiques capables de s'hybrider à ses bornes et de réaliser les réplications qui assureront la multiplication de la séquence encadrée par les amorces. Pour pouvoir réaliser cette opération il est donc indispensable d'avoir une connaissance préalable de la séquence que l'on souhaite amplifier. Le nombre de copies de la séquence choisie est doublé à chaque réplication, et son augmentation est donc **exponentielle**. Après 30 cycles on obtient en moyenne une amplification de 10^6 (voir page 561). Si l'on est parti de 1 picogramme de cible contenu dans 1 microgramme de DNA génomique total, on récupère 1 microgramme de cible amplifiée, ce qui est plus de 100 fois supérieur au seuil de détection par simple coloration au bromure d'éthidium. De plus, la taille du segment amplifié est toujours considérablement plus faible que celle du DNA de départ, et il est donc très facile de les séparer, même par des techniques grossières. Il s'agit donc pratiquement d'un **clonage acellulaire**.

Réalisation pratique
(Figure 21-1)

Le DNA contenant le segment à amplifier est chauffé à une température supérieure à sa Tm (dans la pratique une température de 94-95 °C) en présence des composants nécessaires à la réplication (voir plus loin leur description). Cette température est maintenue entre trente secondes et une minute. Elle est ensuite abaissée à une valeur inférieure à la Tm de l'amorce possédant la plus faible Tm, afin que les amorces puissent s'hybrider avec le DNA dénaturé. Dans la pratique, cette température est comprise entre 40 et 70 °C ; elle est maintenue entre trente secondes et une minute. On augmente ensuite la température à 72 °C afin de permettre à la DNA polymérase **(thermostable)** de répliquer le DNA dans les conditions optimales. Bien que cette température soit habituellement supérieure à la Tm des amorces, celles-ci ne se déshybrident pas. En effet, même s'ils sont rapides, les changements de température ne sont pas immédiats, ce qui permet à la polymérase de commencer l'élongation des amorces avant que les 72 °C ne soient atteints. Le fragment synthétisé est alors suffisamment long pour que sa Tm soit supérieure à 72 °C. La durée de cette étape est fonction de la longueur de la séquence à amplifier ; elle est en général comprise entre trente secondes et une minute (fragments de 0,2 à 1 kb). Des durées de plusieurs minutes peuvent cependant être nécessaires pour les fragments plus longs (2 à 3 kb).

Ces trois étapes **(dénaturation, hybridation, élongation)** constituent un **cycle** au cours duquel la quantité de DNA cible a été doublée. Ces cycles sont renouvelés entre 20 et 50 fois suivant la quantité de cible de départ et le but poursuivi. Il est inutile de trop augmenter le nombre de cycles, car l'amplification cesse d'être exponentielle après 15 à 20 cycles, et atteint ensuite rapidement un plateau. En fait celui-ci est atteint d'autant

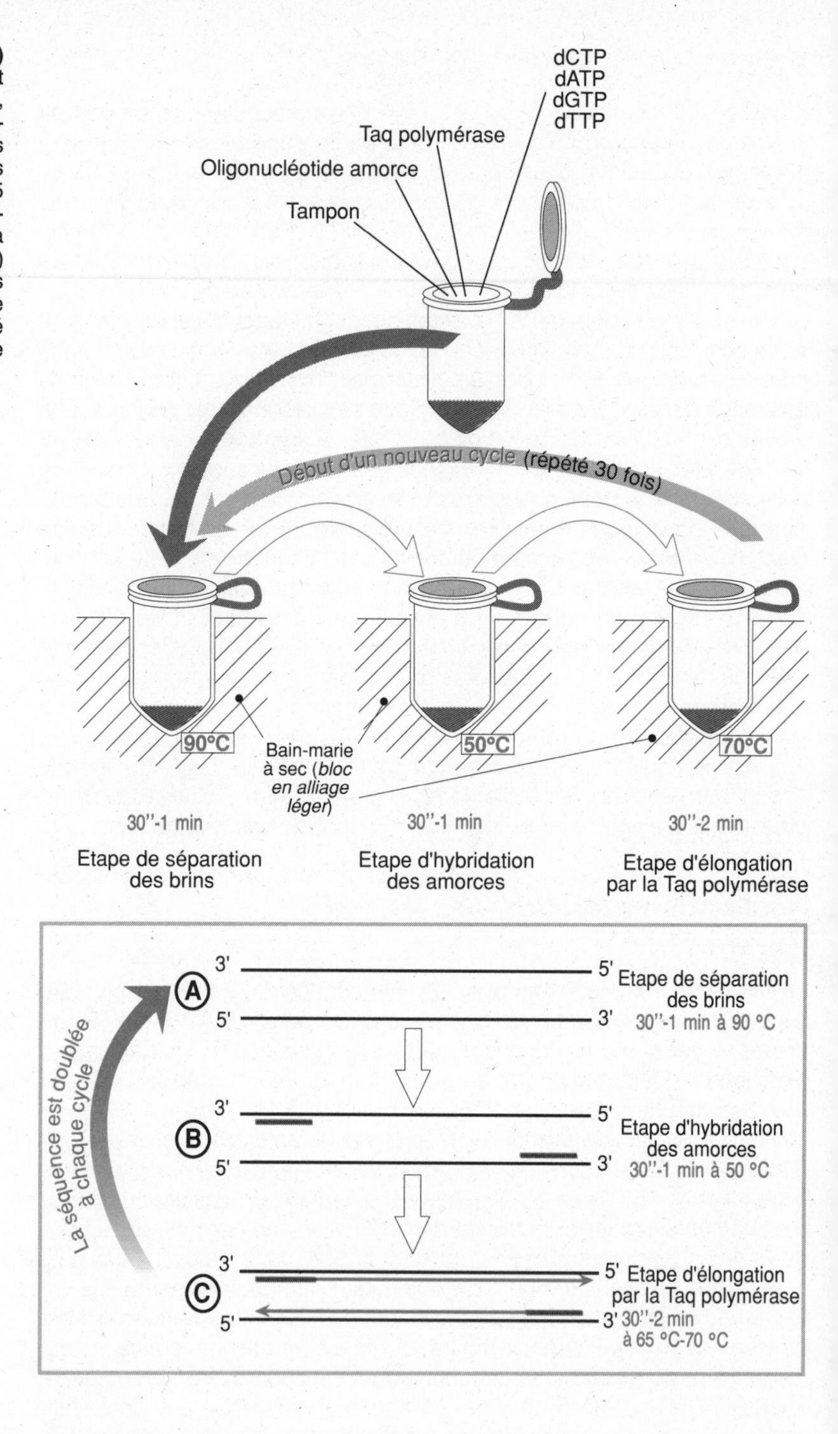

Figure 21-1 La technique d'amplification (PCR) Le DNA contenant la séquence à amplifier (A) est chauffé à 90 °C afin de séparer les deux brins, qui après refroidissement à 50 °C (cette température est en fait fonction de la séquence des amorces utilisées) s'hybrideront avec les amorces (B) constituées d'oligonucléotides de 20 à 25 bases s'hybridant parfaitement avec les extrémités 3' de la portion de séquence à amplifier. La Taq polymérase (DNA polymérase thermostable) synthétise le brin complémentaire à partir de ces amorces (C). Le nombre de copies de la séquence a été doublé en 6 min. Le même cycle est répété autant de fois que nécessaire. Dans la pratique le nombre de cycles est d'environ 30.

plus tôt que la quantité de DNA cible de départ est plus importante. Les raisons de l'infléchissement de la courbe sont multiples. Entre autres on peut citer la dimérisation des amorces, l'apparition de sous-produits de réaction ayant un pouvoir inhibiteur (pyrophosphate), l'épuisement et la dénaturation des composants de la réaction et la compétition entre les amorces et les fragments de DNA amplifié qui peuvent s'hybrider entre eux ou avec la cible plutôt qu'avec les amorces, et ce d'autant plus que leurs concentrations varient en sens inverse au cours de la réaction. Quelques valeurs du nombre optimal de cycles en fonction du nombre de copies de départ sont données dans le **tableau 21-1**.

Tableau 21-1 **Nombre de cycles à réaliser en fonction du nombre de copies de la cible à amplifier présentes dans l'incubation**

Nombre de copies de la cible	Nombre de cycles
10^5	25 à 30
10^4	30 à 35
10^2 à 10^3	35 à 40
1 à 10^2	40 à 45

De manière théorique, le nombre de copies obtenues devrait être de $\mathbf{2^n}$, n étant le nombre de cycles. Dans la pratique, le **rendement** est beaucoup plus faible, d'une part pour les raisons qui viennent d'être invoquées, d'autre part parce que le rendement à chaque étape est loin d'être de 100 p. 100 : il est d'environ 85 p. 100. Le nombre de copies, si le rendement reste constant tout au long de l'amplification, est de $\mathbf{(1 + R)^n}$, R étant le rendement et n le nombre de cycles. Pour un rendement de 85 p. 100, le nombre de copies sera donc de $(1,85)^n$, ce qui pour une PCR de 30 cycles représente environ 10^6. L'expérience montre que si le rendement est inférieur à 70 p. 100 (segments de DNA difficiles à amplifier), les produits d'amplification ne sont plus détectables par simple coloration des gels d'électrophorèse lors de l'analyse du produit d'amplification.

Les composants de la réaction et leur influence sur l'amplification

Les résultats d'une amplification PCR sont largement fonction du milieu réactionnel et de la concentration de chacun des composants. Les conditions optimales ne peuvent pas être prévues à l'avance, elles doivent être déterminées par tâtonnement. L'écueil le plus fréquent est l'**amplification parasite** de séquences autres que celle désirée.

Le DNA

Les meilleurs résultats sont obtenus avec du DNA parfaitement purifié, exempt de protéines et de RNA. Une trop grande quantité de RNA contaminant entraîne une diminution du rendement (hybridation RNA amorces, hybridation RNA-DNA) et une augmentation des amplifications parasites. Il est cependant souvent possible d'obtenir des amplifications satisfaisantes à partir de DNA non purifié. Pour le diagnostic une technique très simple a été proposée, consistant à utiliser 200 μl de sang prélevé au bout du doigt avec un capillaire, qui est ensuite scellé et porté à 100 °C. Après centrifugation, le surnageant peut être directement utilisé comme source de DNA pour l'amplification.

Au début de l'utilisation de la PCR la quantité de DNA utilisée par amplification était de 1 μg. La tendance est de réduire cette quantité, et les PCR sont maintenant souvent réalisées avec 100 ng de DNA. Cette diminution a pour effet d'augmenter le rendement des PCR et de diminuer les amplifications parasites.

Enfin il est possible de réaliser des amplifications à partir d'échantillons de cellules conservées à l'état sec : par exemple à partir des taches de sang sur papier ayant servi au dépistage néonatal de la phénylcétonurie (test de Guthrie), à partir de coupes histologiques incluses dans la paraffine, à partir de cheveux, voire même de momies ou de fossiles. Il est ainsi possible d'effectuer rétrospectivement des études génétiques (recherche de maladies, évolution, etc.).

L'enzyme

La première enzyme utilisée a été le fragment de Klenow de la DNA polymérase I. Les inconvénients étaient multiples : nécessité d'ajouter de l'enzyme à chaque cycle (l'enzyme étant détruite à chaque cycle par l'étape de dénaturation), température d'hybridation des amorces n'excédant pas 37 °C, ce qui favorisait de nombreuses hybridations non spécifiques, génératrices d'amplifications parasites, constitution de structures secondaires après séparation des brins du DNA qui pouvaient aller jusqu'à empêcher le passage de la polymérase et donc l'amplification. Tous ces inconvénients ont disparu avec l'utilisation d'une polymérase thermostable, la *Taq* polymérase, extraite d'une bactérie vivant dans les sources chaudes (80-90 °C) : *Thermus aquaticus*. Les quantités optimales d'enzyme sont comprises entre 1 et 2,5 U pour une incubation de 50 à 100 µl.

Une amplification en deux étapes a été aussi proposée. Dans cette variante les amorces sont choisies de manière que leur Tm soit supérieure à la température d'élongation. Le cycle est alors composé de deux étapes : dénaturation et hybridation-élongation. Les rendements ne sont optimum dans cette variante que si la concentration de l'enzyme est augmentée d'un facteur 10.

D'autres polymérases thermostables ont été proposées, par exemple celles extraites de *Bacillus steatothermophilus*, d'autres espèces de *Thermus* ou d'archéobactéries. Bien que décrites depuis quelques années, ces polymérases n'ont pas encore eu d'application importante.

Les nucléotides

Les premières amplifications par PCR utilisaient le fragment de Klenow de la DNA polymérase I et une concentration de chaque nucléotide de 1,5 mM. Cette concentration fut conservée lors de l'introduction de la *Taq* polymérase. Là encore la tendance a été de baisser les concentrations, car plus la concentration en nucléotides est élevée plus on observe d'amplifications parasites, et surtout plus la polymérase commet d'erreurs de réplication. Les concentrations utilisées actuellement sont comprises entre 20 et 200 µM. Les concentrations de chacun des nucléotides doivent être équilibrées même si le DNA à amplifier possède une composition en base particulière. Le déséquilibre dans la concentration des différents nucléotides augmente le taux des erreurs commises par la polymérase. Théoriquement une concentration de 20 µM pour chaque nucléotide permet de synthétiser 2,6 µg de DNA.

Les amorces et leur température d'hybridation

Les amorces doivent avoir une Tm d'au moins 5 °C au-dessus de la température utilisée pour l'hybridation. Plus cette valeur sera élevée, plus l'amplification sera spécifique, des valeurs comprises entre 55 et 70 °C donnant les meilleurs résultats. Les concentrations d'amorces habituellement utilisées sont comprises entre 0,1 et 0,2 µM.

Le choix des amorces est une étape importante lors de la mise au point d'une PCR. Plusieurs critères sont impératifs et doivent être pris en compte. La séquence des amorces ne doit pas permettre la formation d'épingles à cheveux, ni d'hybrides entre amorces (amorce 5'/amorce 3', amorce 5'/amorce 5', amorce 3'/amorce 3'). Il est préférable que la composition en bases soit équilibrée (éviter les longues répétitions de CG) et que les Tm des deux amorces ne soient pas trop différentes l'une de l'autre. Enfin les séquences choisies ne doivent pas correspondre à des séquences génomiques répétées. Ce choix des amorces optimales est trop complexe pour être réalisé à la main, il existe maintenant des programmes informatiques qui permettent d'optimiser les choix. L'un des plus utilisé est le programme OLIGO® qui tourne sur IBM PC ou compatibles et depuis peu sur Macintosh. Une fois les meilleurs oligonucléotides choisis il est possible de comparer leurs séquences avec les séquences connues contenues dans les banques de données (voir chapitre 32) afin d'éliminer les amplifications parasites dues aux homologies de séquences. Enfin la taille du fragment qui sera amplifié ne doit pas être trop grande, les meilleurs résultats étant obtenus pour des tailles inférieures à 800 paires de bases.

La concentration en ions magnésium

La concentration en ions magnésium est un facteur critique dans l'amplification. Le magnésium est nécessaire à la fois pour stabiliser les nucléotides et pour la réaction. Les concentrations optimales sont en général comprises entre 0,5 et 2,5 mM en plus de ce qui est nécessaire pour les nucléotides (concentrations stoechiométriques entre Mg^{++} et nucléotides). Il existe cependant des exceptions, principalement lorsque le fragment à amplifier est de très grande taille (1 à 3 kb). Il convient tout particulièrement de faire attention à équilibrer la concentration du magnésium en fonction de la présence de chélateurs comme l'EDTA qui peut être apporté avec le DNA (en général rajouté pour inhiber la dégradation du DNA par les DNases contaminantes). Les concentrations optimales ne peuvent être déterminées que par tâtonnement.

Les autres composantes de l'incubation

Comme dans toute réaction biochimique, le pH doit rester constant et correspondre au pH optimal de l'enzyme utilisée. Pour la *Taq* polymérase on utilise généralement des concentrations de 10 à 50 mM de tampon Tris-HCl à un pH compris entre 8,3 et 8,8.

Comme il est décrit dans le chapitre 23, la température d'hybridation des acides nucléiques est fonction de la concentration en sel. Une augmentation de la concentration facilite l'hybridation et stabilise les hybrides. D'un autre côté une haute force ionique inhibe la polymérase. La concentration optimale ne peut donc que résulter d'un compromis. En pratique on utilise du KCl à une concentration de 50 mM.

Lorsque les séquences sont riches en GC, il existe un risque que se forment des structures secondaires lorsque le DNA est refroidi après sa dénaturation. Pour empêcher la formation de ces structures secondaires il est possible d'utiliser du diméthylsulfoxide (DMSO), en général à une concentration de 10 p. 100 (du volume de l'incubation). Cette addition présente cependant l'inconvénient d'inhiber fortement la polymérase (d'environ 50 p. 100). Dans le même but il est possible de remplacer le dGTP par du 7-aza dGTP.

Enfin il a été montré que l'addition de formamide à faible concentration (quelques mM) diminuait fortement les amplifications parasites.

L'équipement nécessaire

L'amplification par PCR ne nécessite que des variations rapides de températures (en général trois températures différentes), une précision de 0,5 à 1 °C à chaque étape étant suffisante. Les premières PCR étaient réalisées manuellement, en utilisant trois bains-marie à sec. Depuis, de nombreux appareils ont été mis sur le marché. Le système de chauffage est en général constitué d'une résistance chauffante, un appareil utilise une lampe à halogène. Les systèmes de refroidissement sont plus variés. Le plus simple est constitué d'un simple ventilateur (il ne permet pas de descendre à une température inférieure à la température ambiante), d'autres utilisent le refroidissement par l'eau, par des systèmes à effet Peltier, ou par des groupes à fréons comme ceux utilisés dans les réfrigérateurs. Dans tous les appareils un système à microprocesseur assure le contrôle programmable de la température et de ses variations. Certains peuvent être équipés d'une sonde de température intégrée dans un tube de PCR, il est ainsi possible de suivre la température régnant réellement au sein du tube et de tenir compte ainsi de l'inertie thermique de la paroi du tube.

D'une manière générale les paramètres de la PCR peuvent varier d'un type d'appareil à l'autre. De ce fait, il est préférable que tous les appareils d'un même laboratoire soient du même type. Les tubes utilisés doivent impérativement être toujours les mêmes. Les différences de résultats entre appareils proviennent le plus souvent de la différence d'inertie thermique des tubes utilisés et surtout du contact entre le tube et le système de chauffage. Toute mauvaise adaptation entre la forme du tube et la forme du trou dans le bloc chauffant peut entraîner des variations de plusieurs degrés au sein du tube. De nouveaux appareils ont fait leur apparition sur le marché, ils sont équipés de plusieurs blocs chauffant réglables de manière indépendante. Il est ainsi possible de réaliser, en même temps, plusieurs PCR nécessitant des conditions expérimentales différentes. Certains appareils permettent aussi d'utiliser des plaques de microtitration (96 puits).

Les limites de la technique PCR

La première limite est celle de la **taille** de la séquence que l'on souhaite amplifier. L'expérience montre qu'il n'est guère possible, sauf cas très exceptionnel, d'amplifier des séquences dont la longueur est supérieure à 3 kb. Jusqu'à 1 à 1,5 kb, l'amplification ne pose en général pas de problème, et les milieux d'incubation classiques peuvent être utilisés. Audessus de 1,5 kb, les amplifications sont plus difficiles à réaliser, et le plus souvent il est nécessaire de rechercher, par tâtonnements, les conditions expérimentales adaptées à la séquence à amplifier.

La seconde limite est celle du **nombre de copies** de la cible. Des amplifications à partir d'une seule copie ont pu être réalisées. Dans la pratique ce type de prouesse est difficile compte tenu des problèmes de **contamination** (voir ci-dessous). On peut l'envisager à titre expérimental, lorsque l'amplification peut être réitérée (pour confirmation, ou en cas d'échec), mais pas en routine diagnostique. Lorsque le nombre de copies de départ est faible, il est préférable d'effectuer deux PCR successives plutôt que de multiplier le nombre de cycles. En effet, comme nous l'avons vu, après 40 à 50 cycles la quantité de DNA ne change plus, le plateau est atteint. Cette inefficacité de l'augmentation du nombre de cycle constitue la troisième limite intrinsèque de la technique PCR.

Les principaux problèmes rencontrés

Parmi les différents problèmes qu'il est possible de rencontrer en utilisant la technique PCR, il en est un qui revêt une importance particulière, surtout lors d'une utilisation en diagnostic (le résultat étant souvent le facteur décisif dans le choix de l'acte qui peut être par exemple un avortement) : il s'agit du problème de la **contamination.** Si le produit d'amplification doit être sous-cloné, le problème majeur est celui de la faible fidélité de la *Taq* polymérase. Enfin il apparaît souvent des amplifications parasites dont il n'est pas toujours possible de se débarrasser.

La contamination

Quelle que soit l'application envisagée, il s'agit là d'un problème majeur, particulièrement difficile à maîtriser. Lors des premières utilisations de la PCR, l'attention a très vite été attirée par l'augmentation considérable des faux positifs (tubes ne contenant pas de DNA cible dans lesquels une amplification est cependant observée), au fur et à mesure de l'utilisation d'un type d'amorces donné. Après moins d'un mois il pouvait arriver que plus de 10 p. 100 des blancs soient amplifiés. Ces amplifications artéfactuelles résultent de contaminations par les produits des amplifications précédentes. Il est impossible de complètement s'affranchir du problème de la contamination, cependant certaines précautions permettent de minimiser considérablement le risque. En pratique, la source majeure de contamination est le DNA amplifié au cours des manipulations précédentes. Un tube où a été réalisée une amplification contient des quantités énormes de la cible, à haute concentration. Lors de l'ouverture du tube, les turbulences engendrées projettent dans la pièce la vapeur d'eau (dans laquelle du DNA amplifié est solubilisé) que contenait le tube. Par ce simple geste plusieurs milliers de copies peuvent chaque fois contaminer l'atmosphère de la pièce. Lors des pipetages après amplification, la dépression, engendrée par la pipette automatique, crée des micro-aérosols qui vont tapisser de séquence amplifiée les parois de la pipette. Ainsi dans une pièce où sont ouverts des tubes contenant un produit amplifié, l'air, les murs, le matériel, etc. sont contaminés par la séquence cible.

Pour s'en convaincre il suffit de prendre un petit carré de papier filtre et d'essuyer la poignée de la porte du laboratoire, le clavier de l'appareil d'amplification, etc., le papier est alors une source parfaite de DNA pour obtenir une PCR positive.

La principale et la plus efficace des mesures à prendre pour lutter contre ce type de contamination consiste à réaliser les incubations dans un laboratoire différent et le plus éloigné possible de celui où sera analysé le produit amplifié (il est par exemple préférable qu'il soit situé à un autre étage, voire dans un autre bâtiment). Le matériel utilisé pour réaliser les incubations (pipettes automatiques, etc.) ne doit pas être utilisé pour une autre activité et ne doit jamais quitter le laboratoire correspondant. Bien que le risque de contamination par du DNA non amplifié soit infime, quelques précautions supplémentaires peuvent être prises à titre préventif :

— utilisation de cônes de prélèvement munis de coton protecteur, ou mieux de piston. Le corps de la pipette ne peut jamais être en contact avec l'échantillon ;

— irradiation des amorces avec des rayonnements ultra-violets ;

— aliquotage en petits volumes de tous les composants des incubations (amorces, nucléotides,...) et ce dès leur réception ;

— distribution du DNA en dernier, lors de la réalisation des incubations.

La société Perkin-Elmer-Cetus propose maintenant un système destiné à supprimer les contaminations. Le principe en est simple : le dTTP est remplacé par le **dUTP** dans les incubations. Cette modification est sans effet sur l'amplification. Il en résulte un marquage très spécifique de la cible amplifiée par rapport à la cible non amplifiée. Lors de la réalisation de la PCR, de l'uracylglycosylase (enzyme de la réparation extraite d'*E. coli*) est ajoutée au milieu réactionnel. Une incubation va permettre à cette enzyme de détruire tout DNA provenant d'une amplification antérieure (contenant U et non T). L'enzyme est automatiquement détruite lors de la première dénaturation du DNA, car elle est thermosensible et ne supporte pas la température utilisée (94 à 98 °C). Le DNA qui est ensuite synthétisé ne sera donc pas détruit. Cette amélioration augmente le prix d'une technique qui, par elle-même, coûte déjà très cher.

Le manque de fidélité de la Taq polymérase

La *Taq* polymérase est une enzyme qui ne possède pas d'activité de correction des épreuves (*proof reading,* voir chapitre 3). Le **taux d'erreurs** introduites par cette enzyme est donc particulièrement élevé. Il est comparable à celui de la transcriptase inverse, soit environ $\mathbf{10^{-4}}$. Pour la plupart des applications ces erreurs ne sont pas gênantes, si les seuls paramètres analysés sont la taille ou la présence du produit amplifié. En revanche, lorsque la séquence du produit amplifié joue un rôle dans l'analyse (analyse de mutations, étude de liaisons DNA-protéines, sous-clonage, ...) la présence d'erreurs de réplication peut fausser complètement les résultats obtenus. Il n'existe pas de moyen pour supprimer ces erreurs ; on peut tout au plus les minimiser. Ces moyens ont déjà été évoqués dans l'analyse des produits constituant l'incubation (concentration des différents nucléotides, faible concentration de DNA, etc.). L'interprétation des résultats devra tenir compte de la possibilité d'erreurs dues à la polymérase, et les contrôles devront être suffisants et appropriés. Enfin il sera toujours préférable de pratiquer des déterminations directes de séquences (où les erreurs ne sont pas détectables car aléatoires et diluées) plutôt que de séquencer après sous-clonage, même si les résultats sont les plus souvent moins bons et plus difficiles à interpréter.

Les amplifications parasites

Les amorces utilisées sont toujours courtes, et la possibilité qu'elles s'hybrident ailleurs qu'au niveau de leur cible n'est pas négligeable. On estime en fait que seulement 1 p. 100 des amorces s'hybrident à leur place normale, les 99 p. 100 restants s'hybridant n'importe où de manière non spécifique. Normalement les amplifications parasites qui en résultent ne sont pas détectables car elles sont linéaires et non exponentielles. La quantité obtenue à la fin des cycles est trop faible pour être révélée par simple coloration. Pour que le contaminant soit détectable il faut que deux amorces aient pu s'hybrider en regard et à une distance suffisamment faible pour que l'amplification puisse s'effectuer. Les amplifications parasites ne sont pas prévisibles et dépendent de la séquence des amorces utilisées. Le moyen le plus efficace est d'augmenter la **stringence**, le plus souvent en augmentant la température. Cette augmentation est effectuée progressivement jusqu'à ce que les bandes contaminantes disparaissent (bien sûr dans la limite de ce que permettent les amorces choisies). Il a aussi été montré que la formamide à faible concentration augmentait la spécificité sans trop inhiber l'amplification.

Certains protocoles incluent une étape de dénaturation prolongée lors du premier cycle (quelques minutes à 98 °C) afin de s'assurer que tout le DNA est bien passé sous forme simple-brin. Afin de ne pas altérer la polymérase on ne l'ajoute qu'après. Cette stratégie nécessite une adaptation du protocole expérimental car elle est la source d'amplifications parasites. En effet après avoir ajouté la polymérase il est classique de centrifuger les échantillons de manière à rassembler la totalité du contenu au fond du tube. L'ensemble des opérations prend du temps, le DNA étant sous forme simple-brin et la température relativement basse (température ambiante), les hybridations non spécifiques des amorces sont fortement favorisées. A partir de ces amorces fixées non spécifiquement, la polymérase effectue une élongation qui peut être très importante si le temps est suffisamment long (nombreux échantillons à traiter). Il en résulte toute une série de séquences parasites mais qui possèdent une des deux amorces à l'une des extrémités. Toute amorce opposée s'hybridant de manière non spécifique à cette séquence conduira à une amplification parasite exponentielle, donc à une bande parasite à l'électrophorèse. Ce phénomène explique certaines surprises de sous-clonage de produits PCR (bonnes amorces entourant une séquence inattendue). Il est préférable d'utiliser la technique « **hot start** » (voir encadré ci-contre).

La « *hot start* » PCR

Le principe de cette variante de la technique PCR est d'ajouter la Taq polymérase après la première étape de dénaturation, suffisamment rapidement pour que le mélange d'incubation n'ait pas le temps de se refroidir. Ainsi sont évités les inconvénients évoqués dans le paragraphe ci-contre.

Les avantages sont nombreux. On peut citer, entre autre :

— la première étape de dénaturation peut être longue et à température plus élevée, ce qui permet une dénaturation plus efficace, **sans altération de la polymérase** ;

— l'hybridation des amorces et l'initiation de l'élongation s'effectuent à la température la plus élevée possible, ce qui augmente la spécificité, et donc diminue les amorçages non spécifiques.

En pratique le DNA est dénaturé à 96-98 °C pendant quelques minutes. La Taq polymérase, diluée au dixième afin d'augmenter le volume à apporter (ceci facilite la distribution rapide dans les différents tubes, et la répartition homogène dans tout le milieu réactionnel), est déposée sur la couche supérieure du milieu. La Taq polymérase peut être déposée sur la couche d'huile de vaseline parfois utilisée afin d'empêcher l'évaporation. Le volume de la solution de polymérase déposé, la différence de densité et la faible viscosité de l'huile de vaseline à cette température permettent une traversée très rapide de la solution de polymérase au travers de la couche d'huile isolante.

Une technique a été proposée pour lutter contre les amplifications parasites et s'assurer que la bande observée correspond bien à la séquence recherchée. Cette technique, appelée PCR « nichée » ***(nested PCR)***, consiste à réaliser deux PCR successives en utilisant des couples d'amorces différents, le deuxième couple d'amorces encadrant une séquence incluse dans celle qui est amplifiée par le premier couple d'amorces. Ainsi, si la bande correspondant à la première amplification est artéfactuelle, lors de la deuxième PCR les amorces du deuxième couple ne pourront pas s'hybrider et il n'y aura pas d'amplification. Cette technique permet d'augmenter dans le même temps la spécificité et le taux d'amplification. Elle est particulièrement souhaitée lorsque la quantité de cible de départ est faible.

Quelles que soient les précautions prises il n'est pas toujours possible de se débarrasser des amplifications parasites (par exemple en cas de très fortes homologies de séquence).

Quelques applications de la PCR

Les applications de la PCR sont maintenant extrêmement nombreuses et il n'est pas possible de les évoquer toutes ici ; plusieurs livres et un périodique leurs sont consacrés. Nous ne décrirons que les applications générales. Quelques applications plus spécifiques, comme la PCR ancrée, la recherche de mutations, le séquençage, la recherche de virus, de bactéries, de parasites, d'oncogènes, de translocations, etc. sont décrites dans chacun des chapitres correspondants.

La recherche des délétions

Classiquement cette recherche est effectuée en utilisant la technique de Southern qui, dans certains cas, reste irremplaçable. Il s'agit cependant d'une stratégie très lourde qui de plus ne permet pas d'analyser les petites délétions. La PCR est une alternative plus simple et plus résolutive. Elle permet de détecter des délétions aussi petites qu'une simple base. Pour cela, la région où est située la délétion est amplifiée ; le produit d'amplification est analysé par électrophorèse, puis comparé au produit obtenu chez un sujet normal. Sur un gel résolutif (acrylamide, migration longue) une différence d'une base est suffisante pour être visualisée. De plus, chez les hétérozygotes, il se forme des hétéroduplex, à migration plus lente et mieux séparés, qui signent la délétion (voir chapitre 13). Chez un homozygote, pour se prémunir des aléas de migration qui pourraient être provoqués par des défauts du gel, il convient d'effectuer en parallèle une amplification dans laquelle le DNA du sujet est co-amplifié avec du DNA normal afin de créer les hétéroduplex qui signent la mutation. Un exemple d'application en diagnostic est celui de la recherche de la mutation ΔF508 (délétion de trois paires de bases) dans la mucoviscidose (voir Figures 13-6 et 14-47).

La technique PCR ne permettant pas d'amplifier de grands fragments, la détection des délétions dans les grands gènes est a priori difficile. En fait une technique très ingénieuse, la **PCR multiplex**, permet de les mettre en évidence. Cette technique consiste à choisir une batterie de couples d'amorces, chacun étant situé dans un exon différent, et engendrant un fragment de taille différente. Les couples d'amorces sont mélangés et la PCR est effectuée sur du DNA génomique. A l'électrophorèse chacune des bandes correspond à l'un des exons choisis. Suivant les bandes manquantes il est possible de déterminer les exons délétés, donc la taille grossière de la délétion (voir figure 14-32). Le principal problème que pose cette technique est celui du choix des amorces, il est en effet très difficile de trouver plus d'une douzaine d'amorces ayant des Tm proches, ne s'hybridant pas entre elles et permettant des amplifications d'efficacités équivalentes et dépourvues d'amplifications parasites.

La génération de sondes

Des sondes peuvent être obtenues facilement et rapidement par la technique PCR, et ce à partir de différents types d'échantillons. Nous nous limiterons à la description des applications les plus fréquentes.

Pour sortir la séquence de DNA insérée dans un plasmide, ou d'un phage recombinant, sans avoir à l'amplifier puis à le couper, il suffit de réaliser une PCR en utilisant des amorces correspondant aux séquences du vecteur qui jouxtent l'insert. Le DNA recombinant peut être marqué dans le même temps, il suffit pour cela d'utiliser un nucléotide marqué lors de l'amplification.

Si le gène à étudier est suffisamment conservé, il est aussi possible d'obtenir une sonde correspondant à la séquence d'une autre espèce en effectuant une PCR avec des amorces à séquences dégénérées. Ces sondes ne doivent être utilisées que pour des expériences d'hybridation de type Southern ou Northern. En effet elles contiennent de nombreuses séquences correspondant à des amplifications parasites qui révéleraient des clones ne correspondant pas à ceux attendus si elles étaient utilisées pour cribler une banque. Pour une telle problématique il faut avoir recours à un sous-clonage (voir ci-dessous).

Le sous-clonage après PCR

Le sous-clonage après PCR est toujours une entreprise risquée compte tenu du manque de fidélité de la *Taq* polymérase. Il convient donc de toujours vérifier que le sous-clone choisi ne contienne pas de mutation introduite par la polymérase. Pour cela il faut séquencer une dizaine de clones et comparer les séquences afin de choisir le clone dont la séquence correspond à la séquence originale (ou à la séquence consensus si la séquence originale n'est pas connue).

Le produit d'amplification doit subir une série de traitements avant de pouvoir être introduit dans le vecteur de sous-clonage. Dans un premier temps, il convient de parfaire les extrémités. En effet la *Taq* polymérase possède une légère activité de type transférase terminale, et elle incorpore un nucléotide, le plus souvent un A à l'extrémité 3'. Pour obtenir des bouts francs parfaits il convient donc d'effectuer un remplissage *(fill-in)* : il est obtenu en incubant le produit d'amplification avec le fragment de Klenow de la DNA polymérase I. Le milieu d'incubation contient déjà le reste des ingrédients nécessaires. De plus, l'amplification étant effectuée avec des oligonucléotides synthétiques, donc non phosphorylés en 5', il est indispensable d'effectuer une **kination**. Elle est réalisée par la T4 polynucléotide kinase en présence d'ATP. Cette phosphorylation des extrémités est indispensable pour la ligation, la ligase n'agissant que sur des extrémités 5' phosphorylées. Enfin le fragment doit être **purifié** par électrophorèse en agarose à bas point de fusion, car les produits d'amplification parasite sont très nombreux et conduisent à des clones ne correspondant pas à la séquence recherchée. Les clones obtenus doivent enfin être séquencés comme il a été indiqué au début du paragraphe. Le rendement de ligation est le plus souvent très faible, mais il peut être augmenté en effectuant une ligation à bouts cohésifs et non à bouts francs. Pour cela il faut effectuer la PCR avec des amorces auxquelles a été rajoutée une séquence cible d'une enzyme de restriction non présente dans la séquence amplifiée. Il suffit alors de digérer le produit d'amplification par l'enzyme et de purifier le fragment. Le remplissage et la kination ne sont plus nécessaires.

Si les utilisations du sous-clonage après PCR sont limitées du fait des erreurs introduites par la *Taq* polymérase, il peut parfois constituer un outil extraordinaire. Il permet par exemple d'obtenir des sondes destinées à cloner des gènes homologues (d'une autre espèce, ou de la même famille) à partir des séquences publiées. Il suffit d'effectuer une PCR à faible stringence avec des amorces à séquences dégénérées. Le sous-clonage permet aussi d'obtenir des promoteurs, des séquences régulatrices, etc., dans le but de les étudier, de les manipuler, ou d'effectuer des constructions.

L'amplification des RNA et l'analyse de la transcription illégitime

La *Taq* polymérase ne peut pas utiliser le RNA comme matrice, mais une amplification peut être réalisée à partir de RNA si une étape intermédiaire de **transcription inverse** est réalisée. Il est préférable de partir de RNA total plutôt que de RNA poly A^+. Plusieurs stratégies peuvent être envisagées :

— transcription inverse en utilisant l'oligonucléotide qui sera utilisé lors de l'amplification (celui qui s'hybride à l'extrémité 3' du messager) comme amorce pour la transcriptase ;

— transcription inverse de tous les messagers en utilisant de l'oligo dT comme amorce. Une variante consiste à utiliser des hexanucléotides synthétisés au hasard comme amorce (principe du multi-amorçage au hasard, voir chapitre 25). Cette variante apporte une amélioration, surtout pour les RNA les plus longs, car elle évite le problème du calage de la transcriptase au niveau des structures secondaires (l'amorçage s'effectue un peu partout sur le messager).

Le cDNA synthétisé sert de matrice pour l'amplification suivant le protocole habituel.

Jusqu'à la technique PCR, l'écueil majeur pour étudier les mRNA était d'utiliser des échantillons de l'organe où le gène à étudier est exprimé. La technique PCR a permis de montrer que la transcription de tous les gènes s'effectuait en réalité dans tous les tissus, même pour les gènes à très grande spécificité tissulaire (d'où le nom de transcription illégitime, voir chapitre 13). Le taux des RNA messagers présents hors du tissu spécifique est si faible qu'aucune technique classique n'avait permis de mettre en évidence le phénomène. Il est donc théoriquement possible, avec la technique PCR, d'étudier n'importe quel transcrit dans n'importe quel type de cellule. Pour des raisons pratiques, il est en général fait appel aux lymphocytes ou aux lignées lymphoblastoïdes qui en dérivent (elles permettent de disposer de quantités illimitées de matériel nécessaire). Si l'épissage ne fait pas l'objet d'une régulation spécifique de tissu, il se produit de manière normale ; il est ainsi possible d'étudier les **mutants d'épissage** (voir chapitre 13).

La PCR quantitative

Théoriquement la technique PCR devrait permettre une détermination du nombre des copies de la séquence cible dans un échantillon de DNA (ou de RNA), et ceci avec une très grande sensibilité. Dans la pratique, une telle quantification est difficile à réaliser et est de manière générale peu précise. Une simple expérience permet de le mettre en évidence : une incubation de PCR est divisée en 10 échantillons ; puis ces échantillons sont amplifiés en même temps dans le même appareil, et sont enfin analysés par électrophorèse. Contrairement à ce que l'on pourrait attendre, l'intensité des bandes n'est pas la même dans tous les canaux. Ce résultat est dû au fait que le taux d'amplification est très sensible au rendement à chaque étape (à cause du caractère exponentiel de l'amplification). Des différences d'inertie thermique des parois des tubes, ou de mauvais contacts entre les parois des tubes et le système de chauffage/refroidissement, entraînent des différences de rendement. La quantification ne sera significative que si elle est comparée à celle d'un étalon co-amplifié dans le même tube. L'idéal est que cet étalon utilise les mêmes amorces et corresponde à la même séquence que celle qui est à doser. Pour cela il faut pouvoir disposer de la séquence correspondante, mais possédant une mutation ponctuelle qui crée ou abolit un site de coupure pour une enzyme de restriction. La séquence normale à doser et la séquence mutée étalon (donc apportée en quantité connue) sont amplifiées dans le même tube. Après amplification, l'incubation est digérée par l'enzyme de restriction permettant de différencier les deux types de séquences. La (ou les) bande(s) correspondant à la séquence étalon est (sont) quantifiée(s). La quantité de la cible est ensuite extrapolée à partir des valeurs obtenues. Lorsqu'il n'est pas possible de disposer d'une telle séquence étalon il convient de co-amplifier une autre séquence. Les résultats sont moins significatifs car l'étalonnage est effectué avec des amorces et une séquence différentes, donc susceptibles d'avoir une efficacité d'amplification différente.

Dans tous les cas, il est indispensable que le nombre de cycles soit le plus faible possible, de manière à se trouver dans la portion de la courbe d'amplification où le nombre de copies amplifiées est strictement proportionnel au nombre de copies de la cible.

LA TECHNIQUE D'AMPLIFICATION ISOTHERME NASBA® *(Nucleic Acid Sequence Based Amplification)*

Cette technique, développée par la société Cangene, permet d'amplifier aussi bien des RNA que des DNA. L'amplification est obtenue sans changement de température, qui est constamment maintenue à 42 °C. Quel que soit le type d'acide nucléique de départ, le produit de l'amplification est à la fois du DNA et du RNA.

L'amplification est obtenue en deux temps, décrits dans la **figure 21-2**. Comme dans la technique PCR deux oligonucléotides, encadrant la séquence à amplifier, sont nécessaires. Cependant l'un d'entre eux doit posséder en plus, dans sa partie 5', une séquence correspondant à un promoteur pour la **T7 RNA polymérase** (voir chapitre 22). La première étape correspond à une phase non cyclique qui aboutit à du DNA double-brin, dont l'une des extrémités possède un promoteur pour la T7 RNA polymérase. La seconde étape, qui est cyclique, correspond à la phase d'amplification. Elle se déroule en trois parties : au cours de la première, la T7 RNA polymérase transcrit une série de RNA à partir du promoteur T7 ; dans la seconde, les RNA qui viennent d'être transcrits sont rétro-transcrits en cDNA par la transcriptase inverse ; dans la dernière partie du cycle le brin de RNA est détruit par la RNase H, le second brin du cDNA étant synthétisé immédiatement par la transcriptase inverse qui utilise le second oligonucléotide comme amorce. Au cours d'un tel cycle plusieurs copies du DNA de départ sont ainsi obtenues. Elles servent alors de matrice pour le cycle suivant. Le taux d'amplification à chaque cycle est très supérieur à celui de la technique PCR dans laquelle la quantité de DNA est simplement doublée.

Après 3 heures d'incubation le taux d'amplification est de 10^6 à 10^7. Dans les conditions optimales la quantité de RNA obtenue est 100 fois supérieure à la quantité de DNA.

Ce système breveté est proposé sous forme de kits. Le recul est encore trop faible pour pouvoir estimer la valeur de cette technique. Compte tenu des problèmes rencontrés avec la technique PCR, du fait de la faible température de travail, on peut craindre un taux élevé d'amplifications parasites (hybridation non spécifique des amorces importante à 42 °C) et des arrêts aléatoires des polymérases (dus aux structures secondaires des RNA et des DNA).

L'AMPLIFICATION DES RNA : LE SYSTÈME DE LA Qβ RÉPLICASE

La **Qβ réplicase** est une RNA polymérase RNA dépendante, capable d'amplifier d'un facteur 10^6 un RNA cible en une trentaine de minutes. Une seule molécule de RNA est suffisante pour obtenir une amplification exponentielle. Ces propriétés de la Qβ réplicase ont conduit à proposer un système d'amplification. Bien que mis au point il y a quelques années, il n'a pas encore fait l'objet d'applications importantes. Son principe est le suivant. Dans une première étape une sonde particulière doit être construite. Elle est constituée d'un RNA possédant les séquences permettant sa réplication par la Qβ réplicase, dans lequel est introduite la sonde s'hybri-

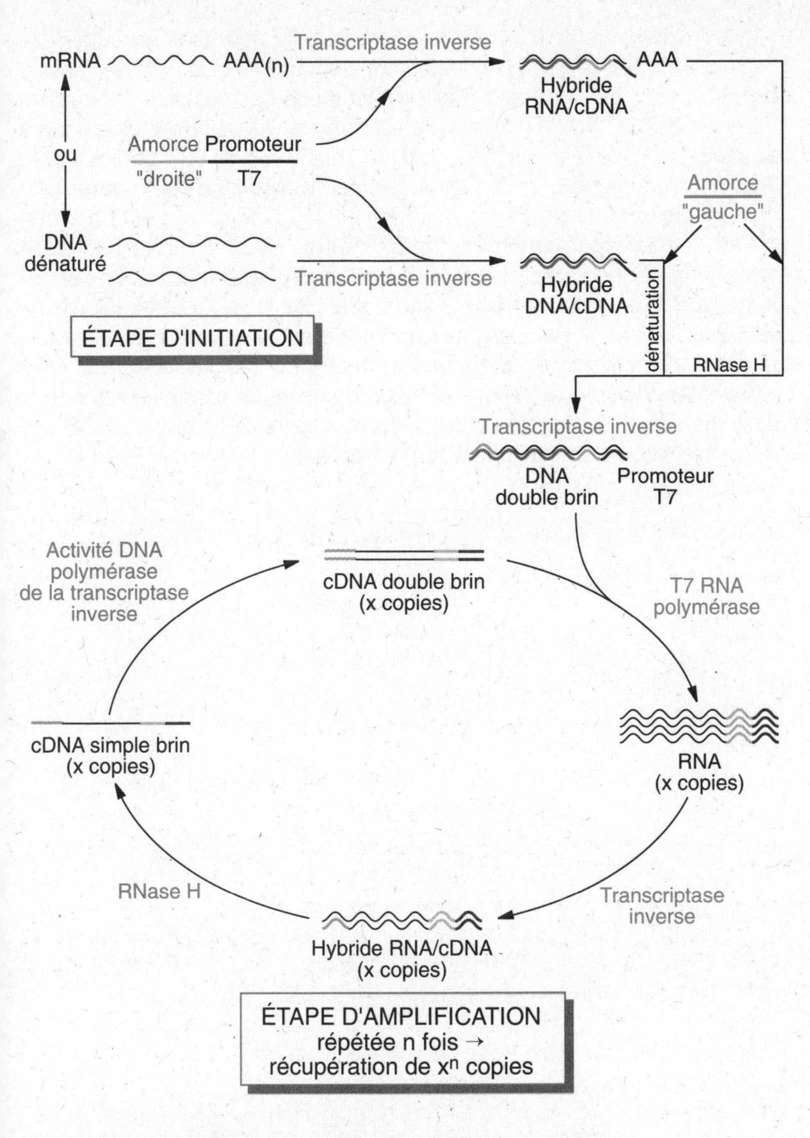

Figure 21-2 La technique d'amplification isotherme NASBA®
— amorce « droite ».
— promoteur pour la T7 RNA polymérase.
— amorce « gauche ».
L'explication de la méthode est donnée dans le texte.

dant avec la séquence cible à rechercher et à doser (par exemple un fragment de HIV-1). Pour réaliser cette sonde « hybride » l'une des possibilités consiste à cloner le cDNA de la séquence à rechercher dans le plasmide MDV-1. Le brin (+) de ce plasmide est ensuite transcrit par la T7 RNA polymérase. Le RNA ainsi synthétisé possède alors les séquences lui permettant d'être répliqué par la Qβ réplicase ; il contient aussi la séquence complémentaire de la cible à analyser.

Dans un second temps cette sonde est incubée en présence de l'échantillon à tester, dans des conditions qui permettent l'hybridation. Les hybrides sonde-cible sont ensuite séparés des copies de la sonde qui ne sont pas hybridées. Enfin après déshybridation la sonde est amplifiée par la Qβ réplicase et le produit d'amplification est analysé, par exemple par électrophorèse révélée par le bromure d'éthidium.

L'inconvénient majeur de cette technique est que toutes les copies de la sonde qui ne sont pas hybridées et qui contaminent les hybrides seront amplifiées aussi et induiront une surestimation des résultats, voire une fausse positivité. Dans la pratique il n'est guère envisageable d'utiliser cette technique lorsque l'échantillon contient moins de 10 000 copies de la séquence recherchée. Pour pallier cet inconvénient quelques améliorations ont été apportées. Il a par exemple été proposé un système permettant de détruire spécifiquement, après hybridation, les copies de sonde restées libres. Une séquence cible de la RNase III (qui implique une structure secondaire particulière) a été introduite dans le RNA. Cette séquence n'est détruite par la RNase que si la sonde est sous forme simple-brin, les hybrides ne sont pas reconnus et ne sont donc pas détruits.

Malgré les diverses améliorations apportées cette technique reste difficile à manier. Elle n'a pas réussi à concurrencer la technique PCR qui est la technique d'amplification la plus utilisée.

Sélection de références bibliographiques : voir page 746.

Les outils enzymatiques du génie génétique

22

LES ENZYMES DE RESTRICTION

Ce sont des **endonucléases** coupant de manière définie et reproductible le DNA **double-brin** quelle que soit son origine. Elles ont permis de lever un premier écueil technologique en réduisant de manière reproductible un génome entier à une série de fragments caractéristiques d'un DNA donné. Les gènes ou fractions de gènes deviennent alors des entités physiques isolables et non plus de l'information disséminée au sein d'un immense continuum moléculaire. Ces enzymes sont responsables du phénomène de restriction d'où leur nom. Ce phénomène était bien connu des bactériologistes bien avant que ces enzymes ne fussent mises en évidence, mais il n'avait jamais pu être expliqué.

Le phénomène de restriction

Les **bactériophages**, qui sont des virus procaryotiques, ne peuvent se multiplier qu'en utilisant la machinerie moléculaire de la bactérie qu'ils infectent. Leur multiplication à quelques milliers d'exemplaires se traduit par une lyse de la bactérie. Dans certains cas, il ne se produit ni lyse ni multiplication du phage. Cette bizarrerie expérimentale peut résulter de deux phénomènes : la **lysogénie** ou la **restriction**. Dans le premier cas le DNA du phage est intégré dans le DNA bactérien sous une forme silencieuse, néanmoins susceptible d'être réveillée par des agressions physiques (UV, chauffage...). Dans le second cas le DNA phagique est détruit dès son entrée dans la bactérie par un système de protection : les **enzymes de restriction**. Ce système est décrit dans la **figure 22-1**.

Certaines bactéries sont systématiquement lysées lorsqu'elles sont infectées par un bactériophage donné. Une nouvelle infection par les bactériophages libérés lors de la première infection se traduira de nouveau par une lyse et cela autant de fois que l'expérience sera répétée (Figure 22-1). Il existe cependant certaines souches de la même espèce bactérienne qui ne seront pas lysées. Ceci correspond au phénomène de restriction (sous-entendu de l'infectivité vis-à-vis de certaines souches bactériennes).

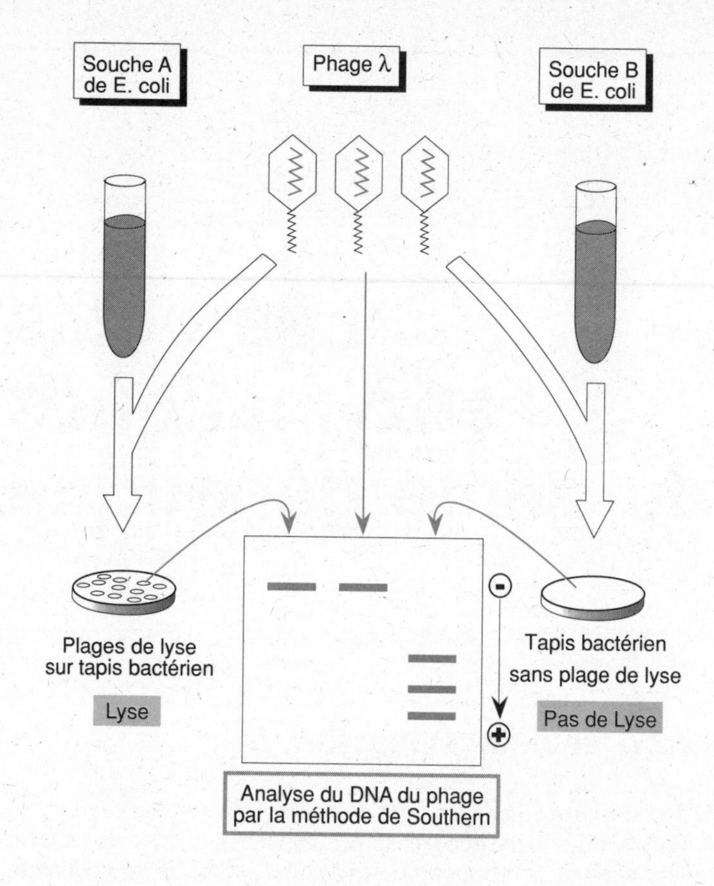

Figure 22-1 Le phénomène de restriction Deux souches A et B d'*E. coli* sont infectées par des phages lambda et étalées sur boîtes de culture. Sur la boîte correspondant à la souche A, des plages de lyse sont observées. Aucune plage de lyse n'est détectable sur la boîte correspondant à la souche B. Le DNA des phages de départ et celui des phages extraits des boîtes A et B sont analysés par la technique de Southern. On constate que lorsqu'il n'y a pas eu lyse le DNA des phages est dégradé en fragments discrets et reproductibles.

Une analyse montre cependant que très peu de bactéries (1 sur 10 000) sont quand même lysées. Les phages libérés par ces bactéries sensibles sont devenus lytiques pour la souche bactérienne dans laquelle ils ne l'étaient pas. Le phage a donc été **modifié** lors de la première infection. De plus si l'on étudie par la méthode de Southern (voir chapitre 28) le DNA du bactériophage dans les bactéries non lysées lors de la première infection, on constate que celui-ci est coupé en une série de fragments dont les tailles sont toujours identiques pour une souche bactérienne donnée. En revanche dans les bactéries lysées le DNA phagique conserve une taille normale. La survie observée des bactéries résulte donc d'une **coupure** du DNA phagique au niveau de **sites spécifiques**.

L'ensemble des phénomènes observés résulte de la présence de deux types d'activités enzymatiques dans les bactéries présentant le phénomène de restriction : une activité endonucléasique (enzyme de restriction) et une activité trans-méthylasique (méthylase).

• *L'endonucléase de restriction* coupe le DNA lorsqu'elle y reconnaît une séquence spécifique. Son action se traduit par le morcellement du DNA phagique en une série de fragments toujours identiques.

• *La méthylase* assure la méthylation soit d'une adénine soit d'une cytosine au niveau du site où l'enzyme de restriction coupe. C'est cette méthylation qui empêche la coupure ultérieure par l'enzyme de restriction.

Le DNA de la bactérie n'est pas attaqué par ses propres enzymes de restriction soit parce qu'il ne possède pas les sites reconnus, soit parce que ceux-ci sont méthylés.

Lors de l'infection, le DNA du bactériophage introduit dans la bactérie est coupé par les enzymes de restriction s'il possède au moins un site reconnu. La bactérie survivra, on observera le phénomène de restriction. En revanche si le DNA de ce même phage a le temps d'être méthylé avant d'être détruit par les enzymes de restriction, ces dernières seront alors sans effet et la bactérie sera lysée. Les phages libérés ont un DNA méthylé qui les rend réfractaires aux enzymes de restriction et leur permet de lyser la bactérie quelle que soit la souche infectée.

On peut considérer que les enzymes de restriction représentent un **système de défense** de la bactérie. Il n'existe pas de système homologue connu à ce jour chez les eucaryotes.

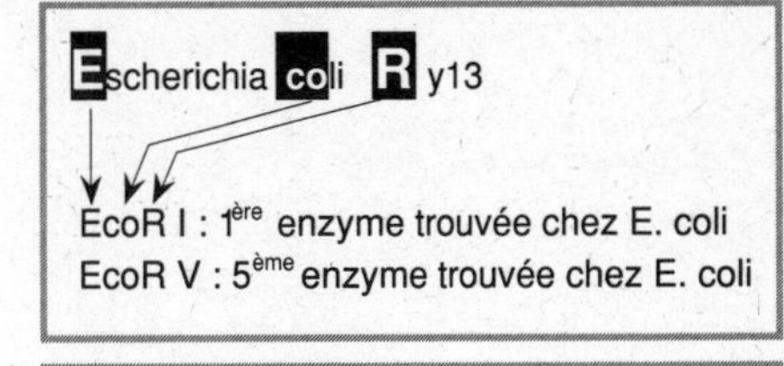

Escherichia coli R y13
EcoR I : 1ère enzyme trouvée chez E. coli
EcoR V : 5ème enzyme trouvée chez E. coli

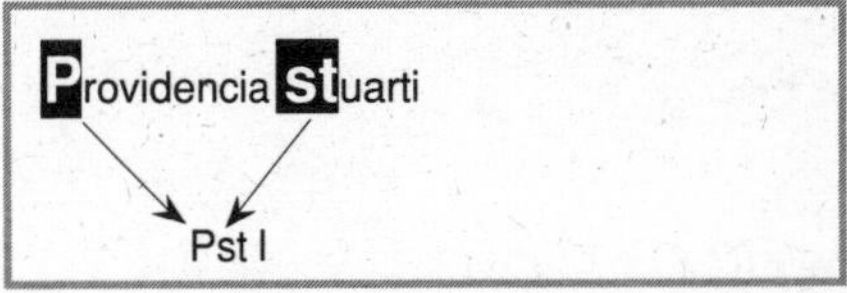

Figure 22-2 **Principe de la nomenclature des enzymes de restriction**

Nomenclature des enzymes de restriction

Plus de 500 enzymes de restriction sont maintenant connues. Fort heureusement, dès leur découverte, une nomenclature normalisée a été adoptée ; elle est schématisée **figure 22-2**.

La première lettre est une majuscule qui est l'initiale de l'**espèce** bactérienne d'où a été extraite l'endonucléase.

Les deux lettres suivantes sont des minuscules, elles correspondent au **genre** de la bactérie d'où l'enzyme est extraite.

Ces trois lettres sont suivies d'*un chiffre romain* qui représente le numéro d'ordre de découverte de l'enzyme dans une même bactérie.

Enfin, si cela est nécessaire, une lettre majuscule représentant la **souche** bactérienne peut être ajoutée.

Les 3 types d'enzymes de restriction

La propriété qui caractérise les enzymes de restriction est de reconnaître une séquence de DNA. L'action de l'enzyme après cette reconnaissance dépend de son type :

— *enzymes de type I :* une fois la séquence reconnue l'enzyme se déplace sur le DNA, s'arrête de manière aléatoire 1 000 à 5 000 paires de bases plus loin et libère quelques dizaines de nucléotides ;

— *enzymes de type II :* une fois la séquence reconnue, l'enzyme coupe le DNA au niveau de cette séquence ;

— *enzymes de type III :* ces enzymes reconnaissent une séquence et coupent une vingtaine de nucléotides plus loin.

Seules les enzymes de **type II** sont utilisées au laboratoire. Nous nous limiterons donc à l'étude de ce type d'enzymes.

Les enzymes de restriction de type II

Les séquences reconnues

La longueur des séquences reconnues est comprise entre 4 et 8 bases (le plus souvent 4 ou 6). Pour certaines enzymes, la spécificité au niveau de l'une ou plusieurs des bases peut ne pas être absolue (voir encadré).

Une caractéristique est remarquable, les séquences reconnues sont **palindromiques**. Ceci signifie que la séquence est identique sur les deux brins quand elle est lue dans le sens 5'→3'. La coupure s'effectue donc sur les deux brins au même site.

Eco RI 5'G↓AATT C3'
3'C TTAA↑G5'

Lorsque l'une des bases peut être méthylée par la méthylase bactérienne, elle est repérée par un astérisque :

Hpa II C↓C*GG

Enfin deux enzymes de restriction reconnaissant une même séquence sont appelées **isoschizomères**.

Quelques sites de coupure contenant des bases non définies

Bal II : GG $\binom{A}{T}$ CC

Mnm I : GT $\binom{T}{C}$ $\binom{A}{G}$ AC

Nsp I : GGGCCC (A/T en 1re position, T/A en 6e position : $^{A}_{T}$GGCCC$^{T}_{A}$)

Bgl I : GCCNNNNNGGC

(N désigne les positions qui acceptent n'importe laquelle des 4 bases)

Les types de coupures

Les enzymes de restriction de type II peuvent donner deux types de coupure.

Les coupures à **bouts francs** (*blunt ends* ou *flush ends*) : l'enzyme coupe exactement au même niveau sur les deux brins du DNA ; il ne peut donc pas y avoir d'association spontanée entre les fragments résultant de la coupure. Une ligation ne pourra être effectuée que par la T4 ligase.

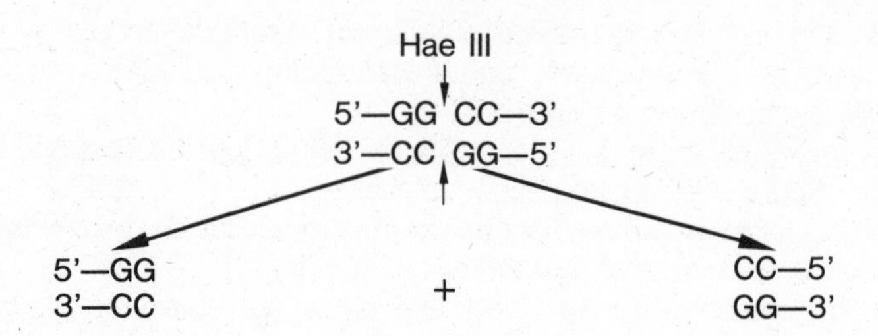

Les coupures à bouts **cohésifs** ou protrusifs : ici les coupures sont décalées l'une par rapport à l'autre sur les deux brins.

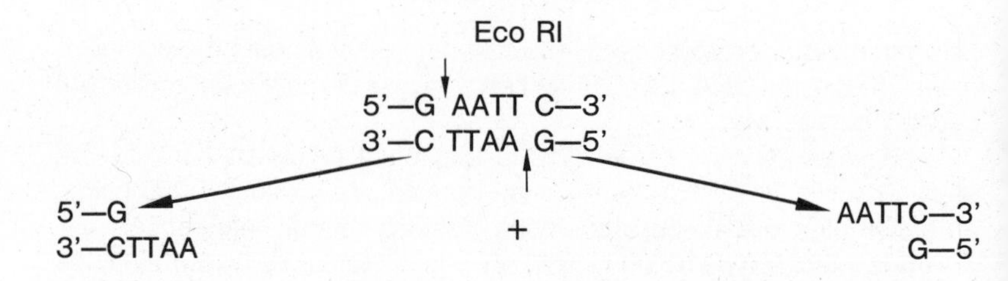

Après une coupure de ce type les parties simple-brin complémentaires peuvent s'apparier. La température de fusion d'un tétranucléotide est de 12 à 15°C. Grâce à ce type d'enzymes deux DNA d'origine différente coupés par une même enzyme peuvent être mis bout à bout puis ligaturés. Cette propriété est très utilisée dans les recombinaisons génétiques in vitro. Nous verrons les différentes applications dans les chapitres suivants.

Une série d'exemples de coupures représentant les différentes possibilités est donnée dans la **figure 22-3**.

LES MÉTHYLASES DU DNA BACTÉRIEN

Le DNA des bactéries est méthylé sur le carbone 5 de quelques cytosines et sur l'azote 6 de quelques adénines. Ces méthylases reconnaissent les mêmes sites que les enzymes de restriction. Leur nom est identique à celui de l'enzyme de restriction correspondante, précédé d'un M. A toutes les enzymes de restriction ne correspond pas une méthylase homologue.

La méthylation au niveau du site de restriction empêche la coupure par l'enzyme de restriction homologue : ainsi la séquence GAATTC méthylée sur l'adénine par M. Eco RI ne peut plus être coupée par Eco RI.

Il existe des isoschizomères dont l'un est sensible aux méthylations et l'autre non, comme Msp I et Hpa II. Cette propriété est très intéressante et sera décrite dans le paragraphe suivant.

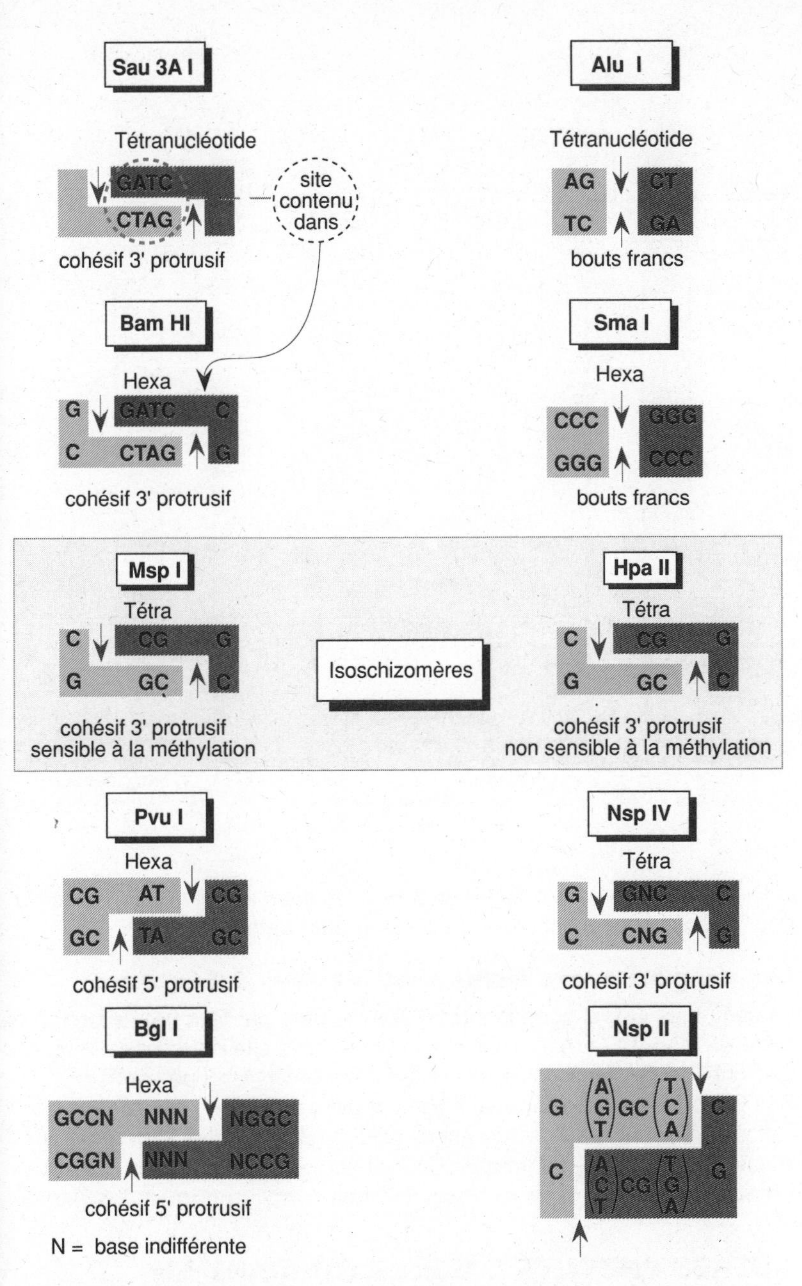

Figure 22-3 **Exemples de coupures et de sites de reconnaissance par des enzymes de restriction**

APPLICATIONS PARTICULIÈRES DES ENZYMES DE RESTRICTION

Recherche des cytosines méthylées

Dans le DNA des eucaryotes les méthylations portent sur les cytosines suivies d'une guanine. Il a été montré que de telles méthylations peuvent entraîner de profondes modifications de l'expression des gènes. Cette méthylation peut être mise en évidence à l'aide de couples d'isoschizomères comme Msp I et Hpa II. Une telle détermination est schématisée **figure 22-4**. Les enzymes Msp I et Hpa II reconnaissent la même séquence CCGG, cependant la coupure par Hpa II ne se produit pas si la deuxième cytosine du site est méthylée, alors que l'enzyme Msp I est insensible à cette méthylation. Il en résulte que les fragments libérés par les deux enzymes n'ont plus la même taille (Figure 22-4B).

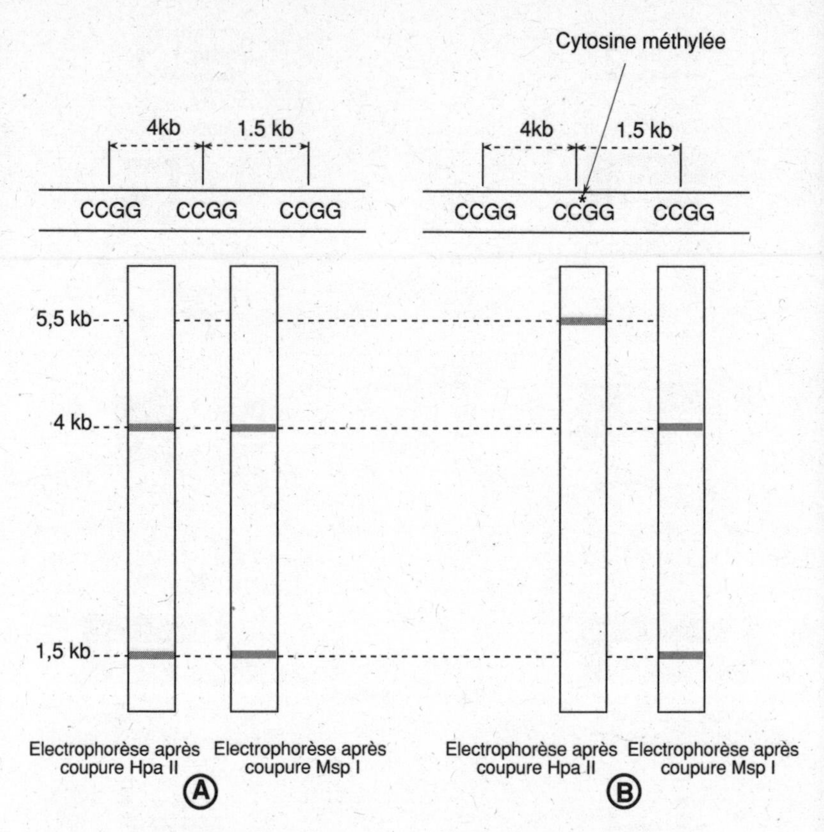

Figure 22-4 **Mise en évidence des cytosines méthylées**
Les enzymes Hpa II et Msp I sont des isoschizomères, mais l'enzyme Hpa II, contrairement à l'enzyme Msp I, n'est pas capable de cliver le DNA quand la cytosine du site de reconnaissance est méthylée. Il en résulte que les profils électrophorétiques obtenus avec chacune des enzymes seront identiques si la cytosine du site n'est pas méthylée, et différents dans le cas contraire.

Seules les cytosines méthylées présentes dans les sites de restriction pour des couples d'enzymes de ce type sont détectables.

Les sites à 4 bases inclus dans les sites à 6 bases

La séquence GATC correspond au site reconnu par Sau 3AI (isoschizomère de Mbo I). Ce même site est inclus dans le site de reconnaissance de Bam HI GGATC. Il en résulte qu'un premier DNA coupé par l'enzyme Sau 3AI pourra s'associer et être ligaturé avec un second DNA coupé par l'enzyme Bam HI. Le recombinant ne sera plus clivable par l'enzyme Bam HI sauf si la base N_x du premier DNA était une guanine. Cette propriété est souvent utilisée dans les recombinaisons in vitro (**Figure 22-5**).

AUTRES ENZYMES D'USAGE COURANT EN BIOLOGIE MOLÉCULAIRE

Le clonage, la détermination de la séquence d'un acide nucléique, l'étude des relations structure/fonction et des régulations nécessitent la construction de recombinants de plus en plus complexes. La puissance d'un vecteur résulte des séquences qui y ont été introduites. Toutes ces manipulations ne sont possibles que grâce à une panoplie d'enzymes disponibles commercialement. Nous passons en revue ci-après les enzymes courantes, en précisant chaque fois leur intérêt pratique.

Les polymérases d'acides nucléiques

La transcriptase inverse

Cette enzyme est citée en premier car, avec les enzymes de restriction, elle représente historiquement la base technologique de la biologie molé-

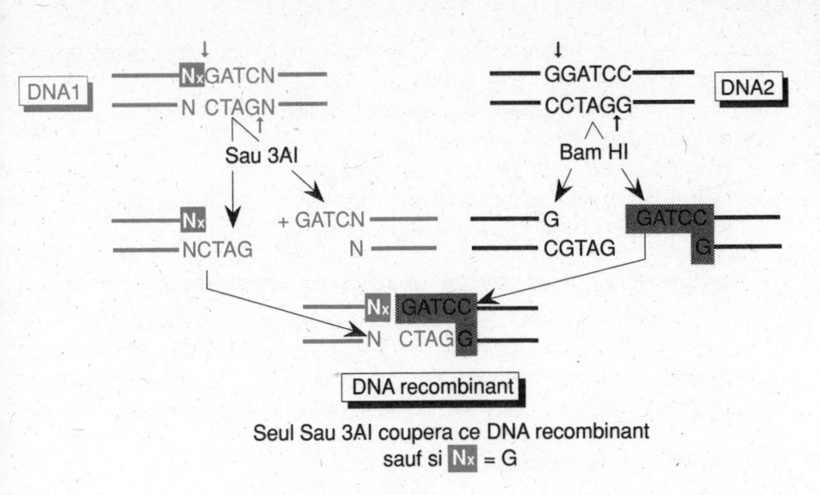

Figure 22-5 Les sites « 4 bases » contenus dans les sites « 6 bases »
Les extrémités d'un DNA coupé par l'enzyme Sau 3 AI (ou Mbo I) pourront s'hybrider avec les bouts cohésifs engendrés par une coupure avec l'enzyme Bam HI.

culaire des eucaryotes. Sans ces deux types d'enzymes rien n'aurait pu être fait.

Action : la transcriptase inverse transcrit le RNA en DNA complémentaire (cDNA). Comme toutes les polymérases cette enzyme travaille dans le sens 5'→3'. Pour démarrer elle a besoin d'une extrémité 3'OH libre sur laquelle elle vient fixer un désoxynucléotide par son extrémité 5', créant une liaison phosphodiester entre les deux désoxynucléotides. Elle possède aussi une activité de type **RNase H** (voir plus loin). La fidélité de transcription de cette enzyme peut ne pas être absolue. La transcriptase inverse peut aussi synthétiser le second brin d'un DNA en utilisant du DNA comme matrice.

Origine : la transcriptase inverse est une enzyme codée par le gène ***pol*** des rétrovirus. Elle leur permet de répliquer leur RNA génomique. La transcriptase inverse utilisée au laboratoire provient de cellules infectées par l'AMV (*avian myeloblastosis virus*). Ultérieurement une transcriptase extraite de cellules infectées par le virus de Moloney, plus stable et plus active, a été introduite sur le marché. Elle est à présent la plus utilisée.

Utilisation : cette enzyme est employée chaque fois qu'il est nécessaire de copier du RNA en DNA. Les trois applications principales sont :
— la construction de banques de DNA complémentaire (cDNA) ;
— la détermination de la séquence des acides nucléiques par la méthode des di-désoxynucléotides ;
— la PCR sur RNA messager.

La DNA polymérase I

Action : la DNA polymérase I possède trois activités :
— une activité **DNA polymérasique** dans le sens **5'→3'** à partir d'une amorce 3'OH ; cette amorce peut être un RNA. Une matrice (DNA simple brin) est indispensable. Le DNA synthétisé est strictement complémentaire de la matrice ;
— une activité **exonucléasique** dans le sens **3'→5'** ;
— une activité **exonucléasique** dans le sens **5'→3'**.

Origine : la DNA polymérase I est une enzyme bactérienne jouant un rôle annexe dans la réplication du DNA et un rôle majeur dans sa réparation. La forme commerciale est extraite d'*E. coli*.

Utilisation : cette enzyme est utilisée toutes les fois qu'il est nécessaire de synthétiser un DNA à partir d'une matrice. Le problème de l'amorce devra être préalablement résolu (le plus souvent on utilise des amorces synthétiques). Ses applications majeures sont :

— la détermination de la séquence d'un DNA par la méthode des didésoxynucléotides (voir chapitre 27) ;

— la synthèse de sondes très radioactives ;

— la transformation d'extrémités cohésives en bouts francs ;

— la construction de vecteurs à partir de DNA simple-brin.

Le fragment de Klenow de la DNA polymérase I

Le plus souvent ce n'est pas la DNA polymérase I qui est utilisée mais un de ses fragments obtenu par protéolyse ménagée, appelé **fragment de Klenow**. Celui-ci, débarrassé de l'activité 5'→3' exonucléasique, conserve l'activité DNA polymérasique et l'activité exonucléasique 3'→5'.

La T4 DNA polymérase

Cette enzyme, produite dans les bactéries infectées par le bactériophage T4 possède les mêmes activités enzymatiques que le fragment de Klenow. Son utilisation en biologie moléculaire est la même.

La Taq polymérase

(voir chapitre 21)

La terminal-transférase

Action : cette enzyme catalyse l'addition de désoxynucléotides, sans matrice, à l'extrémité 3'OH libre du DNA. L'incorporation se fait au hasard. Le polydésoxynucléotide synthétisé possède donc une composition en bases proportionnelle aux concentrations respectives des bases dans le milieu d'incubation.

Origine : cette enzyme est extraite du thymus de veau.

Utilisation :

— rajouter une queue (*tailing*) en vue de créer des extrémités cohésives qui sont utilisées pour intégrer le DNA dans un vecteur ;

— marquer l'extrémité 3'OH des DNA en vue de la détermination de leur séquence par la méthode de Maxam et Gilbert.

La polynucléotide phosphorylase

Action : la polynucléotide phosphorylase synthétise des RNA, sans matrice à partir de ribonucléotides diphosphates en présence de Mg^{++} :

$$n\,XDP \rightarrow (XMP)^n + n\ ⓅOH$$

Les nucléotides sont incorporés au hasard dans le polynucléotide en quantités proportionnelles à leur concentration dans le milieu réactionnel.

Elle est peu spécifique ce qui lui permet d'incorporer dans des polynucléotides des nucléotides modifiés. Cette propriété se manifeste surtout lorsque les ions Mg^{++} sont remplacés par des ions Mn^{++}.

Elle possède aussi deux activités annexes, à savoir :

— une activité nucléolytique qui permet de libérer des nucléotides monophosphates ;

— une activité d'échange du phosphate en position β sur les ribonucléotides diphosphates, ce qui permet un marquage facile et spécifique.

Origine : cette enzyme est d'origine bactérienne. Les formes commerciales sont extraites soit de *E. coli* soit de *M. luteus*.

Utilisation : cette enzyme a été utilisée avant l'ère de la biologie moléculaire actuelle pour synthétiser les polynucléotides qui ont permis de déchiffrer le code génétique. Actuellement elle est très peu utilisée. Ses applications sont :

— la synthèse de polynucléotides froids et radioactifs ;
— la dégradation de la queue polyA des messagers eucaryotes ;
— le marquage intense de l'extrémité 3'OH des polyribonucléotides ;
— le marquage sur le phosphore en β des ribonucléotides diphosphates.

La polyA polymérase

Cette enzyme catalyse la formation du polyA à l'extrémité 3'OH des RNA messagers eucaryotes. Elle utilise exclusivement l'ATP comme donneur de ribonucléotides. Son utilisation est la même que celle de la polynucléotide phosphorylase.

Les RNA polymérases

Action : les RNA polymérases transcrivent l'un des brins d'un DNA double-brin en un brin de RNA. La synthèse s'effectue sans amorce et nécessite des ribonucléotides triphosphates et du Mg^{++}. Comme pour toutes les polymérases la synthèse s'effectue par estérification d'un hydroxyle 3' par le phosphate en α d'un ribonucléotide triphosphate, donc dans le sens 5'→3'.

Origine : cette enzyme est presque universellement distribuée. Il en existe de nombreuses sortes, de spécificités différentes. Trois d'entre elles sont particulièrement utilisées en biologie moléculaire : la **SP6** RNA polymérase extraite de *Salmonella typhimurium* LT2, la **T7** RNA polymérase extraite de *E. coli* infectées par le phage T7 et la **T3** RNA polymérase extraite de *E. coli* infectées par le phage T3. Chacune de ces polymérases, dans des conditions normales de transcription, ne peut démarrer sa transcription que si le DNA à transcrire possède le promoteur spécifique correspondant.

Utilisation : seules les SP6,T7 et T3 RNA polymérases sont utilisées de manière courante au laboratoire. Leurs utilisations principales sont :
— la synthèse de sondes hautement marquées soit par un nucléotide radioactif soit par un nucléotide biotinylé (marquage froid) ;
— la détermination de la séquence d'un DNA cloné dans un vecteur possédant, devant le DNA cloné, l'un quelconque des promoteurs SP6, T7 ou T3 (Riboprobe®, Gemini®, Blue Script®) ;
— toute étude sur les versions RNA d'un DNA cloné.

Ces polymérases y sont particulièrement précieuses car les RNA sont des molécules hautement instables et pratiquement impossibles à obtenir à l'état pur par les techniques classiques. Ces polymérases permettent de produire, à partir d'un gène cloné, les quantités de RNA nécessaires pour l'étude de sa structure, ses régulations, ses interactions.

Les ligases

La DNA ligase d'E. coli

Action : les ligases assurent la formation des liaisons phosphodiesters entre une extrémité 3'OH et une extrémité 5' phosphate de deux nucléotides incorporés dans un acide nucléique. L'enzyme d'*E. coli* ne peut agir que si les deux DNA sont associés par des extrémités cohésives. Elle utilise comme cofacteur le NAD^+.

Utilisation : ligation des extrémités cohésives de DNA lors de la construction de vecteurs.

La T4 DNA ligase

Action : cette enzyme extraite de bactéries infectées par le phage T4 assure la même fonction que la ligase de *E. coli*. Deux propriétés l'en différencient cependant :

— elle utilise de l'ATP qui est hydrolysé en AMP et pyrophosphate au lieu d'utiliser du NAD ;

— elle est capable, contrairement à la DNA ligase de *E. coli*, d'effectuer des *ligations* entre deux DNA présentant des bouts francs. La réaction au laboratoire est favorisée par l'adjonction de 12 à 16 p. 100 de polyéthylène-glycol dans le milieu réactionnel.

Utilisation : toutes les opérations où une ligation est nécessaire, que les bouts soient francs ou cohésifs.

La RNA ligase

Action : cette enzyme extraite de bactéries infectées par le phage T4 réalise la *ligation* de deux RNA en créant entre eux une liaison phosphodiester entre l'extrémité 3'OH libre de l'un et l'extrémité 5' phosphate libre de l'autre. Une molécule d'ATP est nécessaire, elle est hydrolysée en AMP et pyrophosphate.

Utilisation : marquage de l'extrémité des RNA et construction de liaisons inter- ou intra-RNA.

Les nucléases

La DNase I

Action : cette enzyme extraite du pancréas est une endonucléase coupant préférentiellement après une pyrimidine en libérant une extrémité 3'OH et une extrémité 5' phosphate libres. Le DNA peut être aussi bien sous forme simple que double-brin ; dans ce dernier cas la coupure peut se faire sur un seul brin aussi bien que sur les deux brins.

Si la chromatine est dans son état natif (noyaux entiers ou extrait brut de noyaux) la DNase I, dans des conditions douces (faible concentration et faible température), détruit préférentiellement les gènes actifs ou qui l'ont été. Dans des conditions encore plus douces seuls quelques sites particuliers sont atteints : ce sont les **sites hypersensibles** localisés dans les parties du DNA activement transcrites de la chromatine (voir chapitre 5).

Utilisation :

— analyse des gènes actifs de la chromatine ;

— élimination du DNA contaminant des extraits de protéines ou de RNA ;

— création de cassures (*nicks*) pour le marquage des DNA par *nick-translation*.

Nucléase S1

Action : cette enzyme dégrade spécifiquement les acides nucléiques simple-brin. Les DNA bicaténaires ainsi que les hybrides DNA-RNA ne sont pas attaqués par cette enzyme, seules leurs parties simple-brin sont détruites.

Utilisation :

— étude des hybrides DNA-RNA ;

— élimination des extrémités simple-brin d'un DNA double-brin (après coupure par une enzyme de restriction produisant des bouts cohésifs par exemple) ;

— suppression des boucles dans les synthèses de cDNA ;

— S1 mapping (détermination des origines de transcription...).

Une autre enzyme possède une activité similaire : la *Mung bean* nucléase.

L'exonucléase III

Action : cette enzyme catalyse l'hydrolyse séquentielle des nucléotides d'un DNA dans le sens 3'→5' à partir d'une extrémité 3'OH libre. Elle possède en plus une activité 3'phosphatase.

Utilisation :

— formation de DNA simple brin à partir d'une de ses extrémités ;

— permet en conjugaison avec la nucléase S1 d'effectuer des délétions à des sites définis dans un DNA.

Une autre exonucléase, la nucléase Bal31, possède une double activité exonucléasique 5'→3' et 3'→5'. Cette enzyme produit des bouts francs ; elle permet sans utilisation de la nucléase S1 d'obtenir des délétions en des sites spécifiques.

Les RNases

• **La RNase A** Enzyme très active, ubiquitaire et extrêmement résistante puisque non détruite par un traitement d'une heure à 90°C. Elle hydrolyse les liaisons phosphodiesters qui unissent les ribonucléotides des RNA. La coupure se fait spécifiquement après des pyrimidines seulement si le RNA est simple-brin.

Utilisation :

— élimination des RNA dans les préparations de DNA ou de protéines ;

— détection des mismatches dans les hybrides DNA-RNA.

• **La RNase H** Cette enzyme détruit le RNA dans les hybrides DNA-RNA.

Utilisation :

— destruction du RNA après transcription inverse en vue de la synthèse du second brin de cDNA ;

— détection des hybrides DNA-RNA.

D'autres sont parfois utilisées, à savoir :

— RNase V1 et RNase III qui coupent les RNA double-brins ;

— RNase T1 spécifique des G ;

— RNase T2 spécifique de AGCU ;

— RNase U2 spécifique de A ;

— RNase CL3 spécifique de C ;

— RNase Phy I spécifique de AGU ;

— RNase Phy M spécifique de AU ;

— RNase de *B. cereus* spécifique de CU.

Les autres enzymes importantes

La T4 polynucléotide kinase

Action : cette enzyme, extraite de bactéries infectées par le bactériophage T4, transfère le phosphate en γ d'un ATP sur l'hydroxyle en 5' d'un polynucléotide. Dans certaines conditions expérimentales la réaction peut être réversible permettant ainsi un échange de phosphate entre le phosphate en γ d'un ATP et le phosphate en 5' d'un polynucléotide. Ceci permet d'éviter l'étape de traitement du polynucléotide par la phosphatase.

Utilisation : marquage en 5' des polynucléotides en vue de :

— déterminer la séquence d'un DNA (méthode de Maxam et Gilbert) ;

— criblage d'une banque avec un oligonucléotide ;

— hybridation avec une sonde oligonucléotidique.

La phosphatase alcaline

Action : retire le phosphate en 5' sur les DNA, les RNA et les nucléotides libres. L'hydrolyse libère un phosphate inorganique et une extrémité 5'OH. Les enzymes utilisées sont extraites soit de bactéries, soit de la muqueuse intestinale de bovins.

Utilisation : élimination des phosphates en 5' sur les acides nucléiques empêchant ainsi toute action ultérieure de ligase. Lors d'un clonage un vecteur ouvert par une enzyme de restriction, puis phosphatasé, ne pourra plus se refermer sur lui-même. La fermeture ne sera possible qu'en intégrant un DNA étranger qui apportera les extrémités 5' phosphates nécessaires à l'action de la ligase.

Sélection de références bibliographiques : voir page 749.

L'hybridation moléculaire

23

NOTION DE TEMPÉRATURE DE FUSION DU DNA

Lorsqu'un DNA bicaténaire est chauffé à une température supérieure à la température dite de **fusion (Tm)**, les deux brins de la molécule se séparent par suite de la rupture des liaisons hydrogène (liaisons faibles) qui les maintiennent appariés. Le passage de la forme bicaténaire à la forme simple brin est brutal pour une très faible variation de température autour de la Tm, du fait du caractère **coopératif** de la réaction.

Processus très analogue à celui de la rupture d'une « fermeture éclair » ou toute force de traction perpendiculaire ne dépassant pas un certain seuil est sans effet. Cependant, si d'aventure la force de traction devient suffisante pour faire sauter un des petits crochetons, alors presque sans qu'aucune force supplémentaire ne soit requise, la fermeture éclair s'ouvre en totalité.

Le passage de la forme bicaténaire à la forme mono-brin s'objective très facilement par simple mesure de la variation de densité optique à 260 nm **(Figure 23-1)**, le coefficient d'extinction du DNA monocaténaire étant sensiblement plus élevé que celui du DNA bicaténaire **(effet hyperchrome)**.

Ce phénomène résulte du fait que dans le DNA bicaténaire les bases (seules molécules composant le DNA absorbant la lumière à cette longueur d'onde) sont parfaitement ordonnées dans des plans parallèles se chevauchant partiellement. Ce masquage réciproque des bases fait que chacune ne se comporte pas comme un centre absorbant isolé, d'où l'induction d'un *quenching*. A l'inverse le DNA simple brin n'a pas de structure ordonnée, les bases se masquent moins, le *quenching* est minimum, le coefficient d'extinction est maximal.

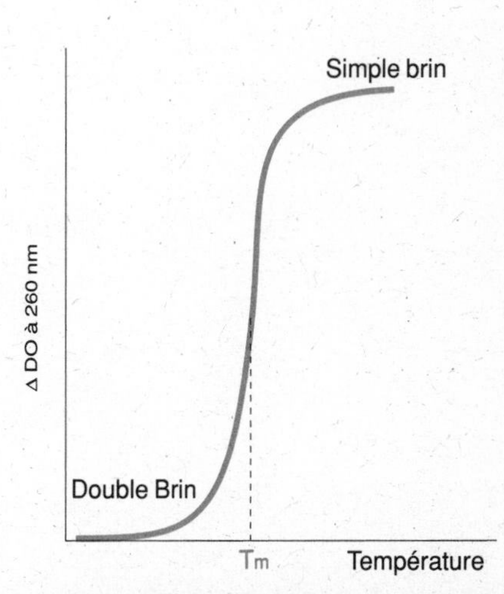

Figure 23-1 Mise en évidence de la séparation des deux brins d'un DNA et mesure de la température de fusion (Tm)
Du DNA est progressivement chauffé dans une cuve de spectrophotomètre. L'absorption est mesurée à une longueur d'onde de 260 nm (longueur d'onde où le DNA absorbe). Le passage de la forme double-brin à la forme simple-brin se traduit par une augmentation de la densité optique. Le phénomène est coopératif, d'où l'allure sigmoïde de la courbe. Le point d'inflexion correspond à ce que l'on appelle la température de fusion (Tm).

Facteurs influençant la température de fusion du DNA

Les deux brins complémentaires du DNA sont maintenus appariés par des liaisons hydrogène (3 entre G et C, 2 entre A et T). La fusion du DNA correspond à la rupture de ces liaisons. Le nombre de ces liaisons et les facteurs susceptibles d'intervenir dans leur stabilité modifient la valeur de la température de fusion.

Influence de la composition en bases

Compte tenu de la différence du nombre de liaisons hydrogène entre A et T d'une part et C et G d'autre part, il est évident que la composition en bases sera un facteur important dans la stabilité d'un DNA bicaténaire. La relation entre la composition en G+C et la Tm est linéaire pour des DNA de longueurs identiques ou suffisamment longs pour que la longueur n'interfère pas. Dans des conditions standards de milieu réactionnel et pour des DNA suffisamment longs (> 200 pb) la Tm peut être estimée par la relation suivante :

$$Tm = 69,3 + 0,41\ (\%\ G+C)$$

Cette influence de la composition en bases peut être annihilée par l'adjonction de substances très chaotropiques comme le chlorure de tétraméthyl à haute concentration (> 2,4 M). Dans ces conditions les paires A-T et G-C sont équivalentes.

Influence des mésappariements isolés de bases (mismatches)

Un non-appariement isolé de bases abaisse la stabilité d'un hybride. Empiriquement l'abaissement de Tm est de **1°C pour 1 p. 100** de non-appariement. Comme la composition en bases, ce phénomène n'a d'application pratique que pour les petits fragments (< 50 pb). Ces modifications de Tm par non-appariement sont à la base des détections de mutations ponctuelles avec les oligonucléotides synthétiques utilisés dans certains diagnostics.

Influence du milieu dans lequel le DNA est en solution

• *Les sels* : à haute concentration (> 1M) les cations monovalents sont sans effet notable, par contre une diminution de la force ionique se traduit par une diminution drastique de la température de fusion. La diminution est d'une quinzaine de degrés Celsius par logarithme de concentration d'ions monovalents. Les cations divalents ont un effet encore plus drastique.

Pour exprimer cet effet des sels le terme consacré, en biologie moléculaire, est celui de **stringence**. Une solution est d'autant plus stringente qu'elle est plus diluée, elle déstabilise la double hélice.

Cet effet du sel est très utilisé, principalement dans les hybridations en phase solide afin de :

— diminuer le bruit de fond ;

— démontrer la spécificité d'une hybridation ;

— obtenir une déshybridation afin d'effectuer une nouvelle hybridation, par exemple avec une autre sonde.

• *La formamide* : ce composé abaisse fortement la température de fusion. Il est utilisé afin de diminuer les températures de travail lors des hybridations. Pour des fragments d'une longueur supérieure à 100 paires de bases l'abaissement de la Tm peut être estimé par la relation suivante :

$$\Delta Tm = -0,6 \times (\%\ de\ formamide)$$

La concentration habituellement utilisée est de 50 p.100 ce qui correspond à un abaissement de Tm de 30°C environ.

Influence de la longueur des fragments

Plus un fragment de DNA est long, plus le nombre de liaisons hydrogène entre les brins est important, et plus l'énergie requise pour la séparation des brins est grande. Il en résulte que la température de fusion sera d'autant plus grande que le DNA sera plus long. La variation de température de fusion peut être estimée par la formule suivante :

$$\Delta Tm = -500/\text{nombre de paires de bases}$$

Cette formule montre que l'effet de longueur n'est important que pour les petits fragments, ce qui résulte du caractère coopératif du phénomène de fusion.

Les extrémités cohésives créées par certaines enzymes de restriction correspondent aux plus petits fragments dont l'hybridation est utilisée en biologie moléculaire (4 à 6 nucléotides). La température de fusion de tels fragments correspond à une température d'une quinzaine de degrés Celsius.

Remarque concernant les conséquences pratiques de ces données

Du fait de la simplicité de leur obtention et de leur haute spécificité, les sondes synthétiques sont de plus en plus employées à des phases critiques des expériences et des diagnostics de routine en biologie moléculaire. Les applications principales sont :

— le clonage d'un gène, connaissant une parcelle de la séquence en acides aminés de la protéine correspondante (voir chapitre 26) ;

— la mutation ponctuelle dirigée en un point précis d'une séquence (voir chapitre 30) ;

— le diagnostic de maladies héréditaires résultant d'une mutation ponctuelle (voir chapitres 13 et 28).

Dans tous les cas l'ensemble des paramètres affectant la température de fusion doit **impérativement** être pris en compte sous peine de résultats erronés (gravissimes dans les circonstances d'un diagnostic prénatal). Une formule empirique relie l'ensemble de ces paramètres à la Tm :

$$Tm = 16{,}6 \log [M] + 0{,}41\ (\%\ GC) + 81{,}5 - \%\ mismatch - 675/\text{longueur en bases} - 0{,}65\ (\%\ \text{de formamide})$$

[M] représente la concentration en ions Na^+ ; cette formule est valable pour des polynucléotides d'une longueur inférieure à 100 bases.

NOTION D'HYBRIDATION

Après une séparation de brins par fusion comme décrit dans les paragraphes précédents, aucune réassociation de brins n'est observée si la température est abaissée brutalement, le DNA restant sous forme simple-brin et prenant une structure dans l'espace non ordonnée. Par contre si après séparation le DNA est refroidi lentement dans des conditions de milieu favorables une réassociation des brins est progressivement observée. Elle porte le nom **d'hybridation**. La réassociation ne s'effectue qu'entre deux séquences strictement complémentaires, même s'il n'en existe qu'une parmi des milliards d'autres. Toute la puissance de certaines techniques utilisées en biologie moléculaire résulte de cette **absolue spécificité**.

La réassociation s'effectue entre séquences complémentaires mais ces séquences peuvent aussi bien être du DNA que du RNA ce qui permet d'obtenir des **hybrides DNA/RNA** (plus stables).

Le DNA simple-brin, le DNA double-brin et les hybrides DNA/RNA ayant des densités différentes, chacune des formes d'un mélange réactionnel d'hybridation peut être séparée par centrifugation sur gradient de chlorure de césium (centrifugation isopycnique).

Facteurs influençant l'hybridation

Ces facteurs sont très nombreux et sont souvent mis à profit, soit pour modifier les conditions d'hybridation, soit pour faciliter les études qualitatives et semi-quantitatives de séquences possédant des caractéristiques particulières.

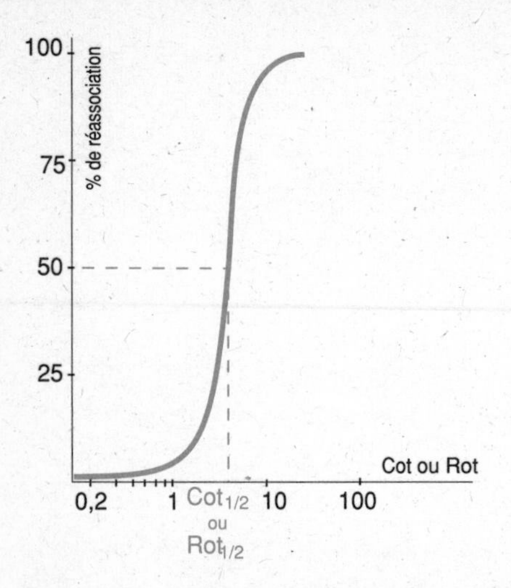

Figure 23-2 **Détermination du $Cot_{1/2}$ ou du $Rot_{1/2}$**
Une hybridation est conduite comme décrit dans la figure 23-1. La valeur du Cot pour une quantité d'hybrides de 50 p.100 est déterminée graphiquement, elle correspond au $Cot_{1/2}$.

Concentration du DNA et temps Notion de Cot et de Rot

La réassociation entre deux séquences monocaténaires est conditionnée par la présentation des nucléotides complémentaires face à face. Celle-ci est un phénomène aléatoire conditionné par la fréquence des rencontres des molécules. Pour une température donnée, elles sont augmentées par la concentration des molécules interagissantes et la durée de l'expérience. Plus la concentration du DNA est élevée, plus le nombre de copies des séquences complémentaires est important. Il en résulte que la **probabilité de rencontre** de deux séquences complémentaires, donc la vitesse d'hybridation, augmente avec la **concentration** du DNA.

De même, plus le **temps** de réaction est long plus la probabilité que les séquences complémentaires se rencontrent est grande. La quantité d'hybrides obtenus est d'autant plus grande que le temps de l'hybridation est long, et ce jusqu'à ce que toutes les séquences soient hybridées.

Dans les analyses d'hybridation ces deux facteurs sont considérés en même temps, l' hybridation étant quantifiée en fonction du produit de ces deux variables. Le terme consacré pour définir cette nouvelle variable, produit de la concentration par le temps, est le **Cot** (prononcer cotte). La valeur du Cot permettant 50 p.100 d'hybridation est appelée **$Cot_{1/2}$**. Lorsqu'il s'agit d'hybridations RNA/DNA le produit de la concentration du RNA par le temps prend le nom de **Rot** (prononcer rotte) **(Figure 23-2)**.

La température

La formation des hybrides résulte de la rencontre de deux séquences complémentaires. Sa vitesse sera donc fonction de la température. La plus forte vitesse de réassociation est observée pour des températures d'environ 25 p.100 inférieures à la valeur de la Tm de l'acide nucléique considéré.

La longueur des fragments

La vitesse de réassociation augmente proportionnellement à la racine carrée de la longueur des fragments, si les séquences complémentaires sont de longueurs identiques.

La complexité des séquences

Plus la complexité des séquences est grande (c'est-à-dire plus la solution contient de séquences différentes), plus la probabilité de rencontrer la séquence complémentaire est petite, donc plus le temps de réassociation sera long.

La nature des acides nucléiques

Lors d'une hybridation RNA/DNA, si le RNA est en large excès, la vitesse d'hybridation est identique à celle d'une hybridation DNA/DNA. Par contre si le DNA est en large excès, la vitesse de réassociation RNA/DNA est 4 à 5 fois plus faible que la réassociation DNA/DNA.

La force ionique

Jusqu'à une concentration de NaCl de 1 M un doublement de la force ionique se traduit par une augmentation de 5 à 10 fois de la vitesse de réassociation. Au-delà de 1,2 M l'augmentation de la force ionique est sans effet.

La présence d'émulsion phénolique

Par un mécanisme non encore compris (peut-être par des effets de concentration à la surface des goutelettes), pour les concentrations faibles de DNA ($< 5\ \mu g/ml$), la vitesse d'hybridation est 20 à 30 000 fois plus forte quand elle est effectuée dans une émulsion de phénol, cette vitesse s'effondrant très rapidement quand la concentration de DNA est augmentée. Des hybridations DNA/RNA peuvent aussi être effectuées dans ces conditions mais avec une efficacité 100 fois moindre. L'application récente la plus spectaculaire est le clonage soustractif d'une région délétée dans le gène DMD impliqué dans la myopathie de Duchenne (Figure 11-7).

HYBRIDATION EN PHASE LIQUIDE

Principe

Les séquences complémentaires dont on désire obtenir l'hybridation sont en solution dans un tampon. Elles s'associeront si du fait de l'agitation thermique des molécules elles se rencontrent et si la température de la solution est inférieure d'au moins quelques degrés à la Tm.

Dans la pratique la température de travail est d'environ 15°C inférieure à la Tm ; de plus afin de diminuer les températures de travail, de la formamide est ajoutée. Pour les petits fragments la température de travail doit être calculée suivant les formules décrites précédemment. Pour les grands fragments la température quasi universellement utilisée est 42°C.

Analyse quantitative des hybrides

Trois types de techniques sont utilisables :

Les méthodes spectrophotométriques

Comme déjà indiqué, le DNA double brin possède un coefficient d'absorption plus faible que celui du DNA simple brin. Comme la concentration de l'acide nucléique ne varie pas au cours de la réaction d'hybridation, l'abaissement de densité optique à 260 nm correspond à l'augmentation du taux des hybrides. La mesure est pratiquée dans un spectrophotomètre dont la cuve est thermostatée, la réaction étant déclenchée par une baisse de la température. Cette technique de réalisation simple n'est pas utilisable pour les cinétiques de réassociation rapide (cas du DNA très répétitif), car l'inertie thermique de la solution de DNA est trop grande.

Technique à la nucléase S1

La nucléase S1, comme il a été décrit dans le chapitre précédent, ne digère, dans certaines conditions expérimentales, que les acides nucléiques simple brin, qu'il s'agisse de DNA ou de RNA. Une aliquote de la réaction d'hybridation est traitée par la nucléase S1, l'acide nucléique non digéré correspond aux hybrides. Il est récupéré par précipitation et quantifié.

La chromatographie sur hydroxylapatite

L'hydroxylapatite est constituée de cristaux de phosphate de calcium. Sur ce support, en présence d'une haute concentration saline, seuls les acides nucléiques double-brin se fixent. Ils peuvent ensuite être élués par une simple augmentation de la concentration en phosphates (environ 0,5 M). Les quantités de DNA non fixé (simple brin) et élué (hybrides) peuvent être déterminées soit spectrophotométriquement, soit par mesure de la radioactivité si le DNA est radioactif. Le pourcentage des hybrides peut alors être calculé.

Applications de l'hybridation en phase liquide

Comparaison des tailles de génomes sans séquences répétitives

Les bactéries, les virus, les mitochondries... ont des génomes pratiquement dépourvus de séquences répétitives. La réaction de réhybridation après chauffage sera du second ordre. Le $Cot_{1/2}$ sera dans ce cas directement fonction de la taille du génome, ce qui permet les études comparatives.

Analyse globale des pourcentages d'homologie de séquence entre deux espèces proches

S'ils ne sont pas trop abondants, les mismatches diminuent la Tm des hybrides mais n'empêchent pas l'hybridation entre grands fragments. L'hybridation de séquences provenant d'espèces proches est donc possible. Les DNA des deux espèces doivent être à des concentrations très différentes pour minimiser les réassociations homologues. L'analyse des résultats est très complexe ; cependant, à réaction complète, le pourcentage d'hybrides peut être assimilé grossièrement au pourcentage de séquences homologues dans les deux espèces.

Analyse des séquences répétitives

L'hybridation résulte de la rencontre entre deux séquences homologues. Dans une solution de DNA une séquence plusieurs fois répétée aura plus de chances de rencontrer son homologue que si elle était unique. Elle possédera de ce fait une **cinétique de réassociation** plus rapide que les séquences uniques. Les séquences répétitives auront donc tendance à provoquer une déformation du début de la courbe représentant la cinétique d'hybridation (déformation au niveau des faibles Cot). Plus les séquences répétitives seront abondantes, plus la déformation sera importante. Un exemple extrême est celui du DNA génomique total des mammifères. Les séquences répétitives y sont tellement abondantes que trois sigmoïdes successives sont discernables dans les courbes des cinétiques (Figure 2-14).

HYBRIDATION SUR SUPPORT SOLIDE

Principe

L'immobilisation de l'une des séquences complémentaires — le plus souvent la cible — facilite d'une part les manipulations, d'autre part la séparation des fractions hybridées et non hybridées ; enfin elle empêche la réassociation des brins de DNA, cibles des sondes. Le prix à payer est une diminution de la précision des quantifications et des rendements d'hybridation. L'expérience montre de plus que les vitesses sont 10 fois inférieures aux vitesses théoriques en phase liquide, parce qu'une large fraction du DNA lié **n'est pas accessible** à l'hybridation.

Facteurs influençant l'hybridation sur support solide

Ce sont les mêmes que ceux qui interviennent dans la fusion du DNA ou dans l'hybridation en phase liquide. Dans la pratique courante deux composés particuliers, qui modifient qualitativement et quantitativement les hybridations, sont largement utilisés.

• **La formamide** Ce composé a pour effet de diminuer très largement la température de fusion donc de permettre les hybridations à relativement basse température ; classiquement elles sont conduites à **42°C**, la concentration de formamide requise étant de 50 p.100. Deux avantages majeurs découlent de cet abaissement de température :
— la sonde est plus stable ;
— les acides nucléiques fixés à la membrane (phase solide de l'hybridation) risquent moins de se détacher.

• **Le sulfate de dextrane** La présence de ce composé à une concentration de 5 à 10 p.100 se traduit par une augmentation du taux de réassociation d'un facteur qui peut atteindre 10. Il semble que ce composé rende plus accessible le DNA par un phénomène d'exclusion (le volume occupé par le sulfate de dextrane ne peut l'être par le DNA dont la concentration locale est de ce fait artificiellement augmentée).

Les supports utilisés pour immobiliser les acides nucléiques

• **La nitrocellulose** Elle fut le premier support utilisé. La fixation des acides nucléiques ne s'effectue qu'à très haute force ionique. Le mécanisme physique de la liaison n'est pas connu. La fixation devient quasi irréversible s'il est pratiqué une « cuisson » sous vide à 80°C. Ce support présente deux inconvénients majeurs :
— une extrême fragilité mécanique, d'où un maniement délicat ;
— l'impossibilité de déshybrider et de réhybrider avec une nouvelle sonde.

• **Les membranes synthétiques** (Zetabind®, Hybond®, etc.) Ces membranes, le plus souvent à base de nylon, présentent l'avantage d'être très solides donc maniables. Le transfert doit aussi être effectué à très haute force ionique. La fixation des acides nucléiques pourrait aussi être rendue partiellement irréversible par cuisson, mais les membranes de nylon possèdent la caractéristique particulière de contracter des liaisons covalentes avec les acides nucléiques après brève irradiation par les UV courts (254 nm). La fixation résultante est donc très stable, ce qui permet de nombreuses déshybridations et réhybridations successives. Les liaisons covalentes ne doivent cependant pas être trop nombreuses sous peine d'une diminution ultérieure de l'hybridation, la cible devenant moins accessible à la sonde.

L'HYBRIDATION IN SITU

L'hybridation in situ est utilisée pour repérer une séquence donnée de DNA au sein d'une cellule. Les deux principales applications de l'hybridation in situ sont la **localisation des gènes sur des chromosomes en métaphase** et la recherche des bactéries qui ont intégré le plasmide ou le phage recombinant recherché **(criblage de banques)**.

L'hybridation in situ de chromosomes a déjà été décrite dans le chapitre 10. Nous nous contenterons de décrire l'hybridation in situ de bactéries en vue d'un clonage (**hybridation sur colonies** pour les plasmides, sur plages de lyse pour les phages). Cloner un gène, comme nous le verrons, consiste en pratique à rechercher dans une banque la bactérie qui a intégré le vecteur recombinant contenant ce gène.

Pour cela la banque est étalée sur boîtes de Pétri, une **empreinte** de chaque boîte est prise sur une feuille de nitrocellulose ou sur film de nylon

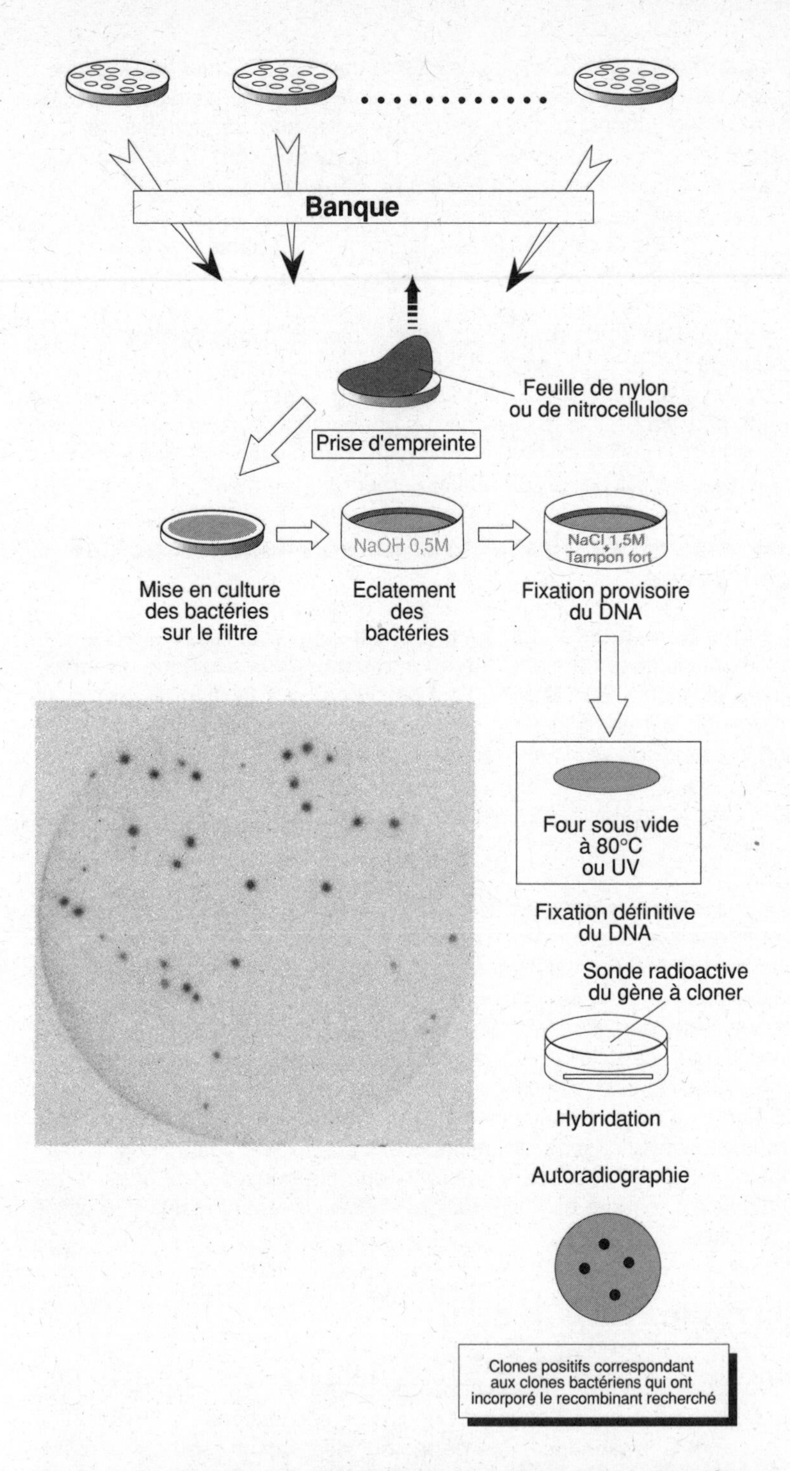

Figure 23-3 **Hybridation in situ de bactéries lors du clonage d'un gène**
Lorsque le vecteur utilisé est un phage au lieu d'un plasmide, la banque est constituée de plages de lyse au sein d'un tapis bactérien et non pas de colonies. Dans ce cas les bactéries étant déjà lysées, l'étape de lyse des bactéries est supprimée.

qui vont fixer quelques bactéries de chaque clone (ou quelques phages s'il s'agit d'une banque de phages). La membrane est ensuite traitée à la soude pour faire éclater les bactéries et séparer les brins du DNA, leur permettant ainsi de pouvoir ultérieurement être hybridés avec une sonde.

Le DNA est immobilisé sur la membrane de nitrocellulose par un traitement par le NaCl concentré. Cette fixation deviendra irréversible par cuisson à 80°C si le support est de la nitrocellulose ou par irradiation aux UV si le support est du nylon. Après ce traitement la membrane est hybridée avec une sonde radioactive du gène. Après lavage intensif une autoradiographie est pratiquée. L'ensemble des opérations est décrit dans la **figure 23-3**. Seuls les clones possédant une séquence complémentaire à la sonde donneront un signal en autoradiographie, ce qui permettra de les repérer sur la boîte initiale et de les amplifier à grande échelle. Lorsque l'on travaille avec des phages et non plus avec des bactéries, on est en présence de plages de lyse et non plus de colonies bactériennes. La technique est identique ; la seule différence est que, les bactéries étant déjà éclatées, il n'est pas nécessaire de les lyser avec de la soude.

Sélection de références bibliographiques : voir page 749.

24 Les vecteurs : plasmides, phages, cosmides, YAC, virus...

CONCEPT DE VECTEUR

La purification des protéines et l'étude de leurs fonctions est un travail le plus souvent d'une extrême complexité, bien que ces molécules possèdent des propriétés spécifiques et qu'elles soient présentes dans chaque cellule à un nombre élevé de copies. Ceci les oppose aux gènes qui sont le plus souvent en un seul exemplaire par génome haploïde, qui ne possèdent aucune spécificité physico-chimique ou biologique propre, qui sont le plus souvent morcelés et disséminés au sein d'un immense continuum moléculaire. La purification et l'amplification d'un gène ne peuvent s'effectuer que par sélection clonale moléculaire. Pour cela le génome ou une de ses parties doit être coupé en morceaux, chacun étant intégré dans un DNA appelé **vecteur** qui permettra l'introduction et la multiplication de la séquence dans une bactérie, ultérieurement sélectionnée puis amplifiée.

Il n'existe pas de vecteur universel, le choix se fait en fonction des objectifs poursuivis et de la taille de l'acide nucléique à manipuler. Les quatre utilisations majeures des vecteurs sont :

— le clonage et l'amplification d'une séquence de DNA ;

— l'étude des mécanismes de l'expression d'une séquence de DNA ;

— l'introduction de gène(s) dans des cellules (transfection) ou des organismes (animaux transgéniques) ;

— la production de RNA ;

— à l'échelle industrielle, la production des protéines codées par des gènes.

Toute la puissance d'un vecteur résulte de sa construction, c'est-à-dire des séquences qui lui ont été apportées et qui lui confèrent des propriétés particulières. Depuis les premiers vecteurs naturels (plasmides bactériens, Col E1, etc., phage lambda) utilisés pendant les années 70, des progrès considérables ont été accomplis dans la construction de vecteurs artificiels de plus en plus ingénieux et performants.

PROPRIÉTÉS QUE DOIT POSSÉDER UN VECTEUR

• Il doit se répliquer activement dans la cellule hôte, en règle générale de manière **épisomale**, indépendamment du DNA de la cellule hôte.

• Sa taille doit être la plus petite possible, permettant ainsi d'insérer une plus grande quantité de DNA, de manipuler plus facilement les recombinants et d'obtenir rapidement une plus grande quantité de copies par cellule hôte.

• Il doit posséder des propriétés permettant de sélectionner de manière simple les cellules qui l'ont incorporé.

• Sa présence doit perturber le moins possible la cellule hôte.

• Il doit être maintenu dans l'hôte sans y être modifié quel que soit le nombre de générations.

• Il doit posséder le plus possible de sites uniques de coupure par des enzymes de restriction pour faciliter les constructions. Il est de plus souhaitable que certains de ces sites soient localisés dans des gènes de sélection afin que l'intégration du DNA étranger facilite l'isolement du recombinant.

• Il doit être facile à isoler sous forme absolument pure.

PRINCIPES GÉNÉRAUX D'UTILISATION D'UN VECTEUR

Préparation du vecteur

Avant son utilisation le vecteur doit être coupé à l'endroit exact où l'on désire insérer la séquence à amplifier, purifier ou étudier. Cette coupure est effectuée par une **enzyme de restriction**. Les extrémités ainsi libérées devront être traitées (en général avec la **phosphatase alcaline**) de telle sorte que le vecteur ne puisse plus se refermer sur lui-même, seul le DNA à insérer permettant le raboutage.

Préparation du DNA à insérer

Sa taille, et dans certains cas ses extrémités, doivent être rendues compatibles avec ce que le vecteur est capable d'accepter. Les DNA trop longs ou trop courts doivent donc être éliminés ou modifiés. Leurs extrémités doivent être compatibles avec celles du vecteur où ils seront insérés.

Réalisation du recombinant

Les deux préparations précédentes (vecteur et DNA à insérer) sont mélangées, dans des proportions définies pour chaque type de recombinaison, en présence d'une **ligase** qui permet la ligation entre les extrémités du vecteur et celles du DNA à insérer. Le recombinant est purifié par extraction et précipitation.

Incorporation à l'hôte

Pour se répliquer le vecteur doit être incorporé dans une cellule hôte. La procédure est spécifique de chaque type de vecteur. Une étape intermédiaire comme l'**empaquetage** *(packaging)* dans une capside de bactériophage peut être nécessaire.

Choix de l'hôte

Le choix de l'hôte dépend principalement du vecteur utilisé. Sauf cas particulier où l'on a intérêt à utiliser un hôte spécial (par exemple une cellule défective pour la fonction du produit du gène à cloner), on s'adresse toujours au même type de cellules, dont il existe deux grandes catégories : les hôtes bactériens et les hôtes eucaryotes.

• *Les hôtes bactériens* sont utilisés le plus souvent possible, car ils se multiplient rapidement (temps de génération : 20 à 30 minutes), sont faciles à manier et peu onéreux. Les bactéries utilisées sont non pathogènes et affaiblies afin de diminuer les risques de dissémination accidentelle. La bactérie presque constamment choisie est *E. coli.* Sauf cas exceptionnel, le choix se porte sur des souches d'*E. coli* **res(-)**, c'est-à-dire restrictions négatives afin que le DNA inséré ne soit pas détruit par les enzymes de restriction bactériennes. Les souches sont aussi souvent choisies **recA(-)** de manière à éviter tout phénomène de recombinaison au sein du DNA inséré ou entre le DNA inséré et le DNA bactérien (voir chapitre 3). Ce dernier phénotype revêt une très grande importance lorsque l'on travaille avec des cosmides dans lesquels la taille moyenne du DNA inséré est de 40 kb. Enfin certaines expériences nécessitent des souches lac– (comme JM 101 à JM 109) lesquelles doivent être conservées sur un milieu spécial (milieu minimum) afin de diminuer l'apparition de révertants lac^+.

Exceptionnellement il est fait appel à des vecteurs particuliers qui ne peuvent pas se propager dans *E. Coli*. Il faut alors faire appel à d'autres espèces bactériennes, les plus utilisées étant *Pseudomonas* (Gram –) et *Bacillus subtilis* (Gram +).

• *Les hôtes eucaryotes* peuvent être des cellules animales en culture, des levures ou des plantes. Leur maniement est complexe et coûteux. Ils ne sont utilisés qu'en cas d'absolue nécessité, c'est-à-dire lorsque l'on travaille avec des vecteurs ayant une **origine de réplication** eucaryotique, lorsque l'on veut étudier une régulation in vivo de gène eucaryote, ou lorsque l'on veut faire exprimer une protéine qui doit, pour être **fonctionnelle**, subir des **modifications post-traductionnelles** comme des glycosylations que les bactéries sont incapables de réaliser.

Les plasmides

Les plasmides sont de petits fragments de DNA circulaire **extrachromosomique** d'origine bactérienne. Leur réplication est complètement indépendante de celle du chromosome bactérien. Une bactérie peut en posséder un très grand nombre de copies (plusieurs centaines). Ils sont transférables d'une bactérie à l'autre lors de la conjugaison. Leur taille est comprise entre 2 et 5 kb. Ce type de vecteur peut recevoir jusqu'à 8 ou 9 kb de DNA exogène. En règle générale plus un plasmide est petit, plus il se réplique vite et plus la bactérie peut en posséder un nombre élevé. Un plasmide ne contient donc qu'un très petit nombre de gènes qui confèrent à la bactérie des propriétés supplémentaires, comme la **résistance à un antibiotique**. Une bactérie peut posséder en même temps plusieurs plasmides différents, sauf si leur cohabitation n'est pas compatible avec sa survie.

UTILISATION DES PLASMIDES

Obtention d'une grande quantité de plasmides : l'amplification

Cette technique s'utilise aussi bien pour produire une grande quantité de plasmides avant recombinaison que pour obtenir une grande quantité d'un recombinant cloné **(Figure 24-1)**. Les bactéries contenant le plasmide sont cultivées dans un grand volume (500 ml à 2 l). Quand la densité bactérienne atteint environ $2,5 \times 10^8$ bactéries/ml (0,6 DO_{600}), du chloramphénicol peut être ajouté afin de bloquer la croissance bactérienne sans affecter la réplication du DNA plasmidique. La paroi bactérienne est perméabilisée par un traitement au lysozyme suivi par un traitement avec un

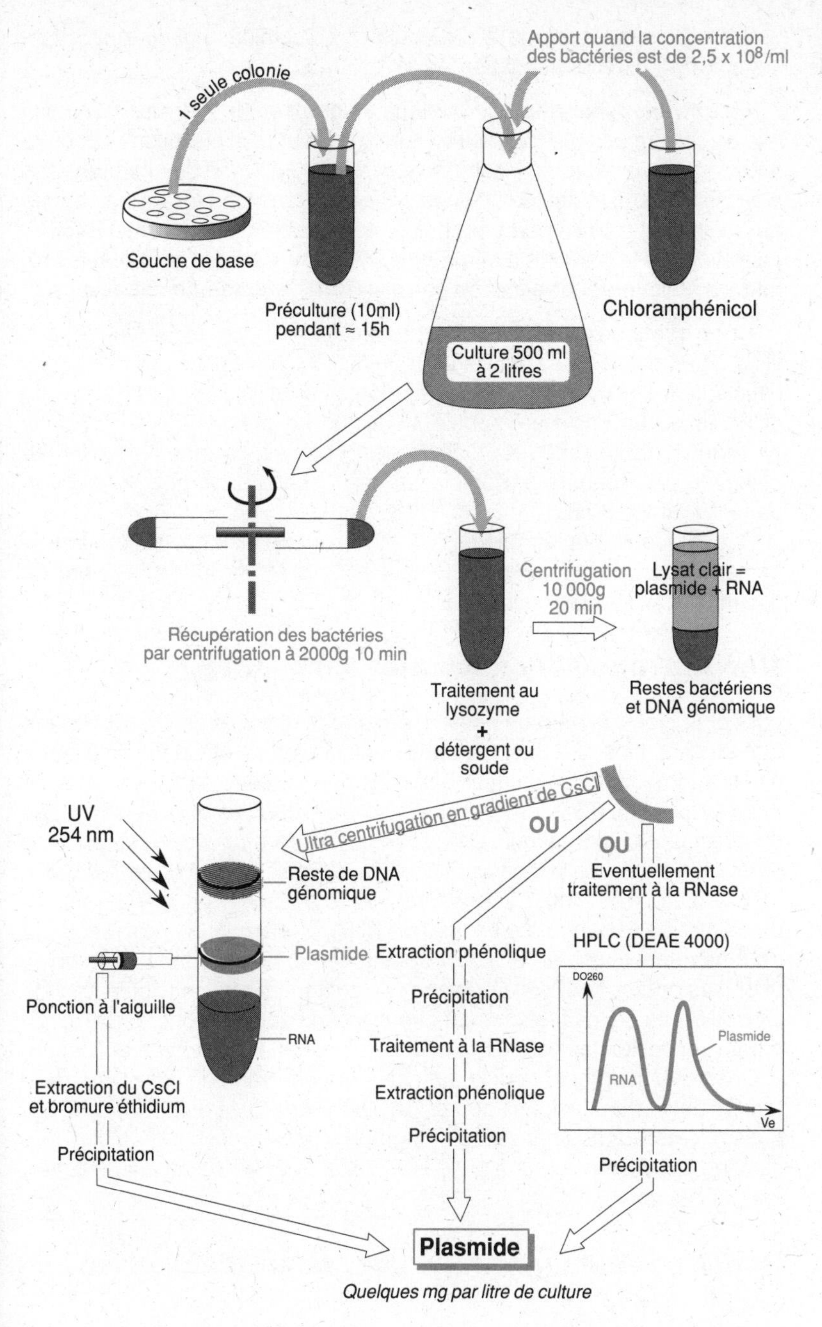

Quelques mg par litre de culture

Figure 24-1 Purification à grande échelle de plasmides

détergent (Triton X100 ou SDS) en milieu alcalin (soude). Grâce à ce traitement les RNA et le plasmide passent en solution, cette solution porte le nom de **lysat clair**. Le DNA chromosomique reste emprisonné dans les restes bactériens.

Plusieurs techniques de purification du plasmide sont alors possibles suivant le degré de pureté requis. La technique la plus simple consiste à détruire les RNA avec de la RNase A, l'enzyme et les protéines bactériennes étant ensuite éliminées par extraction phénolique. Le plasmide est enfin récupéré par précipitation éthanolique et repris dans du tampon TE (tris-EDTA).

Deux techniques permettent d'obtenir un plasmide beaucoup plus pur, il s'agit de l'ultracentrifugation et de la HPLC.

• L'**ultracentrifugation** se pratique en gradient de chlorure ou de sulfate de césium en présence de bromure d'éthidium. Le plasmide sédimente sous forme d'une bande localisée vers le milieu du tube que l'on visualise par des UV. Les restes de DNA bactérien sont rassemblés en une bande qui sédimente moins vite. Le plasmide est récupéré par ponction à l'aiguille au travers de la paroi du tube (Figure 24-1). Les sels de césium et le bromure d'éthidium sont éliminés par dialyse et une série d'extractions.

• Les premières techniques chromatographiques utilisaient la gel-filtration en basse pression. Depuis peu des colonnes échangeuses d'ions (Nucleogen DEAE 4000), très performantes et utilisables en **HPLC**, sont disponibles. La chromatographie s'effectue en présence d'urée 5M ou de formamide à 50 p. 100. L'élution est obtenue par gradient salin. Le plasmide est récupéré par précipitation à l'isopropanol, puis resolubilisé dans du tampon TE.

Quelle que soit la technique, s'il n'y a aucune incompatibilité entre la bactérie et le plasmide, le rendement est d'environ **500 μg à 2 mg** de plasmide par litre de culture.

Une microamplification : les « mini-prep »

Lors d'un clonage ou d'un sous-clonage, des dizaines de clones doivent être étudiés. Il ne faut pour cela que quelques μg de plasmide de chaque clone recombinant dont la qualité n'a pas besoin d'être parfaite. Il est donc hors de question d'utiliser les techniques assez lourdes qui viennent d'être décrites. On a alors recours à la technique des « mini-prep ». Le principe ressemble à celui de la technique à la RNase, mais on part de petites quantités de culture (20 ml). Le rendement est d'environ 1 μg à 10 μg par ml de culture bactérienne. Le dosage du DNA, à la fin de la préparation, ne peut pas être effectué par spectrophotométrie, compte tenu des faibles quantités obtenues et de la présence de contaminants, principalement de type RNA. La concentration peut être estimée par électrophorèse en comparant l'intensité des bandes à celle de témoins de concentration connue.

On trouve maintenant sur le marché toute une série de kits qui permettent de purifier en quelques heures de petites quantités de plasmide (quelques microgrammes), par chromatographie (affinité, échange d'ions, gel filtration) en microcolonne à usage unique. La pureté du plasmide obtenu est excellente.

Préparation du plasmide pour la recombinaison (Figure 24-2)

Pour insérer une séquence de DNA dans un plasmide il faut d'abord l'ouvrir. Cette ouverture est obtenue par une incubation du plasmide avec une enzyme de restriction. Il est impératif de choisir une enzyme qui ne possède qu'un site de coupure **unique** au sein du plasmide, le choix de l'enzyme étant fonction du DNA à insérer et de la stratégie choisie. Avant de pouvoir être utilisables les plasmides linéarisés doivent être traités de telle sorte que la refermeture sur eux-mêmes soit impossible, donc qu'ils ne puissent se refermer qu'en insérant un DNA étranger. Pour cela ils sont traités à la phosphatase alcaline qui déphosphoryle en 5'. Le plasmide ne peut alors se refermer que sur le DNA étranger, qui lui est phosphorylé.

Les liaisons entre le 3'OH du DNA à insérer et le 5'OH du plasmide ne peuvent être réalisées in vitro ; elles seront réalisées par la bactérie quand le vecteur recombiné y aura été introduit.

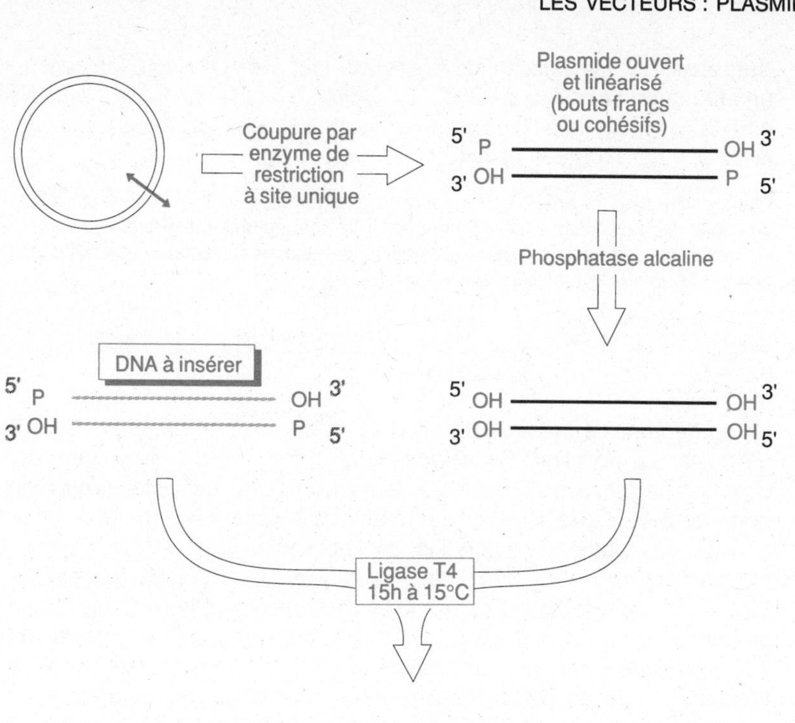

Figure 24-2 Construction d'un plasmide recombinant

Constitution de l'hybride

Au vecteur linéarisé et phosphatasé est ajouté le DNA à insérer et de la **ligase**. L'incubation est conduite à basse température ce qui permet aux extrémités cohésives de s'hybrider. Le DNA à insérer (8 à 9 kb au maximum) doit être apporté en faible concentration par rapport au plasmide car cela favorise ainsi les associations DNA à insérer/plasmide et minimise l'auto-association DNA à insérer/DNA à insérer.

Introduction du plasmide recombiné dans la bactérie (Figure 24-3)

Cette étape porte le nom de **transformation** bactérienne. Les bactéries sont cultivées de manière classique en milieu liquide, puis sont rendues perméables aux DNA étrangers. Cette perméabilité est obtenue par simple incubation à 0°C en présence de chlorure de calcium 50 mM. Après une heure d'une telle incubation au froid, les bactéries sont capables d'incorporer un DNA étranger. On dit alors que les bactéries sont **com-**

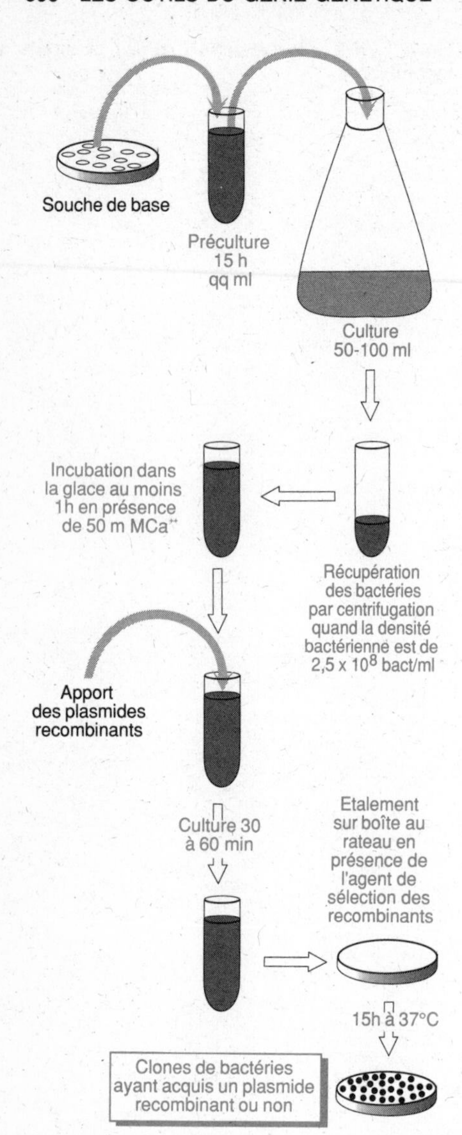

Figure 24-3 Transformation des bactéries par un plasmide recombinant

pétentes. Les plasmides sont mis en contact avec les bactéries pendant une trentaine de minutes à 0 °C. On effectue ensuite un choc thermique à 37 °C pendant 30 à 60 secondes suivant le volume de l'incubation, puis la culture est relancée et enfin étalée sur boîte.

Des techniques où le sel de Ca^{++} est remplacé par des solutions complexes à base de cobalt et de rubidium ont été proposées. Elles permettent une augmentation notable de l'efficacité de la transfection. Des bactéries rendues compétentes par cette technique sont même disponibles sur le marché.

Sélection des bactéries ayant incorporé le plasmide recombiné

Le rendement de la transformation étant très faible (1 bactérie sur 10^5 à 10^7 par µg de plasmide recombinant) il convient de sélectionner les quelques bactéries recombinantes, parmi les milliards de bactéries qui n'ont rien incorporé. Cette sélection est obtenue par culture sur un milieu sélectif, la ou les propriété(s) apportée(s) par le plasmide étant utilisée(s) comme moyen de sélection. Dans la pratique il s'agit presque toujours d'une **résistance à un antibiotique**. Les bactéries ayant incorporé le plasmide recombinant deviennent, grâce au gène de résistance du plasmide, résistantes à l'antibiotique ; toutes les autres sont tuées. Les clones bactériens retrouvés sur la boîte de culture correspondent chacun à une bactérie ayant incorporé un recombinant, et qui s'est multipliée. Il convient de noter que cette technique ne permet que de sélectionner les bactéries qui ont incorporé un plasmide, elle ne permet pas de distinguer celles qui ont incorporé un plasmide recombinant de celles qui ont incorporé un plasmide vide. Pour y parvenir il faut utiliser, directement ou dans un second temps, un **second marqueur de sélection**. Dans la pratique deux systèmes sont utilisés.

Système du second gène de résistance aux antibiotiques

Le DNA étranger est inséré au sein de ce second gène de résistance pour un antibiotique. Cette insertion va se traduire par une inactivation de ce gène, donc par la perte de la résistance à cet antibiotique. Les bactéries qui ont incorporé un plasmide recombinant contenant un DNA inséré seront **résistantes** au premier antibiotique, mais **sensibles** au second. Par contre les bactéries qui auront incorporé un plasmide sans DNA inséré seront résistantes aux deux antibiotiques. Le système le plus classique associe sur le plasmide les gènes de résistance à l'**ampicilline** et à la **tétracycline**.

Le système de l'opéron lactose

La transformation de bactéries *lac*− par un plasmide contenant un gène *lacZ* (β-galactosidase) confère à cette bactérie le phénotype *lac*+ qui peut être caractérisé directement au niveau des clones bactériens en utilisant un substrat chromogène. Pour cela les bactéries sont cultivées en présence d'IPTG (inducteur non métabolisable de l'opéron lactose) et de Xgal, un galactoside dont la couleur passe de l'incolore au bleu quand il est clivé par la β-galactosidase. Sur un tel milieu de culture les bactéries *lac*+ seront colorées en bleu puisqu'elles sont induites et qu'elles métabolisent le Xgal, par contre les bactéries *lac*− auront une coloration blanchâtre légèrement translucide, couleur habituelle des colonies bactériennes. L'insertion d'un DNA étranger au sein du gène *lacZ* l'inactive et les colonies correspondantes restent blanches.

En fait une seule partie du gène lac z a été introduite dans le plasmide. Elle correspond au promoteur et à la partie N terminale du peptide α de la β-galactosidase, ce qui est suffisant pour complémenter les bactéries *lac*−.

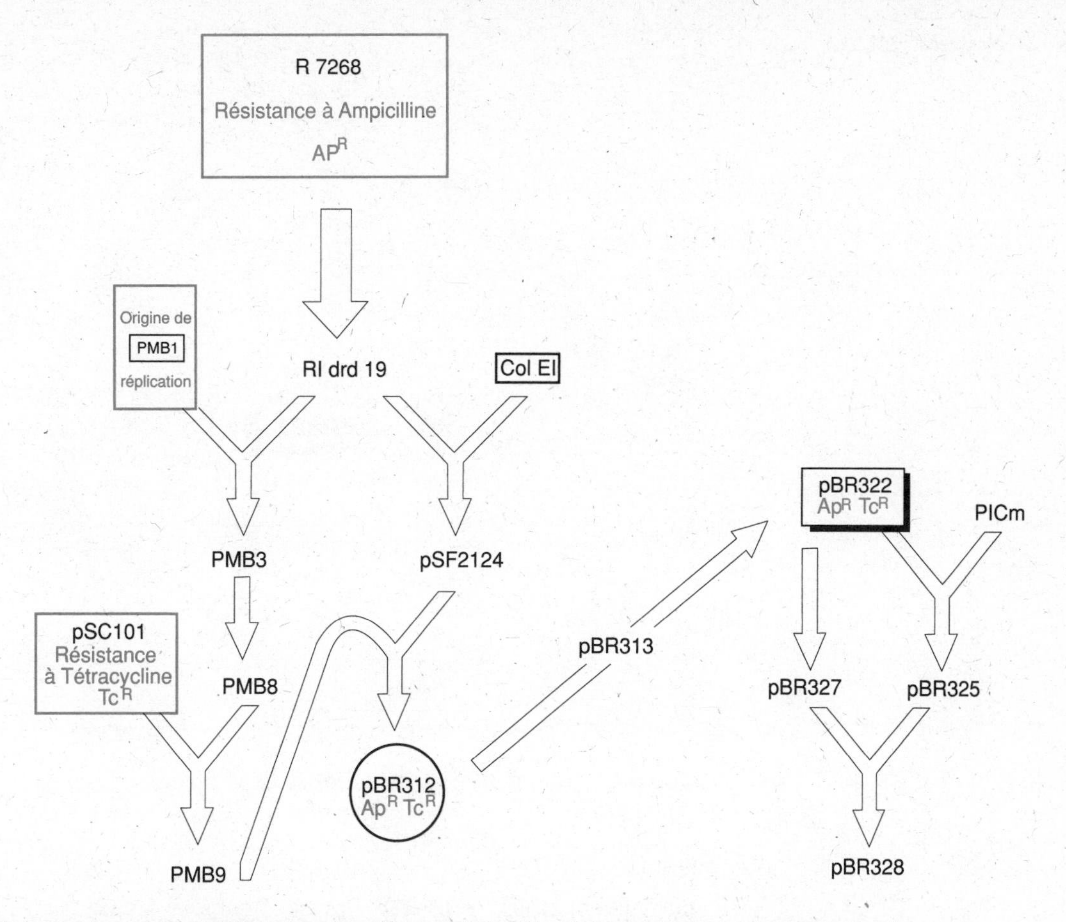

Figure 24-4 **Schéma de la création des plasmides de la famille pBR à partir des plasmides naturels**
Ap^{R} = gène de résistance à l'ampicilline.
Tc^{R} = gène de résistance à la tétracycline.

LES DIFFÉRENTS PLASMIDES

Les plasmides de première génération

Ce sont les plasmides spontanément rencontrés dans la nature, qui furent utilisés pour les toutes premières expériences de génie génétique.

Il s'agit des plasmides ColE1, RSF 2124 et pSC 101 (encore qu'un doute sur l'origine naturelle de ce dernier persiste). Historiquement pSC 101 fut le premier utilisé pour cloner du DNA eucaryote, il s'agissait du clonage des gènes codant pour le RNA des ribosomes de *Xenopus laevis* (1974).

Ce type de plasmide étant loin de posséder les propriétés indispensables à la solution des problèmes complexes du clonage, les chercheurs ont d'emblée construit de nouveaux plasmides artificiels, en rassemblant en un **plasmide chimère** les éléments intéressants de chaque plasmide naturel, et en augmentant le nombre de sites uniques de coupure par les enzymes de restriction.

Les plasmides de seconde génération

Ils résultent des constructions décrites ci-dessus. La **figure 24-4** montre le principe de la construction de la série la plus célèbre de cette génération de plasmides, la série pBR 312 à pBR 328 dont un membre fut parti-

Figure 24-5 **Le plasmide pBR 322**

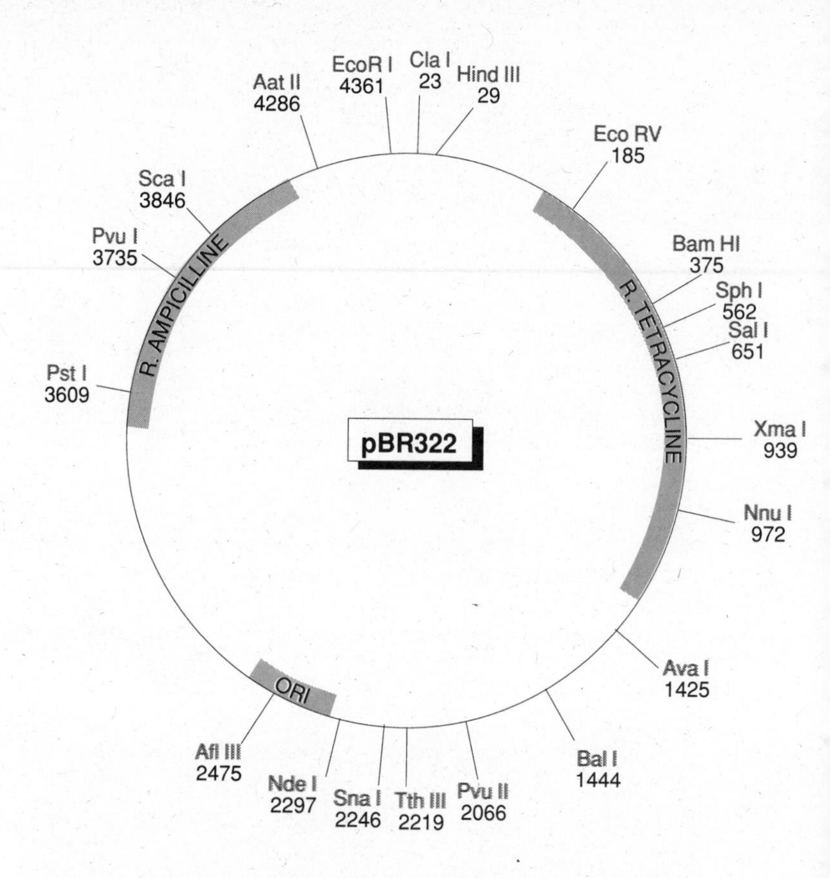

culièrement utilisé : **pBR 322**. Pratiquement tous les plasmides actuels (de 3ème génération) ont été construits à partir de ce type de plasmide, et nous le prendrons comme exemple **(Figure 24-5)**.

Le plasmide pBR 322 est constitué de 4 363 paires de bases, dont la séquence nucléotidique est complètement connue. Il possède deux gènes de résistance aux antibiotiques ; l'un pour la tétracycline : $\mathbf{Tc^R}$, l'autre pour l'ampicilline : $\mathbf{Ap^R}$, et 20 sites uniques pour des enzymes de restriction (dont seuls 10 correspondent à des enzymes couramment commercialisées). Parmi ces sites uniques, 11 sont localisés dans les gènes de résistance aux antibiotiques :

— EcoR V, BamH I, Sph I, Sal I, Xma I et Nru I dans le gène Tc^R ;
— Cla I et Hind III dans le promoteur de Tc^R ;
— Pst I, Pvu I et Sca I dans le gène Ap^R.

L'insertion d'un DNA étranger dans l'un quelconque de ces sites se traduit par la perte de la résistance à l'antibiotique correspondant. Le site le plus utilisé est le site Pst I du gène Ap^R.

Les plasmides de troisième génération

Un plasmide puissant et bien construit peut permettre de simplifier considérablement le travail en évitant par exemple des sous-clonages. De nombreuses équipes ont construit une série de plasmides aux performances sans cesse croissantes.

La famille pUC

Développés par Messing et coll. ces plasmides de 2 600 pb environ contiennent le gène de résistance à l'ampicilline de pBR 322 et une partie du gène *lacZ*. Au sein de ce gène *lacZ* a été introduit un ***polylinker***, c'est-

Figure 24-6 La famille pUC et les polylinkers

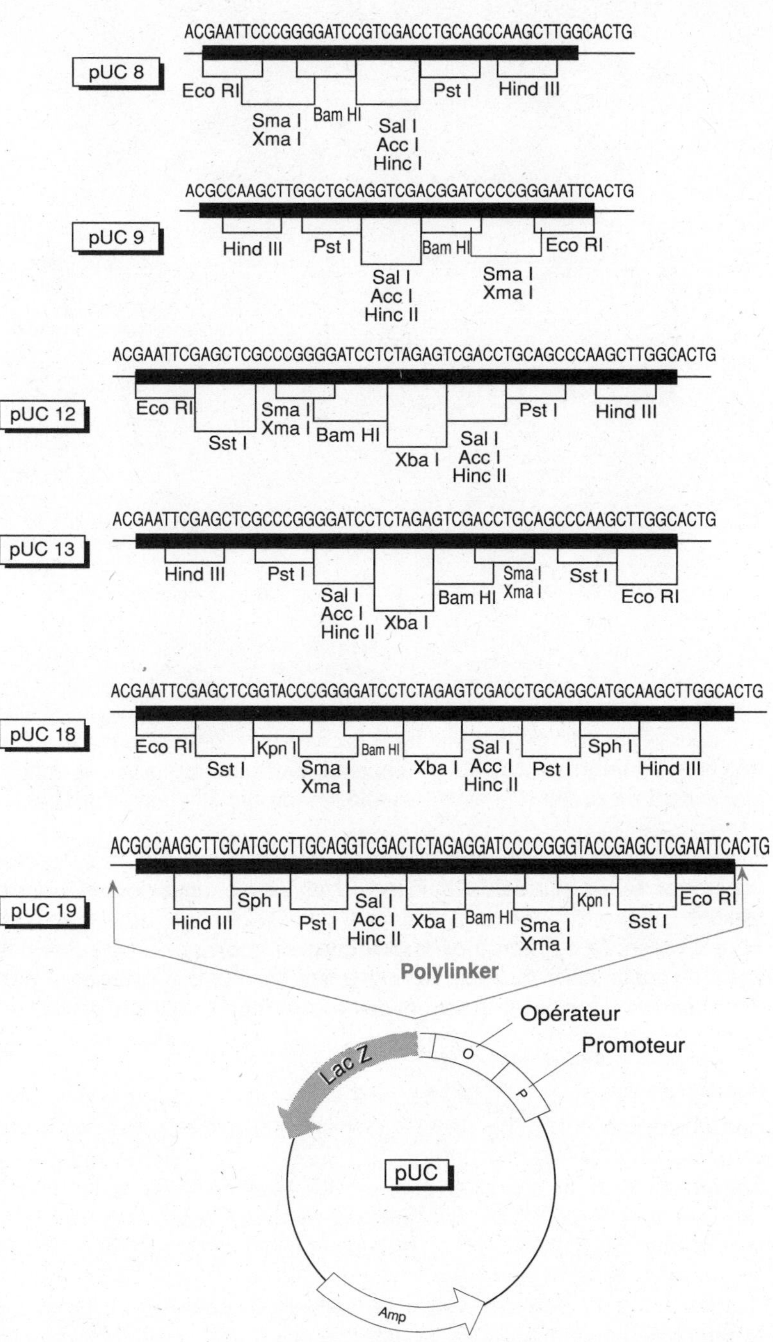

à-dire une séquence polynucléotidique synthétique correspondant à toute une série de sites uniques, successifs, de coupure par des enzymes de restriction **(Figure 24-6)**. Les *polylinkers* de cette série sont identiques à ceux du phage M13 (voir plus loin). Les différents membres de la série pUC (8,9,..., 19) ne diffèrent que par la longueur et l'orientation du polylinker. La présence de ce dernier ne modifie pas l'activité de la β-galactosidase (colonies bleues), ce qui préserve le pouvoir de distinction des recombinants et des non recombinants décrit précédemment. Il est bien sûr impératif d'utiliser des bactéries lac− (JM101 à JM109, XLI-blue®) pour profiter de cette possibilité de sélection.

Figure 24-7 **Exemple de plasmide de la famille Gemini®**

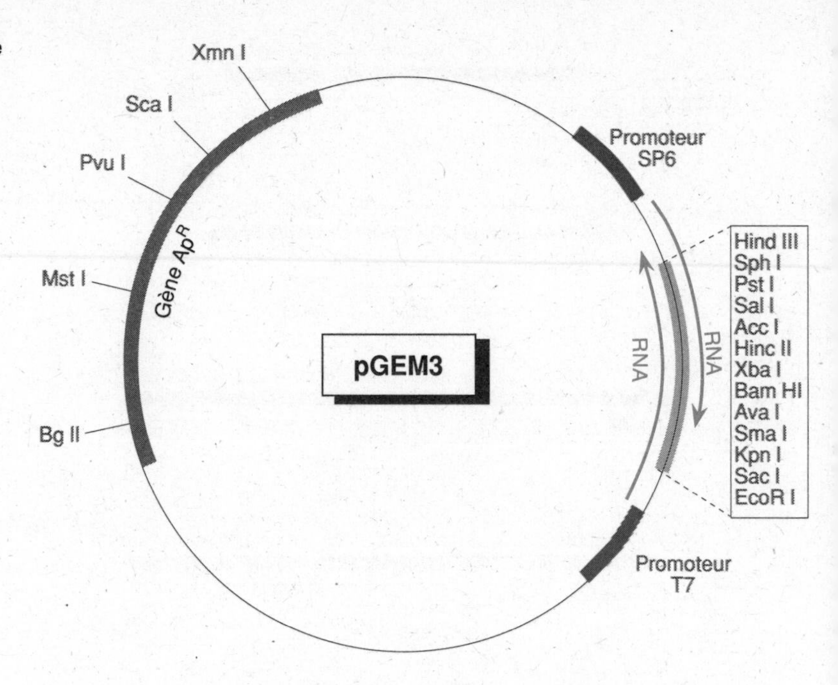

• *Avantages apportés par ces plasmides :*

— leur petite taille permet une réplication très rapide et la formation d'un très grand nombre de copies par bactérie (plusieurs milliers). Les rendements sont de ce fait très élevés (quelques mg par litre de culture bactérienne) ;

— le *polylinker* permet une insertion facile de n'importe quelle séquence quelle que soit la stratégie employée. Les sous-clonages sont eux aussi facilités ;

— la présence du gène *lacZ* facilite considérablement la sélection des vrais recombinants par simple examen de la couleur des colonies. Il permet aussi l'expression de la séquence qui sera insérée dans le polylinker.

La famille pSP et Gemini® (Figure 24-7)

Ces plasmides sont plus petits que pBR 322 puisque leur taille est comprise entre 2 900 et 3 000 pb. Ils possèdent le gène de résistance à l'ampicilline et un *polylinker* pour faciliter les insertions. Ils ne possèdent pas le gène *lacZ*. Les plasmides pSP 64 et 65 possèdent, immédiatement adjacent au *polylinker*, un promoteur pour la RNA polymérase SP6 qui provient de *S. typhimurium*.

Gemini® 1 à 4 dérivent des deux précédents. Ils possèdent en plus sur le brin complémentaire, de l'autre côté du polylinker, un promoteur pour la RNA polymérase du phage T7. Les différents Gemini diffèrent par la longueur et l'orientation du *polylinker*.

• *Avantages apportés par ces plasmides et conséquences pratiques :* ces plasmides présentent l'avantage majeur de permettre de transcrire en RNA la séquence qui a été insérée. Les plasmides de type Gemini apportent un maximum de puissance puisque chaque brin peut être transcrit spécifiquement suivant le type de polymérase utilisé. Il devient donc possible d'obtenir de grandes quantités du **RNA complémentaire** de chacun des brins du DNA cloné (orientations + et —).

Ce RNA peut être utilisé :

— comme sonde **(ribosonde)** à haute activité spécifique (voir chapitre 25) ;

— pour des recherches sur les produits du gène : structure secondo-tertiaire du RNA, protéine synthétisée, etc.

Avec ces plasmides il est aussi possible de séquencer directement, sans sous-clonage en phage M13, les deux brins du DNA inséré (voir chapitre 27).

Le plasmide BlueScript®

Il s'agit là de l'un des plasmides les plus complexes et les plus performants commercialisés à ce jour, puisqu'il combine tous les avantages des vecteurs précédents plus de nouveaux. La base de ce plasmide est un plasmide de type Gemini dans lequel le promoteur SP6 a été remplacé par un promoteur de type T3. La même fraction du gène *lacZ* que celle des plasmides pUC a été rajoutée, ce qui permet une sélection des recombinants par la couleur des colonies, mais aussi d'exprimer la protéine codée par le DNA inséré puisqu'elle se trouve, de par la construction, sous le contrôle du promoteur du gène *lacZ*. Il est de ce fait possible de cribler une banque constituée de ce type de vecteur avec un anticorps afin de rechercher le clone correspondant au gène de la protéine que l'on veut cloner (voir chapitre 26). La dernière modification consiste en l'ajout d'une séquence originaire d'un phage monobrin ce qui permet, avec l'aide d'un phage *helper*, de récupérer l'un des deux brins du plasmide recombinant sous forme de phage monobrin, et cela **sans sous-clonage,** ce qui facilite considérablement les déterminations de séquences.

Les phages

Les bactériophages ou phages sont des virus de bactéries. Leur multiplication est rapide, le nombre de copies par cellule est considérable. Ils sont munis d'un **système de pénétration** dans la bactérie et s'y multiplient de façon autonome. Le rendement de cette infection est très largement supérieur à ce qui est obtenu lors de la transformation de la bactérie par les plasmides. La taille du DNA inséré, qui dépend de la stratégie d'introduction, est beaucoup plus grande que ce qu'il est possible d'insérer dans les plasmides ; en revanche leur maniement est légèrement plus complexe. La prolifération du phage dans la bactérie se traduit à terme par sa lyse ; dans les cultures en gélose les recombinants ne s'objectiveront plus par des colonies, mais par des **plages de lyse** sur un tapis bactérien.

UTILISATION DES PHAGES

Obtention d'une grande quantité de phages

Comme les phages vont détruire la bactérie après infection, il convient de partir d'une plus grande quantité de bactéries que lors de la transformation par un plasmide. Les bactéries sont donc cultivées dans un milieu contenant du lactose (car le lactose active le gène *lam* B qui code pour le récepteur du phage λ) jusqu'à une densité de 4×10^8 par ml (1 unité DO_{600}), récupérées par centrifugation, et remises en suspension dans du milieu neuf contenant du $MgCl_2$ 10 mM (car le magnésium est indispensable pour la fixation du phage sur son récepteur). Le phage à amplifier est ajouté (environ 5×10^7 phages par ml de bactéries). Après adsorption du phage par les bactéries (5 min à 37 °C), une culture à grande échelle

(1 litre) est lancée. Les bactéries sont infectées par le phage qui va se multiplier activement, et finalement, provoquer un éclatement des bactéries hôtes. Après addition de chloroforme et de NaCl les débris bactériens sont éliminés par centrifugation ; les phages sont précipités par le polyéthylèneglycol (PEG 6000), puis purifiés par ultracentrifugation en gradient ou sur coussins multiples de chlorure de césium. Au cours de cette centrifugation les phages migrent en un anneau de 2 à 3 mm d'épaisseur qui est récupéré par ponction à la seringue au travers de la paroi du tube de centrifugation. On obtient environ 10^9 à 10^{10} phages par ml de milieu de culture.

La meilleure manière de conserver les phages est de les maintenir tels quels dans le chlorure de césium à 4 °C. Dans ces conditions le phage peut se conserver quelques années.

Contrairement aux plasmides les phages ne sont pas constitués par du DNA nu, mais par du DNA enfermé dans une **capside**. Pour extraire le DNA des phages il faut d'abord procéder à une destruction des protéines de la capside par une incubation en présence de pronase en présence d'EDTA, ou de protéinase K en présence de SDS. Le DNA est extrait au phénol et précipité à l'alcool.

Titration des phages (Figure 24-8)

Lorsque l'on travaille avec des phages il est indispensable d'en connaître la concentration approximative. Pour cela il faut les **titrer**. Des dilutions croissantes du phage sont ajoutées à des solutions de bactéries ; après adsorption du phage, chacune des dilutions est coulée en gélose molle, sur une boîte de culture bactérienne. Après culture à 37 °C le nombre de **plages de lyse** est déterminé dans chaque boîte où cela est possible, c'est-à-dire celles où les plages ne sont pas confluentes. Le titre du phage en est déduit compte tenu de la dilution de départ correspondant à la boîte lue. Le résultat s'exprime en **pfu/ml** de solution de phage (pfu = *plaque forming unit*).

Préparation d'un phage pour la construction d'un recombinant

Deux stratégies sont utilisables : **l'insertion** simple et **la délétion-remplacement**. Le choix est presque exclusivement fonction de la taille du DNA à introduire. Certains phages cependant ne peuvent être utilisés qu'en insertion.

La technique d'insertion simple

Le principe est identique à celui utilisé avec les plasmides. Le phage est coupé en un site unique où le DNA à cloner est inséré. Par cette technique il est possible d'insérer jusqu'à **12 kb**. Bien que le DNA des phages ne soit pas circulaire, la réalisation pratique est identique à celle décrite pour les plasmides (Figure 24-2). Le phage est coupé par une enzyme de restriction à site unique et les extrémités libérées sont phosphatasées, pour empêcher la religation du phage sur lui-même lors de la construction du recombinant.

La technique de délétion-remplacement (Figure 24-9)

La partie centrale du phage, non indispensable à son cycle de vie, est délétée et remplacée par le DNA à insérer. Avec cette stratégie il est possible d'insérer de **8 à 22 kb** de DNA étranger.

La réalisation pratique est plus complexe que celle de l'insertion, car

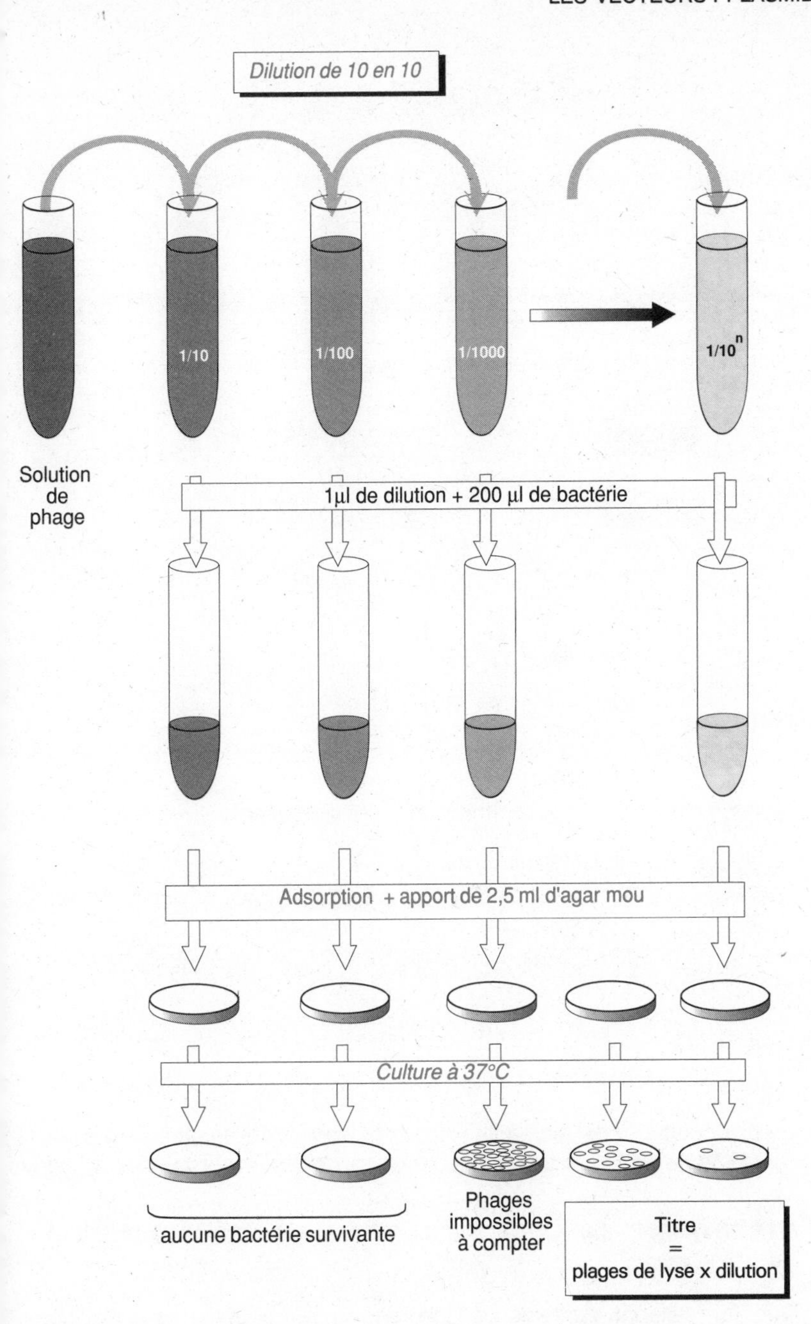

Figure 24-8 Principe de la titration d'une solution de phages
Les phages doivent être titrés avant étalement, d'une part pour éviter la confluence des plages, ce qui se traduirait par un mélange des clones, d'autre part parce que les rendements d'infection dépendent en large part de la concentration des phages.

il faut extraire la partie centrale du phage avant de pouvoir construire le recombinant. Le problème est d'autant plus difficile que la fraction à extraire possède à peu près la même taille que les bras qu'il faut récupérer. Pour cela les phages sont ligaturés l'un derrière l'autre en longs **concatémères** grâce à l'action d'une ligase (une phosphorylation des extrémités 5' des phages peut préalablement être effectuée avec de la T_4 polynucléotide kinase afin d'augmenter le rendement de la ligation). Les longs concatémères sont séparés des produits de réaction incomplète par ultracentrifugation, puis digérés par une enzyme de restriction coupant aux frontières de la zone à déléter. Les bras droits et gauches contigus sont séparés de celle-ci par ultracentrifugation en gradient de saccharose (la séparation par centrifugation est maintenant possible car les bras droits et gauches, associés par la ligation, ont une taille environ double de la

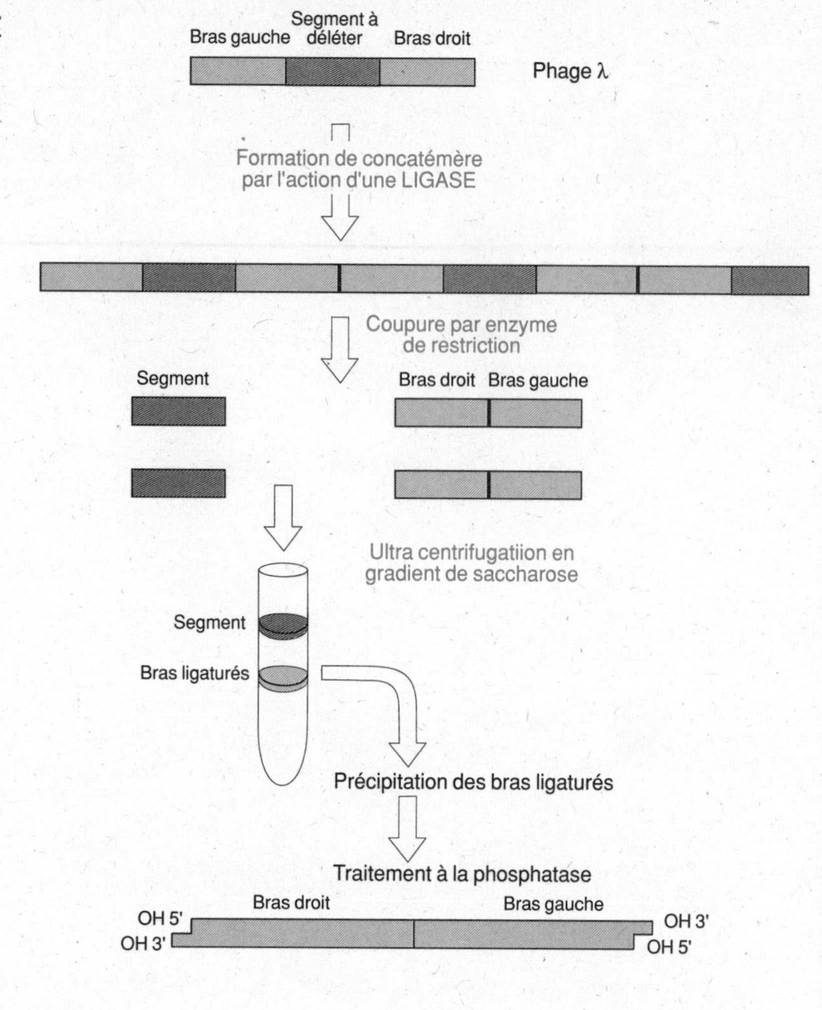

Figure 24-9 Technique de la délétion du segment central du phage λ en vue du clonage par la technique de délétion-remplacement

> **La fabrication d'un organisme vivant à partir de composants inertes**
>
> A l'intérieur du tube le phage se construit de la manière suivante : la tête se construit à partir des produits des gènes E, B, Nu3 et C, ceci grâce à la protéine pgroE de *E. coli,* ce qui conduit à la formation des « pro-têtes ». Les protéines pA et pNu1 reconnaissent le site cos gauche du concatémère et s'y fixent. Le complexe s'attache alors à la « pro-tête ». En présence de spermine et d'ATP (il en faut au moins une molécule par paire de nucléotide empaquetée) et de protéine pFI, le DNA est progressivement encapsidé jusqu'au premier site cos droit. Le concatémère est coupé par pA, libérant des extrémités cohésives de 12 bases. Au cours de l'encapsidation la tête se dilate d'environ 20 p. 100 et prend sa forme définitive. Dans le même temps les queues s'assemblent. La petite extrémité du phage se constitue à partir des protéines pI, pJ, pGH, pH, pM. Les protéines pU et pV s'empilent en forme de ressort pour former le corps de la queue. Tête pleine de DNA et queue s'associent alors pour donner un phage fonctionnel. Le miracle est accompli.

zone à déléter). Les extrémités des bras sont enfin phosphatasées afin d'éviter toute ligation des bras entre eux lors de la construction de l'hybride.

Préparation du DNA à introduire et construction de l'hybride

Que l'on utilise la stratégie de l'insertion simple ou celle de la délétion-remplacement, le DNA à introduire doit être coupé par une enzyme de restriction donnant des bouts cohésifs, identiques à ceux des bras du phage. Si ce n'est pas le cas les extrémités, après coupure, doivent être rendues compatibles, par exemple en utilisant des *linkers* qui fourniront l'extrémité cohésive souhaitée.

Le DNA à introduire doit aussi posséder une taille que le phage peut accepter soit :

— 0 à 12 kb pour la stratégie de l'insertion simple ;

— 8 à 22 kb pour la stratégie de la délétion-remplacement.

Afin de satisfaire à cette condition de longueur, le DNA à introduire est partiellement digéré par une enzyme de restriction, dans des conditions donnant des grands fragments (ces conditions sont déterminées par digestions d'aliquotes du DNA avec des concentrations croissantes d'enzyme, les résultats de la digestion étant analysés par électrophorèse). Après digestion, les fragments de taille adéquate sont purifiés par ultracentrifugation préparative en gradient de saccharose.

Les recombinants sont alors obtenus en incubant le DNA ainsi préparé avec les bras de phages phosphatasés, en présence de ligase. Le résultat est un long concatémère de recombinants, ce qui est la forme nécessaire à l'encapsidation in vitro *(packaging)*.

L'encapsidation in vitro (Figure 24-10)

Le DNA phagique nu n'est infectieux pour la bactérie que s'il est **empaqueté** dans la tête d'un phage. A partir du DNA phagique concaténé et d'extrait protéique il est possible de reformer un virus infectieux, capable de se propager chez la bactérie comme un phage naturel. Cette expérience porte le nom d'encapsidation in vitro *(packaging)*.

• *Principe :* l'ensemble des protéines nécessaires à la constitution du phage sont extraites de deux souches d'*E. coli* lysogènes pour le phage λ (la souche BHB 2688 et la souche BHB 2690). Dans chacune de ces souches le phage λ est intégré dans le chromosome bactérien sous forme de prophage (bactérie lysogène). Dans les deux cas les prophages sont mutés, donc défectifs, mais complémentaires. Il en résulte que dans chacune de ces bactéries, lors de l'induction, les protéines phagiques seront synthétisées mais que le phage ne sera jamais complètement construit. Ces mutants sont des mutants conditionnels : le prophage n'est pas induit à 30 °C, mais l'est à 42 °C.

Comme les mutations sont différentes dans les deux souches, leurs extraits respectifs vont pouvoir se **complémenter** in vitro ; il en résultera la formation d'un phage complet et infectieux si un DNA phagique est ajouté.

• *Réalisation :* les deux souches bactériennes sont cultivées à 42 °C (température permettant le passage en phase de lyse), ce qui provoque la synthèse des protéines phagiques. Ces protéines sont extraites et mélangées au DNA phagique recombinant en présence de spermine et d'ATP. Les phages vont s'assembler et le DNA recombinant sera empaqueté dans les têtes (voir encadré).

Des bactéries seront infectées et étalées, en gélose molle, sur boîte d'agar. Chaque plaque de lyse correspond à un phage recombinant.

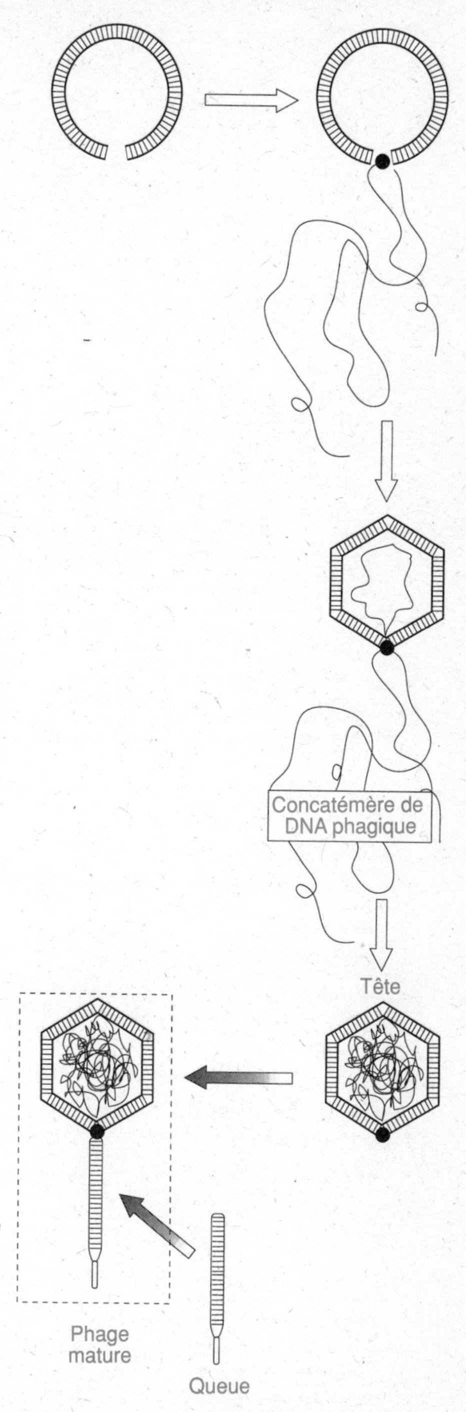

Figure 24-10 L'encapsidation in vitro du DNA des phages

LES DIFFÉRENTS PHAGES UTILISÉS EN BIOLOGIE MOLÉCULAIRE

Les phages de première génération : le phage λ

Le **phage** λ est le phage le plus utilisé, certaines modifications comme la suppression de certains sites de restriction l'ont rendu utilisable pour les expériences de biologie moléculaire. La plupart des phages à DNA double-brin utilisés au laboratoire dérivent de ce phage. Il est constitué de 48 502 paires de bases, dont la séquence est entièrement connue depuis les travaux de l'équipe de Sanger. L'hôte qu'il infecte est *E. coli.*

Le DNA, qui est localisé dans la tête, est linéaire, les extrémités appelées cos sont constituées par du DNA sous forme simple-brin sur une longueur de 12 bases. Ces extrémités cohésives permettent au phage de se concaténer et de se circulariser, une telle circularisation étant observée dans la bactérie, immédiatement après infection. Le phage λ peut aussi bien être utilisé avec la stratégie de l'insertion simple qu'avec celle de la délétion-remplacement.

Les phages de deuxième génération

Les phages EMBL 3 et 4

Ces deux phages sont très proches du phage λ classique. La différence majeure, qui fait tout l'intérêt de ces phages, consiste en l'addition d'un *polylinker* aux deux extrémités de la zone de DNA qui sera délétée pour laisser place au DNA à cloner. EMBL 3 et 4 ne diffèrent que par l'orientation de ce polylinker. Ces phages ne peuvent être utilisés qu'en délétion-remplacement. Il est possible d'introduire des fragments de 15 à 20 kb, ce sont donc les phages de choix pour la constitution des **banques génomiques.**

Le principe de l'utilisation de ces phages est décrit **figure 24-11**. Le travail est considérablement facilité par la présence du *polylinker,* dont la structure fait qu'il n'est plus nécessaire d'éliminer par centrifugation la partie centrale du phage. En effet, de la double digestion par les enzymes de restriction Bam HI et Eco RI, il résulte que seuls les bras du phage se terminent par un bout cohésif de type Bam HI. Celui-ci pourra s'hybrider avec les extrémités cohésives du DNA génomique, qui est partiellement coupé par l'enzyme Mbo I (dont le site de reconnaissance est compris dans celui de Bam HI, voir chapitre 22). Les extrémités du fragment central se terminent par des bouts cohésifs de type Eco RI qui ne pourront s'hybrider ni avec les bras du phage ni avec les fragments de DNA génomique. Comme les extrémités de ce fragment ne possèdent pas de sites cos, leurs concatémères ne seront pas empaquetés et seront donc naturellement éliminés. La minuscule partie centrale du polylinker libérée par la double digestion Bam HI-Eco RI est éliminée lors de la précipitation des bras par l'alcool isopropylique. Cette astuce technique permet d'économiser deux jours de travail et le rendement final est largement supérieur.

Les phages λ GEM® 11 et 12 (Promega)

Ces phages sont destinés à la réalisation de banques génomiques et correspondent à des versions améliorées des phages EMBL 3 et 4. La taille des fragments qu'il est possible d'insérer est comprise entre 9 et 23 kb. Deux types d'améliorations ont été apportés :

• *Modification du polylinker :* le *polylinker* des phages λ GEM® 11 et 12 comporte un plus grand nombre de sites de coupures uniques pour des enzymes de restriction, ce qui apporte une plus grande souplesse dans la constitution des recombinants ; la présence d'un site Sfi I (et Not I dans la version 12) facilite l'étude des clones obtenus lors du criblage de la banque, car les sites de coupure de ces deux enzymes sont des sites rares (après clonage, l'insert peut de ce fait être sorti sans être coupé). L'introduction d'un site Xho I simplifie considérablement la réalisation des banques **(Figure 24-12)**. Après coupure du vecteur par l'enzyme Xho I, l'extrémité cohésive est partiellement comblée (*fill-in* partiel). Pour cela les bras du phage produits par la coupure sont incubés en présence du fragment de Klenow de la DNA polymérase I, de dTTP et de dCTP. Ce traitement a pour effet de combler la moitié de l'extrémité cohésive. De ce traitement il résulte d'une part que les extrémités restent cohésives (d'où un bon rendement lors de la ligation) et d'autre part que les bras ne peuvent plus s'associer ni entre eux ni avec la partie centrale libérée. Le DNA génomique est traité suivant le même principe. Après coupure partielle du DNA, le remplissage partiel est effectué en présence de dGTP et de dATP ; ce traitement fait que les fragments de DNA génomique ne peuvent plus s'associer entre eux lors de la ligation (disparition des recombinants regroupant artéfactuellement deux régions du génome). Les avantages de ce système sont considérables, tant sur le plan de la sim-

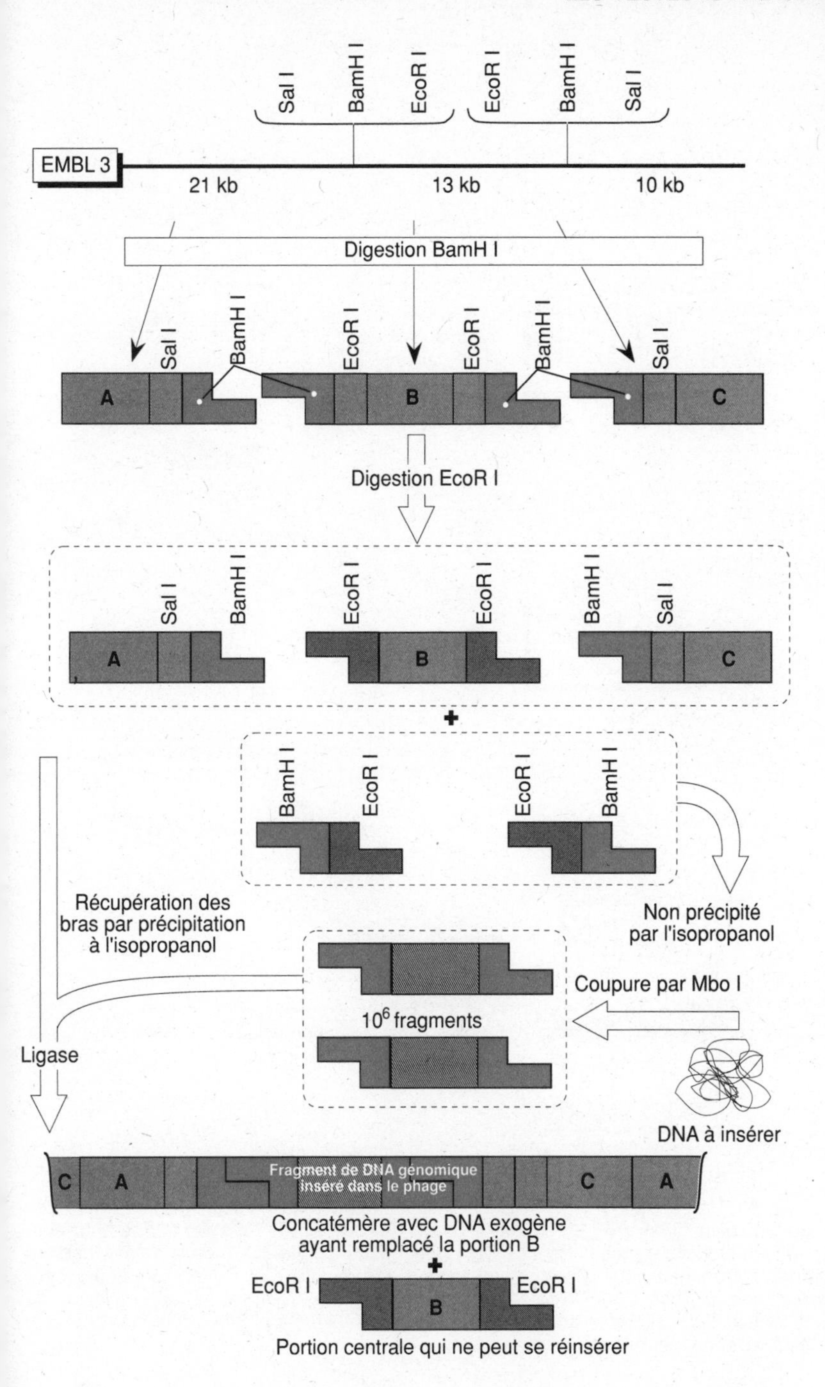

Figure 24-11 Le phage EMBL et son utilisation Les fragments de DNA génomique coupés par l'enzyme Mbo I peuvent s'intégrer au site BamH I car la séquence de reconnaissance de Mbo I est contenue dans la séquence reconnue par BamH I.

plicité que de la rapidité : une seule coupure par enzyme de restriction au lieu de deux, il n'est plus nécessaire ni de précipiter sélectivement les bras du phage, ni de fractionner sur gradient de sucrose le DNA génomique partiellement digéré ; les rendements et la représentativité sont meilleurs. Enfin la présence d'un site Sfi I asymétrique à chaque extrémité facilite la détermination de la carte de restriction du fragment cloné **(Figure 24-13)**. Après coupure par cette enzyme, l'une des extrémités de l'insert est marquée spécifiquement en utilisant un oligonucléotide, marqué au ^{32}P, complémentaire soit de l'extrémité droite soit de l'extrémité gauche. L'insert ainsi marqué est alors digéré par n'importe quelle enzyme de res-

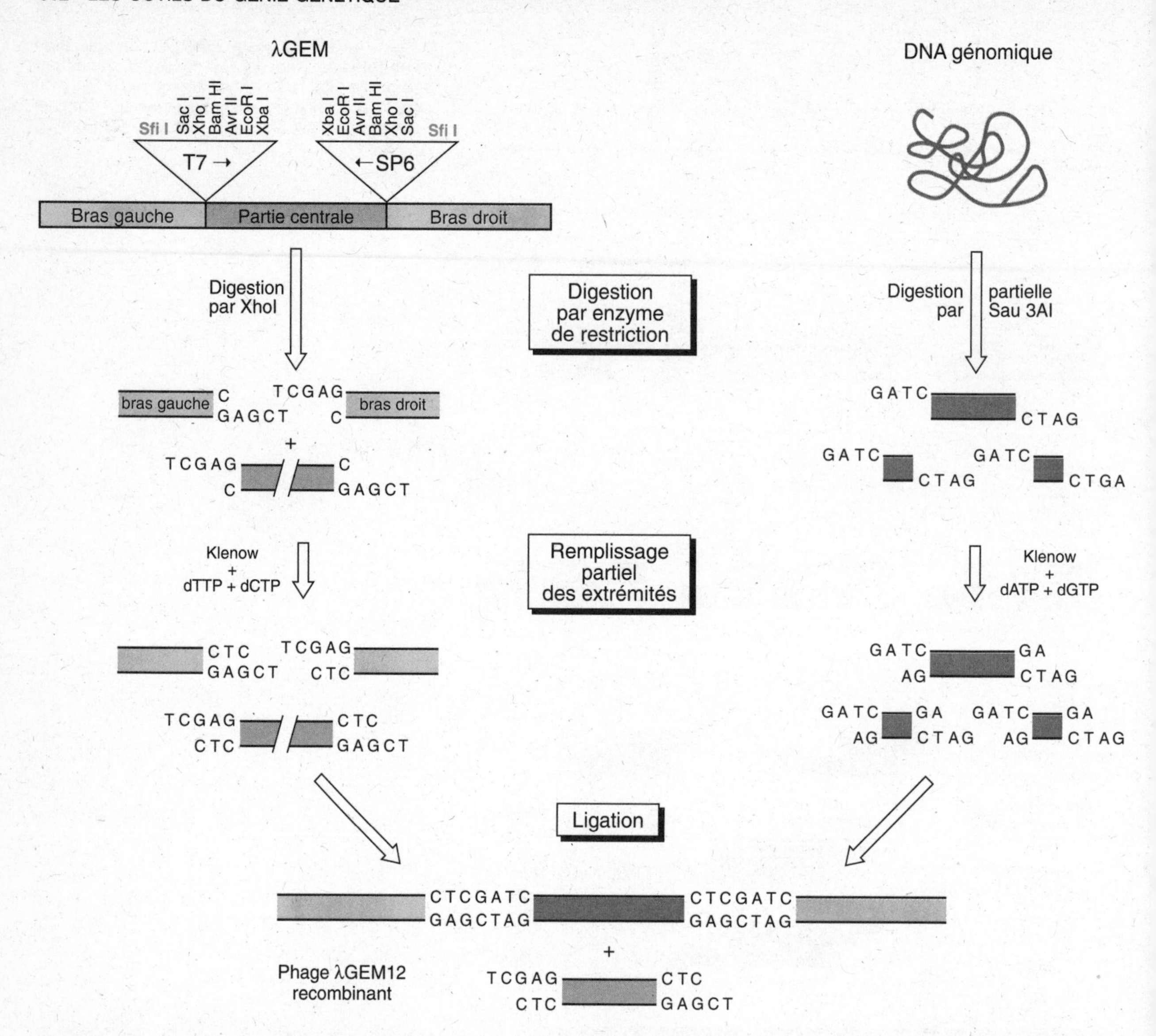

Figure 24-12 L'utilisation du phage λ GEM®
Le phage est digéré par l'enzyme de restriction Xho I et le DNA génomique est coupé partiellement par l'enzyme Sau 3AI. Les extrémités du phage sont traitées par le fragment de Klenow de la DNA polymérase I en présence de dCTP et de dTTP. Ce traitement a pour effet de combler la moitié de l'extrémité cohésive générée par l'enzyme de restriction. Le DNA génomique est, lui, traité de la même manière mais en présence de dATP et de dGTP. Là encore, le traitement a pour effet de combler la moitié du site. Ces traitements empêchent la religation du phage sur lui-même et du DNA génomique sur lui-même. De ce fait, lors de l'étape finale de ligation, une molécule de DNA génomique et une seule sera intégrée dans le vecteur (les chimères artificielles sont impossibles). De plus le rendement est très élevé puisque les extrémités du phage n'ont pas à être déphosphorylées.

triction, le produit de digestion est analysé par électrophorèse, la révélation est effectuée par autoradiographie. La taille de la bande observée à l'autoradiographie est égale à la distance qui sépare l'extrémité qui a été choisie et le site de coupure de l'enzyme utilisé. Les cartes de restriction sont ainsi établies très rapidement et avec très peu de matériel.

• *Apport de promoteurs pour des RNA polymérases spécifiques :* un promoteur pour la T7 RNA polymérase a été introduit à l'extrémité du bras gauche, avant le polylinker ; symétriquement un promoteur pour la T3 RNA polymérase a été introduit à l'extrémité du bras droit. Ces promoteurs permettent de synthétiser des ribosondes correspondant spécifiquement à

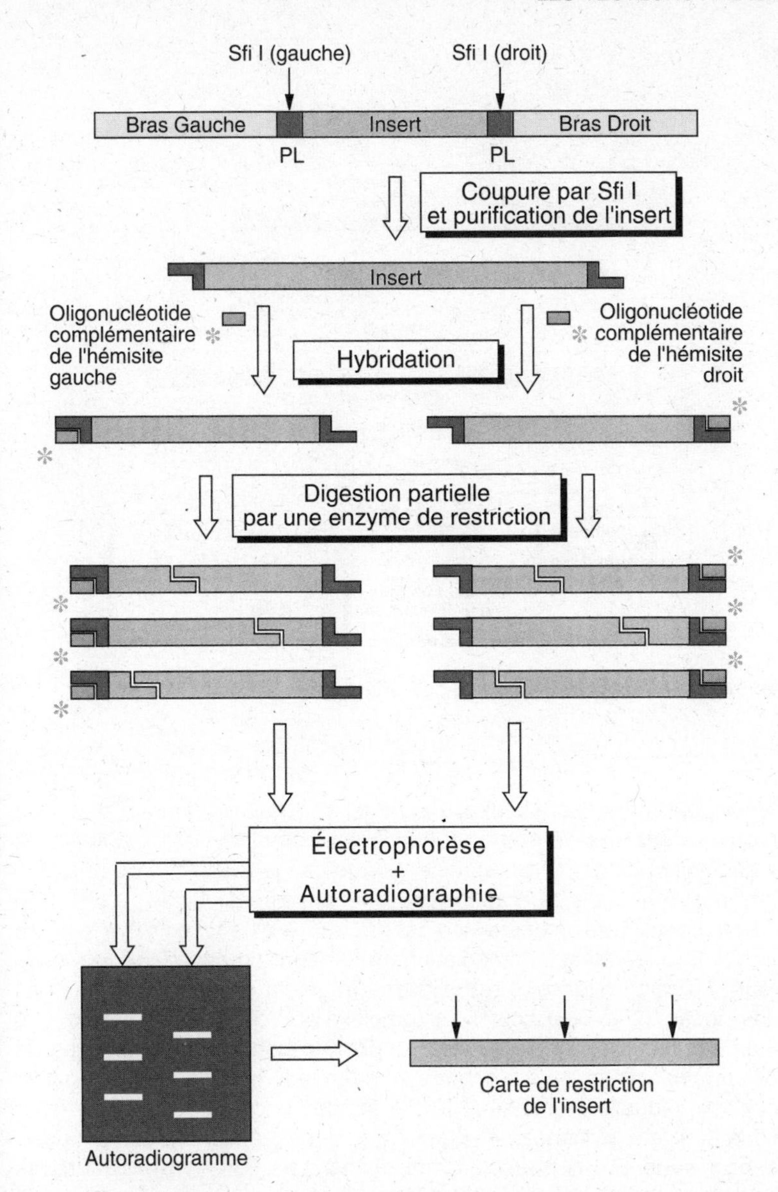

Figure 24-13 Les cartes de restriction automatiques avec le phage λ GEM®
L'insert du phage qui a été cloné est marqué soit à droite soit à gauche par hybridation avec un oligonucléotide, marqué au ^{32}P, complémentaire de l'extrémité correspondante. Une digestion partielle est réalisée avec une enzyme de restriction et le produit de digestion est analysé par électrophorèse puis autoradiographie. La taille de chacune des bandes observées est égale à la distance qui sépare l'extrémité marquée de chacun des sites de restriction. L'expérience peut être réalisée en parallèle avec plusieurs enzymes de restriction. La carte est ainsi facilement tracée sans que des doubles digestions soient nécessaires.
PL : *polylinker.*

chacune des extrémités du DNA cloné. Ces ribosondes peuvent être utilisées pour cribler de nouveau la banque et ainsi isoler les segments adjacents de DNA. Il est ainsi facile de marcher sur le chromosome en étant certain de toujours avancer dans le bon sens.

Le phage λgt 11

Ce phage dérive aussi du phage λ. Il ne peut être utilisé que par la stratégie de l'insertion et sert principalement au clonage des **cDNA** dont la lon-

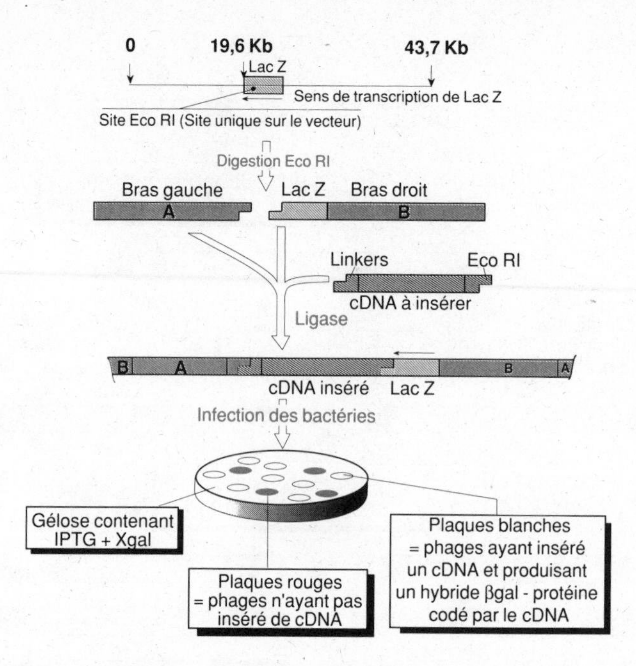

Figure 24-14 **Le phage λgt 11 et son utilisation**

gueur peut atteindre 6 à 8 kb. Sa caractéristique majeure est d'être un **vecteur d'expression**, car la séquence insérée pourra être exprimée dans la bactérie sous forme de protéine, permettant la recherche du recombinant désiré à l'aide d'un anticorps de la protéine à cloner.

Son utilisation est schématisée dans la **figure 24-14**. Le DNA est inséré au site Eco RI qui suit immédiatement le début du gène *lacZ* (qui code pour la β-galactosidase, c'est le même fragment de gène que celui des plasmides pUC et Bluescript®). Le complexe *lacZ*/cDNA inséré est exprimé si un inducteur est ajouté (IPTG). La **protéine chimère,** ou protéine de fusion, ainsi synthétisée comporte l'extrémité N terminale de la β-galactosidase, laquelle se continue par la séquence correspondant au gène cloné (il existe 1 chance sur 6 pour que la séquence insérée soit **dans le bon sens et en phase**). Cette chimère ne possède pas d'activité β-galactosidasique, ceci permet de détecter les vrais recombinants grâce à un indicateur coloré (Xgal). Enfin la protéine synthétisée peut être repérée par un **anticorps** si l'insertion s'est faite dans la bonne phase de lecture.

Le phage λ ZAP II® (Stratagene)

Ce phage correspond à un phage λgt 11 considérablement amélioré (**Figure 24-15**). Il s'agit donc d'un phage permettant l'expression du DNA inséré. La sélection des recombinants se fait en analysant la coloration bleue ou blanche, lorsque la culture est réalisée en présence d'X-gal et d'IPTG. Le phage λ ZAP II est destiné à la réalisation de banques de cDNA. Le site Eco RI du phage λgt 11 a été remplacé par un polylinker à six sites de coupure. Ce polylinker est entouré de promoteurs pour des RNA polymérases spécifiques (T3 à gauche et T7 à droite). La présence du polylinker facilite la réalisation des banques. En outre la présence des promoteurs permet d'une part d'obtenir des ribosondes de chaque extrémité du cDNA inséré et d'autre part de sortir le cDNA inséré sans utiliser d'enzyme de restriction. Il suffit pour cela de réaliser une PCR en utilisant des oligonucléotides amorces complémentaires des séquences des pro-

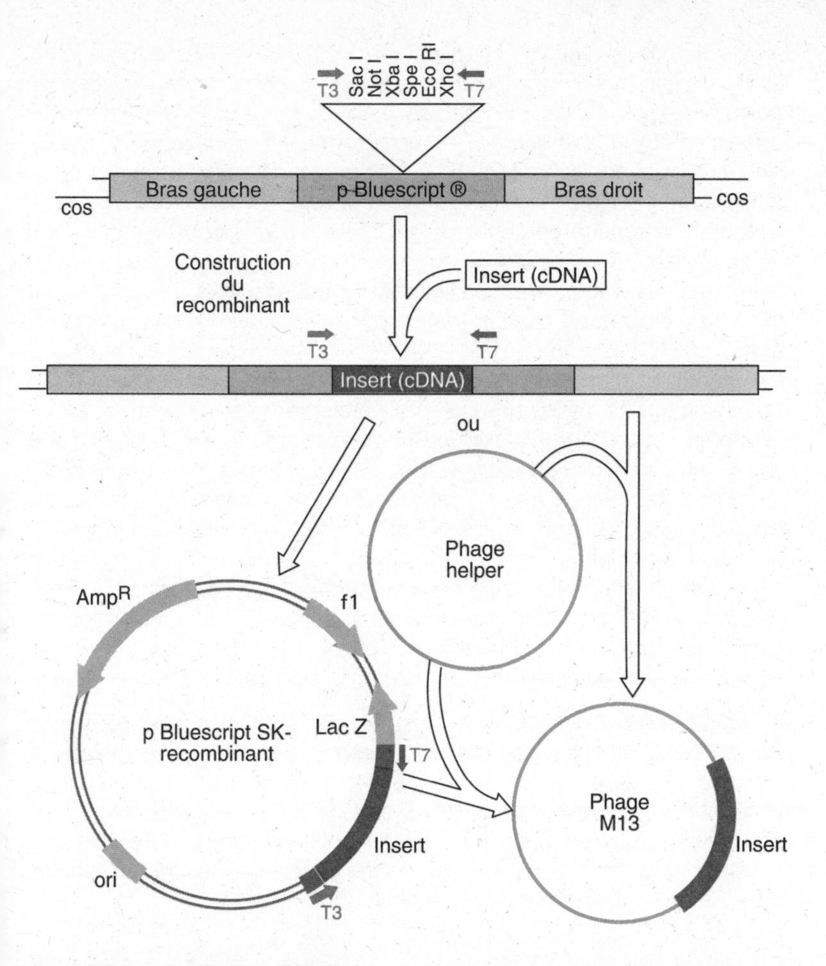

Figure 24-15 Le phage λ ZAP II®
Le λ ZAP est constitué des bras droit et gauche du phage λ entre lesquels a été inséré un plasmide Bluescript®. Le cDNA est inséré dans le polylinker du plasmide, donc entre les promoteurs T3 et T7. L'avantage de ce phage est qu'il est possible de récupérer directement sans sous-clonage soit le plasmide Bluescript® et son insert, soit l'insert intégré dans un phage monobrin de type M13, ce qui permet un séquençage direct et facile de l'insert.

moteurs T3 et T7. L'amélioration la plus importante est l'addition de séquences permettant de sortir le cDNA inséré, sous forme de plasmide ou sous forme de phage monobrin sans qu'il soit nécessaire d'effectuer un sous-clonage. Les séquences ajoutées (initiateur, terminateur, f1, ... dont la description sort du cadre de cet ouvrage) font que, lorsque le phage λ ZAP II recombinant cloné est incubé en présence de bactéries (XL 1 Blue, JM 101 à 109, ...) et d'un phage helper (RM408 ou VCSM13), le cDNA inséré est excisé et recircularisé sous forme de plasmide Bluescript® SK(-) si la culture est effectuée sur gélose et sous forme de phage monobrin de type M13 si la culture est effectuée en phase liquide. Les sous-clones sont ainsi obtenus sans sous-clonage, plusieurs jours de travail, parfois difficiles, ont ainsi été économisés.

Le phage monobrin M13

Le phage M13 est un phage monobrin de 6,4 kb capable d'infecter *E. coli*. Seules les bactéries mâles peuvent être infectées, car la pénétration du phage implique une interaction de la capside phagique avec les F-pili bactériens. Il reste cependant possible de l'introduire dans des bactéries femelles par transformation bactérienne classique, le rendement étant alors bien moins bon. Une fois dans la bactérie, le DNA du phage (brin +) est transformé en DNA double-brin (+/—), cette forme est appelée forme réplicative (RF). Il est ensuite produit 50 à 200 copies de cette forme réplicative double-brin, puis le brin complémentaire (brin —) sert de matrice pour la synthèse en continu de centaines de brins + qui seront encapsidés et relâchés dans le milieu.

Le phage sauvage a été modifié in vitro par Messing et coll. afin de pouvoir être utilisable en biologie moléculaire, les modifications principales étant :

— l'addition d'un polylinker afin de faciliter l'insertion des séquences dans le phage. La zone qui lui est immédiatement adjacente en 5' est utilisée pour la méthode d'extension d'amorces (*primer* universel M13) et pour la technique de séquençage avec les di-désoxynucléotides (Sanger) ;

— l'addition d'une partie du gène *lacZ* pour permettre la sélection des recombinants (système de bactéries blanches et bleues en présence d'IPTG et de Xgal).

Il existe plusieurs sortes de ces vecteurs modifiés appelées M13mp1 à M13mp19. Les différences portent sur la complexité et l'orientation des *polylinkers,* exactement comme pour les plasmides pUC qui portent les mêmes *polylinkers* et les mêmes numéros signalétiques.

Types d'utilisation : parce qu'il est monobrin le phage M13 est le vecteur universellement utilisé pour la détermination de séquences par la méthode de Sanger aux di-désoxynucléotides (voir chapitre 27). La zone adjacente au *polylinker (primer M13)* sert de site d'hybridation pour l'oligonucléotide qui sert d'amorce à la DNA polymérase. L'autre utilisation du phage M13 est la création de mutations ponctuelles **(mutagenèse dirigée)** au sein d'une séquence clonée (voir chapitre 30).

Les autres types de vecteurs

LES COSMIDES

Les cosmides sont des **vecteurs artificiels** constitués d'un plasmide classique auquel ont été ajoutées les séquences cos du phage λ, séquences permettant l'empaquetage d'un recombinant d'une cinquantaine de kb dans la tête des phages λ. L'intérêt des cosmides est de permettre le clonage de fragments très longs : environ 45 kb.

La technique d'utilisation est hybride entre celle des plasmides et celle des phages. Le cosmide est ouvert par une enzyme de restriction et les extrémités sont phosphatasées, les fragments de DNA à insérer doivent être sélectionnés de telle sorte que leur taille soit comprise entre 35 et 45 kb. Après ligation le DNA recombinant est empaqueté dans des têtes de phages exactement comme s'il s'agissait de phages. Les bactéries sont infectées avec ce pseudo-phage, ce qui permet d'obtenir des rendements d'intégration infiniment supérieurs à ceux que donne une transformation bactérienne par un plasmide. Une fois dans la bactérie ce pseudo-phage se comporte comme un plasmide. Contrairement aux phages il ne détruit pas la bactérie infectée. Des **colonies** bactériennes sont donc obtenues, et non pas des plages de lyse comme cela aurait été le cas avec un vrai phage.

La grande taille du DNA entraîne deux inconvénients dont il faut tenir compte :

— la réplication du cosmide recombinant dure plus longtemps que celle d'un plasmide et le nombre de copies par cellule est plus faible ;
— les systèmes de recombinaison de la bactérie peuvent **remanier** les DNA insérés. Ainsi, si les bactéries ne sont pas rec A− ou s'il se produit une réversion, les séquences répétitives du DNA inséré seront progressivement éliminées. A cause de cette instabilité des recombinants il est déconseillé d'amplifier une banque de cosmides. Il convient de plus de contrôler au cours du temps que la carte de restriction du cosmide ne se modifie pas et que la longueur du DNA inséré ne diminue pas.

Types d'utilisation : les cosmides sont utilisés exclusivement pour la confection de banques génomiques. Ils sont un outil précieux pour marcher sur les chromosomes sur de petites distances (voir chapitre 10).

LES VECTEURS NAVETTE

Les vecteurs navette sont des vecteurs artificiels destinés à être utilisés aussi bien chez les eucaryotes que chez les procaryotes. Leur construction comprend au minimum :
— un gène permettant la sélection des recombinants chez les bactéries : par exemple un gène de résistance aux antibiotiques ;
— un gène permettant la sélection chez les eucaryotes ;
— un promoteur eucaryote fort avec éventuellement un enhancer et une origine de réplication ;
— les séquences toxiques pour les bactéries ou les cellules eucaryotes doivent être excisées pour assurer la double compatibilité.

Types d'utilisation : ces vecteurs sont utilisés pour introduire une séquence chez les eucaryotes par transfection, séquence qui pourra être récupérée ultérieurement par clonage dans une bactérie afin d'étudier par exemple les modifications qu'elle a pu subir.

LES VECTEURS VIRAUX EUCARYOTES

Ces vecteurs sont d'utilisation plus complexe que tous les vecteurs précédents. L'hôte doit être une cellule eucaryote. Il n'y a pas de vecteur viral type (comme l'étaient pBR 322 pour les plasmides ou λ pour les phages). Chaque vecteur est un cas d'espèce, construit pour répondre à une question spécifique.

Les vecteurs viraux les plus utilisés sont **SV40**, l'**adénovirus**, les virus de type **Herpès** et la **vaccine**, ou encore des **rétrovirus**. Leur utilisation particulière est évoquée dans les chapitres 7 et 30.

Les chromosomes artificiels de levure : les YAC *(Yeast Artificial Chromosomes)*

La nécessité de cloner de très grands fragments a conduit à développer de nouveaux vecteurs. Le système le plus utilisé actuellement est celui des chromosomes artificiels de levure : les **YAC** (Burke et al, 1987). Avec ce système il est possible de cloner des fragments de DNA dont la taille est comprise entre 150 et 1 000 kb, voire plus (taille moyenne habituelle 350 kb).

Structure d'un chromosome artificiel de levure

Le génome de la levure *Saccharomyces cerevisiae* est constitué de 16 chromosomes dont la taille est comprise entre 250 et 2 000 kb. Chez cette levure trois séquences, dont la longueur est inférieure à 1 kb, sont nécessaires et suffisantes pour que les chromosomes se dupliquent et ségrègent correctement lors des mitoses et des méioses. Il s'agit des séquences télomériques : ***TEL*** ; centromériques : ***CEN*** ; une séquence nécessaire à la réplication : ***ARS*** *(Autonomous Replicating Sequence)*. Cette observation a conduit à construire des chromosomes artificiels constitués de ces trois séquences et du DNA que l'on souhaite cloner. Pour que les chromosomes ainsi constitués ségrègent correctement lors des mitoses, la taille du DNA inséré doit être supérieure à 150 kb. Dans la pratique il est rarement possible de cloner des fragments dont la longueur est supérieure à 1 000 kb. Ces chromosomes artificiels sont introduits dans des levures par transformation, ils se propagent comme des chromosomes normaux. Si certaines séquences bactériennes (*ori,* gène de résistance à un antibiotique,...) sont ajoutées, ces chromosomes peuvent se propager dans des bactéries.

L'exemple d'un chromosome artificiel simple : le pYAC 2

La **figure 24-16** décrit l'un des YAC les plus simples, le pYAC 2, et son mode d'utilisation. On y retrouve les séquences de base : la séquence centromérique *(CEN4)*, la séquence permettant la réplication *(ARS1)* et deux séquences télomériques *(TEL)*. Les séquences *ori* et *Amp* proviennent du plasmide pBR 322, elles permettent la propagation et la sélection dans la bactérie *E. coli*. Les séquences *URA3* et *TRP1* permettent la sélection des levures ayant intégré un YAC, et le gène *SUP4* permet la sélection des levures ayant intégré un YAC recombinant. L'insertion s'effectue au niveau du site Sma I localisé au sein du gène *SUP4*.

Le recombinant est créé de la manière suivante. Le YAC est d'abord coupé d'une part par l'enzyme de restriction BamH I, ce qui a pour effet d'éliminer le gène *HIS3* et de linéariser le YAC ; les séquences *TEL* se retrouvent ainsi aux extrémités du YAC linéarisé. Il est ensuite pratiqué une coupure par l'enzyme Sma I ce qui a pour effet de couper le YAC en deux bras droit et gauche. Ces bras sont traités par la phosphatase alcaline afin qu'ils ne puissent se réassocier qu'en intégrant un fragment de DNA. Les fragments de DNA qui doivent être insérés sont obtenus par coupure du DNA génomique puis traités de telle manière que leurs extrémités soient compatibles avec les extrémités des bras (bouts francs). Les fragments de taille adéquate (entre 150 et 1 000 kb) sont ensuite sélectionnés (voir chapitre 26 pour les détails de la préparation des fragments de DNA). Bras de YAC et fragments de DNA à insérer sont ensuite incubés en présence de ligase, ce qui conduit à la constitution de YAC recombinants qui peuvent alors être introduits, par transformation, dans des levures *S. cerevisiae* ou dans *E. coli*.

Le DNA à cloner est ainsi inséré au site Sma I au sein d'un intron du gène *SUP4* qui est un gène codant pour un $tRNA^{tyr}$ suppresseur *(sup4 ochre)*. Cette intégration a pour effet d'inactiver ce gène, ce qui est mis à profit pour sélectionner les levures qui ont intégré un recombinant. La souche de levure utilisée (AB1380) possède une mutation au locus *ade2-1* qui se traduit par l'accumulation d'un pigment rouge lorsque les levures sont cultivées en présence d'adénine. L'apport par le YAC du gène *sup4* (tRNA suppresseur) a pour effet de supprimer la mutation du gène *ade2-1* ;

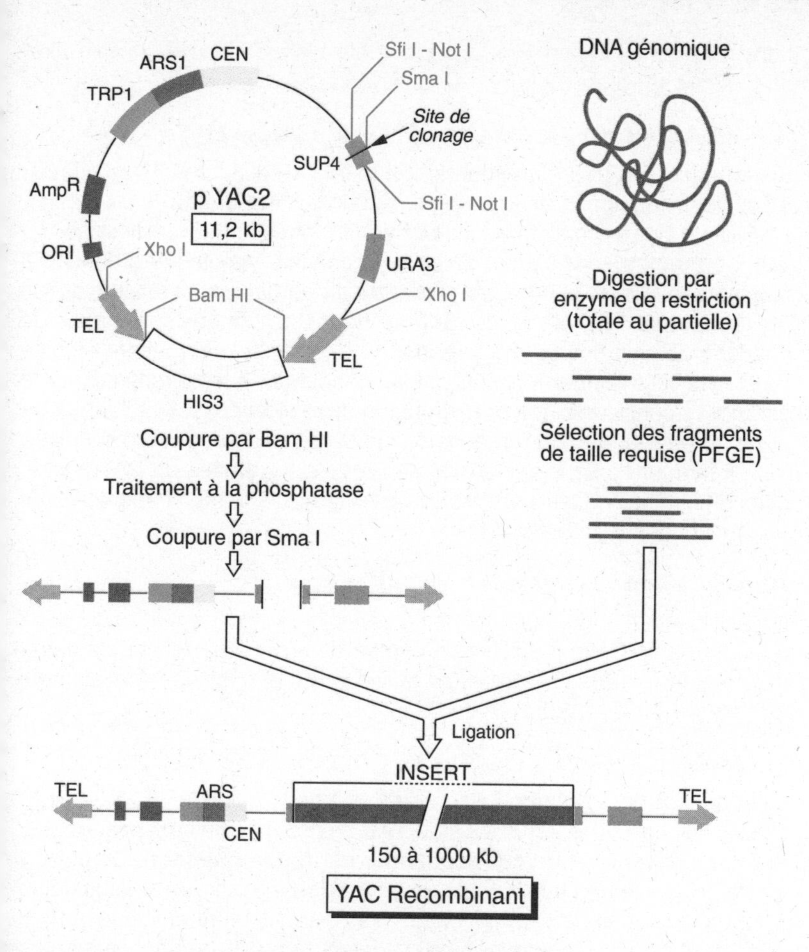

Figure 24-16 **Le YAC pYAC 2 et son utilisation**
La description du YAC et de son utilisation est donnée dans le texte.

les levures peuvent alors métaboliser complètement l'adénine, elles présentent alors la couleur blanche habituelle de ces levures. Si le YAC est un recombinant, le gène sup4 du YAC est inactivé par le DNA inséré, la mutation n'est plus supprimée et la levure correspondante possède une couleur rouge.

Ce système de sélection n'est en fait pas aussi fiable qu'il y paraît car la souche AB1380 contient aussi un déterminant Y^+ à ségrégation non mendélienne qui a pour effet d'augmenter l'expression du tRNA suppresseur, ce qui est indispensable pour que le gène sup4 ait tous ses effets et que les colonies soient blanches. Or ce déterminant est instable. Il en résulte que les levures qui ont incorporé un YAC non recombinant peuvent quand même être rouges.

Quelques versions améliorées de YAC

Pour améliorer les performances des YAC une série de modifications ont été introduites. Ces modifications sont trop nombreuses pour qu'il puisse en être donné une liste exhaustive. Nous ne citerons que les principales.

Amélioration du site de clonage

Dans le pYAC2 le site de clonage est unique et correspond à un site de coupure pour l'enzyme de restriction Sma I, enzyme coupant à bouts francs et fréquemment. Dans d'autres types de YAC, comme le pYAC55, ce site a été remplacé par un site Not I qui est une enzyme coupant très rarement et générant des extrémités cohésives (meilleur rendement de ligation). Une amélioration plus notable a été l'introduction d'un polylinker fournissant un grand nombre de sites d'insertion au choix.

Amélioration destinée à faciliter la cartographie

Lorsque les YAC qui correspondent à la région recherchée sont clonés, il convient de les ordonner pour constituer la carte de la région concernée. Deux types d'améliorations ont été apportés afin de faciliter ce travail. Le premier consiste à ajouter un promoteur spécifique d'une RNA polymérase (T3 ou T7) de part et d'autre du polylinker. Il est alors possible, à partir du YAC cloné, de synthétiser des ribosondes spécifiques de chacune des extrémités du DNA inséré. Ces sondes permettent ensuite de cloner ou ordonner les YAC chevauchants et de les orienter. L'autre alternative consiste à insérer une origine de réplication plasmidique et un gène de résistance pour un antibiotique de part et d'autre du polylinker, ce qui permet de sous-cloner directement les extrémités du DNA inséré dans une bactérie. Ces sous-clones sont utilisés de la même manière que les ribosondes décrites ci-dessus.

Amélioration du système de sélection

Il s'agit du pYACneo, dans lequel le gène de résistance à la néomycine a été introduit. Cette modification permet d'utiliser des cellules de mammifère comme hôte. En présence de néomycine, seules les cellules qui ont intégré un YAC survivront.

Le problème de la stabilité des banques de YAC

Il est apparu depuis l'introduction de la méthode des YAC (1987) que, à l'instar des cosmides, les clones de YAC recombinés ne sont pas stables, et qu'ils peuvent perdre des séquences par **recombinaison**. En outre il existe un risque non négligeable de **chimérisme**, c'est-à-dire de juxtaposition accidentelle de séquences qui sont normalement éloignées sur le génome à cloner. Ce dernier type d'artefact, rencontré selon les auteurs dans 10 p. 100 à 60 p. 100 des clones de YAC, pourrait remettre en cause une partie des avantages de la méthode.

Un système en développement : les chromosomes artificiels de mammifères (MAC)

Dans ces vecteurs les séquences télomériques et centromériques utilisées sont d'origine humaine. Ces vecteurs devraient permettre de construire des minichromosomes stables dans les cellules de mammifères en culture. Les applications envisagées sont nombreuses, il s'agit entre autre du clonage des séquences instables ou toxiques pour les levures, de l'obtention de clones dont le DNA est méthylé (la méthylation des cytosines n'existe que chez les vertébrés), la génothérapie, etc.

Sélection de références bibliographiques : voir page 749.

Les sondes et leur marquage

25

Le concept de sonde

La propriété intrinsèque des chaînes polydésoxyribonucléotidiques de s'apparier avec leur réplique complémentaire (appariements G ⟷C, T ⟷A) fournit un moyen de détection très spécifique. Il suffit de disposer d'une copie fidèle et pure d'un gène, ou d'un fragment de gène, pour pouvoir repérer toute séquence identique, où qu'elle soit, dans un génome natif ou au cours d'une opération de clonage dans un génome recombiné (colonie bactérienne renfermant un vecteur recombiné). Cette copie pure et que l'on peut marquer à volonté porte le nom de **sonde** :

— en tant que copie de gène, elle ne peut s'hybrider qu'avec le gène dont elle est la copie (notion de **spécificité**) ;

— en tant que molécule marquée, elle est facile à repérer et à quantifier (notion de **sensibilité**).

Compte tenu des impératifs techniques, il est rare de travailler avec la copie complète d'un gène. Les sondes utilisées en routine résultent le plus souvent d'un sous-clonage.

L'AGENT DE MARQUAGE

Marquage par les isotopes radioactifs

En pratique le ^{32}P, le ^{35}S et le ^{3}H sont les trois radioéléments utilisés en biologie moléculaire. Le plus utilisé est le **^{32}P**. Il présente l'inconvénient d'avoir une demi-vie assez brève (15 jours), ce qui implique une logistique complexe et un prix de revient élevé. Les nucléotides marqués avec ce radioélément doivent être utilisés dans les jours qui suivent leur livraison, sous peine de voir décroître l'activité spécifique du marquage, qui devient trop faible pour permettre la visualisation d'une séquence non répétitive (il faut en moyenne une activité spécifique de 10^8 cpm/μg d'acide nucléique). Le ^{32}P possède aussi l'inconvénient d'émettre un rayonnement β^- très énergétique, il en résulte que les électrons diffusent dans toutes les directions, tout en conservant assez d'énergie pour impressionner les films photographiques, même après un long trajet. A l'autoradiogramme les bandes sont donc larges, et les images très diffuses.

L'utilisation du ^{35}S, au rayonnement moins énergétique, permet d'éliminer cet inconvénient. De plus sa durée de vie est quatre fois plus longue. Le revers de la médaille est que cette faible énergie diminue la sensibilité des analyses ; c'est pourquoi les applications de ce radioélément restent très limitées. Enfin certaines techniques, comme l'hybridation in situ de chromosomes, nécessitent des autoradiographies dont la résolution doit être inférieure au micron. Il faut pour cela avoir recours au ^{3}H dont le rayonnement β^{-} est très mou. Comme le trajet de l'électron est très court l'émulsion photographique doit être coulée directement sur la lame du microscope où sont étalés les chromosomes, les expositions doivent être très longues (plusieurs semaines). Chaque désintégration radioactive se traduira par un grain noir détectable en microscopie optique.

Le marquage non radioactif

Le maniement de la radioactivité présente les inconvénients déjà évoqués. L'utilisation des marqueurs froids devrait permettre de pallier ces inconvénients. Le problème majeur des **sondes froides** est celui de la sensibilité. Les systèmes proposés sont très nombreux et aucun ne fait l'unanimité. Malgré les améliorations de sensibilité apportées au cours des dernières années, leur utilisation reste très limitée. C'est pourquoi nous ne les décrirons pas dans le détail.

Les systèmes de marquage font le plus souvent appel à un couple de ligands, l'**avidine** (ou son dérivé la **streptavidine**) et la **biotine**, dont la constante d'affinité est l'une des plus fortes rencontrées en biologie (10^{-14}). Dans un premier temps la biotine est incorporée dans le DNA, soit chimiquement, soit par les techniques décrites dans les paragraphes suivants en utilisant des nucléotides marqués par la biotine (pour minimiser les effets de l'encombrement stérique, la biotine peut être éloignée du nucléotide par l'intermédiaire d'un bras constitué d'une chaîne aliphatique).

Après hybridation avec la sonde ainsi biotinylée, les techniques de révélation possibles sont nombreuses. L'avidine, ligand de la biotine, est apportée ; elle est couplée à un fluorochrome ou à une enzyme susceptible de réaliser une réaction colorée. Des anticorps anti-avidine peuvent aussi être utilisés. Dans tous les cas le signal doit être amplifié par une technique de type sandwich, plus ou moins complexe.

Quelques autres systèmes n'utilisant pas le système avidine-biotine ont été proposés. On peut citer :

• *Le système basé sur la sulfonation des cytosines :* dans ce système, la sonde est dénaturée puis traitée par le bisulfite de sodium. Le dérivé sulfoné est stabilisé par la méthylhydroxylamine. Ce traitement transforme les cytosines en N4-méthoxy-5,6-dihydroxycytosine. La sonde ainsi marquée est hybridée avec le DNA que l'on étudie. Les hybrides sont ensuite incubés en présence d'un anticorps monoclonal reconnaissant les cytosines sulfonées. Les complexes sont enfin révélés par un système amplificateur sandwich, le dernier anticorps étant couplé à une enzyme permettant une réaction colorée. Ce système, qui est efficace, présente l'inconvénient d'avoir un coût très élevé.

• *Le système basé sur la bioluminescence :* dans ce système la sonde est dénaturée puis incubée en présence de glutaraldéhyde et de peroxydase (préalablement chargée positivement par un traitement chimique qui n'altère pas l'activité enzymatique). Le DNA, chargé négativement, forme des complexes avec l'enzyme. L'association est rendue irréversible par la glutaraldéhyde qui crée des liaisons covalentes entre le DNA et l'enzyme. La sonde modifiée est hybridée avec le DNA à étudier. Les hybrides sont révélés grâce à un substrat de la peroxydase qui émet de la lumière lorsqu'il est métabolisé (Luminol®). La lumière émise impressionne l'émulsion d'un film radiographique. Cette technique présente l'inconvénient de nécessiter une grande quantité de sonde. De plus la luminescence est un phénomène fugace (quelques dizaines de minutes), qui ne peut être réactivé, ce qui complique la réalisation de l'autoradiographie. L'avantage par rapport aux autres techniques froides est que le résultat est obtenu très rapidement sous la forme d'un film radio facile à archiver, et risquant moins d'être altéré au cours du temps qu'une coloration immunoenzymatique. Un autre avantage est que le marquage de la sonde est stable pendant plusieurs mois.

LES STRATÉGIES DE MARQUAGE

La *nick-translation*

Si le vecteur utilisé pour le clonage du fragment de gène qui sert de sonde ne possède pas de séquences susceptibles de s'hybrider avec le DNA humain (ce qui est le plus souvent le cas), il n'est pas nécessaire d'extraire la sonde du vecteur qui a servi à son amplification. Dans la pratique les résultats sont en général meilleurs à partir de l'*insert* séparé du vecteur. Pour cela le vecteur recombinant est soumis à l'action d'enzyme(s) de restriction clivant spécifiquement au niveau de la liaison vecteur/sonde. Le fragment libéré par cette coupure est ensuite purifié, par exemple par électrophorèse préparative (voir chapitre 20).

Principe du marquage (Figure 25-1)

Des coupures aléatoires simple-brin sont créées en utilisant de la **DNase I**. Au niveau de ces cassures *(nicks)* la **DNA polymérase I** détruit le DNA par son activité exonucléasique (dans le sens 5'⟶3') et le resynthétise par son activité polymérasique (il s'agit là de l'équivalent d'un système de réparation in vitro). Comme au moins l'un des quatre désoxyribonucléosides triphosphates utilisés est radioactif (phosphate marqué en position α dans le nucléotide), le DNA ainsi réparé est radioactif. L'activité spécifique des nucléotides utilisés doit être supérieure à 800 Ci/mM.

Réalisation pratique

Une quantité définie de sonde (fonction du nombre d'hybridations à réaliser) est incubée à 15°C en présence de DNase I, de DNA polymérase I et de désoxyribonucléosides triphosphates radioactifs. Après réaction les nucléotides qui n'ont pas été incorporés sont séparés de la sonde marquée par une chromatographie de type gel-filtration (Sephadex® G50). Les premières fractions radioactives sont récoltées, elles correspondent à la sonde marquée. La radioactivité est mesurée sur un aliquote de 2 μl et l'activité spécifique est calculée en considérant que le rendement en DNA de la chromatographie est de 100 p. 100. Des activités spécifiques de 5×10^7 à 4×10^8 cpm/μg de DNA sont couramment obtenues.

Avant utilisation les deux brins de la sonde doivent être séparés. Cette séparation est obtenue par chauffage quelques minutes à 100°C suivi d'un refroidissement brutal (glace).

Utilisation

La sonde ainsi préparée est utilisable dans tous les types d'hybridations (Southern, Northern, dot-blot...).

Figure 25-1 **La nick-translation**

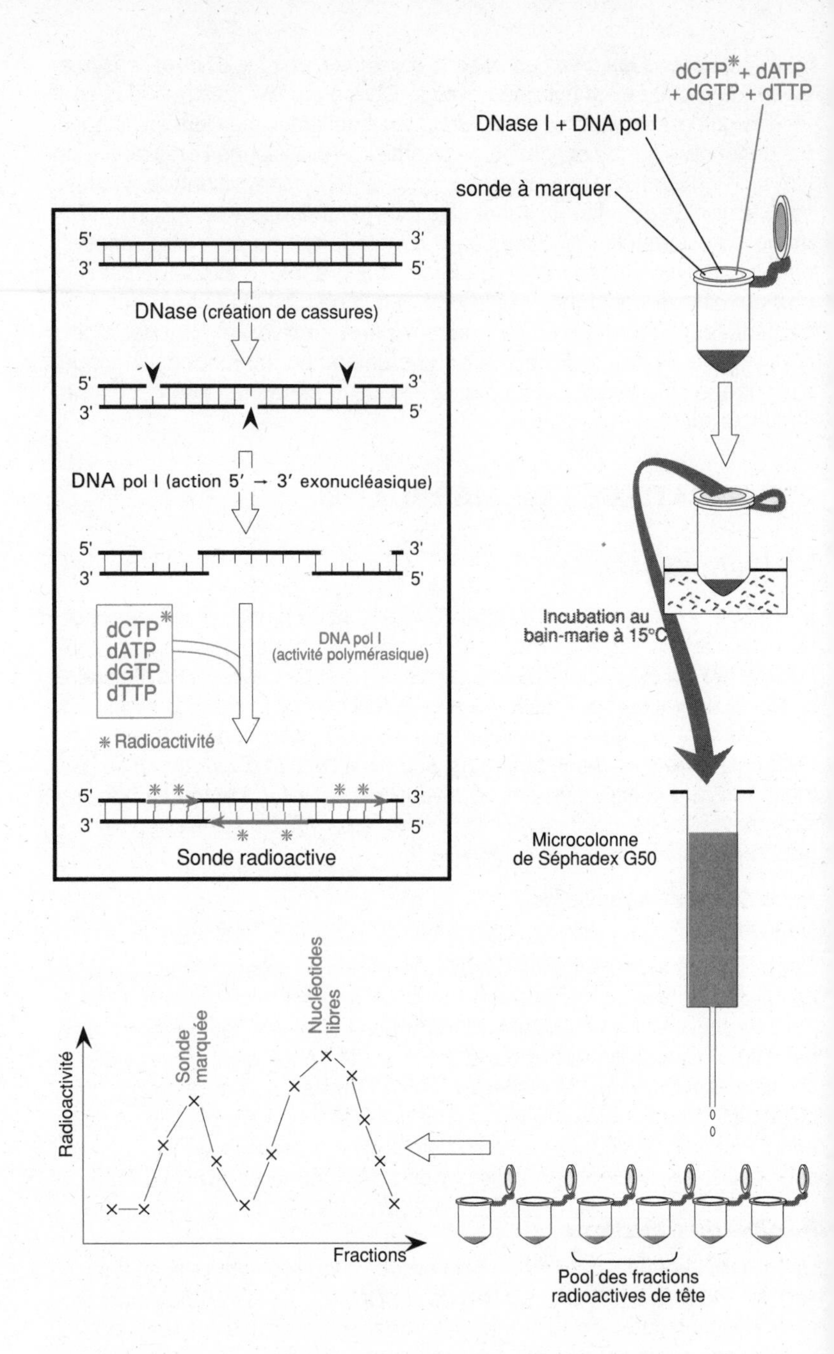

Technique de multi-amorçage au hasard *(multi random priming)*

Cette technique de marquage ne doit en principe être effectuée que sur la sonde extraite du vecteur.

Principe
(Figure 25-2)

Après séparation des deux brins de la sonde par chauffage suivi de refroidissement brutal, on ajoute un cocktail d'oligonucléotides (hexa-nucléotides) synthétiques dont les séquences correspondent à toutes celles qui sont mathématiquement possibles (4096). Il s'en trouvera donc obligatoirement quelques-uns qui s'hybrideront avec la sonde. Ces petits oligonucléotides hybridés à la sonde servent alors d'amorce pour le fragment de Klenow de la DNA polymérase I, qui reconstitue le second brin (extension d'amorce). Comme les désoxyribonucléosides triphosphates ajoutés sont radioactifs, le brin néo-synthétisé est hautement radioactif. Le fragment de Klenow de la DNA polymérase I est maintenant remplacé par la DNA polymérase du phage T7, éventuellement modifiée. Avec cette polymérase l'incubation, qui nécessitait quelques heures, ne dure que quelques minutes.

Réalisation pratique

Les nucléotides non incorporés sont séparés de la sonde marquée par chromatographie, l'activité spécifique est déterminée comme lors d'une *nick-translation.*

Utilisation

La même que la *nick-translation.* L'activité spécifique obtenue est cependant cinq fois plus forte et les temps d'exposition des autoradiographies pourront être diminués, ce qui peut être très intéressant lors d'un diagnostic prénatal.

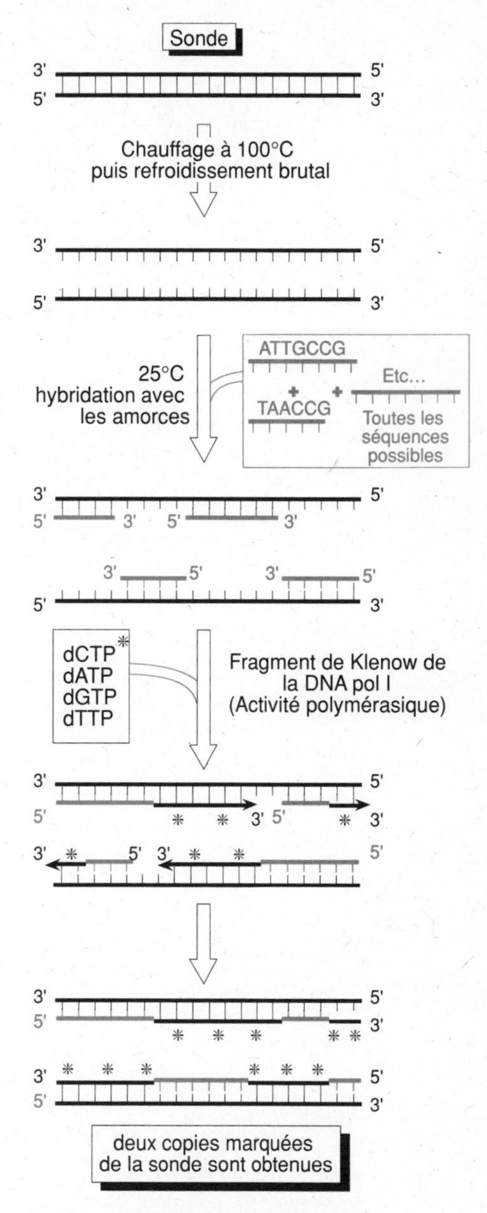

Figure 25-2 **Marquage par la technique de multi-amorçage au hasard**

Marquage des sondes synthétiques (oligonucléotides de synthèse)

Principe et réalisation pratique
(Figure 25-3)

Ces sondes sont synthétisées sous forme de DNA simple-brin et sont marquées après leur synthèse organique. Le marquage s'effectue sur l'extrémité 5' par la T4 polynucléotide kinase. La sonde est incubée à 37°C pendant 45 min en présence de (γ^{32}P) ATP et de l'enzyme. Les nucléotides qui n'ont pas réagi sont séparés de la sonde marquée par gel-filtration ou par électrophorèse préparative en polyacrylamide, voire même par HPLC, et l'activité spécifique est calculée comme pour les autres marquages. Les oligonucléotides peuvent aussi être marqués avec des molécules non radioactives (biotine, fluorochromes, ...). Ces marquages nécessitent un traitement particulier au cours de leur synthèse (voir chapitre 20) et sont spécifiques de chaque marqueur.

Utilisation

— Mise en évidence de mutations ponctuelles.
— Criblage de banques.

Le marquage des sondes mono-brin clonées (Phage M13)

Principe et réalisation pratique
(Figure 25-4)

M13 est un phage constitué d'un DNA mono-caténaire circulaire (voir chapitre précédent). A un phage M13 recombinant contenant la sonde est ajoutée une amorce (GAAATTGTATCC) complémentaire d'une zone du phage M13 immédiatement en 5' du DNA inséré. Le fragment de Klenow de la DNA polymérase I est alors ajouté, il utilise cette amorce pour synthétiser le brin complémentaire, donc dans l'orientation inverse de l'insert.

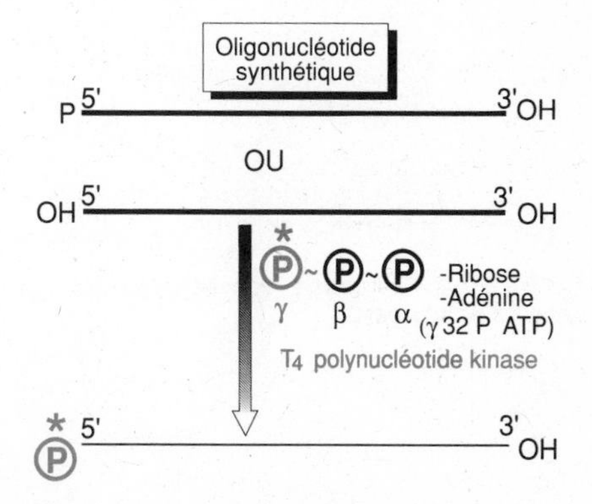

Figure 25-3 **Marquage d'oligonucléotides de synthèse en 5' par la T4 polynucléotide kinase** ▶

Afin que le DNA synthétisé soit radioactif, des désoxyribonucléosides triphosphates marqués sont ajoutés au mélange d'incubation. Les nucléotides non incorporés sont éliminés par gel-filtration. La sonde est utilisée sans séparation préalable des brins. En effet la synthèse du brin complémentaire par le fragment de Klenow n'est jamais complète. La zone correspondant à la sonde, restée de ce fait simple-brin, pourra s'hybrider.

Utilisation

Les mêmes que la *nick-translation,* mais avec une activité spécifique finale cinq fois plus forte.

Les sondes RNA (ribosondes)

Si le fragment de DNA servant de sonde est cloné dans un vecteur immédiatement après un promoteur du type : SP6, T3, T7..., il est possible de produire une grande quantité de RNA de très forte activité spécifique (voir chapitre 24). L'efficacité de ce type de sonde est aussi augmentée par le fait que les hybridations DNA-RNA ont un meilleur rendement que les hybridations DNA-DNA, et qu'elles sont plus stables.

Principe et réalisation pratique (Figure 25-5)

Le vecteur contenant la sonde est linéarisé en utilisant une enzyme de restriction coupant en un ou plusieurs endroits dans le vecteur, mais pas dans la sonde ni dans le promoteur de la RNA-polymérase utilisée. La RNA polymérase spécifique est ajoutée, elle transcrit le DNA correspon-

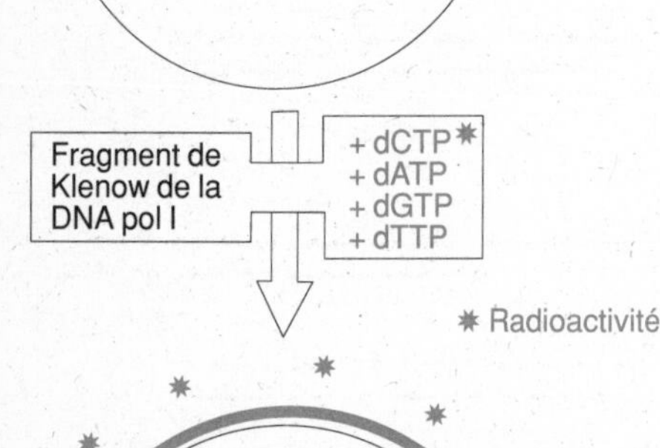

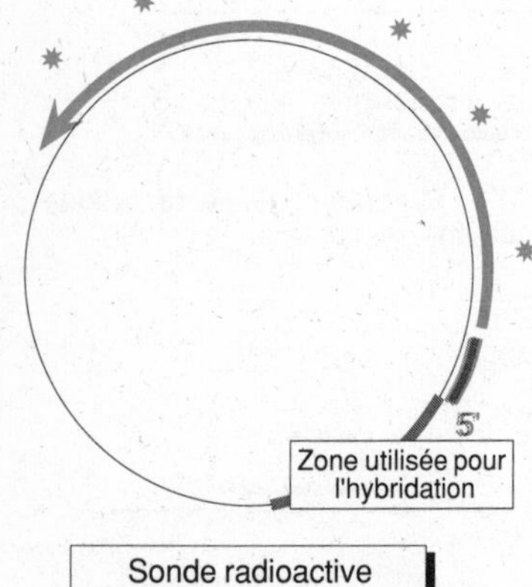

Figure 25-4 Marquage des sondes clonées dans le phage M13

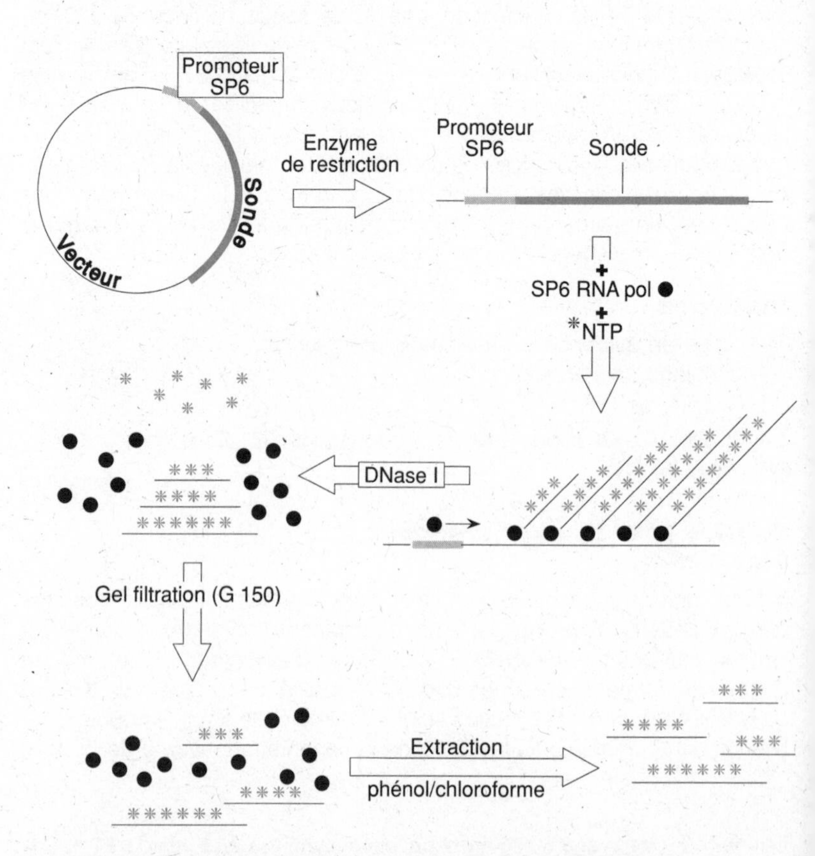

Figure 25-5 Production de RNA marqués par la SP6 polymérase

dant à la sonde en RNA, en commençant au niveau de son promoteur spécifique. Des ribonucléosides triphosphates radioactifs sont ajoutés au mélange d'incubation. A partir de chaque copie de la sonde un grand nombre de copies de RNA seront transcrites. En fin de synthèse, le DNA qui avait servi de matrice et le vecteur sont détruits par la DNase I. Le RNA radioactif synthétisé est purifié par chromatographie en gel-filtration (Sephadex® G150). Les enzymes (polymérase et DNase I) sont éliminées par extraction phénolique.

Utilisation

Les mêmes que les autres marquages, quand l'activité spécifique doit être particulièrement élevée.

Du fait de son efficacité, et malgré sa lourdeur, cette technique peut être utilisée avec profit car elle permet d'utiliser des nucléotides marqués au ^{35}S, la faible énergie du rayonnement émis par le ^{35}S étant compensée par l'efficacité de l'incorporation et de l'hybridation. Deux avantages en résultent, les images d'autoradiographie sont plus nettes et le marquage des sondes peut être mensuel au lieu d'être pluri-hebdomadaire.

Sélection de références bibliographiques : voir page 750.

26 Le clonage

Le but du clonage est d'obtenir un grand nombre de copies absolument pures d'une séquence donnée de DNA. Ce travail s'effectue par sélection d'un clone bactérien recombinant contenant le vecteur dans lequel le DNA que l'on désire obtenir est intégré. Stricto sensu un clonage est la sélection d'un clone parmi un ensemble de clones bactériens recombinants qui porte le nom de **banque** *(library).* Il en existe différentes sortes qui peuvent être toutes regroupées en deux grandes catégories : les **banques génomiques** et les **banques de cDNA**.

LES BANQUES GÉNOMIQUES

Construire une banque génomique consiste à fragmenter le DNA et à introduire chaque fragment dans un vecteur, puis dans un hôte approprié. Le DNA de départ peut donc provenir de n'importe quelle cellule, sauf si on s'intéresse à des gènes subissant des réarrangements somatiques spécifiques de tissu (gènes de l'immunité). Si elle est correctement établie, la banque contiendra donc, sous une forme morcelée, l'ensemble de l'information d'un individu telle qu'elle existe dans son génome, d'où le terme de **banque génomique**.

L'utilisation majeure de ce type de banque est d'une part le clonage des gènes dont on cherche à déchiffrer l'information sur le génome (alternance introns-exons), d'autre part le clonage des fragments de DNA adjacents aux gènes, non transcrits, et dont on sait maintenant qu'ils jouent un rôle majeur dans la régulation de l'expression des gènes.

Établissement de la banque

Choix du vecteur

Compte tenu de la taille des génomes de mammifères les fragments à cloner doivent être le plus long possible. D'un autre côté les longs fragments présentent deux inconvénients majeurs :

— leur réplication au sein de l'hôte prend d'autant plus de temps qu'ils sont plus longs, ce qui pose de multiples problèmes et qui se traduit à terme, lors de l'amplification, par une disparition des séquences les plus longues ;

— le DNA eucaryote possède de nombreuses séquences répétitives et, bien que des bactéries *rec*A(-) soient utilisées, le risque de recombinaison intra-fragment avec perte de matériel augmente considérablement avec la longueur de l'*insert*.

Il est donc évident que le choix doit résulter d'un compromis. Dans la pratique les longueurs des fragments seront comprises entre 10 et 45 kb.

Le choix : quatre possibilités :

1er cas On ne dispose que de quelques nanogrammes de DNA, ce qui est le cas par exemple lorsque l'on veut faire une banque de chromosome isolé par trieur de cellules (FACS). Dans ce cas il faut :

— faire une digestion complète du DNA par une enzyme de restriction ;

— utiliser un **phage** en choisissant la stratégie de l'insertion simple. Les fragments pourront avoir une taille inférieure à 12 kb.

2e cas On possède beaucoup de DNA, c'est-à-dire quelques centaines de microgrammes, ce qu'il est possible d'obtenir à partir de 30 ml de sang par exemple ; de plus le gène recherché est petit, ou bien l'on ne souhaite pas l'avoir en entier. Dans ce cas il faut :

— effectuer une digestion **partielle** du DNA (moins de 0,5 U d'enzyme par microgramme de DNA) et purifier les fragments d'une taille comprise entre 10 et 20 kb ;

— utiliser un **phage** en choisissant la stratégie de la délétion-remplacement.

3e cas On possède la même quantité de DNA que dans le deuxième cas et on désire avoir la plus grande quantité possible du gène dans chaque insert, voire sa totalité, ou bien l'on veut « marcher sur le chromosome ». Dans ce cas il faut :

— effectuer une digestion partielle comme dans le deuxième cas et purifier les fragments d'une taille comprise entre 35 et 45 kb ;

— utiliser un **cosmide** comme vecteur de clonage.

4e cas On désire cloner de très grands fragments (> 150 kb). Dans ce cas il faut faire appel aux **YAC** *(Yeast Artificial Chromosome)*.

Nombre minimum de clones pour qu'une banque soit représentative du génome

Une banque génomique ne sera représentative que si elle contient, au moins une fois, l'ensemble des séquences du génome. Il est donc évident que plus les *inserts* seront longs, plus faible sera le nombre de clones nécessaires. Clarke et Carbon ont établi une formule statistique permettant de déterminer le nombre de clones nécessaires, compte tenu de la longueur des inserts. Cette formule, qui dérive de la loi de Poisson, est :

$$N = \frac{\log (1 - P)}{\log \left(1 - \frac{1}{n}\right)}$$

P = probabilité de présence d'une séquence donnée

$$n = \frac{\text{longueur du génome}}{\text{longueur moyenne des fragments insérés}}$$

Le **tableau 26-1** donne les résultats obtenus avec un génome humain (3×10^9 paires de bases). Il en résulte qu'une banque de phages créée par délétion-remplacement devra être constituée d'au moins 800 000 clones, et qu'il suffira de 300 000 clones pour avoir une banque de cosmides représentative.

Tableau 26-1 **Nombre de clones que doit contenir une banque génomique pour être représentative** (en milliers de clones)

Probabilité de présence d'une séquence donnée	Longueur de l'insert en kb				
	15	20	30	35	40
0,99	860	640	430	370	320
0,95	560	415	280	240	210
0,9	430	320	215	185	160
0,8	300	225	150	130	115

Réalisation pratique

Elle est schématisée dans la **figure 26-1**. Chacune des étapes a déjà été décrite dans le chapitre 24 décrivant l'utilisation des phages et des cosmides.

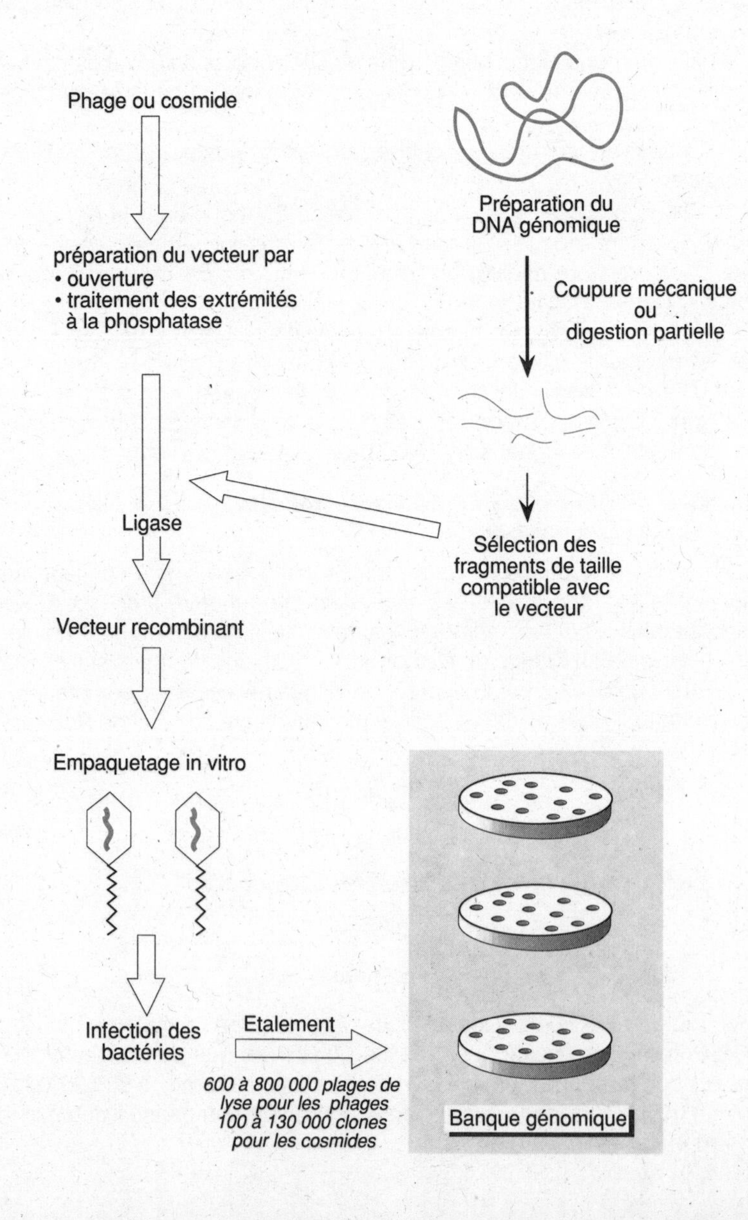

Figure 26-1 **Principe de la construction d'une banque génomique**

Amplification de la banque

Principe

Si l'on veut que la banque ne soit pas à usage unique mais puisse servir à plusieurs clonages successifs, il convient de l'amplifier, c'est-à-dire de multiplier le nombre de copies de chaque gène. Cette amplification n'est envisageable que lorsque l'on travaille avec des phages. En effet avec les cosmides, la perte de représentativité de la banque est très rapide. Par voie de conséquence, avec les cosmides, il est préférable de refaire chaque fois une nouvelle banque.

Réalisation

Il n'est pas possible d'effectuer l'amplification en phase liquide car il y aurait une perte des vecteurs se répliquant mal, et une sélection des vecteurs à réplication rapide. Pour amplifier une banque génomique il faut l'étaler sur boîte (100 à 150 phages par cm^2). Après culture les plages de lyse sont récupérées et les phages en sont extraits (**Figure 26-2**).

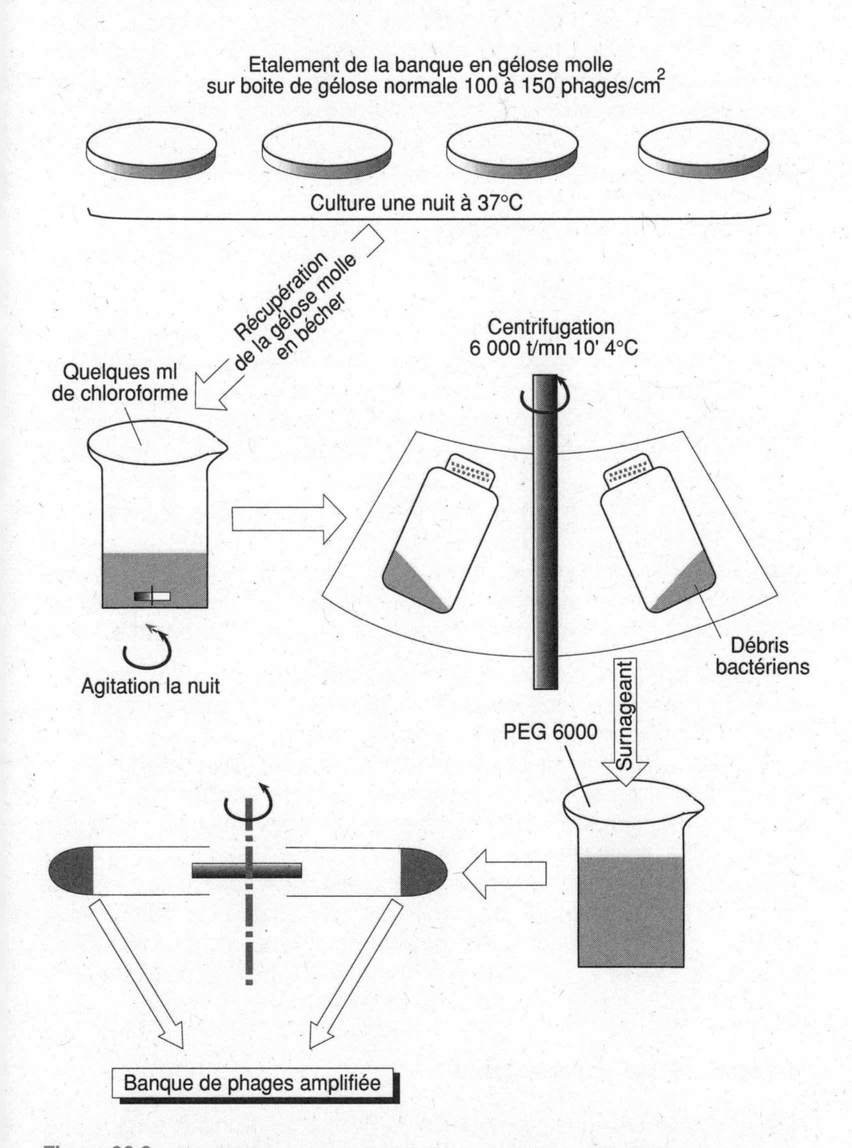

Figure 26-2 **Amplification d'une banque génomique (en phages)**

LES BANQUES DE CHROMOSOMES ARTIFICIELS DE LEVURES (YAC)

Ce sont des banques génomiques utilisant les YAC (voir chapitre 24) comme vecteur de clonage. Les fragments insérés sont de très grande taille **(150 kb à plus de 1 000 kb)**. Ce type de banque a été développé afin de faciliter l'établissement des cartes génétiques et la marche sur les chromosomes. Les YAC sont devenus un outil indispensable en génétique inverse.

Préparation du DNA à insérer

Les fragments de DNA génomique à insérer dans le vecteur YAC doivent avoir une taille comprise entre 150 kb et plus de 1 000 kb (taille moyenne 300 à 500 kb). Il n'est donc pas possible d'extraire le DNA par les techniques classiques, lesquelles ne permettent pas d'obtenir du DNA dont la taille est supérieure à 50 kb ou 100 kb. On doit partir, comme nous l'avons vu à propos de l'électrophorèse en champ pulsé, de cellules entières directement incluses dans des blocs ou des billes d'agarose à bas point de fusion. La source de DNA peut être des cellules en culture, des globules blancs extraits du sang, des spermatozoïdes ou encore des cellules isolées à partir d'un organe. Les blocs sont ensuite incubés en présence d'une protéase. Si l'on souhaite une banque restreinte plutôt qu'une banque génomique, il est possible de partir de chromosomes purifiés avec un trieur de cellules (FACS) (voir chapitre 10) ou de fragments de restriction purifiés à partir d'un gel d'électrophorèse en champ pulsé.

Le DNA doit être ensuite coupé par une enzyme de restriction. Deux stratégies sont possibles :

• *Digestion partielle* avec une enzyme coupant fréquemment. Les coupures se faisant au hasard, des clones chevauchants pourront être obtenus. Les bonnes conditions de concentration d'enzymes et de température d'incubation sont particulièrement difficiles à maîtriser. De plus, compte tenu de la grande taille des fragments, il existe un risque que de nombreux fragments possèdent une extrémité cohésive générée par l'enzyme de restriction d'un côté et un site de cassure mécanique au hasard de l'autre. De tels fragments ne conduiront pas à la formation d'un recombinant, sauf s'ils sont ramenés à bouts francs par remplissage *(fill in)* et si l'insertion se fait dans un site d'enzyme donnant des bouts francs comme Sma I, tout en sachant que le rendement de ligation sera faible.

• *Digestion totale* par une enzyme coupant très rarement (environ toutes les mégabases), par exemple Not I, Bss HII... Les banques sont plus simples à construire, mais les clones ne peuvent être chevauchants.

Il est aussi possible de casser mécaniquement le DNA. Les coupures surviendront donc au hasard, les clones seront chevauchants. Les extrémités des fragments doivent être affinées par remplissage *(fill in)*, la ligation se fait à bouts francs.

Enfin les fragments possédant la taille adéquate doivent être purifiés. Pour cela on effectue une électrophorèse préparative en champ pulsé (PFGE). L'ultracentrifugation en gradient de saccharose peut aussi être utilisée comme dans les banques génomiques en phages, mais cette technique nécessite de très grandes quantités de DNA.

Préparation du vecteur

Les différents YAC qu'il est possible d'utiliser ont été décrits dans le chapitre 24. Le YAC est coupé par l'enzyme de restriction compatible avec les extrémités du DNA génomique à insérer. Le YAC coupé est traité par la phosphatase alcaline afin qu'il ne puisse pas se refermer sur lui-même lors de l'étape ultérieure de ligation.

Construction et purification du recombinant

Le YAC ouvert et phosphatasé est incubé en présence du DNA génomique coupé et de ligase. La concentration du vecteur doit être très supérieure à celle du DNA à insérer de manière à minimiser la ligation des inserts entre eux. Le produit de ligation doit ensuite être purifié sur un gel d'électrophorèse en champ pulsé de manière à éliminer les YAC non recombinants. Il est aussi possible d'utiliser l'ultracentrifugation préparative en gradient de saccharose.

Transformation des levures

La taille du DNA qui doit pénétrer dans les levures étant importante, les rendements sont faibles. Il convient de prendre garde à contrôler le résultat de la transformation si l'on souhaite que la banque soit représentative. Les levures sont transformées en **sphéroplastes** par un traitement enzymatique qui détruit les parois de la levure, qui se trouve ainsi perméabilisée. Les conditions de traitement doivent être optimisées à chaque fois. Le rendement est d'environ 10^2 à 10^3 colonies par microgramme de DNA.

D'autres techniques ont été proposées : traitement à l'acétate de lithium et électroporation. L'acétate de lithium permet de bonnes efficacités de transformation pour les DNA de petite taille, mais pas pour les DNA de grande taille ; il ne peut donc être utilisé pour la constitution des banques. L'électroporation donne de très bons rendements (jusqu'à 10^5 colonies par microgramme de DNA), le grand nombre de cassures mécaniques qui surviennent fait que cette technique ne peut pas non plus être utilisée pour les DNA de grande taille.

Le criblage de la banque

Les sphéroplastes transformés sont mis en culture sur boîtes de gélose. Les parois qui avaient été détruites lors de la formation des sphéroplastes se reforment, puis les levures prolifèrent. Les clones correspondant à des levures qui ont incorporé un phage recombinant peuvent être repérés par leur couleur (système rouge/blanc décrit au chapitre 24). Le criblage peut se faire soit directement, soit après que la banque ait été ordonnée.

• *Le criblage direct :* des empreintes sont prises sur une membrane ; les levures qui s'y adsorbent sont lysées, et on pratique ensuite une hybridation avec une sonde radioactive. Après lavage et autoradiographie les clones positifs sont repérés sur la boîte et récupérés.

• *Le criblage après mise en ordre arbitraire des clones :* chacun des clones correspondant à un recombinant (clones rouges) est récupéré et transféré dans un puits d'une microplaque à 96 trous rempli de milieu de culture. Deux stratégies de criblage sont alors possibles. La première consiste à prendre une **empreinte** de la microplaque sur une membrane, celle-ci étant ensuite traitée comme dans le clonage direct. Dans la seconde quelques microlitres de chacune des colonnes et de chacune des rangées sont poolés dans des tubes Eppendorf. Dans chaque tube il est pratiqué une amplification in vitro (**PCR**), les amorces étant choisies dans la région que l'on souhaite cloner, et le produit d'amplification analysé par électrophorèse. Les numéros des colonnes et des rangées ayant donné une amplification sont repérés, et le clone recherché est situé à leur croisement sur la plaque **(Figure 26-3)**.

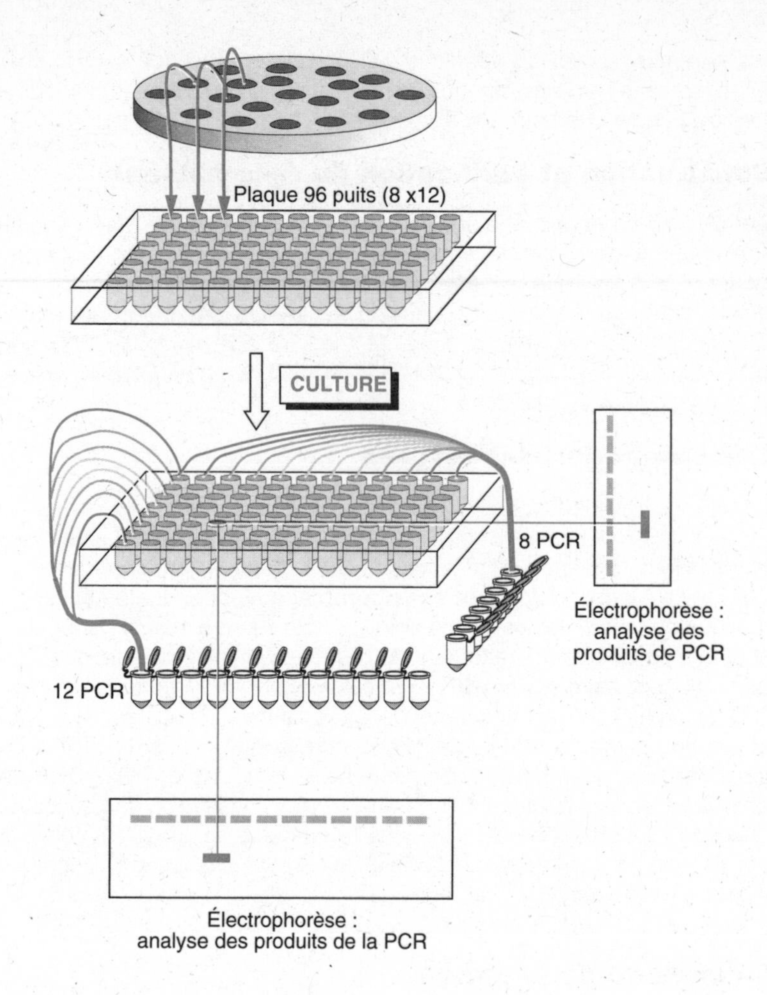

Figure 26-3 **Le criblage par PCR des banques de YAC**
Chaque colonie de levure recombinante est introduite dans un puits de plaque de Terasaki à 96 trous. Des PCR sont réalisées sur des **mélanges** d'aliquotes de chacun des puits de chaque rangée et de chaque colonne. Les amorces utilisées sont celles qui s'hybrident avec une partie du gène ou de la séquence que l'on recherche. Les produits d'amplification sont analysés par électrophorèse et coloration au bromure d'éthidium. Si la plaque contient un clone positif, une amplification est détectée dans une colonne et une rangée. Le clone positif se trouve dans le puits correspondant à l'intersection de la colonne et de la rangée positives. Il suffit donc de réaliser 20 PCR pour cribler 96 clones.

LES BANQUES de cDNA

Un **cDNA** ou **DNA complémentaire** est la copie sous forme de DNA d'un RNA messager. Pour être représentative une banque de cDNA devra contenir au moins une copie de chaque RNA messager présent dans la cellule d'où proviennent ces messagers. Ces banques sont donc spécifiques de **types cellulaires**, puisqu'une cellule donnée ne possède pas tous les RNA messagers de l'individu, mais uniquement ceux dont l'état de différenciation cellulaire permettent la transcription. Ainsi une banque de cerveau ne contiendra pas de cDNA insuline, alors qu'à l'inverse une banque de pancréas ne contiendra pas de cDNA correspondant aux protéines de la myéline. Un corollaire important de cette donnée est qu'une protéine présente en très faible quantité, mais à durée de vie très courte, peut avoir plus de messagers codant pour elle dans une cellule qu'une protéine abondante à très longue durée de vie. De même il peut exister dans une cellule des messagers qui sont présents mais non traduits en protéines. Enfin les quantités relatives des différents messagers, et leur traductibilité, peuvent varier dans des proportions considérables quand la physiologie cellulaire est modifiée (stimulation, prolifération...). La composition d'une banque de cDNA est donc une donnée très difficile à apprécier et peut être la source de nombreux problèmes voire d'erreurs d'interprétation.

Le passage du RNA au DNA

Il est toujours réalisé grâce à la **transcriptase réverse**, enzyme d'origine virale. Les stratégies possibles sont nombreuses, dans tous les cas le matériel de départ est le RNA poly A+. Il est souvent utile et parfois obligatoire d'enrichir les mRNA à cloner. Pour cela deux techniques sont classiques :

— la précipitation des polysomes en cours de traduction par un anticorps dirigé contre la protéine à cloner ;

— la séparation des mRNA ayant la taille de celui à cloner par ultracentrifugation préparative sur gradient de saccharose des RNA poly A+.

La technique originelle

Elle est schématisée dans la **figure 26-4**. Les mRNA sont incubés en présence de poly dT court (18-mère), de transcriptase réverse et d'un cocktail des 4 désoxyribonucléosides triphosphates. Le poly dT s'hybride au poly A du mRNA et sert d'amorce pour le départ de la transcriptase, qui synthétise alors le brin complémentaire, sous forme de DNA. Le RNA est ensuite détruit (soude, RNase), ce qui permet la synthèse dans un second temps du brin complémentaire par le fragment de Klenow de la DNA polymérase I. Mais cette enzyme ne peut démarrer sans **amorce**, elle ne pourra donc débuter sa fonction que lorsque l'extrémité 3' du brin synthétisé par la transcriptase aura fourni cette amorce, en s'hybridant avec la première séquence complémentaire qu'elle trouvera sur le brin. Il en résulte la formation d'une boucle. Celle-ci devra être détruite lorsque la synthèse du second brin sera achevée afin de permettre l'intégration du cDNA dans un vecteur. Cette destruction est obtenue par l'action de la nucléase S1 qui, comme nous l'avons vu (voir chapitre 22), détruit spécifiquement les acides nucléiques simple brin.

L'écueil majeur de cette technique est bien évidemment la perte d'information au niveau de l'extrémité 5' du messager, là où s'initie la transcription et où des signaux régulateurs de traduction sont vraisemblablement présents. De nouvelles techniques ont été mises au point pour pallier cet inconvénient majeur; elles permettent d'obtenir des copies entières.

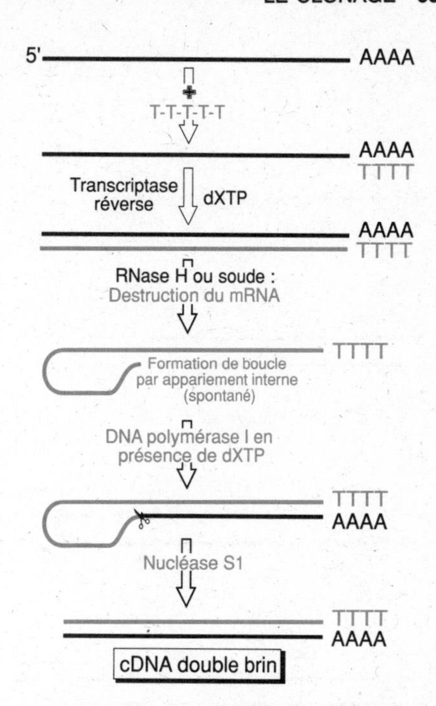

Figure 26-4 La technique originelle de synthèse de cDNA à partir de mRNA

La technique « copie entière » par addition de queues uniformes (tailing)

Elle est schématisée dans la **figure 26-5**. Après synthèse du premier brin du cDNA par la transcriptase réverse une **queue poly dC** est créée à l'extrémité 3' de ce cDNA grâce à l'action de la **terminale-transférase**. Le RNA qui a servi de matrice est détruit. Un poly dG synthétique est apporté, il s'hybride sur la queue poly dC et sert d'amorce pour la synthèse du second brin. Il n'y a donc plus de perte de matériel. Un inconvénient de cette technique est qu'elle introduit de longues séquences GC qui sont, in vitro, très difficiles à franchir par l'ensemble des polymérases (lors du séquençage par exemple).

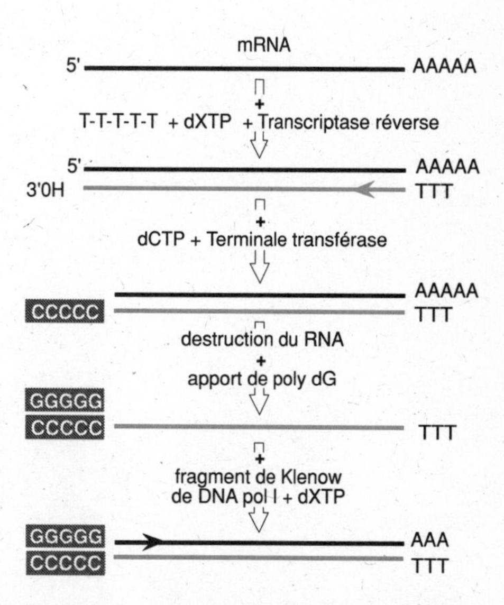

Figure 26-5 Synthèse de cDNA « copies entières » par la technique des queues simples *(tailing)*

La technique « copie entière » par cassures à la RNase H

Elle est schématisée dans la **figure 26-6**. Le début est identique à celui des deux techniques précédentes, mais après synthèse du premier brin, le RNA n'est pas détruit en totalité; on se contente d'effectuer quelques cassures à l'aide de la RNase H. Les courts fragments de RNA restants vont servir d'amorce pour la DNA polymérase I qui synthétise le brin de DNA complémentaire par son activité polymérasique 5'⟶3', et détruit les restes de RNA au fur et à mesure par son activité exonucléasique 3'⟶5'. Dans la pratique il convient de faire agir ensuite la T4 DNA polymérase. Cette enzyme par sa double activité (3'⟶5' exonucléase et

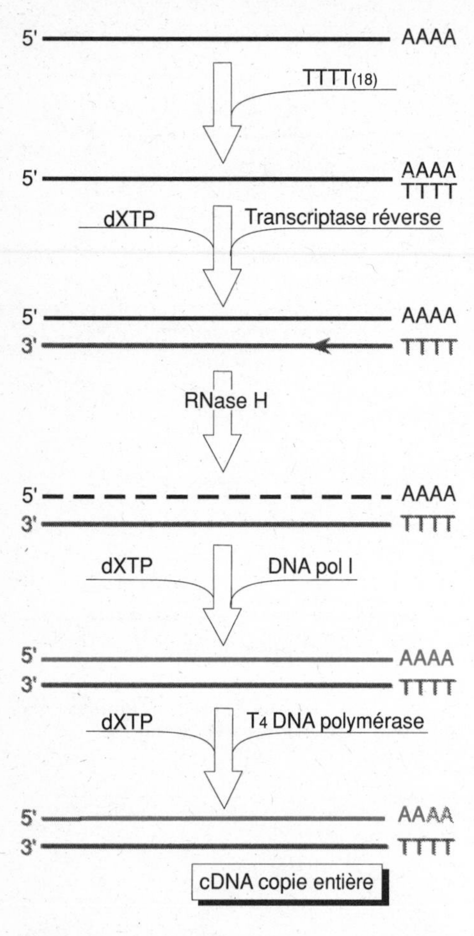

Figure 26-6 Synthèse de cDNA « copies entières » par la technique des cassures à la RNase H

DNA polymérase) va permettre de parfaire la synthèse du second brin, principalement au niveau des extrémités.

La technique par multi-amorçage au hasard

Le principe de cette technique est proche de celui du marquage des sondes par multi-amorçage au hasard (voir chapitre 25). Des hexanucléotides correspondant à toutes les séquences possibles sont incubés en présence de mRNA, de transcriptase inverse et des quatre désoxynucléotides. Quelques hexanucléotides s'hybrident aux messagers et servent d'amorce pour la transcriptase inverse qui synthétise, sous forme de DNA, le brin complémentaire. La suite est identique à la technique précédente. Pour enrichir la banque en une séquence recherchée, il est possible d'utiliser un oligonucléotide complémentaire de l'extrémité 3' du messager correspondant.

Le choix du vecteur

Ce choix est moins critique que lors de la constitution des banques génomiques, les tailles des cDNA (rarement > 9 kb) étant compatibles avec pratiquement tous les vecteurs utilisables. Il va donc dépendre de ce que l'on veut faire après le clonage. Actuellement le choix se pose le plus souvent entre deux types de vecteurs.

Les plasmides de 3e génération

Il s'agit des vecteurs de type pUC, pSP, Gemini, etc., qui ont déjà été décrits dans le chapitre 24. Ils sont tous puissants et d'un maniement facile.

Les vecteurs d'expression

Il s'agit principalement du phage λgt11 et de ses dérivés et du phage λZAPII® ou des plasmides de type Bluescript®. Ces vecteurs sont d'un maniement un peu plus complexe que les précédents. Ils ont l'avantage de permettre l'expression sous forme de protéine du fragment de DNA inséré. Ceci permet d'identifier le clone recombinant que l'on désire en criblant la banque avec un **anticorps** dirigé contre la protéine que l'on désire cloner. Il convient de garder à l'esprit le fait que la protéine qui est synthétisée peut s'avérer toxique pour la bactérie et la tuer avant que le plasmide ou le phage n'aient eu le temps de se répliquer ; dans un tel cas ce type de vecteur est inutilisable. Il est pratiquement impossible de le prévoir à l'avance.

L'introduction dans la bactérie

Cette étape a déjà été étudiée dans le chapitre 24 concernant l'utilisation des plasmides.

LA RECHERCHE DU CLONE CONTENANT LE RECOMBINANT DÉSIRÉ : LE CRIBLAGE

La recherche du « bon clone » au sein de la banque porte le nom de **criblage**. Elle est longtemps restée le point d'achoppement de nombreux clonages. Beaucoup de techniques ont été utilisées mais, actuellement, sauf cas d'espèce, deux techniques sont surtout utilisées : les **oligonucléotides de synthèse** et les **anticorps**. Les autres techniques qui eurent leur heure de gloire dans les années 1975-1980 ne sont pratiquement plus utilisées, et ne seront décrites brièvement que pour mémoire.

Le criblage par un cDNA spécifique de mRNA purifié

Le cDNA est synthétisé à partir de mRNA purifié, comme cela a déjà été décrit. Ce cDNA est synthétisé en présence de désoxynucléotides triphosphates marqués, et est utilisé comme sonde pour une hybridation in situ des bactéries de la banque. Les taches à l'autoradiographie correspondent aux clones bactériens qui possèdent le plasmide recombinant désiré. Ceci ne peut se faire que lorsque l'on dispose du mRNA pur, ce qui est rarissime.

L'hybridation sélection

Il s'agit d'une technique lourde mais qui pendant longtemps fut la seule utilisable. Les DNA des clones recombinants sont disposés les uns à côté des autres sur une membrane de nitrocellulose. Des mRNA totaux sont incubés avec cette membrane dans des conditions qui permettent l'hybridation. Après lavage la zone de nitrocellulose correspondant à chaque clone est découpée, le RNA déshybridé et utilisé dans un système de **traduction in vitro**. Le produit de traduction radioactif est immunoprécipité puis analysé sur gel de polyacrylamide. Si le clone est le bon, une bande, correspondant à la masse moléculaire du polypeptide à cloner, doit être observée sur l'autoradiographie. Une variante de cette technique est l'**arrêt de traduction par hybridation sélection**. Dans cette variante le clone n'est pas utilisé pour pêcher le mRNA correspondant mais comme compétiteur dans un système de traduction de mRNA in vitro.

L'expression différentielle ou clonage soustractif

Certains gènes ne sont exprimés que dans quelques cellules, d'autres ne sont exprimés à taux important qu'après stimulation. Cette expression différentielle est mise à profit pour **enrichir** les mRNA de départ en messager que l'on désire cloner.

L'expression différentielle des gènes dans deux types cellulaires différents mais proches a été mise à profit pour cloner certains gènes comme ceux du récepteur T des lymphocytes T (voir chapitre 6) ou celui de la stromélysine-3. La première étape consiste à établir une banque différentielle. Pour cela, les mRNA sont extraits de deux types cellulaires très proches, le gène que l'on souhaite cloner étant exprimé dans l'un des types (que nous appellerons type I) et pas dans l'autre (que nous appellerons type II), tous les autres gènes, ou presque, étant exprimés dans les deux types cellulaires. Les RNA des cellules de type I sont transformés en cDNA monobrins, lesquels sont ensuite hybridés avec un excès de mRNA des cellules de type II. Seuls les cDNA correspondant aux gènes uniquement exprimés dans les cellules de type I resteront sous forme de cDNA monobrins (les autres seront sous forme d'hybrides cDNA-RNA). Les cDNA monobrins sont ensuite transformés en cDNA double-brin, puis sont introduits dans des vecteurs (plasmides ou phages). Les clones recombinants constituent la **banque différentielle**. Cette banque est étalée et il en est pris deux empreintes. La première est hybridée avec les cDNA obtenus à partir des messagers des cellules de type I, la seconde avec les cDNA obtenus à partir des messagers des cellules de type II. Les clones positifs sur la première empreinte et négatifs sur l'autre sont des clones spécifiques des cellules de type I, donc des clones candidats pouvant contenir le cDNA recherché.

Pour **le récepteur T** les cellules de type I étaient les lymphocytes T et les cellules de type II les lymphocytes B. Parmi les quelques gènes spécifiques du lymphocyte T se trouvent les gènes codant pour les différentes chaînes du récepteur T. Pour le clonage de la **stromélysine-3**, les cellules étaient respectivement des cellules de carcinome mammaire (tumeur maligne) et des cellules de fibro-adénome mammaire (tumeur bénigne).

Le but était de cloner les gènes exclusivement exprimés dans les cellules malignes. Cette expérience a permis de cloner un gène spécifique de la tumeur maligne. Il code pour une métalloprotéase du stroma péri-tumoral, la stromélysine-3 qui pourrait jouer un rôle dans l'envahissement des tissus sains par la tumeur.

La complémentation d'un défaut génétique de l'hôte

La bactérie ou la cellule hôte utilisée doit posséder une mutation telle qu'elle ne possède pas l'activité correspondant à celle que l'on veut cloner. Sur milieu restrictif les seules bactéries qui pourront pousser seront celles qui auront incorporé une séquence de DNA dont le produit d'expression est capable de complémenter le défaut génétique de l'hôte. Cette technique permet de cloner le gène d'une protéine dont on ne connaît rien d'autre que sa fonction, si l'on possède les hôtes mutés adéquats. Le vecteur utilisé doit être un vecteur d'expression.

Le criblage par oligonucléotide de synthèse

Cette technique est actuellement la plus utilisée. Elle permet le clonage d'une protéine dont, à la limite, on ne connaîtrait qu'une parcelle de la séquence en amino-acides. Son principe est d'utiliser, dans un criblage classique, une sonde oligonucléotidique synthétisée à partir des données obtenues par le séquençage d'une petite fraction de la protéine, le code génétique permettant de déterminer quelles sont les séquences possibles (dégénérescence du code) du gène correspondant, donc les sondes à synthétiser. Les étapes sont les suivantes :

— On détermine la séquence en acides aminés d'une petite fraction de la protéine par microséquençage. Théoriquement une séquence de 5 à 8 acides aminés devrait suffire. Dans la pratique des séquences de 15 à 20 acides aminés au minimum sont nécessaires. Les progrès en ce domaine ont été tels durant le début des années 80 que cette méthode, autrefois très délicate, est de plus en plus utilisée. En effet les microséquenceurs automatiques permettent d'obtenir une séquence d'une trentaine d'acides aminés en 24 heures à partir d'une cinquantaine de picomoles d'une protéine ou d'un de ses peptides. Actuellement les facteurs limitants peuvent être la pureté et la structure de la protéine (richesse en proline, acide aminé N terminal bloqué, glycosylation...). Cette étape de microséquençage est en général sous-traitée par des équipes spécialisées.

— Toutes les séquences qui ont pu être ainsi déterminées sont traitées par des moyens informatiques (voir chapitre 32). En effet le transcodage parfait dans le sens protéine⟶acide nucléique est impossible compte tenu de la dégénérescence du code génétique. Par exemple une sérine ou une arginine peuvent être codées chacune par 6 codons différents. Le programme informatique commence donc par rechercher la région la plus longue possible contenant le moins d'acides aminés à code dégénéré. Il détermine ensuite quelles sont les sondes susceptibles de donner les meilleurs résultats, compte tenu de la fréquence d'utilisation des codons dans l'espèce d'où provient le gène que l'on veut cloner. Le ou les oligonucléotides ainsi choisis sont comparés à l'ensemble des séquences connues (consultation automatique de banque de données), ceci afin d'éviter le clonage d'une séquence déjà connue et d'éviter les hybridations croisées avec d'autres gènes. Les stratégies classiques consistent à utiliser un **pool** d'oligonucléotides courts (18 à 25 bases) et/ou quelques oligonucléotides longs (40 à 45 bases).

Il est impératif de ne pas utiliser d'oligonucléotides beaucoup plus longs, car les mésappariements uniques seraient sans effet sur la stabilité des hybrides dans les conditions expérimentales utilisées. De plus des hybridations partielles de courtes fractions de l'oligonucléotide sont possibles. Dans les deux cas il en résulterait des hybridations non spécifiques qui conduiraient au clonage d'un autre gène que celui recherché.

— Les oligonucléotides choisis sont synthétisés à l'aide d'un appareil automatique. Les produits de synthèse sont ensuite purifiés par électrophorèse préparative ou par HPLC, ceci afin d'éliminer les produits de réaction partielle. Ils sont enfin marqués au ^{32}P par la polynucléotide kinase.

— Les oligonucléotides marqués sont utilisés comme sonde pour cribler, par hybridation in situ, une banque de cDNA ou une banque génomique. Une attention toute particulière doit être apportée aux conditions d'hybridation et de lavage surtout si de petits oligonucléotides sont utilisés. La température peut être éventuellement prévue avec une marge pour les éventuels mésappariements. Les lavages ne doivent pas être effectués à trop forte stringence pour éviter les déshybridations. Les bons clones sont enfin repérés par autoradiographie.

Le criblage par anticorps

Il ne peut se faire que sur une **banque d'expression**, le vecteur le plus utilisé étant le phage λgt11 ou le phage λZAPII®. Pour cribler il convient de disposer d'un anticorps, de préférence polyclonal, d'excellente qualité, dirigé contre le produit protéique du gène à cloner. Le protocole expérimental est quelque peu différent des précédents puisqu'il faut ici révéler la présence non plus d'un acide nucléique mais d'une protéine.

La banque est étalée sur boîtes de Pétri. Lorsque les plages ont atteint un diamètre de 1 à 2 mm, un filtre de nitrocellulose imbibé d'IPTG est disposé sur l'agar. Ce composé, comme nous l'avons vu, est un inducteur de l'opéron lactose ; il va donc induire l'expression du cDNA inséré dans le vecteur puisque l'insertion a précisément été effectuée derrière le promoteur de l'opéron lactose. Il s'ensuit la production d'une protéine de fusion (voir chapitre 24). Le tout est incubé quelques heures à 42°C.

Les protéines synthétisées s'adsorbent sur le filtre de nitrocellulose, ce dernier est alors incubé en présence de l'anticorps. Les complexes antigène-anticorps sont ensuite révélés par la protéine A marquée à l'iode 125 (la protéine A a pour propriété de se fixer spécifiquement au fragment Fc de certaines classes d'IgG). L'utilisation de l'iode 125 comme marqueur permet d'obtenir une grande sensibilité. Les taches sur l'autoradiogramme correspondent aux clones bactériens qui avaient été infectés par le phage recombinant recherché. La plage de lyse correspondante est récupérée. Elle contient environ 10^7 phages. Le nombre de clones reconnus comme positifs est plus faible que dans la technique précédente de criblage par oligonucléotide car, pour que la protéine soit synthétisée, il faut que l'insertion se soit effectuée dans le bon sens par rapport au promoteur (1 chance sur 2) et dans la bonne phase de lecture (1 chance sur 3), soit en fait une chance sur 6.

Remarque concernant les techniques de criblage : Le bon clone ne peut pas être récupéré du premier coup car lors du premier criblage les colonies sont très rapprochées ; la précision du repérage est donc très faible. Il est absolument indispensable de réétaler les clones sélectionnés à plus faible concentration et de renouveler le criblage. Pour les plasmides et les cosmides au moins deux tours sont nécessaires ; pour les phages il en faut au moins trois.

La confirmation du clonage

Il s'agit là d'une étape indispensable et souvent difficile qui peut prendre plus de temps que le clonage lui-même. Le fait qu'une sonde se soit hybridée ou qu'un anticorps se soit fixé n'est pas une preuve absolue qu'il s'agisse du clone recherché. Les hybridations croisées, ne serait-ce qu'avec des pseudogènes ou avec tout autre gène apparenté (familles géniques) sont non seulement possibles mais fréquentes. Il convient de rassembler un faisceau de preuves confirmant que le gène cloné est bien celui qui est recherché. Il n'y a aucune méthode générale. Le cas le plus simple est celui où une partie de la séquence primaire de la protéine est connue car il suffit alors de déterminer la séquence nucléotidique du clone qui a été isolé.

Sélection de références bibliographiques : voir page 751.

Détermination de la séquence d'un acide nucléique

27

La détermination de la séquence en acides aminés d'une protéine est un travail difficile et long, voire parfois impossible à réaliser dans son intégralité. Toute la difficulté résulte du fait qu'elle ne peut être effectuée qu'à partir de très grandes quantités d'une protéine ultra-pure. Cet écueil majeur n'existe pas avec les acides nucléiques puisque le clonage permet d'obtenir la séquence à analyser en quantités illimitées, et ce avec une pureté théoriquement absolue. Avec les systèmes mis au point, la puissance des vecteurs maintenant utilisés et les moyens informatiques dont peuvent disposer les laboratoires même les plus petits, la détermination de la séquence d'un acide nucléique ne pose plus guère de problèmes et est extrêmement rapide. A tel point que la détermination de la totalité de la séquence du génome humain (3 000 000 000 de paires de bases environ) a cessé d'être un objectif chimérique. Le succès dépend essentiellement de progrès technologiques permettant de séquencer automatiquement de très grandes longueurs de DNA. Une première génération d'analyseurs automatiques de séquences est déjà sur le marché.

De manière schématique deux grands principes sont utilisés : les méthodes chimiques et les méthodes enzymatiques.

Méthode chimique (Maxam et Gilbert)

Avant toute détermination le DNA doit être marqué à l'une de ses extrémités par le ^{32}P. Il est alors séparé en quatre aliquotes qui subiront chacune un traitement chimique particulier. Les produits utilisés altèrent de façon absolument spécifique un type de base. En pratique les réactifs utilisés clivent spécifiquement les 5 catégories suivantes : G, A, C, G et A, T et C.

La **figure 27-1A** montre l'exemple de la coupure après les guanines. Cette altération consiste en un retrait de la base suivi par une destruction, par de la piperidine, du désoxyribose. Cette coupure ne s'effectue qu'avec un très faible rendement, ce qui fait que moins de 2 p. 100 des bases sont touchées. Il en résulte que, statistiquement, chaque copie de la séquence ne sera coupée **qu'une seule fois** et en un endroit différent, toujours spécifique d'un type de base donné. Compte tenu du nombre de copies utili-

Figure 27-1 **Coupure chimique à faible rendement d'un DNA monobrin**
A : mécanisme de la coupure par un couple d'agents chimiques (diméthyl sulfate et pipéridine).
B : fragments obtenus, après le traitement décrit en A, à partir d'un DNA simple-brin marqué au ^{32}P. Seuls les fragments pleins seront détectables par autoradiographie.

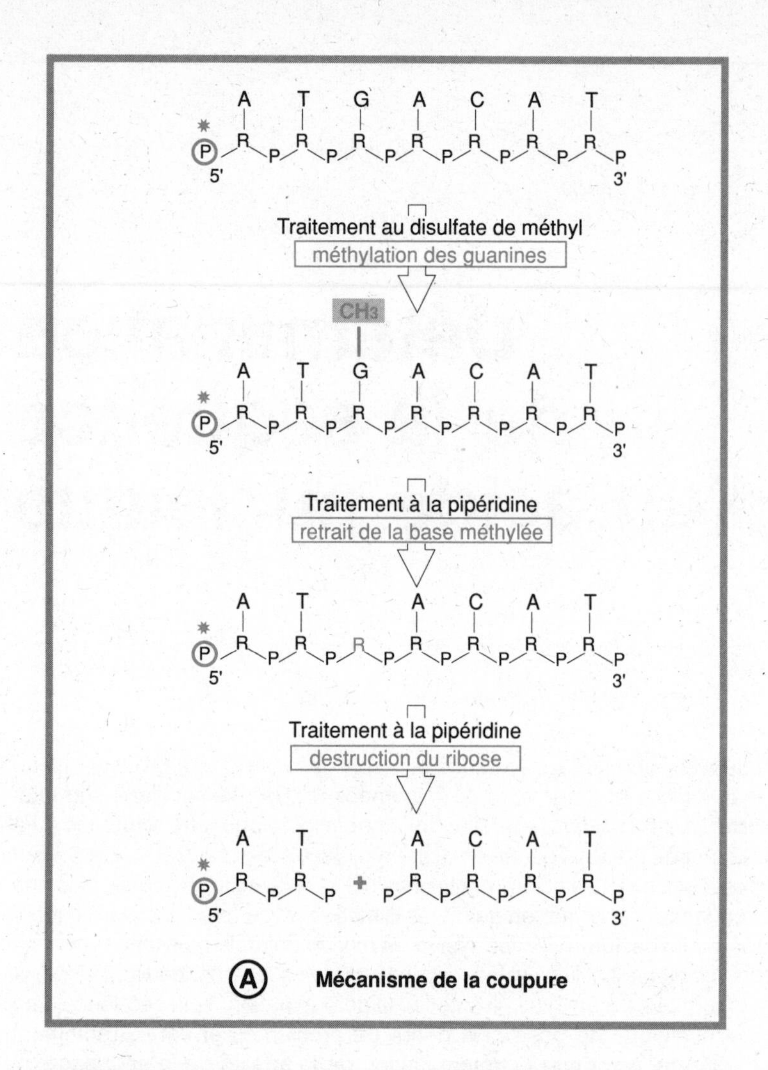

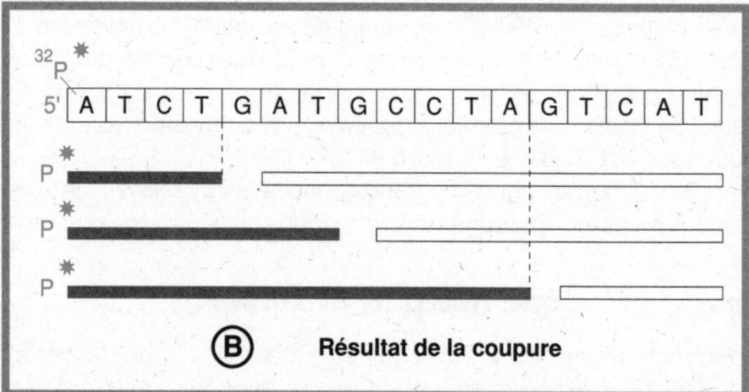

sées, tous les fragments possibles seront obtenus en quantités sensiblement égales **(Figure 27-1B)**.

Lorsqu'un brin est coupé en deux fragments, un seul des deux est radioactif puisque le marquage n'a été effectué que d'un seul côté. Après séparation électrophorétique et révélation par autoradiographie, la longueur du fragment observé est égale à la distance entre le point de coupure et le point de marquage. Comme la résolution des gels de polyacrylamide utilisés est d'**une base**, l'enchaînement des fragments sur l'autoradio-

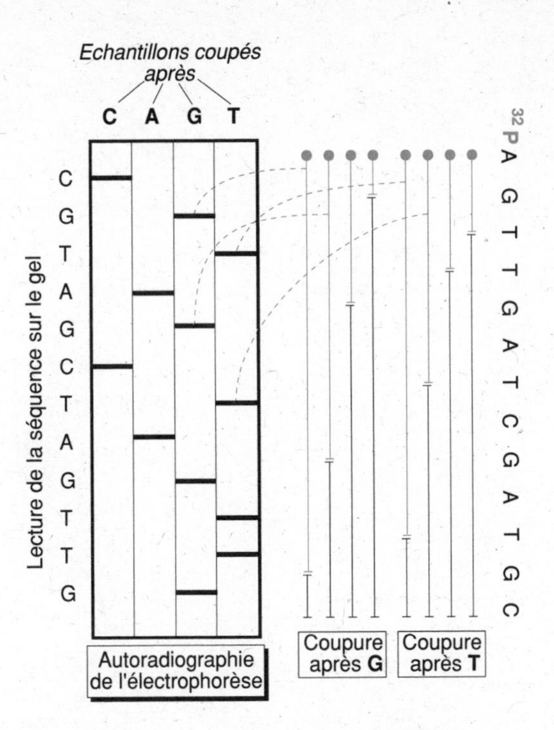

Figure 27-2 **Technique de Maxam et Gilbert** La base marquée qui correspond à l'extrémité 5' ne peut être déterminée car elle est détruite lors de la coupure.

gramme correspond à l'enchaînement des bases dans le fragment de DNA. La lecture est directe (**Figure 27-2**). Pour plus de sécurité (il est très facile de sauter une base), il est souhaitable de déterminer aussi la séquence du brin complémentaire. Une séquence de 100 à 200 bases peut être lue sur un seul gel. Une amélioration de la résolution au niveau des petits fragments est obtenue en utilisant des gels à gradient, soit de concentration de tampon, soit d'épaisseur du gel.

Un avantage de cette méthode est qu'il n'est pas nécessaire de séparer les brins.

Méthode enzymatique par les di-désoxynucléotides (Sanger)
(Figure 27-3)

Le DNA à séquencer doit être sous-cloné dans un vecteur simple-brin (phage M13) ; il doit être inséré dans le *polylinker* (voir chapitre 24) donc immédiatement après la séquence (GAAATTGTATCC) du M13. Le recombinant résultant de cette opération est hybridé avec une amorce synthétique complémentaire ***(primer)*** qui sert d'amorce pour la synthèse du second brin soit par le fragment de Klenow de la DNA polymérase I, soit par la transcriptase inverse.

On préférait auparavant effectuer une détermination avec chacune de ces deux enzymes, certaines séquences difficilement copiées par l'une l'est parfois mieux par l'autre. Maintenant une nouvelle enzyme est disponible : la **Séquanase®**. Il s'agit d'une DNA polymérase extraite de cellules infectées par le phage T7. Elle permet d'obtenir un meilleur passage au niveau des séquences « difficiles » et une meilleure netteté des autoradiogrammes. Enfin la **Taq polymérase** permet désormais de travailler à température élevée, ce qui abolit les structures secondaires (voir encadré).

Le DNA à séquencer par la méthode de Sanger étant sous forme simple-brin, des structures secondo-tertiaires avec formation d'épingles à cheveux peuvent se constituer s'il existe des séquences complémentaires, même courtes, au sein de l'*insert*. Ce phénomène est particulièrement gênant quand ces structures possèdent beaucoup de G et C, car l'énergie de liaison est telle que la polymérase ne peut les traverser et s'arrête, créant des bandes artéfactuelles dans tous les canaux (A,T,G,C) puisque l'arrêt devient indépendant de la nature de la base. L'expérience a montré qu'il était possible de diminuer cet effet en utilisant du 7 déazaGTP ou de l'ITP à la place du GTP.

Cette synthèse du second brin est effectuée en présence des 4 désoxyribonucléotides dont au moins un doit être radioactif. Le marquage par

Figure 27-3 Détermination de la séquence d'un acide nucléique par la technique de Sanger (di-désoxynucléotides)
Dans cet exemple la séquence à déterminer est clonée dans un phage M13.

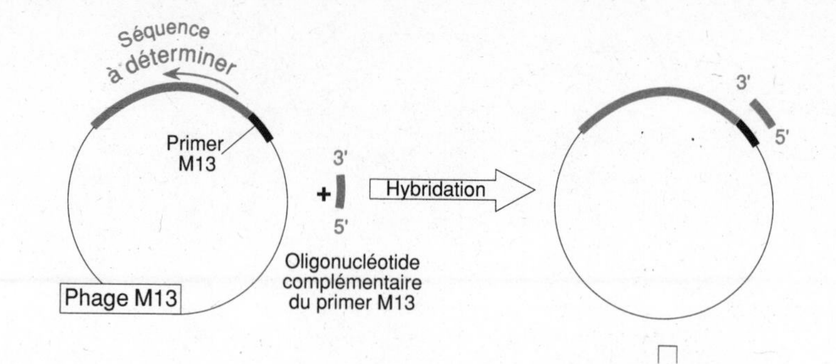

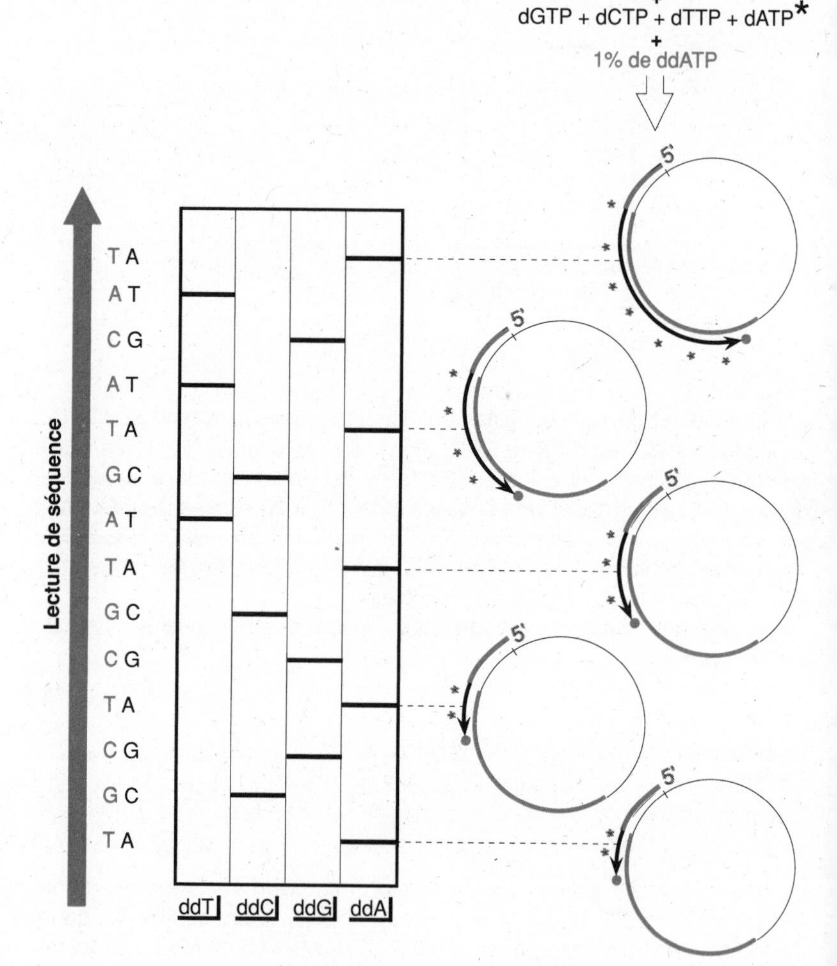

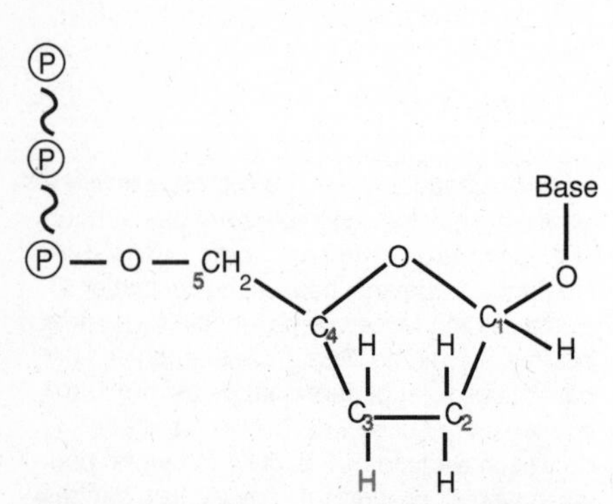

Figure 27-4 Structure des di-désoxynucléotides utilisés dans la technique de Sanger
Le remplacement de l'hydroxyle en 3' par un hydrogène fait que ce nucléotide ne peut plus contracter de liaison phosphodiester, ce qui arrête la synthèse de DNA.

le ^{35}S, plus stable que le ^{32}P et donnant des images plus nettes est universellement adopté.

Le principe de cette technique, mise au point par Sanger, consiste en l'addition d'un 2',3' di-désoxynucléotide (**Figure 27-4**) en très petite quantité. Quatre réactions sont menées en parallèle, chacune contenant l'une des quatres bases sous forme de **di-désoxyribonucléoside** triphosphate à très faible concentration. Comme la synthèse du DNA s'effectue par estérification de la fonction 3' hydroxyle d'un nucléotide, déjà incorporé par le 5' phosphate, en α d'un désoxyribonucléoside triphosphate, dès qu'un di-désoxynucléotide est incorporé la synthèse s'arrête (puisqu'il ne pos-

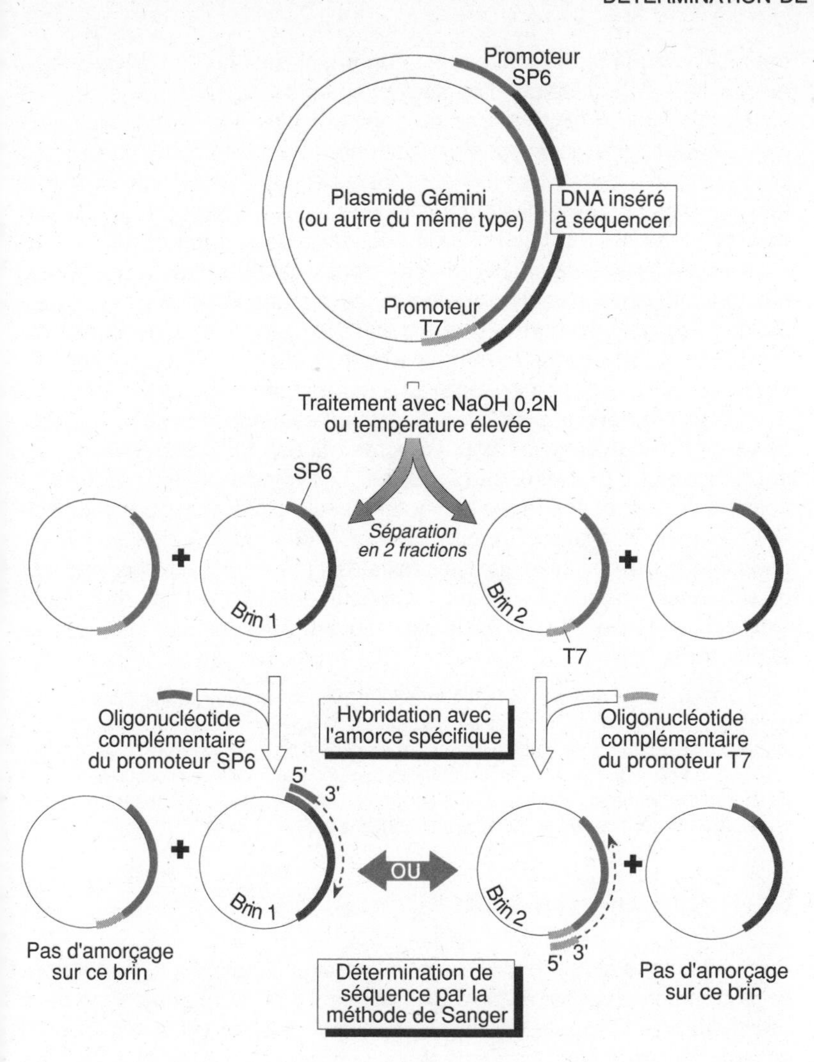

Figure 27-5 Le séquençage double-brin
Dans cet exemple la séquence à déterminer est clonée dans le plasmide Gemini®.

sède pas de 3' hydroxyle). Ce nucléotide étant à très faible concentration, il ne s'incorporera que rarement, mais cette incorporation se fera au hasard. Ainsi il y aura statistiquement autant de sortes de fragments avortés que de fois où la base correspondante est représentée. La taille des fragments synthétisés, donc la taille des fragments détectables par autoradiographie après électrophorèse est égale à la distance entre le début du primer et la base où s'est arrêtée la réplication. Le principe statistique est le même que celui utilisé dans les méthodes chimiques.

Les deux différences majeures entre les deux techniques sont :

— la séquence est synthétisée au lieu d'être détruite ;

— sur le gel c'est la séquence complémentaire qui est lue et non pas directement celle du DNA que l'on séquence.

Il est possible par cette technique de déterminer des séquences de 300 à 800 bases suivant la longueur et la qualité des gels de polyacrylamide qui servent à la séparation.

Le séquençage double-brin (Figure 27-5)

Les techniques citées ne peuvent s'effectuer qu'avec du DNA simple-brin, qui n'est pas sa forme naturelle. Le préalable est donc la séparation des deux brins ou le sous-clonage dans un phage monobrin. Ceci est sans grande importance lorsque l'on désire séquencer un DNA cloné dont on est certain qu'il correspond bien au gène que l'on veut étudier. Au cours d'un clonage la situation est bien différente : parmi les nombreux clones positifs repérés certains seulement sont les bons, d'autres parfois majoritaires correspondent à des hybridations parasites. Le moyen le plus sûr pour trancher est de déterminer la séquence de chaque clone.

Le sous-clonage de chacun de ces clones serait un travail trop lourd. Les plasmides de troisième génération permettent de l'éviter. Ces plasmides possèdent **de part et d'autre** du DNA inséré des séquences **particulières** et **différentes sur chaque brin** : par exemple le promoteur T7 ou T3 ou SP6, etc. (voir chapitre 24). Après traitement par la soude ou la chaleur pour séparer les deux brins, ces séquences spécifiques vont servir de site d'hybridation pour l'amorce qui permet le séquençage par la méthode des **di-désoxynucléotides**. Le principe de cette technique consiste à n'apporter chaque fois qu'une seule amorce qui, par sa spécificité d'hybridation avec l'un ou l'autre brin, détermine lequel sera élongué, donc séquencé, bien que les deux soient présents. Il est ainsi possible de séquencer jusqu'à 300 bases sur chacun des brins à partir de chaque extrémité de l'insert, ce qui est le plus souvent suffisant pour affirmer que le clone est le bon.

La pureté du plasmide et son intégrité sont deux données fondamentales dans ce type de technique. Si des RNA contaminent, ils peuvent s'hybrider avec une séquence homologue du plasmide ou de l'insert et servir d'**amorce non spécifique** pour la polymérase. De même si quelques plasmides sont cassés, les extrémités des cassures peuvent aussi servir d'amorces non spécifiques pour les polymérases. Dans les deux cas le brouillage est tel que les séquences ne peuvent plus être lues.

La technique non radioactive

Cette technique est celle utilisée dans l'appareil automatique de séquençage commercialisé par Applied Biosystems. Le principe général est celui des di-désoxynucléotides. Les oligonucléotides utilisés comme amorce sont séparés en quatre fractions. Dans chacune d'elles l'oligonucléotide est marqué à son extrémité 5' par un fluorochrome de couleur différente (fluorescéine, NBD, rouge Texas et tétraméthylrhodamine). A chacune de ces fractions est ajouté l'un des quatre di-désoxynucléotides triphosphate et une incubation de détermination de séquence est pratiquée **(Figure 27-6)**. Tous les fragments arrêtés par un di-désoxynucléotide donné seront donc marqués par la même couleur, par exemple bleu pour le C, rouge pour le T, orange pour le G et vert pour le A. Les quatre incubations sont ensuite **mélangées** et mises sur gel de séquence. Chaque bande observée aura la couleur de l'oligonucléotide qui a servi d'amorce à la synthèse du fragment correspondant.

Une amélioration récente consiste à marquer avec les quatre fluorochromes non pas les oligonucléotides mais les didésoxynucléotides. Cette amélioration présente trois avantages. Il suffit d'une seule incubation au lieu de quatre, la couleur ne dépendant que du didésoxynucléotide incorporé. Pour la même raison les arrêts aléatoires des polymérases, qui rendent souvent illisibles les séquences avec les techniques classiques, sont sans effet sur la lecture. Enfin les oligonucléotides qui servent d'amorce n'ont pas à être marqués, ce qui permet une économie importante.

L'électrophorèse est effectuée en continu, la couleur de chaque bande est déterminée lorsqu'elle passe dans le faisceau d'un photomètre à laser disposé en bas du gel (Figure 27-6). L'analyse par ordinateur des signaux recueillis par le photomètre permet d'établir la séquence avec une grande précision, même lorsqu'il y a une légère ambiguïté due à des bandes très rapprochées (**Figure 27-7**, voir planche couleur hors texte).

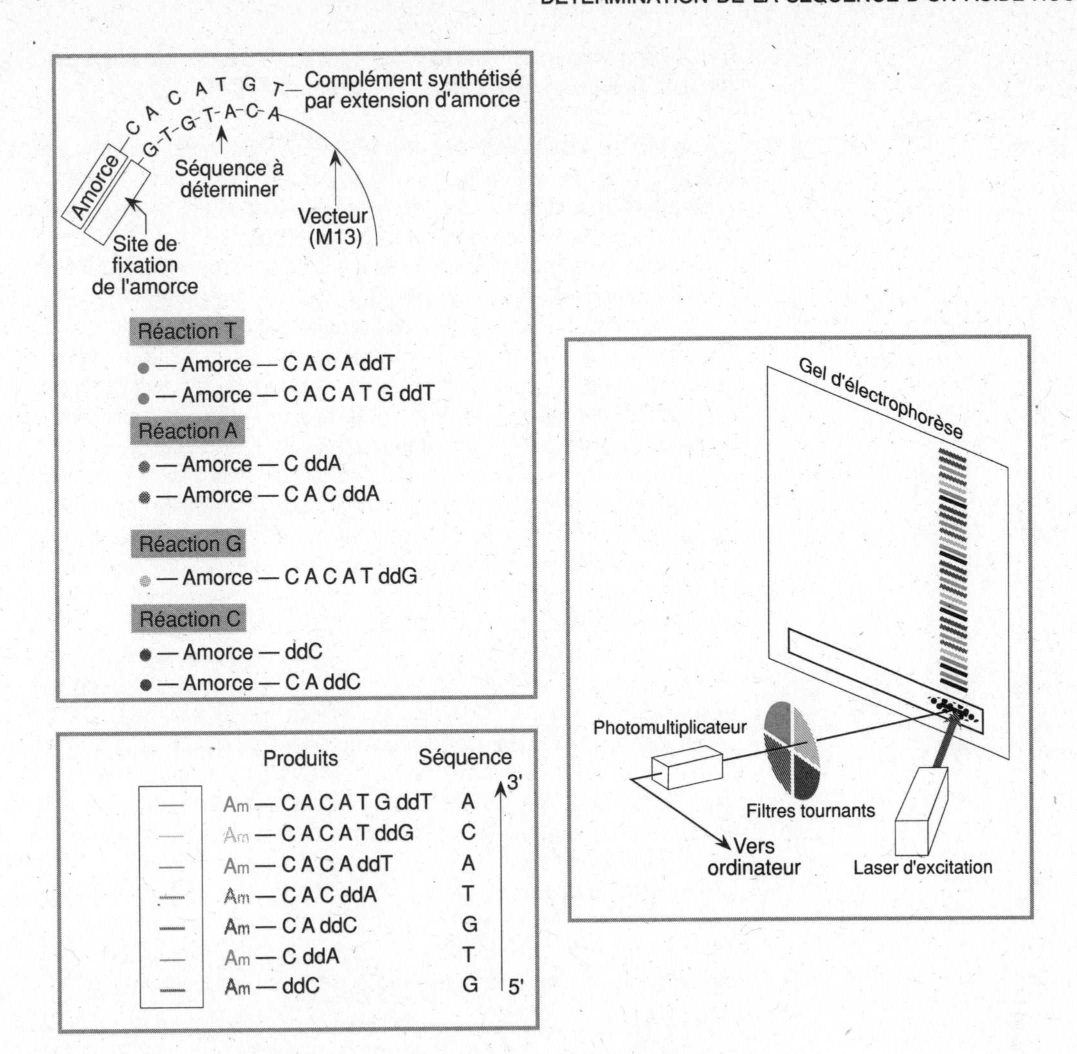

Figure 27-6 Principe de la détermination de séquence par la méthode automatique
Le principe de base est celui des di-désoxynucléotides. L'originalité est qu'à chaque type de di-désoxynucléotide est associé un oligonucléotide amorce marqué par un fluorochrome de couleur différente.

Une alternative (système commercialisé par Pharmacia) consiste à marquer tous les oligonucléotides avec le même fluorochrome (fluorescéine) et à faire migrer séparément les quatre incubations comme dans le système manuel classique. Les bandes sont analysées au bas du gel par une batterie de systèmes laser/photodiodes. L'inconvénient par rapport au système Applied Biosystems est que chaque détermination de séquence nécessite quatre canaux, ce qui diminue les nombres de séquences que peut déterminer l'appareil dans un même temps. Cet appareil présente cependant deux avantages. Le premier est financier, il suffit d'un seul oligonucléotide marqué (le prix des oligonucléotides marqués est très élevé, et les appareils sont très gourmands du fait de la relativement faible sensibilité). Le second est technique, en effet les fluorochromes fixés aux oligonucléotides interfèrent dans la migration. Si le marqueur est le même pour les quatre canaux, l'altération de migration est toujours identique dans chaque canal, et est donc sans effet sur la place relative des bandes.

Le séquençage sans clonage préalable (après amplification élective in vitro : PCR)

Ce type de technique de séquençage dérive de la technique d'amplification (PCR). Elle n'est utilisable que si la zone où il convient de déterminer la séquence est connue. Sa principale application est la mise en évidence rapide de la nature d'une mutation ponctuelle.

Ce travail, qui normalement nécessite plusieurs mois, peut être maintenant réalisé en quelques jours. Son principe est un mélange de la technique d'amplification (PCR) et du séquençage double-brin. La séquence à analyser est d'abord amplifiée directement à partir d'un peu de DNA génomique par la technique PCR. La séquence du fragment amplifié est ensuite déterminée par la technique du séquençage double-brin en utilisant soit les amorces qui ont été utilisées pour l'amplification, soit des amorces internes au segment amplifié. L'un des oligonucléotides est utilisé dans un premier temps pour déterminer la séquence du premier brin. Cette séquence est confirmée par la détermination de la séquence du brin complémentaire en utilisant le second oligonucléotide. Plus les oligonucléotides sont choisis près de la mutation à rechercher plus la réalisation sera facile et le résultat précis (voir figure 8-8).

Pour des raisons techniques, les premiers résultats obtenus furent décevants : seules de très petites séquences (quelques dizaines de paires de bases) étaient lisibles, et les ambiguïtés étaient nombreuses. Compte tenu de la petite taille des fragments amplifiés, lors de l'hybridation avec l'amorce, un grand nombre de fragments s'associaient entre eux et non avec l'amorce ; de plus les amplifications parasites (qui sont très nombreuses) provoquaient des amorçages parasites qui perturbaient les lectures. Une amélioration a été obtenue en utilisant des systèmes de séquençage très performants comme le système Sequanase® (qui utilise une T7 DNA polymérase clonée et remaniée), en purifiant le produit d'amplification par électrophorèse préparative, et surtout en réalisant l'hybridation avec l'oligonucléotide amorce à très basse température.

Le DNA amplifié et purifié, par exemple par électrophorèse préparative, est chauffé quelques minutes à 100 °C en présence de l'oligonucléotide amorce, puis est brutalement refroidi par immersion dans de la carboglace (– 80 °C). Le refroidissement et la prise en glace est si rapide que le DNA amplifié n'a pas le temps de se réassocier ; l'oligonucléotide, très court et à haute concentration, a, lui, le temps de s'hybrider. Les incubations congelées sont réchauffées une par une avec les doigts, le mélange réactionnel de séquences est ajouté immédiatement après que le dernier cristal de glace ait disparu. Avec ce procédé il est possible de lire des séquences de quelques dizaines à quelques centaines de paires de bases. Dans la pratique, le résultat dépend beaucoup de la nature de la séquence sans qu'il soit possible de le prévoir. Simplement les séquences riches en GC sont en général plus difficiles à déterminer que celles riches en AT.

Plusieurs améliorations techniques ont été proposées, nous en citerons quelques-unes.

L'amplification sous forme majoritairement simple-brin (ou ***amplification asymétrique****)* : dans cette technique l'amplification est pratiquée en présence de concentrations déséquilibrées de chacune des deux amorces, l'une des deux étant à une concentration au moins **cinquante fois plus élevée** que l'autre. Dans un premier temps les concentrations des deux amorces sont suffisantes pour qu'il y ait amplification. Après quelques cycles, l'amorce la moins concentrée est complètement épuisée. Il en résulte que seul le brin initié par l'amorce la plus concentrée est amplifié (linéairement). A la fin des cycles la forme simple-brin est majoritaire. Cette forme monocaténaire est purifiée et utilisée comme matrice pour le séquençage. Il n'y a plus de risque d'association parasite des séquences complémentaires amplifiées, et la situation est analogue à celle de

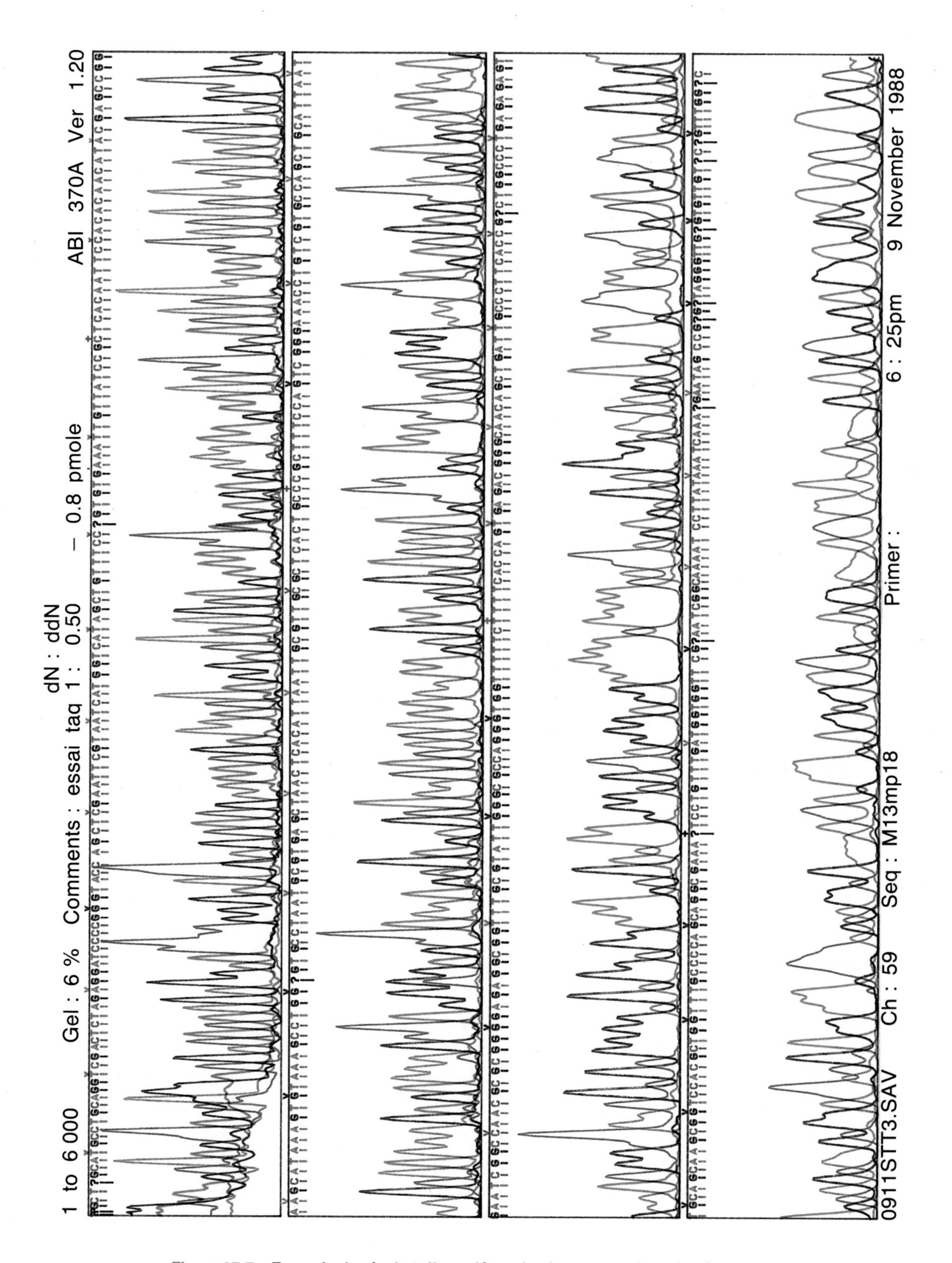

Figure 27-7 **Exemple de résultat d'une détermination automatique de séquence**
(Document D. Cohen, CEPH, Paris. Reproduit avec l'aimable autorisation de l'auteur).

la détermination de séquence en M13. L'expérience montre que la séquence ne peut être déterminée que si la quantité de forme simple-brin est suffisamment importante et si le DNA est parfaitement pur.

L'amplification séquençage en un seul temps : dans cette technique 15 cycles d'amplification sont réalisés en présence d'une quantité limitante d'amorces (épuisement à la fin des 15 cycles). L'incubation est ensuite séparée en deux aliquotes. Des amorces sont de nouveau apportées dans les deux aliquotes, mais dans la première l'amorce de gauche est marqué au ^{32}P, alors que dans la seconde c'est l'amorce droite qui est marqué au ^{32}P. Chaque aliquote est séparée en quatre fractions, dans chaque fraction est apporté un mélange de séquençage suivant la technique de Sanger. L'enzyme utilisée est la Taq polymérase. Une quinzaine de cycle d'amplification (PCR) sont réalisés et les produits sont analysés sur gels de séquence.

Le séquençage en phase solide : dans cette technique l'une des deux amorces utilisées pour l'amplification est marquée à la **biotine.** De ce fait un seul des deux brins du produit d'amplification est marqué. Le produit d'amplification est mis en présence de **billes magnétiques** recouvertes d'avidine (Dynal®), et s'y fixe fortement (l'oligonucléotide biotinylé de départ doit être parfaitement purifié après marquage car la biotine qui n'aurait pas été utilisée entrerait en compétition avec le produit d'amplification pour la fixation sur les billes). Les complexes sont traités par de la soude 0,15 M qui sépare les brins du DNA, mais ne rompt pas la liaison avidine-biotine. Les manipulations sont facilitées par le caractère magnétique des billes qui sont retenues sur les parois des tubes grâce à un aimant. Après un tel traitement l'un des deux brins de séquence amplifiée se trouve immobilisé sur un support solide, l'autre a été éliminé. La séquence est ensuite déterminée de manière classique par la technique de Sanger, tout comme s'il s'agissait d'un séquençage en phage M13. La matrice de DNA étant immobilisée, elle peut être réutilisée pour une nouvelle détermination de séquence utilisant un autre oligonucléotide amorce. Compte tenu du principe, bien qu'aucune purification ne soit réalisée, les produits d'amplification parasite n'interfèrent pas (l'oligonucléotide de séquençage ne s'y fixe pas). Les produits des réactions de séquence peuvent être analysés par les systèmes automatiques qui ont été décrits.

Sélection de références bibliographiques : voir page 752.

28 Analyse du génome et de ses modifications

VISUALISATION D'UNE PORTION DU GÉNOME : LA MÉTHODE DE SOUTHERN

Compte tenu de la taille du génome humain et des difficultés que représente un clonage, il est hors de question d'isoler chez chaque sujet la portion de DNA que l'on veut explorer. Une méthode universellement utilisée permet de **visualiser** n'importe quelle fraction du génome, pourvu que l'on possède une sonde hybridant spécifiquement avec la séquence à analyser. Elle fut mise au point par **E. Southern** en 1975. Cette technique porte aujourd'hui son nom.

Principe et réalisation

Le DNA à analyser peut être de n'importe quelle origine pourvu qu'il soit de bonne qualité. Il est complètement coupé par une ou plusieurs enzymes de restriction. Ces clivages produisent à partir d'un DNA génomique humain environ 10^6 fragments. Ceux-ci sont séparés en fonction de leur taille par électrophorèse en gel d'agarose. La coloration par le bromure d'éthidium permet, sans interférer sur la suite des opérations, de contrôler la qualité du DNA, de la migration et de la digestion enzymatique, trois paramètres d'extrême importance pour un bon résultat final. Le fragment d'intérêt est ensuite révélé par une sonde marquée, mais une telle hybridation au sein d'un gel d'agarose est impossible, notamment à cause de la température nécessaire. L'idée originale de Southern a été de transférer les fragments de DNA sur un support solide. Ce transfert est assuré par un phénomène de capillarité, d'où le nom de ***blotting*** donné à cette étape. A l'origine, le support solide était de la nitrocellulose. On lui préfère maintenant le nylon qui est infiniment moins fragile.

En pratique, après migration, le gel est agité doucement dans une solution de soude qui diffuse à l'intérieur du gel, casse le DNA en fragments courts, ce qui est important pour l'efficacité du transfert, et fait passer le DNA sous forme simple brin, ce qui est indispensable pour l'hybrida-

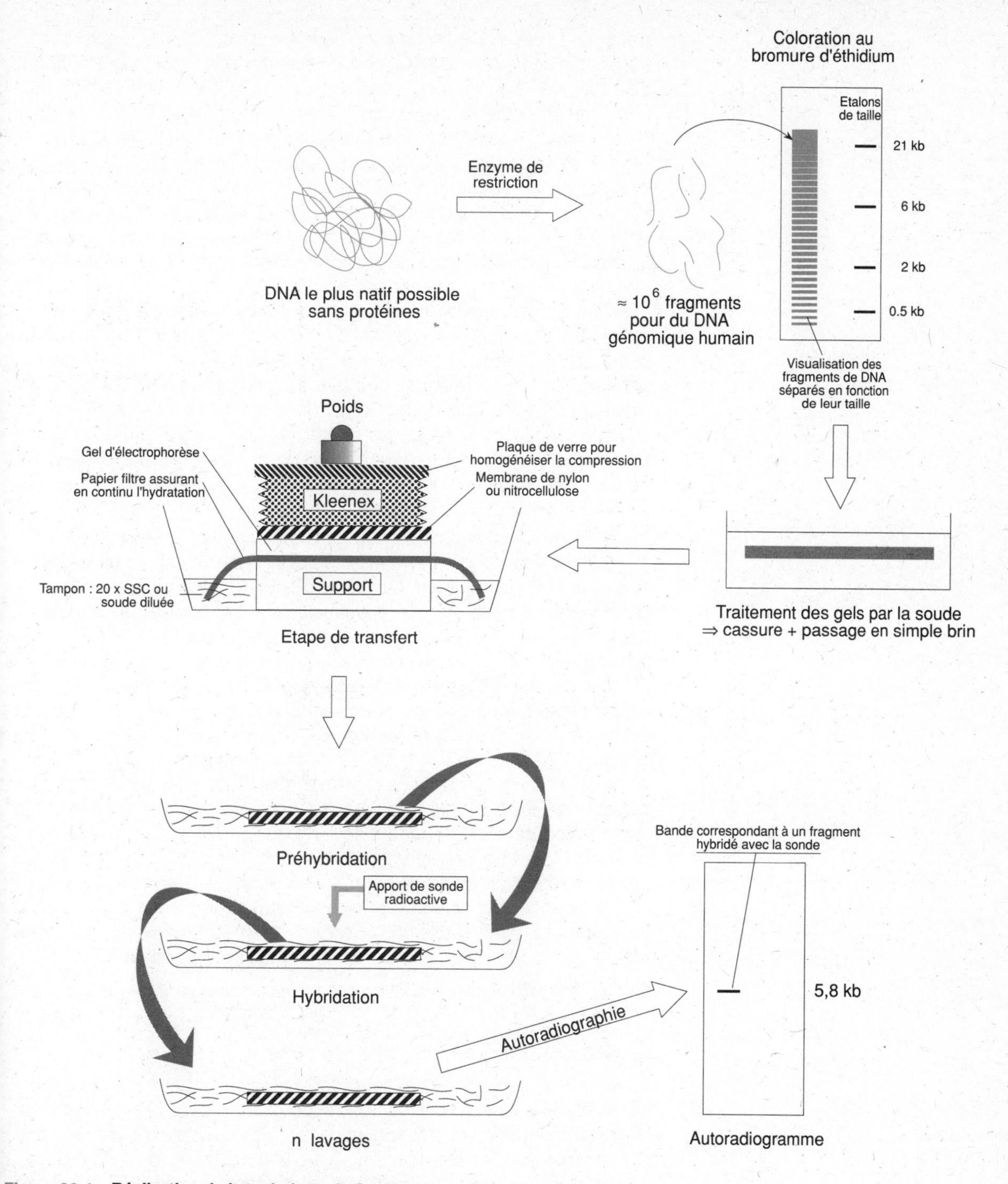

Figure 28-1 Réalisation de la technique de Southern

tion ultérieure. Intervient alors l'étape du transfert. Pour cela le gel est déposé sur un système qui assure son hydratation en continu et est recouvert de la membrane du nylon ou de nitrocellulose **(Figure 28-1)**. Le tout est recouvert d'un épais paquet de papier très hydrophile pour absorber le liquide contenu dans le gel d'agarose et donc créer un courant liquidien ascendant qui entraîne le DNA. Celui-ci est piégé par la membrane par un mécanisme physique que l'on ne connaît pas. Afin que la fixation devienne irréversible, la membrane doit subir une cuisson sous vide à 80 °C il s'agit de nitrocellulose ou une irradiation par des UV courts (254 nm) s'il s'agit de nylon. Dans ce dernier cas la liaison entre le support et le DNA est de nature covalente.

L'ensemble de ces opérations permet de récupérer la totalité du génome, séparé en fragments de taille parfaitement définie et reproductible, sur un support solide supportant très bien les traitements nécessaires à l'hybridation. Au préalable une étape est nécessaire, **la préhybridation**. En effet le DNA transféré n'a saturé qu'une faible proportion des sites de fixation potentiels de la membrane. Si la sonde radioactive était apportée directement elle se fixerait immédiatement sur ces sites plutôt que de s'hybrider avec les séquences complémentaires du DNA génomique. Il en résulterait alors une membrane entièrement radioactive, complètement inutilisable. Il convient donc d'effectuer préalablement ce que l'on appelle une préhybridation qui consiste en une saturation de ces sites de fixation potentiels par du DNA hétérologue. On utilise pour cela du DNA de sperme de saumon ou de hareng (pour des problèmes de viscosité et d'efficacité ce DNA doit être cassé en courts fragments, par exemple par sonication). Le bruit de fond final, donc la qualité du résultat, dépend en large partie de la qualité de la préhyridation.

L'**hybridation** est alors pratiquée. Classiquement elle est effectuée à 42 °C en présence de formamide (50 p. 100) et de sulfate de dextrane (5 à 10 p. 100) pendant une quinzaine d'heures. Cependant si une sonde particulière, comme un court oligonucléotide, est utilisée, les conditions d'hybridation doivent être adaptées suivant les règles évoquées au chapitre 23.

Enfin, avant d'être mise en autoradiographie, la membrane doit être **lavée**. Cette dernière étape particulièrement critique doit être conduite avec soin et de manière raisonnée. En effet comme nous l'avons vu au chapitre 23 la stabilité des hybrides dépend fortement de la composition saline du milieu qui conditionne la **stringence**. Comme les solutions diluées déstabilisent les hybrides on dit qu'elles sont très stringentes ; à l'inverse une solution très concentrée en sel sera dite faiblement stringente. Lors du lavage une trop forte stringence (solution trop diluée) peut provoquer une déshybridation totale, et par là faire disparaître le signal ; à l'inverse une stringence trop faible (trop forte salinité) augmente le bruit de fond et favorise les hybridations non spécifiques. Un compromis doit donc être trouvé pour obtenir le meilleur rapport signal/bruit possible.

Pour les hybridations et lavages un tampon est universellement utilisé : le **SSC** *(Standard Sodium Citrate)*. Sa concentration, donc sa stringence, s'exprime en multiples de la concentration du tampon de base (0, 15 m NaCl, 0, 015 m citrate tri-sodique) ; on parle donc de solutions 10 x SSC, 0, 5 x SSC, 0, 1 x SSC, etc.

Dans la pratique le lavage est progressif, la stringence étant augmentée au fur et à mesure des lavages successifs. Il n'y a pas de règle, car les conditions optimales dépendent de la sonde utilisée et ne peuvent être déterminées que par tâtonnement. Avec une bonne sonde il est possible de descendre jusqu'à 0,1 x SSC à 65 °C en présence de 1 p. 100 de SDS.

Les hybrides sont enfin repérés par autoradiographie en présence d'écrans renforçateurs. La portion de DNA s'hybridant avec la sonde est « visualisée » sous forme d'une ou plusieurs bandes. Si l'on désire visualiser ensuite une autre partie du génome il est possible de réutiliser la même membrane ; il suffit de la déshybrider en l'incubant dans de la soude de de la réhybrider avec une nouvelle sonde reconnaissant une autre partie du génome. Une telle opération de déshybridation-réhybridation est impossible avec la nitrocellulose, mais peut être renouvelée une dizaine de fois avec les membranes de nylon actuelles.

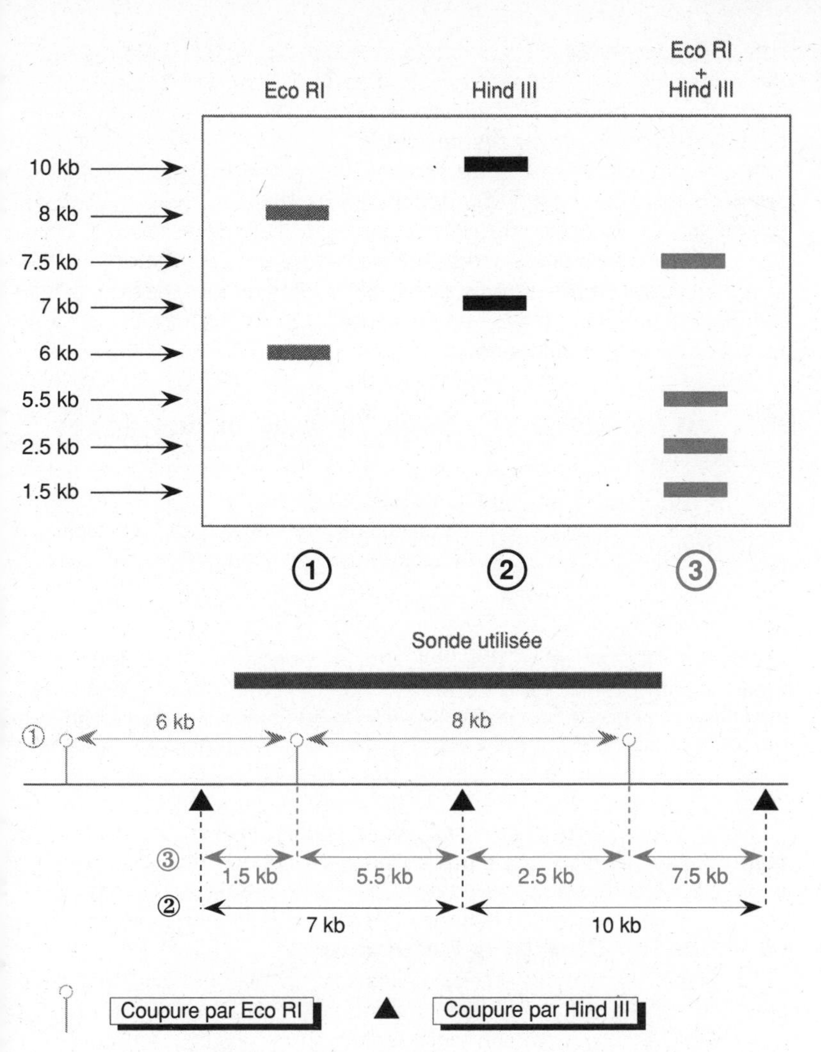

Figure 28-2 **Principe de l'établissement d'une carte de restriction**

APPLICATIONS DE LA MÉTHODE DE SOUTHERN

Carte de restriction

Les enzymes de restriction coupent le DNA au niveau de séquences parfaitement définies. Il est donc possible de tracer une véritable carte de géographie d'un gène donné avec la technique de Southern ; cette carte porte le nom de **carte de restriction**.

Réalisation pratique et résultats

Le DNA à étudier est réparti en une série de fractions, chacune étant traitée par une enzyme de restriction ou un couple d'enzymes de restriction. Les fragments obtenus sont mis en évidence par la technique de Southern, en utilisant une sonde du gène marqué. Les tailles des fragments sont déterminées en fonction de leur distance de migration par rapport à des étalons. Chaque fragment est le morceau d'un puzzle qu'il faut reconstituer.

Pour bien comprendre, analysons le cas simple de la **figure 28-2**. Le DNA est coupé par EcoR I seule, Hind III seule et par un mélange d'EcoR I et d'Hind III. L'analyse de chaque digestion simple par rapport à la double digestion montre que les sites sont ordonnés ainsi que le montre la carte représentée sous le gel. Lorsque le nombre de bandes et d'enzymes augmente, la complexité du puzzle devient considérable, les moyens informatiques sont très vite indispensables.

Le même type de carte peut être établi sur du DNA cloné. Comme la séquence est pure et que la quantité de DNA n'est pas limitante, il n'est pas nécessaire de recourir à la technique de Southern pour révéler les fragments. Une simple coloration au bromure d'éthidium suffit. Le principe de l'établissement de la carte est identique.

La comparaison des cartes de restriction du DNA génomique et du cDNA correspondant permet d'avoir une première idée sur les introns que peut posséder le gène correspondant.

Mise en évidence des pseudogènes et des gènes apparentés

Une sonde, pourvu qu'elle soit suffisamment longue, peut s'hybrider avec une séquence non totalement complémentaire si les conditions de stringence ne sont pas trop fortes. Ceci permet, par la méthode de Southern, de mettre en évidence les gènes apparentés : **pseudogènes**, gènes d'une même **famille**, gène **homologue** d'une espèce différente. Les conditions de lavage devront être d'autant moins stringentes que les mésappariements (*mismatches*) seront plus nombreux. Il convient de conserver à l'esprit qu'une hybridation croisée en faible stringence n'est en aucun cas une preuve de parenté de deux gènes ; la preuve doit être apportée par la détermination de la séquence des deux gènes.

Les autres applications de la méthode de Southern sont décrites en détails dans la deuxième partie de cet ouvrage. Nous nous contenterons donc de n'en rappeler que les grandes lignes.

La détection des polymorphismes

Cet aspect a été largement traité dans le chapitre 9.

La détection des délétions

Puisque la méthode de Southern permet de « visualiser » un gène, il est évident qu'elle permettra de mettre en évidence les délétions, pourvu que leur taille ne soit pas trop petite, c'est-à-dire qu'elles s'étendent sur plus d'une cinquantaine de paires de bases. La traduction d'une délétion sur l'autoradiographie d'un Southern sera une diminution de la longueur d'un fragment de restriction, voire même sa disparition si la délétion est très importante. Dans ce dernier cas il est souhaitable de renouveler l'expérience avec une enzyme donnant de plus grands fragments de manière à observer au moins une des extrémités de la zone délétée ; une absence de bande pouvant aussi bien vouloir dire délétion qu'échec technique. Si la délétion est vraiment trop étendue il est possible d'effectuer la même expérience en utilisant l'électrophorèse en champ pulsé (voir chapitres 10 et 20).

Certaines délétions peuvent aussi être caractérisées en utilisant la technique PCR (voir chapitre 21).

Détection de certaines mutations ponctuelles

Pour couper le DNA une enzyme de restriction doit reconnaître une séquence parfaitement définie. Le remplacement d'une base par une autre lors d'une mutation peut se traduire par la disparition, ou au contraire la

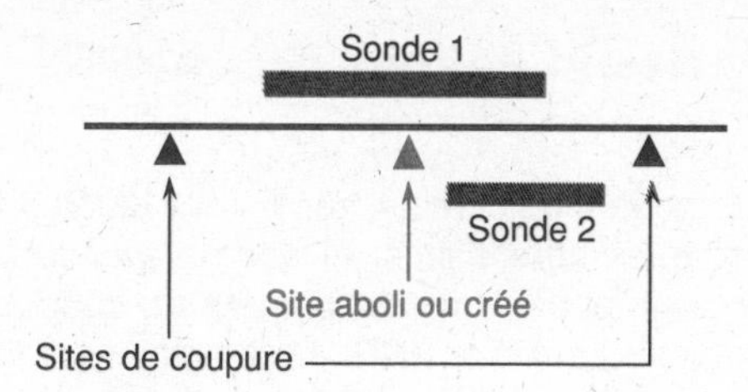

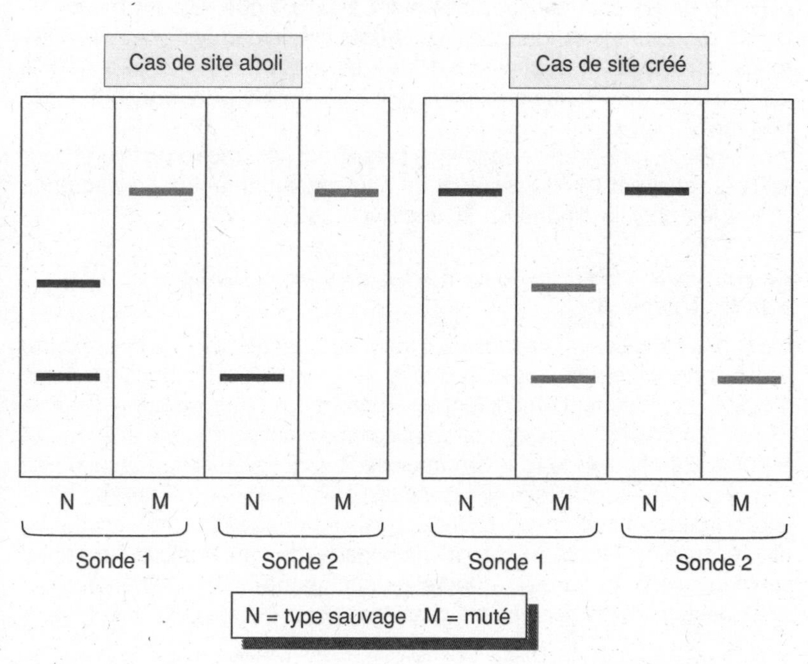

Figure 28-3 Mise en évidence de mutations ponctuelles modifiant la carte de restriction

création, d'un site de coupure par une enzyme de restriction. Cette variation de site de coupure (RFLP, voir chapitre 9) est mise en évidence par la technique de Southern, la disparition d'un site se traduisant par la disparition d'une ou de deux bandes (suivant la longueur de la sonde utilisée) et l'apparition d'une bande de taille supérieure dont la longueur est égale à la somme des longueurs des deux fragments disparus. La création donnera un résultat exactement inverse **(Figure 28-3)**.

Détection des recombinaisons

Au moins un échange de matériel entre les chromosomes homologues se produit lors de la méiose, c'est le phénomène de **recombinaison**. De même des recombinaisons intrachromosomiques sont la base de la création de la diversité des anticorps, etc. Dans certains cas il est possible de mettre en évidence ces recombinaisons par la méthode de Southern lorsqu'elles modifient la carte de restriction ou un assortiment d'allèles de polymorphismes de restriction (**haplotypes**) (voir chapitres 9 et 10).

LA MISE EN ÉVIDENCE DES MUTATIONS PONCTUELLES

Ces techniques sont largement évoquées dans la deuxième partie de cet ouvrage, notamment au chapitre 13. Nous les envisagerons ici sous l'angle méthodologique.

La recherche des mutations ponctuelles inconnues

Les techniques permettant de caractériser les mutations ponctuelles responsables des maladies héréditaires, et donc d'accéder au diagnostic direct, ont connu un important développement au cours des dernières années, principalement grâce à la **PCR**. Il est maintenant techniquement possible de les caractériser rapidement, dès lors que le gène responsable de la maladie est cloné. Le plus difficile est de démontrer que la différence de séquence observée est bien celle qui est responsable de la pathologie et qu'elle ne correspond pas à un **simple polymorphisme de séquence**.

Les polymorphismes de séquence présentent néanmoins un intérêt pour le diagnostic, car ils représentent de nouveaux marqueurs polymorphes utilisables pour le diagnostic indirect (voir chapitre 13).

La mise en évidence des mutations ponctuelles par la RNase A

Dans des conditions particulières d'incubation la RNase A possède la propriété particulière de ne pas détruire le RNA lorsqu'il est hybridé. Certains mauvais appariements modifient tellement la structure du duplex que la RNase A reconnaît le RNA en ce point comme étant simple-brin et le coupe. En pratique une sonde RNA **(ribosonde)** marquée au ^{32}P correspondant à la séquence normale est synthétisée (système vecteur Gemini® ou Bluescript®) puis hybridée avec le DNA du sujet à analyser. Après incubation en présence de RNase A suivie d'une dénaturation, les produits de la réaction sont analysés par électrophorèse dénaturante. S'il y avait un mésappariement, le RNA est coupé en deux fragments (voir figures 8-3 et 13-7).

Dans la pratique, cette technique très délicate n'est envisageable que pour des travaux de recherche. De plus seuls certains types de mésappariement peuvent être détectés (CA, CC, CT et AG) ce qui limite l'intérêt de cette technique délicate.

La mise en évidence des mutations ponctuelles par analyse des polymorphismes de conformation du DNA simple-brin : SSCP **(Single Strand Conformation Polymorphism)**

La structure secondaire que prend un segment de DNA simple-brin est fonction de sa séquence. Une mutation ponctuelle au sein de cette séquence modifie en général suffisamment la structure secondaire pour qu'il en résulte une modification de la migration en électrophorèse. Cette propriété permet de mettre en évidence la présence d'une mutation ponctuelle. Cette technique, appelée **SSCP**, a été mise au point par Orita et al (1989) à partir du DNA génomique total ; elle est maintenant réalisée à partir de DNA amplifié par la technique PCR.

Dans un premier temps la séquence où l'on souhaite rechercher une mutation est amplifiée par PCR. La longueur de cette séquence ne doit pas dépasser 300 à 500 paires de bases. Le DNA est **marqué** par un isotope radioactif au cours de l'amplification. A cette fin deux méthodes sont possibles. La première consiste simplement à introduire un nucléotide radioactif dans l'incubation de la PCR (en général de l'α^{32}P dCTP). Le DNA synthétisé se trouve ainsi automatiquement marqué. La seconde méthode consiste à effectuer une PCR classique, à purifier la bande correspondant à la séquence amplifiée, puis à effectuer une nouvelle PCR (limitée à quelques cycles) en utilisant des amorces préalablement marquées au ^{32}P (par la T4 polynucléotide kinase). La première méthode peut être utilisée lorsqu'il n'y a pas d'amplification parasite. Sinon, il faut recourir à la seconde. Le produit d'amplification est ensuite chauffé puis refroidi brutalement, ce qui a pour effet de séparer les brins du DNA et d'empêcher leur réassociation. Ils sont ensuite séparés par électrophorèse en gel de polyacrylamide **(en tampon neutre non dénaturant)**. Les bandes sont révélées par autoradiographie après séchage du gel. Un DNA normal doit être traité dans les mêmes conditions et mis à migrer dans le puits qui jouxte celui où est déposé le DNA muté. La différence de migration est en général très faible. La mutation peut indifféremment accélérer ou retarder la migration (voir figure 13-11 page 326). Cette technique permet de mettre en évidence la présence d'une mutation, sa nature étant ensuite précisée par séquençage. La nécessité d'utiliser un marqueur radioactif est pour l'instant un inconvénient de la méthode.

Une variante, sans utilisation d'isotopes radioactifs, a été proposée. Le produit d'amplification est mis sous forme simple-brin, puis analysé avec un système automatique d'électrophorèse très rapide et performant : le Phastsystem® (Pharmacia-LKB). Le DNA est révélé par coloration au nitrate d'argent. Après l'amplification, le résultat est obtenu en une trentaine de minutes.

La mise en évidence des mutations ponctuelles par électrophorèse en présence d'un gradient de dénaturant : DGGE (Denaturing Gradient Gel Electrophoresis)

La température de fusion d'un DNA est fonction de sa séquence. Une mutation ponctuelle, qui modifie la séquence, entraîne donc une **modification de la température de fusion**. Cette modification peut être mise en évidence par électrophorèse dans un gel de polyacrylamide dans lequel est établi un gradient d'agents dénaturants (urée et formamide). En effet suivant la nature de la mutation, par rapport à un DNA normal, la séparation des brins du DNA muté se produira pour une concentration soit plus faible, soit plus forte de l'agent dénaturant. Or la dénaturation, qu'elle soit partielle ou totale, provoque un ralentissement considérable de la molécule en électrophorèse. Il en résulte une différence de migration des bandes correspondant respectivement aux DNA normal et muté. La meilleure résolution est obtenue lorsque la séparation des brins n'est pas totale, la molécule ayant alors une structure en Y ralentissant très fortement la migration. Ces structures en Y sont rarement possibles à obtenir spontanément. On les provoque artificiellement en ajoutant à l'une des extrémités du fragment que l'on analyse une séquence riche en G et C, donc très stable, que l'on appelle **GC clamp** (voir figures 13-8 et 13-9).

Dans la pratique l'expérience est réalisée avec du DNA amplifié par PCR. Le choix des amorces et la détermination des conditions expérimentales doivent être effectués en utilisant un **programme informatique** complexe (programme MELT 87 mis au point par Lerman), qui permet de déterminer a priori les **domaines de fusion**. Ce programme analyse l'effet déstabilisant de chaque substitution en fonction de sa position dans la séquence. Il permet donc de définir les domaines où les mutations peuvent être caractérisées, et les amorces correspondantes. La longueur de la zone qu'il est possible d'explorer est en général comprise entre 100 et 300 paires de bases. Les oligonucléotides sont synthétisés en fonction des données apportées par le programme, une quarantaine de G et de C sont ajoutés à l'amorce s'hybridant avec l'extrémité que l'on désire stabiliser (GC clamp). Deux PCR sont réalisées, l'une avec du DNA normal l'autre avec du DNA muté. Les produits d'amplification sont analysés par électrophorèse en gel de polyacrylamide où a été établi un gradient d'agent dénaturant. La différence de migration entre le DNA d'un sujet normal et celui d'un sujet muté homozygote est très faible. En revanche chez un hétérozygote, on observe en plus des deux bandes correspondant au DNA normal et au DNA muté (forme homoduplex), deux bandes supplémentaires et mieux séparées, correspondant aux deux types d'**hétéroduplex** possibles (voir figure 13-9 page 324). Ceux-ci permettent donc de mieux objectiver les mutations. C'est pourquoi, pour les sujets portant une mutation homozygote, on peut avoir intérêt à effectuer une PCR sur un mélange en parts égales de son DNA et de celui d'un sujet normal.

Cette méthode est très puissante. Elle permet, en principe, de détecter très rapidement toutes les mutations. Elle ne nécessite pas d'isotopes radioactifs. Cependant elle présente l'inconvénient de réclamer, pour chaque séquence explorée, une mise au point qui peut être longue. Son prix de revient est assez élevé, car l'oligonucléotide du GC clamp, qui est très long (une quarantaine de nucléotides G et C), est difficile à synthétiser et doit de plus être purifié. La majorité des mutations ponctuelles caractérisées récemment l'ont été avec cette méthode.

La mise en évidence des mutations ponctuelles par clivage chimique spécifique

Les mésappariements qui impliquent soit un **C** (C-C, C-T, C-A) soit un **T** (T-T, TG, TC) peuvent être mis en évidence grâce à des substances chimiques, respectivement le **tétraoxyde d'osmium** à 4 p. 100 (p/v) et l'**hydroxylamine** 2 à 2, 5 M, qui les clivent spécifiquement (voir figure 13-10).

Dans un premier temps, une sonde mono-brin s'hybridant avec la séquence à analyser doit être marquée par le ^{32}P. Pour cela on peut, par exemple, effectuer une synthèse du brin complémentaire de la sonde clonée dans le phage M13 en présence d'un nucléotide radioactif. Une autre possibilité consiste à marquer l'extrémité 5' de la sonde. Le marquage est moins intense, mais les produits de clivage pourront être ultérieurement séquencés directement par la méthode de Maxam et Gilbert. Dans un second temps la sonde radioactive est hybridée avec le DNA à analyser. Une aliquote est incubée en présence de tétraoxyde d'osmium, une autre en présence d'hydroxylamine. Chacun des échantillons est ensuite traité à la **pipéridine** qui coupe le DNA à l'endroit où une base a été altérée par les produits chimiques. Après dénaturation, les produits de clivage sont analysés par électrophorèse et autoradiographie. La mise en évidence d'une coupure signe un mésappariement. La mutation correspondante doit alors être recherchée par **séquençage**.

Les temps d'incubations sont assez critiques : un trop faible temps se traduit par un faible taux de coupure et un temps trop long conduit à des coupures non spécifiques. Une analyse fine a montré que la base non appariée n'est pas la seule cible des réactifs chimiques, les bases environnantes sont aussi attaquées. De plus, le rendement de la coupure est dans certains cas fonction de la séquence des bases environnantes. L'un des inconvénients de cette technique est que les produits utilisés sont particulièrement toxiques. Cette technique a déjà permis de caractériser rapidement un grand nombre de mutations.

La mise en évidence des mutations ponctuelles connues

Les techniques de mise en évidence des mutations connues sont utilisées pour le diagnostic direct des maladies héréditaires. Les techniques décrites précédemment pourraient être utilisées, cependant elles ne permettent que de mettre en évidence la présence d'une mutation, sans qu'il soit possible d'en savoir la nature, ce qui n'est pas suffisant lorsqu'il s'agit d'un diagnostic.

Mutations abolissant ou créant un site de coupure pour une enzyme de restriction

La propriété des enzymes de restriction est de reconnaître de manière absolument spécifique une séquence et de la cliver. Une mutation survenue au sein d'un site de reconnaissance pour une enzyme de restriction aura pour effet d'abolir ce site. A l'inverse une séquence qui n'était pas une cible peut le devenir à la suite d'une mutation ponctuelle. Pour mettre en évidence une telle modification, deux techniques peuvent être utilisées : la technique de Southern et l'amplification/clivage. La première possibilité est décrite dans le chapitre 13 (Figure 13-5), et dans le paragraphe correspondant du présent chapitre, la seconde dans le chapitre 8 (Figure 8-6).

La mise en évidence des mutations ponctuelles par hybridation avec des oligosondes synthétiques (ASO, **Allele Specific Oligoprobe)** (voir figure 8-1)

Pour de courts fragments la présence d'un mésappariement abaisse de manière significative la température de fusion ce qui permet de mettre en évidence les **mutations ponctuelles**. En pratique deux **oligonucléotides** (typiquement de 19 bases) sont synthétisés. L'un correspond à la séquence normale et l'autre à la séquence mutée. Ces oligonucléotides sont marqués soit avec un isotope radioactif (^{32}P) soit avec un marqueur froid, et hybridés avec le DNA génomique du sujet à analyser dans des conditions de milieu et de température où seuls les appariements parfaits sont autorisés. Les hybrides sont analysés par ***dot-blot***. Si le DNA du sujet est muté il doit s'hybrider avec l'oligonucléotide sous sa version mutée, mais pas avec l'oligonucléotide version normale. Un résultat inverse est obtenu avec du DNA témoin d'un sujet normal. Un signal positif sera obtenu avec les deux sondes chez un hétérozygote.

Cette technique théoriquement puissante est restée longtemps inutilisable du fait du bruit de fond (hybridations parasites dues à l'obligatoire faible stringence du milieu d'hybridation et de lavage). La technique d'amplification par **PCR** a complètement changé la situation et a donné une nouvelle vie à cette technique. Cette méthode présente l'inconvénient de nécessiter au moins quatre oligonucléotides (deux amorces pour l'amplification et deux oligosondes pour l'hybridation), et d'être très sensible aux conditions d'hybridation et de lavage, des témoins devant obligatoirement être étudiés en parallèle. Des variantes de cette technique ont été proposées comme les techniques **ASPCR** *(Allele Specific PCR)* et **ARMS** *(Amplifications Refractory Mutation System)* qui sont basées sur des amplifications dans lesquelles les amorces sont choisies de telle manière que seule la séquence mutée ou la séquence normale soit amplifiée.

Une méthode élégante, automatisable et utilisant des sondes froides a été proposée. L'amplification est réalisée en utilisant comme amorce droite ou gauche d'une part une amorce correspondant à la séquence normale marquée à la fluorescéine, et d'autre part une amorce correspondant à la séquence mutée marquée au red texas. Les conditions de stringence sont choisies de telle manière que les mésappariements ne soient pas autorisés. La présence simultanée des deux amorces et la loi d'action de masses font que la fixation du bon oligonucléotide est favorisée. La couleur du DNA amplifié est celle de l'oligonucléotide qui s'est hybridé, donc verte si le DNA du patient est normal, rouge s'il est homozygote et orange s'il est hétérozygote. Le résultat peut être analysé par un automate classique d'ELISA. Cette technique, bien qu'extrêmement séduisante, n'a pas encore eu d'application significative.

La mise en évidence des mutations ponctuelles par ligation répétitive d'oligonucléotides (LCR)

Le principe de cette technique est simple. Deux oligonucléotides d'une vingtaine de paires de bases, s'hybridant au niveau de la séquence mutée, sont synthétisés. Le premier doit se terminer immédiatement avant la base qui peut être mutée, et la première base du second oligonucléotide correspond à la base dont on recherche si elle est ou non mutée. Ces deux oligonucléotides sont hybridés avec le DNA à analyser préalablement mis sous forme mono-brin par chauffage à 95 °C. Une ligase est ensuite apportée. Si la séquence est normale, les deux oligonucléotides sont exactement bout à bout, ce qui permet à la ligase d'agir et donc de les ligaturer. Si la séquence est mutée, la première base du second oligonucléotide ne peut pas s'hybrider, les deux oligonucléotides ne sont donc pas bout à bout : la ligase ne peut pas agir et les deux oligonucléotides ne sont pas ligaturés. L'incubation est alors de nouveau chauffée, et un nouveau cycle hybridation-ligation est réalisé. Après 20 à 30 cycles le produit est analysé par électrophorèse. Si le sujet est sain une bande dont la longueur correspond à la somme des longueurs des deux oligonucléotides est observée. Si le sujet est homozygote muté, la(les) bande(s) observée(s) correspond(ent) à la taille des deux oligonucléotides. Si le sujet est hétérozygote, les deux types de bandes sont observés. Dans la pratique, l'expérience doit être réalisée sur les deux brins du DNA, quatre oligonucléotides sont nécessaires pour chaque type de mutation. Comme pour la PCR, l'instabilité thermique des ligases classiques rendait les manipulations fastidieuses et onéreuses. Cette technique peut maintenant être réalisée avec une **ligase thermostable**. Les avantages apportés par cette enzyme sont les mêmes que ceux apportés à la PCR par la *Taq* polymérase. L'utilisation de cette technique est encore limitée. Sa simplicité et sa fiabilité devraient lui permettre de remplacer la technique des ASO, et ce pour un coût légèrement plus faible.

Mise en évidence et caractérisation simultanée d'une mutation ponctuelle qu'elle soit connue ou non par amplification/séquençage

Cette technique, encore très lourde, pourrait à terme remplacer toutes les techniques qui viennent d'être décrites. Elle consiste à amplifier la région du DNA où la mutation est recherchée, puis à séquencer le produit d'amplification. Les avantages sont multiples :

— la mutation n'a pas à être connue au préalable et elle est directement caractérisée ;

— la technique est universelle et permet d'étudier aussi bien les mutations que les polymorphismes, qu'ils soient de séquence ou de répétition ;

— la technique n'est pas soumise aux aléas des hybridations, de la stringence, des digestions enzymatiques ; le défaut, ou le polymorphisme, est directement visualisé ;

— la technique est automatisable aussi bien dans sa réalisation que dans l'interprétation des résultats.

Dans l'état actuel de la technologie cette technique est cependant encore trop lourde et trop soumise aux aléas du séquençage direct après PCR pour être utilisée en routine. Cependant, il est vraisemblable que tous les efforts qui sont actuellement consentis pour le séquençage du génome humain devraient conduire à la mise au point d'**automates** capables de réaliser la totalité des étapes (amplification, incubations de séquence, électrophorèse et analyse). Cette technique deviendrait alors la technique de choix.

Sélection de références bibliographiques : voir page 752.

Analyse de l'expression des gènes

29

Le produit final de l'expression d'un gène de classe II est une protéine. Mais l'information contenue dans le DNA n'est pas directement traduite sous forme protéique. D'autres acides nucléiques, les RNA, interviennent entre les deux. L'introduction d'étapes intermédiaires entre le DNA et la protéine présente, pour l'individu qui les possède, l'avantage de multiplier les niveaux possibles de régulation, possibilité infiniment plus utilisée chez les eucaryotes que chez les procaryotes.

Pour l'expérimentateur l'existence de ces étapes se traduit par une augmentation considérable de la difficulté des études. Chaque résultat expérimental, comme par exemple le taux net de synthèse d'une protéine, peut résulter d'une série de processus dont il est impossible de quantifier simultanément les rôles. Les méthodes d'investigation sont nombreuses et parfois complexes. Nous analysons ici celles qui sont le plus couramment utilisées.

ANALYSE QUALITATIVE DES TRANSCRITS : LE NORTHERN BLOT

Par hybridation liquide on ne peut étudier que la complexité d'une population de RNA et l'abondance de certains types de séquences. Cette technique qui en son temps a apporté des résultats notables reste trop globale. Une technique permettant une analyse qualitative et semi-quantitative des RNA, le **Northern blot**, fournit des renseignements beaucoup plus précis.

Le *Northern blot*

Il s'agit d'une transposition au RNA de la technique de Southern, dénommée northern par opposition humoristique.

Principe et réalisation

Les RNA étant des entités isolables, contrairement aux gènes, il n'est pas nécessaire de faire appel aux enzymes de restriction. Les RNA totaux ou les RNA polyA$^+$ (RNA messagers) sont soumis à une électrophorèse en agarose afin d'obtenir une séparation en fonction de leur taille. Leur riche structure secondaire doit être détruite afin qu'elle n'intervienne pas dans la mobilité. Pour cela l'électrophorèse est pratiquée en présence d'un agent **dénaturant** : glyoxal ou formaldéhyde. Les résultats sont encore améliorés par la présence de mercure-hydroxyméthyle, mais la toxicité de ce produit est telle qu'on en limite l'utilisation aux expériences où une grande précision sur la taille du messager est requise. De plus l'extrême sensibilité des RNA vis-à-vis des RNases, enzymes très répandues et très stables, implique la nécessité de travailler avec un très grand soin et dans des conditions le plus stérile possible. Après électrophorèse, les étapes de transfert et de révélation par sonde marquée sont exactement identiques à ce qui a été décrit pour la technique de Southern.

Renseignements apportés par cette technique

Cette technique permet de visualiser un **RNA spécifique** au sein d'une population hétérogène lorsque l'on possède une sonde qui reconnaît au moins une vingtaine de bases de la partie codante du gène correspondant. Cette visualisation permet :

— d'affirmer la présence ou l'absence d'un RNA dans la cellule qui a servi à la préparation des RNA ;

— de déterminer la taille de ce RNA avec une précision de quelques pour cent ;

— de mettre en évidence les intermédiaires de maturation de ce RNA, et d'éventuelles anomalies de cette maturation ;

— d'apprécier des variations quantitatives de ce RNA d'un type ou d'un état cellulaire à l'autre. Ces mesures semi-quantitatives sont réalisées par analyse densitométrique des autoradiogrammes. Leur précision est très faible, elle ne permet d'apprécier que des variations grossières ;

— de mettre en évidence l'existence de plusieurs messagers codés par un même gène. Ces messagers peuvent résulter d'un épissage différentiel, d'un choix variable du site de polyadénylation, de l'utilisation de promoteurs multiples ou de mécanismes encore inconnus. Dans cette application la sonde doit être suffisamment longue si l'on ne veut pas passer à côté de certaines formes.

L'analyse des transcrits par PCR

Cette méthode a déjà été décrite au chapitre 21. Les applications les plus intéressantes concernent la caractérisation de variations qualitatives dues à l'utilisation de **promoteurs alternatifs,** à des **épissages alternatifs** et à des **mutations** (voir chapitre 12).

L'analyse des transcrits dans n'importe quel type cellulaire grâce à l'étude des transcrits illégitimes

Cette possibilité a déjà été décrite dans les chapitres 13 et 22.

Cartographie à la nucléase S1 (Figure 29-1)

Un fragment de restriction pur de DNA génomique cloné codant pour le gène à étudier est marqué à son extrémité 5' au ^{32}P par la polynucléotide kinase. Il est hybridé avec le RNA cellulaire en présence de formamide dans des conditions telles que seuls les hybrides DNA-RNA se forment. Le RNA messager correspondant au gène s'hybride avec les parties codantes du DNA génomique, les parties non codantes de ce même DNA restent sous forme simple-brin.

Il est alors pratiqué une digestion à la nucléase S1 qui ne détruit que les acides nucléiques qui sont sous forme simple-brin. Toutes les parties non codantes du DNA génomique seront donc détruites. Le produit de

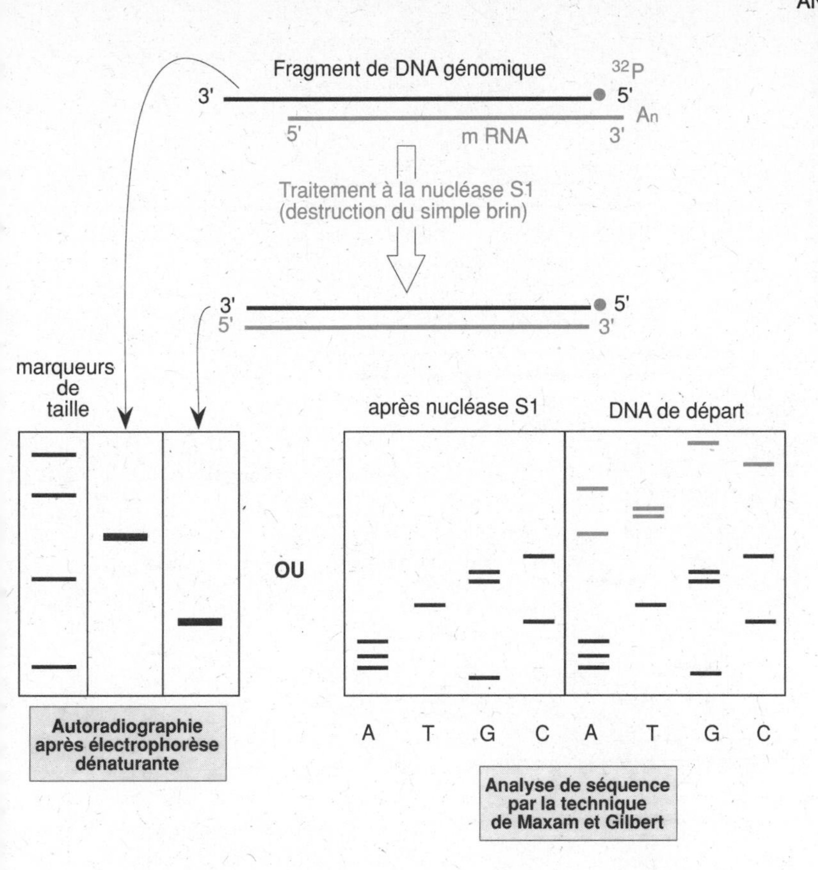

Figure 29-1 Détermination du point d'initiation de la transcription par la technique à la nucléase S1
Le mRNA, en s'hybridant avec le DNA génomique simple-brin, le protège vis-à-vis de la nucléase S1. L'analyse de séquence du DNA génomique, avant et après digestion par la nucléase S1, permet de déterminer quelle est la première base protégée, donc le site d'initiation de la transcription. Suivant le même principe, cette technique permet de déterminer le point de jonction exact entre intron et exon.

digestion est soumis à une électrophorèse dénaturante. La taille du fragment révélé par autoradiographie correspondra à la partie du DNA qui a été protégée par le RNA, donc qui code pour la protéine correspondante. Pour plus de précision (c'est-à-dire pour connaître le point de liaison intron/exon ou le point d'initiation de la transcription à la base près), il suffit de déterminer la séquence du DNA protégé par la technique de Maxam et Gilbert (le DNA étant déjà marqué).

Extension d'amorce (Figure 29-2)

Le début de l'expérience est identique, seul un détail diffère, à savoir que le fragment de restriction de DNA marqué doit être choisi de telle manière qu'il soit plus court que le RNA avec lequel il sera hybridé. Dans ce type d'expérience, c'est l'extrémité du RNA qui doit rester sous forme simple-brin et non plus le DNA. Le DNA hybridé va servir d'amorce pour la transcriptase inverse qui va copier sous forme de cDNA les fragments de RNA non hybridés avec le DNA. L'hybride sera alors analysé par électrophorèse ou sa séquence sera déterminée par la technique de Maxam et Gilbert comme dans les expériences de cartographie à la S1. Les résultats obtenus avec ces deux techniques sont identiques.

ANALYSE QUANTITATIVE DES RNA

Le *dot-blot*

La technique du dot-blot est utilisée pour **quantifier** un RNA donné (dont on possède la sonde) au sein d'une population hétérogène de RNA sans séparation préalable (cette technique est aussi utilisable avec du DNA).

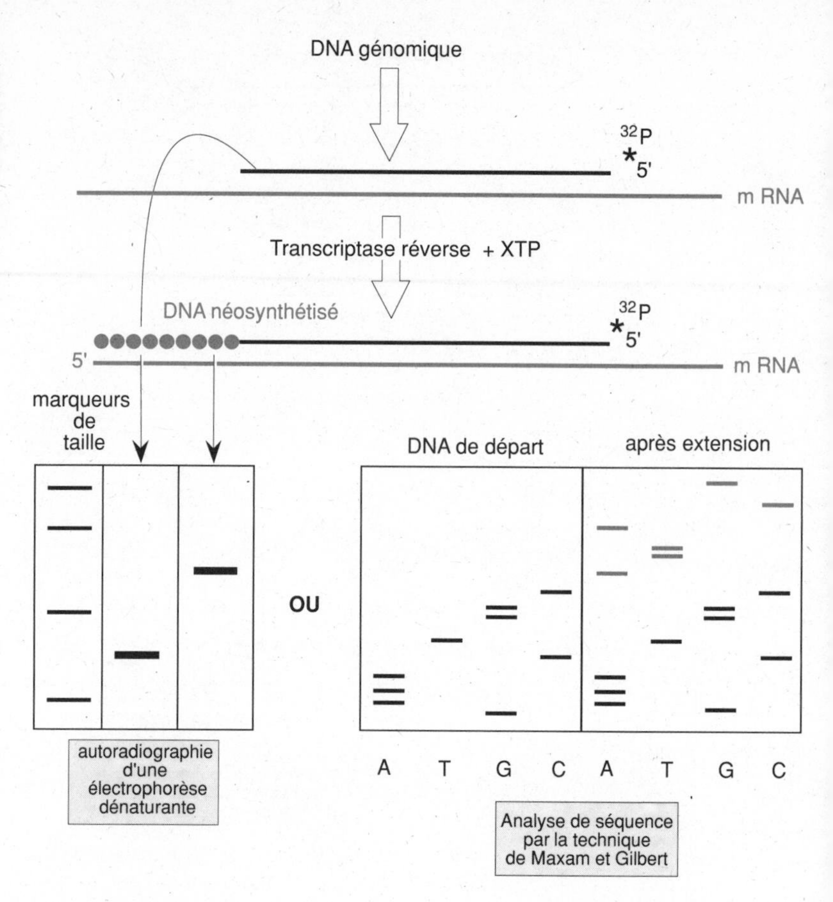

Figure 29-2 Détermination du point d'initiation de la transcription par la technique d'extension d'amorce
Le principe de cette technique est identique à celui de la technique à la nucléase S1. Les renseignements apportés sont les mêmes. Les différences techniques sont :
— le fragment de DNA est allongé au lieu d'être détruit ;
— le fragment de DNA, au niveau de son extrémité 3', doit être plus court que le RNA auquel il sera hybridé.

Principe et réalisation

Une série de dilutions d'un RNA étalon dont le titre est connu sont déposées en ligne sur une feuille de nitrocellulose ou de nylon. Les dépôts ont une forme ronde, d'où le nom anglais de *dot-blot*. Les diamètres de chacun des cercles sont rigoureusement constants et calibrés. Sur une autre rangée parallèle sont déposées les dilutions de la solution de RNA (qui peut être très hétérogène) contenant le RNA que l'on veut doser. Les RNA sont immobilisés puis hybridés avec une sonde radioactive. Après lavage on pratique une autoradiographie. L'intensité des taches correspondant aux dilutions de la solution où se trouve le RNA à doser est comparée à celle donnée par la gamme étalon.

Renseignements apportés par cette technique

Cette technique est utilisée à chaque fois que l'on veut quantifier avec une bonne précision un RNA donné, par exemple :

— lorsque l'on veut comparer le taux d'un messager donné dans deux types cellulaires ;

— lorsque l'on veut étudier la variation du taux de messager à différents stades d'un même type cellulaire (différenciation, division cellulaire, etc.), ou après une stimulation.

La quantification des transcrits par PCR

Cette possibilité a déjà été décrite dans le chapitre 21.

ANALYSE DE LA TRANSCRIPTION IN VITRO

N'importe quel DNA eucaryote mis en présence de RNA polymérase d'*E. coli* dans des conditions convenables de concentration en sels et en nucléotides sera transcrit. Mais cette transcription ne présente aucune spécificité et ne permet en aucun cas d'étudier une quelconque régulation. Une première approche consiste à reconstituer in vitro un système de transcription, constitué de la séquence de DNA dont on souhaite étudier la transcription, des composés chimiques nécessaires (nucléotides, Mg^{++}, etc.), de RNA polymérase II et d'un extrait contenant les protéines nucléaires. Cette technique porte le nom de ***run off***. La spécificité de la transcription observée n'est que relative.

L'autre possibilité qui s'offre à l'expérimentateur est d'analyser in vitro, sur noyaux isolés, l'élongation de la transcription déjà initiée in vivo. Elle est beaucoup plus utilisée que la précédente. Cette technique, que nous décrivons ci-dessous, porte le nom de ***run on***.

Principe et réalisation

Dès qu'une RNA polymérase a initié la transcription d'un gène et quitté le site promoteur, une autre molécule de polymérase entre en action et initie une nouvelle transcription. Ainsi à un temps donné de nombreuses polymérases transcrivent en même temps le même gène. Il a pu être montré que le nombre de molécules de RNA polymérase engagées dans la transcription d'un gène est proportionnel à son taux de transcription. La technique d'élongation de transcription sur noyaux isolés in vitro, le ***run on***, va donc permettre d'estimer le taux de transcription d'un gène dont on possède une sonde.

Les noyaux de la cellule à étudier sont isolés, puis incubés en présence de ribonucléosides triphosphates radioactifs. Ceux-ci seront incorporés dans les RNA synthétisés par les molécules de RNA polymérase déjà engagées dans la transcription au moment où les noyaux ont été extraits. La vitesse de transcription in vitro dans ces conditions n'est que de 10 à 20 nucléotides par minute, ce qui est de loin inférieur à la vitesse de l'enzyme in vivo (qui est d'environ 1 000 nucléotides par minute). Les RNA synthétisés sont extraits et hybridés avec la sonde du gène que l'on veut étudier, cette sonde ayant été préalablement immobilisée sur une membrane de nitrocellulose ou de nylon. Après lavage et autoradiographie l'intensité des taches est proportionnelle à la quantité de RNA néosynthétisés donc au taux de transcription. Il n'est pas possible d'effectuer des mesures en valeur absolue, mais seulement des estimations relatives.

Renseignements apportés par cette technique

Du fait de son peu de précision cette technique est principalement comparative. Elle permet d'apprécier les variations du taux de transcription, sous réserve que ces variations soient suffisamment importantes. Le problème majeur est celui de l'estimation du taux de base.

ANALYSE DES MÉCANISMES DE RÉGULATION DES GÈNES

Digestions ménagées avec des DNases

Nous avons vu au chapitre 5 que les gènes « actifs » sont dans une conformation chromatinienne qui les rend plus vulnérables à l'action des nucléases. Dans des conditions suffisamment douces, c'est-à-dire en présence de faibles concentrations de DNases, pendant des temps courts

Figure 29-3 **Mise en évidence de la sensibilité d'un gène actif vis-à-vis de la DNase I**

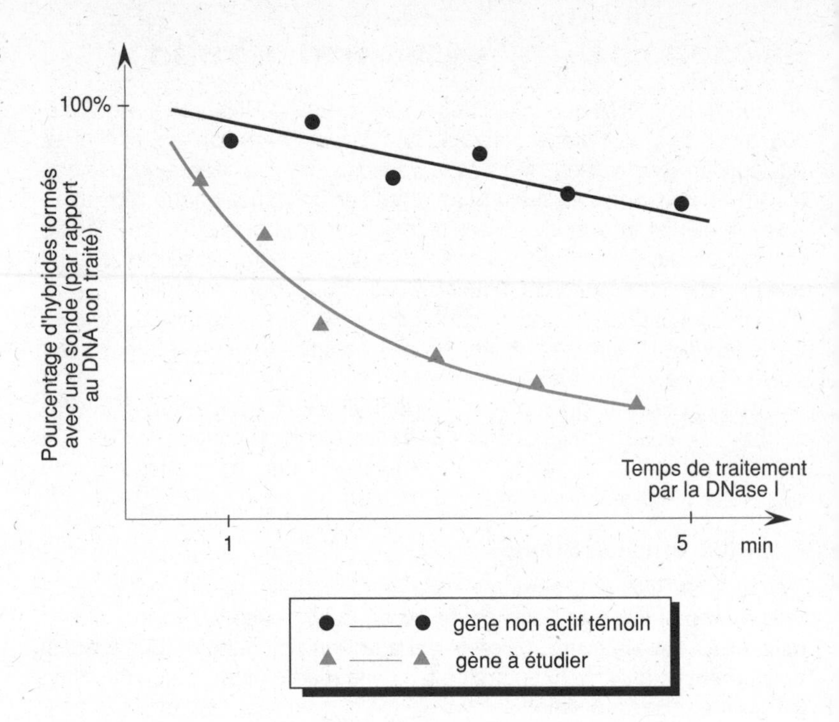

et à faible température, certaines DNases comme la **DNase I** ou la DNase de microcoque ont pour propriété de digérer préférentiellement ce type de DNA. Cette propriété ne s'exerce que sur de la chromatine native et pas sur du DNA nu.

Mise en évidence des zones sensibles

Des noyaux purifiés sont incubés en présence de faibles doses de DNase I. Des aliquotes sont prélevés à différents temps. Le DNA de ces fractions est analysé par électrophorèse si l'on désire une étude globale, ou bien hybridé avec la sonde du gène si l'on veut une étude sur un gène donné. S'il s'agit d'un **« gène actif »** on observe une diminution de la quantité des hybrides avec le temps (**Figure 29-3**). Un contrôle avec une sonde d'un gène dont on sait qu'il n'est pas actif et un contrôle avec des noyaux non traités doivent impérativement être effectués. En fait cette technique permet de mettre en évidence les gènes actifs **ou qui l'ont été**, la sensibilité vis-à-vis des DNases dans ces conditions étant conservée même si le gène n'est plus transcrit.

Mise en évidence des sites hypersensibles

Certaines zones, le plus souvent en 5' des gènes très activement transcrits, présentent une hypersensibilité vis-à-vis des DNases qui se comportent alors comme des enzymes de restriction vis-à-vis de certains sites, car elles les coupent de manière reproductible. Pour mettre en évidence de tels sites, dits **hypersensibles**, la chromatine est incubée avec d'infimes concentrations de DNase I dans des conditions de digestion douces. Le DNA est ensuite extrait et coupé par une enzyme de restriction. Des noyaux témoins sont traités dans les mêmes conditions, mais en omettant la DNase. On termine par une analyse selon Southern en utilisant une sonde s'hybridant avec la zone de DNA où l'on veut montrer qu'il existe un ou plusieurs sites hypersensibles. L'autoradiographie en objectivera la présence en montrant, dans les noyaux traités, la disparition d'une bande et l'apparition concomitante de deux bandes. La somme de leurs

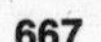

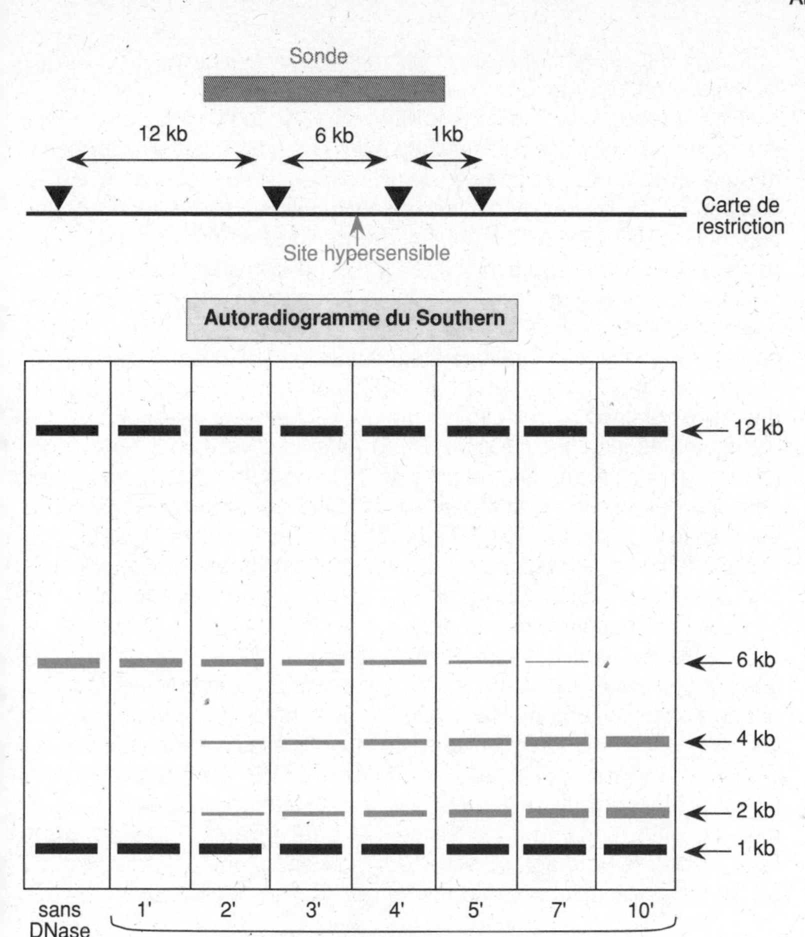

Figure 29-4 **Mise en évidence des sites hypersensibles vis-à-vis de la DNase I**

tailles est égale à la taille du fragment disparu, sous réserve que la sonde soit suffisamment longue, sinon il n'y aura qu'un seul fragment détectable, plus petit que le fragment originel **(Figure 29-4)**.

Mise en évidence de protéines interagissant avec le DNA (régulation en trans)

Le mécanisme de la régulation des gènes eucaryotes est différent de celui utilisé par les procaryotes, bien que dans les deux cas le point de départ soit l'interaction de protéines régulatrices avec des séquences de DNA spécifiques (voir chapitre 5). Au cours de l'étude de la régulation d'un gène il est donc particulièrement important d'une part de pouvoir mettre en évidence ces interactions, et d'autre part de pouvoir démontrer la spécificité et le rôle régulateur de l'interaction.

Le footprinting

Cette technique permet de déterminer le **siège** de l'interaction entre facteurs protéiques et DNA.

L'interaction d'une protéine avec une séquence de DNA protège cette séquence vis-à-vis des DNases. Après incubation en présence de DNase I, la fraction de DNA non digéré correspond aux séquences de DNA inter-

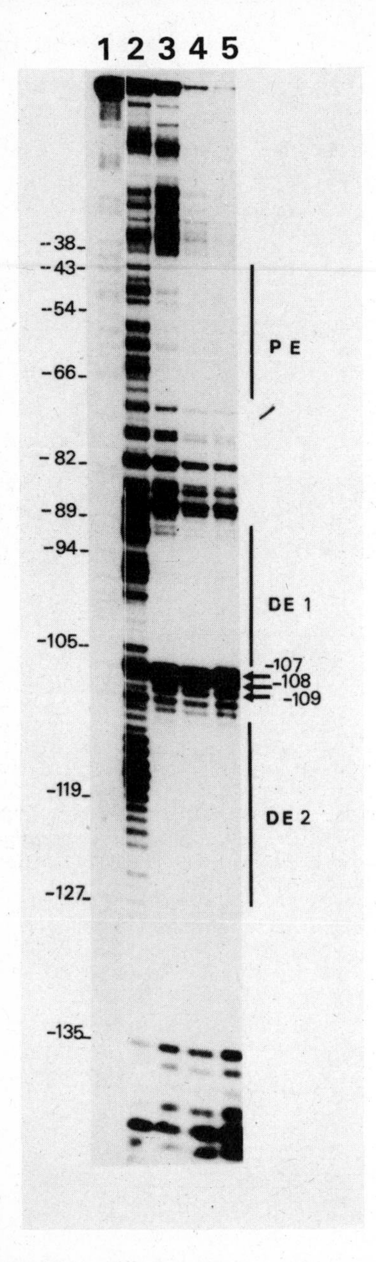

Figure 29-5 Résultat d'une expérience de « footprinting »
1 : séquence selon Maxam et Gilbert (G + A) ;
2 : digestion du DNA exploré par la DNase I en l'absence d'extrait nucléaire ;
3, 4 et 5 : idem + concentrations croissantes de DNase I.
Des protéines présentes dans l'extrait nucléaire interagissent avec le DNA au niveau des zones PE, DE1 et DE2 et le protègent contre la DNase I.
(Cliché M. Raymondjean, Institut Cochin de Génétique Moléculaire, Paris)

agissant avec des protéines, donc à l'empreinte de la protéine, d'où l'appellation *footprinting* (qui veut dire empreinte de pied).

Dans la pratique le fragment de DNA exploré, dont la longueur ne doit pas dépasser quelques centaines de paires de bases, est préalablement marqué avec du ^{32}P à l'une de ses extrémités 5' ou 3'. Il est incubé en présence d'un extrait de protéines où sont censées se trouver les protéines interagissantes ; puis on effectue une digestion par la DNase I. En parallèle une incubation sans extrait protéique est effectuée, elle servira de témoin. Les produits de digestion sont enfin analysés par électrophorèse sur un grand gel de polyacrylamide du même type que ceux utilisés pour le séquençage et une autoradiographie est pratiquée **(Figure 29-5)**.

Dans le canal correspondant au DNA témoin non incubé, on observe une série continue de bandes rapprochées, chacune correspond à l'une des bases de la séquence du DNA. En effet la DNase coupe peu et au hasard, et sur l'ensemble des fragments le nombre de coupures après chacune des bases est statistiquement identique (le principe statistique est identique à celui utilisé dans la technique de Maxam et Gilbert).

Dans le canal correspondant au DNA préalablement incubé avec les protéines susceptibles d'interagir, une ou plusieurs zones plus ou moins longues sont dépourvues de bandes. Ceci indique que la séquence de DNA correspondante n'a pas été attaquée par la DNase, donc était protégée par des protéines fixées. Sur les bords des zones protégées il est fréquent d'observer une ou deux bandes plus intenses indiquant que les coupures ont été plus fréquentes en cet endroit, elles correspondent à des zones hypersensibles, l'accès de la DNase au DNA étant facilité soit par une structure particulière du DNA soit par une interaction avec la protéine fixée au DNA. La zone protégée peut être déterminée **à la base près**. Pour faciliter le repérage au sein de la séquence, une détermination de séquence est effectuée sur le même gel de part et d'autre.

Le retardement sur gel
(Figure 29-6)

Cette technique permet d'objectiver la présence et la spécificité d'une **interaction** entre une protéine et une séquence définie de DNA.

En pratique, soit un oligonucléotide, soit la séquence de DNA soupçonnée de posséder un site d'interaction avec une protéine, est marqué au ^{32}P. Le fragment de DNA radioactif est incubé en présence d'un extrait protéique contenant le facteur qui est supposé interagir. La source de cette protéine peut même être un extrait nucléaire brut, aucune pureté particulière n'étant requise pour ce genre d'expérience. Après incubation, l'échantillon est ensuite déposé sur un gel de polyacrylamide à mailles assez lâches (du fait de la taille des complexes à séparer). La migration dans le gel est fonction de la taille, or l'interaction de la protéine avec la séquence de DNA va augmenter sa masse moléculaire apparente, donc retarder sa migration dans le gel. Les protéines régulatrices étant toujours présentes en très faible concentration, seule une faible fraction de la séquence sera retardée. Le retardement de cette fraction s'objectivera par la présence d'une bande correspondant à un matériel de masse moléculaire plus élevée. Le DNA étant par nature une molécule très chargée, la plupart des interactions sont de type non spécifique. Afin de les éliminer, une série d'incubations sont effectuées en présence de concentrations croissantes d'un compétiteur non spécifique, en général du poly I-C. L'interaction sera considérée comme spécifique si l'intensité de la bande retardée n'est pas modifiée par la présence du compétiteur (Figure 29-6B). En cas de non spécificité une décroissance progressive de la bande avec les concentrations croissantes de compétiteur est observée (Figure 29-6A).

Un deuxième contrôle consiste à utiliser la séquence étudiée comme compétiteur. Si le phénomène est spécifique, le signal doit disparaître au fur et à mesure de l'augmentation du compétiteur.

L'interférence de méthylation

Cette technique, qui vient en complément des deux précédentes, permet d'affiner l'étude de l'interaction entre une protéine et un DNA. Elle permet de déterminer quelles sont les guanines de la séquence nécessaires à l'interaction de la séquence avec la protéine.

En pratique le fragment de DNA susceptible d'interagir avec une protéine est marqué au ^{32}P à l'une de ses extrémités, puis est partiellement méthylé sur ses guanines avec du **diméthylsulfate**.

La réaction est conduite de telle façon que, au hasard, seules quelques guanines sont méthylées. Si la méthylation s'est effectuée sur une guanine impliquée dans une interaction avec une protéine cette interaction ne peut plus se contracter.

Il est alors pratiqué une expérience de retardement sur gel comme décrit dans le paragraphe précédent. Les bandes retardée et non retardée sont découpées et le DNA est élué. Une détermination de séquence limitée aux seules guanines est effectuée par la technique de Maxam et Gilbert. Les séquences obtenues sont comparées. Comme la méthylation d'une guanine empêche son interaction avec une protéine, les fragments méthylés sur une guanine impliquée dans l'interaction ne seront plus retardés dans le gel. Il en résulte que dans l'analyse de la séquence, la bande correspondant à cette guanine sera absente. La comparaison de la séquence des G entre fragments retardé et non retardé permet donc de localiser les guanines impliquées **(Figure 29-7)**.

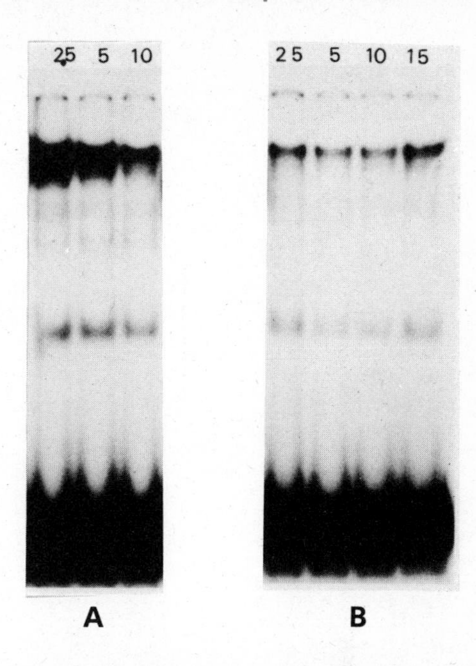

Figure 29-6 **Résultat d'une expérience de retardement sur gel**
En A : en présence de concentrations croissantes de compétiteur homologue non marqué, l'intensité de la bande retardée diminue.
En B : en présence de concentrations croissantes d'un compétiteur hétérologue (poly dIdC), l'intensité de la bande retardée reste inchangée.
(Cliché M. Raymondjean, Institut Cochin de Génétique Moléculaire, Paris).

Le footprinting in vivo

Il est impossible d'exclure que les interactions entre une protéine et une séquence de DNA cible, observées in vitro, ne résultent pas d'artéfacts. La technique du footprinting in vivo permet de démontrer la réalité des interactions observées in vitro.

Des cellules en culture dans lesquelles le gène, dont on souhaite étudier la régulation, est exprimé sont trypsinisées puis traitées, dans des conditions très douces, par le diméthyl sulfate. Ce composé diffuse dans le noyau et méthyle l'azote 7 des guanines qui ne sont pas protégées par une interaction avec une protéine. Compte tenu des conditions expérimentales, seules quelques-unes des guanines accessibles sont méthylées. Les noyaux sont purifiés et le DNA est extrait. Le DNA est ensuite digéré par une enzyme de restriction puis traité à la pipéridine, composé qui casse le DNA au niveau des guanines méthylées. Les régions du DNA qui étaient protégées par des protéines et qui n'ont pas été méthylées ne seront jamais détruites, alors que celles qui n'étaient pas protégées ont été partiellement méthylées et seront attaquées par la pipéridine. Suivant le même principe statistique que celui utilisé dans la technique de Maxam et Gilbert, il sera obtenu autant de types de fragments que le DNA contient de guanines méthylées. Une électrophorèse en gel de polyacrylamide est ensuite pratiquée afin de séparer les fragments en fonction de leur taille, puis il est effectué un transfert sur une membrane de nylon. Cette membrane est préhybridée puis hybridée avec une sonde marquée au ^{32}P correspondant à la région du gène où l'on pense qu'une protéine régulatrice pourrait se fixer. Le profil observé à l'autoradiographie est proche de celui obtenu dans les expériences d'interférence de méthylation. Du DNA témoin est traité dans les mêmes conditions. Il permet de repérer les guanines de la séquence et ainsi de différencier celles qui n'étaient pas protégées (bande présente à la fois dans l'échantillon et dans le témoin) de celles qui étaient protégées (bande présente dans le témoin et absente dans

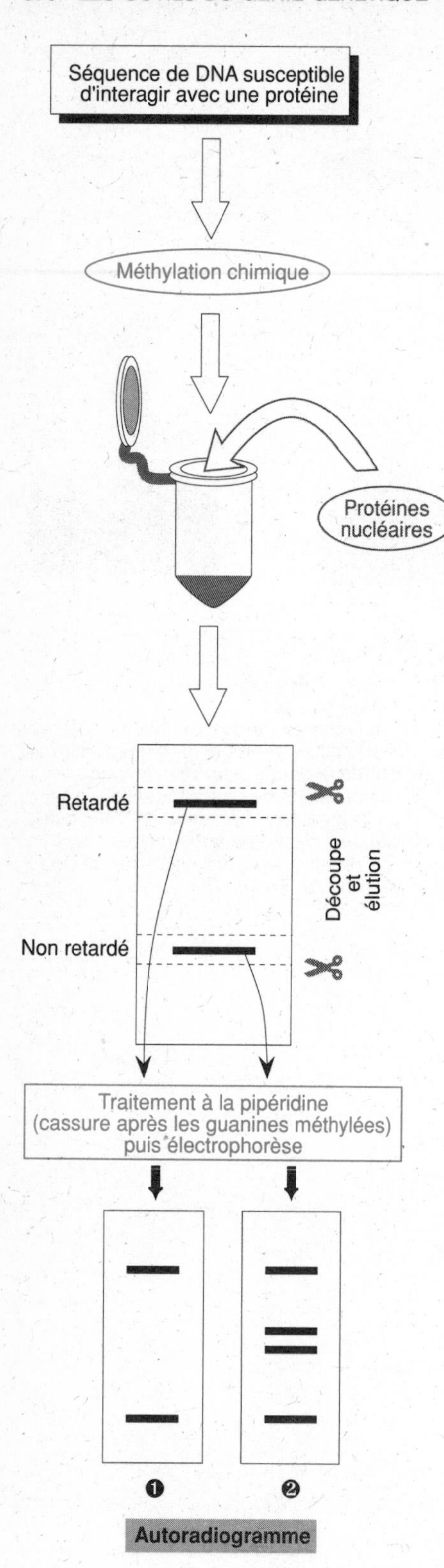

Figure 29-7 Mise en évidence des interactions entre les guanines du DNA et les protéines : la technique d'interférence de méthylation
Lorsqu'une guanine interagissant spécifiquement avec une protéine est méthylée, l'interaction avec cette protéine n'est plus possible. Dans une expérience de retardement sur gel, le DNA qui la contient n'est plus retardé. Pour mettre ce phénomène en évidence le DNA est méthylé par le disulfate de méthyl dans des conditions douces de telle sorte qu'une seule des guanines de la séquence soit méthylée. Il est ensuite pratiqué une expérience de retardement sur gel. Les bandes retardées et non retardées sont traitées à la pipéridine qui coupe après les guanines méthylées (principe de la technique de Maxam et Gilbert). Les fragments sont analysés par électrophorèse et autoradiographie. Les bandes correspondant aux sites d'interaction ne sont pas observées dans le fragment retardé (si elles avaient été méthylées, le fragment n'aurait pas été retardé).

l'échantillon) et donc interagissaient avec la protéine. Il est ainsi possible d'objectiver les liaisons protéines-DNA dans un contexte ex vivo.

Pontage aux ultra-violets entre une séquence de DNA et une protéine s'y fixant spécifiquement

Le but de cette technique est de déterminer la masse moléculaire d'une protéine se fixant au DNA sur une séquence cible. Le principe consiste à lier de manière covalente la protéine à sa séquence cible, puis de déterminer la masse moléculaire du complexe par électrophorèse en gel de polyacrylamide SDS. Dans la pratique la première étape consiste à synthétiser la séquence cible en utilisant de la 5-bromodésoxyuridine à la place de la thymine. Le premier brin de la séquence cible est tout d'abord synthétisé de manière classique par un synthétiseur d'oligonucléotides. Cet oligonucléotide doit aussi comprendre les séquences adjacentes à celle étudiée, sa longueur doit être d'au moins une cinquantaine de paires de bases. Un second oligonucléotide, plus court (une dizaine de paires de bases), dont la séquence est complémentaire de l'extrémité 3' du premier oligonucléotide, est synthétisé puis hybridé. Il sert d'amorce pour le fragment de Klenow de la DNA polymérase I qui synthétise le reste du brin. Dans le milieu d'incubation le dTTP est remplacé par de la 5-bromodésoxyuridine triphosphate et le dATP est remplacé par du $^{\alpha 32}$P dATP. Le DNA double-brin ainsi synthétisé est radioactif, ce qui permettra de le repérer. Il contient du BrdU qui permettra de contracter des liaisons covalentes avec les protéines qui lui sont associées, et ce par simple irradiation aux UV. Ce DNA ainsi synthétisé et marqué est utilisé pour réaliser une expérience de retardement sur gel. Après migration, le gel est irradié par des UV à 302 nm, puis il est pratiqué une autoradiographie afin de repérer les bandes radioactives, lesquelles sont découpées. Les morceaux d'acrylamide sont incubés dans un tampon dénaturant, les protéines ainsi éluées du gel son déposées sur un gel de polyacrylamide SDS. La masse moléculaire des complexes DNA/protéines est évaluée, et celle de la protéine est extrapolée en déduisant la masse moléculaire du fragment de DNA.

Mise en évidence des séquences possédant un rôle régulateur (régulation en cis)

Il n'existe pas de technique générale permettant de trouver de telles séquences. Pour un tel travail seule une combinaison de certaines des techniques déjà décrites permet d'aboutir à la démonstration du rôle de la séquence. L'un des problèmes majeurs est que, pour être significatives, les études doivent être conduites ex vivo (cellules en culture). Ces séquences dites régulatrices s'expriment vraisemblablement par une interaction avec des facteurs protéiques. Étant donné la variété des stratégies utilisées par les différents auteurs, nous nous contenterons de décrire les grandes lignes des principes communs à toutes ces stratégies.

L'expérimentation devant être conduite dans des cellules vivantes, la première étape consiste en la construction d'un vecteur selon le schéma de base suivant :

— le vecteur doit contenir la séquence dont on veut étudier l'effet sur le taux de transcription ;

— cette séquence potentiellement régulatrice doit être greffée à un gène, non exprimé dans la cellule hôte, que l'on appelle « *reporter* », dont l'expression se trouve alors sous le contrôle de la séquence à étudier ;

— enfin il convient d'ajouter un marqueur permettant ultérieurement de sélectionner les cellules qui ont intégré le vecteur.

Il s'agit là d'un vecteur minimum, le plus souvent la réponse aux questions posées nécessite l'apport d'autres séquences spécifiques.

Le vecteur est intégré dans des cellules en culture par **transfection** (voir chapitre 30) et les cellules qui l'ont incorporé sont sélectionnées. Le taux de transcription du gène *reporter* ou même le produit protéique de ce gène serviront à mesurer l'effet de cette séquence. En pratique cette expérience réalisée de manière isolée n'a que peu d'intérêt. Il convient de construire toute une série de vecteurs dans lesquels la séquence potentiellement régulatrice (promoteur, *enhancer, silencer*) aura été mutée, partiellement délétée ou déplacée par rapport au gène reporter. La comparaison des taux d'expression du gène *reporter* dans ces différents vecteurs permet de définir les séquences et les bases directement impliquées dans la régulation, mettant ainsi en évidence un éventuel effet de position.

Toutes ces expériences, simples dans leur principe, sont d'exécution délicate et nécessitent pour être significatives un grand nombre d'expériences de contrôle.

TRADUCTION IN VITRO

Bien que le système de traduction des RNA messagers soit complexe comme nous l'avons vu au chapitre 4, il est possible de le faire fonctionner in vitro. Ce système n'est utilisé qu'à des fins analytiques. Ses utilisations principales sont la mise en évidence de la présence d'un messager donné, la mise en évidence d'éventuels précurseurs d'une protéine et l'étude du rôle de certaines séquences dans la régulation de la traduction.

La réalisation pratique est simple. Les acteurs de la traduction (ribosomes, tRNA, facteurs d'initiation, d'élongation, etc.) sont apportés soit par un extrait de réticulocytes, soit par un extrait de germes de blé (ces extraits doivent être nucléasés afin de détruire tous les messagers endogènes qu'ils contiennent). A cet extrait sont ajoutés : du GTP, des acides aminés dont au moins un doit être radioactif, et enfin les RNA messagers à traduire.

L'acide aminé marqué le plus utilisé est la méthionine marquée au ^{35}S du fait des avantages apportés par cet isotope (longue durée de vie, temps d'exposition courts, grande lisibilité des autoradiographies, etc.). Il convient cependant de conserver à l'esprit que cet acide aminé n'est pas fréquent dans les séquences polypeptidiques, et qu'il peut même être absent.

Les produits de traduction sont analysés par électrophorèse en gel de polyacrylamide, éventuellement après immunoprécipitation par un anticorps dirigé contre la protéine dont on désire étudier le mRNA. Le produit de traduction est révélé par fluorographie.

Sélection de références bibliographiques : voir page 753.

30 Les techniques de modification du matériel génétique

Ces techniques sont la clé de la compréhension des mécanismes de la régulation de l'expression génétique chez les eucaryotes, et aussi de la thérapeutique, non plus symptomatique, mais curative des maladies où l'expression d'un gène est altérée. Le problème majeur lors de l'étude de l'expression génétique chez les eucaryotes est que l'expression de la plupart des gènes est sous le contrôle de facteurs multiples qui ne peuvent être appréhendés qu'in vivo. Avant l'avènement des techniques de génie génétique, l'expérimentateur devait se contenter des **mutations spontanées**. Son travail consistait à analyser le plus possible de malades dont on avait pu démontrer que leur pathologie résultait d'une mutation ou d'une délétion. Dans le meilleur des cas l'analyse des corrélations entre l'étendue de la délétion ou le lieu de la mutation et la symptomatologie permettait un début de compréhension de la physiopathologie. Les techniques que nous allons décrire dans ce chapitre apportent un outil d'une formidable puissance puisqu'elles permettent soit d'altérer, soit de moduler l'un quelconque des composants du système. Ainsi peuvent être créés les mutants qui n'étaient pas disponibles chez les eucaryotes. Il est désormais possible d'une part de modifier ce qui existe **(mutagenèse dirigée)**, d'autre part d'apporter quelque chose de nouveau **(animaux transgéniques)**.

Les apports potentiels de ces techniques à la thérapeutique sont évidents. Il est impossible d'estimer aujourd'hui le temps nécessaire pour qu'elles puissent être appliquées à l'homme. A terme les problèmes technologiques seront relégués au second plan derrière les problèmes éthiques que soulèvent ces nouvelles possibilités.

La stratégie globale est la suivante. La séquence que l'on veut étudier, qui peut aller d'un gène entier à une courte séquence, est éventuellement modifiée (délétion, insertion, mutation) et couplée à des séquences qui serviront soit de marqueur, soit de reporter, soit d'effecteur. Le recombinant est introduit soit ex vivo dans des cellules en culture (transfection), soit in vivo dans des œufs fécondés (animaux transgéniques). Les effets de la séquence peuvent alors être observés dans un contexte qui intègre les effets de tous les paramètres naturels.

Malgré la puissance et l'élégance de ces techniques, l'analyse des résultats doit être conduite avec une grande prudence. En effet de nombreux problèmes ne sont pas encore parfaitement maîtrisés, ils concernent : le **nombre** de copies incorporées, impossible à prévoir et à contrôler, la **stabilité** de l'incorporation (forme extra-chromosomique ou intégration dans le génome de l'hôte), la **localisation** de l'intégration (au hasard ou en des points préférentiels sans rapport avec la physiologie) et enfin la possibilité de **modifications** par la cellule des séquences introduites.

MODIFICATION D'UNE PORTION DE SÉQUENCE

L'un des moyens les plus drastiques pour évaluer le rôle d'une séquence donnée est de la supprimer. L'analyse des modifications physiologiques qui suivront cette excision permettra d'évaluer le rôle de cette séquence.

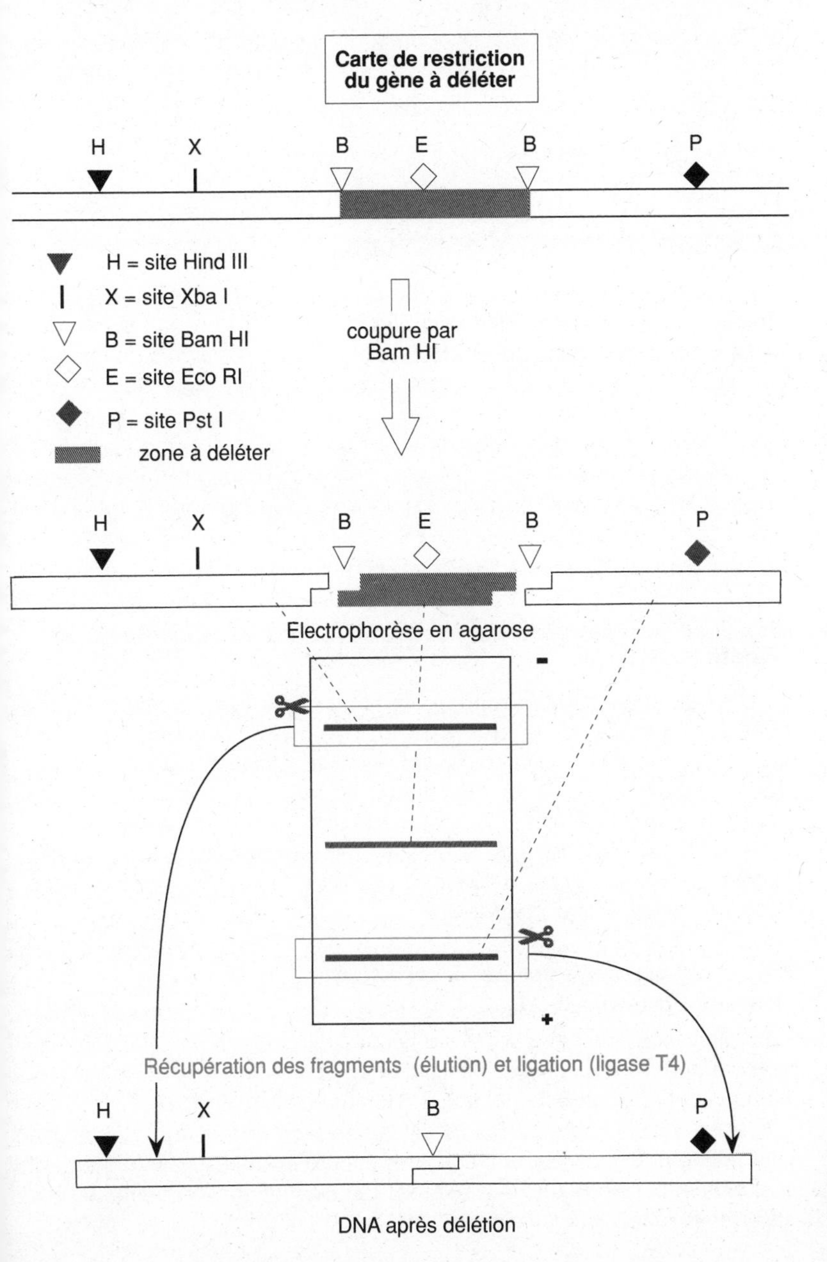

Figure 30-1 Création de délétions étendues par retrait de fragments de restriction
Le fragment de restriction engendré par l'enzyme Bam HI est délété dans le recombinant produit.

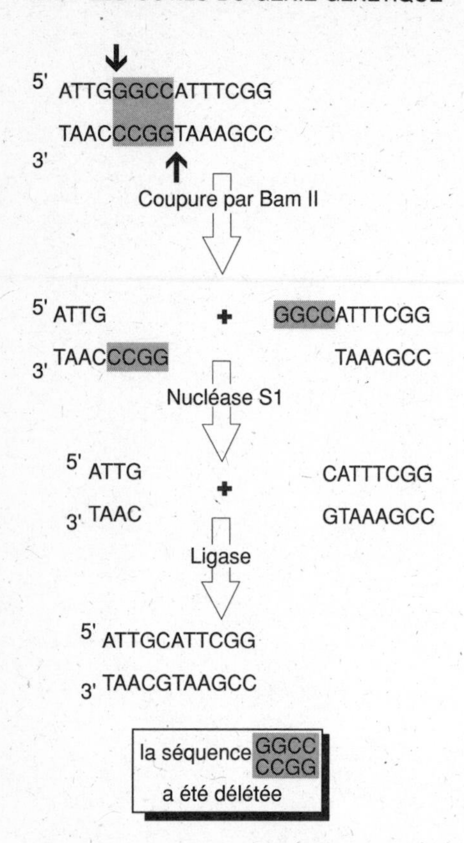

Figure 30-2 Création de micro-délétions par la technique associant enzyme de restriction et nucléase S1
Quatre bases ont été délétées.

La possibilité de créer des délétions en un lieu précis et d'une étendue parfaitement définie va permettre une analyse précise et rapide des phénomènes physiologiques et pathologiques. Pour être pleinement informative cette suppression doit suivre un schéma progressif. La stratégie globale est la suivante :

— création d'une délétion étendue afin d'affirmer le rôle présumé d'une séquence ;

— puis création de délétions de plus en plus courtes afin de circonscrire les régions les plus stratégiques ;

— enfin, une fois ces régions parfaitement délimitées, une série de mutations ponctuelles parfaitement définies permet de préciser le rôle de chacune des bases de ces régions dans les mécanismes régulateurs.

Création de délétions étendues : excision de fragment de restriction (Figure 30-1)

La carte de restriction ou la séquence du gène doit être préalablement connue. Le DNA cloné du gène est coupé par une ou deux enzymes de restriction clivant aux extrémités de la zone à déléter. Le fragment est ensuite extrait par électrophorèse préparative ou par HPLC. Le DNA restant est religaturé à l'aide d'une ligase.

Création de petites délétions

Coupure par enzyme de restriction puis nucléase S1 (Figure 30-2)

Le DNA du gène cloné est coupé par une enzyme de restriction ne coupant qu'une seule fois et au niveau précis où la délétion est souhaitée. Les extrémités produites par cette enzyme doivent être **cohésives** ; elles sont alors détruites par la nucléase S1 qui digère spécifiquement les séquences simple-brin. Le DNA est ensuite religaturé. Par cette technique il est possible de retirer de **3 à 8** paires de bases suivant le type d'enzyme utilisé.

Coupure par enzyme de restriction puis exonucléase III (Figure 30-3)

Le DNA du gène cloné est coupé par une enzyme de restriction ne coupant qu'une seule fois et au niveau précis où la délétion est souhaitée. Le DNA coupé est ensuite incubé en présence d'exonucléase III qui attaque l'extrémité 3' formée et libère **un à un** les nucléotides du brin dans le sens 3'⟶5'. L'autre brin sera ensuite détruit par la nucléase S1. Avec cette technique l'étendue de la délétion est **fonction du temps de traitement** par l'exonucléase III. Elle peut dépasser largement les limites imposées par la technique précédente.

Coupure par enzyme de restriction puis nucléase Bal 31

Le protocole est identique à celui décrit ci-dessus, cependant l'activité exonucléasique de la nucléase Bal 31 s'exerçant sur les deux brins à la fois, l'étape de digestion à la nucléase S1 n'est pas nécessaire.

L'activité de la nucléase Bal 31 est variable d'un lot à l'autre. Avec chaque nouveau lot d'enzyme il convient donc d'évaluer, par tâtonnement, la quantité d'enzyme nécessaire et les temps d'incubation permettant de générer la délétion souhaitée.

Une fois l'étape de délétion effectuée par l'une de ces trois techniques, les fragments, qui sont à bouts francs, sont ligaturés par la T4 ligase.

Addition de séquences

Pour étudier une régulation il peut être intéressant d'effectuer des additions de séquences, principalement pour étudier les **effets de position**, ou encore pour étudier l'effet sur un gène d'une séquence dont il a été démontré qu'elle avait un rôle régulateur sur un autre gène. Cette technique peut aussi être utilisée pour créer de nouveaux sites de restriction afin de faciliter des manipulations ultérieures.

Les techniques pour y parvenir sont en tout point identiques à ce qui a été décrit dans le chapitre sur les vecteurs, puisqu'une telle construction consiste en l'insertion d'une ou plusieurs séquences dans le vecteur.

La séquence que l'on insère sera soit un fragment de restriction préalablement purifié, soit un oligonucléotide synthétique. Pour faciliter les constructions, et ajouter la possibilité de retirer ultérieurement la séquence insérée, des *linkers* synthétiques (qui correspondent à une séquence de reconnaissance pour une enzyme de restriction) sont souvent utilisés.

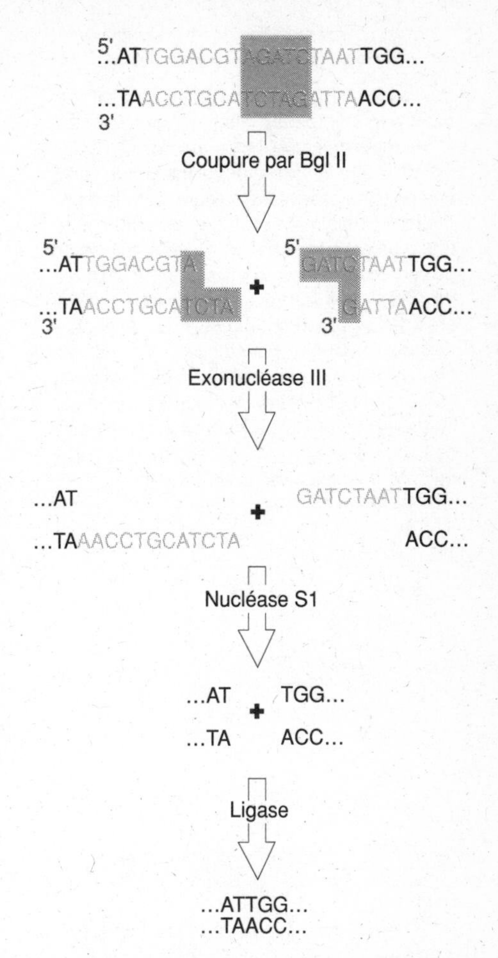

Figure 30-3 Création de micro-délétions par la technique associant enzyme de restriction et exonucléase III
La longueur du fragment délété dépend de la durée de la digestion par l'exonucléase III.

Mutagenèse insertionnelle aléatoire

Cette technique, que nous avons évoquée à propos de l'embryogenèse moléculaire (voir chapitre 5), permet de mettre en évidence et de cloner des gènes inconnus.

Principe et réalisation

Une séquence de DNA repérable (**transposon**, **rétrovirus**,...) est introduite dans une cellule embryonnaire. Ce DNA s'intègre spontanément, mais au hasard, dans le génome cellulaire. Si cette intégration s'effectue au sein d'un gène codant pour une protéine il en résulte une mutation et une perte de la fonction de la protéine correspondante. Les mutants pour le gène que l'on recherche sont sélectionnés par leur phénotype. Si un phénotype muté peut être isolé, on peut conclure que la séquence de DNA introduite s'est insérée au sein du gène que l'on recherche (il peut aussi s'agir d'une mutation spontanée, mais la probabilité est très faible). Il est alors pratiqué un clonage génomique en utilisant comme sonde la séquence qui a été introduite. Ce clonage permet de récupérer la séquence, mais surtout le DNA adjacent qui est le DNA du gène recherché puisque la séquence marqueur est intégrée en son sein.

Dans la pratique, cette technique est utilisée chez deux animaux : la **drosophile** et la **souris**. La séquence introduite est soit un transposon (drosophile), soit un rétrovirus (souris). Les techniques d'introduction sont très variées. Pour la souris par exemple, trois moyens ont été utilisés (voir figure 12-7) :

— infection d'embryons par des rétrovirus ;

— micro-injection de séquence clonée dans des ovocytes fécondés qui sont ensuite implantés dans l'utérus de femelles pseudo-gestantes ;

— transfection ou infection de cellules embryonnaires indifférenciées (cellules ES) qui sont ensuite implantées dans des blastocystes (voir aussi figures 12-8 et 12-9).

L'écueil majeur, surtout chez la souris, est le problème du criblage des mutants. Les plus grands succès ont été remportés chez la drosophile où il a été possible de cloner par cette technique quelques gènes du développement.

Le bricolage génétique des protéines

Les chercheurs de la Société Transgène ont montré par exemple que le remplacement d'une méthionine (AUG) par une valine (GUG) dans le gène de l'α1-antitrypsine conduisait à une protéine possédant toujours l'activité enzymatique, mais qui n'était plus oxydable, d'où une plus grande efficacité. Cette modification permet d'envisager d'utiliser cette enzyme modifiée dans la prévention de la bronchite chronique (fumeurs). Au cours des expériences de mutations ponctuelles dirigées ces chercheurs ont aussi observé que le remplacement de cette même méthionine (AUG) par une arginine (AGG) se traduisait par la perte de l'activité antitrypsine et l'apparition concomitante d'une activité antithrombine III.

Mutagenèse dirigée par des oligonucléotides de synthèse (Figure 30-4)

Créer une mutation ponctuelle permet de démontrer l'effet précis d'une base dans un mécanisme régulateur ou d'un acide aminé dans une séquence protéique (relation structure-fonction).

Il s'agit par cette technique d'introduire une mutation ponctuelle désirée à un endroit voulu. La séquence que l'on désire muter doit être sous-clonée dans le phage monobrin M13. Un oligonucléotide d'une longueur de 15 à 20 bases possédant la mutation que l'on désire obtenir est synthétisé. Cet oligonucléotide est hybridé à faible stringence avec la séquence normale sous-clonée dans le M13 (la faible stringence permet l'appariement malgré le mismatch au niveau de la base mutée). Cet hybride est incubé en présence du fragment de Klenow de la DNA polymérase I qui va transformer en une forme double-brin tout ce qui était sous forme simple brin en allongeant l'amorce oligonucléotidique. Le second brin ainsi néo-synthétisé sera fermé grâce à l'action d'une ligase. Les deux brins sont séparés par simple chauffage suivi d'un refroidissement rapide et transféré à des bactéries.

Les bactéries ayant incorporé le brin correspondant à la séquence mutée sont sélectionnées par hybridation in situ dans des conditions de forte stringence en utilisant l'oligonucléotide muté marqué comme sonde (les conditions de forte stringence font qu'aucun mauvais appariement de bases n'est autorisé). Les bactéries positives correspondent à celles qui possèdent le gène dans sa version mutée.

MISE EN ÉVIDENCE DES EFFETS DES MODIFICATIONS APPORTÉES

Les gènes reporters et les promoteurs conditionnels

L'effet attendu des modifications structurales qui viennent d'être décrites (à l'exception de la mutagenèse insertionnelle) est une augmentation ou une diminution de l'expression du gène correspondant ou une modification des propriétés de la protéine produite. Si celle-ci se traduit directement par des changements phénotypiques, elle est aisément révélée. Dans les autres cas, il faut recourir à des artifices. Les plus utilisés sont les gènes reporters et les promoteurs conditionnels.

Les gènes reporters

Chaque fois que l'on désire analyser les effets en **cis** d'une séquence, ou les effets sur une séquence d'un facteur **trans**-régulateur, le plus simple est d'avoir recours à la technique du **gène reporter**. La séquence dont on désire analyser l'effet est couplée à un gène que la cellule ne possède pas et dont le produit est facilement analysable et quantifiable. Ce gène est appelé gène reporter. Du fait de la construction, son expression se trouve sous le contrôle de la séquence qui lui a été greffée. Les gènes les plus utilisés pour cette fonction sont : le gène de la **chloramphénicol acétyl transférase** (CAT), le gène de la **β-galactosidase** et le gène de la **β-glycuronidase**, le gène de la **luciférase**.

La construction est ensuite introduite dans une cellule (transfection ou infection virale) ou dans un ovocyte fécondé (animaux transgéniques) par les techniques qui seront décrites dans les paragraphes suivants. L'expression du gène reporter est ensuite analysée. Le gène de la β-galactosidase ou de la luciférase présente l'avantage de permettre une analyse in situ.

En effet la β-galactosidase peut métaboliser un composé artificiel, le X-gal, qui acquiert une coloration bleue lorsqu'il est métabolisé. La luciférase induit une émission de lumière en présence d'ATP. Ces deux activités peuvent donc être parfaitement observées avec un microscope. Cette possibilité présente un intérêt particulier lorsque seules certaines cellules répondent. Des résultats particulièrement spectaculaires ont été obtenus au cours des études sur le développement où ce type d'expériences a permis d'étudier la localisation et la cinétique de l'expression de gènes du développement.

Les promoteurs inductibles

Ce sont des promoteurs forts, activables à la demande par une molécule donnée. L'un des plus utilisés est celui du gène de la **métallothionéine** inductible par les ions zinc ou cadmium. Ce type de promoteur est utilisé chaque fois que l'on désire déclencher à la demande l'expression d'un gène donné afin de déterminer ses effets sur la cellule.

Ce gène peut être un gène artificiellement muté (étude de physiopathologie moléculaire) ou un gène non exprimé dans la cellule (démonstration de la capacité d'une protéine à induire une différenciation).

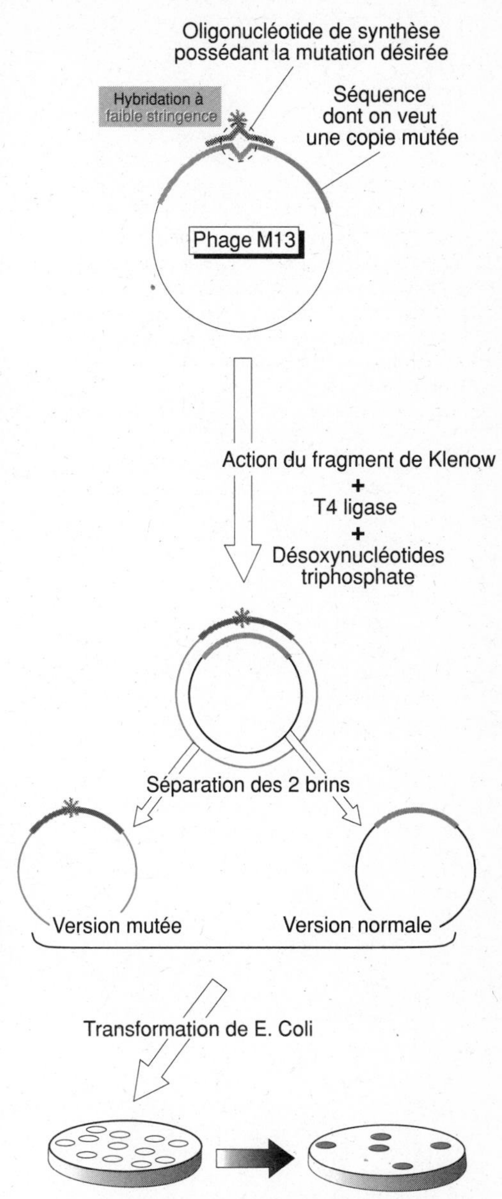

Figure 30-4 Mutagenèse dirigée avec oligonucléotide de synthèse

TRANSFERT EX VIVO ET IN VIVO DU MATÉRIEL GÉNÉTIQUE

L'analyse du rôle régulateur d'une séquence n'a de sens véritable que si elle est effectuée dans une cellule en culture ou dans l'organisme entier. Les séquences, ayant subi l'une ou l'autre des modifications qui viennent d'être décrites, peuvent être réintroduites dans des cellules eucaryotes. Ceci permet d'analyser les conséquences phénotypiques de la modification produite in vitro. De même toute correction d'un trouble génétique nécessite l'introduction de la séquence correcte avec toute sa partie régulatrice dans le génome des cellules malades. De nombreuses possibilités techniques s'offrent à l'expérimentateur, chacune possédant ses avantages et ses inconvénients.

Transfert de séquence de DNA libre : la transfection

Quel que soit le procédé utilisé le résultat est, dans l'état actuel de la méthodologie, aléatoire. L'efficacité des opérations est impossible à contrôler étroitement. Surtout il est impossible de maîtriser le nombre de copies introduites et de savoir si l'expression sera **transitoire** (séquences extrachromosomiques) ou **définitive** (séquences intégrées). En cas d'intégration dans le DNA cellulaire on ne peut prévoir ni sa stabilité, ni son siège. Lorsque l'expression est transitoire, elle peut être étudiée dès la 12ᵉ heure et jusqu'à la 72ᵉ heure.

Technique au phosphate de calcium

Le DNA, par ses groupements phosphates, complexe les ions Ca^{++} en formant un fin précipité. Lorsqu'un tel précipité, fraîchement préparé, est mis en contact avec certaines cellules en culture, une internalisation du complexe dans la cellule est observée. Cette **internalisation** résulte semble-t-il d'une phagocytose des grains de DNA-calcium. Tant que le DNA qui est entré reste libre dans la cellule, il peut être progressivement éliminé. La modification apportée est dite **transitoire**. Quelques cellules seulement intègrent ce DNA au hasard dans leur génome de manière spontanée. Il en résulte une modification dite **stable** qui se transmettra aux cellules filles. Cette transfection peut s'effectuer aussi bien avec des cellules poussant en suspension qu'avec des cellules qui adhèrent au support ; les protocoles de transfection doivent simplement être adaptés au type de pousse cellulaire.

Technique au DEAE dextran

Cette technique est analogue à la technique précédente. Des complexes sont formés entre les résidus phosphates du DNA qui sont négativement chargés et les groupements diéthylaminoéthyl, positivement chargés, du DEAE dextran. Le principe est identique à celui du procédé au phosphate de calcium, mais le protocole expérimental est un peu plus simple. D'une manière générale les rendements sont supérieurs sauf avec quelques types cellulaires particuliers. L'expression des gènes captés par la cellule est **plus transitoire**.

La technique d'électroporation

Lorsque des impulsions électriques à haute tension sont appliquées à des cellules en culture, quelques pores se créent transitoirement dans la membrane externe des cellules, ce qui permet aux molécules de DNA linéaire ou superenroulé qui sont en solution de pénétrer dans la cellule. Ce DNA sera ensuite intégré dans le génome cellulaire donnant des taux élevés d'intégrations **stables**. Cette technique est efficace avec toutes les cellules en suspension. Pour certaines cellules, la durée et l'intensité de l'impulsion sont critiques. Les conditions optimales doivent alors être déterminées empiriquement.

Autres techniques d'introduction

Le DNA nu peut aussi être introduit par projection de micro-particules revêtues, grâce à un « canon à gènes » (**biolistique**). On a aussi obtenu une transfection de DNA après injection dans le muscle où il peut persister et s'exprimer très longtemps.

Sélection des cellules ayant capté du DNA

Le taux de cellules qui intègrent dans leur génome le DNA introduit étant faible, il convient de les sélectionner. Pour cela, comme avec les bactéries, un marqueur de sélection doit être utilisé. Il n'est pas nécessaire qu'il soit physiquement lié au DNA à transfecter, il suffit de l'ajouter dans des proportions adéquates avant d'effectuer la transfection. Cette technique porte le nom de **co-transfection**.

Le premier marqueur de sélection utilisé fut le gène de la **thymidine kinase** (gène TK) du virus herpès simplex ; la cellule transfectée étant choisie *tk*−. Seules les cellules qui ont intégré le marqueur de sélection survivent lorsqu'on les fait pousser sur milieu sélectif (HAT). L'analyse du DNA intégré dans les cellules survivantes a montré qu'au cours de la co-transfection le DNA introduit et le marqueur se sont associés en longs concatémères pouvant atteindre 2 000 kb avant d'être intégrés dans le génome cellulaire. Les autres marqueurs utilisés sont :

— le gène de la **dihydrofolate réductase** (gène DHFR). Les cellules qui l'ont intégré sont sélectionnées par la résistance qu'elles acquièrent vis-à-vis du méthotrexate ;

— le gène de la **xanthine-guanine phosphoribosyl transférase** (gène XGPT). La sélection est assurée par le milieu adénine, acide mycophénolique, xanthine ;

— le gène de la néomycine phosphotransférase (gène *neo*) qui confère à la cellule une résistance à la **néomycine** ou à son analogue le **G418**.

Transfection par les vecteurs viraux

Compte tenu de leur capacité à infecter les cellules eucaryotes, les virus peuvent être utilisés comme vecteurs de transfection avec une bonne efficacité. En effet, le problème de la pénétration cellulaire est circonvenu par l'existence d'un appareil viral d'introduction dans la cellule. De plus les promoteurs viraux étant le plus souvent forts, l'expression des gènes transfectés est en général optimisée.

Le virus SV40

Ce virus a été décrit au chapitre 7. Après infection son devenir diffère suivant qu'il s'agit d'une cellule permissive ou non. Dans les cellules permissives comme les cellules de singe le virus se multiplie et lyse les cellules. Dans les cellules non permissives comme les cellules de rat ou de cobaye la réplication du DNA viral ne peut être complètement assurée ; il n'est pas produit de virions, la cellule n'est pas lysée. Cependant lorsque ces cellules sont infectées, un très petit nombre d'entre elles (fonction du nombre de virus infectants) sont transformées. Ces transformations cellulaires résultent d'intégrations du DNA viral dans le DNA génomique des cellules infectées. Le virus SV40 peut être utilisé comme vecteur selon deux stratégies :

— la première correspond au remplacement d'une partie du génome viral par le DNA à transfecter sans modifier la taille finale du DNA viral ce qui permettra l'empaquetage, donc la formation de virus et la lyse cellulaire. Avec cette stratégie un virus **helper** est nécessaire, il a pour rôle de complémenter les fonctions qui ont été perdues lors de la délétion remplacement. Dans la pratique le virus helper utilisé est un mutant conditionnel thermo-dépendant ce qui permet de déclencher la lyse à volonté par une simple élévation de la température (en général 42°C).

La délétion est le plus souvent effectuée dans la région tardive du virus (elle correspond aux gènes qui codent pour les protéines d'enveloppe VP1 à VP3). Pour que le vecteur résultant ait un intérêt, il convient cependant de conserver au moins l'origine de réplication. Si la séquence que l'on insère n'en possède pas il convient de laisser aussi le promoteur, le *enhancer*, voire même les séquences de polyadénylation.

Les vecteurs de ce type sont très nombreux, le plus classique est **SVGT5** ; sa première application fut le clonage et l'expression du gène de la β-globine dans les cellules de rein de singe en culture. Cette stratégie est utilisée principalement pour l'étude de l'expression des petits gènes. En effet on ne peut insérer que des séquences courtes puisque le vecteur final doit conserver une grande partie des séquences virales et ne doit pas dépasser 5 kb ;

— la seconde stratégie correspond à une insertion qui ne respecte pas la taille normale du génome viral. L'empaquetage et la constitution de virions sont de ce fait impossibles, il ne se produit jamais de lyse des cellules. Le DNA viral recombinant est maintenu dans la cellule de manière transitoire, et ce en un grand nombre de copies épisomales. Il se comporte un peu comme un plasmide. Il s'agit d'une stratégie de type **expression transitoire**. Elle permet d'étudier la fonction et la régulation ex vivo des séquences insérées sans les contraintes de longueur de la stratégie précédente. Elle réclame l'utilisation d'une cellule particulière comme la **cellule COS** qui apporte l'antigène grand T et dispense du virus helper.

Les autres virus à DNA utilisés

L'utilisation du virus SV40 a été donnée à titre d'exemple. Théoriquement tout virus peut être utilisé comme vecteur. Les propriétés particulières de

Vecteurs dérivés de SV40 et cellule COS

La cellule COS est une cellule de singe (cellule SV1),donc permissive pour SV40, qui a intégré dans son génome une région précoce du virus SV40 mais dont l'origine de réplication n'est pas fonctionnelle. En conséquence elle exprime complètement la protéine grand T sans produire le virus. Avec cette cellule on peut utiliser un vecteur dérivé de SV40 sans qu'une complémentation par co-infection avec un virus helper soit nécessaire, puisque le génome cellulaire possède déjà les séquences manquantes qui complémenteront automatiquement. Une autre propriété remarquable de cette cellule est que tout DNA circulaire possédant l'origine de réplication de SV40 se comporte exactement comme un « plasmide eucaryote » lorsqu'il y est introduit, car il est activement reproduit. Cette cellule est utilisée très fréquemment comme hôte de transfection car elle facilite considérablement les études d'expression transitoire et permet d'obtenir le produit du gène inséré en grande quantité. Cependant compte tenu de ses caractéristiques (cellule transformée par un virus) les protéines produites sont interdites d'utilisation chez l'homme.

certains d'entre eux ont conduit à les choisir pour des cas précis. Les virus utilisés sont le virus du polyome, l'adénovirus, le virus d'Epstein-Barr, le virus de l'herpès, le virus de la vaccine et les papilloma virus. La description de l'utilisation de chacun de ces vecteurs sort du cadre de cet ouvrage *.

Les vecteurs rétroviraux

Comme nous l'avons vu au chapitre 7 ce type de virus possède un cycle de réplication passant obligatoirement par une intégration dans le génome de la cellule hôte à la faveur d'une division cellulaire. Les rétrovirus peuvent donc être utilisés comme vecteurs lorsque l'on souhaite obtenir des modifications stables.

La stratégie d'utilisation de ce type de vecteurs est la même que celle du virus SV40. Le virus qui sert de vecteur est délété ; la zone extraite est remplacée par la séquence que l'on souhaite introduire dans le génome cellulaire. Des séquences indispensables au virus ayant été perdues lors de la délétion remplacement, un **virus helper** doit là encore être utilisé ; il complémentera les fonctions perdues (voir figure 17-1).

Pour faciliter la réalisation pratique de l'expérimentation, ce virus helper a été intégré dans le DNA génomique de quelques lignées de cellules en culture, comme dans le cas de la cellule COS. L'infection de ces cellules par un rétrovirus recombinant se traduit par la production massive de virus dont le génome est celui du virus recombinant et dont la capside est celle du virus helper.

Un autre avantage des rétrovirus est qu'il est possible de faire en sorte qu'une cellule qui n'est pas l'hôte normal du virus le devienne. En effet le facteur déterminant de l'infection est la capside virale et non le génome qu'elle contient. Comme la plupart des capsides acceptent n'importe quel génome, pourvu qu'il ne soit pas trop long, il est théoriquement possible d'adapter le virus à la cellule que l'on souhaite transfecter, il suffit d'utiliser un virus helper adéquat.

Même si en théorie les constructions offrent des garanties de sécurité, il convient de conserver à l'esprit que leur utilisation peut être dangereuse. Il est souhaitable d'en limiter l'utilisation au strict nécessaire. Il est impératif de ne les manipuler que dans des laboratoires spécifiques en respectant scrupuleusement les règles de sécurité. Il n'en reste pas moins, compte tenu de leur puissance théorique, que ces vecteurs, avec les vecteurs dérivant de l'adénovirus, sont vraisemblablement l'avenir de la génothérapie chez l'homme (voir chapitre 17). Dans les applications actuelles le défaut majeur de ce genre de vecteur est que le taux d'expression obtenu reste très bas.

Les vecteurs navette

Ce type de vecteurs a été décrit au chapitre 24, il peut aussi bien être transfecté dans les cellules eucaryotes que dans les bactéries ; il peut se propager et servir de marqueur de sélection dans les deux types de cellules. Cette propriété revêt toute son importance lorsque l'on veut récupérer (par clonage) la séquence que l'on a intégrée par transfection. Par exemple une séquence correspondant à un oncogène potentiel a été transfectée, ce qui s'est traduit par la transformation de la cellule. L'une des questions qui se posent alors est de savoir si la séquence n'a pas été modifiée lors de la transfection. Pour y répondre il convient de la cloner à partir de la cellule transformée et de la séquencer. Le vecteur navette permet d'effectuer très rapidement et relativement simplement cette opé-

* Le lecteur intéressé trouvera tous les détails sur l'utilisation de ces virus dans « Gene transfer and expression, a laboratory manual » par M. Kriegler, Stockton Press, 1990.

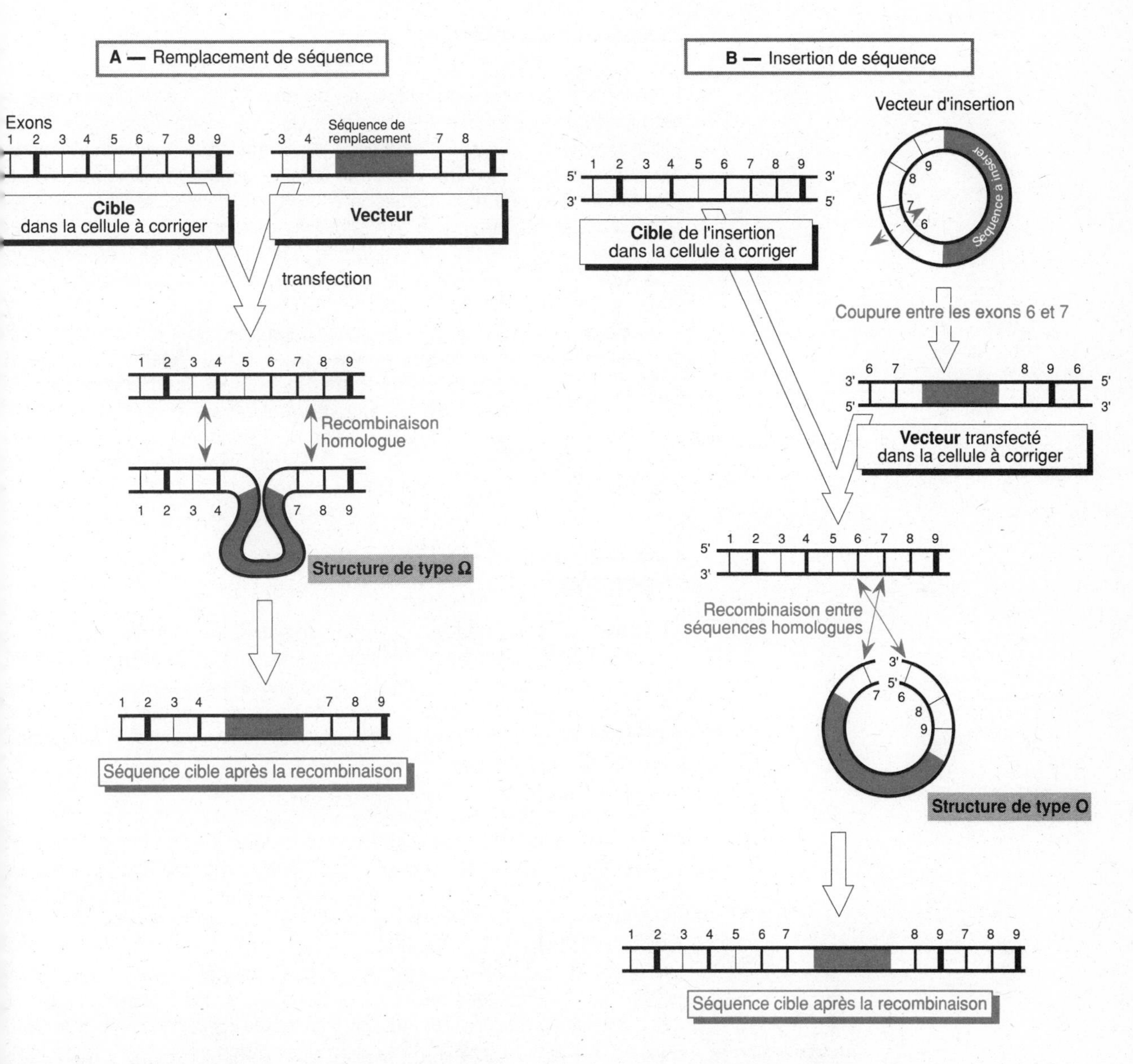

Figure 30-5 Ciblage génique par recombinaison homologue *(D'après Thomas et Capecchi, 1987)*
A — La technique par *remplacement* : la recombinaison permet l'introduction de la séquence souhaitée et l'élimination du DNA génomique compris entre les zones homologues 4 et 7.
B — La technique par *insertion* : la séquence souhaitée a été introduite et les exons 7, 8 et 9 ont été dupliqués.

ration, du fait de son marqueur de sélection bactérien que ne possède aucune des séquences de la cellule.

Le ciblage génique

Le but de cette technique est d'intégrer un gène donné dans son homologue génomique. L'opération implique une **recombinaison homologue** entre les deux. Son application majeure dans le futur sera la génothérapie, la séquence malade étant remplacée par la séquence saine.

Principe et réalisation

La séquence cible où devra se faire l'intégration du DNA que l'on souhaite introduire est clonée et coupée en deux. Chaque moitié est ligaturée (ligase) aux extrémités de la séquence à introduire **(Figure 30-5)**. Le recombinant est alors transfecté dans les cellules que l'on souhaite modifier. Les extrémités du DNA introduit étant exactement homologues à la séquence cible, une recombinaison va se produire avec le DNA génomique, ce qui se traduira par son intégration au point exact où on le souhaitait. Expérimentalement il a été montré que la recombinaison est beaucoup plus rapide si le DNA injecté est linéaire, les extrémités libres favorisant vraisemblablement le phénomène de **recombinaison**.

Le ciblage génique peut être utilisé essentiellement à deux fins : soit pour détruire un gène normal et créer ainsi des modèles de pathologie génétique expérimentale (voir chapitre 12), soit pour la thérapie génique où il offre l'intérêt d'apporter un gène normal dans son contexte génomique naturel (voir chapitre 17). Il représente théoriquement la seule alternative pour les maladies dominantes. De nombreux efforts sont consacrés à la mise au point des stratégies possibles.

Micro-injection de DNA dans les ovocytes fécondés

Cette technique, qui permet l'obtention de **souris transgéniques**, est une véritable manipulation génétique d'un organisme pluricellulaire entier. C'est l'outil le plus puissant pour analyser les mécanismes d'expression des gènes eucaryotes, et ceci dans un contexte in vivo véritable, ce qui n'est pas le cas lorsque l'on travaille avec des cellules en culture. Si le principe est simple, la réalisation en est délicate.

En pratique, on utilise des ovocytes de souris qui viennent d'être fécondés. On les récolte de préférence avant la fusion des deux pronuclei **(Figure 30-6)**. Le DNA que l'on souhaite intégrer (quelques picolitres) est injecté dans le pronucleus mâle (le plus gros) avec une micropipette étirée. L'œuf est ensuite mis en culture jusqu'au stade morula puis implanté dans l'utérus d'une souris pseudo-gestante. Le rendement de cette technique est faible (10 à 20 p. 100).

L'analyse, aussi bien des embryons que des souris nées, montre que le DNA injecté s'intègre dans les chromosomes, le plus souvent au hasard. Les copies intégrées sont retrouvées dans toutes les cellules (pas de mosaïque) et sont transmises en l'état à la descendance.

Le nombre de copies intégrées varie de une à quelques dizaines. Mais l'étude la plus intéressante est celle de la régulation des gènes intégrés. Les résultats sont malheureusement inconstants et dépendent en large part du gène injecté.

Dans certains cas (métallothionéine, transferrine, élastase,...), l'expression du gène apporté est spécifique de tissu et régulée. Dans d'autres cas l'expression est non régulée et ectopique, comme pour le gène de globine dont on a observé une expression musculaire chez les souris trans-

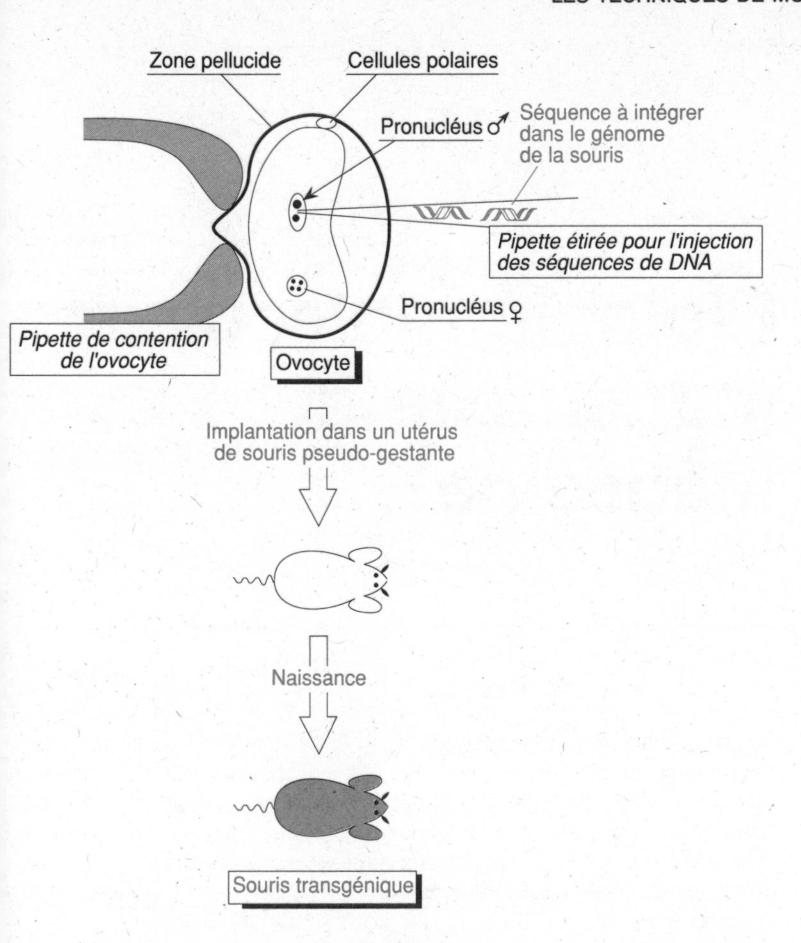

Figure 30-6 **Création de souris transgéniques**
Un gène que l'on veut incorporer dans le patrimoine d'une souris est injecté avec une pipette étirée dans le pronucléus mâle (le plus gros). L'ovocyte est ensuite cultivé puis implanté dans l'utérus d'une souris pseudogestante. La souris qui naîtra de cet œuf possédera dans le DNA de chacune de ses cellules au moins une copie du gène injecté dans l'ovocyte.

géniques. Cet échec est dû à un manque de séquences régulatrices situées quelques dizaines de kb en 5' du gène (voir chapitre 14).

L'exemple le plus spectaculaire est celui de l'hormone de croissance. Ce gène, provenant du rat dans une première expérience et de l'homme dans une seconde, est couplé à un promoteur de métallothionéine **(promoteur inductible)**. La construction est injectée dans des ovocytes de souris fécondés. Dans les souris qui en sont issues, le taux circulant de l'hormone de croissance est proportionnel au nombre de copies intégrées ; ce taux peut aller jusqu'à 800 fois la normale. Il est partiellement modifié par les effecteurs du gène de la métallothionéine comme les ions cadmium ou les ions zinc. Le phénotype de la souris est lui aussi affecté puisque la taille des souris est plus que doublée.

La possibilité d'utilisation à visée thérapeutique ne concerne que les modèles animaux (voir chapitre 17).

Sélection de références bibliographiques : voir page 754.

31 Biologie moléculaire industrielle et médecine

Les biotechnologies sont appelées à un énorme essor. Il s'agit là de l'un des enjeux du XXIe siècle. Parmi les applications les plus prometteuses on peut citer l'amélioration des espèces animales et végétales, la production des protéines alimentaires et des carburants, l'amélioration de l'environnement par bio-dégradation des substances toxiques, etc. Mais ces applications sortent du cadre de cet ouvrage. Nous nous limiterons à celles qui permettent de résoudre des problèmes médicaux.

UTILISATION INDUSTRIELLE DE LA BIOLOGIE MOLÉCULAIRE

La production des protéines humaines à but thérapeutique

L'expression phénotypique biologique des maladies héréditaires est en général due à une perte de fonction ou l'absence d'une protéine. Le plus souvent le traitement ne peut être que substitutif ce qui implique de disposer de grandes quantités de la protéine de remplacement. Dans tous les cas il est préférable d'administrer une protéine d'**origine humaine** ce qui pose à la fois des problèmes de disponibilité et de contamination. L'exemple de l'hémophilie A est très significatif. Les quantités de sang nécessaires à la préparation du facteur VIII sont considérables et peuvent parfois dépasser la disponibilité momentanée.

En France la collecte et le traitement du sang humain sont un monopole des centres de transfusion, le don du sang étant bénévole. A l'échelle mondiale il s'agit là d'une exception ; les firmes multinationales sont contraintes de se procurer le sang par prélèvement rétribué, principalement dans les populations les plus défavorisées ce qui ne manque pas de poser des problèmes moraux et augmente les risques de contamination virale des dérivés sanguins produits.

La production du facteur VIII nécessite le regroupement de centaines, voire de milliers de prélèvements ce qui augmente de manière considérable le risque de contamination virale, même si le virus est très peu répandu. C'est ce qui explique que les hémophiles ont été les principales victimes du virus de l'hépatite B, du virus HIV et du virus de l'hépatite C. A partir de 1985, ces deux derniers virus sont inactivés par chauffage et traitement par les solvants au cours de la préparation du facteur VIII. Un autre exemple de contamination par un virus humain est celui des préparations d'hormone de croissance à partir d'hypophyses humaines qui ont été responsables de maladie de Creutzfeldt-Jakob.

Pour d'autres maladies comme le diabète les problèmes ne viennent pas de la contamination mais de l'impossibilité d'obtenir des préparations de la protéine de substitution d'origine humaine. L'injection de protéines hétérologues est toujours potentiellement immunogène.

Tant que la génothérapie ne sera pas une réalité, la thérapeutique substitutive gardera une place prépondérante. La production par les techniques du génie génétique est la solution idéale puisque les problèmes de disponibilité sont supprimés et les risques de contamination considérablement diminués. Dans l'encadré sont regroupées quelques protéines produites par génie génétique.

L'utilisation du **facteur VIII recombinant** a mis en évidence un inconvénient de ce type de protéines qui n'avait pas été prévu et qui est aussi observé avec les préparations de facteur VIII très purifié. Il semble que ces protéines induisent des inhibiteurs circulants (**alloanticorps**) avec une fréquence plus élevée que les protéines extraites du sang et partiellement purifiées. Ceci pourrait conduire à limiter l'utilisation de tels produits de substitution. Des études sont en cours afin d'évaluer le risque réel, certains biais pouvant être à l'origine d'une surestimation.

Liste non exhaustive de protéines produites par génie génétique et utilisables en thérapeutique

Insuline
Hormone de croissance
Erythropoïétine
Interférons α, β et γ
tPA (activateur tissulaire du plasminogène)
Urokinase
Facteur atrial natriurétique
Facteurs VIII et IX de la coagulation
Antithrombine III
Protéine C
G-CSF (*granulocyte colony stimulating factor*)
EGF (*epidermal growth factor*)
TNF (*tumor necrosis factor*)
α1-antitrypsine
Lipocortine
Interleukine 2
Vaccin contre l'hépatite B

La production des vaccins

Le principe de la vaccination est d'injecter à l'individu l'agent pathogène soit tué, soit complètement atténué. Il en résulte une réaction immunitaire qui ultérieurement protégera l'individu contre toute infection par l'agent pathogène correspondant. Dans la majorité des cas les vaccinations ne posent pas de problèmes et sont sans risques. Lorsque l'agent pathogène atténué est instable ou peu immunogène, ou lorsqu'il n'existe pas d'autre hôte que l'homme (hépatite B, SIDA), la biologie moléculaire peut, en théorie, apporter une solution satisfaisante. La stratégie est fondée sur le fait que la réaction immunitaire ne nécessite pas la présence du virus complet mais simplement d'antigènes viraux, qui sont le plus souvent des antigènes de surface (capside, enveloppe). La solution consiste à produire par les techniques du génie génétique les seules protéines ou fractions de protéines virales nécessaires à l'induction d'une réaction immunitaire, ou encore un virus modifié qui n'est plus pathogène.

Pour certains virus comme le virus du SIDA, le problème est plus complexe. Cela est dû au fait qu'une des caractéristiques des virus, et surtout des rétrovirus, est d'évoluer à une très grande vitesse, rendant par là complètement inefficaces les tentatives d'immunisation. La solution consiste à choisir de produire un antigène à la fois suffisamment accessible pour être reconnu par le système immunitaire et suffisamment indispensable au virus pour que le gène soit stable (séquences conservées). Dans d'autres cas la manipulation du gène de l'antigène permettra de produire des molécules plus immunogènes, pour lesquelles la variation dans le temps peut être éventuellement prévue (synthèse d'une série d'antigènes possédant chacun l'une des mutations prévisibles).

Compte tenu de sa souplesse, de sa puissance et de sa spécificité le génie génétique est le seul moyen d'aborder ces problèmes qui seraient demeurés insurmontables avec les moyens classiques.

La production des bio-réactifs

Les bio-réactifs (enzymes, protéines, etc.) sont de plus en plus utilisés et sont devenus le poste principal dans le prix de revient des dosages classiques de routine, et a fortiori dans les analyses par les techniques de biologie moléculaire. En ce qui concerne la production des protéines, qu'elles soient enzymatiques ou non, le clonage de leurs gènes et leur

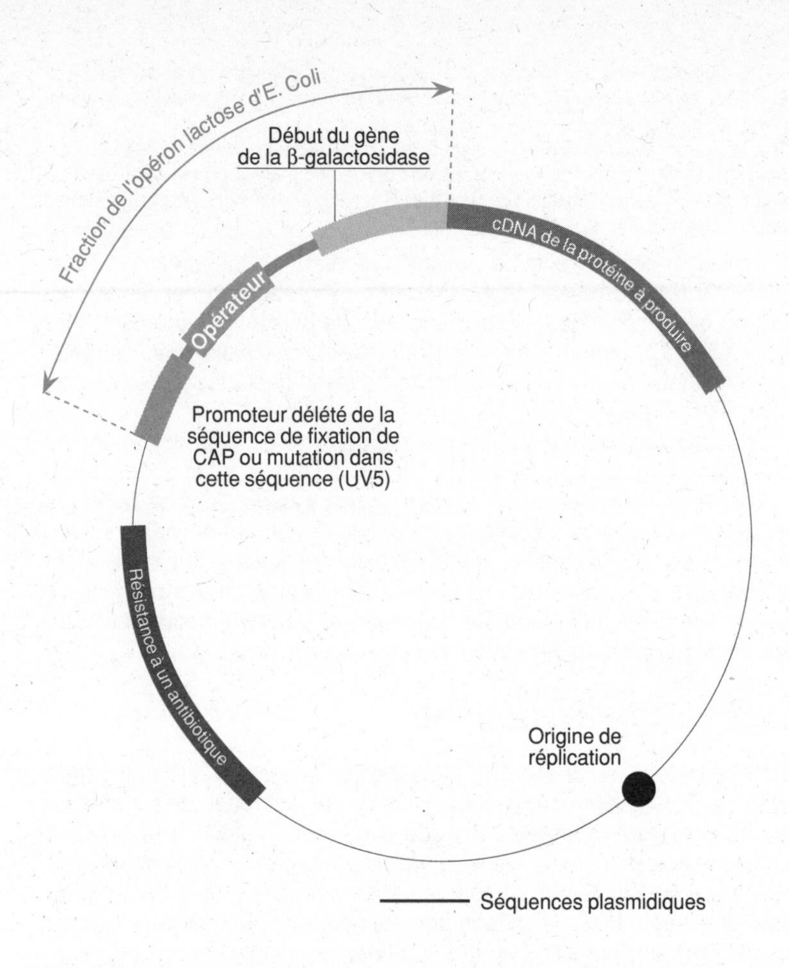

Figure 31-1 Exemple schématique de vecteur utilisé pour la production chez les bactéries

production massive par des micro-organismes est la solution indiquée. Les enzymes de restriction et les enzymes de modification du DNA sont l'un des exemples les plus frappants, leur production après clonage s'étant traduite par une diminution spectaculaire du prix de vente.

LES PROBLÈMES TECHNOLOGIQUES ET LES SOLUTIONS ADOPTÉES

La production par les bactéries

Les premières stratégies de production de protéines humaines par les techniques du génie génétique ont fait appel aux vecteurs d'expression, avec comme hôte les bactéries. Cette voie d'approche a permis de produire un certain nombre de protéines. Les stratégies employées étant le plus souvent spécifiques de la protéine produite, nous nous contenterons de décrire le principe général utilisé.

La première étape consiste à construire un vecteur d'expression bactérien **(Figure 31-1)**. Il est constitué à la base d'un plasmide à reproduction la plus rapide possible, et susceptible de se maintenir en un très grand nombre de copies dans la bactérie. On lui ajoute un promoteur. Trois promoteurs ont été principalement utilisés : les promoteurs des gènes ***lac Z*** (β-galactosidase), ***trp*** (opéron tryptophane) et β-**lactamase** (gène de résistance à l'ampicilline). Pour pouvoir être utilisé le promoteur lac doit être muté (mutation UV5) afin que la répression catabolique ne puisse s'exercer. Pour des raisons stratégiques qui seront évoquées ultérieurement, le début de la partie codante de la protéine naturellement associée au promoteur est conservé. Le gène de la protéine à produire est ligaturé à ce promoteur, on utilise pour cela des *linkers* qui permettent d'insérer le gène dans les **trois phases de lecture** possibles. Il peut enfin être ajouté des séquences qui amélioreront le rendement, dont la nature précise est jalousement tenue secrète par les compagnies.

Dans une deuxième étape le vecteur est intégré dans les bactéries ; celles qui synthétisent correctement la protéine sont sélectionnées. Ces « bonnes » bactéries sont cultivées en fermenteur à grande échelle. La protéine est enfin purifiée à partir du surnageant de culture s'il s'agit d'une protéine **sécrétée**, ou à partir des **bactéries** dans le cas contraire. Cette stratégie simple ne va pas sans poser des problèmes.

• L'un d'entre eux est celui de l'efficacité de la production par la bactérie. Pour l'améliorer, il est possible de jouer sur le promoteur, les séquences non traduites en amont et en aval ainsi que sur la nature des codons utilisés dans la partie codante.

La **force des promoteurs** bactériens naturels est relativement faible. Une série de mutations, mais surtout de petites délétions au sein du promoteur ont permis dans certains cas d'obtenir une efficacité de transcription augmentée d'un facteur qui peut atteindre dix. On peut aussi utiliser des promoteurs plus puissants d'origine **virale**, comme celui de SV40.

Les **parties non codantes** du mRNA synthétisé peuvent s'avérer inhibitrices (phénomène de type atténuation). Des délétions ou des ajouts de séquences dans les parties non codantes peuvent parfois améliorer les rendements de production.

Enfin la **vitesse de traduction** est fonction des codons utilisés. Comme nous l'avons vu le code génétique est dégénéré, un même acide aminé peut être codé par plusieurs codons, mais les concentrations dans le cytoplasme des tRNA correspondants ne sont pas identiques et peuvent devenir un facteur limitant dans la vitesse de traduction. Pour y pallier, lorsque la protéine n'est pas trop grande, un gène synthétique est utilisé à la place du gène naturel. Les codons choisis sont ceux pour lesquels la bactérie possède le plus de tRNA, optimisant par là la vitesse de traduction.

• Le second problème est celui des réactions de la bactérie vis-à-vis de la protéine synthétisée qui est hétérologue. En effet la plupart des protéines étrangères que l'on fait synthétiser par la bactérie sont protéolysées très rapidement (en 2 minutes pour l'insuline par exemple).

Deux solutions ont été apportées à ce problème :

— la première consiste à produire non pas la protéine elle-même, mais une **protéine de fusion**, qui est constituée de la protéine désirée et de l'extrémité N terminale de la protéine bactérienne correspondant au promoteur utilisé. Cet artifice a pour effet d'augmenter considérablement la durée de vie du produit synthétisé. L'inconvénient majeur de cette technique est que la portion bactérienne de la protéine de fusion doit être excisée, ce qui est le plus souvent assez difficile. L'une des solutions consiste à introduire entre le fragment β-gal et le gène à exprimer une séquence codant pour une cible de clivage par le facteur X activé (facteur de coagulation) ; cette séquence n'est normalement pas présente dans les protéines ;

— la seconde solution consiste à utiliser des bactéries mutantes qui ne possèdent plus l'activité protéolytique responsable de la dégradation rapide des produits de traduction hétérologues.

Mais les problèmes peuvent aussi provenir de la protéine elle-même. Par exemple si la traduction est très efficace et que la protéine n'est pas sécrétée, les quantités qui s'accumulent dans la bactérie peuvent être telles que la protéine synthétisée précipite ou cristallise entraînant la mort de la bactérie. Certaines protéines ainsi cristallisées ne peuvent plus ensuite être resolubilisées, ce qui les rend complètement inutilisables.

Une dernière difficulté concerne la récupération de la protéine produite qui n'est en général jamais spontanément sécrétée. En dehors des problèmes de précipitation intra-bactérienne déjà évoqués, l'inconvénient majeur est que les rendements sont de toutes manières très faibles puisque la bactérie ne peut pas produire plus de protéines qu'elle ne peut en contenir, ce qui représente un volume très faible par rapport à ce qu'il serait si la protéine était sécrétée. La solution consiste à ajouter en 5' de la partie codante une courte séquence qui permettra au produit de traduction d'être reconnu par la bactérie comme devant être sécrété (équivalent du **peptide signal**). L'inconvénient de cette technique est encore une fois la nécessité d'exciser cette séquence une fois la protéine récupérée.

La production par les cellules eucaryotes

La stratégie de production par les bactéries qui vient d'être décrite n'est envisageable que pour les protéines qui ne doivent pas être modifiées après traduction pour être actives (glycosylation, γ-carboxylation,...), puisque les bactéries ne possèdent pas l'arsenal enzymatique nécessaire à ces transformations. Dans le cas contraire il faut avoir recours à la production par les cellules **eucaryotes**, ce qui est infiniment plus complexe et coûteux.

De manière schématique la stratégie classique consiste à construire un vecteur susceptible de se propager en un grand nombre de copies chez les eucaryotes. Il doit être construit de telle sorte que le taux de transcription soit maximal **(Figure 31-2)**. En dehors du gène à exprimer il doit donc contenir au minimum un promoteur fort et une séquence stimulatrice de transcription ***(enhancer)***.

Le gène à exprimer peut aussi être optimisé. Pour cela les séquences non indispensables à la fonction de la protéine sont excisées. Ainsi pour le **facteur VIII**, il a été démontré que la délétion du domaine B (voir chapitre 6) presque entier était sans aucun retentissement sur l'activité de la protéine produite. Ceci a permis de réduire de quelques kb le cDNA utilisé pour la production et d'obtenir par là de meilleurs rendements.

Les séquences qui pourraient être responsables d'une éventuelle instabilité de la protéine doivent aussi être extraites. Inversement des séquences qui permettent d'améliorer soit le taux de production soit l'activité spécifique de la protéine peuvent être ajoutées. Comme c'était le cas avec les bactéries toutes les étapes doivent être optimisées, tout doit être fait pour que la protéine soit sécrétée dans le milieu de culture.

Mais le problème majeur est celui de la nature de la cellule utilisée pour la production. En effet si l'on a recours aux cellules eucaryotes en culture, c'est parce qu'elles sont capables d'effectuer les modifications post-traductionnelles nécessaires à l'activité de la protéine produite. Ces systèmes de modification ont parfois une spécificité tissulaire ; les γ-carboxylations de certains acides glutamiques du facteur IX de coagulation ne peuvent par exemple être effectuées que par le foie. Or l'une des caractéristiques fréquentes des cellules eucaryotes différenciées est de ne pouvoir être cultivées.

La prolifération n'est en général possible que si la cellule est transformée, cette transformation étant en général obtenue par **infection virale**. Ceci pose deux problèmes. Le premier est que lors de la transformation la cellule peut perdre les activités enzymatiques nécessaires aux modifications souhaitées. Le second est un problème de **santé publique**, les protéines qui seront produites étant destinées à être administrées à

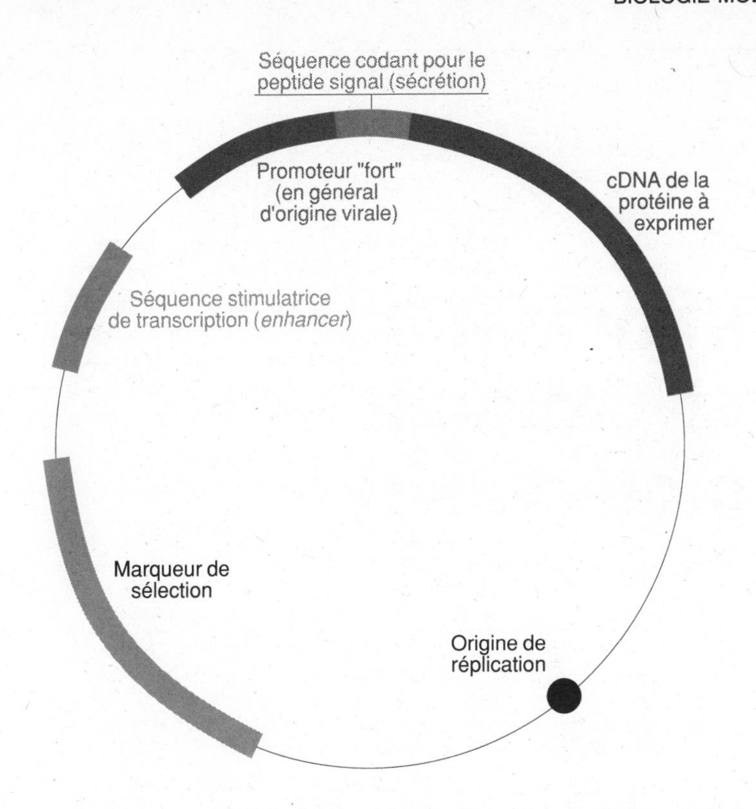

Figure 31-2 Exemple schématique de vecteur utilisé pour la production chez les eucaryotes

l'homme, le plus souvent par injection. Il convient donc d'être absolument certain que la nature transformée des cellules utilisées pour la production ne comporte aucun risque intrinsèque pour l'administration à l'homme de la protéine fabriquée. Des précédents existent, comme celui déjà évoqué du vaccin contre la poliomyélite de première génération, préparé sur cellules de rein de singe dont on s'est aperçu plus tard qu'elles étaient infectées par le virus SV40. Les différentes instances responsables des visas de commercialisation des produits sont extrêmement vigilantes sur ce point. La plupart des cellules donnant des rendements appréciables sont actuellement interdites par les principaux organismes comme la FDA (Food and Drug Administration) américaine. De grands progrès restent à effectuer en ce domaine.

Mais l'avenir est peut-être à d'autres systèmes. Certains commencent à acquérir une certaine faveur (d'un point de vue théorique) : les plantes, les levures et les animaux transgéniques. Les premiers résultats expérimentaux obtenus chez la chèvre sont très prometteurs. L'idée est de faire exprimer le gène de la protéine que l'on désire obtenir dans la glande mammaire (grâce à un promoteur conditionnel adéquat), dans le but de récupérer la protéine produite dans le lait de l'animal.

Sélection de références bibliographiques : voir page 754.

32 Informatique et biologie moléculaire

Le DNA est avant tout de l'information que les techniques de clonage et le séquençage permettent de lire. Des dizaines de milliers de fragments du génome (de l'homme et d'autres espèces) ont été séquencés, ce qui représente plusieurs millions de bases. Le stockage de cette information et son exploitation ne sont envisageables que par les moyens de l'**informatique**, science du traitement de l'information.

Les progrès de ces dernière années, tant au niveau du matériel que des logiciels, ainsi que la baisse du prix du matériel ont été tels que n'importe quel laboratoire, même le plus modeste, peut disposer des moyens informatiques minimum nécessaires. Dans le cadre des applications de base il n'est plus nécessaire d'être un spécialiste pour utiliser un micro-ordinateur.

Pour le moment, cependant, faute de temps et de formation minimale adéquate, la plupart des médecins et des chercheurs en biologie n'utilisent leur micro-ordinateur que pour le traitement de texte...

INFORMATIQUE ET EXPÉRIMENTATION EN BIOLOGIE MOLÉCULAIRE

Un certain nombre d'applications de l'informatique à la biologie moléculaire nécessitent d'une part des bases de données de séquences de plus en plus volumineuses et constamment remises à jour, d'autre part des puissances et des vitesses de calcul qui ne sont pas à la portée des micro-ordinateurs. Il convient donc de faire appel à de gros ordinateurs qui sont utilisés en temps partagé via un modem et une ligne téléphonique, le micro-ordinateur local servant de terminal. En France le système B.I.S.A.N.C.E. fournit tous les services dont on peut avoir besoin en Biologie Moléculaire. L'ordinateur central est localisé au CITI2 dans les locaux de l'UER médicale des Saints-Pères à Paris. Le coût d'utilisation est relativement faible. L'augmentation de la puissance des processeurs et de la taille des mémoires (vives et de masse) des micro-ordinateurs, même de début de gamme, et le développement de logiciels puissants et faciles à utiliser permettent maintenant de s'affranchir de plus en plus souvent de la nécessité d'interroger les grands systèmes.

L'aide au clonage

Comme nous l'avons vu au chapitre 26 le criblage de banque cDNA ou génomique par des oligonucléotides de synthèse est maintenant la technique de clonage la plus utilisée. Dans cette technique le choix de la séquence de l'oligonucléotide est une étape critique. L'informatique facilite considérablement le travail :

— elle permet de choisir la région de la protéine où sont localisés les acides aminés aux codons les moins dégénérés possible ;

— elle permet de choisir les meilleures sondes en fonction de la fréquence d'utilisation des différents codons possibles dans l'espèce considérée, et de choisir les non-appariements qui perturbent le moins la stabilité des hybrides ;

— enfin, une fois la séquence choisie, elle permet de la comparer à toutes les séquences déjà connues afin d'éviter toutes les hybridations croisées, sources d'échecs de clonage.

L'aide au séquençage

La lecture des gels de séquence est grandement facilitée par l'utilisation de systèmes de lecture optique directement branchés sur un micro-ordinateur. Le plus simple de ces dispositifs est le **crayon optique**, déplacé sur l'autoradiogramme par l'expérimentateur ; le plus sophistiqué est un appareil entièrement automatique.

Le séquençage d'un gène ne peut s'effectuer que par petits bouts (en moyenne de 300 bases). Si la séquence à déterminer est longue (> 1 kb) l'alignement des multiples fragments et l'élimination des séquences appartenant au vecteur est une tâche qui manuellement devient vite impossible ou qui prend trop de temps. Il existe des programmes spécialisés qui assurent l'aide au séquençage en gérant les catalogues des gels, les alignements, les recouvrements,... Ceci facilite considérablement le travail et diminue le risque d'erreurs. A la limite plusieurs équipes, même non localisées au même endroit, peuvent se partager le travail sans que cela pose de problèmes de communication puisque celle-ci est assurée par l'informatique.

La comparaison des séquences

Une fois le DNA cloné et sa séquence déterminée, la première chose à faire est de voir si elle est déjà connue ou non, et si elle est compatible avec la séquence en acides aminés de la protéine que l'on souhaitait cloner. Il existe pour cela toute une série de programmes qui permettent de comparer par alignement n'importe quelle séquence avec celles contenues dans les banques de données nucléiques et protéiques. Les différences entre ces différents programmes portent sur le nombre de bases testées à chaque essai, sur l'autorisation des non-appariements ponctuels et sur les insertions-délétions de bases ou de fragments.

Les programmes les plus rapides et donc les plus économiques sont les programmes de recherche d'**homologie parfaite**. L'inconvénient est alors qu'un même gène, mais d'une autre espèce, ne sera pas reconnu comme homologue. Le système B.I.S.A.N.C.E. permet de comparer n'importe quelle séquence à deux banques nucléiques internationales (Genebank et EMBL) ainsi qu'à une banque protéique (NBRF) ; ces banques sont régulièrement tenues à jour.

L'aide à la recherche de séquences particulières

Si le clonage a été effectué dans une banque génomique, la partie du clone que l'on séquence ne correspond pas obligatoirement à une partie codante, il ne faut pas en conclure pour autant que le clonage a échoué. Une série de programmes permet de rechercher les codons initiateurs et les codons stop dans les trois phases de lecture. Une analyse du même type permet de rechercher les **séquences consensus** : TATA box, CAAT box, séquences de polyadénylation, séquences cis-régulatrices (commes des boîtes GC), etc.

Il est aussi possible d'établir la **carte de restriction** de la séquence en quelques secondes, l'ordinateur ayant dans sa mémoire les séquences reconnues par toutes les enzymes de restriction connues, ce qui est très utile pour toutes les manipulations ultérieures sur le gène.

Analyses de haut niveau

Elles requièrent une énorme puissance de calcul mais sont très fécondes. Elles permettent de prévoir la structure secondo-tertiaire la plus probable du RNA ou de la protéine codée à partir de la seule connaissance de la séquence nucléotidique. Il est aussi parfois possible, toujours à partir de la seule connaissance de la séquence nucléotidique d'un cDNA, de prévoir une possible fonction de la protéine ou de l'une de ses régions, étape ultime de la stratégie de la génétique inverse (voir chapitre 11).

On peut par exemple mettre en évidence des régions dont il est fortement probable qu'elles possèdent une structure de type doigt de gant ou hélice-tour-hélice, donc prévoir que la protéine correspondante est une protéine se fixant au DNA. Des études analogues permettent de mettre en évidence des homologies de courtes séquences entre des protéines différentes, et ainsi de reconstituer des familles partageant des **domaines exoniques communs**. Les comparaisons d'homologie sont aussi devenues un outil incomparable pour étudier l'**évolution moléculaire**. Ainsi l'accumulation de telles données a montré que beaucoup de protéines étaient constituées d'une mosaïque de séquences, possédant chacune une fonction donnée, retrouvées dans toute une série de protéines sans parenté évidente.

Enfin l'analyse informatique des séquences génomiques peut fournir une aide précieuse à la détection des **exons** (par programme GRAIL par exemple). L'établissement de cartes physiques, tels que les contigs de YAC (chapitre 10), engendre des besoins informatiques spécifiques réclamant des moyens très puissants. De tels programmes sont actuellement développés au CEPH et au Généthon.

UTILISATION PRATIQUE DES MOYENS INFORMATIQUES PARTAGÉS

L'utilisation des banques de données et des services ne peut s'effectuer qu'après avoir souscrit un abonnement auprès des centres serveurs. La facturation est soit forfaitaire soit au temps d'utilisation. Il est nécessaire de disposer d'un micro-ordinateur et d'un modem relié à une ligne téléphonique.

Dans la pratique les interrogations s'effectuent de la manière suivante :

— appel au centre serveur et connexion du modem ;

— fourniture du ou des mots de passe afin que le centre serveur puisse effectuer la facturation ;

— choix du menu correspondant au service que l'on souhaite ;

— évolution interactive au sein du programme. Les réponses sont enregistrées dans la mémoire du micro-ordinateur personnel et éventuellement imprimées.

Un fac-similé des menus proposés par le système B.I.S.A.N.C.E. (CITI 2) et un exemple d'interrogation sont donnés dans les **figures 32-1 et 32-2**.

LE MICRO-ORDINATEUR MOYEN DE COMMUNICATION

Avec le développement des réseaux et l'amélioration des télécommunications, l'informatique est aussi devenue un formidable moyen de communication entre les chercheurs. Des travaux collaboratifs inter-continents peuvent même être réalisés sans problème. Bien que les services offerts soient gratuits, cette possibilité est encore très peu utilisée en France, faute de connaissance des possibilités.

Le premier réseau, encore utilisé, était le réseau **BITNET** aussi appelé **EARN**, mais ce système n'était pas interactif. Cet inconvénient a été levé avec la mise en place du système **INTERNET** qui permet toute correspondance électronique interactive.

Sur ces réseaux, auxquels on accède par téléphone, via un modem, chaque utilisateur possède une adresse : le **E-mail**. Cette adresse est totalement équivalente à une adresse postale, elle est simplement plus condensée. Les premiers caractères identifient l'individu, les suivants indiquent à la suite (sous forme d'abréviations), le laboratoire, l'institution de rattachement et la région où est installé le laboratoire. Après avoir indiqué le destinataire il est possible d'envoyer des messages, des fichiers de données scientifiques ou de longs textes, comme des articles. Par exemple dans le cas d'un travail collaboratif inter-continent les équipes peuvent s'échanger les résultats sous une forme directement utilisable par les ordinateurs sans avoir à réintroduire les données (ce qui limite les erreurs, surtout lorsqu'il s'agit de sorties d'appareils automatiques comme des séquenceurs de DNA). L'article peut ensuite être écrit par une équipe, adressé directement dans le traitement de texte de l'équipe qui collabore et qui apportera ses corrections. La forme définitive peut ensuite être adressée à l'éditeur et les données de séquences aux différentes banques qui les stockent. Le temps gagné est considérable par rapport à l'envoi de disquettes ou de Fax (qui nécessitent le plus souvent de tout réécrire). Il est possible, à l'aide d'une simple commande, d'envoyer des informations sur les travaux du laboratoire ou de poser des questions à l'ensemble des laboratoires qui travaillent sur le même sujet. Et il ne s'agit là que de quelques exemples.

LE MICRO-ORDINATEUR CAHIER DE PAILLASSE

La combinaison de logiciels de traitement de textes, de gestion de fichiers et d'importation de données permet de disposer d'un cahier de paillasse d'une remarquable efficacité. Même les expérimentateurs les plus méticuleux se sont trouvés confrontés à la difficulté de retrouver des résultats de manipulations anciennes, certaines données faisant souvent défaut (avec le temps certains paramètres ne sont plus notés).

Le micro-ordinateur, par sa fonction de traitement de texte, peut remplacer physiquement le cahier de paillasse. Il est aussi possible de mettre en mémoire des protocoles préétablis où il ne reste plus qu'à indiquer la valeur de chacun des paramètres (la feuille étant préétablie, les omissions involontaires de données ne sont plus possibles). La plupart des appa-

MENU GENERAL

1-ACCES ET MANIPULATIONS DES DONNEES
2-PROGRAMMES DE SEQUENCAGE
3-STRUCTURE PRIMAIRE DES SEQUENCES
4-STRUCTURE SECONDAIRE DES SEQUENCES
5-COMPARAISONS DE SEQUENCES
6-ENZYMES DE RESTRICTION ET CARTES
7-TRADUCTIONS SEQUENCES NUCLEIQUES <==> PROTEINES
8-ACCES ET ANALYSES DE DONNEES PROTEIQUES
9-RECHERCHES DANS LES BANQUES ET PROGRAMMES EN DIFFERE
10-PROGRAMMES UTILITAIRES ET BASE BIBLIOGRAPHIQUE
11-CONSTRUCTION D'ARBRES PHYLOGENETIQUES (NUCL.ET PROT.) OPTION

Sous Menu N° 9

9-RECHERCHES DANS LES BANQUES ET PROGRAMMES EN DIFFERE

1-RECHERCHE EXACTE D'UN MOTIF DANS G.E.N.B.A.N.K
2-RECHERCHE D UN CONSENSUS DANS LES BANQUES PROTEIQUES
3-HOMOLOGIES FLOUES SEQUENCE ET GENBANK (ALG.NINIO ET DUMAS)
4-HOMOLOGIES FLOUES SEQUENCE ET NBRF (ALG.NINIO ET DUMAS)
5-ALIGNEMENT SEQUENCE NUCLEIQUE AVEC UNE BANQUE OU EXTRACTION
6-ALIGNEMENT D UNE PROTEINE AVEC UNE BANQUE OU EXTRACTION
7-HOMOLOGIES FLOUES (DAYHOFF) ENTRE UNE SEQUENCE ET BANQUES
8-DETECTION DE SIMILITUDES ENTRE DEUX SEQUENCES (DAYHOFF)
9-ALIGNEMENTS (NEEDLEMAN) ENTRE 2 A 10 SEQUENCES
10-TRADUCTION REVERSE ET HOMOLOGIES EXACTES AVEC GENBANK
11-TRADUCTION REVERSE ET HOMOLOGIES FLOUES AVEC GENBANK
12-ALIGNEMENT D UNE SEQUENCE AVEC NBRF OU SWISSPROT (LIPMAN)
13-EPURATION DES FICHIERS CREES POUR LES LANCEMENTS DIFFERES
14-RECUPERATION DES TRAVAUX LANCES EN DIFFERE

Figure 32-1 **Le menu du système B.I.S.A.N.C.E. (CITI 2) et un exemple de sous-menu**

```
OPTION ( ? = AIDE ) =
 =7-9
          7- 9 RECHERCHE DE "SONDES" A PARTIR D UNE PROTEINE
EXPLICATIONS ? (O/N)
 =n
TYPE DE DONNEE PERSONNELLE (P) - NBRF (N) - GENPRO (O) RETURN = MENU
=p
NOM DU FICHIER PERSONNEL   ? = LISTE DE VOS FICHIERS  RETURN = CHOIX PRECEDENT
=HMGOPEP
PARAMETRES POUR L'ETUDE DE LA SEQUENCE PROTEIQUE
-----------------------------------------------------------
Position Debut  NO  (RETURN = 1   -1 = RETOUR AU MENU)
Position Fin    NO  (RETURN =   30)
 DEGENERESCENCE MAXIMALE DE LA SONDE ?
=12
LONGUEUR MINIMALE DE LA SONDE ?   (RETURN = 14 BASES)
=22
LONGUEUR MAXIMALE DE LA SONDE ?   (RETURN = 50 BASES)
ELIMINATION DES CODONS LES MOINS FREQUENTS ?   (O/N)
=0
1:HOMME   2:BOVIN   3:LEVURE   4:ESCHERICHIA COLI 5:RAT-SOURIS    6:DROSOPHILE
7:FICHIER PERSONNEL
OPTION ? =5
POUR QUEL SEUIL L'ELIMINATION DOIT-ELLE SE FAIRE ?   (RETURN=5%) =
REMPLACEMENT DES BASES G-A PAR G ?    (O/N)
=0
REMPLACEMENT DES BASES T-C PAR T ?    (O/N)
=0
REMPLACEMENT DES BASES T-A-G PAR L'INOSINE ?   (O/N)
=N
 24 GROUPES DE SONDES ONT ETE DETERMINES COMBIEN DE GROUPES VOULEZ-VOUS EDITER ?
(RETURN = TOUS   -1 = AUCUN)
=1
N.  1    SONDE DE 23 BASES          =================
               11   12   13   14   15   16   17   18
PROT          VAL  ALA  GLU  GLU  ALA  LYS  GLN  ALA
SONDE 5'  GTT  GCT  GAG  GAG  GCT AAG CAG  GC   3'
                 G    G              G

DEGEN.:  8    %GC(MN-MX) : 60- 73    T.HYB(MN-MX): 66- 80
VOULEZ-VOUS SAUVEGARDER CES SONDES DANS UN FICHIER ?    (O/Q/N)
```

Figure 32-2 **Fac-similé d'une interrogation du système B.I.S.A.N.C.E.**
La question posée est : quelle est la meilleure sonde à synthétiser pour cloner un gène, connaissant une séquence de 40 acides aminés de la protéine codée par ce gène ? Le programme a choisi les acides aminés 11 à 18 (qui correspondent à la séquence la moins dégénérée). Il indique les séquences des 8 sondes possibles ainsi que les conditions limites d'hybridation.

reils utilisés actuellement contiennent des microprocesseurs et sont susceptibles de transmettre leurs données par un câble à n'importe quel ordinateur. Le transfert est encore plus simple si le laboratoire dispose d'un réseau (même très simplifié) sur lequel sont connectés les micro-ordinateurs et les appareils du laboratoire. La totalité des résultats peut être introduite ainsi directement et peut même être ensuite traitée (suppression de ligne de base sur un graphe de sortie de HPLC, intégration des pics, introduction de séquence de DNA ou d'image d'électrophorèse, etc.).

Les avantages qualitatifs d'un tel cahier de paillasse sont considérables (une sortie papier est toujours possible pour les inconditionnels du papier). La quantité d'information qu'il est possible de stocker, et sous une même forme, est considérable et de très loin supérieure à ce qu'il est possible de faire à la main.

Mais l'avantage est aussi considérable sur le plan de l'utilisation des informations stockées. Les logiciels de traitement de fichier permettent de ressortir n'importe quelle donnée, quelle que soit son ancienneté, en quelques secondes. Par exemple, les données de différentes expériences peuvent être automatiquement comparées et traitées, les sorties des graphes correspondants, avec analyse statistique, sont créées en quelques secondes...

LE MICRO-ORDINATEUR, UNE AIDE POUR LA BIBLIOGRAPHIE

Le nombre de revues ne cesse d'augmenter, leur prix est souvent prohibitif. La majorité des bibliothèques ne peuvent plus être abonnées à toutes les publications. Si le micro-ordinateur ne peut pas remplacer le travail bibliographique que doit effectuer chaque chercheur, il peut considérablement aider pour la recherche des références et pour leur stockage.

Les Current Contents® sont maintenant disponibles sur disquette et exploitables à l'aide d'un logiciel particulièrement performant. Il suffit de définir un ensemble de mots-clés correspondant à tous les champs de recherche auxquels on s'intéresse et de lancer le programme. L'ordinateur indique en quelques secondes l'ensemble des articles parus dans le monde et traitant des sujets correspondants. Une version fournit en même temps un résumé de l'article. Des affinements sont possibles si les mots-clés ont été mal choisis. Des sélections peuvent ensuite être faites puis imprimées. L'ordinateur peut aussi automatiquement imprimer les étiquettes avec adresses destinées aux demandes de tirés-à-part. Enfin les données sélectionnées peuvent être automatiquement mises en forme et expédiées dans un fichier exploitable par les systèmes de gestion de bibliographie, comme EndNote®. Ceux-ci permettent désormais d'effectuer sans difficultés la gestion des références bibliographiques, qui était devenue un problème presque insoluble par les moyens conventionnels. Ils permettent par exemple de retrouver n'importe quel article en quelques secondes. Les références des articles sélectionnés peuvent même être directement imprimées dans le format de la revue dans laquelle on souhaite publier. Le temps gagné est considérable, le risque d'erreur minimisé. Le fichier correspondant peut aussi être expédié directement dans la mémoire du traitement de texte. Pendant longtemps l'inconvénient majeur des gestionnaires de bibliographie était le temps important qu'il fallait consacrer à l'introduction des données. Ce temps était d'autant plus important que les données introduites étaient plus conséquentes. La situation change actuellement grâce aux systèmes comme celui des Currents Contents® sur disquettes, mais aussi grâce au développement des scanners miniatures et des logiciels de reconnaissance de caractères, l'introduction se limitant au balayage des régions intéressantes avec le scanner.

Enfin l'un des avantages, surtout si le laboratoire dispose d'un réseau, est que les données bibliographiques de chacun peuvent être partagées par les différents membres du laboratoire. Il suffit de rassembler les bases bibliographiques de chacun dans un même disque dur accessible par le réseau.

Les grandes banques de données bibliographiques (comme Medline®) peuvent de même être directement consultées pour des recherches exhaustives.

Sélection de références bibliographiques : voir page 755.

Bibliographie

Bibliographie générale

Ouvrages

Ouvrages généraux de référence

ALBERTS B, BRAY D, LEWIS J, RAFF M, ROBERTS K, WATSON JD. Molecular Biology of the Cell. 2e Ed, New York, Garland Publishing, 1989.
DARNELL J, LODISH H, BALTIMORE D. Molecular Cell Biology. 2e Ed, New York, Scientific American Books, WH Freeman and Co, 1990.
FREIFELDER D. Molecular Biology. 2e Ed, Boston, Jones & Bartlett, 1987.
LEWIN B. Genes IV. 4e Ed, New York, John Wiley and Sons, 1990.
STRYER L. Biochemistry. 3e Ed, New York, WH Freeman and Co, 1988.
WATSON JD, HOPKINS NH, ROBERTS JW, STEITZ JA, WEINER AM. Molecular Biology of the gene. 2 Vol, 4e Ed, Menlo Park, The Benjamin/Cummings Publishing Company, 1987.
WATSON JD, GILMAN M, WITKOWSKI J, ZOLLER M. Recombinant DNA. 2e Ed, New York, Scientific American Books, WH Freeman and Co, 1992.

Ouvrages spécialisés

CHILDS B, HOLTZMAN NA, KAZAZIAN HH JR, VALLE DL. Molecular Genetics in Medicine. *In* : Prog Med Genet, Vol 7, New York, Amsterdam, London, Elsevier, 1988.
COLD SPRING HARBOR SYMPOSIA ON QUANTITATIVE BIOLOGY. Molecular Biology of *Homo sapiens.* Vol LI, New York, Cold Spring Harbor Laboratory, 1986.
CONNOR JM, FERGUSON-SMITH MA. Essential Medical Genetics. 2e Ed, Oxford, Blackwell Scientific Publications, 1987.
DAVIES KE. Human genetic diseases. A practical approach. Oxford, Washington DC, IRL Press, 1986.
DAVIES KE. Genome analysis. A practical approach. Oxford, Washington DC, IRL Press, 1988.
DAVIES KE, READ AP. Molecular basis of inherited disease. Oxford, Washington DC, IRL Press, 1988.
DAVIES KE, TILGHMAN SM. Genetic and Physical Mapping. Vol 1, Genome analysis. New York, Cold Spring Harbor Laboratory Press, 1990.
GELEHRTER TD, COLLINS FS. Principles of Medical Genetics. Baltimore, Williams & Wilkins, 1990.
GENATLAS: a catalogue of mapped genes and other markers. J. Frézal, MS Baule, MT Fougerolle, 2e Ed, Paris, John Libbey Eurotext Ltd, 1991.
Genetic Engineering. Academic Press, Vol 1 à 4 (sous la direction de R Williamson) ; Vol 5 à 7 (sous la direction de PWJ Rigby).
GLOVER DM. Gene cloning. The mechanics of DNA manipulation, Londres, New York, Chapman and Hall, 1984.
KORNBERG A, BAKER TA. DNA replication. 2e Ed, New York, WH Freeman and Co, 1992.
McKUSICK VA. Mendelian inheritance in man. Catalogs of autosomal dominant, autosomal recessive, and X-linked phenotypes. 10e Ed, Baltimore, Londres, The Johns Hopkins University Press, 1992.
OLD RW, PRIMROSE SB. Principles of gene manipulation. An introduction to genetic engineering. 4e Ed, Oxford, Blackwell Scientific Publications, 1989.
PERBAL BV. A practical guide to molecular cloning. 2e Ed, New York, John Wiley and Sons, 1988.
SAMBROOK J, FRITSCH EF, MANIATIS T. Molecular cloning. A Laboratory Manual. 2e Ed, New York, 2 Vol, Cold Spring Harbor Laboratory, 1989.
SCRIVER CR, BEAUDET AL, SLY WS, VALLE D. The metabolic basis of inherited disease. 6e Ed, 2 Vol, McGraw-Hill, 1989.
VOGEL F, MOTULSKY AG. Human Genetics. Problems and Approaches. 2e Ed, Berlin, Heidelberg, New York, Tokyo, Springer Verlag, 1986.
WATSON JD, TOOZE J. The DNA story. A documentary history of gene cloning. San Francisco, WH Freeman and Company, 1981.
WEATHERALL DJ. The New Genetics and clinical practice. 3e Ed, Oxford, Oxford University Press, 1991.

Périodiques

Revues pluridisciplinaires

Nature
Science
Proceedings of the National Academy of Science, USA

Revues spécialisées

American Journal of Human Genetics *(génétique)*
Cell *(biologie cellulaire et moléculaire)*

Cytogenetics and Cell Genetics *(carte génétique)*
Developmental Cell Biology *(embryologie, développement)*
DNA *(biologie moléculaire)*
Gene *(biologie moléculaire)*
Genes and Development *(embryologie, développement)*
Genomics *(génome humain)*
Human Genetics *(génétique humaine)*
Human Gene Therapy *(transfert de gènes à visée thérapeutique)*
Human Molecular Genetics *(génétique humaine)*
Journal of Biological Chemistry *(biochimie, biologie moléculaire)*
Journal of Medical Genetics *(génétique médicale)*
Molecular Biology and Medicine *(biologie moléculaire et médecine)*
Molecular and Cellular Biology *(biologie moléculaire et cellulaire)*
Nature Genetics *(génétique)*
Nucleic Acids Research *(biologie moléculaire)*
PCR Methods and Applications *(méthodologie)*
The EMBO Journal *(biochimie, biologie)*
The Lancet *(médecine)*
The New England Journal of Medicine *(médecine)*

Articles de synthèse et revues générales

Biofutur
Current Opinion series (en particulier Current Opinion in Cell Biology, Current Opinion in Genetics & Development, Current Opinion in Biotechnology, Current Biology)
Médecine/Sciences
Trends in Genetics

Bibliographie par chapitre

Chapitre 1 : Génie génétique et Médecine : un panorama

BOTSTEIN DR, WHITE R, SKOLNICK M et al. Construction of a genetic linkage map in man using restriction fragment length polymorphisms. Am J Hum Genet, 1980, *32* : 314-331.
CARLSON EA. Defining the gene: an evolving concept. Am J Hum Genet, 1991, *49* : 475-487.
CASKEY CT, WARD D. Genetics of disease ; gene mapping. Curr Opin Genet Develop, 1991, *1* : 1-166.
CHILDS B, HOLTZMAN NA, KAZAZIAN HH Jr et al. Molecular Genetics in Medicine. *In* : Prog Med Genet, Vol 17, Amsterdam, Elsevier, 1988.
DONEHOWER LA, HARVEY M, SLAGLE BL et al. Mice deficient for p53 are developmentally normal but suceptible to spontaneous tumours. Nature, 1992, *356* : 215-221.
LOOKER D, ABBOTT-BROWN D, COZART P et al. A human recombinant haemoglobin designed for use as a blood substitute. Nature, 1992, *356* : 258-260.
Molecular advances in genetic diseases. Science, 1992, *256* : 766-813.
WATSON JD, TOOZE J. The DNA story. A documentary history of gene cloning, 1 Vol, San Francisco, WH Freeman and Company, 1981.
WEATHERALL DJ. The New Genetics and clinical practice. 3e Ed, 1 vol, Oxford University Press, 1991.
WHITE R, CASKEY CT. The human as an experimental system in molecular genetics. Science, 1988, *240* : 1483-1488.

PREMIÈRE PARTIE — LES CONCEPTS DE BASE

Chapitre 2 : Le génome des eucaryotes

DNA, chromatine, chromosomes

ADELMAN J, BOND C, DOUGLASS J et al. Two mammalian genes transcribed from opposite strands of the same DNA locus. Science, 1987, *235* : 1514-1517.
BERNADI G. The isochore organization of the human genome. Ann Rev Genet, 1989, *23* : 637-661.
BICKMORE WA, SUMNER AT. Mammalian chromosome banding, an expression of genome organization. Trends Genet, 1989, *5* : 144-148.
BIRD A. CpG-rich islands and the function of DNA methylation. Nature, 1986, *321* : 209-213.
BIRD A. CpG islands as gene markers in vertebrate nucleus. Trends Genet, 1987, *3* : 342-347.
BLACKBURN EH. Structure and function of telomeres. Nature, 1991, *350* : 569-573.
BLACKBURN EH. Telomeres and their synthesis. Science, 1990, *249* : 489-490.
BLACKBURN EH. Telomeres : structure and synthesis. J Biol Chem, 1990, *265* : 5919-5921.
BLACKBURN E, SZOSTAK J. The molecular structure of centromeres and telomeres. Ann Rev Biochem, 1984, *53* : 163-193.
BROWN W. Molecular cloning of human telomeres in yeast. Nature, 1989, *338* : 774-776.
BROWN W, MACKINNON P, VILLASANTÉ A et al. Structure and polymorphism of human telomere-associated DNA. Cell, 1990, *63* : 119-132.
Cold Spring Harbor Symp Quant Biol. Chromosome structure and function. Vol 38, New York, Cold Spring Harbor Laboratory, 1974.
Cold Spring Harbor Symp Quant Biol. Chromatin. Vol 42, New York, Cold Spring Harbor Laboratory, 1978.
Cold Spring Harbor Symp Quant Biol. DNA structures. Vol 47, New York, Cold Spring Harbor Laboratory, 1983.
CSORDAS A. On the biological role of histone acetylation. Biochem J, 1990, *265* : 23-38.
DORIT RL, GILBERT W. The limited universe of exons. Curr Opin Genet Develop, 1991, *1* : 464-469.
DORIT R, SCHOENBACH L, GILBERT W. How big is the universe of exons? Science, 1990, *250* : 1377-1382.
DREYFUS JC. Quelle taille pour l'univers des exons? M/S, 1991, *7* : 187.
FELSENFELD G, McGHEE J. Structure of the 30 nm chromatin fiber. Cell, 1986, *44* : 375-377.
GIBBONS A. Calculating the original family of exons. Science, 1990, *250* : 1342-1345.
GREIDER CW. Telomeres, telomerase and senescence. Bioessays, 1990, *12* : 363-369.
GREIDER CW. Telomeres. Curr Opin Cell Biol, 1991, *3* : 444-451.
GREIDER CW, BLACKBURN EH. The telomere terminal transferase of tetrahymena is a ribonucleoprotein enzyme with two kinds of primer specificity. Cell, 1987, *51* : 887-798.
GREIDER C, BLACKBURN E. A telomeric sequence in the RNA of tetrahymena telomerase required for telomere repeays synthesis. Nature, 1989, *337* : 331-337.
HENDERSON ER, LARSON DD. Telomeres, what's new at the end? Curr Opin Genet Develop, 1991, *1* : 538-543.
HUNKAPILLER T, HOOD L. Diversity of the immunoglobulin family. Adv Immunol, 1989, *44* : 1-63.
HUNKAPILLER T, HOOD L. The growing immunoglobulin gene superfamily. Nature, 1986, *323* : 15-16.
IGO-KEMENES T, HÖRZ W, ZACHAU H. Chromatin. Ann Rev Biochem, 1982, *51* : 9-121.
JOHNS E. The HMG chromosomal proteins. New York, Academic Press, 1982.
KITSBERG D, SELIG S, CEDAR H. Chromosome structure and eukaryotic gene organization. Cur Opin Genet Develop, 1991, *1* : 534-537.
KORNBERG R. Chromatin structure: a repeating unit of histones and DNA. Science, 1974, *184* : 868-871.
KUMA K, IWABE N, MIYATA T. The immunoglobulin family. Curr Opin Struct Biol, 1991, *1* : 393-394.
LAWN R, ADELMAN J, FRANKE A et al. Human fibroblast interferon gene lacks introns. Nucleic Acids Res, 1981, *9* : 1045-1052.
MAIZELS N, ZIMMER E. Gene organization and evolution. Curr Opin Genet Develop, 1991, *1* : 447-450.
MANUELIDIS L. A view of interphase chromosomes. Science, 1990, *250* : 1533-1540.
MILLER O. The nucleolus, chromosomes and visualisation of genetic activity. J Cell Biol, 1981, *91* : 15-27.
MIRKOVICH J, MIRAULT M, LAEMMLI U. Organization of the

higher-order chromatin loop: specific DNA attachement sites on nuclear scaffold. Cell, 1984, *9* : 223-232.
MORIN GB. The human telomere terminal transferase enzyme is a ribonucleoprotein that synthetizes TTAGGG repeats. Cell, 1989, *59* : 521-529.
PALMER JD, LOGSDON JM. The recent origins of introns. Curr Opin Genet Develop, 1991, *1* : 470-477.
PARDUE M, GALL J. Chromosomal localization of mouse satellite DNA. Science, 1970, *168* : 1356-1358.
PAULSON J, LAEMMLI U. The structure of histone-depleted metaphase chromosomes. Cell, 1977, *12* : 817-828.
PFEFFER U, VIDALI G. Histone acetylation : recent approaches to a basic mechanism of genome organization. Int J Biochem, 1991, *23* : 277-285.
RATTNER J. The structure of the mammalian centromere. Bioessays, 1991, *13* : 51-56.
SCHMIDTKE J, EPPLEN J. Sequence organization of nuclear DNA. Hum Genet, 1980, *55* : 1-18.
SHIPPEN-LENTZ D, BLACKBURN E. Functional evidence for an RNA template in telomerase. Science, 1990, *247* : 546-552.
SUNDQUIST WI, KLUG A. Telomeric DNA dimerizes by formation of guanine tetrads between hairpin loops. Nature, 1989, *342* : 825-829.
SZOSTAK J. Telomerase : the beginning of the ends. Nature, 1989, *337* : 303-304.
WILLARD H. Centromeres of mammalian chromosomes. Trends Genet, 1991, *6* : 410-416.
YUNIS JJ. Mid prophase human chromosomes. The attaintement of 2000 bands. Hum Genet, 1981, *56* : 293-296.
ZIMMERMAN S. The three-dimensional structure of DNA. Ann Rev Biochem, 1982, *51* : 395-427.

Séquences répétées

BRITTEN RJ, BARON WF, STOUT DB et al. Source and evolution of human Alu repeated sequences. Proc Natl Acad Sci USA, 1988, *85* : 4770-4774.
DEININGER P. SINEs : short interspersed repeated DNA elements in higher eucaryotes. *In* : DE Berg, MM Howe. Mobile DNA. 1 vol, American Society for Microbiology, Washington, 1989, 619-636.
DEININGER P, DANIELS G. The recent evolution of mammalian repetitive DNA elements. TIG, 1986, *2* : 76-80.
DENINGER PL, SLAGEL VK. Recently amplified Alu family members share a common parental alu sequences. Mol Cell Biol, 1988, *8* : 4566-4569.
DEKA N, PAULSON K, WILLARD C et al. Repetitive human DNA sequences: Properties of transposon-like human element. Cold Spring Harbor Symp Quant Biol, 1986, *51* : 471-477.
GIERL A, FREY M. Eukariotic transposable elements with short terminal inverted repeats. Curr Opin Genet Develop, 1991, *1* : 494-497.
HARDMAN N. Structure and function of repetitive DNA in eukaryotes. Biochem J, 1986, *234* : 1-11.
HUTCHINSON III C, HARDIES S, LOEB D et al. LINEs and related retroposons : long interspersed repeated sequences in the eucaryotic genome. *In* : DE Berg, MM Howe. Mobile DNA. 1 vol, American Society for Microbiology, Washington, 1989, 593-617.
JELINEK W, SCHMID C. Repetitive sequences in eukaryotic DNA and their expression. Ann Rev Biochem, 1982, *51* : 813-844.
JURKA J, SMITH T. A fundamental division in the Alu family of repeated sequences. Proc Natl Acad Sci, 1988, *85* : 4775-4778.
KAZAZIAN H, WONG C, YOUSSOUFIAN H et al. Haemophilia A resulting from de novo insertion of L1 sequences represents a novel mechanism for mutations in man. Nature, 1988, *332*, 164-166.
KORENBERG J, RYKOWSKI M. Human genome organization: Alu, Lines and the molecular structure of metaphase chromosome bands. Cell, 1988, *53* : 391-400.
LIEBOLD DM, SWERGOLD GD, SINGER MF et al. Translation of LINE-1 DNA elements in vitro and in human cells. Proc Natl Acad Sci USA, 1990, *87* : 6990-6994.
MARTIN S. LINEs. Curr Opin Genet Develop, 1991, *1* : 505-508.
MARTIN SL. Ribonucleoprotein particules with LINE-1 RNA in mouse embryonal carcinoma cells. Mol Cell Biol, 1991, *11* : 4804-4807.
MATERA AG, HELLMANN U, SCHMID CW. A transpositionally and transcriptionally competent Alu subfamily. Mol Cell Biol, 1990, *10* : 5424-5432.
OKADA N. SINEs. Curr Opin Genet Develop, 1991, *1* : 498-504.
RYAN SC, DUGAICZYK A. A newly arisen DNA repeats in primate phylogeny. Proc Natl Acad Sci USA, 1989, *86* : 9360-9364.
SAKAKI Y, HATTORI M, UJITA A et al. The Line I family of primates may encode a reverse transcriptase-like element. Cold Spring Harbor Symp Quant Biol, 1986, Vol *51* : 465-469.
SAWADA I, SCHMID C. Repetitive human DNA sequences: I Evolution of primate α-globine gene cluster and interspersed Alu repeats. Cold Spring Harbor Symp Quant Biol, 1986, Vol *51* : 471-477.
SKOWRONSKI J, SINGER M. The abundant LINE-1 family of repeated DNA sequences in mammals: genes and pseudogenes. Cold Spring Harbor Symp Quant Biol, 1986, Vol *51* : 457-464.
SINGER MF. SINEs and LINEs : Highly repeated short and long interspersed sequences in mammalian genomes. Cell, 1982, *28* : 433-434.
ULLU E, TSCHUDI C. Alu sequences are processed 7SL RNA genes. Nature, 1984, *312* : 171-172.
WEINER AM. An abundant cytoplasmic 7S RNA is complementary to the dominant interspersed middle repetitive DNA sequence family in the human genome. Cell, 1980, *22* : 209-218.
WEINER A, DEININGER P, EFSTRATIADIS A. Nonviral retroposons : genes, pseudogenes, and transposable elements generated by the reverse flow of genetic information. Ann Rev Biochem, 1986, *55* : 631-661.
XIONG Y, EICKBUSH TH. Origin and evolution of retroelements based upon reverse transcriptase sequences. EMBO J, 1990, *9* : 3353-3362.

DNA mitochondrial

ANDERSON S, BANKIER A, BARRELL B et al. Sequence and organization of the human mitochondrial genome. Nature, 1981, *290* : 457-465.
CHOMYN A, MARIOTTINI M, CLEETER C et al. Six unidentified reading frames of human mitochondrial DNA encode components of the respiratory chain NADH deshydrogenase. Nature, 1985, *314* : 592-597.
CLAYTON D. Transcription of the mammalian mitochondrial genome. Ann Rev Biochem, 1984, *53* : 573-594.
DE BRUIJN M. Drosophila melanogaster mitochondrial DNA, a novel organization and genetic code. Nature, 1983, *304* : 234-241.

Chapitre 3 : Constance et variation du DNA

Topologie et réplication

ADACHI Y, LUKE M, LAEMMLI UK. Chromosome assembly in vitro : topoisomerase II is required for condensation. Cell, 1989, *64* : 137-148.
BLOW J. Eukaryotic chromosome replication requires both α and δ polymerases. Trends Genet, 1989, *5* : 134-136.
CAMPBELL J. Eukaryotic DNA replication : yeast bares its ARSs. Trends Biochem Sci, 1988, *13* : 212-217.
CHALLBERG M, KELLY T. Eukaryotic DNA replication: viral and plasmid model system. Ann Rev Biochem, 1982, *51* : 901-934.
CHASE J, WILLIAMS K. Single-stranded DNA binding proteins required for DNA replication. Ann Rev Biochem, 1986, *55* : 103-136.
COVERLEY D, KENNY M, MUNN M et al. Requirement for the replication protein SSB in human DNA excision repair. Nature, 1991, *349* : 538-541.
COZZARELLI N. DNA gyrase and the supercoiling of DNA. Science, 1980, *207* : 953-960.
DIFFLEY J, STILLMAN B. The initiation of chromosomal DNA replication in eukaryotes. Trends Genet, 1990, *6* : 427-432.
DRLICA K. Bacterial topoisomerases and the control of DNA supercoiling. Trends Genet, 1990, *6* : 433-437.
ECHOLS H, GOODMAN MF. Fidelity mechnisms in DNA replication. Ann Rev Biochem, 1991, *60* : 477-511.
GASSER SM. Replication origins, factors and attachment sites. Curr Opin Cell Biol, 1991, *1* : 407-413.

HÜBSCHER U. The mammalian primase is part of a hight molecular weight DNA polymerase α polypeptide. EMBO J, 1983, *2* : 133-136.
HÜBSCHER U, THÖMMES P. DNA polymerase ε : in search of a function. Trends Biochem Sci, 1992, *17* : 55-58.
KORNBERG A. DNA replication. New York, WH Freeman and Co, 1980 (Sppl. 1982).
KORNBERG A. DNA replication. J Biol Chem, 1988, *263* : 1-4.
LINN S. How many pols does it take to replicate nuclear DNA? Cell, 1991, *66* : 185-187.
LOEB L, KUNKEL T. Fidelity of DNA synthesis. Ann Rev Biochem, 1982, *52* : 429-457.
PARDOLL DM, VOGELSTEIN B, COFFEY DS. A fixed site of DNA replication in eucaryotic cells. Cell, 1980, *19* : 527-536.
RAZIN SV, KEKELIDZE MG, LUKANIDIN K et al. Replication origins are attached to the nuclear skeleton. Nucleic Acids Res, 1986, *14* : 8189-8207.
SALAS M. Protein-priming of DNA replication. Ann Rev Biochem, 1991, *60* : 39-71.
WANG J. DNA topoisomerases. Ann Rev Biochem, 1985, *54* : 665-697.
WANG J. DNA topoisomerases. Sci Am, 1982, *274* : 94-109.
WANG T. Eukaryotic DNA polymerases. Ann Rev Biochem, 1991, *60* : 513-552.

Réparation

ARRAND J, BONE N, JOHNSON R. Molecular cloning and characterization of a mammalian excision repair gene that partially restores UV resistance to xeroderma pigmentosum complementation group D cells. Proc Natl Acad Sci USA, 1989, *86* : 6997-7001.
FULOPET G, PHILLIPS R. The scid mutation in mice causes a general defect in DNA repair. Nature, 1990, *347* : 479-482.
HOEIJMAKERS J, VAN DUIN M, WESTERVELD A et al. Identification of DNA repair genes in the human genome. 1986, Cold Spring Symp Quant Biol, LI, 91-101.
LINDAHL T. DNA repair enzymes. Ann Rev Biochem, 1982, *51* : 61-87.
MODRICH P. DNA mismatch correction. Ann Rev Biochem, 1987, *56* : 435-466.
OSSANNA N, PETERSON K, MOUNT D. Genetics of DNA repair in bacteria. TIG, 1986, *2* : 55-58.
RUBIN J, JOYNER A, BERNSTEIN A et al. Molecular identification of a human DNA repair gene following DNA-mediated gene transfer. Nature, 1983, *306* : 206-208.
SANCAR A, SANCAR GB. DNA repair enzymes. Ann Rev Biochem, 1988, *57* : 29-67.
SANCAR GB, SANCAR A. Structure and function of DNA photolyases. Trends Biochem Sci, 1987, *12* : 259-261.
SCHWEIGER M, AUER B, BURTSCHER H et al. DNA repair in human cells. Biochemistry of the hereditary diseases Fanconi's anaemia and Cockayne syndrome. Eur J Biochem, 1987, *165* : 235-242.
WALKER G. Inducible DNA repair systems. Ann Rev Biochem, 1985, *54* : 427-457.

Recombinaison-transposition

BROSIUS J. Retroposons- seeds of evolution. Science, 1991, *251* : 753.
CORCES VG, GEYER PK. Interactions of retrotransposons with the host genome : the case of gypsy element of Drosophila. Trends Genet, 1991, *7* : 86-90.
CRAIG N. P element transposition. Cell, 1990, *62* : 399-402.
DOMBROSKI B, MATHIAS S, NATHAKUMAR E et al. Isolation of an active human transposable element. Science, 1991, *254* : 1805-1808.
DRESSLER D, POTTER H. Molecular mechanisms in genetic recombination. Ann Rev Biochem, 1982, *51* : 727-761.
FINNEGAN D. Eukaryotic transposable elements and genome evolution. Trends Genet, 1989, *5* : 103-107.
HOEKSTRA W, BREGMANS J, ZUIDWEG E. Role of recBC nuclease in Escherichia coli transformation. J Bacteriol, 1980, *143* : 1031-1032.
HUTCHINSON CAH III, HARDIES SC, LOEB WR et al. *In* : DE Berg, MM Howe. Mobile DNA. 1 vol, American Society for Microbiology, Washington, 1989, 593-617.
JARVIS T, KIRKEGAARD K. The polymerase in its labyrynth: mechanisms and implications of RNA recombination. Trends Genet, 1991, *7* : 186-191.
KOURLISKY P. Molecular mechanisms for gene conversion in higher cells. TIG, 1986, *2* : 60-63.
MATHIAS S, SCOTT A, KAZAZIAN J et al. Reverse transcriptase encoded by a human transposable element. Science, 1991, *254* : 1808-1810.
MESELSON M, RADDING C. A general model for genetic recombinaison. Proc Natl Acad Sci, USA, 1975, *80* : 358-361.
RIO DC. Molecular mechanisms regulating Drosophila P element transposition. Ann Rev Genet, 1990, *24* : 543-578.
RIO DC. Regulation of Drosophila P element transposition. Trends Genet, 1991, *7* : 282-287.
ROEDER G. Chromosome synapsis and genetic recombination : their role in meiotic chromosome segregation. Trends Genet, 1990, *6* : 385-389.
ROGERS J. The origin and evolution of retroposons. Int Rev Cytol, 1985, *3* : 188-279.
ROGERS J. The structure and evolution of retroposons. Int Rev Cytol, 1985, *93* : 231-279.
SANDMEYER S, HANSEN L, CHALKER D. Integration specificity of retrotransposons and retroviruses. Ann Rev Genet, 1990, *24* : 491-518.
SHERRATT D. Jumping genes. Curr Biol, 1991, *1* : 192-194.
SZOSTAK J, ORR-WEAVER T, ROTHSTEIN R. The double-strand-break repair model of recombination. Cell, 1983, *33* : 25-35.
VAN DER LOEG. Control of variant surface antigen switching in trypanosomes. Cell, 1987, *51* : 159-161.
VON WETTSTEIN D, RASMUSSEN D, HOLM P. The synaptonemal complex in genetic segregation. Ann Rev Genet, 1984, *18* : 331-414.

Chapitre 4 : Du génotype au phénotype

Transcription-épissage

ANDERSEN J, ZIEVE G. Assembly and cellular transport of snRNP particles. Bioessays, 1991, *13* : 57-64.
BOOTHROYD JC. Trans-splicing of RNA. *In* : F Eikstein, DJM Killey. Nucleic acids and molecular biology, vol 3, Springer Verlag, Berlin, 1989, 216-230.
BREITBART R, ANDREADIS A, NADAL-GINARD B. Alternative splicing: an ubiquitous mechanism for the generation of multiple protein isoforms from single genes. Ann Rev Biochem, 1987, *56* : 467-495.
BRODY E, ABELSON J. The "splicesome": yeast pre-messenger RNA associate with a 40S complex in a splicing-dependent reaction. Science, 1985, *228* : 963-967.
CECH T, BASS B. Biological catalysis by RNA. Ann Rev Biochem, 1986, *55* : 599-629.
DATTA B, WEINER A. Genetic evidence for base pairing between U2 and U6 snRNA in mammalian mRNA splicing. Nature, 1991, *352* : 821-824.
FABRIZIO P, ABELSON J. Two domains of yeast U6 small nuclear RNA required for both steps of nuclear precursor messenger RNA splicing. Science, 1990, *250* : 404-409.
GEIDUSCHEK E, TOCCHINI-VALENTINI G. Transcription by RNA polymerase III. Ann Rev Biochem, 1988, *57* : 873-914.
GHOSH D. New developments of a transcription data base. Trends Biochem Sci, 1991, *16* : 445-447.
GREEN M. Pre-mRNA splicing. Ann Rev Genet, 1986, *20* : 671-708.
GREENBLATT J. RNA polymerase-associated transcription factors. Trends Biochem Sci, 1991, *16* : 408-411.
GREENBLATT J. Roles of TFIID in transcriptional initiation by RNA polymerase II. Cell, 1991, *66* : 1067-1070.
GUARENTE L, BERMINGHAM-McDONOCH O. Conservation and evolution of transcriptional mechanisms in eucaryotes. Trends Genet, 1992, *8* : 27-32.
HA I, LANE W, REINBERG D. Cloning of a human gene encoding

the general transcription initiation factor IIB. Nature, 1991, *352* : 689-695.
HOFFMANN A, SINN E, YAMAMOTO T et al. Highly conserved core domain and unique N terminus with presumptive regulatory motifs in a human TATA factor (TFIID). Nature, 1990, *346* : 387-390.
HORIKOSHI M, WANG C, FUJII H et al. Cloning and structure of a yeast gene encoding a general transcription initiation factor TFIID that binds to the TATA box. Nature, 1989, *341* : 299-303.
MANIATIS T. Mechanisms of alternative pre-mRNA splicing. Science, 1991, *251* : 33-34.
MANIATIS T, REED R. The role of small nuclear ribonucleoprotein particles in pre-mRNA splicing. Nature, 1987, *325* : 673-678.
MATTAJ I. A binding consensus: RNA-protein interactions in splicing, snRNPs, and sex. Cell, 1989, *57* : 1-3.
MURPHY S, MOOREFIELD B, PIELER T. Common mechanisms of promoter recognition by RNA polymerases II and III. Trends Biochem Sci, 1989, *5* : 122-126.
NIWA M, MACDONALD C, BERGET S. Are vertebrate exons scanned during splice-site selection? Nature, 1992, *360* : 277-280.
PADGETT R, GRABOWSKI P, KONSKRA M et al. Splicing of messenger RNA precursors. Ann Rev Biochem, 1986, *55* : 1115-1150.
PADGETT R, KONSKRA M, GRABOWSKI P et al. Lariat RNAs as intermediates and products in the splicing of messenger RNA precursors. Science, 1984, *225* : 898-903.
PLATT T. Transcription termination and the regulation of gene expression. Ann Rev Biochem, 1986, *55* : 339-372.
REEDER R. rRNA synthesis in the nucleolus. Trends Genet, 1990, *6* : 390-395.
RUBY S, ABELSON J. Pre-mRNA splicing in yeast. Trends Genet, 1991, *7* : 7985.
SEGALL J, MATUSI T, ROEDER R. Multiple factors are required for accurate transcription of purified genes by RNA polymerase II. J Biol Chem, 1980, *255* : 11986-11991.
SERAPHIN B, MATTAJ IW. New pieces in the U5 puzzle. Curr Biol, 1991, *1* : 147-149.
SHARP P. Splicing of messenger RNA precursors. Science, 1987, *235* : 766-771.
SHARP P. TATA-binding protein is a classless factor. Cell, 1992, *68* : 819-821.
SMITH C, PORRO E, PATTON J et al. Scanning from an independently specified branch point defines the 3' splice site of mammalian introns. Nature, 1989, *342* : 243-248.
TABAK H, GRIVELL L. RNA catalysis in the excision of yeast mitochondrial introns. TIG, 1986, *2* : 51-55.
TANI T, OSHIMA Y. mRNA-type introns in U6 small nuclear RNA genes: implications for the catalysis in pre-mRNA splicing. Genes Dev, 1991, *5* : 1022-1031.
WU J, MANLEY J. Base pairing between U2 and U6 snRNA is necessary for splicing of a mammalian pre-mRNA. Nature, 1991, *352* : 818-821.
YOST HJ, PETERSEN RB, LINDQUIST S. RNA metabolism: strategies for regulation in the heat shock response. Trends Genet, 1990, *6* : 223-227.
YOUNG RA. RNA polymerase II. Ann Rev Biochem, 1991, *60* : 689-715.
ZAMORE P, PATTON J, GREEN M. Cloning and domain structure of the mammalian splicing factor U2AF. Nature, 1992, *355* : 609-614.
ZOMERDIJK JCBM, KIEFT R, BORST P. Efficient production of functional mRNA mediated by RNA polymerase I in trypanosoma brucei. Nature, 1991, *353* : 772-775.

Traduction

HERSHEY J. Translational control in mammalian cells. Ann Rev Biochem, 1991, *60* : 717-755.
HERSHEY J. Protein phosphorylation controls translation rates. J Biol Chem, 1989, *264* : 20823-20826.
ISERENTANT D, FIERS W. Secondary structure of mRNA and efficiency of translation initiation. Gene, 1980, *9* : 1-12.
MAITRA A, STRINGER E, CHAUDHURI A. Initiation factors in protein synthesis. Ann Rev Biochem, 1982, *51* : 869-900.
MOLDAVE K. Eukariotic protein synthesis. Ann Rev Biochem, 1985, *54* : 1109-1149.
NOLLER HF. Ribosomal RNA and translation. Ann Rev Biochem, 1991, *60* : 191-227.
SCHIMMEL P. Aminoacyl tRNA synthetase: general scheme of structure function relationships in the polypeptides and recognition of transfer RNAs. Ann Rev Biochem, 1987, *56* : 125-158.
SHATKIN A. mRNA cap binding protein essential factors for initiating translation. Cell, 1985, *40* : 223-224.
SHINE J, DALGARNO L. The 3' terminal sequence of Escherichia coli 16 S ribosomal RNA: complementary to nonsense triplets and ribosome binding sites. Proc Natl Acad Sci, USA, 1974, *71* : 1342-1346.
STADEN R, MCLACHLAN A. Codon preference and its use identifying protein coding regions in long DNA sequences. Nucleic Acids Res, 1982, *10* : 141-156.

Evolution

BELFORT M. Self-splicing introns in prokaryotes: migrant fossils? Cell, 1991, *64* : 9-11.
CAVALIER-SMITH T. Intron phylogeny: a new hypothesis. Trends Genet, 1991, *7* : 145-148.
DUJON B. Group I introns as mobile genetic elements: facts and mechanistic speculation - a minireview. Gene, 1989, *82* : 91-114.
GILBERT W, MARCHIONNI M, McKNIGHT G. On the antiquity of introns. Cell, 1986, *46* : 151-154.
GUTHRIE C. Messenger RNA splicing in Yeast: clues to why the spliceosome is a ribonucleoprotein. Science, 1991, *253* : 157-163.
HANKS SK, QUINN AM, HUNTER T. The protein kinase family: conserved features and deduced phylogeny of the catalytic domains. Science, 1988, *241* : 42-52.
IWABE N, KUMA K, KISHINO H et al. Compartimantalized isozyme genes and the origin of introns. J Mol Evol, 1990, *31* : 205-210.
KRUGER K, GRABOWSKI PJ, ZAUG AJ et al. Self-splicing RNA: autoexcision and autocyclisation of the ribosomal RNA intervening sequence of tetrahymena. Cell, 1982, *31* : 147-157.
MICHEL F, DUJOJ B. Conservation of RNA secondary structure in two intron families including mitochondrial, chloroplast and nuclear encoded members. EMBO J, 1983, *3* : 829-834.
PATHY L. Exons-original building bloks of proteins? Bioessays, 1991, *13* : 187-192.
PATHY L. Intron dependent evolution preferred types of exons and introns. FEBS Lett, 1987, *214* : 1-7.
ROGERS JH. Exon schuffling and intron insertion in serine protease genes. Nature, 1985, *315* : 458-459.
ROGERS JH. The role of introns in evolution. FEBS Lett, 1990, *268* : 339-343.
ROGERS J. How were introns inserted into nuclear genes? Trends Genet, 1989, *5* : 213-216.
SHIH MC, HEINRICH P, GOODMAN HM. Intron existence predated the divergence of eukaryotes and procaryotes. Science, 1988, *242* : 1164-1166.
SUDHOF TC, RUSSEL DW, GOLDSTEIN JL et al. Cassette of eight exons shared by genes for LDL receptor and EGF precursor. Science, 1985, *228* : 893-895.
TRAUT TW. Do exons code for structural or functional units in proteins? Proc Natl Acad Sci USA, 1988, *85* : 2944-2948.

Chapitre 5 : La régulation de l'expression des gènes

Régulation de l'expression des gènes

ABEL T, MANIATIS T. Gene regulation: action of leucine zippers. Nature, 1989, *341* : 24-25.
ANGEL KM. The role of Jun, fos and the AP-1 complex in cell-proliferation and transformation. Biochim Biophys Acta, 1991, *1072* : 129-157.
ATWATER J, WISDOM R, VERMA I. Regulated mRNA stability. Ann Rev Genet, 1990, *24* : 519-541.
BABINET C. L'empreinte génomique parentale. M/S, 1992, *8* : 65-70.
BAGCHI S, WEINMANN R, RAYCHAUDHURI P. The retinoblastoma protein copurifies with E2F-I, an E1A-regulated inhibitor of the transcription factor E2F. Cell, 1991, *65* : 1063-1072.

BEATO M. Gene regulation by steroid hormones. Cell, 1989, *56* : 335-344.

BERG J. DNA binding specificity of steroid receptors. Cell, 1989, *57* : 1065-1068.

BINGHAM P, CHOU T, MIMS I et al. On/off regulation of gene expression at the level of splicing. Trends Genet, 1988, *4* : 134-138.

BLAU H, BALTIMORE D. Differentiation requires continuous regulation. J Biol Chem, 1991, *112* : 781-783.

BRAUERLE P. The inducible transcription activator NF-κB: regulation by distinct protein subunits. Biochim Biophys Acta, 1991, 1072 : 63-80.

BRAWERMAN G. mRNA decay: finding the right targets. Cell, 1989, *57* : 9-10.

BREITBART R, ANDREADIS A, NADAL-GINARD B. Alternative splicing: an ubiquitous mechanism for the generation of multiple protein isoforms from single genes. Ann Rev Biochem, 1987, *56* : 467-495.

BRIGGS M, KADONAGA J, BELL S et al. Purification and biochemical characterization of the promoter-specific transcription factor Sp1. Science, 1986, *243* : 47-52.

BUSH SJ, SASSONE-CORSI P. Dimers, leucine zippers and DNA binding domains. Trends Genet, 1990, *6* : 36-40.

CATERINA J, RYAN T, PAWLIK K et al. Human beta-globin locus control region: analysis of the 5' DNase I hypersensitive site HS 2 in transgenic mice. Proc Natl Acad Sci USA, 1991, *88* : 1626-1630.

CECH T. RNA editing: world's smallest introns? Cell, 1991, *64* : 667-669.

CEDAR H. DNA methylation and gene activity. Cell, 1988, *53* : 3-4.

CHIU R, BOYLE W, MEEK J et al. The c-Fos protein interacts with c-Jun/AP-1 to stimulate transcription of AP-1 responsive genes. Cell, 1987, *54* : 541-552.

CONSTANTOULAKIS P, JOSPHSON B, MANGAHAS L et al. Locus control region-Ag transgenic mice: a new model for studying the induction of fetal hemoglobin in the adult. Blood, 1991, *77* : 1326-1333.

CRAIG N. Site-specific inversion: enhancer, recombination proteins, and mechanism. Cell, 1985, *41* : 649-761.

DARNELL J. Variety in the level of gene control. New York, WH Freeman and Company, 1982.

DARNELL J. Variety in the level of gene control in eukariotic cells. Nature, 1982, *297* : 365-371.

DILLON N, GROSVELD F. Human γ-globin genes silenced independently of other genes in the β-globin locus. Nature, 1991, *350* : 252-254.

DYNAN W. Modularity in promoters and enhancers. Cell, 1989, *58* : 1-4.

ELGIN S. DNase I - hypersensitive sites of chromatin. Cell, 1981, *27* : 413-415.

ENVER T, EBENS A, FORRESTER W et al. The human beta-globin locus activation region alters the developmental fate of a human fetal globin gene in transgenic mice. Proc Natl Acad Sci USA, 1989, *86* : 7033-7037.

EVANS R. The steroid and thyroid hormone receptor superfamily. Science, 1988, *240* : 889-894.

EVANS R, HOLLENBERG S. Zinc Fingers: gilt by association. Cell, 1988, *52* : 1-3.

EVANS T, FELSENFELD G. The eythrocyte-specific transcription factor Eryf1: a new finger protein. Cell, 1989, *58* : 877-885.

EVANS T, REITMAN M, FELSENFELD G. An erythroid-specific DNA-binding factor common to all chicken globin genes. Proc Nat Acad Sc USA, 1988, *85* : 5976-5980.

DE FERRA F, ENGH H, HUDSON L et al. Alternative splicing account for the four forms of myelin basic protein. Cell, 1985, *43* : 721-727.

FELSENFELD G. Chromatin as an esential part of the transcriptional mechanism. Nature, 1992, *355* : 219-224.

FOULKES N, BORRELLI E, SASSONE-CORSI P. CREM gene use of alternative DNA-binding domains generates multiple antagonists of cAMP-induced transcription. Cell, 1991, *64* : 739-749.

GABRIELSEN OS, SENTENAC A. RNA polymerase III(C) and its transcription factors. Trends Biochem Sci, 1991, *16* : 412-416.

GAREL A, AXEL R. Selective digestion of transcriptionally active ovalbumin genes from oviduct nuclei. Proc Natl Acad Sci USA, 1976, *73* : 3966-3970.

GHOSH D. New developments of a transcription data base. Trends Biochem Sci, 1991, *16* : 445-447.

GOODRICH JA, McCLURE WR. Competing promoters in prokaryotic transcription. Trends Biochem Sci, 1991, *16* : 394-397.

GREEN M, ZAPP M. Rewing up gene expression. Nature, 1989, *338* : 200-201.

GREENBLATT J. RNA polymerase-associated transcription factors. Trends Biochem Sci, 1991, *16* : 408-411.

GROSS DS, GARRARD WT. Nuclease hypersensitive sites in chromatin. Ann Rev Biochem, 1988, *57* : 159-197.

GROSVELD F, BLOM VAN ASSENDELFT G, GREAVES D et al. Position-independent, high-level expression of the human beta-globin gene in transgenic mice. Cell, 1987, *51* : 975-985.

GRUNSTEIN M. Nucleosomes: regulators and transcription. Trends Genet, 1990, *6* : 395-400.

GUARENTE L, BERMINGHAM-McDONOCH O. Conservation and evolution of transcriptional mechanisms in eucaryotes. Trends Genet, 1992, *8* : 27-31.

GUTMAN A, WASYLYK B. Nuclear targets for transcription regulation by oncogenes. Trends Genet, 1991, *7* : 49-54.

HALL JG. Genomic imprinting. Curr Opin Genet Develop, 1991, *1* : 34-39.

HAM J, DOSTATNI N, GAUTHIER JM et al. The papilloma E2 protein: a factor with many talents. Trends Biochem Sci, 1991, *6* : 440-444.

HARRISON SC. A structural taxonomy of DNA-binding domains. Nature, 1991, *353* : 715-719.

HE X, TREACY M, SIMMONS D et al. Expression of a large family of POU-domain regulatory genes in mammalian brain development. Nature, 1989, *340* : 35-42.

HERENDEEN M, KASSAVETIS G, GEIDUSCHEK E. A transcriptional enhancer whose function imposes a requirement that proteins track along DNA. Science, 1992, *256* : 1298-1303.

HERR W, STURM R, CLERC R et al. The POU domain: a large conserved region in the mammalian pit-1, oct-1, oct-2, and Caenorhabditis elegans unc-86 gene products. Genes Develop, 1988, *2* : 1513-1516.

HERSHEY J. Translational control in mammalian cells. Ann Rev Biochem, 1991, *60* : 717-755.

HIGGS D, WOOD W, JAIMAN A et al. A major protein positive regulatory region located far upstream of the human α-globin gene locus. Genes Dev, 1990, *4* : 1588-1601.

HODGES P, SCOTTE J. Apolipoprotein B mRNA editing: a new tier for the control of gene expression. Trends Biochem Sci, 1992, *17* : 77-81.

HSU T, GOGOS J, KIRSH S et al. Multiple zinc finger forms resulting from developmentally regulated alternative splicing of a transcription factor gene. Science, 1992, *257* : 1946-1950.

INGRAHAM H, FLYNN S, VOSS J et al. The POU-specific domain of Pit-1 is essential for sequence-specific, high affinity DNA binding and DNA-dependent Pit-1-Pit-1interactions. Cell, 1990, *61* : 1021-1033.

ISRAEL A. Les protéines NF-κB, Dorsal et Rel. Une nouvelle classe de facteurs de transcription. M/S, 1991, *7* : 67-70.

JACKSON D. Structure-function relationships in eukaryotic nucleic Bioessays, 1991, *13* : 1-10.

JOHNSON P, McKNIGHT S. Eukaryotic transcriptional regulatory proteins. Ann Rev Biochem, 1989, *58* : 799-839.

JONES N. Transcriptional regulation by dimerization: two sides to an incestuous relationship. Cell, 1990, *61* : 9-11.

JONES N, RIGBY L, ZIFF E. Trans-acting protein factors and the regulation of eukariotic transcription: lessons from studies on DNA tumor viruses. Genes Develop, 1988, *2* : 267-281.

JONES P. Altering gene expression with 5-azacytidine. Cell, 1985, *40* : 485-486.

KADONAGA J, CARNER K, MASIARZ F et al. Isolation of cDNA encoding transcription factor Sp1 and functional analysis of the DNA binding domain. Cell, 1987, *51* : 1079-1090.

KAGEYAMA R, PASTAN I. Molecular cloning and characterization of a human DNA binding factor that represses transcription. Cell, 1989, *59* : 815-825.

KAHN A. Domaine POU-homéo et facteurs de transcription. M/S, 1989, *5* : 172-174.

KAHN A. La protéine C/EBP et l'équilibre entre prolifération et différenciation. M/S, 1991, *7* : 288-289.

KARIN M. Complexities of gene regulation by cAMP. Trends Genet, 1989, *5* : 65-67.

KARIN M, CASTRILLO J, THEILL L. Growth hormone gene regulation: a paradigm for cell-type-specific gene activation. Trends Genet, 1990, *6* : 92-96.

KATAGIRI F, CHUA NH. Plant transcription factors: present knowledge and future challenges. Trends Genet, 1992, *8* : 22-27.

KERPPOLA T, CURRAN T. DNA binding by Fos and Jun: the flexible hinge model. Science, 1991, *254* : 1210-1214.

KITSBERG D, SELIG S, CEDAR H. Chromosome structure and eukaryotic gene organization. Curr Opin Genet Develop, 1991, *1* : 534-537.

KLAUSNER R, HARFORD J. Cis-Trans models for post-transcriptional gene regulation. Science, 1989, *246* : 870-872.

KOUZARIDES T, ZIFF E. Leucine zippers of fos, jun and GCN4 dictate dimerization specificity and thereby control DNA binding. Nature, 1989, *340* : 568-571.

KUO C, CONLEY P, HSIEH CL et al. Molecular cloning, functional expression, and chromosomal localization of mouse hepatocyte nuclear factor 1. Proc Natl Acad Sci USA, 1990, *87* : 9838-9842.

LA THANGUE N, RIGBY P. Trans-acting protein factors and the regulation of eukaryotic transcription. *In* : BD Hames, DM Glover. Transcription and splicing, frontiers in biology. 1 vol, IRL Press, Oxford, 1988, 1-42.

LAI E, DARNELL E Jr. Transcription control in hepatocytes: a window on development. Trends Biochem Sci, 1991, *16* : 427-430.

LAMB P, McKNIGHT SL. Diversity and specificity in transcriptional regulation: the benefits of heterotypic dimerization. Trends Biochem Sci, 1991, *16* : 417-422.

LAMPH WW, DWARKI VJ, OFIR R et al. Negative and positive regulation by transcription factor cAMP responsive element-binding protein is modulated by phosphorylation. Proc Natl Acad Sci USA, 1990, *87* : 4320-4324.

LANDSCHULZ W, McKNIGHT S. The DNA binding domain of the rat liver nuclear protein C/EBP is bipartite. Science, 1989, *243* : 1681-1688.

LANDSCHULZ W, JOHNSON P, ADASHI E et al. Isolation of a recombinant copy of the gene encoding C/EBP. Genes Dev, 1988, *2* : 786-800.

LASKEY RA, LENO G. Assembly of the cell nucleus. Trends Genet, 1990, *6* : 406-410.

LAUDET V, HÄNNI C, COLL J et al. Evolution of the nuclear receptor gene superfamily. EMBO J, 1992, *11* : 1003-1012.

LI S, CRENSHAW I, RAWSON E et al. Dwarf locus mutants lacking three pituitary cell types result from mutations in the POU-domain gene pit-1. Nature, 1990, *347* : 528-533.

LYON M. X chromosome inactivation and development patterns in mammals. Biol Rev, 1972, *47* : 1-35.

MAIRE P, GAUTRON S, HAKIM V et al. Characterization of three optional promoters in the 5' region of the human aldolase A gene. J Mol Biol, 1987, *197* : 425-438.

MANIATIS T, GOODBOURN S, FISHER J. Regulation of inducible and tissue-specific gene expression. Science, 1987, *236* : 1237-1244.

MARTIN K, LILLIE J, GREEN M. Evidence for interaction of different eukaryotic transcriptional activators with distinct cellular targets. Nature, 1990, *346* : 147-152.

McCARTHY E, GUALERZI C. Translational control of prokaryotic gene expression. Trends Genet, 1990, *6* : 78-86.

McKINNEY JD, HEINTZ N. Transcriptional regulation in the eukaryotic cell cycle. Trends Genet, 1991, *16* : 430-435.

McKNIGHT S. Molecular zippers in gene regulation. Sci Am, 1991, *264* : 32-39.

MILLER J, McLACHLAN A, KLUG A. Repetitive zinc-binding domains in the protein transcription factor from xenopus oocytes. EMBO J, 1985, *4* : 1609-1614.

MINER JN, YAMAMOTO R. Regulatory crosstalk at composite response elements. Trends Biochem Sci, 1991, *16* : 423-426.

MITCHELL P, TJIAN R. Transcriptional regulation in mammalian cells by sequence-specific DNA binding proteins. Science, 1989, *245* : 371-378.

MOORE T, HAIG D. Genomic imprinting in mammalian development: a parental tug-of-war. Trends Genet, 1991, *7* : 45-49.

MULLER M, GERSTER T, SCHAFFNER W. Enhancer sequences and the regulation of gene transcription. Eur J Biochem, 1988, *176* : 485-495.

MURRE C, McCAW P, VAESSIN H et al. Interactions between heterologous helix-loop-helix proteins generate complexes that bind specifically to a common DNA sequence. Cell, 1989, *58* : 537-544.

NEUPERT W, SCHATZ G. How proteins are transported into mitochondria. TIBS, 1981 : 1-4.

NEVINS J. Transcriptional activation by viral regulatory proteins. Trends Biochem Sci, 1991, *16* : 435-439.

ORKIN S. Globin gene regulation and switching: Circa 1990. Cell, 1990, *63* : 665-672.

PARO R. Imprinting a determined state into the chromatin of Drosophilia. Trends Genet, 1991, *6* : 416-421.

PATIENT R. Control of gene expression: tissue-specific expression. Curr Opin Biotechnol, 1990, *1* : 151-158.

PEVNY L, SIMON M, ROBERTSON E et al. Erythroid differentiation in chimaeric mice blocked by a targeted mutation in the gene for transcription factor GATA-1. Nature, 1991, *349* : 257-260.

POWELL L, WALLIS S, PEASE R et al. A novel form of tissue-specific RNA processing produces apolipoprotein-B48 in intestine. Cell, 1987, *50* : 831-840.

PRENDERGAST G, ZIFF E. DNA-binding motif. Nature, 1989, *341* : 392.

PTASHNE M. How eucaryotic transcriptional activators work. Nature, 1988, *335* : 683-689.

PTASHNE M, GANN A. Activators and targets. Nature, 1990, *346* : 329-331.

RAGHOW R. Regulation of messenger RNA turnover in eukaryotes. TIBS, 1987, *12* : 358-360.

RAZIN A, RIGGS A. DNA methylation and gene function. Science, 1980, *210* : 604-609.

RENKAWITZ R. Transcriptional repression in eukaryotes. Trends Genet, 1990, *6* : 192-197.

ROEDER RG. The complexities of eukaryotic transcription initiation: regulation of preinitiation complex assembly. Trends Biochem Sci, 1991, *16* : 402-408.

ROSENFELD M. POU-domain transcription factors: pou-er-ful developmental regulators. Genes Dev, 1991, *5* : 897-907.

ROSENFELD M, MERMOD JJ, AMARA S et al. Production of a novel neuropeptide encoded by the calcitonin gene via tissue-specific RNA processing. Nature, 1983, *304* : 129-135.

ROSS J. The turnover of messenger RNA. Sci Am, 1989, *260* : 28-34.

RUBEN S, DILLON P, SCHRECK R et al. Isolation of a *rel*-related human cDNA that potentially encodes the 65-kD subunit of NF-κB. Science, 1991, *251* : 1490-1493.

RUVKUN G, FINNEY M. Regulation of transcription and cell identity by POU domain proteins. Cell, 1991, *64* : 475-478.

SASSONE-CORSI P, BORRELLI E. Transcriptional regulation by trans-acting factors. TIG, 1986, *2* : 215-219.

SCHÖLER H. Octamania: the POU factors in murine development. Trends Genet, 1991, *7* : 323-329.

SEN R, BALTIMORE D. Inducibility of κ immunoglobulin enhancer-binding protein NF-κB by a post-transcriptional mechanism. Cell, 1986, *47* : 921-928.

SERFLING E. Autoregulation - a common property of eukaryotic factors? Trends Genet, 1989, *5* : 131-133.

SHAW G, KAMEN R. A conserved AU sequence from the 3'untranslated region of GM-CSF mRNA mediates selective mRNA degradation. Cell, 1986, *46* : 659-669.

SIMON M, PEVNY L, WILES M et al. Rescue of erythroid development in gene targeted GATA-1-mouse embryonic stem cells. Nature Genet, 1992, *1* : 92-95.

SMITH C, PATTON J, NADAL-GINARD B. Alternative splicing in the control of gene expression. Ann Rev Genet, 1989, *23* : 527-577.

SMITH G. DNA supercoiling: another level for regulating gene expression. Cell, 1981, *24* : 599-600.

SOMMER L, HAGENBÜCHLE O, WELLAUER P et al. Nuclear targeting of the transcription factor PTF1 is mediated by a protein subunit that does not bind to the PTF1 cognate sequence. Cell, 1991, *67* : 987-994.

SPENCER C, GROUDINE M. Transcription elongation and eukaryotic gene regulation. Oncogene, 1990, *5* : 777-785.

STRUHL K. Helix-turn-helix, zinc-finger, and leucine-zipper motifs

for eukaryotic transcriptional regulatory proteins. Trends Biochem Sci, 1989, *14* : 137-138.
TAKEDA Y, OHLENDORF D, ANDERSON W et al. DNA-binding proteins. Science, 1983, *221* : 1020-1344.
TASSET D, TORA L, FROMENTAL C et al. Distinct classes of transcriptional activating domains function by different mechanisms. Cell, 1990, *62* : 1177-1187.
THOMAS BJ, ROTHSTEIN R. Sex, Maps and imprinting. Cell, 1991, *64* : 1-3.
TOWNES TM, BEHRINGER RR. Human globin locus activation (LAR): role in temporal control. Trends Genet, 1990, *6* : 219-223.
TRAINOR C, EVANS T, FELSENFELD G et al. Structure and evolution of a human erythroid transcription factor. Nature, 1990, *343* : 92-96.
TUAN D, SOLOMON W, LONDON I et al. An erythroid-specific, developmental-stage-independent enhancer far upstream of the human « beta-like globin » genes. Proc Natl Acad Sci USA, 1989, *86* : 2554-2558.
UMEK RM, FRIEDMAN AD, McKNIGHT SL. CCAAT-enhancer binding protein: a component of a differentiation switch. Science, 1991, *251* : 288-292.
VAN ASSENDELFT G, HANSCOMBE O, GROSVELD F et al. The beta-globin dominant control region activates homologous and heterologous promoters in a tissue-specific manner. Cell, 1989, *56* : 969-977.
VINSON C, SIGLER P, McKNIGHT S. Scissors-grip model for DNA recognition by a family of leucine zipper proteins. Science, 1989, *246* : 911-916.
WALTER P, BLOBEL G. Signal recognition particule contains a 7S RNA essential for protein translocation across the endoplasmic reticulum. Nature, 1982, *299* : 691-698.
WEINTRAUB H. Tissue-specific gene expression and chromatin structure. The Harvey Lectures, 1985, *79* : 217-244.
WEINTRAUB H, GROUDINE M. Chromosomal subunits in active genes an altered conformation. Science, 1976, *193* : 848-856.
WEISBROD S, WEINTRAUB H. Isolation of a subclass of nuclear proteins responsible for conferring a DNase I-sensitive structure on globin genes. Proc Natl Acad Sci, USA, 1979, *76* : 630-634.
WEISBROD S. Active chromatin. Nature, 1982, *297* : 289-295.
WOOD WI, FELSENFELD G. Chromatin structure of the chicken β-globin gene region. J Biol Chem, 1982, *257* : 7730-7736.
YANIV M, CEREGHINI S. Structure of transcriptionally active chromatin. CRC Critical reviews in Biochemistry, 1986, *21* : 1-26.
YANOFSKY C. Attenuation in the control of expression of bacterial operons. Nature, 1981, *289* : 751-758.

Cycle cellulaire

BANDARA L, ADAMCZEWSKI J, HUNT T et al. Cyclin A and the retinoblastoma gene product complex with a common transcription factor. Nature, 1991, *352* : 249-251.
BRAUN T, BOBER E, WINTER B et al. Myf-6, a new member of the human gene family of myogenic determination factors: evidence for a gene cluster on chromosome 12. EMBO J, 1990, *9* : 821-831.
BROEK D, BARTLETT R, CRAWFORD K et al. Involvement of $p34^{cdc2}$ in establishing the dependency of S phase on mitosis. Nature, 1991, *349* : 388-393.
CAVADORE J, LE BOUFFANT F, LABBÉ J. Les substrats de $p34^{cdc2}$, la kinase spécifique de la phase M du cycle cellulaire. La liste continue de s'allonger. M/S, 1990, *6* : 895-900.
CISEK L, CORDEN J. Phosphorylation of RNA polymerase by the murine homologue of the cell-cycle control protein cdc2. Nature, 1989, *339* : 679-684.
D'URSO G, MARRACINO R, MARSHAK D et al. Cell cycle control of DNA replication by a homologue from human cells of the $p34^{cdc2}$ protein kinase. Science, 1990, *250* : 786-791.
DORÉE M. Le complexe cdc2-cycline: un facteur universel pour l'entrée en mitose. M/S, 1990, *6* : 8-9.
DRAETTA G. Cell cycle control in eukaryotes: molecular mechanisms of cdc2 activation. Trends Biochem, 1990, *15* : 378-383.
DRAETTA G, BRIZUELA L, POTASHKIN J et al. Identification of p34 and p13, human homologs of the cell cycle regulators of fission yeast encoded by *cdc2*+ and *suc1*+. Cell, 1987, *50* : 319-325.
DRETTA G, LUCA F, WESTENDORF J et al. cdc2 protein kinase is complexed with both cyclin A and B: evidence for proteolytic inactivation. Cell, 1989, *56* : 829-838.
DUNPHY W, BRIZUELA L, BEACH D et al. The Xenopus cdc2 protein is a component of MPF, a cytoplasmic regulator of mitosis. Cell, 1988, *54* : 423-431.
GAUTIER J, SOLOMON M, BOOHER R et al. cdc25 is a specific tyrosine phosphatase that directly activates p34cdc2. Cell, 1991, *67* : 197-211.
GLOTZER M, MURRAY A, KIRSCHNER M. Cyclin is degraded by the ubiquitin pathway. Nature, 1991, *349* : 32-139.
HARTWELL L, WEINERT T. Checkpoints: controls that ensure the order of cell cycle events. Science, 1989, *246* : 629-634.
KIPREOS E, WANG J. Differential phosphorylation of c-Abl in cell cycle determined by *cdc2* kinase and phosphatase activity. Science, 1990, *248* : 217-220.
KOFF A, CROSS F, LAGUELLEC K et al. Human cyclin E, a new cyclin that interacts with two members of the *CDC2* gene family. Cell, 1991, *66* : 1217-1228.
LASKEY RA, LENO G. Assembly of the cell nucleus. Trends Genet, 1990, *6* : 406-410.
LASKEY R, FAIRMAN M, BLOW J. S phase of the cell cycle. Science, 1989, *246* : 609-614.
LE PEUCH C. La régulation de la division cellulaire. M/S, 1990, *6* : 10-17.
LEE M, NURSE P. Cell cycle control genes in fission yeast and mammalian cells. Trends Genet, 1988, *4* : 287-290.
LEE M, NURSE P. Complementation used to clone a human homologue of the fission yeast cell cycle control gene *cdc2*. Nature, 1987, *327* : 31-35.
LEMKE G. Mitogen signal. Nature, 1990, *348* : 201.
MARX J. How the retinoblastoma gene may inhibit cell growth. Science, 1991, *252* : 1492-1495.
MARX J. The cell cycle: spinning farther afield. Science, 1991, *252* : 1490-1492.
McINTOSH J, KOONCE M. Mitosis. Science, 1989, *246* : 622-628.
McKINNEY JD, HEINTZ N. Transcriptional regulation in the eukaryotic cell cycle. Trends Biochem Sci, 1991, *16* : 430-435.
McVEY D, BRIZUELA L, MOHR I et al. Phosphorylation of large tumour antigen by cdc2 stimulates SV40 DNA replication. Nature, 1989, *341* : 503-507.
MORIA A, DRETTA G, BEACH D et al. Reversible tyrosine phosphorylation of cdc2 : dephosphorylation accompanies activation during entry into mitosis. Cell, 1989, *58* : 193-203.
MURRAY A, KIRSCHNER M. Dominoes and clocks: the union of two views on the cell cycle. Science, 1989, *246* : 614-621.
MURRAY A, SOLOMON M, KIRSCHNER M. The role of cyclin synthesis and degradation in the control of maturation promoting factor activity. Nature, 1989, *339* : 280-286.
MURRAY A, KIRSCHNER M. Cyclin synthesis drives the early embryonic cell cycle. Nature, 1989, *339* : 275-280.
MURRAY A, KIRSCHNER M. What controls the cell cycle. Sci Am, 1991, 34-41.
NURSE P. Universal control mechanism regulating onset of M-phase. Nature, 1990, *344* : 503-508.
PARDEE A. G_1 events and regulation of cell proliferation. Science, 1989, *246* : 603-608.
SOLOMON M, GLOTZER M, LEE T et al. Cyclin activation of p34cdc2. Cell, 1990, *63* : 1013-1024.
WALKER D, MALLER J. Role for cyclin A in the dependence of mitosis on completion of DNA replication. Nature, 1991, *354* : 314-317.
XIONG Y, BEACH D. Population explosion in the cyclin family. Curr Biol, 1991, *1* : 362-364.

Différenciation musculaire

ALONSO S. Des facteurs de régulation spécifiques de la myogenèse. M/S, 1990, *6* : 635-644.
BENEZRA R, DAVIS R, LOCKSHON D et al. The protein Id: a negative regulator of Helix-Loop-Helix DNA binding proteins. Cell, 1990, *61* : 49-59.
BLAU H, BALTIMORE D. Differentiation requires continuous regulation. J Biol Chem, 1991, *112* : 781-783.
BRAUN T, BOBER E, WINTER B et al. Myf-6, a new member of the human gene family of myogenic determination factors: evi-

dence for a gene cluster on chromosome 12. EMBO J, 1990, *9* : 821-831.

BRAUN T, BUSCHHAUSEN-DENKER G, BOBER E et al. A novel human muscle factor related to but distinct from MyoD1 induces myogenic conversion in 10T1/2 fibroblasts. Am J Hum Genet, 1989, *8* : 701-709.

CRESCENZI M, FLEMING T, LASSAR A et al. MyoD induces growth arrest independent of differentiation in normal and transformed cells. Proc Natl Acad Sci USA, 1990, *87* : 8442-8446.

DAVIS R, WEINTRAUB H, LASSAR A. Expression of a single transfected cDNA converts fibroblasts to myoblasts. Cell, 1987, *51* : 987-1000.

EFTMIE R, BRENNER H, BUNANNO A. Myogenin and MyoD join a family of skeletal muscle genes regulated by electrical activity. Proc Nat Acad Sci USA, 1991, *88* : 1349-1353

GROS F. Le muscle : un système modèle en biologie du développement. M/S, 1990, *6* : 624-625.

KRAUSE M, FIRE A, HARRISON S et al. CeMyoD accumulation defines the body wall muscle cell fate during C. elegans embryogenesis. Cell, 1990, *63* : 907-919.

LASSAR A, BUSKIN J, LOCKSHON D et al. MyoD is a sequence-specific DNA binding protein requiring a region of myc homology to bind to the muscle creatine kinase enhancer. Cell, 1989, *58* : 823-831.

LASSAR A, THAYER M, OVERELL R et al. Transformation by activated ras or fos prevents myogenesis by inhibiting expression of MyoD1. Cell, 1989, *58* : 659-667.

LIBRI D, FISZMAN M. Epissage différentiel des transcrits musculaires. M/S, 1990, *6* : 626-634.

MINER J, WOLD B. Herculin, a fourth member of the MyoD family of myogenic regulatory genes. Proc Natl Acad Sci USA, 1990, *87* : 1089-1093.

OLSEN E. MyoD family: a paradigm for development? Genes Dev, 1990, *4* : 1454-1461

SASSOON D, LYONS G, WRIGHT W, et al. Expression of two myogenic regulatory factors myogenin and MyoD1 during mouse embryogenesis. Nature, 1989, *341* : 303-307.

SORRENTINO V, PEPPERKOK R, DAVIS R et al. Cell proliferation inhibited by MyoD1 independently of myogenic differentiation. Nature, 1990, *345* : 813-815.

TAPSCOTT S, WEINTRAUB H. MyoD and the regulation of myogenesis by helix-loop-helix proteins. J Clin Invest, 1991, *87* : 1133-1138.

TAPSCOTT S, DAVIS R, THAYER M et al. MyoD1: a nuclear phosphoprotein requiring a myc homology region to convert fibroblasts to myoblasts. Science, 1988, *242* : 405-411.

WEINTRAUB H, DAVIS R, TAPSCOTT S et al. The *myoD* gene family: nodal point during specification of the muscle cell lineage. Science, 1991, *251* : 761-766.

WRIGHT W, SASSOON D, LIN V. Myogenin, a factor regulating myogenesis, has a domain homologous to MyoD. Cell, 1989, *56* : 607-617.

Embryologie moléculaire

AKAM M. Hox and Hom - Homologous Gene Clusters in Insects and Vertebrates. Cell, 1989, *57* : 347-349.

BABINET C. Les cellules souches embryonnaires de souris : une voie privilégiée de transformation génétique à l'échelle de l'animal. M/S, 1992, *8* : 268-275.

BALLING R, DEUTSCH U, GRUSS P. Undulated, a mutation affecting the development of the mouse skeleton, has a point mutation in the paired Box of Pax 1. Cell, 1988, *55* : 535-535.

BLAU H, BALTIMORE D. Differentiation requires continuous regulation. J Biol Chem, 1991, *112* : 781-783.

BLAU H. How cells know their place. Nature, 1992, *358* : 284-285.

BONCINELLI E, SIMEONE A, ACAMPORA D et al. *Hox* gene activation by retinoic acid. Trends Genet, 1991, *7* : 329-334.

CARROLL S. Zebra patterns in fly embryos: activation of stripes or repression of interstripes? Cell, 1990, *60* : 9-16.

CHISAKA O, CAPECCHI M. Regionally restricted developmental defects resulting from targeted disruption of the mouse homeobox gene *Hox-1.5*. Nature, 1991, *350* : 473-479.

CHISAKA O, MUSCI T, CAPECCHI M. Developmental defects of the ear, cranial nerves and hindbrain resulting from targeted disruption of the mouse homeobox gene *Hox-1.6*. Nature, 1992, *355* : 516-520

DAVIS R, CHENG P, LASSAR A et al. The MyoD DNA binding domain contains a recognition code for muscle-specific gene activation. Cell, 1990, *60* : 733-746.

DE ROBERTIS E, OLIVER G, WRIGHT C. Les genes à homeobox et l'organisation du corps. Pour la Science, 1990, *155* : 50-56.

DRESSLER G. An update on the vertebrate homeobox. Trends Genet, 1989, *5* : 129-131.

DRIEVER W, THOMA G, NÜSSLEIN-VOLHARD C. Determination of spatial domains of zygotic gene expression in the Drosophila embryo by the affinity of binding sites for the bicoid morphogen. Nature, 1989, *340* : 363-367.

DUBOULE D, DOLLÉ P, GAUNT S. Les gènes du développement des mammifères. La Recherche, 1990, *21* : 294-302.

DURSTON A, TIMMERMANS J, HAGE W et al. Retinoic acid causes an anteposterior transformation in the developing central nervous system. Nature, 1989, *340* : 140-144.

EICHELE G. Retinoids and vertebrate limb pattern formation. Trends Genet, 1989, *5* : 246-251.

GEHRING W. Homeo box in the study of development. Science, 1987, *236* : 1245-1252.

GEHRING W. The homeobox in perspective. Trends Biochem, 1992, *17* : 277-280.

GEHRING W, MÜLLER M, AFFOLTER M et al. The structure of the homeodomain and its functional implications. Trends Genet, 1990, *6* : 323-329.

GRUSS P, WALTEHR C. Pax in development. Cell, 1992, *69* : 719-722.

HASTIE N. *Pax* in our time. Curr Biol, 1991, *1* : 342-344.

HASTY P, RAMIREZ-SOLIS R, KRUMLAUF R et al. Introduction of a subtle mutation into the *Hox-2.6* locus in embryonic stem cells. Nature, 1991, *350* : 243-246.

HAYASHI S, SCOTT M. What determines the specificity of action of Drosophila homeodomain proteins? Cell, 1990, *63* : 883-894.

HILL R, FAVOR J, HOGAN B et al. Mouse *Small eye* results from mutations in a paired-like homeobox-containing gene. Nature, 1991, *354* : 522-525.

HIROMI Y, GEHRING W. Regulation and function of the drosophila segmentation gene Fushi tarazu. Cell, 1987, *50* : 963-974.

HOLLAND W, HOGAN B. Expression of homeo box genes during mouse development: a review. Genes Develop, 1988, *2* : 773-782.

HUNT P, KRUMLAUF R. Deciphering the HOX code: clues to patterning branchial regions of the head. Cell, 1991, *66* : 1075-1078

INGHAM P. The molecular genetics of embryonic pattern formation in *Drosophila*. Nature, 1988, *335* : 25-34.

IZPISUA-BELMONTE JC, TICKLE C, DOLLÉ P et al. Expression of the homeobox Hox-4 genes. Nature, 1991, *350* : 585-589.

KAHN A. Des gènes de développement de la drosophile codent pour des membres de la superfamille des récepteurs nucléaires. M/S, 1989, *5* : 184.

KENYON C, KAMB A. Cellular dialogs during development. Cell, 1989, *58* : 607-608.

KESSEL M, GRUSS P. Homeotic transformations of murine vertebrate and concomitant alteration of Hox Codes induced by retinoic acid. Cell, 1991, *67* : 89-104.

LE MOUELLIC B, LALLEMAND Y, BRÛLET P. Homeosis in the mouse induced by a null mutation in the Hox-3.1 gene. Cell, 1992, *69* : 251-264.

LEVINE M, HOEY T. Homeobox proteins as sequence-specific transcription factors. Cell, 1988, *55* : 537-540.

LICHT J, GROSSEL M, FIGGE J et al. Drosophila *Krüppel* protein is a transcriptional repressor. Nature, 1990, *346* : 76-79.

LUFKIN T, DIERICH A, LEMEUR M et al. Disruption of the *Hox-1.6* homeobox gene results in defects in a region corresponding to its rostral domain of expression. Cell, 1991, *66* : 1105-1119.

MANLEY J, LEVINE M. The homeobox and mammalian development. Cell, 1985, *43* : 1-2.

MARX J. Homeobox genes go evolutionary. Science, 1992, *255* : 399-401.

McGINNIS W, KRUMLAUF R. Homeobox genes and axial patterning. Cell, 1992, *68* : 283-302.

MELTON D. Pattern formation during animal development. Science, 1991, *252* : 234-241.

MORGAN B, IZPISUA-BELMONTE JC, DUBOULE D. Targeted

misexpression of Hox-4.6 in the avian limb bud causes apparent homeotic transformations. Nature, 1992, *358* : 236-239.
O'FARRELL P, EDGAR B, LAKICH D et al. Directing cell division during development. Science, 1989, *246* : 635-640.
REID L. From gradients to axes, from morphogenesis to differentiation. Cell, 1990, *63* : 875-882.
RIDDIHOUGH G. Homing in on the homeobox. Nature, 1992, *357* : 643-644.
ROBERTIS ED, OLIVER G, WRIGHT C. Les gènes à homéobox et l'organisation du corps. Pour la Science, 1990, *155* : 50-56.
ROSSANT J, JOYNER A. Towards a molecular-genetic analysis of mammalian development. Trends Genet, 1989, *5* : 277-283.
SCHUGHART K, KAPPEN C, RUDDLE F. Duplication of large genomic regions during the evolution of vertebrate homeobox genes. Proc Natl Acad Sci USA, 1989, *86* : 7067-7071.
SCOTT M, CAROLL S. The segmentation and homeotic gene network in early drosophila development. Cell, 1987, *51* : 689-698.
SIMEONE A, ACAMPORA D, NIGRO V et al. Differential regulation by retinoic acid of the homeobox genes, of the four HOX loci in human embryonal carcinoma cells. Mech Develop, 1991, *33* : 215-228.
SNOW M. New data from mammalian homeobox-containing genes. Nature, 1986, *324* : 618-619.
STRUHL G. Differing strategies for organizing anterior and posterior body pattern in dorsophila embryos. Nature, 1989, *244* : 741-744.
TONY IP, KRAUT R, LEVINE M et al. The dorsal morphogen is a sequence-specific DNA-binding protein that interacts with a long-range repression element in Drosophila. Cell, 1991, *64* : 439-446.
WALTHER C, GRUSS P. *Pax-6*, a murine paired box gene, is expressed in the developing CNS. Development, 1991, *113* : 1435-1449.
WANEK N, GARDINER D, MUNEOKA K et al. Conversion by retinoic acid of anterior cells into ZPA cells in the chick wing bud. Nature, 1991, *350* : 81-83.

Chapitre 6 : Quelques gènes à titre d'exemple

Gènes de globine

BEHRINGER R, RYAN T, REILLY M et al. Synthesis of functional human hemoglobin in transgenic mice. Science, 1989, *245* : 971-973.
BEHRINGER R, RYAN T, PALMITER R et al. Human γ to β-globin gene switching in transgenic mice. Genes Dev, 1990, *4* : 380-389.
BRODERS F, ZAHRAOUI A, SCHERRER K. The chicken alpha- globin gene domain is transcribed into a 17-kilobase polycistronic RNA. Proc Natl Acad Sci USA, 1990, *87* : 503-507.
DILLON N, GROSVELD F. Human γ-globin genes silenced independently of other genes in the β-globin locus. Nature, 1991, *350* : 252-254.
ENVER T, EBENS A, FORRESTER W et al. The human beta-globin locus activation region alters the developmental fate of a human fetal globin gene in transgenic mice. Proc Natl Acad Sci USA, 1989, *86* : 7033-7037.
EVANS T, REITMAN M, FELSENFELD G. An erythroid-specific DNA-binding factor common to all chicken globin genes. Proc Natl Acad Sci USA, 1988, *85* : 5976-5980.
EVANS T, FELSENFELD G. The eythrocyte-specific transcription factor Eryf1: a new finger protein. Cell, 1989, *58* : 877-885.
FORRESTER W, NOVAK URG, GROUDINE M. Molecular analysis of the human beta-globin locus activation region. Proc Natl Acad Sci USA, 1989, *86* : 5439-5443.
GROSVELD F, ANTONIOU M, BLOM VAN ASSENDELFT G et al. The regulation of expression of human ß-globin genes. *In*: Stamatoyannopoulos G, Nienhuis A. Developmental control of globin gene expression. New York, Alan R, Liss Inc, 1986 : 133-144.
JEFFREYS A. Evolution of globin genes. *In*: Dover G, Flavel R. Genome evolution. Academic Press, 1982 : 157-176.
KARLSON S, NIENHUIS A. Developmental regulation of human globin genes. Ann Rev Biochem, 1985, *54* : 1071-1108.
LABIE D, KRISHNAMOORTHY R. Du nouveau dans les séquences activatrices des gènes de globine (LCR). M/S, 1992, *8* : 255-258.
LEY T. The pharmacology of hemoglobin switching: of mice and men. Blood, 1991, *77* : 1146-1152.
LI Q, ZHOU B, POWERS P et al. Beta-globin locus activation regions: conservation of organization, structure, and function. Proc Natl Acad Sci USA, 1990, *87* : 8207-8211.
LIN H, HAN C, NIENHUIS A. Functional profile of the human fetal γ-globin gene upstream promoter region. Am J Hum Genet, 1992, *51* : 363-370.
MANIATIS T. Molecular genetics and biosynthesis of hemoglobin. *In*: Bunn H, Forget B, Hemoglobin: Molecular, genetic and clinical aspect. WB Saunders Company, 1986 : 169-222.
MANIATIS T, FRISTSCH E, LAUER J et al. The molecular genetics of human hemoglobins. Ann Rev Genet, 1980, *145* : 145-178.
NICHOLLS R, FISCHEL-GHODSIAN N, HIGGS D. Recombination at the Human α-globin gene cluster: sequence features and topological constraints. Cell, 1987, *49* : 369-378.
ORKIN S. Globin gene regulation and switching: Circa 1990. Cell, 1990, *63* : 665-672.
PEVNY L, SIMON M, ROBERTSON E et al. Erythroid differentiation in chimaeric mice blocked by a targeted mutation in the gene for transcription factor GATA-1. Nature, 1991, *349* : 257-260.
RAICH N, ENVER T, NAKAMOTO B et al. Autonomous developmental control of human embryonic globin gene switching in transgenic mice. Science, 1990, *250* : 1147-1149.
SHAW J, MARKS J, SHEN C. Evidence that the recently discovered θ1- globin gene is functional in higher primates. Nature, 1987, *26* : 717-720.
SIMON M, PEVNY L, WILES M et al. Rescue of erythroid development in gene targeted GATA-1-mouse embryonic stem cells. Nature Genet, 1992, *1* : 92-95
STAMATOYANNOPOULOS G. Human hemoglobin switching. Science, 1991, *252* : 383-385.
TALBOT D, COLLIS P, ANTONIOU M et al. A dominant control region from the human beta-globin locus conferring integration site-independent gene expression. Nature, 1989, *328* : 352-355.
TOWNES T, BEHRINGER R. Human globin locus activation region (LAR): role in temporal control. Trends Genet, 1990, *6* : 219-223.
TSAI SF, MARTIN D, ZON L et al. Cloning of cDNA for the major DNA-binding protein of the erythroid lineage through expression in mammalian cells. Nature, 1989, *339* : 446-451.
TUAN D, SOLOMON W, LONDON I et al. An erythroid-specific, developmental-stage-independent enhancer far upstream of the human « beta-like globin » genes. Proc Natl Acad Sci USA, 1989, *86* : 2554-2558
VYAS P, VICKERS M, SIMMONS D et al. Cis-acting sequences regulating expression of the human α-globin cluster lie within constitutively open chromatin. Cell, 1992, *69* : 781-793.
WOOD WI, FELSENFELD G. Chromatin structure of the chicken β-globin gene region. J Biol Chem, 1982, *257* : 7730-7736.

Gènes de l'immunité

AGUILERA RJ, AKIRA S, OKAZAKI K et al. A pre-B cell nuclear protein that specifically interacts with the immunoglobulin V-J recombination sequences. Cell, 1987, *51* : 909-917.
AUFFRAY C, STROMINGER J. Molecular genetics of the human major histocompatibility complex. Ann Rev Genet, 1986, *15* : 197-247.
BANERJI J, OLSON L, SCHAFFNER W. A lymphocyte-specific cellular enhancer is located downstream of the joining region in immunoglobulin heavy chain genes. Cell, 1983, *33* : 729-740.
BELL J, DENNEY D, FOSTER L et al. Molecular biology of the class II region of the human major histocompatibility complex. New York, Cold Spring Harbor Symp Quant Biol, 1986, Vol LI: 75-82.
BLACKWELL T, ALT F. Mechanism and developmental program of immunoglobulin gene rearrangement in Mammals. Ann Rev Genet, 1989, *23* : 605-636.
BORN W, HARRIS E, HANNUM C. Ontogeny of T-cell receptor gene expression. TIG, 1987, *3* : 132-136.
CALAME K. Mechanisms that regulate immunoglobin gene expression. Ann Rev Immunol, 1985, *3* : 159-195.
CALAME K. Immunoglobulin gene transcription: molecular mechanisms. Trends Genet, 1989, *5* : 395-400.
CARLSON LM, OETTINGER MA, SCHATZ DG et al. Selective

expression of RAG-2 in chicken B cells undergoing immunoglobulin gene conversion. Cell, 1991, *64* : 201-208.

CHUN J, SCHATZ DG, OETTINGER MA et al. The recombination activating gene-1 (RAG-1) transcript is present in the murine central nervous system. Cell, 1991, *64* : 181-200.

DAVIS M, KIM S, HOOD L. Immunoglobulin class switching: Developmentally regulated DNA rearrangement during differentiation. Cell, 1980, *22* : 1-2.

HONJO T, HABU S. Origin of immune diversity: genetic variation and selection. Ann Rev Biochem, 1985, *54* : 803-830.

HOOD L, KRONENBERG M, HUNKAPILLER T. T cell antigen receptors and the immunoglobulin supergene famliy. Cell, 1985, *40* : 225-229.

HUNKAPILLER T, HOOD L. Diversity of the immunoglobulin family. Adv Immunol, 1989, *44* : 1-63.

HUNKAPILLER T, HOOD L. The growing immunoglobulin gene superfamily. Nature, 1986, *323* : 15-16.

ISHIDA I, VERBEEK S, BONNEVILLE M et al. T-cell receptor $\gamma\delta$ and γ transgenic mice suggest a role of a γ gene silencer in the generation of $\alpha\beta$ T cells. Proc Natl Acad Sci USA, 1990, *87* : 3067-3071.

KAPPES D, STROMINGER J. Human class II major histocompatibility complex genes and proteins. Ann Rev Biochem, 1990, *57* : 991-1028.

KAUFMAN J, AUFFRAY C, KORMAN A et al. The class II molecules of the human and murine major histocompatibility complex. Cell, 1984, *36* : 1-13.

KEMLER I, SCHAFFNER W. Octamer transcription factors and the cell type-specific of immunoglobulin gene expression. FASEB J, 1990, *4* : 1444-1449.

KEMLER I, BUCHER E, SEIPEL K et al. Promoters with the octamer DNA motif (ATGCAAAT) can be ubiquitous or cell- type specific depending on binding affinity of the octamer site and Oct-factor concentration. Nucleic Acids Res, 1991, *19* : 237-242.

KLAUSNER R, SAMELSON L. T antigen receptor activation pathways: the tyrosine kinase connection. Cell, 1991, *64* : 875-878.

KOSTYU DD. The HLA gene complex and genetic susceptibility to disease. Curr Opin Genet Develop, 1991, *1* : 40-47.

KRONENBERG M, SIU G, HOOD L et al. The molecular genetics of the T-cell antigen receptor and T-cell antigen recognition. Ann Rev Immunol, 1986. *4* : 529-591.

KUMA K, IWABE N, MIYATA T. The immunoglobulin family. Curr Opin Struct Biol, 1991, *1* : 393-394.

LEFRANC MP, RABBITTS T. The human T-cell receptor gamma (TRG) genes. Trends Biochem Sci, 1989, *14* : 214-218.

LUTZKER S, ALT F. Immunoglobulin heavy-chain class switching. *In* : DE Berg, MM Howe, Mobile DNA. 1 vol, American Society for Microbiology, Washington, 1989, 693-714.

MAEDA H, KITAMURA D, KUDO A et al. Trans-acting nuclear protein responsible for induction of rearranged human immunoglobulin heavy chain gene. Cell, 1986, *45* : 25-33.

MALISSEN M, MALISSEN B. Réarrangements somatiques des gènes du récepteur des lymphocytes T. M/S, 1986, *2* : 304-311.

MALYNN BA, BLAKWELL TK, FULOP GM, et al. The scid defect affects the final step of the immunoglobulin VDJ recombinase mechanism. Cell, 1988, *54* : 453-460.

MARRACK P, KAPPLER J. Le lymphocyte T et ses récepteurs. Pour la Science, 1986, *102* : 18-29.

MELCHERS F, ANDERSON J. B Cell activation: Three steps and their variations. Cell, 1984, *37* : 715-720.

OETTINGER MA, SCHATZ DG, GORKA C et al. RAG-1 and RAG-2, adjacent genes that synergistically activate V(D)J recombination. Science, 1990, *248* : 1517-1523.

SCHATZ D, BALTIMORE D. Stable expression of immunoglobin gene V(D)J recombinase activity by gene transfer into 3T3 fibroblasts. Cell, 1988, *53* : 107-115.

SCHATZ D, OETTINGER M, BALTIMORE D. The V(D)J recombination activating gene, RAG-1. Cell, 1989, *59* : 1035-1048.

SEN R, BALTIMORE D. Multiple nuclear factors interact with the immunoglobulin enhancer sequences. Cell, 1986, *46* : 705-716.

SHIMIZU A, HONJO T. Immunoglobulin class switching. Cell, 1984, *36* : 801-803.

SPIES T, BLANCK G, BRESNAHAN M et al. A new cluster of genes within the human major histocompatibility complex. Science, 1989, *243* : 214-217.

STROMINGER J. Developmental biology of T cell receptors. Science, 1989, *244* : 943-950.

TONEGAWA S. Somatic generation of antibody diversity. Nature, 1983, *302* : 575-581.

TONEGAWA S. Les molécules du système immunitaire. Pour la Science, 1985, *98* : 106-118.

TYCKO B, PALMER J, SKLAR J. T cell receptor gene trans-rearrangements: chimeric gamma-delta genes in normal lymphoid tissues. Science, 1989, *245* : 1242-1246.

Facteur VIII

GITSCHIER J, WOOD W, GORALKA T et al. Characterization of the human factor VIII gene. Nature, 1984, *312* : 326-330.

KAUFMAN R. Genetic engineering of factor VIII. Nature, 1989, *342* : 207-208.

LEVINSON B, KENWRICK S, LAKICH D et al. A transcribed gene in an intron of the human factor VIII gene. Genomics, 1990, *7* : 1-11.

SCHWARTZ R, ABILDGARD C, ALEDORT L et al. Human recombinant DNA-derived antihemophilic factor (factor VIII) in the treatment of hemophilia A. N Engl J Med, 1990, *323* : 1800-1805.

TOOLE J, KNOPF J, WOZNEY J et al. Molecular clining of a cDNA encoding human antihaemophilic factor. Nature, 1984, *312* : 342-347.

TOOLE J, PITTMAN D, WASLEY L et al. Exploration of structure-function relationships in human factor VIII by site-directed mutagenesis. New York, Cold Spring Harbor Symp Quant Biol, 1986, LI: 543-549.

VEHAR GJ, KEYT B, EATON D et al. Structure of human factor VIII. Nature, 1984, *312* : 337-342.

WHITE G, SHOEMAKER C. Factor VIII. Blood, 1989, *73* : 1-12.

WOOD W, CAPON D, SIMONSEN C et al. Expression of active human factor VIII from recombinant DNA clones. Nature, 1984, *312* : 330-337.

Chapitre 7 : Virus des eucaryotes et biologie moléculaire

SV40 et adenovirus

BENOIST C, CHAMBON P. The SV40 early promoter region: sequence requirement in vivo. Nature, 1981, *291* : 346-349.

CHOW L, BROKER T, LEWIS J. Complex splicing patterns of RNAs from the early regions of adenovirus 2. J Mol Biol, 1979, *134* : 265-303.

CRAWFORD L, COLE C, SMITH A et al. Organization and expression of early genes of SV40. Proc Natl Acad Sci USA, 1978, *75* : 117-121.

FIERS W, CONTRERAS R, HAEGEMAN R et al. Complete nucleotide sequence of SV40 DNA. Nature, 1978, *273* : 113-120.

GRUSS P, DHAR R, KHOURY G. Simian virus 40 tandem repeated sequences as an element of the early promoter. Proc Natl Acad Sci USA, 1981, *78* : 943-947.

KOTIN R, SINISCALCO M, SAMULSKI R et al. Site-specific integration by adeno-associated virus. Proc Natl Acad Sci USA, 1990, *87* : 2211-2215.

REDDY V, THIMMAPPAYA B, DHAR R et al. The genome of Simian virus 40. Science, 1978, *200* : 494-502.

RICCIARDI R, JONES R, CEPKO C et al. Expression of early adenovirus genes requires a virus-cododed acidic polypeptide. Proc Natl Acad Sci USA, 1981, *78* : 6121-6125.

TOOZE J. Molecular biology of tumor viruses: DNA tumor viruses. New York, Cold Spring Harbor Laboratory, 1980.

WEISS R, TEICH N, ARMUS H et al. Molecular biology of tumor viruses: RNA tumor viruses. New York, Cold Spring Harbor Laboratory, 1985.

Rétrovirus

AHMED YF, HANLY SM, MALIM MH et al. Structure-function analyses of the HTLV-I rex and HIV-I rev RNA response elements: insights into the mechanism of rex and rev action. Genes Dev, 1990, *4* : 1014-1022.

BROWN PO, BOWERMAN B, VARMUS HE et al. Retroviral integration - structure of the initial covalent product and its precursor, and a role for the viral in protein. Proc Natl Acad Sci USA, 1989, *86* : 2525-2529.
BYRNE B, LI J, SNINSKY J et al. Detection of HIV-1-RNA sequences by in vitro DNA amplification. Nucleic Acids Res, 1989, *16* : 4165.
CHANG D, SHARP P. Messenger RNA transport and HIV *rev* regulation. Science, 1990, *249* : 614-615.
CHANG D, SHARP P. Regulation by HIV Rev depends upon recognition of splice sites. Cell, 1989, *59* : 789-795.
CORDONNIER A, MONTAGNIER L, EMERMAN M. Single aminoacid changes in HIV envelope affect viral tropism and receptor binding. Nature, 1989, *340* : 571-574.
CRUMPACKER C. Molecular targets of antiviral therapy. N Engl J Med, 1989, *321* : 163-172.
CULLEN B, GREENE W. Regulatory pathways governing HIV-1 replication. Cell, 1989, *58* : 423-426.
CULLEN BR. Regulation of HIV-1 gene expression. FASEB J, 1991, *5* : 2361-2368.
DARLIX JL. Circularisation of retroviral genomic RNA and the control of RNA translation, packaging and reverse transcription. Biochimie, 1986, *68* : 941-949.
FINBERG R, WAHL S, ALLEN J et al. Selective elimination of HIV-1 infected cells with an interleukin-2 receptor-specific cytotoxin. Science, 1991, *252* : 1703-1705.
GRANDGENETT D, MUMM S. Unraveling retrovirus integration. Cell, 1990, *60* : 3-4.
GREEN M, ISHINO M, LOEWENSTEIN P. Mutational analysis of HIV-1 tat minimal domain peptides: identification of trans-dominant mutants that suppress HIV-LTR-driven gene expression. Cell, 1989, *58* : 215-223.
HASELTINE WA. Molecular biology of the human immunodeficiency virus type 1. FASEB J, 1991, *5* : 2349-2360.
HU WS, TEMIN H. Retroviral recombination and reverse transcription. Science, 1990, *250* : 1227-1233.
JEANG KT, WIDEN S, SEMMES IV O et al. HTLV-I trans-activator protein, Tax, is a trans-repressor of the human beta-polymerase gene. Science, 1990, *247* : 1082-1084.
KATZ R, SKALKA A. Generation of diversity in retroviruses. Ann Rev Genet, 1990, *24* : 409-445.
KJEMS J, BROWN M, CHANG D et al. Structural analysis of the interaction between the human immunodeficiency virus Rev protein and the Rev response element. Proc Natl Acad Sci USA, 1991, *88* : 683-687.
KRAUSSLICH HG. Genetic analysis and gene expression of human immunodeficiency virus. Curr Opin Genet Develop, 1992, *2* : 82-89.
LaROSA GJ, DAVIDE JP, WEINHOLD K et al. Conserved sequence and structural elements in the HIV-I principal neutralizing determinant. Science, 1990, *249* : 932-935.
LÉVY JP. Traitements du SIDA : recherche de nouveaux médicaments et élaboration de thérapies géniques. M/S, 1991, *7* : 830-841.
MALIM M, HAUBER J, LE S et al. The HIV-1 *rev trans*-activator acts through a structured target sequence to activate nuclear export of unspliced viral mRNA. Nature, 1989, *338* : 254-257.
McCUNE JM. HIV-1: the infective process in vivo. Cell, 1991, *64* : 351-363.
MUESING M, SMITH D, CABRADILLA C et al. Nucleic acid structure and expression of the human AIDS/lymphadenopathy retrovirus. Nature, 1985, *313* : 450-458.
PALCA J. Finding a new target for AIDS therapy. Science, 1991, *252* : 31.
PRESTON B, POIESZ J, LOEB L. Fidelity of HIV-1 reverse transcriptase. Science, 1988, *242* : 1168-1171.
RATNER L, HASELTINE WP, PATARCA R et al. Complete nucleotide sequence of the AIDS virus, HTLV-III. Nature, 1985, *313* : 277-284.
ROBERTS J, BEBENEK K, KUNKEL T. The accuracy of reverse transcriptase from HIV-1. Science, 1988, *242* : 1171-1173.
ROSEN C, PAVLAKIS G. Tat and Rev: positive regulators of HIV expression. AIDS, 1990, *4* : 499-509.
SABATIER J, VAN RIETSCHOTEN J, GRANIER C et al. La protéine Nef du virus HIV-1 : facteur de controverse. M/S, 1991, *7* : 62-65.
SANDMEYER S, HANSEN L, CHALKER D. Integration specificity of retrotransposons and retroviruses. Ann Rev Genet, 1990, *24* : 491-518.
SCHILD G, MINOR P. Human immunodeficiency virus and AIDS challenges and progress. Lancet, 1990, *335* : 1081-1084.
SMITH MR, GREENE W. Molecular biolgy of the type I human T-Cell leukemia virus (HTLV-I) and adult T-Cell leukemia. J Clin Invest, 1991, *87* : 761-766.
SMITH MR, GREENE WC. Identification of HTLV-I tax transactivator mutants exhibiting novel transcriptional phenotypes. Genes Dev, 1990, *4* : 1875-1885.
SULLENGER B, GALLARDO N, UNGERS G et al. Overexpression of TAR sequences Renders cells resistant to human immunodeficiency virus replication. Cell, 1990, *63* : 601-608.
TEMIN H. Retrovirus variation and evolution. Genome, 1989, *31* : 17-22.
VAISHNAV Y, WONG-STAAL F. The biochemistry of AIDS. Ann Rev Biochem, 1991, *60* : 577-630.
VARMUS H. La transcription inverse. Pour la Science, 1987, *121* : 34-40.
VARMUS H. Retroviruses. Science, 1988, *240* : 1427-1435.
VARMUS H, BROWN P. Retroviruses. *In* : DE Berg, MM Howe, Mobile DNA. 1 vol, American Society for Microbiology, Washington, 1989, 53-108.
VASSEUR M. Les virus oncogènes. Introduction à la biologie moléculaire du cancer. Hermann, Paris, 1 vol, 1989, *566*.
WAIN-HOBSON S, SONIGO P, DANOS O et al. Nucleotide sequence of the AIDS virus LAV. Cell, 1985, *40* : 9-17.
WEBER I, MILLER M, JASKOLSKI M et al. Molecular modeling of the HIV-1 protease and its substrate binding site. Science, 1989, *243* : 928-931.
ZINKERNAGEL R, HENGARTNER H. HIV: games that viruses play. Nature, 1991, *354* : 433-434.

Virus des hépatites B et C

BLUM HE, GEORK WG, VYAS GN. The molecular biology of hepatitis B virus. Trends Genet, 1989, *5* : 154-158.
CHOO QL, KUO G, WEINER A et al. Isolation of cDNA clone derived from a blood-borne non-A, non-B viral hepatitis genome. Science, 1989, *244* : 359-362.
DEJEAN A, BOUGUELERET L, GRZESCHIK K, TIOLLAIS P. Hepatitis B virus DNA integration in a sequence homologous to v-erb A and steroid receptor genes in hepatocellular carcinoma. Nature, 1986, *322* : 70-73.
DE THÉ H, MARCHIO A, TIOLLAIS P et al. A novel steroid thyroid hormone receptor related gene inappropriately expressed in human hepatocellular carcinoma. Nature, 1987, *330* : 667-670.
GANEM D, VARMUS H. The molecular biology of the hepatitis viruses. Ann Rev Biochem, 1987, *56* : 651-693.
KIM C, KOIKE K, SAITO I et al. HBX gene of hepatatis B virus induces liver cancer in transgenic mice. Science, 1991, *351* : 317-320.
KREMSDORF D, THIERS V, GARREAU F et al. Variabilité génétique du virus de l'hépatite B et son expression sérologique. M/S, 1990, *6* : 108-116.
KUO G, CHOO Q, ALTER H et al. An assay for circulating antibodies to a major etiologic virus of human non-A, non-B hepatitis. Science, 1989, *244* : 362-364.
REYES G, PURDY M, KIM J et al. Isolation of a cDNA from the virus responsible for enterically transmitted non-A, non-B hepatitis. Science, 1990, *247* : 1335-1339.
TIOLLAIS P, BUENDIA M. Le virus de l'hépatite B. Pour la Science, 1991 : 28-34
TIOLLAIS P, DEJEAN A, B. MA. Virus de l'hépatite B et hépatocarcinome. M/S, 1990, *6* : 96-97.
TIOLLAIS P, POURCEL C, DEJEAN A. The hepatitis B virus. Nature, 1985, *317* : 489-495.
TREPO C. Identification du virus de l'hépatite C (VHC) : un progrès décisif pour la santé publique. M/S, 1990, *6* : 98-107.

DEUXIÈME PARTIE — BIOLOGIE MOLÉCULAIRE ET PATHOLOGIE

Chapitre 8 : Principes de l'analyse génotypique

ANTONARAKIS SE. Diagnostic of genetic disorders at the DNA level. N Engl J Med, 1989, *320* : 153-163.

CASKEY CT. Disease diagnosis by recombinant DNA molecule. Science, 1987, *236* : 1223-1229.

CHEHAB FF, DOHERTY M, CAI S et al. Detection of sickle cell anaemia and thalassaemias. Nature, 1987, *329* : 293-294.

CHEHAB FF, KAN YW. Detection of specific DNA sequences by fluorescence amplification: a color complementation assay. Proc Natl Acad Sci USA, 1989, *86* : 9178-9182.

CONNER BJ, REYES AA, MORIN C et al. Detection of sickle cell β^S-globin allele by hybridization with synthetic oligonucleotides. Proc Natl Acad Sci USA, 1983, *80* : 278-282.

DAVIES KE. Genome analysis. A practical approach. IRL Press, Oxford, 1988.

ENGELKE DR, HOENER PA, COLLINS FS. Direct sequencing of enzymatically amplified human genomic DNA. Proc Natl Acad Sci USA, 1988, *85* : 544-548.

ERLICH HA, GELFAND DH, SAIKI RK. Specific DNA amplification. Nature, 1988, *331* : 461-462.

FISCHER SG, LERMAN LS. DNA fragments differing by single base-pair substitutions are separated in denaturing gradient gels: correspondence with melting theory. Proc Natl Acad Sci USA, 1983, *80* : 1579-1583.

GIBBS RA, CASKEY CT. Identification and localization of mutations at the Lesch-Nyhan locus by ribonuclease A cleavage. Science, 1987, *236* : 303-305.

GIBBS R, NGUYEN P, LJ M et al. Identification of mutations leading to the Lesch-Nyhan syndrome by automated direct DNA sequencing of in vitro amplified cDNA. Proc Natl Acad Sci USA, 1989, *89* : 1919-1923.

GIBBS RA, NGUYEN PN, EDWARDS A et al. Multiplex DNA deletion detection and exon sequencing of the hypoxanthine phosphoribosyltransferase gene in Lesch-Nyhan families. Genomics, 1990, *7* : 235-244.

KAN YW, DOZY AM. Polymorphism of DNA sequence adjacent to human beta globin structural gene: relationship to sickle mutation. Proc Natl Acad Sci USA, 1978, *75* : 5631-5635.

LANDEGREN U, KAISER R, CASKEY CT et al. DNA diagnostics. Molecular techniques and automation. Science, 1988, *242* : 229-237.

LENCH N, STANIER P, WILLIAMSON R. Simple non-invasive method to obtain DNA for gene analysis. Lancet, 1988, *i* : 1356-1358.

LI H, GYLLENSTEN UB, CUI X et al. Amplification and analysis of DNA sequences in single human sperm and diploid cells. Nature, 1988, *335* : 414-417.

MULLIS KB, FALOONA FA. Specific synthesis of DNA in vitro via a polymerase catalysed chain reaction. Methods Enzymol, 1987, *155* : 335-350.

MYERS RM, LARIN Z, MANIATIS T. Detection of single base substitutions by ribonuclease cleavage at mismatches in RNA: DNA duplexes. Science, 1985, *230* : 1242-1246.

MYERS RM, LUMELSKY N, LERMAN LS et al. Detection of single base substitutions in total genomic DNA. Nature, 1985, *313* : 495-498.

NOLL WW, COLLINS M. Detection of human DNA polymorphisms with a simplified denaturating gradient gel electrophoresis technique. Proc Natl Acad Sci USA, 1987, *84* : 3339-3343.

ORKIN SH. Genetic diagnosis by DNA analysis. Progress through amplification. N Engl J Med, 1987, *317* : 1023-1025.

RUBIN EM, ANDREWS K, KAN YW. Newborn screening by DNA analysis of dried blood spots. Hum Genet, 1989, *82* : 134-136.

SAIKI RK, SCHARF S, FALOONA F et al. Enzymatic amplification of β-globin genomic sequences and restriction site analysis for diagnosis of sickle cell anemia. Science, 1985, *230* : 1350-1354.

SAIKI RK, GEFLAND DH, STOFFEL S et al. Primer-directed enzymatic amplification of DNA with a thermostable DNA polymerase. Science, 1988, *239* : 487-491.

SAIKI RK, CHANG CH, LEVENSON CH et al. Diagnosis of sickle cell anemia and β-thalassemia with enzymatically amplified DNA and nonradioactive allele-specific oligonucleotide probes. N Engl J Med, 1988, *319* : 537-541.

SCHARF SJ, HORN GT, ERLICH HA. Direct cloning and sequence analysis of enzymatically amplified genomic sequences. Science, 1986, *233* : 1076-1078.

SOUTHERN EM. Detection of specific sequences among DNA fragments separated by gel electrophoresis. J Mol Biol, 1975, *98* : 503-517.

STUDENCKI AB, CONNER BJ, IMPRAIM CC et al. Discrimination among the human β^A, β^S and β^C-globin genes using allele-specific oligonucleotide hybridization probes. Am J Hum Genet, 1985, *37* : 42-51.

THEIN SL, WALLACE RB. The use of synthetic oligonucleotides as specific hybridization probes in the diagnosis of genetic disorders. *In* : KE Davies, Human genetic diseases, a practical approach, 1 Vol, IRL Press, 1986.

VOSBERG HP. The polymerase chain reaction: an improved method for the analysis of nucleic acids. Hum Genet, 1989, *83* : 1-15.

WILSON JT, WILNER PF, SUMMER ME et al. Use of restriction endonucleases for mapping th β^S-allele. Proc Natl Acad Sci USA, 1982, *79* : 3628-3631.

WONG C, DOWLING CE, SAIKI RK et al. Characterization of β-thalassaemia mutations using direct genomic sequencing of amplified single copy DNA. Nature, 1987, *330* : 384-386.

WU DY, UGOZZOLI L, PAL BK et al. Allele-specific enzymatic amplification of beta-globin genomic DNA for diagnosis of sickle cell anemia. Proc Natl Acad Sci USA, 1989, *86* : 2757-2760.

Chapitre 9 : Les polymorphismes du DNA

ARMOUR M, MAIZELS N. Biology and applications of human minisatellite loci. Curr Opin Genet Develop, 1992, *2* : 850-856.

BARKER D, WHITE R. Restriction sites containing CpG show a higher frequency of polymorphism in human DNA. Cell, 1984, *36* : 131-138.

BECKMANN J, WEBER J. Survey of human and rat microsatellites. Genomics, 1992, *12* : 627-631.

BOTSTEIN D, WHITE RL, SKOLNICK M et al. Construction of a genetic linkage map in man using restriction fragment length polymorphisms. Am J Hum Genet, 1980, *32* : 314-331.

DONIS-KELLER H, BARKER DF, KNOWLTON RG et al. Highly polymorphic RFLP probes as diagnostic tools. *In*: Molecular Biology of *Homo sapiens*. Cold Spring Harbor Symp Quant Biol, 1986, *LI* : 317-324.

ECONOMOU EP, BERGEN AW, WARREN AC et al. The polydeoxyadenylate tract of Alu repetitive elements is polymorphic in the human genome. Proc Natl Acad Sci USA, 1990, *87* : 2951-2954.

EDWARDS A, CASKEY CT. Genetic marker technology. Curr Opin Biotechnol, 1991, *2* : 818-822.

EDWARDS A, CIVITELLO A, HAMMOND HA et al. DNA typing and genetic mapping with trimeric and tetrameric tandem repeats. Am J Hum Genet, 1991, *49* : 746-756.

GUSELLA JF. DNA polymorphism and human disease. Ann Rev Biochem, 1986, *50* : 293-311.

JARMAN AP, NICHOLLS RD, WEATHERALL DJ et al. Molecular characterisation of a hypervariable region downstream of the human α-globin gene cluster. EMBO J, 1986, *5* : 1857-1863.

JEFFREYS AJ. DNA sequence variants in the Gϒ-, Aϒ, δ- and β-globin genes of man. Cell, 1979, *18* : 1-10.

JEFFREYS AJ, WILSON V, THEIN SL. Hypervariable "minisatellite" regions in human DNA. Nature, 1985, *314*: 67-73.

JEFFREYS AJ, NEUMANN R, WILSON V. Repeat unit sequence variation in minisatellites: a novel source of DNA polymorphism for studying variation and mutation by single molecule analysis. Cell, 1990, *60* : 473-485.

JEFFREYS AJ, WILSON V, THEIN SL. Individual-specific "fingerprints" of human DNA. Nature, 1985, *316* : 76-79.

KAN YW, DOZY AM. Polymorphism of DNA sequence adjacent to human β-globin structural gene: relationship to sickle mutation.

Proc Natl Acad Sci USA, 1978, *75* : 5631-5635.
LEVINSON G, GUTMAN GA. Slipped-strand mispairing: A major mechanism for DNA sequence evolution. Mol Biol Evol, 1987, *4* : 203-221.
LITT M, LUTY J. A hypervariable microsatellite revealed by in vitro amplification of a dinucleotide repeat within the cardiac muscle actin gene. Am J Hum Genet, 1989, *44* : 397-401.
MOYZIS RK, TORNEY DC, MEYNE J et al. The distribution of interspersed repetitive DNA sequences in the human genome. Genomics, 1989, *4* : 273-289.
NAKAMURA Y, JULIER C, WOLFF R et al. Characterization of a human "minisatellite" sequence. Nucl Acids Res, 1987, *15* : 2537-2547.
NAKAMURA Y, LEPPERT M, O'CONNELL P et al. Variable number of tandem repeat (VNTR) markers for human gene mapping. Science, 1987, *235* : 1616-1622.
OBERLÉ I, DRAYNA G, CAMERINO G et al. The telomeric region of the human X chromosome long arm: Presence of a highly polymorphic DNA marker and analysis of recombination frequency. Proc Natl Acad Sci USA, 1985, *82* : 2824-2828.
ORITA M, IWAHANA H, KANAZAWA H et al. Detection of polymorphisms of human DNA by gel electrophoresis as single-strand conformation polymorphisms. Proc Natl Acad Sci USA, 1989, *86* : 2766-2770.
ORITA M, SUZUKI Y, SEKIYA T et al. Rapid and sensitive detection of point mutations and DNA polymorphisms using the polymerase chain reaction. Genomics, 1989, *5* : 874-879.
ORKIN H, KAZAZIAN HH Jr, ANTONARAKIS SE et al. Linkage of beta-thalassemia mutations and beta-globin gene polymorphisms with DNA polymorphisms in the human beta-globin gene cluster. Nature, 1982, *296* : 627-631.
ROTWEIN P, YOKOYAMA S, DIDIER DK et al. Genetic analysis of the hypervariable region flanking the human insulin gene. Am J Hum Genet, 1986, *39* : 291-299.
SKOLNICK MH, WHITE R. Strategies for detecting and characterizing restriction fragment length polymorphisms (RFLP's). Cytogenet Cell Genet, 1982, *32* : 58-67.
STALLINGS RL, FORD AF, NELSON D et al. Evolution and distribution of (GT)n repetitive sequences in mammalian genomes. Genomics, 1991, *10* : 807-815.
TAUTZ D. Hypervariability of simple sequences as a general source for polymorphic DNA markers. Nucleic Acids Res, 1989, *17* : 6463-6470.
WEBER J. Human DNA polymorphisms based on length variations in simple-sequence tandem repeats. *In* : KE Davies, SM Tilghman. Genome analysis Vol 1. Genetic and Physical Mapping, 1990, Cold Spring Harbor Laboratory Press, 159-181.
WEBER JL, MAY PE. Abundant class of human DNA polymorphisms which can be typed using the polymerase chain reaction. Am J Hum Genet, 1989, *44* : 338-396.
WHITE R. DNA sequence polymorphisms revitalize linkage approaches in human genetics. Trends Genet, 1985, *1* : 177-181.
WHITE R, LALOUEL J. Genetic markers in medicine: DNA sequence variants in the human population reveal genetic basis for metabolic variation. *In* : Scriver et al. Metabolic basis of inborn inherited diseases, 1989, *6* : 277-288.
WONG Z, WILSON V, JEFFREYS AJ et al. Cloning a selected fragment from a human DNA "fingerprint": isolation of an extremely polymorphic minisatellite. Nucl Acids Res, 1986, *14* : 4605-4616.
WYMAN AR, WHITE R. A highly polymorphic locus in human DNA. Proc Natl Acad Sci USA, 1980, *77* : 6754-6758.

Chapitre 10 : La cartographie du génome humain

Banques de saut (jumping) *et de liaison* (linking)

COLLINS FS, WEISSMAN S. Directional cloning of DNA fragments at a large distance from an initial probe: a circularization method. Proc Natl Acad Sci USA, 1984, *81* : 6812-6816.
POUTSKA A, LEHRACH H. Jumping libraries and linking libraries: the next generation of molecular tools in mammalian genetics. Trends Genet, 1986, July, 174-179.
POUTSKA A, POHL TM, BARLOW DP et al. Construction and use of human chromosome jumping libraries from Not I-digested DNA. Nature, 1987, *325* : 353-355.
WALLACE M, FOUNTAIN J, BRERETON A et al. Direct construction of a chromosome-specific *NotI* linking library from flow-sorted chromosomes. Nucleic Acids Res, 1989, *17* : 1665-1677.

Cartes génétiques

BOTSTEIN D, WHITE RL, SKOLNICK M et al. Construction of a genetic linkage map in man using restriction fragment length polymorphisms. Am J Hum Genet, 1980, *32* : 314-331.
CANN HM. CEPH maps. Curr Opin Genet Develop, 1992, *2* : 393-399.
DONIS-KELLER H et al. A genetic linkage map of the human genome. Cell, 1987, *51* : 319-337.
KEATS BJ, SHERMAN SL, MORTON NE et al. Guidelines for human linkage maps: an international system for human linkage maps (ISLM, 1990). Genomics, 1991, *9* : 557-560.
KIDD K. Progress towards completing the human linkage map. Curr Opin Genet Develop, 1991, *1* : 99-104.
LANDER ES, BOTSTEIN D. Strategies for studying heterogenous genetic traits in humans by using linkage map of restriction fragment length polymorphisms. Proc Natl Acad Sci USA, 1986, *83* : 7353-7357.
LATHROP M, LALOUEL JM, JULIER C et al. Multilocus linkage analysis in humans: detection of linkage and estimation of recombination. Am J Hum Genet, 1985, *37* : 482-498.
NIH/CEPH Collaborative Mapping Group. A comprehensive genetic linkage map of the human genome. Science, 1992, *258* : 67-86.
O'CONNELL P, LATHROP M, LAW M et al. A primary genetic linkage map for human chromosome 12. Genomics, 1987, *1* : 93-102.
OTT J. Analysis of genetic linkage in human families. Baltimore, Johns Hopkins University Press, 1 vol, 1986.
OTT J. A short guide to linkage analysis. *In* : KE Davies. Human genetic diseases, a practical approach, 1986, IRL Press.
OTT J. Strategies for characterizing highly polymorphic markers in human gene mapping. Am J Hum Genet, 1992, *51* : 283-290.
RISCH N. Developments in gene mapping with linkage methods. Curr Opin Genet Develop, 1991, *1* : 93-98.
SMITH CAB. The development of human linkage analysis. Ann Hum Genet, 1986, *50* : 293-311.
WEISSENBACH J, GYAPAY G, DIB C et al. A second-generation linkage map of the human genome. Nature, 1992, *359* : 794-801.
WHITE R, LALOUEL JM. Sets of linked genetic markers for human chromosomes. Ann Rev Genet, 1988, *22* : 259-279.

Cartes physiques

BELLANÉ-CHANTELOT C, BARILLOT E, LE PASLIER D et al. A test case for physical mapping of human genome by repetitive sequence fingerprints: construction of a physical map of a 420 kb YAC subcloned into cosmids. Nucleic Acids Res, 1991, *19* : 505-510.
BELLANÉ-CHANTELOT C, LACROIX B, OUGEN P et al. Mapping the whole human genome by fingerprinting yeast artificial chromosomes. Cell, 1992, *70* : 1059-1068.
CHUMAKOV I, RIGAULT P, GUILLOU S et al. Continuum of overlapping clones spanning the entire human chromosome 21q. Nature, 1992, *359* : 380-386.
CRAIG AG, NIZETIC D, HOHEISEL JD et al. Ordering of cosmid clones covering the herpes simplex virus type 1 (HSV-1) genome : a test case for fingerprinting by hybridization. Nucleic Acids Res, 1990, *18* : 2653-2660.
COULSON A, SULSTON J, BRENNER S et al. Toward a physical map of the genome of the nematode *Caenorhabditis elegans*. Proc Natl Acad Sci USA, 1986, *83* : 7821-7825.
FOOTE S, VOLLRATH D, HILTON A et al. The human Y chromosome: overlapping DNA clones spanning the euchromatic region. Science, 1992, *258* : 60-66.
KOHARA Y, AKIYAMA K, ISONO K. The physical map of the whole E. coli chromosome: application of a new strategy for rapid analysis

and sorting of a large genomic library. Cell, 1987, *50* : 495-508.
LAFRENIÈRE R, BROWN C, POWERS V et al. Physical mapping of 60 DNA markers in the p21.1-q21.3 region of the human X chromosome. Genomics, 1991, *11* : 352-363.
LEHRACH H, DRMANAC R, HOHEISEL J et al. Hybridization fingerprinting in genome mapping and sequencing. *In* : KE Davies, SM Tilghman. Genome Analysis, Vol 1, Cold Spring Harbor Laboratory Press, 1990, 39-81.
SMITH CL, ECONOME JG, SCHUTT S et al. A physical map of the *Escherichia coli* genome. Science, 1987, *236* : 1448-1453.
VOLLRATH D, FOOTE S, HILTON A et al. The human Y chromosome: a 43-interval map based on naturally occurring deletions. Science, 1992, *258* : 52-59.

Chromosomes (dissection)

HAN J, LU CM, BROWN G et al. Direct amplification of a single dissected chromosomal segment by polymerase chain reaction: A human brain sodium channel gene is on chromosome 2q22-q23. Proc Natl Acad Sci USA, 1991, *88* : 335-339.
HADANO S, WATANABE M, YOKOI H et al. Laser microdissection and single unique primer PCR allow generation of regional chromosome DNA clones from a single human chromosome. Genomics, 1991, *11* : 364-373.
JOHNSON D. Molecular cloning of DNA from specific chromosomal regions by microdissection and sequence-independent amplification of DNA. Genomics, 1990, *6* : 243-251.
KAO FT, YU JW. Chromosome microdissection and cloning in human genome and genetic disease analysis. Proc Natl Acad Sci USA, 1991, *88* : 1644-1848.
LÜDECKE H, SENGER G, CLAUSSEN U et al. Cloning defined regions of the human genome by microdissection of banded chromosomes and enzymatic amplification. Nature, 1989, *338* : 348-350.
LÜDECKE HJ, SENGER G, CLAUSSEN U et al. Construction and characterization of band-specific DNA libraries. Hum Genet, 1990, *84* : 512-516.
MELTZER P, GUAN X, BURGESS A et al. Rapid generation of region specific probes by chromosome microdissection and their application. Nature Genet, 1992, *1* : 24-28.
SAUNDERS R. Short cuts for genome walking - Chromosome microdissection and polymerase chain reaction. Bioessays, 1990, *12* : 245-248.
SENGER G, LÜDECKE HJ, HORSTHEMKE B et al. Microdissection of banded human chromosomes. Hum Genet, 1990, *84* : 507-511.
WEBER J, WEITH A, KAISER R et al. Microdissection and microcloning of human chromosome 7q22-32 region. Somatic Cell Mol Genet, 1990, *16* : 123-128.

Chromosomes (hybridation in situ)

BUCKLE VJ, CRAIG IW. In situ hybridization. *In* : KE Davies. Human genetic diseases, a practical approach, 1986, IRL Press.
BRANDRIFF B, GORDON L, TRASK B. A new system for high-resolution DNA sequence mapping in interphase cell nuclei. Genomics, 1991, *10* : 75-82.
CHERIF D, JULIER C, DELATTRE O et al. Simultaneous localization of cosmids and chromosome R-banding by fluorescence microscopy: application to regional mapping of human chromosome 11. Proc Natl Acad Sci USA, 1990, *87* : 6639-6643.
DAUWERSE JG, WIEGANT J, RAAP AK et al. Multiple colors by fluorescence *in situ* hybridization using ratio-labelled DNA probes create a molecular caryotype. Hum Mol Genet, 1992, *1* : 593-598.
LANDEGENT J, JANSEN IN DE WAL N, DIRKS R et al. Use of whole cosmid cloned genomic sequences for chromosomal localization by nonradioactive in situ hybridization. Hum Genet, 1987, *77* : 336-370.
LAWRENCE JB, VILLNAVE CA, SINGER RH. Sensitive, high-resolution chromatin and chromosome mapping in situ: presence and orientation of two closely integrated copies of EBV in a lymphoma line. Cell, 1988, *52* : 51-61.
LAWRENCE JB, SINGER R, McNEIL J. Interphase and metaphase resolution of different distances within the human dystrophin gene. Science, 1990, *249* : 928-932.
LAWRENCE JB. A fluorescence in situ hybridization approach for gene mapping and the study of nuclear organization. *In* : KE Davies, SM Tilghman. Genome Analysis, Vol 1, Cold Spring Harbor Laboratory Press, 1990, 1-38.
LAWRENCE JB, CARTER KC, GERDES MJ. Extending the capabilities of interphase chromatin mapping. Nature Genet, 1992, *2* : 171-172.
LICHTER P, CREMER T, MANUELIDIS L et al. Delineation of individual chromosomes in metaphase and interphase cells by in situ suppression hybridization using recombinant DNA libraries. Hum Genet, 1988, *80* : 224-234.
LICHTER P, LEDBETTER S, LEDBETTER D et al. Fluorescence in situ hybridization with Alu and L1 polymerase chain reaction probes for rapid characterization of human chromosomes in hybrid cell lines. Proc Natl Acad Sci USA, 1990, *87* : 6634-6638.
LICHTER P, TANG C, CALL K et al. High-resolution mapping of human chromosome 11 by in situ hybridization with cosmid clones. Science, 1990, *247* : 64-69.
LICHTER P, WARD DC. Is non-isotopic in situ hybridization finally coming of age? Nature, 1990, *345* : 93-94.
MONTANARO V, CASAMASSIMI A, D'URSO M et al. In situ hybridization to cytogenetic bands of yeast artificial chromosomes covering 50% of human Xq24-Xq28 DNA. Am J Hum Genet, 1991, *48* : 183-194.
RIED T, LANDES G, DACKOWSKI W et al. Multicolor fluorescence in situ hybridization fot the simultaneous detection of probe sets for chromosome 13, 18, 21, X and Y in uncultured amniotic fluid cells. Hum Mol Genet, 1992, *1* : 307-313.
ROWLEY J, DIAZ M, ESPINOSA III R et al. Mapping chromosome band 11q23 in human acute leukemia with biotinylated probes: identification of 11q23 translocation breakpoints with a yeast artificial chromosome. Proc Natl Acad Sci USA, 1990, *87* : 9358-9362.
SELLERI L, HERMANSON G, EUBANKS J et al. Molecular localization of the 11q24;22q12 translocation of Ewing's sarcoma by chromosomal *in situ* suppression hybridization. Proc Natl Acad Sci USA, 1991, *88* : 887-891.
TRASK B, PINKEL D, VAN DEN ENGH G. The proximity DNA sequences in interphase cell nuclei is correlated to genomic distance and permits ordering of cosmids spanning 250 kilobase pairs. Genomics, 1989, *5* : 710-717.
TRASK B. Gene mapping by *in situ* hybridization. Curr Opin Genet Develop, 1991, *1* : 82-87.
TRASK B, MASSA H, KENWRICK S et al. Mapping of human chromosome Xq28 by two-color fluorescence in situ hybridization of DNA sequences to interphase cell nuclei. Am J Hum Genet, 1991, *48* : 1-15.
VAN DEN ENGH G, SACHS R, TRASK B. Estimating genomic distance from a DNA sequence location in cell nuclei by a random walk model. Science, 1992, *257* : 1410-1412.
VIEGAS-PEQUIGNOT E, DUTRILLAUX B, MAGDELENA H et al. Mapping of single-copy DNA sequences on human chromosomes by in situ hybridization with biotinylated probes: enhancement of detection sensivity by intensified-fluorescence digital-imaging microscopy. Proc Natl Acad Sci USA, 1989, *86* : 582-586.
WIEGANT J, RIED T, VAN DER PLOEG M et al. *In situ* hybridization with fluoresceinated DNA. Nucl Acids Res, 1991, *19* : 3237-3241.
WIEGANT J, KALLE W, MULLENDERS L et al. High-resolution *in situ* hybridization using DNA halo preparations. Hum Mol Genet, 1992, *1* : 587-591.

Chromosomes (transfert)

DORIN J, INGLIS J, PORTEOUS D. Selection for precise chromosomal targeting of a dominant marker by homologous recombination. Science, 1989, *243* : 1357-1363.
PORTEOUS DJ. Chromosome mediated gene transfer: a functional assay for complex loci and an aid to human genome mapping. Trends Genet, 1987, *3* : 177-182.
SCAMBLER PJ, LAW HY, WILLIAMSON R et al. Chromosome mediated gene transfer of six DNA markers linked to the cystic fibrosis locus on human chromosome seven. Nucleic Acids Res, 1986, *14* : 7159-7174.

Chromosomes (tri)

COTTER F, NASIPURI S, LAM G et al. Gene mapping by enzymatic amplification from flow-sorted chromosomes. Genomics, 1989, *5* : 470-474.

GRAY JW, DEAN PN, FUSCOE JC et al. High-speed chromosome sorting. Science, 1987, *238* : 323-329.

KRUMLAUF R, JEANPIERRE M, YOUNG B. Construction and characterization of genomic libraries from specific human chromosomes. Proc Natl Acad Sci USA, 1982, *79* : 2971-2975.

YOUNG BD. Human chromosome analysis by flow cytometry. *In* : KE Davies. Human genetic diseases, a practical approach, 1986, IRL Press.

Hybrides d'irradiation

BURMEISTER M, KIM S, PRICE E et al. A map of the distal region of the long arm of human chromosome 21 constructed by radiation hybrid mapping and pulse-field gel electrophoresis. Genomics, 1991, *9* : 19-30.

COX D, PRITCHARD C, UGLUM E et al. Segregation of the Huntington disease region of human chromosome 4 in a somatic cell hybrid. Genomics, 1989, *4* : 397-407.

COX D, BURMEISTER M, PRICE E et al. Radiation hybrid mapping: a somatic cell genetic method for constructing high-resolution maps of mammalian chromosomes. Science, 1990, *250* : 245-250.

Macrocartographie par électrophorèses en champ pulsé

BARLOW DP, LEHRACH H. Genetics by gel electrophoresis: The impact of pulse-field gel electrophoresis on mammalian genetics. Trends Genet, 1987, *3* : 167-171.

CARLE GF, OLSON MV. Separation of chromosomal DNA molecules from yeast by orthogonal-field-alternation gel electrophoresis. Nucleic Acids Res, 1984, *12* : 5647-5664.

CHU G, VOLLRATH D, DAVIS RW. Separation of large DNA molecules by contour-clamped homogenous electric fields. Science, 1986, *234* : 1582-1585.

EVANS G. Physical mapping of the human genome by pulsed field gel analysis. Curr Opin Genet Develop, 1991, *1* : 75-81.

LAWRANCE SK, SMITH CL, SRIVASTAVA R et al. Megabase-scale mapping of the HLA gene complex by pulse field gel electrophoresis. Science, 1987, *237* : 1387-1390.

SCHWARTZ DC, CANTOR CR. Separation of yeast chromosome-sized DNAs by pulsed field gradient gel electrophoresis. Cell, 1984, *37* : 67-75.

VAN OMMEN GJB, VERKERK JMH. Restriction analysis of chromosomal DNA in a size range up to two million base pairs by pulse field gradient electrophoresis. *In* : KE Davies. Human genetic diseases, a practical approach, 1986, IRL Press.

Microsatellites

HEARNE CM, GHOSH S, TODD JA. Microsatellites for linkage analysis of genetic traits. Trends Genet, 1992, *8* : 288-294.

LITT M, LUTY J. A hypervariable microsatellite revealed by in vitro amplification of a dinucleotide repeat within the cardiac muscle actin gene. Am J Hum Genet, 1989, *44* : 397-401.

VIGNAL A, GYAPAY G, HAZAN J et al. A non-radioactive multiplex procedure for genotyping of microsatellite markers. *In* : KW Adolph. Methods in Molecular Genetics, vol 1, 1993, Academic Press, Orlando : 211-221.

WEBER J, MAY P. Abundant class of human DNA polymorphisms which can be typed using the polymerase chain reaction. Am J Hum Genet, 1989, *44* : 338-396.

WEBER JL. Human DNA polymorphisms based on length variations in simple-sequence tandem repeats. *In* : KE Davies, SM Tilghman. Genome analysis, Vol 1, Cold Spring Harbor Laboratory Press, 1990, 159-181.

WEISSENBACH J, GYAPAY G, DIB C et al. A second-generation linkage map of the human genome. Nature, 1992, *359* : 794-800.

PCR

ABBOTT C, POVEY S. Development of human chromosome-specific PCR primers for characterization of somatic cell hybrids. Genomics, 1991, *9* : 73-77.

ARNHEIM N, LI H, CUI X. PCR analysis of DNA sequences in single cells: single sperm gene mapping and genetic disease diagnosis. Genomics, 1990, *8* : 415-419.

BOEHNKE M, ARNHEIM N, LI H et al. Fine-structure genetic mapping of human chromosomes using the polymerase chain reaction on single sperm: experimental design considerations. Am J Hum Genet, 1989, *45* : 21-32.

COTTER F, NASIPURI S, LAM G et al. Gene mapping by enzymatic amplification from flow-sorted chromosomes. Genomics, 1989, *5* : 470-474.

ERLICH H, GELFAND D, SNINSKY J. Recent advance in the polymerase chain reaction. Science, 1991, *225* : 1643-1651.

FROHMAN M, DUSH M, MARTIN G. Rapid production of full-length cDNAs from rare transcripts: amplification using a single gene-specific oligonucleotide primer. Proc Natl Acad Sci USA, 1988, *85* : 8998-9002.

HAN J, LU CM, BROWN GB et al. Direct amplification of a single dissected chromosomal segment by polymerase chain reaction: A human brain sodium channel gene is on chromosome 2q22-q23. Proc Natl Acad Sci USA, 1991, *88* : 335-339.

LEDBETTER S, NELSON D, WARREN S et al. Rapid isolation of DNA probes within specific chromosome regions by interspersed repetitive sequence polymerase chain reaction. Genomics, 1990, *6* : 475-481.

LI H, CUI X, ARNHEIM N. Direct electrophoretic detection of the allelic state of single DNA molecules in human sperm using PCR. Proc Natl Acad Sci USA, 1990, *87* : 4580-4584.

LOH EY, ELLIOTT JF, CWIRLA S et al. Polymerase chain reaction with single-sided specificity: analysis of T cell receptor δ chain. Science, 1989, *243* : 217-220.

NELSON D. Applications of polymerase chain reaction methods in genome mapping. Curr Opin Genet Develop, 1991, *1* : 62-68.

NELSON D, LEDBETTER S, CORBO L et al. *Alu* polymerase chain reaction: a method for rapid isolation of human-specific sequences from complex DNA sources. Proc Natl Acad Sci USA, 1989, *86* : 6686-6690.

NELSON D, BALLABIO A, VICTORIA M et al. *Alu*-primed polymerase chain reaction for regional assignment of 110 yeast artificial chromosome clones from the human X chromosome: identification of clones associated with a disease locus. Proc Natl Acad Sci USA, 1991, *88* : 6157-6161.

THEUNE S, FUNG J, TODD S et al. PCR primers for human chromosomes; reagents for the rapid analysis of somatic cell hybrids. Genomics, 1991, *9* : 511-516.

Revues générales sur la cartographie des génomes

DAVIES K, TILGHMAN S. Genome analysis. I. Genetic and Physical mapping. Cold Spring Harbor Laboratory Press, 1990, 1 vol.

GENATLAS. A catalogue of mapped genes and other markers. J Frézal, MS Baule, MT Fougerolle, 2e Ed, 1991, John Libbey Eurotext Ltd, Paris.

LATHROP G, CHERIF D, JULIER C et al. Gene mapping. Curr Opin Biotechnol, 1990, *1* : 172-179.

MANDEL JL, MONACO AP, NELSON DL et al. Genome analysis and the human X chromosome. Science, 1992, *258* : 103-109.

McKUSICK V. Current trends in mapping human genes. FASEB J, 1991, *5* : 12-20.

McKUSICK V, AMBERGER JS.The morbid anatomy of the human genome: chromosomal location of mutations causing disease. J Med Genet, 1993, *30* : 1-26.

Le projet génome humain

ADAMS M, KELLEY J, GOCAYNE J et al. Complementary DNA sequencing: expressed sequence tags and human genome project. Science, 1991, *252* : 1651-1656.

ADAMS MD, DUBNICK M, KERLAVAGE AR et al. Sequence identification of 2,375 human brain genes. Nature, 1992, *355* : 632-634.

DAUSSET J, CANN H, COHEN D et al. Centre d'étude du polymorphisme humain (CEPH): collaborative genetic mapping of the human genome. Genomics, 1990, *6* : 575-577.

JORDAN B. Voyage autour du génome. INSERM John Libbey Eurotext, 1 vol, 1993.

LENNON G, LEHRACH H. Hybridization analyses of arrayed cDNA libraries. Trends Genet, 1991, *7* : 314-317.

Mapping our genes. Genome projects: How big? How fast? Congress of the United States Office of Technology Assessment, 1987. The Johns Hopkins University Press, Baltimore, 1 vol.

MARTIN-GALLARDO A, McCOMBIE W, GOCAYNE J et al. Automated DNA sequencing and analysis of 106 kilobases from human chromosome 19q13.3. Nature Genet, 1992, *1* : 34-39.

McCOMBIE W, ADAMS M, KELLEY J et al. *Caenorhabditis elegans* expressed sequence tags identify gene families and potential disease gene homologues. Nature Genet, 1992, *1* : 124-131.

MEIER-EWERT S, MAIER E, AHMADI A et al. An automated approach to generating expressed sequence catalogues. Nature, 1992, *361* : 375-376.

MERRIAM J, ASHBURNER M, HART L et al. Toword cloning and mapping genome of *Drosophila*. Science, 1991, *254* : 221-225.

OLSON M, HOOD L, CANTOR C et al. A common language for physical mapping of the human genome. Science, 1989, *245* : 1434-1435.

OLIVER SG et 146 co-auteurs. The complete DNA sequence of yeast chromosome III. Nature, 1992, *357* : 38-46.

SEFTON L, GOODFELLOW P. The human genetic map. Curr Opin Genet Develop, 1992, *2* : 387-392.

SOUTHERN E. Genome mapping: cDNA approaches. Curr Opin Genet Develop, 1992, *2* : 412-416.

SULSTON J, DU Z, THOMAS K et al. The *C. elegans* genome sequencing project: a beginning. Nature, 1992, *356* : 37-41.

WATERSTON R, MARTIN C, CRAXTON M et al. A survey of expressed genes in Caenorhabditis elegans. Nature Genet, 1992, *1* : 114.

WATSON J. The human genome project. Science, 1990, *248* : 44-48.

YAC

ALBERTSEN H, ABDERRAHIM H, CANN H et al. Construction and characterization of a yeast artificial chromosome library containing seven haploid human genome equivalents. Proc Natl Acad Sci USA, 1990, *87* : 4256-4260.

ANAND R, OGILVIE D, BUTLER R et al. A yeast artificial chromosome contig encompassing the cystic fibrosis locus. Genomics, 1991, *9* : 124-130.

BATES GP, VALDES J, HUMMERICH H et al. Characterization of a yeast artificial chromosome contig spanning the Huntington disease candidate region. Nature Genet, 1992, *1* : 180-187.

BELLANÉ-CHANTELOT C, BARILLOT E, LE PASLIER D et al. A test case for physical mapping of human genome by repetitive sequence fingerprints: construction of a physical map of a 420 kb YAC subcloned into cosmids. Nucleic Acids Res, 1991, *19* : 505-510.

BRONSON S, PEI J, TAILLON-MILLER P et al. Isolation and characterization of yeast artificial chromosome clones linking the HLA-B and HLA-C loci. Proc Natl Acad Sci USA, 1991, *88* : 1676-1680.

BROWNSTEIN R, SILVERMAN G, LITTLE R et al. Isolation of single-copy human genes from a library of yeast artificial chromosome clones. Science, 1989, *244* : 1348-1349.

BURKE DT, CARLE GF, OLSON MV. Cloning of large segments of exogenous DNA into yeast by means of artificial chromosome vectors. Science, 1987, *236* : 806-812.

BURKE D. The role of yeast artificial chromosome clones in generating genome maps. Curr Opin Genet Develop, 1991, *1* : 69-74.

BURKE D, OLSON M. Preparation of clone libraries in yeast artificial-chromosome vectors. Methods Enzymol, 1990, *194* : 251-272.

COOKE H. Cloning in yeast: an appropriate scale for mammalian genomes. Trends Genet, 1987, *3* : 173-174.

COULSON A, WATERSON R, KIFF J et al. Genome linking with yeast artificial chromosomes. Nature, 1988, *335* : 184-186.

COULSON A, KOZONO Y, LUTTERBACH B et al. YACs and the *C. elegans* genome. Bioessays, 1991, *13* : 413-417.

DEN DUNNEN JT, GROOTSCHOLTEN PM, DAUWERSE JG et al. Reconstruction of the 2.4 Mb human DMD-gene by homologous YAC recombination. Hum Mol Genet, 1992, *1* : 19-28.

ELICEIRI B, LABELLE T, HAGINO Y et al. Stable integration and expression in mouse cells of yeast artificial chromosomes harboring human genes. Proc Natl Acad Sci USA, 1991, *88* : 2179-2183.

ELVIN P, SLYNN G, BLACK D et al. Isolation of cDNA clones using yeast artificial chromosome probes. Nucleic Acids Res, 1990, *18* : 3913-3917.

FEIL R, PALMIERI G, D'URSO M et al. Physical and genetic mapping of polymorphic loci in Xq28 (DXS15, DXS52, and DXS134): analysis of a cosmid clone and a yeast artificial chromosome. Am J Hum Genet, 1990, *46* : 720-728.

GARZA D, AJIOKA JW, BURKE DT et al. Mapping the *Drosophila* genome with yeast artificial chromosomes. Science, 1989, *246* : 641-646.

GREEN E, OLSON M. Systematic screening of yeast artificial-chromosome libraries by use of the polymerase chain reaction. Proc Natl Acad Sci USA, 1990, *87* : 1213-1217.

GREEN E, OLSON M. Chromosomal region of the cystic fibrosis gene in yeast artificial chromosomes: a model for human genome mapping. Science, 1990, *250* : 94-98.

HIETER P, CONNELLY C, SHERO J et al. Yeast artificial chromosomes: promises kept and pending. *In* : KE Davies, SM Tilghman. Genome analysis. Vol 1, 1990, Cold Spring Harbor Laboratory Press, 83-120.

IMAI T, OLSON M. Second-generation approach to the construction of yeast artificial-chromosome libraries. Genomics, 1990, *8* : 297-303.

LARIN Z, MONACO A, LEHRACH H. Yeast artificial chromosome libraries containing large inserts from mouse and human DNA. Proc Natl Acad Sci USA, 1991, *88* : 4123-4127.

MAIER E, HOHEISEL D, McCARTHY L et al. Complete coverage of the Schizosaccharomyces pombe genome in yeast artificial chromosomes. Nature Genet, 1992, *1* : 273-277.

McCORMICK M, SHERO J, CHEUNG M et al. Construction of human chromosome 21-specific yeast artificial chromosomes. Proc Natl Acad Sci USA, 1989, *86* : 9991-9995.

MONACO AP, WALKER AP, MILLWOOD I et al. A yeast artificial chromosome contig containing the complete Duchenne Muscular Dystrophy gene. Genomics, 1992, *12* : 465-473.

PACHNIS V, PEVNY L, ROTHSTEIN R et al. Transfer of a yeast artificial chromosome carrying human DNA from *Saccharomyces cerevisiae* into mammalian cells. Proc Natl Acad Sci USA, 1990, *87* : 5109-5113.

SCHLESSINGER C. Yeast artificial chromosomes: tools for mapping and analysis of complex genomes. Trends Genet, 1990, *6* : 2248-2258.

SILVERMAN G, GREEN E, YOUNG R et al. Meiotic recombination between yeast artificial chromosomes yields a single clone containing the entire BCL2 protooncogene. Proc Natl Acad Sci USA, 1990, *87* : 9913-9917.

SMITH D, SMYTH A, MOIR D. Amplification of large artificial chromosomes. Proc Natl Acad Sci USA, 1990, *87* : 8242-8246.

WADA M, LITTLE R, ABIDI F et al. Human Xq24-Xq28: approaches to mapping with yeast artificial chromosomes. Am J Hum Genet, 1990, *46* : 94-106.

Divers

BROWN WRA. Mammalian artificial chromosomes. Curr Opin Genet Develop, 1992, *2* : 478-486.

BROWN WRA, MACKINNON PJ, VILLASANTÉ A et al. Structure and polymorphism of human telomere-associated DNA. Cell, 1990, *63* : 119-132.

CHAPMAN VM, NADEAU JH. The mouse genome: an overview. Curr Opin Genet Develop, 1992, *2* : 406-411.

CHURCH G, KIEFFER-HIGGINS S. Multiplex DNA sequencing. Science, 1988, *240* : 185-188.

CLAVERIE JM. Du traitement de l'information à l'évaluation des stratégies. Biofutur, 1990, 22-27.

CORBO L, MALEY JA, NELSON DL et al. Direct cloning of human transcripts with HnRNA from hybrid dell lines. Science, 1990, *249* : 652-655.

HUNKAPILLER MW. Advances in DNA sequencing technology. Curr Opin Genet Develop, 1991, *1* : 88-92.

LENNON GG, LEHRACH H. Hybridization analyses of arrayed cDNA libraries. Trends Genet, 1991, *7* : 314-317.

Chapitre 11 : La génétique inverse

Les succès de la génétique inverse (Tableau 11-5)

ASLANIDIS C, JANSEN G, AMEMIYA C et al. Cloning of the essential myotonic dystrophy region and mapping of the putative defect. Nature, 1992, *355* : 548-551.

ATTREE O, OLIVOS IM, OKABE I et al. The Lowe's oculocerebrorenal syndrome gene encodes a protein highly homologous to inositol polyphosphate-phosphatase. Nature, 1992, *358* : 239-242.

BALDWIN C, HOTH CF, AMOS JA et al. An exonic mutation in the *HuP2* paired domain gene causes Waardenburg's syndrome. Nature, 1992, *355* : 637-638.

BARKER DF, HOSTIKKA SL, ZHOU J et al. Identification of mutations in the COL4A5 collagen gen in Alport syndrome. Science, 1990, *248* : 1224-1227.

BERGER W, MEINDL A, VAN DE POL T et al. Isolation of a candidate gene for Norrie disease by positional cloning. Nature Genet, 1992, *1* : 199-203.

BERGER W, VAN DE POL D, WARBURG M et al. Mutations in the candidate gene for Norrie disease. Hum Mol Genet, 1992, *1* : 461-465.

BERTA P, HAWKINS JR, SINCLAIR AH et al. Genetic evidence equating SRY and the testis-determining factor. Nature, 1990, *348* : 448-450.

BROOK JD, McCURRACH ME, HARLEY HG et al. Molecular basis of myotonic dystrophy: expansion of a trinucleotide (CTG) repeat at the 3' end of a transcript encoding a protein kinase family member. Cell, 1992, *68* : 799-808.

BROWN T, LUBAHN D, WILSON E et al. Deletion of the steroid-binding domain of the human androgen receptor gene in one family with complete androgen insensitivity syndrome: evidence for further heterogeneity in this syndrome. Proc Natl Acad Sci USA, 1988, *85* : 8151-8155.

BURGHES AHM, LOGAN C, HU X et al. A cDNA clone from the Duchenne/Becker muscular dystrophy gene. Nature, 1987, *328* : 434-437.

BUXTON J, SHELBOURNE P, DAVIES J et al. Detection of an unstable fragment of DNA specific to individuals with myotonic dystrophy. Nature, 1992, *355* : 547-548.

CALL K, GLASER T, ITO C et al. Isolation and characterization of a zinc finger polypeptide gene at the human chromosome 11 Wilms'tumor locus. Cell, 1990, *60* : 509-520.

CAWTHON RM, WEISS R, XU G et al. A major segment of the neurofibromatosis type 1 gene: cDNA sequence, genomic, structure, and point mutations. Cell, 1990, *62* : 193-201.

CHELLY J, TÜMER Z, TONNESEN T et al. Isolation of a candidate gene for Menkes disease that encodes a potential heavy metal binding protein. Nature Genet, 1993, *1* : 14-19.

CHEN ZY, HENDRIKS RW, JOBLING MA et al. Isolation and characterization of a candidate gene for Norrie disease. Nature Genet, 1992, *1* : 204-208.

COULOMBE PA, HUTTON ME, LETAI A et al. Point mutations in human keratin 14 genes of epidermolysis bullosa simplex patients: genetic and functional analyses. Cell, 1991, *66* : 1301-1311.

CREMERS FPM, VAN DE PAUL DJR, VAN KERKHOFF LPM et al. Cloning of a gene that is rearranged in patients with choroideraemia. Nature, 1990, *347* : 674-677.

DIETZ HC, CUTTING GR, PYERITZ RE et al. Marfan syndrome caused by a recurrent *de novo* missense mutation in the fibrillin gene. Nature, 1991, *352* : 337-339.

DRYJA TP, McGEE TL, REICHEL E et al. A point mutation of the rhodopsin gene in one form of retinitis pigmentosa. Nature, 1990, *343* : 364-366.

FARRAR GJ, KENNA P, JORDAN SA et al. A three-base-pair deletion in the peripherin-*RDS* gene in one form of retinitis pigmentosa. Nature, 1991, *354* : 478-480.

FONTAINE B, KHURANA TS, HOFFMAN EP et al. Hyperkalemic periodic paralysis and the adult muscle sodium channel α-subunit gene. Science, 1990, *250* : 1000-1002.

FRANCO B, GUIOLI S, PRAGLIOLA A et al. A gene deleted in Kallmann's syndrome shares homology with neural cell adhesion and axonal path-finding molecules. Nature, 1991, *353* : 529-536.

FRIEND SH, BERNARDS R, ROGELJ S et al. A human DNA segment with properties of the gene that predisposes to retinoblastoma and osteosarcoma. Nature, 1986, *323* : 643-645.

FROGUEL P, VAXILLAIRE M, SUN F et al. Close linkage of glucokinase locus on chromosome 7p to early-onset non-insulin-dependent diabetes mellitus. Nature, 1992, *35* : 162-164.

FU YH, PIZZUTI A, FENWICK Jr RG et al. An unstable triplet repeat in a gene related to myotonic muscular dystrophy. Science, 1992, *255* : 1256-1260.

FUJII J, OTSU K, ZORZATO F et al. Identification of a mutation in porcine ryanodine receptor associated with malignant hyperthermia. Science, 1991, *253* : 448-451.

GEISTERFER-LOWRANCE AAT, KASS S, TANIGAWA G et al. A molecular basis for familial hypertrophic cardiomyopathy: a β cardiac myosin heavy chain gene missense mutation. Cell, 1990, *62* : 999-1006.

GENCIC S, ABUELO D, AMBLER M et al. Pelizaeus-Merzbacher disease: an X-liked neurologic disorder of myelin metabolism with a novel mutation in the gene encoding proteolipid protein. Am J Hum Genet, 1989, *45* : 435-442.

GESSLER M, POUTSKA A, CAVENEE W et al. Homozygous deletion in Wilms tumours of a zinc-finger gene identified by chromosome jumping. Nature, 1990, *343* : 774-778.

GIEBEL LB, SPRITZ RA. Mutation of the KIT (mast/stem cell growth factor receptor) protooncogene in human piebaldism. Proc Natl Acad Sci USA, 1991, *88* : 8696-8699.

GOATE A, CHARTIER-HARLIN M-C, MULLAN M et al. Segregation of a missense mutation in the amyloid precursor protein gene with familial Alzheimer's disease. Nature, 1991, *349* : 704-706.

GRODEN J, THLIVERIS A, SAMOWITZ W et al. Identification and characterization of the familial adenomatous polyposis coli gene. Cell, 1991, *66* : 589-600.

HARLEY HG, BROOK JD, RUNDLE SA et al. Expansion of an unstable DNA region and phenotypic variation in myotonic dystrophy. Nature, 1992, *355* : 545-546.

JORDAN T, HANSON I, ZALETAYEV D et al. The human PAX6 gene is mutated in two patients with aniridia. Nature Genet, 1992, *1* : 328-332.

JOSLYN G, CARLSON M, THLIVERIS A et al. Identification of deletion mutations and three new genes at the familial polyposis locus. Cell, 1991, *66* : 601-613.

KAJIWARA K, HAHN LB, MUKAI S et al. Mutations in the human retinal degeneration slow gene in autosomal dominant retinitis pigmentosa. Nature, 1991, *354* : 480-483.

KAPP LN, PAINTER RB, YU LC et al. Cloning of a candidate gene for ataxia-telangectasia group D. Am J Hum Genet, 1992, *51* : 45-54.

KASTAN MB, ZHAN Q, EL-DEIRY WS et al. A mammalian cell cycle checkpoint pathway utilizing p53 and GADD45 is defective in ataxia-telangiectasia. Cell, 1992, *71* : 587-597.

KEREM BS, ROMMENS JM, BUCHANAN JA et al. Identification of the cystic fibrosis gene: genetic analysis. Science, 1989, *245* : 1073-1080.

KINZLER KW, NILBERT MC, VOGELSTEIN B et al. Identification of a gene located at chromosome 5q21 that is mutated in colorectal cancers. Science, 1991, *251* : 1366-1370.

KOCH MC, STEINMEYER K, LORENZ C et al. The skeletal muscle chloride channel in dominant and recessive human myotonia. Science, 1992, *257* : 797-800.

KOENIG M, HOFFMAN EP, BERTELSON CJ et al. Complete cloning of the Duchenne muscular dystrophy (DMD) cDNA and preliminary genomic organization of the DMD gene in normal and affected individuals. Cell, 1987, *50* : 509-517.

KREMER EJ, PRITCHARD M, LYNCH M et al. Mapping of DNA instability at the fragile X to a trinucleotide repeat sequence. Science, 1991, *252* : 1711-1714.

LA SPADA AR, WILSON EM, LUBAHN DB et al. Androgen receptor gene mutations in X-linked spinal and bulbar muscular atrophy. Nature, 1991, *352* : 77.

LEE B, VISSING H, RAMIREZ F et al. Identification of the molecular defect in a family with spondyloepiphyseal dysplasia. Science, 1989, *244* : 978-980.

LEGOUIS R, HARDELIN JP, LEVILLIERS J et al. The candidate gene for the X-linked Kallmann syndrome encodes a protein related to adhesion molecules. Cell, 1991, *67* : 423-435.

LEVY E, CARMAN MD, FERNANDEZ-MADRID IJ et al. Mutation

of the Alzheimer's disease amyloid gene in hereditary cerebral hemorrhage, Dutch type. Science, 1990, *248* : 1124-1126.

MACLENNAN DH, DUFF C, ZORZATO F et al. Ryanodine receptor gene is a candidate for predisposition to malignant hyperthermia. Nature, 1990, *343* : 559-561.

MAHADEVAN M, TSILFIDIS C, SABOURIN L et al. Myotonic dystrophy mutation: an unstable CTG repeat in the 3' untranslated region of the gene. Science, 1992, *255* : 1253-1255.

MALKIN D, LI FP, STRONG LC et al. Germ line p53 mutations in a familal syndrome of breast cancer, sarcomas, and other neoplasms. Science, 1990, *250* : 1233-1238.

MATSUNAMI N, SMITH B, BALLARD L et al. Peripheral myelin protein-22 gene maps in the duplication in chromosome 17p11.2 associated with Charcot-Marie-Tooth 1A. Nature Genet, 1992, *1* : 176-179.

MEINDL A, BERGER W, MEITINGER T et al. Norrie disase caused by mutations in an extracellular protein resembling C-terminal globular domain of mucins. Nature Genet, 1992, *2* : 139-143.

MERCER JFB, LIVINGSTON J, HALL B et al. Isolation of a partial candidate gene for Menkes disease by positional cloning. Nature Genet, 1993, *1* : 20-25.

MONACO AP, BERTELSON CJ, MIDDLESWORTH W et al. Detection of deletions spanning the Duchenne muscular dystrophy locus using a tightly linked DNA segment. Nature, 1985, *316* : 842-845.

MONACO AP, NEVE R, COLLETTI-FEENER C et al. Isolation of candidate cDNAs for portions of the Duchenne muscular dystrophy gene. Nature, 1986, *323* : 646-650.

MOSSER J, DOUAR A, SARDE CO et al. Putative X-linked adrenoleukodystrophy gene shares unexpected homology with ABC transporters. Nature, 1993, *361* : 726-730.

MURRELL J, FARLOW M, GHETTI B et al. A mutation in the amyloid precursor protein associated with hereditary Alzheimer's disease. Science, 1991, *254* : 97-99.

NISHISHO I, NAKAMURA Y, MIYOSHI Y et al. Mutations of chromosome 5q21 genes in FAP and colorectal cancer patients. Science, 1991, *253* : 665-669.

OBERLÉ I, ROUSSEAU F, HEITZ D et al. Instability of a 550-base pair DNA segment and abnormal methylation in fragile X syndrome. Science, 1991, *252* : 1097-1102.

PANG Y, METZENBERG A, DAS S et al. Mutations in the V2 vasopressin receptor gene are associated with X-linked nephrogenic diabetes insipidus. Nature Genet, 1992, *2* : 103-106.

PATEL PI, ROA BB, WELCHER A et al. The gene for the peripheral myelin protein PMP-22 is a candidate for Charcot-Marie-Tooth disease type 1A. Nature Genet, 1992, *1* : 159-165.

PTACEK LJ, GEORGE Jr AL, GRIGGS RC et al. Identification of a mutation in the gene causing hyperkalemic periodic paralysis. Cell, 1991, *67* : 1021-1027.

RAY PN, BELFALL B, DUFF C et al. Cloning of the breakpoint of an X;21 translocation associated with Duchenne muscular dystrophy. Nature, 1985, *318* : 672-675.

RIORDAN JR, ROMMENS JM, KEREM BS et al. Identification of the cystic fibrosis gene: cloning and characterization of complementary DNA. Science, 1989, *245* : 1066-1073.

ROJAS CV, WANG J, SCHWARTZ LS et al. A Met-to-Val- mutation in the skeletal muscle Na^+ channel a-subunit in hyperkalaemic periodic paralysis. Nature, 1991, *354* : 387-389.

ROMMENS JM, IANNUZZI MC, KEREM BS et al. Identification of the cystic fibrosis gene: chromosome walking and jumping. Science, 1989, *245* : 1059-1065.

ROSENTHAL W, SEIBOLD A, ANTARAMIAN A et al. Molecular identification of the gene responsible for congenital nephrogenic diabetes insipidus. Nature, 1992, *359* : 233-235.

ROYER-POKORA B, KUNKEL LM, MONACO AP et al. Cloning of the gene for an inherited human disorder- chronic granulomatosis disease- on the basis of its chromosomal location. Nature, 1986, *322* : 32-38.

SATOKATA I, TANAKA K, MIURA N et al. Characterization of a splicing mutation in group A xeroderma pigmentosum. Proc Natl Acad Sci USA, 1990, *87* : 9908-9912.

SHIMOZAWA N, TSUKAMOTO T, SUZUKI Y et al. A human gene responsible for Zellweger syndrome that affects peroxisome assembly. Science, 1992, *255* : 1132-1134.

SINCLAIR AH, BERTA P, PALMER MS et al. A gene from the human sex-determining region encodes a protein with homology to a conserved DNA-binding motif. Nature, 1990, *346* : 240-244.

SRIVASTAVA S, ZOU Z, PIROLLO K et al. Germ-line transmission of a mutated *p53* gene in a cancer-prone family with Li-Fraumeni syndrome. Nature, 1990, *348* : 747-749.

STOFFEL M, FROGUEL P, TAKEDA J et al. Human glucokinase gene: isolation, characterization and identification of two missense mutations linked to early-onset non-insulin-dependent (type 2) diabetes mellitus. Proc Natl Acad Sci USA, 1992, *89* : 7698-7702.

STRATHDEE CA, GAVISH H, SHANNON WR et al. Cloning of cDNAs for Fanconi's anaemia by functional complementation. Nature, 1992, *356* : 763-767.

TANAKA K, MIURA N, SATOKATA I et al. Analysis of a human DNA excision repair gene involved in group A xeroderma pigmentosum and containing a zinc-finger domain. Nature, 1990, *348* : 73-76.

TANIGAWA G, JARCHO JA, KASS S et al. A molecular basis for familial hypertrophic cardiomyopathy: an α/β cardiac myosin heavy chain hybrid gene. Cell, 1990, *62* : 991-998.

TASSABEHJI M, READ AP, NEWTON VE et al. Waardenburg's syndrome patients have mutations in the human homologue of the Pax-3 paired box gene. Nature, 1992, *355* : 635-636.

TON CC, HIRVONEN H, MIWA M et al. Positional cloning and characterization of a paired box- and homeobox-containing gene from the aniridia region. Cell, 1991, *67* : 1059-1074.

TROFATTER JA, DLOUHY SR, DEMYER W et al. Pelizaeus-Merzbacher disease: tight linkage to proteolipid protein gene variant. Proc Natl Acad Sci USA, 1989, *86* : 9427-9430.

VALENTIJN LJ, BOLHUIS PA, ZORN I et al. The peripheral myelin gene PMP-22/GAS-3 is duplicated in Charcot-Marie-Tooth disease type 1A. Nature Genet, 1992, *1* : 166-170.

VAN BROECKHOVEN C, HAAN J, BARKER E et al. Amyloid beta protein precursor gene and hereditary cerebral hemorrhage with amyloidosis (Dutch). Science, 1990, *248* : 1120-1122.

VAN DEN OUWELAND AMW, DREESEN JCFM, VERDIJK M et al. Mutations in the vasopressin type 2 receptor gene (AVPR2) associated with nephrogenic diabetes insipidus. Nature Genet, 1992, *2* : 99-102.

VERKERK AJMH, PIERETTI M, SUTCLIFFE JS et al. Identification of a gene *(FMR-1)* containing a CGG repeat coincident with a breakpoint cluster region exhibiting length variation in fragile X syndrome. Cell, 1991, *65* : 905-914.

VETRIE D, VORECHOVSKY I, SIDERAS P et al. The gene involved in X-linked agammaglobulinaemia is a member of the *src* family of protein-tyrosine kinases. Nature, 1993, *361* : 226-233.

VIONNET N, STOFFEL M, TAKEDA J et al. Nonsense mutation in the glucokinase gene causes early-onset non-insulin-dependent diabetes mellitus. Nature, 1992, *356* : 721-722.

VISKOCHIL D, BUCHBERG AM, XU G et al. Deletions and a translocation interrupt a cloned gene at the neurofibromatosis type 1 locus. Cell, 1990, *62* : 187-192.

VULPE C, LEVINSON B, WHITNEY S et al. Isolation of a candidate gene for Menkes disease and evidence that it encodes a copper-transporting ATPase. Nature Genet, 1993, 7-13.

WALLACE MR, MARCHUK DA, ANDERSEN LB et al. Type 1 neurofibromatosis gene: identification of a large transcript disrupted in three NF1 patients. Science, 1990, *245* : 181-186.

WEEDA G, VAN HAM RCA, VERMEULEN W et al. A presumed DNA helicase encoded by ERCC-3 is involved in the human repair disorders xeroderma pigmentosum and Cockayne's syndrome. Cell, 1990, *62* : 777-791.

YU S, PRITCHARD M, KREMER E et al. Fragile X genotype characterized by an unstable region of DNA. Science, 1991, *252* : 1179-1181.

Autres références

ADAMS MD, DUBNICK M, KERLAVAGE AR et al. Sequence identification of 2,375 human brain genes. Nature, 1992, *355* : 632-634.

ALTHERR MR, PLUMMER S, BATES G et al. Radiation hybrid map spanning the Huntington disease gene region of chromosome 4. Genomics, 1992, *13* : 1040-1046.

BALLABIO A, CAMERINO G. The gene for X-linked Kallmann syndrome: a human neuronal migration defect. Curr Opin Genet Develop, 1992, *2* : 417-421.

BARNES DE, TOMKINSON AE, LEHRMANN AR et al. Mutations

in the DNA ligase I gene of an individual with immunodeficiencies and cellular hypersensitivity to DNA-damaging agents. Cell, 1992, *69* : 495-503.

BATES GP, MACDONALD ME, BAXENDALE S et al. Defined physical limits of the Huntington disease gene candidate region. Am J Hum Genet, 1991, *49* : 7-16.

BATES GP, VALDES J, HUMMERICH H et al. Characterization of a yeast artificial chromosome contig spanning the Huntington disease candidate region. Nature Genet, 1992, *1* : 180-187.

BERG P. Reverse genetics: its origins and prospects. Biotechnology, 1991, *9* : 342-344.

BIRD AP. CpG islands as gene markers in the vertebrate nucleus. Trends Genet, 1987, *3* : 342-347.

BODMER WF, BAILEY CJ, BODMER J et al. Localization of the gene for familial adenomatous polyposis on chromosome 5. Nature, 1987, *328* : 614-616.

BOTSTEIN D, WHITE RL, SKOLNICK M, DAVIS RW. Construction of a genetic linkage map in man using restriction fragment length polymorphisms. Am J Hum Genet, 1980, *32* : 314-331.

BROWN WRA. Mammalian artificial chromosomes. Curr Opin Genet Develop, 1992, *2* : 478-486.

BUCK L, AXEL R. A novel multigene family may encode odorant receptors: a molecular basis for odor recognition. Cell, 1991, *65* : 175-187.

BUCKLER AJ, CHANG DD, GRAW SL et al. Exon amplification: a strategy to isolate mammalian genes based on RNA splicing. Proc Natl Acad Sci USA, 1991, *88* : 4005-4009.

CASKEY C. A genome approach to the human X chromosome. Curr Opin Genet Develop, 1991, *1* : 20-24.

CAVENEE WK, DRYJA TP, PHILLIPS RA et al. Expression of recessive alleles by chromosomal mechanisms in retinoblastoma. Nature, 1983, *305* : 779-784.

CHAMBERLAIN S, SHAW J, ROWLAND A et al. Mapping of mutation causing Friedreich's ataxia to human chromosome 9. Nature, 1988, *334* : 248-250.

CHAMBERLAIN S, WALLIS J et al. Genetic homogeneity at the Friedreich Ataxia locus on chromosome 9. Am J Hum Genet, 1989, *44* : 518-521.

CLAVERIE J. Du traitement de l'information à l'évaluation des stratégies. Biofutur, 1990, 22-27.

CLAVERIE JM. Identifying coding exons by similarity search: Alu-derived and other potentially misleading protein sequences. Genomics, 1992, *12* : 838-841.

COLLINS F. Positional cloning: let's not call it reverse anymore. Nature Genet, 1992, *1* : 3-6.

DRUMM ML, POPE HA, CLIFF WH et al. Correction of the cystic fibrosis defect in vitro by retrovirus-mediated gene transfer. Cell, 1990, *62* : 1223-1227.

DUYK GM, KIM S, MYERS RM et al. Exon trapping: a genetic screen to identify candidate transcribed sequences in cloned mammalian genomic DNA. Proc Natl Acad Sci USA, 1990, *87* : 8995-8999.

ESTIVILL X, FARRALL M, SCAMBLER PJ et al. A candidate for the cystic fibrosis locus isolated by selection for methylation-free islands. Nature, 1987, *326* : 840-845.

FEARON ER, CHO KR, NIGRO JM et al. Identification of a chromosome 18q gene that is altered in colorectal cancers. Science, 1990, *247* : 49-56.

FLEJTER WL, McDANIEL LD, JOHNS D et al. Correction of xeroderma pigmentosum complementation group D mutant cell phenotypes by chromosome and gene transfer: involvement of the human ERCC2 DNA repair gene. Proc Natl Acad Sci USA, 1992, *89* : 261-265.

FONTAINE B. Paralysies périodiques dyskaliémiques familiales : un succès de l'approche par gènes candidats. M/S, 1992, *8* : 41-45.

FRIEND SH, BERNARDS R, ROGELJ S et al. A human DNA segment with properties of the gene that predisposes to retinoblastoma and osteosarcoma. Nature, 1986, *323* : 643-645.

GATTI RA, BERKEL I, BODER E et al. Localization of an ataxia-telangiectasia gene to chromosome 11q22-23. Nature, 1988, *336* : 577-580.

GUSELLA JF, WEXLER NS, CONNEALLY PM et al. A polymorphic DNA marker genetically linked to Huntington's disease. Nature, 1983, *306* : 234-238.

HOEIJMAKERS JHJ, BOOTSMA D. DNA repair: two pieces of the puzzle. Nature Genet, 1992, *1* : 313-314.

JORDAN B. Ilots HTF : le gène annoncé. M/S, 1991, *7* : 153-160.

KANDT R, HAINES J, SMITH M et al. Linkage of an important gene locus for tuberous sclerosis to a chromosome 16 marker for polycystic kidney disease. Nature Genet, 1992, *2* : 37-41.

KARTNER N, HANRAHAN JW, JENSEN TJ et al. Expression of the cystic fibrosis gene in non-epithelial invertebrate cells produces a regulated anion conductance. Cell, 1991, *64* : 681-691.

KIDD K. Progress towards completing the human linkage map. Curr Opin Genet Develop, 1991, *1* : 99-104.

KORN B, SEDLACEK Z, MANCA A et al. A strategy for the selection of transcribed sequences in the Xq28 region. Hum Mol Genet, 1992, *1* : 235-242.

KUNKEL LM, MONACO AP, MIDDLESWORTH W et al. Specific cloning of DNA fragments absent from the DNA of a male patient with X chromosomal deletion. Proc Natl Acad Sci USA, 1985, *82* : 4778-4782.

LANDER ES, BOTSTEIN D. Strategies for studying heterogenous genetic traits in humans by using linkage map of restriction fragment length polymorphisms. Proc Natl Acad Sci USA, 1986, *83* : 7353-7357.

LANDER ES, BOTSTEIN D. Homozygosity mapping: A way to map human recessive traits with the DNA of inbred children. Science, 1987, *236* : 1567-1570.

LEPPERT M, DOBBS M, SCAMBLER P et al. The gene for familial polyposis coli maps to the long arm of chromosome 5. Science, 1987, *238* : 1411-1413.

LINDSAY S, BIRD AP. Use of restriction enzymes to detect potential gene sequences in mammalian DNA. Nature, 1987, *327* : 336-338.

MANDEL JL, HEITZ D. Molecular genetics of the fragile-X syndrome: a novel type of unstable mutation. Curr Opin Genet Develop, 1992, *2* : 422-430.

MARCHUK DA, SAULINO AM, TAVAKKOL R et al. cDNA cloning of the type 1 neurofibromatosis gene: complete sequence of the NF1 gene product. Genomics, 1991, *11* : 931-940.

McDONALD ME, LIN C, SRINIDHI L et al. Complex patterns of linkage disequilibrium in the Huntington disease region. Am J Hum Genet, 1991, *49* : 723-734.

McKUSICK VA, AMBERGER JS. The morbid anatomy of the human genome: chromosomal location of mutations causing disease. J Med Genet, 1993, *30* : 1-26.

MONACO P, KUNKEL LM. Cloning of the Duchenne/Becker muscular dystrophy locus. Adv Hum Genet, 1988, *17* : 61-98.

MOUSTACCHI E. Mammalian DNA repair mutants: recent progress in the genetic and molecular biology of the processing of DNA lesions induced by UV and by DNA cross-linking agents. *In* : RH Douglas, J Moan, G Ronto. Light in Biology and Medicine, 1991, *2* : 463-475.

MURRAY JM, DAVIES KE, HARPER PS et al. Linkage relationship of a cloned DNA sequence on the short arm of the chromosme X to Duchenne muscular dystrophy. Nature, 1982, *300* : 69-71.

ORKIN SH. Reverse genetics and human disease. Cell, 1987, *47* : 845-850.

ORKIN SH. X-linked chronic granulomatous disease: from chromosomal position to the in vivo gene product. Trends Genet, 1987, *3* : 149-151.

REEDERS ST, BREUNING MH, DAVIES KE et al. A highly polymorphic DNA marker linked to adult polycystic kidney disease on chromosome 16. Nature, 1985, *317* : 542-544.

RICH DP, ANDERSON MP, GREGORY RJ et al. Expression of cystic fibrosis transmembrane conductance regulator corrects defective chloride channel regulation in cystic fibrosis airway epithelial cells. Nature, 1990, *347* : 358-365.

RISCH N. Developments in gene mapping with linkage methods. Curr Opin Genet Develop, 1991, *1* : 93-98.

ROULEAU GA, WERTELECKI W, HAINES J et al. Genetic linkage of bilateral acoustic neuroma. Nature, 1987, *329* : 246-248.

ROUSSEAU F, HEITZ D, OBERLÉ I et al. Le syndrome du X fragile. M/S, 1991, *7* : 637-639.

ROWLAND LP. A triumph of reverse genetics and the end of the beginning. N Engl J Med, 1988, *318* : 1392-1394.

ROYER-POKORA B, KUNKEL LM, MONACO AP et al. Cloning the gene for an inherited human disorder-chronic granulomatous disease-on the basis of its chromosomal location. Nature, 1986, *322* : 32-38.

RUDDLE F. Reverse genetics and beyond. Am J Hum Genet, 1984, *36* : 944-950.
SARFARAZI M, WIJMENGA C, UPADHYAYA M et al. Regional mapping of facioscapulohumeral muscular dystrophy gene on 4q35: combined analysis of an international consortium. Am J Hum Genet, 1992, *51* : 396-403.
SEIZINGER BR, ROULEAU GA, OZELIUS LJ et al. Von Hippel-Lindau disease maps to the region of chromosome 3 associated with renal cell carcinoma. Nature, 1988, *332* : 268-269.
SNELL RG, LAZARROU LP, YOUNGMAN S et al. Linkage desequilibrium in Huntington's Disease: an improved localisation for the gene. J Med Genet, 1989, *26* : 673-675.
SOLOMON E, BODMER WF. Evolution of sickle variant gene. Lancet, 1979, *i* : 923.
SOLOMON E, VOSS R, HALL V et al. Chromosome 5 allele loss in human colorectal carcinomas. Nature, 1987, *328* : 616-619.
SUTHERLAND GR, HAAN EA, KREMER E et al. Hereditary unstable DNA: a new explanation for some old genetic questions? Lancet, 1991, *338* : 289-292.
TANAKA K, OSHIMURA M, KIKUCHI R et al. Suppression of tumorigenicity in human colon carcinoma cells by introduction of normal chromosome 5 or 18. Nature, 1991, *349* : 340-342.
TON CCT, MIWA H, SAUNDERS GF. *Small eye (Sey)*: cloning and characterization of the murine homolog of the human gene. Genomics, 1992, *13* : 251-256.
TSUI LC, BUCHWALD M. Biochemical and molecular genetics of cystic fibrosis. Adv Hum Genet, 1991, *20* : 153-266.
VASSAR R, COULOMBE P, DEGENSTEIN L et al. Mutant keratin expression in transgenic mice causes marked abnormalities resembling a human genetic skin diseases. Cell, 1991, *64* : 365-380.
VINCENT A, HEITZ D, PETIT C et al. Abnormal pattern detected in fragile-X patients by pulse-field gel electrophoresis. Nature, 1991, *349* : 624-626.
WEXLER N, ROSE E, HOUSMAN D. Molecular approaches to hereditary diseases of the nervous system: Huntington's disease as a paradigm. Ann Rev Neurosci, 1991, *14* : 503-529.
WHITE R, O'CONNELL P. Identification and characterization of the gene for neurofibromatosis type 1. Curr Opin Genet Develop, 1991, *1* : 15-19.

Chapitre 12 : La pathologie du DNA

ALBERTINI R, NICKLAS J, O'NEILL J et al. In vivo somatic mutations in humans: measurement and analysis. Ann Rev Genet, 1990, *24* : 305-326.
ASLANIDIS C, JANSEN G, AMEMIYA C et al. Cloning of the essential myotonic dystrophy region and mapping of the putative defect. Nature, 1992, *355* : 548-551.
BABINET C. Les cellules souches embryonnaires de souris : une voie privilégiée de transformation génétique à l'échelle de l'animal. M/S, 1992, *8* : 268-275.
BAKKER E, VAN BROECKHOVEN CH, BONTEN EJ et al. Germline mosaicism and Duchenne muscular dystrophy mutations. Nature, 1987, *329* : 554-55.
BÜELER H, FISCHER M, LANG Y et al. Normal development and behaviour of mice lacking the neuronal cell-surface PrP protein. Nature, 1992, *356* : 577-582.
CAPECCHI MR. The new mouse genetics: altering the genome by gene targeting. Trends Genet, 1989, *5* : 70-76.
CASKEY CT, PIZZUTI A, FU YH et al. Triplet repeat mutations in human disease. Science, 1992, *256* : 784-788.
CHADA KJ, MAGRAM J, RAPHAEL K et al. Specific expression of a foreign β-globin gene in erythroid cells of transgenic mice. Nature, 1985, *314* : 377-380.
CHISAKA O, CAPECCHI MR. Regionally restricted developmental defects resulting from targeted disruption of the mouse homeobox gene *Hox-1.5*. Nature, 1991, *350* : 473-479.
CHISAKA O, MUSCI TS, CAPECCHI MR. Developmental defects of the ear, cranial nerves and hindbrain resulting from targeted disruption of the mouse homeobox gene *Hox-1.6*. Nature, 1992, *355* : 516-520.
CLARKE AR, MAANDAG ER, VAN ROON M et al. Requirement for a functional *Rb-1* gene in murine development. Nature, 1992, *359* : 328-330.
CLARKE LL, GRUBB BR, GABRIEL SE et al. Defective epithelial chloride transport in a gene-targeted mouse model of cystic fibrosis. Science, 1992, *257* : 1125-1128.
COLLEDGE WH, RATCLIFF R, FOSTER D et al. Cystic fibrosis mouse with intestinal obstruction. Lancet, 1992, *340* : 680.
COLLINS FS, COLE JL, LOCKWOOD WK et al. The deletion in both common types of hereditary persistence of fetal hemoglobin is approximately 105 kilobases. Blood, 1987, *70* : 1797-1803.
COOPER DN, KRAWCZAK M. Mechanisms of insertional mutagenesis in human genes causing genetic disease. Hum Genet, 1991, *87* : 409-415.
COOPER DN, YOUSSOUFIAN H. The CpG dinucleotide and human genetic disease. Hum Genet, 1988, *78* : 151-155.
COX DW, WOO SLC, MANSFIELD T. DNA restriction fragments associated with α1-antitrypsin indicate a single origin for deficiency allele Pi^z. Nature, 1985, *316* : 79-81.
CROSSLEY M, BROWNLEE G. Disruption of a C/EBP binding site in the factor IX promoter is associated with haemophilia B. Nature, 1990, *345* : 444-446.
DOETSCHMAN T, MAEDA N, SMITHIES O. Targeted mutation of the Hprt gene in mouse embryonic stem cells. Proc Natl Acad Sci USA, 1988, *85* : 8583-8587.
DOMBROSKI BA, MATHIAS SL, NATHAKUMAR E et al. Isolation of an active human transposable element. Science, 1991, *254* : 1805-1808.
DONEHOWER LA, HARVEY M, SLAGLE BL et al. Mice deficient for p53 are developmentally normal but suceptible to spontaneous tumours. Nature, 1992, *356* : 215-221.
DORIN JR, DICKINSON P, ALTON EWFW et al. Cystic fibrosis in the mouse by targeted insertional mutagenesis. Nature, 1992, *359* : 211-216.
FU YH, KUHL DA, PIZZUTI A et al. Variation of the CGG repeat at the fragile X site results in genetic instability: resolution of the Sherman paradox. Cell, 1991, *67* : 1047-1058.
GOSSEN J, VIJG J. Transgenic mice as model systems for studying gene mutations in vivo. Trends Genet, 1993, *9* : 27-30.
GRIDLEY T, SORIANO P, JAENISCH J. Insertional mutagenesis in mice. Trends Genet, 1987, *3* : 162-166.
HALL JG. Genomic imprinting: review and relevance to human diseases. Am J Hum Genet, 1990, *46* : 857-873.
HASTY P, RAMIREZ-SOLIS R, KRUMLAUF R et al. Introduction of a subtle mutation into the *Hox-2.6* locus in embryonic stem cells. Nature, 1991, *350* : 243-246.
HASTY P, RIVERA-PERES J, BRADLEY A. The length of homology required for gene targeting in embryonic stem cells. Mol Cell Biol, 1991, *11* : 586-5591.
HASTY P, RIVERA-PERES J, CHANG C et al. Target frequency and integration pattern for insertion and replacement vectors in embryonic stem cells. Mol Cell Biol, 1991, *11* : 4509-4517.
HENTHORN PS, SMITHIES O, MAGER DL. Molecular analysis of deletions in the human beta-globin gene cluster: deletion junctions and locations of breakpoints. Genomics, 1990, *6* : 226-237.
HERSKOWITZ I. Functional inactivation of genes by dominant negative mutations. Nature, 1987, *329* : 219-222.
HIGUCHI M, KOCHHAN L, OLEK K. A somatic mosaic for haemophilia A detected at the DNA level. Mol Biol Med, 1988, *5* : 23-27.
HOBBS H, RUSSEL DW, BROWN MS et al. The LDL receptor locus in familial hypercholesterolemia: mutational analysis of a membrane protein. Ann Rev Genet, 1990, *24* : 133-170.
HOLLIDAY R. The inheritance of epigenetic defects. Science, 1987, *238* : 163-170.
HOLLSTEIN M, SIDRANSKY D, VOGELSTEIN B et al. p53 mutations in human cancers. Science, 1991, *253* : 49-53.
HOOPER M, HARDY K, HANDYSIDE A et al. HPRT-deficient (Lesch-Nyhan) mouse embryos derived from germine colonization by cultured cells. Nature, 1987, *326* : 292-295.
HU X, WORTON RG. Partial gene duplication as a cause of human disease. Hum Mutation, 1992, *1* : 3-12.
JACKS T, FAZELI A, SCHMITT EM et al. Effects of an *Rb* mutation in the mouse. Nature, 1992, *359* : 295-300.
JACKSON J. The real reverse genetics: targeted mutagenesis in the mouse. Trends Genet, 1987, *3* : 119-120.

JUNIEN C, LAVEDAN C. Dystrophie myotonique de Steinert : encore une mutation instable. M/S, 1992, *8* : 249-251.

KAPLAN JC, KAHN A, CHELLY J. Illegitimate transcription: its use in the study of inherited disease. Hum Mutation, 1992, *1* : 357-360.

KATSUKI M, SATO M, KIMURA M et al. Conversion of normal behavior to shiverer by myelin basic protein antisens cDNA in transgenic mice. Science, 1988, *241* : 593-595.

KAZAZIAN HH Jr, ANTONARAKIS SE. The varieties of mutation. *In* : B Childs, NA Holtzman, HH Kazazian Jr, DL Valle : Molecular genetics in medicine, 1988, Elsevier, chapitre 3 (pp 43-67).

KAZAZIAN HH, WONG C, YOUSSOUFIAN H et al. Haemophilia A resulting from de novo insertion of L1 sequences represents a novel mechanism for mutations in man. Nature, 1988, *332* : 164-166.

KOLBERG R. Animal models point the way to human clinical trials. Science, 1992, *256* : 772-773.

KRAWCZAK M, REISS J, COOPER D. The mutational spectrum of single base-pair substitutions in mRNA splice junctions of human genes: causes and consequences. Hum Genet, 1992, *90* : 41-54.

KUEHN MR, BRADLEY A, ROBERTSON EJ et al. A potential animal model for Lesch-Nyhan syndrome through introduction of HPRT mutations into mice. Nature, 1987, *326* : 295-298.

LA SPADA AR, WILSON EM, LUBAHN DB et al. Androgen receptor gene mutations in X-linked spinal and bulbar muscular atrophy. Nature, 1991, *352* : 77.

LE MEUR M, GERLINGER P, BENOIT C et al. Correcting an immune-response deficiency by creating Eα gene transgenic mice. Nature, 1985, *316* : 38-42.

LE MOUELLIC BA, LALLEMAND Y, BRÛLET P. Homeosis in the mouse induced by a null mutation in the Hox-3.1 gene. Cell, 1992, *69* : 251-264.

LEE EYHP, CHANG CY, HU N et al. Mice deficient for Rb are nonviable and show defects in neurogenesis and haematopoiesis. Nature, 1992, *359* : 288-294.

LEE KF, LI E, HUBER J et al. Targeted mutation of the gene encoding the low affinity NGF receptor p75 leads to deficits in the peripheral sensory nervous system. Cell, 1992, *69* : 737-749.

LEMARCHANDEL V, MONTAGUTELLI X. La recombinaison homologue. De nouvelles perspectives pour la transgénèse chez les mammifères. M/S, 1990, *6* : 18-29.

LEVINSON G, GUTMAN GA. Slipped-strand mispairing: A major mechanism for DNA sequence evolution. Mol Biol Evol, 1987, *4* : 203-221.

MANSOUR SL, THOMAS KR, CAPECCHI MR. Disruption of the proto-oncogene *int-2* in mouse embryo-derived stem cells: a general strategy for targeting mutations to non-selectable genes. Nature, 1988, *336* : 348-352.

MARK M, LUFKIN T, DIERICH A et al. Inactivation du gène Hox-1.6 chez la souris : vers le décodage des réseaux d'homéogènes de mammifères. M/S, 1992, *8* : 334-339.

MATHIAS SL, SCOTT AF, KAZAZIAN JHH et al. Reverse transcriptase encoded by a human transposable element. Science, 1991, *254* : 1808-1810.

MATSUO M, MASUMURA T, NISHIO H et al. Exon skipping during splicing of dystrophin mRNA precursor due to an intraexon deletion in the dystrophin gene of duchenne muscular dystrophy kobe. J Clin Invest, 1991, *87* : 2127-2131.

MEUTH M. Illegitimate recombination in mammalian cells. *In* : DE Berg, MM Howe. Mobile DNA, 1989, American Society for Microbiology, Washington, 833-860.

MEUTH M. The structure of mutation in mammalian cells. Biochim Biophys Acta, 1990, *1032* : 1-17.

MITA S, RIZZUTO R, MORAES CT et al. Recombination via flanking direct repeats is a major cause of large-scale deletions of human mitochondrial DNA. Nucleic Acids Res, 1990, *18* : 561.

MOMBAERTS P, LACOMINI J, JOHNSON RS et al. Rag-1 deficient mice have no mature B and T lymphocytes. Cell, 1992, *68* : 869-877.

MORGAN BA, IZPISUA-BELMONTE JC, DUBOULE D et al. Targeted misexpression of Hox-4.6 in the avian limb bud causes apparent homeotic transformations. Nature, 1992, *358* : 236-239.

MURATANI K, HADA T, YAMAMOTO Y et al. Inactivation of the cholinesterase gene by Alu insertion: possible mechanism for human gene transposition. Proc Natl Acad Sci USA, 1991, *88* : 11315-11319.

NICHOLLS RD, FISCHEL-GHODSIAN N, HIGGS DR. Recombination at the human α-globin gene cluster: sequence features and topological constraints. Cell, 1987, *49* : 369-378.

OBERLÉ I, ROUSSEAU F, HEITZ D et al. Instability of a 550-base pair DNA segment and abnormal methylation in fragile X syndrome. Science, 1991, *252* : 1097-1102.

PAGNIER J, MEARS JG, DUNDA-BELKODJA O et al. Evidence for multicentric origin β^S globin gene in Africa. Proc Natl Acad Sci USA, 1984, *81* : 1771-1775.

PANTHIER JJ, CONDAMINE H. La mutagenèse insertionnelle chez la souris. M/S, 1988, *4* : 568-575.

PEVNY L, SIMON MC, ROBERTSON E et al. Erythroid differentiation in chimaeric mice blocked by a targeted mutation in the gene for transcription factor GATA-1. Nature, 1991, *349* : 257-260.

RICHARDS R, SUTHERLAND G. Heritable unstable DNA sequences. Nature Genet, 1992, *1* : 7-9.

RICHARDS RI, SUTHERLAND GR. Dynamic mutations: a new class of mutations causing human disease. Cell, 1992, *70* : 709-712.

ROSSIGNOL JL. La recombinaison homologue : mécanismes et conséquences. M/S, 1990, *6* : IV-IX.

RUBIN EM, LU R, COOPER S et al. Introduction and expression of the human β^S-globin gene in transgenic mice. Am J Hum Genet, 1988, *42* : 585-591.

SANDMEYER SB, HANSEN LJ, CHALKER DL. Integration specificity of retrotransposons and retroviruses. Ann Rev Genet, 1990, *24* : 491-518.

SARVETNICK N, LIGGITT D, PITTS SL et al. Insulin-dependent diabetes mellitus induced in transgenic mice by ectopic expression of class II MHC and interferon-gamma. Cell, 1988, *52* : 773-782.

SCHLÖTTERER C, TAUTZ D. Slippage synthesis of simple sequence DNA. Nucleic Acids Res, 1992, *20* : 211-215.

SCHNIEKE A, HARBERS K, JAENISCH R. Embryonic lethal mutation in mice induced by retrovirus insertion into the α1(I) collagen gene. Nature, 1983, *304* : 315-316.

SHINKAI Y, RATHBUN G, LAM KP et al. Rag-2-deficient mice lack mature lymphocytes owing to inability to initiate V(D)J rearrangement. Cell, 1992, *68* : 855-867.

SHULL MM, ORMSBY I, KIER AB et al. Targeted disruption of the mouse transforming growth factor-β1 gene results in multifocal inflammatory disease. Nature, 1992, *359* : 693-699.

SNOUWAERT JN, BRIGMAN KK, LATOUR AM et al. An animal model for cystic fibrosis made by gene targeting. Science, 1992, *257* : 1083-1088.

SORIANO P, MONTGOMERY C, GESKE R et al. Targeted disruption of the c-src proto-oncogene leads to osteopetrosis in mice. Cell, 1991, *64* : 693-702.

SPERRY AO, BLASQUEZ VC, GARRARD WT. Dysfunction of chromosomal loop attachment sites: illegitimate recombination linked to matrix association regions and topoisomerase II. Proc Natl Acad Sci USA, 1989, *86* : 5497-5501.

STARK GR, DEBATISSE M, GIULOTTO E et al. Recent progress in understanding mechanisms of mammalian DNA amplification. Cell, 1989, *57* : 901-908.

STOPPA-LYONNET D, CARTER P, MEO T et al. Clusters of intragenic Alu repeats predispose the human C1 inhibitor locus to deleterious rearrangements. Proc Natl Acad Sci USA, 1990, *87* : 1551-1555.

SUTCLIFFE JS, NELSON DL, ZHANG F et al. DNA methylation represses FMR-1 transcription in fragile X syndrome. Hum Mol Genet, 1992, *1* : 397-400.

SUTHERLAND GR, HAAN EA, KREMER E et al. Hereditary unstable DNA: a new explanation for some old genetic questions? Lancet, 1991, *338* : 289-292.

TERIELE H, MAANDAG E, CLARKE A et al. Consecutive inactivation of both alleles of the pim-1 proto-oncogene by homologous recombination in embryonic stem cells. Nature, 1990, *348* : 649-651.

THOMAS B, ROTHSTEIN R. Sex, maps, and imprinting. Cell, 1991, *64* : 1-3.

THOMAS KR, CAPECCHI M. Site-directed mutagenesis by gene targeting in mouse embryo-derived stem cell. Cell, 1987, *51* : 503-512.

THOMPSON CB. RAG knockouts deliver a one:two punch. Curr Biol, 1992, *2* : 180-182.

TRAVIS J. Scoring a technical knockout in mice. Science, 1992, *256* : 1392-1394.
TSUI LC. The spectrum of cystic fbrosis mutations. Trends Genet, 1992, *8* : 392-398.
TYBULEWICZ VLJ, TREMBLAY ML, LAMARCA ME et al. Animal model of Gaucher's disease from targeted disruption of a mouse glucocerebrosidase gene. Nature, 1992, *357* : 407-410.
WALLACE MR, ANDERSEN LB, SAULINO AM et al. A *de novo Alu* insertion results in neurofibromatosis type 1. Nature, 1991, *353* : 864-866.
WANG ZQ, OVITT C, GRIGORIADIS AE et al. Bone and haematopoietic defects in mice lacking *c-fos*. Nature, 1992, *360* : 741-745.
WU C-L, MELTON DW. Production of a model for Lesch-Nyhan syndrome in hypoxanthine phosphoribosyltransferase deficient mice. Nature Genet, 1993, 235-255.

Chapitre 13 : Le diagnostic génotypique

ANTONARAKIS SE, COPELAND KL, CARPENTER RJ Jr et al. Prenatal diagnosis of haemophilia by factor VIII gene analysis. Lancet, 1985, *i* : 1407-1410.
ANTONARAKIS SE. Diagnosis of genetic disorders at the DNA level. N Engl J Med, 1989, *320* : 153-163.
ATTREE O, VIDAUD D, VIDAUD M et al. Mutations in the catalytic domain of human coagulation factor IX: rapid characterization by direct genomic sequencing of DNA fragments displaying an altered melting behavior. Genomics, 1989, *4* : 266-272.
BAKKER E, HOFKER MH, GOOR N et al. Prenatal diagnosis and carrier detection of Duchenne muscular dystrophy with closely linked RFLPs. Lancet, 1985, *ii* : 655-658.
BEAUDET AL, FELDMAN GL, FERNBACH SD et al. Linkage disequilibrium, cystic fibrosis, and genetic counseling. Am J Hum Genet, 1989, *44* : 319-326.
BLAZAR BR, ORR HT, ARTHUR DC et al. Restriction fragment length polymorphisms as markers of engraftment in allogenic marrow transplantation. Blood, 1985, *66* : 1436-1444.
CASKEY CT. Disease diagnosis by recombinant DNA molecule. Science, 1987, *236* : 1223-1229.
CASTAIGNE S, BALITRAND N, DE THÉ H et al. A PML/retinoic acid receptor a fusion transcript is constantly detected by RNA-based polymerase chain reaction in acute promyelocytic leukemia. Blood, 1992, *79* : 3110-3115.
CHAMBERLAIN JS, GIBBS RA, RANIER JE et al. Multiplex PCR for the diagnosis of Duchenne muscular dystrophy. *In* : MA Innis et al. PCR Protocols: A guide to methods and applications, Academic Press, 1990, 272.
CHANG JC, KAN YW. A new sensitive prenatal test for sickle-cell anemia. N Engl J Med, 1982, *307* : 30-32.
CHEHAB FF, DOHERTY M, CAI S et al. Detection of sickle cell anaemia and thalassaemias. Nature, 1987, *329* : 293-294.
CHEHAB FF, KAN YW. Detection of specific DNA sequences by fluorescence amplification: a color complementation assay. Proc Natl Acad Sci USA, 1989, *86* : 9178-9182.
CHEHAB F, KAN YW. Detection of sickle cell anaemia mutation by colour DNA amplification. Lancet, 1990, *335* : 15-17.
CLEARY ML, CHAO J, WARNKE R et al. Immunoglobulin gene rearrangement as a diagnostic criterion of B-cell lymphoma. Proc Natl Acad Sci, USA, 1984, *81* : 593-597.
CLEMENS PR, FENWICK RG, CHAMBERLAIN JS et al. Carrier detection and prenatal diagnosis in Duchenne and Becker muscular dystrophy families, using dinucleotide repeat polymorphisms. Am J Hum Genet, 1991, *49* : 951-960.
COOPER DN, SCHMIDTKE J. Diagnosis of genetic disease using recombinant DNA. Third edition, Hum Genet, 1991, *87* : 519-560.
COTTON GH, RODRIGUES NR, CAMPBELL RD. Reactivity of cytosine and thymine in single-base-pair mismatches with hydroxylamine and osmium tetroxide and its application to the study of mutations. Proc Natl Acad Sci USA, 1988, *85* : 4397-4401.
COTTON RGH, CAMPBELL RD. Chemical reactivity of matched cytosine and thymine bases near mismatched and unmatched bases in a heteroduplex between DNA strands with multiple differences. Nucleic Acids Res, 1989, *17* : 4223-4233.
COX DW, BILLINGSLEY GD. Restriction enzyme MaeIII for prenatal diagnosis of α1-antitrypsin deficiency. Lancet, 1986, *ii* : 741-742.
DAVEY MP, WALDMANN TA. Clonality and lymphoproliferation lesions. N Engl J Med, 1986, *315* : 509-511.
DILELLA AG, MARVIT J, LIDSKY AS et al. Tight linkage between a splicing mutation and a specific DNA haplotype in phenylketonuria. Nature, 1986, *322* : 799-803.
EMBURY SH, SCHARF SJ, SAIKI RK et al. Rapid prenatal diagnosis of sickle cell anemia by a new method of DNA analysis. N Engl J Med, 1987, *316* : 656-661.
FEARON ER, HAMILTON SR, VOGELSTEIN B. Clonal analysis of human colorectal tumors. Science, 1987, *238* : 193-197.
GIBBS RA, NGUYEN PN, EDWARDS A et al. Multiplex DNA deletion detection and exon sequencing of the hypoxanthine phosphoribosyltransferase gene in Lesch-Nyhan families. Genomics, 1990, *7* : 235-244.
GINSBURG D, ANTIN JH, SMITH BR et al. Origin of cell populations after bone marrow transplantation. Analysis using DNA sequence polymorphisms. J Clin Invest, 1985, *75* : 596-603.
GITSCHIER J, LAWN RM, ROTBLAT F et al. Antenatal diagnosis and carrier detection of hemophilia using factor VIII gene probe. Lancet, 1985, *i* : 1093-1094.
GROMPE M, MUZNY D, CASKEY C. Scanning detection of mutations in human ornithine transcarbamylase by chemical mismatch cleavage. Proc Natl Acad Sci USA, 1989, *86* : 5888-5892.
HALIASSOS A, CHOMEL J, TESSON L et al. Modification of enzymatically amplified DNA for the detection of point mutations. Nucleic Acids Res, 1989, *17* : 3606.
HAYASHI K. PCR-SSCP: a simple and sensitive method for detection of mutations in the genomic DNA. PCR Methods and Applications, 1991, *1* : 34-38.
HORSTHEMKE B, BARNERT HJ, GREGER V et al. Early diagnosis in hereditary retinoblastoma by detection of molecular deletions at gene locus. Lancet, 1987, *i* : 511-512.
KAN YW, DOZY AM. Antenatal diagnosis of sickle-cell anaemia by DNA analysis of amniotic fluid cells. Lancet, 1978, *ii* : 910-912.
KAN YW. New application for DNA polymorphism. N Engl J Med, 1987, *316* : 478-479.
KAPLAN JC, KAHN A, CHELLY J. Illegitimate transcription: its use in the study of inherited disease. Hum Mutation, 1992, *1* : 357-360.
KIDD VJ, WALLACE RB, ITAKURA K et al. α1-antitrypsin deficiency detection by direct analysis of the mutation in the gene. Nature, 1983, *304* : 230-234.
KNOWLTON RG, BROWN VA, BRAMAN JC et al. Use of highly polymorphic DNA probes for genotypic analysis following bone marrow transplantation. Blood, 1986, *68* : 378-385.
KOGAN SC, DOHERTY M, GITSCHIER J. An improved method for prenatal diagnosis of genetic diseases by analysis of amplified DNA sequences. Application to hemophilia A. N Engl J Med, 1987, *317* : 985-990.
KORSMEYER SJ. Immunoglobulin and T-cell receptor genes reveal the clonality, lineage, and translocations of lymphoid neoplasms. *In* : VT De Vita, S Hellman, SA Rosenberg: Important advances in oncology, 1 Vol, Lippincott Co, 1987, pp 3-25.
LANDEGREN U, KAISER R, CASKEY CT et al. DNA diagnostics. Molecular techniques and automation. Science, 1988, *242* : 229-237.
LEE MS, CHANG KS, CABANILLAS F et al. Detection of minimal residual cells carrying the t(14;18) by DNA sequence amplification. Science, 1987, *237* : 175-178.
LEMNA WK, FELDMAN GL, KEREM BS et al. Mutation analysis for heterozygote detection and prenatal diagnosis of cystic fibrosis. N Engl J Med, 1990, *322* : 291-296.
LENCH N, STANIER P, WILLIAMSON R. Simple non-invasive method to obtain DNA for gene analysis. Lancet, 1988, *i* : 1356-1358.
LITTLE PFR, ANNISON G, DARLING S et al. Model for antenatal diagnosis of β-thalassemia and other monogenic disorders by molecular analysis of linked DNA polymorphisms. Nature, 1980, *285* : 144-147.
LOWE JB. Clinical applications of gene probes in human genetic disease, malignancy, and infectious disease. Clin Chim Acta, 1986, *157* : 1-32.
MINDEN MD, MESSNER HA, BELCH A. Origin of leukemic relapse

after bone marrow transplantation detected by restriction fragment length polymorphism. J Clin Invest, 1985, *75* : 91-93.

MYERS RM, LUMELSKY N, LERMAN LS et al. Detection of single base substitutions in total genomic DNA. Nature, 1985, *313* : 495-498.

MYERS RM, FISCHER SG, LERMAN LS et al. Nearly all single base substitutions in DNA fragments joined to a GC-clamp can be detected by denaturing gradient gel electrophoresis. Nucleic Acids Res, 1985, *13* : 3131-3145.

MYERS RM, LARIN Z, MANIATIS T. Detection of single base substitutions by ribonuclease cleavage at mismatches in RNA: DNA duplexes. Science, 1985, *230* : 1242-1246.

MYERS RM, MANIATIS T, LERMAN LS. Detection and localization of single base changes by denaturing gradient gel electrophoresis. Methods Enzymol, 1987, *155* : 501

NG ISL, PACE R, RICHARD MV et al. Methods for analysis of multiple cystic fibrosis mutations. Hum Genet, 1991, *87* : 613-617.

OLD JM, THEIN SL, WEATHERALL DJ et al. Prenatal diagnosis of the major haemoglobin disorders. Mol Biol Med, 1989, *6* : 55-63.

OLD JM, VARAWALLA NY, WEATHERALL DJ. Rapid detection and prenatal diagnosis of beta-thalassaemia: studies in Indian Cypriot populations in the UK. Lancet, 1990, *336* : 834-837.

ORITA M, IWAHANA H, KANAZAWA H et al. Detection of polymorphisms of human DNA by gel electrophoresis as single-strand conformation polymorphisms. PNAS, 1989, *86* : 2766-2770.

ORITA M, SUZUKI Y, SEKIYA T et al. Rapid and sensitive detection of point mutations and DNA polymorphisms using the polymerase chain reaction. Genomics, 1989, *5* : 874-879.

ORKIN SH, LITTLE PFR, KAZAZIAN HH Jr et al. Improved detection of the sickle mutation by DNA analysis. N Engl J Med, 1982, *307* : 32-36.

ORKIN SH. Genetic diagnosis by DNA analysis. Progress through amplification. N Engl J Med, 1987, *317* : 1023-1025.

PIRASTU M, KAN YW, CAO A et al. Prenatal diagnosis of β-thalassemia. Detection of a single nucleotide mutation in DNA. N Engl J Med, 1983, *309* : 284-287.

ROBERTS RG, BARBY TFM, MANNERS E et al. Direct detection of dystrophin gene rearrangements by analysis of dystrophin mRNA in peripheral blood lymphocytes. Am J Hum Genet, 1991, *49* : 298-310.

ROBERTS RG, BENTLEY DR, BARBY TF et al. Direct diagnosis of carriers of Duchenne and Becker muscular dystrophy by amplification of lymphocyte RNA. Lancet, 1990, *336* : 1523-1526.

ROBERTS RG, BOBROW M, BENTLEY DR. Point mutations in the dystrophin gene. Proc Natl Acad Sci USA, 1992, *89* : 2331-2335.

ROMMENS J, KEREM B-S, GREER W et al. Rapid non-radioactive detection of the major cystic fibrosis mutation. Am J Hum Genet, 1990, *46* : 395-396.

ROUSSEAU F, HEITZ D, BIANCALANA V et al. Direct diagnosis by DNA analysis of the fragile X syndrome of mental retardation. N Eng J Med, 1991, *325* : 1673-1681.

RUBIN EM, ANDREWS K, KAN YW. Newborn screening by DNA analysis of dried blood spots. Hum Genet, 1989, *82* : 134-136.

SCHLÖSSER M, SLOMSKI R, WAGNER M et al. Characterization of pathological dystrophin transcripts from the lymphocytes of a muscular dystrophy carrier. Mol Biol Med, 1990, *7* : 519-523.

SKLAR J. DNA rearrangements in lymphoid neoplasia and their application to diagnosis. *In* : LS Lerman: DNA probes. Current Comm in Molecular Biology, Cold Spring Harbor Laboratory, 1986 : 171-175.

THEIN SL, WAINSCOAT JS, OLD JM et al. Feasibility of prenatal diagnosis of β-thalassaemia with synthetic DNA probes in two mediterranean populations. Lancet, 1985, *ii* : 345-347.

UGOZZOLI L, WALLACE RB. Application of an allele-specific polymerase chain reaction to the direct determination of ABO blood group genotypes. Genomics, 1992, *12* : 670-674.

VOGELSTEIN B, FEARON ER, HAMILTON SR et al. Use of restriction fragment length polymorphisms to determine the clonal origin of human tumors. Science, 1985, *227* : 642-645.

VOSBERG HP. The polymerase chain reaction: an improved method for the analysis of nucleic acids. Hum Genet, 1989, *83* : 1-15.

WAINSCOAT JS, THEIN SL. Polymorphism in human DNA: application to cancer studies. Trends Biochem Sci, 1985, *10* : 474-476.

WEATHERALL DJ, OLD JM, THEIN SL et al. Prenatal diagnosis of the common haemoglobin disorders. J Med Genet, 1985, *22* : 422-430.

WIGGS J, NORDENSKJÖLD M, YANDELL D et al. Prediction of the risk of hereditary retinoblastoma using DNA polymorphisms within the reinoblastoma gene. N Engl J Med, 1988, *318* : 151-157.

WILLIAMSON R. Antenatal diagnosis of genetic defect. Nature, 1978, *276* : 114-115.

WILSON JT, WILNER PF, SUMMER ME et al. Use of restriction endonucleases for mapping the β^S-allele. Proc Natl Acad Sci USA, 1982, *79* : 3628-3631.

WU DY, UGOZZOLI L, PAL BK et al. Allele-specific enzymatic amplification of beta-globin genomic DNA for diagnosis of sickle cell anemia. Proc Natl Acad Sci USA, 1989, *86* : 2757-2760.

YAM P, PETZ LD, ALI S et al. Development of a single probe for documentation of chimerisms following bone marrow transplantation. Am J Hum Genet, 1987, *41* : 867-881.

Chapitre 14 : Génétique moléculaire de quelques maladies constitutionnelles

Hémoglobinopathies

ABRAHAM DJ, MEHANNA AS, WIREKO FC et al. Vanillin, a potential agent for the treatment of sickle cell anemia. Blood, 1991, *77* : 1334-1341.

AMSELEM S, NUNES V, VIDAUD M et al. Determination of the spectrum of β-thalassemia genes in Spain by use of dot-blot analysis of amplified β-globin DNA. Am J Hum Genet, 1988, *43* : 95-100.

ANTONARAKIS SE, KAZAZIAN HH Jr, ORKIN SH. DNA polymorphism and molecular pathology of the human globin gene clusters. Hum Genet, 1985, *69* : 1-14.

BEHRINGER RR, HAMMER RE, BRINSTER RL et al. Two 3' sequences direct adult erythroid-specific expression of human β-globin genes in transgenic mice. Proc Natl Acad Sci USA, 1987, *84* : 7056-7060.

BELDJORD C, LAPOUMEROULIE C, PAGNIER J et al. A novel β thalassemia gene with a single base mutation in the conserved polypyrimidine sequence at the 3' end of IVS 2. Nucleic Acids Res, 1988, *16* : 4927-4935.

BOEHM CD, DOWLING CE, ANTONARAKIS SE et al. Evidence supporting a single origin of the β^C-globin gene in Blacks. Am J Hum Genet, 1985, *37* : 771-777.

BUNN HF, FORGET BG. Hemoglobin : molecular, genetic and clinical aspects. 1 Vol, WB Saunders Company, 1986.

CATERINA J, RYAN T, PAWLIK K et al. Human beta-globin locus control region: analysis of the 5' DNase I hypersensitive site HS 2 in transgenic mice. Proc Natl Acad Sci USA, 1991, *88* : 1626-1630.

CHARACHE S, DOVER G, SMITH K et al. Treatment of sickle cell anemia with 5-azacytidine results in increased fetal hemoglobin production and is associated with nonrandom hypomethylation of DNA around the γ-δ-β-globin gene complex. Proc Natl Acad Sci USA, 1983, *80* : 4842-4846.

COLLINS FS, WEISSMAN SM. The molecular genetics of human hemoglobin. Prog Nucleic Acids Res, 1984, *31* : 315-462.

COLLINS FS, COLE JL, LOCKWOOD WK et al. The deletion in both common types of hereditary persistence of fetal hemoglobin is approximately 105 kilobases. Blood, 1987, *70* : 1797-1803.

CONSTANTOULAKIS P, JOSPHSON B, MANGAHAS L et al. Locus control region-Aγ transgenic mice: a new model for studying the induction of fetal hemoglobin in the adult. Blood, 1991, *77* : 1326-1333.

CROSSLEY M, ORKIN SH. Regulation of the β-globin locus. Curr Opin Genet Dev, 1993, *3* : 232-237.

DILLON N, GROSVELD F. Human gamma-globin genes silenced independently of other genes in the beta-globin locus. Nature, 1991, *350* : 252-254.

DZIERZAK EA, PAPAYANNOPULOU T, MULLIGAN RC. Lineage-specific expression of a human β-globin gene in murine bone marrow transplant recipients reconstituted with retrovirus-transduced stem cells. Nature, 1988, *331* : 35-41.

ENVER T, EBENS AJ, FORRESTER WC et al. The human beta-globin locus activation region alters the developmental fate of a human fetal globin gene in transgenic mice. Proc Natl Acad Sci USA, 1989, *86* : 7033-7037.

ENVER T, RAICH N, EBENS AJ et al. Developmental regulation of human fetal-to-adult globin gene switching in transgenic mice. Nature, 1990, *344* : 309-313.

FORRESTER WC, EPNER E, DRISCOLL MC et al. A deletion of the human β-globin locus activation region causes a major alteration in chromatin structure and replication across the entire β-globin locus. Genes Dev, 1990, *4* : 1637-1649.

FORRESTER WC, NOVAK U, R G et al. Molecular analysis of the human beta-globin locus activation region. Proc Natl Acad Sci USA, 1989, *86* : 5439-5443.

FRASER P, PRUZINA S, ANTONIOU M et al. Each hypersensitive site of the human β-globin locus control region confers a different developmental pattern of expression on the globin genes. Genes Dev, 1993, *7* : 106-113.

GOOSSENS M, DOZY AM, EMBURY SH et al. Triplicated α-globin loci in humans. Proc Natl Acad Sci USA, 1980, *77* : 518-521.

GROSVELD F, VAN ASSENDELFT GB, GREAVES DR et al. Position-independent, high-level expression of the human β-globin gene in transgenic mice. Cell, 1987, *51* : 975-985.

HIGGS DR, VICKERS MA, WILKIE AOM et al. A review of the molecular genetics of the human alpha-globin gene cluster. Blood, 1989, *73* : 1081-1104.

HIGGS DR, WOOD WG, JAIMAN AP et al. A major protein positive regulatory region located far upstream of the human α-globin gene locus. Genes Dev, 1990, *4* : 1588-1601.

HSIA YE, SHAPIRO LJ, FORD CA et al. Molecular screening for haemoglobin Constant Spring. Lancet, 1989, *1* : 988-991.

KAN YW, DOZY A, VARMUS HE et al. Deletion of α-globin genes in haemoglobin H disease demonstrates multiple α-globin structural loci. Nature, 1975, 255-256.

KAN YW, GOLBUS MS, DOZY AM. Prenatal diagnosis of α-thalassemia; clinical application of molecular hybridization. N Engl J Med, 1976, *295* : 1165-1167.

KAN YW, DOZY AM. Polymorphism of DNA sequence adjacent to human β-globin structural gene: relationship to sickle mutation. Proc Natl Acad Sci USA, 1978, *75* : 5631-5635.

KAN YW, DOZY AM. Antenatal diagnosis of sickle-cell anaemia by DNA analysis of amniotic fluid cells. Lancet, 1978, *ii* : 910-912.

KAN YW, LEE KY, FURBETTA et al. Polymorphism of DNA sequence in the β-globin gene region. Application to prenatal diagnosis of β^0 thalassemia in Sardinia. N Engl J Med, 1980, *302* : 185-188.

KAN YW. Thalassemia: molecular mechanism and detection. Am J Hum Genet, 1986, *38* : 4-12.

KAZAZIAN HH Jr, BOEHM CD. Molecular basis and prenatal diagnosis of β-thalassemia. Blood, 1988, *72* : 1107-116.

LABIE D, BENNANI C, BELDJORD C. Beta-thalassemia in Algeria. Ann NY Acad Sci, 1990, *612* : 43-54.

LABIE D, KRISHNAMOORTHY R. Du nouveau dans les séquences activatrices des gènes de globine (LCR). M/S, 1992, *8* : 255-258.

LEY TJ. The pharmacology of hemoglobin switching: of mice and men. Blood, 1991, *77* : 1146-1152.

LIEBHABER SA, GOOSSENS MJ, KAN YW. Homology and concerted evolution at the α1 and α2 loci of human α-globin. Nature, 1981, *290* : 26-29.

LITTLE PFR, CURTIS P, COUTELLE C et al. Isolation and partial sequence of recombinant plasmids containing human α-, β-, and γ-globin cDNA fragments. Nature, 1978, *273* : 640-643.

LITTLE PFR, ANNISON G, WILLIAMSON R. The structure of the human β-globin gene in β-thalassemias. Nucleic Acids Res, 1979, *6* : 2749-2759.

LITTLE PFR, ANNISON G, DARLING S et al. Model for antenatal diagnosis of β-thalassemia and other monogenic disorders by molecular analysis of linked DNA polymorphisms. Nature, 1980, *285* : 144-147.

MANIATIS T, FRITSCH FF, LAUER J et al. The molecular genetics of human hemoglobin. Ann Rev Genet, 1980, *14* : 145-178.

MARKS J, SHAW JP, SHEN CKJ. Sequence organization and genomic complexity of primate θ1 globin gene, a novel α-globin-like gene. Nature, 1986, *321* : 785-788.

NAGEL RL, ERLINGSSON S, FABRY ME et al. The Senegal DNA haplotype is associated with the amelioration of anemia in African-America sickle cell anemia patients. Blood, 1991, *77* : 1371-1375.

NICHOLLS RD, FISCHEL-GHODSIAN N, HIGGS DR. Recombination at the human α-globin gene cluster: sequence features and topological constraints. Cell, 1987, *49* : 369-378.

OLD JM, THEIN SL, WEATHERALL DJ et al. Prenatal diagnosis of the major haemoglobin disorders. Mol Biol Med, 1989, *6* : 55-63.

OLD JM, VARAWALLA NY, WEATHERALL DJ. Rapid detection and prenatal diagnosis of beta-thalassaemia: studies in Indian Cypriot populations in the UK. Lancet, 1990, *336* : 834-837.

ORKIN SH. Globin gene regulation and switching: Circa 1990. Cell, 1990, *63* : 665-672.

ORKIN SH, ALTER BP, ALTAY C et al. Application of endonuclease mapping to the analysis and prenatal diagnosis of thalassemias caused by globin gene deletion. N Engl J Med, 1978, *169* : 166-172.

ORKIN H, KAZAZIAN HH Jr, ANTONARAKIS SE et al. Linkage of beta-thalassemia mutations and beta-globin gene polymorphisms with DNA polymorphisms in the human beta-globin gene cluster. Nature, 1982, *296* : 627-631.

ORKIN SH, KAZAZIAN HH Jr. The mutation and polymorphism of the human β-globin gene and its surrounding DNA. Ann Rev Genet, 1984, *18* : 131-171.

ORKIN S. Disorders of hemoglobin. Synthesis: the thalassemias. *In*: G Stamatoyannopoulos, AW Nienhuis, P Leder, PW Majerus: The molecular basis of blood diseases. WB Saunders-Company, 1987.

OTTOLENGHI S, LANYON WG, PAUL J et al. The severe form of α-thalassemia is caused by haemoglobin gene deletion. Nature, 1974, *251* : 389-392.

OTTOLENGHI S, GIGLIONI B, GIANNI AM et al. Globin gene deletion in HPFH, $\delta^0\beta^0$ thalassemia and Hb Lepore disease. Nature, 1979, *278* : 654-657.

PAGNIER J, MEARS JG, DUNDA-BELKODJA O et al. Evidence for multicentric origin β^S globin gene in Africa. Proc Natl Acad Sci USA, 1984, *81* : 1771-1775.

PATIENT RK. Control of gene expression: tissue-specific expression. Curr Opin Biotechnol, 1990, *1* : 151-158.

PEVNY L, SIMON MC, ROBERTSON E et al. Erythroid differentiation in chimaeric mice blocked by a targeted mutation in the gene for transcription factor GATA-1. Nature, 1991, *349* : 257-260.

PIRASTU M, KAN YW, CAO A et al. Prenatal diagnosis of β-thalassemia. Detection of a single nucleotide mutation in DNA. N Engl J Med, 1983, *309* : 284-287.

PIRASTU M, GALANELLO R, DOHERTY MA et al. The same β-globin gene mutation is present on nine different β-thalassemia chromosomes in a Sardinian population. Proc Natl Acad Sci USA, 1987, *84* : 2882-2885.

ROSA J. Un modèle en recherche clinique : la drépanocytose. M/S, 1986, *2* : 558-567.

SHEN SH, SLIGHTOM JL, SMITHIES O. A history of the human fetal globin gene duplication. Cell, 1981, *26* : 191.

SLIGHTOM JL, BLECHL AE, SMITHIES O. Human fetal Gγ- and Aγ-globin genes: complete nucleotide sequences suggest that DNA can be exchanged between these duplicated genes. Cell, 1980, *21* : 627-638.

SOLOMON E, BODMER WF. Evolution of the sickle variant gene. Lancet, 1979, *i* : 923.

SPRITZ RA, JAGADEESWARAN P, CHOUDARY PV et al. Base substitution in an intervening sequence of a β^+-thalassemic human globin gene. Proc Natl Acad Sci USA, 1981, *78* : 2455-2459.

STAMATOYANNOPOULOS G, NIENHUIS AW. Hemoglobin switching. *In*: Stamatoyannopoulos G, Nienhuis AW, Leder P, Majerus PW: The molecular basis of blood diseases. WB Saunders Company, 1987.

TALBOT D, COLLIS P, ANTONIOU M et al. A dominant control region from the human beta-globin locus conferring integration site-independent gene expression. Nature, 1989, *328* : 352-355.

TRUDEL M, COSTANTINI F. A 3' enhancer contributes to the stage-specific expression of the human β-globin gene. Genes Develop, 1987, *1* : 954-961.

TUAN D, FEINGOLD E, NEWMAN M et al. Different 3' end points of deletions causing δ-β-thalassemia and hereditary persistence of fetal hemoglobin. Implications for the control of γ-globin gene expression in man. Proc Natl Acad Sci USA, 1983, *80* : 6937-6941.

TUAN D, SOLOMON W, LI W, LONDON IM. The "β-like-globin" gene domain in human erythroid cells. Proc Natl Acad Sci USA, 1985, *82* : 6384-6388.
VANIN EF, HENTHORN PS, KIOUSSIS D et al. Unexpected relationships between four large deletions in the human β-globin gene cluster. Cell, 1983, *35* : 701-709.
VIDAUD M, GATTONI R, STEVENIN J et al. A 5' splice-region G→C mutation in exon 1 of the human beta-globin gene inhibits pre-mRNA splicing: a mechanism of beta+ thalassemia. Proc Natl Acad Sci USA, 1989, *86* : 1041-1045.
WAINSCOAT JS, KULPZIK AE, RAMSAY M et al. A Taq1 γ-globin DNA polymorphism: an African-specific marker. Hum Genet, 1986, *74* : 90-92.
WEATHERALL DJ, CLEGG JB. The thalassaemia syndromes. 3e Ed, 1981, 1 Vol, Blackwell Scientific Publications.
WEATHERALL DJ, OLD JM, THEIN SL et al. Prenatal diagnosis of the common haemoglobin disorders. J Med Genet, 1985, *22* : 422-430.
WEATHERALL DJ. The New Genetics and clinical practice. 3e Ed, 1991, 1 Vol, Oxford University Press.
WILSON JT, FORGET BG, WILSON LB et al. Human globin messenger RNA: importance of cloning for structural analysis. Science, 1977, *196* : 200-202.
WILSON JT, WILSON LB, DE RIEL JK et al. Insertion of synthetic copies of human globin genes into bacterial plasmids. Nucleic Acids Res, 1978, *5* : 563-581.
WU DY, UGOZZOLI L, PAL BK et al. Allele-specific enzymatic amplification of beta-globin genomic DNA for diagnosis of sickle cell anemia. Proc Natl Acad Sci USA, 1989, *86* : 2757-2760.

Hypercholestérolémie familiale

BENLIAN P, LOUX N. Hétérogénéité des mutations du récepteur LDL dans l'hypercholestérolémie familiale. M/S, 1991, *7* : 1052-1060.
BROWN M, GOLDSTEIN J. Les récepteurs des LDL, le cholestérol et l'athérosclérose. Pour la Science, janvier 1985, 62-71.
CHOWDHURY JR, GROSSMAN M, GUPTA S et al. Long-term improvement of hypercholesterolemia after ex vivo gene therapy in LDLR-deficient rabbits. Science, 1991, *254* : 1802-1805.
HOBBS HH, BROWN MS, RUSSELL DW et al. Deletion in the gene for the low-density-lipoprotein receptor in a majority of French Canadians with familial hypercholesterolemia. N Engl J Med, 1987, *317* : 734-737.
HOBBS H, RUSSELL D, BROWN M et al. The LDL receptor locus in familial hypercholesterolemia: mutational analysis of a membrane protein. Ann Rev Genet, 1990, *24* : 133-170.
HUMPHRIES SE, KESSLING AM, HORSTHEMKE B et al. A common DNA polymorphism of the low-density lipoprotein (LDL) receptor gene and its use in diagnosis. Lancet, 1985, *i* : 1003-1005.
LEHRMAN MA, GOLDSTEIN JL, BROWN MS et al. Internalization-defective LDL receptors produced by genes with nonsense and frameshift mutations that truncate the cytoplasmic domain. Cell, 1985, *41* : 735-743.
LEHRMAN MA, SCHNEIDER WJ, SÜDHOF TC et al. Mutation in LDL receptor: Alu-Alu recombination deletes exons encoding transmembrane and cytoplasmic domains. Science, 1985, *227* : 140-146.
LEHRMAN MA, GOLDSTEIN JL, RUSSELL DW et al. Duplication of seven exons in LDL receptor gene caused by Alu-Alu recombination in a subject with familial hypercholesterolemia. Cell, 1987, *48* : 827-835.
LEITERSDORF E, CHAKRAVARTI A, HOBBS HH. Polymorphic DNA haplotypes at the LDL receptor locus. Am J Hum Genet, 1989, *44* : 409-421.
MOTULSKY AG. The 1985 Nobel Prize in physiology and medicine. Science, 1986, *231* : 126-129.
RUSSELL DW, LEHRMAN MA, SÜDHOF TC et al. The LDL receptor in familial hypercholesterolemia: use of human mutations to dissect a membrane protein. *In* : Molecular Biology of *Homo sapiens.* Cold Spring Harbor Symp Quant Biol, 1986, *LI* : 811-819.
SCHUSTER H, STIEFENHOFER B, WOLFRAM G et al. 4 DNA polymorphisms in the LDL-receptor gene and their use in diagnosis of familial hypercholesterolemia. Hum Genet, 1989, *82* : 69-72.
YAMAMOTO T, BISHOP RW, BROWN MS et al. Deletion in cysteine-rich region of LDL receptor impedes transport to cell surface in WHHL rabbit. Science, 1986, *232* : 1230-1237.

Pathologie des gènes du collagène

BARKER D, HOSTIKKA S, ZHOU J et al. Identification of mutations in the COL4A5 collagen gen in Alport syndrome. Science, 1990, *248* : 1224-1227.
BYERS PH. Brittle bones-fragile molecules: disorders of collagen gene structure and expression. Trends Genet, 1990, *6* : 293-300.
CHAN D, COLE W. Low basal transcription of genes for tissue-specific collagens by fibroblasts and lymphoblastoid cells. Application to the characterization of a glycine 997 to serine substitution in α1(II) collagen chains of a patient with spondyloepiphyseal dysplasia. J Biol Chem, 1991, *266* : 12487-12494.
CHU ML, WILLIAMS CJ, PEPE DJ et al. Internal deletion in a collagen gene in a perinatal lethal form of osteogenesis imperfecta. Nature, 1983, *304* : 78-80.
COHN D, STARMAN B, BLUMBERG B et al. Recurrence of lethal osteogenesis imperfecta due to parental mosaicism for a dominant mutation in a human type I collagen gene (COLIA). Am J Hum Genet, 1990, *46* : 591-601.
KNEBELMANN B, DESCHENES G, GROS F et al. Substitution of Arginine for Glycine 325 in the collagen α5(IV) chain associated with X-linked Alport syndrome: characterization of the mutation by direct sequencing of PCR-amplified lymphoblast cDNA fragments. Am J Hum Genet, 1992, *51* : 135-142.
LEE B, VISSING H, RAMIREZ F et al. Identification of the molecular defect in a family with spondyloepiphyseal dysplasia. Science, 1989, *244* : 978-980.
RAMIREZ F, BERNARD M, CHU ML et al. Isolation and characterization of the human fibrillar collagen genes. Ann New York Acad Sci, 1985, *460* : 117-129.
SMITH L, WERTELECKI W, MILSTONE L et al. Human dermatosparaxis: a form of Ehlers-Danlos syndrome that results from failure to remove the amino-terminal propeptide of type I procollagen. Am J Hum Genet, 1992, *51* : 235-244.
SYKES B. Genetics cracks bone disease. Nature, 1987, *330* : 607-608.
SYKES B. Inherited collagen disorders. Mol Biol Med, 1989, *6* : 19-26.
SYKES B. Bone disease cracks genetics. Nature, 1990, *348* : 18-20.
SYKES BC, OGILVIE DJ, WORDWORTH BP. Lethal osteogenesis imperfecta and a collagen gene deletion. Length polymorphism provides an alternative explanation. Hum Genet, 1985, *70* : 35-37.
SYKES B, OGILVIE D, WORDSWORTH P et al. Osteogenesis imperfecta is linked to both type I collagen structural genes. Lancet, 1986, *ii* : 69-72.
SYKES B, SMITH R, VIPOND S et al. Exclusion of the α1 (II) cartilage collagen gene as the mutant locus in type 1A ostogenesis imperfecta. J Med Genet, 1985, *22* : 187-191.
TSIPOURAS P, MYERS JC, RAMIREZ F. Restriction fragment length polymorphism associated with the Pro α2 (I) gene of human type I procollagen. J Clin Invest, 1983, *72* : 1262-1267.
TSIPOURAS P, BORRESEN AL, DICKSON LA et al. Molecular heterogeneity in the mild autosomal dominant forms of osteogenesis imperfecta. Am J Hum Genet, 1984, *36* : 1172-1179.
TSIPOURAS P, BYERS PH, SCHARTZ RC et al. Ehlers-Danlos syndrome type IV: cosegregation of the phenotype to a COL3A1 allele of type III procollagen. Hum Genet, 1986, *74* : 41-46.
TSIPOURAS P, RAMIREZ F. Genetic disorders of collagen. J Med Genet, 1987, *24* : 2-8.
VASAN NS, KUIVIANEMI H, VOGEL BE et al. A mutation in the Pro-alpha-2(I) gene (COLIA2) for type I procollagen in Ehlers-Danlos syndrome type VII: evidence suggesting that skipping of exon 6 in RNA splicing may be a common cause of the phenotype. Am J Hum Genet, 1991, *48* : 305-317.
WILLING M, PRUCHNO C, ATKINSON M et al. Osteogenesis imperfecta type II is commonly due to a COLIAI null allele of type I collagen. Am J Hum Genet, 1992, *51* : 508-515.
ZHOU J, HOSTIKKA, S CHOW LT et al. Characterization of the 3' half of the human type IV collagen α5 gene that is affected in the Alport syndrome. Genomics, 1991, *9* : 1-9.
ZHOU J, BARKER DF, HOSTIKKA SL et al. Single base mutation

in α5 (IV) collagen gene converting a conserved cysteine to serine in Alport syndrome. Genomics, 1991, *9* : 10-18.

Hémophilie A

ANTONARAKIS SE, COPELAND KL, CARPENTER RJ Jr et al. Prenatal diagnosis of haemophilia by factor VIII gene analysis. Lancet, 1985, *i* : 1407-1410.
ANTONARAKIS SE, YOUSSOUFIAN H, KAZAZIAN HH Jr et al. Molecular genetics of hemophilia A in man (factor VIII deficiency). Mol Biol Med, 1987, *4* : 81-94.
BERG L, WIELAND K, MILLER D et al. Detection of a novel point mutation causing haemophilia A by PCR/direct sequencing of ectopically-transcribed factor VIII mRNA. Hum Genet, 1990, *85* : 658-665.
ECONOMOU EP, KAZAZIAN HH Jr, ANTONARAKIS SE. Detection of mutations in the factor VIII gene using single-stranded conformational polymorphism (SSCP). Genomics, 1992, *13* : 909-911.
FURIE B, FURIE BC. The molecular basis of blood coagulation. Cell, 1988, *53* : 505-518.
GITSCHIER J, DRAYNA D, TUDDENHAM EGD et al. Genetic mapping and diagnosis of haemophilia A achieved through a Bcl I polymorphism in the factor VIII gene. Nature, 1985, *314* : 738-740.
GITSCHIER J, WOOD WI, TUDDENHAM EGD et al. Detection and sequence of mutations in the factor VIII gene. Nature, 1985, *315* : 427-430.
GITSCHIER J, LAWN RM, ROTBLAT F et al. Antenatal diagnosis and carrier detection of hemophilia using factor VIII gene probe. Lancet, 1985, *i* : 1093-1094.
GITSCHIER J, WOOD WI, SHUMAN MA et al. Identification of a missense mutation in the factor VIII gene of a mild hemophiliac. Science, 1986, *232* : 1415-1416.
GITSCHIER J, LEVINSON B, LEHESJOKI A-E et al. Mosaicism and sporadic haemophilia: implications for carrier determination. Lancet, 1989, *i* : 273-274.
HARPER K, WINTER RM, PEMBREY ME et al. A clinically useful DNA probe closely linked to hemophilia A. Lancet, 1984, *ii* : 6-8.
HIGUCHI M, KOCHHAN L, OLEK K. A somatic mosaic for haemophilia A detected at the DNA level. Mol Biol Med, 1988, *5* : 23-27.
HIGUCHI M, ANTONARAKIS SE, KASCH L et al. Molecular characterization of mild-to-moderate hemophilia A : detection of the mutation in 25 of 29 patients by denaturing gradient gel electrophoresis. Proc Natl Acad Sci USA, 1991, *88* : 8307-8311.
KAZAZIAN HH Jr, WONG C, YOUSSOUFIAN H et al. Haemophilia A resulting from de novo insertion of L1 sequences represents a novel mechanism for mutations in man. Nature, 1988, *332* : 164-166.
KOGAN SC, DOHERTY M, GITSCHIER J. An improved method for prenatal diagnosis of genetic diseases by analysis of amplified DNA sequences. Application to hemophilia A. N Engl J Med, 1987, *317* : 985-990.
LAWN RM, VEHAR GA. The molecular genetics of hemophilia. Sci Am, 1986, *254* : 40-46.
LEVINSON B, KENWRICK S, LAKICH D et al. A transcribed gene in a intron of the human factor VIII gene. Genomics, 1990, *7* : 1-11.
LUSHER JM, ARKIN S, ABILDGAARD CF et al. Recombinant factor VIII for the treatment of previously untreated patients with hemophilia A. N Engl J Med, 1993, *328* : 453-459.
MURRU S, CASULA L, PECORARA M et al. Illegitimate recombinaison produced a duplication within the FVIII gene in a patient with mild hemophilia A. Genomics, 1990, *7* : 115-118.
NAYLOR JA, GREEN PM, MONTANDON AJ et al. Detection of three novel mutations in two haemophilia A patients by rapid screening of whole essential region of factor VIII gene. Lancet, 1991, *337* : 635-639.
OBERLÉ I, CAMERINO G, HEILIG R et al. Genetic screening for hemophilia A (classic hemophilia) with a polymorphic DNA probe. N Engl J Med, 1985, *312* : 682-686.
PATTINSON JK, MILLAR DS, MCVEY JH et al. The molecular genetic analysis of hemophilia A: a direct search strategy for the detection of point mutations in the human factor VIII gene. Blood, 1990, *76* : 2242-2248.
TRAYSTMAN MD, HIGUCHI M, KASPER CK et al. Use of denaturing gradient gel electrophoresis to detect point mutations in the factor VIII gene. Genomics, 1990, *6* : 293-301.
TUDDENHAM EGD, COOPER DN, GITSCHIER J et al. Haemophilia A: database of nucleotide substitutions, deletions, insertions and rearrangements of the factor VIII gene. Nucleic Acids Res, 1991, *19* : 4821-4833.
WHITE G, SHOEMAKER C. Factor VIII. Blood, 1989, *73* : 1-12.
WHITE GC, McMILLAN CW, KINGDON HS et al. Use of recombinant antihemophilic factor in the treatment of two patients with classic hemophilia. N Engl J Med, 1989, *320* : 166-170.
WION KL, TUDDENHAM EGD, LAWN RM. A new polymorphism in the factor VIII gene for prenatal diagnosis of hemophilia A. Nucl Acids Res, 1986, *14* : 4535-4542.
YOUSSOUFIAN H, ANTONARAKIS SE, ARONIS S et al. Characterization of five partial deletions of the factor VIII gene. Proc Natl Acad Sci USA, 1987, *84* : 3772-3776.
YOUSSOUFIAN H, KAZAZIAN HH Jr, PHILLIPS DG et al. Recurrent mutations in haemophilia A give evidence for CpG mutation hotspots. Nature, 1986, *324* : 380-382.
YOUSSOUFIAN H, PHILLIPS DG, KAZAZIAN HH Jr et al. MspI polymorphism in the 3' flanking region of the human factor VIII gene. Nucleic Acids Res, 1987, *15* : 6312.

Myopathies de Duchenne et de Becker

ABBS S, BOBROW M. Analysis of quantitative PCR for the diagnosis of deletion and duplication carriers in the dystrophin gene. J Med Genet, 1992, *29* : 191-196.
ABBS S, YAU SC, CLARK S et al. A convenient multiplex PCR system for the detection of dystrophin gene deletions: a comparative analysis with cDNA hybridisation shows mistypings by both methods. J Med Genet, 1991, *28* : 304-311.
ACSADI G, DICKSON G, LOVE DR et al. Human dystrophin expression in mdx mice after intramuscular injection of DNA constructs. Nature, 1991, *352* : 815-818.
ADINOLFI M, STONE S, MORALLI D. Carrier detection of deletions in female relatives of X-linked disorders by non-isotopic *in situ* hybridisation. Bioessays, 1992, *14* : 421-426.
AHN AH, KUNKEL LM. The structural and functional diversity of dystrophin. Nature Genet, 1993, *3* : 283-291.
ANDERSON MD, KUNKEL LM. The molecular and biochemical basis of Duchenne muscular dystrophy. Trends Biochem Sci, 1992, *17* : 289-292.
ARAHATA K, HOFFMAN EP, KUNKEL LM et al. Dystrophin diagnosis: comparison of dystrophin abnormalities by immunofluorescence and immunoblot analyses. Proc Natl Acad Sci USA, 1989, *86* : 7154-7158.
ARAHATA K, ISHIHARA T, KAMAKURA K et al. Mosaic expression of dystrophin in symptomatic carriers of Duchenne muscular dystrophy. N Eng J Med, 1989, *320* : 259-261.
ARAHATA K, ISHIURA S, ISHIGURO T et al. Immunostaining of skeletal and cardiac muscle surface membrane with antibody against Duchenne muscular dystrophy peptide. Nature, 1988, *333* : 861-863.
BAKKER E, HOFKER MH, GOOR N et al. Prenatal diagnosis and carrier detection of Duchenne muscular dystrophy with closely linked RFLPs. Lancet, 1985, *ii* : 655-658.
BAKKER E, VAN BROECKHOVEN CH, BONTEN EJ et al. Germline mosaicism and Duchenne muscular dystrophy mutations. Nature, 1987, *329* : 554-55.
BAR S, BARNEA E, LEVY Z et al. A novel product of the Duchenne muscular dystrophy gene which greatly differs from the known isoforms in its structure and tissue distribution. Biochem J, 1990, *272* : 557-560.
BAUMBACH LL, CHAMBERLAIN JS, WARTD PA et al. Molecular and clinical correlations of deletions leading to Duchenne and Becker muscular dystrophies. Neurology, 1989, *39* : 465-474.
BEGGS AH, HOFFMANN EP, SNYDER JR et al. Exploring the molecular basis for variability among patients with Becker muscular dystrophy: dystrophin gene and protein studies. Am J Hum Genet, 1991, *49* : 54-67.
BEGGS AH, KOENIG M, BOYCE FM et al. Detection of 98% of DMD/BMD deletions by PCR. Human Genet, 1990, *86* : 45-48.
BEGGS AH, KUNKEL LM. Improved diagnosis of Duchenne/Becker muscular dystrophy. J Clin Inv, 1990, *85* : 613-619.
BETTECKEN T, MÜLLER CR. Identification of a 220-kb insertion

into the Duchenne gene in a family with an atypical course of muscular dystrophy. Genomics, 1989, *4* : 592-596.

BLAKE DJ, LOVE DR, TINSLEY J et al. Characterization of a 4,8 kb transcript from the Duchenne muscular dystrophy locus expressed in Schwannoma cells. Hum Mol Genet, 1992, *1* : 103-109.

BLONDEN LAJ, GROOTSCHOLTEN PM, DEN DUNNEN JT et al. 242 breakpoints in the 200-kb deletion-pone P20 region of the DMD gene are widely spread. Genomics, 1991, *10* : 631-639.

BODRUG SE, HOLDEN JJA, RAY PN et al. Molecular analysis of X-autosome translocations in females with Duchenne muscular dystrophy. EMBO J, 1991, *10* : 3931-3939.

BONILLA E, SAMITT CE, MIRANDA AF et al. Duchenne muscular dystrophy: deficiency of dystrophin at the muscle cell surface. Cell, 1988, *54* : 447-452.

BOYCE FM, BEGGS AH, FEENER C et al. Dystrophin is transcribed in brain from a distant upstream promoter. Proc Natl Acad Sci USA, 1991, *88* : 1276-1280.

BOYD Y, BUCKLE V, HOLT S et al. Muscular dystrophy in girls with X; autosome translocations. J Med Genet, 1986, *23* : 484-490.

BULFIELD G, SILVER WG, WIGHT PAL et al. X chromosome linked muscular dystrophy mdx in the mouse. Proc Natl Acad Sci USA, 1981, *81* : 1189-1192.

BULMAN D, MURPHY EG, ZUBRZYCKA-GAARN EE et al. Differentiation of Duchenne and Becker muscular dystrophy phenotypes with amino- and carboxy-terminal antisera specific for dystrophin. Am J Hum Genet, 1991, *48* : 295-304.

BULMAN DE, GANGOPADHYAY SB, BEBCHUCK KG et al. Point mutation in the human dystrophin gene: identification through western blot analysis. Genomics, 1991, *10* : 457-460.

BURGHES AHM, LOGAN C, HU X et al. A cDNA clone from the Duchenne/Becker muscular dystrophy gene. Nature, 1987, *328* : 434-437.

BURMEISTER M, LEHRACH H. Long range restriction map around the Duchenne Muscular Dystrophy gene using pulsed field gel electrophoresis. Nature, 1986, *324* : 582-585.

BURMEISTER M, MONACO AP, GILLARD EF et al. A 10-mégabase physical map of human Xp21, including the Duchenne muscular dystrophy gene. Genomics, 1988, *2* : 189-202.

BYERS TJ, KUNKEL LM, WATKINS SC. The subcellular distribution of dystrophin in mouse skeletal, cardiac, and smooth muscle. J Cell Biol, 1991, *115* : 411-421.

CAMPBELL KP, KAHL SD. Association of dystrophin and an integral membrane glycoprotein. Nature, 1989, *338* : 259-262.

CANKI N, DUTRILLAUX B, TIVADAR I. Dystrophie musculaire de Duchenne chez une petite fille porteuse d'une translocation t(X;3)(p21q13) de novo. Ann Genet, 1979, *22* : 35-39.

CARTAUD A, LUDOSKY MA, TOMÉ FMS et al. Localization of dystrophin and dystrophin-related protein at the electromotor synapse and neuromuscular junction in *Torpedo marmorata*. Neuroscience, 1992, *48* : 995-1003.

CHAMBERLAIN JS. Duchenne muscular dystrophy. Curr Opin Genet Develop, 1991, *1* : 11-14.

CHAMBERLAIN JS, GIBBS RA, RANIER JE et al. Multiplex PCR for the diagnosis of Duchenne muscular dystrophy. *In* : MA Innis et al. PCR Protocols : A guide to methods and applications, Academic Press, 1990, 272.

CHAMBERLAIN SC, PEARLMAN JA, MUZNY DM et al. Expression of the murine Duchenne muscular dystrophy gene in muscle and brain. Science, 1988, *239* : 1416-1418.

CHELLY J, GILGENKRANTZ H, HUGNOT J et al. Illegitimate transcription. Application to the analysis of truncated transcripts of the dystrophin gene in nonmuscle cultured cells from Duchenne and Becker patients. J Clin Inv, 1991, *88* : 1161-1166.

CHELLY J, GILGENKRANTZ H, LAMBERT M et al. Effect of dystrophin gene deletions on mRNA levels and processing in Duchenne and Becker muscular dystrophies. Cell, 1990, *63* : 1239-1248.

CHELLY J, HAMARD G, KOULAKOFF A et al. Dystrophin gene transcribed from different promoters in neuronal and glial cells. Nature, 1990, *344* : 64-65.

CHELLY J, KAPLAN JC, GAUTRON S et al. Transcription of dystrophin gene in human muscle and non-muscle tissues. Nature, 1988, *333* : 858-860.

CLEMENS PR, FENWICK RG, CHAMBERLAIN JS et al. Carrier detection and prenatal diagnosis in Duchenne and Becker muscular dystrophy families, using dinucleotide repeat polymorphisms. Am J Hum Genet, 1991, *49* : 951-960.

CLEMENS PR, WARD PA, CASKEY CT et al. Premature chain termination mutation causing Duchenne muscular dystrophy. Neurology, 1992, *42* : 1775-1782.

COOPER BJ, WINAND NJ, STEDMAN H et al. The homologue of the Duchenne locus is defective in X-Inked muscular dystrophy of dogs. Nature, 1988, *334* : 154-156.

CULLEN MJ, WALSH J, NICHOLSON LVB et al. Immunogold labelling of dystrophin in human muscle, using an antibody to the last 17 amino acids of the C-terminus. Neuromusc Disorders, 1991, *1* : 113-119.

DARRAS BT. Molecular genetics of Duchenne and Becker muscular dystrophy. J Pediatrics, 1990, *117* : 1-15.

DARRAS BT, FRANCKE U. A partial deletion of the muscular dystrophy gene transmitted twice by an unaffected male. Nature, 1987, *329* : 556-558.

DAVIES KE, PEARSON PL, HARPER PS et al. Linkage analysis of two cloned DNA sequences flanking the Duchenne muscular dystrophy locus on the short arm of the human X chromosome. Nucl Acids Res, 1983, *11* : 2303-2312.

DAVIES KE, SMITH TJ, BUNDEY S et al. Mild and severe muscular dystrophy associated with deletions in Xp21 of the human X chromosome. J Med Genet, 1988, *25* : 9-13.

DEN DUNNEN J T, BAKKER E, KLEIN BRETELER EG et al. Direct detection of more than 50% of the Duchenne muscular dystrophy mutations by field inversion gels. Nature, 1987, *329* : 640-642.

DEN DUNNEN JT, GROOTSCHOLTEN PM, BAKKER E et al. Topography of the Duchenne Muscular Dystrophy (DMD) gene: FIGE and cDNA analysis of 194 cases reveals 115 deletions and 13 duplications. Am J Hum Genet, 1989, *45* : 835-847.

DEN DUNNEN JT, GROOTSCHOLTEN PM, DAUWERSE JG et al. Reconstruction of the 2.4 Mb human DMD-gene by homologous YAC recombination. Hum Mol Genet, 1992, *1* : 19-28.

ENGLAND S, NICHOLSON L, JOHNSON M et al. Very mild muscular dystrophy associated with the deletion of 46% of dystrophin. Nature, 1990, *343* : 180-182.

ERVASTI JM, CAMPBELL KP. Membrane organization of the dystrophin-glycoprotein complex. Cell, 1991, *66* : 1121-1131.

ERVASTI JM, CAMPBELL KP. Dystrophin and the membrane skeleton. Curr Biol, 1993, *5* : 82-87.

ERVASTI JM, OHLENDIECK K, KAHL SD et al. Deficiency of a glycoprotein component of the dystrophin complex in dystrophic muscle. Nature, 1990, *345* : 315-319.

FEENER CA, BOYCE FM, KUNKEL LM. Rapid detection of CA polymorphisms in cloned DNA: application to the 5' region of the dystrophin gene. Am J Hum Genet, 1991, *48* : 621-627.

FEENER CA, KOENIG M, KUNKEL LM. Alternative splicing of human dystrophin mRNA generates isoforms at the carboxy terminus. Nature, 1989, *338* : 509-511.

FORREST SM, CROSS GS, SPEER A et al. Preferential deletion of exons in Duchenne and Becker muscular dystrophies. Nature, 1987, *329* : 638-640.

FRANCKE U, OCHS HD, DE MARTINVILLE B et al. Minor Xp21 chromosome deletion in a male associated with expression of Duchenne muscular dystrophy, chronic granulomatous disease, retinitis pigmentosa, and McLeod syndrome. Am J Hum Genet, 1985, *37* : 250-267.

GILGENKRANTZ H, HUGNOT JP, LAMBERT M et al. Positive and negative regulatory elements including a CCArGG box are involved in the cell-type specific expression of the human dystrophin gene. J Biol Chem, 1992, *267* : 10823-10830.

GILLARD EF, CHAMBERLAIN JS, MURPHY EG et al. Molecular and phenotypic analysis of patients with deletions within the deletion-rich region of the Duchenne muscular dystrophy (DMD) gene. Am J Hum Genet, 1989, *45* : 507-520.

GORECKI DC, MONACO AP, DERRY JMJ et al. Expression of four alternative dystrophin transcripts in brain regions regulated by different promoters. Hum Mol Genet, 1992, *1* : 505-510.

GOSPE Jr SM, LAZARO RP, LAVA NS et al. Familial X-linked myalgia and cramps: a nonprogressive myopathy associated with a deletion in the dystrophin gene. Neurology, 1989, *39* : 1277-1280.

GRIMM T, MÜLLER CR, MÜLLER CR et al. Theoretical considerations on germline mosaicism in Duchenne muscular dystrophy. J Med Genet, 1990, *27* : 683-687.

HODGSON S, ABBS S, CLARK S et al. Correlation of clinical and deletion data in Duchenne and Becker muscular dystrophy, with special reference to mental ability. Neuromusc Disord, 1992, *2* : 269-276.

HOFFMAN EP. Genetics aspects of myopathy. Curr Opin Rheumatol, 1989, *1* : 419-426.

HOFFMAN EP, BROWN RH, KUNKEL LM. Dystrophin: the protein product of the Duchenne Muscular Dystrophy gene. Cell, 1987, *51* : 919-928.

HOFFMAN EP, FISCHBECK KH, BROWN RH et al. Characterization of dystrophin in muscle-biopsy specimens from patients with Duchenne's or Becker's muscular dystrophy. N Engl J Med, 1988, *318* : 1363-1368.

HOFFMAN EP, HUDECKI MS, ROSENBERG PA et al. Cell and fiber-type distribution of dystrophin. Neuron, 1988, *1* : 411-420.

HOFFMAN EP, KUNKEL LM, ANGELINI C et al. Improved diagnosis of Becker muscular dystrophy by dystrophin testing. Neurology, 1989, *39* : 1011-1017.

HOFFMAN EP, MONACO AP, FEENER CC et al. Conservation of the Duchenne muscular dystrophy gene in mice and humans. Science, 1987, *238* : 347-350.

HU X, RAY NP, MURPHY EG et al. Duplicational mutation at the Duchenne muscular dystrophy locus: its frequency, distribution origin and phenotype genotype correlation. Am J Hum Genet, 1990, 682-695.

HU X, RAY PN, WORTON RG. Mechanisms of tandem duplication in the Duchenne muscular dystrophy gene include both homologous and nonhomologous intrachromosomal recombination. EMBO J, 1991, *10* : 2471-2477.

HU X, WORTON RG. Partial gene duplication as a cause of human disease. Hum Mut, 1992, *1* : 3-12.

HUARD J, BOUCHARD JP, ROY R et al. Human myoblast transplantation - preliminary results of 4 cases. Muscle Nerve, 1992, *15* : 550-560.

HUGNOT JP, GILGENKRANTZ H, VINCENT N et al. Novel products of the dystrophin gene: a distal transcript initiated from a unique alternative first exon encoding a 75 kDa protein widely distributed in non-muscle tissues. Proc Natl Acad Sci USA, 1992.

IBRAGHIMOV-BESKROVNAYA O, ERVASTI JM, LEVEILLE CJ et al. Primary structure of dystrophin-associated glycoproteins linking dystrophin to the extracellular matrix. Nature, 1992, *355* : 696-702.

KINGSTON HM, SARFARAZI M, THOMAS NST et al. Localisation of the Becker muscular dystrophy gene to the short arm of the X-chromosome by linkage to cloned sequences. Hum Genet, 1984, *67* : 6-17.

KLAMUT HJ, GANGOPADHYAY SB, WORTON RG et al. Molecular and functional analysis of the muscle-specific promoter region of the Duchenne muscular dystrophy. Mol Cell Biol, 1990, *10* : 193-205.

KŒNIG M, KUNKEL LM. Detailed analysis of the repeat domain of dystrophin reveals four potential hinge segments that may confer flexibility. J Biol Chem, 1990, *265* : 4560-4566.

KŒNIG M, HOFFMAN EP, BERTELSON CJ et al. Complete cloning of the Duchenne Muscular Dystrophy (DMD) cDNA and preliminary genomic organization of the DMD gene in normal and affected individuals. Cell, 1987, *50* : 509-517.

KŒNIG M, MONACO AP, KUNKEL LM. The complete sequence of dystrophin predicts a rod-shaped cytoskeletal protein. Cell, 1988, *53* : 219-228.

KORNEGAY JN, TULER SM, MILLER DM et al. Muscular dystrophy in a litter of golden retriever dogs. Genomics, 1988, *11* : 1056-1064.

KUNKEL LM, HOFFMAN EP. Duchenne/Becker muscular dystrophy: a short overview of the gene, the protein, and current diagnosis. Brit Med Bull, 1989, *45* : 630-643.

KUNKEL LM, MONACO AP, MIDDLESWORTH W et al. Specific cloning of DNA fragments absent from the DNA of a male patient with X chromosomal deletion. Proc Natl Acad Sci USA, 1985, *82* : 4778-4782.

KUNKEL LM et 76 co-auteurs. Analysis of deletions in DNA from patients with Becker and Duchenne muscular dystrophy. Nature, 1986, *322* : 75-77.

LEE CC, PEARLMAN JA, CHAMBERLAIN JS et al. Expression of recombinant dystrophin and its localization to the cell membrane. Nature, 1991, *349* : 334-336.

LEMAIRE C, HEILIG R, MANDEL JL. The chicken dystrophin cDNA: striking conservation of the C-terminal coding and 3' untranslated regions between man and chicken. EMBO J, 1988, *7* : 4157-4162.

LIDOV HGW, BYERS TJ, WATKINS SC et al. Localization of dystrophin to postsynaptic regions of central nervous system cortical neurons. Nature, 1990, *348* : 725-728.

LINDENBAUM MH, CARBONETTO S. Dystrophin and partners at the cell surface. Curr Biol, 1993, *3* : 109-111.

LINDENBAUM RH, CLARKE G, PATEL C et al. Muscular dystrophy in an X; 1 translocation female suggest that Duchenne locus is on X chromosome short arm. J Med Genet, 1979, *16* : 389-392.

LOVE DR, DAVIES KE. Duchenne Muscular Dystrophy: the gene and the protein. Mol Biol Med, 1989, *6* : 7-17.

LOVE DR, HILL DF, DICKSON G et al. An autosomal transcript in skeletal muscle with homology to dystrophin. Nature, 1989, *339* : 55-58.

MAKOVER A, ZUK D, BREAKSTONE J et al. Brain-type and muscle-type promoters of the dystrophin gene differ greatly in structure. Neuromusc Disord, 1991, *1* : 39-45.

MALHOTRA SB, HART KA, KLAMUT HJ et al. Frame-shift deletions in patients with Duchenne and Becker muscular dystrophy. Science, 1988, *242* : 755-759.

MATSUMURA K, ERVASTI JM, OHLENDIECK K et al. Association of dystrophin-related protein with dystrophin-associated proteins in *mdx* mouse muscle. Nature, 1992, *360* : 588-591.

MATSUO M, MASUMURA T, NISHIO H et al. Exon skipping during splicing of dystrophin mRNA precursor due to an intra-exon deletion in the dystrophin gene of Duchenne Muscular Dystrophy Kobe. J Clin Invest, 1991, *87* : 2127-2131.

MEITINGER T, BOYD Y, ANAND R et al. Mapping of Xp21 translocation breakpoints in and around the DMD gene by pulsed field gel electrophoresis. Genomics, 1988, *3* : 315-322.

MONACO AP, BERTELSON CJ, MIDDLESWORTH W et al. Detection of deletions spanning the Duchenne muscular dystrophy locus using a tightly linked DNA segment. Nature, 1985, *316* : 842-845.

MONACO AP, NEVE RL, COLLETTI-FEENER C et al. Isolation of candidate cDNAs for portions of the Duchenne muscular dystrophy gene. Nature, 1986, *323* : 646-650.

MONACO A, BERTELSON CJ, COLLETTI-FEENER C et al. Localization and cloning of Xp21 deletion breakpoints involved in muscular dystrophy. Hum Genet, 1987, *75* : 221-227.

MONACO AP, KUNKEL LM. A giant locus for the Duchenne and Becker muscular dystrophy gene. Trends Genet, 1987, *3* : 33-37.

MONACO AP, BERTELSON CJ, LIECHTI-GALLATI S et al. An explanation for the phenotypic differences between patients bearing partial deletions of the DMD locus. Genomics, 1988, *2* : 90-95.

MONACO AP, KUNKEL LM. Cloning of the Duchenne/Becker muscular dystrophy locus. Adv Hum Genet, 1988, *17* : 61-98.

MONACO AP, WALKER AP, MILLWOOD I et al. A yeast artificial chromosome contig containing the complete Duchenne muscular dystrophy gene. Genomics, 1992, *12* : 465-473.

MÜLLER CR, GRIMM T. Estimation of the male to female ratio of mutation rates from the segregation of X-chromosomal DNA haplotypes in Duchenne muscular dystrophy families. Hum Genet, 1986, *74* : 181-183.

MURRAY JM, DAVIES KE, HARPER PS et al. Linkage relationship of a cloned DNA sequence on the short arm of the chromosome X to Duchenne muscular dystrophy. Nature, 1982, *300* : 69-71.

MYATAKE M, MIIKE T, ZHAO JE et al. Dystrophin: localization and presumed function. Muscle Nerve, 1991, *14* : 113-119.

NICHOLSON L, DAVISON K, FALKOUS G et al. Dystrophin in skeletal muscle. I. Western blot analysis using a monoclonal antibody. J Neurol Sci, 1989, *94* : 125-136.

NICHOLSON LVB, BUSHBY KMD, JOHNSON MA et al. Predicted and observed sizes of dystrophin in some patients with gene deletions that disrupt the open reading frame. J Med Genet, 1992, *29* : 101-105.

NICHOLSON LVB, DAVISON K, JOHNSON MA et al. Dystrophin in skeletal muscle. II. Immunoreactivity in patients with Xp21 muscular dystrophy. J Neurol Sci, 1989, *94* : 137-146.

NICHOLSON LVB, JOHNSON MA, GARDNER-MEDWIN D et al. Heterogeneity of dystrophin expression in patients with Duchenne and Becker muscular dystrophy. Acta Neuropathol, 1990, *80* : 239-250.

NUDEL U, ROBZYK K, YAFFE D. Expression of the putative Duchenne muscular dystrophy gene in differentiated myogenic cell cultures and in the brain. Nature, 1988, *331* : 635-638.
NUDEL U, ZUK D, ZEELON E et al. Duchenne muscular dystrophy gene product is not identical in muscle and brain. Nature, 1989, *337* : 76-78.
OUDET C, HEILIG R, HANAUER A et al. Nonradioactive assay for microsatellite polymorphisms at the 5' end of the dystrophin gene, and estimation of intragenic recombination. Am J Hum Genet, 1991, *49* : 311-319.
PARTRIDGE TA, MORGAN JE, COULTON GR et al. Conversion of mdx myofibres from dystrophin-negative to -positive by injection of normal myoblasts. Nature, 1989, *337* : 176-179.
PIZZUTI A, PIERETTI M, FENWICK RG et al. A transposon-like element in the deletion-prone region of the dystrophin gene. Genomics, 1992, *13* : 594-600.
RAGOT T, VINCENT N, CHAFEY P et al. Efficient adenovirus-mediated transfer of a human minidystrophin gene to skeletal muscle of mdx mice. Nature, 1993, *361* : 647-650.
RAY PN, BELFALL B, DUFF C et al. Cloning of the breakpoint of an X;21 translocation associated with Duchenne muscular dystrophy. Nature, 1985, *318* : 672-675.
READ AP, MOUNTFORD RC, FORREST SM et al. Patterns of exon deletions in Duchenne and Becker muscular dystrophy. Hum Genet, 1988, *80* : 152-156.
ROBERTS RG, BARBY TFM, MANNERS E et al. Direct detection of dystrophin gene rearrangements by analysis of dystrophin mRNA in peripheral blood lymphocytes. Am J Hum Genet, 1991, *49* : 298-310.
ROBERTS RG, BENTLEY DR, BARBY TF et al. Direct diagnosis of carriers of Duchenne and Becker muscular dystrophy by amplification of lymphocyte RNA. Lancet, 1990, *336* : 1523-1526.
ROBERTS RG, BOBROW M, BENTLEY DR. Point mutations in the dystrophin gene. Proc Natl Acad Sci USA, 1992, *89* : 2331-2335.
ROBERTS RG, COFFEY AJ, BOBROW M et al. Determination of the exon structure of the distal portion of the dystrophin gene by vectorette PCR. Genomics, 1992, *13* : 942-950.
SCHLÖSSER MR, SLOMSKI R, WAGNER M et al. Characterization of pathological dystrophin transcripts from the lymphocytes of a muscular dystrophy carrier. Mol Biol Med, 1990, *7* : 519-523.
SCOTT MO, SYLVESTER JE, HEIMAN-PATTERSON T et al. Duchenne muscular dystrophy gene expression in normal and diseased human muscle. Science, 1988, *239* : 1418-1420.
SHARP NJH, KORNEGAY JN, VAN CAMP SD et al. An error in dystrophin mRNA processing in Golden Retriever muscular dystrophy, an animal homologue of Duchenne muscular dystrophy. Genomics, 1992, *13* : 115-121.
SICINSKI P, GENG Y, RYDER-COOK AS et al. The molecular basis of muscular dystrophy in the *mdx* mouse: a point mutation. Science, 1989, *244* : 1578-1580.
STEDMAN HH, SWEENEY HL, SHRAGER JB et al. The mdx mouse diaphragm reproduces the degenerative changes of Duchenne muscular dystrophy. Nature, 1991, *352* : 536-539.
TINSLEY JM, BLAKE DJ, ROCHE A et al. Primary structure of dystrophin-related protein. Nature, 1992, *360* : 591-593.
VAN OMMEN GJB, BERTELSON C, GINJAAR HB et al. Long-range genomic map of the Duchenne Muscular Dystrophy (DMD) gene: isolation, and use of J66 (DXS268), a distal intragenic marker. Genomics. 1987, *1* : 329-336.
VERELLEN-DUMOULIN C, FREUND M, MEYER R. Expression of an X-linked muscular dystrophy in a female due to translocation involving Xp21 and non random inactivation of the normal X chromosome. Hum Genet, 1984, *67* : 115-119.
WAPENAAR MC, KIEVITS T, HART KA et al. A deletion hot spot in the Duchenne muscular dystrophy gene. Genomics, 1988, *2* : 101-108.
WATKINS SC, HOFFMAN EP, SLAYTER HS et al. Immunoelectron microscopic localization of dystrophin in myofibres. Nature, 1988, *333* : 863-866.
WELLS DJ, WELLS KE, WALSH FS et al. Human dystrophin expression corrects the myopathic phenotype in transgenic mdx mice. Hum Mol Genet, 1992, *1* : 35-40.
WINNARD AV, JIA-HSU Y, GIBBS RA et al. Identification of a 2 base pair nonsense mutation causing a cryptic splice site in a DMD patient. Hum Mol Genet, 1992, *1* : 645-646.
WOOD S, McGILLIVRAY BC. Germinal mosaicism in Duchenne muscular dystrophy. Hum Genet, 1988, *78* : 282-284.
WORTON RG, DUFF C, SYLVESTER JE et al. Duchenne muscular dystrophy involving translocation of the DMD gene next to ribosomal RNA genes. Science, 1984, *224* : 1447-1449.
WORTON RG, THOMPSON MW. Genetics of Duchenne muscular dystrophy. Ann Rev Genet, 1988, *22* : 601-629.
ZUBRYCKA-GAARN E, BULMAN DE, KARPATI G. The Duchenne muscular dystrophy gene product is localized in sarcolemme of human skeletal muscle. Nature, 1988, *333* : 466-469.

Syndrome de l'X fragile

BELL MV, HIRST MC, NAKAHORI Y et al. Physical mapping across the fragile X: hypermethylation and clinical expression of the fragile X syndrome. Cell, 1991, *64* : 861-866.
CONNOR J. Cloning of the gene for the fragile X syndrome: implications for the clinical geneticist. J Med Genet, 1991, *28* : 811-813.
DIETRICH A, KIOSCHIS P, MONACO A et al. Molecular cloning and analysis of the fragile X region in man. Nucleic Acids Res, 1991, *19* : 2567-2577.
FU YH, KUHL DA, PIZZUTI A et al. Variation of the CGG repeat at the fragile X site results in genetic instability: resolution of the Sherman paradox. Cell, 1991, *67* : 1047-1058.
HEITZ D, ROUSSEAU F, DEVYS D et al. Isolation of sequences that span the fragile X and identification of a fragile X-related CpG island. Science, 1991, *251* : 1326-1239.
KREMER EJ, PRITCHARD M, LYNCH M et al. Mapping of DNA instability at the fragile X to a trinucleotide repeat sequence. Science, 1991, *252* : 1711-1714.
MANDEL JL, HEITZ D. Molecular genetics of the fragile-X syndrome: a novel type of unstable mutation. Curr Opin Genet Develop, 1992, *2* : 422-430.
OBERLÉ I, ROUSSEAU F, HEITZ D et al. Instability of a 550-base pair DNA segment and abnormal methylation in fragile X syndrome. Science, 1991, *252* : 1097-1102.
PIERETTI M, ZHANG F, FU Y-H et al. Absence of expression of the FMR-1 gene in Fragile X syndrome. Cell, 1991, *66* : 817-822.
RICHARDS R, HOLMAN K, KOZMAN H et al. Fragile X syndrome: genetic localization by linkage mapping of 2 microsatellite repeats FRAXAC1 and FRAXAC2 which immediately flank the fragile site. J Med Genet, 1991, *28* : 818-823.
RICHARDS RI, HOLMAN K, FRIEND K et al. Evidence of founder chromosomes in fragile X. Nature Genet, 1992, *1* : 257-260.
ROUSSEAU F, HEITZ D, BIANCALANA V et al. Direct diagnosis by DNA analysis of the fragile X syndrome of mental retardation. N Eng J Med, 1991, *325* : 1673-1681.
ROUSSEAU F, HEITZ D, OBERLÉ I et al. Le syndrome du X fragile. M/S, 1991, *7* : 637-639.
ROUSSEAU F, HEITZ D, OBERLÉ I et al. Selection in blood cells from female carriers of the fragile X syndrome: inverse correlation between age and proportion of active X chromosomes carrying the full mutation. J Med Genet, 1991, *28* : 830-836.
ROUSSEAU F, VINCENT A, RIVELLE S et al. Four chromosomal breakpoints and four new probes mark out a 10-cM region encompassing the fragile-X locus (FRAXA). Am J Hum Genet, 1991, *48* : 108-116.
SMITS APT, DREESEN JCFM, POST JG et al. The fragile X syndrome: no evidence for any recent mutations. J Med Genet, 1993, *30* : 94-96.
SUTCLIFFE J, NELSON D, ZHANG F et al. DNA methylation represses FMR-1 transcription in fragile X syndrome. Hum Mol Genet, 1992, *1* : 397-400.
SUTHERLAND GR, HAAN EA, KREMER E et al. Hereditary unstable DNA: a new explanation for some old genetic questions? Lancet, 1991, *338* : 289-292.
VERKERK AJMH, PIERETTI M, SUTCLIFFE JS et al. Identification of a gene *(FMR-1)* containing a CGG repeat coincident with a breakpoint cluster region exhibiting length variation in fragile X syndrome. Cell, 1991, *65* : 905-914.
VINCENT A, HEITZ D, PETIT C et al. Abnormal pattern detected in fragile-X patients by pulse-field gel electrophoresis. Nature, 1991, *349* : 624-626.
WÖHRLE D, KOTZOT D, HIRST M et al. A microdeletion of less than 250 kb, including the proximal part of the FMR-I gene and

the fragile-X site, in a male with the clinical phenotype of fragile-X syndrome. Am J Hum Genet, 1992, *51* : 299-306.
YU S, PRITCHARD M, KREMER E et al. Fragile X genotype characterized by an unstable region of DNA. Science, 1991, *252* : 1179-1181.

Mucoviscidose

ABELIOVICH D, LAVON IP, LERER I et al. Screening for five mutations detects 97% of cystic fibrosis (CF) chromosomes and predicts a carrier frequency of 1:29 in the Jewish Ashkenazi population. Am J Hum Genet, 1992, *51* : 951-956.
ANDERSON MP, BERGER HA, RICH DP et al. Nucleotide triphosphates are required to open the CFTR chloride channel. Cell, 1991, *67* : 775-784.
ANDERSON MP, GREGORY RJ, THOMPSON S et al. Demonstration that CFTR is a chloride channel by alteration of its anion selectivity. Science, 1991, *253* : 202-205.
ANDERSON MP, RICH DP, GREGORY RJ et al. Generation of cAMP-activated chloride currents by expression of CFTR. Science, 1991, *251* : 679-682.
BALLABIO A, GIBBS R, CASKEY C. PCR test for cystic fibrosis deletion. Nature, 1990, *343* : 220.
BEAR CE, LI C, KARTNER N et al. Purification and functional reconstitution of the cystic fibrosis transmembrane conductance regulator (CFTR). Cell, 1992, *68* : 809-818.
BEAUDET AL, SPENCE JE, MONTES M et al. Experience with new DNA markers for the diagnosis of cystic fibrosis. N Engl J Med, 1988, *318* : 50-51.
BEAUDET AL, FELDMAN GL, FERNBACH SD et al. Linkage disequilibrium, cystic fibrosis, and genetic counseling. Am J Hum Genet, 1989, *44* : 319-326.
BOAT TF, WELSH MJ, BEAUDET AL. Cystic Fibrosis. *In* : Scriver CR, Beaudet AL, Sly WS et al. The Metabolic Basis of Inherited Disease, 6th Ed, New York, McGraw-Hill, 1989, 2649-2680.
CHEHAB F, JOHNSON J, LOUIE E et al. A dimorphic 4-bp repeat in the cystic fibrosis gene is in absolute linkage disequilibrium with the ΔF508 mutation: implications for prenatal diagnosis and mutation origin. Am J Hum Genet, 1991, *48* : 223-226.
CHENG SH, GREGORY RJ, MARSHALL J et al. Defective intracellular transport and processing of CFTR is the molecular basis of most cystic fibrosis. Cell, 1990, *63* : 827-834.
CLARKE LL, GRUBB BR, GABRIEL SE et al. Defective epithelial chloride transport in a gene-targeted mouse model of cystic fibrosis. Science, 1992, *257* : 1125-1128.
COLLEDGE W, RATCLIFF R, FOSTER D et al. Cystic fibrosis mouse with intestinal obstruction. Lancet, 1992, *340* : 680.
CRAWFORD I, MALONEY PC, ZEITLIN PL et al. Immunocytochemical localization of the cystic fibrosis gene product CFTR. Proc Natl Acad Sci USA, 1991, *88* : 9262-9266.
CUTTING GR, ANTONARAKIS SE, BUETOW KH et al. Analysis of DNA polymorphism haplotypes linked to the cystic fibrosis locus in North American Black and Caucasian families supports the existence of multiple mutations of the cystic fibrosis gene. Am J Hum Genet, 1989, *44* : 307-318.
CUTTING GR, KASCH LM, ROSENSTEIN BJ et al. A cluster of cystic fibrosis mutations in the first nucleotide-binding fold of the cistic fibrosis conductance regulator protein. Nature, 1990, *346* : 366-369.
The Cystic Fibrosis Analysis Consortium. Worldwide survey of the ΔF508 mutation- report from the cystic fibrosis genetic analysis consortium. Am J Hum Genet, 1990, *47* : 354-359.
DALEMANS W, BARBRY P, CHAMPIGNY G et al. Altered chloride ion channel kinetics associated with the ΔF508 cystic fibrosis mutation. Nature, 1991, *354* : 526-528.
DALEMANS W, HINNRASKY J, SLOS P et al. Immunocytochemical analysis reveals differences between the subcellular localization of normal and ΔF508 recombinant CFTR. Exp Cell Res, 1992, *201* : 235-240.
DENNING GM, ANDERSON MP, AMARA JF et al. Processing of mutant cystic fibrosis transmembrane conductance regulator is temperature-sensitive. Nature, 1992, *358* : 761-768.
DEVOTO M, RONCHETTO P, FANEN P et al. Screening for non-delta F508 mutations in five exons of the cystic fibrosis transmembrane conductance regulator (CFTR) gene in Italy. Am J Hum Genet, 1991, *48* : 1127-1132.
DORIN JR, DICKINSON P, ALTON EWFW et al. Cystic fibrosis in the mouse by targeted insertional mutagenesis. Nature, 1992, *359* : 211-216.
DRUMM ML, POPE HA, CLIFF WH et al. Correction of the cystic fibrosis defect in vitro by retrovirus-mediated gene transfer. Cell, 1990, *62* : 1227-1233.
EGAN M, FLOTTE T, AFIONE S et al. Defective regulation of outwardly rectifying Cl^- channels by protein kinase corrected by insertion of CFTR. Nature, 1992, *358* : 581-584.
ESTIVILL X, FARALL M, SCAMBLER PJ et al. A candidate for the cystic fibrosis locus isolated by selection for methylation-free islands. Nature, 1987, *326* : 840-845.
ESTIVILL X, SCAMBLER PJ, WAINWRIGHT BJ et al. Patterns of polymorphism and linkage disequilibrium for cystic fibrosis. Genomics, 1987, *1* : 257-263.
FANEN P, GHANEM N, VIDAUD M et al. Molecular characterization of cystic fibrosis: 16 novel mutations identified by analysis of the whole cystic fibrosis conductance transmembrane regulator (CFTR) coding regions and splice site junctions. Genomics, 1992, *13* : 770-776.
FARRALL M, LAW HY, RODECK CH et al. First-trimester prenatal diagnosis of cystic fibrosis with linked DNA probes. Lancet, 1986, *i* : 1402-1405.
FARRALL M, STANIER P, BEAUDET A et al. Recombinations between IRP and cystic fibrosis. Am J Hum Genet, 1988, *43* : 471-475.
FELDMAN GJ, WILLIAMSON R, BEAUDET AL et al. Prenatal diagnosis of cystic fibrosis by DNA amplification for detection of KM-19 polymorphism. Lancet, 1988. *ii* : 102.
GENETICS EWGOC. Gradient of distribution in Europe of the major CF mutation and of its associated haplotype. Hum Genet, 1990, *85* : 436-441.
GREGORY RJ, CHENG SH, RICH DP et al. Expression and characterization of the cystic fibrosis transmembrane conductance regulator. Nature, 1990, *347* : 382-386.
HYDE SC, GILL DR, HIGGINS CF et al. Correction of the ion transport defect in cystic fibrosis transgenic mice by gene therapy. Nature, 1993, *362* : 250-255.
KARTNER N, HANRAHAN JW, JENSEN TJ et al. Expression of the cystic fibrosis gene in non-epithelial invertebrate cells produces a regulated anion conductance. Cell, 1991, *64* : 681-691.
KEREM BS, BUCHANAN JA, DURIE P et al. DNA marker haplotype association with pancreatic sufficiency in cystic fibrosis. Am J Hum Genet, 1989, *44* : 827-834.
KEREM BS, ROMMENS JM, BUCHANAN JA et al. Identification of the cystic fibrosis gene: genetic analysis. Science, 1989, *245* : 1073-1080.
KEREM BS, ZIELENSKI J, MARKIEWICZ D et al. Identification of mutations in regions corresponding to the two putative nucleotide (ATP)-binding folds of the cystic fibrosis gene. Proc Natl Acad Sci USA, 1990, *87* : 8447-8451.
KEREM E, COREY M, KEREM BS et al. The relation between genotype and phenotype in cystic fibrosis. Analysis of the most common mutation (ΔF508). N Eng J Med, 1990, *323* : 1517-1522.
KNOWLTON RG, COHEN-HAGUENAUER O, VAN CONG N et al. A polymorphic DNA marker linked to cystic fibrosis is located on chromosome 7. Nature, 1985, *318* : 380-382.
LATHROP GM, FARRALL M, O'CONNELL P et al. Refined linkage map of chromosome 7 in the region of the cystic fibrosis gene. Am J Hum Genet, 1988, *42* : 38-44.
LEMNA WK, FELDMAN GL, KEREM B et al. Mutation analysis for heterozygote detection and prenatal diagnosis of cystic fibrosis. N Engl J Med, 1990, *322* : 291-296.
MILLER C. Cystic fibrosis: sickly channels in mild disease. Nature, 1993, *362* : 106.
MORRAL N, ESTIVILL X. Multiplex PCR amplification of three microsatellites within the CFTR gene. Genomics, 1992, *13* : 1362-1364.
MORRAL N, NUNES V, CASALS T et al. CA/GT microsatellite alleles within the cystic fibrosis transmembrane conductance regulator (CFTR) gene are not generated by unequal crossing over. Genomics, 1991, *10* : 692-698.
NG ISL, PACE R, RICHARD MV et al. Methods for analysis of multiple cystic fibrosis mutations. Hum Genet, 1991, *87* : 613-617.

PORTEOUS DJ, VAN HEYNINGEN V. Cystic fibrosis: from linked markers to the gene. Trends Genet, 1986, *2* : 149-152.

POUTSKA AM, LEHRACH H, WILLIAMSON R et al. A long-range restriction map encompassing the cystic fibrosis locus and its closely linked genetic markers. Genomics, 1988, *2* : 337-345.

REISS J, COOPER DN, BAL J et al. Discrimination between recurrent mutation and identity by descent: application to point mutations in exon 11 of the cystis fibrosis (CFTR) gene. Hum Genet, 1991, *87* : 457-461.

RICH DP, ANDERSON MP, GREGORY RJ et al. Expression of cystic fibrosis transmembrane conductance regulator corrects defective chloride channel regulation in cystic fibrosis airway epithelial cells. Nature, 1990, *347* : 358-365.

RICH DP, GREGORY RJ, ANDERSON MP et al. Effect of deleting the R domain on CFTR-generated chloride channels. Science, 1991, *253* : 205-207.

RIORDAN JR, ROMMENS JM, KEREM BS et al. Identification of the cystic fibrosis gene: cloning and characterization of complementary DNA. Science, 1989, *245* : 1066-1073.

ROMMENS J, KEREM BS, GREER W et al. Rapid non-radioactive detection of the major cystic fibrosis mutation. Am J Hum Genet, 1990, *46* : 395-396.

ROMMENS JM, IANNUZZI MC, KEREM BS et al. Identification of the cystic fibrosis gene: chromosome walking and jumping. Science, 1989, *245* : 1059-1065.

ROSENFELD MA, SIEGFRIED W, YOSHIMURA K et al. Adenovirus-mediated transfer of a recombinant α1-antitrypsin gene to the lung epithelium in vivo. Science, 1991, *252* : 431-434.

ROSENFELD MA, YOSHIMURA K, TRAPNELL BC et al. In vivo transfer of the human cystic fibrosis transmembrane conductance regulator gene to the airway epithelium. Cell, 1992, *68* : 143-155.

ROZEN R, DE BRAEKELEER M, DAIGNEAULT J et al. Cystic fibrosis mutations in French Canadians: three CFTR mutations are relatively frequent in a Quebec population with an elevated incidence of cystic fibrosis. Am J Hum Genet, 1992, *42* : 360-364.

SCAMBLER PJ, LAW HY, WILLIAMSON R et al. Chromosome mediated gene transfer of six DNA markers linked to the cystic fibrosis locus on human chromosome seven. Nucleic Acids Res, 1986, *14* : 7159-7174.

SERRE JL, TAILLANDIER A, MORNET E et al. Nearly 80% of cystic fibrosis heterozygotes and 64% of couples at risk may be detected through a unique screening of four mutations by ASO reverse dot blot. Genomics, 1991, *11* : 1149-1151.

SHEPPARD DN, RICH DP, OSTEDGAARD LS et al. Mutations in CFTR associated with mild-disease-form Cl⁻ channels with altered pore properties. Nature, 1993, *362* : 160-164.

SHOSHANI T, AUGARTEN A, GAZIT E et al. Association of a nonsense mutation (WI282X), the most common mutation in the Ashkenazi jewish cystic fibrosis patients in Israel, with presentation of severe disease. Am J Hum Genet, 1992, *50* : 222-228.

SNOUWAERT JN, BRIGMAN KK, LATOUR AM et al. An animal model for cystic fibrosis made by gene targeting. Science, 1992, *257* : 1083-1088.

SPENCE JE, PERCIACCANTE RG, GREIG GM et al. Uniparental disomy as a mechanism for human genetic disease. Am J Hum Genet, 1988, *42* : 217-226.

TRAPNELL BC, CHU CS, PAAKO PKG et al. Expression of the cystic fibrosis transmembrane conductance regulator gene in the respiratory tract of normal individuals and individuals with cystic fibrosis. Proc Natl Acad Sci USA, 1991, *88* : 6565-6569.

TSUI LC, BUCHWALD M, BARKER D et al. Cytic fibrosis locus defined by a genetically linked polymorphic DNA marker. Science, 1985, *230* : 1054-1057.

TSUI LC, BUCHWALD M. Biochemical and molecular genetics of cystic fibrosis. Adv Hum Genet, 1991, *20* : 153-266.

TSUI LC. Mutations and sequence variations detected in the cystic fibrosis transmembrane conductance regulator (CFTR) gene: a report from the cystic fibrosis genetic analysis consortium. Human Mutation, 1992, *1* : 1987-203.

TSUI LC. The spectrum of cystic fibrosis mutations. Trends Genet, 1992, *8* : 392-398.

VIDAUD M, KITZIS A, FEREC C et al. Confirmation of linkage disequilibrium between haplotype B (XV-2c: allele 1; KM-10: allele 2) and cystic fibrosis gene in the French population. Hum Genet, 1989, *81* : 183-184.

WAINWRIGHT BJ, SCAMBLER PJ, SCHMIDTKE J et al. Localization of cystic fibrosis locus to human chromosome 7 cen-q22. Nature, 1985, *318* : 384-385.

WAINWRIGHT BJ, SCAMBLER PJ, STANIER P et al. Isolation of a human gene with protein sequence similarity to human and murine int-1 and the Drosophila segment polarity mutant wingless. EMBO, J, 1988, *7* : 1743-1748.

WHITE R, WOODWARD S, LEPPERT M et al. A closely linked genetic marker for cystic fibrosis. Nature, 1985, *318* : 382-384.

WILLIAMSON R. Universal community carrier screening for cystic fibrosis. Nat Genet, 1993, *3* : 195-201.

YOSHIMURA K, NAKAMURA H, TRAPNELL BC et al. Expression of the cystic fibrosis transmembrane conductance regulator gene in cells of non-epithelial origin. Nucleic Acids Res, 1991, *19* : 5417-5423.

YOSHIMURA K, NAKAMURA H, TRAPNELL BC et al. The cystic fibrosis gene has a « housekeeping »-type promoter and is expressed at low levels in cells of epithelial origin. J Biochem Chem, 1991, *266* : 9140-9144.

ZIELENSKI J, BOZON D, KEREM B et al. Identification of mutations in exons 1 through 8 of the cystic fibrosis transmembrane conductance regulator (CFTR) gene. Genomics, 1991, *10* : 229-235.

ZIELENSKI J, ROZMAHEL R, BOZON D et al. Genomic sequence of the cystic fibrosis transmembrane conductance regulator (CFTR). Genomics, 1991, *10* : 214-228.

Dystrophie myotonique de Steinert

ASLANIDIS C, JANSEN G, AMEMIYA C et al. Cloning of the essential myotonic dystrophy region and mapping of the putative defect. Nature, 1992, *355* : 548-551.

BARTLETT RJ, PERICAK-VANCE MA, YAMAOKA L et al. A new probe for the diagnosis of myotonic muscular dystrophy. Science, 1987, *235* : 1648-1650.

BROOK JD, McCURRACH ME, HARLEY HG et al. Molecular basis of myotonic dystrophy: expansion of a trinucleotide (CTG) repeat at the 3' end of a transcript encoding a protein kinase family member. Cell, 1992, *68* : 799-808.

BRUNNER HG, JANSEN G, NILLESEN W et al. Reverse mutation in myotonic dystrophy. N Eng J Med, 1993, *328* : 476-480.

BUXTON J, SHELBOURNE P, DAVIES J et al. Detection of an unstable fragment of DNA specific to individuals with myotonic dystrophy. Nature, 1992, *355* : 547-548.

CASKEY CT, PIZZUTI A, FU YH et al. Triplet repeat mutations in human disease. Science, 1992, *256* : 784-788.

FU YH, PIZZUTI A, FENWICK Jr RG et al. An unstable triplet repeat in a gene related to myotonic muscular dystrophy. Science, 1992, *255* : 1256-1260.

HARLEY H, WALSH K, RUNDLE S et al. Localisation of the myotonic dystrophy locus to 19q13.2-19q13.3 and its relationship to twelve polymorphic loci on 19q. Hum Genet, 1991, *87* : 73-80.

HARLEY HG, BROOK JD, RUNDLE SA et al. Expansion of an unstable DNA region and phenotypic variation in myotonic dystrophy. Nature, 1992, *355* : 545-546.

JANSEN G, MAHADEVAN M, AMEMIYA C et al. Characterization of the myotonic dystrophy region predicts multiple protein isoform-encoding mRNAs. Nature Genet, 1992, *1* : 261-266.

JOHNSON K, SHELBOURNE P, DAVIES J et al. Recombination events that locate myotonic dystrophy distal to APOC2 on 19q. Genomics, 1989, *5* : 746-751.

JUNIEN C, LAVEDAN C. Dystrophie myotonique de Steinert : encore une mutation instable. M/S, 1992, *8* : 249-251.

LUNT PW, MEREDITH AL, HARPER PS. First-trimester prediction in fetus at risk for myotonic dystrophy. Lancet, 1986, *ii* : 350-351.

MAHADEVAN M, TSILFIDIS C, SABOURIN L et al. Myotonic dystrophy mutation: an unstable CTG repeat in the 3' untranslated region of the gene. Science, 1992, *255* : 1253-1255.

O'HOY KL, TSILFIDIS C, MAHADEVAN MS et al. Reduction in size of the myotonic dystrophy trinucleotide repeat mutation during transmission. Science, 1993, *259* : 809-812.

PERICAK-VANCE MA, YAMAOKA LH, ASSINDER BA et al. Tight linkage of apolipoprotein C2 to myotonic dystrophy on chromosome 19. Neurology, 1986, *36* : 1418-1423.

RICHARDS R, SUTHERLAND G. Dynamic mutations: a new class

of mutations causing human disease. Cell, 1992, *70* : 709-712.
SHAW DJ, MEREDITH AL, SARFARAZI M et al. Regional localisations and linkage relationships of seven RFLPs and myotonic dystrophy on chromosome 19. Hum Genet, 1986, *74* : 262-266.
SHAW DJ, BROOK JD, MEREDITH AL. Gene mapping and chromosome 19. J Med Genet, 1986, *23* : 2-10.
SHAW DJ, HARPER PS. Myotonic dystrophy: advances in molecular genetics. Neuromusc Disord, 1992, *2* : 241-243.
SHELBOURNE P, DAVIES J, BUXTON J et al. Direct diagnosis of myotonic dystrophy with a disease-specific DNA marker. N Engl J Med, 1993, *328* : 471-475.

Chorée de Huntington

ALTHERR MR, PLUMMER S, BATES G et al. Radiation hybrid map spanning the Huntington disease gene region of chromosome 4. Genomics, 1992, *13* : 1040-1046.
ANDREW S, THEILMANN J, HEDRICK A et al. Nonrandom association between Huntington disease and two loci separated by about 3 Mb on 4p16.3. Genomics, 1992, *13* : 301-311.
BATES GP, McDONALD ME, BAXENDALE S et al. Defined physical limits of the Huntington disease gene candidate region. Am J Hum Genet, 1991, *49* : 7-16.
BATES GP, VALDES J, HUMMERICH H et al. Characterization of a yeast artificial chromosome contig spanning the Huntington disease candidate region. Nature Genet, 1992, *1* : 180-187.
BUCAN M, ZIMMER M, WHALEY W et al. Physical map of 4p16.3, the area expected to contain the Huntington disease mutation. Genomics, 1990, *6* : 1-15.
CONNEALLY PM, WALLACE MR, GUSELLA JF et al. Huntington Disease: estimation of heterozygote status using linked genetic markers. Genet Epidemiol, 1984, *1* : 81-88.
FAHY M, ROBBINS C, BLOCH M et al. Different options for prenatal testing for Huntington's disease using DNA probes. J Med Genet, 1989, *26* : 353-357.
FARRER LA, MYERS RH, CUPPLES LA et al. Considerations in using linkage analysis as a presymptomatic test for Huntington's disease. J Med Genet, 1988, *25* : 577-588.
FOLSTEIN SE, PHILLIPS JA III, MEYERS DA et al. Huntington's disease: two families with differing clinical features show linkage to the G8 probe. Science, 1985, *229* : 776-779.
GILLIAM TC, BUCAN M, McDONALD ME et al. A DNA segment encoding two genes very tightly linked to Huntington's disease. Science, 1987, *238* : 950-952.
GILLIAM TC, TANZI RE, HAINES JL et al. Localization of the Huntington's disease gene to a small segment of chromosome 4 flanked by D4S10 and the telomere. Cell, 1987, *50* : 565-571.
GUSELLA JF, WEXLER NS, CONNEALLY PM et al. A polymorphic DNA marker genetically linked to Huntington's disease. Nature, 1983, *306* : 234-238.
GUSELLA JF, TANZI RE, BADER PI et al. Deletion of Huntington's disease-linked G8 (D4S10) locus in Wolf-Hirschhorn syndrome. Nature, 1985, *318* : 75-78.
GUSELLA JF, GILLIAM TC, TANZI RE et al. Molecular genetics of Huntington's disease. *In*: Molecular Biology of *Homo sapiens*. Cold Spring Harbor Symp Quant Biol, 1986, *LI* : 359-364.
HAMMER J, MÄCHLER M, SCHMID W et al. Linked DNA markers in clinical diagnosis of juvenile Huntington's disease. Lancet, 1987, *ii* : 1088-1089.
HAYDEN MR, HEWITT J, WASMUTH JJ et al. A polymorphic DNA marker that represents a conserved expressed sequence in the region of the Huntington disease gene. Am J Hum Genet, 1988, *42* : 125-131.
KRWCZAK M, BOCKEL B, SANDKJUIJL L et al. Covariate-dependent age-at-onset distributions for Huntington disease. Am J Hum Genet, 1991, *49* : 735-745.
LAIRD C. Proposed genetic basis of Huntington's disease. Trends Genet, 1990, *6* : 242-247.
McDONALD ME, LIN C, SRINIDHI L et al. Complex patterns of linkage disequilibrium in the Huntington disease region. Am J Hum Genet, 1991, *49* : 723-734.
McDONALD ME, NOVELLETTO A, LIN C et al. The Huntington's disease candidate region exhibits many different haplotypes. Nature Genet, 1992, *1* : 99-103.
ROBBINS C, THEILMANN J, YOUNGMAN S et al. Evidence from family studies that the gene causing Huntington disease is telomeric to D4S95 and D4S90. Am J Hum Genet, 1989, *44* : 422-425.
SMITH B, SKARECKY D, BENGTSSON U et al. Isolation of DNA markers in the direction of the Huntington disease gene from the G8 locus. Am J Hum Genet, 1988, *42* : 335-344.
SNELL RG, LAZARROU LP, YOUNGMAN S et al. Linkage desequilibrium in Huntington's disease: an improved localisation for the gene. J Med Genet, 1989, *26* : 673-675.
SNELL RG, THOMPSON LM, TAGLE DA et al. A recombination event that redefines the Huntington disease region. Am J Hum Genet, 1992, *51* : 357-362.
THEILMANN J, KANANI S, SHIANG R et al. Non-random association between alleles detected at D4S95 and D4S98 and the Huntington's disease gene. J Med Genet, 1989, *26* : 676-681.
WASMUTH JJ, HEWITT J, SMITH B et al. A highly polymorphic locus very tightly linked to the Huntington's disease gene. Nature, 1988, *332* : 734-736.
WEXLER NS, CONNEALLY PM, HOUSMAN D et al. A DNA polymorphism for Huntington's disease marks the future. Arch Neurol, 1985, *42* : 20-24.
WEXLER NS, ROSE E, HOUSMAN D. Molecular approaches to hereditary diseases of the nervous system: Huntington's disease as a paradigm. Ann Rev Neurosci, 1991, *14* : 503-529.
WEXLER NS, YOUNG AB, TANZI RE et al. Homozygotes for Huntington's disease. Nature, 1987, *326* : 197.
YOUNGMAN S, SARFARAZI M, QUARRELL OWJ et al. Studies of a DNA marker (G8) genetically linked to Huntington disease in British families. Hum Genet, 1986, *73* : 333-339.

Polykystoses rénales

BREUNING MH, REEDERS ST, BRUNNET et al. Improved early diagnosis of adult polycystic kidney disease with flanking DNA markers. Lancet, 1987, *ii* : 1359-1361.
BREUNING MH, SNIJDEWINT FGM, BRUNNER H et al. Map of 16 polymorphic loci on the short arm of chromosome 16 close to the polycystic kidney disease gene (PKD1). J Med Genet, 1990, *27* : 603-613.
BREUNING M, SNIJDEWINT F, DAUWERSE J et al. Two step procedure for early diagnosis of polycystic kidney disease using polymorphic DNA markers on both sides of the gene. J Med Genet, 1990, *27* : 614-617.
FINE LG. Autosomal dominant polycystic kidney disease. Lancet, 1992, *339* : 1146-1149.
GERMINO GG, WEINSTAT-SASLOW D, HIMMELBAUER H et al. The gene for autosomal dominant polycystic kidney disease lies in a 750-kb CpG-rich region. Genomics, 1992, *13* : 144-151.
GERMINO GG, SOMLO S, WEINSTAT-SASLOWE D et al. Positional cloning approach to the dominant polycystic kidney disease gene, PKD1. Kindney Int, *suppl 39* : S20-S25.
GILLESPIE GAJ, GERMINO GG, SOMIO S et al. Cosmid walking and chromosome jumping in the region of PKD1 reveal a locus duplication and three CpG islands. Nucleic Acids Res, 1990, *18* : 7071-7075.
HARRIS PC, THOMAS S, RATCLIFFE PJ et al. Rapid genetic analysis of families with polycystic kidey disease 1 by means of a microsatellite marker. Lancet, 1991, *338* : 1484-1487.
HIGGS DR, WAINSCOAT JS, FLINT J et al. Analysis of the human α-globin gene cluster reveals a highly informative genetic locus. Proc Natl Acad Sci USA, 1986, *83* : 5165-5169.
HIMMELBAUER H, GERMINO GG, CECCHERINI I et al. Saturating the region of the polycystic kidney disease gene with NotI linking clones. Am J Genet, 1991, *48* : 325-334.
HODGKINSON KA, KERZIN-STORRAR L, WATTERS EA et al. Adult polycystic kidney disease: knowledge, experience, and attitudes to prenatal diagnosis. J Med Genet, 1990, *27* : 552-558.
KIMBERLING WJ, FAIN PA, KENYON JB et al. Linkage heterogeneity of autosomal dominant polycystic kidney disease. N Engl J Med, 1988, *319* : 913-918.
LAZAROU LP, DAVIES F, SARFARAZI et al. Adult polycystic kidney disease and linked RFLPs at the α-globin locus: a genetic study in the South Wales population. J Med Genet, 1987, *24* : 466-473.
PARFREY PS, BEAR JC, MORGAN J et al. The diagnosis and pro-

gnosis of autosomal dominant polycystic kidney disease. N Eng J Med, 1990, *323* : 1085-1091.
POUND SE, CAROTHERS AD, PIGNATELLI PM et al. Evidence for linkage disequilibrium between D16S94 and the adult onset polycystic kidney disease (PKD1) gene. J Med Genet, 1992, *29* : 247-248.
REEDERS ST. A "reverse genetic" approach to autosomal dominant polycystic kidney disease. Pediat Nephrol, 1987, *1* : 405-410.
REEDERS ST. Multilocus polycystic disease. Nature Genet, 1992, *1* : 235-237.
REEDERS ST, BREUNING MH, DAVIES KE et al. A highly polymorphic DNA marker linked to adult polycystic kidney disease on chromosome 16. Nature, 1985, *317* : 542-544.
REEDERS ST, BREUNING MH, CORNEY G et al. Two genetic markers closely linked to adult polycystic kidney disease on chromosome 16. British Med J, 1986, *292* : 851-853.
REEDERS ST, BREUNING MH, RYYNANEN MA et al. A study of genetic linkage heterogeneity in adult polycystic kidney disease. Hum Genet, 1987, *76* : 348-351.
REEDERS ST, GERMINO GG, GILLEPSIE GAJ. Recent advances in the genetics of renal cystic disease. Mol Biol Med, 1989, *6* : 81-86.
REEDERS ST, ZERRES K, GAL A et al. Prenatal diagnosis of autosomal dominant polycystic kidney disease with DNA probe. Lancet, 1986, *ii* : 6-7.
ROMEO G, COSTA G, CATIZONE L et al. A second genetic locus for autosomal dominant polycystic kidney disease. Lancet, 1988, *ii* : 8-11.
SUJANSKY E, KREUTZER SB, JOHNSON AM et al. Attitudes of at-risk and affected individuals regarding presymptomatic testing for autosomal dominant polycystic kidney disease. Am J Med Genet, 1990, *35* : 510-515.
WATSON ML, WRIGHT AF, MACNICOL AM et al. Studies of genetic linkage between adult polycystic kidney disease and three markers on chromosome 16. J Med Genet, 1987, *24* : 457-461.
WIRTH B, ZERRES K, FISCHBACH M et al. Autosomal recessive and dominant forms of polycystic kidney disease are not allelic. Hum Genet, 1987, *77* : 221-222.

Anomalies chromosomiques constitutionnelles

BALLABIO A. Contiguous deletion syndromes. Curr Opin Genet Develop, 1991, *1* : 25-29.
BALLABIO A, BARDONI B, CARROZZO R et al. Contiguous gene syndromes due to deletions in the distal short arm of the human X chromosome. Proc Natl Acad Sci USA, 1989, *86* : 10001-10005.
DRISCOLL DA, BUDARF ML, EMANUEL BS. A genetic etiology for DiGeorge syndrome: consistant deletions and microdeletions of 22q11. Hum Genet, 1992, *50* : 924-933.
EMANUEL BS. Molecular cytogenetics: toward dissection of the contiguous gene syndromes. Am J Hum Genet, 1988, *43* : 575-578.
GREENBERG F, ELDER FFB, HAFFNER P et al. Cytogenetics findings in a prospective series of patients with DiGeorge anomaly. Am J Hum Genet, 1988, *43* : 605-611.
HALL JG. Genomic imprinting and its clinical implications. N Engl J Med, 1992, *326* : 827-829.
KUWANO A, LEDBETTER SA, DOBYNS WB et al. Detection of deletions and cryptic translocations in Miller-Dieker syndrome by in situ hybridization. Am J Hum Genet, 1991, *49* : 707-714.
LEDBETTER DH, CAVENEE WK. Molecular cytogenetics: interface of cytogenetics and monogenic disorders. *In* : Scriver et al. Metabolic basis of inborn inherited diseases, New York, McGrraw-Hill, 1989, *9* : 343-378.
LICHTER P, CREMER T, TANG CJC et al. Rapid detection of human chromosome 21 aberrations by *in situ* hybridization. Proc Natl Acad Sci USA, 1988, *85* : 9664-9668.
MAGENIS RE, TOTH-FEJEL S, ALLEN LJ et al. Comparison of the 15q deletions in Prader-Willi and Angelman syndromes: specific regions, extent of deletions, parental origin, and clinical consequences. Am J Med Genet, 1990, *35* : 333-349.
MATTEI MG, PASSAGE E, JULIER C et al. Chromosome 22 is involved in cat eye syndrome as demonstrated by *in situ* hybridization. Cytogenet Cell Genet, 1985, *40* : 693.
SCHINZEL A. Microdeletion syndromes, balanced translocations, and gene mapping. J Med Genet, 1988, *25* : 454-462.
SCHMICKEL RD. Contiguous gene syndromes: A component of recognizable syndromes. J Pediat, 1986, *109* : 231-241.
SCHWARTZ CE, JOHNSON JP, HOLYCROSS B et al. Detection of submicroscopic deletions in band 17p13 in patients with the Miller-Dieker syndrome. Am J Hum Genet, 1988, *43* : 597-604.
SMEETS DFCM, HAMEL BCJ, NELEN MR et al. Prader-Willi syndrome and Angelman syndrome in cousins from a family with a translocation between chromosomes 6 and 15. N Eng J Med, 1992, *326* : 807-811.
SPENCE JE, PERCIACCANTE RG, GREIG GM et al. Uniparental disomy as a mechanism for human genetic disease. Am J Hum Genet, 1988, *42* : 217-226.
VAN TUINEN PW, DOBYNS WB, RICH D et al. Molecular detection of microscopic and submicroscopic deletions associated with Miller-Dieker syndrome. Am J Hum Genet, 1988, *43* : 587-596.
WAGSTAFF J, KNOLL JHM, GLATT KA et al. Maternal but not paternal transmission of 15q11-13-linked nondeletion Angelman syndrome leads to phenotypic expression. Nature Genet, 1992, *1* : 291-294.
WILSON DI, GOODSHIP JA, BURN J et al. Deletions within chromosome 22q11 in familial congenital heart disease. Lancet, 1992, *340* : 573-575.

Anomalies du DNA mitochondrial

ANDERSON S, BANKIER A, BARRELL BG et al. Sequence and organization of the human mitochondrial genome. Nature, 1981, *290* : 457-465.
BALLINGER SW, SHOFFNER JM, HEDAYA EV et al. Maternally transmitted diabetes and deafness associated with a 10.4 kb mitochondrial DNA deletion. Nature Genet, 1992, *1* : 11-15.
BROWN MD, YANG C, TROUNCE I et al. A mitochondrial DNA variant, identified in Leber hereditary optic neuropathy patients, which extends the amino acid sequence of cytochrome c oxidase subunit I. Am J Hum Genet, 1992, *51* : 378-385.
CAPALDI RA. Mitochondrial myopathies and respiratory chain proteins. Trends Biochem Sci, 1988, *13* : 144-148.
DEGOUL F, NELSON I, AMSELEM S et al. Different mechanisms inferred from sequences of human mitochondrial DNA deletions in ocular myopathie. Nucleic Acids Res, 1991, *19* : 493-496.
DREYFUS JC. Les maladies du génome mitochondrial. M/S, 1991, *7* : 172-174.
GOTO YI, NONAKA I, HARAI S. A mutation in the $tRNA^{Leu(UUR)}$ gene associated with the MELAS subgroup of mitochondrial encephalomyopathies. Nature, 1990, *348* : 651-653.
GRIVELL LA. Mitochondrial DNA: small, beautiful and essential. Nature, 1989, *341* : 569-571.
GYLLESTEN U, WHARTON D, JOSEFSSON A et al. Paternal inheritance of mitochondrial DNA in mice. Nature, 1991, *352* : 255-257.
HAMMANS SR, SWEENEY MG, BROCKINGTON M et al. Mitochondrial encephalopathies: molecular genetic diagnosis from blood samples. Lancet, 1991, *337* : 1311-1313.
HARDING AE. Neurologic disease and mitochondrial genes. Trends Neurol Sci, 1991, *14* : 132-138.
HESS JF, PARISI MA, BENNETT JL et al. Impairment of mitochondrial transcription termination by a point mutation associated with the MELAS subgroup of mitochondrial encephalomyopathies. Nature, 1991, *351* : 236-239.
HOLT JJ, MILLER DH, HARDING AE. Genetic heterogeneity and mitochondrial DNA heteroplasmy in Leber's hereditary optic neuropathy. J Med Genet, 1989, *26* : 739-743.
HOWELL N, KUBACKA I, XU M et al. Leber hereditary optic neuropathy: involvement of the mitochondrial ND1 gene and evidence for an intragenic suppressor mutation. Am J Hum Genet, 1991, *48* : 935-942.
HUOPONEN K, VILKKI J, AULA P et al. A new mtDNA mutation associated with Leber hereditary optic neuroretinopathy. Am J Hum Genet, 1991, *48* : 1147-1153.
JOHNS DR. Improved molecular-genetic diagnosis of Leber's hereditary optic neuropathy. N Eng J Med, 1990, *323* : 1488-1489.
JOHNS DR. Mitochondrial ND-1 mutation in Leber hereditary optic neuropathy. Am J Hum Genet, 1992, *50* : 872-874.
KOBAYASHI Y, MOMOI MY, NIHEI K et al. A point mutation in the mitochondrial $tRNA^{Leu(UUR)}$ gene in MELAS (mitochondrial myo-

pathy, encephalopathy, lactic acidosis and stroke-like episodes). Biochem Biophys Res Comm, 1990, *173* : 816-822.
LANDER ES, LODISH H. Mitochondrial diseases: gene mapping and gene therapy. Cell, 1990, *61* : 925-926.
LAUBER J, MARSAC C, KADENBACH B et al. Mutations in mitochondrial tRNA genes: a frequent cause of neuromuscular diseases. Nucleic Acids Res, 1991, *19* : 1393-1395.
NOER AS, SUDOYO H, LERTRIT P et al. A $tRNA^{Lys}$ mutation in the mtDNA is the causal genetic lesion underlying myoclonic epilepsy and ragged-red fiber (MERRF) syndrome. Am J Hum Genet, 1991, *49* : 715-722.
PALCA J. The other human genome. Science, 1990, *249* : 1104-1105.
POULTON J, E DM, GARDINER RM. Duplication of mitochondrial DNA in mitochondrial myopathy. Lancet, 1989, *i* : 236-240.
RÖTIG A, COLONNA M, BLANCHE S et al. Deletion of blood mitochondrial DNA in pancytopenia. Lancet, 1988, *ii* : 567-568.
SCHON EA, RIZZUTO R, MORAES CT et al. A direct repeat is a hotspot for large-scale deletion of human mitochondrial DNA. Science, 1989, *244* : 346-349.
SHOFFNER JM, LOTT ME, VOLJAVEC AS et al. Spontaneous Kearns-Sayre/chronic external ophthalmoplegia plus syndrome associated with a mitochondrial DNA deletion: a slip-replication model and metabolic therapy. Proc Natl Acad Sci USA, 1989, *86* : 7952-7956.
SHOFFNER JM, LOTT MT, LEZZA AMS et al. Myoclonic Epilepsy and Ragged-Red Fiber Disease (MERRF) is associated with a mitochondrial DNA $tRNA^{Lys}$ mutation. Cell, 1990, *61* : 931-937.
SHOFFNER JM, WALLACE DC. Oxidative phosphorylation diseases. Adv Hum Genet, 1990, 267-330.
SHOFFNER JM, WALLACE DC. Mitochondrial genetics: principles and practice. Am J Hum Genet, 1992, *51* : 1179-1186.
SLIPETZ DM, APRILLE JR, GOODYER PR et al. Deficiency complex III of the mitochondrial respiratory chain in a patient with facioscapulohumeral disease. Am J Hum Genet, 1991, *48* : 502-510.
VILKKI J, SAVONTAUS M-L, NIKOSKELAINEN E. Genetic heterogeneity in Leber hereditary optic neuroretinopathy revealed by mitochondrial DNA polymorphism. Am J Hum Genet, 1989, *45* : 206-211.
WALLACE D. Mitochondrial DNA mutation and neuromuscular diseases. Trends Genet, 1989, *5* : 9-13.
WALLACE DC. Mitochondrial genetics: a paradigm for aging and degenerative diseases? Science, 1992, *256* : 628-632.
WALLACE DC, G S, LOTT MT et al. Mitochondrial DNA mutation associated with Leber's hereditary optic neuropathy. Science, 1988, *242* : 1427-1430.
WALLACE DC, ZHENG W, LOTT MT et al. Familial mitochondrial encephalomyopathy (MERRF): genetic, patho-physiological and biochemical characterization of a mitochondrial disease. Cell, 1988, *55* : 601-610.
ZEVIANI M, AMATI P, BRESOLIN N et al. Rapid detection of the A→G(8344) mutation of mtDNA in Italian families with myoclonus epilepsy and ragged-red fibers (MERRF). Am J Hum Genet, 1991, *48* : 203-211.
ZEVIANI M, DiDONATO S. Neurological disorders due to mutations of the mitochondrial genome. Neuromusc Disord, 1991, *1* : 165-172.
ZEVIANI M, GELLERA C, ANTOZZI C et al. Maternally inherited myopathy and cardiomyopathy: association with mutation in mitochondrial DNA $tRNA^{(Leu)(UUR)}$. Lancet, 1991, *338* : 143-147.
ZEVIANI M, SERVIDEL S, GELLERA C et al. An autosomal dominant disorder with multiple deletions of mitochondrial DNA starting at the D-loop region. Nature, 1989, *339* : 309-311.

Maladies polygéniques

BELL JI, TODD JA. HLA class II sequences infer mechanisms for major histocompatibility complex-associated disease susceptibility. Mol Biol Med, 1989, *6* : 43-53.
BULFIELD G. Genetics of atherosclerosis and plasma lipoproteins in mice. Trends Genet, 1988, *4* : 3-4.
CAMBIEN F, POIRIER O, LECERF L et al. Deletion polymorphism in the gene for angiotensin-converting enzyme is a potent risk factor for myocardial infarction. Nature, 1992, *359* : 641-644.
COOKSON W, HOPKIN J. Dominant inheritance of atopic immunoglobulin E responsiveness. Lancet, 1988, *i* : 86-88.
COOKSON W, SHARP P, FAUX J et al. Linkage between immunoglobulin E responses underlying asthma and rhinitis and chromosome 11q. Lancet, 1989, *i* : 1292-1295.
COOPER DN, CLAYTON JF. DNA polymorphism and the study of disease associations. Hum Genet, 1988, *78* : 299-312.
CORNALL RJ, PRINS JB, TODD JA et al. Type 1 diabetes in mice is linked to the interleukin-1 receptor and *Lsh/Ity/Bcg* genes on chromosome 1. Nature, 1990, *353* : 262-265.
FROGUEL P, ZOUALI H, VIONNET N et al. Familial hyperglycemia due to mutation in glucokinase. N Eng J Med, 1993, *328*.
GARCHON HJ. Non-MHC-linked genes in autoimmune diseases. Curr Opin Immunol, 1992, *4* : 716-722.
GARCHON HJ, BACH JF. The contribution of non-MHC genes to susceptibility to autoimmune diseases. Hum Immunol, 1991, *32* : 1-30.
GARCHON HJ, BEDOSSA P, ELOY L et al. Identification and mapping to chromosome 1 of a susceptibility locus for periinsulitis in non-obese diabetic mice. Nature, 1990, *353* : 260-262.
HILBERT P, LINDPAINTER K, BECKMANN J et al. Chromosomal mapping of two genetic loci associated with blood-pressure regulation in hereditary hypertensive rats. Nature, 1991, *353* : 521-529.
HUMPHRIES S, BARNI N. Gene analysis and its role in predicting suceptibility to disease. Bio Essays, 1985, *3* : 104-108.
IVENS A, MOORE G, WILLIAMSON R. Molecular approaches to dysmorphology. J Med Genet, 1988, *25* : 473-479.
JACOB HJ, LINDPAINTNER K, LINCOLN SE et al. Genetic mapping of a gene causing hypertension in the stroke-prone spontaneously hypertensive rat. Cell, 1991, *67* : 213-224.
JEUNEMAÎTRE X, LIFTON R, HUNT SC et al. Absence of linkage between the angiotensin converting enzyme locus and human essential hypertension. Nat Genet, 1992, *1* : 72-75.
JEUNEMAÎTRE X, SOUBRIER F, KOTELEVTSEV YV et al. Molecular basis of human hypertension: role of angiotensinogen. Cell, 1992, *71* : 169-180.
Molecular approaches to human polygenic disease. Ciba Foundation Symposium N° 130, 1 Vol, John Wiley et sons, 1987.
SING CF, MOLL P. Genetics of atherosclerosis. Ann Rev Genet, 1990, *24* : 171-187.
TODD JA. Diabetes mellitus. Curr Opin Genet Develop, 1992, *2* : 474-478.
TODD JA, AITMAN T, CORNALL RJ et al. Genetic analysis of autoimmune type 1 diabetes mellitus in mice. Nature, 1991, *351* : 542-547.

Chapitre 15 : DNA et cancer

Revues générales et articles de synthèse

BARBACID M. Mutagens, oncogenes and cancer. Trends Genet, 1986, *2* : 188-192.
BISHOP JM. The molecular genetics of cancer. Science, 1987, *235* : 305-311.
BISHOP JM. Molecular themes in oncogenesis. Cell, 1991, *64* : 235-248.
DEGOS L. Translocations dans les syndromes lymphoprolifératifs et myéloprolifératifs : un ordre dans les désordres. M/S, 1987, *3* : 164-167.
FEARON ER, VOGELSTEIN B. A genetic model for colorectal tumorigenesis. Cell, 1990, *61* : 759-767.
FRIEND SH, DRYJA TP, WEINBERG R. Oncogenes and tumor-suppressing genes. N Engl J Med, 1988, *318* : 618-622.
HALLA. Oncogenes. *In* : PW Rigby. Genetic engineering, Vol 5, Academic Press, 1986 : 61-116.
HOPKINS NH. Cancer at the genetic level. *In* : JD Watson, NH Hopkins, JW Roberts et al. Molecular biology of the cell. Part X, Vol 2, 4e Ed, Menlo Park, The Benjamin/Cummings Company, 1987.
JONES PA, RIDEOUT WM, SHEN JC et al. Methylation, mutation and cancer. Bioessays, 1992, *14* : 33-36.
KING MC. Breast cancer genes: how many, where and who are they? Nature Genet, 1992, *2* : 89-90.
LARSEN CJ. Biologie moléculaire des anomalies chromosomiques

des hémopathies malignes T chez l'homme. M/S, 1990, *6* : 344-351.

LEVY JP. Les oncogènes. N Rev Fr Hématol, 1984, *26* : 1-68.

LIOTTA LA, STEEG PS, STETTER-STEVENSON WG. Cancer metastasis and angiogenesis: an imbalance of positive and negative regulation. Cell, 1991, *64* : 327-336.

MARTUZA RL, SEIZINGER BR, JACOBY LB et al. The molecular biology of human glial tumors. Trends Neurol Sci, 1988, *11* : 22-27.

PARK M. Oncogenes: genes associated with neoplastic disease. *In* : Scriver et al. Metabolic basis of inborn inherited diseases, New York, McGraw-Hill, 1989, 251-276.

PIENTA KJ, PARTIN AW, COFFREY DS. Cancer as a disease of DNA organization and dynamic cell structure. Cancer Res, 1989, *49* : 2525-2532.

RABBITTS TH. Translocations, masters genes, and differences between the origins of acute and chronic leukemias. Cell, 1991, *67* : 641-644.

RABBITTS TH, BOEHM T, MENGLE-GAW L. Chromosomal abnormalities in lymphoid tumours: mechanisms and role in tumour pathogenesis. Trends Genet, 1988, *4* : 300-304.

REDDY EP, SKALKA AM, CURRAN T. The oncogene handbook. 1 Vol, Elsevier (Amsterdam), 1988.

SAULE S. Les oncogènes des virus des leucémies aiguës aviaires et leurs homologues cellulaires : structure et fonction. Thèse de Doctorat ès Sciences Naturelles. Université des Sciences et Techniques de Lille, 1987.

SOLA B. Transformation in vitro des cellules de la lignée myéloblastique par le virus leucémogène murin de Friend (F-MulV). Analyse des mécanismes moléculaires de cette transformation. Thèse de Doctorat d'Etat de Biologie Humaine, Université de Paris VII, 1987.

SOLOMON E, BORROW J, GODDARD AD. Chromosome aberrations and cancer. Science, 1991, *254* : 1153-1160.

STANBRIDGE FJ, NOWELL PC. Origins of human cancer revisited. Cell, 1990, *63* : 867-874.

TAMBOURIN P. Oncogènes et oncogenèse. M/S, 1990, *6* : 340-342.

VARMUS HE. The molecular genetics of cellular oncogenes. Ann Rev Genet, 1984, *18* : 553-612.

VARMUS H. Oncogenes and transcriptional control. Science, 1987, *238* : 137-13339.

VARMUS H. Cellular and viral oncogenes. *In* : P Leder, PW Majerus, WB Saunders. The molecular basis of blood diseases, WB Saunders & Co Pub, 1987, 271-346.

WEINBERG RA. Oncogenes of spontaneous and chemically induced tumors. Adv Cancer Res, 1982, *36* : 149-164.

WEINBERG RA. Oncogenes and the molecular origins of cancer. Cold Spring Harbor Laboratory Press, 1989, 1 vol, 367 pp.

WEINBERG RA. Oncogenes, antioncogenes, and the molecular bases of multistep carcinogenesis. Cancer Res, 1989, *49* : 3713-3721.

WYNFORD-THOMAS D. Origine et progression des tumeurs épithéliales : vers les mécanismes moléculaires. M/S, 1993, *9* : 66-75.

YUNIS JJ, The chromosomal basis of human neoplasia. Science, 1983, *221* : 227-236.

Oncogènes :

AARONSON SA. Growth factors and cancer. Science, 1991, *254* : 1146-1153.

ADAMS JM, HARRIS AW, PINKERT CA et al. The c-myc oncogene driven by immunoglobulin enhancers induces lymphoid malignancy in transgenic mice. Nature, 1985, *318* : 533-538.

ALCALAY M, ZANGRILLI D, PANDOLFI PP et al. Translocation breakpoint of acute promyelocytic leukemia lies within the retinoic acid receptor a locus. Proc Natl Acad Sci USA, 1991, *88* : 1977-1981.

ALMOGUERA C, SHIBATA D, FORRESTER K et al. Most human carcinomas of the exocrine pancreas contain mutant c-K-ras genes. Cell, 1988, *53* : 549-554.

AMATI B, BROOKS MW, LEVY N et al. Oncogenic activity of the c-myc protein requires dimerization with Max. Cell, 1993, *72* : 233-245.

ANGEL KM. The role of jun, fos and the AP-1 complex in cell-proliferation and transformation. Biochim Biophys Acta, 1991, *1072* : 129-157.

AYER DE, KRETZNER L, EISENMAN RN. Mad: a heterodimeric partner for max that antagonizes myc transcriptional activity. Cell, 1993, *72* : 211-222.

BAER R, CHEN KC, SMITH SD, RABBITTS TH. Fusion of an immunoglobulin variable gene and a T cell receptor constant gene in the chromosome 14 inversion associated with T cell tumors. Cell, 1985, *43* : 705-713.

BARTRAM CR, DE KLEIN A, HAGEMEIJER A et al. Translocation of c-abl oncogene correlates with the presence of a Philadelphia chromosome in chronic myelocytic leukaemia. Nature, 1983, *306* : 277-281.

BARTRAM CR, KLEIHAUER E, DE KLEIN A et al. c-abl and bcr are rearranged in Ph-1-negative CML patient. EMBO J, 1985, *4* : 683-686.

BERNARDS A, RUBIN CM, WESTBROOK CA et al. The first intron in the human c-abl gene is at least 200 kilobases long and is a target for translocations in chronic myelogenous leukemia. Mol Cell Biol, 1987, *7* : 3231-3236.

BERNHEIM A, BERGER R, LENOIR G. Cytogenetic studies on Burkitt's lymphoma cell lines. Cancer Genet Cytogenet, 1983, *8* : 223-229.

BERNSTEIN SC, WEINBERG RA. Expression of the metastatic phenotype in cells transfected with human metastatic tumor DNA. Proc Natl Acad Sci USA, 1985, *82* : 1726-1730.

BISHOP JM. Enemies within: the genesis of retrovirus oncogenes. Cell, 1981, *23* : 5-6.

BISHOP JM. Trends in oncogenes. Trends Genet, 1985, *1* : 245-249.

BISHOP JM. Viral oncogenes. Cell, 1985, *42* : 23-38.

BISSONNETTE RP, ECHEVERRI F, MAHBOUBI A et al. Apoptotic cell death induced by c-myc is inhibited by bcl-2. Nature, 1992, *359* : 552-554.

BLACKWELL TK, KRETZNER L, BLACKWOOD EM et al. Sequence-specific DNA binding by the c-myc protein. Science, 1990, *250* : 1149-1151.

BLACKWOOD EM, EINSENMANN RN. Max: a helix-loop-helix zipper protein that forms a sequence-specific DNA-binding complex with Myc. Science, 1991, *251* : 1211-1217.

BOHMAN D, BOS TJ, ADMON A et al. Human proto-oncogene c-jun encodes a DNA binding protein with structural and functional properties of transcription factor AP-1. Science, 1987, *238* : 1386-1392.

BOLDOGH I, ABU BAKAR S, ALBRECHT T. Activation of proto-oncogenes: an immediate early in human cytomegalovirus infection. Science, 1990, *247* : 561-564.

BORROW J, GODDARD AD, SHEER D et al. Molecular analysis of acute promyelocytic leukemia breakpoint cluster region on chromosome 17. Science, 1990, *249* : 1577-1580.

BOS JL, TOKSOZ D, MARSHALL CJ et al. Amino-acid substitutions at codon 13 of the N-ras oncogene in human acute myeloid leukaemia. Nature, 1985, *315* : 726-730.

BOS JL, VERLAAN DE VRIES M, VAN DER EB AJ et al. Mutations in N-ras predominate in acute myeloid leukemia. Blood, 1987, *69* : 1237-1241.

BOS JL, FEARON ER, HAMILTON SR et al. Prevalence of ras gene mutations in human colorectal cancers. Nature, 1987, *327* : 293-297.

BOURS V, VILLALOBOS J, BURD PR et al. Cloning of a mitogen-inducible encoding a kappa B DNA-binding protein with homology to the rel oncogene and to cell-cycle motifs. Nature, 1990, *348* : 76-80.

BRECHOT C. Oncogenic activation of cyclin A. Curr Opin Genet Develop, 1993, *3* : 11-18.

BROWN L, CHENG JT, CHEN Q et al. Site-specific recombination of the tal-1 gene is a common occurence in human T cell leukemia. EMBO J, 1990, *9* : 3343-3351.

BURMER GC, LOEB LA. Mutations in the Kras2 oncogene during progressive stages of human colon carcinoma. Proc Natl Acad Sci USA, 1989, *86* : 2403-2407.

CANTLEY LC, AUGER KR, CARPENTER C et al. Oncogenes and signal transduction. Cell, 1991, *64* : 281-302.

CASTAIGNE S, BALITRAND N, DE THÉ H et al. A PML/retinoic acid receptor a fusion transcript is constantly detected by RNA-based polymerase chain reaction in acute promyelocytic leukemia. Blood, 1992, *79* : 3110-3115.

CHARDIN P. Small GTP-binding proteins of the Ras family: a con-

served functional mechanism? Cancer Cells, 1991, *3* : 117-126.
CLEARY ML. Oncogenic conversion of transcription factors by chromosomal translocations. Cell, 1991, *66* : 619-622.
COOPER GM. Cellular transforming genes. Science, 1982, *217* : 801-806.
CROCE CM. Role of chromosome translocations in human neoplasia. Cell, 1987, *49* : 155-156.
CROSS M, DEXTER TM. Growth factors in development, transformation, and tumorigenesis. Cell, 1991, *64* : 271-280.
CURRAN T, FRANZA Jr R. Fos and Jun: the AP-1 connection. Cell, 1988, *55* : 395-397.
DAMM K, THOMPSON CC, EVANS RM. Protein encoded by v-erbA fonctions as a thyroid-hormone receptor antagonist. Nature, 1989, *339* : 593-597.
DEJEAN A, BOUGUELERET L, GRZESCHIK KH et al. Hepatitis B virus DNA integration in a sequence homlogous to *v-erb-A* and steroid receptor genes in a hepatocellular carcinoma. Nature, 1986, *232* : 70-72.
DELATTRE O, ZUCMAN J, PLOUGASTEL B et al. Gene fusion with an ETS DNA-binding domain caused by chromosome translocation in human tumours. Nature, 1992, *359* : 162-165.
DE THE H, MARCHIO A, TIOLLAIS P et al. A novel steroid thyroid hormone receptor-related gene inappropriately expressed in human hepato-cellular carcinoma. Nature, 1987, *330* : 667-670.
DJABALI M, SELLERI L, PARRY P et al. A trithorax-like gene is interrupted by chromosome 11q23 translocations in acute leukaemias. Nat Genet, 1992, *2* : 113-118.
DOWNWARD J. The Ras superfamily of small GTP-binding proteins. Trends Biochem Sci, 1991, *15* : 469-472.
EVAN GI, LITTLEWOOD TD. The role of c-myc in cell growth. Curr Opin Genet Develop, 1993, *3* : 44-49.
EILERS M, PICARD D, YAMAMOTO KR et al. Chimaeras of Myc oncoprotein and steroid receptors cause hormone-dependent transformation of cells. Nature, 1989, *340* : 66-68.
FAHA B, EWEN ME, TSAI LH et al. Interaction between human cyclin A and adenovirus EIA-associated p107 protein. Science, 1992, *255* : 87-90.
FANIDI A, HARRINGTON EA, EVAN GI. Cooperative interaction between *c-myc* and *bcl*-2 proto-oncogenes. Nature, 1992, *359* : 554-556.
FARR CJ, SAIKI RK, ERLICH HA et al. Analysis of RAS gene mutations in acute myeloid leukemia by polymerase chain reaction and oligonucleotide probes. Proc Natl Acad Sci USA, 1988, *85* : 1629-1633.
FORRESTER K, ALMOGUERA C, HAN K et al. Detection of high incidence of K-ras oncogenes during human colon tumorigenesis. Nature, 1987, *327* : 298-303.
FOUREL G, TREPO C, BOUGUELERET L et al. Frequent activation of N-myc genes by hepadnavirus insertion in woodchuck liver tumours. Nature, 1990, *347* : 294-298.
GANDRILLON O, JURDIC P, PAIN B et al. Expression of the v-erbA product, an altered nuclear hormone receptor, is sufficient to transform erythrocytic cells in vitro. Cell, 1989, *58* : 115-121.
GARCIA I, MARTINOU I, TSUJIMOTO Y et al. Prevention of programmed cell death of sympathetic neurons by the *bcl-2* proto-oncogene. Science, 1992, *258* : 302-304.
GILMORE TD. Malignant transformation by mutant Rel proteins. Trends Genet, 1991, *7* : 318-322.
GISHIZKY ML, WITTE ON. Initiation of deregulated growth of multipotent progenitor cells by bcr-abl in vitro. Science, 1992, *256* : 836-839.
GODDARD AD, BORROW J, FREEMONT PS et al. Characterization of a zinc finger gene disrupted by the t(15;17) in acute promyelocytic leukemia. Science, 1991, *254* : 1371-1374.
GOLDFARB M, SHIMIZU K, PERUCHO M et al. Isolation and preliminary characterization of a human transforming gene from T24 bladder carcinoma cells. Nature, 1982, *296* : 404-409.
GREEN S, CHAMBON P. A superfamily of potentially oncogenic hormone receptors. Nature, 1986, *324* : 615-616.
GREENHALGH DA, WELTY DJ, PLAYER A et al. Two oncogenes, v-fos and v-ras, cooperate to convert normal keratinocytes to squamous cell carcinoma. Proc Natl Acad Sci USA, 1990, *87* : 643-647.
GREGORY CD, DIVE C, HENDERSON S et al. Activation of Epstein-Barr virus latent genes protects human B cells from death by apoptosis. Nature, 1991, *349* : 612-614.
GRIECO M, SANTORO M, BERLINGIERI MT et al. PTC is a novel rearranged form of the ret proto-oncogene and is frequently detected in vivo in human thyroid papillary carcinomas. Cell, 1990, *60* : 557-563.
GROFFEN J, STEPHENSON JR, HEISTERKAMP N et al. Philadelphia chromosomal breakpoints are clustered within a limited region, bcr, on chromosome 22. Cell, 1984, *36* : 93-99.
GU Y, NAKAMURA T, ALDER H et al. The t(4;11) chromosome translocation of human acute leukemias fuses the ALL-1 gene, related to drosophilia trithorax, to the AF-4 gene. Cell, 1992, *71* : 701-708.
DE GUNSBURG J. Les petites protéines G. M/S, 1992, *8* : 322-323.
HALL A. ras and GAP. Who's controlling whom. Cell, 1990, *61* : 921-923.
HATANO M, ROBERTS CWM, MINDEN M et al. Deregulation of a homeobox gene, HOX11, by the t(10;14) in the T cell leukemia. Science, 1991, *253* : 79-82.
HAYWARD WS, NEEL BG, ASTRIN SM. Activation of a cellular oncogene by a promoter insertion in ALV-induced lymphoid leukosis. Nature, 1981, *290* : 475-480.
HELDIN CH, WESTERMARK B. Growth factors as transforming proteins. Eur J Biochem, 1989, *184* : 487-496.
HERMANS A, HEISTERKAMP N, VON LINDERN M et al. Unique fusion of bcr and c-abl genes in Philadelphia chromosome positive acute lymphoblastic leukemia. Cell, 1987, *51* : 33-40.
HIRAI H, KONAYASHI Y, MANO H et al. A point mutation at codon 13 of the N-ras oncogene in myelodysplastic syndrome. Nature, 1987, *327* : 430-432.
HOCKENBERY D, NUNEZ G, MILLIMAN C et al. Bcl-2 is an inner mitochondrial membrane protein that blocks programmed cell death. Nature, 1990, *348* : 334-336.
HUNTER T, PINES J. Cyclins and cancer. Cell, 1991, *66* : 1071-1074.
HUNTER T. Oncogenes and the cell cycle. Curr Opin Genet Develop, 1993, *3* : 1-4.
JACKSON TR, BLAIR LAC, MARSHALL J et al. The *mas* oncogene encodes an angiotensin receptor. Nature, 1988, *335* : 437-440.
KAECH S, COVIC L, WYSS A et al. Association of $p60^{c\text{-}src}$ with polyoma virus middle-T antigen abrogating mitosis-specific activation. Nature, 1991, *350* : 431-433.
KAKIZUKA A, MILLER Jr WH, UMESONO K et al. Chromosomal translocation t(15;17) in human acute promyelocytic leukemia fuses RARa with a novel putative transcription factor, PML. Cell, 1991, *66* : 663-674.
KAMPS MP, MURRE C, SUN XH et al. A new homeobox gene contributes the DNA binding domain of the t(1;19) translocation protein in pre-B ALL. Cell, 1990, *60* : 547-555.
KAPLAN DR, MARTIN-ZANCA D, PARADA LF. Tyrosine phosphorylation and tyrosine kinase activity of the *trk* proto-oncogene product induced by NGF. Nature, 1991, *350* : 158-160.
KINZLER KW, VOGELSTEIN B. The GLI gene encodes a nuclear protein which binds specific sequences in the human genome. Mol Cell Biol, 1990, *10* : 634-642.
KLEIN G, KLEIN E. Conditioned tumorigenicity of activated oncogenes. Cancer Res, 1986, *46* : 3211-3224.
KLEIN G. Comparative action of *myc* and *bcl*-2 in B-cell malignancy. Cancer Cells, 1991, *3* : 141-143.
KRENGEL U, SCHLICHTING I, SCHERER A et al. Three dimensional structures of H-ras p21 mutants: molecular bases for their inability to function as signal switch molecules. Cell, 1990, *62* : 539-548.
KUMAR R, SUKUMAR S, BARBACID M. Activation of ras oncogenes preceding the onset of neoplasia. Science, 1990, *248* : 1101-1104.
LAMBALLE F, KLEIN R, BARBACID M. trkC, a new member of the trk family of tyrosine protein kinases, is a receptor for neurotrophin-3. Cell, 1991, *66* : 967-979.
LAND H, PARADA LF, WEINBERG RA. Tumorigenic conversion of primary embryo fibroblast requires at least two cooperating oncogenes. Nature, 1983, *304* : 596-601.
LAZARIS-KARATZAS A, MONTINE KS, SONENBERG N. Malignant transformation by a eukaryotic initiation factor subunit that binds to mRNA 5' cap. Nature, 1990, *345* : 544-547.
LEE MS, CHANG KS, CABANILLAS F et al. Detection of minimal residual cells carrying the t(14;18) by DNA sequence amplification. Science, 1987, *237* : 175-178.

LEWIN B. Oncogenic conversion by regulatory changes in transcription factors. Cell, 1991, *64* : 303-312.

LI P, WOOD K, MAMON H et al. Raf-1: a kinase currently without a cause but not lacking in effects. Cell, 1991, *64* : 479-482.

LUGO TG, PENDERGAST AM, MULLER AJ et al. Tyrosine kinase activity and transformation potency of bcr-abl oncogene products. Science, 1990, *247* : 1079-1082.

LUSCHER B, EISENMAN RN. New light on Myc and Myb. Part I. Myc. Genes Dev, 1990, *4* : 2025-2035.

LUSCHER B, EISENMAN RN. New light on Myc and Myb. Part II. Myb. Genes Dev, 1990, *4* : 2235-2241.

LYONS J, LANDIS CA, HARSH G et al. Two G protein oncogenes in human endocrine tumors. Science, 1990, *249* : 655-659.

MARTIN-ZANCA D, HUGUES SH, BARBACID M. A human oncogene formed by the fusion of truncated tropomyosin and protein tyrosine kinase sequences. Nature, 1986, *319* : 743-748.

MEJLINK F, CURRAN T, MILLER AD et al. Removal of a 67-base-pair sequence in the noncoding region of protooncogene fos converts it to a transforming gene. Proc Natl Acad Sci USA, 1985, *82* : 4987-4991.

METZ T, GRAF T. Fusion of the nuclear oncoproteins v-Myb and v-Ets is required for the leukemogenicity of E26 virus. Cell, 1991, *66* : 95-105.

MORAN E. A region of SV40 large T antigen can substitute for a transforming domain of the adenovirus E1A products. Nature, 1988, *334* : 168-170.

MORAN E. DNA tumor virus transforming proteins and the cell cycle. Curr Opin Genet Develop, 1993, *3* : 63-71.

MOTOKURA T, BLOOM T, KIM HG et al. A novel cyclin encoded by a bcl1-linked candidate oncogene. Nature, 1991, *350* : 512-515.

MOTOKURA T, ARNOLD A. Cyclin D and oncogenesis. Curr Opin Genet Develop, 1993, *3* : 5-10.

NARAYANAN R, KLEMENT JF, RUBEN SM et al. Identification of a naturally occurring NF-κB transforming variant of the p65 subunit of NF-κB. Science, 1992, *256* : 367-369.

NOURSE J, MELLENTIN JD, GALILI N et al. Chromosomal translocation t(1;19) results in synthesis of a homeobox fusion mRNA that codes for a potential chimeric transcription factor. Cell, 1990, *60* : 535-545.

NUNEZ G, HOCKENBERY D, McDONNELL TJ et al. Bcl-2 maintains B cell memory. Nature, 1991, *353* : 71-73.

NUSSE R, BROWN A, PAPKOFF J et al. A new nomenclature for int-1 and related genes: the Wnt gene family. Cell, 1991, *64* : 231-232.

OHNO H, TAKIMOTO G, McKEITHAN TW. The candidate proto-oncogene bcl-3 is related to genes implicated in cell lineage determination and cell cycle control. Cell, 1990, *60* : 991-997.

PANDOLFI PP, GRIGNANI F, ALCALAY M et al. Structure and origin of the acute promyelocytic leukemia myl/RARα cDNA and characterization of its retinoid-binding and transactivation properties. Oncogene, 1991, *6* : 1285-1292.

PATTEN J, JOHNS D, VALLE D et al. Mutation in the gene encoding the stimulatory G protein of adenylate cyclase in Albright's hereditary osteodystrophy. NFJM, 1990, *322* : 1412-1419.

PAWSON T. Transcription factors as oncogenes. Trends Genet, 1987, *3* : 333-336.

PINION SB, KENNEDY JH, MILLER RW et al. Oncogene expression in cervical intraepithelial neoplasia and invasive cancer of cervix. Lancet, 1991, *337* : 819-820.

REDDY EP, REYNOLD RK, SANTOS E et al. A point mutation is responsible for the acquisition of transforming properties by the T-24 human bladder carcinoma oncogene. Nature, 1982, *300* : 149-152.

REYNOLDS SH, ANNA CK, BROWN KC et al. Activated protooncogenes in human lung tumors from smokers. Proc Natl Acad Sci USA, 1991, *88* : 1085-1089.

ROWLEY JD. Human oncogene locations and chromosome aberrations. Nature, 1983, *301* : 290-291.

RUBEN SM, DILLON PJ, SCHRECK R et al. Isolation of a *rel*-related human cDNA that potentially encodes the 65-kD subunit of NF-κB. Science, 1991, *251* : 1490-1493.

RUBIN JS, FALETTO DL, CHAN AML et al. Identification of the hepatocyte growth factor receptor as the *c-met* protooncogene product. Science, 1991, *251* : 802-804.

RULEY HE. Adenovirus early region 1A enables viral and cellular transforming genes to transform primary cells in culture. Nature, 1983, *304* : 602-606.

SASSONE-CORSI P, BORRELLI E. Mutations in signal transduction pathways and inherited diseases. Curr Opin Genet Develop, 1992, *2* : 455-458.

SAWYERS CL, DENNY CT, WITTE ON. Leukemia and the disruption of normal hematopoiesis. Cell, 1991, *64* : 337-350.

SAWYERS CL, CALLAHAN W, WITTE ON. Dominant negative MYC blocks transformation by ABL oncogenes. Cell, 1992, *70* : 901-910.

SELLERS JW, STRUHL K. Changing Fos oncoprotein to a jun-independent DNA-binding protein with GCN4 dimerization specificity by swapping « leucine zippers ». Nature, 1989, *341* : 74-76.

SHI Y, GLYNN JM, GUILBERT LJ et al. Role for c-myc in activation-induced apoptotic cell death in T cells hybridomas. Science, 1992, *257* : 212-214.

SHIH C, SHILO BZ, GOLDFARB MP et al. Passage of phenotypes of chemically transformed cells via transfection of DNA and chromatin. Proc Natl Acad Sci USA, 1979, *76* : 5714-5718.

SHTIVELMAN E, LIFSHITZ B, GALE RP et al. Fused transcript of *abl* and *bcr* genes in chronic myelogenous leukaemia. Nature, 1985, *315* : 550-553.

SHOU C, FARNSWORTH CL, NEEL BG et al. Molecular cloning of cDNAs encoding a guanine-nucleotide-releasing factor for Ras p21. Nature, 1992, *358* : 351-354.

SIDRANSKY D, TOKINO T, HAMILTON SR et al. Identification of ras oncogene mutations in the stool of patients with curable colorectal tumors. Science, 1992, *256* : 102-105.

SLAMON DJ, CLARK GM, WONG SG et al. Human breast cancer: correlation of relapse and survival with amplification of the HER-2/*neu* oncogene. Science, 1987, *235* : 177-182.

SLEBOS RJC, KIBBELAAR RE, DALESIO O et al. K-ras oncogene activation as a pronostic marker in adenocarcinoma of the lung. N Eng J Med, 1990, *323* : 561-565.

SOMAN NR, WOGAN GN, RHIM JS. TPR-MET oncogenic rearrangement: detection by polymerase chain reaction amplification of the transcript and expression in human tumor cell lines. Proc Natl Acad Sci USA, 1990, *87* : 738-742.

SPECTOR DH, VARMUS HE, BISHOP JM. Nucleotide sequences related to the transforming gene of avian sarcoma viruses are present in DNA of uninfected vertebrates. Proc Natl Acad Sci USA, 1978, *75* : 4102-4106.

STARK GR, DEBATISSE M, GIULOTTO E et al. Recent progress in understanding mechanisms of mammalian DNA amplification. Cell, 1989, *57* : 901-908.

STEHELIN D, VARMUS HE, BISHOP JM et al. DNA related to the transforming gene(s) of avian sarcoma virus is present in normal avian DNA. Nature, 1976, *260* : 70-173.

STRUHL K. The DNA-binding domains of the jun oncoprotein and the yeast GCN4 transcriptional activator protein are functionally homologous. Cell, 1987, *50* : 841-846.

SUAREZ HG, DU VILLARD JA, CAILLOU B et al. *gsp* mutations in human thyroid tumours. Oncogene, 1991, *6* : 677-679.

TABIN CJ, BRADLEY SM, BARGMANN C et al. Mechanism of activation of a human oncogene. Nature, 1982, *300* : 143-149.

TAPAROWSKY E, SUARD Y, FASANO O et al. Activation of the T-24 bladder carcinoma transforming gene is linked to a single amino-acid change. Nature, 1982, *300* : 762-765.

TAYLOR SJ, SHALLOWAY D. The cell cycle anc c-src. Curr Opin Genet Develop, 1993, *3* : 26-34.

TRAVALI S, KONIECKI J, PETRALIA S et al. Oncogenes in growth and development. FASEB J, 1990, *4* : 3209-3214.

DE THE H, CHOMIENNE C, LANOTTE M et al. The t(15;17) translocation of acute promyelocytic leukaemia fuses the retinoic acid receptor alpha gene to a novel transcribed locus. Nature, 1990, *347* : 558-561.

DE THE H, LAVAU C, MARCHIO A et al. The PML-RARα fusion mRNA generated by the t(15;17) translocation in acute promyelocytic leukemia encodes a functionally altered RAR. Cell, 1991, *66* : 675-684.

TKACHUK DC, KOHLER S, CLEARY ML. Involvement of a homolog of drosophila trithorax by 11q23 chromosomal translocations in acute leukemias. Cell, 1992, *71* : 691-700.

TURNER R, TJIAN R. Leucine repeats and an adjacent DNA binding domain mediate the formation of functional cfos-cjun heterodimers. Science, 1989, *243* : 1689-1694.

WANG JYJ. Abl tyrosine kinase in signal transduction and cell-cycle regulation. Curr Opin Genet Develop, 1993, *3* : 35-43.

WANG LH, DUESBERG P, BEEMAN K et al. Mapping RNase T1-resistant oligonucleotides of avian tumor virus RNAs: sarcoma specific oligonucleotides are near the poly (A) end and oligonucleotides common to sarcoma and transformation-defective viruses are at the poly (A) end. J Virol, 1975, *161* : 1051-1070.

WASYLYK B, WASYLYK C, FLORES P et al. The c-*ets* proto-oncogenes encode transcription factors that cooperate with c-Fos and c-Jun for transcriptional activation. Nature, 1990, *346* : 191-193.

WEINBERGER C, THOMPSON CC, ONG ES et al. The *c-erb-A* gene encodes a thyroid hormone receptor. Nature, 1986, *324* : 641-646.

WHYTE P, WILLIAMSON NM, HARLOW E. Cellular targets for transformation by the adenovirus E1A proteins. Cell, 1989, *56* : 67-75.

WILLIAMS GT. Programmed cell death: apoptosis and oncogenesis. Cell, 1991, *65* : 1097-1098.

WONG YH, FEDERMAN A, PACE AM et al. Mutant a subunits of Gi2 inhibit cyclic AMP accumulation. Nature, 1991, *351* : 63-65.

WULCZYN FG, NAUMANN M, SCHEIDEREIT C. Candidate proto-oncogene *bcl-3* encodes a subunit-specific inhibitor of transcription factor NF-κB. Nature, 1992, *358* : 597-599.

YEW PR, BERK AJ. Inhibition of p53 transactivation required for transformation by adenovirus early 1B protein. Nature, 1992, *357* : 82-85.

ZERVOS AS, GYURIS J, BRENT R. Mxi1, a protein that specifically interacts with Max to bind Myc-Max recognition sites. Cell, 1993, *72* : 223-232.

ZUTTER M, HOCKETT RD, ROBERTS CWM et al. The t(10;14) (q24;q11) of T-cell acute lymphoblastic leukemia juxtaposes the δ T-cell receptor with TCL3, a conserved and activated locus at 10q24. Proc Natl Acad Sci USA, 1991, *87* : 3161-3165.

Anti-oncogènes

ALI IU, LIDEREAU R, THEILLET C et al. Reduction to homozygosity of genes of chromosome 11 in human breast neoplasia. Science, 1987, *238* : 185-188.

BAGCHI S, WEINMANN R, RAYCHAUDHURI P. The retinoblastoma protein copurifies with E2F-I an E1A-regulated inhibitor of the transcription factor E2F. Cell, 1991, *65* : 1063-1072.

BAKER SJ, FEARON ER, NIGRO JM et al. Chromosome 17 deletions and p53 gene mutations in colorectal carcinomas. Science, 1989, *244* : 217-221.

BAKER SJ, MARKOWITZ S, FEARON ER et al. Suppression of human colorectal carcinoma cell growth by wild-type p53. Science, 1990, *249* : 912-915.

BALLESTER R, MARCHUK D, BOGUSKI M et al. The NF1 locus encodes a protein functionally related to mammalian GAP and yeast IRA proteins. Cell, 1990, *63* : 851-859.

BANDARA LR, LA THANGUE NB. Adenovirus E1a prevents the retinoblastoma gene product from complexing with a cellular transcription factor. Nature, 1991, *351* : 494-497.

BANDARA LR, ADAMCZEWSKI JP, HUNT T et al. Cyclin A and the retinoblastoma gene product complex with a common transcription factor. Nature, 1991, *352* : 249-251.

BARGONETTI J, FRIEDMAN PN, KERN SE et al. Wild-type but not mutant p53 immunopurified proteins bind to sequences adjacent to the SV40 origin of replication. Cell, 1991, *65* : 1083-1091.

BASU TN, GUTMANN D, FLETCHER JA et al. Aberrant regulation of ras proteins in malignant tumour cells from type 1 neurofibromatosis patients. Nature, 1992, *356* : 713-715.

BENEDICT WF, XU HJ, HU SX et al. Role of the retinoblastoma gene in the initiation and progression of human cancer. J Clin Invest, 1990, *85* : 988-993.

BICKMORE WA, OGHENE K, LITTLE MH et al. Modulation of DNA binding specificity by alternative splicing of the Wilms tumor *wt1* gene transcript. Science, 1992, *257* : 235-237.

BOLLAG G, McCORMICK F. Differential regulation of ras-GAP and neurofibromatosis gene product activities. Nature, 1991, *351* : 576-579.

BOOKSTEIN R, RIO P, MADREPERLA SA et al. Promoter deletion and loss of retinoblastoma gene expression in human prostate carcinoma. Proc Natl Acad Sci USA, 1990, *87* : 7762-7766.

BOOKSTEIN R, SHEW JY, CHEN PL et al. Suppression of tumorigenicity of human prostate carcinoma cells by replacing a mutated RB gene. Science, 1990, *247* : 712-715.

BRESSAC B, GALVIN KM, LIANG TJ et al. Abnormal structure and expression of p53 gene human hepatocellular carcinoma. Proc Natl Acad Sci USA, 1990, *87* : 1973-1977.

BRESSAC B, KEW M, WANDS J et al. Selective G to T mutations of p53 gene in hepatocellular carcinoma from southern Africa. Nature, 1991, *350* : 429-431.

CALL KM, GLASER T, ITO CY et al. Isolation and charaterization of a zinc finger polypeptide gene at the human chromosome 11 Wilms'tumor locus. Cell, 1990, *60* : 509-520.

CARON DE FROMENTEL C, SOUSSI T, MAY P. La protéine p53 : de la biologie moléculaire à la clinique. M/S, 1990, *6* : 352-358.

CAVENEE WK, DRYJA TP, PHILLIPS RA et al. Expression of recessive alleles by chromosomal mechanisms in retinoblastoma. Nature, 1983, *305* : 779-784.

CAVENEE WK, HANSEN MF, NORDENSKJOLD M et al. Genetic origin of mutations predisposing to retinoblastoma. Science, 1985, *278* : 501-503.

CAVENEE WK. The genetic basis of neoplasia: the retinoblastoma paradigm. Trends Genet, 1986, *2* : 299-300.

CHELLAPPAN SP, HIEBERT S, MUDRYJ M et al. The E2F transcription factor is a cellular target for the RB protein. Cell, 1991, *65* : 1053-1061.

CHEN PL, CHEN Y, BOOKSTEIN R et al. Genetic mechanisms of tumor suppression by the human p53 gene. Science, 1990, *250* : 1576-1580.

CHITTENDEN T, LIVINGSTON DM, KAELIN WG. The T/E1A-binding domain of the retinoblastoma product can interact selectively with a sequence-specific DNA-binding protein. Cell, 1991, *65* : 1073-1082.

COTTRELL S, BICKNELL D, KAKLAMANIS L et al. Molecular analysis of APC mutations in familial adenomatous polyposis and sporadic colon carcinomas. Lancet, 1992, *340* : 626-630.

DE CAPRIO JA, LUDLOW JW, FIGGE J et al. SV40 large tumor antigen forms a specific complex with the product of the retinoblastoma susceptibility gene. Cell, 1988, *54* : 275-283.

DECLUE JE, PAPAGEORGE AG, FLETCHER JA et al. Abnormal regulation of mammalian p21^{ras} contributes to malignant tumor growth in von Recklinghausen (type 1) neurofibromatosis. Cell, 1992, *69* : 265-273.

DYSON N, HOWLEY PM, MÜNGER K et al. The human papilloma virus-16 E7 onco-protein is able to bind to the retinoblastoma gene product. Science, 1989, *243* : 934-937.

ELIYAHU D, MICHALOVITZ D, ELIYAHU S et al. Wild-type p53 can inhibit oncogene-mediated focus formation. Proc Natl Acad Sci USA, 1989, *86* : 8763-8767.

FEARON ER, CHO KR, NIGRO JM et al. Identification of a chromosome 18q gene that is altered in colorectal cancers. Science, 1990, *247* : 49-56.

FIELDS S, JANG SK. Presence of a potent transcription activating sequence in the p53 protein. Nature, 1990, *249* : 1046-1049.

FINLAY C, HINDS P, LEVINE A. The p53 proto-oncogene can act as a suppressor of transformation. Cell, 1989, *57* : 1083-1093.

FONTAINE B, HANSON MP, VONSATTEL JP et al. Loss of chromosome 22 alleles in human sporadic spinal schwannomas. Ann Neurol, 1991, *29* : 183-186.

FRECH M, JOHN J, PIZON V et al. Inhibition of GTPase activating protein stimulation of Ras-p21 GTPase by the Krev-1 gene product. Science, 1990, *249* : 169-171.

FRIEND SH, BERNARDS R, ROGEL JS et al. A human DNA segment with properties of the gene that predisposes to retinoblastoma and osteosarcoma. Nature, 1986, *323* : 643-645.

FRIEND SH, HOROWITZ JM, GERBER MR et al. Deletions of a DNA sequence in retinoblastomas and mesenchymal tumors organization of the sequence and its encoded protein. Proc Natl Acad Sci USA, 1987, *84* : 9059-9063.

FRISCHAUF AM. Colon cancer culprit cloned. Curr Biol, 1991, *1* : 398-399.

FUNG YK, MURPHREE AL, T'ANG A et al. Structural evidence for the authenticity of the human retinoblastoma gene. Science, 1987, *236* : 1657-1661.

GESSLER M, POUTSKA A, CAVENEE W et al. Homozygous deletion in Wilms tumours of a zinc-finger gene identified by chromosome jumping. Nature, 1990, *343* : 774-778.

GILBERT F. Retinoblastoma and cancer genetics. N Engl J Med, 1986, *314* : 1248-1250.

GREEN AR, WYKE JA. Anti-oncogenes: a subset of regulatory genes involved in carcinogenesis? Lancet, 1985, *ii* : 475-477.

GRODEN J, THLIVERIS A, SAMOWITZ W et al. Identification and characterization of the familial adenomatous polyposis coli gene. Cell, 1991, *66* : 589-600.

HALEVY O, MICHALOVITZ D, OREN M. Different tumor-derived p53 mutants exhibit distinct biological activities. Science, 1990, *250* : 113-116.

HANSEN MF, CAVENEE WK. Retinoblastoma and the progression of tumor genetics. Trends Genet, 1988, *4* : 125-128.

HANSEN MF, CAVENEE WK. Tumor suppressors: recessive mutations that lead to cancer. Cell, 1988, *53* : 172-173.

HARBOUR JW, LAI SL, WHANG-PENG J et al. Abnormalities in structure and expression of the human retinoblastoma gene in SCLC. Science, 1988, *241* : 353-357.

HARRIS AL. Cancer genes: telling changes of base. Nature, 1991, *350* : 377-378.

HOLLINGSWORTH Jr RE, HENSEY CE, LEE WH. Retinoblastoma protein and the cell cycle. Curr Opin Genet Develop, 1993, *3* : 55-62.

HOLLSTEIN MC, METCALF RA, WELSH JA et al. Frequent mutation of the p53 in human esophageal cancer. Proc Natl Acad Sci USA, 1990, *87* : 9958-9961.

HOLLSTEIN M, SIDRANSKY D, VOGELSTEIN B et al. p53 mutations in human cancers. Science, 1991, *253* : 49-53.

HOROWITZ JM, YANDELL D, PARK SH et al. Point mutational inactivation of the retinoblastoma antioncogene. Science, 1989, *243* : 937-940.

HOROWITZ JM, PARK SH, BOGENMANN E et al. Frequent inactivation of the retinoblastoma anti-oncogene is restricted to a subset of human tumor cells. Proc Natl Acad Sci USA, 1989, *87* : 2775-2779.

HSU IC, METCALF R, SUN T et al. Mutational hot spot in the p53 gene in human hepatocellular carcinomas. Nature, 1991, *350* : 427-428.

HUANG H, YEE J, SHEW J et al. Suppression of the neoplastic phenotype by replacement of the RB gene in human cancer cells. Science, 1988, *242* : 1563-1566.

HUANG S, LEE WH, LEE EYHP. A cellular protein that competes with SV40 T antigen for binding to the retinoblastoma gene product. Nature, 1991, *350* : 160-162.

IGGO R, GATTER K, BARTEK J et al. Increased expression of mutant forms of p53 oncogene in primary lung cancer. Lancet, 1990, *335* : 675-679.

JOSLYN G, CARLSON M, THLIVERIS A et al. Identification of deletion mutations and three new genes at the familial polyposis locus. Cell, 1991, *66* : 601-613.

KERN SE, KINZLER KW, BRUSKIN A et al. Identification of p53 as a sequence-specific DNA-binding protein. Science, 1991, *252* : 1708-1711.

KERN SE, PIETENPOL JA, THIAGALINGAM S et al. Oncogenic forms of p53 inhibit p53-regulated gene expression. Science, 1992, *256* : 827-830.

KINZLER KW, NILBERT MC, VOGELSTEIN B et al. Identification of a gene located at chromosome 5q21 that is mutated in colorectal cancers. Science, 1991, *251* : 1366-1370.

KIM SJ, WAGNER S, LIU F et al. Retinoblastoma gene product activates expression of the human *TGF-b2* gene through transcription factor ATF-2. Nature, 1992, *358* : 331-334.

KITAYAMA H, SUGIMOTO Y, MATSUZAKI T et al. A ras-related gene with transformation suppressor activity. Cell, 1989, *56* : 77-84.

KLEIN G. The approaching era of the tumor suppressor genes. Science, 1987, *238* : 1539-1545.

KOK K, OSINGA J, CARRIT B et al. Deletion of a DNA sequence at the chromosomal region 3p21 in all major types of lung cancer. Nature, 1987, *330* : 578-581.

KOUFOS A, HANSEN MF, COPELAND NG et al. Loss of heterozygosity in three embryonal tumours suggests a common pathogenetic mechanism. Nature, 1985, *316* : 330-334.

LANE DP, BENCHIMOL S. p53: oncogene or anti-oncogene? Genes Dev, 1990, *4* : 1-8.

LANE DP. Worrying about p53. Curr Biol, 1992, *2* : 581-583.

LEVINE AJ, MOMAND J, FINLAY CA. The p53 tumour suppressor gene. Nature, 1991, *351* : 453-456.

LEVINE AJ. The p53 tumor-suppressor gene. N Engl J Med, 1992, *326* : 1350-1352.

LEONE A, FLATOW U, KING CR et al. Reduced tumor incidence, metastatic potential and cytokine responsiveness of nm23-transfected melanoma cells. Cell, 1991, *65* : 25-35.

LUDLOW JW, SHON J, PIPAS JM et al. The retinoblastoma susceptibility gene product undergoes cell cycle-dependent dephosphorylation and binding to and release from SV40 large T. Cell, 1990, *60* : 387-396.

MADDEN SL, COOK DM, MORRIS JF et al. Transcriptional repression mediated by the WT1 Wilms tumor gene product. Science, 1991, *253* : 1550-1553.

MARSHALL CJ. Tumor suppressor genes. Cell, 1991, *64* : 313-326.

MARTIN GA, VISKOCHIL D, BOLLAG G et al. The GAP-related domain of the neurofibromatosis type 1 gene product interacts with ras p21. Cell, 1990, *63* : 843-849.

MULLIGAN LM, MATLASHEWSKI GJ, SCRABLE HJ et al. Mechanisms of p53 loss in human sarcomas. Proc Natl Acad Sci USA, 1990, *87* : 5863-5867.

NAYLOR SL, JOHNSON BE, MINNA JD et al. Loss of heterozygosity of chromosome 3p markers in small-cell lung cancer. Nature, 1987, *329* : 451-454.

NEVINS JR. E2F: a link between the Rb tumor suppressor protein and viral oncoproteins. Science, 1992, *258* : 424-429.

NIGRO JM, BAKER SJ, PREISINGER AC et al. Mutations in the p53 gene occur in diverse human tumour types. Nature, 1989, *342* : 705-708.

NISHISHO I, NAKAMURA Y, MIYOSHI Y et al. Mutations of chromosome 5q21 genes in FAP and colorectal cancer patients. Science, 1991, *253* : 665-669.

PELLETIER J, BRUENING W, LI FP et al. WT1 mutations contribute to abnormal genital system development and hereditary Wilm's tumour. Nature, 1991, *353* : 431-434.

PERRY ME, LEVINE AJ. Tumor-suppressor p53 and the cell cycle. Curr Opin Genet Develop, 1993, *3* : 50-54.

PONDER B. Gene losses in human tumours. Nature, 1988, *335* : 400-402.

POWELL SM, ZILZ N, BEAZER-BARCLAY Y et al. APC mutations occur early during colorectal tumorigenesis. Nature, 1992, *359* : 235-237.

PRITCHARD-JONES K, FLEMING S, DAVIDSON D et al. The candidate Wilm's tumor gene is involved in genito-urinary development. Nature, 1990, *346* : 194-197.

RAUSCHER III FJ, MORRIS JF, TOURNAY OE et al. Binding of the Wilm's tumor locus zinc finger protein to the EGR-1 consensus sequence. Science, 1990, *250* : 1259-1262.

RAYCROFT L, WU H, LOZANO G. Transcriptional activation by wild-type but not transforming mutants of the p53 anti-oncogene. Science, 1990, *249* : 1049-1051.

ROBBINS PD, HOROWITZ JM, MULLIGAN RC. Negative regulation of human c-fos expression by the retinoblastoma gene product. Nature, 1990, *346* : 668-671.

ROSE EA, GLASER T, JONES C et al. Complete physical map of the WAGR region of 11p13 localizes a candidate Wilm's tumor gene. Cell, 1990, *60* : 495-508.

ROULEAU GA, WERTELECKI W, HAINES J et al. Genetic linkage of bilateral acoustic neurofibromatosis to a DNA marker on chromosome 22. Nature, 1987, *329* : 246-248.

RUBINFELD B, MUNEMITSU S, CLARK R et al. Molecular cloning of a GTPase activating protein specific for the Krev-1 protein $p21^{rap1}$. Cell, 1991, *65* : 1033-1042.

RUSTGI AK, DYSON N, BERNARDS R. Amino-terminal domains of c-myc and N-myc proteins mediate binding to the retinoblastoma gene product. Nature, 1991, *352* : 541-544.

SAGER R. Tumor suppressor genes: the puzzle and the promise. Science, 1989, *246* : 1406-1412.

SCRABLE HF, SAPIENZA C, CAVENEE WK. Genetic and epigenetic losses of heterozygosity in cancer predisposition and progression. Adv Cancer Res, 1990, *54* : 25-62.

SAKAI T, OHTANI N, McGEE TL et al. Oncogenic germ-line mutations in Spl and ATF sites in the human retinoblastoma gene. Nature, 1991, *353* : 83-86.

SCHEFFNER M, WERNESS BA, HUITBREGTSE JM et al. The E6

oncoprotein encoded by human papillomavirus types 16 and 18 promotes the degradation of p53. Cell, 1990, *63* : 1129-1136.
SIDRANSKY D, MIKKELSEN T, SCHWECHHEIMER K et al. Clonal expansion of p53 mutant cells is associated with brain tumour progression. Nature, 1992, *355* : 846-847.
SOLOMON E, VOSS R, HALL V et al. Chromosome 5 allele loss in human colorectal carcinomas. Nature, 1987, *328* : 616-619.
SOUSSI T. Structural aspects of the p53 protein in relation to gene evolution. Oncogene, 1990, *5* : 945-952.
STANBRIDGE FJ. Human tumor suppressor genes. Ann Rev Genet, 1990, *24* : 615-657.
SUGIMOTO K, TOYOSHIMA H, SAKAI R et al. Mutations of the p53 gene in lymphoid leukemia. Blood, 1991, *77* : 1153-1156.
TANAKA K, OSHIMURA M, KIKUCHI R et al. Suppression of tumorigenicity in human colon carcinoma cells by introduction of normal chromosome 5 or 18. Nature, 1991, *349* : 340-342.
VOGELSTEIN B, KINZLER KW. p53 function and dysfunction. Cell, 1992, *70* : 523-526.
VOGELSTEIN B, KINZLER KW. Carcinogens leave fingerprints. Nature, 1992, *355* : 209-210.
WEINBERG RA. Tumor suppressor genes. Science, 1991, *254* : 1138-1146.
WEISSMAN BE, SAXON PJ, PASQUALE SR et al. Introduction of a normal human chromosome 11 into a Wilm's tumor cell line controls its tumorigenic expression. Science, 1987, *236* : 175-180.
WERNESS BA, LEVINE AJ, HOWLEY PM. Association of human papillomavirus types 16 and 18 E6 proteins with p53. Science, 1990, *248* : 76-79.
WHYTE P, BUCHKOVICH KJ, HOROWITZ JM et al. Association between an oncogene and an anti-oncogene: the adenovirus E1A proteins bind to the retinoblastoma gene product. Nature, 1988, *334* : 124-129.
WILCOCK D, LANE DP. Localization of p53, retinoblastoma and host replication proteins at sites of viral replication in herpes-infected cells. Nature, 1991, *349* : 429-431.
WILLIAMS JC, BROWN KW, MOTT MG et al. Maternal allele loss in Wilm's tumor. Lancet, 1989, *i* : 283-284.
XU G, O'CONNELL P, VISKOCHIL D et al. The neurofibromatosis type 1 gene encodes a protein related to GAP. Cell, 1990, *62* : 599-608.
ZHANG K, DECLUE JE, VASS WC. Suppression of c-ras transformation by GTPase-activating protein. Nature, 1990, *346* : 754-756.
ZHU X, DUNN JM, PHILLIPS RA et al. Preferential germline mutation of the paternal allele in retinoblastoma. Nature, 1989, *340* : 312-313.

Virus

BARRE-SINOUSSI F, CHERMANN JC, REY F et al. Isolation of T-lymphotropic retrovirus from a patient at risk for acquired immune deficiency syndrome (AIDS). Science, 1983, *220* : 868-870.
BAUDENON S, KREMSDORF D, CROISSANT O et al. A novel type of human papillomavirus associated with genital neoplasias. Nature, 1986, *321* : 246-249.
BLUM HE, GEROK W, VYAS GN. The molecular biology of hepatitis B virus. Trends Genet, 1989, *5* : 154-158.
BRECHOT C. Hepatitis B virus and hepatocellular carcinoma. Bull Inst Pasteur, 1987, *85* : 125-149.
GALLO R. Le premier rétrovirus humain. Pour la Science, 1987, *112* : 60-72.
GALLO R. Le virus du SIDA. Pour la Science, 1987, *113* :12-24.
GANEM D, VARMUS HE. The molecular biology of the hepatitis viruses. Ann Rev Biochem, 1987, *56* : 651-693.
HOWLEY PM. The role of papillomaviruses in human cancer. *In* : VT De Vita, S Hellman, SA Rosenberg: Important advances in oncology, 1 Vol, Lippincott Co, 1987 : 55-73.
MACNAB JCM, WALKINSHAW SA, CORDINER JW et al. Human papillomavirus in clinically and histologically normal tissue of patients with genital cancer. N Engl Med, 1986, *315* : 1052-1058.
MEANWELL CA, COX MF, BLACKLEDGE G et al. HPV16 DNA in normal and malignant cervical epithelium: implications fort the aetiology and behaviour of cervical neoplasia. Lancet, 1987, *i* : 703-707.
MONTAGNIER L, BRUNET JB, KLATZMANN D. Le SIDA et son virus. La Recherche, 1985, *16* : 750-760.
PFISTER H. Human papillomaviruses and genital cancer. Adv Cancer Res, 1987, *48* : 113-147.
PHELPS WC, YEE CL, MUNGER K et al. The human papillomavirus type 16 E7 gene encodes transactivation and transformation functions similar to those of adenoviruse E1A. Cell, 1988, *53* : 539-547.
SCHNEIDER-MAUNOURY S. Papillomavirus et cancer. Rev Prat, 1987, *37* : 2567-2572.
SMITH MR, GREENE WC. Molecular biology of the type I human T-Cell leukemia virus (HTLV-I) and adult T-Cell leukemia. J Clin Invest, 1991, *87* : 761-766.
TIOLLAIS P, DEJEAN A, BUENDIA MA. Virus de l'hépatite B et hépatocarcinome. M/S, 1990, *6* : 96-97.
TIOLLAIS P, POURCEL C, DEJEAN A. The hepatitis B virus. Nature, 1985, *317* : 489-495.
VAN LOHUIZEN M, BERNS A. Tumorigenesis by slow-transforming retroviruses - an update. Biochim Biophys Acta, 1990, *1032* : 213-235.
VARMUS H. Retroviruses. Science, 1988, *240* : 1427-1435.
VARMUS H, BROWN P. Retroviruses. *In* : DE Berg, MM Howe. Mobile DNA. Washington, American Society for Microbiology, 1989, 53-108.
VASSEUR M. Les virus oncogènes. Introduction à la biologie moléculaire du cancer. Hermann, Paris, 1989, *1 vol* : 566 p.
VERMA RS. Oncogenetics. A new emerging field of cancer. Mol Gen Genet, 1986, *205* : 385-389.
WANG J, CHENIVESSE X, HENGLEIN B et al. Hepatitis B virus integration in a cyclin A gene in a hepatocellular carcinoma. Nature, 1990, *343* : 555-557.
WONG-STAAL F, GALLO RC. Human T-lymphotropic retroviruses. Nature, 1985, *317* : 395-403.
ZUR HAUSEN H. Viruses in human cancers. Science, 1991, *254* : 1167-1173.

Transgenèse — knock-out de gènes

ADAMS JM, CORY S. Transgenic models of tumor development. Science, 1991, *254* : 1161-1167.
AKAKI K, MIYAZAKI JI, HINO O et al. Expression and replication of hepatitis B virus genome in transgenic mice. Proc Natl Acad Sci USA, 1989, *86* : 207-211.
BRADL M, KLEIN-SZANTO A, PORTER S et al. Malignant melanoma in transgenic mice. Proc Natl Acad Sci USA, 1991, *88* : 164-168.
CECI JD, KOVATCH RM, SWING DA et al. Trangenic mice carrying a murine amylase 2.2/SV40 T antigen fusion gene develop pancreatic acinar cell and stomach carcinomas. Oncogene, 1991, *6* : 323-332.
CHISARI FV, KLOPCHIN K, MORIYAMA T et al. Molecular pathogenesis of hepatocellular carcinoma in hepatitis B virus transgenic mice. Cell, 1989, *59* : 1145-1156.
CLARKE AR, MAANDAG ER, VAN ROON M et al. Requirement for a functional *Rb-1* gene in murine development. Nature, 1992, *359* : 328-330.
DALEY GQ, VAN ETTEN RA, BALTIMORE D. Induction of chronic myelogenous leukemia in mice by the P210$^{bcr/abl}$ gene of the Philadelphia chromosome. Science, 1990, *247* : 824-830.
DONEHOWER LA, HARVEY M, SLAGLE BL et al. Mice deficient for p53 are developmentally normal but suceptible to spontaneous tumours. Nature, 1992, *356* : 215-221.
GERLINGER P. Animaux transgéniques et oncogenèse. M/S, 1989, *5* : 166-171.
GRONER B, SCHONENBERGER CA, ANDRES AC. Targeted expression of the ras and myc oncogenes in transgenic mice. Trends Genet, 1987, *3* : 306-308.
HANAHAN D. Dissecting multistep tumorigenesis in transgenic mice. Ann Rev Genet, 1988, *22* : 479-519.
HEISTERKAMP N, JENSTER G, TEN HOVE J et al. Acute leukaemia in *bcr/abl* transgenic mice. Nature, 1990, *344* : 251-253.
JACKS T, FAZELI A, SCHMITT EM et al. Effects of an *Rb* mutation in the mouse. Nature, 1992, *359* : 295-300.
KELLIHER MA, McLAUGHLIN J, WITTE ON et al. Induction of a chronic myelogenous leukemia-like syndrome in mice with v-abl and *BCR/ABL*. Proc Natl Acad Sci USA, 1990, *87* : 6649-6653.
KLEIN-SZANTO A, BRADL M, PORTER S et al. Melanosis and asso-

ciated tumors in transgenic mice. Proc Natl Acad Sci USA, 1991, *88* : 169-173.
LEDER A, PATTENGALE PK, KUO A et al. Consequences of widespread deregulation of the c-myc gene in transgenic mice: multiple neoplasms and normal development. Cell, 1986, *45* : 485-495.
LEE EYHP, CHANG CY, HU N et al. Mice deficient for Rb are nonviable and show defects in neurogenesis and haematopoiesis. Nature, 1992 : 288-294.
McDONNELL TJ, DEANE N, PLATT FM et al. Bcl-2 immunoglobulin transgenic mice demonstrate extended B-cell survival and follicular lymphoproliferation. Cell, 1989, *57* : 79-88.
McDONNEL TJ, KORSMEYER SJ. Progression from lymphoid hyperplasia to high-grade malignant lymphoma in mice transgenic for the t(14;18). Nature, 1991, *349* : 254-256.
MICKISCH GH, MERLINO GT, GALSKI H et al. Transgenic mice that express the human multidrug-resistance gene in bone marrow enable a rapid identification of agents that reverse drug resistance. Proc Natl Acad Sci USA, 1991, *88* : 547-551.
MUCENSKI ML, McLAIN K, KIER AB et al. A functional *c-myb* is required for normal murine fetal hepatic hematopoiesis. Cell, 1991, *65* : 677-689.
ORNITZ DM, HAMMER RE, MESSING A et al. Pancreatic neoplasia induced by SV40 T-antigen expression in acinar cells of transgenic mice. Science, 1987, *238* : 188-193.
QUAIFE CJ, PINKERT CA, ORNITZ CA et al. Pancreatic neoplasia induced by ras expression in acinar cells of transgenic mice. Cell, 1987, *48* : 1023-1034.
RIELE H, MAANDAG ER, CLARKE A et al. Consecutive inactivation of both alleles of the pim-1 proto-oncogene by homologous recombination in embryonic stem cells. Nature, 1990, *348* : 649-651.
STEWART TA, PATTENGALE PK, LEDER P. Spontaneous mammary adenocarcinomas in transgenic mice that carry and express MMTV-myc fusion genes. Cell, 1984, *38* : 627-637.
STRASSER A, HARRIS AW, BATH ML et al. Novel primitive lymphoid tumors induced in transgenic mice by cooperation between *myc* and *bcl-2*. Nature, 1990, *348* : 331-333.
WINDLE JJ, ALBERT DM, O'BRIEN JM et al. Retinoblastome in transgenic mice. Nature, 1990, *343* : 665-669.

Cancers familiaux

BYSTROEM C, LARSSON C, BLOMBERG C et al. Localization of the MEN 1 gene to a small region within chromosome 11q13 by deletion mapping in tumors. Proc Natl Acad Sci USA, 1990, *87* : 1958-1972.
CAVENEE WK, MURPHREE AL, SHULL MM et al. Prediction of familial predisposition to retinoblastoma. N Engl J Med, 1986, *314* : 1201-1207.
GLASER T, LANE J, HOUSMAN D. A mouse model of the aniridia-Wilms tumor deletion syndrome. Science, 1990, *250* : 823-827.
GONZALEZ FJ, SKODA RC, KIMURA S et al. Characterization of the common genetic defect in humans deficient in debrisoquine metabolism. Nature, 1988, *331* : 442-446.
HABER DA, HOUSMAN DE. Rate-limiting steps : the genetics of pediatric cancers. Cell, 1991, *64* : 5-8.
HALL JM, LEE MK, NEWMAN B et al. Linkage of early-onset breast cancer to chromosome 17q21. Science, 1990, *250* : 1684-1689.
HANSEN MF, CAVENEE WK. Genetics and cancer predisposition. Cancer Res, 1987, *47* : 518-5527.
HENRY I, BONAITI-PELLIE C, CHEHENSSE V et al. Uniparental paternal disomy in a genetic cancer-prediposing syndrome. Nature, 1991, *351* : 665-667.
HORSTHEMKE B, BARNERT HJ, GREGER V et al. Early diagnosis in hereditary retinoblastoma by detection of molecular deletions at gene locus. Lancet, 1987, *i* : 511-512.
KASTAN MB, ZHAN Q, EL-DEIRY WS et al. A mammalian cell cycle checkpoint pathway utilizing p53 and GADD45 is defective in ataxia-telangiectasia. Cell, 1992, *71* : 587-597.
KNUDSON AG Jr. Hereditay cancer, oncogenes and antioncogenes. Cancer Res, 1985, *45* : 1437-1443.
KNUDSON AG Jr. Genetics of human cancer. Ann Rev Genet, 1986, *20* : 231-251.
LI FP, FRAUMENI JF, MULVIHILL JJ et al. A cancer family syndrome in twenty-four kindreds. Cancer Res, 1988, *48* : 5358-5362.
LUSTBADER ED, WILLIAMS WR, BONDY ML et al. Segregation analysis of cancer in families of childhood soft-tissue-sarcoma patients. Am J hum Genet, 1992, *51* : 344-356.
MALKIN D, LI FP, STRONG LC et al. Germ line p53 mutations in a familial syndrome of breast cancer, sarcomas, and other neoplasms. Science, 1990, *250* : 1233-1238.
MALKIN D, JOLLY K, BARBIER N et al. Germline mutations of the p53 tumor-suppressor gene in children and young adults with second malignant neoplasms. N Engl J Med, 1992, *326* : 1309-1315.
MOSER AR, PITOT HC, DOVE WF. A dominant mutation that predisposes to multiple intestinal neoplasia in the mouse. Science, 1990, *247* : 322-324.
NORUM RA, LAFRENIERE RG, O'NEAL LW et al. Linkage of the multiple endocrine neoplasia type 2B gene (MEN2B) to chromosome 10 markers linked to MEN2A. Genomics, 1990, *8* : 313-317.
PONDER BAJ. Inherited predisposition to cancer. Trends Genet, 1990, *6* : 213-219.
PONDER BAJ. Prospects for genetic diagnosis of inherited predisposition to cancer. Trends Biotechnol, 1990, *8* : 98-104.
SRIVASTAVA S, ZOU Z, PIROLLO K et al. Germ-line transmission of a mutated *p53* gene in a cancer-prone family with Li-Fraumeni syndrome. Nature, 1990, *348* : 747-749.
SU LK, KINZLER KW, VOGELSTEIN B et al. Multiple intestinal neoplasia caused by a mutation in the murine homolog of the APC gene. Nature, 1992, *356* : 668-670.
TANIGAMI A, TOKINO T, TAKITA K et al. A 14 Mb physical map of the region at chromosome 11q13 harboring the MEN1 locus and the tumor amplicon region. Genomics, 1992, *13* : 16-20.
TOGUCHIDA J, YAMAGUCHI T, DAYTON SH et al. Prevalence and spectrum of germline mutations of the p53 gene among patients with sarcoma. N Engl J Med, 1992, *326* : 1301-1308.

Stratégies thérapeutiques

CLARKSON B. Retinoic acid in acute promyelocytic leukemia: the promise and the paradox. Cancer Cells, 1991, *3* : 211-220.
CULVER KW, RAM Z, WALBRIDGE S et al. In vivo gene transfer with retroviral vector-producer cells for treatment of experimental brain tumors. Science, 1992, *256* : 1550-1552.
DEGOS L, CASTAIGNE S, FENAUX P et al. Le traitement des leucémies aiguës à promyélocytes par l'acide tout-*trans* rétinoïque. M/S, 1991, *7* : 460-464.
GUTIERREZ AA, LEMOINE NR, SIKORA K. Gene therapy for cancer. Lancet, 1992, *339* : 715-721.
HENDERSON BE, ROSS RK, PIKE MC. Toward the primary prevention of cancer. Science, 1991, *254* : 1131-1138.
HUBER BE, RICHARDS CA, KRENITSKY TA. Retroviral-mediated gene therapy for the treatment of hepatocellular carcinoma: an innovative approach for cancer therapy. Proc Natl Acad Sci USA, 1991, *88* : 8039-8043.
KASID A, MORECKI S, AEBERSOLD P et al. Human gene transfer: characterization of human tumor-infiltrating lymphocytes as vehicles for retroviral-mediated transfer. Proc Natl Acad Sci USA, 1990, *87* : 473-477.
LIPPMAN ME. The development of biological therapies for breast cancer. Science, 1993, *259* : 631-632.
McMANAWAY ME, NECKERS LM, LOKE SL et al. Tumour-specific inhibition of lymphoma growth by an antisense oligodeoxynucleotide. Lancet, 1990, *335* : 808-811.
PASTAN I, FITZGERALD D. Recombinant toxins for cancer treatment. Science, 1991, *254* : 1173-1177.
ROSENBERG S. Contre le cancer : l'immunothérapie adoptive. Pour la Science, 1990, 26-34.
SZCZYLIK C, SKORSKI T, NICOLAIDES NC et al. Selective inhibition of leukemia cell proliferation by BCR-ABL antisense oligodoxynucleotides. Science, 1991, *253* : 562-565.

Chapitre 16 : Pathologie due à des génomes exogènes

ABBOTT MA, POIESZ BJ, BYRNE BC et al. Enzymatic gene amplification: qualitative and quantitative methods for detecting proviral DNA amplified in vitro. J Infect Dis, 1988, *158* : 1158-1169.

BARKER RH, LAKSAMI S, ROONEY W et al. Specific DNA probe for the diagnosis of plasmodium falciparum malaria. Science, 1986, *231* : 1434-1436.

BERNINGER M, HAMMER M, HOYER B et al. An assay for the detection of the DNA genome of hepatitis B virus in serum. J Med Virol, 1982, *9* : 57-68.

BRADLEY D. DNA probe for river blindness. Nature, 1987, *327* : 365-366.

BRÉCHOT C, HADCHOUEL M, SCOTTO J et al. Detection of hepatitis B virus DNA in liver and serum: a direct appraisal of the chronic carrier state. Lancet, 1981, *ii* : 765-768.

BRÉCHOT C. Diagnostic et prévention des infections par le virus de l'hépatite B : un exemple d'application des recombinaisons génétiques. Rev Prat, 1988, *38* : 35-44.

BRINCHMANN JE, ALBERT J, VARTDAL F. Few infected CD4 + T cells but a high propostion of replication-competent provirus copies in asymptomatic human immunodeficiency virus type 1 infection. J Virol, 1991, *65* : 2019-2023.

BRISSON-NOËL A, GICQUEL B, LECOSSIER D et al. Rapid diagnosis of tuberculosis by amplification of mycobacterial DNA in clinical samples. Lancet, 1989, *Nov 4* : 1069.

BYRNE BC, LI JJ, SNINSKY J, POIESZ BJ. Detection of HIV-1 RNA sequences by in vitro DNA amplification. Nucl Acids Res, 1988, *16* : 4165.

CASSOL SA, POON MC, PAL R et al. Primer-mediated enzymatic amplification of cytomegalovirus (CMV) DNA - Application to the early diagnosis of CMV infection in marrow transplant recipients. J Clin Invest, 1989, *83* : 1109-1115.

CURIALE MS, FLOWERS RS, MOZOLA MA et al. A commercial DNA probe-based diagnostic for the detection of Salmonella in food samples. *In* : LS Lerman: DNA probes. Current Comm in Molecular Biology. Cold Spring Harbor Laboratory, 1986 : 143-148.

DAVIS GR, BLUMEYER K, DIMICHELE LJ et al. Detection of human immunodeficiency virus type 1 in AIDS patients using amplification-mediated hybridization analyses: reproducibility and quantitative limitations. J Infect Dis, 1990, *162* : 13-20.

ERTTMANN KD, UNNASCH TR, GREEN BM et al. A DNA sequence specific for forest form *Onchocerca volvulus*. Nature, 1987, *327* : 415-417.

GILLEPSIE D, THOMPSON J, SOLOMON R. Probes for quantitative subpicogram amounts of HIV - 1 RNA by molecular hybridization. Mol Cell Prob, 1989, *3* : 73-86.

GISSMAN L, SCHNEIDER A. Human papillomavirus DNA in preneoplastic and neoplastic genital lesions. Banbury Report, 1986, *21* : 217-224.

GRIMONT F, GRIMONT P. La carte d'identité génétique des bactéties. Biofutur, 1990, *Nov 90* : 50-52.

HAASE AT. In situ hybridization and covert virus infections. *In* : AL Notkins, MBA Oldstone. Concepts in Viral Pathology, Springer Verlag, 1986 : 310-316.

HART C, SCHOCHETMAN G, SPIRA T et al. Direct detection of HIV RNA expression in seropositive subjects. Lancet, 1988, *ii* : 596-599.

KEW O, NOTTAY B. Oligonucleotide fingerprinting in the investigations of outbreaks of viral disease. *In* : Al Notkins, MBA Oldstone. Concepts in Viral Pathology, Springer Verlag, 1986 : 317-323.

KRIVINE A, YAKUDIMA A, LEMAY M et al. A comparative study of virus isolation, polymerase chain reaction, and antigen detection in children of mothers infected with human immunodeficiency virus. J Pediatr, 1990, *116* : 372-376.

KWOK S, MACK DH, MULLIS KG et al. Identification of HIV sequences by using in vitro enzymatic amplification and oligomer cleavage detection. J Virol, 1987, *61* : 1690-1694.

KWOK S, EHRLICH G, POIESZ B et al. Enzymatic amplification of HTLV-1 viral sequences from peripheral blood mononuclear cells and infected tissues. Blood, 1988, *72* : 1117-1123.

LANDRY ML, FONG CKY. Nucleic acid hybridization in the diagnosis of viral infections. Clin Lab Med, 1985, *5* : 513-529.

LARZUL D, CHEVRIER D, GUESDON JL. A non-radioactive diagnostic test for the detection of HBV DNA sequences in serum at the single molecule level. Mol Cell Prob, 1989, *3* : 45-57.

LARZUL D, THIERS V, COUROUCÉ et al. Non-radioactive hepatitis B virus DNA probe for detection of HBV-DNA in serum. J Hepatol, 1987, *5* : 199-204.

LAURE F, COURGNAUD V, ROUZIOUX C et al. Detection of HIV DNA in infants and children by means of the polymerase chain reaction. Lancet, 1988, *ii* : 538-541.

LOCHE M, MACH B. Identification of HIV-infected seronegative individual by a direct diagnostic test based on hybridisation to amplified viral DNA. Lancet, 1988, *ii* : 418-421.

LORINCZ AT, LANCASTER WD, KURMAN RJ et al. Characterization of human papillomavirus in cervical neoplasias and their detection in routine clinical screening. Banbury Report, 1986, *21* : 225-237.

LOWE JB. Clinical applications of gene probes in human genetic disease, malignancy, and infectious disease. Clin Chim Acta, 1986, *157* : 1-32.

McCANCE DJ, CAMPION MJ, SINGER A. Non-invasive detection of cervical papillomavirus DNA. Lancet, 1986, *ii* : 558-559.

McLAUGHLIN G, RUTH JL, JABLONSKI E et al. Use of enzyme-linked synthetic DNA in diagnosis in falciparum malaria. Lancet, 1987, *i* : 714-716.

MURAKAWA GJ, ZAIA JA, SPALLONE PA et al. Direct detection of HIV-1 RNA from AIDS and ARTC patient samples. DNA, 1988, *7* : 287-295.

OSTROW RS, MANIAS DA, FONG WJ et al. A survey of human cancers for human papillomavirus DNA by filter hybridization. Cancer, 1987, *59* : 429-434.

OU CY, KWOK S, MITCHELL SW et al. DNA amplification for direct detection of HIV-1 in DNA of peripheral blood mononuclear cells. Science, 1988, *239* : 295-297.

PALVA A, RANKI M. Microbial diagnosis by nucleic acid sandwich hybridization. Clin Lab Med, 1985, *5* : 475-490.

PARKKINEN S, MÄNTYJÄRVI R, SYRJÄNEN K et al. Sandwich hybridization in solution: a rapid method to screen HPV 16 DNA in cervical scrapes. Mol Cell Prob, 1989, *3* : 1-11.

PFISTER H. Human papillomaviruses and genital cancer. Adv Cancer Res, 1987, *48* : 113-147.

RANKI M, KORPELA K, LAAKSONEN M et al. Nucleic acid sandwich hybridization: methodology and applications to microbial diagnosis. *In* : LS Lerman. DNA probes. Current Comm in Molecular Biology, Cold Spring Harbor Laboratory, 1986, 119-125.

RAYFIELD M, DE COCK K, HEYWARD W et al. Mixed human immunodeficiency virus (HIV) infection in an individual: demonstration of both HIV type 1 and type 2 proviral sequences by using polymerase chain reaction. J Infect Dis, 1988, *158* : 1170-1176.

RICHMAN DD, CLEVELAND PH, REDFIELD DC et al. Rapid viral diagnosis. J Infect Dis, 1984, *149* : 298-310.

RICHMAN DD, WAHL GM. Nucleic acid probes to detect viral diseases. *In* : Al Notkins, MBA Oldstone. Concepts in Viral Pathogenesis, Springer-Verlag, 1986 : 301-309.

ROGERS M, OU C-Y, RAYFIED M et al. Use of the polymerase chain reaction for early detection of the proviral sequences of human immunodeficiency virus in infants born to seropositive mothers. N Engl J Med, 1989, *320* : 1649-1654.

SAULS CD, CASKEY CT. Applications of recombinant DNA to pathologic diagnosis. Clin Chem, 1985, *31* : 804-811.

SCHNEIDER-MAUNOURY S. Papillomavirus et cancer. Rev Prat, 1987, *37* : 2567-2572.

SETHABUTR O, HANCHALAY S, ECHEVERRIA P et al. A non-radioactive DNA probe to identify Shigella and entero invasive Escherichia coli in stools of children with diarrhoea. Lancet, 1985, 16 novembre : 1095-1097.

SHIBATA D, MARTIN W, APPLEMAN M et al. Detection of cytomegalovirus DNA in peripheral blood of patients infected with human immunodeficiency virus. J Infect Dis, 1988, *158* : 1185-1192.

SIMMONDS P, ZHANG LQ, WATSON HG. Hepatitis C quantification and sequencing in blood products, haemophiliacs, and drug users. Lancet, 1990, *336* : 1469-1472.

SPECTOR SA, SPECTOR DH. The use of DNA probes in studies of human cytomegalovirus. Clin Chemist, 1985, *31* : 1514-1520.

SYVÄNEN AC. Nucleic acid hybridization: from research tool to routine diagnostic method. Med Biol, 1986, *64* : 313-324.
SYRJÄNEN KJ, SYRJÄNEN SM. Human papillomavirus DNA in bronchial squamous cell carcinomas. Lancet, 1987, *i* : 168-169.
TENOVER FC. DNA probes for antimicrobial resistance genes. *In* : LS Lerman. DNA probes. Current Comm in Molecular Biology. Cold Spring Harbor Laboratory, 1986 : 149-152.
TENOVER FC. Diagnostic deoxyribonucleic acid probes for infectious diseases. Clin Microbiol Rev, 1988, *1* : 82-101.
TOMPKINS LS. The use of molecular methods in infectious diseases. N Engl J Med, 1992, *327* : 1290-1297.
ULRICH PP, ROMEO JM, LANE PK et al. Detection, semiquantification, and genetic variation in hepatitis C virus sequences amplified from the plasma of blood donors with elevated aminotransferase. J Clin Invest, 1990, *86* : 1609-1614.
VIRTANEN M, PALVA A, LAAKSONEN M et al. Novel test for rapid viral diagnosis: detection of adenovirus in nasopharingeal mucus aspirates by means of nucleic-acid sandwich hybridization. Lancet, 1983, *i* : 381-383.
VISCIDI RP, YOLKEN RG. Molecular diagnosis of infectious diseases by nucleic acid hybridization. Mol Cell Prob, 1987, *1* : 3-1.
WEINTRUB P, ULRICH P, EDWARDS JEC. Use of polymerase chain reaction for the early detection of HIV infection in the infants of seropositive women. AIDS, 1991, *5* : 881-884.
WELLER I, FOWLER M, MONJARDINO J et al. The detection of HBV-DNA in serum by molecular hybridization; a more sensitive method for the detection of complete HBV particles. J Med Virol, 1982, *9* : 273-280.

Chapitre 17 : Thérapie génique

The ADA human gene therapy clinical protocol. Hum Gene Ther, 1990, *1* : 327-329.
ACSADI G, DICKSON G, LOVE D et al. Human dystrophin expression in *mdx* mice after intramuscular injection of DNA constructs. Nature, 1991, *352* : 815-818.
AKLI S, CAILLAUD C, VIGNE E et al. Transfer of foreign genes into the brain using adenovirus vectors. Nat Genet, 1993, *3* : 224-228.
ANDERSON WF. Human gene therapy. Science, 1992, *256* : 808-813.
ANSON DS, HOCK R, AUSTEN D et al. Towards gene therapy for hemophilia B. Mol Biol Med, 1987, *4* : 11-20.
BABINET C. Les cellules souches embryonnaires de souris : une voie privilégiée de transformation génétique à l'échelle de l'animal. M/S, 1992, *8* : 268-275.
BAJOCCHI G, FELDMAN SH, CRYSTAL RG et al. Direct in vivo gene transfer to ependymal cells in the central nervous system using recombinant adenovirus vectors. Nature Genet, 1993, *3* : 229-234.
BALTIMORE D. Intracellular immunization. Nature, 1988, *335* : 395-396.
BARR E, LEIDEN J. Systemic delivery of recombinant proteins by genetically modified myoblasts. Science, 1991, *254* : 1507-1509.
BEHRINGER RR, RYAN TM, REILLY MP et al. Synthesis of functional human hemoglobin in transgenic mice. Science, 1989, *245* : 971-973.
BENVENISTY N, RESHEF L. Direct introduction of genes into rats and expression of the genes. Proc Natl Acad Sci USA, 1986, *83* : 9551-9555.
BEUZARD Y, GAREL M, SAADANE N et al. Un modèle transgénique pour la drépanocytose. La Recherche, 1992, *23* : 100-101.
BOWTELL DDL, JOHNSON GR, KELSO A et al. Expression of genes transferred to haemopoietic stem cells by recombinant retroviruses. Mol Biol Med, 1987, *4* : 229-250.
CARMEN IH. Debates, divisions, and decisions: Recombinant DNA Advisory Committee (RAC) authorization of the first human gene transfer experiments. Am J Hum Genet, 1992, *50* : 245-260.
CAVARD C, GRIMBER G, DUBOIS N et al. Correction of mouse ornithine transcarbamylase deficiency by gene transfer to the germ line. Nucl Acids Res, 1988, *16* : 2099-2110.
CHADA KJ, MAGRAM J, RAPHAEL K et al. Specific expression of a foreign β-globin gene in erythroid cells of transgenic mice. Nature, 1985, *314* : 377-380.
CHOO KH, RAPHAEL K, McADAM W et al. Expression of active human blood clotting factor IX in transgenic mice: use of a cDNA with complete mRNA sequence. Nucl Acids Res, 1987, *15* : 871-884.
CHOWDHURY JR, GROSSMAN M, GUPTA S et al. Long-term improvement of hypercholesterolemia after ex vivo gene therapy in LDLR-deficient rabbits. Science, 1991, *254* : 1802-1805.
COSTANTINI F, CHADA K, MAGRAM J. Correction of murine β-thalassemia by gene transfer into the germ line. Science, 1986, *233* : 1192-1194.
CRYSTAL R. Alpha 1-antitrypsin deficiency, emphysema, and liver disease. Genetic basis and strategies for therapy. Nature, 1990, *85* : 1343-1352.
CULVER KW, ANDERSON WF, BLAESE RM. Lymphocyte gene therapy. Hum Gene Ther, 1991, *2* : 107-109.
CULVER KW, RAM Z, WALBRIDGE S et al. In vivo gene transfer with retroviral vector-producer cells for treatment of experimental brain tumors. Science, 1992, *256* : 1550-1552.
DHAWAN J, PAN LC, PAVLATH GK et al. Systemic delivery of human growth hormone by injection of genetically engineered myoblasts. Science, 1991, *254* : 1509-1512.
DICK JE, MAGLI MC, PHILLIPS RA et al. Genetic manipulation of hematopoietic stem cells with retrovirus vectors. Trends Genet, 1986, *2* : 165-170.
DOETSCHMAN T, GREGG RG, MAEDA N et al. Targetted correction of a mutant HPRT gene in mouse embryonic stem cells. Nature, 1987, *330* : 576-578.
DRUMM ML, POPE HA, CLIFF WH et al. Correction of the cystic fibrosis defect in vitro by retrovirus-mediated gene transfer. Cell, 1990, *62* : 1227-1223.
DZIERZAK EA, PAPAYANNOPOULOU T, MULLIGAN R. Lineage-specific expression of a human β-globin gene in murine bone marrow transplant recipients reconstituted with retrovirus-transduced stem cells. Nature, 1988, *331* : 35-41.
EGLITIS MA, KANTOFF PW, McLACHLIN JR. Gene therapy: efforts at developing large animals models for autologous bone marrow transplant and gene transfer with retroviral vectors. *In* : Molecular approaches to human polygenic disease, 1987, Ciba Foundation, Symposium 130, John Wiley and Sons : 229-246.
FERRY N, DUPLESSIS O, HOUSSIN D et al. Retroviral-mediated gene transfer into hepatocytes *in vivo*. Proc Natl Acad Sci USA, 1991, *88* : 8377-8381.
GARVER Jr RI, CHYTIL A, COURTNEY M et al. Clonal gene therapy: transplanted mouse fibroblasts clones express human α-1-antitrypsin gene in vivo. Science, 1987, *237* : 762-764.
GOLUMBEK PT, LAZENBY AJ, LEVITSKY HI et al. Treatment of established renal cancer by tumor cells engineered to secrete interleukin-4. Science, 1991, *254* : 713-716.
GORING DR, ROSSANT J, CLAPOFF S et al. In situ detection of β-galactosidase in lenses of transgenic mice with a γ-crystallin/lacZ gene. Science, 1987, *235* : 456-458.
GORDON JW, SCANGOS GA, PLOTKIN DJ et al. Genetic transformation of mouse embryos by the microinjection of purified DNA. Proc Natl Acad Sci USA, 1980, *77* : 7380-7384.
GREAVES DR, FRASER P, VIDAL MA et al. A transgenic mouse model of sickle cell disorder. Nature, 1990, *343* : 183-185.
GROSVELD F, VAN ASSENDELFT GB, GREAVES DR et al. Position-independent high-level expression of the human β-globin gene in transgenic mice. Cell, 1987, *51* : 975-985.
GRUBER HE, FINLEY KD, HERSHBERG RM et al. Retroviral vector-mediated gene transfer into human hematopoietic progenitor cells. Science, 1985, *230* : 1057-1061.
HAMMER RE, PALMITER RD, BRINSTER RL. Partial correction of murine hereditary growth disorder by germ-line incorporation of a new gene. Nature, 1984, *311* : 65-67.
HARRISON GS, MAXWELL F, LONG CJ et al. Activation of a diphteria toxin 1 gene expression o human immunodeficiency virus-1. Hum Gene Therapy, 1991, *2* : 53-60.
HOCK RA, MILLER AD. Retrovirus-mediated transfer and expression of drug resistance genes in human hematopoietic progenitor cells. Nature, 1986, *320* : 275-277.
HOGAN B. Engineering mutant mice. Nature, 1987, *326* : 240-241.
HOOPER M, HARDY K, HANDYSIDE A et al. HPRT-deficient (Lesch-Nyhan) mouse embryos derived from germline colonization by cultured cells. Nature, 1987, *326* : 292-295.

HOWELL SB, MURPHY MP, JOHNSON J et al. Gene therapy for thioguanine-resistant human leukemia. Mol Biol Med, 1987, *4* : 157-168.

Human Gene Therapy. A background paper. Washington, DC: US Congress, Office of Technology Assessment, OTA-BP-BA-32, December 1984.

HYDE SC, GILL DR, HIGGINS CF et al. Correction of the ion transport defect in cystic fibrosis transgenic mice by gene therapy. Nature, 1993, *362* : 250-255.

JAENISCH R. Transgenic animals. Science, 1988, *240* : 1468-1474.

JAFFÉ HA, DANEL C, LONGENECKER G et al. Adenovirus-mediated in vivo gene transfer and expression in normal rat liver. Nat Genet, 1992, *1* : 372-378.

KAHN A. L'ADN médicament. Médecine/Sciences, Paris, John Libbey Eurotext, 1993, 1 vol.

KAHN A, BRIAND P. Thérapie génique : espoirs et limites. M/S, 1991, *7* : 705-714.

KASID A, MORECKI S, AEBERSOLD P et al. Human gene transfer: characterization of human tumor-infiltrating lymphocytes as vehicles for retroviral-mediated transfer. Proc Natl Acad Sci USA, 1990, *87* : 473-477.

KELLER G, PAIGE C, GILBOA E et al. Expression of a foreign gene in myeloid and lymphoid cells derived from multipotent haematopoietic precursors. Nature, 1985, *318* : 149-154.

KUEHN MR, BRADLEY A, ROBERTSON EJ et al. A potential animal model for Lesch-Nyhan syndrome through introduction of HPRT mutations into mice. Nature, 1987, *326* : 295-298.

KÜHN LC, McCLELLAND A, RUDDLE FH. Gene transfer, expression and molecular cloning of the human transferrin receptor gene. Cell, 1984, *37* : 95-103.

LEDLEY FD, DARLINGTON GJ, HAHN T et al. Retroviral gene transfer into primary hepatocytes: implications for genetic therapy of liver-specific functions. Proc Natl Acad Sci USA, 1987, *84* : 5335-5339.

LEDLEY FD, GRENETT HE, McGINNIS-SHELNUTT M et al. Retroviral-mediated gene transfer of human phenylalanine hydroxylase into NIH 3T3 and hepatoma cells. Proc Natl Acad Sci USA, 1986, *83* : 409-413.

LE GAL LA SALLE G, ROBERT JJ, BERRARD S et al. An adenovirus vector for gene transfer into neurons and glia in the brain. Science, 1993, *259* : 988-990.

LE MEUR M, GERLINGER P, BENOIST C et al. Correcting an immune-response deficiency by creating Eα gene transgenic mice. Nature, 1985, *316* : 38-42.

LÉVY J. Traitements du SIDA : recherche de nouveaux médicaments et élaboration de thérapies géniques. M/S, 1991, *7* : 830-841.

LIN FL, SPERLE K, STERNBERG N. Recombination in mouse L cells between DNA introduced into cells and homologous chromosomal sequences. Proc Natl Acad Sci USA, 1985, *82* : 1391-1395.

LINZER D. Homologous recombination in human cells. Trends Genet, 1985, *1* : 292-293.

MANSOUR SL, THOMAS KR, CAPECCHI MR. Disruption of the proto-oncogene *int*-2 in mouse embryo-derived stem-cells: a general strategy for targeting mutations to non-selectable genes. Nature, 1988, *336* : 348-352.

McIVOR RS, JOHNSON J, MILLER AD et al. Human purine nucleoside phosphorylase and adenosine deaminase: gene transfer into cultured cells and murine hematopoietic stem cells by using recombinant amphotropic retroviruses. Mol Cell Biol, 1987, *7* : 838-846.

MILLER AD. Human gene therapy comes of age. Nature, 1992, *357* : 455-460.

MILLER AD, ECKNER RJ, JOLLY DJ et al. Expression of a retrovirus encoding human HPRT in mice. Science, 1984, *225* : 630-632.

MILLER AD, JOLLY DJ, FRIEDMANN T et al. A transmissible retrovirus expressing human hypoxanthine phosphoribosyltransferase (HPRT): gene transfer into cells obtained from humans deficient in HPRT. Proc Natl Acad Sci USA, 1983, *80* : 4709-4713.

MONK M, HANDYSIDE A, HARDY K et al. Preimplantation diagnosis of deficiency of hypoxanthine phosphoribosyl transferase in a mouse model for Lesch-Nyhan syndrome. Lancet, 1987, *ii* : 423-425.

MORGAN JR, BARRANDON Y, GREEN H et al. Expression of an exogenous growth hormone gene by transplantable human epidermal cells. Science, 1987, *327* : 1476-1479.

NISHIMOTO H, KIKUTANI H, YAMAMURA K et al. Prevention of autoimmune insulitis by expression of I-E molecules in NOD Mice. Nature, 1987, *328* : 432-434.

ORKIN SH, WILLIAMS DA. Gene therapy of somatic cells: status and prospects. *In* : B Childs, NA Holtzman, HH Kazazian Jr, DL Valle. Molecular genetics in medicine, Elsevier, 1988 : 130-142.

O'GORMAN S, FOX D, WAHL G. Recombinase-mediated gene activation and site-specific integration in mammalian cells. Science, 1991, *251* : 1351-1355.

PALMER TD, HOCK RA, OSBORNE WRA et al. Efficient retrovirus-mediated transfer and expression of a human adenosine deaminase gene in diploid skin fibroblasts from an adenosine deaminase-deficient human. Proc Natl Acad Sci USA, 1987, *84* : 1055-1059.

PALMITER RD, BRINSTER RL. Transgenic mice, Cell, 1985, *41* : 343-345.

PALMITER RD, BRINSTER RL, HAMMER RE et al. Dramatic growth of mice that develop from eggs microinjected with metallothionein-growth hormone fusion genes. Nature, 1982, *300* : 611-615.

PALMITER RD, SANDGREN EP, AVARBOCK MR et al. Heterologous introns can enhance expression of transgenes in mice. Proc Natl Acad Sci USA, 1991, *88* : 478-482.

PARKMAN R. The application of bone marrow transplantation to the treatment of genetic diseases. Science, 1986, *232* : 1373-1378.

PINKERT CA, WIDERA G, COWING C et al. Tissue-specific, inducible and functional expression of the $E\alpha^d$ MHC class II gene in transgenic mice. EMBO J, 1985, *4* : 2225-2230.

POPKO B, PUCKETT C, LAI E et al. Myelin deficient mice: expression of myelin basic protein and generation of mice with varying levels of myelin. Cell, 1987, *48* : 713-721.

POTTER SS. Transgenic animals. Curr Opin Biotechnol, 1990, *1* : 159-165.

RAGOT T, VINCENT N, CHAFEY P et al. Efficient adenovirus-mediated transfer of a human minidystrophin gene to skeletal muscle of *mdx* mice. Nature, 1993, *361* : 647-650.

REDHEAD C, POPKO B, TAKAHASHI N et al. Expression of a myelin basic protein gene in transgenic shiverer mice: correction of the dysmyelinating phenotype. Cell, 1987, *48* : 703-712.

REID LH, GREGG RG, SMITHIES O et al. Regulatory elements in the introns of the human HPRT gene are necessary for its expression in embryonic stem cells. Proc Natl Acad Sci USA, 1990, *87* : 4299-4303.

RICH DP, ANDERSON MP, GREGORY RJ et al. Expression of cystic fibrosis transmembrane conductance regulator corrects defective chloride channel regulation in cystic fibrosis airway epithelial cells. Nature, 1990, *347* : 358-365.

ROBERTSON E, BRADLEY A, KUEHN M et al. Germ-line transmission of genes introduced into cultured pluripotential cells by retroviral vector. Nature, 1986, *323* : 445-448.

ROBERTSON EJ. Pluripotential stem lines as a route into the mouse germ line. Trends Genet, 1986, *2* : 9-13.

ROSENBERG S. Contre le cancer : l'immunothérapie adoptive. Pour la Science, 1990, 26-34.

ROSENBERG SA, AEBERSOLD P, CORNETTA K et al. Gene transfer into humans. Immunotherapy of patients with advanced melanoma, using tumor-infiltrating lymphocytes modified by retroviral gene transduction. N Eng J Med, 1990, *323* : 570-578.

ROSENFELD MA, SIEGFRIED W, YOSHIMURA K et al. Adenovirus-mediated transfer of a recombinant α 1-antitrypsin gene to the lung epithelium in vivo. Science, 1991, *252* : 431-434.

ROSENFELD MA, YOSHIMURA K, TRAPNELL BC et al. In vivo transfer of the human cystic fibrosis transmembrane conductance regulator gene to the airway epithelium. Cell, 1992, *68* : 143-155.

RUBIN EM, LU R, COOPER S et al. Introduction and expression of the human β^S-globin gene in transgenic mice. Am J Hum Genet, 1988, *42* : 585-591.

SELDEN RF, SKOSKIEWICZ MJ, HOWIE KB et al. Regulation of human insulin gene expression in trangenic mice. Nature, 1986, *321* : 525-528.

SELDEN RF, SKOSKIEWICZ MJ, HOWIE KB. Implantation of genetically engineered fibroblasts into mice: implications for gene therapy. Science, 1987, *236* : 714-718.

SHESELY EG, KIM H-S, SHEHEE WR et al. Correction of a human β^S-globin gene by gene targeting. Proc Natl Acad Sci USA, 1991,

88 : 4294-4298.
SKOW LC, BURKHART BA, JOHNSON FM et al. A mouse model for β-thalassemia. Cell, 1983, 1043-1052.
SMITHIES O, GREGG RG, BOGGS SS et al. Insertion of DNA sequences into the human chromosomal β-globin locus by homomogous recombination. Nature, 1985, *317* : 230-234.
SORGE J, KUHL W, WEST C et al. Complete correction of the enzymatic defect of type Gaucher disease fibroblasts by retroviral-mediated gene transfer. Proc Natl Acad Sci USA, 1987, *84* : 906-909.
SORIANO P, CONE RD, MULLIGAN RC et al. Tissue-specific and ectopic expression of genes introduced into transgenic mice by retroviruses. Science, 1986, *234* : 1409-1413.
ST LOUIS D, VERMA IM. An alternative approach to somatic cell gene therapy. Proc Natl Acad Sci USA, 1988, *85* : 3150-3154.
STRATFORD-PERRICAUDET L, LEVRERO M, CHASSE JF et al. Evaluation of the transfer and expression in mice of an enzyme-encoding gene using a human adenovirus vector. Hum Gene Therapy, 1990, *1* : 241-256.
STRATFORD-PERRICAUDET L, MAKEH I, PERRICAUDET M et al. Widespread long-term gene transfer to mouse skeletal muscle and heart. J Clin Invest, 1992, *90* : 626-630.
STUHLMANN H, CONE R, MULLIGAN RC et al. Introduction of a selectable gene into different animal tissue by a retrovirus recombinant vector. Proc Natl Acad Sci USA, 1984, *81* : 7151-7155.
THOMAS KR, CAPECCHI MR. Introduction of homologous DNA sequences into mammalian cells induces mutations in the cognate gene. Nature, 1986, *324* : 34-38.
THOMAS KR, FOLGER KR, CAPECCHI MR. High frequency targeting of genes to specific sites in the mammalian genome. Cell, 1986, *44* : 419-428.
THOMAS KR, CAPECCHI M. Site-directed mutagenesis by gene targeting in mouse embryo-derived stem cell. Cell, 1987, *51* : 503-512.
THOMPSON S, CLARKE AR, POW AM et al. Germ line transmission and expression of a corrected Hprt gene produced by gene targeting in embryonic stem cells. Cell, 1989, *56* : 313-321.
TRUDEL M, SAADANE N, GAREL MC et al. Towards a transgenic mouse model of sickle cell disease: hemoglobin SAD. EMBO J, 1991, *10* : 3157-3165.
TYBULEWICZ VLJ, TREMBLAY ML, LAMARCA ME et al. Animal model of Gaucher's disease from targeted disruption of a mouse glucorcerebrosidase gene. Nature, 1992, *357* : 407-410.
VAN DER PUTTEN H, BOTTERI FM, MILLER AD et al. Efficient insertion of genes into the mouse germ line via retroviral vectors. Proc Natl Acad Sci USA, 1985, *82* : 6148-6152.
VENKATESH LH, AVENS MQ, SUBRAMANIAN T et al. Selective inhibition of toxicity to human cells expressing human immunodeficiency virus type 1 TAT by a conditionnaly cytotoxic adenovirus vector. Proc Natl Acad Sci USA, 1990, *87* : 8746-8750.
VERMA IM, NAVIAUX RK. Human gene therapy. Curr Opin Genet Develop, 1991, *1* : 54-59.
WALTERS L. The ethics of human gene therapy. Nature, 1986, *320* : 225-227.
WEATHERALL D. Gene therapy in perspective. Nature, 1991, *349* : 275-276.
WEATHERALL DJ. The slow road to gene therapy. Nature, 1988, *331* : 13-14.
WELLS DJ, WELLS KE, WALSH FS et al. Human dystrophin expression corrects the myopathic phenotype in transgenic mdx mice. Hum Mol Genet, 1992, *1* : 35-40.
WILLIAMS DA, ORKIN SH. Somatic gene therapy. Current status and future prospects. J Clin Invest, 1986, *77* : 1053-1056.
WILLIAMS RS, JOHNSTON SA, RIEDY M et al. Introduction of foreign genes into tissues of living mice by DNA-coated microprojectiles. Proc Natl Acad Sci USA, 1991, *88* : 2726-2730.
WILSON JM, DANOS O, GROSSMAN M et al. Expression of human adenosine deaminase in mice reconstituted with retrovirus-transduced hematopoietic stem cells. Proc Natl Acad Sci USA, 1990, *87* : 439-443.
WILSON JM, JEFFERSON DM, CHOWSHURY JR et al. Retrovirus-mediated transduction of adult hepatocytes. Proc Natl Acad Sci USA, 1988, *85* : 3014-3018.
WILSON JM, JOHNSTON DE, JEFFERSON DM et al. Correction of the genetic defect in hepatocytes from the Watanabe heritable hyperlipidemic rabbit. Proc Natl Acad Sci USA, 1988, *85* : 4421-4425.
WILSON JM, PING AJ, KRAUSS JC et al. Correction of CD18-Deficient lymphocytes by retrovirus-mediated gene transfer. Science, 1990, *248* : 1413-1416.
WOLFE. Reversal of pathology in murine mucopolysaccharidosis type VII. Nature, 1992, *360* : 749-753.
WOLFF JA, MALONE RW, WILLIAMS P et al. Direct gene transfer into mouse muscle in vivo. Science, 1990, *247* : 1465-1468.
YAMAMURA K, KIKUTANI H, FOLSON V et al. Functional expression of a microinjected $E\alpha^d$ gene in C57BL/6 transgenic mice. Nature, 1985, *316* : 67-69.
YANG NS, BURKHOLDER J, ROBERTS B et al. *In vivo* and *in vitro* gene transfer to mammalian somatic cells by particle bombardment. Proc Natl Acad Sci USA, 1990, *87* : 9568-9572.
ZWIEBEL JA, FREEMAN SM, KANTOFF PW et al. High-Level recombinant gene expression in rabbit endothelial cells transduced by retroviral vectors. Science, 1989, *243* : 220-222.

Chapitre 18 : DNA et filiation moléculaire

ANXOLABÉHÈRE D, KIDWELL MG, PÉRIQUET G. L'histoire d'une invasion génétique. La Recherche, 1989, *20* : 1328-1338.
BALLANTYNE J, SENSABAUGH G, WITKOWSKI J. DNA technology and forensic science. Banbury Report, Cold Spring Harbor Laboratory Press, 1989, *32* : 368 pp.
BOWCOCK AM, KIDD JR, MOUNTAIN JL et al. Drift, admixture, and selection in human evolution: a study with DNA polymorphisms. Proc Natl Acad Sci USA, 1991, *88* : 839-843.
CANN RL, STONEKING M, WILSON AC. Mitochondrial DNA and human evolution. Nature, 1987 : 31-36.
CAVALLI-SFORZA LL, KIDD JR, KIDD KK et al. DNA markers and genetic variation in the human species. *In*: Molecular Biology of *Homo sapiens.* Cold Spring Harbor Symp Quant Biol, 1986, *LI* : 411-417.
CHAKRABORTY F, KIDD K. The utility of DNA typing in forensic work. Science, 1991, *2254* : 1735-1739.
DESALLE R, GATESY J, WHEELER W et al. DNA sequences from a fossil termite in oligo-miocene amber and their phylogenic implications. Science, 1992, *257* : 1933-1936.
DEVLIN B, RISCH N. Ethnic differentiation at VNTR loci, with special reference to forensic applications. Am J Hum Genet, 1992, *51* : 534-548.
DIAMOND JM, ROTTER JI. Observing the founder effect in human evolution. Nature, 1987, *329* : 105-106.
DIAMOND JM. DNA-based phylogenis of the three chimpanzees. Nature, 1988, *332* : 685-686.
DODD BE. DNA fingerprinting in matters of family and crime. Nature, 1985, *318* : 506-507.
DOOLITTLE RF, FENG DF, JOHNSON MS et al. Relationships of human protein sequences to those of other organisms. *In*: Molecular Biology of *Homo sapiens.* Cold Spring Harbor Symp Quant Biol, 1986, *LI* : 447-455.
FEY MF, WAINSCOAT JS, MUKWALA EC et al. A PvuII restriction fragment length polymorphism of the glucose-6-phosphate dehydrogenase gene is an African-specific marker. Hum Genet, 1990, *84* : 471-472.
FLANDROY L, NOUAILLE C. Empreintes génétiques : les pouvoirs d'une vérité biologique. Biofutur, octobre 1989 : 22-35.
GIBBONS A. Mitochondrial Eve: wounded, but not dead yet. Science, 1992, *257* : 873-875.
GILL P, JEFFREYS AJ, WERRETT DJ. Forensic application of DNA "fingerprints". Nature, 1985, *318* : 577-579.
GIUSTI A, BAIRD M, PASQUALE S et al. Application of deoxyribonucleic acid (DNA) polymorphisms to the analysis of DNA recovered from sperm. J Forensic Sci, 1986, *31* : 409-417.
HAGELBERG E, GRAY IC, JEFFREYS AJ. Identification of the skeletal remains of a murder victim by DNA analysis. Nature, 1991, *352* : 427-429.
HELMINEN P, EHNHOLM C, LOKKI ML et al. Application of DNA "fingerprints" to parternity determinations. Lancet, 1988, *i* : 574-576.

HIGUCHI R, VON BEROLDINGEN CH, SENSABAUGH GF et al. DNA typing from single hairs. Nature, 1988, *332* : 543-546.
HILL AVS, JEFFREYS AJ. Use of minisatellite DNA probes for determination of twin zygosity at birth. Lancet, 1985, *ii* : 1394-1395.
JEFFREYS AJ, BROOKFIELD JFY, SEMEONOFF R. Positive identification of an immigration test-case using human DNA fingerprints. Nature, 1985, *317* : 818-819.
JEFFREYS AJ, WILSON V, THEIN SL. Hypervariable "minisatellite" regions in human DNA. Nature, 1985, *314* : 67-73.
JEFFREYS AJ, WILSON V, THEIN SL. Individual-specific "fingerprints" of human DNA. Nature, 1985, *316* : 76-79.
JEFFREYS AJ. Hypervariable DNA and genetic fingerprints. *In:* LS Lerman: DNA probes. Current Comm in Molecular Biology. Cold Spring Harbor Laboratory, 1986, *LI* : 57-61.
JEFFREYS AJ, WILSON V, THEIN SL et al. DNA "fingerprints" and segregation analysis of multiple markers in human pedigrees. Am J Hum Genet, 1986, *39* : 11-24.
JEFFREYS AJ, MACLEOD A, TAMAKI K et al. Minisatellite repeat coding as digital approach to DNA typing. Nature, 1991, *354* : 204-209.
JORDE LB. Human genetic distance studies: present status and future prospects. Ann Rev Anthropol, 1985, *14* : 343-373.
KIRBY LT. DNA fingerprinting. An introduction. 1 vol, 365 p, Stockton Press, 1990,
KOOP BF, GOODMAN M, XU P et al. Primate η-globin DNA sequences and a man's place among the great apes. Nature, 1986, *319* : 234-237.
LAWLOR D, DICKEL C, HAUSWIRTH W et al. Ancient HLA genes from 7 500-year-old archaeological remains. Nature, 1991, *349* : 785-788.
LEWIN R. Conflict over DNA clock results. Science, 1988, *241* : 1598-1600.
LEWIN R. DNA clock conflict continues. Science, 1988, *241* : 1756-1759.
LEWONTIN RC, HARTL DL. Population genetics in forensic DNA typing. Science, 1991, *254* : 1745-1750.
MARKS J. Genetics relationships among the apes and humans. Curr Opin Genet Develop, 1992, *2* : 883-889.
MIYAMOTO MM, SLIGHTOM JL, GOODMAN M. Phylogenetic relations of humans and African apes from DNA sequences in the $\psi\eta$-globin region. Science, 1987, *238* : 369-373.
NAGEL RL. The origin of the hemoglobin S gene: clinical, genetic, and anthropological consequences. Einstein Quarterly J Biol Med, 1984, *2* : 53-62.
NEUFELD P, COLMAN N. La science et la justice. Pour la Science, 1990, *153* : 86-95.
PÄÄBÖ S, HIGUCHI RG, WILSON AC. Ancient DNA and the polymerase chain reaction - the emerging field of molecular archaeology. J Biol Chem, 1989, *264* : 9709-9712.
SIBLEY CG, AHLQUIST JE. DNA hybridization evidence of hominoid phylogenesis. Results from an expanded data set. J Mol Evol, 1987, *26* : 99-121.
STONEKING M, JORDE LB, BHATIA K et al. Geographic variation in human mitochondrial DNA from Papua New Guinea. Genetics, 1990, *124* : 717-733.
VASSART G, GEORGES M, MONSIEUR R et al. Sequence in M13 phage detects hypervariable minisatellites in human and animal DNA. Science, 1987, *235* : 683-684.
VAWTER L, BROWN WM. Nuclear and mitochondrial DNA comparisons reveal extreme rate variation in the molecular clock. Science, 1986, *234* : 194-196.
VIGILANT L, STONEKING M, HARPENDING H et al. African populations and the evolution of human mitochondrial DNA. Science, 1991, *253* : 1503-1507.
WAINSCOAT JS, HILL AVS, BOYCE AL et al. Evolutionary relationships of human populations from an analysis of nuclear DNA polymorphism. Nature, 1986, *319* : 491-493.
WAINSCOAT J. Out of the garden of Eden. Nature, 1987, *325* : 13.
WILSON AC, OCHMAN H, PRAGER EM. Molecular time scale for evolution. Trends Genet, 1987, *3* : 241-247.
WOLFE KH, SHARP PM, LI W-H. Mutation rates differ among regions of the mammalian genome. Nature, 1989, *337* : 283-285.
WONG Z, WILSON V, PATEL I et al. Characterization of a panel of highly variable minisatellites cloned from human DNA. Ann Hum Genet, 1987, *51* : 269-288.

Chapitre 19 : Biologie moléculaire et éthique médicale

ANDERSON C, ALDHOUS P. Genome project faces commercialization tests. Nature, 1992, *355* : 483-484.
ANDERSON WF. Human gene therapy. Science, 1992, *256* : 808-813.
BALLANTYNE J, SENSABAUGH G, WITKOWSKI J. DNA technology and forensic science. Banbury Report 32, 1989, Cold Spring Harbor Laboratory Press : 368 pp.
BILLINGS PR, KOHN MA, DE CUEVAS M et al. Discrimination as a consequence of genetic testing. Am J Hum Genet, 1992, *50* : 476-482.
CARMEN IH. Debates, divisions, and decisions: Recombinant DNA Advisory Committee (RAC) authorization of the first human gene transfer experiments. Am J Hum Genet, 1992, *50* : 245-260.
CHAPMAN M. Predictive testing for adult-onset genetic disease: ethical and legal implications of the use linkage analysis for Huntington disease. Am J Hum Genet, 1990, *47* : 1-3.
DUNSTAN GR. Screening for fetal and genetic abnormality: social and ethical issues. J Med Genet, 1988, *25* : 290-293.
Ethical issues policy statement on Huntington's disease molecular genetics predictive test. J Med Genet, 1990, *27* : 34-38.
EVERS-KIEBOMS G, CASSIMAN JJ, VAN DEN BERGHE H. Attitudes towards predictive testing in Huntington's disease: a recent survey in Belgium. J Med Genet, 1987, *24* : 275-279.
FARRER LA, MYERS RH, CUPPLES LA et al. Considerations in using linkage analysis as a presymptomatic test for Huntington's disease. J Med Genet, 1988, *25* : 577-588.
FRIEDMAN T. The Human Genome Project- some implications of extensive «reverse genetic» medicine. Am J Hum Genet, 1990, *46* : 407-414.
GROS F, HUBER G, KAHN A et al. La biologie, l'homme et la société. M/S, 1990, *6* : 125-151.
HARPER PS. Huntington disease and the abuse of genetics. Am J Hum Genet, 1992, *50* : 460-464.
HARPER PS, CLARKE A. Should we test children for «adult» genetic diseases? Lancet, 1990, *335* : 1205-1206.
HOLTZMAN NA. The future of genetic testing. *In*: B Childs, NA Holtzman, HH Kazazian Jr, DL Valle. Molecular genetics in medicine. 1 Vol, Amsterdam, Elsevier, 1988 : 220-245.
HUGGINS M, BLOCH M, KANANI S et al. Ethical and legal dilemmas arising during predictive testing for adult-onset disease: the experience of Huntington disease. Am J Hum Genet, 1990, *47* : 4-12.
Human Gene Therapy. A background paper. Washington, DC: US Congress, Office of Technology Assessment ; OTA-BP-BA-32, December 1984.
JORDAN B. Les contradictions du génome. M/S, 1992, *8* : 476-482.
KEVLES D, HOOD L. The code of codes: scientific and social issues in the human genome project. Harvard University Press, 1992, 1 vol.
LEDLEY FD. Somatic gene therapy for human disease: a problem of eugenics? Trends Genet, 1987, *3* : 112-115.
MEISSEN GJ, MYERS RH, MASTROMAURO CA et al. Predictive testing for Huntington's disease with use of a linked DNA marker. N Eng J Med, 1988, *318* : 535-542.
MURRAY T. Ethical issues in human genome research. FASEB J, 1991, *5* : 55-60.
PONDER B. Prospects for genetic diagnosis of inherited predisposition to cancer. Trends Biotechnol, 1990, *8* : 98-104.
ROBERTS L. NIH gene patents, round two. Science, 1992, *255* : 912-913.
ROWLEY PT. Genetic screening: marvel or menace? Science, 1984, *225* : 138-144.
SHAW MW. Testing for the Huntington gene: a right to know, a right not to know, or a duty to know. Am J Med Genet, 1987, *26* : 243-246.
SMURL JF, WEAVER DD. Presymptomatic testing for Huntington chorea: guidelines for moral and social accountability. Am J Med Genet, 1987, *26* : 247-257.
SUJANSKY E, KREUTZER SB, JOHNSON AM et al. Attitudes of at-risk and affected individuals regarding presymptomatic testing for autosomal dominant polycystic kidney disease. Am J Med

Genet, 1990, *35* : 510-515.
WALTERS L. The ethics of human gene therapy. Nature, 1986, *320* : 225-227.
WEXLER NS, CONNEALLY PM, HOUSMAN D et al. A DNA polymorphism for Huntington's disease marks the future. Arch Neurol, 1985, *42* : 20-24.
WILLIAMSON R. Universal community carrier screening for cystic fibrosis. Nature Genet, 1993, *3* : 195-201.

TROISIÈME PARTIE - LES OUTILS DU GÉNIE GÉNÉTIQUE

Chapitre 20 : Le matériel biologique et les techniques générales de biologie moléculaire

AAIJ C, BORST P. The gel electrophoresis of DNA. Biochim Biophys Acta, 1972, *269* : 192-200.
ANDREWS A. Electrophoresis. Oxford University Press, 1981.
ANAND R. Pulsed field gel electrophoresis: a technique for fractionating large DNA molecules. TIG, 1986, *2* : 278-283.
BARLOW D, LEHRACH H. Genetics by gel electrophoresis: the impact of pulsed field gel electrophoresis on mammalian genetics. TIG, 1987, *3* : 167-171.
CARLE GF, FRANCK M, OLSON MV. Electrophoretic separation of large DNA molecules by periodic inversion of the electric field. Science, 1986, *232* : 65-68.
CARLE GF, OLSON MV. Separation of chromosomal DNA molecules from yeast by orthogonal-field-alternation gel electrophoresis. Nucleic Acids Res, 1984, *12* : 5647-5664.
CHIRGWIN J, PRZYBYLA A, MACDONALD R et al. Isolation of biologically active ribonucleic acid from sources enriched in ribonuclease. Biochemistry, 1979, *18* : 5294-5299.
CHU G, VOLLRATH D, DAVIS RW. Separation of large DNA molecules by contour-clamped homogenous electric fields. Science, 1986, *234* : 1582-1585.
COLOTE S, FERRAZ C, LIAUTARD JP. Analysis and purification of plasmid DNA by reversed-phase high-performance liquid chromatography. Anal Biochem, 1986, *154* : 15-20.
EVANS GA. Physical mapping of the human genome by pulse field gel analysis. Curr Opin Genet Develop, 1991, *1* : 75-81.
GAIT M, SHEPPARD R. Rapid synthesis of oligodesoxyribonucleotides: a new solid phase method. Nucleic Acids Res, 1977, *4* : 1135-1138.
GARCIA S, LIAUTARD JP. Behaviour of macromolecular RNA in reversed-phase HPLC. J Chromat Sci, 1983, *21* : 398-404.
HARDIES S, WELLS R. Preparative fractionation of DNA by reverse phase column chromatography. Proc Natl Acad Sci USA, 1976, *73* : 3117-3121.
ITAKURA K, RIGGS A. Chemical synthesis and recombinant DNA studies. Science, 1980, *209* : 1401-1405.
JEANPIERRE M. A rapid method for the purification of DNA from blood. Nucleic Acid Res, 1987, *15* : 22.
JOHNSON P, GROSSMAN L. Electrophoresis of DNA in agarose gels. Optimizing separations of conformational isomers of double- and single-stranded DNAs. Biochemistry, 1977, *16* : 4217-4224.
KHORANA H. Total synthesis of a gene. Science, 1979, *203* : 614-625.
KOHNE D, LEVISO SA, BYERS M. Room temperature method for increasing the rate of DNA reassociation by many thousendfold: the phenol emulsion reassociation technique. Biochemistry, 1977, *16* : 5329-5341.
LIAUTARD J, COLOTE S, FERRAZ C et al. Separation des acides nucléiques de grande taille par chromatographie haute performance en phase inversée. Bio-Sciences, 1987, *6* : 126-130.
MACFARLANE D, DAHLE C. Isolating RNA from whole blood-the dawn of RNA-based diagnosis? Nature, 1993, *362* : 186-188.
MADDOX J. Understanding gel electrophoresis. Nature, 1990, *345* : 381.
MILLER S, DYKES D, POLESKY H. A simple salting out procedure for extracting DNA from human nucleated cells. Nucleic Acids Res, 1988, *16* : 1215.
REBELLE M, HACKETT G, SMITH J et al. Extraction of DNA from amniotic fluid cells for the early prenatal diagnosis of genetic disease. Prenat Diagnos, 1991, *11* : 41-46.
RICKWOOD D, HAMES B. Gel electrophoresis of nucleic acids. IRL Press London, 1982.
ROSS K, HAITES N, KELLY K. Repeated freezing and thawing of peripheral blood and DNA in suspension: effects on DNA yield and integrity. J Med Genet, 1990, *27* : 569-570.
SCHWARTZ DA, CANTOR CR. Separation of yeast chromosome-sized DNAs by pulsed field gradient gel electrophoresis. Cell, 1984, *37* : 67-75.
SOUTHERN E. Measurement of DNA length by gel electrophoresis. Anal Biochem, 1979, *100* : 319-323.
SOUTHERN E. Gel electrophoresis of restriction fragments. Methods enzymol, 1979, *68* : 152-176.
VINOGRAD J. Sedimentation equilibrum in a buoyant density gradient. Methods Enzymol, Vol VI, Academic Press New York, 1963 : 854-870.

Chapitre 21 : Les techniques d'amplification élective in vitro (PCR)

ARNHEIM N, LI H, CUI X. PCR analysis of DNA sequences in single cells: single sperm gene mapping and genetic disease diagnosis. Genomics, 1990, *8* : 415-419.
ARNHEIM N, WHITE T, RAINEY W. The application of PCR: organismal and population biology. Bioscience, 1989, *40* : 174-182.
BECK B, HO S. Increased specificity of PCR-amplified products by size fractionation of restriction enzyme digested template genomic DNA. Nucleic Acids Res, 1988, *16* : 9051.
BOEHNKE M, ARNHEIM N, LI H et al. Fine-structure genetic mapping of human chromosomes using the polymerase chain reaction on single sperm: experimental design considerations. Am J Hum Genet, 1989, *45* : 21-32.
BROOKSWILSON AR, GOODFELLOW PN, POVEY S et al. Rapid cloning and characterization of new chromosome-10 DNA markers by Alu element-mediated PCR. Genomics, 1990, *7* : 614-620.
BUGAWAN T, SAIKI R, CH L, WATSON R et al. The use of non radioactive nucleotide probe to analyse enzymatically amplified DNA for prenatal diagnosis and forensic HLA typing. Biotechnology, 1988, *6* : 943-947.
CHAMBERLAIN J, GIBBS R, RAINER J et al. Deletion screening of the Duchenne muscular dystrophy locus via multiplex DNA amplification. Nucleic Acids Res, 1988, *16* : 11141-11156.
CHEHAB F, KAN Y. Detection of sickle cell anaemia mutation by colour DNA amplification. Lancet, 1990, *335* : 15-17.
CHEHAB F, KAN Y. Detection of specific DNA sequences by fluorescence amplification: a color complementation assay. Proc Natl Acad Sci USA, 1989, *86* : 9178-9182.
CHELLY J, KAPLAN J, MAIRE P et al. Transcription of the dystrophin gene in human muscle and non-muscle tissues. Nature, 1988, *333* : 858-860.
CHELLY J, HUGNOT J, CONCORDET J et al. Illegitimate (or ectopic) transcription proceeds through the usual promoters. Biochem Biophys Res Comm, 1991, *178* : 553-557.
CHIEN A, EDGAR D, TRELA J. Deoxyribonucleic acid polymerase from extreme thermophile Thermus aquaticus. J Bacteriol, 1986, *127* : 1550-1557.
COMPTON J. Nucleic acid sequence-based amplification. Nature, 1991, *350* : 91-92.
CONNOR B, REYES A, MORIN C et al. Detection of sickle cell β^S-globin allele by hybridization with synthetic oligonucleotide. Proc Natl Acad Sci USA, 1983, *80* : 278-282.
CREMER T, LICHTER P, BORDEN L et al. Detection of chromosome aberrations in metaphase and interphase tumor cells by in situ hybridization using chromosome-specific library probes. Hum Genet, 1988, *80* : 235-246.
DECORTE R, CUPPENS H, MARYNEN P et al. Laboratory methods rapid detection of hypervariable regions by the polymerase chain reaction technique. DNA and Cell Biology, 1990, *9* : 461-469.
DIAZ-CHICO J, YANG K, EFREMOV D et al. The detection of β-globin gene mutations in β-thalessemia using oligonucleotide probes and amplified DNA. Biochem Biophys Acta, 1988, *949* : 43-48.

DI DELLA A, HUANG W, WOO S. Screening for phenylketonuria mutations by DNA amplification with polymerase chain reaction. Lancet, 1988, *i* : 497-499.

DRAKE J, BALTZ R. The biochemistry of mutagenesis. Ann Rev Biochem, 1976, *45* : 11-37.

DUNNING A, TALMUD P, HUMPHRIES S. Errors in the polymerase chain reaction. Nucleic Acids Res, 1988, *16* : 10393.

DUYK G, KIM S, MYERS R et al. Exon trapping: a genetic screen to identify candidate transcribed sequences in cloned mammalian genomic DNA. Proc Natl Acad Sci USA, 1990, *87* : 8995-8999.

ECKERT K, KUNKEL T. High fidelity DNA synthesis by the *Thermus aquaticus* DNA polymerase. Nucleic Acids Res, 1990, *18* : 3739-3744.

EHLEN T, DUBEAU L. Detection of RAS point mutations by polymerase chain reaction using mutation-specific, inosine-containing oligonucleotide primers. Biochem Biophys Res Comm, 1989, *160* : 441-447.

EISENSTEIN B. The polymerase chain reaction: a new method of using molecular genetics for medical diagnosis. N Engl J Med, 1990, *322* : 178-183.

ENGELKE D, HOENER P, COLLINS F. Direct sequencing of enzymatically amplified human genomic DNA. Proc Natl Acad Sci USA, 1988, *85* : 544-548.

ERLICH H. PCR technology. Principles and applications for DNA amplification. Stockton Press, 1989, New York.

ERLICH H, GELFAND D, SNINSKY J. Recent advances in polymerase chain reaction. Science, 1991, *252* : 1643-1651.

FELDMAN G, WILLIAMSON R, BEAUDET A et al. Prenatal diagnosis of cystic fibrosis by DNA amplification for detection of KM19 polymorphism. Lancet, 1988, *ii* : 102-105.

FROHMAN M, DUSH M, MARTIN G. Rapid production of full-length cDNAs from rare transcipts: amplification using single gene specific oligonucleotide primer. Proc Natl Acad Sci USA, 1988, *85* : 8998-9002.

GISH G, ECKSTEIN F. DNA and RNA sequence determination based on phosphorothionate chemistry. Science, 1988, *240* : 1520-1522.

GUATELLI J, WHITFIELD K, KWOH D et al. Isothermal, in vitro amplification of nucleic acids by a multienzyme reaction modeled after retroviral replication. Proc Natl Acad Sci USA, 1990, *87* : 1874-1878.

GUZZETTA V, MONTES DE OCA-LUNA R, LUPSKI J et al. Isolation of region-specific and polymorphic markers by restricted *Alu* polymerase chain reaction. Genomics, 1991, *9* : 31-36.

GYLLENSTEN U, ERLICH H. Generation of single-stranded DNA by polymerase chain reaction and its application to direct sequencing of the HLA-DQA locus. Proc Natl Acad Sci USA, 1988, *85* : 7652-7656.

HALIASSOS A, CHOMEL J, GRANDJOUAN S et al. Detection of minority point mutations by modified PCR technique: a new approach for a sensitive diagnosis of tumor-progression markers. Nucleic Acids Res, 1989, *17* : 8093-8103.

HANDYSIDE A, PATTINSON J, PENKETH R et al. Biopsy of human preimplantation embryos and sexing by DNA amplification. Lancet, 1989, *i* : 347-349.

HAQQI T, SARKAR G, DAVID C et al. Specific amplification with PCR of a refractory segment of genomic DNA. Nucleic Acids Res, 1988, *16* : 11844.

HAYASHI K, ORITA M, SUZUKI Y et al. Use of labeled primers in polymerase chain reaction (LP-PCR) for a rapid detection of the product. Nucleic Acids Res, 1989, *17* : 3605.

HIGUCHI R, VONBEROLDINGEN C, SENSABAUGH G et al. DNA typing from single hair. Nature, 1988, *332* : 543-546.

HOELZEL R. The trouble with « PCR » machines. Trends Genet, 1990, *6* : 237-238.

HOVENS CM, WILKS AF. Rapid screening of highly complex cDNA libraries using the polymerase chain reaction. Nucleic Acids Res, 1989, *17* : 4415-4416.

INNIS M, GELFAND D, SNINSKY J et al. PCR protocols. A guide to methods and applications. Academic Press, Inc New York, 1990.

INNIS M, MYAMBO K, GEFLAND D et al. DNA sequencing with thermus aquaticus DNA polymerase and direct sequencing of polymerase chain reaction amplified DNA. Proc Natl Acad Sci USA, 1988, *85* : 9436-9440.

ISAACS S, TESSMAN J, METCHETTE K. Post-PCR sterilization: development and application to an HIV-1 diagnostic assay. Nucleic Acids Res, 1991, *19* : 109-116.

JEFFREYS A, WILSON V, NEUMANN R et al. Amplification of human minisatellites by polymerase chain reaction: towards DNA fingerprinting of single cells. Nucleic Acids Res, 1988, *16* : 10953-10971.

KAWASAKI E, CLARK S, COYNE M et al. Diagnosis of chronic myeloid and acute lymphocytic leukemias by detection of leukemia-specific mRNA sequences amplified in vitro. Proc Natl Acad Sci USA, 1988, *85* : 5698-5702.

KEMP D, SMITH D, FOOTE S et al. Colorimetric detection of specific DNA segments amplified by polymerase chain reactions. Proc Nat Acad Sci USA, 1989, *86* : 2423-2427.

KEOHAVONG P, THILLY W. Fidelity of DNA polymerases in DNA amplification. Proc Natl Acad Sci USA, 1989, *86* : 9253-9257

KEOHAVONG P, KAT A, CARIELLO N et al. DNA amplification in vitro using T4 DNA polymerase. DNA, 1988, *7* : 63-70

KEOHAVONG P, WANG C, CHA R et al. Enzymatic amplification and characterization of large DNA fragments from genomic DNA. Gene, 1988, *71* : 211-216.

KITCHIN P, SZOTYORI Z, FROMHOLC C et al. Avoidance of false positives. Nature, 1990, *344* : 201.

KNOTH K, ROBERTS P, POTEET C et al. Highly degenerate inosine-containing primers specifically amplify rare cDNA using the polymerase chain reaction. Nucleic Acids Res, 1988, *16* : 10932.

KOGAN S, DOHERTY M, GITSCHIER J. An improved prenatal diagnosis of genetic diseases by analysis of amplified DNA. N Engl J Med, 1987, *317* : 985-990.

KRAMER FR, LIZARDI PM. Replicatable RNA reporters. Nature, 1989, *339* : 401-402.

KULOZIK A, LYONS J, KOHNE E et al. Rapid non-radioactive prenatal diagnosis of β-thalessemia and sickle cell disease: application of the polymerase chain reaction (PCR). Br J Haematol, 1988, *70* : 455-458.

KWOK S, HIGUCHI R. Avoiding false positive with PCR. Nature, 1989, *339* : 237-238.

LAI-GOLDMAN M, LAI E, GRODY W. Detection of human immunodeficiency virus (HIV) infection in formalin fixed, paraffin embedded tissues by DNA amplification. Nucleic Acids Res, 1988, *16* : 8191.

LANDEGREN U, KAISER R, CASKEY C et al. DNA diagnosis - molecular technics and automation. Science, 1988, *242* : 229-237.

LATHE J. Synthetic oligonucleotide probes deduced from amino acid sequence data: theoritical and practical considerations. J Mol Biol, 1985, *183* : 1-12.

LEDBETTER S, NELSON D, WARREN S et al. Rapid isolation of DNA probes within specific chromosome regions by interspersed repetitive sequence polymerase chain reaction. Genomics, 1990, *6* : 475-481.

LENCH N, STANIER P, WILLIAMSON R. Simple non-invasive method to obtain DNA for gene analysis. Lancet, 1988, *i* : 1356-1358.

LI H, GYLLENSTEN U, CUI X et al. Amplification and analysis of DNA sequences in single human and diploid cells. Nature, 1988, *335* : 414-417.

LIANG W, JOHNSON J. Rapid plasmid insert amplification with polymerase chain reaction. Nucleic Acids Res, 1988, *16* : 3579.

LIZARDI P, GUERRA C, LOMELLI H et al. Exponential amplification of recombinant-RNA hybridization probes. Biotechnol, 1988, *6* : 1197-1202.

LO YM, MEHAL W, FLEMING K. False-positive results and the polymerase chain reaction. Lancet, 1988, *ii* : 679.

LO YM, MEHAL W, FLEMING K. Rapid production of vector-free biotinylated probes using the polymerase chain reaction. Nucleic Acids Res, 1988, *16* : 8719.

LOH E, ELLIOTT J, CWIRLA S et al. Polymerase chain reaction with single-sided specificity: analysis of T cell receptor δ chain. Science, 1989, *243* : 217-220.

LONGO M, BERNINGER M, HARTLEY J. Use of uracyl DNA glycosylase to control carry-over contamination in polymerase chain reaction. Gene, 1990, *93* : 125-128.

LÜDECKE H, SENGER G, CLAUSSEN U et al. Cloning defined regions of the human genome by microdissection of banded chromosomes and enzymatic amplification. Nature, 1989, *338* : 348-350.

LYONNET S, CAILLAUD C, REY F et al. Guthrie cards for detection of point mutations in phenylketonuria. Lancet, 1988, *ii* : 507.

MASOUD S, JOHNSON L, WHITE F. The sequence within two primers influences the optimum concentration on dimethyl sulfoxide in the PCR. PCR Methods and application, 1992, *2* : 89-90.

McCABE E, HUANG S, SELTZER W et al. DNA micro-extraction from dried blood spots on filter paper blotters: potential application to newborn screening. Hum Genet, 1897, *75* : 213-216.

McCOLOGUE L, BROWN M, INNIS M. Structure independent DNA amplification by PCR using 7-deaza-2'-deoxyguanosine. Nucleic Acids Res, 1988, *16* : 9869.

MONTARRAS D, PINSET C, CHELLY J et al. RT-PCR and gene expression. *In* : F Ferré, K Mullis, R Gibbs, A Ross, « The Polymérase Chain Reaction ». in press.

MUELLER P, WOLD B. In vivo footprinting of a muscle specific enhancer by ligation mediated PCR. Science, 1989, *246* : 780-786.

MULLIS K, FALOONA T. Specific synthesis of DNA in vitro via a polymerase chain reaction. Meth Enzymol, 1987, *155* : 335-351.

MULLIS K, FALOONA F, SCHARF S et al. Specific enzymatic amplification of DNA in vitro: the polymerase chain reaction. Cold Spring Harbor Symp. Quant Biol, 1986, *51* : 263-273.

NAGAMINE C, CHA K, LAU Y. A PCR artifact: generation of heteroduplexes. Am J Hum Genet, 1989, *45* : 337-339.

NAKAMAYE K, GISH G, ECKSTEIN F et al. Direct sequencing of polymerase chain reaction amplified DNA fragments trough the incorporation of deoxynucleotide α-thiotriphosphates. Nucleic Acids Res, 1988, *16* : 9947-9959.

NELSON D, LEDBETTER S, CORBO L et al. *Alu* polymerase chain reaction: a method for rapid isolation of human-specific sequences from complex DNA sources. Proc Natl Acad Sci USA, 1989, *86* : 6686-6690.

NELSON P, CAREY W, MORRIS C. Gene amplification directly from Guthrie blood spots. Lancet, 1990, *336* : 1451-1452.

NELSON D, BALLABIO A, VICTORIA M et al. Alu-primed polymerase chain reaction for regional assignment of 110 yeast artificial chromosome clones from the human X chromosome: identification of clones associated with a disease locus. Proc Natl Acad Sci USA, 1991, *88* : 6157-6161.

NEWTON C, KALSHEKER N, GRAHAM A et al. Diagnosis of α-antitrypsin deficiency by enzymatic amplification of human genomic DNA and direct sequencing of polymerase chain reaction products. Nucleic Acids Res, 1988, *16* : 8233-8243.

NUOVO G. In situ detection of PCR-amplified DNA and cDNA. Amplifications (Perkin Elmer), 1992 : 1-3.

OSTE C. Polymerase chain reaction. Biotechniques, 1988, *6* : 162-167.

PÄÄBO S, WILSON A. Polymerase chain reaction reveals cloning artefacts. Nature, 1988, *334* : 387-388.

PARKER J, RABINOVITCH P, BURMER G. Targeted gene walking polymerase chain reaction. Nucleic Acids Res, 1991, *19* : 3055-3060.

PFEIFER G, STEIGERWALD S, MUELLER P et al. Genomic sequencing and methylation analysis by ligation mediated PCR. Science, 1989, *246* : 810-813.

ROCHLITZ C, SCOTT G, DODSON J et al. Use of the polymerase chain reaction technique to create base specific ras oncogene mutations. DNA, 1988, *7* : 515-519.

RUBIN E, ANDREWS K, KAN Y. Newborn screening by DNA analysis of dried blood spots. Hum Genet, 1989, *82* : 134-136.

SAIKI R, CHANG C, LEVENSON C et al. Diagnosis of sickle-cell anemia and β-thalassemia with enzymatically amplified DNA and non-radioactive allele specific oligoprobes. N Engl J Med, 1988, *319* : 537-541.

SAIKI R, GELFAND D, STOFFEL S et al. Primer-directed amplification of DNA with a thermostable DNA polymerase. Science, 1988, *239* : 487-494.

SAIKI R, SCHARF S, FALOONA F et al. Enzymatic amplification of β-globin genomic sequences and restriction site analysis for diagnosis of sickle cell anemia. Science, 1985, *230* : 1350-1354.

SARKAR G, SOMMER S. RNA amplification with trancript sequencing (RAWTS). Nucleic Acids Res, 1988, *16* : 5197.

SARKAR G, SOMMER S. Access to a messenger sequence or its protein product is not limited by tissue or species specificity. Science, 1989, *244* : 331-334.

SAUNDERS R. Short cuts for genome walking - Chromosome microdissection and polymerase chain reaction. Bioessays, 1990, *12* : 245-248.

SCHIBATA D, ARNHEIM N, MARTIN W. Detection of human papilloma virus in paraffin-embedded tissue using the polymerase chain reaction. J Exp Med, 1988, *167* : 225-230.

SCHRAF S, HORN G, ERLICH H. Direct cloning and sequence analysis of enzymatically amplified genomic sequences. Science, 1986, *233* : 1076-1078.

SMITH D. Ligation-mediated PCR of restriction fragments from large DNA molecules. PCR Methods and applications, 1992, *2* : 21-27.

STÜRZL M, ROTH W. PCR-synthesized single-stranded DNA: a useful tool for « hyb » and « HAP » standardization for construction of substraction libraries. Trends Genet, 1990, *6* : 106.

SULLIVAN K, POPE S, GILL P et al. Automated DNA profiling by fluorescent labeling of PCR products. PCR Methods and applications, 1992, *2* : 34-40.

TINDALL K, KUNKEL T. Fidelity of DNA synthesis by the thermus aquaticus DNA polymerase. Biochemistry, 1988, *27* : 6008-6013.

TOP B. A simple method to attach a universal 50-bp GC-clamp to PCR fragments used for mutation analysis by DGGE. PCR Methods and applications, 1992, *2* : 83-85.

UGOZZOLI L, WALLACE R. Application of an allele-specific polymerase chain reaction to the direct determination of ABO blood group genotypes. Genomics, 1992, *12* : 670-674.

VAN GELDER R, VON ZASTROW M, YOOL A et al. Amplified RNA synthesized from limited quantities of heterogeneous cDNA. Proc Natl Acad Sci USA, 1990, *87* : 1663-1667.

VOSBERG H. The polymerase chain reaction: an improved method for the analysis of nucleic acids. Hum Genet, 1989, *83* : 1-15.

VOSS H, SCHWAGER C, WIRKNER U et al. Direct genomic fluorescent on-line sequencing and analysis using in vitro amplification of DNA. Nucleic Acids Res, 1989, *17* : 2517-2527.

WANG A, DOYLE M, MARK D. Quantitation of mRNA by the polymerase chain reaction. Proc Natl Acad Sci USA, 1989, *86* : 9717-9721.

WANG H, CUTLER A. A simple, efficient PCR technique for characterizing bacteriophage plaques. PCR Methods and applications, 1992, *2* : 93-95.

WEISS R. Hot prospect for new gene amplifier. Nature, 1991, *254* : 1292-1293.

WIELAND I, BOLGER G, ASOULINE G et al. A method for difference cloning: gene amplification following substractive hybridization. Proc Natl Acad Sci USA, 1990, *87* : 2720-2724.

Chapitre 22 : Les outils enzymatiques du génie génétique

BIRD A, SOUTHERN E. Use of restriction enzymes to study eucaryotic DNA methylation: I The methylation pattern in ribosomal DNA from Xenopus laevis. J Mol Biol, 1978, *118* : 27-47.

DENG G, WU R. An improved procedure for utilizing terminal transferase to add homopolymers to the 3' termini of DNA. Nucleic Acids Res, 1981, *9* : 4173-4188.

DEVOR E. The relative efficiency of restriction enzymes, an update. Am J Hum Genet, 1988, *42* : 179-182.

GIBBONS A. Molecular scissors: RNA enzymes go commercial. Science, 1991, *251* : 521.

HASELOFF J, GERLACH W. Simple RNA enzymes with new and highly specific endoribonuclease activities. Nature, 1988, *334* : 585-591.

KESSLER C, NEUMAIER P, WOLF W. Recognition sequences of restriction endonucleases and methylases - a review. Gene, 1985, *33* : 1-102.

MERTZ J, DAVIS R. Cleavage of DNA by RI restriction endonuclease generates cohesive ends. Proc Natl Acad Sci USA, 1972, *69* : 3370-3374.

MESELSON M, YUAN R. DNA restriction enzymes from Escheri-

chia coli. Nature, 1968, *217* : 1110-1114.
NATHANS D, SMITH H. Restriction endonucleases in the analysis and restructuring of DNA molecules. Ann Rev Biochem, 1975, *44* : 273-293.
ROBERTS R. Restriction and modification enzymes and their recognition sequences. Nucleic Acid Res, 1982, *10* : 117-144.
ROBERTSON D, JOYCE G. Selection in vitro of an RNA enzyme that specifically cleaves single-stranded DNA. Nature, 1990, *344* : 467-468.
SMITH H. Nucleotide sequence specificity of restriction endonucleases. Science, 1970, *204* : 5-462.
SMITH H, NATHANS D. A suggested nomenclature for bacterial host modification and restriction systems and their enzymes. J Mol Biol, 1973, *81* : 419-423.

Chapitre 23 : L'hybridation moléculaire

BENTON W, DAVIS R. Screning λgt recombinant clones by hybridization to single plaques in situ. Science, 1977, *196* : 180-182.
BROOME S, GILBERT W. Immunological screening method to detect specific translation products. Proc Natl Acad Sci USA, 1978, *75* : 2746-2749.
CREMER T, LICHTER P, BORDEN L et al. Detection of chromosome aberrations in metaphase and interphase tumor cells by in situ hybridization using chromosome-specific library probes. Hum Genet, 1988, *80* : 235-246.
GRUNSTEIN M, HOGNESS D. Colony hybridization: a method for the isolation of cloned DNAs that contains a specific gene. Proc Natl Acad Sci USA, 1975, *72* : 3961-3965.
HAMES B, HIGGINS S. Nucleic acid hybridization: a pratical approach. IRL Press, Oxford, 1985.
HANAHAN D, MESELSON M. Plasmid screning at high colony density. Gene, 1980, *10* : 6-67.
JONES K, MURRAY K. A procedure for detection of heterologous DNA sequences in lambdoïd phage by in situ hybridation. J Mol Biol, 1975, *51* : 393-409.
LANDEGENT J, JANSEN IN DE WAL N, DIRKS R et al. Use of whole cosmid cloned genomic sequences for chromosomal localization by nonradioactive in situ hybridization. Hum Genet, 1987, *77* : 336-370.
LEDBETTER S, NELSON D, WARREN S et al. Rapid isolation of DNA probes within specific chromosome regions by interspersed repetitive sequence polymerase chain reaction. Genomics, 1990, *6* : 475-481.
LICHTER P, CREMER T, TANG C et al. Rapid detection of human chromosome 21 aberrations by *in situ* hybridization. Proc Natl Acad Sci USA, 1988, *85* : 9664-9668.
LICHTER P, WARD D. Is non-isotopic in situ hybridization finally coming of age? Nature, 1990, *345* : 93-94.
RIED T, LANDES G, DACKOWSKI W et al. Multicolor fluorescence in situ hybridization for the simultaneous detection of probe sets for chromosome 13, 18, 21, X and Y in uncultured amniotic fluid cells. Hum Mol Genet, 1992, *1* : 307-313.
THOMAS P. Hybridization of denatured RNA and small DNA fragments transfered to nitrocellulose. Proc Natl Acad Sci USA, 1980, *77* : 5201-5205.
TKACHUK D, WESTBBROOK C, ANDREEFF M, et al. Detection of bcr-abl fusion in chronic myelogenous leukemia by in situ hybridization. Science, 1990, *250* : 559-562.
TRABONI C, CORTESE R, CILIBERT G et al. A general method to select M13 clones carrying base pair subsitution mutants constructed in vitro. Nucleic Acids Res, 1983, *11* : 2605-2618.
TRASK BJ. Fluorescence in situ hybridization: applications in cytogenetics and gene mapping. Trends Genet, 1991, *7* : 149-154.
TRENT J, OLSON S, LAWN R. Chromosomal localization of human leukocyte, fibroblast, and immune interferon genes by means of in situ hybridation. Proc Natl Acad Sci USA, 1982, *79* : 7809-7813.
VIEGAS-PEQUIGNOT E, DUTRILLAUX B, MAGDELENA H et al. Mapping of single-copy DNA sequences on human chromosomes by in situ hybridization with biotinylated probes: enhancement of detection sensitivity by intensified-fluorescence digital-imaging microscopy. Proc Natl Acad Sci USA, 1989, *86* : 582-586.
WOOD W, GITSCHIER J, LASKY L et al. Base composition-independent hybridization in tertramethylamonium chloride: a method for oligonucleotide screening of highly complex gene libraries. Proc Natl Acad Sci USA, 1985, *82* : 1585-1588.

Chapitre 24 : Les vecteurs : plasmides, phages, cosmides, YAC, virus...

ALBERSTEN H, ABDERRAHIM H, CANN H et al. Construction and characterization of yeast artificial chromosome library containing seven haploid human genome equivalents. Proc Natl Acad Sci USA, 1990, *87* : 4256-4260.
BIRNBOIM H, DOLY J. A rapid alkaline extraction procedure for screening recombinant plasmids DNA. Nucleic Acids Res, 1979, *7* : 1513-1523.
BLATTNER F, WILLIAMS B, BLECHL A et al. Charon phages: safer derivates of phage lambda for DNA cloning. Science, 1977, *196* : 161-169.
BOLIVAR F. Construction and characterization of new cloning vehicules: III Derivates of plasmid pBR322 carrying unique Eco RI sites for selection of Eco RI generated recombinant DNA molecules. Gene, 1978, *4* : 121-136.
BRODA P. Plasmids. WH Freeman, San Francisco, 1979.
BROWN W. Mammalian artificial chromosomes. Curr Opin Genet Develop, 1992, *2* : 478-486.
BURKE D. The role of yeast artificial chromosome clones in generating genome maps. Curr Opin Genet Develop, 1991, *1* : 69-74.
BURKE D, CARLE G, OLSON M. Cloning of large segments of DNA into yeast by means of artificial chromosomes vectors. Science, 1987, *236* : 806-812.
BURKE D, OLSON M. Preparation of clone libraries in Yeast Artificial Chromosome. Methods Enzymol, 1990, *194* : 251-272.
CAPECCHI MR. YACs to the rescue. Nature, 1993, *362* : 205-206.
CARLE GF, OLSON MV. Separation of chromosomal DNA molecules from yeast by orthogonal-field-alternation gel electrophoresis. Nucleic Acids Res, 1984, *12* : 5647-5664.
CHARNAY P, PERRICAUDET M, GALIBERT F et al. Bacteriophage lambda and plasmid vectors allowing fusion of cloned genes in each of the three translationnal phases. Nucleic Acids Res, 1978, *5* : 4479-4494.
COHEN S, CHANG A, BOYER H et al. Construction of biologically functional bacterial plasmid in vitro. Proc Natl Acad Sci USA, 1973, *70* : 3240-3244.
COLLINS J, HOHN B. Cosmid: a type of plasmid gene-cloning vector that is packageable in vitro in bacteriophage lambda heads. Proc Natl Acad Sci USA, 1978, *75* : 4242-4246.
COOKE H, CROSS S. pYAC-Neo, a yeast artificial chromosome vector which codes for G418 resistance in mammalian cells. Nucleic Acids Res, 1988, *16* : 11817.
HALINENBERGER K, BAUM M, POLIZZI C et al. Construction of functional yeast artificial minichromosomes in fission yeast schizosaccharomyces pombe. Proc Natl Acad Sci USA, 1989, *86* : 577-581.
HEITER P, CONNELLY C, SHERO J et al. Yeast artificial chromosomes: promises kept and pending. *In* : Genome analysis, Vol I : Genetic and physical mapping. Cold Spring Harbor laboratory press, 1990, 83-119.
HINNEN A, HICKS J, FIN G. Transformation of yeast. Proc Natl Acad Sci USA, 1978, *75* : 1929-1933.
HOHN B. In vitro packaging of lambda and cosmid DNA. Methods enzymol, 1979, *68* : 75-85.
HOHN B, COLLINS J. A small cosmid for efficient cloning of large DNA fragments. Gene, 1980, *11* : 291-298.
HOHN B, MURRAY K. Packaging recombinant DNA molecules into bacteriophage particules in vitro. Proc Natl Acad Sci USA, 1977, *4* : 3259-3263.
IMAI T, OLSON M. Second generation approach to the construction of yeast artificial chromosome library. Genomics, 1990, *8* : 297-303.

MARCHUK D, COLLINS F. pYAC-RC a yeast artificial chromosome vector for cloning DNA cut with unfrequently cutting restriction enzymes. Nucleic Acids Res, 1988, *16* : 7743.

MESSING J, VIEIRA J. A new pair of M13 pair vectors for selecting either DNA strand or double digest restriction fragments. Gene, 1982, *19* : 269-276.

MESSING QJ, GRONENBORN B, MULLER-HILL B et al. Filamentous coliphage M13 as a cloning vehicle: insertion of a Hind III fragment of the lac regulatory region in M13 replicative form in vitro. Proc Natl Acad Sci USA, 1977, *74* : 642-3646.

ORR-WEAVER T, SZOSTAK J. Yeast recombination: the association between double-strand gap repair and crossing-over. Proc Natl Acad Sci USA, 1983, *80* : 4417-4421.

REEVES R, PAVAN W, HIETER P. Modification and manipulation of mammalian DNA cloned as YACs. GATA, 1990, *7* : 107-1013.

RIETHMAN H, MOYZIS R, MEYNE J et al. Cloning human telomeric DNA fragments into *Saccharomyces cerevisiae* using a yeast-artificial-chromosome vector. Proc Natl Acad Sci USA, 1989, *86* : 6240-6244.

ROSENBERG A, LADE B, CHUI D et al. Vectors for selective expression of cloned DNAs by T7 RNA polymerase. Gene, 1987, *56* : 125-135.

SANGER F, COULSON A, HONG G et al. Nucleotide sequence of bacteriophage lamba. J Mol Biol, 1982, *162* : 773-779.

SCHLESSINGER D. Yeast artificial chromosomes: tools for mapping and analysis of complex genomes. Trends Genet, 1990, *6* : 248-258.

SILVERMAN G, GREEN E, YOUNG R et al. Meiotic recombination between yeast artificial chromosomes yields a single clone containing the entire BCL2 protooncogene. Proc Natl Acad Sci USA, 1990, *87* : 9913-9917.

SMITH D, SYMTH A, MOIR D. Amplification of large artificial chromosomes. Proc Natl Acad Sci USA, 1990, *87* : 8242-8246.

STERNBERG N, RUETHER J, DERIEL K. Generation of 50,000-member human DNA library with an average DNA size of 75-100 kbp in a bacteriophage P1 cloning vector. New Biologist, 1990, *2* : 151-162.

STERNBERG N. Bacteriophage P1 cloning system for the isolation, amplification, and recovery of DNA fragments as large as 100 kilobase pairs. Proc Natl Acad Sci USA, 1990, *87* : 103-107.

THOMAS M, CAMERON J, DAVIS R. Viable molecular hybrids of bacteriophage lambda and eukariotic DNA. Proc Natl Acad Sci USA, 1974, *71* : 4579-4583.

VALLET JM, GOUILLOUD E. Les vecteurs d'expression chez les cellules animales. Biofutur, 1986, *51* : 11-25.

VIEIRA J, MESSING J. The pUC plasmids and M13mp7 derived for insertion mutagenesis and sequencing with synthetic universal primers. Gene, 1982, *19* : 259-268.

Chapitre 25 : Les sondes et leur marquage

CHEHAB F, KAN Y. Detection of specific DNA sequences by fluorescence amplification: a color complementation assay. Proc Natl Acad Sci USA, 1989, *86* : 9178-9182.

CHEHAB F, KAN Y. Detection of sickle cell anaemia mutation by colour DNA amplification. Lancet, 1990, *335* : 15-17.

CUNNINGHAM M, MUNDY C. Labelling nucleic acids for hybridization. Nature, 1987, *326* : 723-724.

HAYASHI K, ORITA M, SUZUKI Y et al. Use of labeled primers in polymerase chain reaction (LP-PCR) for a rapid detection of the product. Nucleic Acids Res, 1989, *17* : 3605.

LANDEGENT J, JANSEN IN DE WAL N, DIRKS R et al. Use of whole cosmid cloned genomic sequences for chromosomal localization by non-radioactive in situ hybridization. Hum Genet, 1987, *77* : 336-370.

LAWRENCE J. A fluorescence in situ hybridization approach for gene mapping and the study of nuclear organization. Cold Spring Harbor Laboratory Press, 1990, 1-38.

LEBACQ P. Spécifiques, sensibles et inoffensives : voici les sondes non radioactives. Biofutur, 1987, *11* : 12-18.

LICHTER P, WARD D. Is non-isotopic in situ hybridization finally coming of age? Nature, 1990, *345* : 93-94.

MELTON D, KREIG P, REBAGLIATI M et al. Efficient in vitro synthesis of biologically active RNA and RNA hybridization probes from plasmids containing a bacteriophage SP6 promoter. Nucleic Acids Res, 1984, *12* : 7035-7056.

RIED T, LANDES G, DACKOWSKI W et al. Multicolor fluorescence in situ hybridization for the simultaneous detection of probe sets for chromosome 13, 18, 21, X and Y in uncultured amniotic fluid cells. Hum Mol Genet, 1992, *1* : 307-313.

RIGBY P, DIECKMAN M, RHODES C et al. Labelling desoxyribonucleic acid to high specific activity in vitro by nick-translation with DNA polymerase I. J Mol Biol, 1977, *113* : 237-251.

SAIKI R, CHANG C, LEVENSON C et al. Diagnosis of sickle-cell anemia and β-thalassemia with enzymatically amplified DNA and non-radioactive allele specific oligoprobes. N Engl J Med, 1988, *319* : 537-541.

SUGGS S, WALLACE R, HIROSE T et al. Use of synthetic oligonucleotides as hybridisation probes: isolation of cloned cDNA sequences from human β^2-microglobulin. Proc Natl Acad Sci USA, 1981, *78* : 6613-6617.

TRASK BJ. Fluorescence in situ hybridization: applications in cytogenetics and gene mapping. Trends Genet, 1991, *7* : 149-154.

URDEA M, WARNER B, RUNNING J et al. A comparision of non-radioisotopic hybridization assay methods using fluorescent, chemiluminescent and enzyme labeled synthetic oligodesoxyribonucleotide probe. Nucleic Acids Res, 1988, *16* : 4937-4956.

VIEGAS-PEQUIGNOT E, DUTRILLAUX B, MAGDELENA H et al. Mapping of single-copy DNA sequences on human chromosomes by in situ hybridization with biotinylated probes: enhancement of detection sensivity by intensified-fluorescence digital-imaging microscopy. Proc Natl Acad Sci USA, 1989, *86* : 582-586.

VIGNAL A, GYAPAY G, HAZAN J et al. A non-radioactive multiplex procedure for genotyping of microsatellite markers. Methods in Molecular Genetics, vol 1 (ed. Adolph, KW), Academic, Orlando, 1992.

Chapitre 26 : Le clonage

ALBERSTEN H, ABDERRAHIM H, CANN H et al. Construction and characterization of yeast artificial chromosome library containing seven haploid human genome equivalents. Proc Natl Acad Sci USA, 1990, *87* : 4256-4260.

BROOME S, GILBERT W. Immunological screening method to detect specific translation products. Proc Natl Acad Sci USA, 1978, *75* : 2746-2749.

BUCKLER AJ, CHANG DD, GRAW SL et al. Exon amplification: a strategy to isolate mammalian genes based on RNA splicing. Proc Natl Acad Sci USA, 1991, *88* : 4005-4009.

BURKE D. The role of yeast artificial chromosome clones in generating genome maps. Curr Opin Genet Develop, 1991, *1* : 69-74.

BURKE D, CARLE G, OLSON M. Cloning of large segments of DNA into yeast by means of artificial chromosomes vectors. Science, 1987, *236* : 806-812.

BURKE D, OLSON M. Preparation of clone libraries in yeast artificial-chromosome vectors. Methods Enzymol, 1990, *194* : 251-272.

CAPECCHI M. R. YACs to the rescue. Nature, 1993, *362* : 205-206.

CARLE GF, OLSON MV. Separation of chromosomal DNA molecules from yeast by orthogonal-field-alternation gel electrophoresis. Nucleic Acids Res, 1984, *12* : 5647-5664.

COHEN S, CHANG A, BOYER H et al. Construction of biologically functional bacterial plasmid in vitro. Proc Natl Acad Sci USA, 1973, *70* : 3240-3244.

COOKE H, CROSS S. pYAC-Neo, a yeast artificial chromosome vector which codes for G418 resistance in mammalian cells. Nucleic Acids Res, 1988, *16* : 11817.

DUYK G, KIM S, MYERS R et al. Exon trapping: a genetic screen to identify candidate transcribed sequences in cloned mammalian genomic DNA. Proc Nat Acad Sci USA, 1990, *87* : 8995-8999.

ELVIN P, SLYNN G, BLACK D et al. Isolation of cDNA clones using yeast artificial chromosomes probes. Nucleic Acids Res, 1990, *18* : 3913-3917.

FROHMAN M, DUSH M, MARTIN G. Rapid production of full-length

cDNAs from rare transcipts: amplification using single gene specific oligonucleotide primer. Proc Natl Acad Sci USA, 1988, *85* : 8998-9002.
GLOVER M. Gene cloning: the mechanics of DNA manipulation. Chapman and Hall, London, 1984.
GREEN E, OLSON M. Systematic screening of yeast artificial chromosome libraries by use of polymerase chain reaction. Proc Natl Acad Sci USA, 1990, *87* : 1213-1217.
HALINENBERGER K, BAUM M, POLIZZI C et al. Construction of functional yeast artificial minichromosomes in fission yeast schizosaccharomyces pombe. Proc Natl Acad Sci USA, 1989, *86* : 577-581.
HEDRICK S, COHEN D, NIELSEN E et al. Isolation of cDNA clones encoding T-cell specific membrane-associated proteins. Nature, 1984, *308* : 149-153.
HEITER P, CONNELLY C, SHERO J et al. Yeast artificial chromosomes: promises kept and pending. *In:* Genome analysis, Vol I: Genetic and physical mapping. Cold Spring Harbor laboratory press, 1990, 83-119.
HINNEN A, HICKS J, FIN G. Transformation of yeast. Proc Natl Acad Sci USA, 1978, *75* : 1929-1933.
HOEKSTRA W, BREGMANS J, ZUIDWEG E. Role of recBC nuclease in Escherichia coli transformation. J Bacteriol, 1980, *143* : 1031-1032.
HOHN B, COLLINS J. A small cosmid for efficient cloning of large DNA fragments. Gene, 1980, *11* : 291-298.
HOHN B, MURRAY K. Packaging recombinant DNA molecules into bacteriophage particles in vitro. Proc Natl Acad Sci USA, 1977, *74* : 3259-3263.
IMAI T, OLSON M. Second generation approach to the construction of yeast artificial chromosome library. Genomics, 1990, *8* : 297-303.
JOHNSON D. Molecular cloning of DNA from specific chromosomal regions by microdissection and sequence-independent amplification of DNA. Genomics, 1990, *6* : 243-251.
JONES I, PRIMEROSE S, ROBINSON A et al. Effect of growth rate and nutriment limitation on the transformability of Escherichia coli with DNA plasmid. J Bacteriol, 1981, *146* : 841-846.
KAO FT, YU JW. Chromosome microdissection and cloning in human genome and genetic disease analysis. Proc Natl Acad Sci USA, 1991, *88* : 1644-1848.
KNOTH K, ROBERTS P, POTEET C et al. Highly degenerate inosine-containing primers specifically amplify rare cDNA using the polymerase chain reaction. Nucleic Acids Res, 1988, *16* : 10932.
LAND H, GUEZ M, HAUSER H et al. 5' terminal sequences of eukaryotic mRNA can be cloned with high efficiency. Nucleic Acids Res, 1981, *9* : 2251-2266.
LEDBETTER S, NELSON D, WARREN S et al. Rapid isolation of DNA probes within specific chromosome regions by interspersed repetitive sequence polymerase chain reaction. Génomics, 1990, *6* : 475-481.
LEHRACH H, DRMANAC R, HOHEISEL J et al. Hybridization fingerprinting in genome mapping and sequencing. *In* : KE Davies, SM Tilghman : Genome Analysis, Vol 1 : Genetic and Physical Mapping, Cold Spring Harbor Laboratory Press, 1990, 39-81.
LÜDECKE H, SENGER G, CLAUSSEN U et al. Cloning defined regions of the human genome by microdissection of banded chromosomes and enzymatic amplification. Nature, 1989, *338* : 348-350.
MANDEL M, HIGA A. Calcium-dependent bacteriophage DNA infection. J Mol Biol, 1970, *53* : 159-162.
MANIATIS T, HARDISON R, LACY E et al. The isolation of structural genes from libraries of eukariotic DNA. Cell, 1978, *15* : 687-701.
McMURRAY A, WEAVER A, SHIN H et al. An automated method for DNA preparation from thousands of YAC clones. Nucleic Acids Res, 1991, *19* : 385-390.
OKAYAMA H, BERG P. High-efficiency cloning full length cDNA. Mol Cell Biol, 1982, *2* : 161-170.
OLD R, PRIMROSE S. Principles of genetic manipulation. 4e Ed, Blackwell Scientific Publication, Oxford, 1989.
ORR-WEAVER T, SZOSTAK J. Yeast recombination: the association between double-strand gap repair and crossing-over. Proc Natl Acad Sci USA, 1983, *80* : 4417-4421.
REEVES R, PAVAN W, HIETER P. Modification and manipulation of mammalian DNA cloned as YACs. GATA, 1990, *7* : 107-1013.
RICCIARDI R, MILLER J, ROBERTS B. Purification and mapping of specific mRNAs by hybridization selection and free translation. Proc Natl Acad Sci, 1979, *76* : 4927-4931.
SCHLESSINGER D. Yeast artificial chromosomes: tools for mapping and analysis of complex genomes. Trends Genet, 1990, *6* : 248-2258.
SILVERMAN G, GREEN E, YOUNG R et al. Meiotic recombination between yeast artificial chromosomes yields a single clone containing the entire BCL2 protooncogene. Proc Natl Acad Sci USA, 1990, *87* : 9913-9917.
SINGH H, BIEKER J, DUMAS L. Genetic transformation of saccharomyces cerevisiae with single strand circular DNA vectors. Gene, 1982, *20* : 441-449.
SMITH D, SYMTH A, MOIR D. Amplification of large artificial chromosomes. Proc Natl Acad Sci USA, 1990, *87* : 8242-8246.
STERNBERG N, RUETHER J, DERIEL K. Generation of 50,000-member human DNA library with an average DNA size of 75-100 kbp in a bacteriophage P1 cloning vector. New Biologist, 1990, *2* : 151-162.
STÜRZL M, ROTH W. PCR-synthesized single-stranded DNA: a useful tool for « hyb » and « HAP » standardization for construction of substraction libraries. Trends Genet, 1990, *6* : 106.
SUGGS S, WALLACE R, HIROSE T et al. Use of synthetic oligonucleotides as hybridisation probes: isolation of cloned cDNA sequences from human β^2-microglobulin. Proc Natl Acad Sci USA, 1981, *78* : 6613-6617.
TRAVER C, KLAPHOLTZ S, HYMAN R et al. Rapid screening of a human genomic library in yeast artificial chromosomes for single copy sequences. Proc Natl Acad Sci USA, 1989, *86* : 5898-5902.
VAN GELDER R, VON ZASTROW M, YOOL A et al. Amplified RNA synthesized from limited quantities of heterogeneous cDNA. Proc Natl Acad Sci USA, 1990, *87* : 1663-1667.
WAIN-HOBSON S, BISHOP C, DEJEAN A. Constitution de banques d'ADN génomique à l'aide de phages ou de cosmides. INSERM, 1983 : *118*.
WIELAND I, BOLGER G, ASOULINE G et al. A method for difference cloning: gene amplification following substractive hybridization. Proc Natl Acad Sci USA, 1990, *87* : 2720-2724.
WILLIAMS W, ROSEMBAUM H, WEINER D. Effect of RNA concentration on cDNA synthesis for DNA amplification. PCR Methods and applications, 1992, *2* : 86-88.
WILLIAMSON R. Genetic engineering. Vol 1-3, Academic Press, 1982.
WOOD W, GITSCHIER J, LASKY L et al. Base composition-independent hybridization in tertramethylamonium chloride: a method for oligonucleotide screening of highly complex gene libraries. Proc Nat Acad Sci USA, 1985, *82* : 1585-1588.
YOUNG R, DAVIS R. Efficient isolation of genes by using antibody probes. Proc Natl Acad Sci USA, 1983, *80* : 1194-1198.

Chapitre 27 : Détermination de la séquence d'un acide nucléique

ANSORGE W, SPROAT B, STEGEMANN J et al. Automated DNA sequencing: Ultrasensitive detection of fluorescent bands during electrophoresis. Nucleic Acids Res, 1987, *15* : 4593-4602.
CATHCART R. Advances in automated DNA sequencing. Nature, 1990, *347* : 310.
CHURCH G, KIEFFER-HIGGINS S. Multiplex DNA sequencing. Science, 1988, *240* : 185-188.
CHURCH GM, GILBERT W. Genomic sequencing. Proc Natl Acad Sci USA, 1984, *81* : 1991-1995.
DUNLAP D, BUSTAMANTE C. Images of single-stranded nucleic acids by scanning tunnelling microscopy. Nature, 1989, *432* : 204-205.
ENGELKE D, HOENER P, COLLINS F. Direct sequencing of enzymatically amplified human genomic DNA. Proc Natl Acad Sci USA, 1988, *85* : 544-548.
GISH G, ECKSTEIN F. DNA and RNA sequence determination based on phosphorothionate chemistry. Science, 1988, *240* :

1520-1522.
GYLLENSTEN UB. PCR and DNA sequencing. Bio Technol, 1989, *7* : 700-748.
GYLLENSTEN U, ERLICH H. Generation of single-stranded DNA by polymerase chain reaction and its application to direct sequencing of the HLA-DQA locus. Proc Natl Acad Sci USA, 1988, *85* : 7652-7656.
HENIKOFF S. Unidirectional digestion with exonuclease III creates targeted breakpoints for DNA sequencing. Gene, 1984, *28* : 351-359.
HULTMAN T, BERGH S, MOKS T, UHLEN M. Bidirectional solid-phase sequencing of in vitro amplified plasmid DNA. Bio Technol, 1991, *10* : 84-93.
HULTMAN T, STÀHL S, HORNES E et al. Direct solid phase sequencing of genomic and plasmid DNA using beads as solid support. NAR, 1989, *17* : 4937-4946.
HUNKAPILLER M. Advances in DNA sequencing technology. Curr Opin Genet Develop, 1991, *1* : 88-92.
INNIS M, MYAMBO K, GEFLAND D et al. DNA sequencing with thermus aquaticus DNA polymerase and direct sequencing of polymerase chain reaction amplified DNA. Proc Natl Acad Sci USA, 1988, *85* : 9436-9440.
JETT J, KELLER R, MARTIN J et al. High-speed DNA sequencing: an approach based upon fluorescence detection of single molecules. J Biomol Struct, 1990, *7* : 301-309.
LUCEY J, DROSSMAN H, KOSTICHKA A et al. High speed DNA sequencing by capillary electrophoresis. Nucleic Acids Res, 1990, *18* : 4417-4421.
MAXAM A, GILBERT W. A new method for sequencing DNA. Proc Natl Acad Sci USA, 1977, *74* : 560-564.
MAXAM A, GILBERT W. Sequencing end labeled DNA with base-specific chemical cleavages. Meth Enzymol, 1980, *65* : 499-560.
MESSING J, CREA R, VIEIRA J. A system for shotgun DNA sequencing. Nucleic Acids Res, 1981, *9* : 309-321.
NAKAMAYE K, GISH G, ECKSTEIN F et al. Direct sequencing of polymerase chain reaction amplified DNA fragments trough the incorporation of deoxynucleotide α-thiotriphosphates. Nucleic Acids Res, 1988, *16* : 9947-9959.
NICK H, BOWEN B, FERL R et al. Detection of cytosine methylation in the maize alcohol deshydrogenase gene by genomic sequencing. Nature, 1986, *319* : 243-246.
PFEIFER G, STEIGERWALD S, MUELLER P et al. Genomic sequencing and methylation analysis by ligation mediated PCR. Science, 1989, *246* : 810-813.
PROBER J, TRAINOR G, DAM R et al. A system for rapid DNA sequencing with fluorescent chain-terminating dideoxynucleotides. Science, 1987, *238* : 336-341.
ROBERTS L. New chip may speed genome analysis. Science, 1989, *244* : 655-656.
RUANO G, KIDD K. Coupled amplification and sequencing of genomic DNA. Proc Natl Acad Sci USA, 1991, *88* : 2815-2819.
SANGER F. Determination of nucleotide sequences in DNA. Science, 1981, *214* : 1205-1209.
SANGER F, COULSON A. A rapid method for determining sequences in DNA primed synthesis with DNA polymerase. J Mol Biol, 1975, *94* : 444-448.
SANGER F, NICKLEN S, COULSON A. DNA sequencing with chain-termination inhibitors. Proc Natl Acad Sci USA, 1977, *74* : 5463-5467.
SARKAR G, SOMMER S. RNA amplification with trancript sequencing (RAWTS). Nucleic Acids Res, 1988, *16* : 5197.
SCHOWALTER D, TOFT D, SOMMER S. A method of séqencing without subcloning and its application to the identification of a novel ORF with a sequence suggestive of a transcriptional regulator on the water mold Achlya ambisexualis. Genomics, 1990, *6* : 23-32.
SCHRAF S, HORN G, ERLICH H. Direct cloning and sequence analysis of enzymatically amplified genomic sequences. Science, 1986, *233* : 1076-1078.
SMITH LM, SANDERS JZ, KAISER RJ et al. Fluorescence detection in automated DNA sequencing analysis. Nature, 1986, *321* : 674-679.
SOMMER S, SARKAR G, KOEBERL D et al. Direct sequencing with the aid of phage promoters. *In* : M Innis et al. PCR protocols : a guide to methods and applications, Academic Press Inc, New York, 1990, 197-205.
TABOR S, RICHARDSON CC. DNA sequence analysis with a modified bacteriophage T7 DNA polymerase. J Biol Chem, 1990, *265* : 8322-8328.
TRAINOR GL. DNA sequencing, automation, and the human genome. Anal Chem, 1990, *62* : 418-426.
VOSS H, SCHWAGER C, WIRKNER U et al. Direct genomic fluorescent on-line sequencing and analysis using in vitro amplification of DNA. Nucleic Acids Res, 1989, *17* : 2517-2527.
WAHLBERG J, LUNDEBERG J, HULTMAN T et al. General colorimetric method for DNA diagnostics allowing direct solid-phase genomic sequencing of the positive samples. Proc Natl Acad Sci USA, 1990, *87* : 6569-6573.
WILSON RK, CHEN C, HOOD L. Optimization of asymetric polymerase chain reaction for rapid fluorescent DNA sequencing. Bio Technol, 1990, *8* : 184-189.
WILSON RK, CHEN C, AVDALOVIC N et al. Development of an automated procedure for fluorescent DNA sequencing. Genomics, 1990, *6* : 626-634.

Chapitre 28 : Analyse du génome et de ses modifications

AMSELEM S, NUNES V, VIDAUD M et al. Determination of the spectrum of β-thalassemia genes in Spain by use of dot-blot analysis of amplified β-globin DNA. Am J Hum Genet, 1988, *43* : 95-100.
BANKIER AT, BARRELL BG. Shotgun DNA sequencing. Tech Nucleic Acid Biochem, 1983, *B5* : 1-34.
BARANY F. Genetic disease detection and DNA amplification using cloned thermostable ligase. Proc Natl Acad Sci USA, 1991, *88* : 189-193.
BARRELL B. DNA sequencing: present limitations and prospects for the future. FASEB J, 1991, *5* : 40-45.
BERG L, WIELAND K, MILLER D et al. Detection of a novel point mutation causing haemophilia A by PCR/direct sequencing of ectopically-transcribed factor VIII mRNA. Hum Genet, 1990, *85* : 658-665.
BHATTACHARYYA A, LILLEY DM. Single base mismatches in DNA: Long and short-range structure probed by analysis of axis trajectory and local chemical reactivity. J Mol Biol, 1989, *209* : 583-597.
CHEHAB F, KAN Y. Detection of sickle cell anaemia mutation by colour DNA amplification. Lancet, 1990, *i* : 15-17.
CHELLY J, GILGENKRANTZ H, HUGNOT J et al. Illegitimate transcription. Application to the analysis of truncated transcripts of the dystrophin gene in nonmuscle cultured cells from Duchenne and Becker patients. J Clin Invest, 1991, *88* : 1161-1166.
CHURCH GM, KIEFFER-HIGGINS S. Multiplex DNA sequencing. Science, 1988, *240* : 285-288.
COTTON G, RODRIGUES N, CAMPBELL R. Reactivity of cytosine and thymine in single-base-pair mismatches with hydroxylamine and osmium tetroxide and its application to the study of mutations. Proc Natl Acad Sci USA, 1988, *85* : 4397-4401.
COTTON RGH, CAMPBELL RD. Chemical reactivity of matched cytosine and thymine bases near mismatched and unmatched bases in a heteroduplex between DNA strands with multiple differences. Nucleic Acids Res, 1989, *17* : 4223-4233.
DIAZ-CHICO J, YANG K, EFREMOV D et al. The detection of β-globin gene mutations in β-thalassemia using oligonucleotide probes and amplified DNA. Biochem Biophys Acta, 1988, *949* : 43-48.
DI DELLA A, HUANG W, WOO S. Screening for phenylketonuria mutations by DNA amplification with polymerase chain reaction. Lancet, 1988, *i* : 497-499.
EHLEN T, DUBEAU L. Detection of RAS point mutations by polymerase chain reaction using mutation-specific, inosine-containing oligonucleotide primers. Biochem Biophys Res Comm, 1989, *160* : 441-447.
GIBBS R, NGUYEN PN, CASKEY C. Detection of single DNA base differences by competitive oligonucleotide priming. Nucleic Acids Res, 1989, *17* : 2437-2448.
HAYASHI K. PCR-SSCP: a simple and sensitive method for detection of mutations in the genomic DNA. PCR : Methods and Applications, 1991, *1* : 34-38.

LANDEGREN U, KAISER R, SANDERS J et al. A ligase-mediated gene detection technique. Science, 1988, *241* : 1077-1080.
LERMAN L, SILVERSTEIN K, GRINFELD E. Searching for gene defect by denaturing gradient gel electrophoresis. Cold Spring Harbor Symp Quant Biol, 1986, Vol, *LI* : 285-297.
LITT M, LUTY J. A hypervariable microsatellite revealed by in vitro amplification of a dinucleotide repeat within the cardiac muscle actin gene. Am J Hum Genet, 1989, *44* : 397-401.
MAKINO R, YAZYU H, KISHIMOTO Y et al. F-SSCP: fluorescence-based polymerase chain reaction-single strand conformation polymorphism (PCR-SSCP) analysis. PCR Methods and applications, 1992, *2* : 10-13.
MYERS R, MANIATIS T. Recent advances in the developement of methods for detecting single-base substitutions associated with human diseases. Cold Spring Harbor Symp Quant Biol, 1986, *LI* : 275-284.
MYERS R, FISHER S, LERMAN L et al. Nearly all single base substitutions in DNA fragments joined to GC-clamp can be detected by denaturing gradient gel electrophoresis. Nucleic Acids Res, 1985, *13* : 3131-3145.
MYERS R, LARIN Z, MANIATIS T. Detection of single base substitution by ribonuclease cleavage at mismatches in RNA: DNA duplex. Science, 1985, *230* : 1242-1246.
MYERS R, MANIATIS T. Detection and localization of single base changes by denaturing gradient gel electrophoresis. Meth Enzymol, 1987, *155* : 507-521.
NAGAMINE C, CHA K, LAU Y. A PCR artifact: generation of heteroduplexes. Am J Hum Genet, 1989, *45* : 337-339.
NAYLOR J, GREEN P, MONTANDON A et al. Detection of three novel mutations in two haemophilia A patients by rapid screening of whole essential region of factor VIII gene. Lancet, 1991, *337* : 635-639.
NELSON P, CAREY W, MORRIS C. Gene amplification directly from Guthrie blood spots. Lancet, 1990, *336* : 1451-1452.
NEWTON C, GRAHAM A, HEPTINSTALL L et al. Analysis of any point mutation in DNA amplification refractory mutation system (ARMS). Nucleic Acids Res, 1989, *17* : 2503-2516.
NEWTON S, JACOB C, STOCKER B. Immune response to cholera toxin epitope inserted in salmonella flagellin. Science, 1989, *244* : 70-72.
NEWTON C, KALSHEKER N, GRAHAM A et al. Diagnosis of α1-antitrypsin deficiency by enzymatic amplification of human genomic DNA and direct sequencing of polymerase chain reaction products. Nucleic Acids Res, 1988, *16* : 8233-8243.
ORITA M, IWAHANA H, KANAZAWA H et al. Detection of polymorphisms of human DNA by gel electrophoresis as single-strand conformation polymorphisms. Proc Natl Acad Sci USA, 1989, *86* : 2766-2770.
ORITA M, SUZUKI Y, SEKIYA T et al. Rapid and sensitive detection of point mutations and DNA polymorphisms using the polymerase chain reaction. Genomics, 1989, *5* : 874-879.
PERUCHO M. Detection of a single-base substitutions with the RNAse A mismatch cleavage method. Strategies in molecular biology, 1989, *2* : 37-41.
ROBERTS R, BARBY T, MANNERS E et al. Direct detection of dystrophin gene rearrangements by analysis of dystrophin mRNA in peripheral blood lymphocytes. Am J Hum Genet, 1991, *49* : 298-310.
ROMMENS J, KEREM BS, GREER W et al. Rapid non-radioactive detection of the major cystic fibrosis mutation. Am J Hum Genet, 1990, *46* : 395-396.
ROSE EA. Applications of the polymerase chain reaction to genome analysis. FASEB J, 1991, *5* : 46-54.
RUANO G, KIDD K. Coupled amplification and sequencing of genomic DNA. Proc Natl Acad Sci USA, 1991, *88* : 2815-2819.
RUBIN E, ANDREWS K, KAN Y. Newborn screening by DNA analysis of dried blood spots. Hum Genet, 1989, *82* : 134-136.
RYCHLIK W, RHOADS R. A computer program for choosing optimal oligonucleotides for filter hybridization, sequencing, and in vitro amplification of DNA. Nucleic Acids Res, 1989, *17* : 8543-8551.
SAIKI R, CHANG C, LEVENSON C et al. Diagnosis of sickle-cell anemia and β-thalassemia with enzymatically amplified DNA and non-radioactive allele specific oligoprobes. N Engl J Med, 1988, *319* : 537-541.
SARKAR G, SOMMER S. Access to a messenger sequence or its protein product is not limited by tissue or species specificity. Science, 1989, *244* : 331-334.
SARKAR GS, YOON HS, SOMMER SS. Dideoxy fingerprint (ddF): a rapid and efficient screen for the presence of mutations. Genomics, 1992, *13* : 441-443.
SHEFFIELD V, COX D, LERMAN L et al. Attachement of a 40 base-pair G + C-rich sequence (GC-clamp) to genomic DNA fragments by the polymerase chain reaction results in improved detection of single-base changes. Proc Natl Acad Sci USA, 1989, *86* : 232-236.
SOUTHERN E. Detection of specific sequences among DNA fragments. J Mol Biol, 1975, *98* : 503-517.
TOP B. A simple method to attach a universal 50-bp GC-clamp to PCR fragments used for mutation analysis by DGGE. PCR Methods and applications, 1992, *2* : 83-85.
VIGNAL A, GYAPAY G, HAZAN J et al. A non-radioactive multiplex procedure for genotyping of microsatellite markers. Methods in Molecular Genetics, vol 1, ed Adolph, KW, Academic, Orlando, 1992.
WU D, UGOZZOLI L, PAL B et al. Allele-specific enzymatic amplification of beta-globin genomic DNA for diagnosis of sickle cell anemia. Proc Natl Acad Sci USA, 1989, *86* : 2757-2760.
YANDELL DW, DRYJA TP. Detection of DNA sequence polymorphisms by enzymatic amplification and direct genomic sequencing. Am J Hum Genet, 1989, *45* : 547-555.

Chapitre 29 : Analyse de l'expression des gènes

ALWINE J, KEMP D, STARK G. Method for detection of specific RNAs in agarose gels by transfer to diazobenzylmethyl paper and hybridization with DNA probes. Proc Natl Acad Sci USA, 1977, *74* : 5350-5354.
BECKER P, RUPPERT S, SCHÜTZ G. Genomic footprinting reveals cell type-specific DNA binding of ubiquitous factors. Cell, 1987, *51* : 435-443.
DINGAM J, LEBOVITZ R, ROEDER R. Accurate transcription initiation by RNA polymerase II in a soluble extract from isolate mammalian nuclei. Nucleic Acids Res, 1983, *11* : 1475-1489.
GALAS D, SCHMITZ A. DNase footprinting, a simple method for the detection of protein-DNA binding specificity. Nucleic Acids Res, 1987, *5* : 3157-3170.
GARNER M, REVZIN A. A gel electrophoresis method for quantifying the binding of proteins to specific DNA regions : application to components of the E.coli lactose operon regulatory system. Nucleic Acids Res, 1981, 3047-3060.
HALTINER M, KEMPE T, TIJIAN R. A novel strategy for constructing clustered point mutations. Nucleic Acids Res, 1985, *3* : 1015-1025.
JACKSON P, FELSENFELD G. A method for mapping intranuclear protein-DNA interactions and its application to nuclease hypersensitive site. Proc Natl Acad Sci, 1985, *82* : 2296-2300.
MUELLER P, WOLD B. In vivo footprinting of a muscle specific enhancer by ligation mediated PCR. Science, 1989, *246* : 780-786.
NICK H, GILBERT W. Detection in vivo of protein/DNA interactions with the lac operon of Escherichia coli. Nature, 1985, *313* : 795-797.
POLLOCK R, TREISMAN R. A sensitive method for the determination of protein-DNA binding specificities. NAR, 1990, *18* : 6197.
RINCHIK E, RUSSELL L. Germ-line deletion mutations in the mouse: tools for intensive functional and physical mapping of the regions of the mammalian genome. Cold Spring Harbor Laboratory Press, 1990, 121-158.
SALUZ HP, WIEBAUER K, WALLACE A. Studying DNA modifications and DNA-protein interaction in vivo. Trends Genet, 1991, *7* : 207-211.
SEN R, BALTIMORE D. Multiple nuclear factors interact with the immunoglobulin enhancer sequences. Cell, 1986, *46* : 705-716.
STAUDT L, SINGH H, SEN R et al. A lymphoid-specific protein binding to the octamer motif of the immunoglobulin gene. Nature, 1986, *323* : 640-643.

TIAN JM, SCHIBLER U. Tissu-specific expression of the gene encoding hepatocyte nuclear factor 1 may involve hepatocyte nuclear factor 4. Genes Develop, 1991, *5* : 2225-2234.

VAULONT S, PUZENAT N, COGNET M et al. Proteins binding to the liver-specific pyruvate kinase gene promoter. A unique combinaison of known factors. J Mol Biol, 1989, *209* : 205-219.

Chapitre 30 : Les techniques de modification du matériel génétique

ALAM J, COOK J. Reporter genes: application to the study of mammalian gene transcription. Anal Biochem, 1990, *188* : 245-254.

BIRNSTIEL M, BUSSLINGER M. Dangerous liaisons: spermatozoa as natural vectors for foreign DNA? Cell, 1989, *57* : 701-702.

BOTSTEIN D, SHORTLE D. Strategies and applications of in vitro mutagenesis. Science, 1985, *462* : 1193-1201.

COOLEY L, BERG C, SPRADLING A. Controlling P element insertional mutagenesis. TIG, 1988, *4* : 254-258.

DRAKE J, BALTZ R. The biochemistry of mutagenesis. Ann Rev Biochem, 1976, *45* : 11-37.

DALBADIE-McFARLANE G, COHEN L, RIGGS A et al. Oligonucleotide-directed mutagenesis as a general and powerful method for studies of protein functions. Proc Natl Acad Sci USA, 1982, *79* : 6409-6413.

GLUZMAN Y. SV40 transformed cells support the replication of early SV40 mutants. Cell, 1981, *23* : 175-182.

GORDON J, SCANGOS G, POTKIN G et al. Genetic transformation of mouse embryos by microinjection of purified DNA. Proc Natl Acad Sci USA, 1980, *77* : 1250-1254.

GORDON J, RUDDLE F. Integration and stable germ line transmission of genes injected into mouse pronuclei. Science, 1981, *214* : 1244-1246.

GOSSLER A, JOYNER A, ROSSANT J et al. Mouse embryonic stem cells and reporter constructs to detect developmentally regulated genes. Science, 1989, *244* : 463-465.

GREGG R, SMITHIES O. Targeted modification of human chromosomal genes. Cold Spring Harbor Symp Quant Biol, 1986, *LI* : 1093-1099.

GRIDLEY T, SORIANO P, JEANISCH R. Insertional mutagenesis in mice. TIG, 1987, *3* : 162-166.

HARBERS K, JAHNER D, JAENISCH R. Microinjection of cloned retroviral genomes into mouse zygotes: integration and expression in the animal. Nature, 1981, *293* : 540-543.

HENIKOFF S. Unidirectional digestion with exonuclease III creates targeted breakpoints for DNA sequencing. Gene, 1984, *28* : 351-359.

HIGUCHI R, KRUMMEL B, SAIKI R. A general method of in vitro preparation and specific mutagenesis of DNA fragments: study of protein and DNA interactions. Nucleic Acids Res, 1988, *16* : 7351-7366.

KRIEGLER M. Gene transfer and expression. A laboratory manual. Macmillan Publishers Ltd, 1990.

LAVITRANO M, CAMAIONI A, FAZIO V et al. Sperm cells as vectors for introducing foreign DNA into eggs: genetic transformation of mice. Cell, 1989, *57* : 717-723.

LEMARCHANDEL V, MONTAGUTELLI X. La recombinaison homologue. De nouvelles perspectives pour la transgénèse chez les mammifères. M/S, 1990, *6* : 18-29.

MANN R, MULLIGAN R, BALTIMORE D. Construction of a retrovirus packaging mutant and its use to produce help free defective retrovirus. Cell, 1983, *33* : 153-159.

MAY K, WARREN R, PALMITER R. The mouse metallothionin 1 gene is transcriptionnaly regualted by cadmium following transfection into human or mouse cells. Cell, 1982, *29* : 99-108.

MILLER A, PALMER T, HOCK R. Transfer of genes into human somatic cells using retrovirus vectors. Cold Spring Harbor Symp Quant Biol, 1986, *LI* : 1013-1019.

PALMITER R, BRINSTER R, HAMMER R et al. Dramatic growth of mice that develop from eggs microinjected with metollothionin growth hormone fusion genes. Nature, 1982, *300* : 611-615.

RINCHIK ME. Chemical mutagenesis and fine-structure functional analysis of mouse genome. Trends Genet, 1991, *7* : 15-21.

RINCHIK E, RUSSELL L. Germ-line deletion mutations in the mouse: tools for intensive functional and physical mapping of the regions of the mammalian genome. Cold Spring Harbor Laboratory Press, 1990, 121-158.

SEDIVY J, SHARP P. Positive genetic selection for gene disruption in mammalian cells by homologous recombination. Proc Natl Acad Sci USA, 1989, *86* : 227-231.

SMITH M. In vitro mutagenesis. Ann Rev Biochem, 1985, *19* : 423-462.

THOMAS K, CAPECCHI M. Targeting of genes to specific sites in the mammalian genome. Cold Spring Harbor Symp Quant Biol, 1986, *LI* : 1101-1113.

THOMAS K, CAPECCHI M. Site-directed mutagenesis by gene targeting in mouse embryo-derived stem cells. Cell, 1987, *51* : 503-512.

WIGLER M, PERUCHO M, KURTZ D et al. Transformation of mammalian cells with an amplifiable dominant-acting gene. Proc Natl Acad Sci USA, 1980, *77* : 3567-3570.

WIGLER M, SWEET R, SIM G et al. Transformation of mammalian cells with genes from procaryotes and eucaryotes. Cell, 1979, *16* : 223-232.

WILLIAMS R, JOHNSTON S, RIEDY M et al. Introduction of foreign genes into tissues of living mice by DNA-coated microprojectiles. Proc Natl Acad Sci USA, 1991, *88* : 2726-2730.

YAGI T, IKAWA K, YOSHIDA K et al. Homologous recombination at c-fyn locus of mouse embryonic stem cells with use of diphteria toxin A-fragment gene in negative selection. Proc Natl Acad Sci USA, 1990, *87* : 9918-9922.

YANG NS, BURKHOLDER J, ROBERTS B et al. In vivo and in vitro gene transfer to mammalian somatic cells by particle bombardment. Proc Natl Acad Sci USA, 1990, *87* : 9568-9572.

YEE J, JOLLY D, MOORES J et al. Gene expression from a transcriptionally disabled retroviral vector. Cold Spring Harbor Symp Quant Biol, 1986, *LI* : 1021-1026.

ZIMMER A, GRUSS P. Production of chimaeric mice containing embryonic stem (ES) cells carrying a homeobox Hox 1.1 allele mutated by homologous recombination. Nature, 1989, *338* : 150-153.

Chapitre 31 : Utilisation industrielle de la biologie moléculaire

CHARNAY P, PERRICAUDET M, GALIBERT F et al. Bacteriophage lambda and plasmid vectors allowing fusion of cloned genes in each of the three translationnal phases. Nucleic Acids Res, 1978, *5* : 4479-4494.

CULLITON B. Designing cells to deliver drugs. Science, 1989, *246* : 746.

CULLITON B. Gore tex organoids and genetic drugs. Science, 1989, *246* : 747-749.

DE BOER H, COMSTOCK L, VASSEUR M. The tac promoter: a functional hybrid derived from the trp and lac promotors. Proc Natl Acad Sci USA, 1983, *80* : 21-25.

FULLER F. A family of cloning vectors containing the lacUV5 promoter. Gene, 1982, *19* : 43-54.

GOEDDEL D, KLEID D, BOLIVAR F et al. Expression in Escherichia coli of a chemicallay synthetized genes for human insulin. Proc Acad Sci USA, 1979, *76* : 106-110.

GOUY M, GAUTIER C. Codon usage in bacteria. Correlation with gene expressivity. Nucleic Acid Res, 1982, *10* : 7055-7074.

GUARANTE L, LAUER G, ROBERTS T et al. Improved methods maximizing expression of a cloned gene: a bacterium that synthetizes rabbit βglobin. Cell, 1980, *20* : 545-553.

HITZERMAN R, LEUNG D, PERRY L et al. Secretion of human interferons by yeast. Science, 1983, *219* : 620-625.

IKEMURA T. Correlation between the abundance of Escherichia coli transfer RNAs and the occurence of respective codons in its protein genes. A proposal for a synonymous codon choice that is optimal for the Escherichia coli translational system. J Mol Biol, 1981, *151* : 389-409.

JOHNSON I. Human insulin from recombinant DNA technology. Science, 1983, *219* : 632-637.

KAUFMAN R. Mammalian recombinant proteins: structure, fonction and immunological analysis. Curr Opin Biotechnol, 1990, *1* : 140-150.
KAUFMAN R. Genetic engineering of factor VIII. Nature, 1989, *342* : 207-208.
LOOKER D, ABBOTT-BROWN D, COZART P et al. A human recombinant haemoglobin designed for use as a blood substitute. Nature, 1992, *356* : 258-260.
MOSS B. Vaccinia virus: a tool for research and vaccine development. Science, 1991, *252* : 1662-1667.
ROSKAM W. La production industrielle. La Recherche, 1987, *188* : 646-703.
SCHWARTZ R, ABILDGARD C, ALEDORT L et al. Human recombinant DNA-derived antihemophilic factor (factor VIII) in the treatment of hemophilia A. NEJM, 1990, *323* : 1800-1805.
SEEBERG P, SHINE J, MARTIAL J. Synthesis of growth hormone by bacteria. Nature, 1978, *276* : 795-798.
TALMADGE K, BROSIAS J, GILBERT W. An internal signal sequence directs secretion and processing of proinsulin in bacteria. Nature, 1981, *294* : 176-178.
WAGENBACH M, O'ROURKE K, VITEZ L et al. Synthesis of wild type and mutant hemoglobins in Saccharomyces Cerevisiae. Biotechnology, 1991, *9* : 57-61.
YARRANTON G. Mammalian recombinant proteins: vectors and expression systems. Curr Opin Biotechnol, 1990, *1* : 133-140.
ZOLLER M. New methods for protein engineering. Curr Opin Struct Biol, 1991, *1* : 605-610.
Le numéro 4 du volume 4, 1988, de Médecine/Sciences est entièrement consacré au thème Biologie moléculaire et industrie biologique.

Chapitre 32 : Informatique et biologie moléculaire

ALTSCHUL S, LIPMAN D. Protein database researches for multiple alignments. Proc Natl Acad Sci USA, 1990, *87* : 5509-5513.
BAIROCH A. PROSITE: a dictionary of sites and patterns in proteins. Nucleic Acids Res, 1991, *19* : 2241-2245.
CLAVERIE J. Du traitement de l'information à l'évaluation des stratégies. Biofutur, 1990, 22-27.
CLAVERIE J. Identifying coding exons by similarity search: Alu-derived and other potentially misleading protein sequences. Genomics, 1992, *12* : 838-841.
CLAVERIE J, SAUVAGET I, BOUGUELERET L. k-tuple frequency analysis: from intron/exon discrimination to T-cell epitope mapping. Methods Enzymol, 1990, *183* : 237-252.
DEAR S, STADEN R. A sequence assembly and editing program for efficient management of large projects. Nucleic Acids Res, 1991, *19* : 3907-3911.
DE LISI C. Computers in molecular biology: current applications and emerging trends. Science, 1988, *240* : 47-52.
KORN L, QUEEN C. Analysis of biological sequences on small computers. DNA, 1984, *3* : 421-426.
LIPPMAN D, PEARSON W. Rapid and sensitive protein similarity search. Science, 1985, *227* : 1435-1441.
MEIER-EWERT S, MAIER E, AHMADI A et al. An automated approach to generating expressed sequence catalogues. Nature, 1992, *361* : 375-376.
PEARSON P. Genome mapping databases: data acquisition, storage and access. Curr Opin Genet Develop, 1991, *1* : 119-123.
ROBERTS L. New chip may speed genome analysis. Science, 1989, *244* : 655-656.
RYCHLIK W, RHOADS R. A computer program for choosing optimal oligonucleotides for filter hybridization, sequencing and in vitro amplification of DNA. Nucleic Acids Res, 1989, *17* : 8543-8551.
STADEN R, McLACHLAN A. Codon preference and its use identifying protein coding regions in long DNA sequences. Nucleic Acids Res, 1982, *10* : 141-156.

Abréviations

A	adénine
C	cytosine
CAT	chloramphénicol acétyl transférase
cM	centimorgan
Da	dalton
DGGE	*Denaturing Gradient Gel Electrophoresis* (Electrophorèse sur gel en gradient de dénaturant)
FISH	*Fluorescence in situ hybridization* (Hybridation in situ avec sondes fluorescentes)
G	guanine
GDB	*Gene data base*
HGM	*Human Gene Mapping*
HPLC	*high performance liquid chromatography* (chromatographie liquide à haute performance)
HPRT	hypoxanthine phosphoribosyltransférase
IPTG	isopropylthiogalactoside
kb	kilobase (1 000 bases)
kDa	kilodalton (1 000 daltons)
LTR	*long terminal repeat*
Mb	mégabase (10^6 bases)
MIM	Mendelian Inheritance of Man (catalogue des maladies héréditaires de McKusick)
pb	paire de bases
PCR	*polymerase chain reaction* (amplification élective in vitro)
PFGE	*Pulse Field Gel Electrophoresis* (Electrophorèse en champ pulsé)
RFLP	*restriction fragment length polymorphism* (polymorphisme de restriction)
SDS	sodium dodécyl-sulfate
SSC	*sodium saline citrate*
SSCP	*Single Strand Conformation Polymorphism* (Polymorphisme de conformation de DNA simple-brin)
T	thymine
TK	thymidine kinase
Tm	*melting temperature* (température de fusion)
U	uracile
VNTR	*variable number of tandem repeats* (polymorphisme de répétition de type minisatellite)
YAC	*Yeast Artificial Chromosome* (chromosome artificiel de levure)

Le code génétique

1ère base	2ème base				3ème base
	U	C	A	G	
U	UUU, UUC *Phe* UUA, UUG *Leu*	UCU, UCC, UCA, UCG *Ser*	UAU, UAC *Tyr* UAA Stop UAG Stop	UGU, UGC *Cys* UGA Stop UGG *Trp*	U C A G
C	CUU, CUC, CUA, CUG *Leu*	CCU, CCC, CCA, CCG *Pro*	CAU, CAC *His* CAA, CAG *Gln*	CGU, CGC, CGA, CGG *Arg*	U C A G
A	AUU, AUC, AUA *Ile* AUG *Met*	ACU, ACC, ACA, ACG *Thr*	AAU, AAC *Asn* AAA, AAG *Lys*	AGU, AGC *Ser* AGA, AGG *Arg*	U C A G
G	GUU, GUC, GUA, GUG *Val*	GCU, GCC, GCA, GCG *Ala*	GAU, GAC *Asp* GAA, GAG *Glu*	GGU, GGC, GGA, GGG *Gly*	U C A G

Abréviations désignant les acides aminés

(système à une lettre et système à trois lettres)

A	Ala	Alanine
B	Asx	Asparagine ou acide aspartique
C	Cys	Cystéine
D	Asp	Acide aspartique
E	Glu	Acide glutamique
F	Phe	Phénylalanine
G	Gly	Glycine
H	His	Histidine
I	Ile	Isoleucine
K	Lys	Lysine
L	Leu	Leucine
M	Met	Methionine
N	Asn	Asparagine
P	Pro	Proline
Q	Gln	Glutamine
R	Arg	Arginine
S	Ser	Sérine
T	Thr	Thréonine
V	Val	Valine
W	Trp	Tryptophane
Y	Tyr	Tyrosine
Z	Glx	Glutamine ou acide glutamique

Carte des locus morbides du génome humain

Données scientifiques : GENATLAS, Jean Frézal (octobre 1991)

Conception et réalisation :
AFM—Département de Recherche d'Activités de Communication — DB et AK.

Direction artistique :
T2B&H.

Edition :
INSERM/John Libbey

NB : L'échelle de taille entre les chromosomes n'a pas été respectée.
D = déficit.
Les symboles sont, sauf exception, ceux de la nomenclature internationale *(Human Gene Mapping 11)*.

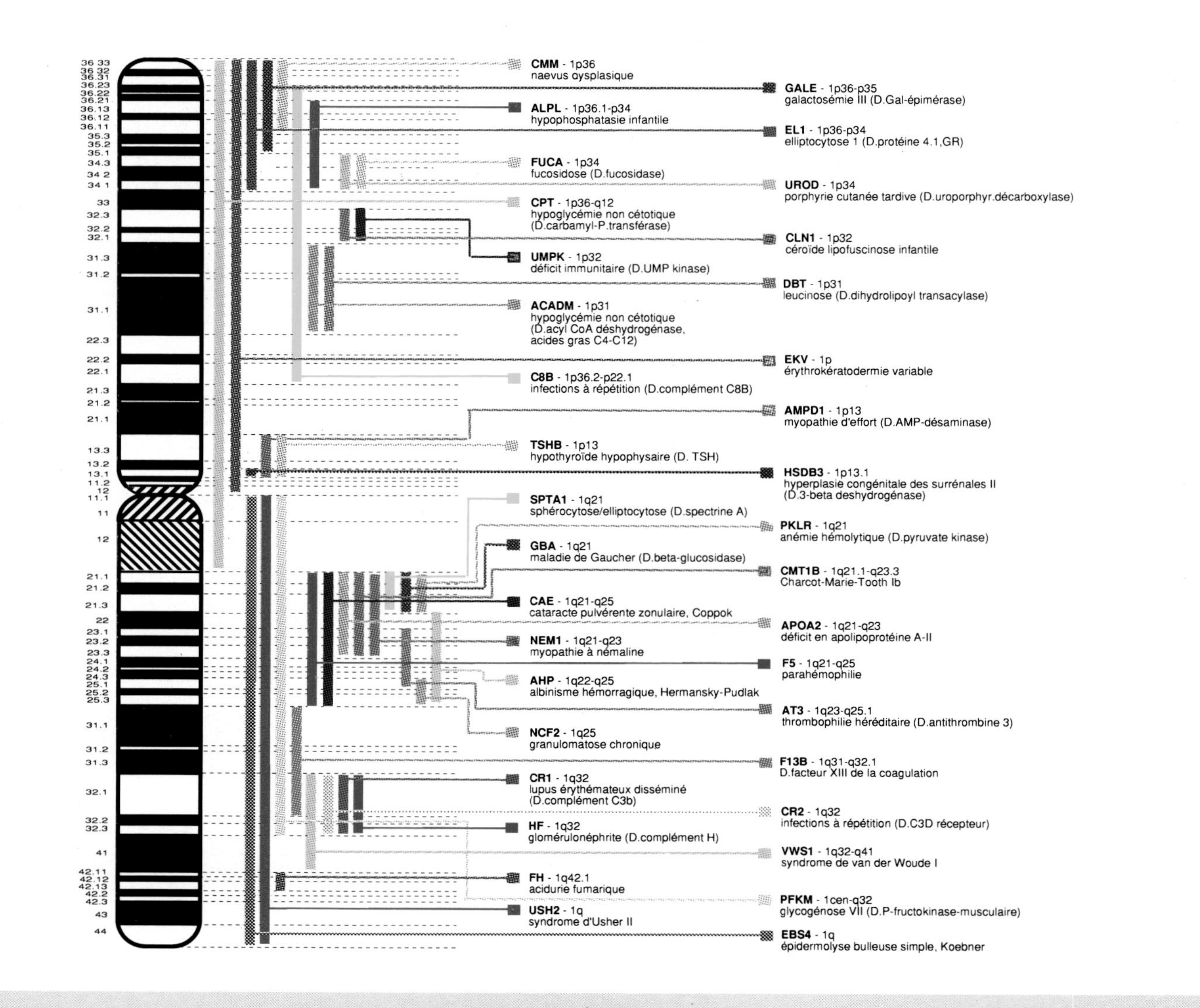
CHROMOSOME 1 : 263 Mb (8,6 %)
CMM - 1p36
naevus dysplasique
GALE - 1p36-p35
galactosémie III (D.Gal-épimérase)
ALPL - 1p36.1-p34
hypophosphatasie infantile
EL1 - 1p36-p34
elliptocytose 1 (D.protéine 4.1,GR)
FUCA - 1p34
fucosidose (D.fucosidase)
UROD - 1p34
porphyrie cutanée tardive (D.uroporphyr.décarboxylase)
CPT - 1p36-q12
hypoglycémie non cétotique
(D.carbamyl-P.transférase)
CLN1 - 1p32
céroïde lipofuscinose infantile
UMPK - 1p32
déficit immunitaire (D.UMP kinase)
DBT - 1p31
leucinose (D.dihydrolipoyl transacylase)
ACADM - 1p31
hypoglycémie non cétotique
(D.acyl CoA déshydrogénase,
acides gras C4-C12)
EKV - 1p
érythrokératodermie variable
C8B - 1p36.2-p22.1
infections à répétition (D.complément C8B)
AMPD1 - 1p13
myopathie d'effort (D.AMP-désaminase)
TSHB - 1p13
hypothyroïde hypophysaire (D. TSH)
HSDB3 - 1p13.1
hyperplasie congénitale des surrénales II
(D.3-beta deshydrogénase)
SPTA1 - 1q21
sphérocytose/elliptocytose (D.spectrine A)
PKLR - 1q21
anémie hémolytique (D.pyruvate kinase)
GBA - 1q21
maladie de Gaucher (D.beta-glucosidase)
CMT1B - 1q21.1-q23.3
Charcot-Marie-Tooth Ib
CAE - 1q21-q25
cataracte pulvérente zonulaire, Coppok
APOA2 - 1q21-q23
déficit en apolipoprotéine A-II
NEM1 - 1q21-q23
myopathie à némaline
F5 - 1q21-q25
parahémophilie
AHP - 1q22-q25
albinisme hémorragique, Hermansky-Pudlak
AT3 - 1q23-q25.1
thrombophilie héréditaire (D.antithrombine 3)
NCF2 - 1q25
granulomatose chronique
F13B - 1q31-q32.1
D.facteur XIII de la coagulation
CR1 - 1q32
lupus érythémateux disséminé
(D.complément C3b)
CR2 - 1q32
infections à répétition (D.C3D récepteur)
HF - 1q32
glomérulonéphrite (D.complément H)
VWS1 - 1q32-q41
syndrome de van der Woude I
FH - 1q42.1
acidurie fumarique
PFKM - 1cen-q32
glycogénose VII (D.P-fructokinase-musculaire)
USH2 - 1q
syndrome d'Usher II
EBS4 - 1q
épidermolyse bulleuse simple, Koebner

CHROMOSOME 2 : 255 Mb (8,3 %)

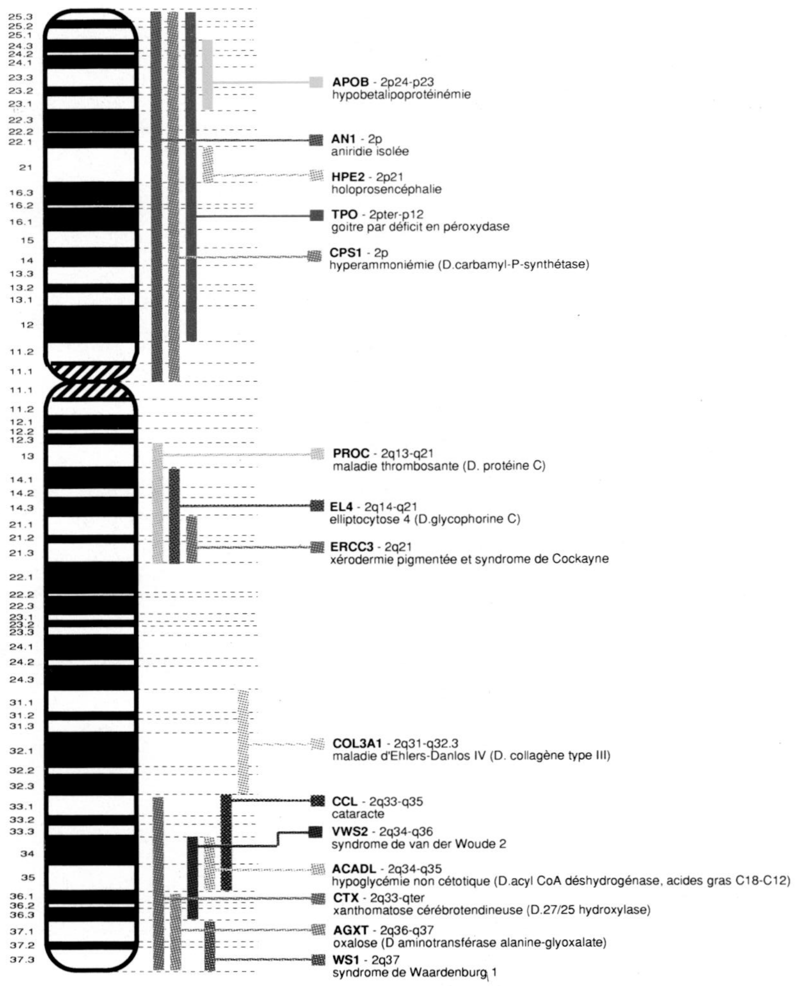

25.3 25.2 25.1 24.3 24.2 24.1 23.3 23.2 23.1 22.3 22.2 22.1 21 16.3 16.2 16.1 15 14 13.3 13.2 13.1 12 11.2 11.1 11.1 11.2 12.1 12.2 12.3 13 14.1 14.2 14.3 21.1 21.2 21.3 22.1 22.2 22.3 23.1 23.2 23.3 24.1 24.2 24.3 31.1 31.2 31.3 32.1 32.2 32.3 33.1 33.2 33.3 34 35 36.1 36.2 36.3 37.1 37.2 37.3

APOB - 2p24-p23
hypobetalipoprotéinémie

AN1 - 2p
aniridie isolée

HPE2 - 2p21
holoprosencéphalie

TPO - 2pter-p12
goitre par déficit en péroxydase

CPS1 - 2p
hyperammoniémie (D.carbamyl-P-synthétase)

PROC - 2q13-q21
maladie thrombosante (D. protéine C)

EL4 - 2q14-q21
elliptocytose 4 (D.glycophorine C)

ERCC3 - 2q21
xérodermie pigmentée et syndrome de Cockayne

COL3A1 - 2q31-q32.3
maladie d'Ehlers-Danlos IV (D. collagène type III)

CCL - 2q33-q35
cataracte

VWS2 - 2q34-q36
syndrome de van der Woude 2

ACADL - 2q34-q35
hypoglycémie non cétotique (D.acyl CoA déshydrogénase, acides gras C18-C12)

CTX - 2q33-qter
xanthomatose cérébrotendineuse (D.27/25 hydroxylase)

AGXT - 2q36-q37
oxalose (D aminotransférase alanine-glyoxalate)

WS1 - 2q37
syndrome de Waardenburg 1

CHROMOSOME 3 : 214 Mb (7 %)

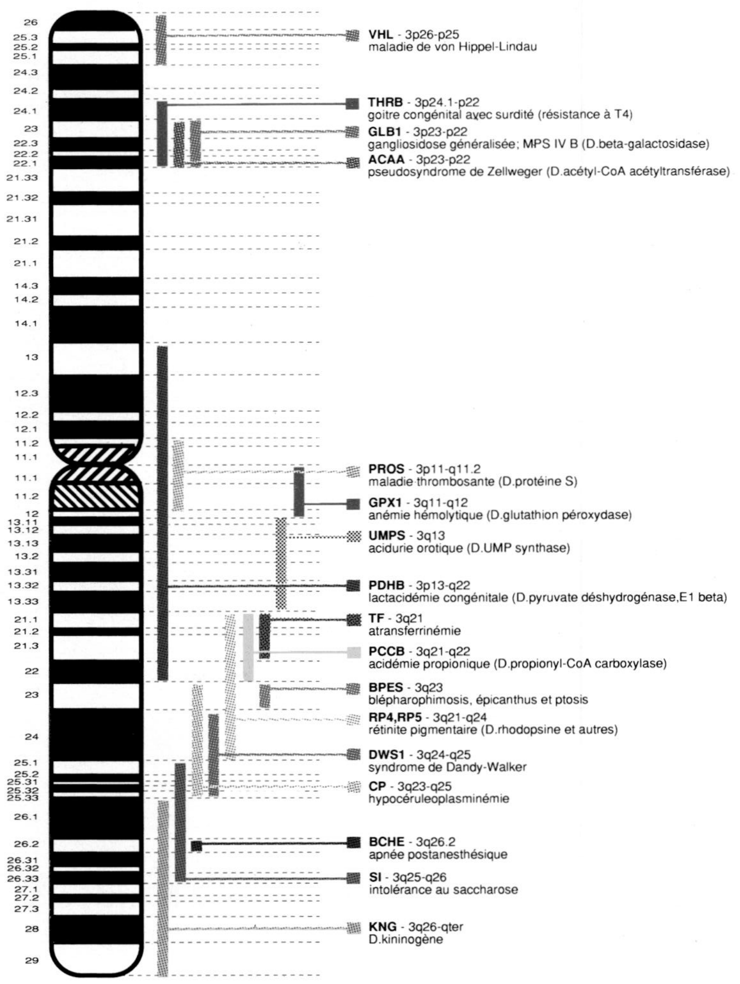

26 25.3 25.2 25.1 24.3 24.2 24.1 23 22.3 22.2 22.1 21.33 21.32 21.31 21.2 21.1 14.3 14.2 14.1 13 12.3 12.2 12.1 11.2 11.1 11.1 11.2 12 13.11 13.12 13.13 13.2 13.31 13.32 13.33 21.1 21.2 21.3 22 23 24 25.1 25.2 25.31 25.32 25.33 26.1 26.2 26.31 26.32 26.33 27.1 27.2 27.3 28 29

VHL - 3p26-p25
maladie de von Hippel-Lindau

THRB - 3p24.1-p22
goitre congénital avec surdité (résistance à T4)

GLB1 - 3p23-p22
gangliosidose généralisée; MPS IV B (D.beta-galactosidase)

ACAA - 3p23-p22
pseudosyndrome de Zellweger (D.acétyl-CoA acétyltransférase)

PROS - 3p11-q11.2
maladie thrombosante (D.protéine S)

GPX1 - 3q11-q12
anémie hémolytique (D.glutathion péroxydase)

UMPS - 3q13
acidurie orotique (D.UMP synthase)

PDHB - 3p13-q22
lactacidémie congénitale (D.pyruvate déshydrogénase,E1 beta)

TF - 3q21
atransferrinémie

PCCB - 3q21-q22
acidémie propionique (D.propionyl-CoA carboxylase)

BPES - 3q23
blépharophimosis, épicanthus et ptosis

RP4,RP5 - 3q21-q24
rétinite pigmentaire (D.rhodopsine et autres)

DWS1 - 3q24-q25
syndrome de Dandy-Walker

CP - 3q23-q25
hypocéruleoplasminémie

BCHE - 3q26.2
apnée postanesthésique

SI - 3q25-q26
intolérance au saccharose

KNG - 3q26-qter
D.kininogène

CHROMOSOME 4 : 203 Mb (6,6 %)

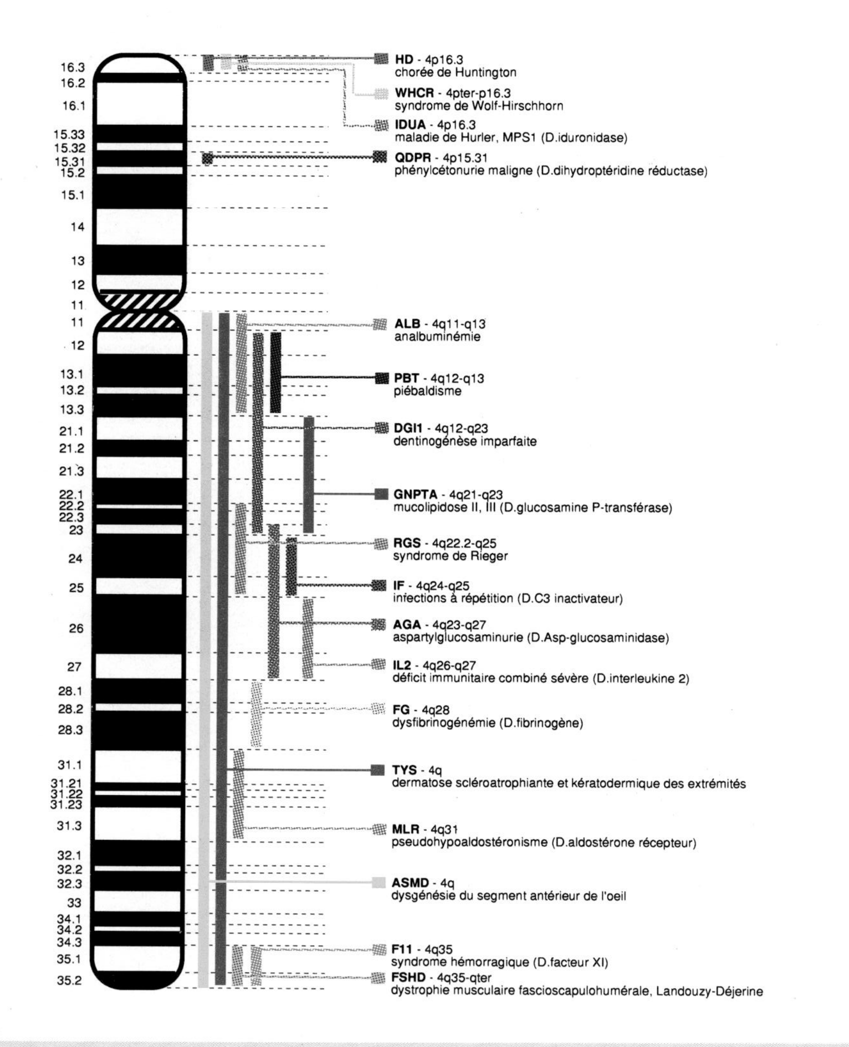
16.3
16.2
16.1
15.33
15.32
15.31
15.2
15.1
14
13
12
11
11
12
13.1
13.2
13.3
21.1
21.2
21.3
22.1
22.2
22.3
23
24
25
26
27
28.1
28.2
28.3
31.1
31.21
31.22
31.23
31.3
32.1
32.2
32.3
33
34.1
34.2
34.3
35.1
35.2
HD - 4p16.3
chorée de Huntington
WHCR - 4pter-p16.3
syndrome de Wolf-Hirschhorn
IDUA - 4p16.3
maladie de Hurler, MPS1 (D.iduronidase)
QDPR - 4p15.31
phénylcétonurie maligne (D.dihydroptéridine réductase)
ALB - 4q11-q13
analbuminémie
PBT - 4q12-q13
piébaldisme
DGI1 - 4q12-q23
dentinogénèse imparfaite
GNPTA - 4q21-q23
mucolipidose II, III (D.glucosamine P-transférase)
RGS - 4q22.2-q25
syndrome de Rieger
IF - 4q24-q25
infections à répétition (D.C3 inactivateur)
AGA - 4q23-q27
aspartylglucosaminurie (D.Asp-glucosaminidase)
IL2 - 4q26-q27
déficit immunitaire combiné sévère (D.interleukine 2)
FG - 4q28
dysfibrinogénémie (D.fibrinogène)
TYS - 4q
dermatose scléroatrophiante et kératodermique des extrémités
MLR - 4q31
pseudohypoaldostéronisme (D.aldostérone récepteur)
ASMD - 4q
dysgénésie du segment antérieur de l'oeil
F11 - 4q35
syndrome hémorragique (D.facteur XI)
FSHD - 4q35-qter
dystrophie musculaire fascioscapulohumérale, Landouzy-Déjerine

CHROMOSOME 5 : 194 Mb (6,3 %)

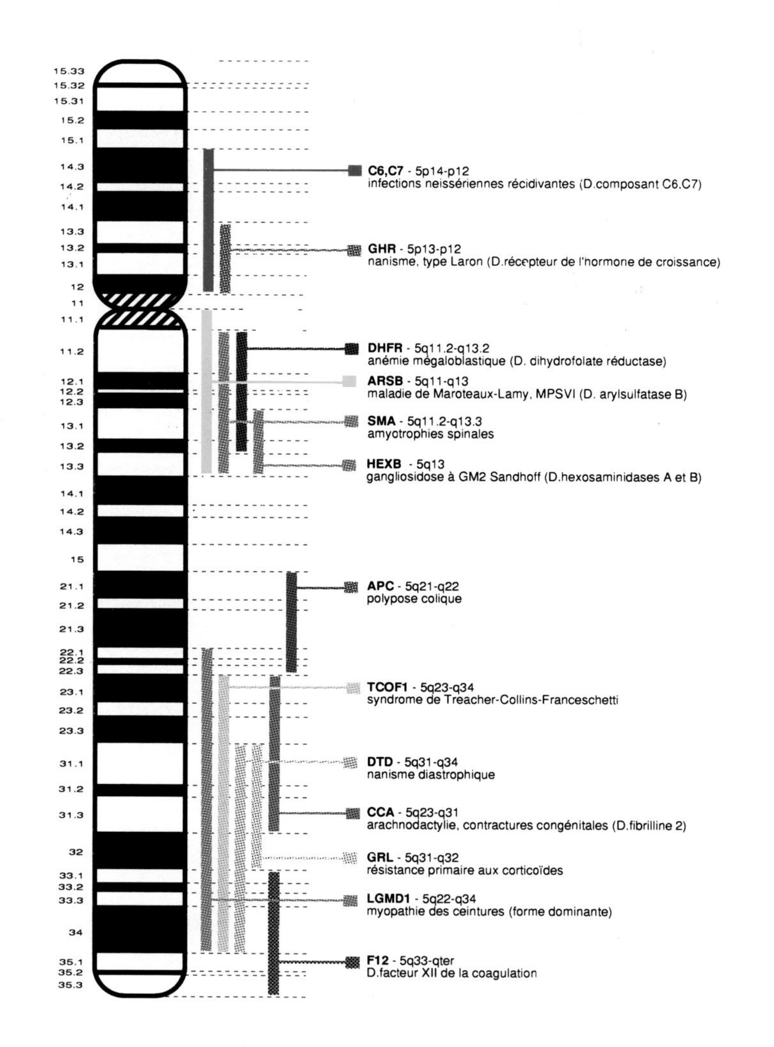
15.33
15.32
15.31
15.2
15.1
14.3
14.2
14.1
13.3
13.2
13.1
12
11
11.1
11.2
12.1
12.2
12.3
13.1
13.2
13.3
14.1
14.2
14.3
15
21.1
21.2
21.3
22.1
22.2
22.3
23.1
23.2
23.3
31.1
31.2
31.3
32
33.1
33.2
33.3
34
35.1
35.2
35.3
C6,C7 - 5p14-p12
infections neissériennes récidivantes (D.composant C6.C7)
GHR - 5p13-p12
nanisme, type Laron (D.récepteur de l'hormone de croissance)
DHFR - 5q11.2-q13.2
anémie mégaloblastique (D. dihydrofolate réductase)
ARSB - 5q11-q13
maladie de Maroteaux-Lamy, MPSVI (D. arylsulfatase B)
SMA - 5q11.2-q13.3
amyotrophies spinales
HEXB - 5q13
gangliosidose à GM2 Sandhoff (D.hexosaminidases A et B)
APC - 5q21-q22
polypose colique
TCOF1 - 5q23-q34
syndrome de Treacher-Collins-Franceschetti
DTD - 5q31-q34
nanisme diastrophique
CCA - 5q23-q31
arachnodactylie, contractures congénitales (D.fibrilline 2)
GRL - 5q31-q32
résistance primaire aux corticoïdes
LGMD1 - 5q22-q34
myopathie des ceintures (forme dominante)
F12 - 5q33-qter
D.facteur XII de la coagulation

CHROMOSOME 6 : 183 Mb (6 %)

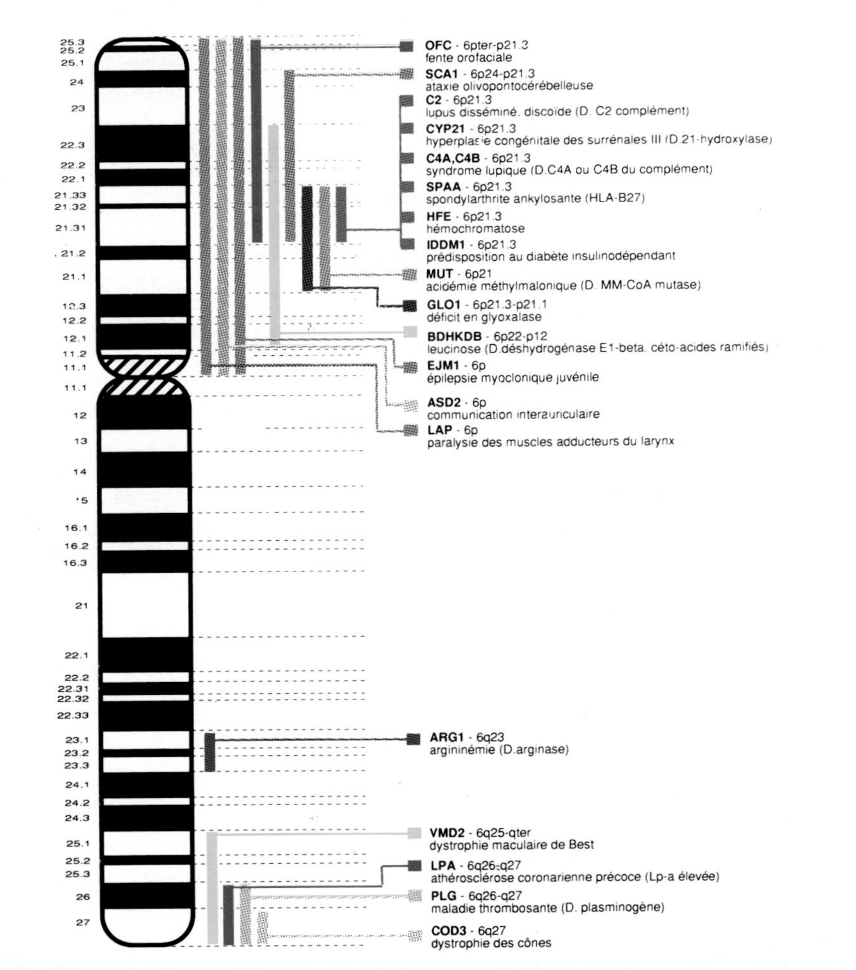
25.3
25.2
25.1
24
23
22.3
22.2
22.1
21.33
21.32
21.31
21.2
21.1
12.3
12.2
12.1
11.2
11.1
11.1
12
13
14
15
16.1
16.2
16.3
21
22.1
22.2
22.31
22.32
22.33
23.1
23.2
23.3
24.1
24.2
24.3
25.1
25.2
25.3
26
27
OFC - 6pter-p21.3
fente orofaciale
SCA1 - 6p24-p21.3
ataxie olivopontocérébelleuse
C2 - 6p21.3
lupus disséminé, discoïde (D. C2 complément)
CYP21 - 6p21.3
hyperplasie congénitale des surrénales III (D.21-hydroxylase)
C4A,C4B - 6p21.3
syndrome lupique (D.C4A ou C4B du complément)
SPAA - 6p21.3
spondylarthrite ankylosante (HLA-B27)
HFE - 6p21.3
hémochromatose
IDDM1 - 6p21.3
prédisposition au diabète insulinodépendant
MUT - 6p21
acidémie méthylmalonique (D. MM-CoA mutase)
GLO1 - 6p21.3-p21.1
déficit en glyoxalase
BDHKDB - 6p22-p12
leucinose (D.déshydrogénase E1-beta. céto-acides ramifiés)
EJM1 - 6p
épilepsie myoclonique juvénile
ASD2 - 6p
communication interauriculaire
LAP - 6p
paralysie des muscles adducteurs du larynx
ARG1 - 6q23
argininémie (D.arginase)
VMD2 - 6q25-qter
dystrophie maculaire de Best
LPA - 6q26-q27
athérosclérose coronarienne précoce (Lp-a élevée)
PLG - 6q26-q27
maladie thrombosante (D. plasminogène)
COD3 - 6q27
dystrophie des cônes

CHROMOSOME 7 : 171 Mb (5,6 %)

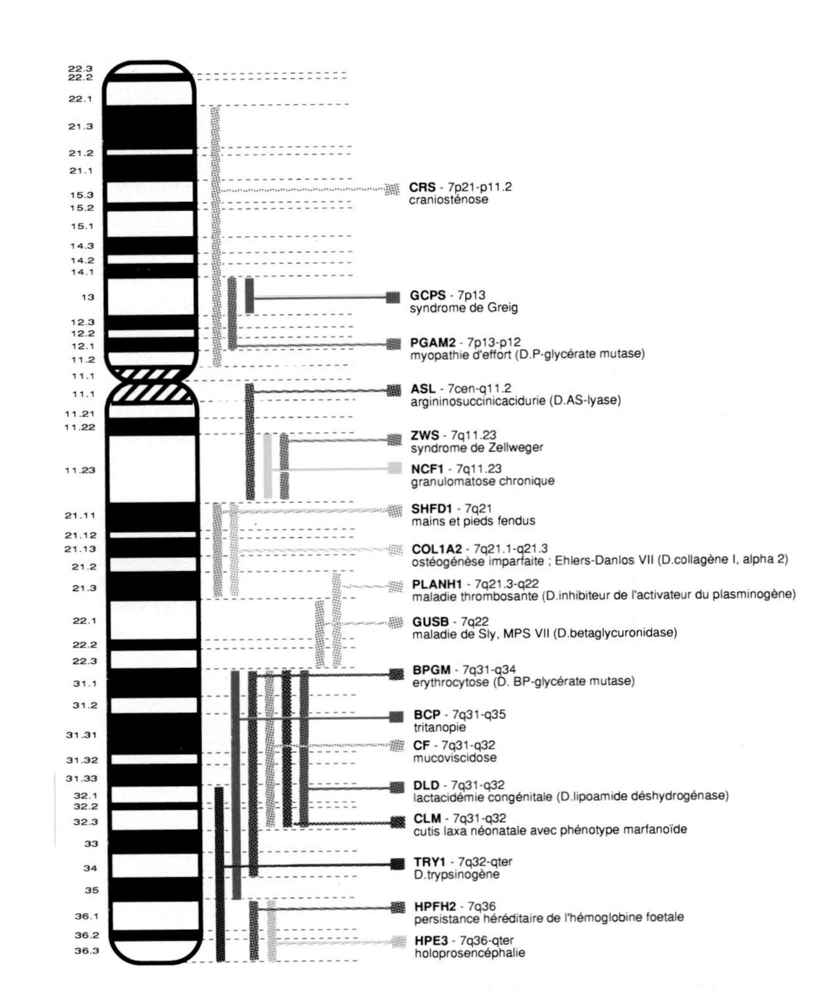
22.3
22.2
22.1
21.3
21.2
21.1
15.3
15.2
15.1
14.3
14.2
14.1
13
12.3
12.2
12.1
11.2
11.1
11.1
11.21
11.22
11.23
21.11
21.12
21.13
21.2
21.3
22.1
22.2
22.3
31.1
31.2
31.31
31.32
31.33
32.1
32.2
32.3
33
34
35
36.1
36.2
36.3
CRS - 7p21-p11.2
craniosténose
GCPS - 7p13
syndrome de Greig
PGAM2 - 7p13-p12
myopathie d'effort (D.P-glycérate mutase)
ASL - 7cen-q11.2
argininosuccinicacidurie (D.AS-lyase)
ZWS - 7q11.23
syndrome de Zellweger
NCF1 - 7q11.23
granulomatose chronique
SHFD1 - 7q21
mains et pieds fendus
COL1A2 - 7q21.1-q21.3
ostéogénèse imparfaite ; Ehlers-Danlos VII (D.collagène I, alpha 2)
PLANH1 - 7q21.3-q22
maladie thrombosante (D.inhibiteur de l'activateur du plasminogène)
GUSB - 7q22
maladie de Sly, MPS VII (D.betaglycuronidase)
BPGM - 7q31-q34
erythrocytose (D. BP-glycérate mutase)
BCP - 7q31-q35
tritanopie
CF - 7q31-q32
mucoviscidose
DLD - 7q31-q32
lactacidémie congénitale (D.lipoamide déshydrogénase)
CLM - 7q31-q32
cutis laxa néonatale avec phénotype marfanoïde
TRY1 - 7q32-qter
D.trypsinogène
HPFH2 - 7q36
persistance héréditaire de l'hémoglobine foetale
HPE3 - 7q36-qter
holoprosencéphalie

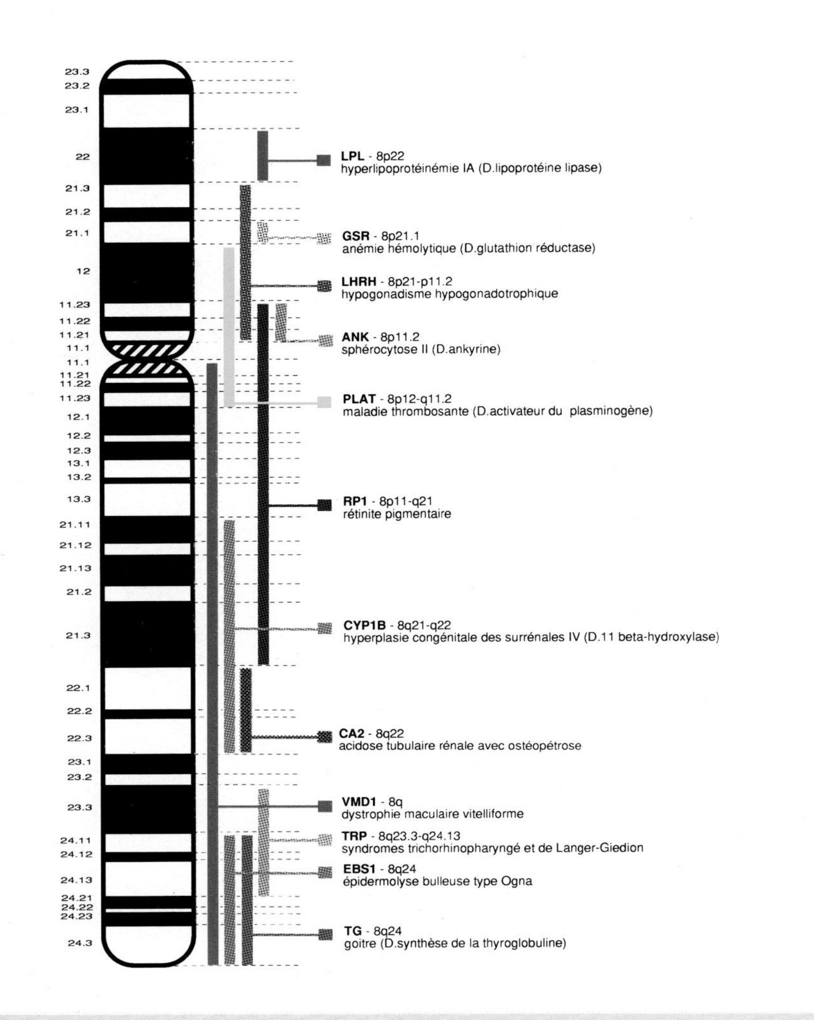
CHROMOSOME 8 : 155 Mb (5 %)
LPL - 8p22
hyperlipoprotéinémie IA (D.lipoprotéine lipase)
GSR - 8p21.1
anémie hémolytique (D.glutathion réductase)
LHRH - 8p21-p11.2
hypogonadisme hypogonadotrophique
ANK - 8p11.2
sphérocytose II (D.ankyrine)
PLAT - 8p12-q11.2
maladie thrombosante (D.activateur du plasminogène)
RP1 - 8p11-q21
rétinite pigmentaire
CYP1B - 8q21-q22
hyperplasie congénitale des surrénales IV (D.11 beta-hydroxylase)
CA2 - 8q22
acidose tubulaire rénale avec ostéopétrose
VMD1 - 8q
dystrophie maculaire vitelliforme
TRP - 8q23.3-q24.13
syndromes trichorhinopharyngé et de Langer-Giedion
EBS1 - 8q24
épidermolyse bulleuse type Ogna
TG - 8q24
goitre (D.synthèse de la thyroglobuline)

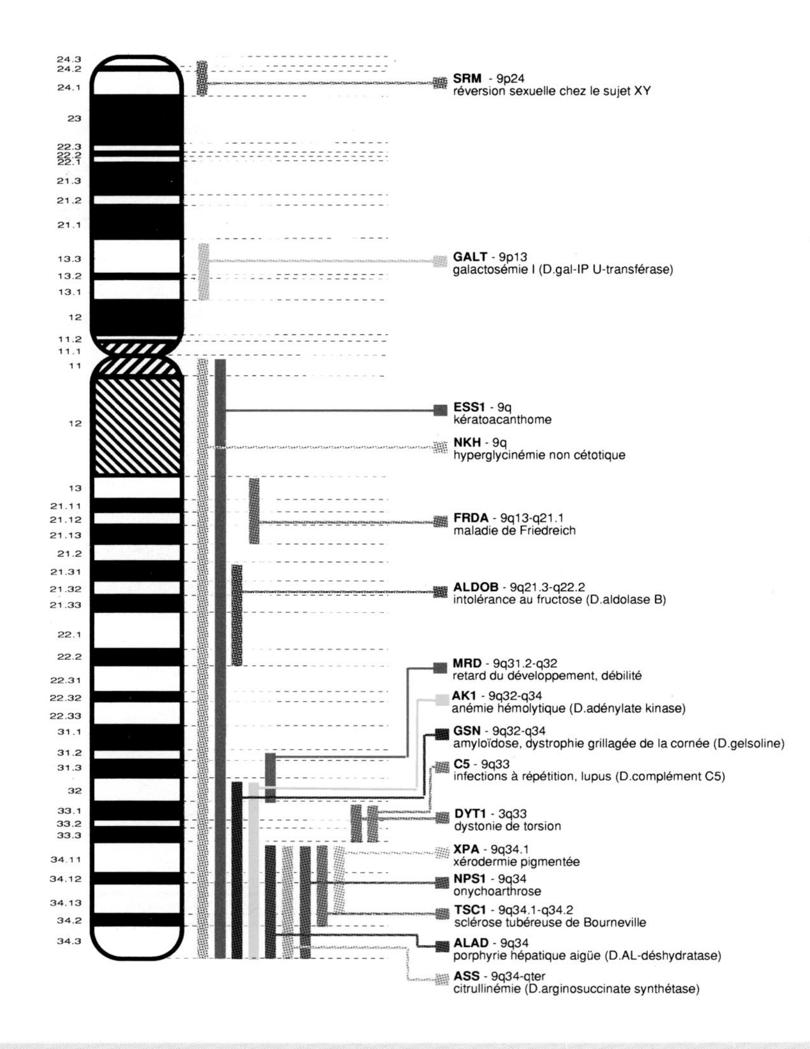
CHROMOSOME 9 : 145 Mb (4,7 %)
SRM - 9p24
réversion sexuelle chez le sujet XY
GALT - 9p13
galactosémie I (D.gal-IP U-transférase)
ESS1 - 9q
kératoacanthome
NKH - 9q
hyperglycinémie non cétotique
FRDA - 9q13-q21.1
maladie de Friedreich
ALDOB - 9q21.3-q22.2
intolérance au fructose (D.aldolase B)
MRD - 9q31.2-q32
retard du développement, débilité
AK1 - 9q32-q34
anémie hémolytique (D.adénylate kinase)
GSN - 9q32-q34
amyloïdose, dystrophie grillagée de la cornée (D.gelsoline)
C5 - 9q33
infections à répétition, lupus (D.complément C5)
DYT1 - 3q33
dystonie de torsion
XPA - 9q34.1
xérodermie pigmentée
NPS1 - 9q34
onychoarthrose
TSC1 - 9q34.1-q34.2
sclérose tubéreuse de Bourneville
ALAD - 9q34
porphyrie hépatique aigüe (D.AL-déshydratase)
ASS - 9q34-qter
citrullinémie (D.arginosuccinate synthétase)

CHROMOSOME 10 : 144 Mb (4,7 %)

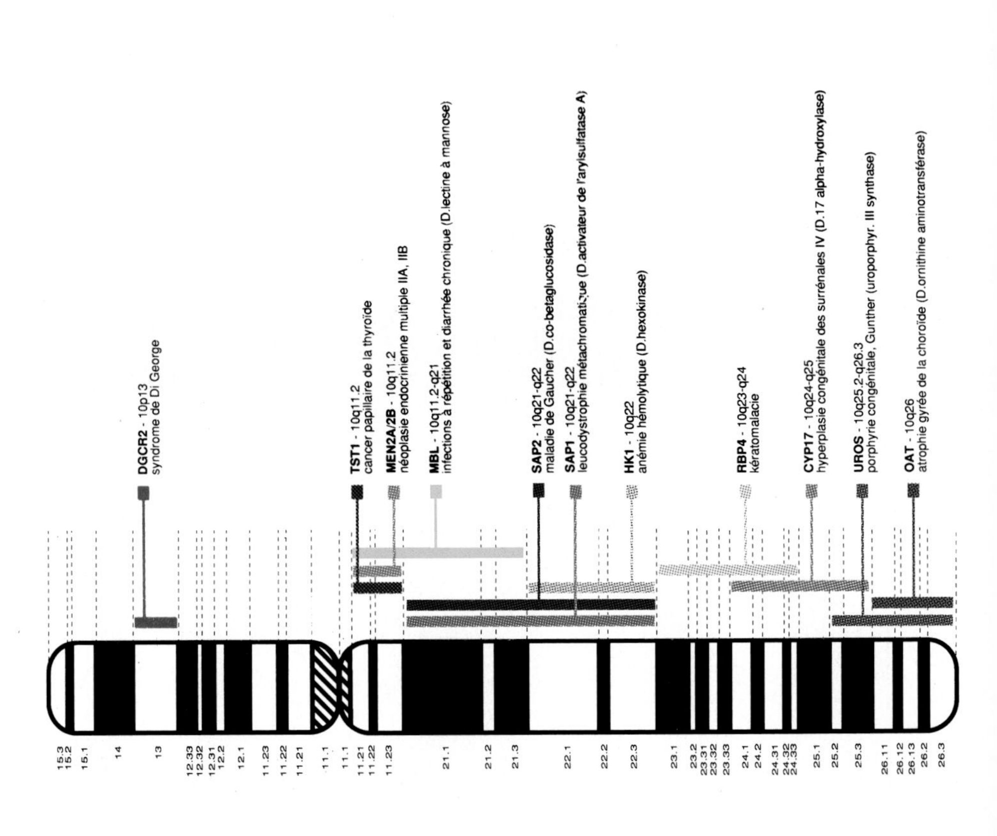
DGCR2 - 10p13
syndrome de Di George
TST1 - 10q11.2
cancer papillaire de la thyroïde
MEN2A/2B - 10q11.2
néoplasie endocrinienne multiple IIA, IIB
MBL - 10q11.2-q21
infections à répétition et diarrhée chronique (D.lectine à mannose)
SAP2 - 10q21-q22
maladie de Gaucher (D.co-betaglucosidase)
SAP1 - 10q21-q22
leucodystrophie métachromatique (D.activateur de l'arylsulfatase A)
HK1 - 10q22
anémie hémolytique (D.hexokinase)
RBP4 - 10q23-q24
kératomalacie
CYP17 - 10q24-q25
hyperplasie congénitale des surrénales IV (D.17 alpha-hydroxylase)
UROS - 10q25.2-q26.3
porphyrie congénitale, Gunther (uroporphyr. III synthase)
OAT - 10q26
atrophie gyrée de la choroïde (D.ornithine aminotransférase)

CHROMOSOME 11 : 144 Mb (4,7 %)

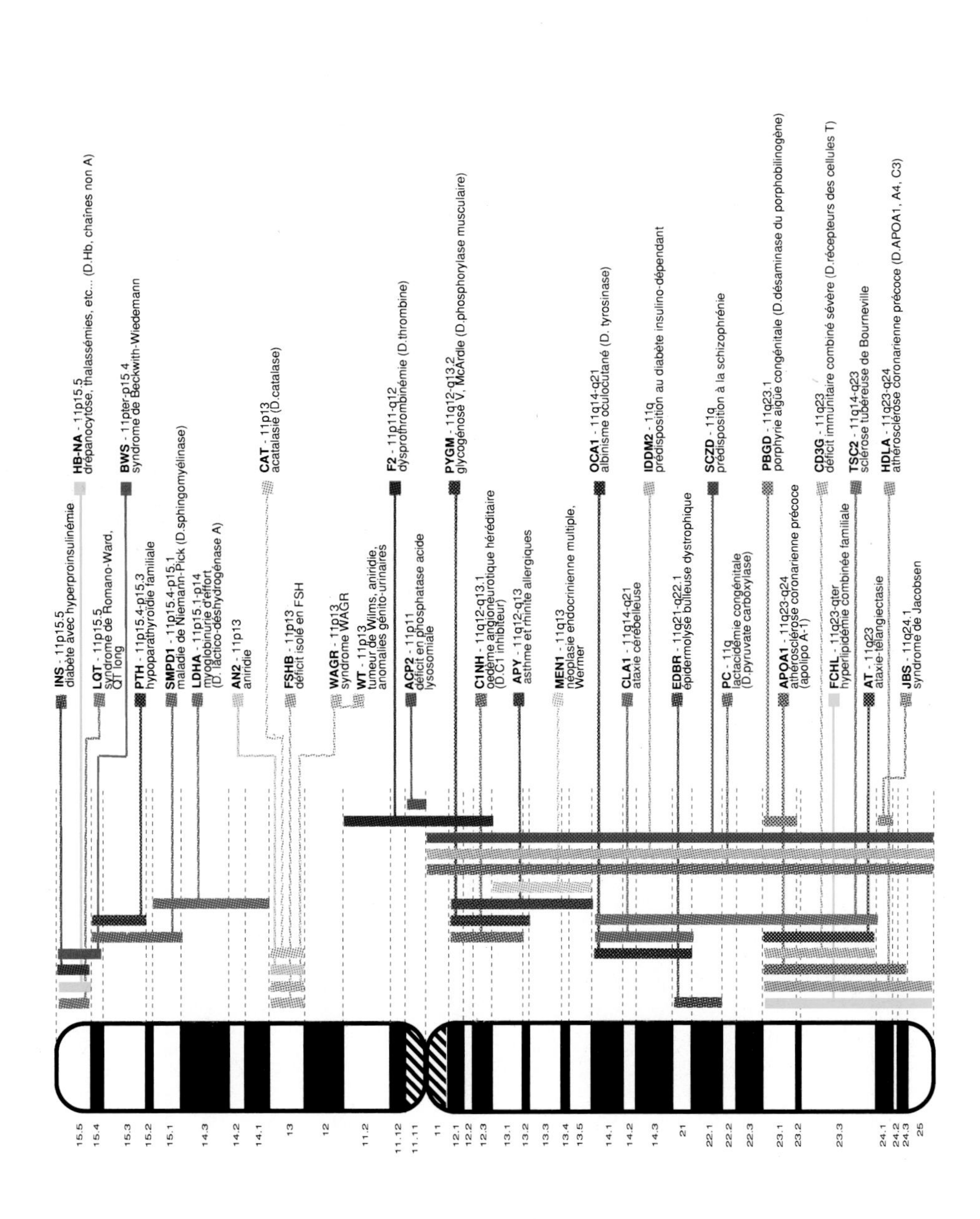

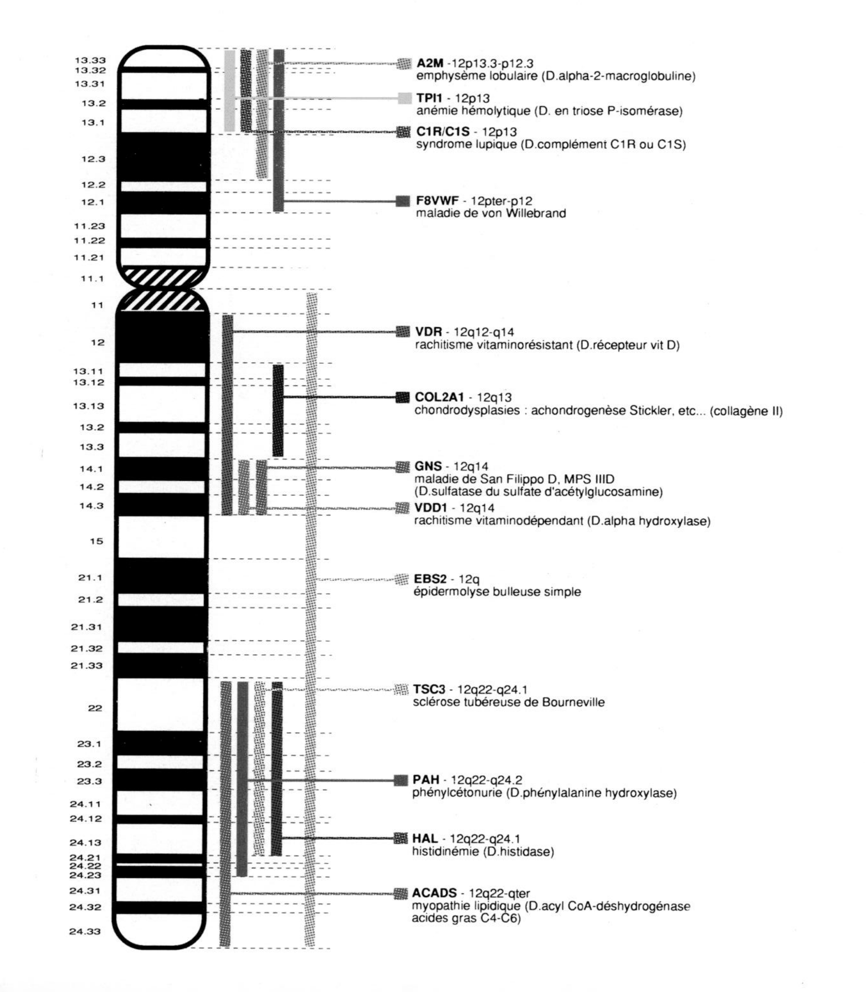
CHROMOSOME 12 : 143 Mb (4,7 %)
A2M -12p13.3-p12.3
emphysème lobulaire (D.alpha-2-macroglobuline)
TPI1 - 12p13
anémie hémolytique (D. en triose P-isomérase)
C1R/C1S - 12p13
syndrome lupique (D.complément C1R ou C1S)
F8VWF - 12pter-p12
maladie de von Willebrand
VDR - 12q12-q14
rachitisme vitaminorésistant (D.récepteur vit D)
COL2A1 - 12q13
chondrodysplasies : achondrogenèse Stickler, etc... (collagène II)
GNS - 12q14
maladie de San Filippo D, MPS IIID
(D.sulfatase du sulfate d'acétylglucosamine)
VDD1 - 12q14
rachitisme vitaminodépendant (D.alpha hydroxylase)
EBS2 - 12q
épidermolyse bulleuse simple
TSC3 - 12q22-q24.1
sclérose tubéreuse de Bourneville
PAH - 12q22-q24.2
phénylcétonurie (D.phénylalanine hydroxylase)
HAL - 12q22-q24.1
histidinémie (D.histidase)
ACADS - 12q22-qter
myopathie lipidique (D.acyl CoA-déshydrogénase
acides gras C4-C6)

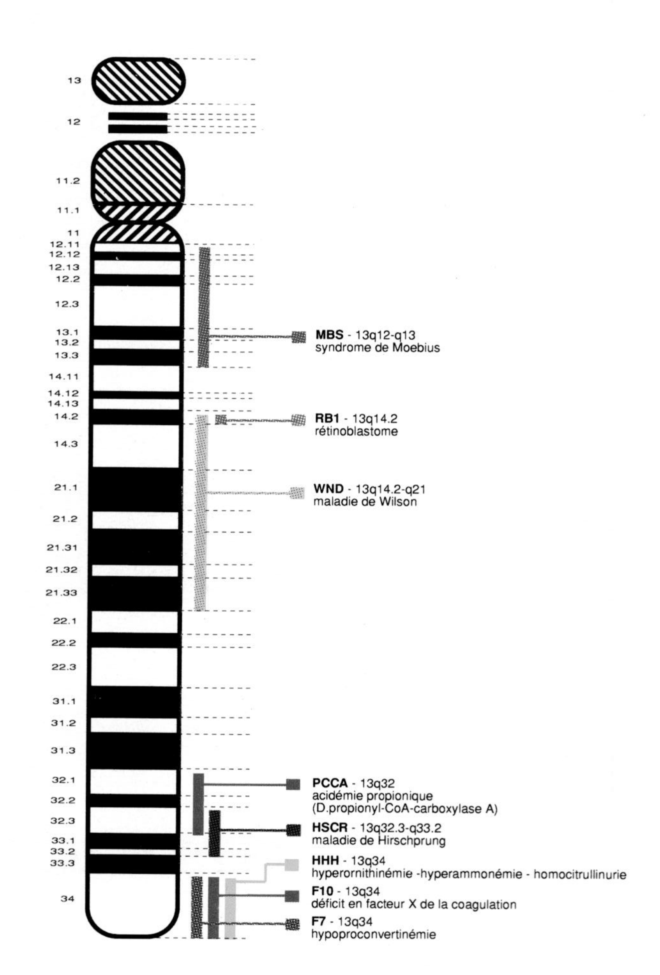
CHROMOSOME 13 : 114 Mb (3,7 %)
MBS - 13q12-q13
syndrome de Moebius
RB1 - 13q14.2
rétinoblastome
WND - 13q14.2-q21
maladie de Wilson
PCCA - 13q32
acidémie propionique
(D.propionyl-CoA-carboxylase A)
HSCR - 13q32.3-q33.2
maladie de Hirschprung
HHH - 13q34
hyperornithinémie -hyperammonémie - homocitrullinurie
F10 - 13q34
déficit en facteur X de la coagulation
F7 - 13q34
hypoproconvertinémie

CHROMOSOME 14 : 109 Mb (3,5 %)

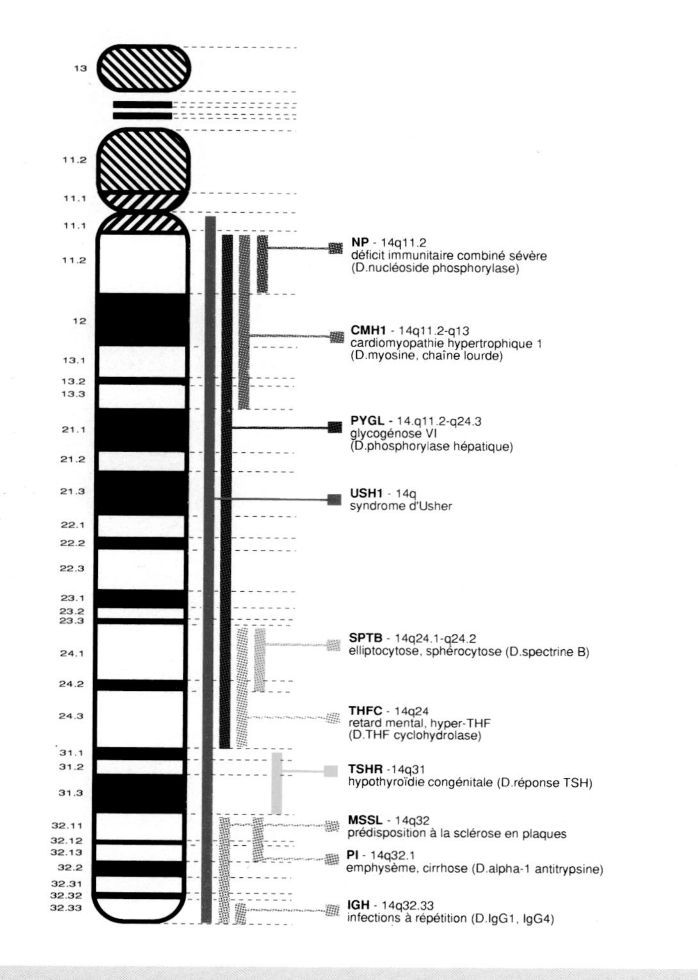
13
11.2
11.1
11.1
11.2
12
13.1
13.2
13.3
21.1
21.2
21.3
22.1
22.2
22.3
23.1
23.2
23.3
24.1
24.2
24.3
31.1
31.2
31.3
32.11
32.12
32.13
32.2
32.31
32.32
32.33
NP - 14q11.2
déficit immunitaire combiné sévère
(D.nucléoside phosphorylase)
CMH1 - 14q11.2-q13
cardiomyopathie hypertrophique 1
(D.myosine, chaîne lourde)
PYGL - 14.q11.2-q24.3
glycogénose VI
(D.phosphorylase hépatique)
USH1 - 14q
syndrome d'Usher
SPTB - 14q24.1-q24.2
elliptocytose, sphérocytose (D.spectrine B)
THFC - 14q24
retard mental, hyper-THF
(D.THF cyclohydrolase)
TSHR -14q31
hypothyroïdie congénitale (D.réponse TSH)
MSSL - 14q32
prédisposition à la sclérose en plaques
PI - 14q32.1
emphysème, cirrhose (D.alpha-1 antitrypsine)
IGH - 14q32.33
infections à répétition (D.IgG1, IgG4)

CHROMOSOME 15 : 106 Mb (3,4 %)

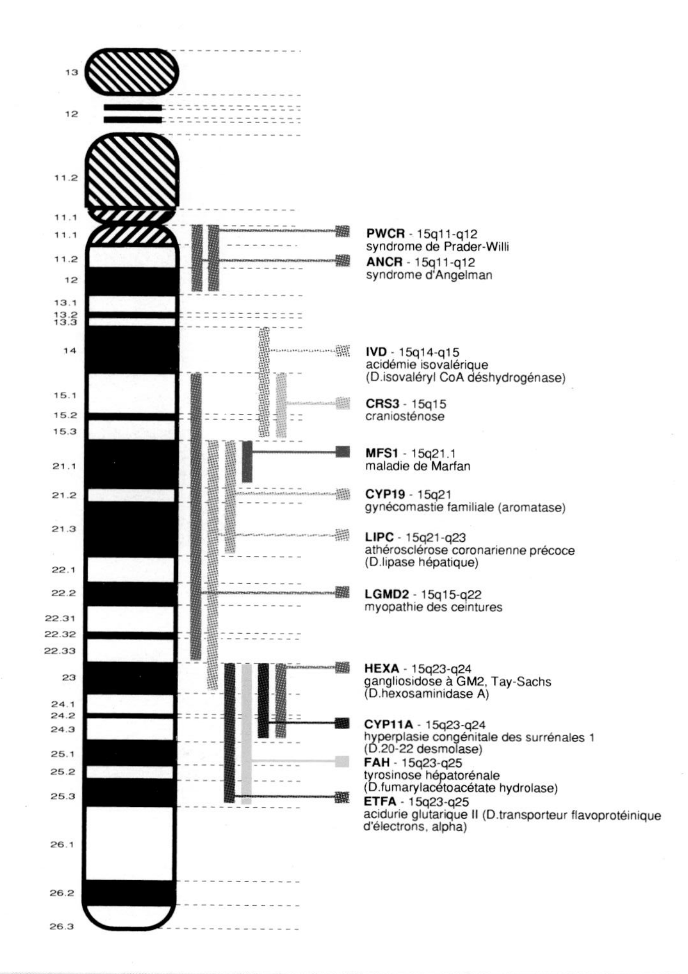
13
12
11.2
11.1
11.1
11.2
12
13.1
13.2
13.3
14
15.1
15.2
15.3
21.1
21.2
21.3
22.1
22.2
22.31
22.32
22.33
23
24.1
24.2
24.3
25.1
25.2
25.3
26.1
26.2
26.3
PWCR - 15q11-q12
syndrome de Prader-Willi
ANCR - 15q11-q12
syndrome d'Angelman
IVD - 15q14-q15
acidémie isovalérique
(D.isovaléryl CoA déshydrogénase)
CRS3 - 15q15
craniosténose
MFS1 - 15q21.1
maladie de Marfan
CYP19 - 15q21
gynécomastie familiale (aromatase)
LIPC - 15q21-q23
athérosclérose coronarienne précoce
(D.lipase hépatique)
LGMD2 - 15q15-q22
myopathie des ceintures
HEXA - 15q23-q24
gangliosidose à GM2, Tay-Sachs
(D.hexosaminidase A)
CYP11A - 15q23-q24
hyperplasie congénitale des surrénales 1
(D.20-22 desmolase)
FAH - 15q23-q25
tyrosinose hépatorénale
(D.fumarylacétoacétate hydrolase)
ETFA - 15q23-q25
acidurie glutarique II (D.transporteur flavoprotéinique
d'électrons, alpha)

CHROMOSOME 16 : 98 Mb (3,2 %)

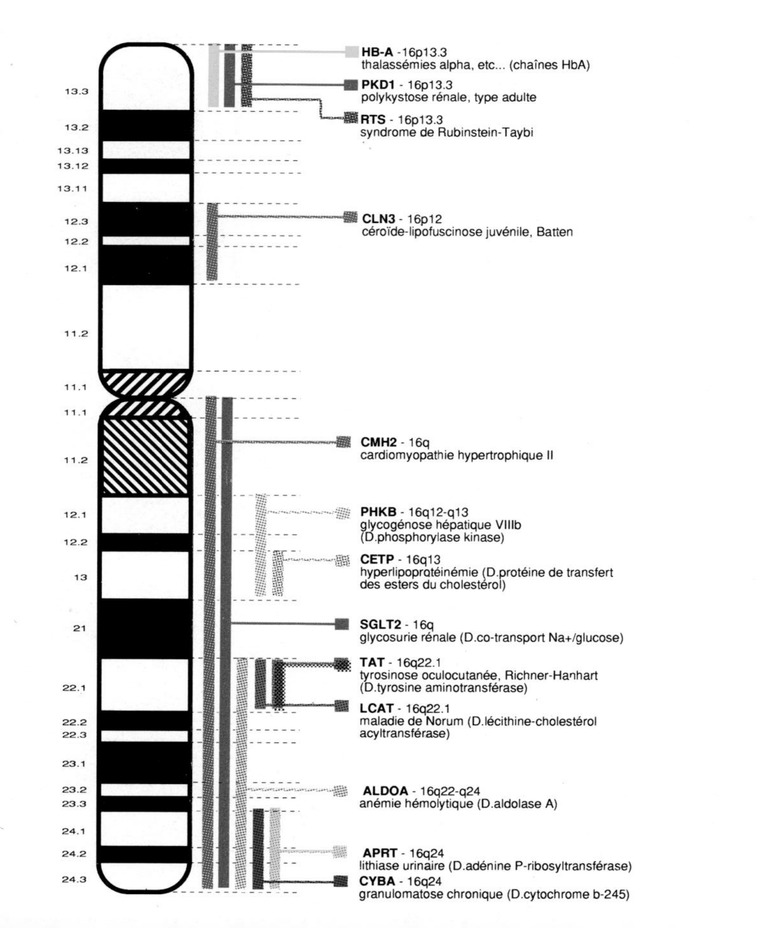
13.3
13.2
13.13
13.12
13.11
12.3
12.2
12.1
11.2
11.1
11.1
11.2
12.1
12.2
13
21
22.1
22.2
22.3
23.1
23.2
23.3
24.1
24.2
24.3
HB-A -16p13.3
thalassémies alpha, etc... (chaînes HbA)
PKD1 - 16p13.3
polykystose rénale, type adulte
RTS - 16p13.3
syndrome de Rubinstein-Taybi
CLN3 - 16p12
céroïde-lipofuscinose juvénile, Batten
CMH2 - 16q
cardiomyopathie hypertrophique II
PHKB - 16q12-q13
glycogénose hépatique VIIIb
(D.phosphorylase kinase)
CETP - 16q13
hyperlipoprotéinémie (D.protéine de transfert
des esters du cholestérol)
SGLT2 - 16q
glycosurie rénale (D.co-transport Na+/glucose)
TAT - 16q22.1
tyrosinose oculocutanée, Richner-Hanhart
(D.tyrosine aminotransférase)
LCAT - 16q22.1
maladie de Norum (D.lécithine-cholestérol
acyltransférase)
ALDOA - 16q22-q24
anémie hémolytique (D.aldolase A)
APRT - 16q24
lithiase urinaire (D.adénine P-ribosyltransférase)
CYBA - 16q24
granulomatose chronique (D.cytochrome b-245)

CHROMOSOME 17 : 92 Mb (3 %)

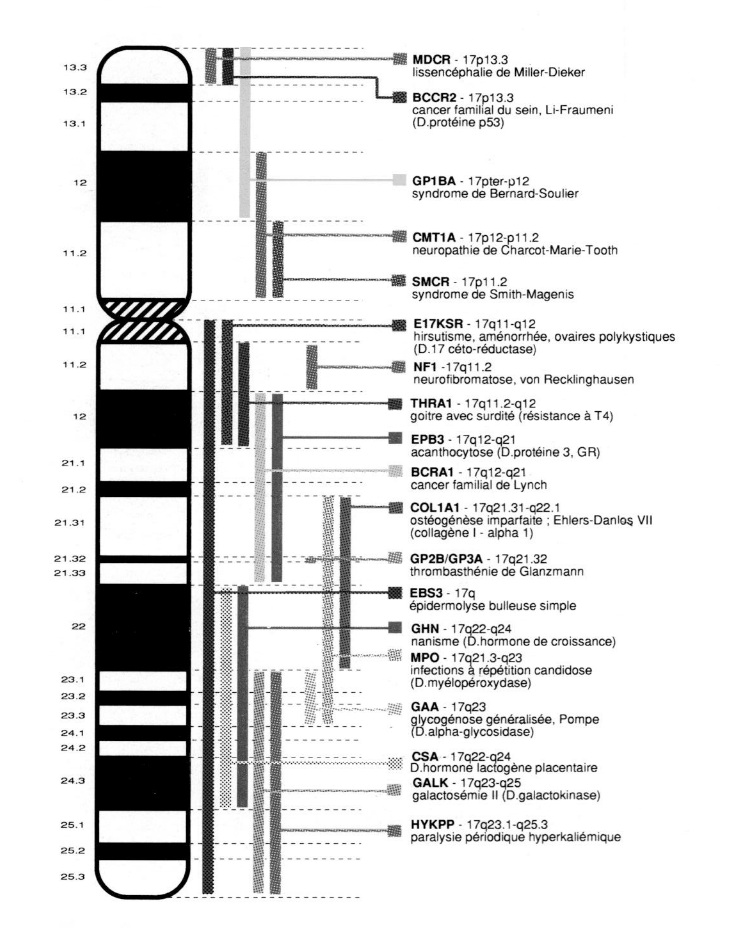
13.3
13.2
13.1
12
11.2
11.1
11.1
11.2
12
21.1
21.2
21.31
21.32
21.33
22
23.1
23.2
23.3
24.1
24.2
24.3
25.1
25.2
25.3
MDCR - 17p13.3
lissencéphalie de Miller-Dieker
BCCR2 - 17p13.3
cancer familial du sein, Li-Fraumeni
(D.protéine p53)
GP1BA - 17pter-p12
syndrome de Bernard-Soulier
CMT1A - 17p12-p11.2
neuropathie de Charcot-Marie-Tooth
SMCR - 17p11.2
syndrome de Smith-Magenis
E17KSR - 17q11-q12
hirsutisme, aménorrhée, ovaires polykystiques
(D.17 céto-réductase)
NF1 -17q11.2
neurofibromatose, von Recklinghausen
THRA1 - 17q11.2-q12
goitre avec surdité (résistance à T4)
EPB3 - 17q12-q21
acanthocytose (D.protéine 3, GR)
BCRA1 - 17q12-q21
cancer familial de Lynch
COL1A1 - 17q21.31-q22.1
ostéogénèse imparfaite ; Ehlers-Danlos VII
(collagène I - alpha 1)
GP2B/GP3A - 17q21.32
thrombasthénie de Glanzmann
EBS3 - 17q
épidermolyse bulleuse simple
GHN - 17q22-q24
nanisme (D.hormone de croissance)
MPO - 17q21.3-q23
infections à répétition candidose
(D.myélopéroxydase)
GAA - 17q23
glycogénose généralisée, Pompe
(D.alpha-glycosidase)
CSA - 17q22-q24
D.hormone lactogène placentaire
GALK - 17q23-q25
galactosémie II (D.galactokinase)
HYKPP - 17q23.1-q25.3
paralysie périodique hyperkaliémique

CHROMOSOME 18 : 85 Mb (2,7 %)

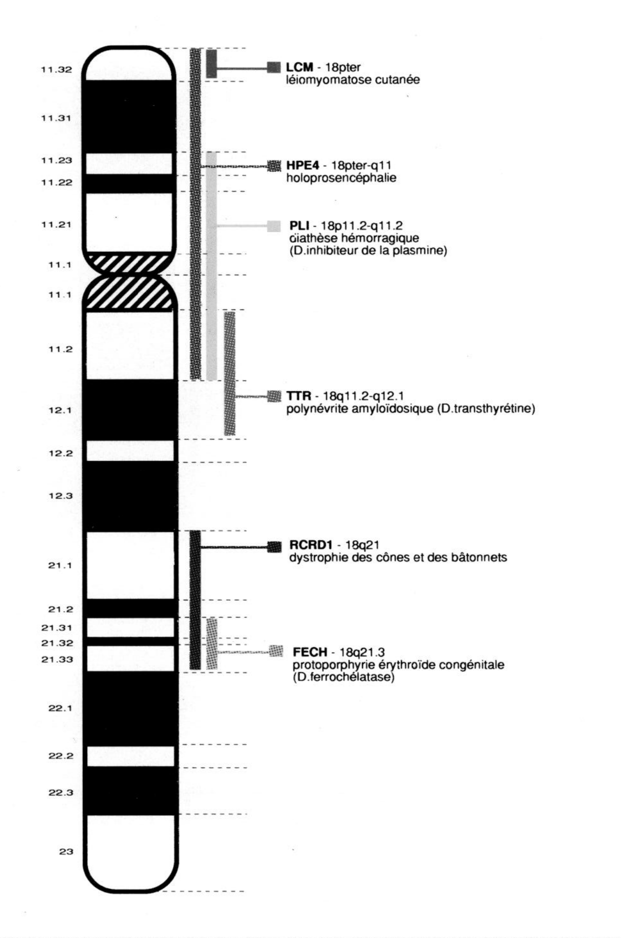
11.32
11.31
11.23
11.22
11.21
11.1
11.1
11.2
12.1
12.2
12.3
21.1
21.2
21.31
21.32
21.33
22.1
22.2
22.3
23
LCM - 18pter
léiomyomatose cutanée
HPE4 - 18pter-q11
holoprosencéphalie
PLI - 18p11.2-q11.2
diathèse hémorragique
(D.inhibiteur de la plasmine)
TTR - 18q11.2-q12.1
polynévrite amyloïdosique (D.transthyrétine)
RCRD1 - 18q21
dystrophie des cônes et des bâtonnets
FECH - 18q21.3
protoporphyrie érythroïde congénitale
(D.ferrochélatase)

CHROMOSOME 19 : 67 Mb (2,2 %)

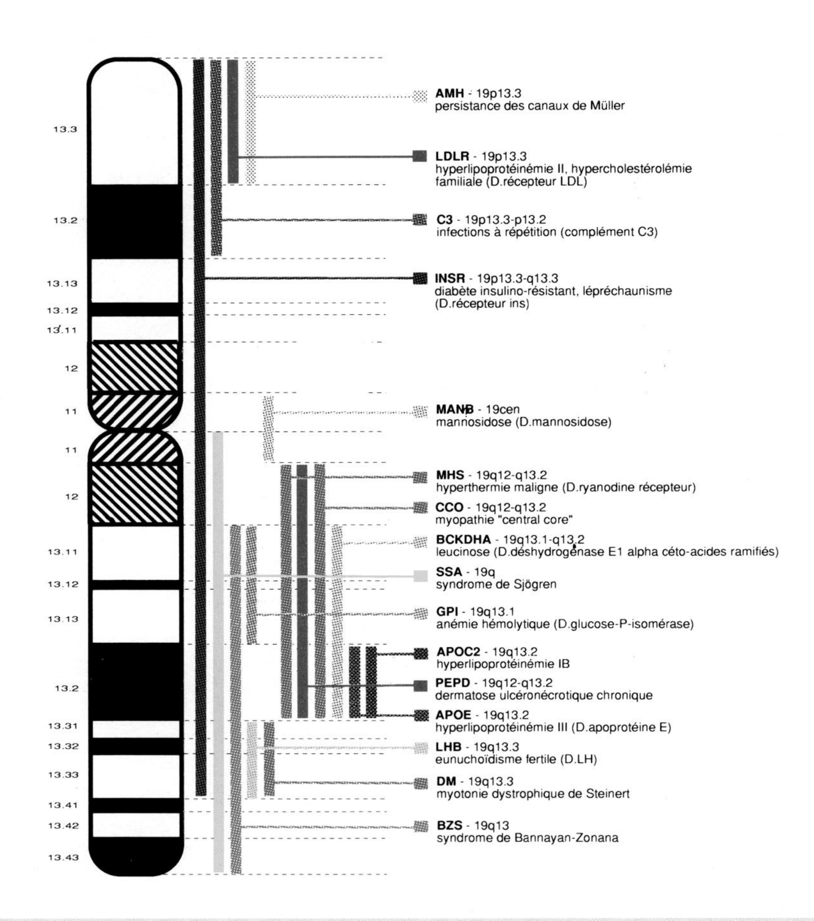
13.3
13.2
13.13
13.12
13.11
12
11
11
12
13.11
13.12
13.13
13.2
13.31
13.32
13.33
13.41
13.42
13.43
AMH - 19p13.3
persistance des canaux de Müller
LDLR - 19p13.3
hyperlipoprotéinémie II, hypercholestérolémie
familiale (D.récepteur LDL)
C3 - 19p13.3-p13.2
infections à répétition (complément C3)
INSR - 19p13.3-q13.3
diabète insulino-résistant, lépréchaunisme
(D.récepteur ins)
MANB - 19cen
mannosidose (D.mannosidose)
MHS - 19q12-q13.2
hyperthermie maligne (D.ryanodine récepteur)
CCO - 19q12-q13.2
myopathie "central core"
BCKDHA - 19q13.1-q13.2
leucinose (D.déshydrogénase E1 alpha céto-acides ramifiés)
SSA - 19q
syndrome de Sjögren
GPI - 19q13.1
anémie hémolytique (D.glucose-P-isomérase)
APOC2 - 19q13.2
hyperlipoprotéinémie IB
PEPD - 19q12-q13.2
dermatose ulcéronécrotique chronique
APOE - 19q13.2
hyperlipoprotéinémie III (D.apoprotéine E)
LHB - 19q13.3
eunuchoïdisme fertile (D.LH)
DM - 19q13.3
myotonie dystrophique de Steinert
BZS - 19q13
syndrome de Bannayan-Zonana

CHROMOSOME 20 : 72 Mb (2,3 %)

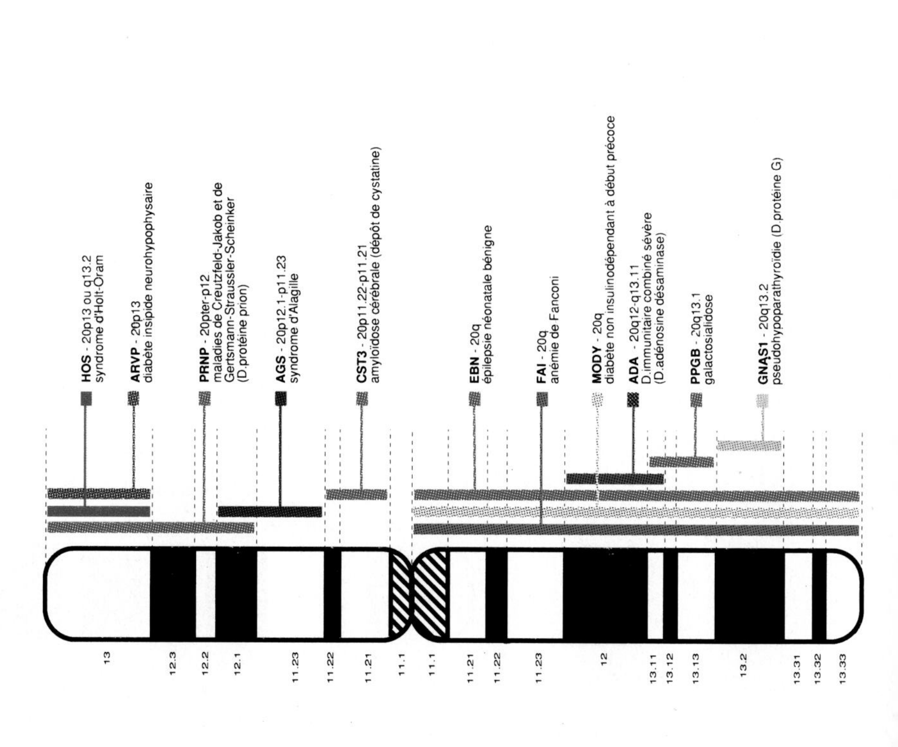
HOS - 20p13 ou q13.2
syndrome d'Holt-Oram
ARVP - 20p13
diabète insipide neurohypophysaire
PRNP - 20pter-p12
maladies de Creutzfeld-Jakob et de Gertsmann-Straussler-Scheinker (D.protéine prion)
AGS - 20p12.1-p11.23
syndrome d'Alagille
CST3 - 20p11.22-p11.21
amyloïdose cérébrale (dépôt de cystaine)
EBN - 20q
épilepsie néonatale bénigne
FAI - 20q
anémie de Fanconi
MODY - 20q
diabète non insulinodépendant à début précoce
ADA - 20q12-q13.11
D.immunitaire combiné sévère (D.adénosine désaminase)
PPGB - 20q13.1
galactosialidose
GNAS1 - 20q13.2
pseudohypoparathyroïdie (D.protéine G)
13
12.3
12.2
12.1
11.23
11.22
11.21
11.1
11.1
11.21
11.22
11.23
12
13.11
13.12
13.13
13.2
13.31
13.32
13.33

CHROMOSOME 21 : 50 Mb (1,6 %)

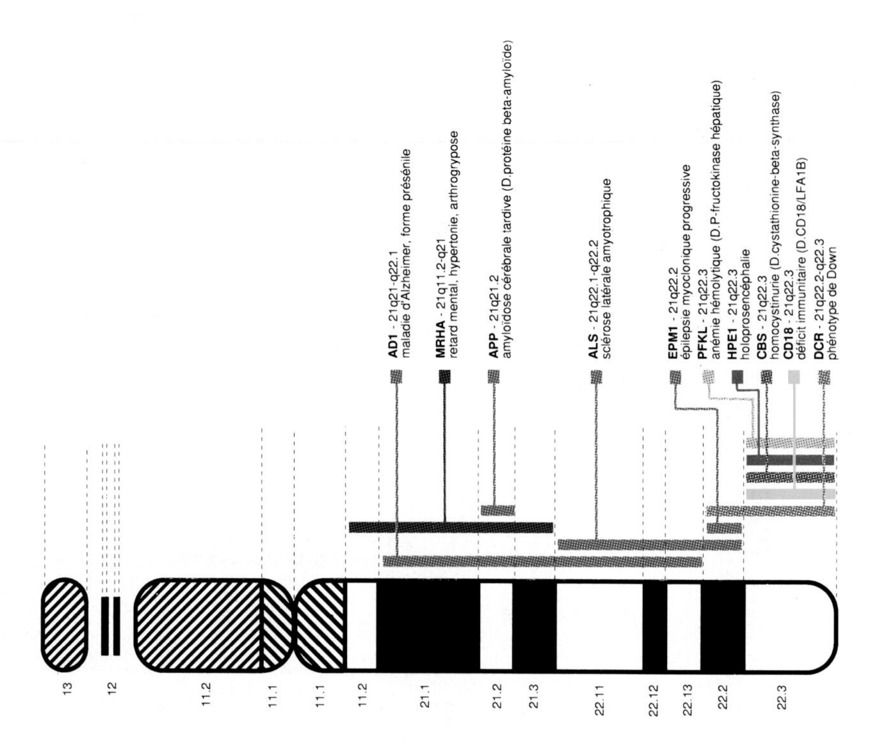
AD1 - 21q21-q22.1
maladie d'Alzheimer, forme présénile
MRHA - 21q11.2-q21
retard mental, hypertonie, arthrogrypose
APP - 21q21.2
amyloïdose cérébrale tardive (D.protéine beta-amyloïde)
ALS - 21q22.1-q22.2
sclérose latérale amyotrophique
EPM1 - 21q22.2
épilepsie myoclonique progressive
PFKL - 21q22.3
anémie hémolytique (D.P-fructokinase hépatique)
HPE1 - 21q22.3
holoprosencéphalie
CBS - 21q22.3
homocystinurie (D.cystathionine-beta-synthase)
CD18 - 21q22.3
déficit immunitaire (D.CD18/LFA1B)
DCR - 21q22.2-q22.3
phénotype de Down
13
12
11.2
11.1
11.1
11.2
21.1
21.2
21.3
22.11
22.12
22.13
22.2
22.3

CHROMOSOME 22 : 56 Mb (1,8 %)

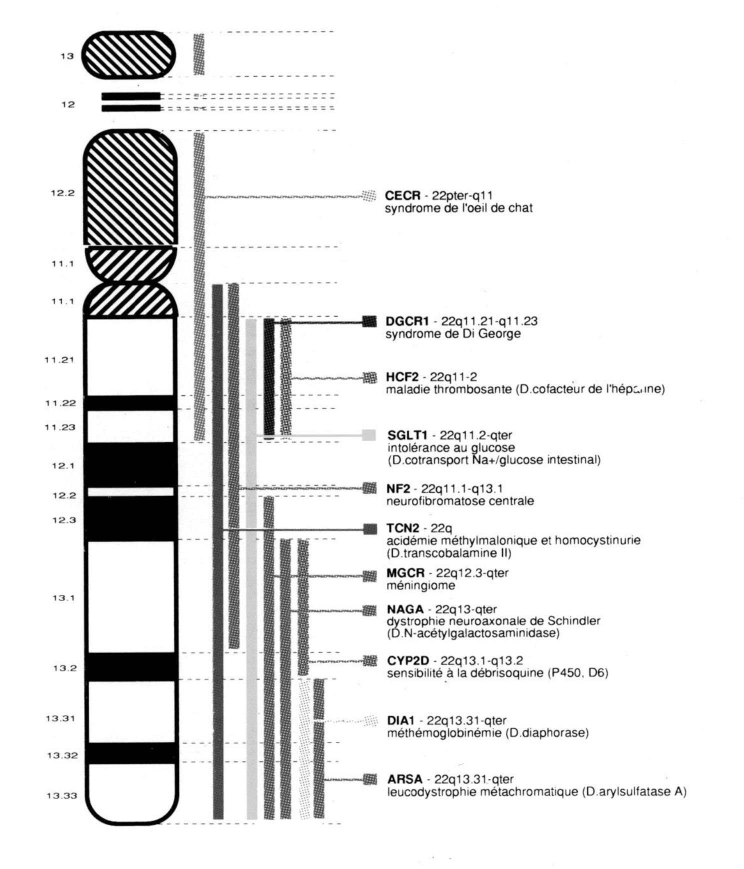
13
12
12.2
11.1
11.1
11.21
11.22
11.23
12.1
12.2
12.3
13.1
13.2
13.31
13.32
13.33
CECR - 22pter-q11
syndrome de l'oeil de chat
DGCR1 - 22q11.21-q11.23
syndrome de Di George
HCF2 - 22q11-2
maladie thrombosante (D.cofacteur de l'hép...ine)
SGLT1 - 22q11.2-qter
intolérance au glucose
(D.cotransport Na+/glucose intestinal)
NF2 - 22q11.1-q13.1
neurofibromatose centrale
TCN2 - 22q
acidémie méthylmalonique et homocystinurie
(D.transcobalamine II)
MGCR - 22q12.3-qter
méningiome
NAGA - 22q13-qter
dystrophie neuroaxonale de Schindler
(D.N-acétylgalactosaminidase)
CYP2D - 22q13.1-q13.2
sensibilité à la débrisoquine (P450, D6)
DIA1 - 22q13.31-qter
méthémoglobinémie (D.diaphorase)
ARSA - 22q13.31-qter
leucodystrophie métachromatique (D.arylsulfatase A)

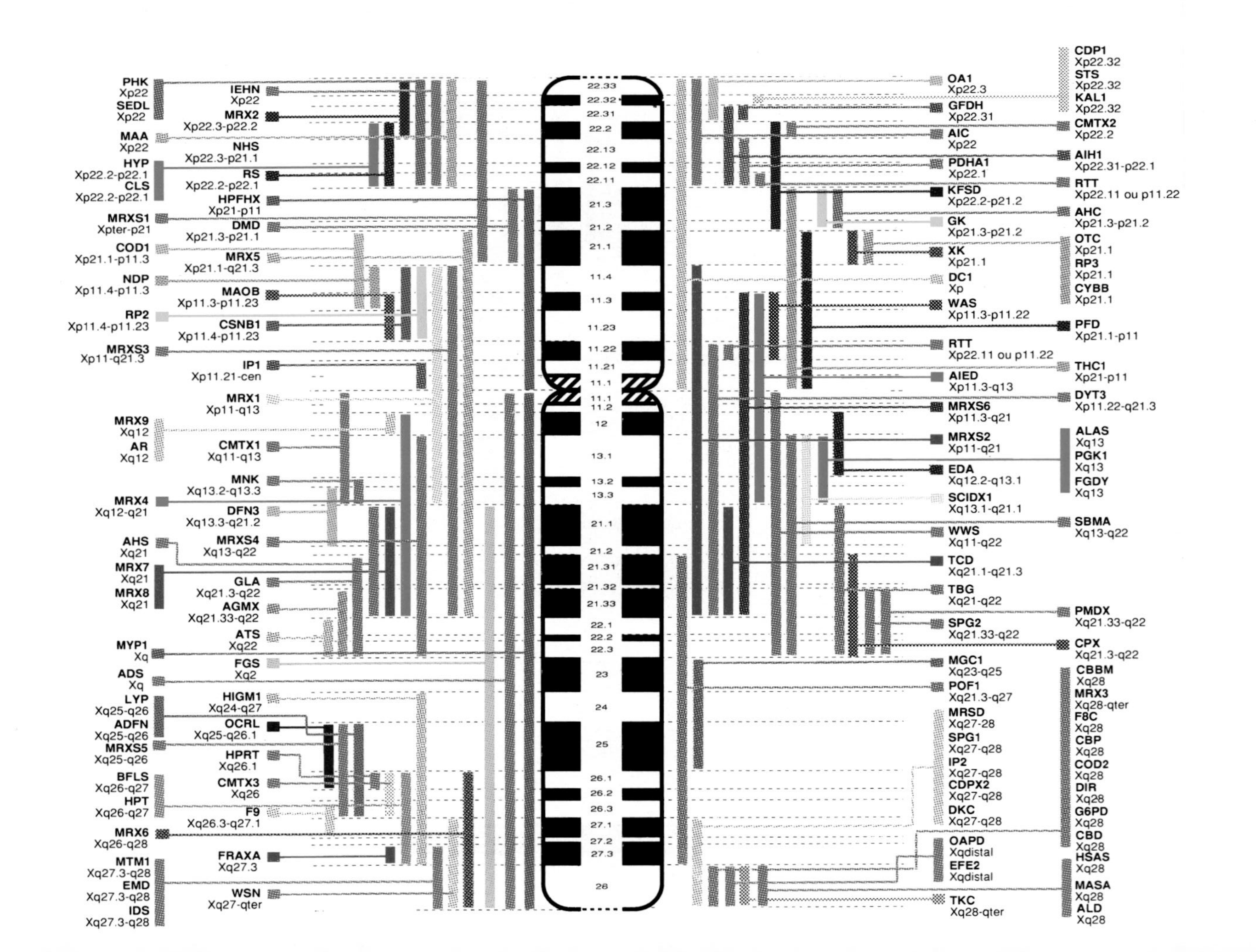
CHROMOSOME X : 164 Mb (5,3 %)
PHK Xp22
SEDL Xp22
MAA Xp22
HYP Xp22.2-p22.1
CLS Xp22.2-p22.1
MRXS1 Xpter-p21
COD1 Xp21.1-p11.3
NDP Xp11.4-p11.3
RP2 Xp11.4-p11.23
MRXS3 Xp11-q21.3
MRX9 Xq12
AR Xq12
MRX4 Xq12-q21
AHS Xq21
MRX7 Xq21
MRX8 Xq21
MYP1 Xq
ADS Xq
LYP Xq25-q26
ADFN Xq25-q26
MRXS5 Xq25-q26
BFLS Xq26-q27
HPT Xq26-q27
MRX6 Xq26-q28
MTM1 Xq27.3-q28
EMD Xq27.3-q28
IDS Xq27.3-q28
IEHN Xp22
MRX2 Xp22.3-p22.2
NHS Xp22.3-p21.1
RS Xp22.2-p22.1
HPFHX Xp21-p11
DMD Xp21.3-p21.1
MRX5 Xp21.1-q21.3
MAOB Xp11.3-p11.23
CSNB1 Xp11.4-p11.23
IP1 Xp11.21-cen
MRX1 Xp11-q13
CMTX1 Xq11-q13
MNK Xq13.2-q13.3
DFN3 Xq13.3-q21.2
MRXS4 Xq13-q22
GLA Xq21.3-q22
AGMX Xq21.33-q22
ATS Xq22
FGS Xq2
HIGM1 Xq24-q27
OCRL Xq25-q26.1
HPRT Xq26.1
CMTX3 Xq26
F9 Xq26.3-q27.1
FRAXA Xq27.3
WSN Xq27-qter
22.33
22.32
22.31
22.2
22.13
22.12
22.11
21.3
21.2
21.1
11.4
11.3
11.23
11.22
11.21
11.1
11.1
11.2
12
13.1
13.2
13.3
21.1
21.2
21.31
21.32
21.33
22.1
22.2
22.3
23
24
25
26.1
26.2
26.3
27.1
27.2
27.3
28
OA1 Xp22.3
GFDH Xp22.31
AIC Xp22
PDHA1 Xp22.1
KFSD Xp22.2-p21.2
GK Xp21.3-p21.2
XK Xp21.1
DC1 Xp
WAS Xp11.3-p11.22
RTT Xp22.11 ou p11.22
AIED Xp11.3-q13
MRXS6 Xp11.3-q21
MRXS2 Xp11-q21
EDA Xq12.2-q13.1
SCIDX1 Xq13.1-q21.1
WWS Xq11-q22
TCD Xq21.1-q21.3
TBG Xq21-q22
SPG2 Xq21.33-q22
MGC1 Xq23-q25
POF1 Xq21.3-q27
MRSD Xq27-28
SPG1 Xq27-q28
IP2 Xq27-q28
CDPX2 Xq27-q28
DKC Xq27-q28
OAPD Xqdistal
EFE2 Xqdistal
TKC Xq28-qter
CDP1 Xp22.32
STS Xp22.32
KAL1 Xp22.32
CMTX2 Xp22.2
AIH1 Xp22.31-p22.1
RTT Xp22.11 ou p11.22
AHC Xp21.3-p21.2
OTC Xp21.1
RP3 Xp21.1
CYBB Xp21.1
PFD Xp21.1-p11
THC1 Xp21-p11
DYT3 Xp11.22-q21.3
ALAS Xq13
PGK1 Xq13
FGDY Xq13
SBMA Xq13-q22
PMDX Xq21.33-q22
CPX Xq21.3-q22
CBBM Xq28
MRX3 Xq28-qter
F8C Xq28
CBP Xq28
COD2 Xq28
DIR Xq28
G6PD Xq28
CBD Xq28
HSAS Xq28
MASA Xq28
ALD Xq28

Développement des abréviations des pathologies liées au chromosome X

ADFN - Xq25-q26-albinisme avec surdité
ADS - Xq-ataxie et démence
AGMX - Xq21.33-q22-agammaglobulinémie type Bruton
AHC - Xp21.3-p21.2-hypoplasie congénitale des surrénales
AHS - Xq21-syndrome d'Allan-Herndon
AIC - Xp22-syndrome d'Aicardi
AIED - Xp11.3-q13-maladie oculaire de l'île Åland
AIH1 - Xp22.31-p22.1-amélogénèse imparfaite (D. amélogénine)
ALAS - Xq13-anémie sidéroblastique (D. AL synthétase GR)
ALD - Xq28-adrénoleucodystrophie
AR - Xq12-testicule féminisant (D. récepteur de la testostérone)
ATS - Xq22-syndrome d'Alport (D. collagène 4A5)
BFLS - Xq26-q27-syndrome de Börjeson-Forssman-Lehmann
CBBM - Xq28-cécité aux couleurs, monochromatique
CBD - Xq28-daltonisme (deutan, cécité au vert)
CBP - Xq28-daltonisme (protan, cécité au rouge)
CDP1 - Xp22.32-chrondrodysplasie ponctuée récessive
CDPX2 - Xq27-q28-chondrodysplasie ponctuée dominante
CLS - Xp22.2-p22.1-syndrome de Coffin-Lowry
CMTX1 - Xq11-q13-neuropathie de Charcot-Marie-Tooth
CMTX2 - Xp22.2-neuropathie de Charcot-Marie-Tooth
CMTX3 - Xq26-neuropathie de Charcot-Marie-Tooth
COD1 - Xp21.1-p11.3-dystrophie des cônes
COD2 - Xq28-dystrophie des cônes
CPX - Xq21.3-q22-ankylose de la langue avec fente palatine
CSNB1 - Xp11.4-p11.23-cécité stationnaire nocturne congénitale
CYBB - Xp21.1 - granulomatose chronique (D. cytochrome b245)
DC1 - Xp-dermoïdes de la cornée
DFN3 - Xq13.3-q21.2-surdité de conduction avec blocage platinaire
DIR - Xq28-diabète insipide néphrogénique (D. récepteur de la vasopressine)
DKC - Xq27-q28-dyskératose congénitale
DMD - Xp21.3-p21.1-dystrophie musculaire progressive (Duchenne, Becker)
DYT3 - Xp11.22-q21.3-dystonie de torsion avec parkinsonisme
EDA - Xq12.2-q13.1-dysplasie anhidrotique ectodermique
EFE2 - Xqdistal-fibroélastose endomyocardique, Barth
EMD - Xq27.3-q28-dystrophie musculaire, Emery-Dreifuss
F8C - Xq28-hémophilie A (D. facteur VIII)
F9 - Xq26.3-q27.1-hémophilie B (D. facteur IX)
FGDY - Xq13-dysplasie faciogénitale d'Aarskog
FGS - Xq2-syndrome FG
FRAXA - Xq27.3-syndrome de retard mental avec X fragile
G6PD - Xq28-anémie hémolytique, favisme (D. glucose 6-P-déshydrogénase)
GFDH - Xp22.31-hypoplasie dermique de Goltz
GK - Xp21.3-p21.2-hyperglycérolémie (D. glycérol kinase)
GLA- Xq21.3-q22-angiokératomatose de Fabry (D. alpha-glucosidase)
HIGM1 - Xq24-q27-agammaglobulinémie avec hyper IgM
HPFHX - Xp21-p11-persistance héréditaire de l'hémoglobine fœtale
HPRT - Xq26.1-syndrome de Lesch-Nyhan, goutte sévère (D. hypoxanthine-guanine phosporibosyl transférase)
HPT - Xq26-q27-hypoparathyroïdie
HSAS - Xq28-hydrocéphalie avec sténose de l'aqueduc de Sylvius
HYP - Xp22.2-p22.1-rachitisme résistant hypophosphatémique
IDS - Xq27.3-q28-maladie de Hunter, MPS II (D. iduronate sulfatase)
IEHN - Xp22-ichtyose avec retard mental et signes neurologiques, Rud
IP1 - Xp11.21-cen-incontinentia pigmenti
IP2 - Xq27-q28-incontinentia pigmenti
KAL1 - Xp22.32-syndrome de Kallmann
KFSD - Xp22.2-p21.2-kératose folliculaire décalvante
LYP - Xq25-q26-syndrome lymphoprolifératif
MAA - Xp22-anophtalmie, microphtalmie
MAOB - Xp11.3-p11.23 D. monoamine oxidase
MASA - Xq28-syndrome MASA
MGC1 - Xq23-q25-mégalocornée
MNK - Xq13.2-q13.3-syndrome de Menkes
MRSD - Xq27-q28-retard mental avec dysplasie squelettique, Christian
MRX1 - Xp11-q13-retard mental lié à l'X. 1
MRX2 - Xp22.3-p22.2-retard mental lié à l'X. 2
MRX3 - Xq28-qter-retard mental lié à l'X. 3
MRX4 - Xq12-q21-retard mental lié à l'X. 4
MRX5 - Xp21.1-q21.3-retard mental lié à l'X. 5
MRX6 - Xp26-q28-retard mental lié à l'X. 6
MRX7 - Xq21-retard mental lié à l'X. 7
MRX8 - Xq21-retard mental lié à l'X. 8
MRX9 - Xq12-retard mental lié à l'X. 9
MRXS1 - Xpter-p21-retard mental syndromique, dystonie
MRXS2 - Xp11-q21-retard mental syndromique, dysmorphie
MRXS3 - Xp11-q21.3-retard mental syndromique, microcéphalie et diplégie spastique
MRXS4 - Xq13-q22-retard mental syndromique, contractures
MRXS5 - Xq25-q26-retard mental syndromique, Dandy-Walker, choréoathétose et convulsions
MRXS6 - Xp11. 3-q21-retard mental syndromique, gynécomastie et obésité
MTM1 - Xq27.3-q28-myopathie myotubulaire
MYP1 - Xq-myopie
NDP - Xp11.3-p11.4-syndrome de Norrie
NHS - Xp22.3-p21.1-syndrome de Nance-Horan
OA1 - Xp22.3-albinisme oculaire
AOPD - Xqdistal-atrophie optique, polynévrite et surdité. Rosenberg Chutorian
OCRL - Xq25-q26.1-syndrome oculocérébrorénal de Lowe
OTC - Xp21.1-hyperammoniémie (D. ornithine transcarbamylase)
PDHA1 - Xp22.1-lactacidémie congénitale (D. pyruvate déshydrogénase)
PFD - Xp21.1-p11-D. immunitaire (D. properdine)
PGK1 - Xq13-anémie hémolytique (D. phospho-glycérate kinase)
PHK - Xp22-glycogénose VIII (D. phosphorylase kinase hépatique)
PMDX - Xq21.33-q22-maladie de Pelizaeus-Merzbacher
POF1 - Xq21.3-q27-ménopause précoce
RP2 - Xp11.4-p11.23-rétinite pigmentaire
RP3 - Xp21.1-rétinite pigmentaire
RS - Xp22.2-p22.1-rétinoschisis
RTT - Xp22.11 ou p11.22-syndrome de Rett
SBMA - Xq13-q22-atrophie musculaire, spinale et bulbaire
SCIDX1 - Xq13.1-q21.1-déficit immunitaire combiné sévère
SEDL - Xp22-dysplasie spondyloéphysaire tardive
SPG1 - Xq27-q28-paralysie spasmodique
SPG2 - Xq21.33-q22-paralysie spasmodique
STS - Xp22.32-ichtyose (D. stéroïde sulfatase)
TBG - Xq21-q22-hyperthyroxinémie euthyroïdienne (excès de TBG, D. TBG)
TCD - Xq21.1-q21.3-choroïdérémie
THC1 - Xp21-p11-trhombocytopénie
TKC - Xq28-qter-syndrome de Goéminne
WAS - Xp11.3-p11.22-syndrome de Wiskott-Aldrich
WSN - Xq27-qter-syndrome de Waisman
WWS - Xq11-q22-syndrome de Wieacker-Wolff
XK - Xp21.1-phénotype McLeod

CHROMOSOME Y : 59 Mb (2 %)

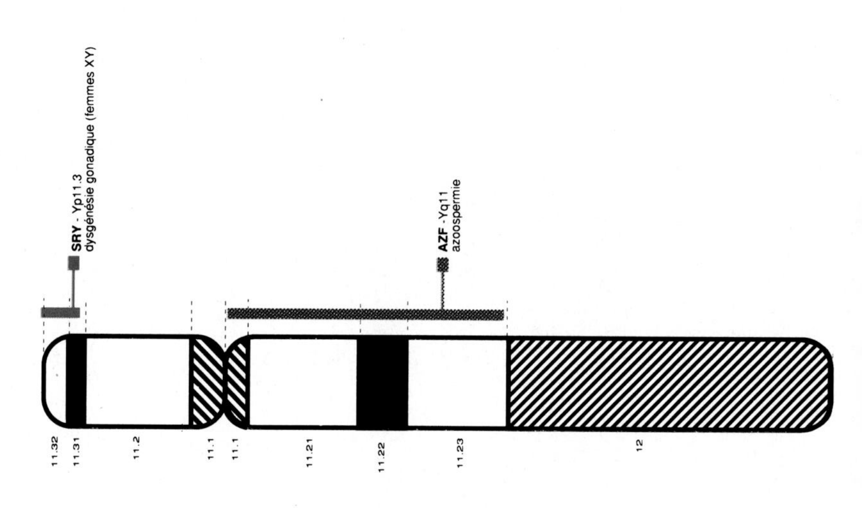
SRY - Yp11.3
dysgénésie gonadique (femmes XY)
AZF - Yq11
azoospermie
11.32
11.31
11.2
11.1
11.1
11.21
11.22
11.23
12

Glossaire

Les termes anglo-saxons d'usage courant sont indiqués en italiques.

Accepteur (site d'épissage) : point de jonction entre la fin d'un intron (—AG 3') et le début (5') de l'exon consécutif. Parfois appelé site droit.

Allèles : versions alternatives d'un même gène différant par leur séquence nucléotidique (il y a des systèmes bi-alléliques et multi-alléliques). Par extension désigne les variantes du DNA non codant en un même locus (polymorphismes anonymes).

Alu (séquences) : famille de DNA modérément répétitif, possédant en général un site de restriction pour l'enzyme Alu I. Elle comporte environ 600 000 copies de 300 pb chacune, dispersées sur le génome (soit statistiquement une tous les 5 kb), aussi bien entre les gènes que dans les introns.

Alu-PCR : méthode PCR utilisant comme amorces des séquences consensus de type Alu pour amplifier des séquences génomiques inconnues comprises entre deux motifs Alu voisins.

ALV *(Avian Leukemia Virus)* : rétrovirus responsable de leucémies chez les aviaires.

Ambre : mutation créant un codon non-sens UAG dans une séquence codante d'un gène. L'interruption de traduction qui en résulte peut être levée par un tRNA suppresseur (voir aussi Ocre et Opale).

Amniocyte : cellule d'origine fœtale retrouvée dans le liquide amniotique.

Amorce *(primer)* : courte séquence de DNA ou de RNA complémentaire du début d'une matrice servant de point de départ à son recopiage par une polymérase.

Amphotrope : qualifie des virus capables d'infecter les cellules de n'importe quelle espèce. On les utilise souvent comme vecteurs de gènes recombinés.

Amplification élective in vitro : procédé de multiplication exponentielle d'une séquence donnée comprise entre deux amorces oligonucléotidiques (voir PCR).

Amplification génique : correspond à la multiplication d'un même gène en un locus donné.

Amplimère : produit d'amplification in vitro par la méthode PCR. (Autre acception non utilisée dans cet ouvrage : oligonucléotide servant à l'amplification par PCR.)

***Anchored PCR* (PCR amarrée) :** procédé permettant d'amplifier par PCR un fragment de DNA lorsqu'une seule des extrémités est connue. L'autre est créée en rajoutant une série de G après la première élongation. Synonyme : *RACE PCR*.

Aneuploïdie : nombre anormal de chromosomes, en plus (par exemple trisomie), ou en moins (par exemple monosomie).

Anonyme (séquence) : séquence unique provenant d'un clone de DNA génomique et ne renfermant pas a priori de région codante. Constitue un marqueur génotypique lorsqu'elle permet de définir un polymorphisme.

Anti-codon : triplet nucléotidique du tRNA s'hybridant avec le triplet complémentaire (codon) du mRNA.

Anti-messager : RNA complémentaire d'un RNA messager naturel avec lequel il peut s'hybrider pour former un double-brin stable et non traductible.

Anti-oncogène : gène suppresseur de cancer s'exprimant à l'état normal de manière dominante. Ses mutations sont récessives, d'où l'appellation trompeuse parfois utilisée de « gène récessif de cancer ».

Anti-parallèle : se dit de l'orientation inverse des brins complémentaires du DNA. Il en résulte que l'extrémité 5' d'un brin est en regard de l'extrémité 3' de l'autre brin.

Anti-sens : séquence complémentaire et anti-parallèle à la séquence d'un RNA messager. Synonyme d'anti-messager.

Apoptose : mort cellulaire programmée.

APRT (adénine phosphoribosyltransférase) : produit d'un gène du chromosome 16 humain utilisable comme marqueur de sélection (milieu HAT).

Archéobactéries : organismes procaryotes capables de vivre dans des conditions extrêmes de température ou de salinité. Ils sont considérés comme très primordiaux dans l'évolution et sont remarquables par la présence d'introns dans leurs gènes.

ARMS *(Amplification Refractory Mutation System)* : même méthode que l'ASPCR mais comportant l'introduction d'une mutation déstabilisatrice dans l'une des amorces.

ARS *(Autonomously Replicating Sequence)* : séquences contenant au moins une origine de réplication, utilisées pour la construction des vecteurs de type YAC.

ASO *(Allele-Specific Oligoprobe)* : oligonucléotide d'une vingtaine de bases capable de détecter, par mésappariement *(mismatch)*, des allèles ne différant que par une mutation ponctuelle.

ASPCR *(Allele-Specific PCR)* : méthode PCR utilisée pour la discrimination spécifique des allèles ne différant que par une mutation ponctuelle. Les amorces d'amplification sont choisies de manière à ne permettre l'amplification que d'un allèle donné, la base mutée figurant en position 3' terminale sur l'une des amorces.

Association allélique : voir Déséquilibre de liaison.

ATCC *(American Type Culture Collection)* : organisme américain à but non lucratif centralisant et distribuant des lignées cellulaires pathologiques ayant un intérêt en recherche bio-médicale, ainsi que des sondes de DNA (homme et souris).

Atténuateur : site d'interruption de transcription au début de la région codante des gènes soumis au phénomène d'atténuation.

Atténuation : régulation de l'expression d'un gène par interruption de sa transcription sous le contrôle de la traduction (blocage par une configuration secondaire particulière du transcrit).

Autocrine : se dit d'une cellule qui synthétise des facteurs de croissance agissant sur ses propres récepteurs.

Autosome : chromosome non sexuel.

Avidine : protéine du blanc d'œuf se liant spécifiquement et avec une extrême affinité à la biotine. Cette propriété est mise à profit dans des systèmes de sondes froides.

Bactériophage : virus infectant les bactéries. Souvent désigné par l'abréviation « phage ».

Banque *(library)* : collection de clones cellulaires (bactéries, levures, etc.) où chaque cellule renferme un exemplaire différent de DNA recombiné à un vecteur.

Biotine : molécule utilisée comme marqueur dans certains systèmes de sondes froides en raison de sa très grande affinité pour l'avidine.

Blastocyste : stade embryonnaire où la morula est organisée en un sac tapissé de cellules. Chez la souris on peut y injecter des cellules embryonnaires indifférenciées (de tératocarcinome, ou de lignée ES) pour créer des chimères.

***Blotting* :** terme anglais désignant le transfert de macromolécules (acides nucléiques ou protéines) d'un gel vers une membrane où elles se fixent.

Breathnach et Chambon (règle de) : présence des dinucléotides GT et AG, respectivement au début et à la fin de chaque intron.

CAAT (boîte) : séquence fréquemment retrouvée 70 à 80 pb en amont du site d'initiation de la transcription (région promotrice). Elle est reconnue par des protéines régulant la transcription.

Cadre de lecture : une des trois phases possibles de lecture de l'enchaînement des triplets sur un brin de DNA. Lorsqu'il ne renferme pas de codon stop on dit qu'il est ouvert ; dans le cas contraire il est dit fermé.

***Cap* :** motif de 7-méthyl guanine rattaché par une liaison 5'-5' triphosphate à la première base de tous les RNA messagers.

Capside : emballage protéique des génomes viraux.

Carte de restriction : ordonnancement des sites de restriction présents sur un segment déterminé de DNA.

CAT (chloramphénicol acétyl transférase) : gène utilisé comme *reporter* dans des constructions où il est couplé à une séquence de DNA dont on veut étudier l'effet régulateur (promoteur par exemple). Après transfection, son taux d'expression est aisément mesurable par l'activité enzymatique.

***cdc (cell division cycle)* :** gènes codant pour une famille de protéines impliquées dans le mécanisme moléculaire de la division cellulaire. Ceux-ci ont été originellement caractérisés dans des mutants de levure dont la mitose est anormale.

C/EBP *(CAAT/enhancer binding protein)* : facteur transcriptionnel se liant à la boîte CAAT.

Centimorgan : unité de distance génétique équivalant à une probabilité de recombinaison de 1 p. 100 par méiose (voir Morgan), et correspondant très approximativement à une distance physique moyenne de 10^6 paires de bases.

Centromère : constriction des chromosomes séparant le bras court (p) du bras long (q).

CEPH (Centre d'Étude des Polymorphismes Humains) : Institution à but non lucratif mettant à la disposition de la communauté scientifique un panel de 60 familles comportant au moins 6 enfants, leurs parents et leur 4 grands-parents, pour établir des cartes génétiques.

CF *(cystic fibrosis)* : abréviation anglaise pour mucoviscidose.

CFTR *(Cystic Fibrosis Transmembrane conductance Regulator)* : protéine dont l'altération ou la non-expression est responsable de la mucoviscidose. Contrairement à son appellation, cette protéine n'est pas une protéine régulatrice mais un canal Cl^-.

CG : doublet sous-représenté dans le génome (1/5 à 1/4 de la fréquence attendue) et constituant un site de méthylation préférentiel (sur la cytosine).

Champ pulsé (électrophorèse en) : technique de séparation électrophorétique de grands fragments de DNA, au cours de laquelle la polarité des électrodes est alternativement modifiée.

Chi (séquence) : séquence octamérique constituant un signal de recombinaison dans le DNA d'*E. coli*.

Chi (structure) : structure en forme de lettre grecque chi apparaissant au cours de la recombinaison (ou structure de Holliday).

Chiasma : structure en X de chromosomes homologues visible au microscope optique, correspondant au point d'échange de matériel génétique lors des recombinaisons méiotiques.

Chimérisme moléculaire : fusion de deux gènes, soit par recombinaison inégale (Hb Lepore), soit par translocation (translocation 9;22 du chromosome Philadelphie avec fusion BCR/ABL), aboutissant à une protéine chimère ayant perdu sa fonction (effet récessif) ou ayant acquis des fonctions anormales (effet dominant).

Chromatide : copie conforme de chaque chromosome se matérialisant au cours de la métaphase et se séparant de sa copie parentale lors de l'anaphase.

Chromatine : structure associant le DNA et des protéines dans le noyau pendant l'interphase.

***Chromosome painting* :** marquage spécifique d'un chromosome entier, ou remanié, par la méthode FISH.

Ciblage génique *(gene targeting)* : transfert de gène par recombinaison homologue avec le DNA génomique d'une cellule. Procédé utilisé pour la création de modèles animaux expérimentaux pathologiques et la thérapie génique.

Cis (configuration) : se dit de gènes ou de marqueurs situés sur le même chromosome.

Cis (régulation en) : action régulatrice de séquences de DNA non codantes s'exerçant sur un ou plusieurs promoteurs situés à proximité sur le même chromosome.

Clonage cellulaire : isolement d'une cellule et de sa descendance pour former une lignée cellulaire provenant d'un seul ancêtre.

Clonage moléculaire : recombinaison in vitro d'un gène, et, par extension, d'un fragment de DNA codant ou non, avec un vecteur se répliquant de manière autonome à l'intérieur d'une cellule hôte. La culture de cette cellule contenant le vecteur recombiné permet l'isolement du DNA inséré à l'état pur et en quantités illimitées.

CMGT *(Chromosome Mediated Gene Transfer)* : procédé de transfert de gènes in vitro par transfection de fragments de chromosomes isolés. Utilisé pour la cartographie génomique.

Code génétique : voir Codon.

Codominance : désigne les caractères héréditaires dont les différentes versions sont simultanément détectables chez un hétérozygote, par exemple les polymorphismes de restriction.

Codon : triplet nucléotidique du mRNA représentant un acide aminé donné (codon signifiant) ou un signal de fin de traduction (codon non-sens). Sur les 64 combinaisons possibles entre A, U, C et G il y a 61 codons signifiants codant pour les 20 acides aminés précurseurs des protéines, et 3 codons non-sens. Plusieurs codons peuvent correspondre à un même acide aminé (dégénérescence du code génétique). Par extension désigne dans le DNA les triplets nucléotidiques complémentaires de ceux présents sur le brin qui est transcrit en mRNA ; donc la séquence des codons sur le DNA correspond strictement à celle du brin complémentaire du brin transcrit (T remplaçant U).

Cohésives (extrémités) : courte séquence de DNA simple-brin à l'extrémité d'un DNA double-brin, capable de se réassocier avec des extrémités complémentaires.

***Colony hybridization* :** voir Hybridation in situ.

Compétente (bactérie) : se dit d'une bactérie ayant subi un traitement lui permettant d'incorporer du DNA exogène (transformation).

Complémentarité : règle universelle d'appariement des bases des acides nucléiques, selon laquelle A s'associe avec T (ou U) et G avec C.

Complémentation : possibilité pour deux gènes mutés de reconstituer un phénotype normal par l'intermédiaire de leurs produits (effet en trans). Dénote un non-allélisme entre ces gènes.

Complexité : somme des séquences uniques différentes présentes dans un DNA ou un mélange de RNA.

c-onc : voir Oncogène.

Concatémère : série de séquences identiques de DNA unies bout à bout in vitro.

Consensus (séquence) : courte séquence nucléotidique,

de DNA ou de RNA, impliquée dans un mécanisme commun de signalisation, par exemple pour l'épissage ou la régulation de la transcription.

Constitutif : état d'un gène qui demeure en permanence actif ou inactif, selon le mode de régulation en cause. L'état constitutif peut résulter d'une mutation.

Contig **:** désigne un segment de DNA génomique que l'on a pu reconstituer à partir de deux clones génomiques (en général des cosmides) possédant une carte de restriction partiellement identique, donc chevauchants.

Conversion génique : correction d'un brin de DNA par son partenaire au sein d'un hétéroduplex non parfaitement complémentaire. Cet événement peut se produire en cas de recombinaison intervenant soit entre séquences alléliques, soit entre séquences consécutives non identiques mais possédant un certain degré d'homologie. Dans le premier cas il en résulte une déviation de la représentation de chaque allèle au sein des gamètes. Dans le second cas il en résulte une homogénéisation de la séquence des copies répétées (ainsi s'explique la quasi-identité des deux gènes γ^G et γ^A de la globine).

Correction d'épreuves : voir *Proofreading*.

COS : 1) extrémités cohésives du phage lambda ; 2) lignée de cellules de rein de singe immortalisée par un virus SV40 défectif.

Cosmide : vecteur plasmidique dans lequel ont été rajoutés les sites *cos* du phage lambda, ce qui permet l'empaquetage in vitro dans des capsides phagiques. Permet le clonage de grands fragments de DNA (jusqu'à 45 kb).

Cot : produit de la concentration de DNA par le temps d'incubation dans une expérience de réassociation. Le $Cot_{1/2}$ est la valeur de ce produit pour 50 p. 100 de réassociation. Ce paramètre est proportionnel à la complexité du DNA.

Cotransfection : transfection simultanée d'une séquence de DNA et d'un gène marqueur, le plus souvent sélectionnable (gènes de la thymidine kinase ou de la dihydrofolate réductase, gène de résistance à la néomycine).

CREB *(cAMP-responsive element binding)* : protéine trans-activatrice médiant les effets de l'AMP cyclique sur la transcription.

Crossing-over **:** échange réciproque de matériel génétique entre chromosomes homologues, survenant en général au moment de la méiose au niveau des chiasmas. C'est le mécanisme responsable des recombinaisons génétiques.

Cryptique (site) : se dit d'une séquence ressemblant à une séquence consensus, et inactive tant qu'une mutation ne l'a pas rendue fonctionnelle. Un site cryptique d'épissage peut être activé par mutation.

Dégénérescence (du code génétique) : définie par l'existence possible de plusieurs triplets codant pour un même acide aminé (61 codons pour 20 acides aminés). La dégénérescence porte principalement sur la 3e base du codon.

Délétion : perte d'une ou plusieurs paires de bases consécutives sans rupture de continuité de la molécule de DNA.

Dénaturation (d'un acide nucléique) : passage de la forme double-brin d'un acide nucléique à sa forme simple-brin. Elle est obtenue le plus souvent par la chaleur ou la soude. Se dit aussi pour l'abolition de la structure secondo-tertiaire des acides nucléiques simple-brin.

Dérapage réplicatif *(slipped-strand mispairing)* : accident de la réplication mitotique ou préméiotique, produit par le glissement du brin en voie d'élongation par rapport au brin matrice, au niveau des courtes séquences répétées de type microsatellite. Le phénomène entraîne une expansion ou une réduction du nombre de répétitions.

Déséquilibre de liaison (ou déséquilibre de *linkage*) : situation dans laquelle deux allèles correspondant à deux locus distincts d'un même chromosome sont plus fréquemment associés en cis dans une même population que ne le voudrait le hasard (voir Équilibre). Une telle association allélique préférentielle est favorisée par : a) la proximité physique des locus ; b) le caractère récent de la mutation ayant produit l'un des allèles ; c) l'existence d'un avantage sélectif.

DGGE *(Denaturing Gradient Gel Electrophoresis)* : électrophorèse de DNA double-brin dans un gradient d'agent dénaturant (chimique ou physique), permettant de discriminer des fragments de même taille différant par leur température de fusion (Tm), par exemple à cause d'une mutation ponctuelle.

DHFR (dihydrofolate réductase) : enzyme permettant la réduction du dihydrofolate en tétrahydrofolate, coenzyme indispensable à la synthèse des bases puriques et de la thymine. Souvent employé comme marqueur de sélection (par le milieu HAT). Le méthotrexate (améthoptérine) est un puissant inhibiteur de la DHFR. Il induit l'amplification de son gène.

Diploïde : jeu de chromosomes où chaque autosome est en double exemplaire et comportant deux chromosomes sexuels (état 2n).

Disjonction : séparation des chromosomes (mitose) ou des chromatides (méiose) au cours de la division cellulaire.

Distance génétique : a) sur une carte génétique désigne un intervalle entre deux locus, calculé d'après la fréquence des recombinaisons observées ; b) sur un arbre phylogénétique désigne l'intervalle de temps écoulé pour permettre d'accumuler les différences observées entre deux séquences homologues dans deux espèces différentes.

Divergence : pourcentage de différences de séquence nucléotidique (ou protéique) entre deux DNA (ou protéines) apparentés.

DMD : locus de la myopathie de Duchenne et de la myopathie de Becker (Xp21.2) correspondant au gène de la dystrophine.

cDNA : séquence de DNA complémentaire d'un RNA messager obtenue par transcription inverse (transcriptase inverse). Elle correspond à une version du gène débarrassé de ses introns.

DNase : classe d'enzymes digérant les séquences de DNA.

Doigt de gant : motif polypeptidique stabilisé par un atome de zinc, conférant à certaines protéines (protéines dactyles) la propriété d'interagir spécifiquement avec le DNA.

Domestiques (gènes) *(Housekeeping genes)* : gènes spécifiant des protéines nécessaires à des fonctions communes à toutes les cellules, et dont l'expression est par conséquent ubiquitaire (exemple : les enzymes de la glycolyse).

Dominant : se dit d'un allèle ou d'une mutation qui, à l'état hétérozygote, conditionne le phénotype.

Donneur (site) : point de jonction entre la fin d'un exon (3') et le début de l'intron consécutif (5' GT—). Parfois appelé site gauche.

Dosage génique : détermination du nombre de copies d'un gène.

***Dot-blot* :** méthode d'hybridation moléculaire entre un acide nucléique directement adsorbé sous forme de tache sur un filtre (sans électrophorèse préalable) et une sonde.

Double-minute : mini-chromosome surnuméraire contenant une séquence de DNA considérablement amplifiée.

***D-segment* :** séquence anonyme clonée définissant un locus.

E1A : gène de la région précoce des adénovirus dont les produits sont impliqués dans la régulation de certains gènes et dans le phénomène d'immortalisation cellulaire.

EBV *(Epstein-Barr Virus)* : virus à DNA, appartenant à la catégorie des herpès virus. Utilisé au laboratoire pour immortaliser les lymphocytes (lignées lymphoblastoïdes).

Echange de chromatides sœurs : recombinaison entre deux chromatides d'un même chromosome.

Edition du RNA : modification post-transcriptionnelle de la séquence d'un RNA messager.

EGF *(Epidermal Growth Factor)* : facteur polypeptidique induisant la croissance des cellules de type épithélial en se fixant sur un récepteur membranaire spécifique.

Electroporation : procédé de transfection créant, à l'aide de chocs électriques, des pores dans la membrane plasmique, et permettant l'introduction de DNA de haut poids moléculaire dans des cellules eucaryotiques en culture.

EMBL *(European Molecular Biology Laboratory)* : laboratoire européen de biologie moléculaire situé à Heidelberg, dépendant de l'EMBO *(European Molecular Biology Organisation)*.

Empaquetage in vitro *(packaging)* : opération consistant à introduire un vecteur recombiné (phage ou cosmide) dans une capside phagique reconstituée in vitro à partir de ses protéines.

Empreinte génétique *(DNA finger printing)* : assortiment d'allèles mis en évidence dans le DNA génomique grâce à des sondes explorant simultanément plusieurs locus hautement polymorphes (minisatellites et microsatellites). Permet de caractériser le génotype de chaque individu (ou de chaque cellule) à des fins d'identification ou de filiation. Encore appelée carte d'identité génétique.

Empreinte parentale (ou sceau génomique) *(genomic imprinting)* : non-équivalence d'expression de certains gènes selon qu'ils sont situés sur le chromosome d'origine maternelle ou le chromosome d'origine paternelle.

Endonucléases : classe d'enzymes clivant la liaison phosphodiester entre deux nucléotides à l'intérieur d'un acide nucléique. Ces enzymes sont spécifiques d'un type d'acide nucléique : RNA, DNA simple-brin, DNA double-brin.

***Enhancer* (séquence stimulatrice) :** séquence de DNA stimulant en cis la transcription de certains gènes eucaryotes quelles que soient son orientation, sa localisation en amont ou en aval du site d'initiation, et, dans une certaine limite, la distance qui la sépare du promoteur. Certains facteurs protéiques interagissant avec eux peuvent leur conférer une spécificité tissulaire. Dans des constructions in vitro ils conservent leur pouvoir stimulateur sur des promoteurs hétérologues.

***env* :** gène spécifiant les protéines d'enveloppe chez les rétrovirus.

Enzymes de restriction (de classe II) : endonucléases bactériennes clivant spécifiquement les deux brins du DNA au niveau d'une séquence, en général palindromique, parfaitement définie (de 4 à 8 nucléotides).

Episome : séquence de DNA pouvant soit exister sous une forme extra-chromosomique autonome, soit être insérée dans le DNA chromosomique. Par extension, désigne les formes de DNA auto-réplicatives et extra-chromosomiques.

Epissage *(splicing)* : se dit du mécanisme d'excision des introns et de raboutage des exons au cours de la maturation des transcrits.

Epissage différentiel : existence de plusieurs schémas d'épissage d'un transcrit primaire aboutissant à la formation de différents RNA messagers, et pouvant donner lieu à la synthèse de plusieurs protéines différentes.

Equilibre de liaison : se dit de l'absence d'association allélique préférentielle pour deux locus d'un même chromosome, attestée par une distribution en cis conforme aux lois statistiques.

ES (cellules) *(Embryo Stem cells)* : cellules embryonnaires indifférenciées et pluripotentes de souris, cultivables in vitro de façon prolongée sans perte de leur pluripotentialité. Après transfert dans un blastocyste et réimplantation de celui-ci dans l'utérus d'une souris pseudo-gestante, les cellules ES contribuent à la formation d'une souris entière chimère. Si elles ont participé à la formation des cellules germinales, leur génome est transmissible à la descendance. Système employé pour la création de souches de souris mutées.

EST *(expressed sequence tags)* : séquences exprimées, caractérisées dans une banque de cDNA et utilisées comme balise cartographique du DNA génomique, au même titre que les STS.

Evolution concertée : conservation pendant l'évolution des espèces de l'homologie entre deux gènes dupliqués et contigus, résultant en général d'une conversion génique.

Exclusion allélique : dans les lymphocytes, caractérise l'expression exclusive d'un seul des deux allèles possibles à chaque locus des gènes d'immunoglobulines et du récepteur des cellules T. Encore appelée haploïdie fonctionnelle.

Exon : séquence de gène dont le transcrit persiste dans le RNA messager mûr après maturation du transcrit primaire. Chaque exon représente une séquence codante et traduite continue, sauf aux extrémités qui ne sont pas traduites (en 5' : en amont de l'ATG initiateur de la traduction, en 3' : en aval du premier codon stop).

***Exon skipping* :** court-circuitage d'un exon, se produisant soit normalement (épissage alternatif), soit à cause d'une mutation dans un site consensus d'épissage situé immédiatement après (site donneur) ou avant (site accepteur) l'exon considéré.

Exonucléases : classe d'enzymes détruisant les acides nucléiques de proche en proche à partir d'une ou des deux extrémités.

Expressivité : degré d'intensité des manifestations morbides en rapport avec un trait héréditaire autosomique dominant (ex. : expressivité variable de la dystrophie myotonique de Steinert).

Extension d'amorce : élongation dans le sens 5'⟶3' par une DNA polymérase (fragment de Klenow, transcriptase inverse ou Taq polymérase) d'une amorce de DNA ou de RNA (une dizaine à une vingtaine de nucléotides) permettant la copie d'un brin matrice.

Ex vivo : désigne les expériences réalisées dans des cellules vivantes en culture, souvent préliminaires à leur introduction dans un animal entier.

Famille Alu : voir Alu.

Faux sens : mutation changeant la signification d'un codon.

FISH *(Fluorescence In Situ Hybridization)* : méthode de visualisation par marquage fluorescent de l'hybridation in situ de sondes de DNA sur chromosome métaphasique ou interphasique. NB : par extension ce sigle désigne l'ensemble des méthodes de marquage chromosomiques par sonde non radioactive.

***Foot-printing* :** méthode de localisation des séquences de DNA interagissant spécifiquement avec des protéines, et de ce fait protégées contre la digestion par les nucléases.

Fragment de Klenow : voir Klenow.

***Frame-shift* (mutation) :** mutation modifiant le cadre de lecture de la séquence de DNA. Produit par toute délétion ou insertion portant sur un nombre de nucléotides différent de 3 ou d'un multiple de 3.

Fusion : dénaturation (séparation des brins) d'une double hélice.

G418 : analogue de la néomycine permettant de sélectionner les cellules eucaryotes ayant incorporé le gène *neo.*

***gag* :** gène rétroviral codant pour les protéines de la capside.

GDB *(Gene Data Base)* : base interactive de données informatisées concernant la carte du génome humain. Basée à l'hôpital Johns Hopkins (Baltimore), elle gère en particulier les données validées par les comités spécialisés pour chaque chromosome.

GENATLAS : banque de données sur la carte des gènes humains (Paris).

GenBank : banque de données de séquences d'acides nucléiques basée à Cambridge (USA).

Gène : ensemble des séquences d'acide nucléique contenant l'information pour la production régulée d'un RNA particulier (transcription) ou d'une chaîne polypeptidique particulière (transcription-traduction).

Gène candidat : 1) gène dont on peut penser a priori qu'il est impliqué dans une pathologie à gène inconnu. Exemple : les gènes des photorécepteurs dans les rétinites pigmentaires ; 2) gène découvert dans un locus morbide et dont il reste à prouver que c'est bien le gène recherché.

***Gene targeting* :** voir Ciblage génique.

Génétique inverse : démarche générale permettant, à partir d'une fonction ou d'une maladie, d'isoler un gène inconnu, d'où l'on déduit la protéine correspondante.

Génotype : constitution génétique d'un individu.

Germains (méthode des) *(sib-pair analysis)* : méthode de recherche rapide d'une liaison d'un locus morbide de maladie autosomique récessive avec un marqueur génotypique polymorphe. Elle nécessite des fratries avec plus d'un sujet atteint (homozygote), où les germains malades doivent partager le même assortiment d'allèles parentaux si le marqueur étudié est lié au locus morbide.

Germinale (cellule) : en génétique, désigne les gamètes et leurs précurseurs. En immunologie, désigne toutes les cellules où les gènes de l'immunité ne subissent pas de réarrangement.

Gyrase : variété de topoisomérase de type II d'*E. coli* créant des supertours dans le DNA.

Haploïde : jeu de chromosomes dans lequel il n'existe qu'un seul exemplaire de chaque autosome et un seul chromosome sexuel (état n). Les gamètes sont des cellules haploïdes.

Haplotype : assortiment d'allèles à des locus différents, mais proches, sur un même chromosome (en cis).

Hardy-Weinberg (loi de) : loi rendant compte de la ségrégation mendélienne de caractères alléliques en équilibre dans une population. Pour un système bi-allélique, p et q désignant la fréquence de chaque allèle, on a $p + q = 1$, et l'ensemble des génotypes possibles est donné par la formule $p^2 + 2pq + q^2 = 1$, qui dérive de la loi binomiale : $(p+q)^n = 1$ pour $n = 2$. La fréquence des homozygotes est donnée par p^2 et q^2 et celle des hétérozygotes par 2pq. Pour un système multi-allélique à n allèles la formule devient $(p_1 + p_2 + ...p_n)^2 = 1$.

HAT (milieu) : milieu de culture de cellules eucaryotes renfermant de l'hypoxanthine, de l'aminoptérine et de la thymidine, utilisé pour la sélection de cellules portant les gènes HPRT, APRT ou TK.

HBA : symbole HGM désignant le locus des gènes de la famille α de l'hémoglobine (16p13).

HBB : symbole HGM désignant le locus des gènes de la famille β de l'hémoglobine (11p15.5).

HBV *(Hepatitis B Virus)* : virus de l'hépatite B.

Hélice/boucle/hélice (*helix/loop/helix* ou HLH) : configuration de certains domaines protéiques permettant une dimérisation par interaction de type protéine-protéine. On la retrouve dans les domaines de dimérisation de plusieurs dizaines de protéines transactivatrices apparentées à myc (c-myc, famille MyoD, protéines E12, E47). Elle est généralement précédée par une séquence basique d'interaction avec le DNA, d'où l'abréviation anglaise *bHLH*.

Hélice-tour-hélice *(helix-turn-helix)* : motif polypeptidique constitué de deux courtes hélices α reliées par un coude β, retrouvé dans certaines protéines interagissant avec le DNA et participant à cette interaction. Exemples : domaine homéobox, domaine POU.

Helper (virus) : virus suppléant par transcomplémentation les fonctions absentes dans un virus défectif et lui permettant, en cas de co-infection, de se multiplier normalement.

Hémizygotie : situation génotypique de tous les gènes portés par le chromosome X dans le sexe masculin, ou d'un allèle autosomique si le locus homologue est délété sur l'autre chromosome de la même paire.

Hétérochromatine : régions du génome où le DNA existe sous forme hypercondensée et non exprimée, et se réplique tardivement. Il en existe deux catégories : l'hétérochromatine constitutive (centromères et bras courts de certains chromosomes acrocentriques), et l'hétérochromatine facultative.

Hétéroduplex : appariement de chaînes polynucléotidiques complémentaires, de nature (DNA, RNA) ou d'origine (chromosomes différents) différente.

Hétérogénéité génétique : désigne les maladies génétiques où des anomalies multiples du DNA peuvent aboutir à une même pathologie, par polyallélisme (plusieurs mutations différentes peuvent affecter alternativement un même gène), par non-allélisme (des gènes différents peuvent être alternativement touchés), ou par polygénisme (des mutations siégeant simultanément sur plusieurs gènes participent conjointement au déterminisme pathologique).

Hétéroplasmie : coexistence de mitochondries normales et mutées au sein d'une même cellule ou d'un même tissu.

Hétérozygotie : situation génotypique où deux locus homologues d'une même paire chromosomique portent chacun un allèle différent. Pour le chromosome X seuls les femmes peuvent être hétérozygotes.

HGM *(Human Gene Mapping)* : conférence internationale se réunissant tous les deux ans, depuis 1971, pour rassembler, discuter et vérifier les nouvelles localisations des gènes et des marqueurs génétiques sur les chromosomes humains. Ces travaux donnent lieu à la publication de rapports de synthèse sur la carte individuelle de chaque chromosome, et à l'homologation des symboles à utiliser pour désigner chaque locus.

HIV *(Human Immunodeficiency Virus)* : virus (rétrovirus) de l'immunodéficience acquise (SIDA).

HLH : voir Hélice/boucle/hélice.

Homéo-box : motif très conservé de 180 nucléotides codant pour un domaine protéique de 61 acides aminés interagissant avec le DNA (motif hélice-tour-hélice). Découvertes d'abord dans les gènes homéotiques, d'où leur nom, les homéo-box ont depuis été retrouvées dans de nombreux gènes du développement, et dans certains facteurs de transcription.

Homéo-domaine : domaine de 61 acides aminés codé par une homéo-box. Il confère à certaines protéines du développement, codées chez les mammifères par des gènes HOX, la capacité de reconnaître et de se lier spécifiquement à certaines séquences de DNA.

Homéotique : mutation transformant une partie du corps en une autre, et par extension les gènes où siègent ces mutations. Elles ont été mises en évidence pour la première fois chez la drosophile : par exemple la mutation *Antennapedia* transforme une paire d'antennes en une paire de pattes.

Homozygotie : présence du même allèle sur les deux chromosomes d'une même paire chromosomique. Par extension se dit du génotype des individus ayant hérité une double dose d'un allèle pathologique, que la version mutée soit la même ou qu'elle soit différente sur chaque chromosome (stricto sensu ce dernier cas est une hétérozygotie composite).

***Hot-spot* (point chaud) :** site où la fréquence des recombinaisons ou des mutations est anormalement élevée.

***House-keeping* :** voir Domestique.

***HOX* :** symbole des gènes à homéo-box chez les mammifères.

HPFH *(Hereditary Persistance of Fetal Hemoglobin)* : persistance héréditaire de l'hémoglobine fœtale, due à une perturbation de la régulation ontogénique des gènes de la famille de la β-globine (activation des gènes γ et inactivation ou délétion des gènes δ et β).

HPRT (hypoxanthine phosphoribosyltransférase) : produit d'un gène du chromosome X dont le défaut entraîne la maladie de Lesch-Nyhan. Ce gène est utilisé comme marqueur de sélection (par le milieu HAT). Les cellules HPRT$^-$ sont sélectionnables par la thioguanine.

HPV *(Human Papillomavirus)* : papillomavirus humain dont, parmi les nombreuses variétés, certaines sont cancérigènes (en particulier les types 16 et 18).

HSR *(Homogenous Staining Region)* : régions chromosomiques où l'existence d'une amplification génique importante modifie les propriétés tinctoriales.

HSV *(Herpes simplex virus)* : virus de l'herpès.

HTF : voir Ilôt HTF.

HTLV *(Human T-cell Leukemia Virus)* : rétrovirus humains responsables de leucémies T humaines.

HUGO *(Human Genome Organization)* : organisation créée en 1988 pour coordonner la recherche internationale dans le domaine du génome humain.

Hybridation in situ : hybridation directe d'une sonde avec le DNA ou le RNA de coupes cytologiques, ou avec des chromosomes métaphasiques. Ce terme est aussi utilisé pour désigner le procédé de détection des colonies de bactéries recombinantes *(colony hybridization)*.

Hybridation moléculaire : appariement par complémentarité des bases (G-C et A-T) de deux séquences nucléotidiques complémentaires. Le duplex formé peut être de type DNA/DNA, de type DNA/RNA ou de type RNA/RNA.

Hybrides irradiés *(radiation hybrids)* : hybrides somatiques homme/rongeur dont le complément chromosomique humain (en général un seul chromosome) a été réduit à quelques fragments par irradiation aux rayons X, qui ségrègent ensuite par fusion dans des hybrides somatiques secondaires.

Hypervariable (séquence de DNA) : région de DNA comportant des séquences courtes répétées favorisant un polymorphisme multi-allélique par variabilité du nombre de copies (exemples : les minisatellites ou VNTR, les microsatellites ou VNDR).

Ilots CpG : voir îlots HTF.

Ilots HTF *(Hpa II Tiny Fragments)* : désignation des îlots CpG non méthylés — donc clivés par des enzymes sensibles à la méthylation (comme Hpa II) — situés principalement, mais non exclusivement, en 5' des gènes dont l'expression est ubiquitaire (gènes domestiques).

Immortalisation : acquisition par des cellules eucaryotes de la capacité de se multiplier indéfiniment in vitro. Caractéristique fondamentale des cellules cancéreuses.

Informativité : hétérozygotie d'un marqueur polymorphe permettant de distinguer les deux chromosomes d'une même paire, et en particulier de repérer un locus morbide sur l'un des deux.

***Insert* :** terme anglais consacré désignant le fragment de DNA exogène dans un vecteur recombiné.

In situ : voir Hybridation in situ.

Intégration : insertion d'une séquence exogène dans le DNA génomique d'une cellule hôte.

Intron : séquence de DNA transcrite et secondairement éliminée par épissage au cours de la maturation des RNA (synonyme IVS).

***Inverted repeats* (IR) :** voir Répétitions inversées.

Isoschizomères : enzymes de restriction différant par leur origine mais possédant la même spécificité de reconnaissance et de coupure du DNA.

IVS *(InterVening Sequence)* : abréviation communément utilisée pour désigner les introns.

Kilobase (kb) : pour le DNA, 1000 paires de bases ; pour le RNA, 1000 bases.

Klenow (fragment de) : fragment de la DNA polymérase I (enzyme de Kornberg) possédant les domaines responsables des activités polymérasique (extension d'amorce par élongation du bout 3') et exonucléasique 3'-5'.

Kozak (séquence de) : séquence [CC(A/G)CC**ATG**G] consensus chez les eucaryotes au site d'initiation de la traduction, et comportant donc le premier ATG.

Lasso *(lariat)* : désigne la configuration prise par les introns au cours de leur épissage.

LCR *(locus control region)* : séquence génomique cis-activatrice, localisée pour la première fois dans un microlocus d'environ 2 kb situé à 10,9 kb en amont du gène ε de la globine, et jouant un rôle dans le switch γ→β. Synonymes actuellement abandonnés : LAR (locus activation region) et DCR (dominant control region).

LDL *(Low Density Lipoprotein)* : lipoprotéines de faible densité.

***Leucine-zipper* (fermeture éclair à leucine) :** domaine protéique de dimérisation, retrouvé dans certains facteurs transcriptionnels, caractérisé par une structure en hélice α avec une leucine tous les 7 résidus. L'ensemble des leucines se trouve donc aligné parallèlement à l'axe de l'hélice.

Liaison génétique *(linkage)* : coségrégation de deux ou plusieurs allèles au cours des générations en raison de la proximité physique de leurs locus sur le génome. Le degré de liaison, mesuré par le pourcentage de recombinaisons entre locus, indique une distance génétique que l'on exprime en centimorgans (voir aussi Déséquilibre de liaison).

Ligation : union par une liaison 3'-5' phosphodiester de deux nucléotides adjacents déjà incorporés dans une chaîne polynucléotidique.

LINE *(Long Interspersed repetitive Elements)* : famille de séquences répétées de DNA, de grande taille (6,5 kb), de type rétrotransposon.

***Linkage* :** voir Liaison génétique

***Linker* :** voir *Polylinker*.

Locus : emplacement d'un segment de DNA sur un chromosome, défini par son contenu informationnel (gène), ou sa séquence qu'elle soit ou non polymorphe (segment anonyme).

Locus morbide : région du génome dont une anomalie quelconque entraîne une maladie à hérédité monofactorielle.

***Lod score* :** logarithme décimal du rapport de la vraisemblance de la liaison entre deux locus pour une distance génétique donnée et de la vraisemblance de la non-liaison.

LOH *(Loss Of Heterozygosity)* : perte d'un allèle sur un chromosome au niveau d'un locus polymorphe.

LTR *(Long Terminal Repeat)* : séquence répétée directe aux deux extrémités de la forme provirale des rétrovirus. Les LTR sont indispensables pour l'intégration du virus et la régulation de son expression.

Lyonisation : inactivation aléatoire, précoce (stade 4 à 8 cellules) et définitive de la majeure partie de l'un des deux chromosomes X féminins (phénomène découvert par Mary Lyon). Le chromosome X inactivé, tantôt d'origine paternelle, tantôt d'origine maternelle, se réplique tardivement, et est visible dans l'interphase (corps de Barr). L'organisme féminin est donc constitué d'une mosaïque de cellules exprimant, les unes les gènes du chromosome X paternel, les autres les gènes du chromosome X maternel.

Lysogénie : possibilité pour un phage de se maintenir sous une forme intégrée (prophage) dans le chromosome bactérien sans entraîner de phénomène lytique. Une éventuelle activation du prophage se traduit par une lyse de la bactérie hôte.

M13 : phage monobrin ayant pour cible les bactéries *E. coli* mâles. Très utilisé comme vecteur de sous-clonage, surtout en vue de la détermination de séquence par la méthode des di-désoxynucléotides.

Malségrégation : anomalie de la séparation des chromatides filles lors de l'anaphase aboutissant à une répartition inégale des chromosomes dans les cellules filles.

Marche sur le génome : isolement séquentiel de clones dont les extrémités se chevauchent. Permet de progresser de proche en proche sur le DNA génomique à partir d'une séquence clonée initiale, dans un sens ou dans l'autre.

Marqueur génétique : trait génotypique (par exemple RFLP) ou phénotypique (par exemple variante enzymatique) permettant de repérer une cellule ou un chromosome. Certains permettent de sélectionner des clones cellulaires particuliers (mutants).

***mdr (multi-drug resistance)* :** gène codant pour une glycoprotéine membranaire jouant un rôle de pompe refoulante vis-à-vis de substances xénobiotiques. L' amplification de ce gène au cours de la chimiothérapie anti-cancéreuse confère aux cellules une résistance aux drogues employées.

Mégabase : un million de paires de bases.

Méiose : désigne les deux divisions cellulaires particulières qui constituent le stade ultime de la gamétogenèse. La première, durant laquelle se produisent les recombinaisons, est dite réductionnelle ; la seconde est dite équationnelle.

Métallothionéine : protéine dont le gène est fortement induit par certains ions métalliques comme le zinc ou le cadmium. Le promoteur de ce gène est le prototype des promoteurs inductibles.

Microsatellites : segments de DNA contenant des répétitions en tandem de courts motifs di, tri ou tétranucléotidiques (le plus typique est le doublet CA/GT). Très nombreux et dispersés sur tout le génome, les microsatellites sont le siège de variations du nombre des répétitions, génératrices de polymorphismes multialléliques très informatifs, détectables après amplification par PCR. Synonyme : VNDR.

Microséquençage : détermination de la séquence polypeptidique à partir d'une quantité très faible de protéine (la limite inférieure est 50 pmoles).

MIM *(Mendelian Inheritance of Man)* : catalogue des maladies à transmission mendélienne monogénique, périodiquement mis à jour (Victor A. McKusick, The Johns Hopkins University Press, Baltimore and London).

Minisatellites (ou VNTR) : régions du génome caractérisées par la répétition en tandem d'une même séquence de DNA. Le nombre de répétitions varie d'un sujet à un autre, engendrant un multiallélisme très informatif. Certains minisatellites sont localisés (un seul locus), d'autres sont dispersés sur plusieurs chromosomes.

Mésappariement *(mismatch)* : non-appariement entre un ou plusieurs couples de bases non-complémentaires au sein d'une double hélice.

MODY *(Maturity Onset Diabetes of the Young)* : forme juvénile de diabète non insulino-dépendant (type II) à transmission mendélienne dominante.

Monoallélisme : mutation unique sur un gène unique, répandue par effet fondateur à la suite d'un accident génétique unique (origine géographique unique comme l'allèle Pi^z du déficit en α1-antitrypsine) ou répété (origine géographique paucicentrique de la drépanocytose).

Monogénique (maladie) : maladie héréditaire due à une lésion dans un seul et unique gène, la lésion pouvant être soit monoallélique (ex : drépanocytose), soit polyallélique (ex : β-thalassémies).

Morgan : unité de distance génétique correspondant à une longueur de DNA telle que la probabilité d'être l'objet d'un *crossing-over* par génération est de 100 p. 100. Chez l'Homme il y a environ 60 chiasmas par méiose, soit 30 pour un génome haploïde c'est-à-dire 30 morgans. Un morgan correspond en première approximation à 10^8 paires de bases de DNA.

Morphogène : facteur diffusible capable de susciter des réponses cellulaires différentes en fonction d'un gradient de concentration, et invoqué dans l'embryogenèse. La seule substance de ce type identifiée à ce jour chez les Vertébrés est l'acide rétinoïque qui se fixe sur des récepteurs nucléaires se liant au DNA.

Mosaïque : individu dont toutes les cellules n'ont pas la même constitution génétique.

MPF *(mitosis-promoting factor)* : facteur de déclenchement mitotique constitué par $p34^{cdc2}$ activé par la cycline B.

Mutagenèse insertionnelle : intégration expérimentale d'une séquence de DNA, généralement portée par un vecteur rétroviral, dans le gène d'une cellule ou d'un organisme entier, ayant pour conséquence d'en perturber la fonction. Le site d'insertion peut être aléatoire ou dirigé par recombinaison homologue.

Mutagenèse ponctuelle dirigée : substitution provoquée d'une seule base dans une séquence clonée de DNA.

Mutant conditionnel : organisme où une mutation ne s'exprime que dans certaines conditions dites permissives, par exemple de température (mutants thermosensibles où la mutation n'est pas exprimée au-dessus de la température permissive).

Mutation : désigne n'importe quel changement intervenu dans la séquence du DNA. S'il ne concerne qu'une seule base on parle de mutation ponctuelle.

Navette (vecteur) : voir Vecteur.

Neo : gène de résistance à la néomycine et au G418. Souvent utilisé comme marqueur de sélection dans les expériences de cotransfection de cellules eucaryotiques.

NF-κB : activateur transcriptionnel ubiquitaire inductible agissant sur un grand nombre de promoteurs cellulaires (immuno-récepteurs, cytokines) et viraux (HIV-1, CMV, adénovirus, SV40).

***Nick-translation* :** terme consacré pour désigner un procédé de marquage des sondes de DNA double-brin. Une DNase produit des coupures aléatoires monobrins *(nicks)* au niveau desquelles une DNA polymérase opère simultanément une digestion en 5' et une réparation en 3', d'où translation de la coupure initiale et marquage de proche en proche.

NIH/3T3 : lignée de fibroblastes de souris ayant déjà acquis l'immortalité mais ne manifestant aucun signe de transformation. Matériel de choix pour la mise en évidence par transfection de séquences de DNA ayant un pouvoir transformant (oncogènes).

NOD *(Non Obese Diabetic)* : lignée de souris atteintes de diabète insulino-dépendant sans obésité, assimilable au diabète humain de type I.

Non-disjonction : défaut de séparation d'une paire de chromatides lors de l'anaphase.

Non-sens ou stop (codon) : codons UAA (ocre), UAG (ambre) et UGA (opale) auquel ne correspond aucun tRNA normal. Ils agissent comme des signaux de terminaison de traduction.

***Northern blot* :** terme consacré pour désigner l'analyse des RNA, principalement messagers, par électrophorèse suivie de transfert et d'hybridation sur filtre.

Nucléosome : structure de base de la chromatine constituée d'un octamère d'histone et d'environ 140 pb de DNA bobinées autour.

***Nude* :** voir Souris *nude*.

Ocre : mutation créant un codon non-sens UAA dans une séquence codante d'un gène. L'interruption de traduction qui en résulte peut être levée par un tRNA suppresseur (voir aussi Ambre et Opale).

OCT (ornithine carbamyl transférase) : enzyme des mitochondries hépatiques, codée par un gène nucléaire du chromosome X. Assure la synthèse de citrulline à partir de carbamyl phosphate et d'ornithine, première étape du cycle de l'uréogenèse.

Okazaki (fragments d') : fragments de 1 000 à 2 000 nucléotides résultant de la synthèse discontinue du brin retardé lors de la réplication du DNA.

Oligosonde : sonde synthétique reproduisant une courte séquence de DNA. Les plus utilisées comportent 20 à 50 nucléotides.

OMIM *(Online Mendelian Inheritance in Man)* : version informatique de MIM, disponible en ligne et constamment remise à jour.

Oncogène : originellement, gène capable de conférer expérimentalement le phénotype cancéreux (transformation) à une cellule eucaryote, et une tumeur dans un organisme entier. Les premiers oncogènes découverts furent des gènes rétroviraux, appelés v-onc (ex : l'oncogène v-*src*). Par extension : tout gène cellulaire, appelé proto-oncogène, ou c-onc, susceptible de devenir, par suite d'une modification qualitative ou quantitative, un gène transformant.

Oncoprotéine : protéine codée par un oncogène.

Opale : mutation créant un codon non-sens UGA dans une séquence codante d'un gène.

Opéron : unité d'expression de gènes bactériens constituée de gènes de structure (cistrons) et de séquences cis (opérateur, promoteur) cibles de facteurs transrégulateurs (répresseur).

ORF ***(Open Reading Frame)*** **:** séquence à cadre de lecture ouvert (succession de codons signifiants).

Origine de réplication ***(ori)*** **:** séquence au niveau de laquelle s'initie la réplication du DNA.

Packaging **:** voir Empaquetage in vitro.

Palindromique (séquence) : brins de DNA complémentaires dont la séquence est identique lorsqu'elle est lue de gauche à droite sur un brin et de droite à gauche sur l'autre (donc dans les deux cas dans le sens 5'⟶3'). Les séquences reconnues par les enzymes de restriction de classe II sont palindromiques.

Parcimonie : méthode utilisée pour le calcul des distances phylogénétiques, et permettant de choisir parmi différents embranchements possibles celui qui correspond au nombre minimal d'événements mutationnels entre deux points non consécutifs.

PCR ***(Polymerase Chain Reaction)*** **:** amplification élective d'une séquence de DNA double-brin, effectuée in vitro par extension itérative de deux amorces, situées de part et d'autre de la région considérée, grâce à une DNA polymérase. L'amplification est effectuée par la répétition de cycles de dénaturation/hybridation/extension qui assure une duplication exponentielle de chaque brin.

Pénétrance : pourcentage des sujets porteurs d'un gène dominant et exprimant la maladie (ex : la pénétrance du rétinoblastome est de 80 p. 100).

Permissivité : désigne une condition de multiplication d'un micro-organisme. Par exemple, une température donnée pour une souche thermo-sensible (multiplication arrêtée au-dessus de la température permissive), une cellule hôte donnée (cellule permissive) pour un virus.

PFGE ***(pulse field gel electrophoresis)*** **:** électrophorèse en champ pulsé.

pfu ***(plaque forming unit)*** **:** plage de lyse observée dans un tapis bactérien (boîte de Pétri) résultant de la destruction des bactéries par la prolifération d'un phage. Dénombrée pour la titration des phages, une plage correspondant à un phage initial.

Phage : abréviation courante de « bactériophage », virus de procaryotes.

Phase : a) au niveau de la séquence nucléotidique : cadre de lecture permettant d'individualiser la séquence des triplets. Pour une séquence donnée il y a 3 phases possibles sur chaque brin ; b) au niveau des chromosomes : couplage des allèles de 2 ou plusieurs locus distincts sur un même chromosome.

Phénotype : manifestation apparente de la constitution du génome sous la forme d'un trait morphologique, d'un syndrome clinique, d'une variation qualitative ou quantitative du produit final d'expression d'un gène (protéine).

PIC ***(Polymorphism Information Content)*** **:** informativité d'un RFLP, exprimée par la formule : $PIC = 1 - (p^2 + q^2 + 2p^2q^2)$, où p et q sont les fréquences des 2 allèles dans un système bi-allélique. Cette formule est simplifiée à $PIC = 1 - (p^2 + q^2)$, c'est-à-dire à 2pq, dans le cas des RFLP portés par le chromosome X. Plus le PIC est élevé plus le système est utile.

Plasmides : fragments de DNA extra-chromosomique (épisomal) circulaire présent dans les bactéries, susceptibles de se répliquer de façon autonome. Ils peuvent porter des gènes de résistance aux antibiotiques transférables par conjugaison. Expérimentalement ils sont utilisés comme vecteurs.

pol **:** gène codant principalement pour la polymérase (transcriptase inverse) des rétrovirus.

Polyadénylation : adjonction post-transcriptionnelle par la poly-A polymérase d'une longue séquence pouvant atteindre 200 A de suite au niveau de l'extrémité 3' de la plupart des RNA messagers.

Polyallélisme : mutations différentes affectant un même gène — donc alléliques — et déterminant une maladie dont l'expression clinique peut varier selon le type de lésion. Exemple : les β-thalassémies ; les myopathies de Duchenne et de Becker.

Polygénique (maladie) : maladie héréditaire où des anomalies siégeant simultanément sur plusieurs gènes concourent au déterminisme pathologique (ex : diabète).

Polylinker **:** séquence de DNA double-brin synthétique, contenant une série de sites de coupure pour des enzymes de restriction, introduite dans les vecteurs pour faciliter le clonage.

Polymorphisme génétique : présence dans une population d'au moins deux variantes alléliques d'un locus génétique, explorables par analyse du DNA (polymorphisme génotypique) ou par analyse du produit protéique (polymorphisme phénotypique).

Polymorphisme de restriction : variation individuelle de la séquence en bases du génome des eucaryotes modifiant un ou plusieurs sites de restriction. Elle donne lieu à des versions alternatives de la taille des fragments de DNA obtenus avec une enzyme de restriction donnée (voir RFLP).

Polymorphisme de séquence : toute variation individuelle de la séquence en bases en un site donné du génome, qu'elle intéresse ou non un site de restriction.

Positional cloning **(« clonage par la position ») :** clonage d'un gène inconnu par des procédés de cartographie génétique, puis physique. C'est l'une des stratégies les plus employées en génétique inverse.

POU (famille) : groupe de facteurs transcriptionnels apparentés par la présence de séquences homologues trouvées dans les protéines **P**it-1, **O**ct et **U**nc. Ils se fixent sur le promoteur d'un certain nombre de gènes de développement.

Précoce (gène) : catégorie de gènes viraux immédiatement trancrits et traduits dès la pénétration cellulaire. Certains produits de ces gènes induisent la réplication virale, suivie de l'expression des gènes tardifs.

Primer : voir Amorce.

Primer-extension : voir Extension d'amorce.

Promoteur : région de DNA en amont des gènes comportant le site de fixation de la RNA polymérase ainsi que les sites de fixation de protéines régulatrices de la transcription.

Promoteurs alternatifs : sites optionnels de fixation de la RNA polymérase au niveau d'un même gène, aboutissant à la production de transcrits différant au niveau de leur extrémité 5'.

Promoteur conditionnel : séquence promotrice activée par un ou des facteurs trans-régulateurs spécifiquement produits par un tissu donné, mais non nécessairement identifiés (exemple : le promoteur de l'insuline, sensible à des facteurs strictement pancréatiques).

Promoteur inductible : séquence promotrice activable expérimentalement à volonté (exemple : le promoteur du gène de la métallothionéine activé par le zinc).

Pronucléus : noyaux des gamètes dans l'ovocyte fécondé, avant leur fusion.

Proofreading : terme général désignant la détection et la correction immédiate des erreurs au cours de la synthèse des macromolécules.

Protéine dactyle : voir Doigt de gant.

Protéine de fusion : protéine chimère produite à partir de deux gènes recombinés in vitro, ou in vivo à la suite d'une translocation.

Proto-oncogène : voir Oncogène.

Provirus : génome rétroviral intégré sous forme de DNA double-brin dans le DNA de la cellule hôte.

Pseudo-autosomiques : régions homologues portées par le chromosome X et par le chromosome Y, où se situent les zones d'appariement méiotique (complexe synaptonémal).

Pseudogène : séquence non exprimée de DNA présentant une grande homologie avec un gène actif, dont il dérive par duplication/mutation ou par rétrotranscription. Sa non-expression résulte de modifications structurales.

RAC *(Recombinant DNA Advisory Committee)* : comité émanant de l'agence américaine National Institutes of Health, et appelé à formuler un avis sur les problèmes touchant les expériences de recombinaisons génétiques in vitro et leurs applications médicales.

RACE PCR *(Rapid Amplification of cDNA Ends)* : voir *Anchored PCR*.

RAR : récepteur de l'acide rétinoïque, dont il existe au moins trois représentants, α, β, et γ, codés respectivement par les gènes RARA (17q12), RARB (3p25) et RARG (12).

Réassociation (du DNA) : appariement des brins complémentaires d'un DNA préalablement dénaturé. Synonyme : renaturation.

recA : gène d'*E. coli* impliqué dans les phénomènes de recombinaison-réparation. L'emploi de souches recA- permet de diminuer la fréquence de réarrangement d'un DNA cloné.

Récepteur T : récepteur des cellules T constitué par des hétérodimères αβ, ou γδ codés par les gènes TCR α, β, γ, δ appartenant à la superfamille des gènes de l'immunité, et ne s'exprimant qu'après réarrangement somatique au cours de la maturation des cellules T.

Récessif : se dit d'un allèle ou d'une mutation n'influençant pas le phénotype à l'état hétérozygote.

Recombinaison génétique in vitro : assemblage expérimental de séquences de DNA non contiguës à l'état naturel.

Recombinaison génétique in vivo : réassortiment de séquences de DNA sur un même chromosome, résultant d'un échange de matériel avec son homologue au cours de la méiose *(crossing over)*. Par extension, désigne les réarrangements somatiques de séquences au sein d'un même chromosome (gènes de l'immunité).

Recombinaison homologue : voir Ciblage génique.

Renaturation (du DNA) : voir Réassociation.

Réparation : processus de restauration de l'intégrité d'un brin de DNA lésé, utilisant le brin intact comme modèle.

Répétitions inversées *(inverted repeats)* : répétition dans un même segment de DNA double-brin de deux séquences identiques mais en orientation opposée. Lorsqu'elles sont adjacentes elles forment un palindrome.

Réplication : processus de duplication à l'identique d'une molécule de DNA en deux molécules filles.

Réplicon : segment de DNA possédant une même origine de réplication. Exemple : le DNA des plasmides, des phages, des virus, des chromosomes bactériens. Les chromosomes d'eucaryotes contiennent plusieurs réplicons (20 000 à 30 000 chez l'Homme).

Reporter : se dit d'un gène indicateur introduit dans des vecteurs d'expression pour servir de témoin de l'effet régulateur d'une séquence donnée (par exemple d'un promoteur). L'un des plus utilisés est le gène CAT.

Restriction (phénomène de) : destruction enzymatique (par des endonucléases de restriction) du DNA des phages infectant une bactérie, s'objectivant par le fait que les bactéries infectées ne sont pas lysées.

Rétrotranscription : synthèse par la transcriptase inverse d'un DNA complémentaire (cDNA) à partir d'un RNA.

Rétrotransposon ou rétroposon : variété de transposon dont le mécanisme d'intégration implique une transcription inverse de son transcrit.

Rétrovirus : virus à RNA dont le cycle réplicatif comporte un passage obligé par un stade de DNA double-brin intégré au DNA de la cellule hôte (forme provirale). La synthèse du DNA proviral est assurée par une transcriptase inverse codée par le virus lui-même, ou, s'il est défectif, par un virus-helper.

RFLP ***(Restriction Fragment Length Polymorphism)*** **:** abréviation communément employée pour désigner les polymorphismes de restriction du DNA.

Ribonucléases (RNases) : enzymes clivant les RNA.

Ribosonde : séquence de RNA simple-brin utilisée comme sonde. Elle est obtenue par transcription in vitro d'un fragment de DNA cloné inséré dans un vecteur pourvu d'un promoteur puissant et spécifique d'une RNA polymérase (par exemple les promoteurs et RNA polymérases SP6 ou T7).

Ribozymes : molécules de RNA douées d'activité catalytique (clivage ou trans-estérification) et se comportant vis-à-vis des RNA comme des enzymes.

RNase A : ribonucléase très active sur les RNA simple-brins, mais inactive sur les duplex. Elle détecte et clive les RNA au niveau de certains mésappariements ponctuels.

RNase H : ribonucléase détruisant les séquences de RNA dans les hybrides RNA/DNA.

Rot : produit de la concentration de RNA par le temps d'incubation dans une expérience de réassociation.

RSV ***(Rous Sarcoma Virus)*** **:** virus aviaire prototype des rétrovirus rapidement transformants (renferme l'oncogène v-*src*).

Run off **:** système reconstitué de transcription in vitro comportant un gène cloné flanqué de son promoteur, et un extrait nucléaire qui apporte les enzymes et facteurs trans-régulateurs.

Run on **:** transcription in vitro sur noyaux isolés en présence de ribonucléotides marqués. Seule une élongation est obtenue sans maturation consécutive. Est utilisé pour évaluer l'activité transcriptionnelle d'un gène à l'instant où le noyau a été isolé.

S1 (nucléase) : enzyme détruisant spécifiquement les acides nucléiques simple-brins.

Satellite (DNA) : répétition en tandem de très nombreuses copies d'une même séquence courte.

SCID ***(Severe combined immunodeficiency)*** **:** déficit immunitaire congénital combiné (cellules B et T), dû à des causes variées, en particulier à un déficit en adénosine désaminase, à des anomalies de gènes situés sur le chromosome X, etc. Il existe un modèle murin (souris SCID) utilisé comme receveur tolérant les greffes de moelle hétérologue.

Semi-conservative (synthèse) : désigne le fait qu'au cours de la réplication chaque brin de la double hélice d'un DNA sert de matrice pour former une copie complémentaire.

Shine et Dalgarno (séquence de) : séquence consensus AGGAGG située sur les mRNA bactériens immédiatement en amont de l'AUG d'initiation de la traduction, et impliquée dans la liaison au ribosome.

Silencer **:** séquence de DNA ayant, au contraire d'un *enhancer,* un effet cis-inhibiteur sur la transcription d'un gène.

SINE ***(Short Interspersed repetitive Element)*** **:** famille de courtes séquences répétées de DNA (300 pdb), ressemblant à un rétrotransposon incomplet. La famille *Alu* en est un représentant.

Site de restriction : séquence de DNA double-brin spécifiquement reconnue et clivée par une enzyme de restriction donnée.

snRNA ***(small nuclear RNA)*** **:** petits RNA nucléaires (appelés U1, U2 ... U10) , pour la plupart impliqués dans le mécanisme de l'épissage. Ils sont associés à des protéines, le tout constituant les snRNP.

Sonde : séquence d'acide nucléique, d'au moins 15 nucléotides, homologue à une séquence de DNA ou de RNA, avec laquelle elle s'hybride de façon stable et spécifique par réassociation entre bases complémentaires.

Sonication : traitement du DNA par les ultra-sons dans le but de le casser de manière aléatoire.

Souris ***nude*** **:** lignée de souris athymiques immunotolérantes.

Souris transgénique : voir Transgénique.

Sous-clonage (moléculaire) : opération consistant à cloner un fragment de DNA contenu dans un DNA déjà cloné.

Southern (méthode de) : méthode d'analyse du DNA imaginée par Southern en 1975 pour visualiser les gènes ou toute séquence de DNA génomique, par hybridation d'une sonde, marquée et spécifique, avec des fragments de restriction de DNA, préalablement séparés par électrophorèse, dénaturés et transférés sur une membrane. *(Southern EM. Detection of specific sequences among DNA fragments separated by gel electrophoresis. J Mol Biol, 1975,* 98 : *503-517).*

Sp1 : l'une des premières protéines trans-régulatrices d'eucaryotes mise en évidence (fixation aux boîtes GC du virus SV40).

Spliceosome : complexe ribonucléoprotéique formé au cours de l'épissage des transcrits.

Splicing : voir Épissage.

SRY ***(Sex determining Region Y)*** **:** gène du chromosome Y (Yp11.3) responsable, totalement ou partiellement, du déterminisme de la masculinité (facteur TDF).

SSCP ***(Single-Strand Conformation Polymorphism)*** **:** variation de conformation tri-dimensionnelle d'un brin de DNA induite par une variation de séquence nucléotidique. Cette propriété est mise à profit pour détecter les mutations ponctuelles (polymorphismes de séquence et mutations pathologiques).

Stop : voir Non-sens.

STR ***(Short Tandem Repeat)*** **:** autre désignation des microsatellites de type répétition de doublets CA/GT.

Stringence : terme consacré, dérivé de l'anglais, utilisé pour désigner la plus ou moins grande exigence des conditions expérimentales d'hybridation (température et force ionique).

STS ***(Sequence-Tagged Site)*** **:** site génomique unique défini par un couple d'amorces PCR, et servant de balise pour la cartographie *(NB : ne pas confondre avec le symbole du locus de la Stéroïde Sulfatase en Xp22)*.

Superfamille : ensemble de familles de gènes ayant en commun une homologie de séquence impliquant une origine ancestrale commune. Exemple : la superfamille des gènes de l'immunité comprenant la famille des immunoglobulines, la famille des récepteurs des cellules T, les gènes des systèmes HLA, celui de la β_2-microglobuline, les gènes des marqueurs T4 et T8 des cellules T, les gènes Thy-1, le gène du récepteur poly-Ig.

Suppresseur (tRNA) : tRNA muté capable d'incorporer un acide aminé à l'emplacement d'un codon non-sens. Un tRNA suppresseur lève le blocage de la traduction par un codon non-sens.

Suppresseur de cancer : voir Anti-oncogène.

Synténie : localisation sur un même chromosome, soit de plusieurs locus différents d'une même espèce, soit d'un même locus dans différentes espèces.

Tandem (répétition en) : série de séquences identiques répétées consécutivement sur un même brin de DNA.

Taq polymérase : DNA polymérase thermorésistante extraite de la bactérie *Thermus aquaticus* et utilisée pour l'amplification élective du DNA in vitro (PCR) à température élevée (aux environs de 70°).

Tardifs (gènes) : gènes viraux s'exprimant après le déclenchement de la réplication du génome viral.

TATA box ***(Hogness-Goldberg box)*** **:** séquence de 5 à 7 bases riche en AT retrouvée à environ 25 pb en amont du site d'initiation de la transcription de la plupart des gènes de classe II. Susceptible de fixer des protéines trans-régulatrices. Semble impliquée dans le calage de la RNA polymérase.

TCR ***(T cell receptor)*** **:** voir Récepteur T.

TDF ***(Testis Determining Factor)*** **:** facteur déterminant la masculinité, codé par un ou plusieurs gènes dont l'un est le gène SRY.

Télomère : désigne les extrémités des chromosomes.

Température de fusion (Tm) : point d'inflexion de la courbe de fusion d'un segment de DNA, correspondant virtuellement à une dénaturation de la moitié de la séquence.

Thermo-sensible : variété de mutant conditionnel dont l'expression dépend de la température.

TIL ***(Tumor Infiltrating Lymphocytes)*** **:** lymphocytes responsables de l'immunité cellulaire anti-tumorale, utilisés pour véhiculer des gènes greffés ex vivo dans un but de thérapie génique anti-cancéreuse.

TK (thymidine kinase) : produit d'un gène du chromosome 17 humain. Son équivalent viral (HSV) est utilisé comme marqueur de sélection par le milieu HAT.

Tm ***(melting temperature)*** **:** température de fusion d'un DNA bicatenaire.

Topoisomérases : groupe d'enzymes modifiant les superstructures du DNA.

Trans (facteur agissant en) : facteur diffusible capable de moduler l'activité (en + ou en —) d'un ou de plusieurs gènes en interagissant avec leur(s) séquence(s) régulatrice(s).

Transcriptase inverse : DNA polymérase RNA dépendante codée par un gène de rétrovirus (gène *pol*) assurant la rétrotranscription du RNA viral en DNA double-brin indispensable au cycle réplicatif de ce type de virus. Cette enzyme est aussi indispensable au biologiste moléculaire pour la synthèse in vitro de cDNA.

Transcription : synthèse de RNA par une RNA polymérase à partir d'une matrice de DNA.

Transcription illégitime (ou ectopique) : transcription ubiquitaire et à un très faible niveau (moins d'une copie par cellule) de gènes de cellules très différenciées. Elle est responsable de la présence de mRNA de gènes très spécialisés dans n'importe quelle cellule (par exemple : présence de traces de RNA messager de la dystrophine dans les lymphocytes).

Transcrit : RNA produit par la transcription d'un gène, sans préjuger de son degré de maturation.

Transduction : transfert de matériel génétique d'une cellule à une autre par l'intermédiaire d'un virus.

Transfection : technique expérimentale consistant à faire pénétrer un fragment de DNA dans une cellule eucaryote.

Transformation bactérienne : technique expérimentale consistant à faire pénétrer un fragment de DNA dans une bactérie.

Transformation cellulaire : acquisition par une cellule d'un ou de plusieurs des caractères propres à la cellule maligne : a) perte de l'inhibition de contact ; b) croissance illimitée (immortalité) ; c) indépendance vis-à-vis de facteurs de croissance du sérum ; d) formation de colonies en agar (défaut d'ancrage) ; e) tumorigénicité chez la souris « nude » (athymique).

Transgénique (animal) : animal issu d'un ovocyte fécondé dans lequel on a transféré une séquence de DNA exogène cloné, et qui de ce fait a incorporé cette séquence dans son propre génome.

Transition : mutation ponctuelle entraînant la substitution d'une base purique par une autre base purique (A ⟶ G ou vice-versa), ou d'une base pyrimidique par une autre base pyrimidique (T ⟶ C ou vice-versa).

Transitoire (expression) : expression de gènes transfectés, limitée dans le temps en raison de leur non-intégration dans le DNA chromosomique.

Translocation (chromosomique) : cassure et déplacement d'un fragment de chromosome sur un autre chromosome. Dans certains cas, il s'agit d'un échange apparemment équilibré (translocation réciproque).

Transplicing **:** épissage entre exons appartenant à des gènes différents.

Transposon : séquence de DNA capable de changer de localisation dans le génome (avec ou sans duplication) sans jamais apparaître à l'état libre.

Transversion : mutation ponctuelle entraînant la substitution d'une base purique par une base pyrimidique ou vice versa.

Trophoblaste : tissu extra-embryonnaire, aussi appelé villosité choriale, à l'origine du placenta. Dérive uniquement du fœtus.

v-onc : oncogène activé présent dans le génome de certains rétrovirus et responsable de leur pouvoir oncogène aigu. Chaque v-onc dérive de la capture (« piratage ») et la modification (« subversion ») du proto-oncogène cellulaire correspondant.

Vecteur : séquence nucléotidique capable de s'autorépliquer, utilisée pour la recombinaison in vitro du DNA et son amplification extra-chromosomique (clonage) (ex : plasmides, bactériophages, rétrovirus).

Vecteur navette *(shuttle vector)* : vecteur de clonage capable de se propager indifféremment chez les procaryotes (par exemple *E. coli*) et les eucaryotes (levures ou cellules de mammifères).

Villosité choriale : voir Trophoblaste.

VNDR *(Variable Number of Dinucleotide Repeats)* : autre désignation des microsatellites de type répétition de doublets CA/GT.

VNTR *(Variable Number of Tandem Repeats)* : voir Minisatellites.

Wobble **:** flexibilité d'appariement de la 3ème base d'un codon avec la base en 5' d'un anti-codon, violant la règle G—C, A—T. Un même tRNA peut ainsi s'apparier à plusieurs codons différents mais synonymes.

YAC *(Yeast Artificial Chromosome)* : minichromosome artificiel permettant le clonage dans la levure de fragments de DNA de très grande taille (100 kb à plus de 1 000 kb).

Zoo blot **:** filtre selon Southern comportant des échantillons de DNA provenant d'une série d'espèces animales différentes. Utilisé pour mettre en évidence la conservation des séquences au cours de l'évolution.

Zygote : cellule diploïde résultant de la fusion des deux gamètes parentaux.

Index

Les numéros de pages en italiques se réfèrent au glossaire.

B

C

E

F

G

H

I

J

K

L

M

N

O

P

Q

R

S

T

U

V

W

X

Y

Z

Composition : Nord-Compo

Imprimé en septembre 2000
CORLET Imprimeur, S.A. (n° 49721)
Flammarion et Cie, éditeurs (n° 10520)
Dépôt légal : septembre 2000

Imprimé en France